BOUQUINS

Collection fondée par Guy Schoeller
et dirigée par Jean-Luc Barré

Ce volume contient :

PRÉFACE
par Philippe Barthelet

BONJOUR TRISTESSE
Roman

UN CERTAIN SOURIRE
Roman

DANS UN MOIS, DANS UN AN
Roman

CHÂTEAU EN SUÈDE
Théâtre

AIMEZ-VOUS BRAHMS ...
Roman

LES MERVEILLEUX NUAGES
Roman

LA CHAMADE
Roman

LE GARDE DU COEUR
Roman

UN PEU DE SOLEIL DANS L'EAU FROIDE
Roman

DES BLEUS A L'ÂME
Roman

LE LIT DÉFAIT
Roman

LE CHIEN COUCHANT
Roman

LA FEMME FARDÉE
Roman

LA LAISSE
Roman

LES FAUX-FUYANTS
Roman

BIBLIOGRAPHIE

PRÉFACE

Quelle idée frivole de préfacer Sagan... Il y faudrait Bernard Frank et la manière qu'il a de vous prendre par le bouton pour vous démontrer la vanité de l'entreprise — manière de s'en acquitter par prétérition. Il y faudrait surtout le ton juste, celui de Sagan parlant de Sartre, lui écrivant même une «lettre d'amour». Ce serait pousser loin l'inconvenance, et multiplier les écueils à plaisir. Des connaisseurs en astres prétendent que c'est là façon de gémeaux : peut-être est-ce parce qu'il est né sous le même signe que vous que votre préfacier, madame, ne sera pas muet.

*
* *

«Madame» se dira comme le veut le dictionnaire — et comme le veut ou le voudrait aussi on ne sait quel secret protocole, celui de l'intelligence et de la littérature. S'il peut sembler ridicule de parler de *Madame Sagan*, il est imbécile et malotru — mal astré, encore une affaire d'étoiles — d'en rester au *charmant monstre* de François Mauriac et à son exagération publicitaire. Il manque dans *Avec mon meilleur souvenir* un portrait impossible, où l'on verrait Sagan comme elle-même a su voir et montrer Sartre, Gide, Camus, Proust ou Tennessee Williams. Voilà un écrivain que la critique, suivant on ne sait quelle étrange disposition de son code, exclut *a priori* du droit commun littéraire. Elle en a pris l'habitude sous Mauriac ; depuis lors, le «charmant monstre» n'a jamais fini ses ravages. «Je ne suis jamais jugée à travers mes livres, mais à travers Sagan — puis à travers mes livres. J'y suis habituée.» Le cas est peut-être unique dans la littérature contemporaine, si friande de «personnages» — les livres comptent moins. Il y avait beaucoup de jeu et autant de délicatesse dans la complaisance mise par l'auteur à nourrir le «charmant monstre» : «Je suis devenue une denrée, une chose ; le phénomène Sagan, le mythe Sagan — et j'avais honte de moi-même. J'étais la prisonnière d'un personnage. Condamnée à vie aux mornes petites coucheries sans pittoresque de personnages imbibés d'alcool, balbutiant des locutions anglaises, lançant de grands aphorismes, et tout aussi privés d'encéphale qu'un poulet de laboratoire » (*Réponses*). « Personnage » ou « mythe » que l'on s'est empressé de prendre pour argent comptant, trop heureux de se voir simplifier la tâche et d'assouvir sa grossièreté à peu de frais. Le whisky, le casino, Saint-Tropez puis Deauville, l'Aston Martin retournée dans un champ : c'était plus qu'il n'en fallait pour les collectionneurs de vignettes — et tel augure inscrivait déjà au crayon Sagan sur ses fiches, à la suite de Nimier, d'Huguenin, de Camus, parmi les « écrivains qui ont rendu — ou failli rendre l'âme dans la boîte à gants » (*sic*). Ce genre d'élégances finit par vous valoir l'Académie. Mauriac cependant, si l'on veut à tout prix s'en tenir à cette vieille parque, qui du moins savait lire, Mauriac avait vu en Françoise Sagan autre chose qu'une « petite fille trop douée » : il parle à son sujet de « discernement du mal ». C'est faire un peu vite de *Bonjour tristesse* un système général d'évaluation, mais l'intuition est bien dirigée : si l'on passe outre aux images et obsessions convenues, on citera Pascal — un autre gémeaux.

*
* *

Mauriac reprochait au jury du prix des Critiques d'avoir préféré le premier roman de Sagan à « une œuvre qui rende témoignage à la vie spirituelle française » — et de citer ses rivaux malheureux, Paul-André Lesort ou Jean Guitton. De même on rapporte que la jeune Françoise a été renvoyée du couvent des Oiseaux pour « manque de spiritualité » : permanence du grief, ce qui pour l'écrivain est plutôt bon signe, le *spirituel* entendu ainsi étant une facilité encore plus redoutable que la politique, une plus lourde pierre au cou de la littérature. Françoise Sagan s'en tiendra au sujet de français qu'elle eut à traiter au baccalauréat : « En quoi la tragédie ressemble-t-elle à la vie ? » On lui donna paraît-il 17 sur 20 ; c'était reconnaître qu'à défaut de spiritualité, elle ne manquait pas d'inspiration.

Quoi qu'elle fasse et qu'elle écrive, rien ne lui sera plus étranger que la *littérature*, au mauvais sens où l'entendait Verlaine ; elle parlerait plutôt de « grimaces », comme la Dominique d'*Un certain sourire* : « C'était une histoire simple ; il n'y avait pas de quoi faire des grimaces. » Absence de grimaces dont on lui sait gré, insigne politesse envers le lecteur, le Moyen Âge eût dit « gentillesse », et Sartre parlant d'elle renchérissait : « Vous êtes gentille, seuls les gens intelligents sont gentils.» L'intelligence consiste à n'être dupe de rien, surtout pas des mots, à ne pas faire la leçon à ses compagnons d'infortune, *embarqués* eux aussi, et surtout à ne pas prendre le divertissement pour ce qu'il n'est pas, une morale ou quelque droit chemin pour éviter, fût-ce en rêve, la maison de l'ogre. Françoise Sagan ou les yeux grands ouverts. En quoi la tragédie ressemble-t-elle à la vie, sinon par ce courage et cette simplicité qu'elle exige, en dépouillant les leurres trop commodes, tous nos trop beaux motifs de rassurance ? Que la vie n'est pas faite pour nous, sinon par hasard et provisoire inadvertance ; que quelque chose d'hostile et de sourd aura pour finir raison de toutes nos raisons, et de nous-mêmes : «Qu'avons-nous fait tous ?... Que s'est-il passé? Qu'est-ce que tout cela veut dire ? — Il ne faut pas commencer à penser de cette manière, dit-elle tendrement ; c'est à devenir fou» (*Dans un mois, dans un an*). Reste le divertissement, à l'aplomb de «cette pente, le suicide, dont il ne faut jamais parler». On sera donc heureux *par habitude* et politesse, et aussi parce que le bonheur de vivre est voisin du «confus espoir de mourir», que l'un et l'autre seuls sont assez forts pour déjouer un peu «l'épouvante des choses» et cet ennui au fond de tout — qui ne doit regarder que soi-même. Que si la vie est cette «longue tricherie» qui apparaissait à la Dominique d'*Un certain sourire*, à ce point de solitude le tricheur sait qu'il a perdu d'avance, il continuera pourtant de jouer le jeu en réservant son indulgence aux naïfs — ceux qui s'imaginent gagner en trichant selon les règles. Quoi de plus malheureux à voir, de plus contre nature enfin, que ce roi sans divertissement, «s'il y pense»? Sagan parle quant à elle d'un jeune homme blond «promis à la plus grande destinée, celle de la gloire, de la fatigue, de la vieillesse et de l'oubli» (*Des bleus à l'âme*). Le temps, comme il passe et où il nous mène, et «c'est à devenir fou», en effet, que de penser de cette manière. Qu'il y a peut-être une honnêteté à prendre le divertissement pour ce qu'il est, à ne pas trop effrayer les autres à force de métaphysique...

Il y a chez Françoise Sagan une qualité que Malraux plaçait au-dessus de tout et qu'il appelait «la générosité de l'intelligence». D'où son inaptitude aux grimaces — par égard pour les autres, et pour elle-même. «Quand on n'a plus personne à embrasser, et que la solitude équivaut à un travail que personne ne vous demande plus...» Elle parlait ainsi à vingt-deux ans, et ce «travail que personne ne vous demande plus» est peut-être une acceptable définition du métier d'écrivain, passés les faux-semblants du «phénomène» et du «mythe». Il n'y a guère qu'Antoine

Blondin qui ait relevé l'évidence, que Sagan demeurait à travers tout «fidèle à sa vocation lyrique» et noté, comme son signe distinctif, «le respect humble et passionné qu'elle voue à la littérature». On ne voit plus très bien ce que peut faire ici le «charmant monstre», ni pourquoi d'aucuns s'y obstinent. Peut-être ne savent-ils pas lire...

PHILIPPE BARTHELET

BONJOUR TRISTESSE

Roman

Adieu tristesse
Bonjour tristesse
Tu es inscrite dans les lignes du plafond
Tu es inscrite dans les yeux que j'aime
Tu n'es pas tout à fait la misère
Car les lèvres les plus pauvres te dénoncent
Par un sourire
Bonjour tristesse
Amour des corps aimables
Puissance de l'amour
Dont l'amabilité surgit
Comme un monstre sans corps
Tête désappointée
Tristesse beau visage.

P. ELUARD
(La vie immédiate.)

Première partie

CHAPITRE PREMIER

Sur ce sentiment inconnu dont l'ennui, la douceur m'obsèdent, j'hésite à apposer le nom, le beau nom grave de tristesse. C'est un sentiment si complet, si égoïste que j'en ai presque honte alors que la tristesse m'a toujours paru honorable. Je ne la connaissais pas, elle, mais l'ennui, le regret, plus rarement le remords. Aujourd'hui, quelque chose se replie sur moi comme une soie, énervante et douce, et me sépare des autres.

Cet été-là, j'avais dix-sept ans et j'étais parfaitement heureuse. Les « autres » étaient mon père et Elsa, sa maîtresse. Il me faut tout de suite expliquer cette situation qui peut paraître fausse. Mon père avait quarante ans, il était veuf depuis quinze ; c'était un homme jeune, plein de vitalité, de possibilités, et, à ma sortie de pension, deux ans plus tôt, je n'avais pas pu ne pas comprendre qu'il vécût avec une femme. J'avais moins vite admis qu'il en changeât tous les six mois ! Mais bientôt sa séduction, cette vie nouvelle et facile, mes dispositions m'y amenèrent. C'était un homme léger, habile en affaires, toujours curieux et vite lassé, et qui plaisait aux femmes. Je n'eus aucun mal à l'aimer, et tendrement, car il était bon, généreux, gai, et plein d'affection pour moi. Je n'imagine pas de meilleur ami ni de plus distrayant. A ce début d'été, il poussa même la gentillesse jusqu'à me demander si la compagnie d'Elsa, sa maîtresse actuelle, ne m'ennuierait pas pendant les vacances. Je ne pus que l'encourager car je savais son besoin des femmes et que, d'autre part, Elsa ne nous fatiguerait pas. C'était une grande fille rousse, mi-créature, mi-mondaine, qui faisait de la figuration dans les studios et les bars des Champs-Elysées. Elle était gentille, assez simple et sans prétentions sérieuses. Nous étions d'ailleurs trop heureux de partir, mon père et moi, pour faire objection à quoi que ce soit. Il avait loué, sur la Méditerranée, une grande villa blanche, isolée, ravissante, dont nous rêvions depuis les premières chaleurs de juin. Elle était bâtie sur un promontoire, dominant la mer, cachée de la route par un bois de pins ; un chemin de chèvres descendait à une petite crique dorée, bordée de rochers roux où se balançait la mer.

Les premiers jours furent éblouissants. Nous passions des heures sur la plage, écrasés de chaleur, prenant peu à peu une couleur saine et dorée, à l'exception d'Elsa qui rougissait et pelait dans d'affreuses souffrances. Mon père exécutait des mouvements de jambes compliqués pour faire disparaître un début d'estomac incompatible avec ses dispositions de Don Juan. Dès l'aube, j'étais dans l'eau, une eau fraîche et transparente où je m'enfouissais, où je m'épuisais en des mouvements désordonnés pour me laver de toutes les ombres, de toutes les poussières de Paris. Je m'allongeais dans le sable, en prenais une poignée dans ma main, le laissais s'enfuir de mes doigts en un jet jaunâtre et doux, je me disais qu'il s'enfuyait comme le temps, que c'était une idée facile et qu'il était agréable d'avoir des idées faciles. C'était l'été.

Le sixième jour, je vis Cyril pour la première fois. Il longeait la côte sur un petit bateau à voile et chavira devant notre crique. Je l'aidai à récupérer ses affaires et, au milieu de nos rires, j'appris qu'il s'appelait Cyril, qu'il était étudiant en droit et passait ses vacances avec sa mère, dans une villa voisine. Il avait un visage de Latin, très brun, très ouvert, avec quelque chose d'équilibré, de protecteur, qui me plut. Pourtant, je fuyais ces étudiants de l'université, brutaux, préoccupés d'eux-mêmes, de leur jeunesse surtout, y trouvant le sujet d'un drame ou un prétexte à leur ennui. Je n'aimais pas la jeunesse. Je leur préférais de beaucoup les amis de mon père, des hommes de quarante ans qui me parlaient avec courtoisie et attendrissement, me témoignaient une douceur de père et d'amant. Mais Cyril me plut. Il était grand et parfois beau, d'une beauté qui donnait confiance. Sans partager avec mon père cette aversion pour la laideur qui nous faisait souvent fréquenter des gens stupides, j'éprouvais en face des gens dénués de tout charme physique une sorte de gêne, d'absence ; leur résignation à ne pas plaire me semblait une infirmité indécente. Car, que cherchions-nous, sinon plaire ? Je ne sais pas encore aujourd'hui si ce goût de conquête cache une surabondance de vitalité, un goût d'emprise ou le besoin furtif, inavoué, d'être rassuré sur soi-même, soutenu.

Quand Cyril me quitta, il m'offrit de m'apprendre la navigation à voile. Je rentrai dîner, très absorbée par sa pensée, et ne participai pas, ou peu, à la conversation ; c'est à peine si je remarquai la nervosité de mon père. Après dîner, nous nous allongeâmes dans des fauteuils, sur la terrasse, comme tous les soirs. Le ciel était éclaboussé d'étoiles. Je les regardais, espérant vaguement qu'elles seraient en avance et commenceraient à sillonner le ciel de leur chute. Mais nous n'étions qu'au début de juillet, elles ne bougeaient pas. Dans les graviers de la terrasse, les cigales chantaient. Elles devaient être des milliers, ivres de chaleur et de lune, à lancer ainsi ce drôle de cri des nuits entières. On m'avait expliqué qu'elles ne faisaient que frotter l'une contre l'autre leurs élytres, mais je préférais croire à ce chant de gorge guttural, instinctif comme celui des chats en leur saison. Nous étions bien ; des petits grains de sable entre ma peau et mon chemisier me défendaient seuls des tendres assauts du sommeil. C'est alors que mon père toussota et se redressa sur sa chaise longue.

« J'ai une arrivée à vous annoncer », dit-il.

Je fermai les yeux avec désespoir. Nous étions trop tranquilles, cela ne pouvait durer !

« Dites-nous vite qui, cria Elsa, toujours avide de mondanités.

— Anne Larsen », dit mon père, et il se tourna vers moi.

Je le regardai, trop étonnée pour réagir.

« Je lui ai dit de venir si elle était trop fatiguée par ses collections et elle... elle arrive. »

Je n'y aurais jamais pensé. Anne Larsen était une ancienne amie de ma pauvre mère et n'avait que très peu de rapports avec mon père. Néanmoins à ma sortie de pension, deux ans plus tôt, mon père, très embarrassé de moi, m'avait envoyée à elle. En une semaine, elle m'avait habillée avec goût et appris à vivre. J'en avais conçu pour elle une admiration passionnée qu'elle avait habilement détournée sur un jeune homme de son entourage. Je lui devais donc mes premières élégances et mes premières amours et lui en avais beaucoup de reconnaissance. A quarante-deux ans, c'était une femme très séduisante, très recherchée, avec un beau visage orgueilleux et las, indifférent. Cette indifférence était la seule chose qu'on pût lui reprocher. Elle était aimable et lointaine. Tout en elle reflétait une volonté constante, une tranquillité de cœur qui intimidait. Bien que divorcée et libre, on ne lui connaissait pas d'amant. D'ailleurs, nous n'avions pas les mêmes relations : elle fréquentait des gens fins, intelligents, discrets, et nous des gens bruyants, assoiffés, auxquels mon père demandait simplement d'être beaux ou drôles. Je crois qu'elle nous méprisait un peu, mon père et moi, pour notre parti pris d'amusements, de futilités, comme elle méprisait tout excès. Seuls nous réunissaient des dîners d'affaires — elle s'occupait de couture et mon père de publicité —, le souvenir de ma mère et mes efforts, car, si elle m'intimidait, je l'admirais beaucoup. Enfin cette arrivée subite apparaissait comme un contretemps si l'on pensait à la présence d'Elsa et aux idées d'Anne sur l'éducation.

Elsa monta se coucher après une foule de questions sur la situation d'Anne dans le monde. Je restai seule avec mon père et vins m'asseoir sur les marches, à ses pieds. Il se pencha et posa ses deux mains sur mes épaules :

« Pourquoi es-tu si efflanquée, ma douce ? Tu as l'air d'un petit chat sauvage. J'aimerais avoir une belle fille blonde, un peu forte, avec des yeux en porcelaine et...

— La question n'est pas là, dis-je. Pourquoi as-tu invité Anne? Et pourquoi a-t-elle accepté?

— Pour voir ton vieux père, peut-être. On ne sait jamais.

— Tu n'es pas le genre d'hommes qui intéresse Anne, dis-je. Elle est trop intelligente, elle se respecte trop. Et Elsa? As-tu pensé à Elsa? Tu t'imagines les conversations entre Anne et Elsa? Moi pas!

— Je n'y ai pas pensé, avoua-t-il. C'est vrai que c'est épouvantable. Cécile, ma douce, si nous retournions à Paris?»

Il riait doucement en me frottant la nuque. Je me retournai et le regardai. Ses yeux sombres brillaient, des petites rides drôles en marquaient les bords, sa bouche se retroussait un peu. Il avait l'air d'un faune. Je me mis à rire avec lui, comme chaque fois qu'il s'attirait des complications.

«Mon vieux complice, dit-il. Que ferais-je sans toi?»

Et le ton de sa voix était si convaincu, si tendre, que je compris qu'il aurait été malheureux. Tard dans la nuit, nous parlâmes de l'amour, de ses complications. Aux yeux de mon père, elles étaient imaginaires. Il refusait systématiquement les notions de fidélité, de gravité, d'engagement. Il m'expliquait qu'elles étaient arbitraires, stériles. D'un autre que lui, cela m'eût choquée. Mais je savais que dans son cas, cela n'excluait ni la tendresse ni la dévotion, sentiments qui lui venaient d'autant plus facilement qu'il les voulait, les savait provisoires. Cette conception me séduisait : des amours rapides, violentes et passagères. Je n'étais pas à l'âge où la fidélité séduit. Je connaissais peu de chose de l'amour : des rendez-vous, des baisers et des lassitudes.

CHAPITRE II

ANNE ne devait pas arriver avant une semaine. Je profitais de ces derniers jours de vraies vacances. Nous avions loué la villa pour deux mois, mais je savais que dès l'arrivée d'Anne la détente complète ne serait plus possible. Anne donnait aux choses un contour, aux mots un sens que mon père et moi laissions volontiers échapper. Elle posait les normes du bon goût, de la délicatesse et l'on ne pouvait s'empêcher de les percevoir dans ses retraits soudains, ses silences blessés, ses expressions. C'était à la fois excitant et fatigant, humiliant en fin de compte car je sentais qu'elle avait raison.

Le jour de son arrivée, il fut décidé que mon père et Elsa iraient l'attendre à la gare de Fréjus. Je me refusai énergiquement de participer à l'expédition. En désespoir de cause, mon père cueillit tous les glaïeuls du jardin afin de les lui offrir dès la descente du train. Je lui conseillai seulement de ne pas faire porter le bouquet par Elsa. A trois heures, après leur départ, je descendis sur la plage. Il faisait une chaleur accablante. Je m'allongeai sur le sable, m'endormis à moitié et la voix de Cyril me réveilla. J'ouvris les yeux : le ciel était blanc, confondu de chaleur. Je ne répondis pas à Cyril ; je n'avais pas envie de lui parler, ni à personne. J'étais clouée au sable par toute la force de cet été, les bras pesants, la bouche sèche.

« Etes-vous morte ? dit-il. De loin, vous aviez l'air d'une épave, abandonnée. »

Je souris. Il s'assit à côté de moi et mon cœur se mit à battre durement, sourdement, parce que, dans son mouvement, sa main avait effleuré mon épaule. Dix fois, pendant la dernière semaine, mes brillantes manœuvres navales nous avaient précipités au fond de l'eau, enlacés l'un à l'autre sans que j'en ressente le moindre trouble. Mais aujourd'hui, il suffisait de cette chaleur, de ce demi-sommeil, de ce geste maladroit, pour que quelque chose en moi doucement se déchire. Je tournai la tête vers lui. Il me regardait. Je commençais à le connaître : il était équilibré, vertueux plus que de coutume peut-être à son âge. C'est ainsi que notre situation — cette curieuse famille à trois — le choquait. Il était trop bon ou trop timide pour me le dire, mais je le sentais aux regards obliques, rancuniers qu'il lançait à mon père. Il eût aimé que j'en sois tourmentée. Mais je ne l'étais pas et la seule chose qui me tourmentât en ce moment, c'était son regard et les coups de boutoir de mon cœur. Il se pencha vers moi. Je revis les derniers jours de cette semaine, ma confiance, ma tranquillité auprès de lui et je regrettai l'approche de cette bouche longue et un peu lourde.

« Cyril, dis-je, nous étions si heureux... »

Il m'embrassa doucement. Je regardai le ciel ; puis je ne vis plus que des lumières rouges éclatant sous mes paupières serrées. La chaleur, l'étourdissement, le goût des premiers baisers, les soupirs passaient en longues minutes. Un coup de klaxon nous sépara comme des voleurs. Je quittai Cyril sans un mot et remontai vers la maison. Ce prompt retour m'étonnait : le train d'Anne ne devait pas être encore arrivé. Je la trouvai néanmoins sur la terrasse, comme elle descendait de sa propre voiture.

« C'est la maison de la Belle-au-Bois-dormant ! dit-elle. Que vous avez bronzé, Cécile ! Ça me fait plaisir de vous voir.

— Moi aussi, dis-je. Mais vous arrivez de Paris ?

— J'ai préféré venir en voiture, d'ailleurs je suis vannée. »

Je la conduisis à sa chambre. J'ouvris la fenêtre dans l'espoir d'apercevoir le bateau de Cyril mais il avait disparu. Anne s'était assise sur le lit. Je remarquai les petites ombres autour de ses yeux.

« Cette villa est ravissante, soupira-t-elle. Où est le maître de maison ?
— Il est allé vous chercher à la gare avec Elsa. »
J'avais posé sa valise sur une chaise et, en me retournant vers elle, je reçus un choc. Son visage s'était brusquement défait, la bouche tremblante.
« Elsa Mackenbourg ? Il a amené Elsa Mackenbourg ici ? »
Je ne trouvai rien à répondre. Je la regardai, stupéfaite. Ce visage que j'avais toujours vu si calme, si maître de lui, ainsi livré à tous mes étonnements. Elle me fixait à travers les images que lui avaient fournies mes paroles ; elle me vit enfin et détourna la tête.
« J'aurais dû vous prévenir, dit-elle, mais j'étais si pressée de partir, si fatiguée...
— Et maintenant..., continuai-je machinalement.
— Maintenant quoi ? » dit-elle.
Son regard était interrogateur, méprisant. Il ne s'était rien passé.
« Maintenant, vous êtes arrivée, dis-je bêtement en me frottant les mains. Je suis très contente que vous soyez là, vous savez. Je vous attends en bas ; si vous voulez boire quelque chose, le bar est parfait. »
Je sortis en bafouillant et descendis l'escalier dans une grande confusion de pensées. Pourquoi ce visage, cette voix troublée, cette défaillance ? Je m'assis dans une chaise longue, je fermai les yeux. Je cherchai à me rappeler tous les visages durs, rassurants, d'Anne : l'ironie, l'aisance, l'autorité. La découverte de ce visage vulnérable m'émouvait et m'irritait à la fois. Aimait-elle mon père ? Etait-il possible qu'elle l'aimât ? Rien en lui ne correspondait à ses goûts. Il était faible, léger, veule parfois. Mais peut-être était-ce seulement la fatigue du voyage, l'indignation morale ? Je passai une heure à faire des hypothèses.
A cinq heures, mon père arriva avec Elsa. Je le regardai descendre de voiture. J'essayai de savoir si Anne pouvait l'aimer. Il marchait vers moi, la tête un peu en arrière, rapidement. Il souriait. Je pensai qu'il était très possible qu'Anne l'aimât, que n'importe qui l'aimât.
« Anne n'était pas là, me cria-t-il. J'espère qu'elle n'est pas tombée par la portière.
— Elle est dans sa chambre, dis-je ; elle est venue en voiture.
— Non ? C'est magnifique ! Tu n'as plus qu'à lui monter le bouquet.
— Vous m'aviez acheté des fleurs ? dit la voix d'Anne. C'est trop gentil. »
Elle descendait l'escalier à sa rencontre, détendue, souriante, dans une robe qui ne semblait pas avoir voyagé. Je pensai tristement qu'elle n'était descendue qu'en entendant la voiture et qu'elle aurait pu le faire un peu plus tôt, pour me parler ; ne fût-ce que de mon examen que j'avais d'ailleurs manqué ! Cette dernière idée me consola.
Mon père se précipitait, lui baisait la main.

« J'ai passé un quart d'heure sur le quai de la gare avec ce bouquet de fleurs au bout des bras, et un sourire stupide aux lèvres. Dieu merci, vous êtes là ! Connaissez-vous Elsa Mackenbourg ? »

Je détournai les yeux.

« Nous avons dû nous rencontrer, dit Anne tout aimable... J'ai une chambre magnifique, vous êtes trop gentil de m'avoir invitée, Raymond, j'étais très fatiguée. »

Mon père s'ébrouait. A ses yeux, tout allait bien. Il faisait des phrases, débouchait des bouteilles. Mais je revoyais tour à tour le visage passionné de Cyril, celui d'Anne, ces deux visages marqués de violence, et je me demandais si les vacances seraient aussi simples que le déclarait mon père.

Ce premier dîner fut très gai. Mon père et Anne parlaient de leurs relations communes qui étaient rares mais hautes en couleur. Je m'amusai beaucoup jusqu'au moment où Anne déclara que l'associé de mon père était microcéphale. C'était un homme qui buvait beaucoup, mais qui était gentil et avec lequel nous avions fait, mon père et moi, des dîners mémorables.

Je protestai :

« Lombard est drôle, Anne. Je l'ai vu très amusant.

— Vous avouerez qu'il est quand même insuffisant, et même son humour...

— Il n'a peut-être pas une forme d'intelligence courante, mais... »

Elle me coupa d'un air indulgent :

« Ce que vous appelez les formes de l'intelligence n'en sont que les âges. »

Le côté lapidaire, définitif de sa formule m'enchanta. Certaines phrases dégagent pour moi un climat intellectuel, subtil, qui me subjugue, même si je ne les pénètre pas absolument. Celle-là me donna envie de posséder un petit carnet et un crayon. Je le dis à Anne. Mon père éclata de rire :

« Au moins, tu n'es pas rancunière. »

Je ne pouvais l'être, car Anne n'était pas malveillante. Je la sentais trop complètement indifférente, ses jugements n'avaient pas cette précision, ce côté aigu de la méchanceté. Ils n'en étaient que plus accablants.

Ce premier soir, Anne ne parut pas remarquer la distraction, volontaire ou non, d'Elsa qui entra directement dans la chambre de mon père. Elle m'avait apporté un chandail de sa collection, mais ne me laissa pas la remercier. Les remerciements l'ennuyaient et comme les miens n'étaient jamais à la hauteur de mon enthousiasme, je ne me fatiguai pas.

« Je trouve cette Elsa très gentille », dit-elle, avant que je ne sorte.

Elle me regardait dans les yeux, sans sourire, elle cherchait en moi une idée qu'il lui importait de détruire. Je devais oublier son réflexe de tout à l'heure.

« Oui, oui, c'est une charmante, heu, jeune fille... très sympathique. » Je bafouillais. Elle se mit à rire et j'allai me coucher très énervée. Je m'endormis en pensant à Cyril qui dansait peut-être à Cannes avec des filles.

Je me rends compte que j'oublie, que je suis forcée d'oublier le principal : la présence de la mer, son rythme incessant, le soleil. Je ne puis rappeler non plus les quatre tilleuls dans la cour d'une pension de province, leur parfum ; et le sourire de mon père sur le quai de la gare, trois ans plus tôt à ma sortie de pension, ce sourire gêné parce que j'avais des nattes et une vilaine robe presque noire. Et dans la voiture, son explosion de joie, subite, triomphante, parce que j'avais ses yeux, sa bouche et que j'allais être pour lui le plus cher, le plus merveilleux des jouets. Je ne connaissais rien ; il allait me montrer Paris, le luxe, la vie facile. Je crois bien que la plupart de mes plaisirs d'alors, je les dus à l'argent : le plaisir d'aller vite en voiture, d'avoir une robe neuve, d'acheter des disques, des livres, des fleurs. Je n'ai pas honte encore de ces plaisirs faciles, je ne puis d'ailleurs les appeler faciles que parce que j'ai entendu dire qu'ils l'étaient. Je regretterais, je renierais plus facilement mes chagrins ou mes crises mystiques. Le goût du plaisir, du bonheur représente le seul côté cohérent de mon caractère. Peut-être n'ai-je pas assez lu ? En pension, on ne lit pas, sinon des œuvres édifiantes. A Paris, je n'eus pas le temps de lire : en sortant de mon cours, des amis m'entraînaient dans des cinémas ; je ne connaissais pas le nom des acteurs, cela les étonnait. Ou à des terrasses de café au soleil ; je savourais le plaisir d'être mêlée à la foule, celui de boire, d'être avec quelqu'un qui vous regarde dans les yeux, vous prend la main et vous emmène ensuite loin de la même foule. Nous marchions dans les rues jusqu'à la maison. Là il m'attirait sous une porte et m'embrassait : je découvrais le plaisir des baisers. Je ne mets pas de nom à ces souvenirs : Jean, Hubert, Jacques. Des noms communs à toutes les petites jeunes filles. Le soir, je vieillissais, nous sortions avec mon père dans des soirées où je n'avais que faire, soirées assez mélangées où je m'amusais et où j'amusais aussi par mon âge. Quand nous rentrions, mon père me déposait et le plus souvent allait reconduire une amie. Je ne l'entendais pas rentrer.

Je ne veux pas laisser croire qu'il mît une ostentation quelconque à ses aventures. Il se bornait à ne pas me les cacher, plus exactement à ne rien me dire de convenable et de faux pour justifier la fréquence des déjeuners de telle amie à la maison ou son installation complète... heureusement provisoire ! De toute façon, je n'aurais pu ignorer longtemps la nature de ses relations avec ses « invitées » et il tenait sans doute à garder ma confiance d'autant plus qu'il évitait ainsi des efforts pénibles d'imagination. C'était un excellent calcul. Son seul défaut fut de m'inspirer quelque temps un cynisme désabusé sur les choses de l'amour qui, vu mon âge et mon expérience, devait paraître plus réjouissant qu'impressionnant. Je me répétais volontiers des formules lapidaires, celle d'Oscar Wilde, entre autres : « Le péché est la seule note de couleur vive qui subsiste dans le monde moderne. » Je la faisais mienne avec une absolue conviction, bien plus sûrement, je pense, que si je l'avais mise en pratique. Je croyais que ma vie pourrait se calquer sur cette phrase, s'en inspirer, en jaillir comme une perverse image d'Epinal : j'oubliais les temps morts, la discontinuité et les bons sentiments quotidiens. Idéalement, j'envisageais une vie de bassesses et de turpitudes.

CHAPITRE III

LE LENDEMAIN MATIN, je fus réveillée par un rayon de soleil oblique et chaud, qui inonda mon lit et mit fin aux rêves étranges et un peu confus où je me débattais. Dans un demi-sommeil, j'essayai d'écarter de mon visage, avec la main, cette chaleur insistante, puis y renonçai. Il était dix heures. Je descendis en pyjama sur la terrasse et y retrouvai Anne, qui feuilletait des journaux. Je remarquai qu'elle était légèrement, parfaitement maquillée. Elle ne devait jamais s'accorder de vraies vacances. Comme elle ne me prêtait pas attention, je m'installai tranquillement sur une marche avec une tasse de café et une orange et entamai les délices du matin : je mordais l'orange, un jus sucré giclait dans ma bouche ; une gorgée de café noir brûlant, aussitôt, et à nouveau la fraîcheur du fruit. Le soleil du matin me chauffait les cheveux, déplissait sur ma peau les marques du drap. Dans cinq minutes, j'irais me baigner. La voix d'Anne me fit sursauter :

« Cécile, vous ne mangez pas ?

— Je préfère boire le matin parce que...

— Vous devez prendre trois kilos pour être présentable. Vous avez la joue creuse et on voit vos côtes. Allez donc chercher des tartines. »

Je la suppliai de ne pas m'imposer de tartines et elle allait me démontrer que c'était indispensable lorsque mon père apparut dans sa somptueuse robe de chambre à pois.

« Quel charmant spectacle, dit-il ; deux petites filles brunes au soleil en train de parler tartines.

— Il n'y a qu'une petite fille, hélas ! dit Anne en riant. J'ai votre âge, mon pauvre Raymond. »

Mon père se pencha et lui prit la main.

«Toujours aussi rosse», dit-il tendrement, et je vis les paupières d'Anne battre comme sous une caresse imprévue.

J'en profitai pour m'esquiver. Dans l'escalier, je croisai Elsa. Visiblement, elle sortait du lit, les paupières gonflées, les lèvres pâles dans son visage cramoisi par les coups de soleil. Je faillis l'arrêter, lui dire qu'Anne était en bas avec un visage soigné et net, qu'elle allait bronzer, sans dommages, avec mesure. Je faillis la mettre en garde. Mais sans doute l'aurait-elle mal pris : elle avait vingt-neuf ans, soit treize ans de moins qu'Anne et cela lui paraissait un atout maître.

Je pris mon maillot de bain et courus à la crique. A ma surprise, Cyril y était déjà, assis sur son bateau. Il vint à ma rencontre, l'air grave, et il me prit les mains.

«Je voudrais vous demander pardon pour hier, dit-il.

— C'était ma faute», dis-je.

Je ne me sentais absolument pas gênée et son air solennel m'étonnait.

«Je m'en veux beaucoup, reprit-il en poussant le bateau à la mer.

— Il n'y a pas de quoi, dis-je allégrement.

— Si!»

J'étais déjà dans le canot. Il était debout avec de l'eau jusqu'à mi-jambes, appuyé des deux mains au plat-bord comme à la barre d'un tribunal. Je compris qu'il ne monterait pas avant d'avoir parlé et le regardai avec toute l'attention nécessaire. Je connaissais bien son visage, je m'y retrouvais. Je pensai qu'il avait vingt-cinq ans, se prenait peut-être pour un suborneur, et cela me fit rire.

«Ne riez pas, dit-il. Je m'en suis voulu hier soir, vous savez. Rien ne vous défend contre moi ; votre père, cette femme, l'exemple... Je serais le dernier des salauds, ce serait la même chose ; vous pourriez me croire aussi bien...»

Il n'était même pas ridicule. Je sentais qu'il était bon et prêt à m'aimer ; que j'aimerais l'aimer. Je mis mes bras autour de son cou, ma joue contre la sienne. Il avait les épaules larges, un corps dur contre le mien.

«Vous êtes gentil, Cyril, murmurai-je. Vous allez être un frère pour moi.»

Il replia ses bras autour de moi avec une petite exclamation de colère et m'arracha doucement du bateau. Il me tenait serrée contre lui, soulevée, la tête sur son épaule. En ce moment-là, je l'aimais. Dans la lumière du matin, il était aussi doré, aussi gentil, aussi doux que moi, il me protégeait. Quand sa bouche chercha la mienne, je me mis à trembler de plaisir comme lui et notre baiser fut sans remords et sans honte, seulement une profonde recherche, entrecoupée de murmures. Je m'échappai et nageai vers le bateau qui partait à la dérive. Je plongeai mon visage dans l'eau pour le refaire, le rafraîchir... L'eau était verte. Je me sentais envahie d'un bonheur, d'une insouciance parfaite.

A onze heures et demie, Cyril partit et mon père et ses femmes apparurent dans le chemin de chèvres. Il marchait entre les deux, les soutenant, leur tendant successivement la main avec une bonne grâce, un naturel qui n'étaient qu'à lui. Anne avait gardé son peignoir : elle l'ôta devant nos regards observateurs avec tranquillité et s'y allongea. La taille mince, les jambes parfaites, elle n'avait contre elle que de très légères flétrissures. Cela représentait sans doute des années de soins, d'attention ; j'adressai machinalement à mon père un regard approbateur, le sourcil levé. A ma grande surprise, il ne me le renvoya pas, ferma les yeux. La pauvre Elsa était dans un état lamentable, elle se couvrait d'huile. Je ne donnais pas une semaine à mon père pour...

Anne tourna la tête vers moi :

« Cécile, pourquoi vous levez-vous si tôt ici ? A Paris, vous étiez au lit jusqu'à midi.

— J'avais du travail, dis-je Ça me coupait les jambes.»

Elle ne sourit pas : elle ne souriait que quand elle en avait envie, jamais par décence, comme tout le monde.

« Et votre examen ?

— Loupé ! dis-je avec entrain. Bien loupé !

— Il faut que vous l'ayez en octobre, absolument.

— Pourquoi ? intervint mon père. Je n'ai jamais eu de diplôme, moi. Et je mène une vie fastueuse.

— Vous aviez une certaine fortune au départ, rappela Anne.

— Ma fille trouvera toujours des hommes pour la faire vivre», dit mon père noblement.

Elsa se mit à rire et s'arrêta devant nos trois regards.

« Il faut qu'elle travaille, ces vacances», dit Anne en refermant les yeux pour clore l'entretien.

J'envoyai un regard désespéré à mon père. Il me répondit par un petit sourire gêné. Je me vis devant des pages de Bergson avec ces lignes noires qui me sautaient aux yeux et le rire de Cyril en bas... Cette idée m'épouvanta. Je me traînai jusqu'à Anne, l'appelai à voix basse. Elle ouvrit les yeux. Je penchai sur elle un visage inquiet, suppliant, en ravalant encore mes joues pour me donner l'air d'une intellectuelle surmenée.

« Anne, dis-je, vous n'allez pas me faire ça, me faire travailler par ces chaleurs... ces vacances qui pourraient me faire tant de bien...»

Elle me regarda avec fixité un instant, puis sourit mystérieusement en détournant la tête.

« Je devrais vous faire "ça"... même par ces chaleurs, comme vous dites. Vous ne m'en voudriez que pendant deux jours, comme je vous connais, et vous auriez votre examen.

— Il y a des choses auxquelles on ne se fait pas», dis-je sans rire.

Elle me lança un coup d'œil amusé et insolent et je me recouchai dans le sable, pleine d'inquiétudes. Elsa pérorait sur les festivités de la côte. Mais mon père ne l'écoutait pas : placé au sommet du triangle que faisaient leurs corps, il lançait au profil renversé d'Anne, à ses épaules, des regards un peu fixes, impavides, que je reconnaissais. Sa main s'ouvrait et se refermait sur le sable en un geste doux, régulier, inlassable. Je courus vers la mer, m'y enfonçai en gémissant sur les vacances que nous aurions pu avoir, que nous n'aurions pas. Nous avions tous les éléments d'un drame : un séducteur, une demi-mondaine et une femme de tête. J'aperçus au fond de la mer un ravissant coquillage, une pierre rose et bleue ; je plongeai pour la prendre, la gardai toute douce et usée dans la main jusqu'au déjeuner. Je décidai que c'était un porte-bonheur, que je ne la quitterais pas de l'été. Je ne sais pas pourquoi je ne l'ai pas perdue, comme je perds tout. Elle est dans ma main aujourd'hui, rose et tiède, elle me donne envie de pleurer.

CHAPITRE IV

Ce qui m'étonna le plus, les jours suivants, ce fut l'extrême gentillesse d'Anne à l'égard d'Elsa. Elle ne prononçait jamais, après les nombreuses bêtises qui illuminaient sa conversation, une de ces phrases brèves dont elle avait le secret et qui aurait couvert la pauvre Elsa de ridicule. Je la louais en moi-même de sa patience, de sa générosité, je ne me rendais pas compte que l'habileté y était étroitement mêlée. Mon père se serait vite lassé de ce petit jeu féroce. Il lui était au contraire reconnaissant et il ne savait que faire pour lui exprimer sa gratitude. Cette reconnaissance n'était d'ailleurs qu'un prétexte. Sans doute lui parlait-il comme à une femme très respectée, comme à une seconde mère de sa fille : il usait même de cette carte en ayant l'air sans cesse de me mettre sous la garde d'Anne, de la rendre un peu responsable de ce que j'étais, comme pour se la rendre plus proche, pour la lier à nous plus étroitement. Mais il avait pour elle des regards, des gestes qui s'adressaient à la femme qu'on ne connaît pas et que l'on désire connaître — dans le plaisir. Ces égards que je surprenais parfois chez Cyril et qui me donnaient à la fois envie de le fuir et de le provoquer. Je devais être sur ce point plus influençable qu'Anne ; elle témoignait à l'égard de mon père d'une indifférence, d'une gentillesse tranquille qui me rassuraient. J'en arrivais à croire que je m'étais trompée le premier jour, je ne voyais pas que cette gentillesse sans équivoque surexcitait mon père. Et surtout ses silences… ses silences si naturels, si élégants. Ils formaient avec le pépiement incessant d'Elsa une sorte d'antithèse comme le soleil et l'ombre. Pauvre Elsa... elle ne se doutait vraiment de rien, elle restait exubérante et agitée, toujours aussi défraîchie par le soleil.

Un jour, cependant, elle dut comprendre, intercepter un regard de mon père ; je la vis avant le déjeuner murmurer quelque chose dans son oreille : un instant, il eut l'air contrarié, étonné, puis acquiesça en souriant. Au café, Elsa se leva et, arrivée à la porte, se retourna vers nous d'un air langoureux, très inspiré, à ce qu'il me sembla, du cinéma américain, et mettant dans son intonation dix ans de galanterie française :

« Vous venez, Raymond ? »

Mon père se leva, rougit presque et la suivit en parlant des bienfaits de la sieste. Anne n'avait pas bougé. Sa cigarette fumait au bout de ses doigts. Je me sentis dans l'obligation de dire quelque chose :

« Les gens disent que la sieste est très reposante, mais je crois que c'est une idée fausse... »

Je m'arrêtai aussitôt, consciente de l'équivoque de ma phrase.

« Je vous en prie », dit Anne sèchement.

Elle n'y avait même pas mis d'équivoque. Elle avait tout de suite vu la plaisanterie de mauvais goût. Je la regardai. Elle avait un visage volontairement calme et détendu qui m'émut. Peut-être, en ce moment, enviait-elle passionnément Elsa. Pour la consoler, une idée cynique me vint, qui m'enchanta comme toutes les idées cyniques que je pouvais avoir : cela me donnait une sorte d'assurance, de complicité avec moi-même, enivrante. Je ne pus m'empêcher de l'exprimer à haute voix :

« Remarquez qu'avec les coups de soleil d'Elsa, ce genre de sieste ne doit pas être très grisant, ni pour l'un ni pour l'autre. »

J'aurais mieux fait de me taire.

« Je déteste ce genre de réflexion, dit Anne. A votre âge, c'est plus que stupide, c'est pénible. »

Je m'énervai brusquement :

« Je disais ça pour rire, excusez-moi. Je suis sûre qu'au fond, ils sont très contents. »

Elle tourna vers moi un visage excédé. Je lui demandai pardon aussitôt. Elle referma les yeux et commença à parler d'une voix basse, patiente :

« Vous vous faites de l'amour une idée un peu simpliste. Ce n'est pas une suite de sensations indépendantes les unes des autres... »

Je pensai que toutes mes amours avaient été ainsi. Une émotion subite devant un visage, un geste, sous un baiser... Des instants épanouis, sans cohérence, c'était tout le souvenir que j'en avais.

« C'est autre chose, disait Anne. Il y a la tendresse constante, la douceur, le manque... Des choses que vous ne pouvez pas comprendre. »

Elle eut un geste évasif de la main et prit un journal. J'aurais aimé qu'elle se mît en colère, qu'elle sortît de cette indifférence résignée devant ma carence sentimentale. Je pensai qu'elle avait raison, que je vivais comme un animal, au gré des autres, que j'étais pauvre et faible. Je me méprisais et cela m'était affreusement pénible parce que je n'y étais pas habituée, ne me jugeant pour ainsi dire pas, ni en bien ni en mal. Je montai dans ma chambre, je rêvassai. Mes draps étaient tièdes sous moi, j'entendais encore les paroles d'Anne : « C'est autre chose, c'est un manque. » Quelqu'un m'avait-il jamais manqué ?

Je ne me rappelle plus les incidents de ces quinze jours. Je l'ai déjà dit, je ne voulais rien voir de précis, de menaçant. De la suite de ces vacances, bien sûr, je me rappelle très exactement puisque j'y apportai toute mon attention, toutes mes possibilités. Mais ces trois semaines-là, ces trois semaines heureuses en somme... Quel est le jour où mon père regarda ostensiblement la bouche d'Anne, celui où il lui reprocha à haute voix son indifférence en faisant semblant d'en rire ? Celui où il compara sans en sourire sa subtilité avec la semi-bêtise d'Elsa ? Ma tranquillité reposait sur cette idée stupide qu'ils se connaissaient depuis quinze ans et que s'ils avaient dû s'aimer, ils auraient commencé plus tôt. « Et, me disais-je, si cela doit arriver, mon père sera amoureux trois mois et Anne en gardera quelques souvenirs passionnés et un peu d'humiliation. » Ne savais-je pas cependant qu'Anne n'était pas une femme que l'on pût abandonner ainsi ? Mais Cyril était là et suffisait à mes pensées. Nous sortions ensemble souvent le soir dans les boîtes de Saint-Tropez, nous dansions sur les défaillances d'une clarinette en nous disant des mots d'amour que j'avais oubliés le lendemain, mais si doux le soir même. Le jour, nous faisions de la voile autour de la côte. Mon père nous accompagnait parfois. Il appréciait beaucoup Cyril, surtout depuis que ce dernier lui avait laissé gagner un match de crawl. Il l'appelait « mon petit Cyril », Cyril l'appelait « monsieur », mais je me demandais lequel des deux était l'adulte.

Un après-midi, nous allâmes prendre le thé chez la mère de Cyril. C'était une vieille dame tranquille et souriante qui nous parla de ses difficultés de veuve et de ses difficultés de mère. Mon père compatit, adressa à Anne des regards de reconnaissance, fit de nombreux compliments à la dame. Je dois avouer qu'il ne craignait jamais de perdre son temps. Anne regardait le spectacle avec un sourire aimable. Au retour, elle déclara la dame charmante. J'éclatai en imprécations contre les vieilles dames de cette sorte. Ils tournèrent vers moi un sourire indulgent et amusé qui me mit hors de moi :

« Vous ne vous rendez pas compte qu'elle est contente d'elle, criai-je. Qu'elle se félicite de sa vie parce qu'elle a le sentiment d'avoir fait son devoir et...

— Mais c'est vrai, dit Anne. Elle a rempli ses devoirs de mère et d'épouse, suivant l'expression...

— Et son devoir de putain? dis-je.

— Je n'aime pas les grossièretés, dit Anne, même paradoxales.

— Mais ce n'est pas paradoxal. Elle s'est mariée comme tout le monde se marie, par désir ou parce que cela se fait. Elle a eu un enfant, vous savez comment ça arrive les enfants?

— Sans doute moins bien que vous, ironisa Anne, mais j'ai quelques notions.

— Elle a donc élevé cet enfant. Elle s'est probablement épargné les angoisses, les troubles de l'adultère. Elle a eu la vie qu'ont des milliers de femmes et elle en est fière, vous comprenez. Elle était dans la situation d'une jeune bourgeoise épouse et mère et elle n'a rien fait pour en sortir. Elle se glorifie de n'avoir fait ni ceci ni cela et non pas d'avoir accompli quelque chose.

— Cela n'a pas grand sens, dit mon père.

— C'est un miroir aux alouettes, criai-je. On se dit après : "J'ai fait mon devoir" parce que l'on n'a rien fait. Si elle était devenue une fille des rues en étant née dans son milieu, là, elle aurait eu du mérite.

— Vous avez des idées à la mode, mais sans valeur», dit Anne.

C'était peut-être vrai. Je pensais ce que je disais, mais il était vrai que je l'avais entendu dire. Néanmoins, ma vie, celle de mon père allaient à l'appui de cette théorie et Anne me blessait en la méprisant. On peut être aussi attaché à des futilités qu'à autre chose. Mais Anne ne me considérait pas comme un être pensant. Il me semblait urgent, primordial soudain de la détromper. Je ne pensais pas que l'occasion m'en serait donnée si tôt ni que je saurais la saisir. D'ailleurs, j'admettais volontiers que dans un mois j'aurais sur telle chose une opinion différente, que mes convictions ne dureraient pas. Comment aurais-je pu être une grande âme?

CHAPITRE V

Et puis un jour, ce fut la fin. Un matin, mon père décida que nous irions passer la soirée à Cannes, jouer et danser. Je me rappelle la joie d'Elsa. Dans le climat familier des casinos, elle pensait retrouver sa personnalité de femme fatale un peu atténuée par les coups de soleil et la demi-solitude où nous vivions. Contrairement à mes prévisions, Anne ne s'opposa pas à ces mondanités ; elle en sembla même assez contente. Ce fut donc sans inquiétude que, sitôt le dîner fini, je montai dans ma chambre mettre une robe du soir, la seule d'ailleurs que je possédasse.

C'était mon père qui l'avait choisie ; elle était dans un tissu exotique, un peu trop exotique pour moi sans doute car mon père, soit par goût, soit par habitude, m'habillait volontiers en femme fatale. Je le retrouvai en bas, étincelant dans un smoking neuf, et lui mis le bras autour du cou.

« Tu es le plus bel homme que je connaisse.

— A part Cyril, dit-il sans le croire. Et toi, tu es la plus jolie fille que je connaisse.

— Après Elsa et Anne, dis-je sans y croire moi-même.

— Puisqu'elles ne sont pas là et qu'elles se permettent de nous faire attendre, viens danser avec ton vieux père et ses rhumatismes. »

Je retrouvai l'euphorie qui précédait nos sorties. Il n'avait vraiment rien d'un vieux père. En dansant, je respirai son parfum familier d'eau de Cologne, de chaleur, de tabac. Il dansait en mesure, les yeux mi-clos, un petit sourire heureux, irrépressible comme le mien, au coin des lèvres.

« Il faudrait que tu m'apprennes le be-bop », dit-il, oubliant ses rhumatismes.

Il s'arrêta de danser pour accueillir d'un murmure machinal et flatteur l'arrivée d'Elsa. Elle descendait l'escalier lentement dans sa robe verte, un sourire désabusé de mondaine à la bouche, son sourire de casino. Elle avait tiré le maximum de ses cheveux desséchés et de sa peau brûlée par le soleil, mais c'était plus méritoire que brillant. Elle ne semblait pas heureusement s'en rendre compte.

« Nous partons ?

— Anne n'est pas là, dis-je.

— Monte voir si elle est prête, dit mon père. Le temps d'aller à Cannes, il sera minuit. »

Je montai les marches en m'embarrassant dans ma robe et frappai à la porte d'Anne. Elle me cria d'entrer. Je m'arrêtai sur le seuil. Elle portait une robe grise, d'un gris extraordinaire, presque blanc, où la lumière s'accrochait, comme, à l'aube, certaines teintes de la mer. Tous les charmes de la maturité semblaient réunis en elle, ce soir-là.

« Magnifique ! dis-je. Oh ! Anne, quelle robe ! »

Elle sourit dans la glace comme on sourit à quelqu'un qu'on va quitter.

« Ce gris est une réussite, dit-elle.

— "Vous" êtes une réussite", dis-je.

Elle me prit par l'oreille, me regarda. Elle avait des yeux bleu sombre. Je les vis s'éclairer, sourire.

« Vous êtes une gentille petite fille, bien que vous soyez parfois fatigante. »

Elle me passa devant sans détailler ma propre robe, ce dont je me félicitai et me mortifiai à la fois. Elle descendit l'escalier la première et je vis mon père venir à sa rencontre. Il s'arrêta en bas de l'escalier, le pied sur la première marche, le visage levé vers elle. Elsa la regardait descendre aussi. Je me rappelle exactement cette scène : au premier plan, devant moi, la nuque dorée, les épaules parfaites d'Anne ; un peu plus bas, le visage ébloui de mon père, sa main tendue et, déjà dans le lointain, la silhouette d'Elsa.

« Anne, dit mon père, vous êtes extraordinaire. »

Elle lui sourit en passant et prit son manteau.

« Nous nous retrouvons là-bas, dit-elle. Cécile, vous venez avec moi ? »

Elle me laissa conduire. La route était si belle la nuit que j'allai doucement. Anne ne disait rien. Elle ne semblait même pas remarquer les trompettes déchaînées de la radio. Quand le cabriolet de mon père nous doubla, dans un virage, elle ne sourcilla pas. Je me sentais déjà hors de la course devant un spectacle où je ne pouvais plus intervenir. Au casino, grâce aux manœuvres de mon père, nous nous perdîmes vite. Je me retrouvai au bar, avec Elsa et une de ses relations, un Sud-Américain à demi ivre. Il s'occupait de théâtre et, malgré son état, restait intéressant par la passion qu'il y apportait. Je passai près d'une heure agréable avec lui mais Elsa s'ennuyait. Elle connaissait un ou deux monstres sacrés mais la technique ne l'intéressait pas. Elle me demanda brusquement où était mon père, comme si je pouvais en savoir quelque chose, et s'éloigna. Le Sud-Américain en parut un instant attristé mais un nouveau whisky le relança. Je ne pensais à rien, j'étais en pleine euphorie, ayant participé par politesse à ses libations. Les choses devinrent encore plus drôles quand il voulut danser. J'étais obligée de le tenir à bras-le-corps et de retirer mes pieds de dessous les siens, ce qui demandait beaucoup d'énergie. Nous riions tellement que, quand Elsa me frappa sur l'épaule et que je vis son air de Cassandre, je fus sur le point de l'envoyer au diable.

« Je ne le trouve pas », dit-elle.

Elle avait un visage consterné ; la poudre en était partie, la laissant tout éclairée, ses traits étaient tirés. Elle était pitoyable. Je me sentis soudain très en colère contre mon père. Il était d'une impolitesse inconcevable.

« Ah ! je sais où ils sont, dis-je en souriant comme s'il s'était agi d'une chose très naturelle et à laquelle elle eût pu penser sans inquiétude. Je reviens. »

Privé de mon appui, le Sud-Américain tomba dans les bras d'Elsa et sembla s'en trouver bien. Je pensai avec tristesse qu'elle était plus plantureuse que moi et que je ne saurais lui en vouloir. Le casino était grand : j'en fis deux fois le tour sans résultat. Je passai la revue des terrasses et pensai enfin à la voiture.

Il me fallut un moment pour la retrouver dans le parc. Ils y étaient. J'arrivai par-derrière et les aperçus par la glace du fond. Je vis leurs profils très proches et très graves, étrangement beaux sous le réverbère. Ils se regardaient, ils devaient parler à voix basse, je voyais leurs lèvres bouger. J'avais envie de m'en aller, mais la pensée d'Elsa me fit ouvrir la portière. La main de mon père était sur le bras d'Anne, ils me regardèrent à peine.

« Vous vous amusez bien ? demandai-je poliment.

— Qu'y a-t-il ? dit mon père d'un air irrité. Que fais-tu ici ?

— Et vous ? Elsa vous cherche partout depuis une heure. »

Anne tourna la tête vers moi, lentement, comme à regret :

« Nous rentrons. Dites-lui que j'ai été fatiguée et que votre père m'a ramenée. Quand vous vous serez assez amusées, vous rentrerez avec ma voiture. »

L'indignation me faisait trembler, je ne trouvais plus mes mots.

« Quand on se sera assez amusées ! Mais vous ne vous rendez pas compte ! C'est dégoûtant !

— Qu'est-ce qui est dégoûtant ? dit mon père avec étonnement.

— Tu amènes une fille rousse à la mer sous un soleil qu'elle ne supporte pas et quand elle est toute pelée, tu l'abandonnes. C'est trop facile ! Qu'est-ce que je vais lui dire à Elsa, moi ? »

Anne s'était retournée vers lui, l'air lassé. Il lui souriait, ne m'écoutait pas. Je touchais aux bornes de l'exaspération :

« Je vais... je vais lui dire que mon père a trouvé une autre dame avec qui coucher et qu'elle repasse, c'est ça ? »

L'exclamation de mon père et la gifle d'Anne furent simultanées. Je sortis précipitamment ma tête de la portière. Elle m'avait fait mal.

« Excuse-toi », dit mon père.

Je restai immobile près de la portière, dans un grand tourbillon de pensées. Les nobles attitudes me viennent toujours trop tard à l'esprit.

« Venez ici », dit Anne.

Elle ne semblait pas menaçante et je m'approchai. Elle mit sa main sur ma joue et me parla doucement, lentement, comme si j'étais un peu bête.

« Ne soyez pas méchante, je suis désolée pour Elsa. Mais vous êtes assez délicate pour arranger cela au mieux. Demain nous nous expliquerons. Je vous ai fait très mal ?

— Pensez-vous », dis-je poliment. Cette subite douceur, mon excès de violence précédent me donnaient envie de pleurer. Je les regardai partir, je me sentais complètement vidée. Ma seule consolation était l'idée de ma propre délicatesse. Je revins à pas lents au casino où je retrouvai Elsa, le Sud-Américain cramponné à son bras.

« Anne a été malade, dis-je d'un air léger. Papa a dû la ramener. On va boire quelque chose ? »

Elle me regardait sans répondre. Je cherchai un argument convaincant.

«Elle a eu des nausées, dis-je, c'est affreux, sa robe était toute tachée.»

Ce détail me semblait criant de vérité, mais Elsa se mit à pleurer, doucement, tristement. Désemparée, je la regardai.

«Cécile, dit-elle, oh! Cécile, nous étions si heureux...»

Ses sanglots redoublaient. Le Sud-Américain se mit à pleurer aussi, en répétant : «Nous étions si heureux, si heureux.» En ce moment, je détestai Anne et mon père. J'aurais fait n'importe quoi pour empêcher la pauvre Elsa de pleurer, son rimmel de fondre, cet Américain de sangloter.

«Tout n'est pas dit, Elsa. Revenez avec moi.

— Je reviendrai bientôt prendre mes valises, sanglota-t-elle. Adieu, Cécile, nous nous entendions bien.»

Je n'avais jamais parlé avec elle que du temps ou de la mode, mais il me semblait pourtant que je perdais une vieille amie. Je fis demi-tour brusquement et courus jusqu'à la voiture.

CHAPITRE VI

LE LENDEMAIN MATIN fut pénible, sans doute à cause des whiskies de la veille. Je me réveillai au travers de mon lit, dans l'obscurité, la bouche lourde, les membres perdus dans une moiteur insupportable. Un rai de soleil filtrait à travers les fentes du volet, des poussières y montaient en rangs serrés. Je n'éprouvais ni le désir de me lever, ni celui de rester dans mon lit. Je me demandais si Elsa reviendrait, quels visages auraient Anne et mon père ce matin. Je me forçais à penser à eux afin de me lever sans réaliser mon effort. J'y parvins enfin, me retrouvai sur le carrelage frais de la chambre, dolente, étourdie. La glace me tendait un triste reflet, je m'y appuyai : des yeux dilatés, une bouche gonflée, ce visage étranger, le mien... Pouvais-je être faible et lâche à cause de cette lèvre, de ces proportions, de ces odieuses, arbitraires limites? Et si j'étais limitée, pourquoi le savais-je d'une manière si éclatante, si contraire à moi-même? Je m'amusai à me détester, à haïr ce visage de loup, creusé et fripé par la débauche. Je me mis à répéter ce mot de débauche, sourdement, en me regardant les yeux, et, tout à coup, je me vis sourire. Quelle débauche, en effet : quelques malheureux verres, une gifle et des sanglots. Je me lavai les dents et descendis.

Mon père et Anne se trouvaient déjà sur la terrasse, assis l'un près de l'autre devant le plateau du petit déjeuner. Je lançai un vague bonjour, m'assis en face d'eux. Par pudeur, je n'osai pas les regarder, puis leur silence me força à lever les yeux. Anne avait les traits tirés, seuls signes d'une nuit d'amour. Ils souriaient tous les deux, l'air heureux. Cela m'impressionna : le bonheur m'a toujours semblé une ratification, une réussite.

« Bien dormi ? dit mon père.

— Comme ça, répondis-je. J'ai trop bu de whisky hier soir. »

Je me versai une tasse de café, la goûtai, mais la reposai vite. Il y avait une sorte de qualité, d'attente dans leur silence qui me rendait mal à l'aise. J'étais trop fatiguée pour le supporter longtemps.

« Que se passe-t-il ? Vous avez un air mystérieux. »

Mon père alluma une cigarette d'un geste qui se voulait tranquille. Anne me regardait, manifestement embarrassée pour une fois.

« Je voudrais vous demander quelque chose », dit-elle enfin.

J'envisageai le pire :

« Une nouvelle mission auprès d'Elsa ? »

Elle détourna son visage, le tendit vers mon père :

« Votre père et moi aimerions nous marier », dit-elle.

Je la regardai fixement, puis mon père. Une minute, j'attendis de lui un signe, un clin d'œil, qui m'eût à la fois indignée et rassurée. Il regardait ses mains. Je me disais : « Ce n'est pas possible », mais je savais déjà que c'était vrai.

« C'est une très bonne idée », dis-je pour gagner du temps.

Je ne parvenais pas à comprendre : mon père, si obstinément opposé au mariage, aux chaînes, en une nuit décidé... Cela changeait toute notre vie. Nous perdions l'indépendance. J'entrevis alors notre vie à trois, une vie subitement équilibrée par l'intelligence, le raffinement d'Anne, cette vie que je lui enviais. Des amis intelligents, délicats, des soirées heureuses, tranquilles... Je méprisai soudain les dîners tumultueux, les Sud-Américains, les Elsa. Un sentiment de supériorité, d'orgueil, m'envahissait.

« C'est une très, très bonne idée, répétai-je, et je leur souris.

— Mon petit chat, je savais que tu serais contente », dit mon père.

Il était détendu, enchanté. Redessiné par les fatigues de l'amour, le visage d'Anne semblait plus accessible, plus tendre que je ne l'avais jamais vu.

« Viens ici, mon chat », dit mon père.

Il me tendait les deux mains, m'attirait contre lui, contre elle. J'étais à demi agenouillée devant eux, ils me regardaient avec une douce émotion, me caressaient la tête. Quant à moi, je ne cessais de penser que ma vie tournait peut-être en ce moment mais que je n'étais effectivement pour eux qu'un chat, un petit animal affectueux. Je les sentais au-dessus de moi, unis par un passé, un futur, des liens que je ne connaissais pas, qui ne pouvaient me retenir moi-même. Volontairement, je fermai les yeux, appuyai ma tête sur leurs genoux, ris avec eux, repris mon rôle. D'ailleurs, n'étais-je pas heureuse? Anne était très bien, je ne lui connaissais nulle mesquinerie. Elle me guiderait, me déchargerait de ma vie, m'indiquerait en toutes circonstances la route à suivre. Je deviendrais accomplie, mon père le deviendrait avec moi. Mon père se leva pour aller chercher une bouteille de champagne. J'étais écœurée. Il était heureux, c'était bien le principal, mais je l'avais vu si souvent heureux à cause d'une femme...

« J'avais un peu peur de vous, dit Anne.

— Pourquoi?» demandai-je.

A l'entendre, j'avais l'impression que mon veto aurait pu empêcher le mariage de deux adultes.

«Je craignais que vous n'ayez peur de moi», dit-elle, et elle se mit à rire.

Je me mis à rire aussi car effectivement j'avais un peu peur d'elle. Elle me signifiait à la fois qu'elle le savait et que c'était inutile.

«Ça ne vous paraît pas ridicule, ce mariage de vieux?

— Vous n'êtes pas vieux», dis-je avec toute la conviction nécessaire car, une bouteille dans les bras, mon père revenait en valsant.

Il s'asseyait auprès d'Anne, posait son bras autour de ses épaules. Elle eut un mouvement du corps vers lui qui me fit baisser les yeux. C'était sans doute pour cela qu'elle l'épousait : pour son rire, pour ce bras dur et rassurant, pour sa vitalité, sa chaleur. Quarante ans, la peur de la solitude, peut-être les derniers assauts des sens... Je n'avais jamais pensé à Anne comme à une femme. Mais comme à une entité : j'avais vu en elle l'assurance, l'élégance, l'intelligence, mais jamais la sensualité, la faiblesse... Je comprenais que mon père fût fier : l'orgueilleuse, l'indifférente Anne Larsen l'épousait. L'aimait-il, pourrait-il l'aimer longtemps? Pouvais-je distinguer cette tendresse de celle qu'il avait pour Elsa? Je fermai les yeux, le soleil m'engourdissait. Nous étions tous les trois sur la terrasse, pleins de réticences, de craintes secrètes et de bonheur.

Elsa ne revint pas ces jours-là. Une semaine passa très vite. Sept jours heureux, agréables, les seuls. Nous dressions des plans compliqués d'ameublement, des horaires. Mon père et moi nous plaisions à les faire serrés, difficiles, avec l'inconscience de ceux qui ne les ont jamais connus. D'ailleurs, y avons-nous jamais cru? Rentrer déjeuner à midi et demi tous les jours au même endroit, dîner chez soi, y rester ensuite, mon père le croyait-il vraiment possible? Il enterrait cependant allégrement la bohème, prônait l'ordre, la vie bourgeoise, élégante, organisée. Sans doute tout cela n'était-il pour lui comme pour moi que des constructions de l'esprit.

J'ai gardé de cette semaine un souvenir que je me plais à creuser aujourd'hui pour m'éprouver moi-même. Anne était détendue, confiante, d'une grande douceur, mon père l'aimait. Je les voyais descendre le matin appuyés l'un à l'autre, riant ensemble, les yeux cernés et j'aurais aimé, je le jure, que cela durât toute la vie. Le soir, nous descendions souvent sur la côte, prendre l'apéritif à une terrasse. Partout on nous prenait pour une famille unie, normale, et moi, habituée à sortir seule avec mon père et à récolter des sourires, des regards de malice ou de pitié, je me réjouissais de revenir à un rôle de mon âge. Le mariage devait avoir lieu à Paris, à la rentrée.

Le pauvre Cyril n'avait pas vu sans un certain ahurissement nos transformations intérieures. Mais cette fin légale le réjouissait. Nous faisions du bateau ensemble, nous nous embrassions au gré de nos envies et parfois, tandis qu'il pressait sa bouche sur la mienne, je revoyais le visage d'Anne, son visage doucement meurtri du matin, l'espèce de lenteur, de nonchalance heureuse que l'amour donnait à ses gestes, et je l'enviais. Les baisers s'épuisent, et sans doute si Cyril m'avait moins aimée, serais-je devenue sa maîtresse cette semaine-là.

A six heures, en revenant des îles, Cyril tirait le bateau sur le sable. Nous rejoignions la maison par le bois de pins et, pour nous réchauffer, nous inventions des jeux d'Indiens, des courses à handicap. Il me rattrapait régulièrement avant la maison, s'abattait sur moi en criant victoire, me roulait dans les aiguilles de pins, me ligotait, m'embrassait. Je me rappelle encore le goût de ces baisers essoufflés, inefficaces, et le bruit du cœur de Cyril contre le mien en concordance avec le déferlement des vagues sur le sable... Un, deux, trois, quatre battements de cœur et le doux bruit sur le sable, un, deux, trois... un : il reprenait son souffle, son baiser se faisait précis, étroit, je n'entendais plus le bruit de la mer, mais dans mes oreilles les pas rapides et poursuivis de mon propre sang.

La voix d'Anne nous sépara un soir. Cyril était allongé contre moi, nous étions à moitié nus dans la lumière pleine de rougeurs et d'ombres du couchant et je comprends que cela ait pu abuser Anne. Elle prononça mon nom d'un ton bref.

Cyril se releva d'un bond, honteux bien entendu. Je me relevai à mon tour plus lentement en regardant Anne. Elle se tourna vers Cyril et lui parla doucement comme si elle ne le voyait pas :

« Je compte ne plus vous revoir », dit-elle.

Il ne répondit pas, se pencha sur moi et me baisa l'épaule, avant de s'éloigner. Ce geste m'étonna, m'émut comme un engagement. Anne me fixait, avec ce même air grave et détaché comme si elle pensait à autre chose. Cela m'agaça : si elle pensait à autre chose, elle avait tort de tant parler. Je me dirigeai vers elle en affectant un air gêné, par pure politesse. Elle enleva machinalement une aiguille de pin de mon cou et sembla me voir vraiment. Je la vis prendre son beau masque de mépris, ce visage de lassitude et de désapprobation qui la rendait remarquablement belle et me faisait un peu peur :

« Vous devriez savoir que ce genre de distractions finit généralement en clinique », dit-elle.

Elle me parlait debout en me fixant et j'étais horriblement ennuyée. Elle était de ces femmes qui peuvent parler, droites, sans bouger ; moi, il me fallait un fauteuil, le secours d'un objet à saisir, d'une cigarette, de ma jambe à balancer, à regarder balancer...

« Il ne faut pas exagérer, dis-je en souriant. J'ai juste embrassé Cyril, cela ne me traînera pas en clinique...

— Je vous prie de ne pas le revoir, dit-elle comme si elle croyait à un mensonge. Ne protestez pas : vous avez dix-sept ans, je suis un peu responsable de vous à présent et je ne vous laisserai pas gâcher votre vie. D'ailleurs, vous avez du travail à faire, cela occupera vos après-midi. »

Elle me tourna le dos et repartit vers la maison de son pas nonchalant. La consternation me clouait au sol. Elle pensait ce qu'elle disait : mes arguments, mes dénégations, elle les accueillerait avec cette forme d'indifférence pire que le mépris, comme si je n'existais pas, comme si j'étais quelque chose à réduire et non pas moi, Cécile, qu'elle connaissait depuis toujours, moi, enfin, qu'elle aurait pu souffrir de punir ainsi. Mon seul espoir était mon père. Il réagirait comme d'habitude : « Quel est ce garçon, mon chat ? Est-il beau au moins et sain ? Méfie-toi des salopards, ma petite fille. » Il fallait qu'il réagît en ce sens, ou mes vacances étaient finies.

Le dîner passa comme un cauchemar. Pas un instant Anne ne m'avait dit : « Je ne raconterai rien à votre père, je ne suis pas délatrice, mais vous allez me promettre de bien travailler. » Ce genre de calculs lui était étranger. Je m'en félicitais et lui en voulais à la fois car cela m'eût permis de la mépriser. Elle évita ce faux pas comme les autres et ce fut après le potage seulement qu'elle sembla se souvenir de l'incident. « J'aimerais que vous donniez quelques conseils avisés à votre fille, Raymond. Je l'ai trouvée dans le bois de pins avec Cyril, ce soir, et ils semblaient du dernier bien. »

Mon père essaya de prendre cela à la plaisanterie, le pauvre :

« Que me dites-vous là ? Que faisaient-ils ?

— Je l'embrassais, criai-je avec ardeur. Anne a cru...

— Je n'ai rien cru du tout, coupa-t-elle. Mais je crois qu'il serait bon qu'elle cesse de le voir quelque temps et qu'elle travaille un peu sa philosophie.

— La pauvre petite, dit mon père... Ce Cyril est gentil garçon, après tout ?

— Cécile est aussi une gentille petite fille, dit Anne. C'est pourquoi je serais navrée qu'il lui arrive un accident. Et étant donné la liberté complète qu'elle a ici, la compagnie constante de ce garçon et leur désœuvrement, cela me paraît inévitable. Pas vous?»

Au son de ce «pas vous?» je levai les yeux et mon père baissa les siens, très ennuyé.

«Vous avez sans doute raison, dit-il. Oui, après tout, tu devrais travailler un peu, Cécile. Tu ne veux quand même pas refaire une philosophie?

— Que veux-tu que ça me fasse?» répondis-je brièvement.

Il me regarda et détourna les yeux aussitôt. J'étais confondue. Je me rendais compte que l'insouciance est le seul sentiment qui puisse inspirer notre vie et ne pas disposer d'arguments pour se défendre.

«Voyons, dit Anne en saisissant ma main par-dessus la table, vous allez troquer votre personnage de fille des bois contre celui de bonne écolière, et seulement pendant un mois, ce n'est pas si grave, si?»

Elle me regardait, il me regardait en souriant: sous ce jour, le débat était simple. Je retirai ma main doucement:

«Si, dis-je, c'est grave.»

Je le dis si doucement qu'ils ne m'entendirent pas ou ne le voulurent pas. Le lendemain matin, je me retrouvai devant une phrase de Bergson: il me fallut quelques minutes pour la comprendre: «Quelque hétérogénéité qu'on puisse trouver d'abord entre les faits et la cause, et bien qu'il y ait loin d'une règle de conduite à une affirmation sur le fond des choses, c'est toujours dans un contact avec le principe générateur de l'espèce humaine qu'on s'est senti puiser la force d'aimer l'humanité.» Je me répétai cette phrase, doucement d'abord pour ne pas m'énerver, puis à voix haute. Je me pris la tête dans les mains et la regardai avec attention. Enfin, je la compris et je me sentis aussi froide, aussi impuissante qu'en la lisant pour la première fois. Je ne pouvais pas continuer; je regardai les lignes suivantes toujours avec application et bienveillance et soudain quelque chose se leva en moi comme un vent, me jeta sur mon lit. Je pensai à Cyril qui m'attendait sur la crique dorée, au balancement doux du bateau, au goût de nos baisers, et je pensai à Anne. J'y pensai d'une telle manière que je m'assis sur mon lit, le cœur battant, en me disant que c'était stupide et monstrueux, que je n'étais qu'une enfant gâtée et paresseuse et que je n'avais pas le droit de penser ainsi. Et je continuai, malgré moi, à réfléchir: à réfléchir qu'elle était nuisible et dangereuse, et qu'il fallait l'écarter de notre chemin. Je me souvenais de ce déjeuner que je venais de passer, les dents serrées. Ulcérée, défaite par la rancune, un sentiment que je me méprisais, me ridiculisais d'éprouver... oui, c'est bien là ce que je reprochais à Anne; elle m'empêchait de m'aimer moi-même. Moi, si naturellement faite pour le bonheur, l'amabilité, l'insouciance, j'entrais par elle dans un monde de reproches, de mauvaise conscience, où, trop inexperte à l'introspection, je me perdais moi-même. Et que m'apportait-elle? Je mesurai sa force : elle avait voulu mon père, elle l'avait, elle allait peu à peu faire de nous le mari et la fille d'Anne Larsen. C'est-à-dire des êtres policés, bien élevés et heureux. Car elle nous rendrait heureux ; je sentais bien avec quelle facilité nous, instables, nous céderions à cet attrait des cadres, de l'irresponsabilité. Elle était beaucoup trop efficace. Déjà mon père se séparait de moi ; ce visage gêné, détourné qu'il avait eu à table m'obsédait, me torturait. Je me souvenais avec une envie de pleurer de toutes nos anciennes complicités, de nos rires quand nous rentrions à l'aube en voiture dans les rues blanches de Paris. Tout cela était fini. A mon tour, j'allais être influencée, remaniée, orientée par Anne. Je n'en souffrirais même pas : elle agirait par l'intelligence, l'ironie, la douceur, je n'étais pas capable de lui résister ; dans six mois, je n'en aurais même plus envie.

Il fallait absolument se secouer, retrouver mon père et notre vie d'antan. De quels charmes ne se paraient pas pour moi subitement les deux années joyeuses et incohérentes que je venais d'achever, ces deux années que j'avais si vite reniées l'autre jour ?... La liberté de penser, et de mal penser et de penser peu, la liberté de choisir moi-même ma vie, de me choisir moi-même. Je ne peux dire « d'être moi-même » puisque je n'étais rien qu'une pâte modelable, mais celle de refuser les moules.

Je sais qu'on peut trouver à ce changement des motifs compliqués, que l'on peut me doter de complexes magnifiques : un amour incestueux pour mon père ou une passion malsaine pour Anne. Mais je connais les causes réelles : ce furent la chaleur, Bergson, Cyril ou du moins l'absence de Cyril. J'y pensai tout l'après-midi dans une suite d'états désagréables mais tous issus de cette découverte : que nous étions à la merci d'Anne. Je n'étais pas habituée à réfléchir, cela me rendait irritable. A table, comme le matin, je n'ouvris pas la bouche. Mon père se crut obligé d'en plaisanter :

« Ce que j'aime dans la jeunesse, c'est son entrain, sa conversation... »

Je le regardai violemment, avec dureté. Il était vrai qu'il aimait la jeunesse et avec qui avais-je parlé si ce n'est avec lui ? Nous avions parlé de tout : de l'amour, de la mort, de la musique. Il m'abandonnait, me désarmait lui-même. Je le regardai, je pensai : « Tu ne m'aimes plus comme avant, tu me trahis » et j'essayai de le lui faire comprendre sans parler ; j'étais en plein drame. Il me regarda aussi, subitement alarmé, comprenant peut-être que ce n'était plus un jeu et que notre entente était en danger. Je le vis se pétrifier, interrogateur. Anne se tourna vers moi :

« Vous avez mauvaise mine, j'ai des remords de vous faire travailler. »

Je ne répondis pas, je me détestais trop moi-même pour cette espèce de drame que je montais et que je ne pouvais plus arrêter. Nous avions fini de dîner. Sur la terrasse, dans le rectangle lumineux projeté par la fenêtre de la salle à manger, je vis la main d'Anne, une longue main vivante, se balancer, trouver celle de mon père. Je pensai à Cyril, j'aurais voulu qu'il me prît dans ses bras, sur cette terrasse criblée de cigales et de lune. J'aurais voulu être caressée, consolée, raccommodée avec moi-même. Mon père et Anne se taisaient : ils avaient devant eux une nuit d'amour, j'avais Bergson. J'essayai de pleurer, de m'attendrir sur moi-même ; en vain. C'était déjà sur Anne que je m'attendrissais, comme si j'avais été sûre de la vaincre.

Deuxième partie

CHAPITRE PREMIER

LA NETTETÉ de mes souvenirs à partir de ce moment m'étonne. J'acquérais une conscience plus attentive des autres, de moi-même. La spontanéité, un égoïsme facile avaient toujours été pour moi un luxe naturel. J'avais toujours vécu. Or, voici que ces quelques jours m'avaient assez troublée pour que je sois amenée à réfléchir, à me regarder vivre. Je passais par toutes les affres de l'introspection sans, pour cela, me réconcilier avec moi-même. « Ce sentiment, pensais-je, ce sentiment à l'égard d'Anne est bête et pauvre, comme ce désir de la séparer de mon père est féroce. » Mais, après tout, pourquoi me juger ainsi ? Étant simplement moi, n'étais-je pas libre d'éprouver ce qui arrivait ? Pour la première fois de ma vie, ce « moi » semblait se partager et la découverte d'une telle dualité m'étonnait prodigieusement. Je trouvais de bonnes excuses, je me les murmurais à moi-même, me jugeant sincère, et brusquement un autre « moi » surgissait, qui s'inscrivait en faux contre mes propres arguments, me criant que je m'abusais moi-même, bien qu'ils eussent toutes les apparences de la vérité. Mais n'était-ce pas, en fait, cet autre qui me trompait ? Cette lucidité n'était-elle pas la pire des erreurs ? Je me débattais des heures entières dans ma chambre pour savoir si la crainte, l'hostilité que m'inspirait Anne à présent se justifiaient ou si je n'étais qu'une petite jeune fille égoïste et gâtée en veine de fausse indépendance. En attendant, je maigrissais un peu plus chaque jour, je ne faisais que dormir sur la plage et, aux repas, je gardais malgré moi un silence anxieux qui finissait par les gêner. Je regardais Anne, je l'épiais sans cesse, je me disais tout au long du repas : « Ce geste qu'elle a eu vers lui, n'est-ce pas l'amour, un amour comme il n'en aura jamais d'autre ? Et ce sourire vers moi avec ce fond d'inquiétude dans les yeux, comment pourrais-je lui en vouloir ? » Mais, soudain, elle disait : « Quand nous serons rentrés, Raymond... » Alors, l'idée qu'elle allait partager notre vie, y intervenir, me hérissait. Elle ne me semblait plus qu'habileté et froideur. Je me disais : « Elle est froide, nous sommes chaleureux ; elle est autoritaire, nous sommes indépendants ; elle est indifférente : les gens ne l'intéressent pas, ils nous passionnent ; elle est réservée, nous sommes gais. Il n'y a que nous deux de vivants et elle va se glisser entre nous avec sa tranquillité, elle va se réchauffer, nous prendre peu à peu notre bonne chaleur insouciante, elle va nous voler tout, comme un beau serpent. » Je me répétais un beau serpent... un beau serpent ! Elle me tendait le pain et soudain je me réveillais, je me criais : « Mais c'est fou, c'est Anne, l'intelligente Anne, celle qui s'est occupée de toi. Sa froideur est sa forme de vie, tu ne peux y voir du calcul ; son indifférence la protège de mille petites choses sordides, c'est un gage de noblesse. » Un beau serpent... je me sentais blêmir de honte, je la regardais, je la suppliais tout bas de me pardonner. Parfois, elle surprenait ces regards et l'étonnement, l'incertitude assombrissaient son visage, coupaient ses phrases. Elle cherchait instinctivement mon père des yeux ; il la regardait avec admiration ou désir, ne comprenait pas la cause de cette inquiétude. Enfin, j'arrivais peu à peu à rendre l'atmosphère étouffante et je m'en détestais.

Mon père souffrait autant qu'il lui était, dans son cas, possible de souffrir. C'est-à-dire peu, car il était fou d'Anne, fou d'orgueil et de plaisir et il ne vivait que pour ça. Un jour, cependant, où je somnolais sur la plage, après le bain du matin, il s'assit près de moi et me regarda. Je sentais son regard peser sur moi. J'allais me lever et lui proposer d'aller à l'eau avec l'air faussement enjoué qui me devenait habituel, quand il posa sa main sur ma tête et éleva la voix d'un ton lamentable :

« Anne, venez voir cette sauterelle, elle est toute maigre. Si le travail lui fait cet effet-là, il faut qu'elle s'arrête. »

Il croyait tout arranger et sans doute, dix jours plus tôt, cela eût tout arrangé. Mais j'étais arrivée bien plus loin dans les complications et les heures de travail pendant l'après-midi ne me gênaient plus, étant donné que je n'avais pas ouvert un livre depuis Bergson.

Anne s'approchait. Je restai couchée sur le ventre dans le sable, attentive au bruit de ses pas. Elle s'assit de l'autre côté et murmura :

« C'est vrai que ça ne lui réussit pas. D'ailleurs, il lui suffirait de travailler vraiment au lieu de tourner en rond dans sa chambre... »

Je m'étais retournée, je les regardais. Comment savait-elle que je ne travaillais pas ? Peut-être même avait-elle deviné mes pensées, je la croyais capable de tout. Cette idée me fit peur :

« Je ne tourne pas en rond dans ma chambre, protestai-je.

— Est-ce ce garçon qui te manque ? demanda mon père.

— Non ! »

C'était un peu faux. Mais il est vrai que je n'avais pas eu le temps de penser à Cyril.

« Et pourtant tu ne te portes pas bien, dit mon père sévèrement. Anne, vous la voyez ? On dirait un poulet qu'on aurait vidé et mis à rôtir au soleil.

— Ma petite Cécile, dit Anne, faites un effort. Travaillez un peu et mangez beaucoup. Cet examen est important...

— Je me fous de mon examen, criai-je, vous comprenez, je m'en fous ! »

Je la regardai désespérément, bien en face, pour qu'elle comprît que c'était plus grave qu'un examen. Il fallait qu'elle me dise : « Alors, qu'est-ce que c'est ? », qu'elle me harcèle de questions, qu'elle me force à tout lui raconter. Et là, elle me convaincrait, elle déciderait ce qu'elle voudrait, mais ainsi je ne serais plus infestée de ces sentiments acides et déprimants. Elle me regardait attentivement, je voyais le bleu de Prusse de ses yeux assombris par l'attention, le reproche. Et je compris que jamais elle ne penserait à me questionner, à me délivrer parce que l'idée ne l'effleurerait pas et qu'elle estimait que cela ne se faisait pas. Et qu'elle ne me prêtait pas une de ces pensées qui me ravageaient ou que si elle le faisait c'était avec mépris et indifférence. Tout ce qu'elles méritaient, d'ailleurs ! Anne accordait toujours aux choses leur importance exacte. C'est pourquoi jamais, jamais, je ne pourrais traiter avec elle.

Je me rejetai sur le sable avec violence, j'appuyai ma joue sur la douceur chaude de la plage, je soupirai, je tremblai un peu. La main d'Anne, tranquille et sûre, se posa sur ma nuque, me maintint immobile un instant, le temps que mon tremblement nerveux s'arrête.

« Ne vous compliquez pas la vie, dit-elle. Vous qui étiez si contente et si agitée, vous qui n'avez pas de tête, vous devenez cérébrale et triste. Ce n'est pas un personnage pour vous.

— Je sais, dis-je. Moi, je suis le jeune être inconscient et sain, plein de gaieté et de stupidité.

— Venez déjeuner », dit-elle.

Mon père s'était éloigné, il détestait ce genre de discussions ; dans le chemin, il me prit la main et la garda. C'était une main dure et réconfortante : elle m'avait mouchée à mon premier chagrin d'amour, elle avait tenu la mienne dans les moments de tranquillité et de bonheur parfait, elle l'avait serrée furtivement dans les moments de complicité et de fou rire. Cette main sur le volant, ou sur les clefs, le soir, cherchant vainement la serrure, cette main sur l'épaule d'une femme ou sur des cigarettes, cette main ne pouvait plus rien pour moi. Je la serrai très fort. Se tournant vers moi, il me sourit.

CHAPITRE II

Deux jours passèrent : je tournais en rond, je m'épuisais. Je ne pouvais me libérer de cette hantise : Anne allait saccager notre existence. Je ne cherchais pas à revoir Cyril, il m'eût rassurée, apporté quelque bonheur et je n'en avais pas envie. Je mettais même une certaine complaisance à me poser des questions insolubles, à me rappeler les jours passés, à craindre ceux qui suivraient. Il faisait très chaud ; ma chambre était dans la pénombre, les volets clos, mais cela ne suffisait pas à écarter une pesanteur, une moiteur de l'air insupportables. Je restais sur mon lit, la tête renversée, les yeux au plafond, bougeant à peine pour retrouver un morceau de drap frais. Je ne dormais pas mais je mettais sur le pick-up au pied de mon lit des disques lents, sans mélodie, juste cadencés. Je fumais beaucoup, je me trouvais décadente et cela me plaisait. Mais ce jeu ne suffisait pas à m'abuser : j'étais triste, désorientée.

Un après-midi, la femme de chambre frappa à ma porte et m'avertit d'un air mystérieux qu'« il y avait quelqu'un en bas ». Je pensai aussitôt à Cyril. Je descendis, mais ce n'était pas lui. C'était Elsa. Elle me serra les mains avec effusion. Je la regardai et je m'étonnai de sa nouvelle beauté. Elle était enfin hâlée, d'un hâle clair et régulier, très soignée, éclatante de jeunesse.

« Je suis venue prendre mes valises, dit-elle. Juan m'a acheté quelques robes ces jours-ci, mais ce n'était pas suffisant. »

Je me demandai un instant qui était Juan et passai outre. J'avais plaisir à retrouver Elsa : elle transportait avec elle une ambiance de femme entretenue, de bars, de soirées faciles qui me rappelait des jours heureux. Je lui dis que j'étais contente de la revoir et elle m'assura que nous nous étions toujours bien entendues car nous avions des points communs. Je dissimulai un léger frisson et lui proposai de monter dans ma chambre, ce qui lui éviterait de rencontrer mon père et Anne. Quand je lui parlai de mon père, elle ne put réprimer un petit mouvement de la tête et je pensai qu'elle l'aimait peut-être encore... malgré Juan et ses robes. Je pensai aussi que, trois semaines plus tôt, je n'aurais pas remarqué ce mouvement.

Dans ma chambre, je l'écoutai parler avec force éclats de la vie mondaine et grisante qu'elle avait menée sur la côte. Je sentais confusément se lever en moi des idées curieuses qu'inspirait en partie son nouvel aspect. Enfin elle s'arrêta d'elle-même, peut-être à cause de mon silence, fit quelques pas dans la chambre et, sans se retourner, me demanda d'une voix détachée si « Raymond était heureux ». J'eus l'impression de marquer un point, et je compris aussitôt pourquoi. Alors, des foules de projets se mélangèrent dans ma tête, des plans se dressèrent, je me sentis succomber sous le poids de mes arguments. Aussi rapidement, je sus ce qu'il fallait lui dire :

« "Heureux", c'est beaucoup dire ! Anne ne lui laisse pas croire autre chose. Elle est très habile.

— Très ! soupira Elsa.

— Vous ne devinerez jamais ce qu'elle l'a décidé à faire... Elle va l'épouser. »

Elsa tourna vers moi un visage horrifié :

« L'épouser ? Raymond veut se marier, lui ?

— Oui, dis-je, Raymond va se marier. »

Une brusque envie de rire me prenait à la gorge. Mes mains tremblaient. Elsa semblait désemparée, comme si je lui avais porté un coup. Il ne fallait pas la laisser réfléchir et déduire qu'après tout, c'était de son âge et qu'il ne pouvait passer sa vie avec des demi-mondaines. Je me penchai en avant et baissai soudain la voix pour l'impressionner :

« Il ne faut pas que cela se fasse, Elsa. Il souffre déjà. Ce n'est pas une chose possible, vous le comprenez bien.

— Oui », dit-elle.

Elle paraissait fascinée, cela me donnait envie de rire et mon tremblement augmentait.

« Je vous attendais, repris-je. Il n'y a que vous qui soyez de taille à lutter contre Anne. Vous seule avez la classe suffisante. »

Manifestement, elle ne demandait qu'à me croire.

« Mais s'il l'épouse, c'est qu'il l'aime, objecta-t-elle.

— Allons, dis-je doucement, c'est vous qu'il aime, Elsa ! N'essayez pas de me faire croire que vous l'ignorez. »

Je la vis battre des paupières, se détourner pour cacher le plaisir, l'espoir que je lui donnais. J'agissais dans une sorte de vertige, je sentais exactement ce qu'il fallait lui dire.

« Vous comprenez, dis-je, elle lui a fait le coup de l'équilibre conjugal, du foyer, de la morale, et elle l'a eu. »

Mes paroles m'accablaient... Car, en somme, c'étaient bien mes propres sentiments que j'exprimais ainsi, sous une forme élémentaire et grossière sans doute, mais ils correspondaient à mes pensées.

« Si le mariage se fait, notre vie à tous trois est détruite, Elsa. Il faut défendre mon père, c'est un grand enfant... Un grand enfant... »

Je répétais « grand enfant » avec énergie. Cela me paraissait un peu trop poussé au mélodrame mais déjà le bel œil vert d'Elsa s'embuait de pitié. J'achevai comme dans un cantique :

« Aidez-moi, Elsa. Je vous le dis pour vous, pour mon père et pour votre amour à tous deux. »

J'achevai in petto : «... et pour les petits Chinois. »

« Mais que puis-je faire ? demandait Elsa. Cela me paraît impossible.

— Si vous le croyez impossible, alors renoncez, dis-je avec ce que l'on appelle une voix brisée.

— Quelle garce ! murmura Elsa.

— C'est le terme exact », dis-je et je détournai le visage à mon tour. Elsa renaissait à vue d'œil. Elle avait été bafouée, elle allait lui montrer, à cette intrigante, ce qu'elle pouvait faire, elle, Elsa Mackenbourg. Et mon père l'aimait, elle l'avait toujours su. Elle-même n'avait pu oublier auprès de Juan la séduction de Raymond. Sans doute, elle ne lui parlait pas de foyer, mais elle, au moins, ne l'ennuyait pas, elle n'essayait pas...

« Elsa, dis-je, car je ne la supportais plus, vous allez voir Cyril de ma part et lui demander l'hospitalité. Il s'arrangera avec sa mère. Dites-lui que, demain matin, je viendrai le voir. Nous discuterons ensemble tous les trois. »

Sur le pas de la porte, j'ajoutai pour rire :

« C'est votre destin que vous défendez, Elsa. »

Elle acquiesça gravement comme si, des destins, elle n'en avait pas une quinzaine, autant que d'hommes qui l'entretiendraient. Je la regardai partir dans le soleil, de son pas dansant. Je donnai une semaine à mon père pour la désirer à nouveau.

Il était trois heures et demie : en ce moment, il devait dormir dans les bras d'Anne. Elle-même épanouie, défaite, renversée dans la chaleur du plaisir, du bonheur, devait s'abandonner au sommeil... Je me mis à dresser des plans très rapidement sans m'arrêter un instant sur moi-même. Je marchais dans ma chambre sans interruption, j'allais jusqu'à la fenêtre, jetais un coup d'œil à la mer parfaitement calme, écrasée sur les sables, je revenais à la porte, me retournais. Je calculais, je supputais, je détruisais au fur et à mesure toutes les objections ; je ne m'étais jamais rendu compte de l'agilité de l'esprit, de ses sursauts. Je me sentais dangereusement habile et, à la vague de dégoût qui s'était emparée de moi, contre moi, dès mes premières explications à Elsa, s'ajoutait un sentiment d'orgueil, de complicité intérieure, de solitude.

Tout cela s'effondra — est-il utile de le dire ? — à l'heure du bain. Je tremblais de remords devant Anne, je ne savais que faire pour me rattraper. Je portais son sac, je me précipitais pour lui tendre son peignoir à la sortie de l'eau, je l'accablais de prévenances, de paroles aimables ; ce changement si rapide, après mon silence des derniers jours, ne laissait pas de la surprendre, voire de lui faire plaisir. Mon père était ravi. Anne me remerciait d'un sourire, me répondait gaiement et je me rappelais le « Quelle garce ! — C'est le terme exact. » Comment avais-je pu dire cela, accepter les bêtises d'Elsa ? Demain, je lui conseillerais de partir, lui avouant que je m'étais trompée. Tout reprendrait comme avant

et, après tout, je le passerais, mon examen ! C'était sûrement utile, le baccalauréat.
« N'est-ce pas ? »
Je parlais à Anne.
« N'est-ce pas que c'est utile, le baccalauréat ? »
Elle me regarda et éclata de rire. Je fis comme elle, heureuse de la voir si gaie.
« Vous êtes incroyable », dit-elle.
C'est vrai que j'étais incroyable, et encore si elle avait su ce que j'avais projeté de faire ! Je mourais d'envie de le lui raconter pour qu'elle voie à quel point j'étais incroyable ! « Figurez-vous que je lançais Elsa dans la comédie : elle faisait semblant d'être amoureuse de Cyril, elle habitait chez lui, nous les voyions passer en bateau, nous les rencontrions dans les bois, sur la côte. Elsa est redevenue belle. Oh ! évidemment, elle n'a pas votre beauté, mais enfin ce côté belle créature resplendissante qui fait se retourner les hommes. Mon père ne l'aurait pas supporté longtemps : il n'a jamais admis qu'une femme belle qui lui a appartenu se console si vite et, en quelque sorte, sous ses yeux. Surtout avec un homme plus jeune que lui. Vous comprenez, Anne, il en aurait eu envie très vite, bien qu'il vous aime, pour se rassurer. Il est très vaniteux ou très peu sûr de lui, comme vous voulez. Elsa, sous mes directives, aurait fait ce qu'il fallait. Un jour, il vous aurait trompée et vous n'auriez pas pu le supporter, n'est-ce pas ? Vous n'êtes pas de ces femmes qui partagent. Alors vous seriez partie et c'était ce que je voulais. Oui, c'est stupide, je vous en voulais à cause de Bergson, de la chaleur ; je m'imaginais que... Je n'ose même pas vous en parler tellement c'était abstrait et ridicule. A cause de ce baccalauréat, j'aurais pu vous brouiller avec nous, vous l'amie de ma mère, notre amie. Et c'est pourtant utile, le baccalauréat, n'est-ce pas ? » « N'est-ce pas ?
— N'est-ce pas quoi ? dit Anne. Que le baccalauréat est utile ?
— Oui », dis-je.
Après tout, il valait mieux ne rien lui dire, elle n'aurait peut-être pas compris. Il y avait des choses qu'elle ne comprenait pas, Anne. Je me lançai dans l'eau à la poursuite de mon père, me battis avec lui, retrouvai les plaisirs du jeu, de l'eau, de la bonne conscience. Demain, je changerais de chambre ; je m'installerais au grenier avec mes livres de classe. Je n'emporterais quand même pas Bergson ; il ne fallait pas exagérer. Deux bonnes heures de travail, dans la solitude, l'effort silencieux, l'odeur de l'encre, du papier. Le succès en octobre, le rire stupéfait de mon père, l'approbation d'Anne, la licence. Je serais intelligente, cultivée, un peu détachée, comme Anne. J'avais peut-être des possibilités intellectuelles... N'avais-je pas mis sur pied en cinq minutes un plan logique, méprisable bien sûr, mais logique. Et Elsa ! Je l'avais prise par la vanité, le sentiment, je l'avais décidée en quelques

instants, elle qui venait juste pour prendre sa valise. C'était drôle, d'ailleurs : j'avais visé Elsa, j'avais aperçu la faille, ajusté mes coups avant de parler. Pour la première fois, j'avais connu ce plaisir extraordinaire : percer un être, le découvrir, l'amener au jour et, là, le toucher. Comme on met un doigt sur un ressort, avec précaution, j'avais essayé de trouver quelqu'un et cela s'était déclenché aussitôt. Touché ! Je ne connaissais pas cela, j'avais toujours été trop impulsive. Quand j'avais atteint un être, c'était par mégarde. Tout ce merveilleux mécanisme des réflexes humains, toute cette puissance du langage, je les avais brusquement entrevus. Quel dommage que ce fût par les voies du mensonge. Un jour, j'aimerais quelqu'un passionnément et je chercherais un chemin vers lui, ainsi, avec précaution, avec douceur, la main tremblante...

CHAPITRE III

L E LENDEMAIN, en me dirigeant vers la villa de Cyril, je me sentais beaucoup moins sûre de moi, intellectuellement. Pour fêter ma guérison, j'avais beaucoup bu au dîner et j'étais plus que gaie. J'expliquais à mon père que j'allais faire une licence de lettres, que je fréquenterais des érudits, que je voulais devenir célèbre et assommante. Il lui faudrait déployer tous les trésors de la publicité et du scandale pour me lancer. Nous échangions des idées saugrenues, nous riions aux éclats. Anne riait aussi mais moins fort, avec une sorte d'indulgence. De temps en temps, elle ne riait plus du tout, mes idées de lancement débordant les cadres de la littérature et de la simple décence. Mais mon père était si manifestement heureux de ce que nous nous retrouvions avec nos plaisanteries stupides, qu'elle ne disait rien. Finalement, ils me couchèrent, me bordèrent. Je les remerciai avec passion, leur demandai ce que je ferais sans eux. Mon père ne le savait vraiment pas, Anne semblait avoir une idée assez féroce à ce sujet mais comme je la suppliais de me le dire et qu'elle se penchait sur moi, le sommeil me terrassa. Au milieu de la nuit, je fus malade. Le réveil dépassa tout ce que je connaissais en fait de réveil pénible. Les idées vagues, le cœur hésitant, je me dirigeai vers le bois de pins, sans rien voir de la mer du matin et des mouettes surexcitées.

Je trouvai Cyril à l'entrée du jardin. Il bondit vers moi, me prit dans ses bras, me serra violemment contre lui en murmurant des paroles confuses :

« Mon chéri, j'étais tellement inquiet... Il y a si longtemps... Je ne savais pas ce que tu faisais, si cette femme te rendait malheureuse... Je

ne savais pas que je pourrais être si malheureux moi-même... Je passais
tous les après-midi devant la crique, une fois, deux fois. Je ne croyais
pas que je t'aimais tant...
    — Moi non plus», dis-je.
    En fait, cela me surprenait et m'émouvait à la fois. Je regrettais
d'avoir si mal au cœur, de ne pouvoir lui témoigner mon émotion.
«Que tu es pâle, dit-il. Maintenant, je vais m'occuper de toi, je ne te
laisserai pas maltraiter plus longtemps.»
    Je reconnaissais l'imagination d'Elsa. Je demandai à Cyril ce qu'en
disait sa mère.
    «Je la lui ai présentée comme une amie, une orpheline, dit Cyril. Elle
est gentille d'ailleurs, Elsa. Elle m'a tout raconté au sujet de cette
femme. C'est curieux, avec un visage si fin, si racé, ces manœuvres
d'intrigante.
    — Elsa a beaucoup exagéré, dis-je faiblement. Je voulais lui dire
justement que...
    — Moi aussi, j'ai quelque chose à te dire, coupa Cyril. Cécile, je
veux t'épouser.»
    J'eus un moment de panique. Il fallait faire quelque chose, dire
quelque chose. Si je n'avais pas eu ce mal de cœur épouvantable...
    «Je t'aime, disait Cyril dans mes cheveux. Je lâche le droit, on
m'offre une situation intéressante... un oncle... J'ai vingt-six ans, je ne
suis plus un petit garçon, je parle sérieusement. Que dis-tu?»
    Je cherchais désespérément quelque belle phrase équivoque. Je ne
voulais pas l'épouser. Je l'aimais mais je ne voulais pas l'épouser. Je ne
voulais épouser personne, j'étais fatiguée.
    «Ce n'est pas possible, balbutiai-je. Mon père...
    — Ton père, je m'en charge, dit Cyril.
    — Anne ne voudra pas, dis-je. Elle prétend que je ne suis pas adulte.
Et si elle dit non, mon père le dira aussi. Je suis si fatiguée, Cyril, ces
émotions me coupent les jambes, asseyons-nous. Voilà Elsa.»
    Elle descendait en robe de chambre, fraîche et lumineuse. Je me sentis
terne et maigre. Ils avaient tous les deux un air sain, florissant et excité
qui me déprimait encore. Elle me fit asseoir avec mille ménagements,
comme si je sortais de prison.
    «Comment va Raymond? demanda-t-elle. Sait-il que je suis venue?»
    Elle avait le sourire heureux de celle qui a pardonné, qui espère. Je ne
pouvais pas lui dire, à elle, que mon père l'avait oubliée et à lui que je
ne voulais pas l'épouser. Je fermai les yeux, Cyril alla chercher du café.
Elsa parlait, parlait, elle me considérait visiblement comme quelqu'un
de très subtil, elle avait confiance en moi. Le café était très fort, très
parfumé, le soleil me réconfortait un peu.
    «J'ai eu beau chercher, je n'ai pas trouvé de solution, dit Elsa.

— Il n'y en a pas, dit Cyril. C'est un engouement, une influence, il n'y a rien à faire.

— Si, dis-je. Il y a un moyen. Vous n'avez aucune imagination. »

Cela me flattait de les voir attentifs à mes paroles : ils avaient dix ans de plus que moi et ils n'avaient pas d'idée ! Je pris l'air dégagé :

« C'est une question de psychologie », dis-je.

Je parlai longtemps, je leur expliquai mon plan. Ils me présentaient les mêmes objections que je m'étais posées la veille et j'éprouvais à les détruire un plaisir aigu. C'était gratuit mais à force de vouloir les convaincre, je me passionnais à mon tour. Je leur démontrai que c'était possible. Il me restait à leur montrer qu'il ne fallait pas le faire mais je ne trouvai pas d'arguments aussi logiques.

« Je n'aime pas ces combines, disait Cyril. Mais si c'est le seul moyen pour t'épouser, je les adopte.

— Ce n'est pas précisément la faute d'Anne, disais-je.

— Vous savez très bien que si elle reste, vous épouserez qui elle voudra », dit Elsa.

C'était peut-être vrai. Je voyais Anne me présentant un jeune homme le jour de mes vingt ans, licencié aussi, promis à un brillant avenir, intelligent, équilibré, sûrement fidèle. Un peu ce qu'était Cyril, d'ailleurs. Je me mis à rire.

« Je t'en prie, ne ris pas, dit Cyril. Dis-moi que tu seras jalouse quand je ferai semblant d'aimer Elsa. Comment as-tu pu l'envisager, est-ce que tu m'aimes ? »

Il parlait à voix basse. Discrètement, Elsa s'était éloignée. Je regardais le visage brun, tendu, les yeux sombres de Cyril. Il m'aimait, cela me donnait une curieuse impression. Je regardais sa bouche, gonflée de sang, si proche... Je ne me sentais plus intellectuelle. Il avança un peu le visage de sorte que nos lèvres, en venant à se toucher, se reconnurent. Je restai assise les yeux ouverts, sa bouche immobile contre la mienne, une bouche chaude et dure ; un léger frémissement la parcourait, il s'appuya un peu plus pour l'arrêter, puis ses lèvres s'écartèrent, son baiser s'ébranla, devint vite impérieux, habile, trop habile... Je comprenais que j'étais plus douée pour embrasser un garçon au soleil que pour faire une licence. Je m'écartai un peu de lui, haletante.

« Cécile, nous devons vivre ensemble. Je jouerai le petit jeu avec Elsa. »

Je me demandais si mes calculs étaient justes. J'étais l'âme, le metteur en scène de cette comédie. Je pourrais toujours l'arrêter.

« Tu as des drôles d'idées, dit Cyril avec son petit sourire de biais qui lui retroussait la lèvre et lui donnait l'air d'un bandit, un très beau bandit...

— Embrasse-moi, murmurai-je, embrasse-moi vite. »

C'est ainsi que je déclenchai la comédie. Malgré moi, par nonchalance et curiosité. Je préférerais par moments l'avoir fait volontairement avec haine et violence. Que je puisse au moins me mettre en accusation, moi, et non pas la paresse, le soleil et les baisers de Cyril.

Je quittai les conspirateurs au bout d'une heure, assez ennuyée. Il me restait pour me rassurer nombre d'arguments : mon plan pouvait être mauvais, mon père pouvait fort bien pousser sa passion pour Anne jusqu'à la fidélité. De plus, ni Cyril ni Elsa ne pouvaient rien faire sans moi. Je trouverais bien une raison pour arrêter le jeu, si mon père paraissait s'y laisser prendre. Il était toujours amusant d'essayer de voir si mes calculs psychologiques étaient justes ou faux.

Et de plus, Cyril m'aimait. Cyril voulait m'épouser : cette pensée suffisait à mon euphorie. S'il pouvait m'attendre un an ou deux, le temps pour moi de devenir adulte, j'accepterais. Je me voyais déjà vivant avec Cyril, dormant contre lui, ne le quittant pas. Tous les dimanches, nous irions déjeuner avec Anne et mon père, ménage uni, et peut-être même la mère de Cyril, ce qui contribuerait à créer l'atmosphère du repas.

Je retrouvai Anne sur la terrasse, elle descendait sur la plage rejoindre mon père. Elle m'accueillit avec l'air ironique dont on accueille les gens qui ont bu la veille. Je lui demandai ce qu'elle avait failli me dire le soir avant que je m'endorme, mais elle refusa en riant, sous prétexte que ça me vexerait. Mon père sortait de l'eau, large et musclé, il me parut superbe. Je me baignai avec Anne, elle nageait doucement, la tête hors de l'eau pour ne pas mouiller ses cheveux. Puis, nous nous allongeâmes tous les trois côte à côte, à plat ventre, moi entre eux deux, silencieux et tranquilles.

C'est alors que le bateau fit son apparition à l'extrémité de la crique, toutes voiles dehors. Mon père le vit le premier.

« Ce cher Cyril n'y tenait plus, dit-il en riant. Anne, on lui pardonne ? Au fond, ce garçon est gentil. »

Je relevai la tête, je sentais le danger.

« Mais qu'est-ce qu'il fait ? dit mon père. Il double la crique. Ah ! mais il n'est pas seul... »

Anne avait à son tour levé la tête. Le bateau allait passer devant nous et nous doubler. Je distinguai le visage de Cyril, je le suppliai intérieurement de s'en aller.

L'exclamation de mon père me fit sursauter. Pourtant, depuis deux minutes déjà, je l'attendais :

« Mais... mais c'est Elsa ! Qu'est-ce qu'elle fait là ? »

Il se tourna vers Anne :

« Cette fille est extraordinaire ! Elle a dû mettre le grappin sur ce pauvre garçon et se faire adopter par la vieille dame. »

Mais Anne ne l'écoutait pas. Elle me regardait. Je croisai son regard et je reposai mon visage dans le sable, inondée de honte. Elle avança la main, la posa sur mon cou :

« Regardez-moi. M'en voulez-vous ? »

J'ouvris les yeux : elle penchait sur moi un regard inquiet, presque suppliant. Pour la première fois, elle me regardait comme on regarde un être sensible et pensant, et cela le jour où... Je poussai un gémissement, je détournai violemment la tête vers mon père pour me libérer de cette main. Il regardait le bateau.

« Ma pauvre petite fille, reprit la voix d'Anne, une voix basse. Ma pauvre petite Cécile, c'est un peu ma faute, je n'aurais peut-être pas dû être si intransigeante... Je n'aurais pas voulu vous faire de peine, le croyez-vous ? »

Elle me caressait les cheveux, la nuque, tendrement. Je ne bougeais pas. J'avais la même impression que lorsque le sable s'enfuyait sous moi, au départ d'une vague : un désir de défaite, de douceur m'avait envahie et aucun sentiment, ni la colère, ni le désir, ne m'avait entraînée comme celui-là. Abandonner la comédie, confier ma vie, me mettre entre ses mains jusqu'à la fin de mes jours. Je n'avais jamais ressenti une faiblesse aussi envahissante, aussi violente. Je fermai les yeux. Il me semblait que mon cœur cessait de battre.

CHAPITRE IV

Mon père n'avait pas témoigné d'autre sentiment que l'étonnement. La femme de chambre lui expliqua qu'Elsa était venue prendre sa valise et était repartie aussitôt. Je ne sais pas pourquoi elle ne lui parla pas de notre entrevue. C'était une femme du pays, très romanesque, elle devait se faire une idée assez savoureuse de notre situation. Surtout avec les changements de chambres qu'elle avait opérés.

Mon père et Anne donc, en proie à leurs remords, me témoignèrent des attentions, une bonté qui, insupportable au début, me fut vite agréable. En somme, même si c'était ma faute, il ne m'était guère agréable de croiser sans cesse Cyril et Elsa au bras l'un de l'autre, donnant tous les signes d'une entente parfaite. Je ne pouvais plus faire de bateau, mais je pouvais voir passer Elsa, décoiffée par le vent comme je l'avais été moi-même. Je n'avais aucun mal à prendre l'air fermé et faussement détaché quand nous les rencontrions. Car nous les rencontrions partout : dans le bois de pins, dans le village, sur la route. Anne me jetait un coup d'œil, me parlait d'autre chose, posait sa main sur mon épaule pour me réconforter. Ai-je dit qu'elle était bonne ? Je ne sais pas si sa bonté était une forme affinée de son intelligence ou plus simplement de son indifférence, mais elle avait toujours le mot, le geste justes, et si j'avais eu à souffrir vraiment, je n'aurais pu avoir de meilleur soutien.

Je me laissais donc aller sans trop d'inquiétude car, je l'ai dit, mon père ne donnait aucun signe de jalousie. Cela me prouvait son attachement pour Anne et me vexait quelque peu en démontrant aussi l'inanité de mes plans. Un jour nous rentrions à la poste, lui et moi, lorsque Elsa nous croisa ; elle ne sembla pas nous voir et mon père se retourna sur elle comme sur une inconnue, avec un petit sifflement :

« Dis-moi, elle a terriblement embelli, Elsa.

— L'amour lui réussit », dis-je.

Il me jeta un regard étonné :

« Tu sembles prendre ça mieux...

— Que veux-tu, dis-je. Ils ont le même âge, c'était un peu fatal.

— S'il n'y avait pas eu Anne, ce n'aurait pas été fatal du tout. »

Il était furieux.

« Tu ne t'imagines pas qu'un galopin me prendrait une femme si je n'y consentais pas...

— L'âge joue quand même », dis-je gravement.

Il haussa les épaules. Au retour, je le vis préoccupé : il pensait peut-être qu'effectivement Elsa était jeune et Cyril aussi ; et qu'en épousant une femme de son âge, il échappait à cette catégorie des hommes sans date de naissance dont il faisait partie. J'eus un involontaire sentiment de triomphe. Quand je vis chez Anne les petites rides au coin des yeux, le léger pli de la bouche, je m'en voulus. Mais il était tellement facile de suivre mes impulsions et de me repentir ensuite...

Une semaine passa. Cyril et Elsa, ignorants de la marche de leurs affaires, devaient m'attendre chaque jour. Je n'osais pas y aller, ils m'auraient encore extorqué des idées et je n'y tenais pas. D'ailleurs, l'après-midi je montais dans ma chambre, soi-disant pour y travailler. En fait, je n'y faisais rien : j'avais trouvé un livre yoga et m'y attelais avec grande conviction, prenant parfois toute seule des fous rires terribles et silencieux car je craignais qu'Anne ne m'entende. Je lui disais, en effet, que je travaillais d'arrache-pied ; je jouais un peu avec elle à l'amoureuse déçue qui puise sa consolation dans l'espoir d'être un jour une licenciée accomplie. J'avais l'impression qu'elle m'en estimait et il m'arrivait de citer Kant à table, ce qui désespérait visiblement mon père.

Un après-midi, je m'étais enveloppée de serviettes de bain pour avoir l'air plus hindou, j'avais posé mon pied droit sur ma cuisse gauche et je me regardais fixement dans la glace, non avec complaisance mais dans l'espoir d'atteindre l'état supérieur du yogi, lorsqu'on frappa. Je supposai que c'était la femme de chambre et comme elle ne s'inquiétait de rien, je lui criai d'entrer.

C'était Anne. Elle resta une seconde figée sur le pas de la porte et sourit :

« A quoi jouez-vous ?

— Au yoga, dis-je. Mais ce n'est pas un jeu, c'est une philosophie hindoue. »

Elle s'approcha de la table et prit mon livre. Je commençai à m'inquiéter. Il était ouvert à la page cent et les autres pages étaient couvertes d'inscriptions de ma main telles que « impraticable » ou « épuisant ».

« Vous êtes bien consciencieuse, dit-elle. Et cette fameuse dissertation sur Pascal dont vous nous avez tant parlé, qu'est-elle devenue ? »

Il était vrai qu'à table, je m'étais plu à disserter sur une phrase de Pascal en faisant semblant d'y avoir réfléchi et travaillé. Je n'en avais jamais écrit un mot, naturellement. Je restai immobile. Anne me regarda fixement et comprit :

« Que vous ne travailliez pas et fassiez le pantin devant la glace, c'est votre affaire ! dit-elle. Mais que vous vous complaisiez à nous mentir ensuite à votre père et moi-même, c'est plus fâcheux. D'ailleurs, vos subites activités intellectuelles m'étonnaient... »

Elle sortit et je restai pétrifiée dans mes serviettes de bain ; je ne comprenais pas qu'elle appelât ça « mensonges ». J'avais parlé de dissertations pour lui faire plaisir et, brusquement, elle m'accablait de son mépris. Je m'étais habituée à sa nouvelle attitude envers moi et la forme calme, humiliante de son dédain me transportait de colère. Je quittai mon déguisement, passai un pantalon, un vieux chemisier et sortis en courant. La chaleur était torride mais je me mis à courir, poussée par une sorte de rage, d'autant plus violente que je n'étais pas sûre de ne pas avoir honte. Je courus jusque chez Cyril, m'arrêtai sur le seuil de la villa, haletante. Dans la chaleur de l'après-midi, les maisons semblaient étrangement profondes, silencieuses et repliées sur leurs secrets. Je montai jusqu'à la chambre de Cyril, il me l'avait montrée le jour que nous étions allés voir sa mère. J'ouvris la porte : il dormait, étendu en travers de son lit, la joue sur son bras. Je le regardai, une minute : pour la première fois, il m'apparaissait désarmé et attendrissant ; je l'appelai à voix basse ; il ouvrit les yeux et se redressa aussitôt en me voyant :

« Toi ? Comment es-tu ici ? »

Je lui fis signe de ne pas parler si fort ; si sa mère arrivait et me trouvait dans la chambre de son fils, elle pourrait croire... et d'ailleurs qui ne croirait pas... Je me sentis prise de panique et me dirigeai vers la porte.

« Mais où vas-tu ? cria Cyril. Reviens... Cécile. »

Il m'avait rattrapée par le bras et me retenait en riant. Je me retournai vers lui et le regardai ; il devint pâle comme je devais l'être moi-même et lâcha mon poignet. Mais ce fut pour me reprendre aussitôt dans ses bras et m'entraîner. Je pensais confusément : cela devait arriver, cela devait arriver. Puis ce fut la ronde de l'amour : la peur qui donne la main au désir, la tendresse et la rage, et cette souffrance brutale que suivait, triomphant, le plaisir. J'eus la chance — et Cyril la douceur nécessaire — de le découvrir dès ce jour-là.

Je restai près de lui une heure, étourdie et étonnée. J'avais toujours entendu parler de l'amour comme d'une chose facile ; j'en avais parlé moi-même crûment, avec l'ignorance de mon âge et il me semblait que jamais plus je ne pourrais en parler ainsi, de cette manière détachée et brutale. Cyril, étendu contre moi, parlait de m'épouser, de me garder contre lui toute sa vie. Mon silence l'inquiétait : je me redressai, le regardai et je l'appelai « mon amant ». Il se pencha. J'appuyai ma bouche sur la veine qui battait encore à son cou, je murmurais « mon chéri, Cyril, mon chéri ». Je ne sais pas si c'était de l'amour que j'avais pour lui en ce moment — j'ai toujours été inconstante et je ne tiens pas à me croire autre que je ne suis — mais en ce moment je l'aimais plus que moi-même, j'aurais donné ma vie pour lui. Il me demanda, quand je partis, si je lui en voulais et cela me fit rire. Lui en vouloir de ce bonheur !...

Je revins à pas lents, épuisée et engourdie, dans les pins ; j'avais demandé à Cyril de ne pas m'accompagner, c'eût été trop dangereux. Je craignais que l'on pût lire sur mon visage les signatures éclatantes du plaisir, en ombres sous mes yeux, en relief sur ma bouche, en tremblements. Devant la maison, sur une chaise longue, Anne lisait. J'avais déjà de beaux mensonges pour justifier mon absence, mais elle ne me posa pas de questions, elle n'en posait jamais. Je m'assis donc près d'elle dans le silence, me souvenant que nous étions brouillées. Je restais immobile, les yeux mi-clos, attentive au rythme de ma respiration, au tremblement de mes doigts. De temps en temps, le souvenir du corps de Cyril, celui de certains instants, me vidait le cœur.

Je pris une cigarette sur la table, frottai une allumette sur la boîte. Elle s'éteignit. J'en allumai une seconde avec précaution car il n'y avait pas de vent et seule, ma main tremblait. Elle s'éteignit aussitôt contre ma cigarette. Je grognai et en pris une troisième. Et alors, je ne sais pourquoi, cette allumette prit pour moi une importance vitale. Peut-être parce que Anne, subitement arrachée à son indifférence, me regardait sans sourire, avec attention. A ce moment-là, le décor, le temps disparurent, il n'y eut plus que cette allumette, mon doigt dessus, la boîte grise et le regard d'Anne. Mon cœur s'affola, se mit à battre à grands coups, je crispai mes doigts sur l'allumette, elle flamba et tandis que je tendais avidement mon visage vers elle, ma cigarette la coiffa et l'éteignit. Je laissai tomber la boîte par terre, fermai les yeux. Le regard dur, interrogateur d'Anne pesait sur moi. Je suppliai quelqu'un de quelque chose, que cette attente cessât. Les mains d'Anne relevèrent mon visage, je serrais les paupières de peur qu'elle ne vît mon regard. Je sentais des larmes d'épuisement, de maladresse, de plaisir s'en échapper. Alors, comme si elle renonçait à toute question, en un geste d'ignorance, d'apaisement, Anne descendit ses mains sur mon visage, me relâcha. Puis elle me mit une cigarette allumée dans la bouche et se replongea dans son livre.

J'ai donné un sens symbolique à ce geste, j'ai essayé de lui en donner un. Mais aujourd'hui, quand je manque une allumette, je retrouve cet instant étrange, ce fossé entre mes gestes et moi, le poids du regard d'Anne et ce vide autour, cette intensité du vide...

CHAPITRE V

CET INCIDENT dont je viens de parler ne devait pas être sans conséquences. Comme certains êtres très mesurés dans leurs réactions, très sûrs d'eux, Anne ne tolérait pas les compromissions. Or, ce geste qu'elle avait eu, ce relâchement tendre de ses mains dures autour de mon visage en était une pour elle. Elle avait deviné quelque chose, elle aurait pu me le faire avouer et, au dernier moment, elle s'était abandonnée à la pitié ou à l'indifférence. Car elle avait autant de difficultés à s'occuper de moi, à me dresser, qu'à admettre mes défaillances. Rien ne la poussait à ce rôle de tuteur, d'éducatrice, si ce n'est le sentiment de son devoir; en épousant mon père, elle se chargeait en même temps de moi. J'aurais préféré que cette constante désapprobation, si je puis dire, relevât de l'agacement ou d'un sentiment plus à fleur de peau: l'habitude en eût eu rapidement raison; on s'habitue aux défauts des autres quand on ne croit pas de son devoir de les corriger. Dans six mois, elle n'aurait plus éprouvé à mon égard que de la lassitude, une lassitude affectueuse; c'est exactement ce qu'il m'aurait fallu. Mais elle ne l'éprouverait pas; car elle se sentirait responsable de moi et, en un sens, elle le serait, puisque j'étais encore essentiellement malléable. Malléable et entêtée.

Elle s'en voulut donc et me le fit sentir. Quelques jours après, au dîner et toujours au sujet de ces insupportables devoirs de vacances, une discussion s'éleva. Je fus un peu trop désinvolte, mon père lui-même s'en offusqua et finalement Anne m'enferma à clef dans ma chambre, tout cela sans avoir prononcé un mot plus haut que l'autre. Je ne savais pas ce qu'elle avait fait et comme j'avais soif, je me dirigeai vers la porte et essayai de l'ouvrir; elle résista et je compris qu'elle était fermée. Je n'avais jamais été enfermée de ma vie: la panique me prit, une véritable panique. Je courus à la fenêtre, il n'y avait aucun moyen de sortir par là. Je me retournai, véritablement affolée, je me jetai sur la porte et me fis très mal à l'épaule. J'essayai de fracturer la serrure, les dents serrées, je ne voulais pas crier qu'on vînt m'ouvrir. J'y laissai ma pince à ongles. Alors je restai au milieu de la pièce, debout, les mains vides. Parfaitement immobile, attentive à l'espèce de calme, de paix qui montait en moi à mesure que mes pensées se précisaient. C'était mon premier contact avec la cruauté : je la sentais se nouer en moi, se resserrer au fur et à mesure de mes idées. Je m'allongeai sur mon lit, je bâtis soigneusement un plan. Ma férocité était si peu proportionnée à son prétexte que je me levai deux ou trois fois dans l'après-midi pour sortir de la chambre et que je me heurtai à la porte avec étonnement.

A six heures, mon père vint m'ouvrir. Je me levai machinalement quand il entra dans la pièce. Il me regarda sans rien dire et je lui souris, aussi machinalement.

« Veux-tu que nous parlions ? demanda-t-il.

— De quoi ? dis-je. Tu as horreur de ça et moi aussi. Ce genre d'explications qui ne mènent à rien...

— C'est vrai. » Il semblait soulagé. « Il faut que tu sois gentille avec Anne, patiente. »

Ce terme me surprit : moi, patiente avec Anne... Il renversait le problème. Au fond, il considérait Anne comme une femme qu'il imposait à sa fille. Plus que le contraire. Tous les espoirs étaient permis.

« J'ai été désagréable, dis-je. Je vais m'excuser auprès d'Anne.

— Es-tu... euh... es-tu heureuse ?

— Mais oui, dis-je légèrement. Et puis, si nous nous tiraillons un peu trop avec Anne, je me marierai un peu plus tôt, c'est tout. »

Je savais que cette solution ne manquerait pas de le faire souffrir.

« Ce n'est pas une chose à envisager. Tu n'es pas Blanche-Neige... Tu supporterais de me quitter si tôt ? Nous n'aurions vécu que deux ans ensemble. »

Cette pensée m'était aussi insupportable qu'à lui. J'entrevis le moment où j'allais pleurer contre lui, parler du bonheur perdu et de sentiments excessifs. Je ne pouvais en faire un complice.

« J'exagère beaucoup, tu sais. Anne et moi, nous nous entendons bien, en somme. Avec des concessions mutuelles...

— Oui, dit-il, bien sûr. »

Il devait penser comme moi que les concessions ne seraient probablement pas réciproques, mais viendraient de ma seule personne.

« Tu comprends, dis-je, je me rends très bien compte qu'Anne a toujours raison. Sa vie est beaucoup plus réussie que la nôtre, beaucoup plus lourde de sens... »

Il eut un petit mouvement involontaire de protestation, mais je passai outre :

« ... D'ici un mois ou deux, j'aurai assimilé complètement les idées d'Anne; il n'y aura plus de discussions stupides entre nous. Seulement il faut un peu de patience.»

Il me regardait, visiblement dérouté.

Effrayé aussi : il perdait une complice pour ses incartades futures, il perdait aussi un peu un passé.

« Il ne faut rien exagérer, dit-il faiblement. Je reconnais que je t'ai fait mener une vie qui n'était peut-être pas de ton âge ni... euh, du mien, mais ce n'était pas non plus une vie stupide ou malheureuse... non. Au fond, nous n'avons pas été trop... euh... tristes, non, désaxés, pendant ces deux ans. Il ne faut pas tout renier comme ça parce que Anne a une conception un peu différente des choses.

— Il ne faut pas renier, mais il faut abandonner, dis-je avec conviction.

— Evidemment», dit le pauvre homme, et nous descendîmes.

Je fis sans aucune gêne mes excuses à Anne. Elle me dit qu'elles étaient inutiles et que la chaleur devait être à l'origine de notre dispute. Je me sentais indifférente et gaie.

Je retrouvai Cyril dans le bois de pins, comme convenu; je lui dis ce qu'il fallait faire. Il m'écouta avec un mélange de crainte et d'admiration. Puis il me prit dans ses bras, mais il était trop tard, je devais rentrer. La difficulté que j'eus à me séparer de lui m'étonna. S'il avait cherché des liens pour me retenir, il les avait trouvés. Mon corps le reconnaissait, se retrouvait lui-même, s'épanouissait contre le sien. Je l'embrassai passionnément, je voulais lui faire mal, le marquer pour qu'il ne m'oublie pas un instant de la soirée, qu'il rêve de moi, la nuit. Car la nuit serait interminable sans lui, sans lui contre moi, sans son habileté, sans sa fureur subite et ses longues caresses.

CHAPITRE VI

L E LENDEMAIN MATIN, j'emmenai mon père se promener avec moi sur la route. Nous parlions de choses insignifiantes, avec gaieté. En revenant vers la villa, je lui proposai de rentrer par le bois de pins. Il était dix heures et demie exactement, j'étais à l'heure. Mon père marchait devant moi, car le chemin était étroit et plein de ronces qu'il écartait au fur et à mesure pour que je ne m'y griffe pas les jambes. Quand je le vis s'arrêter, je compris qu'il les avait vus. Je vins près de lui. Cyril et Elsa dormaient, allongés sur les aiguilles de pins, donnant tous les signes d'un bonheur champêtre; je le leur avais bien recommandé, mais quand je les vis ainsi, je me sentis déchirée. L'amour d'Elsa pour mon père,

l'amour de Cyril pour moi, pouvaient-ils empêcher qu'ils soient également beaux, également jeunes et si près l'un de l'autre... Je jetai un coup d'œil à mon père, il les regardait sans bouger, avec une fixité, une pâleur anormale. Je lui pris le bras :
« Ne les réveillons pas, partons. »
Il jeta un dernier coup d'œil à Elsa. Elsa renversée en arrière dans sa jeune beauté, toute dorée et rousse, un léger sourire aux lèvres, celui de la jeune nymphe, enfin rattrapée... Il tourna les talons et se mit à marcher à grands pas.
« La garce, murmurait-il, la garce !
— Pourquoi dis-tu ça ? Elle est libre, non ?
— Ce n'est pas ça ! Tu as trouvé agréable de voir Cyril dans ses bras ?
— Je ne l'aime plus, dis-je.
— Moi non plus, je n'aime pas Elsa, cria-t-il furieux. Mais ça me fait quelque chose quand même. Il faut dire que j'avais, euh... vécu avec elle ! C'est bien pire... »
Je le savais, que c'était pire ! Il avait dû ressentir la même envie que moi : se précipiter, les séparer, reprendre son bien, ce qui avait été son bien.
« Si Anne t'entendait !...
— Quoi ? Si Anne m'entendait ?... Evidemment, elle ne comprendrait pas, ou elle serait choquée, c'est normal. Mais toi ? Toi, tu es ma fille, non ? Tu ne me comprends plus, tu es choquée aussi ? »
Qu'il était facile pour moi de diriger ses pensées. J'étais un peu effrayée de le connaître si bien.
« Je ne suis pas choquée, dis-je. Mais enfin, il faut voir les choses en face : Elsa a la mémoire courte, Cyril lui plaît, elle est perdue pour toi. Surtout après ce que tu lui as fait, c'est le genre de choses qu'on ne pardonne pas...
— Si je voulais, commença mon père, et il s'arrêta, effrayé...
— Tu n'y arriverais pas, dis-je avec conviction, comme s'il était naturel de discuter de ses chances de reconquérir Elsa.
— Mais je n'y pense pas, dit-il, retrouvant le sens commun.
— Bien sûr », dis-je avec un haussement d'épaules.
Ce haussement signifiait : « Impossible, mon pauvre, tu es retiré de la course. » Il ne me parla plus jusqu'à la maison. En rentrant, il prit Anne dans ses bras, la garda quelques instants contre lui, les yeux fermés. Elle se laissait faire, souriante, étonnée. Je sortis de la pièce et m'appuyai à la cloison du couloir, tremblante de honte.
A deux heures, j'entendis le léger sifflement de Cyril et descendis sur la plage. Il me fit aussitôt monter sur le bateau et prit la direction du large. La mer était vide, personne ne songeait à sortir par un soleil

semblable. Une fois au large, il abaissa la voile et se tourna vers moi. Nous n'avions presque rien dit :

« Ce matin…, commença-t-il.

— Tais-toi, dis-je, oh ! tais-toi… »

Il me renversa doucement sur la bâche. Nous étions inondés, glissants de sueur, maladroits et pressés ; le bateau se balançait sous nous régulièrement. Je regardais le soleil juste au-dessus de moi. Et soudain le chuchotement impérieux et tendre de Cyril… Le soleil se décrochait, éclatait, tombait sur moi. Où étais-je ? Au fond de la mer, au fond du temps, au fond du plaisir… J'appelais Cyril à voix haute, il ne me répondait pas, il n'avait pas besoin de me répondre.

La fraîcheur de l'eau salée ensuite. Nous riions ensemble, éblouis, paresseux, reconnaissants. Nous avions le soleil et la mer, le rire et l'amour, les retrouverions-nous jamais comme cet été-là, avec cet éclat, cette intensité que leur donnaient la peur et les autres remords ?…

J'éprouvais, en dehors du plaisir physique et très réel que me procurait l'amour, une sorte de plaisir intellectuel à y penser. Les mots « faire l'amour » ont une séduction à eux, très verbale, en les séparant de leur sens. Ce terme de « faire », matériel et positif, uni à cette abstraction poétique du mot « amour », m'enchantait, j'en avais parlé avant sans la moindre pudeur, sans la moindre gêne et sans en remarquer la saveur. Je me sentais à présent devenir pudique. Je baissais les yeux quand mon père regardait Anne un peu fixement, quand elle riait de ce nouveau petit rire bas, indécent, qui nous faisait pâlir, mon père et moi, et regarder par la fenêtre. Eussions-nous dit à Anne que son rire était tel, qu'elle ne nous eût pas crus. Elle ne se comportait pas en maîtresse avec mon père, mais en amie, en tendre amie. Mais la nuit, sans doute… Je m'interdisais de semblables pensées, je détestais les idées troubles.

Les jours passèrent. J'oubliais un peu Anne, et mon père et Elsa. L'amour me faisait vivre les yeux ouverts, dans la lune, aimable et tranquille. Cyril me demanda si je ne craignais pas d'avoir d'enfant. Je lui dis que je m'en remettais à lui et il sembla trouver cela naturel. Peut-être était-ce pour cela que je m'étais si facilement donnée à lui : parce qu'il ne me laisserait pas être responsable et que si j'avais un enfant, ce serait lui le coupable. Il prenait ce que je ne pouvais supporter de prendre : les responsabilités. D'ailleurs je me voyais si mal enceinte avec le corps mince et dur que j'avais… Pour une fois, je me félicitai de mon anatomie d'adolescente.

Mais Elsa s'impatientait. Elle me questionnait sans cesse. J'avais toujours peur d'être surprise en sa compagnie ou en celle de Cyril. Elle s'arrangeait pour être toujours en présence de mon père, elle le croisait partout. Elle se félicitait alors de victoires imaginaires, des élans refoulés que, disait-elle, il ne pouvait cacher. Je m'étonnais de voir cette fille, si près en somme de l'amour-argent, par son métier, devenir si romanesque, si excitée par des détails tels qu'un regard, un mouvement, elle formée aux précisions des hommes pressés. Il est vrai qu'elle n'était pas habituée à un rôle subtil et que celui qu'elle jouait devait lui paraître le comble du raffinement psychologique.

Si mon père devenait peu à peu obsédé par Elsa, Anne ne semblait pas s'en apercevoir. Il était plus tendre, plus empressé que jamais et cela me faisait peur, car j'imputais son attitude à d'inconscients remords. Le principal était qu'il ne se passât rien pendant encore trois semaines. Nous rentrerions à Paris, Elsa de son côté et, s'ils y étaient encore décidés, mon père et Anne se marieraient. A Paris, il y aurait Cyril et, de même qu'elle n'avait pu m'empêcher de l'aimer ici, Anne ne pourrait m'empêcher de le voir. A Paris, il avait une chambre, loin de sa mère. J'imaginais déjà la fenêtre ouverte sur les ciels bleus et roses, les ciels extraordinaires de Paris, le roucoulement des pigeons sur la barre d'appui, et Cyril et moi sur le lit étroit...

CHAPITRE VII

A QUELQUES JOURS DE LA, mon père reçut un mot d'un de nos amis lui fixant rendez-vous à Saint-Raphaël pour prendre l'apéritif. Il nous en fit part aussitôt, enchanté de s'évader un peu de cette solitude volontaire et un peu forcée où nous vivions. Je déclarai donc à Elsa et à Cyril que nous serions au bar du Soleil à sept heures et que, s'ils voulaient venir, ils nous y verraient. Par malchance, Elsa connaissait l'ami en question, ce qui redoubla son désir de venir. J'entrevis des complications et essayai de la dissuader. Peine perdue.

« Charles Webb m'adore, dit-elle avec une simplicité enfantine. S'il me voit, il ne pourra que pousser Raymond à me revenir. »

Cyril se moquait d'aller ou non à Saint-Raphaël. Le principal pour lui était d'être où j'étais. Je le vis à son regard et je ne pus m'empêcher d'en être fière.

L'après-midi donc, vers six heures, nous partîmes en voiture. Anne nous emmena dans la sienne. J'aimais sa voiture : c'était une lourde américaine décapotable qui convenait plus à sa publicité qu'à ses goûts. Elle correspondait aux miens, pleine d'objets brillants, silencieuse et loin du monde, penchant dans les virages. De plus, nous étions tous les trois devant et nulle part comme dans une voiture, je ne me sentais en amitié avec quelqu'un. Tous les trois devant, les coudes un peu serrés, soumis au même plaisir de la vitesse et du vent, peut-être à une même mort. Anne conduisait, comme pour symboliser la famille que nous allions former. Je n'étais pas remontée dans sa voiture depuis la soirée de Cannes, ce qui me fit rêver.

Au bar du Soleil, nous retrouvâmes Charles Webb et sa femme. Il s'occupait de publicité théâtrale, sa femme de dépenser l'argent qu'il gagnait, cela à une vitesse affolante et pour de jeunes hommes. Il était absolument obsédé par la pensée de joindre les deux bouts, il courait sans cesse après l'argent. D'où son côté inquiet, pressé, qui avait quelque chose d'indécent. Il avait été longtemps l'amant d'Elsa, car elle n'était pas, malgré sa beauté, une femme particulièrement avide et sa nonchalance sur ce point lui plaisait.

Sa femme, elle, était méchante. Anne ne la connaissait pas et je vis rapidement son beau visage prendre cet air méprisant et moqueur qui, dans le monde, lui était coutumier. Charles Webb parlait beaucoup, comme d'habitude, tout en jetant à Anne des regards inquisiteurs. Il se demandait visiblement ce qu'elle faisait avec ce coureur de Raymond et sa fille. Je me sentais pleine d'orgueil à l'idée qu'il allait bientôt le savoir. Mon père se pencha un peu vers lui comme il reprenait haleine et déclara abruptement :

« J'ai une nouvelle, mon vieux. Anne et moi, nous nous marions le 5 octobre. »

Il les regarda successivement l'un et l'autre, parfaitement hébété. Je me réjouissais. Sa femme était déconcertée : elle avait toujours eu un faible pour mon père.

« Mes compliments, cria Webb enfin, d'une voix de stentor... Mais c'est une idée magnifique ! Ma chère madame, vous vous chargez d'un voyou pareil, vous êtes sublime !... Garçon !... Nous devons fêter ça. »

Anne souriait, dégagée et tranquille. Je vis alors le visage de Webb s'épanouir et je ne me retournai pas :

« Elsa ! Mon Dieu, c'est Elsa Mackenbourg, elle ne m'a pas vu. Raymond, tu as vu comme cette fille est devenue belle ?...

— N'est-ce pas », dit mon père comme un heureux propriétaire.

Puis il se souvint et son visage changea.

Anne ne pouvait pas ne pas remarquer l'intonation de mon père. Elle détourna son visage d'un mouvement rapide, de lui vers moi. Comme elle ouvrait la bouche pour dire n'importe quoi, je me penchai vers elle :

« Anne, votre élégance fait des ravages ; il y a un homme là-bas qui ne vous quitte pas des yeux. »

Je l'avais dit sur un ton confidentiel, c'est-à-dire assez haut pour que mon père l'entendît. Il se retourna aussitôt vivement et aperçut l'homme en question.

« Je n'aime pas ça, dit-il, et il prit la main d'Anne.

— Qu'ils sont gentils ! s'émut ironiquement Mme Webb. Charles, vous n'auriez pas dû les déranger, ces amoureux, il aurait suffi d'inviter la petite Cécile.

— La petite Cécile ne serait pas venue, répondis-je sans ménagements.

— Et pourquoi donc? Vous avez des amoureux parmi les pêcheurs?»

Elle m'avait vue une fois en conversation avec un receveur d'autobus sur un banc et me traitait depuis comme une déclassée, comme ce qu'elle appelait «une déclassée».

«Eh oui, dis-je avec effort pour paraître gaie.

— Et vous pêchez beaucoup?»

Le comble était qu'elle se croyait drôle. Peu à peu, la colère me gagnait.

«Je ne suis pas spécialisée dans le maquereau, dis-je, mais je pêche.»

Il y eut un silence. La voix d'Anne s'éleva, toujours aussi posée :

«Raymond, voulez-vous demander une paille au garçon? C'est indispensable avec les oranges pressées.»

Charles Webb enchaîna rapidement sur les boissons rafraîchissantes. Mon père avait le fou rire, je le vis à sa manière de s'absorber dans son verre. Anne me lança un regard suppliant. On décida aussitôt de dîner ensemble comme les gens qui ont failli se brouiller.

Je bus beaucoup pendant le dîner. Il me fallait oublier d'Anne son expression inquiète quand elle fixait mon père ou vaguement reconnaissante quand ses yeux s'attardaient sur moi. Je regardais la femme de Webb avec un sourire épanoui dès qu'elle me lançait une pointe. Cette tactique la déconcertait. Elle devint rapidement agressive. Anne me faisait signe de ne pas broncher. Elle avait horreur des scènes publiques et sentait Mme Webb prête à en faire une. Pour ma part, j'y étais habituée, c'était chose courante dans notre milieu. Aussi n'étais-je nullement tendue en l'écoutant parler.

Après avoir dîné, nous allâmes dans une boîte de Saint-Raphaël. Peu de temps après notre arrivée, Elsa et Cyril arrivèrent. Elsa s'arrêta sur le seuil de la porte, parla très fort à la dame du vestiaire et, suivie du pauvre Cyril, s'engagea dans la salle. Je pensai qu'elle se conduisait plus comme une grue que comme une amoureuse, mais elle était assez belle pour se le permettre.

«Qui est ce godelureau? demanda Charles Webb. Il est bien jeune.

— C'est l'amour, susurra sa femme. L'amour lui réussit...

— Pensez-vous! dit mon père avec violence. C'est une toquade, oui.»

Je regardai Anne. Elle considérait Elsa avec calme, détachement, comme elle regardait les mannequins qui présentaient ses collections ou les femmes très jeunes. Sans aucune acrimonie. Je l'admirai un instant passionnément pour cette absence de mesquinerie, de jalousie. Je ne comprenais pas d'ailleurs qu'elle eût à être jalouse d'Elsa. Elle était cent fois plus belle, plus fine qu'Elsa. Comme j'étais ivre, je le lui dis. Elle me regarda curieusement.

« Que je suis plus belle qu'Elsa ? Vous trouvez ?

— Sans aucun doute !

— C'est toujours agréable. Mais vous buvez trop, une fois de plus. Donnez-moi votre verre. Vous n'êtes pas trop triste de voir votre Cyril là-bas ? D'ailleurs, il s'ennuie.

— C'est mon amant, dis-je gaiement.

— Vous êtes complètement ivre ! Il est l'heure de rentrer, heureusement ! »

Nous quittâmes les Webb avec soulagement. J'appelai Mme Webb « chère madame » avec componction. Mon père prit le volant, ma tête bascula sur l'épaule d'Anne.

Je pensais que je la préférais aux Webb et à tous ces gens que nous voyions d'habitude. Qu'elle était mieux, plus digne, plus intelligente. Mon père parlait peu. Sans doute revoyait-il l'arrivée d'Elsa.

« Elle dort ? demanda-t-il à Anne.

— Comme une petite fille. Elle s'est relativement bien tenue. Sauf l'allusion aux maquereaux, qui était un peu directe... »

Mon père se mit à rire. Il y eut un silence. Puis j'entendis à nouveau la voix de mon père.

« Anne, je vous aime, je n'aime que vous. Le croyez-vous ?

— Ne me le dites pas si souvent, cela me fait peur...

— Donnez-moi la main. »

Je faillis me redresser et protester : « Non, pas en conduisant sur une corniche. » Mais j'étais un peu ivre, le parfum d'Anne, le vent de la mer dans mes cheveux, la petite écorchure que m'avait faite Cyril sur l'épaule pendant que nous nous aimions, autant de raisons d'être heureuse et de me taire. Je m'endormais. Pendant ce temps, Elsa et le pauvre Cyril devaient se mettre péniblement en route sur la motocyclette que lui avait offerte sa mère pour son dernier anniversaire. Je ne sais pourquoi cela m'émut aux larmes. Cette voiture était si douce, si bien suspendue, si faite pour le sommeil... Le sommeil, Mme Webb ne devait pas le trouver en ce moment ! Sans doute, à son âge, je paierai aussi des jeunes gens pour m'aimer parce que l'amour est la chose la plus douce et la plus vivante, la plus raisonnable. Et que le prix importe peu. Ce qui importait, c'était de ne pas devenir aigrie et jalouse, comme elle l'était d'Elsa et d'Anne. Je me mis à rire tout bas. L'épaule d'Anne se creusa un peu plus. « Dormez », dit-elle avec autorité. Je m'endormis.

CHAPITRE VIII

Le lendemain, je me réveillai parfaitement bien, à peine fatiguée, la nuque un peu endolorie par mes excès. Comme tous les matins le soleil baignait mon lit; je repoussai mes draps, ôtai ma veste de pyjama et offris mon dos nu au soleil. La joue sur mon bras replié, je voyais au premier plan le gros grain du drap de toile et, plus loin, sur le carrelage, les hésitations d'une mouche. Le soleil était doux et chaud, il me semblait qu'il faisait affleurer mes os sous la peau, qu'il prenait un soin spécial à me réchauffer. Je décidai de passer la matinée ainsi, sans bouger.

La soirée de la veille se précisait peu à peu dans ma mémoire. Je me souvins d'avoir dit à Anne que Cyril était mon amant et cela me fit rire : quand on est ivre, on dit la vérité et personne ne vous croit. Je me souvins aussi de Mme Webb et de mon altercation avec elle; j'étais accoutumée à ce genre de femmes : dans ce milieu et à cet âge, elles étaient souvent odieuses à force d'inactivité et de désir de vivre. Le calme d'Anne m'avait fait la juger encore plus atteinte et ennuyeuse que d'habitude. C'était d'ailleurs à prévoir; je voyais mal qui pourrait, parmi les amies de mon père, soutenir longtemps la comparaison avec Anne. Pour passer des soirées agréables avec ces gens, il fallait soit être un peu ivre et prendre plaisir à se disputer avec eux, soit entretenir des relations intimes avec l'un ou l'autre des conjoints. Pour mon père, c'était plus simple : Charles Webb et lui-même étaient chasseurs. « Devine qui dîne et dort avec moi ce soir? La petite Mars, du film de Saurel. Je rentrais chez Dupuis et... » Mon père riait et lui tapait sur l'épaule : « Heureux homme! Elle est presque aussi belle qu'Elise. » Des propos de collégiens. Ce qui me les rendait agréables, c'était l'excitation, la flamme que tous deux y mettaient. Et même, pendant des soirées interminables, aux terrasses des cafés, les tristes confidences de Lombard : « Je n'aimais qu'elle, Raymond! Tu te rappelles ce printemps, avant qu'elle parte... C'est bête, une vie d'homme pour une seule femme! » Cela avait un côté indécent, humiliant mais chaleureux, deux hommes qui se livrent l'un à l'autre devant un verre d'alcool.

Les amis d'Anne ne devaient jamais parler d'eux-mêmes. Sans doute ne connaissaient-ils pas ce genre d'aventures. Ou bien même s'ils en parlaient, ce devait être en riant par pudeur. Je me sentais prête à partager avec Anne cette condescendance qu'elle aurait pour nos relations, cette condescendance aimable et contagieuse... Cependant je me voyais moi-même à trente ans, plus semblable à nos amis qu'à Anne. Son silence, son indifférence, sa réserve m'étoufferaient. Au contraire, dans quinze ans, un peu blasée, je me pencherais vers un homme séduisant, un peu las lui aussi :

« Mon premier amant s'appelait Cyril. J'avais près de dix-huit ans, il faisait chaud sur la mer... »

Je me plus à imaginer le visage de cet homme. Il aurait les mêmes petites rides que mon père. On frappa à la porte. J'enfilai précipitamment ma veste de pyjama et criai : « Entrez ! » C'était Anne, elle tenait précautionneusement une tasse :

« J'ai pensé que vous auriez besoin d'un peu de café... Vous ne vous sentez pas trop mal ?

— Très bien, dis-je. J'étais un peu partie, hier soir, je crois.

— Comme chaque fois qu'on vous sort... » Elle se mit à rire. « Mais je dois dire que vous m'avez distraite. Cette soirée était longue. »

Je ne faisais plus attention au soleil, ni même au goût du café. Quand je parlais avec Anne, j'étais parfaitement absorbée, je ne me voyais plus exister et pourtant elle seule me mettait toujours en question, me forçait à me juger. Elle me faisait vivre des moments intenses et difficiles.

« Cécile, vous amusez-vous avec ce genre de gens, les Webb ou les Dupuis ?

— Je trouve leurs façons assommantes pour la plupart, mais eux sont drôles. »

Elle regardait aussi la démarche de la mouche sur le sol. Je pensai que la mouche devait être infirme. Anne avait des paupières longues et lourdes, il lui était facile d'être condescendante.

« Vous ne saisissez jamais à quel point leur conversation est monotone et... comment dirais-je ?... lourde. Ces histoires de contrats, de filles, de soirées, ça ne vous ennuie jamais ?

— Vous savez, dis-je, j'ai passé dix ans dans un couvent et comme ces gens n'ont pas de mœurs, cela me fascine encore. »

Je n'osais ajouter que ça me plaisait.

« Depuis deux ans, dit-elle... Ce n'est pas une question de raisonnement, d'ailleurs, ni de morale, c'est une question de sensibilité, de sixième sens... »

Je ne devais pas l'avoir. Je sentais clairement que quelque chose me manquait à ce sujet-là.

« Anne, dis-je brusquement, me croyez-vous intelligente ? »

Elle se mit à rire, étonnée de la brutalité de ma question :

« Mais bien sûr, voyons ! Pourquoi me demandez-vous cela ?

— Si j'étais idiote, vous me répondriez de la même façon, soupirai-je. Vous me donnez cette impression souvent de me dépasser...

— C'est une question d'âge, dit-elle. Il serait très ennuyeux que je n'aie pas un peu plus d'assurance que vous. Vous m'influenceriez ! »

Elle éclata de rire. Je me sentis vexée :

« Ce ne serait pas forcément un mal.

— Ce serait une catastrophe», dit-elle.

Elle quitta brusquement ce ton léger pour me regarder bien en face dans les yeux. Je bougeai un peu, mal à l'aise. Même aujourd'hui, je ne puis m'habituer à cette manie qu'ont les gens de vous regarder fixement quand ils vous parlent ou de venir tout près de vous pour être bien sûrs que vous les écoutiez. Faux calcul d'ailleurs car dans ces cas-là, je ne pense plus qu'à m'échapper, à reculer, je dis «oui, oui», je multiplie les manœuvres pour changer de pied et fuir à l'autre bout de la pièce ; une rage me prend devant leur insistance, leur indiscrétion, ces prétentions à l'exclusivité. Anne, heureusement, ne se croyait pas obligée de m'accaparer ainsi, mais elle se bornait à me regarder sans détourner les yeux et ce ton distrait, léger, que j'affectionnais pour parler, me devenait difficile à garder.

«Savez-vous comment finissent les hommes de la race des Webb?»

Je pensai intérieurement «et de mon père».

«Dans le ruisseau, dis-je gaiement.

— Il arrive un âge où ils ne sont plus séduisants, ni "en forme", comme on dit. Ils ne peuvent plus boire et ils pensent encore aux femmes ; seulement ils sont obligés de les payer, d'accepter des quantités de petites compromissions pour échapper à leur solitude. Ils sont bernés, malheureux. C'est ce moment qu'ils choisissent pour devenir sentimentaux et exigeants... J'en ai vu beaucoup devenir ainsi des sortes d'épaves.

— Pauvre Webb!» dis-je.

J'étais désemparée. Telle était la fin qui menaçait mon père, c'était vrai! Du moins, la fin qui l'eût menacé si Anne ne l'avait pris en charge.

«Vous n'y pensiez pas, dit Anne avec un petit sourire de commisération. Vous pensez peu au futur, n'est-ce pas? C'est le privilège de la jeunesse.

— Je vous en prie, dis-je, ne me jetez pas ainsi ma jeunesse à la tête. Je m'en sers aussi peu que possible ; je ne crois pas qu'elle me donne droit à tous les privilèges ou à toutes les excuses. Je n'y attache pas d'importance.

— A quoi attachez-vous de l'importance? A votre tranquillité, à votre indépendance?»

Je craignais ces conversations, surtout avec Anne.

«A rien, dis-je. Je ne pense guère, vous savez.

— Vous m'agacez un peu, votre père et vous. "Vous ne pensez jamais à rien... vous n'êtes pas bons à grand-chose... vous ne savez pas..." Vous vous plaisez ainsi?

— Je ne me plais pas. Je ne m'aime pas, je ne cherche pas à m'aimer. Il y a des moments où vous me forcez à me compliquer la vie, je vous en veux presque.»

Elle se mit à chantonner, l'air pensif; je reconnaissais la chanson, mais je ne me rappelais plus ce que c'était.

«Quelle est cette chanson, Anne? Ça m'énerve...

— Je ne sais pas.» Elle souriait à nouveau, L'air un peu découragé.

«Restez au lit, reposez-vous, je vais poursuivre ailleurs mon enquête sur l'intellect de la famille.»

«Naturellement, pensais-je, pour mon père c'était facile.» Je l'entendais d'ici : «Je ne pense à rien parce que je vous aime, Anne.» Si intelligente qu'elle fût, cette raison devait lui paraître valable. Je m'étirai longuement avec soin et me replongeai dans mon oreiller. Je réfléchissais beaucoup, malgré ce que j'avais dit à Anne. Au fond, elle dramatisait certainement; dans vingt-cinq ans, mon père serait un aimable sexagénaire, à cheveux blancs, un peu porté sur le whisky et les souvenirs colorés. Nous sortirions ensemble. C'est moi qui lui raconterais mes frasques et lui me donnerait des conseils. Je me rendis compte que j'excluais Anne de ce futur; je ne pouvais, je ne parvenais pas à l'y mettre. Dans cet appartement en pagaïe, tantôt désolé, tantôt envahi de fleurs, retentissant de scènes et d'accents étrangers, régulièrement encombré de bagages, je ne pouvais envisager l'ordre, le silence, l'harmonie qu'apportait Anne partout comme le plus précieux des biens. J'avais très peur de m'ennuyer à mourir; sans doute craignais-je moins son influence depuis que j'aimais réellement et physiquement Cyril. Cela m'avait libérée de beaucoup de peurs. Mais je craignais l'ennui, la tranquillité plus que tout. Pour être intérieurement tranquilles, il nous fallait à mon père et à moi l'agitation extérieure. Et cela Anne ne saurait l'admettre.

CHAPITRE IX

JE PARLE beaucoup d'Anne et de moi-même et peu de mon père. Non que son rôle n'ait été le plus important dans cette histoire, ni que je ne lui accorde de l'intérêt. Je n'ai jamais aimé personne comme lui et de tous les sentiments qui m'animaient à cette époque, ceux que j'éprouvais pour lui étaient les plus stables, les plus profonds, ceux auxquels je tenais le plus. Je le connais trop pour en parler volontiers et je me sens trop proche. Cependant, c'est lui plus que tout autre que je devrais expliquer pour rendre sa conduite acceptable. Ce n'était ni un homme vain, ni un homme égoïste. Mais il était léger, d'une légèreté sans remède. Je ne puis même pas en parler comme d'un homme incapable de sentiments profonds, comme d'un irresponsable. L'amour qu'il me portait ne pouvait être pris à la légère ni considéré comme une simple habitude de père. Il pouvait souffrir par moi plus que n'importe qui ; et moi-même, ce désespoir que j'avais touché un jour, n'était-ce pas uniquement parce qu'il avait eu ce geste d'abandon, ce regard qui se détournait ?... Il ne me faisait jamais passer après ses passions. Certains soirs, pour me raccompagner à la maison, il avait dû laisser échapper ce que Webb appelait «de très belles occasions». Mais qu'en dehors de cela, il eût été livré à son bon plaisir, à l'inconstance, à la facilité, je ne puis le nier. Il ne réfléchissait pas. Il tentait de donner à toute chose une explication physiologique qu'il déclarait rationnelle : «Tu te trouves odieuse? Dors plus, bois moins.» Il en était de même du désir violent qu'il ressentait parfois pour une femme, il ne songeait ni à le réprimer ni à l'exalter jusqu'à un sentiment plus complexe. Il était matérialiste, mais délicat, compréhensif et enfin très bon.

Ce désir qu'il avait d'Elsa le contrariait, mais non comme on pourrait le croire. Il ne se disait pas : «Je vais tromper Anne. Cela implique que je l'aime moins», mais : «C'est ennuyeux, cette envie que j'ai d'Elsa! Il faudra que ça se fasse vite, ou je vais avoir des complications avec Anne.» De plus, il aimait Anne, il l'admirait, elle le changeait de cette suite de femmes frivoles et un peu sottes qu'il avait fréquentées ces dernières années. Elle satisfaisait à la fois sa vanité, sa sensualité et sa sensibilité, car elle le comprenait, lui offrait son intelligence et son expérience à confronter avec les siennes. Maintenant, qu'il se rendît compte de la gravité du sentiment qu'elle lui portait, j'en suis moins sûre ! Elle lui paraissait la maîtresse idéale, la mère idéale pour moi. Pensait-il : l'«épouse idéale», avec tout ce que ça entraîne d'obligations? Je ne le crois pas. Je suis sûre qu'aux yeux de Cyril et d'Anne, il était comme moi anormal, affectivement parlant. Cela ne l'empêchait pas d'avoir une vie passionnante, parce qu'il la considérait comme banale et qu'il y apportait toute sa vitalité.

Je ne pensais pas à lui quand je formais le projet de rejeter Anne de notre vie ; je savais qu'il se consolerait comme il se consolait de tout : une rupture lui coûterait moins qu'une vie rangée, il n'était vraiment atteint et miné que par l'habitude et l'attendu, comme je l'étais moi-même. Nous étions de la même race, lui et moi ; je me disais tantôt que c'était la belle race pure des nomades, tantôt la race pauvre et desséchée des jouisseurs.

En ce moment il souffrait, du moins il s'exaspérait : Elsa était devenue pour lui le symbole de la vie passée, de la jeunesse, de sa jeunesse surtout. Je sentais qu'il mourait d'envie de dire à Anne : «Ma chérie, excusez-moi une journée ; il faut que j'aille me rendre compte auprès de cette fille que je ne suis pas un barbon. Il faut que je réapprenne la lassitude de son corps pour être tranquille.» Mais il ne pouvait le lui dire ; non parce que Anne était jalouse ou foncièrement vertueuse et intraitable sur ce sujet, mais parce qu'elle avait dû accepter de vivre avec lui sur les bases suivantes : que l'ère de la débauche facile était finie, qu'il n'était plus un collégien, mais un homme à qui elle confiait sa vie, et que par conséquent il avait à se tenir bien et non pas en pauvre homme, esclave de ses caprices. On ne pouvait le reprocher à Anne, c'était parfaitement normal et sain comme calcul, mais cela n'empêchait pas mon père de désirer Elsa. De la désirer peu à peu plus que n'importe quoi, de la désirer du double désir que l'on porte à la chose interdite.

Et sans doute, à ce moment-là, pouvais-je tout arranger. Il me suffisait de dire à Elsa de lui céder, et, sous un prétexte quelconque, d'emmener Anne avec moi à Nice ou ailleurs passer l'après-midi. Au retour, nous aurions trouvé mon père détendu et plein d'une nouvelle tendresse pour les amours légales ou qui, du moins, devaient le devenir dès la rentrée. Il y avait aussi ce point, que ne supporterait point Anne : avoir été une maîtresse comme les autres : provisoire. Que sa dignité, l'estime qu'elle avait d'elle-même nous rendaient la vie difficile !...

Mais je ne disais pas à Elsa de lui céder ni à Anne de m'accompagner à Nice. Je voulais que ce désir au cœur de mon père s'infestât et lui fît commettre une erreur. Je ne pouvais supporter le mépris dont Anne entourait notre vie passée, ce dédain facile pour ce qui avait été pour mon père, pour moi, le bonheur. Je voulais non pas l'humilier, mais lui faire accepter notre conception de la vie. Il fallait qu'elle sût que mon père l'avait trompée et qu'elle prît cela dans sa valeur objective, comme une passade toute physique, non comme une atteinte à sa valeur personnelle, à sa dignité. Si elle voulait à tout prix avoir raison, il fallait qu'elle nous laissât avoir tort.

Je faisais même semblant d'ignorer les tourments de mon père. Il ne fallait surtout pas qu'il se confiât à moi, qu'il me forçât à devenir sa complice, à parler à Elsa et écarter Anne.

Je devais faire semblant de considérer son amour pour Anne comme sacré et la personne d'Anne elle-même. Et je dois dire que je n'y avais aucun mal. L'idée qu'il pût tromper Anne et l'affronter me remplissait de terreur et d'une vague admiration.

En attendant nous coulions des jours heureux : je multipliais les occasions d'exciter mon père sur Elsa. Le visage d'Anne ne me remplissait plus de remords. J'imaginais parfois qu'elle accepterait le fait et que nous aurions avec elle une vie aussi conforme à nos goûts qu'aux siens. D'autre part, je voyais souvent Cyril et nous nous aimions en cachette. L'odeur des pins, le bruit de la mer, le contact de son corps... Il commençait à se torturer de remords, le rôle que je lui faisais jouer lui déplaisait au possible, il ne l'acceptait que parce que je le lui faisais croire nécessaire à notre amour. Tout cela représentait beaucoup de duplicité, de silences intérieurs, mais si peu d'efforts, de mensonges ! (Et seuls, je l'ai dit, mes actes me contraignaient à me juger moi-même.)

Je passe vite sur cette période, car je crains, à force de chercher, de retomber dans des souvenirs qui m'accablent moi-même. Déjà, il me suffit de penser au rire heureux d'Anne, à sa gentillesse avec moi et quelque chose me frappe, d'un mauvais coup bas, me fait mal, je m'essouffle contre moi-même. Je me sens si près de ce qu'on appelle la mauvaise conscience que je suis obligée de recourir à des gestes : allumer une cigarette, mettre un disque, téléphoner à un ami. Peu à peu, je pense à autre chose. Mais je n'aime pas cela, de devoir recourir aux déficiences de ma mémoire, à la légèreté de mon esprit, au lieu de les combattre. Je n'aime pas les reconnaître, même pour m'en féliciter.

CHAPITRE X

C'EST DROLE comme la fatalité se plaît à choisir pour la représenter des visages indignes ou médiocres. Cet été-là, elle avait pris celui d'Elsa. Un très beau visage, si l'on veut, attirant plutôt. Elle avait aussi un rire extraordinaire, communicatif et complet, comme seuls en ont les gens un peu bêtes.

Ce rire, j'en avais vite reconnu les effets sur mon père. Je le faisais utiliser au maximum par Elsa, quand nous devions la « surprendre » avec Cyril. Je lui disais : « Quand vous m'entendez arriver avec mon père, ne dites rien, mais riez. » Et alors, à entendre ce rire comblé, je découvrais sur le visage de mon père le passage de la fureur. Ce rôle de metteur en scène ne laissait pas de me passionner. Je ne manquais jamais mon coup, car quand nous voyions Cyril et Elsa ensemble, témoignant ouvertement de liens imaginaires, mais si parfaitement imaginables, mon père et moi pâlissions ensemble, le sang se retirait de mon visage comme du sien, attiré très loin par ce désir de possession pire que la douleur. Cyril, Cyril penché sur Elsa... Cette image me dévastait le cœur et je la mettais au point avec lui et Elsa sans en comprendre la force. Les mots sont faciles, liants ; et quand je voyais le contour du visage de Cyril, sa nuque brune et douce inclinée sur le visage offert d'Elsa, j'aurais donné n'importe quoi pour que cela ne fût pas. J'oubliais que c'était moi-même qui l'avais voulu.

En dehors de ces accidents, et comblant la vie quotidienne, il y avait la confiance, la douceur — j'ai du mal à employer ce terme —, le bonheur d'Anne. Plus près du bonheur, en effet, que je ne l'avais jamais vue, livrée à nous, les égoïstes, très loin de nos désirs violents et de mes basses petites manœuvres. J'avais bien compté sur cela : son indifférence, son orgueil l'écartaient instinctivement de toute tactique pour s'attacher plus étroitement mon père et, en fait, de toute coquetterie autre que celle d'être belle, intelligente et tendre. Je m'attendris peu à peu sur son compte ; l'attendrissement est un sentiment agréable et entraînant comme la musique militaire. On ne saurait me le reprocher.

Un beau matin, la femme de chambre, très excitée, m'apporta un mot d'Elsa, ainsi conçu : « Tout s'arrange, venez ! » Cela me donna une impression de catastrophe : je déteste les dénouements. Enfin, je retrouvai Elsa sur la plage, le visage triomphant :

« Je viens de voir votre père, enfin, il y a une heure.

— Que vous a-t-il dit ?

— Il m'a dit qu'il regrettait infiniment ce qui s'était passé ; qu'il s'était conduit comme un goujat. C'est bien vrai... non ? »

Je crus devoir acquiescer.

« Puis il m'a fait des compliments comme lui seul sait en faire.. Vous savez, ce ton un peu détaché, et d'une voix très basse, comme s'il souffrait de les faire... ce ton... »

Je l'arrachai aux délices de l'idylle :

« Pour en venir à quoi ?

— Eh bien, rien !... Enfin si, il m'a invitée à prendre le thé avec lui au village, pour lui montrer que je n'étais pas rancunière, et que j'étais large d'idées, évoluée, quoi ! »

Les idées de mon père sur l'évolution des jeunes femmes rousses faisaient ma joie.

« Pourquoi riez-vous ? Est-ce que je dois y aller ? »

Je faillis lui répondre que cela ne me regardait pas. Puis je me rendis compte qu'elle me tenait pour responsable du succès de ses manœuvres. A tort ou à raison, cela m'irrita.

Je me sentais traquée :

« Je ne sais pas, Elsa, cela dépend de vous ; ne me demandez pas toujours ce qu'il faut que vous fassiez, on croirait que c'est moi qui vous pousse à...

— Mais c'est vous, dit-elle, c'est grâce à vous, voyons... »

Son intonation admirative me faisait brusquement peur.

« Allez-y si vous voulez, mais ne me parlez plus de tout ça, par pitié !

— Mais... mais il faut bien le débarrasser de cette femme... Cécile ! »

Je m'enfuis. Que mon père fasse ce qu'il veut, qu'Anne se débrouille. J'avais d'ailleurs rendez-vous avec Cyril. Il me semblait que seul, l'amour me débarrasserait de cette peur anémiante que je ressentais.

Cyril me prit dans ses bras, sans un mot, m'emmena. Près de lui tout devenait facile, chargé de violence, de plaisir. Quelque temps après, étendue contre lui, sur ce torse doré, inondé de sueur, moi-même épuisée, perdue comme une naufragée, je lui dis que je me détestais. Je le lui dis en souriant, car je le pensais, mais sans douleur, avec une sorte de résignation agréable. Il ne me prit pas au sérieux.

« Peu importe. Je t'aime assez pour t'obliger à être de mon avis. Je t'aime, je t'aime tant. »

Le rythme de cette phrase me poursuivit pendant tout le repas : « Je t'aime, je t'aime tant. » C'est pourquoi, malgré mes efforts, je ne me souviens plus très bien de ce déjeuner. Anne avait une robe mauve comme les cernes sous ses yeux, comme ses yeux mêmes. Mon père riait, apparemment détendu : la situation s'arrangeait pour lui. Il annonça au dessert des courses à faire au village, dans l'après-midi. Je souris intérieurement. J'étais fatiguée, fataliste. Je n'avais qu'une seule envie : me baigner.

A quatre heures je descendis sur la plage. Je trouvai mon père sur la terrasse, comme il partait pour le village ; je ne lui dis rien. Je ne lui recommandai même pas la prudence.

L'eau était douce et chaude. Anne ne vint pas, elle devait s'occuper de sa collection, dessiner dans sa chambre pendant que mon père faisait le joli cœur avec Elsa. Au bout de deux heures, comme le soleil ne me réchauffait plus, je remontai sur la terrasse, m'assis dans un fauteuil, ouvris un journal.

C'est alors qu'Anne apparut ; elle venait du bois. Elle courait, mal d'ailleurs, maladroitement, les coudes au corps. J'eus l'impression subite, indécente, que c'était une vieille dame qui courait, qu'elle allait tomber. Je restai sidérée : elle disparut derrière la maison, vers le garage. Alors, je compris brusquement et me mis à courir, moi aussi, pour la rattraper.

Elle était déjà dans sa voiture, elle mettait le contact. J'arrivai en courant et m'abattis sur la portière.

« Anne, dis-je, Anne, ne partez pas, c'est une erreur, c'est ma faute, je vous expliquerai... »

Elle ne m'écoutait pas, ne me regardait pas, se penchait pour desserrer le frein :

« Anne, nous avons besoin de vous ! »

Elle se redressa alors, décomposée. Elle pleurait. Alors je compris brusquement que je m'étais attaquée à un être vivant et sensible et non pas à une entité. Elle avait dû être une petite fille, un peu secrète, puis une adolescente, puis une femme. Elle avait quarante ans, elle était seule, elle aimait un homme et elle avait espéré être heureuse avec lui dix ans, vingt ans peut-être. Et moi... ce visage, ce visage, c'était mon œuvre. J'étais pétrifiée, je tremblais de tout mon corps contre la portière.

« Vous n'avez besoin de personne, murmura-t-elle, ni vous ni lui. »

Le moteur tournait. J'étais désespérée, elle ne pouvait partir ainsi :

« Pardonnez-moi, je vous en supplie...

— Vous pardonner quoi ? »

Les larmes roulaient inlassablement sur son visage. Elle ne semblait pas s'en rendre compte, le visage immobile :

« Ma pauvre petite fille !... »

Elle posa une seconde sa main sur ma joue et partit. Je vis la voiture disparaître au coin de la maison. J'étais perdue, égarée... Tout avait été si vite. Et ce visage qu'elle avait, ce visage...

J'entendis des pas derrière moi : c'était mon père. Il avait pris le temps d'enlever le rouge à lèvres d'Elsa, de brosser les aiguilles de pins de son costume. Je me retournai, me jetai contre lui :

« Salaud, salaud ! »

Je me mis à sangloter.

« Mais que se passe-t-il ? Est-ce qu'Anne ?... Cécile, dis-moi, Cécile... »

CHAPITRE XI

Nous ne nous retrouvâmes qu'au dîner, tous deux anxieux de ce tête-à-tête si brusquement reconquis. Je n'avais absolument pas faim, lui non plus. Nous savions tous les deux qu'il était indispensable qu'Anne nous revînt. Pour ma part, je ne pourrais pas supporter longtemps le souvenir du visage bouleversé qu'elle m'avait montré avant de partir, ni l'idée de son chagrin et de mes responsabilités. J'avais oublié mes patientes manœuvres et mes plans si bien montés. Je me sentais complètement désaxée, sans rênes ni mors, et je voyais le même sentiment sur le visage de mon père.

« Crois-tu, dit-il, qu'elle nous ait abandonnés pour longtemps ?

— Elle est sûrement partie pour Paris, dis-je.

— Paris..., murmura mon père rêveusement.

— Nous ne la verrons peut-être plus... »

Il me regarda, désemparé et prit ma main à travers la table :

« Tu dois m'en vouloir terriblement. Je ne sais pas ce qui m'a pris.. En rentrant dans le bois avec Elsa, elle... Enfin je l'ai embrassée et Anne a dû arriver à ce moment-là et... »

Je ne l'écoutais pas. Les deux personnages d'Elsa et de mon père enlacés dans l'ombre des pins m'apparaissaient vaudevillesques et sans consistance, je ne les voyais pas. La seule chose vivante et cruellement vivante de cette journée, c'était le visage d'Anne, ce dernier visage, marqué de douleur, ce visage trahi. Je pris une cigarette dans le paquet de mon père, l'allumai. Encore une chose qu'Anne ne tolérait pas : que l'on fumât au milieu du repas. Je souris à mon père :

« Je comprends très bien : ce n'est pas ta faute... Un moment de folie, comme on dit. Mais il faut qu'Anne nous pardonne, enfin "te" pardonne.

— Que faire ? » dit-il.

Il avait très mauvaise mine, il me fit pitié, je me fis pitié, à mon tour ; pourquoi Anne nous abandonnait-elle ainsi, nous faisait-elle souffrir pour une incartade, en somme ? N'avait-elle pas des devoirs envers nous ?

« Nous allons lui écrire, dis-je, et lui demander pardon.

— C'est une idée de génie », cria mon père.

Il trouvait enfin un moyen de sortir de cette inaction pleine de remords où nous tournions depuis trois heures.

Sans finir de manger, nous repoussâmes la nappe et les couverts, mon père alla chercher une grosse lampe, des stylos, un encrier et son papier à lettres et nous nous installâmes l'un en face de l'autre, presque souriants, tant le retour d'Anne, par la grâce de cette mise en scène, nous semblait probable. Une chauve-souris vint décrire des courbes soyeuses devant la fenêtre. Mon père pencha la tête, commença d'écrire.

Je ne puis me rappeler sans un sentiment insupportable de dérision et de cruauté les lettres débordantes de bons sentiments que nous écrivîmes à Anne ce soir-là. Tous les deux sous la lampe, comme deux écoliers appliqués et maladroits, travaillant dans le silence à ce devoir impossible : « retrouver Anne ». Nous fîmes cependant deux chefs-d'œuvre du genre, pleins de bonnes excuses, de tendresse et de repentir. En finissant, j'étais à peu près persuadée qu'Anne n'y pourrait pas résister, que la réconciliation était imminente. Je voyais déjà la scène du pardon, pleine de pudeur et d'humour... Elle aurait lieu à Paris, dans notre salon, Anne entrerait et...

Le téléphone sonna. Il était dix heures. Nous échangeâmes un regard étonné, puis plein d'espoir : c'était Anne, elle téléphonait qu'elle nous pardonnait, qu'elle revenait. Mon père bondit vers l'appareil, cria « Allô » d'une voix joyeuse.

Puis il ne dit plus que « oui, oui ! où ça ? oui », d'une voix imperceptible. Je me levai à mon tour : la peur s'ébranlait en moi. Je regardais mon père et cette main qu'il passait sur son visage, d'un geste machinal. Enfin il raccrocha doucement et se tourna vers moi.

« Elle a eu un accident, dit-il. Sur la route de l'Esterel. Il leur a fallu du temps pour retrouver son adresse ! Ils ont téléphoné à Paris et là on leur a donné notre numéro d'ici. »

Il parlait machinalement, sur le même ton et je n'osais pas l'interrompre :

« L'accident a eu lieu à l'endroit le plus dangereux. Il y en a eu beaucoup à cet endroit, paraît-il. La voiture est tombée de cinquante mètres. Il eût été miraculeux qu'elle s'en tire. »

Du reste de cette nuit, je me souviens comme d'un cauchemar. La route surgissant sous les phares, le visage immobile de mon père, la porte de la clinique... Mon père ne voulut pas que je la revoie. J'étais assise dans la salle d'attente, sur une banquette, je regardais une lithographie représentant Venise. Je ne pensais à rien. Une infirmière me raconta que c'était le sixième accident à cet endroit depuis le début de l'été. Mon père ne revenait pas.

Alors je pensai que, par sa mort — une fois de plus —, Anne se distinguait de nous. Si nous nous étions suicidés — en admettant que nous en ayons le courage — mon père et moi, c'eût été d'une balle dans la tête en laissant une notice explicative destinée à troubler à jamais le sang et le sommeil des responsables. Mais Anne nous avait fait ce cadeau somptueux de nous laisser une énorme chance de croire à un accident : un endroit dangereux, l'instabilité de sa voiture. Ce cadeau que nous serions vite assez faibles pour accepter. Et d'ailleurs, si je parle de suicide aujourd'hui, c'est bien romanesque de ma part. Peut-on se suicider pour des êtres comme mon père et moi, des êtres qui n'ont besoin de personne, ni vivant ni mort ? Avec mon père d'ailleurs, nous n'avons jamais parlé que d'un accident.

Le lendemain nous rentrâmes à la maison vers trois heures de l'après-midi. Elsa et Cyril nous y attendaient, assis sur les marches de l'escalier. Ils se dressèrent devant nous comme deux personnages falots et oubliés : ni l'un ni l'autre n'avaient connu Anne ni ne l'avaient aimée. Ils étaient là, avec leurs petites histoires de cœur, le double appât de leur beauté, leur gêne. Cyril fit un pas vers moi et posa sa main sur mon bras. Je le regardai : je ne l'avais jamais aimé. Je l'avais trouvé bon et attirant ; j'avais aimé le plaisir qu'il me donnait ; mais je n'avais pas besoin de lui.

J'allais partir, quitter cette maison, ce garçon et cet été. Mon père était avec moi, il me prit le bras à son tour et nous rentrâmes dans la maison.

Dans la maison, il y avait la veste d'Anne, ses fleurs, sa chambre, son parfum. Mon père ferma les volets, prit une bouteille dans le Frigidaire et deux verres. C'était le seul remède à notre portée. Nos lettres d'excuses traînaient encore sur la table. Je les poussai de la main, elles voltigèrent sur le parquet. Mon père qui revenait vers moi, avec le verre rempli, hésita, puis évita de marcher dessus. Je trouvais tout ça symbolique et de mauvais goût. Je pris mon verre dans mes mains et l'avalai d'un trait. La pièce était dans une demi-obscurité, je voyais l'ombre de mon père devant la fenêtre. La mer battait sur la plage.

CHAPITRE XII

A Paris, il y eut l'enterrement par un beau soleil, la foule curieuse, le noir. Mon père et moi serrâmes les mains des vieilles parentes d'Anne. Je les regardai avec curiosité : elles seraient sûrement venues prendre le thé à la maison, une fois par an. On regardait mon père avec commisération : Webb avait dû répandre la nouvelle du mariage. Je vis Cyril qui me cherchait à la sortie. Je l'évitai. Le sentiment de rancune que j'éprouvais à son égard était parfaitement injustifié, mais je ne pouvais m'en défendre... Les gens autour de nous déploraient ce stupide et affreux événement et, comme j'avais encore quelques doutes sur le côté accidentel de cette mort, cela me faisait plaisir.

Dans la voiture, en revenant, mon père prit ma main et la serra dans la sienne. Je pensai : «Tu n'as plus que moi, je n'ai plus que toi, nous sommes seuls et malheureux», et pour la première fois, je pleurai. C'étaient des larmes assez agréables, elles ne ressemblaient en rien à ce vide, ce vide terrible que j'avais ressenti dans cette clinique devant la lithographie de Venise. Mon père me tendit son mouchoir, sans un mot, le visage ravagé.

Durant un mois, nous avons vécu tous les deux comme un veuf et une orpheline, dînant ensemble, déjeunant ensemble, ne sortant pas. Nous parlions un peu d'Anne parfois : «Tu te rappelles, le jour que...» Nous en parlions avec précaution, les yeux détournés, par crainte de nous faire mal ou que quelque chose, venant à se déclencher en l'un de nous, ne l'amène aux paroles irréparables. Ces prudences, ces douceurs réciproques eurent leur récompense. Nous pûmes bientôt parler d'Anne sur un ton normal, comme d'un être cher avec qui nous aurions été heureux, mais que Dieu avait rappelé à Lui. J'écris Dieu au lieu de hasard ; mais nous ne croyions pas en Dieu. Déjà bienheureux en cette circonstance de croire au hasard.

Puis un jour, chez une amie, je rencontrai un de ses cousins qui me plut et auquel je plus. Je sortis beaucoup avec lui durant une semaine avec la fréquence et l'imprudence des commencements de l'amour et mon père, peu fait pour la solitude, en fit autant avec une jeune femme assez ambitieuse. La vie recommença comme avant, comme il était prévu qu'elle recommencerait. Quand nous nous retrouvons, mon père et moi, nous rions ensemble, nous parlons de nos conquêtes. Il doit bien se douter que mes relations avec Philippe ne sont pas platoniques et je sais bien que sa nouvelle amie lui coûte fort cher. Mais nous sommes heureux. L'hiver touche à sa fin, nous ne relouerons pas la même villa, mais une autre, près de Juan-les-Pins.

Seulement quand je suis dans mon lit, à l'aube, avec le seul bruit des voitures dans Paris, ma mémoire parfois me trahit : l'été revient et tous ses souvenirs. Anne, Anne ! Je répète ce nom très bas et très longtemps dans le noir. Quelque chose monte alors en moi que j'accueille par son nom, les yeux fermés : Bonjour Tristesse.

UN CERTAIN SOURIRE

Roman

A Florence Malraux

L'amour c'est ce qui se passe
entre deux personnes
qui s'aiment.

ROGER VAILLAND.

Première partie

CHAPITRE PREMIER

Nous avions passé l'après-midi dans un café de la rue Saint-Jacques, un après-midi de printemps comme les autres. Je m'ennuyais un peu, modestement ; je me promenais de la machine à disques à la fenêtre pendant que Bertrand discutait le cours de Spire. Je me souviens qu'à un moment, m'étant appuyée à la machine, j'avais regardé le disque se lever, lentement, pour aller se poser de biais contre le saphir, presque tendrement, comme une joue. Et, je ne sais pourquoi, j'avais été envahie d'un violent sentiment de bonheur ; de l'intuition physique, débordante, que j'allais mourir un jour, qu'il n'y aurait plus ma main sur ce rebord de chrome, ni ce soleil dans mes yeux. Je m'étais retournée vers Bertrand. Il me regardait et, quand il vit mon sourire, se leva. Il n'admettait pas que je fusse heureuse sans lui. Mes bonheurs ne devaient être que des moments essentiels de notre vie commune. Cela, je le savais déjà confusément, mais, ce jour-là, je ne pus le supporter et me détournai. Le piano avait esquissé le thème de *Lone and Sweet* ; une clarinette le relayait, dont je connaissais chaque souffle.

J'avais rencontré Bertrand aux examens de l'année précédente. Nous avions passé une semaine angoissée côte à côte avant que je ne reparte pour l'été chez mes parents. Le dernier soir il m'avait embrassée. Puis il m'avait écrit. Distraitement, d'abord. Ensuite, le ton avait changé. Je suivais ces gradations non sans une certaine fièvre de sorte que, lorsqu'il m'avait écrit : « Je trouve cette déclaration ridicule, mais je crois que je t'aime », j'avais pu lui répondre sur le même ton et sans mentir : « Cette déclaration est ridicule, mais je t'aime aussi. » Cette réponse m'était venue naturellement, ou plutôt phonétiquement. La propriété de mes parents, au bord de l'Yonne, offrait peu de distractions. Je descendais sur la berge, je regardais un moment les troupeaux d'algues, ondoyants et jaunes, à la surface, puis je faisais des ricochets avec des petites pierres douces, usées, noires et agiles sur l'eau comme des hirondelles.

Tout cet été, je répétais « Bertrand » en moi-même, et au futur. D'une certaine manière, établir les accords d'une passion par lettres me ressemblait assez.

A présent, Bertrand était derrière moi. Il me tendait mon verre ; en me retournant je me trouvai contre lui. Il était toujours un peu vexé de mon absence à leurs discussions. J'aimais pourtant assez lire, mais parler littérature m'ennuyait.

Il ne s'y habituait pas.

« Tu mets toujours le même air, dit-il. Remarque, je l'aime bien. »

Pour cette dernière phrase, il avait pris une voix neutre et je me souvins que nous avions pour la première fois entendu ce disque ensemble. Je retrouvais toujours chez lui des petites poussées sentimentales, des jalons dans notre liaison, dont je n'avais pas gardé le souvenir. « Il ne m'est rien, pensai-je soudain, il m'ennuie, je suis indifférente à tout, je ne suis rien, rien, parfaitement rien » ; et le même sentiment d'exaltation absurde me prit à la gorge.

« Je dois aller voir mon oncle, le voyageur, dit Bertrand. Tu viens ? »

Il passait devant et je le suivais. Je ne connaissais pas l'oncle voyageur et je n'avais pas envie de le connaître. Mais il y avait quelque chose en moi qui me destinait à suivre la nuque bien rasée d'un jeune homme, à me laisser toujours emmener, sans résistance, avec ces petites pensées glaciales et glissantes comme des poissons. Et une certaine tendresse. Je descendais le boulevard avec Bertrand ; nos pas s'accordaient comme nos corps la nuit ; il me tenait la main ; nous étions minces, plaisants, comme des images.

Tout au long de ce boulevard et sur la plate-forme de l'autobus qui nous emmenait retrouver l'oncle voyageur, j'aimais bien Bertrand. Les cahots me jetaient sur lui, il riait et m'entourait d'un bras protecteur. Je restais appuyée sur sa veste, contre la courbe de son épaule, cette épaule d'homme si commode pour ma tête. Je respirais son parfum, je le reconnaissais bien, il m'émouvait. Bertrand était mon premier amant. C'était sur lui que j'avais connu le parfum de mon propre corps. C'est toujours sur le corps des autres qu'on découvre le sien, sa longueur, son odeur, d'abord avec méfiance, puis avec reconnaissance.

Bertrand me parlait de l'oncle voyageur qu'il semblait peu aimer. Il me disait sa comédie de voyages ; car Bertrand passait son temps à chercher les comédies chez les autres, à tel point qu'il vivait un peu dans la crainte de se jouer lui-même une comédie dont il ne serait pas conscient. Ce qui me paraissait comique. Ce qui le rendait furieux.

L'oncle voyageur attendait Bertrand à la terrasse d'un café. Quand je l'aperçus, je dis à Bertrand qu'il n'avait pas l'air mal du tout. Déjà nous étions près de lui, il se levait.

« Luc, dit Bertrand, je suis venu avec une amie, Dominique. C'est mon oncle Luc, le voyageur. »

J'étais agréablement surprise. Je me disais : « Tout à fait possible, l'oncle voyageur. » Il avait les yeux gris, l'air fatigué, presque triste. D'une certaine manière il était beau.

« Comment s'est passé le dernier voyage ? dit Bertrand.

— Très mal. J'ai réglé une succession assommante à Boston. Il y avait des petits juristes poussiéreux dans tous les coins. Très ennuyeux. Et toi ?

— Notre examen est dans deux mois », dit Bertrand.

Il avait insisté sur le « notre ». C'était là le côté conjugal de la Sorbonne. On parlait de l'examen comme d'un nourrisson.

L'oncle se tourna vers moi :

« Vous passez aussi des examens ?

— Oui, dis-je vaguement. (Mes activités, si minimes fussent-elles, me faisaient toujours un peu honte.)

— Je n'ai plus de cigarettes », dit Bertrand.

Il se leva et je le suivis du regard. Il marchait vite, avec souplesse. Je pensais parfois que cet assemblage de muscles, de réflexes, de peau mate, m'appartenait et cela me paraissait un étonnant cadeau.

« Que faites-vous, à part les examens ? dit l'oncle.

— Rien, fis-je. Enfin pas grand-chose. »

Je levai la main en signe de découragement. Il l'attrapa au vol ; je le regardai, interloquée. Pendant une seconde, très vite, je pensai : « Il me plaît. Il est un peu vieux et il me plaît. » Mais il reposait ma main sur la table en souriant :

« Vous avez les doigts pleins d'encre. C'est bon signe. Vous réussirez à votre examen et vous serez une brillante avocate, bien que vous n'ayez pas l'air loquace. »

Je me mis à rire avec lui. Il fallait m'en faire un ami.

Mais déjà Bertrand revenait ; Luc lui parlait. Je n'écoutais pas ce qu'ils disaient. Luc avait une voix lente, de grandes mains. Je me disais : « C'est le type même du séducteur pour petites jeunes filles de mon genre. » Déjà je me mettais en garde. Pas assez pour ne pas avoir un petit coup de déplaisir quand il nous invita à déjeuner pour le surlendemain, mais avec sa femme.

CHAPITRE II

Avant de déjeuner chez Luc, je passai deux journées assez ennuyeuses. Au fond, qu'avais-je à faire ? Travailler un peu un examen qui ne me mènerait pas à grand-chose, traîner au soleil, être aimée, sans grande réciprocité de ma part, par Bertrand. Je l'aimais bien, d'ailleurs.

La confiance, la tendresse, l'estime ne me paraissaient pas dédaignables et je pensais peu à la passion. Cette absence d'émotions véritables me semblait être la manière la plus normale de vivre. Vivre, au fond, c'était s'arranger pour être le plus content possible. Et ce n'était pas si facile.

J'habitais une sorte de pension de famille uniquement peuplée d'étudiantes. La direction avait l'esprit large et je pouvais rentrer assez facilement à une ou deux heures du matin. Basse de plafond, ma chambre était grande et complètement nue, car mes projets de décoration du début étaient vite tombés. Je demandais peu à un décor, si ce n'était de ne pas me gêner. Il régnait dans la maison un parfum de province que j'aimais bien. Ma fenêtre donnait sur une cour fermée d'un mur bas, au-dessus de laquelle s'accroupissaient les ciels toujours rognés, maltraités de Paris, qui s'échappaient parfois en fuyantes perspectives au-dessus d'une rue ou d'un balcon, émouvants et doux.

Je me levais, j'allais au cours, je retrouvais Bertrand, nous déjeunions. Il y avait la bibliothèque de la Sorbonne, les cinémas, le travail, les terrasses des cafés, les amis. Le soir nous allions danser ou bien nous rentrions chez Bertrand, nous nous allongions sur son lit, nous nous aimions et après nous parlions longtemps dans le noir. J'étais bien, et il y avait toujours en moi, comme une bête chaude et vivante, ce goût d'ennui, de solitude et parfois d'exaltation. Je me disais que j'étais probablement hépatique.

Ce vendredi-là, avant de me rendre chez Luc pour déjeuner, je passai chez Catherine et y restai une demi-heure. Catherine était vivante, autoritaire et perpétuellement amoureuse. Je subissais son amitié plutôt que je ne la choisissais. Mais elle me considérait comme quelqu'un de fragile, de désarmé et j'y prenais plaisir. Souvent même elle me paraissait merveilleuse. Mon indifférence devenait poétique à ses yeux, comme elle l'avait été longtemps à ceux de Bertrand avant que ce subit désir, si exigeant, de possession ne l'eût pris.

Ce jour-là elle était éprise d'un cousin ; elle me fit le long récit de cette idylle. Je lui dis que j'allais déjeuner chez des parents de Bertrand et m'aperçus à ce moment-là que j'avais un peu oublié Luc. Je le regrettai. Pourquoi n'avais-je pas, moi aussi, un de ces interminables et naïfs récits d'amour à faire à Catherine ? Elle ne s'en étonnait même pas. Nous étions déjà tellement figées dans nos rôles respectifs. Elle racontant, moi écoutant, elle conseillant, moi n'écoutant plus.

Cette visite me déprima. Je me rendis chez Luc sans grand enthousiasme. Même avec effroi : il allait falloir parler, être aimable, se recréer à leurs yeux. J'aurais voulu déjeuner seule, tourner un pot de moutarde entre mes mains, être vague, vague, complètement vague…

Quand j'arrivai chez Luc, Bertrand était déjà là. Il me présenta à la femme de son oncle. Elle avait quelque chose d'épanoui, de très bon, de très beau dans le visage. Grande, un peu lourde, blonde. Belle, enfin, mais sans agressivité. Je pensai que c'était le genre de femmes que beaucoup d'hommes voudraient avoir et garder, une femme qui les rendrait heureux, une femme douce. Etais-je douce? Il faudrait le demander à Bertrand. Sans doute je lui prenais la main, je ne criais pas, je lui caressais les cheveux. Mais je détestais crier et mes mains aimaient ses cheveux, chauds et drus, comme ceux d'une bête.

Françoise fut tout de suite très gentille. Elle me montra l'appartement qui était luxueux, me versa à boire, m'installa dans un fauteuil avec aisance, attention. La gêne que j'avais ressentie de ma jupe et de mon sweater un peu usés, déformés, s'atténuait. On attendait Luc qui travaillait. Je pensais que je devrais peut-être simuler quelque intérêt pour la profession de Luc, ce que je ne pensais jamais à faire. J'aurais voulu demander aux gens : « Etes-vous amoureux? Que lisez-vous?» mais je ne m'inquiétais pas de leur profession... souvent primordiale à leurs yeux.

« Vous avez l'air soucieux, remarqua Françoise en riant. Voulez-vous un peu plus de whisky?

— Volontiers.

— Dominique a déjà une réputation d'ivrogne, dit Bertrand. Vous savez pourquoi?»

Il se leva d'un bond et vint près de moi, l'air important :

« Elle a la lèvre supérieure un peu courte ; quand elle boit en fermant les yeux, ça lui donne un air de ferveur sans rapport avec le scotch.»

En parlant, il avait pris ma lèvre supérieure entre le pouce et l'index. Il me montrait à Françoise, comme un chiot. Je me mis à rire et il me lâcha. Luc entrait.

Quand je le vis, je me dis, une fois de plus, mais cette fois avec une espèce de douleur, qu'il était très beau. Cela me fit vraiment un peu mal, comme toute chose que je ne pouvais prendre. J'avais rarement le goût de prendre, mais là je pensai très vite que j'aurais voulu attraper ce visage entre mes mains, le serrer dans mes doigts, violemment, presser cette bouche pleine, un peu longue, contre la mienne. Pourtant Luc n'était pas beau. On devait me le dire souvent par la suite. Mais il y avait quelque chose dans ses traits qui faisait que ce visage, aperçu deux fois, m'était mille fois moins étranger que celui de Bertrand, mille fois moins étranger, mille fois plus désirable que celui de Bertrand qui pourtant me plaisait.

Il entra, nous dit bonjour, s'assit. Il pouvait avoir une immobilité étonnante. Je veux dire qu'il y avait quelque chose de tendu, de retenu, dans la lenteur de ses gestes, l'abandon de son corps qui inquiétait. Il regardait Françoise avec tendresse. Je le regardais. Je ne me rappelle plus ce que nous disions. Bertrand et Françoise surtout parlaient. J'éprouve d'ailleurs quelque horreur à me remémorer ces préambules. A ce moment-là, il m'aurait suffi d'un peu de prudence, d'un peu d'espace pour lui échapper. En revanche, il me tarde d'en venir à la première fois où je fus heureuse par lui. La seule pensée de décrire ces premiers moments, de briser un instant l'inertie des mots, m'emplit d'un bonheur amer et impatient.

Il y eut donc ce déjeuner avec Luc et Françoise. Puis, dans la rue, je me mis aussitôt au pas de Luc, qui était rapide, et oubliai celui de Bertrand. Il me prit par le coude pour me faire traverser : cela me gêna, je m'en souviens. Je ne savais plus que faire de mon avant-bras, ni de ma main qui pendait au bout, désolée, comme si, à partir de la main de Luc, mon bras eût été mort. Je ne me rappelais plus comment je faisais avec Bertrand. Plus tard, Françoise et lui nous emmenèrent chez un couturier et m'achetèrent un manteau de drap roux, sans que je sache, dans ma stupéfaction, ni refuser, ni les remercier. Déjà il y avait quelque chose qui allait très vite, qui se précipitait, dès que Luc était là. Le temps retombait ensuite, comme un coup, et il y avait de nouveau les minutes, les heures, les cigarettes.

Bertrand était furieux que j'eusse accepté ce manteau. Quand nous les eûmes quittés, il me fit une scène violente :

«C'est absolument incroyable. N'importe qui t'offrirait n'importe quoi, tu ne refuserais pas ! Tu ne serais même pas étonnée !

— Ce n'est pas n'importe qui. C'est ton oncle, répliquai-je avec mauvaise foi. Et de toutes manières je ne pouvais pas me payer ce manteau moi-même ; il est horriblement cher.

— Tu pouvais t'en passer, je suppose.»

Depuis deux heures je m'étais habituée à ce manteau qui m'allait parfaitement bien et cette dernière phrase me choqua un peu. Il y avait une sorte de logique qui échappait à Bertrand. Je le lui dis, nous nous disputâmes. Pour finir il m'emmena chez lui, sans dîner, comme à une punition. Une punition qui était pour lui, je le savais, le moment le plus intense, le plus valable de sa journée. Allongé près de moi, il m'embrassait avec une sorte de respect, de tremblement qui m'émouvait et me faisait peur. J'avais mieux aimé la gaieté désinvolte du début, le côté jeune, animal, de nos étreintes. Mais quand il s'allongea sur moi, qu'il me chercha avec impatience, j'oubliai ce qui n'était pas lui, et notre double murmure. C'était Bertrand de nouveau, et cette angoisse, et ce plaisir. Encore aujourd'hui, surtout aujourd'hui, ce bonheur, cet oubli des corps me paraît un incroyable cadeau et d'une telle dérision, si je pense à mes raisonnements, à mes sentiments, à ce que je ne peux, quoi que j'en aie, ne pas appeler l'essentiel.

CHAPITRE III

IL Y EUT d'autres dîners, tous les quatre, ou avec des amis de Luc. Puis Françoise alla passer dix jours chez des amis. Je l'aimais déjà ; elle portait une extrême attention aux gens, elle avait une grande bonté, de l'assurance dans sa bonté, et, par moments, un effroi de ne pas les comprendre qui, plus que tout, me plaisait. Elle était comme la terre, rassurante comme la terre, parfois enfantine : Luc et elle riaient beaucoup ensemble.

Nous l'accompagnâmes à la gare de Lyon. J'étais moins intimidée qu'au début, presque décontractée ; en somme, tout à fait gaie, car la disparition totale de mon ennui, sur lequel je n'avais pas encore osé mettre un nom, me changeait agréablement. Je devenais vive et parfois drôle, il me semblait que cet état de choses pourrait durer éternellement. Je m'étais habituée au visage de Luc et les subites émotions qu'il me donnait parfois me semblaient relever de l'esthétique ou de l'affection. A la portière Françoise souriait.

« Je vous le confie », nous dit-elle.

Le train partit. Au retour Bertrand s'arrêta pour acheter je ne sais quel journal politico-littéraire qui lui donnerait prétexte à indignation. Subitement Luc se tourna vers moi et me dit très vite :

« Nous dînons ensemble demain ? »

J'allais lui dire : « Entendu, je vais demander à Bertrand », mais il me coupa : « Je vous téléphonerai » et, se tournant vers Bertrand qui nous rejoignait :

« Quel journal achètes-tu ?

— Je ne l'ai pas trouvé, dit Bertrand. Nous avons un cours maintenant, Dominique ; je crois qu'il faudrait se dépêcher. »

Il m'avait prise par le bras. Il me tenait. Luc et lui se regardaient avec méfiance. Je restai décontenancée. Françoise partie, tout devenait trouble et déplaisant. De cette première marque de l'intérêt de Luc, j'ai gardé un mauvais souvenir car, je l'ai dit, je m'étais fabriqué de belles œillères. J'eus brusquement envie de retrouver Françoise, comme un rempart. Je comprenais que ce quatuor que nous avions formé n'avait jamais reposé que sur des bases truquées et cela me consternait, car, comme tous les gens facilement menteurs, j'étais sensible aux atmosphères, et sincère en y jouant mon rôle.

« Je vais vous ramener », dit Luc nonchalamment.

Il avait une voiture découverte, rapide, qu'il conduisait bien. Pendant le trajet nous ne dîmes rien, seulement : « A très bientôt », en nous quittant.

« En fin de compte, ce départ me soulage, dit Bertrand. On ne peut pas toujours voir les mêmes gens. »

Cette phrase éliminait Luc de nos projets, mais je ne le lui fis pas remarquer. Je devenais prudente.

« Et puis, continua Bertrand, ils sont quand même un peu vieux, non ? »

Je ne répondis pas et nous allâmes nous asseoir au cours de Brême sur la morale d'Epicure. Je l'écoutai un moment, immobile... Luc voulait dîner seul avec moi. C'était probablement cela le bonheur. J'écartai mes doigts sur le banc, je sentis un petit sourire irrépressible me déformer la bouche. Je détournai la tête pour que Bertrand ne le vît pas. Cela dura une minute. Puis, je me dis : « Tu es flattée, c'est bien normal. » Couper les ponts, barrer les issues, ne pas se laisser prendre, j'avais toujours les bons réflexes de la jeunesse.

Le lendemain je décidai que mon dîner avec Luc devait être drôle et sans conséquences. Je l'imaginais surgissant l'air enflammé et me faisant une déclaration sur-le-champ. Il arriva un peu en retard, distrait, et je n'eus plus qu'un désir, c'était qu'il montrât quelque trouble de ce tête-à-tête impromptu. Il n'en fit rien, parla tranquillement de choses et d'autres avec une aisance que je finis par partager. C'était probablement la première personne qui me rendît tout confortable et sans le moindre ennui. Puis il me proposa d'aller danser en dînant et me conduisit au *Sonny's*. Là il rencontra des amis qui se joignirent à nous et je pensai que j'étais une petite sotte, bien vaniteuse de l'avoir cru un instant désireux d'une solitude partagée avec moi.

Je m'apercevais aussi, en regardant les femmes qui étaient à notre table, que je manquais d'élégance et de brillant. Bref, de la jeune fille fatale que je m'étais tout un jour imaginé être, il ne resta plus, vers minuit, qu'une loque effondrée, cachant sa robe et appelant intérieurement Bertrand pour qui elle était belle.

Les amis de Luc parlaient de l'aqua-selzer et de ses bienfaits pour les lendemains de fête. Il y avait donc toute une série d'êtres qui prenaient de l'aqua-selzer, qui sentaient leur corps le matin comme un merveilleux jouet, que l'on use en s'amusant, que l'on soigne avec entrain. Peut-être devais-je quitter les livres, les conversations, les promenades à pied et aborder au rivage des plaisirs de l'argent, de la futilité et autres distractions absorbantes. En avoir les moyens et devenir un bel objet. Luc les aimait-il ?

Il se tournait vers moi en souriant, il m'invitait à danser. Il me prit dans ses bras, m'y installa avec douceur, ma tête contre son menton. Nous dansâmes. J'avais conscience de son corps contre le mien.

« Vous trouvez ces gens ennuyeux, n'est-ce pas ? dit-il. Toutes ces femmes pépient beaucoup.

— Je ne connaissais pas de vraie boîte de nuit, dis-je. Ça m'éblouit.»
Il se mit à rire.
«Vous êtes drôle, Dominique. Je vous trouve très plaisante. Allons parler plus loin, venez.»
Nous quittâmes le *Sonny's*. Luc m'emmena dans un bar, rue Marbeuf, et nous commençâmes à boire méthodiquement. En dehors de mon goût pour le whisky, je savais que c'était le seul moyen pour moi de parler un peu. Bientôt Luc m'apparut comme un homme agréable, séduisant et plus du tout terrifiant. J'éprouvais même une tendresse désinvolte pour lui.
Nous en arrivâmes tout naturellement à parler de l'amour. Il me dit que c'était une bonne chose, moins importante qu'on ne le prétendait, mais qu'il fallait être aimé et aimer soi-même assez chaudement pour être heureux. J'opinai de la tête. Il me dit qu'il était très heureux parce qu'il aimait beaucoup Françoise qui l'aimait beaucoup lui-même. Je le félicitai, assurant que ça ne m'étonnait pas, que Françoise et lui étaient des gens très, très bien. Je sombrais dans l'attendrissement.
«Sur ce, dit Luc, si je pouvais avoir une aventure avec vous, ça me plairait beaucoup.»
Je me mis à rire sottement. Je me sentais dépourvue de réactions.
«Et Françoise? dis-je.
— Françoise, je le lui dirais peut-être. Elle vous aime bien, vous savez.
— Mais justement, dis-je... Et puis, je ne sais pas, on ne dit pas les choses comme ça...»
J'étais indignée. Passer sans cesse d'un état à l'autre finissait par m'épuiser. Il me paraissait à la fois prodigieusement naturel et prodigieusement inconvenant que Luc me proposât son lit.
«D'une certaine façon, dit Luc sérieusement, il y a quelque chose. Je veux dire : entre nous. Dieu sait qu'en général je n'aime pas les petites jeunes filles. Mais nous avons le même personnage. Enfin, je veux dire que ce ne serait pas si bête, ni tellement banal. Et c'est rare. Enfin, vous réfléchirez.
— C'est ça, dis-je, je réfléchirai.»
Je devais avoir l'air lamentable. Luc se pencha vers moi et m'embrassa sur la joue.
«Mon pauvre chéri, dit-il. Vous êtes bien à plaindre. Si encore vous aviez quelques notions de morale élémentaire. Mais vous n'en avez pas plus que moi. Et vous êtes gentille. Et vous aimez bien Françoise. Et vous vous ennuyez moins avec moi qu'avec Bertrand. Ah! vous voilà bien!»
Il éclata de rire. J'étais vexée. Par la suite, je devais toujours me sentir plus ou moins ulcérée quand Luc se mettait, comme il disait, à résumer les situations. Cette fois-là je le laissai voir.

« Ça ne fait rien, dit-il. Rien n'est vraiment important dans cet ordre de choses. Je vous aime bien, je t'aime bien. Nous serons très gais ensemble. Seulement gais.

— Je vous déteste », dis-je.

J'avais pris une voix sépulcrale et nous nous mîmes à rire ensemble. Cette complicité établie en trois minutes me paraissait louche.

« Maintenant, je vais te ramener, dit Luc. Il est très tard. Ou, si tu veux, nous allons sur le quai de Bercy voir le lever du jour. »

Nous allâmes jusqu'au quai de Bercy. Luc arrêta la voiture. Le ciel était blanc sur la Seine assise entre ses grues comme entre ses jouets une enfant triste. Le ciel était blanc et gris aussi ; il montait vers le jour, par-dessus les maisons mortes, les ponts et les ferrailles, lentement, obstinément, dans son effort de tous les matins. Près de moi Luc fumait sans rien dire, le profil immobile. Je tendis la main vers lui, il la prit et nous rentrâmes doucement vers ma pension de famille. Devant la porte il lâcha ma main, je descendis et nous nous sourîmes. Je m'écroulai sur mon lit, pensai qu'il eût fallu me déshabiller, laver mes bas, mettre ma robe sur un cintre et je m'endormis.

CHAPITRE IV

Je me reveillai avec la pénible sensation d'un problème urgent à résoudre. Car enfin, ce que me proposait Luc, c'était bien un jeu, un jeu séduisant, mais qui n'en détruisait pas moins un sentiment sûrement assez solide pour Bertrand et en plus quelque chose de confus en moi, confus mais âpre et, quoi que j'en eusse, opposé au provisoire. Tout au moins à ce provisoire délibéré que me proposait Luc. Et puis, si je ne concevais toute passion, même toute liaison, que brève, je ne pouvais à priori l'admettre comme une nécessité. Comme toute personne qui vit sur des semi-comédies, je ne pouvais les supporter qu'écrites par moi et moi seule.

De plus, je le savais bien, ce jeu — si jeu il y avait, si jeu il peut y avoir entre deux personnes qui se plaisent vraiment et qui peuvent entrevoir l'une par l'autre une faille, même provisoire, à leur solitude —, ce jeu était dangereux. Il ne fallait pas sottement me faire plus forte que je n'étais. Du jour où je serais « apprivoisée », comme disait Françoise, admise et supportée entièrement par Luc, je ne pourrais sans souffrir le quitter. Bertrand n'était pas capable d'autre chose que de m'aimer. Je me disais cela avec tendresse pour Bertrand, mais je pensais à Luc sans réticence. Car enfin, tout au moins quand on est jeune, dans cette longue tricherie qu'est la vie, rien ne paraît désespérément souhaitable que l'imprudence. Je n'avais, au reste, jamais rien décidé. J'avais toujours été choisie. Pourquoi, une fois de plus, ne pas me laisser faire? Il y aurait le charme de Luc, l'ennui quotidien, les soirs. Tout se ferait tout seul; il était inutile de chercher à savoir.

C'est nantie de cette béate résignation que je me rendis au cours. Je retrouvai Bertrand, les amis; nous allâmes déjeuner ensemble rue Cujas, et tout ceci, pourtant si quotidien, me parut anormal. Ma vraie place était près de Luc. Je l'éprouvais confusément, tandis que Jean-Jacques, un ami de Bertrand, se lançait dans des sarcasmes à propos de mon air rêveur.

« Ce n'est pas possible, Dominique: tu es amoureuse! Mais Bertrand, qu'as-tu fait de cette jeune fille distraite? Une princesse de Clèves?

— Je n'en sais rien », dit Bertrand.

Je le regardai. Il était rouge et évita mon regard. C'était en effet incroyable: mon complice, mon compagnon depuis un an, devenu brusquement cet adversaire! J'eus un mouvement vers lui. J'aurais voulu lui dire: « Bertrand, je t'assure, il ne faut pas que tu souffres, c'est trop dommage, je n'aime pas ça.» Bêtement je serais allée jusqu'à ajouter: «Enfin, rappelle-toi, ces jours d'été, ces jours d'hiver, ta chambre, tout cela ne peut être démoli en trois semaines, ce n'est pas raisonnable.» Et j'aurais aimé qu'il me le confirmât avec violence, qu'il me rassurât, qu'il me reprît. Car il m'aimait. Mais ce n'était pas un homme. Chez certains hommes, et chez Luc, on pressentait une force que ni Bertrand ni aucun de ces très jeunes hommes ne possédait. Ce n'était pourtant pas l'expérience...

« Ne fatiguez pas Dominique, dit Catherine avec son autorité habituelle. Viens, Dominique, les hommes sont des brutes, allons prendre le café ensemble.»

Dehors elle m'expliqua que ce n'était pas très important, qu'au fond Bertrand m'était très attaché et que je n'avais pas à m'inquiéter de ces petites crises d'humeur. Je ne protestai pas. Après tout, vis-à-vis de nos amis, il valait mieux que Bertrand ne fût pas humilié. Moi j'étais écœurée de leurs discours, de ces histoires de garçons, de filles, de ces enfantillages soi-disant amoureux, de leurs drames. Mais il y avait Bertrand, la souffrance de Bertrand et cela n'était pas négligeable. Tout allait si vite! Je délaissais à peine Bertrand que déjà ils en discutaient, ils interprétaient, et me poussaient ainsi à brusquer et aggraver, par agacement, ce qui eût pu n'être qu'un égarement passager.

« Tu ne comprends pas, dis-je à Catherine. Il ne s'agit pas de Bertrand.

— Ah!» fit-elle.

Je me retournai vers elle et je vis sur son visage une telle curiosité, une telle manie des conseils, une telle expression de vampirisme que je me mis à rire.

« Je pense au couvent », repris-je gravement.

Là-dessus Catherine s'engagea, sans plus d'étonnement, dans une longue discussion sur les plaisirs de la vie, les petits oiseaux, le soleil, etc. « Tout ce que j'allais laisser et par quelle folie ! » Elle me parla aussi des plaisirs du corps en baissant la voix, en chuchotant : « Il faut bien le dire... Ça compte aussi. » Bref elle m'eût, si j'y avais vraiment pensé, précipitée dans la religion par sa description des plaisirs de la vie. Etait-il possible que la vie soit « ça » pour quelqu'un ? Car enfin moi, si je m'ennuyais, du moins m'ennuyais-je passionnément. De plus elle se montra si riche en lieux communs, si prête à l'odieuse promiscuité des filles, aux confidences précises, que je la plantai sur le trottoir avec allégresse. « Et supprimons aussi Catherine, pensai-je gaiement, Catherine et ses dévouements. » Je chantonnais presque de férocité.

Je me promenai une heure, entrai dans six boutiques, discutai avec tout le monde, sans gêne. Je me sentais toute libre, toute gaie. Paris m'appartenait. Paris appartenait aux sans scrupules, aux désinvoltes, je l'avais toujours senti, mais cruellement, par manque de désinvolture. Cette fois, c'était ma ville, ma belle ville dorée et tranchante, la ville « à qui on ne la faisait pas ». J'étais soulevée par quelque chose qui pouvait être de la joie. Je marchais vite. J'avais un poids d'impatience, de sang aux poignets ; je me sentais jeune, ridiculement jeune. Dans ces moments de bonheur fou, j'avais l'impression d'arriver à une vérité beaucoup plus évidente que les pauvres petites vérités rabâchées de mes tristesses.

J'entrai dans un cinéma des Champs-Elysées où l'on jouait de vieux films. Un jeune homme vint s'asseoir près de moi. Un coup d'œil m'apprit qu'il était plaisant, peut-être un peu blond. Bientôt il bougea son coude contre le mien, avança vers mon genou une main prudente : je la saisis au vol, la retins dans la mienne. J'avais envie de rire, d'un rire d'écolière. Les affreuses promiscuités des salles obscures, les étreintes furtives, la honte, qu'était-ce ? J'avais dans ma main la main chaude d'un jeune homme inconnu, je n'avais rien à faire de ce jeune homme, j'avais envie de rire. Il retourna sa main dans la mienne, avança lentement un genou. Je le regardais faire avec une sorte de curiosité, de peur et d'encouragement. Comme lui, je craignais que ma dignité ne se réveillât, et me sentais devenir la vieille dame qui se lève, excédée, de son fauteuil. Mon cœur battait un peu : était-ce le trouble ou le film ? Le film qui était bon, au reste. On devrait consacrer une salle aux films insignifiants pour les personnes en mal de compagnons. Le jeune homme tourna vers moi un visage interrogateur et, le film étant suédois, donc la pellicule claire, je vis qu'il était effectivement assez beau. « Assez beau, mais pas mon style », pensai-je, tandis qu'il avançait vers

le mien un visage précautionneux. Je pensai une seconde aux gens
derrière nous qui devaient trouver que... Il embrassait bien, mais en
même temps resserrait son genou, avançait sa main, cherchait à prendre
de l'avantage, sournoisement, stupidement, un avantage que je ne lui
avais pas jusqu'ici refusé. Je me levai et sortis. Il n'y dut rien
comprendre.

Je me retrouvai dans les Champs-Elysées avec sur les lèvres le goût
d'une bouche étrangère et décidai de rentrer pour lire un nouveau
roman. C'était un très beau livre de Sartre, *L'Age de raison*. Je m'y jetai avec
bonheur. J'étais jeune, un homme me plaisait, un autre m'aimait. J'avais
à résoudre un de ces stupides petits conflits de jeune fille; je prenais de
l'importance. Il y avait même un homme marié, une autre femme, tout
un petit jeu de quatuor qui s'engageait dans un printemps parisien. Je me
faisais de tout cela une belle équation sèche, cynique à souhait. De plus,
j'étais remarquablement bien dans ma peau. J'acceptais toutes ces
tristesses, ces conflits, ces plaisirs à venir, j'acceptais tout d'avance avec
dérision.

Je lus, le soir tomba. Je posai mon livre, appuyai ma tête sur mon
bras, regardai le ciel passer du mauve au gris. Je me sentis soudainement
faible et désarmée. Ma vie s'écoulait; je ne faisais rien, je ricanais.
Quelqu'un contre ma joue, que je garderais; que je serrerais contre moi
avec la déchirante violence de l'amour. Je n'étais pas assez cynique pour
envier Bertrand, mais assez triste pour envier tout amour heureux, toute
rencontre éperdue, tout esclavage. Je me levai et sortis.

CHAPITRE V

LES DEUX SEMAINES qui suivirent, je sortis plusieurs fois avec Luc.
Mais toujours avec ses amis. En général c'étaient des voyageurs avec
des récits et des têtes assez plaisantes. Luc parlait vite, drôlement, me
regardait avec complaisance, conservait cet air distrait et pressé à la fois
qui me faisait toujours douter qu'il s'intéressât vraiment à moi. Il me
ramenait ensuite à ma porte, descendait de voiture et m'embrassait sur la
joue, légèrement, avant de repartir. Il ne parlait plus de ce désir qu'il
avait dit avoir de moi et je m'en sentais à la fois soulagée et déçue.
Enfin il m'annonça que Françoise rentrait le surlendemain et je me
rendis compte que ces deux semaines avaient passé comme un rêve et
que je m'étais fait beaucoup de discours pour rien.

Nous allâmes un matin chercher Françoise à la gare, mais sans
Bertrand, qui depuis dix jours d'ailleurs me boudait. Je le regrettais,

mais en profitais pour mener seule une vie désœuvrée et nonchalante qui
me plaisait. Je le savais malheureux de ne plus me voir et cela
m'empêchait de l'être vraiment moi-même.

Françoise arriva toute souriante, nous embrassa, s'écria que nous
avions très mauvaise mine, mais que ça tombait bien : nous étions
invités à passer le week-end chez la sœur de Luc, laquelle était la mère
de Bertrand. Je protestai que je n'étais pas invitée, que d'ailleurs j'étais
un peu brouillée avec Bertrand. Luc ajouta que sa sœur l'exaspérait.
Mais Françoise arrangea tout : Bertrand avait demandé à sa mère de
m'inviter : « Probablement, dit Françoise en riant, pour dissiper cette
fameuse brouille. » Quant à Luc, il fallait bien qu'il eût de temps en
temps l'esprit de famille.

Elle me regardait en riant et je lui souriais, éperdue de gentillesse.
Elle avait grossi. Elle était un peu forte, mais si chaleureuse, si
confiante, que j'étais ravie à l'idée qu'il ne se soit rien passé entre Luc
et moi et que nous pourrions être heureux, tous les trois ensemble,
comme avant. Je retrouverais Bertrand qui, au fond, ne m'ennuyait pas
tant et qui était si cultivé, si intelligent. Nous avions été des sages, Luc
et moi. Pourtant, en m'asseyant dans la voiture, entre lui et Françoise, je
le regardai une seconde comme quelqu'un à qui je renonçais et cela me
fit une bizarre petite secousse intérieure, très désagréable.

Par un beau soir nous quittâmes Paris pour nous rendre chez la mère
de Bertrand. Je savais que son mari lui avait laissé une fort jolie maison
de campagne, et l'idée d'aller quelque part passer un week-end
satisfaisait chez moi un certain snobisme de mots que je n'avais pas eu
jusque-là l'occasion d'exercer. Bertrand m'avait expliqué que sa mère
était une très aimable personne. Ce disant, il prenait l'air distrait
qu'affectionnent les jeunes gens en parlant de leurs parents, pour bien
marquer que leur véritable vie est ailleurs. Je m'étais engagée dans les
frais d'un pantalon de toile, ceux de Catherine étant vraiment trop larges
pour moi. Cette acquisition compromettait mon budget, mais je savais
que Luc et Françoise pourvoiraient à mes besoins, si besoin était. Je
m'étonnais de ma facilité à l'admettre, mais comme toute personne
portée à s'entendre avec elle-même, tout au moins pour les petites
choses, j'avais attribué cette facilité bien plus à la délicatesse de leur
générosité qu'à mon indélicatesse. Il est d'ailleurs plus sain de prêter des
qualités aux autres que de se reconnaître des défauts.

Luc vint nous chercher avec Françoise dans un café du boulevard
Saint-Michel. Il semblait de nouveau fatigué et un peu triste. Sur
l'autoroute il se mit à conduire très vite, presque dangereusement.
Bertrand fut pris d'une sorte de fou rire d'effroi que je partageai bientôt
et Françoise se retourna en nous entendant rire. Elle avait cet air

décontenancé des gens très aimables qui n'osent jamais protester, serait-ce pour défendre leur vie.

« Pourquoi riez-vous ?

— Ils sont jeunes, dit Luc. Vingt ans, c'est encore l'âge des fous rires. »

Je ne sais pourquoi cette phrase me déplut. Je n'aimai pas que Luc nous traitât, Bertrand et moi, comme un couple, surtout un couple d'enfants.

« C'est un fou rire nerveux, dis-je. Parce que vous conduisez vite et qu'on ne se sent pas fiers.

— Tu viendras avec moi, dit Luc, je t'apprendrai à conduire. »

C'était la première fois qu'il me tutoyait en public. C'est peut-être ce qu'on appelle la gaffe, pensai-je. Françoise regarda Luc une seconde. Puis cette idée de gaffe me parut ridicule. Je ne croyais pas aux gaffes révélatrices, aux regards interceptés, aux intuitions foudroyantes. Il y avait une phrase qui me surprenait toujours dans les romans : « Et subitement elle sut qu'il lui mentait. »

Nous arrivions. Luc tourna brusquement dans un petit chemin et je fus projetée contre Bertrand. Il me retint contre lui, solidement, tendrement, et j'en fus très gênée. Je ne supportais pas que Luc nous vît ainsi. Cela me parut grossier et, bien sottement d'ailleurs, indélicat à son égard.

« Vous avez l'air d'un oiseau », me dit Françoise.

Elle s'était retournée et nous regardait. Elle avait vraiment un bon regard, de très bon goût. Elle n'avait pas pris cet air complice et approbateur des dames mûres devant les couples d'adolescents. Elle semblait simplement dire que j'étais assez bien dans les bras de Bertrand, que j'étais attendrissante. Il me plaisait assez d'être attendrissante, ça m'évitait souvent de croire, de penser, de répondre.

« Un vieil oiseau, dis-je. Je me sens vieille.

— Moi aussi, dit Françoise. Mais ça s'explique mieux. »

Luc tourna la tête vers elle avec un petit sourire. Je pensai soudain : « Ils se plaisent ; ils couchent encore ensemble, sûrement. Luc dort à côté d'elle, s'étend contre elle, l'aime. Pense-t-il aussi que Bertrand dispose de mon corps ? L'imagine-t-il ? En est-il, comme moi de lui, vaguement jaloux ? »

« Et nous voilà à la maison, dit Bertrand. Il y a une autre voiture ; je crains que ma mère n'ait quelques-uns de ses invités habituels.

— Auquel cas nous repartons, répliqua Luc. J'ai horreur des invités de ma chère sœur. Je connais une charmante auberge à deux pas d'ici.

— Voyons, dit Françoise, assez de mauvais esprit. Cette maison est charmante et Dominique ne la connaît pas. Venez, Dominique. »

Elle me prit par la main et m'emmena vers une assez belle maison, entourée de pelouses. Je la suivis en me disant que j'avais failli en somme faire le très vilain geste de la tromper avec son mari et que pourtant je l'aimais beaucoup, que j'aimerais mieux faire n'importe quoi plutôt que la peiner. Evidemment, elle ne l'aurait pas su.

« Vous voilà enfin », dit une voix aiguë.

La mère de Bertrand surgissait d'une haie. Je ne l'avais jamais vue. Elle me jeta un de ces coups d'œil investigateurs comme ne peuvent en avoir que les mères des jeunes gens pour les jeunes filles qu'ils leur présentent. Elle me parut, avant tout, blonde et un peu criarde. Aussitôt elle se mit à tourner autour de nous en pépiant ; je me sentis vite excédée. Luc la regardait comme une catastrophe. Bertrand semblait un peu gêné, ce qui me poussa à faire l'aimable. Enfin je me retrouvai dans ma chambre avec soulagement. Le lit était très haut, avec des draps rugueux, comme ceux de mon enfance. J'ouvris ma fenêtre sur des arbres verts, bruissants, tandis qu'une violente odeur de terre mouillée, d'herbe, envahissait la pièce.

« Ça te plaît ? » demanda Bertrand.

Il avait un air confus et content à la fois. Je pensai que pour lui ce week-end avec moi chez sa mère devait être quelque chose d'assez important et compliqué. Je lui souris :

« Tu as une très jolie maison. Quant à ta mère, je ne la connais pas, mais elle a l'air gentille.

— Bref, ça ne te déplaît pas. D'ailleurs, je suis à côté. »

Il eut un rire complice que je partageai. J'aimais bien les maisons inconnues, les salles de bains en carreaux blancs et noirs, les grandes fenêtres, les jeunes hommes impérieux. Il me prit contre lui, m'embrassa la bouche doucement. Je connaissais son souffle, sa manière d'embrasser. Je ne lui avais pas parlé du jeune homme du cinéma. Il l'eût mal pris. Moi aussi, maintenant, je le prenais mal. A distance cela me laissait un souvenir un peu honteux, à la fois comique et trouble, somme toute déplaisant. J'avais été quelqu'un de drôle et de libre un après-midi ; je ne l'étais plus.

« Viens dîner », dis-je à Bertrand qui se penchait pour m'embrasser une nouvelle fois, les yeux un peu dilatés. J'aimais qu'il me désirât. En revanche je m'aimais peu. Ce style jeune fille sauvage et froide petite jeune fille « j'ai le cœur noir et les dents blanches », me paraissait une comédie pour vieux messieurs.

Le dîner fut mortel. Il y avait effectivement des amis de la mère de Bertrand : un couple bavard et dans le mouvement. Au dessert le mari, qui s'appelait Richard et présidait je ne sais quel conseil d'administration, ne put s'empêcher d'entamer le classique refrain :

« Et vous, jeune fille, êtes-vous une de ces malheureuses existentialistes ? En fait, ma chère Marthe — il s'adressait à présent à la mère de Bertrand — , ces jeunes gens désabusés me dépassent. A leur âge, que diable, on aimait la vie ! De mon temps on s'amusait, on faisait un peu la foire, mais gaiement, ça, je vous le jure. »

Sa femme et la mère de Bertrand riaient d'un air entendu. Luc bâillait, Bertrand préparait un discours qui ne serait pas écouté. Avec sa bonne volonté habituelle Françoise essayait visiblement de comprendre pourquoi ces gens étaient si ennuyeux. Quant à moi, c'était la dixième fois que des messieurs roses et gris me faisaient le coup de leur bonne et saine humeur en mâchonnant, avec un délice d'autant plus grand qu'ils en ignoraient le sens, le mot « existentialisme ». Je ne répondis pas.

« Mon cher Richard, dit Luc, je crains que ce ne soit guère qu'à votre âge — je veux dire : à notre âge — qu'on fasse la foire. Ces jeunes gens font l'amour : c'est aussi bien. Il faut une secrétaire, un bureau, pour pouvoir faire la foire. »

Le bon vivant ne répliqua pas. Le reste du dîner se passa sans éclat, tout le monde parlant plus ou moins, sauf Luc et moi ; Luc était le seul qui s'ennuyât aussi violemment que moi, et je me demandais si ce n'était pas là notre première complicité : cette espèce d'inaptitude à l'ennui.

Après dîner, comme le temps était doux, nous passâmes sur la terrasse ; Bertrand alla chercher du whisky. Luc me recommanda à mi-voix de ne pas trop en boire :

« De toute manière je me tiens bien, répliquai-je, vexée.

— Je serais jaloux, reprit-il. Je voudrais que tu t'enivres et ne dises des bêtises qu'avec moi.

— Et le reste du temps que ferais-je ?

— Une triste figure, comme au dîner.

— Et vous, dis-je, votre figure à vous, pensez-vous qu'elle était gaie ?... Vous ne devez pas être de la bonne génération, contrairement à vos dires. »

Il se mit à rire.

« Viens faire un tour dans le jardin avec moi.

— Dans le noir ? Et Bertrand et les autres... »

J'étais affolée.

« Ils nous ont assez ennuyés. Allez viens. »

Il me prit par le bras, se retourna vers les autres. Bertrand n'était pas encore revenu avec le whisky. Je pensai vaguement qu'à son retour il partirait à notre recherche, nous rejoindrait sous un arbre, tuerait peut-être Luc, comme dans *Pelléas et Mélisande*.

« J'emmène cette jeune fille faire une promenade sentimentale », dit-il à la cantonade.

Je ne me retournai pas, mais j'entendis le rire de Françoise. Luc m'entraînait dans une allée qui semblait blanche au départ dans ses graviers et s'enfonçait dans le noir. J'eus brusquement très peur. J'avais envie d'être chez mes parents, au bord de l'Yonne.

« J'ai peur », dis-je à Luc.

Il ne rit pas mais me prit la main. J'aurais voulu qu'il fût toujours ainsi, silencieux, un peu grave, protecteur et tendre. Qu'il ne me quitte pas, qu'il me dise qu'il m'aimait, qu'il me chérisse, qu'il me prenne dans ses bras. Il s'arrêta, me prit dans ses bras. J'étais contre son veston, les yeux fermés. Et tous ces derniers temps n'avaient été qu'une longue fuite devant cet instant-là ; et ces mains qui relevaient mon visage et cette bouche chaude douce, si bien faite pour la mienne. Il avait laissé ses doigts autour de mon visage et il les resserrait durement tandis que nous nous embrassions. Je passai mes bras autour de son cou. J'avais peur de moi, de lui, de tout ce qui n'était pas ce moment-là.

J'aimai tout de suite sa bouche, beaucoup. Il ne disait pas un mot, mais m'embrassait, redressant parfois la tête pour reprendre souffle. Je voyais alors son visage au-dessus du mien, dans la pénombre, distrait et concentré à la fois, comme un masque. Puis il revenait sur moi, très lentement. Très vite je ne distinguai plus son visage et je fermai les yeux sous la chaleur qui envahissait mes tempes, mes paupières, ma gorge. Quelque chose apparaissait en moi, que je ne connaissais pas, qui n'avait pas la hâte, l'impatience du désir, mais qui était heureux et lent, et trouble.

Luc se détacha de moi et je trébuchai un peu. Il me prit par le bras et, sans un mot, nous fîmes le tour du jardin. Je me disais que j'aurais aimé l'embrasser jusqu'à l'aube, sans un autre geste. Bertrand avait très vite épuisé les baisers : le désir les rendait bientôt inutiles à ses yeux ; ils n'étaient qu'une étape vers le plaisir, non quelque chose d'inépuisable, de suffisant, comme Luc me l'avait fait entrevoir.

« Ton jardin est superbe, dit Luc en souriant à sa sœur. Il est malheureusement un peu tard.

— Il n'est jamais trop tard », dit Bertrand sèchement.

Il me fixait. Je détournai les yeux. Ce que je voulais c'était être seule, dans le noir de ma chambre, pour pouvoir me rappeler et comprendre ces quelques instants dans le parc. Je les mettrais donc à l'écart pendant tout ce temps de la conversation, je serais dans une grande absence ; puis je monterais dans ma chambre avec ce souvenir. Je m'étendrais bien à plat, les yeux ouverts, et je le tournerais et le retournerais longtemps devant moi pour le détruire ou le laisser devenir quelque chose d'essentiel. Ce soir-là je fermai ma porte, mais Bertrand n'y vint pas frapper.

CHAPITRE VI

LA MATINEE passa lentement. Le réveil avait été très agréable, très doux, comme un des réveils de mon enfance. Mais ce n'était pas une de ces longues journées jaunes et solitaires, entrecoupées de lecture, qui m'attendait : c'étaient « les autres ». Les autres, vis-à-vis desquels j'avais un rôle à jouer, un rôle dont j'étais responsable. Cette responsabilité, cette activité me prirent à la gorge tout d'abord et je replongeai dans mon oreiller avec une impression de malaise physique. Puis je me souvins de la soirée de la veille, des baisers de Luc et quelque chose se déchira doucement en moi.

La salle de bains était merveilleuse. Une fois dans l'eau je me mis à chantonner gaiement : « Et maintenant il s'agit, il s'agit, de prendre une décision, décision », sur un air de jazz. Quelqu'un frappa vigoureusement à la cloison.

« Pourrait-on laisser dormir les honnêtes gens ? »

C'était une voix joyeuse, la voix de Luc. Nous aurions pu, si j'étais née dix ans plus tôt, avant Françoise, vivre ensemble et il m'aurait empêchée en riant de chanter le matin et nous aurions dormi ensemble et nous aurions pu être heureux, très longtemps, au lieu de nous trouver dans une impasse. Car c'était bien une impasse et peut-être était-ce pour cela que nous ne nous y engagions pas, malgré nos belles indifférences ennuyées. Il fallait le fuir, s'en aller : je sortis de mon bain. Mais pour trouver un peignoir pelucheux qui sentait les vieilles armoires de campagne et dans lequel je m'entortillai en me disant que le bon sens consistait à laisser les choses se faire ou ne pas se faire, qu'il ne fallait pas toujours disséquer, mais être tranquille, brave : j'en ronronnais de mauvaise foi.

J'essayai le pantalon de toile que j'avais acheté et me regardai dans la glace. Je ne me plaisais pas, j'étais mal coiffée, avec un visage pointu et l'air gentil. J'aurais aimé un visage régulier avec des tresses, l'œil sombre des jeunes filles destinées à faire souffrir les hommes, un visage sévère et charnel à la fois. En renversant la tête en arrière j'avais peut-être l'air voluptueux, mais quelle femme dans cette attitude ne l'eût pas eu ? Et puis ce pantalon était ridicule ; j'avais l'air trop étroite : jamais je n'oserais descendre ainsi. C'était une forme de désespoir que je connaissais bien ; ma propre image me déplaisait tant que j'étais odieuse toute la journée si je me décidais à sortir.

Mais Françoise entra et arrangea tout.

« Ma petite Dominique, que vous êtes charmante ainsi ! Vous avez l'air encore plus jeune et plus vif. Vous êtes un remords vivant pour moi. »

Elle s'était assise sur mon lit et se regardait dans la glace.

« Pourquoi un remords ? »

Elle me répondit sans me regarder :

« Je mange trop de gâteaux sous prétexte que j'aime les gâteaux. Et puis, il y a ces rides, là. »

Elle avait des rides assez sévères au coin des yeux. J'y posai mon index :

« Moi, je trouve ça merveilleux, dis-je tendrement. Toutes les nuits, tous les pays, tous les visages qu'il a fallu pour avoir ces deux minuscules petites lignes-là... Vous y gagnez. Et puis ça donne l'air vivant. Et puis, je ne sais pas, moi, je trouve ça beau, expressif, troublant. J'ai horreur des têtes lisses. »

Elle éclata de rire :

« Pour me consoler, vous provoqueriez la faillite des instituts de beauté. Vous êtes une gentille Dominique. Une très gentille. »

J'avais honte.

« Je ne suis pas si gentille que ça.

— Je vous vexe ? Les jeunes gens ont horreur d'être gentils. Mais vous ne dites jamais rien de désagréable, ni d'injuste. Et vous aimez bien les gens. Donc, je vous trouve parfaite.

— Je ne le suis pas. »

Il y avait très longtemps que je n'avais pas parlé de moi. C'était pourtant un sport que j'avais beaucoup pratiqué jusqu'à dix-sept ans. Mais je ressentais une espèce de lassitude. En fait je ne pouvais m'intéresser à moi, m'aimer, que si Luc m'aimait, si Luc s'intéressait à moi. Cette dernière pensée était stupide.

« J'exagère, dis-je tout haut.

— Et vous êtes incroyablement distraite, dit Françoise.

— Parce que je n'aime pas », dis-je.

Elle me regarda. Quelle tentation m'envahissait ? Lui dire : « Françoise, je pourrais aimer Luc, je vous aime beaucoup aussi, prenez-le, emmenez-le. »

« Et Bertrand, c'est vraiment fini ? »

Je haussai les épaules :

« Je ne le vois plus. Je veux dire : je ne le regarde plus.

— Vous devriez peut-être le lui dire ? »

Je ne répondis pas. Que dire à Bertrand ? « Je ne veux plus te voir ? » Mais je voulais bien le voir. Je l'aimais bien. Françoise sourit :

« Je comprends. Rien n'est facile. Venez déjeuner. J'ai vu rue Caumartin un jersey qui serait ravissant avec ce pantalon. Nous irons le voir ensemble et... »

Nous parlions gaiement toilette en descendant l'escalier. Ce genre de sujet ne me passionnait pas, mais j'aimais parler comme ça, pour ne rien dire, suggérer un adjectif, me tromper pour qu'elle s'indigne, rire. En bas Luc et Bertrand déjeunaient. Ils parlaient de bain.

« Nous pourrions aller à la piscine ? »

C'était Bertrand qui parlait. Il devait penser qu'il résisterait mieux que Luc à ce premier soleil. Mais peut-être n'avait-il pas de sentiments si bas ?

« C'est une excellente idée. En même temps j'apprendrai à conduire à Dominique.

— Pas de folies, pas de folies, dit la mère de Bertrand qui entrait dans la pièce vêtue d'une somptueuse robe de chambre. Vous avez bien dormi ? Et toi, mon tout petit ? »

Bertrand prit l'air gêné. Il avait un air digne qui lui allait mal. Je l'aimais gai. On aime bien que les gens auxquels on fait du mal soient gais. Ça dérange moins.

Luc se levait. Il ne supportait visiblement pas la présence de sa sœur. Cela me faisait rire. J'avais eu aussi des sortes de haines physiques, mais que j'étais obligée de cacher. Il y avait quelque chose d'enfantin chez Luc.

« Je vais prendre mon maillot là-haut. »

Dans un remue-ménage chacun commença à chercher ses affaires. Enfin nous fûmes tous prêts. Bertrand partit avec sa mère dans la voiture de leurs amis et nous nous retrouvâmes tous les trois.

« Conduis », dit Luc.

J'avais d'assez vagues notions et cela ne se passa pas trop mal. Luc était à côté de moi et, derrière, Françoise, inconsciente du danger, parlait. J'eus de nouveau une violente nostalgie de ce qui aurait pu être : les longs voyages avec Luc à mes côtés, la route blanche sous les phares, la nuit, moi appuyée contre l'épaule de Luc, Luc si solide au volant si rapide. Les aubes dans la campagne, les crépuscules sur la mer…

« Vous savez, je n'ai jamais vu la mer… »

Ce fut un tollé.

« Je te la montrerai », dit Luc doucement.

Et, se tournant vers moi, il me sourit. C'était comme une promesse. Françoise ne l'avait pas entendu ; elle continuait :

« La prochaine fois que nous irons, Luc, il faut l'emmener. Elle dira : "Que d'eau, que d'eau !" comme je ne sais plus qui.

— Je commencerai probablement par me baigner, dis-je. Je parlerai après.

— Vous savez que c'est vraiment très beau, dit Françoise. Les plages sont jaunes, avec des rochers rouges, et toute cette eau bleue qui arrive dessus…

— J'adore tes descriptions, dit Luc en riant : jaune, bleu, rouge. Comme une écolière. Une jeune écolière, bien sûr, ajouta-t-il sur un ton d'excuse en se tournant vers moi. Il y a de vieilles écolières, très très calées. Tournez à gauche, Dominique ; si vous pouvez… »

Je pouvais. Nous arrivâmes sur une pelouse. Au milieu de la pelouse il y avait une grande piscine pleine d'une eau bleu clair qui me gela d'avance.

Nous fûmes vite sur le bord, en maillot de bain. J'avais rencontré Luc comme il sortait de sa cabine ; il avait l'air mécontent. Je lui en demandai la raison et il me fit un petit sourire gêné :

« Je ne me trouve pas beau. »

Il ne l'était d'ailleurs pas. Il était grand et maigre, un peu voûté, et pas

très brun. Mais il avait l'air si malheureux, il tenait si précautionneusement sa serviette devant lui, il faisait si «âge ingrat» que j'en fus
attendrie.

« Voyons, voyons, repris-je sur un ton allègre, vous n'êtes pas si laid
que ça ! »

Il me jeta un coup d'œil oblique, presque choqué, et éclata de rire.

« Toi, tu commences à me manquer de respect ! »

Puis il se mit à courir et se jeta dans l'eau. Il en émergea aussitôt en
poussant des cris de détresse et Françoise vint s'asseoir sur la margelle.
Elle était mieux ainsi qu'habillée, elle avait l'air d'une statue du Louvre.

« C'est atrocement froid, disait Luc, la tête hors de l'eau. Il faut être
fou pour se baigner en mai.

— En avril ne te découvre pas d'un fil. En mai, fais ce qu'il te plaît »,
émit sentencieusement la mère de Bertrand.

Mais dès qu'elle eut tâté l'eau du pied, elle partit se rhabiller. Je
regardais cette joyeuse troupe pépiante, blanchâtre et agitée, autour de la
piscine, et je me sentais envahie d'une douce hilarité en même temps
que de l'éternelle petite pensée : «Mais que fais-je donc ici ? »

« Tu te baignes ? » demandait Bertrand.

Il était devant moi sur un pied et je le regardais avec approbation. Je
savais qu'il faisait des haltères tous les matins : nous avions passé une
fois un week-end ensemble et, prenant ma somnolence pour un profond
sommeil, il avait exécuté à l'aube des mouvements divers devant la
fenêtre, mouvements qui, sur le coup, m'avaient fait rire silencieusement
aux larmes mais semblaient lui avoir réussi. Il avait un petit air sain et
propret.

« C'est une chance pour nous d'avoir la peau mate, dit-il. Regarde les
autres.

— Allons à l'eau », dis-je. J'avais peur qu'il ne se livrât à des
considérations exaspérées sur sa mère qui l'excédait.

Je me mis à l'eau avec la plus grande répugnance, fis le tour de la
piscine pour l'honneur et sortis en grelottant. Françoise me frotta avec
une serviette. Je me demandai pourquoi elle n'avait pas eu d'enfant, elle
si visiblement faite pour la maternité, avec ses hanches larges, son corps
épanoui, sa douceur. C'était trop dommage.

CHAPITRE VII

Deux jours après ce week-end, j'avais rendez-vous avec Luc à six
heures. Il me semblait qu'il y aurait désormais entre nous quelque chose
d'irréparable, quelque chose d'irrespirable dans tout nouvel essai de

futilité. J'étais prête, enfin, telle une jeune fille du XVIIᵉ siècle, à lui demander réparation pour un baiser.

Nous avions rendez-vous dans un bar du quai Voltaire. A ma surprise Luc était déjà là. Il avait très mauvaise mine, l'air fatigué. Je m'assis près de lui et il commanda aussitôt deux whiskies. Puis il me demanda des nouvelles de Bertrand.   `

«Il va bien.

— Il souffre?»

Il ne posait pas la question sur un ton railleur, mais tranquille.

«Pourquoi souffrirait-il? demandai-je bêtement.

— Il n'est pas sot.

— Je ne comprends pas pourquoi vous me parlez de Bertrand. C'est... euh...

— C'est secondaire?»

Il avait cette fois posé la question d'une voix ironique. Je m'impatientai :

«Ce n'est pas secondaire, mais enfin ce n'est pas très grave. Tant qu'à parler de choses graves, parlons plutôt de Françoise.»

Il éclata de rire :

«C'est drôle, tu verras. Dans ce genre d'histoires, le... enfin disons le partenaire de l'autre vous paraît un obstacle plus sérieux que le vôtre propre. C'est assez affreux à dire, mais quand on connaît quelqu'un, on connaît aussi sa manière de souffrir et ça paraît assez acceptable. Enfin acceptable, non; mais connu, donc moins effrayant.

— Je connais mal la manière de souffrir de Bertrand...

— Tu n'as pas eu le temps. Moi, il y a dix ans que je suis marié. J'ai donc vu souffrir Françoise. C'est très désagréable.»

Nous restâmes un instant immobiles. Tous deux nous évoquions probablement Françoise souffrant. Dans mon esprit, cela donnait Françoise tournée contre un mur.

«C'est idiot, dit Luc enfin. Mais tu comprends c'est moins simple que je ne le pensais.»

Il prit son whisky et l'avala en renversant la tête. Je me sentais au cinéma. J'essayais de me dire que ce n'était pas le moment d'être en dehors du coup, mais j'étais dans une impression de totale irréalité. Luc était là, il allait décider, tout allait bien.

Il se pencha un peu en avant, son verre vide entre ses mains, y faisant tourner la glace d'un mouvement régulier. Il parlait sans me regarder.

«J'ai eu des aventures, bien sûr. Françoise les a, le plus souvent, ignorées. Sauf quelques malheureuses fois. Ce n'était jamais bien sérieux.»

Il se redressa avec une espèce de colère :

«Toi non plus d'ailleurs, ce n'est pas très sérieux. Rien n'est très sérieux. Rien ne vaut contre Françoise.»

Je l'écoutais sans souffrir je ne sais pas pourquoi. Il me semblait assister à un cours de philosophie, sans rapport avec moi.

« Mais c'est différent. Au début je te désirais, comme un homme de mon genre peut désirer une petite jeune fille féline et butée et difficile. Je te l'ai dit d'ailleurs. Je voulais t'apprivoiser, passer une nuit avec toi. Je ne pensais pas... »

Brusquement il se tourna vers moi, me prit les mains, me parla avec douceur. Je regardais son visage de très près, j'en détaillais toutes les lignes, j'écoutais passionnément ce qu'il disait, j'étais enfin douée d'une attention sans failles, délivrée de moi-même. Sans petite voix intérieure.

« Je ne pensais pas que je pouvais t'estimer. Je t'estime beaucoup, Dominique, je t'aime beaucoup. Je ne t'aimerai jamais "pour de vrai", comme disent les enfants, mais nous sommes pareils, toi et moi. Je n'ai plus seulement envie de coucher avec toi, j'ai envie de vivre avec toi, de partir avec toi en vacances. Nous serions très contents, très tendres, je t'apprendrais la mer, et l'argent, et une certaine forme de liberté. Nous nous ennuierions moins. Voilà.

— Je voudrais bien aussi, dis-je.

— Après je reviendrais à Françoise. Qu'est-ce que tu risques ? De t'attacher à moi, de souffrir, après ? Mais quoi ? Ça vaut mieux que de t'ennuyer. Tu aimes mieux être heureuse et malheureuse que rien, non ?

— Evidemment, dis-je.

— Qu'est-ce que tu risques ? répéta Luc comme pour s'en convaincre.

— Et puis souffrir, souffrir, il ne faut rien exagérer, repris-je. Je n'ai pas le cœur si tendre.

— Bon, dit Luc. On verra, on réfléchira. Parlons d'autre chose. Veux-tu un autre verre ? »

Nous bûmes à notre santé. Ce que je voyais de plus clair, c'est que nous allions peut-être partir ensemble, en voiture, comme je l'avais imaginé et cru impossible. Et puis je me débrouillerais bien pour ne pas m'attacher à lui, sachant les ponts coupés d'avance. Je n'étais pas aussi folle.

Nous allâmes nous promener sur les quais. Luc riait avec moi, parlait. Je riais aussi, je me disais qu'avec lui il faudrait toujours rire, et je m'y sentais assez disposée. « Le rire est le propre de l'amour », disait Alain. Mais il n'était pas question d'amour, simplement d'accord. Et puis enfin, j'étais assez fière : Luc pensait à moi, il m'estimait, me désirait : je pouvais me concevoir comme un peu drôle, estimable, désirable. Le petit fonctionnaire de ma conscience qui, dès que je pensais à moi-même, m'en renvoyait une image minable, était peut-être trop dur, trop pessimiste.

Quand j'eus quitté Luc, j'entrai dans un bar et bus un autre whisky avec les quatre cents francs qui devaient assurer mon dîner. Au bout de dix minutes j'étais merveilleusement bien, je me sentais tendre, bonne, plaisante. Il me fallait rencontrer quelqu'un pour qu'il en profite, que je lui explique toutes les choses dures, douces et aiguës que je savais sur la vie. J'aurais pu parler des heures. Le barman était gentil, mais sans intérêt. Aussi me rendis-je au café de la rue Saint-Jacques. J'y rencontrai Bertrand. Il était seul avec quelques soucoupes. Je m'assis près de lui et il eut l'air enchanté de me voir. « Je pensais justement à toi. Il y a un nouvel orchestre de bop au *Kentucky*. Si on y allait? Il y a un temps fou qu'on n'a pas dansé.

— Pas un sou, fis-je piteusement.

— Ma mère m'a donné dix mille francs l'autre jour. On va boire encore quelques verres et on y va.

— Mais il n'est que huit heures, objectai-je. Ça n'ouvre qu'à dix heures.

— On boira plusieurs verres », dit Bertrand gaiement.

J'étais ravie. J'aimais beaucoup danser les figures rapides du bop avec Bertrand. La boîte à disques jouait un air de jazz qui me faisait bouger les jambes. Quand Bertrand eut payé les consommations, je me rendis compte qu'il avait dû pas mal boire. Il était tout gai. D'ailleurs c'était mon meilleur ami, mon frère, je l'aimais profondément.

Nous fîmes cinq ou six bars jusqu'à dix heures. A la fin nous étions parfaitement ivres. Follement gais, même pas sentimentaux. Quand nous arrivâmes au *Kentucky*, l'orchestre avait commencé à jouer, il n'y avait presque personne et nous avions la piste pour nous tout seuls ou presque. Contrairement à mes prévisions, nous dansions très bien ; nous étions très détendus. Plus que tout j'aimais cette musique, l'élan qu'elle me donnait, ce plaisir de tout mon corps à la suivre.

Nous ne nous asseyions que pour boire.

« La musique, dis-je confidentiellement à Bertrand, la musique de jazz, c'est une insouciance accélérée. »

Il se redressa brusquement :

« C'est tout à fait ça. Très, très intéressant. Formule excellente. Dominique, bravo !

— N'est-ce pas ? dis-je.

— Whisky infect au *Kentucky*. Bonne musique néanmoins. Musique égale : insouciance... Insouciance de quoi ?

— Je ne sais pas. Ecoute, la trompette, ce n'est pas seulement insouciant, c'est nécessaire. Il fallait qu'il aille jusqu'au bout de cette note, tu as senti ? Nécessaire. C'est comme l'amour, tu sais, l'amour physique, il y a un moment où il faut que... Où il n'en peut pas être autrement.

— Parfaitement. Très, très intéressant. On danse ? »

Nous passâmes la nuit, à boire et à échanger des onomatopées. A la fin, c'était un vertige de visages, de pieds, et le bras de Bertrand qui m'envoyait très loin de lui, et la musique qui me relançait à sa rencontre, et cette incroyable chaleur et cette incroyable souplesse de nos corps...

« On ferme, dit Bertrand. Il est quatre heures.

— C'est fermé aussi chez moi, remarquai-je.

— Ça ne fait rien », dit-il.

Il était vrai que ça ne faisait rien. Nous allions rentrer chez lui, nous étendre sur son lit et il serait très normal que, comme tout l'hiver, j'aie sur moi, cette nuit, le poids de Bertrand et que nous soyons heureux ensemble.

CHAPITRE VIII

J'ÉTAIS allongée contre lui, dans le matin, et il dormait sa hanche contre ma hanche. Il devait être tôt ; je ne pouvais me rendormir et je me disais que pas plus que lui, enfoncé dans ses rêves, je n'étais là. C'était comme si mon véritable moi eût été très loin, bien après des maisons de banlieue, des arbres, des champs, des enfances, immobile au bout d'une allée. Comme si cette jeune fille penchée sur ce dormeur n'eût été qu'un pâle reflet de ce moi tranquille, inexorable, dont déjà, d'ailleurs, je m'écartais pour vivre. Comme si à un moi-même éternel j'eusse préféré ma vie, laissant cette statue au bout d'une allée, dans la pénombre, avec sur ses épaules, comme des oiseaux, toutes ses vies possibles et refusées.

Je m'étirai, je m'habillai... Bertrand s'éveillait, me questionnait, bâillait, passait la main sur ses joues et son menton, se plaignait de sa barbe. Je lui donnai rendez-vous pour le soir et regagnai ma chambre pour y travailler. En vain. Il faisait atrocement chaud, il allait être midi. Je devais déjeuner avec Luc et Françoise : ce n'était pas la peine, pour une heure, de me mettre au travail. Je ressortis acheter un paquet de cigarettes, je rentrai, en fumai une et me rendis compte brusquement, en l'allumant, que je n'avais pas vécu un seul de mes gestes de toute la matinée. Qu'il n'y avait rien eu pendant des heures que ce vague instinct de conservation de mes habitudes. Rien, pas un moment. Et où l'aurais-je trouvé ? Je ne croyais pas au merveilleux sourire humain dans l'autobus, ni à la vie palpitante de la rue et je n'aimais pas Bertrand. Il me fallait quelqu'un ou quelque chose. Je me disais cela en allumant ma cigarette, presque à voix haute : « Quelqu'un ou quelque chose» et cela me paraissait mélodramatique. Mélodramatique et drôle. Ainsi, comme Catherine, j'avais des moments d'exaspération sentimentale. J'aimais l'amour et les mots qui se rapportaient à l'amour, «tendre, cruel, doux, confiant, excessif», et je n'aimais personne. Luc, peut-être, quand il était là. Mais je n'osais penser à lui depuis la veille. Je n'aimais pas ce goût de renonciation qui m'emplissait la gorge quand je me le rappelais.

J'attendais Luc et Françoise quand ce bizarre vertige, qui me mena rapidement au lavabo, me prit. Quand ce fut fini je relevai la tête et me regardai dans la glace. J'avais eu bien le temps de compter. «Ainsi, dis-je à voix haute, c'est arrivé!» Ce cauchemar, que je connaissais bien pour l'avoir souvent fait à tort, recommençait. Mais cette fois-ci... Peut-être était-ce le whisky de la veille et il n'y avait vraiment pas de quoi s'affoler. Déjà je discutais en moi-même farouchement, en me regardant dans la glace avec un mélange de curiosité et de dérision. J'étais sans doute prise au piège. Je le dirais à Françoise. Il n'y avait que Françoise pour me tirer de là.

Mais je ne le dis pas à Françoise. Je n'osai pas. Et puis, au déjeuner, Luc nous fit boire; alors j'oubliai un peu, je me raisonnai. Mais savais-je si Bertrand, si jaloux de Luc, n'avait pas trouvé ce moyen de me retenir? Je me découvrais tous les symptômes...

Le lendemain de ce déjeuner commença une semaine d'été précoce, comme je croyais impossible qu'il y en eût. Je marchais dans les rues, car ma chambre était intenable tant il y faisait chaud. Je questionnai vaguement Catherine sur des solutions possibles, sans oser rien lui avouer. Je ne voulais plus voir Luc, Françoise, ces êtres libres et forts. J'étais malade comme une bête, avec des moments de fou rire nerveux. Sans projets, sans forces. A la fin de la semaine j'étais sûre d'attendre un enfant de Bertrand, et je me sentis plus calme. Il allait falloir agir...

Mais la veille de l'examen je sus que je m'étais trompée, que ce n'avait été effectivement qu'un cauchemar et je passai l'écrit en riant de soulagement. Simplement, je n'avais pensé qu'à ça pendant dix jours et je redécouvris les autres avec émerveillement. Tout devenait possible à nouveau, et gai. Françoise monta par hasard dans ma chambre, se récria contre la chaleur torride, me proposa d'aller préparer l'oral chez eux. Je travaillais donc sur le tapis blanc de leur appartement, les volets à demi fermés, seule. Françoise rentrait vers cinq heures, me montrait ses achats, essayait sans trop de conviction de m'interroger sur mon programme, et cela finissait en plaisanteries. Luc arrivait, riait avec nous. Nous allions dîner à une terrasse et ils me ramenaient chez moi. Un seul jour de la semaine Luc rentra avant Françoise, arriva dans la pièce où je travaillais, s'agenouilla près de moi sur le tapis. Il me prit dans ses bras, m'embrassa, sans un mot, par-dessus mes cahiers. Il me semblait retrouver sa bouche, comme si je n'avais connu qu'elle et que je n'eusse pensé qu'à ça pendant quinze jours. Puis il me dit qu'il m'écrirait pendant les vacances et que, si je le voulais, nous nous retrouverions quelque part pour une semaine. Il me caressait la nuque, cherchait ma bouche. J'avais envie de rester ainsi sur son épaule jusqu'à ce que la nuit tombât, peut-être à me plaindre doucement de ce que nous ne nous aimions pas. L'année scolaire était finie.

Deuxième partie

CHAPITRE PREMIER

LA MAISON était longue et grise. Une prairie descendait jusqu'à l'Yonne, figée dans ses roseaux et ses courants crémeux, l'Yonne verte et lourde, survolée d'hirondelles et de peupliers. J'en aimais un surtout, près duquel je m'allongeais. Je venais m'étendre, les pieds contre le tronc, la tête égarée dans ses branches que je voyais, tout en haut, osciller au vent. La terre sentait l'herbe chaude et me procurait un long plaisir, doublé d'une sensation d'impuissance. Je connaissais ce paysage sous la pluie et sous l'été. Je le connaissais avant Paris, avant les rues et la Seine et les hommes : il ne changeait pas.

Mon examen passé par miracle, je lisais, je remontais lentement prendre mes repas à la maison. Ma mère avait perdu un fils quinze ans plus tôt, dans des circonstances assez tragiques, et en avait gardé une neurasthénie qui était vite devenue la maison même. Dans ces murs, la tristesse prenait un goût pieux. Mon père y marchait sur la pointe des pieds et y transportait, pour ma mère, des châles.

Bertrand m'écrivait. Il m'avait envoyé une curieuse lettre, trouble, pleine d'allusions à la dernière nuit que nous avions passée ensemble le soir du *Kentucky*, nuit durant laquelle il m'avait, disait-il, manqué de respect. Or, il ne m'avait pas semblé qu'il m'eût plus manqué de respect que d'habitude, et comme nous avions à cet égard des relations tout à fait simples et satisfaisantes, j'avais longuement cherché ce à quoi il faisait allusion. En vain. J'avais enfin compris qu'il cherchait à introduire entre nous, comme une lourde complicité, l'érotisme. Il cherchait quelque chose qui nous liât, il s'accrochait aux branches et pour une fois, la choisissait un peu basse. Je lui en avais voulu d'abord de compliquer ce qui avait été entre nous la chose la plus heureuse, en somme la plus pure, mais je ne savais pas que, dans certains cas, on recherche n'importe quoi, même le pire, plutôt que l'attendu, le médiocre. Et pour lui, l'attendu, le médiocre, c'était que je ne l'aime plus. Je savais d'ailleurs que c'était moi qu'il regrettait et non plus nous, puisqu'il n'y avait plus de « nous » depuis un mois, et cela me faisait encore plus de peine.

De Luc pas de nouvelles pendant ce mois : simplement une carte très gentille de Françoise et qu'il avait signée. Je me répétais avec une certaine fierté imbécile que je ne l'aimais pas : la preuve en étant que je ne souffrais pas de cette absence. Je ne pensais pas que, pour que ce fût tout à fait rassurant, il eût fallu me sentir humiliée de ne pas l'aimer et non pas, comme je l'étais, triomphante. D'ailleurs tous ces raffinements m'agaçaient. Je me tenais si bien en main.

Et puis j'aimais cette maison où j'aurais dû tant m'ennuyer. Je m'y ennuyais, bien sûr, mais d'un ennui plaisant et non pas honteux, comme avec les gens de Paris. J'étais très gentille et attentionnée pour tout le monde, me plaisais à l'être. Errer d'un meuble à l'autre, d'un champ à l'autre, d'un jour à l'autre, ne pas pouvoir faire autre chose, quel soulagement ! Acquérir à force d'immobilité une sorte de hâle doux sur le visage et le corps, attendre sans attendre que les vacances soient finies. Lire. Les vacances étaient une énorme tache jaune et fade.

Enfin arriva la lettre de Luc. Il me disait qu'il serait à Avignon le 22 septembre. Il m'y attendrait, ou une lettre de moi. Je décidai brusquement d'y être moi-même, et ce mois passé m'apparut un paradis de simplicité. Mais c'était bien Luc, ce ton tranquille, cet Avignon ridicule et inattendu, cette absence apparente d'intérêt. Je me lançais dans les mensonges, écrivis à Catherine de me faire parvenir une fausse invitation. En même temps elle m'envoya une autre lettre où elle disait sa surprise, car Bertrand était sur la Côte, avec toute la bande, et qui pouvais-je bien aller retrouver ? Mon manque de confiance lui faisait de la peine ; elle ne voyait rien qui le justifiât. Je lui adressai un mot de remerciement, lui signalant simplement que, si elle voulait faire souffrir Bertrand, elle n'avait qu'à lui parler de ma lettre... ce que, d'ailleurs, elle fit, par amitié pour lui, bien entendu.

Le 21 septembre, munie d'un léger bagage, je m'embarquai pour Avignon qui, par bonheur, se trouve sur la route de la Côte d'Azur. Mes parents m'accompagnèrent à la gare. Je les quittai, les larmes aux yeux, sans comprendre pourquoi. Il me semblait pour la première fois abandonner mon enfance, la sécurité familiale. D'avance je détestai Avignon.

A la suite du silence de Luc, de sa lettre distraite, je m'étais fait de lui une image assez détachée et dure, et j'arrivai presque sur mes gardes à Avignon, attitude mentale inconfortable pour un rendez-vous prétendu d'amour. Je ne partais pas avec Luc parce qu'il m'aimait, ni parce que je l'aimais. Je partais avec lui parce que nous parlions le même langage et que nous nous plaisions. A y réfléchir, ces raisons me paraissaient minces et ce voyage effrayant.

Mais Luc, une fois de plus, me surprit. Il était sur le quai de la gare, l'air inquiet, et, quand il me vit, enchanté. Je descendis, il me serra dans ses bras et m'embrassa légèrement.

« Tu as une mine superbe. Je suis content que tu sois venue.

— Vous aussi », dis-je, faisant allusion à sa mine. Effectivement il était hâlé, mince, beaucoup plus beau qu'à Paris. « Il n'y a aucune raison de rester à Avignon, tu sais. On va aller voir la mer, puisque après tout nous sommes là pour ça. Après, on décidera. »

Sa voiture était devant la gare. Il jeta ma valise à l'arrière et nous partîmes. Je me sentais complètement abrutie et un peu déçue, à contresens. Je ne me le rappelais ni si séduisant ni si gai.

La route était belle, bordée de platanes. Luc fumait et nous filions capote baissée, au soleil. Je me disais : « Voilà, j'y suis, c'est maintenant. » Et cela ne me faisait rien, mais rien. J'aurais aussi bien pu être sous mon peuplier avec un livre. Cette espèce d'absence aux événements finit par m'égayer. Je me tournai vers lui et lui demandai une cigarette. Il sourit :

« Ça va mieux ? »

Je me mis à rire.

« Oui, ça va mieux. Je me demande un peu ce que je fais avec vous, mais c'est tout.

— Tu ne fais rien, tu te promènes, tu fumes, tu te demandes si tu ne vas pas t'ennuyer. Tu ne veux pas que je t'embrasse ? »

Il arrêta la voiture, me prit par les épaules et m'embrassa. C'était entre nous un très bon moyen de reconnaissance. Je ris un peu contre sa bouche et nous repartîmes. Il me tenait la main. Il me connaissait bien. Il y avait deux mois que je vivais avec des demi-étrangers, figés dans un deuil auquel je ne participais pas, et il me semblait que, tout doucement, la vie recommençait.

La mer était une chose surprenante ; je regrettai un instant que Françoise ne fût pas là pour pouvoir lui dire qu'effectivement elle était bleue avec des rochers rouges et un sable jaune, et que c'était très réussi. J'avais eu un peu peur que Luc ne me la montrât avec un air de triomphe et en guettant mes réactions, ce qui m'eût obligée à répliquer par des adjectifs et une mimique admirative, mais il me la désigna juste du doigt en arrivant à Saint-Raphaël.

« Voilà la mer. »

Et nous roulâmes lentement dans le soir, la mer blêmissant près de nous jusqu'au gris. A Cannes Luc arrêta la voiture sur la Croisette devant un gigantesque hôtel dont le hall m'horrifia. Je savais qu'avant d'être contente il me faudrait avoir oublié ce décor, ces grooms, les avoir transformés en êtres familiers, sans regards pour moi, sans danger. Luc palabrait avec un homme hautain derrière un comptoir. J'aurais voulu être ailleurs. Il le sentit, mit sa main sur mon épaule en traversant

le hall, me guida. La chambre était immense, presque blanche, avec
deux portes-fenêtres sur la mer. Il y eut un brouhaha de porteurs, de
bagages, de fenêtres ouvertes, d'armoires. J'étais au milieu, les bras
ballants, indignée de ma propre incapacité à réagir.

« Et voilà », dit Luc.

Il jeta un coup d'œil satisfait autour de la pièce, se pencha sur le
balcon.

« Viens voir. »

Je m'accoudai près de lui, à distance respectueuse. Je n'avais pas du
tout envie de regarder par la fenêtre, ni d'être à tu et à toi avec cet
homme que je connaissais mal. Il me jeta un bref coup d'œil.

« Allons, tu es redevenue sauvage. Va prendre un bain et reviens boire
un verre avec moi. Dans ton cas, je ne vois que le confort et l'alcool
pour te dérider. »

Il avait raison. Une fois changée je m'accoudai près de lui, un verre à
la main, lui fis mille compliments de la salle de bains et de la mer. Il me
dit que j'étais très en beauté. Je lui répondis que lui aussi, et nous
contemplâmes les palmiers et la foule d'un air satisfait. Puis il partit se
changer en me laissant un second whisky, et je me promenai pieds nus
sur l'épaisse moquette en chantonnant.

Le dîner se passa bien. Nous parlâmes de Françoise, de Bertrand, avec
beaucoup de bon sens et de tendresse. Je souhaitais ne pas rencontrer
Bertrand, mais Luc me dit que nous tomberions sûrement sur quelqu'un
qui se ferait un plaisir de tout raconter, à lui et à Françoise, et qu'il serait
bien temps de s'en préoccuper à la rentrée. J'étais émue qu'il prît ce
risque pour moi. Je le lui dis en bâillant, parce que je mourais de
sommeil. Je lui dis aussi que j'aimais sa manière de prendre les choses :

« C'est très agréable. Vous avez décidé cela, vous le faites, vous
acceptez les conséquences, vous n'avez pas peur.

— De quoi veux-tu que j'aie peur ? dit-il avec une bizarre tristesse.
Bertrand ne me tuera pas. Françoise ne me quittera pas. Tu ne
m'aimeras pas.

— Peut-être que Bertrand me tuera, moi, répliquai-je, vexée.

— Il est bien trop gentil. Tout le monde est gentil, d'ailleurs.

— Les méchants sont encore plus ennuyeux, c'est vous qui me l'avez
dit.

— Tu as raison. Et puis il est tard, viens te coucher. »

Il avait dit ça naturellement. Nos dialogues n'avaient rien de
passionnel, mais ce « viens te coucher » me parut un peu cavalier. A la
vérité j'avais peur, très peur de cette nuit à venir.

Dans la salle de bains je mis mon pyjama avec des mains tremblantes.
C'était un pyjama assez écolière, mais je n'avais rien d'autre. Quand
j'entrai Luc était déjà couché. Il fumait, le visage tourné vers la fenêtre.

Je me glissai près de lui. Il étendit vers moi une main tranquille, prit la mienne. Je grelottais.

« Ote ce pyjama, petite sotte, tu vas le chiffonner. Tu as froid par une nuit pareille ? Tu es malade ? »

Il me prenait dans ses bras, enlevait mon pyjama avec des gestes précautionneux, le jetait en boule par terre. Je lui fis remarquer qu'il serait tout de même froissé. Il se mit à rire doucement. Tous ses gestes étaient devenus d'une incroyable douceur. Il m'embrassait tranquillement les épaules, la bouche, continuait à parler :

« Tu sens l'herbe chaude. Tu aimes cette chambre ? Sinon, on irait ailleurs. C'est assez agréable, Cannes... »

Je répondais : « Oui, oui », d'une voix étranglée. J'avais très envie d'être au lendemain matin. Ce n'est que lorsqu'il s'écarta un peu de moi et posa sa main sur ma hanche que le trouble me prit. Il me caressait et j'embrassais son cou, son torse, tout ce que je pouvais toucher de cette ombre, noire sur le ciel de la porte-fenêtre. Enfin il glissait ses jambes entre mes jambes, je glissais mes mains sur son dos ; nous soupirions ensemble. Puis je ne le vis plus, ni le ciel de Cannes. Je mourais, j'allais mourir et je ne mourais pas, mais je m'évanouissais. Tout le reste était vain : comment ne pas le savoir, toujours ? Quand nous nous séparâmes Luc rouvrit les yeux et me sourit. Je m'endormis aussitôt, la tête contre son bras.

CHAPITRE II

ON M'AVAIT TOUJOURS DIT qu'il était très difficile de vivre avec quelqu'un. Je le pensais, mais sans l'éprouver vraiment, durant ce bref séjour avec Luc. Je le pensais, parce que je ne pouvais jamais être vraiment détendue avec lui. J'avais peur qu'il ne s'ennuyât. Or, je ne pouvais pas ne pas remarquer que, généralement, je craignais plus de m'ennuyer avec les autres que de les voir s'ennuyer avec moi. Ce renversement m'inquiétait. Mais pouvais-je trouver difficile de vivre avec quelqu'un comme Luc, qui ne disait pas grand-chose, ne demandait rien (surtout pas : « A quoi penses-tu ? »), avait invariablement l'air content que je sois là et ne manifestait aucune des exigences de l'indifférence ni de la passion ? Nous avions le même pas, les mêmes habitudes, le même rythme de vie. Nous nous plaisions, tout allait bien. Et je ne pouvais pas regretter qu'il ne fît pas ce bouleversant effort qu'il faut accomplir pour aimer quelqu'un, le connaître, briser sa solitude. Nous étions amis, amants. Nous nous baignions ensemble dans cette Méditerranée trop bleue ; nous déjeunions sans dire grand-chose, abrutis de soleil et nous rentrions à l'hôtel. Parfois, dans ses bras, dans cette grande tendresse qui suit l'amour, j'avais envie de lui dire : « Luc, aimemoi, essayons, laisse-nous essayer. » Je ne le lui disais pas. Je me bornais à embrasser son front ses yeux, sa bouche, tous les reliefs de ce visage nouveau, ce visage sensible que découvrent les lèvres après les yeux. Je n'avais jamais tant aimé un visage. J'aimais même ses joues, alors que les joues m'avaient toujours paru une partie sans chair, l'aspect « poisson » du visage. A présent je comprenais Proust parlant longuement des joues d'Albertine, lorsque j'appuyais mon visage contre celles de Luc, fraîches et un peu rêches de la barbe qui y renaissait. Il me faisait aussi découvrir mon corps, m'en parlait avec intérêt, sans indécence, comme d'une chose précieuse. Et cependant, ce n'était pas la sensualité qui donnait le ton à nos rapports, mais quelque chose d'autre, une sorte de complicité cruelle dans la fatigue des comédies, la fatigue des mots, la fatigue tout court.

Après dîner nous nous dirigions toujours vers le même bar, un peu sinistre, derrière la rue d'Antibes. Il y avait un petit orchestre auquel, en arrivant, Luc avait demandé ce *Lone and Sweet* dont je lui avais parlé. Il s'était tourné vers moi d'un air triomphant :

« C'est bien celui-là que tu veux ?

— Oui. C'est gentil d'y avoir pensé.

— Est-ce qu'il te rappelle Bertrand ? »

Je lui répondis que oui, un peu, qu'il y avait assez longtemps qu'il était dans les machines à disques. Il prit un air contrarié.

« C'est ennuyeux. Mais nous en trouverons un autre.

— Pourquoi ?

— Quand on a une liaison, il faut choisir un air, comme ça, et un parfum et des points de repère, pour le futur. »

J'avais dû avoir un drôle d'air, car il se mit à rire.

« A ton âge, on ne pense pas au futur. Moi je me prépare une vieillesse agréable, avec des disques.

— Tu en as beaucoup ?

— Non.

— C'est dommage, dis-je avec colère. Moi, à ton âge, il me semble que j'aurai toute une discothèque. »

Il me prit la main avec précaution.

« Tu es blessée ?

— Non, fis-je avec lassitude. Mais c'est un peu drôle de se dire que, dans un an ou deux, une semaine entière de votre vie, une semaine vivante avec un monsieur, ne sera plus qu'un disque. Surtout si le monsieur le sait déjà et le proclame. »

Je me sentais avec irritation des larmes aux yeux. C'était la manière dont il m'avait dit : « Tu es blessée ? » Quand on me parlait sur un certain ton, ça me donnait toujours envie de gémir.

« A part cela, je ne suis pas blessée, repris-je nerveusement.

— Viens, dit Luc, dansons. »

Il me prit dans ses bras et nous commençâmes à danser sur l'air de Bertrand, qui d'ailleurs ne ressemblait en rien au très bon enregistrement de la machine à disques. En dansant Luc me serra tout à coup dans ses bras violemment avec ce qu'on appelle sans doute une tendresse désespérée, et je m'agrippai à lui. Puis il me relâcha et nous parlâmes d'autre chose. Nous trouvâmes un air qui s'imposait de lui-même, car on le jouait partout.

A part ce léger accrochage, je me tenais bien, j'étais gaie et trouvais notre petite aventure très réussie. Et puis je l'admirais, je ne pouvais qu'admirer son intelligence, sa stabilité, cette manière virile qu'il avait de donner aux choses leur importance exacte, leur poids, sans cynisme ni complaisance. J'avais simplement envie de lui dire, parfois avec agacement : « Mais enfin, pourquoi ne m'aimes-tu pas ? Ce serait tellement plus reposant pour moi ? Pourquoi ne pas mettre entre nous cette espèce de paroi de verre de la passion, si déformante parfois, mais si commode ? » Mais non, nous étions de la même espèce, alliés et complices. Je ne pouvais pas devenir objet ni lui sujet, il n'en avait ni la possibilité, ni la force, ni l'envie.

La semaine prévue finissait. Luc ne parlait pas de partir. Nous étions devenus très bronzés, avec une mine un peu défaite à force de nuits passées dans ce bar à parler, à boire, à attendre l'aube, l'aube blanche sur une mer inhumaine, tous bateaux immobiles, la foule élégante et folle des mouettes sommeillant sous les toits de l'hôtel. Nous rentrions alors, saluions le même garçon assoupi, et Luc me prenait dans ses bras, m'aimait dans un demi-vertige de fatigue. Nous nous réveillions à midi pour le bain.

Ce matin-là — qui eût dû être le dernier — je crus qu'il m'aimait. Il avait pris en se promenant dans la chambre un air réticent qui m'intrigua.

« Qu'as-tu dit à ta famille ? Que tu rentrais quand ?

— Je leur avais dit : "Dans une semaine environ."

— Si ça te va, on pourrait rester une semaine de plus ?

— Oui... »

Je me rendais compte que je n'avais jamais pensé vraiment que je dusse partir. Ma vie s'écoulerait dans cet hôtel, qui était devenu hospitalier, commode, comme un gros bateau. Avec Luc, toutes mes nuits seraient des nuits blanches. Nous irions doucement vers l'hiver, vers la mort, en parlant de provisoire.

« Mais je pensais que Françoise t'attendait ?

— Je peux arranger ça, dit-il. Je n'ai pas envie de quitter Cannes. Ni Cannes, ni toi.

— Moi non plus», répondis-je avec la même voix tranquille et pudique.

La même voix. Une seconde je pensai qu'il m'aimait peut-être, qu'il ne voulait pas me le dire. Cela me faisait basculer le cœur dans la poitrine. Puis je me rappelai que c'étaient des mots, qu'effectivement il m'aimait bien et que c'était suffisant. Simplement nous nous accordions une semaine heureuse de plus. Après, il faudrait que je le quitte. Le quitter, le quitter... Pourquoi, pour qui, pour faire quoi? Pour retrouver cet ennui instable, cette solitude dispersée? Au moins, quand il me regardait, c'était lui que je voyais; quand il me parlait, c'était lui que je voulais comprendre. C'était lui qui m'intéressait, lui, dont j'aurais voulu qu'il fût heureux. Lui, Luc, mon amant.

«C'est une bonne idée, repris-je. A vrai dire, je n'avais pas pensé au départ.

— Tu ne penses à rien, dit-il en riant.

— Pas quand je suis avec toi.

— Pourquoi? Tu te sens jeune, irresponsable?»

Il avait un petit sourire narquois. Il eût vite — si j'en avais manifesté l'intention — éliminé l'attitude «petite fille et merveilleux protecteur» de notre couple. Heureusement, je me sentais parfaitement adulte. Adulte et blasée.

«Non, dis-je. Je me sens absolument responsable. Mais de quoi? De ma vie? Elle est bien souple, bien molle. Je ne suis pas malheureuse. Je suis contente. Je ne suis même pas heureuse. Je ne suis rien; sauf bien avec toi.

— C'est parfait, continua-t-il. Je suis aussi très bien avec toi.

— Ronronnons donc.»

Il se mit à rire.

«Tu es comme un chat en colère, dès qu'on s'en prend à ta petite dose d'absurde et de désespoir quotidienne. Je ne tiens pas à te faire "ronronner", comme tu dis! Ni à ce que tu sois béate avec moi. Ça m'ennuierait.

— Pourquoi?

— Je me sentirais seul. C'est le seul point où Françoise me fait peur: quand elle est à côté de moi, qu'elle ne dit rien et qu'elle est satisfaite comme ça. D'autre part, c'est très satisfaisant, virilement et socialement, de rendre une femme heureuse, même si l'on se demande pourquoi.

— Au fond, c'est parfait, dis-je d'un trait. Il y a Françoise que tu rends heureuse, et moi que tu rendras un peu malheureuse à la rentrée.»

Je n'avais pas prononcé cette phrase que je la regrettais. Il se tourna vers moi.

«Toi, malheureuse?

— Non, répondis-je en souriant: un peu désorientée. Il me faudra trouver quelqu'un pour s'occuper de moi et personne ne sera aussi compétent que toi.

— Tu ne m'en parleras pas», dit-il avec colère.

Puis il se ravisa.

«Si, tu m'en parleras. Tu me parleras de tout. Si cet individu est désagréable, je le rosserai. Sinon, je t'en dirai du bien. Bref, un vrai père.»

Il prit ma main, la retourna, en embrassa la paume doucement, longuement. Je posai ma main libre sur sa nuque inclinée. Il était très jeune, très vulnérable, très bon, cet homme qui m'avait proposé une aventure sans lendemain et sans sentimentalité. Il était honnête.

«Nous sommes des gens honnêtes, dis-je d'un ton sentencieux.

— Oui, répliqua-t-il en riant. Ne fume pas ta cigarette comme ça, ça ne fait pas honnête.»

Je me dressai dans ma robe de chambre à pois.

«D'ailleurs, suis-je une femme honnête? Que fais-je dans ce palace morbide avec l'époux d'une autre? Dans cette tenue de courtisane? Ne suis-je pas l'exemple type de ces jeunes filles dévoyées de Saint-Germain-des-Prés qui brisent les ménages en pensant à autre chose?

— Si, fit-il accablé. Et moi, je suis l'époux, jusqu'ici modèle, égaré par les sens, le pigeon, le malheureux pigeon... Viens...

— Non, non. Car je me refuse à toi, je te fais ignoblement marcher. Ayant allumé dans tes veines le feu de la lubricité, je me refuse à l'apaiser moi-même. Voilà.»

Il s'effondra sur le lit, la tête entre les mains. Je m'assis près de lui, l'air grave. Et quand il releva la tête, je le fixai durement.

«Je suis une vamp.

— Et moi?

— Un malheureux déchet humain. Ce qui fut un homme... Luc! Encore une semaine!»

Je m'abattis près de lui, j'emmêlai ses cheveux aux miens; il était brûlant et frais contre ma joue, il sentait la mer, le sel.

J'étais seule, non sans une certaine satisfaction, sur une chaise longue devant l'hôtel face à la mer. Seule avec quelques vieilles Anglaises. Il était onze heures du matin et Luc avait dû aller à Nice pour quelques démarches compliquées. J'aimais assez Nice, tout au moins le côté minable de Nice, entre la gare et la Promenade des Anglais. Mais j'avais refusé de l'accompagner, car j'avais ressenti une brusque envie d'être seule.

J'étais seule, je bâillais, j'étais épuisée d'insomnie, j'étais merveilleusement bien. Je ne pouvais allumer ma cigarette sans que ma main, au bout de l'allumette, tremblât un peu. Le soleil de septembre, pas très chaud, me caressait la joue. J'étais très bien avec moi-même, pour une fois. « Nous ne sommes bien que fatigués », disait Luc, et il était vrai que je faisais partie de cette espèce de gens qui ne sont bien que lorsqu'ils ont tué en eux une certaine part de vitalité, exigeante et lourde d'ennui ; cette certaine part qui pose la question : « Qu'as-tu fait de ta vie, qu'as-tu envie d'en faire ? » question à laquelle je ne pouvais que répondre : « Rien. »

Un très beau jeune homme passa, que je détaillai un peu, avec une indifférence qui m'apparut merveilleuse. Généralement la beauté, tout au moins à un certain degré, me donnait une impression de gêne. Elle me semblait indécente, indécente et inaccessible. Ce jeune homme me parut plaisant à voir et sans réalité. Luc supprimait les autres hommes. En revanche je ne supprimais pas pour lui les autres femmes. Il les regardait complaisamment, sans commentaires.

Soudain je ne vis plus la mer que dans un brouillard. Je me sentis étouffer. Je portai la main à mon front, il était inondé de sueur. J'avais la racine des cheveux trempée. Une goutte glissait lentement le long de mon dos. Sans doute la mort n'était-elle que cela : un brouillard bleu, une chute légère. J'aurais pu mourir, je ne me serais pas débattue.

Je saisis au passage cette phrase qui n'avait fait qu'effleurer ma conscience et était prête à s'en échapper aussitôt sur la pointe des pieds : « Je ne me débattrais pas. » Pourtant j'aimais vivement certaines choses : Paris, les odeurs, les livres, l'amour et ma vie actuelle avec Luc. J'eus l'intuition qu'avec personne je ne serais probablement aussi bien qu'avec Luc, qu'il était fait pour moi de toute éternité et que, sans doute, il y avait une fatalité des rencontres. Mon destin était que Luc me quitte, que j'essaie de recommencer avec quelqu'un d'autre, ce que je ferais, bien sûr. Mais jamais plus avec personne je ne serais comme avec lui : si peu seule, si calme et, intérieurement, si peu réticente. Seulement il allait retrouver sa femme, me laisser dans ma chambre à Paris, me laisser avec les après-midi interminables, les coups de désespoir et les liaisons mal achevées. Je me mis à pleurnicher doucement d'attendrissement sur moi-même.

Au bout de trois minutes je me mouchai. A deux chaises longues de moi une vieille Anglaise me fixait, sans compassion, avec un intérêt qui me fit rougir. Puis je la regardai attentivement. Une seconde je fus prise d'un respect incroyable pour elle. C'était un être humain, un autre être humain. Elle me regardait et je la regardais, fixement, dans le soleil toutes les deux comme éblouies par une sorte de révélation : deux êtres humains ne parlant pas la même langue, et se regardant comme deux surprises. Puis elle se leva et partit en boitant, appuyée sur sa canne.

Le bonheur est une chose plane, sans repères. Aussi de cette période à Cannes ne me reste-t-il aucun souvenir précis, sauf ces quelques instants malheureux, les rires de Luc et, dans la chambre, la nuit, l'odeur suppliante et fade du mimosa d'été. Peut-être le bonheur, chez les gens comme moi, n'est-il qu'une espèce d'absence, absence d'ennuis, absence confiante. A présent je connaissais bien cette absence, de même que parfois, en rencontrant le regard de Luc, l'impression que tout était bien, enfin. Il supportait le monde à ma place. Il me regardait en souriant. Je savais pourquoi il souriait et j'avais aussi envie de sourire. Je me souviens d'un moment d'exaltation, un matin. Luc était allongé sur le sable. Je plongeais du haut d'une sorte de radeau. Puis je montai sur la dernière plate-forme du plongeoir. Je vis Luc et la foule sur le sable, et la mer complaisante qui m'attendait. J'allais tomber en elle, m'y enfouir ; j'allais tomber de très haut et je serais seule, mortellement seule, durant ma chute. Luc me regardait. Il fit un geste d'effroi ironique et je me laissai aller. La mer voltigea vers moi ; je me fis mal en l'atteignant. Je regagnai le rivage et vins m'effondrer contre Luc en l'aspergeant ; puis je posai ma tête sur son dos sec et lui embrassai l'épaule.

« Es-tu folle... ou simplement sportive ? dit Luc.

— Folle.

— C'est ce que j'ai pensé avec fierté. Quand je me suis dit que tu plongeais de si haut pour me rejoindre, j'ai été très heureux.

— Es-tu heureux ? Je suis heureuse. Je dois l'être en tout cas, puisque je ne me le demande pas. C'est un axiome, n'est-ce pas ? »

Je parlais sans le regarder puisqu'il était allongé sur le ventre, et je ne voyais que sa nuque. Elle était bronzée et solide.

« Je vais te rendre à Françoise en bon état, dis-je plaisamment.

— Cynique !

— Tu es beaucoup moins cynique que nous. Les femmes sont très cyniques. Tu n'es qu'un petit garçon entre moi et Françoise.

— Prétentieuse.

— Tu es beaucoup plus prétentieux que nous. Les femmes prétentieuses sont tout de suite ridicules. Les hommes, ça leur donne un faux air viril qu'ils cultivent pour...

— C'est bientôt fini, ces axiomes ? Parle-moi du temps. En vacances c'est le seul sujet permis.

— Il fait beau, dis-je ; il fait très beau... »

Et, me retournant sur le dos, je m'endormis.

Quand je m'éveillai, le ciel était couvert, la plage déserte et je me sentais épuisée, la bouche sèche. Luc était assis près de moi sur le sable, tout habillé. Il fumait en regardant la mer. Je restai un moment à le regarder sans lui montrer que j'étais réveillée, avec, pour la première fois, une curiosité purement objective : « A quoi cet homme peut-il penser ? » A quoi peut penser un être humain sur une plage vide, devant une mer vide, près de quelqu'un qui dort ? Je le vis si écrasé par ces trois absences, si seul, que j'étendis la main vers lui et touchai son bras. Il ne sursauta même pas. Il ne sursautait jamais, s'étonnait rarement, se récriait plus rarement encore.

a Tu es réveillée ? » dit-il paresseusement. Et il s'étira à regret. « Il est quatre heures.

— Quatre heures ! » Je me redressai. « J'ai dormi quatre heures ?

— Ne t'affole pas, dit Luc, nous n'avons rien à faire. »

Cette phrase me parut sinistre. Il était vrai que nous n'avions rien à faire ensemble, pas de travail, pas d'amis communs.

« Tu le regrettes ? » demandai-je.

Il se tourna vers moi en souriant.

« Je n'aime que ça. Mets ton chandail, mon chéri, tu vas avoir froid. On va aller prendre le thé à l'hôtel. »

La Croisette était sinistre, sans soleil, ses vieux palmiers oscillant un peu sous un vent sans courage. L'hôtel dormait. Nous nous fîmes monter du thé. Je pris un bain chaud et revins m'allonger près de Luc qui lisait sur le lit en secouant de temps en temps la cendre de sa cigarette. Nous avions fermé les volets à cause de la tristesse du ciel, la chambre était peu éclairée, chaude. J'étais allongée sur le dos, les mains croisées sur l'estomac, comme un mort ou un gros homme. Je fermai les yeux. Seul le bruit des pages que tournait Luc coupait le lointain déferlement des vagues.

Je me disais : « Voilà, je suis près de Luc, je suis à côté de lui, je n'ai qu'à étendre la main pour le toucher. Je connais son corps, sa voix, la manière dont il dort. Il lit, je m'ennuie un peu, ce n'est pas désagréable. Tout à l'heure nous irons dîner, puis nous coucherons ensemble et dans trois jours nous nous quitterons. Il n'en sera probablement jamais plus comme maintenant. Mais ce moment est là, à nous ; je ne sais pas si c'est l'amour ou l'entente ; ça n'a pas d'importance. Nous sommes seuls, chacun de notre côté. Il ne sait pas que je pense à nous ; il lit. Mais nous sommes ensemble et, contre moi, j'ai la part de chaleur qu'il peut avoir pour moi et la part d'indifférence. Dans six mois, quand nous nous serons séparés, ce n'est pas le souvenir de ce moment-ci qui renaîtra, mais d'autres, involontaires et stupides. Et pourtant c'est probablement ce moment-là que j'aurai le mieux aimé, celui où j'ai accepté que la vie soit comme elle m'apparaît, tranquille et déchirante. » J'étendis le bras, attrapai *La Famille Fenouillard* que Luc me reprochait beaucoup de ne pas avoir lu, et me mis à rire jusqu'au moment où Luc voulut rire aussi et où nous nous penchâmes sur la même page, joue contre joue, bientôt bouche contre bouche, le livre tombant enfin sur le plancher, le plaisir sur nous, la nuit sur les autres.

Le jour du départ vint enfin. Par une hypocrisie où il entrait surtout de la peur — peur, pour lui, que je m'attendrisse, peur, pour moi, que, le sentant, j'en vinsse à m'attendrir —, nous n'y avions pas fait allusion la veille, au cours de ce qui était notre dernière soirée. Simplement, la nuit, je m'étais réveillée plusieurs fois, en proie à une sorte de panique, et j'avais cherché Luc du front, de la main, pour être sûre que cette douce équipe du sommeil partagé existait encore. Et à chaque fois, comme s'il eût été à l'affût de ces peurs, comme si son sommeil eût été allégé de tout poids, il m'avait prise dans ses bras, serré ma nuque dans sa main, murmuré : « Là, là », d'une voix étrange comme pour rassurer un animal. C'était une nuit confuse et chuchotante, accablée du parfum des mimosas que nous laisserions derrière nous, de demi-sommeil et de tiédeur. Puis le matin était arrivé, le petit déjeuner, et Luc avait préparé ses bagages. J'avais fait les miens en même temps, en parlant avec lui de la route, des restaurants sur la route, etc. J'étais un peu agacée de mon ton faussement tranquille et courageux, car je ne me sentais pas courageuse et je ne voyais pas pourquoi j'aurais dû l'être. Je ne me sentais rien : vaguement désemparée, peut-être. Pour une fois nous nous jouions une demi-comédie, mais je trouvais plus prudent de m'y tenir, car enfin il pourrait bien m'arriver de souffrir avant de le quitter. Mieux valait adopter l'attitude, les gestes, le visage de la pudeur.

« Eh bien, nous sommes prêts, dit-il enfin. Je vais sonner pour les bagages. »

J'eus un réveil de conscience.

« Penchons-nous une dernière fois sur ce balcon », dis-je d'une voix mélodramatique.

Il me regarda inquiet, puis, devant mon expression, se mit à rire.

« Tu es une vraie petite dure, une cynique. Tu me plais. »

Il m'avait prise dans ses bras, au milieu de la chambre ; il me secouait doucement.

« Tu sais que c'est rare de pouvoir dire à quelqu'un : "Tu me plais" après quinze jours de cohabitation.

— Ce n'était pas une cohabitation, protestai-je en riant, c'était une lune de miel.

— A plus forte raison ! » dit-il, en se détachant de moi. A ce moment-là j'eus vraiment l'impression qu'il me quittait, l'envie de le rattraper par le revers de sa veste. Ce fut très fugitif et très désagréable.

Le retour se passa bien. Je conduisis un peu. Luc disait que nous serions à Paris dans la nuit, qu'il me téléphonerait le lendemain et que nous dînerions bientôt avec Françoise, car elle serait rentrée de la campagne où elle avait passé ces quinze jours avec sa mère. Tout cela me paraissait un peu inquiétant mais Luc me recommanda seulement de ne faire aucune allusion à ce voyage : il s'arrangerait avec elle. Je me voyais assez bien passant l'automne entre eux deux, retrouvant parfois Luc pour l'embrasser sur la bouche et dormir avec lui. Je n'avais jamais envisagé qu'il dût quitter Françoise, d'abord parce qu'il me l'avait dit, et ensuite parce qu'il me paraissait impossible de faire ça à Françoise. S'il me l'avait offert, je n'aurais sans doute, à ce moment-là, pas pu accepter.

Il me dit qu'il avait beaucoup de travail en retard, mais que ça ne l'intéressait pas beaucoup. Quant à moi, c'était une nouvelle année d'études, la nécessité d'approfondir ce qui m'avait déjà assez ennuyée l'année d'avant. Bref nous rentrions à Paris découragés, mais cela me plaisait assez, car c'était pour chacun le même découragement, le même ennui, et par conséquent la même nécessité de se raccrocher à l'autre. L'autre qui était pareil.

Nous arrivâmes à Paris très tard dans la nuit. A la porte d'Italie je regardai Luc qui avait les traits un peu las et je pensai que nous nous étions bien tirés de notre petite aventure, que nous étions vraiment des adultes, civilisés et raisonnables, et je me sentis tout à coup, avec une sorte de rage, affreusement humiliée.

Troisième partie

CHAPITRE PREMIER

JE N'AVAIS JAMAIS EU à retrouver Paris ; je l'avais, une fois pour toutes, découvert. Je fus étonnée par son charme et l'espèce de plaisir que je pris à me promener dans ses rues, encore distraites, de l'été. Cela me détourna trois jours du vide, de l'impression d'absurde que me laissait l'absence de Luc. Je le cherchais des yeux, parfois de la main, la nuit, et à chaque fois son absence me paraissait anormale et stupide. Déjà ces quinze jours prenaient une forme, un ton dans ma mémoire, un ton à la fois plein et âpre. Bizarrement je n'en retirais pas un sentiment d'échec, mais, bien au contraire, de réussite. Réussite qui, je le voyais bien, rendrait difficile, voire douloureuse, toute tentative analogue.

Bertrand allait rentrer. Que dire à Bertrand ? Bertrand allait essayer de me reprendre. Pourquoi renouer avec lui et surtout comment supporter un autre corps, un autre souffle que celui de Luc ?

Luc ne me téléphona ni le lendemain, ni le surlendemain. J'attribuai cela à des complications avec Françoise et en retirai un double sentiment d'importance et de honte. Je marchais beaucoup, pensant avec détachement et un intérêt très vague à l'année à venir. Peut-être trouverais-je quelque chose de plus intelligent à faire que le droit, Luc devant me présenter à un de ses amis, directeur de journal. Alors que, jusque-là, ma force d'inertie m'avait incitée à chercher des motifs sentimentaux de compensation, elle m'en faisait chercher à présent des professionnels.

Au bout de deux jours je ne pus résister à l'envie de voir Luc. N'osant lui téléphoner, je lui envoyai un petit mot, à la fois désinvolte et gentil, lui demandant de m'appeler. Ce qu'il fit le lendemain : il était allé chercher Françoise à la campagne et n'avait pu m'appeler plus tôt. Je lui trouvai une voix tendue. Je pensai que je lui manquais et, une seconde, comme il me le disait à l'appareil, j'eus la vision d'un café où nous nous retrouverions et où il me prendrait dans ses bras en me disant qu'il ne

pouvait vivre sans moi, que ces deux jours avaient été absurdes. Je
n'aurais plus qu'à répondre : « Moi non plus », sans trop mentir, et le
laisser décider. Mais s'il me donna effectivement rendez-vous dans un
café, ce fut pour m'assurer que Françoise allait bien, qu'elle ne posait
aucune question et qu'il était débordé de travail. Il disait : « Tu es
belle », et m'embrassait la paume de la main.

Je le trouvai changé — il avait repris ses complets sombres —,
changé et désirable. Je regardais ce visage net et fatigué. Il me semblait
curieux qu'il ne m'appartînt plus. Déjà je pensais que je n'avais pas
vraiment su « profiter » — et ce mot me paraissait odieux — de ce séjour
avec lui. Je lui parlais gaiement et il répondait de même, mais l'un et
l'autre sans naturel. Peut-être parce que nous étions étonnés qu'il soit si
facile de vivre avec quelqu'un quinze jours, que cela se passe si bien et
que ce ne soit pas plus grave. Seulement, quand il se leva, j'eus un
mouvement d'indignation, envie de lui dire : « Mais où vas-tu ? Tu ne
vas pas me laisser seule ? » Il partit et je restai seule. Je n'avais pas
grand-chose à faire. Je pensai : « Tout ça est comique » et haussai les
épaules. Je me promenai une heure, entrai dans un ou deux cafés où
j'espérais rencontrer les autres, mais personne n'était encore revenu. Il
m'était toujours possible d'aller passer quinze jours dans l'Yonne. Mais
comme je devais dîner avec Luc et Françoise le surlendemain, je décidai
d'attendre ce dîner pour partir.

Je passai ces deux jours au cinéma ou sur mon lit à dormir et à lire.
Ma chambre me paraissait étrangère. Enfin, le soir du dîner, je
m'habillai avec soin et me rendis chez eux. En sonnant j'eus une
seconde de peur, mais c'est Françoise qui vint m'ouvrir et son sourire
me rassura aussitôt. Je sus, comme me l'avait dit Luc, qu'elle ne pourrait
jamais être ridicule ni tenir un rôle qui ne fût pas à la mesure de son
extrême bonté et de sa dignité. Elle n'avait jamais été trompée et ne le
serait sans doute jamais.

Ce fut un curieux dîner. Nous étions tous les trois et cela marchait très
bien, comme avant. Simplement nous avions beaucoup bu avant de nous
mettre à table. Françoise ne semblait rien savoir, mais peut-être me
regardait-elle avec plus d'attention que de coutume. De temps en temps
Luc me parlait les yeux dans les yeux et je mettais un point d'honneur à
répondre gaiement, avec naturel. La conversation vint sur Bertrand, qui
serait de retour la semaine suivante.

« Je ne serai pas là, dis-je.

— Où seras-tu ? demanda Luc.

— Je vais probablement aller passer quelques jours chez mes parents.

— Vous rentrerez quand ? »

C'était Françoise qui parlait.

« Dans quinze jours.

— Dominique, je vous tutoie! s'écria-t-elle brusquement. Je trouve
assommant de vous vouvoyer.

— Tutoyons-nous tous», dit Luc avec un petit rire, et il se dirigea
vers le pick-up. Je le suivis des yeux et, en me retournant vers Françoise,
je vis qu'elle me regardait. Je lui rendis son regard, assez inquiète, et
surtout pour ne pas avoir l'air de la fuir. Elle posa sa main sur la mienne,
un instant, avec un petit sourire triste qui me bouleversa.

«Vous... enfin, tu m'enverras une carte postale, Dominique? Tu ne
m'as pas dit comment allait ta mère.

— Bien, dis-je; elle...»

Je m'arrêtai parce que Luc avait mis l'air que l'on jouait sur la Côte
et que tout m'était revenu d'un coup. Il ne s'était pas retourné. Je sentis
ma pensée s'affoler un instant entre ce couple, cette musique, cette
complaisance de Françoise, qui n'en était pas une, cette sentimentalité
de Luc, qui, non plus, n'en était pas une, bref tout ce mélange. J'eus une
véritable envie de fuir.

«J'aime beaucoup cet air», dit Luc tranquillement.

Il s'assit et je me rendis compte qu'il n'avait pensé à rien. Même pas
à notre dialogue amer sur les disques-souvenirs. Simplement cet air avait
dû revenir à sa mémoire deux ou trois fois et il avait acheté le disque
pour s'en débarrasser.

«Je l'aime bien aussi», dis-je.

Il leva les yeux vers moi, se souvint et me sourit. Il me sourit si
tendrement, si ouvertement que je baissai les yeux. Mais Françoise
allumait une cigarette. J'étais désemparée. Ce n'était même pas une
situation fausse, car il me semblait qu'il eût suffi d'en parler pour que
chacun donnât calmement son avis, objectivement, comme si rien de
tout cela ne le concernait.

«Nous allons voir cette pièce ou pas?» dit Luc.

Il se tourna vers moi pour m'expliquer :

«Nous avons reçu une invitation pour une nouvelle pièce. On pourrait
y aller tous les trois...

— Oh! oui, dis-je, pourquoi pas?»

Je faillis ajouter avec un commencement de fou rire : «Au point où
nous en sommes!»

Françoise m'emmena dans sa chambre pour me faire essayer un de
ses manteaux, plus habillé que le mien. Elle m'en mit un ou deux, me fit
tourner, remonta les cols. A un moment elle me tint ainsi le visage entre
les deux pans du col et je pensai avec le même rire intérieur : «Je suis à
sa merci. Peut-être va-t-elle m'étouffer ou me mordre.» Mais elle se
borna à sourire.

«Vous êtes un peu noyée là-dedans.

— C'est vrai, dis-je, sans penser au manteau.

— Il faudra que je vous voie quand vous rentrerez.»

« Ça y est ! pensai-je. Va-t-elle me demander de ne plus voir Luc ? Le pourrai-je ? » Et la réponse me vint aussitôt : « Non, je ne pourrais plus. »

« Car j'ai décidé de m'occuper de vous, de vous habiller convenablement et de vous montrer des choses plus drôles que ces étudiants et ces bibliothèques. »

« Oh ! mon Dieu, pensai-je, ce n'est pas le moment, ce n'est pas le moment de me dire ça. »

« Non ? reprit-elle devant mon silence. J'avais un peu l'impression d'avoir une fille en vous. (Elle disait cela en riant, mais avec gentillesse.) Si c'est une fille rétive et uniquement intellectuelle...

— Vous êtes trop gentille, dis-je en appuyant sur le "trop". Je ne sais pas quoi faire.

— Vous laisser faire », dit-elle en riant.

« Je suis dans un beau guêpier, pensai-je. Mais si Françoise m'aime bien et si elle tient à me voir, je verrai Luc plus souvent. Peut-être lui expliquerai-je, à elle. Peut-être cela lui est-il un peu égal, après dix ans de mariage. »

« Pourquoi m'aimez-vous bien ? demandai-je.

— Vous avez le même genre de nature que Luc. Des natures un peu malheureuses, destinées à être consolées par des Vénusiens comme moi. Vous n'y échapperez pas... »

En pensée je levai les bras au ciel. Puis nous allâmes au théâtre. Luc riait, parlait. Françoise m'expliquait qui étaient les gens et avec qui, etc. Ils me ramenèrent à ma pension et Luc m'embrassa la paume de la main avec naturel. Je rentrai un peu ahurie, m'endormis, et le lendemain je pris le train pour l'Yonne.

CHAPITRE II

Mais l'Yonne était grise et l'ennui intolérable. Ce n'était plus l'ennui en soi, mais l'ennui de quelqu'un. Au bout d'une semaine, je rentrai. Ma mère se réveilla brusquement comme je partais, me demanda si j'étais heureuse. Je lui assurai que oui, que j'aimais bien le droit, que je travaillais beaucoup et que j'avais de bons amis. Elle repartit donc, tranquille, dans sa mélancolie. Pas une seconde — ce qui n'aurait pas manqué de m'arriver l'année précédente — je n'avais eu envie de tout lui dire. D'ailleurs lui dire quoi ? Décidément, je vieillissais.

A la pension je trouvai un mot de Bertrand me demandant de l'appeler dès mon retour. Sans nul doute, c'était une explication qu'il voulait — car je ne croyais pas beaucoup à la discrétion de Catherine —

mais je lui devais bien ça. Je l'appelai donc et nous prîmes rendez-vous. En attendant j'allai m'inscrire au restaurant universitaire.

A six heures je retrouvai Bertrand au café de la rue Saint-Jacques et il me sembla qu'il ne s'était rien passé, que tout recommençait. Mais dès qu'il se leva et m'embrassa sur la joue avec componction, je fus rappelée à la réalité. J'essayai lâchement de prendre l'air léger et irresponsable. «Tu as embelli, dis-je, avec une sincérité véritable et avec la cynique petite pensée intérieure : "Dommage."

— Toi aussi, fit-il brièvement. Je voulais que tu saches : Catherine m'a tout dit.

— Tout quoi?

— Ton séjour sur la Côte. Un ou deux recoupements m'ont fait penser que c'était avec Luc. C'est vrai, non?

— Oui, dis-je. (J'étais impressionnée. Il n'avait pas l'air furieux, simplement calme et un peu triste.)

— Alors, voilà : je ne suis pas un type à partager. Je t'aime encore : assez pour que ça ne compte pas ; pas assez pour me payer le luxe de la jalousie et souffrir par toi comme ce printemps. Tu n'as qu'à choisir.»

Il avait dit ça d'une traite.

«Choisir quoi?» J'étais ennuyée. Selon les prévisions de Luc je n'avais pas pensé à Bertrand comme à une donnée du problème.

«Ou tu ne vois plus Luc et nous continuons. Ou tu le vois et nous restons bons amis. C'est tout.

— Evidemment, évidemment.»

Je ne trouvai absolument rien à dire. Il paraissait mûri, grave ; je l'admirais presque. Mais il ne m'était plus rien, absolument plus rien. Je posai ma main sur sa main.

«Je suis désolée, dis-je, je ne peux pas.»

Il resta une seconde silencieux, regardant par la fenêtre.

«C'est un peu dur à passer, dit-il.

— Je n'aime pas te faire souffrir, repris-je, et j'étais vraiment au supplice.

— Ce n'est pas le plus difficile, dit-il comme pour lui-même. Tu verras. Quand on est décidé, ça va. C'est quand on s'accroche.»

Il se tourna vers moi soudainement :

«Tu l'aimes?

— Mais non ; dis-je, agacée. Il n'en est pas question. Nous nous entendons très bien, c'est tout.

— Si tu as des ennuis, je suis là, dit-il. Et je crois que tu en auras. Tu verras : Luc, ce n'est rien, c'est une intelligence triste. C'est tout.»

Je pensai avec une bouffée de joie à la tendresse de Luc, à ses rires.

«Crois-moi. De toute manière, ajouta-t-il avec une sorte d'élan, je serai là, tu sais, Dominique. J'ai été très heureux avec toi.»

Nous avions tous deux envie de pleurer. Lui parce que c'était fini et qu'il avait dû quand même espérer; moi, parce que j'avais l'impression de perdre mon protecteur naturel, pour me lancer dans une aventure confuse. Je me levai et l'embrassai légèrement.

« Au revoir, Bertrand. Pardonne-moi.

— Va-t'en », dit-il avec douceur.

Je sortis complètement démoralisée. Cette année s'annonçait bien...

Catherine m'attendait dans ma chambre, assise sur le lit, l'air tragique. Elle se leva quand j'entrai et me tendit la main. Je la lui serrai sans entrain et m'assis.

« Dominique, je voulais m'excuser. Je n'aurais peut-être dû rien dire à Bertrand. Qu'en penses-tu? »

J'admirais qu'elle me posât la question.

« Ça n'a pas d'importance. Il aurait peut-être mieux valu que je lui dise moi-même, mais ça n'a pas d'importance.

— Bon », dit-elle, soulagée.

Elle se rassit sur le lit, l'air excité et content.

« Et maintenant, raconte. »

Je restai sans mots, puis j'éclatai de rire.

« Ah! non. Tu es merveilleuse, Catherine. Tu expédies Bertrand — hop, classé! — et, ce point noir écarté, allez, aux affaires alléchantes!

— Ne te moque pas de moi, dit-elle en faisant la petite fille. Raconte-moi tout.

— Il n'y a rien à raconter, répondis-je sèchement. J'ai passé quinze jours sur la Côte avec quelqu'un qui me plaisait. Pour diverses raisons l'histoire s'arrête là.

— Il est marié? demanda-t-elle finement.

— Non. Sourd-muet. Maintenant, il faut que je défasse ma valise.

— Je suis tranquille, tu me raconteras tout », dit-elle.

« Le pire, c'est que c'est peut-être vrai, pensai-je en ouvrant mon armoire. Un jour de cafard... »

« Eh bien, moi, continua-t-elle, comme si c'était une révélation, je suis amoureuse.

— Duquel? dis-je. Ah! du dernier, bien sûr.

— Si ça ne t'intéresse pas... »

Mais elle continua. Je me mis à ranger avec colère. « Pourquoi ai-je des amies si sottes? Luc ne la supporterait pas. Mais que vient faire Luc là-dedans? Là-dedans, c'est ma vie, d'ailleurs. »

« ... Bref, je l'aime, achevait-elle.

— Qu'est-ce que tu appelles aimer? demandai-je avec curiosité.

— Je ne sais pas, moi. Aimer, penser à quelqu'un, sortir avec lui, le préférer. Ce n'est pas ça?

— Je ne sais pas. Peut-être. »

J'avais fini mes rangements. Je m'assis sur le lit, découragée. Catherine se fit gentille.

« Ma Dominique, tu es folle. Tu ne penses à rien. Viens avec nous ce soir. Je sors avec Jean-Louis, bien sûr, et un de ses amis, un type très intelligent qui s'occupe de littérature. Ça te distraira. »

De toute manière je ne voulais pas téléphoner à Luc avant le lendemain. Et puis j'étais fatiguée; la vie m'apparaissait comme un morne tourbillon avec, au centre, par moments, seul élément stable : Luc. Lui seul me comprenait, m'aidait. J'avais besoin de lui.

Oui, j'en avais besoin. Je ne pouvais rien lui demander, mais il était quand même vaguement responsable. Surtout ne pas le lui faire savoir. Les conventions doivent être les conventions, surtout quand elles contrarient les autres.

« Allons, dis-je, allons voir ton Jean-Bertrand et son ami intelligent. Je me moque de l'intelligence, Catherine. Non ce n'est pas vrai ; mais je n'aime que les intelligences tristes. Ceux qui s'en tirent bien m'énervent.

— Jean-Louis, protesta-t-elle, pas Jean-Bernard. Se tirer de quoi ?

— De ça, dis-je avec emphase, et je désignai la fenêtre, avec, au-dessus, gris et rose, d'une tristesse de doux enfer, le ciel bas.

— Ça ne va pas », dit Catherine d'une voix inquiète, et elle me prit le bras en descendant l'escalier, veillant sur les marches à ma place. En fin de compte je l'aimais bien.

Son Jean-Louis était beau, d'une sorte de beauté un peu louche, mais pas déplaisante. Mais l'ami, Alain, était beaucoup plus fin et drôle, avec, surtout, cette sorte d'acidité dans l'intelligence, de mauvaise foi et de continuels retournements, qui manquaient à Bertrand. Nous quittâmes vite Catherine et son soupirant qui, d'ailleurs, manifestaient leur passion avec une avidité déplacée, tout au moins dans les cafés, et Alain me ramena à ma pension en parlant de Stendhal et de littérature, ce qui m'intéressa pour la première fois depuis deux ans. Il n'était ni laid, ni beau ; rien. J'acceptai volontiers de déjeuner avec lui le surlendemain, en faisant des vœux pour que ce jour-là ne fût pas le jour libre de Luc. Déjà tout convergeait vers lui, tout en dépendait et se faisait sans moi.

CHAPITRE III

Bref j'aimais Luc et je me le formulai vite, la première nuit que je passai à nouveau avec lui. C'était dans un hôtel, sur un quai ; il était allongé sur le dos, après l'amour, et il me parlait les yeux clos. Il disait : « Embrasse-moi. » Et je me soulevais sur le coude pour l'embrasser.

Mais en me penchant sur lui je fus envahie d'une sorte de nausée, de la conviction irrémédiable que ce visage, cet homme, c'était la seule chose pour moi. Et que le plaisir insupportable, l'attente qui me retenaient aux bords de cette bouche, étaient bien le plaisir, l'attente de l'amour. Que je l'aimais. Et je m'allongeai sur son épaule, sans l'embrasser, avec un petit gémissement de peur.

« Tu as sommeil, dit-il en mettant la main sur mon dos, et il rit un peu. Tu es comme un petit animal, après l'amour tu dors ou tu as soif.

— Je pensais, dis-je, que je vous aimais bien.

— Moi aussi, dit-il, et il me tapota l'épaule... Dès qu'on ne se voit pas pendant trois jours, tu me vouvoies, pourquoi?

— Je vous respecte, dis-je. Je vous respecte et je vous aime. »

Nous rîmes ensemble.

« Non, mais sérieusement, repris-je avec entrain, comme si cette brillante idée venait de me traverser la tête, que feriez-vous si je vous aimais pour de bon?

— Mais tu m'aimes pour de bon, dit-il, les yeux refermés.

— Je veux dire : si vous m'étiez indispensable, si je vous voulais à moi tout le temps...?

— Je serais très ennuyé, dit-il. Même pas flatté.

— Et que me diriez-vous?

— Je te dirais : "Dominique, euh... Dominique, pardonne-moi." »

Je soupirai. Il n'aurait donc pas eu l'affreux réflexe de l'homme prudent et consciencieux, de me dire : « Je t'avais prévenue. »

« Je vous pardonne d'avance, dis-je.

— Passe-moi une cigarette, fit-il paresseusement, elles sont de ton côté. »

Nous fumâmes en silence. Je me disais : « Voilà, je l'aime. Probablement cet amour n'est-il que cette pensée : "Je l'aime." Ce n'est que "ça"; mais en dehors de "ça", pas de salut. »

Effectivement, il n'y avait eu que « ça », durant toute la semaine : ce coup de téléphone de Luc : « Seras-tu libre la nuit du 15 au 16? » cette phrase qui m'était revenue toutes les trois ou quatre heures, telle qu'il l'avait prononcée, froidement, mais faisant chaque fois chanceler ce poids imprécis en moi, entre le bonheur et la suffocation. Et maintenant j'étais près de lui et le temps passait, très long et très blanc.

« Il va falloir que je m'en aille, dit-il. Cinq heures moins le quart! C'est tard.

— Oui, dis-je. Françoise est là?

— Je lui ai dit que je sortais avec des Belges, à Montmartre. Mais les cabarets doivent fermer maintenant.

— Que va-t-elle dire? C'est tard, cinq heures, même pour des Belges. »

Il parlait les yeux clos.

«Je rentrerai; je dirai : "Oh! ces Belges!" en m'étirant. Elle se retournera et dira : "Tu as de l'aqua-selzer dans la salle de bains", et elle se rendormira. Voilà.

— Evidemment! dis-je. Et demain, à vous le récit rapide et las des cabarets, des mœurs de la Belgique, de...

— Oh! une simple énumération... Je n'ai pas le goût de mentir, enfin pas le temps surtout.

— Vous avez le temps de quoi? dis-je.

— De rien. Ni le temps, ni la force, ni l'envie. Si j'avais été capable de quoi que ce soit, je t'aurais aimée.

— Qu'est-ce que ça aurait changé?

— Rien, rien pour nous. Enfin, je ne pense pas. Simplement, j'aurais été malheureux à cause de toi, alors que je suis content.»

Je me demandai si c'était un avertissement pour mes paroles de tout à l'heure, mais il posa sa main sur ma tête, comme solennellement : «Je peux tout te dire. J'aime bien ça. A Françoise je ne pourrais pas dire que je ne l'aime pas vraiment, que nous n'avons pas des bases merveilleuses et honnêtes. La base de tout, c'est ma fatigue, mon ennui. Solides bases d'ailleurs, superbes. On peut bâtir de belles unions durables sur ces choses-là : la solitude, l'ennui. Au moins ça ne bouge pas.»

Je levai la tête de son épaule :

«Ce sont des...»

J'allais ajouter : «sornettes», dans le vigoureux mouvement de protestation qui m'avait saisie, mais je me tus.

«Des quoi? Alors, on a des petits coups de jeunesse?»

Il se mit à rire, avec tendresse.

«Mon pauvre chat, tu es si jeune, si désarmée. Si désarmante, heureusement. Ça me rassure.»

Il me ramena à la pension. Je devais, le lendemain, déjeuner avec lui, Françoise et un ami à eux. Je l'embrassai par la fenêtre de la voiture pour lui dire au revoir. Il avait les traits tirés, l'air vieux. Cette vieillesse me déchira un peu et, un instant, me le fit aimer davantage.

CHAPITRE IV

LE LENDEMAIN je me réveillai pleine d'entrain. L'absence de sommeil me réussissait toujours. Je me levai, allai à la fenêtre, respirai l'air de Paris et allumai une cigarette sans en avoir envie. Puis je me recouchai, non sans m'être regardée dans la glace, trouvé l'œil battu, la mine intéressante. Bref, une bonne tête. Je décidai de demander à la propriétaire de chauffer les chambres dès le lendemain, car enfin elle exagérait.

« Il fait un froid noir ici », dis-je à voix haute, et ma voix me parut enrouée comique.

« Chère Dominique, ajoutai-je, vous avez une passion. Il s'agit de traiter ça : de la marche, des lectures dirigées, des jeunes gens, peut-être un léger travail. Voilà. »

Je ne pouvais me défendre d'un sentiment de sympathie pour moi-même. Allons, j'avais un certain humour, que diable ! J'étais bien dans ma peau. A moi les passions. D'ailleurs j'allais déjeuner avec l'objet de ma flamme. C'est munie, comme d'un viatique, de ce fragile détachement, dû à une euphorie physique dont je connaissais pourtant les causes, que je me rendis chez Françoise et Luc. J'attrapai l'autobus au vol et le contrôleur en profita, sous prétexte de m'aider, pour me passer le bras autour de la taille. Je lui tendis ses tickets et nous échangeâmes un sourire complice, lui d'homme à femmes, moi de femme habituée aux hommes à femmes. Je restai sur la plate-forme, l'autobus crissant sur le pavé, cahotant un peu, appuyée sur la balustrade. Très bien, j'étais très bien, avec cette insomnie étirée entre la mâchoire et le plexus solaire.

Chez Françoise il y avait déjà l'ami inconnu, un homme assez gros, rouge et sec. Luc n'était pas là, car il avait, raconta Françoise, passé la nuit avec des clients belges et s'était seulement levé à dix heures. Ces Belges étaient bien ennuyeux avec leur Montmartre. Je vis que le gros homme me regardait et je me sentis rougir.

Luc entra ; il avait l'air fatigué.

« Tiens, Pierre, dit-il, comment vas-tu ?

— Tu ne m'attendais pas ? »

Il avait quelque chose d'agressif. Peut-être était-ce simplement le fait que Luc ne s'étonnât pas de ma présence, mais de la sienne.

« Mais si, mon vieux, mais si, dit Luc, avec un petit sourire excédé. Il n'y a rien à boire ici ? Quelle est cette ravissante chose jaune dans ton verre, Dominique ?

— Un clair whisky, répondis-je. Vous ne le reconnaissez même plus ?

— Non », dit-il, et il s'assit sur un fauteuil comme on s'assoit dans une gare, sur le bord du siège. Puis il nous jeta un coup d'œil — toujours un coup d'œil de gare — distrait et indifférent. Il avait l'air enfantin et buté. Françoise se mit à rire.

« Mon pauvre Luc, tu as presque aussi mauvaise mine que Dominique. D'ailleurs, ma chère enfant, je vais mettre le holà à tout ceci. Je vais dire à Bertrand qu'il... »

Elle expliqua ce qu'elle dirait à Bertrand. Je n'avais pas regardé Luc. Nous n'avions jamais aucune complicité par rapport à Françoise, Dieu merci. C'était même drôle. Nous en parlions entre nous comme d'une enfant très chère et qui nous donnerait quelques soucis.

« Ce genre de foire ne réussit à personne », reprit le nommé Pierre ; et je me rendis compte soudain que, probablement à cause de Cannes, il savait. Cela expliquait son regard méprisant du début, sa sécheresse et ces demi-allusions. Je me souvenais soudain que nous l'y avions rencontré et que Luc m'avait dit qu'il était assez amoureux de Françoise. Il devait être indigné, peut-être bavard. Le style de Catherine : ne rien cacher à ses amis, rendre service, ne pas laisser abuser de, etc. Et si Françoise apprenait, si elle me regardait avec mépris, avec colère, avec tout ce qui était si éloigné d'elle et, me semblait-il, si peu mérité par moi-même, que ferais-je ?

« Allons déjeuner, dit Françoise. Je meurs de faim. »

Nous partîmes à pied pour un restaurant proche. Françoise me prit le bras et les hommes nous suivirent.

« Il fait très doux, dit-elle, j'adore l'automne. »

Et, je ne sais pourquoi, cette phrase déclencha en moi le souvenir de la chambre de Cannes, de Luc à la fenêtre, disant : « Tu n'as qu'à prendre un bain et un bon verre de scotch, après ça ira mieux. » C'était le premier jour, je n'étais pas très contente ; il y en avait quinze autres à venir, quinze jours avec Luc, le jour, la nuit. Et c'était cette chose que je désirais le plus à présent et qui ne reviendrait sans doute jamais. Si j'avais su... Mais si j'avais su, c'eût été pareil. Il y avait une phrase de Proust là-dessus : « Il est très rare qu'un bonheur vienne se poser précisément sur le désir qui l'avait appelé. » Cette nuit, c'était arrivé : quand je m'étais rapprochée du visage de Luc, alors que je l'avais désiré toute la semaine, cette coïncidence m'avait causé une sorte de nausée, due peut-être simplement à l'absence subite de ce vide qui constituait généralement ma vie. Vide qui tenait au sentiment que ma vie ne me rejoignait pas. Alors qu'au contraire, à cet instant-là, j'avais eu l'impression de rejoindre enfin ma vie et d'y culminer.

« Françoise ! » appela Pierre derrière nous.

Nous nous retournâmes et changeâmes de compagnon. Je me retrouvai devant, à côté de Luc, marchant du même pas, sur l'avenue rousse, et nous dûmes avoir la même pensée, car il me jeta un coup d'œil interrogateur, presque brutal.

« Eh oui », fis-je.

Il haussa tristement les épaules : un imperceptible mouvement qui releva son visage.

Il sortit une cigarette de sa poche, l'alluma en marchant et me la tendit. Chaque fois que quelque chose le gênait, il avait cette ressource. C'était pourtant un homme complètement dénué de manies.

« Ce type sait, dit-il, pour toi et moi. »

Il disait cela pensivement, sans crainte apparente.

« C'est grave ?

— Il ne résistera pas longtemps à la possibilité de consoler Françoise. J'ajoute que consoler, en ce cas, est un mot qui n'entraînera pas forcément à de quelconques extrémités. »

J'admirai un instant sa confiance de mâle.

« C'est un doux abruti, dit-il. Un ami de faculté de Françoise ; tu te rends compte ? »

Je me rendais compte.

Il ajouta :

« Ça m'ennuie dans la mesure où ça fera de la peine à Françoise. Le fait que ce soit toi...

— Evidemment, dis-je.

— Ça m'ennuierait pour toi aussi, si Françoise prenait ça très mal de ta part. Elle peut te faire beaucoup de bien, Françoise. C'est une amie sûre.

— Je n'ai pas d'amie sûre, dis-je avec tristesse. Je n'ai rien de sûr.

— Triste ? » demanda-t-il, et il me prit la main.

Je fus émue un instant de ce geste, des risques apparents qu'il lui faisait courir, puis je fus envahie de tristesse. En effet il me tenait la main et nous marchions ensemble sous l'œil de Françoise ; mais elle savait bien que c'était lui, Luc, l'homme fatigué, qui me tenait la main. Sans doute pensait-elle que s'il avait eu mauvaise conscience, il ne l'aurait pas fait. Non, il ne risquait pas grand-chose. C'était un homme indifférent. Je serrai sa main : évidemment c'était lui, ce n'était que lui. Et que cela suffît à occuper mes journées ne cessait pas de m'étonner.

« Pas triste, répliquai-je. Rien. »

Je mentais. J'aurais voulu lui dire que je mentais et qu'à la vérité j'avais besoin de lui, mais tout cela, dès que j'étais à son côté, me semblait irréel. Il n'y avait rien ; il n'y avait rien eu que quinze jours agréables, des imaginations, des regrets. Pourquoi être ainsi déchirée ? Douloureux mystère de l'amour, pensais-je avec dérision. En fait je m'en voulais, car je me savais assez forte, assez libre, assez douée pour avoir un amour heureux.

Le déjeuner fut long. Je regardais Luc, troublée. Il était beau, et intelligent, et las. Je ne voulais pas me séparer de lui. Je faisais de vagues plans pour l'hiver. En me quittant, il me dit qu'il me téléphonerait. Françoise ajouta qu'elle me téléphonerait aussi pour m'emmener voir je ne sais qui.

Ils ne m'appelèrent ni l'un ni l'autre. Cela dura dix jours. Le nom de Luc me devenait un fardeau. Enfin il me téléphona que Françoise était au courant et qu'il me ferait signe dès qu'il le pourrait, car il était débordé d'affaires. Sa voix était douce. Je restai immobile dans ma chambre sans bien comprendre. Je devais dîner avec Alain. Il ne pourrait rien pour moi. J'étais comme ruinée.

Je revis Luc deux fois dans la quinzaine qui suivit. Une fois au bar du quai Voltaire, une fois dans une chambre où nous ne trouvâmes rien à nous dire, ni avant ni après. Les choses avaient ce mauvais goût de cendre. Il est toujours curieux de voir à quel point la vie ratifie les conventions romanesques. Je me rendis compte que je n'étais décidément pas faite pour être la petite complice gaie d'un homme marié. Je l'aimais. Il aurait fallu y penser, tout au moins penser que ce pouvait être ça, l'amour : cette obsession, cette insatisfaction douloureuse. J'essayai de rire. Il ne répondit pas. Il me parlait doucement, tendrement, comme s'il allait mourir... Françoise avait eu beaucoup de peine.

Il me demanda ce que je faisais. Je lui répondis que je travaillais, que je lisais. Je ne lisais ou je n'allais au cinéma que dans la pensée que je pourrais lui parler de ce livre, ou de ce film dont il m'avait dit connaître le metteur en scène. Je cherchais désespérément des liens entre nous, d'autres liens que cette peine un peu sordide que nous avions faite à Françoise. Il n'y en avait pas, et pourtant nous ne pensions pas au remords. Je ne pouvais pas lui dire : «Rappelle-toi.» C'eût été tricher et l'effrayer. Je ne pouvais lui dire que je voyais, ou croyais voir partout sa voiture dans les rues, que je commençais sans cesse son numéro de téléphone sans l'achever, que je questionnais fébrilement ma logeuse en rentrant, que tout se ramenait à lui et que je m'en voulais à mourir. Je n'avais droit à rien. Mais rien, c'était quand même à ce moment-là son visage, ses mains, sa voix tendre, tout ce passé insupportable... Je maigrissais.

Alain était bon, et je lui dis tout, un jour. Nous faisions des kilomètres en marchant, et il discutait ma passion comme une chose littéraire, ce qui me permettait de prendre du recul et d'en parler moi-même.

«Tu sais quand même bien que ça finira, disait-il. Que dans six mois ou un an, tu en plaisanteras.

— Je ne veux pas, disais-je. Ce n'est pas seulement moi que je défends, c'est tout ce que nous avons été ensemble. Ce Cannes, nos rires, notre entente.

— Mais cela n'empêche pas que tu saches qu'un jour ça ne comptera plus.

— Je le sais bien mais ça ne m'est pas sensible. Ça m'est égal. Maintenant, maintenant. Il n'y a que ça.»

Nous marchions. Il me raccompagnait à la pension, le soir, me serrait la main gravement et en rentrant je demandais à la logeuse si M. Luc H. n'avait pas téléphoné. Elle disait que non, souriait. Je m'étendais sur mon lit, je pensais à Cannes.

Je me disais : «Luc ne m'aime pas» ; et cela me donnait une petite douleur sourde et cardiaque. Je me le répétais, et la petite douleur revenait, parfois aussi aiguë. Alors il me semblait avoir fait un pas ; que, du seul fait que cette petite douleur soit à ma disposition, prête à accourir, fidèle, armée jusqu'aux dents, à mon appel, j'en disposais. Je disais : « Luc ne m'aime pas » ; et cette chose bouleversante arrivait. Mais si je disposais à peu près à mon gré de cette douleur, je ne pouvais l'empêcher de réapparaître à l'improviste pendant un cours ou un déjeuner, de me surprendre et de me faire mal. Et je ne pouvais empêcher non plus cet ennui quotidien, justifié, cette existence larvaire dans la pluie, la fatigue des matins, des cours insipides, des conversations. Je souffrais. Je me disais que je souffrais, avec curiosité, ironie, n'importe quoi, pour éviter cette évidence lamentable d'un amour malheureux.

Ce qui devait arriver arriva. Je revis Luc un soir. Nous nous promenâmes au Bois dans sa voiture. Il me dit qu'il devait se rendre en Amérique pour un mois. Je dis que c'était intéressant. Puis la réalité me saisit : un mois. J'attrapai une cigarette.

« Quand je rentrerai, tu m'auras oublié, dit-il.

— Pourquoi ? demandai-je.

— Mon pauvre chéri, ça vaudrait mieux pour toi, tellement mieux... » Et il arrêta la voiture.

Je le regardai. Il avait un visage tendu, désolé. Ainsi, il savait. Il savait tout. Ce n'était plus seulement un homme qu'il fallait ménager, c'était aussi un ami. Je m'accrochai à lui, tout d'un coup. Je mis ma joue contre sa joue. Je regardais l'ombre des arbres. J'entendais ma voix dire des choses incroyables.

« Luc, ce n'est plus possible. Il ne faut pas que vous me laissiez. Je ne peux pas vivre sans toi. Il faut que vous restiez là. Je suis seule, je suis si seule. C'est insupportable. »

J'écoutais ma propre voix avec surprise. C'était une voix indécente, jeune, suppliante. Je me disais les choses que Luc aurait pu me dire : « Allons, allons, ça va passer, calme-toi. » Mais je continuais à parler et Luc à se taire.

Enfin, comme pour arrêter ce flot de paroles, il me prit la tête dans ses mains, m'embrassa la bouche doucement.

« Mon pauvre chéri, disait-il, ma pauvre douce. »

Il avait une voix bouleversée. Je pensai à la fois : « Il est temps » et : « Je suis bien à plaindre. » Je me mis à pleurer sur son veston. Le temps passait, il allait me ramener à la maison épuisée. Je me laisserais faire et, après, il ne serait plus là. J'eus un mouvement de révolte.

« Non, dis-je, non. »

Je m'accrochai à lui, j'aurais voulu être lui, disparaître.

« Je te téléphonerai. Je te reverrai avant de partir, dit-il... Je te demande pardon, Dominique, je te demande pardon. J'ai été très

heureux avec toi. Ça te passera, tu sais. Tout passe. Je donnerais
n'importe quoi pour...»
Il eut un geste d'impuissance.
«Pour m'aimer? dis-je.
— Oui.»
Sa joue était douce, chaude de mes larmes. Je ne le verrais pas
pendant un mois, il ne m'aimait pas. C'était bizarre, le désespoir;
bizarre qu'on en réchappe. Il me ramenait à la maison. Je ne pleurais
plus. J'étais rompue. Il m'appela le lendemain, le surlendemain. Le jour
de son départ j'avais la grippe. Il monta me voir un instant. Alain était
là, de passage, et Luc m'embrassa sur la joue. Il m'écrirait.

CHAPITRE V

PARFOIS, je me réveillais au milieu de la nuit la bouche sèche, et,
avant même d'émerger du sommeil, quelque chose me chuchotait de
me rendormir, de me replonger dans la chaleur, l'inconscience, comme
dans ma seule trêve. Mais déjà je me disais : «Ce n'est que la soif; il
suffit de me lever, de marcher jusqu'au lavabo, de boire et de me
rendormir.» Mais quand j'étais debout, que je voyais dans la glace ma
propre image, vaguement éclairée par le réverbère, et que l'eau tiède me
coulait dans la gorge, alors le désespoir me prenait, et c'est avec une
réelle impression de douleur physique que je me recouchais en
grelottant. Une fois allongée à plat ventre, la tête dans les bras, j'écrasais
mon corps contre le lit comme si mon amour pour Luc eût été une bête
tiède et mortelle que j'eusse pu ainsi, par révolte, écraser entre ma peau
et le drap. Et puis la bataille commençait. Ma mémoire, mon
imagination devenaient deux ennemies féroces. Il y avait le visage de
Luc, Cannes, ce qui avait été, ce qui aurait pu être. Et, sans arrêt, cette
révolte de mon corps qui avait sommeil, de mon intelligence qui
s'écœurait. Je me redressais, faisais des comptes : «Je suis moi,
Dominique. J'aime Luc qui ne m'aime pas. Amour non partagé, tristesse
obligatoire. Rompez.» J'imaginais des moyens de rompre d'ailleurs
définitivement, d'envoyer à Luc une lettre élégante, noble, lui
expliquant que c'était fini. Mais cette lettre ne m'intéressait que dans la
mesure où son élégance, sa noblesse me ramèneraient Luc. Et je ne me
voyais pas plus tôt séparée de lui par ce moyen cruel que j'imaginais
déjà la réconciliation.
Il suffisait de réagir, comme disent les bonnes gens. Mais réagir pour
qui? Je ne m'intéressais à personne d'autre, ni à moi-même. Je ne
m'intéressais moi-même que par rapport à Luc.

Catherine, Alain, les rues. Ce garçon qui m'avait embrassée dans une surprise-partie. Que je n'avais pas voulu revoir. La pluie, la Sorbonne, les cafés. Les cartes de l'Amérique. Je haïssais l'Amérique. L'ennui. Cela ne finirait-il jamais ? Il y avait plus d'un mois que Luc était parti. Il m'avait envoyé un petit mot tendre et triste que je savais par cœur.

Ce qui me réconfortait, c'est que mon intelligence, jusque-là opposée à cette passion, s'en moquant, me ridiculisant, suscitant en moi des dialogues difficiles, devenait peu à peu une alliée. Je ne me disais plus : « Finissons cette plaisanterie », mais : « Comment pourrait-on arrêter les frais ? » Les nuits étaient constantes et fades, engluées de tristesse, mais les jours étaient parfois rapides, absorbés en lectures. Je réfléchissais à « moi et Luc » comme à un cas, ce qui n'empêchait pas ces moments insupportables où je m'arrêtais sur le trottoir, avec cette chose qui descendait en moi, me remplissait de dégoût, de colère. Je rentrais dans un café, mettais vingt francs dans la machine à disques, m'offrais cinq minutes de spleen grâce à l'air de Cannes. Alain finissait par l'abhorrer. Mais moi, j'en connaissais chaque note, je me rappelais l'odeur du mimosa, j'en avais pour mon argent. Je ne m'aimais pas.

« Là, mon vieux, disait Alain patient, là ! »

Je n'aimais pas tellement qu'on m'appelle : « Mon vieux », mais dans ce cas, ça me réconfortait .

« Tu es gentil, disais-je à Alain.

— Mais non, disait-il. Je ferai ma thèse sur la passion. Je suis intéressé. »

Mais cette musique me convainquait. Elle me convainquait que j'avais besoin de Luc. Je savais bien que ce besoin était à la fois lié et séparé de mon amour. Je pouvais encore dissocier en lui l'être humain, le complice, et l'objet de ma passion : l'ennemi. Et c'était bien là le pire que de ne pouvoir un peu le sous-estimer, comme on le peut en général des gens qui vous répondent par la tiédeur. Il y avait aussi des moments où je me disais : « Ce pauvre Luc, quelle fatigue je serais pour lui, quel ennui ! » Et je me méprisais de n'avoir pas su rester légère, d'autant plus que cela me l'eût peut-être attaché, par dépit. Mais je savais bien qu'il ne connaissait pas le dépit. Ce n'était pas un adversaire, mais Luc. Je n'en sortais pas.

Un jour que je descendais de ma chambre à deux heures pour aller au cours, la logeuse me tendit le téléphone. Je n'avais plus de ces coups au cœur en le prenant, puisque Luc était parti. Je reconnus aussitôt la voix hésitante et basse de Françoise :

« Dominique ?

— Oui », dis-je.

Tout était immobile dans l'escalier.

« Dominique, j'aurais aimé vous téléphoner plus tôt. Vous voulez venir me voir quand même ?

— Bien sûr», dis-je. Je surveillais ma voix à tel point que je dus avoir une intonation mondaine.

«Voulez-vous ce soir, à six heures?

— C'est entendu.»

Et elle raccrocha. J'étais bouleversée et contente d'avoir entendu sa voix. Ça ressuscitait le week-end, la voiture, les déjeuners au restaurant, les décors.

CHAPITRE VI

JE N'ALLAI PAS au cours, je marchai le long des rues en me demandant ce qu'elle allait pouvoir me dire. Selon la réaction classique il me semblait avoir trop souffert pour que qui que ce soit pût m'en vouloir. A six heures il pleuvait un peu ; les rues étaient humides et luisantes sous les lumières comme des dos de phoques. En entrant dans le hall de l'immeuble je me vis dans la glace. J'avais beaucoup maigri, espérant vaguement tomber gravement malade et que Luc viendrait sangloter à mon chevet de mourante. J'avais les cheveux mouillés, l'air traqué ; je ferais lever en Françoise son éternelle bonté. Je restai une seconde à me regarder. Peut-être aurais-je pu «manœuvrer», m'attacher vraiment Françoise, biaiser avec Luc, louvoyer. Mais pourquoi? Comment louvoyer, alors qu'il y avait ce sentiment pour une fois absolu, désarmé, entier. J'avais été bien étonnée, bien admirative de mon amour. J'avais oublié qu'il ne représentait rien, sinon pour moi l'occasion de souffrir.

Françoise m'ouvrit avec un demi-sourire et l'air un peu effrayé. J'ôtai mon imperméable en entrant.

«Vous allez bien? demandai-je.

— Très bien, dit-elle. Assieds-toi. Euh... asseyez-vous.»

J'avais oublié qu'elle me tutoyait. Je m'assis, elle me regardait, visiblement étonnée de mon aspect lamentable. Cela m'émut sur moi-même.

«Quelque chose à boire?

— Volontiers.»

D'office elle me servit un whisky. J'en avais oublié le goût. Il y avait aussi ça : ma chambre triste, les restaurants universitaires. Le manteau roux qu'ils m'avaient donné m'avait bien rendu service quand même. Je me sentais tendue et désespérée, presque sûre de moi à force d'exaspération.

«Et voilà», dis-je.

Je levai les yeux et la regardai. Elle était assise sur le divan en face ; elle, sans un mot, me fixait. Nous pouvions encore parler d'autre chose et moi dire, en la quittant, l'air gêné : « J'espère que vous ne m'en voulez pas trop. » Cela dépendait de moi ; il suffisait de parler, vite, avant que ce silence ne devînt un double aveu. Mais je me tus. J'étais enfin dans un moment, je vivais un moment.

« J'aurais aimé vous téléphoner plus tôt, dit-elle enfin, parce que Luc m'avait dit de le faire. Et puis parce que ça m'ennuyait de vous savoir seule à Paris. Enfin...

— J'aurais dû vous appeler, moi aussi, dis-je.

— Pourquoi ? »

J'allais dire : « Pour m'excuser », mais le mot me parut faible. Je me mis à dire la vérité.

« Parce que j'en avais envie, parce que j'étais effectivement seule. Et puis, parce que ça m'ennuyait de penser que vous pensiez... »

J'eus un geste vague.

« Vous avez mauvaise mine, dit-elle doucement.

— Oui, dis-je avec colère. Si j'avais pu, je serais venue vous voir, vous m'auriez fait manger des biftecks, je me serais allongée sur votre tapis, vous m'auriez consolée. Par malchance, vous étiez la seule personne qui auriez su le faire et la seule qui ne le pouviez pas. »

Je tremblais. Mon verre tremblait dans ma main. Le regard de Françoise devenait insupportable.

« Ça... c'était désagréable », dis-je pour m'excuser.

Elle me prit mon verre des mains, le posa sur la table, se rassit.

« Moi, j'étais jalouse, dit-elle à voix basse, j'étais jalouse physiquement. »

Je la regardai. Je m'attendais à tout, sauf à ça.

« C'était bête, dit-elle, je savais bien que, vous et Luc, ce n'était pas grave. »

Devant mon expression, elle eut un geste d'excuse aussitôt, qui me parut méritoire.

« Enfin, je veux dire que l'infidélité dans l'ordre physique n'est pas vraiment grave ; mais j'ai toujours été comme ça. Et surtout maintenant... maintenant où... »

Elle semblait souffrir. J'avais peur de ce qu'elle allait dire.

« Maintenant que je suis moins jeune, acheva-t-elle et — elle détourna la tête — moins désirable.

— Non », dis-je.

Je protestais. Je ne pensais pas que cette histoire pût avoir une autre dimension, inconnue de moi, minable, même pas minable, ordinaire, triste. J'avais cru que cette histoire m'appartenait ; mais je ne savais rien de leur vie.

« Ce n'était pas cela », dis-je, et je me levai.

J'allai vers elle et restai debout. Elle se tourna vers moi et me sourit un peu.

«Ma pauvre Dominique, quel gâchis!»

Je m'assis à côté d'elle et pris ma tête dans mes mains. Mes oreilles bourdonnaient. Je me sentais vide. J'aurais aimé pleurer.

«Je vous aime bien, dit-elle. Beaucoup. Je n'aime pas penser que vous avez été malheureuse. Quand je vous ai vue la première fois, j'ai pensé que nous pourrions vous donner un air heureux au lieu de cet air un peu battu que vous aviez. Ce n'est pas très réussi.

— Malheureuse, je l'ai été un peu, dis-je. D'ailleurs, Luc m'avait prévenue.»

J'aurais aimé m'effondrer contre elle, ce grand corps généreux, lui expliquer que j'aurais voulu qu'elle soit ma mère, que j'étais bien malheureuse, pleurnicher. Mais je ne pouvais même pas jouer ce rôle.

«Il rentre dans dix jours», dit-elle.

Quelle était encore cette secousse dans ce cœur obstiné? Il fallait que Françoise retrouve Luc et son demi-bonheur. Il fallait que je me sacrifie. Cette dernière pensée me fit sourire. C'était un dernier effort pour me cacher mon inimportance. Je n'avais rien à sacrifier, aucun espoir. Je n'avais qu'à mettre fin, ou laisser le temps mettre fin à une maladie. Cette résignation âcre comportait un certain optimisme.

«Plus tard, dis-je, quand ce sera fini pour moi, je vous reverrai, Françoise, et Luc aussi. Maintenant je n'ai qu'à attendre.»

Sur le seuil elle m'embrassa doucement. Elle me dit: «A bientôt.»

Mais sitôt rentrée chez moi, je tombai sur mon lit. Que lui avais-je dit, quelles froides sottises? Luc allait rentrer, il me prendrait dans ses bras, il m'embrasserait. Même s'il ne m'aimait pas, il serait là, lui, Luc. Ce cauchemar serait fini.

Au bout de dix jours Luc rentra. Je le sus, car je passai devant chez lui, en autobus, le jour de son arrivée, et je vis sa voiture. Je rentrai à la pension et attendis son coup de téléphone. Il ne vint pas. Ni ce jour-là, ni le lendemain, où je restai couchée, prétextant une grippe, pour l'attendre.

Il était là. Il ne m'appelait pas. Après un mois et demi d'absence. Le désespoir, c'était ce grelottement, ce demi-rire intérieur, cette apathie obsédée. Je n'avais jamais tant souffert. Je me disais que c'était le dernier sursaut mais qu'il était dur.

Le troisième jour je me levai. J'allai au cours. Alain se remit à marcher avec moi. J'écoutais ce qu'il me disait, avec attention, je riais. Une phrase m'obsédait sans que je susse pourquoi. «Il y a quelque chose de corrompu dans le royaume de Danemark.» Je l'avais toujours sur les lèvres.

Le quinzième jour je me réveillai en entendant une musique dans la cour, diffusée par la radio généreuse d'un voisin. C'était un bel andante de Mozart, évoquant comme toujours l'aube, la mort, un certain sourire.

Je restai à l'écouter un long moment, immobile dans mon lit. J'étais assez heureuse.

La logeuse m'appela. On me demandait au téléphone. J'enfilai une robe de chambre sans me presser et descendis. Je pensais que c'était Luc, et que ça n'avait plus tellement d'importance. Quelque chose s'enfuyait de moi.

« Tu vas bien ? »

J'écoutais sa voix. C'était sa voix. D'où me venaient ce calme, cette douceur, comme si quelque chose de vivant, d'essentiel, s'écoulait de moi. Il me demandait de prendre un verre avec lui, le lendemain. Je disais : « Oui, oui. »

Je remontai dans ma chambre, très attentive. La musique était finie et je regrettai d'avoir manqué la fin. Je me surpris dans la glace et je me vis sourire. Je ne m'empêchai pas de sourire, je ne pouvais pas. A nouveau, je le savais, j'étais seule. J'eus envie de me dire ce mot à moi-même. Seule. Seule. Mais enfin, quoi ? J'étais une femme qui avait aimé un homme. C'était une histoire simple ; il n'y avait pas de quoi faire des grimaces.

DANS UN MOIS,
DANS UN AN

Roman

A Guy Schoeller

« Il ne faut pas commencer à penser de cette manière, c'est à devenir fou. »

MACBETH, *acte II.*

CHAPITRE PREMIER

Bᴇʀɴᴀʀᴅ entra dans le café, hésita un instant sous les regards de quelques consommateurs défigurés par le néon et se rejeta vers la caissière. Il aimait les caissières de bars, opulentes, dignes, perdues dans un rêve ponctué de monnaie et d'allumettes. Elle lui tendit son jeton sans sourire, l'air las. Il était près de quatre heures du matin. La cabine téléphonique était sale, le récepteur moite. Il forma le numéro de Josée et s'aperçut que sa marche forcée à travers Paris toute la nuit ne l'avait mené qu'à cela : au moment où il serait assez fatigué pour effectuer ces gestes machinalement. Il était d'ailleurs stupide de téléphoner à une jeune fille à quatre heures du matin. Bien sûr, elle ne ferait aucune allusion à sa grossièreté mais ce geste avait un côté « enfant terrible » qu'il détestait. Il ne l'aimait pas, c'était bien là le pire, mais il voulait savoir ce qu'elle faisait, et toute la journée cette pensée l'obsédait.

Le téléphone sonnait. Il s'appuya au mur, glissa sa main dans sa poche pour attraper son paquet de cigarettes. La sonnerie s'arrêta et une voix d'homme endormie, dit : « Allô. » Puis aussitôt la voix de Josée : « Qui est-ce ? »

Bernard resta immobile, terrifié, craignant qu'elle ne devinât que c'était lui, craignant d'être surpris à la surprendre. Ce fut un instant affreux. Puis il tira son paquet de sa poche et raccrocha. Il se retrouva marchant sur les quais, murmurant des grossièretés. Une seconde voix en même temps le calmait, qu'il détestait : « Mais après tout, elle ne te doit rien. Tu ne lui as rien demandé, elle est riche, libre, tu n'es pas son amant en titre. » Mais déjà il devinait en lui ce flot de tourments, d'inquiétudes, ces impulsions vers le téléphone, cette obsession qui allait être le plus clair de ses jours à venir. Il avait joué au jeune homme, parlé avec Josée de la vie, des livres, passé une nuit avec elle, tout ça sur un mode distrait, de bon goût et il faut dire que l'appartement de Josée s'y prêtait. Maintenant il allait rentrer chez lui, trouver son mauvais roman en désordre sur sa table de travail et, dans son lit, sa femme qui dormirait. Elle dormait toujours à ces heures-là, son visage enfantin et blond tourné du côté de la porte comme si elle craignait qu'il ne rentrât jamais, l'attendant dans son sommeil comme elle l'attendait tout le jour, anxieusement.

*

Le garçon reposa le récepteur et Josée domina le mouvement de colère qu'elle avait eu en le voyant décrocher son téléphone et répondre comme s'il était chez lui.

« Je ne sais pas qui c'est, dit-il maussadement, il a raccroché.

— Pourquoi "il", alors ? demanda Josée.

— C'est toujours les hommes qui téléphonent la nuit chez les femmes, dit le garçon en bâillant. Et qui raccrochent. »

Elle le regarda avec curiosité, en se demandant ce qu'il faisait là. Elle ne comprenait pas pourquoi elle l'avait laissé la raccompagner après le dîner chez Alain, ni monter chez elle ensuite. Il était assez beau mais vulgaire et sans intérêt. Beaucoup moins intelligent que Bernard, moins séduisant même, d'une certaine manière. Il s'assit sur le lit et attrapa sa montre :

« Quatre heures, dit-il. C'est une sale heure.

— Pourquoi une sale heure ? »

Il ne répondit pas mais se retourna vers elle et la regarda par-dessus son épaule, fixement. Elle lui rendit son regard puis essaya de remonter son drap sur elle. Mais son geste s'arrêta. Elle comprenait ce qu'il pensait. Il l'avait ramenée chez elle, l'avait prise brutalement et s'était endormi à son côté. Il la regardait avec tranquillité. Il se souciait peu de ce qu'elle était et de ce qu'elle pensait de lui. En cet instant précis, elle était à lui. Et ce qui montait en elle, ce n'était ni de l'agacement devant cette assurance, ni de la colère, mais une immense humilité.

Il leva les yeux jusqu'à son visage et lui ordonna d'une voix grave de rabattre ce drap. Elle l'enleva et il la détailla posément. Elle avait honte et ne pouvait bouger ni trouver la phrase désinvolte qu'elle aurait dite, en se retournant sur le ventre, à Bernard ou à un autre. Il n'aurait pas compris, pas ri. Dans son esprit, elle le devinait, il y avait une idée d'elle achevée, immuable, primaire et qu'il ne changerait jamais. Son cœur battait à grands coups, elle pensa : « Je suis perdue », avec un sentiment de triomphe. Le garçon se pencha vers elle, un sourire mystérieux sur les lèvres. Elle le regarda s'approcher sans ciller.

« Il faut bien que le téléphone serve à quelque chose », dit-il, et il se laissa tomber sur elle, brusquement hâtif. Elle ferma les yeux.

« Je ne pourrai plus en plaisanter, pensa-t-elle, ce ne sera plus jamais une chose légère et nocturne, ce sera toujours lié à ce regard, quelque chose qu'il y avait dans ce regard.»

*

«Tu ne dors pas?»
Fanny Maligrasse poussa un gémissement :
«C'est mon asthme. Alain, sois bon, apporte-moi une tasse de thé.»
Alain Maligrasse émergea à grand-peine du lit jumeau et se drapa soigneusement d'une robe de chambre. Les Maligrasse avaient été assez beaux et épris l'un de l'autre de longues années jusqu'à la guerre de 40. Séparés durant quatre ans, ils s'étaient retrouvés très changés et très marqués par leur cinquantaine respective. Ils en avaient adopté inconsciemment une pudeur assez touchante, chacun voulant cacher à l'autre les marques des années passées. Ils en avaient adopté du même coup un goût très vif de la jeunesse. On disait des Maligrasse, avec sympathie, qu'ils aimaient la jeunesse et cette sympathie était pour une fois justifiée. Car ils l'aimaient non pas pour s'en distraire et lui prodiguer des conseils inutiles, mais parce qu'ils lui trouvaient plus d'intérêt qu'à l'âge mûr. Intérêt que ni l'un ni l'autre n'hésitaient à concrétiser si l'occasion s'en présentait, le goût de la jeunesse s'accompagnant toujours d'une naturelle tendresse pour la chair fraîche.

Cinq minutes plus tard, Alain posa le plateau sur le lit de sa femme et la regarda avec commisération. Son petit visage creux et sombre était tendu par l'insomnie, seuls ses yeux restaient immuablement beaux, d'un bleu-gris déchirant, étincelants et rapides.

«Je trouve que c'était une bonne soirée», dit-elle en prenant sa tasse.
Alain regardait le thé passer dans sa gorge un peu fripée et ne pensait à rien. Il fit un effort :
«Je ne comprends pas que Bernard vienne toujours sans sa femme, dit-il. Il faut dire que Josée est bien séduisante en ce moment.
— Béatrice aussi», dit Fanny avec un rire.
Alain se mit à rire en même temps. Son admiration pour Béatrice était un sujet de plaisanterie entre sa femme et lui. Et elle ne pouvait savoir à quel point cette plaisanterie lui était devenue cruelle. Tous les lundis, après ce qu'ils appelaient en plaisantant leur salon du lundi, il se couchait en grelottant! Béatrice était belle et violente; quand il pensait à elle, ces deux qualificatifs s'imposaient à son esprit et il pouvait se les redire indéfiniment. «Belle et violente»; Béatrice cachant son visage tragique et sombre quand elle riait, parce que le rire lui allait mal, Béatrice parlant de son métier avec colère, parce qu'elle n'y réussissait pas encore, Béatrice un peu sotte, comme disait Fanny. Sotte, oui, elle était un peu sotte mais avec lyrisme. Alain travaillait dans une maison d'édition depuis vingt ans, il était mal payé, cultivé et très lié à sa femme. Comment «la plaisanterie Béatrice» avait-elle pu devenir ce

poids énorme qu'il soulevait chaque matin en se levant, ce poids qu'il traînait tous les jours jusqu'au lundi? Car le lundi, Béatrice venait chez le charmant vieux ménage qu'il formait avec Fanny et il jouait son rôle de quinquagénaire délicat, spirituel et distrait. Il aimait Béatrice.

«Béatrice espère avoir un petit rôle dans la prochaine pièce de X..., dit Fanny. Est-ce qu'il y a eu assez de sandwiches?»

Les Maligrasse étaient contraints à des tours de force financiers pour assurer leur salon. L'entrée du whisky dans les mœurs avait été pour eux une catastrophe.

«Je crois», dit Alain. Il restait sur le bord du lit, les mains pendantes entre ses genoux maigres. Fanny le considéra avec tendresse et pitié.

«Ton petit cousin de Normandie arrive demain, dit-elle. J'espère qu'il aura le cœur pur, une grande âme et que Josée s'éprendra de lui.

— Josée ne s'éprend de personne, dit Alain. Nous pouvons essayer de dormir, peut-être?»

Il enleva le plateau des genoux de sa femme, l'embrassa sur le front, sur la joue et se recoucha. Il avait froid, malgré le radiateur. Il était un vieil homme qui avait froid. Et toute la littérature ne lui servait à rien.

*

Dans un mois, dans un an, comment souffrirons-nous,
Seigneur, que tant de mers me séparent de vous,
Que le jour recommence et que le jour finisse
Sans que jamais Titus puisse voir Bérénice?

Béatrice était en robe de chambre devant sa glace et se considérait. Les vers tombaient de sa bouche comme des fleurs de pierre. «Où ai-je donc lu cela?»; et elle se sentait saisie d'une infinie tristesse. En même temps que d'une saine colère. Il y avait cinq ans qu'elle récitait *Bérénice* pour son ex-mari et récemment pour sa glace. Elle aurait voulu être devant cette mer sombre et écumeuse qu'était une salle de théâtre et dire simplement: «Madame est servie» si vraiment il n'y avait pour elle que cela à dire.

«Je ferais n'importe quoi pour ça», dit-elle à son reflet et le reflet lui sourit.

*

Quant au cousin de Normandie, le jeune Edouard Maligrasse, il montait dans le train qui devait l'amener dans la capitale.

CHAPITRE II

BERNARD se leva de sa chaise pour la dixième fois de la matinée, alla vers la fenêtre et s'y appuya. Il n'en pouvait plus. Ecrire l'humiliait. Ce qu'il écrivait l'humiliait. En relisant ses dernières pages il était saisi d'un sentiment de gratuité insupportable. Il n'y avait là rien de ce qu'il voulait dire, rien de ce quelque chose d'essentiel qu'il croyait percevoir parfois. Bernard gagnait sa vie en écrivant des notes critiques dans les revues, en étant lecteur dans la maison où travaillait Alain et dans certains journaux. Ils avait publié, trois ans auparavant, un roman que la critique avait qualifié de terne, «avec certaines qualités psychologiques». Il voulait deux choses : écrire un bon roman, et, plus récemment, Josée. Or, les mots continuaient à le trahir et Josée avait disparu, prise d'une de ces brusques toquades pour un pays ou un garçon — on ne savait jamais — que la fortune de son père et son charme lui permettaient d'assouvir sur-le-champ.

«Ça ne va pas?»

Nicole était rentrée derrière lui. Il lui avait dit de le laisser travailler mais elle ne pouvait s'empêcher d'entrer sans cesse dans le bureau, prétextant qu'elle ne le voyait que le matin. Il savait, mais ne pouvait l'admettre, qu'elle avait besoin de le voir pour vivre, qu'elle l'aimait chaque jour plus après trois ans, et cela lui apparaissait presque monstrueux. Car elle ne l'attirait plus. Ce qu'il aimait simplement à se rappeler, c'était cette image de lui-même au temps de leur amour, cette espèce de décision qu'il avait eue pour l'épouser, lui qui, depuis, n'avait jamais su prendre une décision sévère quelle qu'elle pût être.

«Non, ça ne va pas du tout. Parti comme je suis, il y a même peu de chances pour que ça aille jamais.

— Mais si, moi j'en suis sûre.»

Cet optimisme tendre à son sujet l'excédait plus que tout. Si Josée lui avait dit cela, ou Alain, il aurait peut-être pu y puiser une certaine confiance. Mais Josée n'en savait rien, elle l'avouait, et Alain, bien qu'encourageant, jouait au pudique avec la littérature. «L'essentiel, c'est ce qu'on voit après», disait-il. Qu'est-ce que cela pouvait bien vouloir dire? Bernard affectait de comprendre. Mais tout ce charabia l'excédait. «Ecrire c'est avoir une feuille de papier, un stylo et l'ombre d'une idée pour commencer», disait Fanny. Il aimait bien Fanny. Il les aimait bien tous. Il n'aimait personne. Josée l'agaçait. Il la lui fallait. C'était tout. De quoi se tuer.

Nicole était toujours là. Elle rangeait, elle passait son temps à ranger ce très petit appartement où il la laissait seule toute la journée. Elle ne connaissait ni Paris ni la littérature ; les deux excitaient son admiration et son effroi. Sa seule clef à tout cela était Bernard et il lui échappait. Il était plus intelligent qu'elle, plus séduisant. On le recherchait. Et, pour le moment, elle ne pouvait avoir d'enfants. Elle ne connaissait que Rouen et la pharmacie de son père. Bernard le lui avait dit un jour, puis l'avait suppliée de lui pardonner. Il était à ces moments-là faible comme un enfant, au bord des larmes. Mais elle aimait mieux ces cruautés concertées que la grande cruauté quotidienne, lorsqu'il partait après déjeuner, l'embrassait distraitement et ne rentrait que très tard. Bernard et ses inquiétudes avaient toujours été pour elle un étonnant cadeau. On n'épouse pas les cadeaux. Elle ne pouvait lui en vouloir.

Il la regardait. Elle était assez jolie, assez triste.

« Veux-tu venir avec moi chez les Maligrasse, ce soir ? dit-il avec douceur.

— J'aimerais bien », dit-elle.

Elle avait l'air heureux tout à coup et le remords saisit Bernard, mais c'était un si vieux remords, si usé, qu'il ne s'attardait jamais. Et puis il ne risquait rien à l'emmener. Josée ne serait pas là. Josée ne lui aurait pas prêté attention s'il était venu avec sa femme. Ou alors elle n'aurait parlé qu'à Nicole. Elle avait de ces fausses bontés mais elle ne savait pas qu'elles étaient inutiles.

« Je passerai te chercher vers neuf heures, dit-il. Qu'est-ce que tu fais aujourd'hui ? »

Puis aussitôt, sachant qu'elle n'avait rien à lui répondre :

« Tâche de lire ce manuscrit pour moi, je ne vais jamais avoir le temps. »

Il savait bien que c'était inutile. Nicole avait un tel respect pour la chose écrite, une telle admiration pour le travail d'autrui, si inepte fût-il, qu'elle était incapable du moindre jugement critique. De plus, elle se croirait obligée de le lire, espérant peut-être lui rendre service. « Elle voudrait être indispensable, pensait-il avec colère en descendant l'escalier, la grande marotte des femmes... » Dans la glace en bas, il surprit l'expression courroucée de son visage et eut honte. Tout cela n'était qu'un affreux gâchis.

En arrivant chez son éditeur, il trouva Alain, l'air surexcité :

« Béatrice t'a téléphoné ; elle demande que tu la rappelles tout de suite. »

Bernard avait eu, juste après la guerre, une liaison assez orageuse avec Béatrice. Il lui manifestait un reste de tendresse condescendante qui éblouissait visiblement Alain.

« Bernard ? (Béatrice avait sa voix des grands jours, trop posée.) Bernard, est-ce que tu connais X... ? Ses pièces sont éditées chez toi, non ?

— Je le connais un peu, dit Bernard.

— Il a parlé de moi pour sa prochaine pièce, devant Fanny. Il faut
que je le rencontre et que je lui parle. Bernard, fais ça pour moi.»

Il y avait quelque chose dans sa voix qui rappelait à Bernard les
meilleurs jours de leur jeunesse, après la guerre, quand, ayant délaissé
chacun un foyer de doux bourgeois, ils se retrouvaient à la recherche de
cent francs pour leur dîner. Béatrice avait une fois obligé le patron d'un
bar, renommé pour sa ladrerie, à leur avancer mille francs. Simplement
avec cette voix-là. La volonté poussée à ce point était devenue chose
rare, sans doute.

«Je vais arranger ça. Je te rappelle en fin d'après-midi.

— A cinq heures, dit Béatrice fermement. Bernard, je t'aime, je t'ai
toujours aimé.

— Deux ans», dit Bernard en riant.

Riant toujours, il se retourna vers Alain et surprit son expression. Il se
détourna aussitôt. La voix de Béatrice portait dans la pièce. Il enchaîna :
«Bien. De toute manière, je te vois ce soir chez Alain?

— Oui, bien sûr.

— Il est près de moi, tu veux lui parler? dit Bernard. (Il ne savait pas
pourquoi il posait la question.)

— Non, je n'ai pas le temps. Dis-lui que je l'embrasse.»

La main de Maligrasse était déjà tendue vers l'écouteur. Bernard, qui
lui tournait le dos, ne voyait que cette main, soignée, avec les veines
saillantes.

«Je lui dirai, dit-il, au revoir.»

La main retomba. Bernard attendit un instant avant de se retourner.
«Elle vous embrasse, dit-il enfin, elle a quelqu'un qui l'attend.»

Il se sentait très malheureux.

*

Josée arrêta la voiture devant la maison des Maligrasse, rue de
Tournon. C'était la nuit et le réverbère faisait étinceler la poussière sur
le capot de la voiture et les moustiques collés à la vitre.

«Finalement, je ne vais pas avec toi, dit le garçon, je ne sais pas quoi
leur dire. Je vais aller travailler un peu.»

Josée se sentit à la fois soulagée et déçue. Ces huit jours avec lui, à la
campagne, avaient été assez accablants. Il était d'un mutisme absolu ou
d'un entrain excessif. Et sa tranquillité, sa demi-vulgarité finissaient par
l'effrayer autant qu'elles l'attiraient.

«Quand j'aurai travaillé, je passerai chez toi, dit le garçon. Tâche de
ne pas rentrer trop tard.

— Je ne sais pas si je rentrerai, dit Josée, indignée.

— Eh bien alors, dis-le-moi, répondit-il. C'est pas la peine que je
vienne pour rien, j'ai pas de voiture.»

Elle ne savait pas ce qu'il pensait. Elle lui mit la main sur l'épaule :

« Jacques », dit-elle.

Il la regarda en face, placidement. Elle dessina son visage avec la main et il plissa un peu le front :

« Je te plais ? » dit-il avec un petit rire.

« C'est drôle, il doit penser que je l'ai dans la peau ou quelque chose comme ça. Jacques F..., étudiant en médecine, mon légionnaire. Tout ça est comique. Ce n'est même pas une question physique, je ne sais pas si c'est ce reflet qu'il me renvoie de moi qui m'attire, ou cette absence de reflet, ou lui-même. Mais il n'a pas d'intérêt. Il n'est sûrement même pas cruel. Il existe, voilà l'expression. »

« Tu me plais assez, dit-elle. Ce n'est pas encore la grande passion mais...

— La grande passion, ça existe », dit-il gravement.

« Mon Dieu, pensa Josée, il doit être épris d'une grande fille blonde, immatérielle. Pourrais-je être jalouse de lui ? »

« Tu as déjà eu une grande passion ? dit-elle.

— Pas moi, mais un copain. »

Elle éclata de rire, il la regarda en hésitant à se vexer puis se mit à rire aussi. Il ne riait pas d'une manière gaie mais rauque, presque furieuse.

*

Béatrice fit une entrée triomphale chez les Maligrasse et même Fanny fut frappée par sa beauté. Rien ne sied mieux à certaines femmes que les crises de l'ambition. L'amour les aveulit. Alain Maligrasse se précipita à sa rencontre et lui baisa la main.

« Est-ce que Bernard est là ? » demanda Béatrice.

Elle cherchait Bernard parmi la douzaine de personnes déjà arrivées, elle aurait piétiné Alain pour aller à sa recherche. Alain s'écarta, le visage dévasté par un reste de joie, d'amabilité que leur brusque retombée rendait grimaçantes. Bernard était assis sur un canapé près de sa femme et d'un jeune homme inconnu. Malgré sa hâte, Béatrice reconnut Nicole et fut saisie de pitié ; elle se tenait droite, les mains sur les genoux, un sourire timide sur les lèvres. « Il faut que je lui apprenne à vivre », pensa Béatrice, avec ce qu'elle sentait en elle comme de la bonté.

« Bernard, dit-elle, tu es un infect personnage. Pourquoi ne m'as-tu pas téléphoné à cinq heures ? Je t'ai rappelé dix fois au bureau. Bonjour, Nicole.

— J'étais allé voir X..., dit Bernard, triomphant. On prend un verre tous les trois à six heures demain. »

Béatrice se laissa tomber sur le canapé et écrasa un peu le jeune homme inconnu. Elle s'excusa. Fanny s'approchait :

« Béatrice, tu ne connais pas le cousin d'Alain, Edouard Maligrasse ? »

Elle le vit alors et lui sourit. Il avait quelque chose d'irrésistible dans le visage, un air de jeunesse, de bonté surprenant. Il la regardait avec un tel étonnement qu'elle se mit à rire. Et Bernard se joignit à elle :
« Qu'y a-t-il ? Suis-je si mal coiffée ou ai-je l'air si folle ? »
Béatrice aimait bien qu'on la croie folle. Mais cette fois, elle savait déjà que le jeune homme la trouvait belle.
« Vous n'avez pas l'air folle, dit-il. Je suis désolé si vous avez pu croire... »
Il avait l'air si embarrassé qu'elle se détourna, gênée. Bernard la regardait en souriant. Le jeune homme se leva et, d'un pas incertain, se rendit à la table de la salle à manger.
« Il est fou de toi, dit Bernard.
— Ecoute, c'est toi qui es fou, je viens d'arriver. »
Mais elle en était déjà persuadée. Elle croyait facilement qu'on était fou d'elle, sans en tirer d'ailleurs une excessive vanité.
« Ça n'arrive que dans les romans, mais c'est un jeune homme de roman, dit Bernard, il arrive de province pour vivre à Paris, il n'a jamais aimé personne et l'avoue avec désespoir. Mais il va changer de désespoir. Notre belle Béatrice va le faire souffrir.
— Parle-moi plutôt de X..., dit Béatrice. Est-il pédéraste ?
— Béatrice, tu prévois trop, dit Bernard.
— Ce n'est pas ça, dit Béatrice, mais je m'entends très mal avec les pédérastes. Ça m'ennuie, je n'aime que les gens sains.
— Je ne connais pas de pédérastes, dit Nicole.
— Ça ne fait rien, dit Bernard, d'abord, il y en a trois ici... »
Mais il s'arrêta brusquement. Josée venait d'arriver, elle riait avec Alain dans l'entrée en jetant des coups d'œil dans le salon. Elle avait l'air fatigué et une trace noire sur la joue. Elle ne le voyait pas. Bernard éprouva une douleur sourde :
« Josée, où avais-tu disparu ? » cria Béatrice, et Josée se tourna, les vit et s'approcha en souriant à peine. Elle avait l'air à la fois épuisé et heureux. A vingt-cinq ans, elle gardait cet air d'adolescence rôdeuse qui l'apparentait à Bernard.
Il se leva :
« Je ne crois pas que vous connaissiez ma femme, dit-il, Josée Saint-Gilles. »
Josée sourit, ne cilla pas. Elle embrassa Béatrice et s'assit. Bernard était debout devant elles, sur une jambe, il ne pensait plus à rien sinon : « D'où vient-elle ? Qu'a-t-elle fait depuis dix jours ? Si seulement elle n'avait pas d'argent. »
« J'ai passé dix jours à la campagne, dit-elle. C'était tout roux.
— Vous avez l'air fatigué, dit Bernard.
— J'aimerais bien aller à la campagne », dit Nicole. Elle regardait Josée avec sympathie, c'était la première personne qui ne l'intimidât

pas. Josée ne faisait peur que lorsqu'on la connaissait bien et sa gentillesse semblait alors mortelle.

« Vous aimez la campagne ? » dit Josée.

« Ça y est, pensa Bernard avec fureur, elle va s'occuper de Nicole, lui parler gentiment. Vous aimez la campagne ? Pauvre Nicole, elle se voit déjà une amie. » Il se dirigea vers le bar, décidé à s'enivrer.

Nicole le suivit du regard et Josée éprouva devant ce regard un mélange d'agacement et de pitié. Elle avait eu une certaine curiosité de Bernard mais il s'était vite révélé trop semblable à elle-même, trop instable pour qu'elle s'y attachât. Et apparemment, il en était de même pour lui. Elle essayait de répondre à Nicole, mais elle s'ennuyait. Elle était fatiguée et tous ces gens lui paraissaient privés de vie. Ce séjour avait duré longtemps, il lui semblait revenir d'un long voyage au pays de l'absurde.

« ... et comme je ne connais personne qui ait une voiture, disait Nicole, je ne peux jamais aller marcher dans les forêts. »

Elle s'arrêta et dit brusquement :

« Ni personne qui n'ait pas de voiture, d'ailleurs. »

L'amertume de la phrase frappa Josée.

« Etes-vous seule ? » dit-elle.

Mais déjà Nicole s'affolait :

« Non, non, je disais ça en l'air, et puis j'aime beaucoup les Maligrasse. »

Josée hésita un instant. Il y avait encore trois ans de cela, elle l'aurait interrogée, aurait essayé de l'aider. Mais elle était fatiguée. Fatiguée d'elle-même, de sa vie. Que signifiaient ce garçon brutal, et ce salon ? Elle savait déjà, aussi, qu'il ne s'agissait plus de trouver une réponse mais d'attendre que la question ne se posât plus.

« Si vous voulez, la prochaine fois que j'irai me promener, je passe vous chercher », dit-elle simplement.

Bernard était arrivé à ses fins : il était ivre, légèrement, et trouvait le plus grand charme à la conversation du jeune Maligrasse qui eût pourtant dû l'agacer, orientée comme elle l'était :

« Vous dites qu'elle s'appelle Béatrice ? Elle fait du théâtre, mais où ? J'irai demain. Voyez-vous, c'est très important pour moi de bien la connaître. J'ai écrit une pièce et je crois qu'elle serait très bien pour la principale héroïne. »

Edouard Maligrasse parlait avec flamme. Bernard se mit à rire :

« Vous n'avez pas écrit de pièce de théâtre. Vous êtes prêt à aimer Béatrice. Mon ami, vous allez souffrir, Béatrice est gentille, mais elle est l'ambition même.

— Bernard, ne dites pas de mal de Béatrice qui vous adore ce soir, intervint Fanny. Et puis j'aimerais que vous écoutiez la musique de ce garçon. »

Elle désignait un jeune homme qui s'installait au piano. Bernard vint s'asseoir aux pieds de Josée, il se sentait les mouvements dégagés, une grande aisance à vivre. Il parlerait à Josée : « Ma chère Josée, c'est très ennuyeux, je vous aime », et ce serait vrai sans doute. Il se rappela brusquement la manière dont elle lui avait entouré le cou de son bras la première fois qu'il l'avait embrassée, dans la bibliothèque de son appartement, cette manière de s'installer contre lui, et le sang lui reflua au cœur. Elle ne pourrait pas ne pas l'aimer.

Le pianiste jouait de la musique très belle, lui semblait-il, très tendre, avec une phrase légère qui revenait sans cesse, une musique à la tête penchée. Bernard comprit brusquement ce qu'il fallait écrire, et ce qu'il lui fallait expliquer : cette phrase était la Josée de tous les hommes, leur jeunesse et leurs plus mélancoliques désirs. « Voilà, pensa-t-il avec exaltation, c'est cette petite phrase ! Ah ! Proust, mais il y a Proust ; je n'ai rien à faire de Proust à la fin. » Il prit la main de Josée qui la retira. Nicole le regardait et il lui sourit parce qu'il l'aimait bien.

*

Edouard Maligrasse était un jeune homme au cœur pur. Il ne confondait pas la vanité avec l'amour, il n'entretenait pas d'autre ambition que celle d'avoir des passions. En ayant été très privé à Caen, il arrivait à Paris comme un conquérant désarmé, ne désirant ni réussir, ni posséder une voiture de sport, ni être bien vu par quelques personnes. Son père lui avait trouvé une place modeste chez un agent d'assurances, qui le satisfaisait fort bien depuis une semaine. Il aimait les plates-formes des autobus, les cafés-comptoirs, et les sourires que lui adressaient les femmes, car il avait quelque chose d'irrésistible. Ce n'était pas la candeur mais une entière disponibilité.

Béatrice lui inspira une immédiate passion et surtout un désir violent que la femme du notaire de Caen, sa maîtresse d'alors, ne lui avait jamais donné. De plus elle était arrivée dans ce salon parée de tous les prestiges de la désinvolture, de l'élégance, du théâtre et, enfin, de l'ambition. Sentiment qu'il admirait sans pouvoir le comprendre. Mais il y aurait un jour où Béatrice lui dirait, en renversant la tête : « Ma carrière m'importe moins que toi » et il enfouirait son visage dans les cheveux noirs, embrasserait ce masque tragique, le ferait taire. Il s'était dit cela en buvant sa citronnade tandis que le jeune homme jouait du piano. Bernard lui plaisait : il lui trouvait cet air sarcastique et ardent, propre au journaliste de Paris, qu'il avait lu dans Balzac.

Il se précipita donc pour raccompagner Béatrice. Mais elle avait une petite voiture qu'un ami lui avait prêtée et elle lui offrit de le déposer chez lui.

« Je pourrai vous raccompagner et rentrer à pied », dit-il.

Mais elle prétendit que c'était inutile. Elle le laissa donc à ce coin affreux du boulevard Haussmann et de la rue Tronchet, pas loin de chez lui. Il avait l'air si désemparé qu'elle lui mit la main sur la joue et lui dit : « Au revoir, chevreau », car elle adorait trouver aux gens des ressemblances animales. De plus, ce chevreau semblait prêt à rentrer docilement dans la bergerie de ses admirateurs, un peu démunie par hasard en ce moment. Enfin, il était assez joli garçon. Mais le chevreau restait fasciné au bout de sa main qu'elle avait passée par la portière, il haletait un peu comme les bêtes aux abois et elle eut un instant d'émotion qui lui fit donner plus rapidement que dans ses délais habituels son numéro de téléphone. « Elysées » devint alors le symbole de la vie et du progrès pour Edouard. Le suivait déjà bien loin la triste cohorte des Danton-Maligrasse ou Wagram-bureau. Il traversa Paris à pied comme font les jeunes quand ils aiment, piétons ailés, et Béatrice alla se réciter la tirade de Phèdre devant sa glace. C'était un très bon exercice. Le succès demandait avant tout de l'ordre et du travail, nul ne l'ignorait.

CHAPITRE III

La première rencontre entre Jacques et ceux que Josée appelait secrètement « les autres » depuis bientôt près d'un mois fut pénible. Elle le leur avait caché non sans difficulté, car elle éprouvait une grande tentation de rompre quelque chose entre elle et eux, quelque chose basé sur le bon goût, une certaine estime, quelque chose qui faisait que ces individus s'aimaient entre eux et que Jacques leur serait incompréhensible, à moins qu'ils ne se réfèrent à des explications sexuelles, en ce cas précis erronées. Seule, Fanny peut-être aurait compris. Aussi est-ce par elle que Josée commença sa tournée de présentation.

Elle alla prendre le thé rue de Tournon. Jacques devait passer l'y chercher. Il lui avait appris que sa présence chez les Maligrasse, le premier soir qu'elle l'avait rencontré, était toute fortuite : il y avait été amené par un des soupirants de Béatrice. « Même que tu as bien failli me manquer car je m'ennuyais sec et j'allais partir », avait-il ajouté. Elle ne lui avait pas demandé pourquoi il ne disait pas : « J'ai failli te manquer » ou : « Nous avons failli nous manquer. » Il parlait toujours de son existence par rapport aux autres gens comme d'un accident qui leur arriverait — sans spécifier s'il était fâcheux. Et Josée finissait par penser que non. Qu'il était évidemment un accident et qu'elle s'en fatiguait déjà. Seulement rien n'était encore aussi fort que sa curiosité de lui.

Fanny était seule et lisait un nouveau roman. Elle lisait toujours les nouveaux romans, mais ne citait jamais que Flaubert ou Racine, sachant ce dont on doit se frapper. Elle et Josée s'aimaient bien mais se déroutaient, non sans une sourde confiance qu'elles n'éprouvaient peut-être pour personne d'autre. Elles parlèrent d'abord de la folle passion d'Edouard pour Béatrice et du rôle qu'avait obtenu Béatrice dans la pièce de X...

«Elle sera meilleure dans la pièce de X... que dans celle qu'elle va jouer avec ce pauvre Edouard», disait Fanny.

Elle était menue, très bien coiffée, avec des gestes gracieux. Le divan mauve lui allait bien et ses meubles anglais.

«Vous allez bien avec votre appartement, Fanny, je crois que c'est rare.

— Qui a décoré le vôtre? s'enquit Fanny. Ah! oui. Levêgue. C'est très bien, non?

— Je ne sais pas, dit Josée. On le dit. Je ne crois pas qu'il m'aille, d'ailleurs je n'ai jamais l'impression que les décors m'aillent. Les gens quelquefois.»

Elle pensa à Jacques et rougit. Fanny la regardait :

«Vous rougissez. Je crois que vous avez trop d'argent, Josée. Que devient l'Ecole du Louvre? Et vos parents?

— Vous savez comment se passe l'Ecole du Louvre pour moi. Mes parents sont toujours en Afrique du Nord. Ils m'envoient toujours des chèques. Je suis toujours l'inutilité même, socialement. Ça m'est égal, mais...»

Elle hésita :

«Mais j'aimerais passionnément faire quelque chose qui me plaise, non, qui me passionne. Tout cela fait beaucoup de passion dans la même phrase.»

Elle s'arrêta et dit brusquement :

«Et vous?

— Moi?»

Fanny Maligrasse écarquillait les yeux, comiquement.

«Oui. C'est toujours vous qui écoutez. Renversons les rôles. Suis-je malpolie?

— Moi? dit Fanny avec un rire, mais j'ai Alain Maligrasse.»

Josée leva les sourcils; il y eut un silence et elles se regardèrent comme si elles avaient le même âge :

«Ça se voit tant que ça?» demanda Fanny.

Elle avait une intonation qui toucha Josée et la gêna. Elle se leva et se mit à marcher dans la pièce :

«Je ne sais pas ce que c'est, chez Béatrice. Sa beauté? Ou cette force aveugle? C'est la seule qui ait vraiment de l'ambition parmi nous.

— Et Bernard?

— Bernard aime la littérature plus que toute autre chose. Ce n'est pas pareil. Et puis il est intelligent. Rien ne vaut une certaine forme de bêtise. »

Elle pensa de nouveau à Jacques. Et résolut d'en parler à Fanny bien qu'elle eût décidé de le laisser arriver pour voir sa surprise. Mais Bernard entra. Il eut en apercevant Josée un mouvement de bonheur que Fanny surprit aussitôt.

« Fanny, votre époux a un dîner d'affaires et m'envoie en estafette chercher une cravate élégante car il n'aura pas le temps de rentrer. Il a spécifié : "Ma bleue avec des raies noires." »

Ils se mirent à rire tous les trois et Fanny sortit chercher la cravate. Bernard prit les mains de Josée :

« Josée, je suis heureux de vous voir. Mais malheureux que ce soit toujours si vite. Ne voulez-vous plus dîner avec moi ? »

Elle le regardait ; il avait un air étrange, un mélange d'amertume et de bonheur. Il avait la tête penchée, les cheveux noirs, l'œil brillant. « Il me ressemble, pensa-t-elle, il est de la même espèce que moi, j'aurais dû l'aimer. »

« Nous dînerons quand vous voudrez », dit-elle.

Depuis quinze jours, elle dînait avec Jacques, chez elle, car il ne voulait pas aller au restaurant, ne pouvant payer, et sa fierté s'accommodait mieux des dîners chez Josée. Après dîner, il « potassait » ses cours, sérieusement, et Josée lisait. Cette vie conjugale avec ce demi-muet, pour Josée habituée aux sorties tardives, aux conversations drôles, était extraordinaire. Elle s'en aperçut brusquement. Mais on sonnait et elle dégagea ses mains de celles de Bernard :

« On demande mademoiselle, dit la femme de chambre.

— Faites donc entrer », dit Fanny.

Revenue, elle s'immobilisait à l'autre porte. Bernard était déjà tourné vers l'entrée. « Mais on se croirait au théâtre », pensa Josée avec un début de fou rire.

Jacques apparut comme le taureau apparaît dans l'arène, le front bas, tâtant le tapis du pied. Il portait un nom belge que Josée essayait déjà désespérément de se rappeler mais il la devança :

« Je viens te chercher », dit-il.

Il tenait les mains dans les poches de son duffle-coat, l'air menaçant. « Il est vraiment insortable », pensa Josée en étranglant son fou rire, mais elle avait eu un mouvement de joie et de dérision en le voyant et en voyant le visage de Fanny. Celui de Bernard ne reflétait rien. On eût dit qu'il était aveugle.

« Dis quand même bonjour », dit Josée presque tendrement. Alors Jacques sourit avec une sorte de grâce, serra la main de Fanny et celle de Bernard. Le soleil couchant, dans la rue de Tournon, le rendait roux. « Il y a un mot pour ce genre d'hommes, pensa Josée : la vitalité, la virilité... ? »

« Il y a un mot pour ce genre de garçons, pensait Fanny de son côté :
c'est un voyou. Où l'ai-je déjà vu?...»
Elle fut aussitôt très aimable.
« Mais asseyez-vous. Pourquoi sommes-nous tous debout? Voulez-
vous prendre quelque chose? ou êtes-vous pressé?
— Moi, j'ai le temps, dit Jacques. Et toi?»
Il s'adressait à Josée. Elle acquiesça de la tête.
« Il faut que je parte, dit Bernard.
— Je vous raccompagne, dit Fanny. Vous oubliez la cravate,
Bernard.»
Il était déjà à la porte d'entrée, très pâle. Fanny, qui était prête à
échanger avec lui des signes d'étonnement, ne bougea pas. Il sortit sans
dire un mot. Fanny rentra au salon. Jacques était assis et regardait Josée
en souriant :
« Je te parie que c'est le type du téléphone», dit-il.

*

Il marchait dans la rue comme un possédé, parlant presque à voix
haute. Enfin, il trouva un banc, s'y assit et ramena les bras autour du
corps comme s'il avait froid. «Josée, pensait-il, Josée et cette petite
brute!» Il se penchait en avant et se redressait sous l'emprise d'une
véritable douleur physique; une vieille femme assise près de lui le
regardait avec étonnement et un début d'effroi. Il la vit, se leva, reprit sa
marche. Il lui fallait porter sa cravate à Alain.
« J'en ai assez, pensait-il avec résolution, c'est intolérable. De
mauvais romans, une passion dérisoire pour une petite grue! Ce n'est
même pas une petite grue, en plus. Et je ne l'aime pas, j'en suis jaloux.
Ça ne peut plus durer, c'est trop, ou trop peu.» En même temps, il
prenait la décision de partir. «Je trouverai bien un voyage culturel
quelconque à faire, pensait-il avec sarcasme, c'est tout ce que je sais
faire : des articles culturels, des voyages culturels, des conversations
culturelles. La culture, c'est ce qui reste quand on ne sait rien faire.» Et
Nicole? Il renverrait Nicole à ses parents, pour un mois, il essayerait de
se reprendre en main. Mais quitter Paris, Paris où était Josée...? Où
irait-elle avec ce garçon, que ferait-elle? Il se heurta à Alain dans
l'escalier.
« Enfin, dit Alain, ma cravate!»
Il devait dîner avec Béatrice avant la pièce. Comme elle ne paraissait
qu'au second acte, ils avaient jusqu'à dix heures. Mais chaque minute de
ce tête-à-tête lui apparaissait précieuse. Edouard Maligrasse, son neveu,
était le prétexte qu'Alain eût trouvé pour voir Béatrice en dehors du
lundi.

*

Nanti d'une cravate neuve et, par habitude, préoccupé vaguement de la mauvaise mine de son protégé, Bernard, il partit chercher Béatrice à son hôtel, dans une petite rue près de l'avenue Montaigne. Il imaginait ; il ne savait pas ce qu'il imaginait : Béatrice et lui dans un restaurant au luxe discret, le bruit de voitures dehors, et surtout ce qu'il appelait l'«admirable masque» de Béatrice, voilé par la lumière rose d'un abat-jour et penché vers lui. Lui, Alain Maligrasse, homme un peu blasé, de bon goût, et de grande taille, chose importante, il le savait, aux yeux de Béatrice. Ils parleraient d'Edouard, avec indulgence d'abord, puis avec ennui, enfin de la vie, de cette certaine désillusion que la vie ne manque jamais d'apporter aux femmes un peu belles, de l'expérience. Il lui prendrait la main par-dessus la table. Il n'osait s'imaginer un rôle plus hardi. Mais il ignorait tout de celui de Béatrice. Il la craignait, car il pressentait déjà qu'elle serait de bonne humeur et affligée de cette effrayante santé morale que donne l'ambition.

Béatrice, néanmoins, jouait un rôle, ce soir-là, qui eût pu s'accorder avec celui de Maligrasse. Quelques bonnes paroles du metteur en scène de la pièce de X..., l'attention inattendue d'un journaliste influent, l'avaient mentalement menée droit au succès, par un de ces chemins linéaires que prend l'imagination quand le monde l'appuie. Elle était donc, ce soir, la jeune actrice qui a réussi. Et, accordant ses rêves à la réalité, grâce à un de ces miracles de conciliation, horaire et sentimentale, que seules peuvent accomplir les âmes un peu basses, elle était la jeune actrice triomphante, mais préférant la conversation d'un homme de lettres de goût aux joies frelatées des boîtes de nuit, le succès n'excluant pas l'originalité. C'est pourquoi elle entraîna Alain Maligrasse, pourtant prêt grâce à de savants calculs à quelques folies, dans un bistroquet dit pour intellectuels. Il n'y eut donc pas d'abat-jour rose entre Alain et elle, mais les mains exaspérées de la servante, les remous bruyants des autres tables et une affreuse guitare.

«Mon cher Alain, disait Béatrice de sa voix basse, que se passe-t-il ? Je ne vous cache pas que votre dernier coup de téléphone m'a extrêmement intriguée.»

(La dernière pièce de X... était une pièce historico-policière.)

«C'est au sujet d'Edouard», dit Maligrasse nerveusement.

Le temps passait, le temps passait, il pétrissait son pain. La première demi-heure avait été une confusion de taxis, de renseignements contradictoires de Béatrice au chauffeur pour découvrir cet infâme endroit, de supplications pour y avoir une place. Il eût aimé respirer. De plus il y avait une glace en face de lui où il discernait son long visage un peu mou, inutilement creusé par endroits, inutilement enfantin par d'autres. Il y a des gens que la vie marque au hasard, leur assurant de ce chef une vieillesse incertaine. Il soupira.

«Edouard ? souriait Béatrice.

— Oui, Edouard, dit-il — et ce sourire lui serrait le cœur. Ce discours va vous sembler ridicule (mon Dieu, qu'il lui semble ridicule!), mais Edouard est un enfant. Et il vous aime. Depuis qu'il est ici, il a emprunté plus de cent mille francs, dont cinquante à Josée, pour s'habiller d'une manière extravagante, et vous plaire.

— Il me couvre de fleurs», dit Béatrice en souriant à nouveau.

C'était un sourire parfait, plein d'une indulgence un peu lasse, mais Alain Maligrasse qui n'allait que très peu au cinéma ou au mauvais théâtre ne le reconnut pas. Ce sourire lui parut celui de l'amour et il eut presque envie de partir.

«C'est ennuyeux, acheva-t-il mollement.

— Ennuyeux qu'on m'aime? dit Béatrice en penchant la tête et elle eut le sentiment de se détourner de la conversation. Mais le cœur de Maligrasse avait sauté.

— Je le comprends trop bien, dit-il avec ferveur, et Béatrice eut un rire de tête.

— Je prendrai volontiers du fromage, dit-elle. Parlez-moi d'Edouard, Alain. Je ne vous le cache pas, il m'amuse. Mais je n'aime pas qu'il emprunte de l'argent pour moi.»

Elle avait pensé un moment avouer: «Mais qu'il se ruine! à quoi donc sont bons les jeunes hommes?» Mais outre que ce n'était point sa pensée, car elle avait bon cœur, elle estima que ce n'était pas là chose à dire à un oncle aux abois. Alain avait l'air consterné. Elle se pencha vers lui comme il l'avait rêvé, et la guitare devint déchirante et les prétentieuses bougies chavirèrent dans les yeux de Béatrice.

«Que dois-je faire, Alain? Et honnêtement, que puis-je faire?»

Il reprit son souffle et se lança dans une explication confuse. Peut-être pouvait-elle laisser comprendre à Edouard qu'il n'y avait aucun espoir.

«Mais il y en a», se dit Béatrice avec gaieté. Elle eut une crise d'attendrissement en pensant à Edouard, ses cheveux châtains si fins, ses gestes gauches, sa voix gaie au téléphone. Et il empruntait pour elle! Elle oublia la pièce de X..., son rôle du soir, et eut envie de rencontrer Edouard, de le serrer contre elle, de le sentir trembler de bonheur. Elle l'avait revu une seule fois, dans un bar, et il était resté figé, mais avec un air si ébloui qu'elle en avait ressenti une sorte de fierté. Envers Edouard, tout geste devenait un merveilleux cadeau et elle sentait confusément que ses rapports avec les êtres ne pouvaient être que de cet ordre.

«Je ferai ce que je peux, dit-elle. Je vous le promets. Sur Fanny. Et vous savez que je l'aime!»

«Quelle idiote!» Cette réflexion traversa le cerveau de Maligrasse. Mais il s'accrochait désespérément à son plan. Parler d'autre chose, à présent, et finir enfin par prendre la main de Béatrice.

«Si nous partions, dit-il. Peut-être pourrions-nous boire un whisky quelque part, avant le deuxième acte. Je n'ai pas faim.»

« Nous pourrions aller au Vat's, pensait Béatrice, mais c'est un endroit où on rencontre tellement de gens. Bien sûr Alain est connu, mais dans un si petit cercle ; et sa cravate fait clerc de notaire. Cher Alain, si vieille France ! » Et elle tendit la main à travers la table et saisit celle d'Alain.

« Nous irons où vous voudrez, dit-elle. Je suis heureuse que vous existiez. »

Alain s'essuya la bouche et demanda l'addition d'une voix éteinte.

La main de Béatrice, après avoir tapoté la sienne, s'enfila dans un gant rouge, du même rouge que ses chaussures. A dix heures, après avoir bu un whisky dans le café en face du théâtre et parlé de la guerre et de l'après-guerre, « Les jeunes gens de maintenant ne savent pas ce que c'est qu'une cave, ni le jazz », disait Béatrice, ils se quittèrent. Alain avait cessé de lutter depuis près d'une heure. Il écoutait avec une sombre joie Béatrice aligner des lieux communs et admirait son visage de temps en temps, quand il en avait le courage. Elle eut un moment de coquetterie ou deux vers lui car elle se trouvait en forme ce soir-là, mais il ne les remarqua même pas. Quand on rêve à quelque chose comme une énorme chance éclatante, on ne perçoit plus les petits moyens pourtant plus efficaces qu'on a de l'avoir. Alain Maligrasse avait lu Stendhal plus attentivement que Balzac. Cela lui coûtait cher. Il lui coûtait cher d'ailleurs d'avoir lu et de savoir qu'on peut mépriser ce qu'on aime. Cela lui épargnait une crise, sans doute, mais qui eût pu être décisive. Il est vrai qu'à son âge la passion se passe plus facilement de l'estime. Mais il n'avait pas comme Josée la ressource d'une évidence heureuse : « Ce garçon est à moi. »

Il rentra chez lui comme un voleur. Eût-il passé trois heures avec Béatrice dans un hôtel qu'il serait rentré triomphant, avec cette bonne conscience que donne le bonheur. Il n'avait pas trompé Fanny, il rentrait comme un coupable. Elle était dans son lit, une liseuse bleue sur les épaules. Il se déshabilla dans la salle de bains, en parlant vaguement de son dîner d'affaires. Il se sentait moulu.

« Bonsoir, Fanny. »

Il se penchait sur sa femme. Elle l'attira contre elle. Il avait le visage sur son épaule.

« Bien sûr, elle a deviné, pensa-t-il avec lassitude. Mais ce n'est pas cette épaule un peu flétrie que je veux, c'est l'épaule dure et ronde de Béatrice ; c'est le visage renversé et délirant de Béatrice qu'il me faut, et non ces yeux intelligents. »

« Je suis très malheureux », dit-il à haute voix ; puis il se dégagea et gagna son lit.

CHAPITRE IV

Il PARTAIT et Nicole pleurait. Tout cela était prévu depuis longtemps. Il semblait à Bernard, à mesure qu'il faisait ses bagages, que toute sa vie avait toujours été prévue. Il était normal qu'il ait eu un physique agréable, une jeunesse inquiète, une liaison avec Béatrice, une longue liaison avec la littérature. Et encore plus normal qu'il ait épousé cette jeune femme un peu insignifiante qu'il faisait souffrir à présent d'une souffrance animale à laquelle il ne comprenait rien. Car il était une brute, avec de petites cruautés d'homme moyen, de petites histoires d'homme moyen. Mais il fallait jouer le mâle rassurant jusqu'au bout. Il se retournait vers Nicole, la prenait dans ses bras :

« Ma chérie, ne pleure pas, tu as compris qu'il fallait que je parte. C'est important pour moi. Un mois, ce n'est pas grave. Tes parents...

— Je ne veux pas retourner chez mes parents, même pour un mois. »

C'était la nouvelle idée fixe de Nicole. Elle voulait rester dans cet appartement. Et il savait que, toutes les nuits, elle dormirait le visage tourné vers la porte, l'attendant. Une pitié affreuse le prenait qu'il retournait contre lui-même.

« Tu t'ennuieras, seule ici.

— J'irai voir les Maligrasse. Et Josée a promis de m'emmener en voiture. »

« Josée. » Il la lâchait, attrapait ses chemises avec rage, les enfouissait dans sa valise. Josée. Ah ! il s'agissait bien de Nicole et des sentiments humains ! Josée. Quand serait-il délivré de ce nom, de cette jalousie ? La seule chose violente de sa vie. Et il fallait que ce fût la jalousie. Il se haïssait.

« Tu m'écriras ? demandait Nicole.

— Tous les jours. »

Il avait envie de se retourner, de lui dire : « Je peux même t'écrire trente lettres d'avance : "Ma chérie, tout se passe bien. L'Italie est très belle, nous irons ensemble. J'ai énormément de travail mais je pense à toi. Tu me manques. Je t'écrirai plus longuement demain. Je t'embrasse." » Voilà ce qu'il lui écrirait pendant un mois. Pourquoi fallait-il qu'il y eût des gens qui vous donnent une voix et d'autres pas ? Ah ! Josée ! Il écrivait à Josée : « Josée, si vous saviez. Je ne sais comment vous faire comprendre et je suis loin de vous, de ce visage qui est le vôtre et dont la seule pensée me déchire. Josée, est-ce que je me suis trompé ? Est-il encore temps ? » Oui, il le savait, il écrirait à Josée, d'Italie, un soir de cafard et les mots deviendraient durs et lourds sous sa plume et ce seraient des mots vivants. Il saurait écrire, enfin. Mais Nicole...

Elle était blonde, elle pleurait encore un peu, appuyée à son dos.

« Je te demande pardon, dit-il.

— C'est moi qui te demande pardon. Je n'ai pas su... Oh ! tu sais, Bernard, j'ai essayé, j'ai essayé quelquefois...

— Quoi ? dit-il. Il avait peur.

— J'ai essayé d'être à ta hauteur, de t'aider, de te tenir compagnie, mais je ne suis pas assez intelligente, ni drôle ni rien... et je le savais bien... oh ! Bernard !... »

Elle étouffait. Bernard la serrait contre lui et lui demandait pardon, obstinément, d'une voix morte.

Et puis ce fut la route. Il retrouvait des gestes d'homme seul au volant de la voiture que son éditeur lui avait prêtée. La manière d'allumer une cigarette en conduisant d'une main, le jeu des phares sur la route et des codes, ces signaux de crainte et d'amitié que s'envoient les conducteurs de la nuit, et la grande envolée des arbres et de leur feuillage au-devant de lui. Il était seul. Il voulait rouler toute la nuit et il reconnaissait déjà le goût de la fatigue. Il descendait sur lui une sorte de bonheur résigné. Tout était manqué, peut-être, et qu'importait ? Il y avait autre chose, il le savait depuis toujours, quelque chose qui était lui-même, sa solitude, et qui l'exaltait. Demain, il y aurait Josée qui redeviendrait le plus important et il commettrait mille lâchetés, subirait mille défaites, mais ce soir, au bout de sa fatigue et de sa tristesse il avait retrouvé quelque chose qu'il retrouverait sans cesse, visage tranquille de lui-même bercé par les feuillages des arbres.

Rien ne ressemble plus à une ville d'Italie qu'une autre ville d'Italie, surtout en automne. Bernard, après six jours de Milan à Gênes, ayant effectué quelques travaux dans les musées et les gazettes, décida de revenir en France. Il avait envie d'une ville de province et d'une chambre d'hôtel. Il choisit Poitiers qui lui semblait la ville la plus morte qu'on pût imaginer et y chercha l'hôtel le plus moyen qui s'appela *L'Ecu de France*. Il choisissait toutes ces circonstances délibérément comme il aurait effectué une mise en scène pour une pièce. Mais il ne savait pas encore quelle pièce il jouerait dans ce décor qui, selon le temps, lui rappelait Stendhal ou Simenon. Il ne savait pas quel échec l'attendait ni quelle fausse découverte. Mais il savait qu'il s'ennuierait profondément, délibérément, probablement avec désespoir et que cet ennui, ce désespoir iraient peut-être assez loin pour le sortir de son impasse. L'impasse, il le savait après dix jours de voiture, ce n'était ni sa passion pour Josée ni son échec en littérature, ni sa désaffection de Nicole. Mais quelque chose qui manquait à cette passion, à cette impuissance, à cette désaffection. Quelque chose qui aurait dû combler

ce vide matinal, cet agacement de lui-même. Il posait les armes, il se
livrait à la bête. Pendant trois semaines, il aurait à se supporter, seul.
Le premier jour, il établit son itinéraire. Le marchand de journaux, le
café du Commerce pour l'apéritif, le petit restaurant à spécialités en
face, le cinéma au coin. La chambre d'hôtel était tapissée d'un papier
bleu et gris, avec de grosses fleurs usées, le lavabo émaillé, la descente
de lit marron, tout était bien. Par la fenêtre, il apercevait la maison d'en
face, cinglée d'une vieille affiche *Aux cent mille chemises*, une fenêtre
fermée, qui pourrait peut-être s'ouvrir, lui laissant ainsi un vague espoir
romanesque. Enfin, sur sa table traînait un napperon blanc qui dérapait
et qu'il devait enlever pour écrire. La patronne de l'hôtel était
accueillante, mais avec réserve, la femme d'étage vieille et bavarde.
Enfin il pleuvait beaucoup sur Poitiers cette année-là. Bernard effectua
son installation sans aucune moquerie de lui-même, sans ironie. Il se
traitait avec ménagements, comme un étranger, s'achetait beaucoup de
journaux, s'offrit même quelques vins-blancs-cassis de trop le deuxième
jour. Cela lui donna une ivresse dangereuse en ce sens qu'elle prit
aussitôt le nom de Josée. «Garçon, combien faut-il de temps pour
obtenir Paris au téléphone?» Mais il put ne pas téléphoner.

Il recommença son roman. La première phrase était une phrase de
moraliste. «Le bonheur est la chose la plus calomniée qui soit», etc.
Cette phrase semblait juste à Bernard. Juste et inutile. Mais elle trônait
en haut de la page. Chapitre I. «Le bonheur est la chose la plus
calomniée qui soit. Jean-Jacques était un homme heureux, on en disait
du mal.» Bernard eût aimé commencer autrement. «Le petit village de
Boissy s'offre aux yeux du voyageur comme une paisible bourgade que
le soleil», etc. Mais il ne pouvait pas. Il voulait en venir aussitôt à
l'essentiel. Mais quel essentiel, et quelle était cette notion d'essentiel? Il
écrivait une heure le matin; sortait acheter les journaux, se faire raser et
déjeunait. Puis il travaillait trois heures l'après-midi, lisait un peu
(Rousseau) et allait se promener jusqu'au dîner. Après cela cinéma ou,
une fois, la maison close de Poitiers, pas plus minable qu'une autre et où
il s'aperçut que l'abstinence rendait du goût aux choses.

La deuxième semaine fut bien plus dure. Son roman était mauvais. Il
le relisait avec sang-froid et reconnaissait qu'il était mauvais. Même pas
mauvais d'ailleurs. Pire. Non pas ennuyeux mais profondément
ennuyeux. Il écrivait comme on se coupe les ongles, avec une attention
et une distraction également énormes. Il vérifiait aussi son état de santé,
observait la fragilité nouvelle de son foie, la nervosité de ses réflexes,
tous les dégâts légers de la vie de Paris. Il lui arriva de se regarder dans
le petit miroir de sa chambre, un après-midi, et de se retourner contre le
mur, les bras écartés, pressant son corps contre la paroi froide et dure,
les yeux fermés. Il lui arriva aussi d'écrire une lettre laconique et
désespérée à Alain Maligrasse. Ce dernier lui envoya quelques conseils :

regarder autour de soi, se détourner de soi-même, etc. Conseils stupides, Bernard le savait. Personne n'a jamais le temps de se regarder vraiment et la plupart ne cherchent chez les autres que les yeux, pour s'y voir. Là, obscurément cerné par ses limites, Bernard se tenait. Il ne se laisserait pas échapper pour le giron d'une dame de Poitiers.

Cela ne servait à rien, il le savait, sinon à le faire souffrir. Il allait rentrer à Paris, son manuscrit presque terminé sous le bras. Il le remettrait même à son éditeur qui le publierait. Et il essaierait de revoir Josée. Et d'oublier le regard de Nicole. C'était inutile. Mais il puisait dans la conviction de cette inutilité une sorte de tranquillité dure. Il savait aussi en quels termes plaisants il parlerait de Poitiers et de ses distractions. Quel plaisir il ressentirait devant le regard étonné des gens, au récit de cette escapade! Quelle vague idée même de son originalité ce regard lui donnerait! Et enfin avec quelle pudeur virile il dirait: «J'ai surtout travaillé.» Il savait déjà comment se styliserait tout cela. Mais il lui importait peu. Sa fenêtre ouverte, il écoutait, la nuit, la pluie tomber sur Poitiers et suivait des yeux les phares dorés des rares voitures qui, au passage, faisaient naître du mur de grosses roses passées pour les rejeter à l'ombre aussitôt. Etendu sur le dos, les bras sous la tête, les yeux ouverts, immobile, Bernard fumait sa dernière cigarette de la journée.

*

Edouard Maligrasse n'était pas un niais. C'était un jeune homme fait pour le bonheur ou le malheur, et que l'indifférence eût étouffé. Il fut donc très heureux de trouver Béatrice et de l'aimer.

Ce bonheur d'aimer qu'elle n'avait jamais rencontré — le commun des mortels considérant l'amour comme une catastrophe s'il n'est pas aussitôt partagé — étonnait Béatrice. Etonner Béatrice faisait gagner quinze jours — ce que la beauté d'Edouard n'eût peut-être pas obtenu. Béatrice, sans être froide, n'avait pas beaucoup de goût pour l'amour physique. Elle considérait néanmoins que c'était une chose saine, et avait même cru un moment être une femme dominée par les sens, ce dont elle s'était autorisée pour tromper son mari. Les difficultés de l'adultère étant fort réduites dans son milieu, elle joua vite à la rupture cruelle et nécessaire, ce qui fit beaucoup souffrir son amant et agaça son mari, à qui elle avait tout avoué selon les règles de l'acte III. Doté de quelque bon sens, étant de plus un estimable négociant, l'époux de Béatrice avait en effet trouvé absurde qu'elle lui avouât un amant en même temps que sa décision de s'en séparer. «Autant se taire», pensait-il, tandis que Béatrice, non maquillée, s'accusait d'une voix monocorde.

Edouard Maligrasse, donc, présentait à la sortie des artistes, à la porte du coiffeur, à la loge de la concierge un visage radieux. Il ne doutait pas d'être aimé un jour, et il attendait patiemment que Béatrice lui donnât ce qu'il croyait en être la preuve. Malheureusement, Béatrice s'habituait à cet amoureux platonique et rien n'est plus difficile à changer que cette habitude, chez une femme sans tête surtout. Vint un soir où Edouard ramena Béatrice devant chez elle et lui demanda de monter prendre un dernier verre. Il faut dire à la décharge d'Edouard qu'il ignorait tout du sens rituel de cette phrase. Simplement, il avait soif, ayant beaucoup parlé de son amour, et pas un centime pour rentrer. La marche assoiffée du retour lui faisait peur.

« Non, mon petit Edouard, dit Béatrice avec tendresse, non. Il vaut mieux que vous rentriez.

— Mais c'est que j'ai affreusement soif, répéta Edouard. Je ne vous demande pas un whisky mais simplement un verre d'eau.»

Il ajouta pudiquement :

« Et je crains que les cafés ne soient fermés à cette heure-ci.»

Ils se regardèrent. Le réverbère seyait à Edouard, accusant la finesse de ses traits. De plus il faisait froid et Béatrice n'envisageait pas sans un certain plaisir de se refuser à Edouard au coin de sa cheminée dans une belle scène pleine de désinvolture et d'élégance. Ils montèrent donc. Edouard ralluma le feu, Béatrice prépara un plateau. Ils s'installèrent au coin de la cheminée, Edouard prit la main de Béatrice et la baisa ; il commençait à comprendre qu'il se trouvait dans la place. Et il tremblait un peu.

«Je suis heureuse que nous soyons amis, Edouard», commença Béatrice rêveusement.

Il embrassa la paume de sa main.

«Voyez-vous, continua-t-elle, dans ce milieu de théâtre — que j'aime car c'est mon milieu — , il y a une telle majorité de gens, je ne dirai pas cyniques, mais sans réelle jeunesse, vous êtes jeune, Edouard, il faut que vous le restiez.»

Elle parlait avec une gravité charmante. Edouard Maligrasse se sentait en effet très jeune ; les joues en feu, il appuyait sa bouche sur le poignet de Béatrice.

«Laissez-moi, dit-elle tout à coup, il ne faut pas. J'ai confiance en vous, vous le savez.»

Eût-il eu quelques années de plus, Edouard aurait insisté. Mais il ne les avait pas et cela le sauva. Il se leva, s'excusa presque et se dirigea vers la porte. Béatrice perdait sa scène, son rôle élégant, elle allait s'ennuyer, elle n'avait plus sommeil. Une seule réplique pouvait la sauver. Elle la dit :

«Edouard.»

Il se retourna.

«Revenez.»

Et elle lui tendit les mains, comme une femme qui s'abandonne. Edouard les serra longuement, puis, heureusement emporté par son âge, saisit Béatrice dans ses bras, chercha sa bouche, la trouva, gémit un peu de bonheur car il aimait Béatrice. Tard dans la nuit, il chuchotait encore des mots d'amour, la tête sur la poitrine de Béatrice qui dormait et qui ne savait pas de quels rêves et de quelles attentes se levaient ces mots.

CHAPITRE V

En se reveillant aux côtés de Béatrice, Edouard éprouva un de ces mouvements de bonheur dont on sait, sur le coup, qu'ils justifient votre vie, et dont on se dit sûrement, plus tard, lorsque la jeunesse fait place à l'aveuglement, qu'ils l'ont perdue. Il se réveilla, vit près de lui, découpée par ses cils, l'épaule de Béatrice, et la mémoire, cette insatiable, qui encombre jusqu'à nos rêves et nous saute à la gorge dès le réveil, lui revint. Il fut heureux et tendit la main vers le dos nu de Béatrice. Or Béatrice savait le sommeil indispensable à son teint, et les seules choses naturelles et pures chez elle étaient la faim, la soif, le sommeil. Elle se poussa à l'autre bout du lit. Et Edouard se retrouva seul.

Il était seul. Des souvenirs tendres encombraient encore sa gorge. Mais il devinait peu à peu devant ce sommeil, devant cette dérobade, la grande dérobade des amours. Il avait peur. Il eût aimé retourner Béatrice de son côté, mettre sa tête contre son épaule, la remercier. Mais il y avait ce dos obstiné, ce sommeil triomphant. Alors, par-dessus le drap, il caressa d'un geste déjà résigné ce long corps faussement généreux.

C'était un réveil symbolique mais Edouard ne le prit pas ainsi. Il ne put, dès ce moment-là, savoir que sa passion pour Béatrice se résumerait à ceci : un regard fixé sur un dos. Les symboles, on les fait soi-même, et à contretemps quand les choses vont mal. Il n'était pas comme Josée qui se réveillait au même moment, regardait le dos de son amant, dur et lisse dans l'aube, et souriait avant de se rendormir. Josée était bien plus vieille qu'Edouard.

Dès lors la vie s'installa tranquillement pour Béatrice et lui. Il allait la chercher à son théâtre, essayait de déjeuner avec elle quand elle le voulait bien. Béatrice avait en effet un culte pour les déjeuners de femmes, ayant lu d'une part que ça se pratiquait couramment aux USA, pensant d'autre part que l'on apprend beaucoup de ses aînées. Elle déjeunait donc souvent avec de vieilles actrices qui jalousaient sa renommée naissante et l'eussent conduite par leurs réflexions jusqu'au complexe d'infériorité si elle n'eût été de marbre.

La renommée n'est pas une chose qui éclate mais qui s'insinue. Elle se traduit un jour ou l'autre par un fait que l'intéressé considère comme marquant, et qui fut pour Béatrice une proposition d'André Jolyau, directeur de théâtre, gastronome, et autres vertus. Il lui proposait un assez grand rôle dans sa prochaine production, en octobre, et de plus sa villa dans le Midi, pour l'apprendre.

Béatrice voulut téléphoner à Bernard. Elle le considérait comme «un garçon intelligent», bien que Bernard eût déjà décliné plusieurs fois cette figuration. On la surprit en lui disant que Bernard se trouvait à Poitiers: «Mais que faire à Poitiers?»

Elle téléphona à Nicole. Celle-ci avait la voix brève. Béatrice se renseigna:

«Il paraît que Bernard est à Poitiers? Que se passe-t-il?

— Je ne sais pas, disait Nicole, il travaille.

— Mais depuis combien de temps?

— Deux mois», dit Nicole, et elle éclata en sanglots.

Béatrice fut bouleversée. Elle disposait encore d'une certaine bonté. Et son imagination lui représentait un Bernard amoureux fou de la femme du maire de Poitiers, car autrement comment supporter la province? Elle prit rendez-vous avec la pauvre Nicole, puis se trouva invitée par André Jolyau et, n'osant se décommander, téléphona à Josée.

Josée était en train de lire chez elle, dans cet appartement où elle se sentait mal et où le téléphone l'excédait et la soulageait à la fois. Béatrice lui expliqua la situation en l'aggravant. Et Josée n'y comprit rien, car elle avait reçu la veille une fort belle lettre de Bernard, disséquant tranquillement son amour pour elle, et elle ne voyait pas dans tout cela le rôle de la dame de Poitiers. Elle promis d'aller chez Nicole, et s'y rendit, car elle faisait en général ce qu'elle disait.

Nicole avait grossi. Josée le remarqua en entrant. Le malheur fait grossir nombre de femmes, la nourriture les rassurant sur leur instinct vital. Josée expliqua qu'elle venait à la place de Béatrice, et Nicole, que Béatrice terrorisait et qui regrettait amèrement sa crise de larmes, fut très soulagée. Josée était mince, avec un visage mobile, adolescent, et des gestes de voleur. Elle paraissait à Nicole, qui ne pouvait deviner sa grande aisance, encore plus gauche qu'elle-même devant la vie.

«Allons-nous à la campagne?» proposa Josée.

Elle conduisait bien, vite, une grosse voiture américaine. Nicole était tapie à l'autre bout. Josée était partagée entre l'ennui et le sentiment obscur de remplir un devoir. Elle se rappelait encore la lettre de Bernard:

«Josée, je vous aime, c'est assez affreux pour moi. J'essaie de travailler ici, je n'y parviens pas. Ma vie est un lent vertige sans musique; je sais que vous ne m'aimez pas et pourquoi m'aimeriez-vous? C'est incestueux, nous sommes "pareils". Je vous écris ceci parce que ce n'est plus important. Je veux dire, ce n'est plus important de vous écrire ou pas. Ce sont les seuls bienfaits de la solitude, on s'accepte, on renie une certaine forme de vanité. Il y a cet autre garçon, bien sûr, et je ne l'aime pas.» Etc.

Elle se rappelait à peu près chaque phrase. Elle les avait lues pendant le petit déjeuner, tandis que Jacques lisait, lui, *Le Figaro* auquel le père de Josée l'avait abonnée. Elle avait reposé la lettre sur la table de chevet, avec un affreux sentiment de gâchis. Jacques s'était levé en sifflotant et en déclarant, comme tous les matins, que les journaux n'avaient aucun intérêt, et elle ne s'expliquait pas ce soin maniaque qu'il mettait à les lire. «Peut-être a-t-il assassiné une rentière», avait-elle pensé en riant. Puis il avait pris sa douche, était ressorti de la salle de bains avec son duffle-coat, et l'avait embrassée avant de partir pour son cours. Elle s'étonnait qu'il ne lui parût pas encore insupportable.

«Je connais une auberge où il y a un feu de bois», dit-elle pour se délivrer du silence de Nicole.

Que pouvait-elle lui dire? «Votre mari m'aime, je ne l'aime pas, je ne vous le prendrai pas et ça lui passera.» Mais il lui eût semblé trahir l'intelligence de Bernard. Et vis-à-vis de Nicole toute explication ressemblait à une exécution.

Elles déjeunèrent en parlant de Béatrice. Puis des Maligrasse. Nicole était persuadée de leur amour réciproque, de leur fidélité et Josée ne la détrompa pas sur ce dernier point. Elle se sentait bonne et lasse. Pourtant Nicole avait trois ans de plus qu'elle. Mais elle ne pouvait rien pour elle. Rien. Il est vrai qu'il y a une forme de bêtise féminine réservée aux hommes. Josée en venait peu à peu à s'énerver, à mépriser Nicole. Ses hésitations devant le menu, son regard affolé. Au café; il y eut un long silence que Nicole rompit abruptement:

«Bernard et moi, nous attendons un enfant.

— Je croyais...», dit Josée.

Elle savait que Nicole avait déjà fait deux fausses couches et qu'il lui était expressément recommandé de ne pas avoir d'enfants.

«J'en voulais un», dit Nicole.

Elle avait la tête baissée, l'air obstiné. Josée la considérait avec stupeur.

«Bernard le sait?

— Non.»

«Mon Dieu, pensait Josée, ça doit être là la femme biblique et normale. Celle qui pense qu'il suffit d'un enfant pour rattraper un homme et qui le met dans cette situation horrible. Je ne serai jamais une femme biblique. En attendant, celle-ci doit être trop malheureuse.»

«Il faut lui écrire, dit Josée fermement.

— Je n'ose pas, dit Nicole. Je veux être sûre d'abord... qu'il n'arrivera rien.

— Je crois que vous devriez lui dire.»

S'il se passait ce qui s'était passé les autres fois et que Bernard ne fût

pas là... Josée était blême de peur. Elle imaginait mal Bernard en père. En revanche Jacques... oui. Jacques aurait à son chevet l'air gêné et un petit sourire en voyant son enfant. Décidément elle délirait.
« Rentrons », dit-elle.
Elle conduisit doucement jusqu'à Paris. Comme elle prenait les Champs-Elysées, la main de Nicole agrippa la sienne.
« Ne me ramenez pas tout de suite », dit-elle.
Il y avait une telle supplication dans sa voix que Josée comprit subitement ce qu'était sa vie : cette attente solitaire, cette peur de mourir, ce secret. Elle en eut affreusement pitié. Elles entrèrent dans un cinéma. Au bout de dix minutes, Nicole se leva en chancelant et Josée la suivit. Les lavabos étaient sinistres. Elle soutenait Nicole tandis qu'elle vomissait, tenait son front moite dans sa main, se sentait soulevée d'horreur et de compassion. En rentrant, elle trouva Jacques, qui, au récit de sa journée, manifesta quelques sentiments, l'appela même « ma pauvre vieille ». Puis il lui proposa de sortir, délaissant pour une fois ses cours de médecine.

CHAPITRE VI

Josee essaya deux jours durant de joindre Bernard au téléphone pour lui dire de revenir. Bernard se faisait écrire poste restante. Elle essaya en vain d'envoyer Nicole à Poitiers, mais Nicole s'y refusa obstinément ; elle éprouvait maintenant des douleurs ininterrompues qui achevèrent d'affoler Josée. Elle décida donc d'aller chercher Bernard avec sa voiture et demanda à Jacques de l'accompagner. Ce dernier refusa à cause de ses cours.
« Mais nous en avons pour la journée, aller et retour, insistait Josée.
— Justement. C'est pas long. »
Elle avait envie de le battre. Il était si parfaitement décidé, toujours si simplifié, qu'elle aurait donné cher pour lui voir une seconde perdre contenance, se troubler, se défendre. Il la prenait par l'épaule avec autorité :
« Tu conduis bien, tu aimes bien être seule. Et puis il vaut mieux que tu voies ce type tout seul. Ça ne me regarde pas, moi, ses histoires avec sa femme. Ce sont celles avec toi qui me regardent. »
Il avait battu des paupières à la dernière phrase.
« Oh ! tu sais, dit-elle, il y a longtemps que...
— Je ne sais rien, dit-il. Si je sais quelque chose, je m'en vais. »
Elle regardait avec stupéfaction et un vague sentiment qui ressemblait à l'espoir.

« Tu serais jaloux ?

— Il ne s'agit pas de ça. Je ne partage pas. »

Il la tira vers lui brusquement et lui embrassa la joue. La gaucherie de son geste fit que Josée passa les bras autour de sa nuque et se serra contre lui. Elle embrassait son cou, l'épaule de son gros chandail, en souriant un peu et en répétant : « Tu partirais, tu partirais ? » d'une voix pensive. Mais lui ne bougeait pas, ne disait rien, elle avait l'impression de s'être éprise d'un ours croisé dans une forêt, un ours qui l'aimait peut-être mais ne pouvait le lui dire, condamné au silence animal.

« Ça va », dit enfin Jacques en grognant.

Elle partit, seule donc, au volant de sa voiture, un matin de bonne heure, et roula lentement dans la campagne dénudée de l'hiver. Il faisait très froid et un soleil pâle, étincelant, luisait sur les champs rasés. Elle avait baissé la capote de sa voiture, remonté le col du chandail qu'elle avait emprunté à Jacques et le froid lui durcissait le visage. La route était déserte. A onze heures, elle s'arrêta au bord d'un chemin, sortit ses mains gelées de ses gants et alluma une cigarette, la première depuis son départ. Elle resta un instant immobile, la tête renversée sur le dossier de la voiture, les yeux fermés, aspirant lentement la fumée. Malgré le froid, elle sentait la présence du soleil sur ses paupières. Le silence était complet. En rouvrant les yeux, elle vit un corbeau s'abattre sur le champ le plus proche.

Elle sortit de la voiture, s'engagea dans le chemin, entre les champs. Elle marchait du même pas qu'à Paris, à la fois nonchalant et inquiet. Elle dépassa une ferme, quelques arbres, le chemin continuait toujours dans la plaine droite, à perte de vue. Elle se retourna au bout d'un moment et vit encore sa voiture noire et fidèle, sur la route. Elle revint plus lentement. Elle était bien. « Il y a sûrement une réponse, dit-elle à voix haute, et même s'il n'y en a pas… » Le corbeau s'envola en croassant. « J'aime ces trêves », dit-elle encore à voix haute et elle jeta le bout de sa cigarette par terre, l'écrasa du pied, soigneusement.

Elle arriva vers six heures à Poitiers, et il lui fallut longtemps pour trouver l'hôtel de Bernard. Le hall prétentieux et sombre de *L'Ecu de France* lui parut sinistre. On la mena à la chambre de Bernard par un long couloir couvert d'un tapis en corde beige où ses pieds accrochaient. Bernard écrivait le dos tourné à la porte, et il dit juste : « Entrez », d'une voix distraite. Etonné par le silence, il se retourna. Alors seulement elle pensa à sa lettre et à ce que pouvait signifier sa présence pour lui. Elle recula. Mais Bernard disait : « Vous êtes venue ! » et il tendait les mains vers elle et son visage changeait de telle façon que Josée eut le temps de penser vaguement : « C'est donc ça le visage d'un homme heureux. » Il la tenait contre lui, il promenait sa tête dans ses cheveux avec une lenteur déchirante et elle restait pétrifiée, sans autre pensée que : « Il faut

le détromper, c'est odieux, il faut lui dire. » Mais il parlait déjà et chacun de ses mots devenait un obstacle à la vérité :
« Je n'espérais pas, je n'osais pas. C'est trop beau. Comment ai-je pu vivre ici si longtemps sans vous ? C'est étrange, le bonheur...
— Bernard, dit Josée, Bernard.
— Vous savez, c'est drôle parce qu'on n'imagine pas que ce soit comme ça. Je pensais que c'était quelque chose de violent, que je vous accablerais de questions, et puis c'est comme si j'avais retrouvé quelque chose de très connu. Quelque chose qui me manquait, ajouta-t-il.
— Bernard, il faut que je vous dise... »
Mais elle savait déjà qu'il l'interromprait et qu'elle se tairait :
« Ne me dites rien. C'est la première chose vraie qui m'arrive depuis si longtemps. »
« C'est probablement exact, pensait Josée. Il a une femme qui l'aime vraiment, qui est vraiment en danger, il est au bord d'un vrai drame, mais la seule vérité pour lui, c'est cette erreur qu'il commet, que je lui laisse commettre. Un vrai bonheur, une fausse histoire d'amour. On n'achève pas les chevaux. » Et elle renonça à parler. Elle pouvait se taire car ce qu'elle ressentait n'était ni de la pitié, ni de l'ironie, mais une immense complicité. Un jour, sans doute, elle se tromperait comme lui, et comme lui elle jouerait au bonheur avec un faux partenaire.
Il l'emmena prendre un blanc-cassis au café du Commerce. Il lui parlait d'elle, de lui, il parlait bien. Il y avait longtemps qu'elle n'avait pas parlé à quelqu'un. Elle était la proie d'une grande lassitude, d'une grande tendresse. Poitiers s'était refermé sur elle : la place jaune et grise, les rares passants vêtus de noir, les regards curieux de quelques clients, et les platanes ruinés par l'hiver, tout cela appartenait à un monde absurde qu'elle avait toujours connu et qu'il fallait bien retrouver cette fois encore. Cette nuit-là, près de Bernard endormi, ce long corps indifférent l'encombrant un peu, ainsi que le bras possessif posé sur ses épaules, elle regarda longtemps les phares des voitures sur les fleurs du mur. Tranquille. Dans deux jours elle dirait à Bernard de rentrer. Elle lui accordait deux jours de sa propre vie, deux jours heureux. Et sans doute cela lui coûterait cher, à elle comme à lui. Mais elle pensait que Bernard avait dû rester de longues nuits ainsi, à regarder ces phares et ces grosses fleurs laides, trop dessinées. Et qu'elle pouvait prendre le relais. Même si c'était par les miséricordieuses voies du mensonge.

CHAPITRE VII

Andre Jolyau avait décidé de faire sa maîtresse de Béatrice. Il avait reconnu chez elle d'une part le talent, d'autre part cette opacité cruelle de l'ambition et les deux l'intéressaient. Enfin il était sensible à la beauté de Béatrice et l'idée de leur couple satisfaisait chez lui un sens esthétique perpétuellement en éveil. A cinquante ans, il était mince jusqu'à la sécheresse, avec une expression sarcastique un peu rebutante, et de faux gestes de jeune homme qui lui avaient valu un moment une réputation de pédéraste, à demi usurpée, le sens de l'esthétique conduisant parfois, on le sait, à de regrettables écarts ; André Jolyau était un de ces hommes dits « pittoresques » parce qu'ils pratiquent la demi-indépendance, la demi-insolence dans le milieu des arts. Il eût été parfaitement insupportable sans une constante ironie envers lui-même et une réelle générosité matérielle.

Conquérir Béatrice par la voie de l'ambition lui eût été facile. Il connaissait trop ce genre de marchés tacites pour que cela l'amusât. Il décida d'entrer dans une des pièces intérieures de Béatrice et d'y jouer son rôle, qu'il prévoyait comme celui du Mosca de *La Chartreuse de Parme*, mais un Mosca victorieux. Bien sûr, il n'avait pas la grandeur de Mosca, ni Béatrice celle de la Sanseverina, et seul peut-être ce petit Edouard Maligrasse avait quelque chose du charme de Fabrice. Mais que lui importait ? Il aimait les sujets médiocres. Et ce n'était plus que rarement qu'il retrouvait, devant la médiocrité allègre de sa vie, un grand désespoir domestiqué.

Béatrice donc se trouva prise entre la puissance et l'amour, ou plutôt entre deux images d'Epinal de la puissance et de l'amour. D'un côté Jolyau, ironique, compromettant, spectaculaire, de l'autre Edouard, tendre, beau, romanesque. Elle fut enthousiasmée. La cruauté de ce choix lui faisait une vie merveilleuse, encore qu'elle fût parfaitement décidée en faveur de Jolyau, pour des raisons toutes professionnelles. Cela lui fit prodiguer à Edouard des attentions et des marques d'affection dont il eût dû certainement se passer s'il avait été seul maître du terrain, la vie redonnant d'une main ce qu'elle reprend de l'autre.

Jolyau avait donc accordé sans aucune condition le rôle principal de sa prochaine pièce à Béatrice. Il l'avait même complimentée sur la beauté d'Edouard et n'avait d'aucune manière précisé ses intentions. Mais il avait clairement laissé entendre que si jamais Béatrice quittait Edouard, lui-même serait heureux de sortir avec elle. Cela paraissait un simple espoir courtois, mais c'était plus, car il savait bien que les femmes du style de Béatrice ne quittent un homme que pour un autre.

Béatrice, d'abord ravie de ce rôle, fut vite énervée puis inquiète de l'imprécise cour de Jolyau. L'amour d'Edouard devenait fade devant l'indifférence aimable de Jolyau. Elle aimait vaincre.

Jolyau l'emmena un soir dîner à Bougival. C'était une nuit moins fraîche que les autres, et ils se promenèrent à pied sur la berge. Elle avait dit à Edouard qu'elle dînait chez sa mère — protestante austère qui appréciait mal les incartades de sa fille. Ce mensonge, qui lui coûtait pourtant aussi peu que pouvait lui coûter un mensonge, l'avait excédée. «Je n'ai de comptes à rendre à personne», pensait-elle avec agacement, en mentant à Edouard. Edouard, d'ailleurs, ne demandait pas qu'elle lui rendît des comptes, il demandait seulement qu'elle le laissât être heureux et il était tout bonnement déçu de ne pas dîner avec elle. Mais elle lui prêta des soupçons, de la jalousie. Elle ne pouvait pas savoir qu'il l'aimait, et avec cette immense confiance des jeunes amours.

Jolyau lui tenait le bras en marchant, tout en l'écoutant d'une oreille distraite commenter le charme des péniches. Si, avec Edouard, Béatrice jouait volontiers la femme fatale un peu blasée, elle aimait assez, en revanche, faire l'enfant enthousiaste avec Jolyau :

«Que c'est beau! disait-elle donc. Personne n'a su parler de la Seine et de ses péniches, vraiment, Verlaine peut-être...

— Peut-être bien...»

Jolyau était ravi. Il voyait Béatrice partir dans une de ses longues effusions poétiques. «Peut-être, après tout, ne la poursuis-je que parce qu'elle me fait rire», pensa-t-il ; et cette idée le réjouit.

«Quand j'étais jeune... (Béatrice attendit un rire — qui vint), quand j'étais toute petite, reprit-elle, je marchais ainsi le long de l'eau, et je me disais que la vie était pleine de choses belles et j'étais moi-même pleine d'enthousiasmes. Me croiriez-vous, il m'en est resté.

— Je vous crois, dit Jolyau, de plus en plus content.

— Et pourtant... à notre époque, qui s'intéresse encore aux péniches, et qui s'enthousiasme? Ni notre littérature, ni notre cinéma, ni notre théâtre...»

Jolyau hocha la tête sans répondre.

«Je me souviens qu'à dix ans, commença Béatrice rêveusement... Mais que vous importe mon enfance!» s'interrompit-elle.

La brusquerie de l'attaque laissa Jolyau désarmé. Il eut une seconde de panique.

«Parlez-moi plutôt de la vôtre, dit Béatrice. Je vous connais si mal. Vous êtes une sorte d'énigme pour ceux qui vous entourent...»

Jolyau chercha désespérément un souvenir d'enfance mais sa mémoire le trahit.

«Je n'ai pas eu d'enfance, dit-il d'un air pénétré.

— Vous avez des phrases terribles», dit Béatrice et elle lui serra le bras.

L'enfance de Jolyau en resta là. Celle de Béatrice en revanche
s'enrichit de nombreuses anecdotes où perçaient l'ingénuité, la
sauvagerie, le charme de Béatrice-enfant. Elle s'attendrissait
visiblement. Sa main et celle de Jolyau finirent par se retrouver dans la
poche de ce dernier.

« Vous avez la main fraîche », dit-il paisiblement.

Elle ne répondit pas, s'appuya un peu contre lui. Jolyau la vit prête et
se demanda un instant s'il la désirait, tant cette constatation l'intéressait
peu. Il la ramena à Paris. Dans la voiture, elle avait appuyé la tête sur
son épaule, le corps contre le sien. « L'affaire est faite », pensait Jolyau
avec une certaine fatigue et il la ramena chez elle, car c'était chez elle
qu'il voulait passer leur première nuit. Comme beaucoup de gens un peu
fatigués, il recherchait surtout dans ses aventures le dépaysement.
Seulement, devant la porte cochère, le silence et l'immobilité persistante
de Béatrice lui apprirent qu'elle dormait. Il la réveilla doucement, lui
baisa la main et la posa dans son ascenseur avant qu'elle ait repris ses
esprits. Devant le feu éteint, elle retrouva Edouard qui dormait, le col de
sa chemise défait, son long cou de fille en émergeant doré, et elle eut
une seconde les larmes aux yeux. Dépitée parce qu'elle ne savait
toujours pas si Jolyau tenait à elle, dépitée parce qu'elle trouvait
Edouard beau et que ça lui était profondément égal ailleurs que dans les
restaurants. Elle l'éveilla. Il lui dit qu'il l'aimait, en des phrases tièdes,
arrachées au sommeil et qui ne la consolèrent pas. Quand il voulut la
rejoindre, elle prétexta une migraine.

Cependant Jolyau, allègre, rentrait à pied chez lui, suivait une femme,
et entrant dans un bar y retrouvait pour la première fois depuis qu'il le
connaissait, c'est-à-dire près de vingt ans, Alain Maligrasse ivre mort.

Après la première soirée passée avec Béatrice, Alain Maligrasse avait
décidé qu'il ne la reverrait plus, qu'il n'était pas supportable d'aimer
quelqu'un à ce point différent de soi, à ce point fermé, et que le travail
saurait le sauver. L'absence de Bernard lui donnait de plus un surcroît de
travail. Il essaya donc, discrètement soutenu par les conseils de Fanny,
d'oublier Béatrice. Naturellement il n'y parvint pas. Il savait trop bien
que les passions sont, quand elles existent, le sel de la vie, et qu'on ne
peut, sous leur règne, se passer de sel — ce qu'on fait pourtant si bien le
reste du temps. Néanmoins il se garda de la revoir. Il se borna à attirer
le plus possible Edouard chez lui, prenant un plaisir affreux à tous ses
signes de bonheur. Il en inventa même. Une coupure de rasoir sur le cou
d'Edouard devenait une morsure tendre de Béatrice — car il ne
l'imaginait que voluptueuse, malgré un rire involontaire de Bernard —
et les yeux cernés, l'air las de son neveu lui étaient autant de prétextes à
souffrir. Il passait de longues heures à son bureau à feuilleter les
manuscrits nouveaux, à rédiger des notes, à établir des fiches. Il posait la

règle sur le carton, soulignait le titre à l'encre verte et s'arrêtait subitement, la ligne verte déraillant, la fiche à refaire, le cœur battant. Car il se rappelait une des phrases de Béatrice au cours de ce fameux dîner. Puis il mettait la fiche au panier et recommençait. Dans la rue, il se heurtait aux passants, ne saluait plus ses amis, devenait peu à peu l'intellectuel distrait et charmant que chacun avait toujours attendu en lui.

Il lisait le journal à la page Spectacles, d'abord parce qu'il espérait y entendre parler de Béatrice — ce qui commençait à se produire — ensuite parce que, descendant distraitement les yeux le long des réclames de théâtre, il finissait toujours par arriver au grand placard de l'Ambigu et, sous le titre en petites lettres, au nom de Béatrice. Il relevait les yeux aussitôt comme pris en faute et regardait sans les voir les habituels ragots des journalistes spécialisés. La veille du jour où il rencontra Jolyau, il avait lu «relâche le mardi» et le cœur lui avait manqué. Il savait qu'il pouvait voir Béatrice tous les soirs, dix minutes, sur la scène. Il y avait toujours résisté. Mais cette menace de relâche le brisa. Il n'y aurait sans doute pas été ce soir-là mais il n'y pensa même pas. Béatrice... belle et violente Béatrice... il se cacha les yeux. Il n'en pouvait plus. En rentrant chez lui, il trouva Edouard et apprit que Béatrice dînait chez sa mère. Mais cette nouvelle ne consola pas Alain. Le mal était fait, il avait compris à quel point il était atteint. Il prétexta un dîner, traîna lamentablement autour du Flore, rencontra deux amis qui ne lui furent d'aucun secours mais qui, voyant sa pâleur, le poussèrent à boire un, puis deux whiskies. Il n'en fallait pas plus au foie fatigué de Maligrasse. Il continua à boire et à minuit se retrouva à côté de Jolyau dans un bar louche de la Madeleine.

*

L'état d'Alain ne faisait aucun doute. De plus l'alcool lui allait mal. Dans son visage pâle trop fin, aux paupières gonflées, le frémissement des traits devenait indécent. Jolyau, après lui avoir serré la main avec effusion, s'étonna. Il n'imaginait pas que Maligrasse pût s'enivrer seul dans un bar à filles. Il aimait bien Alain, se sentit pris entre la curiosité, le sadisme et l'amitié et, par conséquent, intéressé, puisqu'il n'aimait que les sentiments partagés.

Ils en vinrent tout naturellement à parler de Béatrice.

«Je crois que tu engages Béatrice dans ton prochain spectacle», dit Alain.

Il était assez heureux. Epuisé et heureux. Le bar tournait autour de lui. Il en était à ce stade de l'amour — et de l'alcool — où l'on est comme envahi par soi-même et où l'on se passe fort bien de «l'autre».

«Je viens de dîner avec elle», dit Jolyau.

«Ainsi elle ment», pensa Maligrasse, se souvenant de ce que lui avait dit Edouard.

Il était à la fois content, car ce mensonge lui faisait comprendre qu'elle n'aimait pas vraiment Edouard, et déçu. Que Béatrice soit menteuse la lui rendait plus inaccessible encore, car elle n'aurait jamais pu être à lui, il le savait, que pour des raisons de très bonne qualité. Et elle n'était donc pas de très bonne qualité. Néanmoins son premier sentiment fut le soulagement.

«C'est une fille bien, dit-il, charmante.

— Elle est belle, dit Jolyau avec un petit rire.

— Belle et violente», dit Alain retrouvant sa formule, et il le dit sur un tel ton que Jolyau se retourna vers lui.

Il y eut un instant de silence qu'ils mirent à profit pour se regarder et penser chacun qu'ils ne savaient rien l'un de l'autre malgré leur tutoiement et leurs claques dans le dos.

«J'ai un faible pour elle, dit Alain piteusement, sur un ton qu'il eût voulu léger.

— C'est bien naturel», dit Jolyau.

Il avait envie de rire et de consoler Alain. Son premier réflexe avait été : «Mais ça devrait pouvoir s'arranger.» Aussitôt il avait compris que ce n'était pas vrai. Béatrice se fût plus facilement donnée à un vieillard borgne. En amour aussi, on ne prête qu'aux riches et Alain se sentait pauvre. Jolyau commanda deux nouveaux scotchs. Il sentait que la nuit serait longue et s'en réjouissait. Il aimait cela plus que tout : un visage changé, un verre si lisse dans sa main, le ton bas des confidences, les nuits étirées jusqu'à l'aube, la fatigue.

«A mon âge, que puis-je faire?» dit Alain.

Jolyau tiqua et répondit : «Tout», d'une voix décisive. C'était en effet «leur» âge.

«Ce n'est pas quelqu'un pour moi, dit Alain.

— Personne n'est jamais pour personne, dit Jolyau au hasard.

— Si. Fanny était pour moi. Mais là, tu sais, c'est affreux. Cette obsession. Je me sens podagre, ridicule. Seulement, c'est la seule chose vivante. Tout le reste...

— Tout le reste est littérature, dit Jolyau avec un petit rire. Je sais. L'ennui pour toi, c'est que Béatrice n'est pas intelligente. Elle est ambitieuse, remarque, c'est déjà ça, à une époque où les gens ne sont rien.

— Je pourrais, reprit Alain, lui apporter quelque chose qu'elle ne connaît sans doute pas. Tu sais, la confiance, les égards, une certaine finesse enfin... Oh! et puis...»

Devant le regard de Jolyau, il s'arrêta, fit un geste vague de la main qui projeta un peu de whisky sur le sol. Il s'excusa aussitôt près de la patronne. Jolyau se sentait pris de pitié.

«Essaie, mon vieux. Explique-le-lui. Au moins, si elle te dit "non",
les ponts seront coupés. Et tu le sauras.

— Lui dire maintenant? Alors qu'elle aime mon neveu? Ce serait
sacrifier ma seule chance, si j'en ai une.

— Tu te trompes. Il y a des gens dont on peut dire qu'il y a un temps
pour les séduire. Ce n'est pas le cas de Béatrice. Elle choisit elle-même
et le moment n'a rien à y voir.»

Maligrasse se passa la main dans les cheveux. Comme il en avait peu,
cela fit un geste pauvre. Jolyau cherchait vaguement un ténébreux
moyen de livrer Béatrice à ce cher vieux Maligrasse, après qu'il l'eut
possédée lui-même, bien entendu. Il n'en trouva pas, et commanda deux
nouveaux verres. Cependant Maligrasse parlait de l'amour; une fille
l'écoutait et approuvait de la tête. Jolyau, qui la connaissait bien, lui
recommanda Alain et les quitta. Sur les Champs-Elysées, l'aube était
blême et mouillée et le premier parfum de Paris, un parfum de
campagne, le fit s'arrêter un instant, respirer longuement avant
d'allumer une cigarette. Il murmura «charmante soirée», en souriant,
puis il partit d'un pas de jeune homme vers son logis.

CHAPITRE VIII

«JE TE TELEPHONERAI demain», dit Bernard.
Il passait la tête par la portière. Il devait ressentir un vague
soulagement de leur séparation, comme il arrive dans les passions les
plus extrêmes. On se quitte, on va enfin avoir le temps d'être heureux.
Josée lui sourit. Elle retrouvait la nuit sur Paris, le bruit des voitures, et
sa propre vie.

«Dépêche-toi», dit-elle.

Elle le regarda franchir la porte de son immeuble et démarra. Elle lui
avait dit, la veille, le danger que courait Nicole, qu'il fallait rentrer. Elle
attendait un sursaut, une grande peur, mais la seule réaction de Bernard
avait été :

«Est-ce pour cela que tu es venue?»

Elle avait dit «non». Et elle ne savait plus jusqu'à quel point c'était
par lâcheté. Peut-être avait-elle, autant que Bernard, le désir de protéger
ces trois jours gris de Poitiers et leur bizarre douceur : promenades
lentes dans la campagne gelée, longs dialogues, absence de phrases,
gestes tendres de la nuit, tout cela sur ce dénominateur commun de leur
erreur, qui rendait tout absurde et étrangement honnête.

Elle rentra dans son appartement vers huit heures. Elle hésita un
instant avant de s'enquérir de Jacques auprès de la femme de chambre.

Elle apprit qu'il était parti deux jours après son propre départ, en
oubliant une paire de chaussures. Josée téléphona à l'ancienne adresse
de Jacques mais il avait déménagé; on ne savait où il était allé. Elle
raccrocha. La lumière tombait sur le tapis du trop grand salon, elle se
sentait éperdue de lassitude. Elle se regarda dans la glace. Elle avait
vingt-cinq ans, trois rides, envie de revoir Jacques. Elle avait vaguement
espéré qu'il serait là, dans son duffle-coat et qu'elle pourrait lui
expliquer à quel point cette absence avait peu d'importance. Elle
téléphona à Fanny, qui l'invita à dîner.

Fanny avait maigri. Alain semblait ailleurs. Josée passa un dîner
presque insupportable tant Fanny essayait désespérément de lui donner
une tournure mondaine. Enfin, dès le café, Maligrasse se leva, s'excusa,
partit se coucher. Fanny résista quelques instants à l'œil interrogateur de
Josée, puis se leva et alla arranger quelque chose sur la cheminée. Elle
était toute petite.

« Alain a trop bu, hier soir, il faut l'excuser.

— Alain a trop bu ? »

Josée riait. Cela n'allait pas du tout à Alain Maligrasse.

« Ne riez pas, dit Fanny brusquement.

— Excusez-moi », dit Josée.

Fanny enfin lui expliqua que ce qu'on avait cru être la « toquade »
d'Alain gâchait leur vie. Josée essaya en vain de lui faire croire à la
probable brièveté de cette histoire.

« Il n'aimera pas Béatrice longtemps. Béatrice n'est pas quelqu'un de
possible. Elle est charmante mais c'est une personne étrangère aux
sentiments. On ne peut pas aimer tout seul très longtemps. Elle ne... ? »

Elle n'osait dire : « Elle ne lui a pas cédé ? » Comment « céder » à
quelqu'un d'aussi poli qu'Alain ?

« Non, bien sûr que non, dit Fanny avec colère. Je vous demande
pardon de vous parler de ça, Josée. Je me sentais un peu seule. »

A minuit, Josée la quitta. Elle avait eu peur, sans cesse, que
Maligrasse, attiré par le bruit de leurs voix, ne revînt. Le malheur lui
faisait peur, et la passion impuissante. Elle sortit de là débordée par une
affreuse impression de gâchis.

Il lui fallait retrouver Jacques. Même pour être battue ou repoussée.
N'importe quoi d'autre que ces complications. Elle se dirigea vers le
Quartier latin.

*

La nuit était noire, il pleuvait un peu. C'était affreux, dans Paris, cette
recherche absurde où la fatigue le disputait en elle à cette nécessité de
retrouver Jacques. Il était quelque part, dans un des cafés du boulevard
Saint-Michel, ou chez un ami, ou chez une fille peut-être. Elle ne
connaissait plus ce quartier, et la cave où elle se rappelait avoir dansé

lors de sa jeunesse estudiantine était maintenant un repaire de touristes. Elle se rendait compte qu'elle ne savait rien de la vie de Jacques. Elle l'avait imaginée comme l'existence type de l'étudiant un peu brutal, qu'il semblait être. A présent, elle recherchait désespérément dans sa mémoire un nom qu'il eût laissé échapper, une adresse. Elle entrait dans les cafés, jetait un coup d'œil et les sifflements des étudiants ou leurs mots lui étaient autant de coups. Depuis longtemps elle ne se rappelait pas avoir vécu un moment aussi angoissé, aussi misérable. Et le sentiment d'inutilité probable de ses recherches, l'idée surtout du visage fermé de Jacques renforçaient son désespoir.

Dans le dixième café, elle le vit. Il lui tournait le dos et jouait au billard électrique. Elle le reconnut aussitôt à la forme de son dos incliné sur la machine et à la nuque droite, envahie de cheveux blonds et rêches. Elle pensa un instant qu'il avait les cheveux trop longs, comme Bernard, que ce devait être le signe des hommes abandonnés. Puis elle ne put se décider à avancer et resta immobile une longue minute, le cœur arrêté.

«Vous désirez quelque chose?»

La patronne se faisait l'instrument du destin. Josée avança. Elle avait un manteau trop élégant pour l'endroit. Elle en releva le col machinalement et s'arrêta derrière Jacques. Elle l'appela. Il ne se retourna pas aussitôt, mais elle vit une nette rougeur envahir sa nuque puis le coin de sa joue.

«Tu veux me parler?» dit-il enfin.

Et ils s'assirent sans qu'il l'eût regardée. Il lui demanda encore ce qu'elle voulait boire, d'une voix rauque, puis baissa, définitivement semblait-il, les yeux sur ses mains carrées.

«Il faut que tu essaies de comprendre», dit Josée. Et elle commença son récit d'une voix lasse, parce que tout ceci lui semblait désormais fantomatique et inutile : Poitiers. Bernard, ses réflexions. Elle était en face de Jacques, il était vivant. Il y avait à nouveau devant elle ce bloc compact qui allait décider de son sort et que les mots touchaient à peine. Elle attendait et ses paroles n'étaient qu'un moyen de tromper cette attente.

«Je n'aime pas qu'on se foute de moi, dit Jacques enfin.

— Il ne s'agit pas de ça...», commença Josée.

Il leva les yeux. Ils étaient gris et furieux.

«Il s'agit de ça. Quand on vit avec un type, on ne va pas passer trois jours avec un autre. C'est tout. Ou alors on prévient.

— J'ai essayé de t'expliquer...

— Je me fous de tes explications. Je ne suis pas un petit garçon, je suis un homme. J'étais parti, j'avais même déménagé de chez moi.»

Il ajouta avec un air encore plus furieux :

«Et il n'y a pas beaucoup de filles pour qui j'ai déménagé. Comment m'as-tu trouvé?

— Il y a une heure que je te cherche dans tous les cafés», dit Josée.
Elle était épuisée et ferma les yeux. Il lui semblait sentir le poids des
cernes sur ses joues. Il y eut un instant de silence, puis il demanda d'une
voix étouffée :
« Pourquoi ? »
Elle le regarda sans comprendre.
« Pourquoi me cherches-tu depuis une heure ? »
Elle avait refermé les yeux, renversé la tête en arrière. Une veine
battait à sa gorge. Elle s'entendit répondre :
« J'avais besoin de toi. »
Et le sentiment que c'était vrai, enfin, lui emplit les yeux de larmes.
Il rentra ce soir-là avec elle. Quand il la prit dans ses bras, elle sut à
nouveau ce que c'était qu'un corps, et les gestes et le plaisir. Elle
embrassa sa main et s'endormit, la bouche sur sa paume. Il resta éveillé
un long moment, puis remit les draps sur les épaules de Josée avec
précaution avant de se tourner de l'autre côté.

CHAPITRE IX

Sur le seuil de sa porte, Bernard trouva deux infirmières qui se
croisaient. Il eut le double sentiment d'une catastrophe et de
l'impuissance qu'il aurait à la vivre. Il était glacé. Elles lui apprirent que
Nicole avait fait une fausse couche l'avant-veille et que, bien qu'elle fût
hors de danger, le docteur Marin avait décidé à tout hasard de lui laisser
une garde. Elles le dévisageaient, le jugeaient, attendaient sans doute
une explication. Mais il les écarta sans un mot et pénétra dans la
chambre de Nicole.

Elle avait la tête tournée vers lui dans la demi-pénombre laissée par la
lampe basse en porcelaine que lui avait offerte sa mère et dont Bernard
n'avait jamais eu le courage de lui dénoncer la laideur. Elle était très
pâle, et son visage ne bougea pas quand elle le vit. Elle avait
l'expression d'un animal résigné, une expression à la fois obtuse et
digne.

« Nicole », dit Bernard.

Il vint s'asseoir sur le lit et saisit sa main. Elle le regardait
tranquillement, puis soudain ses yeux se remplirent de larmes. Il la prit
dans ses bras avec précaution, et elle laissa tomber sa tête sur son
épaule. « Que faire, pensait Bernard, que dire ? Oh ! quel salaud je
suis ! » Il caressa sa tête de la main, ses doigts se prenaient dans les
cheveux longs. Il se mit à les démêler machinalement. Elle avait la

fièvre encore. « Il faut que je parle, pensait Bernard, il faut que je puisse parler. »

« Bernard, dit-elle, notre enfant... »

Et elle se mit à sangloter contre lui. Il sentait les remous de ses épaules dans ses mains. Il disait : « Là, là », d'une voix apaisante. Et subitement il comprit que c'était sa femme, son bien, qu'elle n'était qu'à lui, qu'elle ne pensait qu'à lui, qu'elle avait failli mourir. Que c'était sans doute la seule chose qu'il possédât et qu'il avait failli la perdre. Il fut envahi d'un sentiment de possession et de pitié d'eux-mêmes si déchirant qu'il détourna la tête. « On naît en criant, ce n'est pas pour rien, la suite ne peut être que des atténuations de ce cri. » Cette chose étrange qui lui remontait à la gorge et le laissait sans forces aussi, sur l'épaule de Nicole qu'il n'aimait plus, c'était le retour de ce premier hurlement, à sa naissance. Tout le reste n'avait été que fuites, sursauts, comédies. Il oublia Josée un instant, livré uniquement à son désespoir.

Plus tard, il consola Nicole comme il put. Il fut tendre, lui parla de leur avenir, de son livre dont il lui dit être content, des enfants qu'ils auraient bientôt. Elle voulait appeler celui-là Christophe, lui avoua-t-elle en pleurant encore un peu. Il approuva, proposa « Anne » et elle rit car il est bien connu que les hommes préfèrent avoir des filles. Cependant il cherchait un moyen de téléphoner à Josée le soir même. Il trouva vite un prétexte ; il n'avait plus de cigarettes. Les bureaux de tabac sont d'une utilité bien plus grande qu'on ne l'imagine. La caissière l'accueillit par un joyeux : « Enfin de retour », et il but un cognac sur le zinc avant de demander un jeton. Il allait dire à Josée : « J'ai besoin de vous », et ce serait vrai et ça ne changerait rien. Quand il lui parlait de leur amour, elle lui parlait, elle, de la brièveté des amours. « Dans un an ou deux mois, tu ne m'aimeras plus. » Seule, parmi les gens qu'il connaissait, Josée avait le complet sentiment du temps. Les autres, poussés par un profond instinct, essayaient de croire à la durée, à l'arrêt définitif de leur solitude ; et il était comme eux.

Il téléphona et personne ne répondit. Il se rappela une autre nuit où il avait téléphoné pour tomber sur cet affreux type et il eut un petit sourire de bonheur. Josée devait dormir en chien de fusil, la main grande ouverte et retournée, le seul geste dans toute son attitude qui signifiât qu'elle avait besoin de quelqu'un.

*

Edouard Maligrasse servait le tilleul. Depuis une semaine, pour des raisons de santé, Béatrice buvait du tilleul. Il lui en donna une tasse, puis une tasse à Jolyau qui se mit à rire et déclara que c'était infâme. Sur ce, les deux hommes se servirent un scotch. Béatrice les traita d'alcooliques et Edouard se renversa dans son fauteuil, parfaitement heureux. Ils arrivaient du théâtre où il était allé chercher Béatrice et elle avait invité

Jolyau à prendre un dernier verre chez elle. Ils étaient tous les trois au chaud, il pleuvait dehors et Jolyau était drôle.

Béatrice était furieuse. Elle trouvait inadmissible qu'Edouard eût servi le tilleul et joué ainsi le maître de maison. C'était compromettant. Elle oubliait la parfaite connaissance que Jolyau avait de leur liaison. Personne n'est plus soucieux des convenances qu'une femme lassée. Elle oubliait de même qu'elle avait habitué Edouard à ce genre de gestes, le considérant facilement comme un page.

Elle se mit donc à parler de la pièce avec Jolyau, refusant obstinément de mêler Edouard à leur conversation, malgré les efforts de Jolyau. Ce dernier finit par se tourner vers Edouard :

« Comment se portent les Assurances ?

— Très bien », dit Edouard.

Il rougit. Il devait cent mille francs à son directeur, soit deux mois d'appointements, et cinquante mille francs à Josée. Il essayait de n'y pas penser, mais toute la journée, il avait de sérieuses angoisses.

« C'est ce qu'il me faudrait, disait Jolyau avec inconscience, un travail comme ça. On est tranquille, on n'a pas les incroyables soucis d'argent que donne une pièce à monter.

— Je vous vois mal faisant ce genre de travail, dit Béatrice. Du porte à porte ou presque... »

Elle eut un petit rire insultant à l'égard d'Edouard.

Ce dernier ne bougea pas. Mais la regarda avec stupeur. Jolyau enchaîna :

« Je vendrais très bien des Assurances, vous vous trompez. Toute ma force de persuasion serait utilisée : "Madame, vous avez si mauvaise mine, vous allez mourir, assurez-vous donc, que votre époux puisse se remarier avec un petit pécule." »

Et il éclata de rire. Mais Edouard protestait d'une voix mal assurée :

« De toute manière ce n'est pas exactement ceci que je fais. J'ai un bureau. Où je m'ennuie, ajouta-t-il sur un ton d'excuse pour la prétention apparente de ce "bureau". Mais en réalité, mon travail consiste à classer...

— André, voulez-vous un peu plus de scotch ? » coupa Béatrice.

Il y eut un instant de silence. Jolyau fit un effort désespéré :

« Non, merci. J'ai vu un très bon film autrefois qui s'appelait *Assurance sur la mort*. L'avez-vous vu ? »

La question s'adressait à Edouard. Mais Béatrice ne se possédait plus. Elle avait envie de voir Edouard s'en aller. Or, de toute évidence, il allait rester puisque toute l'attitude de Béatrice depuis trois mois l'y autorisait. Il allait rester et dormir dans son lit et ça l'ennuyait, elle, à mourir. Elle cherchait à se venger.

« Vous savez, Edouard arrive de province.

— J'ai vu le film à Caen, dit Edouard.

— Ce Caen, quelle merveille ! » reprit-elle avec dérision.

Edouard se leva, pris d'un léger vertige. Il semblait tellement étonné que Jolyau se jura de faire payer cela un jour à Béatrice. Debout, Edouard hésitait. Il ne pouvait penser que Béatrice ne l'aimait plus, ni même qu'il l'énervait ; c'eût été la ruine de sa vie présente et il n'avait jamais envisagé rien de tel. Il dit néanmoins d'une voix polie :

« Je vous ennuie ?

— Mais pas du tout », répondit Béatrice sauvagement.

Il se rassit. Il comptait sur la nuit et la chaleur du lit pour interroger Béatrice. Ce visage renversé, si beau et si tragique dans la pénombre, ce corps abandonné lui seraient de meilleures réponses. Il aimait Béatrice physiquement, malgré sa demi-froideur. C'est au contraire devant cette froideur, cette immobilité, qu'il trouvait les gestes les plus précautionneux, les plus passionnés. Il demeurait des heures sur son coude, jeune homme épris d'une morte, à la regarder dormir.

Cette nuit-là, elle fut plus lointaine encore que d'habitude. Béatrice n'avait rien à voir avec les remords. C'était son charme. Il dormit très mal et commença de croire à son infortune.

*

N'étant point sûre des sentiments de Jolyau, Béatrice hésitait à renvoyer Edouard. Personne ne l'avait jamais aimée si éperdument, avec une telle absence de réticence et elle le savait. Néanmoins elle espaça beaucoup leurs rencontres et Edouard se vit livré seul à Paris.

Paris se réduisait jusqu'alors pour lui à deux itinéraires : le trajet entre son bureau et le théâtre, et celui entre le théâtre et l'appartement de Béatrice. Chacun connaît ces minuscules villages que crée la passion au sein des plus grandes villes. Tout de suite, Edouard se vit perdu. Il continua machinalement le même trajet. Mais comme la loge de Béatrice lui était interdite, il prit chaque soir une place au théâtre. Il écoutait la pièce d'une oreille distraite, attendait l'arrivée de Béatrice. Cette dernière jouait un rôle de soubrette spirituelle. Elle apparaissait au second acte et disait à un jeune homme venu chercher sa maîtresse avant l'heure :

« Vous le saurez, monsieur. Pour une femme, l'heure c'est souvent l'heure. Après l'heure c'est quelquefois encore l'heure. Mais avant l'heure, ce n'est jamais l'heure. »

Sans qu'il sût pourquoi, cette phrase insignifiante déchirait le cœur d'Edouard. Il l'attendait, il connaissait par cœur les trois répliques qui la précédaient et il fermait les yeux quand Béatrice la prononçait. Elle lui rappelait les temps heureux où Béatrice n'avait pas tous ces rendez-vous d'affaires, toutes ces migraines, tous ces déjeuners chez sa mère. Il n'osait pas se dire : « Le temps où Béatrice m'aimait. » Aussi inconscient qu'il ait pu être, il avait toujours senti qu'il était, lui, l'amant et elle l'objet aimé. Il en tirait une amère satisfaction qu'il osait à peine se formuler : « Elle ne pourra jamais me dire qu'elle ne m'aime plus. »

Bientôt, malgré de sérieuses économies sur ses déjeuners, il ne fut plus à même de s'offrir le moindre strapontin. Les rencontres avec Béatrice devenaient plus que rares. Il n'osait rien dire. Il avait peur. Et comme il ne savait pas feindre, ses entrevues avec elle étaient une série de questions muettes et passionnées qui dérangeaient sérieusement le moral de la jeune femme. Au reste Béatrice apprenait son rôle dans la prochaine pièce de Jolyau et elle ne voyait pour ainsi dire plus le visage d'Edouard. Pas plus d'ailleurs que celui de Jolyau, il faut le reconnaître. Elle avait un rôle, un vrai rôle, la glace de sa chambre était redevenue sa meilleure amie. Elle ne reflétait plus le long corps, la nuque inclinée d'un jeune homme châtain, mais l'héroïne passionnée d'un drame du XIXe siècle.

Edouard, pour tromper sa détresse et son désir du corps de Béatrice, se mit à marcher dans Paris. Il accomplissait dix ou quinze kilomètres par jour, offrait aux yeux des passantes un visage amaigri, absent, affamé, qui lui eût valu de nombreuses aventures s'il y eût pris garde. Mais il ne les voyait pas. Il cherchait à comprendre. A comprendre ce qui s'était passé, ce qu'il avait bien pu faire pour démériter de Béatrice. Il ne pouvait pas savoir qu'au contraire il la méritait trop et que cela non plus ne pardonne pas. Un soir, au bout de la détresse et, de plus, à jeun depuis deux jours, il arriva devant la porte des Maligrasse. Il entra. Il trouva son oncle sur un divan, feuilletant une revue de spectacles, ce qui l'étonna car Alain lisait plutôt la N.R.F. Ils échangèrent un double regard étonné, car ils étaient tous deux assez ravagés, sans savoir que c'était pour la même raison. Fanny entra, embrassa Edouard, s'étonna de sa mauvaise mine. Elle-même était au contraire rajeunie et plaisante. Elle avait décidé en effet d'ignorer la maladie d'Alain, de fréquenter les instituts de beauté et d'assurer à son mari une maison charmante. Elle savait bien que c'était une recette de magazine féminin mais, puisque l'intelligence ne semblait rien avoir à faire avec cette histoire, elle n'hésitait pas. La première colère passée, elle désirait seulement le bonheur, tout au moins la paix d'Alain.

« Mon petit Edouard, vous semblez fatigué. Est-ce votre travail aux Assurances ? Il faut vous soigner.

— J'ai très faim », avoua Edouard.

Fanny se mit à rire :

« Suivez-moi à la cuisine. Il reste du jambon et du fromage. »

Ils allaient sortir lorsque la voix d'Alain les arrêta. C'était une voix si neutre qu'elle en devenait chantante.

« Edouard, as-tu vu cette photo de Béatrice dans *Opéra* ? »

Edouard fit un bond, se pencha sur l'épaule de son oncle. C'était une photo de Béatrice en robe du soir : «La jeune Béatrice B... répète le principal rôle de la pièce de "Y" à l'Athéna.» Fanny regarda une seconde le dos de son mari, le dos de son neveu rapprochés et tendus vers le journal, puis elle tourna les talons. Elle se regarda dans la petite glace de la cuisine et dit à voix haute :

«Je m'énerve. Je m'énerve étrangement.

— Je sors, dit Alain.

— Vas-tu rentrer cette nuit? demanda Fanny d'une voix douce.

— Je ne sais pas.»

Il ne la regardait pas, il ne la regardait plus. A présent il passait facilement les nuits à boire, avec la fille du bar de la Madeleine, et finissait dans sa chambre, en général sans la toucher. Elle lui racontait des histoires sur ses clients et il l'écoutait sans l'interrompre. Elle avait une chambre près de la gare Saint-Lazare et les volets donnaient sur un réverbère dont les rayons striaient le plafond. Quand il avait beaucoup bu, il s'endormait tout de suite. Il ignorait que Jolyau payait la fille pour lui, attribuait ses bontés à une affection qu'elle finissait d'ailleurs par ressentir pour cet homme si doux et bien élevé. Il s'interdisait de penser à Fanny dont la bonne humeur le rassurait vaguement.

«Il y a longuement que vous n'avez pas mangé?»

Fanny regardait avec affection Edouard dévorer. Il leva les yeux vers elle et devant la chaleur de son regard se sentit débordant de reconnaissance. Il s'effondrait un peu. Il avait été trop seul, trop malheureux, Fanny était trop gentille. Il but précipitamment un verre de bière pour desserrer l'étau qui lui tenait la gorge.

«Deux jours, dit-il.

— Pas d'argent?»

Il inclina la tête. Fanny s'indigna :

«Vous êtes fou, Edouard. Vous savez bien que la maison vous est ouverte. Venez quand vous voulez, sans attendre d'être au bord de la syncope. C'est ridicule.

— Oui, dit Edouard, je suis ridicule. Je ne suis même que cela.»

La bière le grisait un peu. Pour la première fois, il songeait à se débarrasser de son encombrant amour. Il y avait autre chose dans la vie, il s'en rendait compte. L'amitié, l'affection, et surtout la compréhension de quelqu'un comme Fanny, cette merveilleuse femme que son oncle avait eu la sagesse, la chance d'épouser. Ils passèrent au salon. Fanny prit un tricot car, depuis un mois, elle tricotait. Le tricot est une des grandes ressources des femmes malheureuses. Edouard s'assit à ses pieds. Ils allumèrent un feu. Ils se sentaient mieux, l'un et l'autre.

«Racontez-moi ce qui ne va pas», dit Fanny au bout d'un moment.

Elle pensait bien qu'il allait lui parler de Béatrice mais elle finissait par éprouver une certaine curiosité pour cette dernière. Elle l'avait toujours trouvée belle, assez vivante, un peu sotte. Peut-être Edouard lui expliquerait-il son charme ? Encore qu'elle se doutât bien que ce n'était pas elle qu'Alain poursuivait, mais une idée.

« Vous savez que nous... enfin que Béatrice et moi... »

Edouard s'embrouillait. Elle eut un sourire complice et il rougit, en même temps qu'un déchirant regret le traversait. En effet, pour tous ces gens, il avait été l'heureux amant de Béatrice. Il ne l'était plus. Il commença son récit d'une voix hachée. A mesure qu'il tentait d'expliquer, de comprendre lui-même la cause de son malheur, ce dernier lui apparaissait plus clairement et il finit son récit la tête sur les genoux de Fanny, secoué de sortes de spasmes qui le délivraient. Fanny caressait ses cheveux, disait « mon pauvre petit » d'une voix chavirée. Elle fut déçue quand il releva la tête, car elle aimait la douceur de ses cheveux.

« Je vous demande pardon, dit Edouard d'une voix honteuse. Je suis si seul depuis si longtemps...

— Je sais ce que c'est, dit Fanny sans y penser.

— Alain... », commença Edouard.

Mais il s'arrêta, réfléchissant soudain à l'étrange attitude d'Alain et à sa disparition tout à l'heure. Fanny le crut au courant. Elle lui parla de la folie de son mari et ne s'aperçut que devant sa stupéfaction de l'ignorance d'Edouard. Stupéfaction assez offensante au demeurant. L'idée que son oncle pût aimer et désirer Béatrice pétrifiait Edouard. Il en prit conscience, pensa à la tristesse de Fanny, saisit sa main. Il était assis sur la chaise longue à ses genoux ; il était épuisé de chagrin. Il se laissa aller en avant, posa sa tête sur l'épaule de Fanny qui posa son tricot.

Il s'endormit un peu. Fanny éteignit la lumière pour faciliter son sommeil. Elle ne bougeait pas, respirait à peine, le souffle du jeune homme balayait régulièrement son cou. Elle était un peu troublée, essayait de ne pas penser.

Au bout d'une heure, Edouard se réveilla. Il était dans le noir, sur l'épaule d'une femme. Son premier geste fut un geste d'homme. Fanny le serra contre elle. Puis les gestes s'enchaînèrent. A l'aube, Edouard ouvrit les yeux. Il était dans un lit inconnu et à la hauteur de ses yeux, sur le drap, gisait une main vieille chargée de bagues. Il referma les yeux puis se leva et partit. Fanny fit semblant de dormir.

Josée téléphona à Bernard dès le lendemain. Elle lui dit qu'elle devait lui parler et il comprit aussitôt. Il avait d'ailleurs toujours compris, il s'en aperçut devant son propre calme. Il avait besoin d'elle, il l'aimait, mais elle ne l'aimait pas. Ces trois propositions renfermaient une suite de souffrances, de faiblesses et il lui faudrait longtemps pour y échapper. Les trois jours de Poitiers seraient le seul cadeau de cette année-là, le seul moment où, à force de bonheur, il aurait été un homme. Car le malheur n'apprend rien et les résignés sont laids.

Il pleuvait de plus belle, les gens disaient que ce n'était pas un printemps. Bernard marchait vers sa dernière entrevue avec Josée et en arrivant il la vit qui l'attendait. Et tout se déroula comme une scène qu'il aurait toujours connue. Ils étaient sur un banc, il pleuvait sans cesse et ils étaient morts de fatigue. Elle lui disait qu'elle ne l'aimait pas, il répondait que ça ne faisait rien, et la pauvreté de leurs phrases leur faisait monter les larmes aux yeux. C'était sur un de ces bancs à la Concorde qui dominent la place et le flot incessant des voitures. Et les lumières de la ville y deviennent cruelles, comme les souvenirs d'enfance. Ils se tenaient les mains, et il inclinait vers le visage de Josée, débordé par la pluie, son propre visage débordé par la souffrance. Et c'étaient des baisers d'amants passionnés qu'ils échangeaient, car ils étaient deux exemples de la vie mal faite et ça leur était égal. Ils s'aimaient assez l'un l'autre. Et la cigarette trempée que Bernard essayait en vain d'allumer était à l'image de leur vie.

Parce qu'ils ne sauraient jamais, vraiment, être heureux et qu'ils le savaient déjà. Et, obscurément, ils savaient aussi que ça ne faisait rien. Mais rien.

Une semaine après la soirée passée avec Fanny, Edouard se trouva mis en demeure par une lettre d'huissier de payer son tailleur. Il avait dépensé ses derniers francs à envoyer des fleurs à Fanny, laquelle en avait, sans qu'il le sût, vaguement pleuré. Il ne restait à Edouard qu'une solution, mais à laquelle il avait déjà eu recours : Josée. Il passa chez elle, un samedi matin. Elle n'était pas là mais en revanche il trouva Jacques, plongé dans des livres de médecine. Celui-ci lui déclara que Josée serait là pour déjeuner et revint à ses études.

Edouard tourna en rond dans le salon, désespéré à l'idée d'attendre. Son courage s'envolait. Déjà il cherchait un faux prétexte à sa visite. Jacques le rejoignit alors, lui jeta un coup d'œil vague et s'assit en face de lui, non sans lui proposer une gauloise. Le silence devint insupportable.

« Vous n'avez pas l'air gai », dit Jacques enfin.

Edouard hocha la tête. L'autre le regardait avec sympathie.

« Ce ne sont pas mes affaires, remarquez. Mais j'ai rarement vu quelqu'un avec l'air si embêté. »

On sentait que pour un peu il en aurait sifflé d'admiration. Edouard lui sourit. Jacques lui était sympathique. Il ne ressemblait pas aux petits jeunes gens de théâtre ni à Jolyau. Edouard se sentit redevenir un garçon.

« Les femmes, dit-il brièvement.

— Mon pauvre vieux ! » dit Jacques.

Il y eut un long silence plein de souvenirs de part et d'autre. Jacques toussa :

«Josée ?»

Edouard secoua la tête négativement. Il avait un peu envie d'impressionner l'interlocuteur :

«Non. Une actrice.

— Connais pas. »

Il ajouta :

«Ça ne doit pas être une espèce facile non plus.

— Ah ! non, dit Edouard.

— Je vais demander si on peut avoir un verre», dit Jacques.

Il se leva, donna au passage une tape amicale bien qu'un peu forte sur l'épaule d'Edouard et revint avec une bouteille de bordeaux. Quand Josée arriva, ils étaient tous deux très contents, se tutoyaient et parlaient des femmes avec un air dégagé.

«Bonjour, Edouard. Vous n'avez pas bonne mine. »

Elle aimait bien Edouard. Il avait cet air désarmé qui l'émouvait.

«Comment va Béatrice ?»

Jacques lui fit un grand signe qu'Edouard lui-même surprit. Ils se regardèrent tous les trois et Josée éclata de rire.

«Je pense que ça ne doit pas aller bien. Pourquoi ne déjeunez-vous pas avec nous ?»

Ils passèrent l'après-midi ensemble à se promener dans les bois tout en parlant de Béatrice. Edouard et Josée se donnaient le bras, prenant une allée après l'autre tandis que Jacques s'engageait dans les fourrés, lançait des pommes de pin, faisait l'homme des bois, non sans revenir de temps en temps déclarer que cette Béatrice méritait une bonne fessée, un point c'est tout. Josée riait et Edouard se sentait un peu consolé. Il finit par lui avouer qu'il avait besoin d'argent, elle lui dit ne pas s'inquiéter.

«Ce dont j'ai surtout besoin, je crois, dit Edouard en rougissant, c'est d'amis. »

Jacques, qui revenait à ce moment-là, lui dit que c'était fait, en tout cas pour lui. Josée renchérit. Dès lors ils passèrent leurs soirées ensemble. Ils se sentaient amicaux, jeunes et assez heureux.

Cependant, si la présence de Josée et de Jacques le réconfortait quotidiennement, elle le désespérait d'une autre manière. D'après le récit qu'il leur avait fait de ses dernières relations avec Béatrice, ils diagnostiquaient que tout était perdu pour lui. Or, il n'en était pas si sûr. Il voyait parfois Béatrice entre deux répétitions et, suivant les jours, elle l'embrassait tendrement, l'appelait « mon chou », ou ne le regardait pas et semblait excédée. Il décida d'en avoir le cœur net, encore que cette expression lui semblât bien fausse.

Il retrouva Béatrice dans un café, en face du théâtre. Elle était plus belle que jamais, parce que fatiguée, pâle, avec ce masque tragique et noble qu'il aimait tant. Elle était dans un de ses jours distraits et il aurait préféré un jour tendre, afin d'avoir une chance de plus de s'entendre répondre : « Mais si, je t'aime. » Néanmoins il se décida enfin à lui parler :

« La pièce marche bien ?

— Je vais devoir répéter tout l'été », dit-elle.

Elle était pressée de partir. Jolyau devait passer à la répétition. Elle ne savait toujours pas s'il l'aimait ou s'il avait envie d'elle, ou si elle n'était qu'une actrice à ses yeux.

« Il faut que je vous dise quelque chose », dit Edouard.

Il penchait la tête. Elle voyait la racine de ses cheveux si fins, qu'elle avait aimé caresser. Il lui était devenu complètement indifférent.

« Je vous aime, dit-il sans la regarder. Je crois que vous ne m'aimez pas, ou plus. »

Il eût passionnément désiré qu'elle le fixât sur ce point dont il doutait encore. Etait-il possible que ces nuits, ces soupirs, ces rires...? Mais elle ne répondit pas. Elle regardait au-dessus de sa tête.

« Répondez-moi », dit-il enfin.

Cela ne pouvait durer. Qu'elle parle ! Il souffrait et machinalement se tordait les mains sous sa table. Elle sembla sortir d'un rêve. Elle pensait : « Quel ennui ! »

« Mon petit Edouard, il faudra que vous sachiez quelque chose. Je ne vous aime plus, en effet, encore que je vous aime beaucoup. Mais je vous ai beaucoup aimé. »

Elle nota en elle-même l'importance de la place du mot « beaucoup » dans les sentiments. Edouard releva la tête.

« Je ne vous crois pas », répondit-il tristement.

Ils se regardèrent dans les yeux. Ça ne leur était pas arrivé souvent. Elle eut envie de lui crier : « Non, je ne vous ai jamais aimé. Et alors ? Pourquoi vous aurais-je aimé ? Pourquoi faudrait-il aimer quelqu'un ? Croyez-vous que je n'aie que ça à faire ? » Elle pensa à la scène de théâtre, livide sous les projecteurs, ou sombre, et une bouffée de bonheur l'envahit.

« Bien, ne me croyez pas, reprit-elle. Mais je serai toujours pour vous une amie, quoi qu'il arrive. Vous êtes un être charmant, Edouard. »

Il l'interrompit, à voix basse :

« Mais la nuit...

— Qu'est-ce que ça veut dire : "La nuit" ? Vous... »

Elle s'interrompit. Il était parti déjà. Il marchait dans les rues comme un fou, il disait : « Béatrice, Béatrice », et il avait envie de se cogner aux murs. Il la haïssait, il l'aimait, et le souvenir de leur première nuit lui faisait manquer ses pas. Il marcha longtemps, puis arriva chez Josée. Elle le fit asseoir, lui donna un grand verre d'alcool, ne lui parla pas. Il

s'endormit comme une pierre. A son réveil, Jacques était arrivé. Ils
sortirent tous les trois, et rentrèrent tous les trois très ivres chez Josée où
on l'installa dans la chambre d'ami. Il y demeura jusqu'à l'été. Il aimait
encore Béatrice et, comme son oncle, lisait d'abord les journaux à la
page Spectacles.

L'été tomba sur Paris, comme une pierre. Chacun suivait le cours
souterrain de sa passion ou de ses habitudes et le soleil cru de juin leur
fit lever une tête affolée de bête nocturne. Il fallait partir, trouver une
suite ou un sens à cet hiver passé. Chacun découvrait cette liberté, cette
solitude que donne l'approche des vacances, chacun se demandait avec
qui et comment l'affronter. Seule Béatrice, retenue par ses répétitions,
échappait, non sans plaintes, à ce problème. Quant à Alain Maligrasse, il
buvait énormément et Béatrice n'était plus que le prétexte de son
désarroi. Il avait pris l'habitude de dire : « J'ai un métier qui me plaît,
une femme charmante, une vie agréable. Et alors ? » A cet « et alors »
personne ne se sentait capable de répondre. Jolyau lui avait simplement
signalé qu'il était un peu tard pour découvrir cette locution. Mais, bien
sûr, il n'était jamais trop tard pour boire.

C'est ainsi qu'Alain Maligrasse découvrait une certaine forme de
désarroi et des moyens pour y remédier que l'on voit plus souvent
employer par les très jeunes hommes : les filles et l'alcool. C'est là
l'ennui de ces grandes et précoces passions comme celle de la
littérature ; elles finissent toujours par vous livrer à de plus petites, mais
plus vivaces et plus dangereuses parce que tardives. Il s'y abandonnait
avec un grand sentiment de confort comme s'il avait enfin trouvé le
repos. Sa vie était une suite de nuits agitées, parce que son amie
Jacqueline poussait la gentillesse jusqu'à lui faire des scènes de jalousie
— qui le ravissaient — , et de journées comateuses. « Je suis comme
l'étranger de Baudelaire, disait-il à Bernard atterré, je regarde les
nuages, les merveilleux nuages. »

Bernard eût compris qu'il aimât cette fille, il ne comprenait pas qu'il
aimât cette vie. De plus, il se mêlait à cela un vague sentiment d'envie.
Il eût aimé boire aussi, oublier Josée. Mais il savait bien qu'il ne voulait
pas s'évader. Un après-midi il alla voir Fanny pour une question
pratique et s'étonna de sa minceur, de cet air armé qu'elle avait pris. Ils
en vinrent naturellement à parler d'Alain car son alcoolisme n'était plus
un secret pour personne. Bernard s'était chargé de son travail au bureau
et la stupeur était encore trop grande pour que cet état de choses eût des
conséquences.

« Que puis-je faire ? dit Bernard.

— Mais rien, dit Fanny tranquillement. Il y avait tout un côté de lui
que j'ignorais, qu'il ignorait aussi sans doute. Je suppose que quand
deux êtres vivent ensemble vingt ans en s'ignorant à ce point… »

Elle eut une petite grimace de chagrin qui bouleversa Bernard. Il lui prit la main et s'étonna de la vivacité avec laquelle elle la lui retira et de sa rougeur.

« Alain a une crise, dit-il. Ce n'est pas si grave...

— Tout a commencé avec Béatrice. Elle lui a fait comprendre que sa vie était vide... Oui, oui, je sais, dit-elle avec lassitude, je suis une bonne compagne. »

Bernard pensa aux récits passionnés d'Alain sur sa nouvelle vie : les détails, la signification qu'il prêtait à ces minables scènes du bar de la Madeleine. Il baisa la main de Fanny et partit. Dans l'escalier, il croisa Edouard qui venait voir Fanny. Ils n'avaient jamais reparlé de leur nuit. Elle l'avait simplement remercié d'une voix neutre pour les fleurs qu'il lui avait envoyées le lendemain. Seulement il s'asseyait à ses pieds et ils regardaient par la porte-fenêtre les violents soleils de juin descendre sur Paris. Ils parlaient de la vie, de la campagne, distraitement, tendrement et cela n'était pas sans accentuer chez Fanny cette impression nouvelle de fin du monde.

Edouard à ses pieds se laissait bercer par une douleur — qui devenait confuse — et une gêne assez violente pour qu'elle le ramenât aussi tous les trois jours auprès d'elle — comme pour vérifier qu'il ne lui avait pas fait de mal. C'est avec soulagement et une sorte de gaieté qu'il regagnait ensuite l'appartement de Josée. Il y trouvait Jacques, fou d'inquiétude à propos des examens qu'il venait de passer, et Josée, penchée sur des cartes, car ils devaient partir pour la Suède tous les trois à la fin juin.

*

Ils partirent à la date prévue. De leur côté les Maligrasse furent invités un mois à la campagne, chez des amis. Alain y passa ses jours à dénicher des bouteilles. Seul Bernard resta tout l'été à Paris, travaillant à son roman, tandis que Nicole se reposait chez ses parents. Quant à Béatrice, elle interrompit ses répétitions pour rejoindre sa mère au bord de la Méditerranée où elle fit quelques ravages. Paris vide résonnait du pas inlassable de Bernard. C'était sur ce banc qu'il avait embrassé Josée pour la dernière fois, c'était dans ce bar qu'il lui avait téléphoné cette nuit horrible où elle n'était pas seule, c'était là qu'il s'était arrêté, submergé par le bonheur, le soir de leur retour lorsqu'il croyait enfin tenir quelque chose... Son bureau était poussiéreux au soleil, il lisait beaucoup et des moments de grand calme se mêlaient étrangement à son obsession. Il marchait vers les ponts dorés avec ses regrets et déjà le souvenir de ces regrets. Poitiers pluvieux se levait souvent de cet éclatant Paris. Puis en septembre les autres revinrent ; il rencontra Josée au volant de sa voiture et elle se gara le long du trottoir pour lui parler. Il était accoudé à l'autre portière, il regardait son visage mince et hâlé sous la masse noire de ses cheveux et il pensait qu'il ne s'en remettrait jamais.

Oui, le voyage s'était bien passé, la Suède était belle. Edouard les avait jetés dans un fossé mais ça n'avait rien été car Jacques... Elle s'arrêtait. Il ne put retenir un mouvement de rage :

«Je vais vous paraître grossier. Mais je trouve que ces bonheurs tranquilles vous vont mal.»

Elle ne répondit pas, lui sourit tristement.

«Je vous demande pardon. Je suis mal placé pour parler du bonheur, tranquille ou pas. Et je n'oublie pas que je vous dois le seul de cette année...»

Elle posa sa main sur la sienne. Leurs mains avaient la même forme, celle de Bernard simplement plus grande. Ils le remarquèrent l'un et l'autre, sans rien dire. Elle partit et il rentra chez lui. Nicole était heureuse grâce à la gentillesse, au calme qu'il tirait de sa tristesse. C'était toujours ça.

*

«Béatrice. A vous.»

Béatrice sortit de l'ombre, arriva dans la zone éclatante de la scène, tendit le bras. «Ce n'est pas étonnant qu'elle soit si vide, pensa Jolyau brusquement. Elle a tout cet espace, tout ce silence à peupler tous les jours, on ne peut pas lui demander...»

«Dites donc... elle se débrouille.»

Le journaliste, à côté de lui, avait les yeux fixés sur Béatrice. C'étaient les dernières répétitions et Jolyau le savait déjà : Béatrice allait être la révélation de l'année, et peut-être, en plus, une grande actrice.

«Donnez-moi quelques renseignements sur elle.

— Elle vous les donnera elle-même, mon vieux. Je ne suis que le directeur de ce théâtre.»

Le journaliste sourit. Tout Paris croyait à leur liaison. Jolyau la sortait partout. Mais il attendait la générale, par goût du romanesque, avant de «légaliser» leurs relations, au grand dépit de Béatrice qui trouvait plus sain d'avoir un amant. S'il ne l'avait pas autant compromise, elle lui en eût voulu à mort.

«Comment l'avez-vous connue?

— Elle vous le racontera. Elle raconte bien.»

Béatrice était en effet parfaite avec la presse. Elle répondait aux questions avec un mélange d'amabilité et de hauteur qui faisait très «dame du théâtre». Par bonheur elle n'était pas encore connue, n'avait pas fait de cinéma, n'avait pas eu de scandale.

Elle venait vers eux, souriante. Jolyau les présenta l'un à l'autre.

«Je vous laisse ; Béatrice, je vous attends au bar du théâtre.»

Il s'éloigna. Béatrice le suivit des yeux, d'un long regard destiné à révéler au journaliste ce qu'il croyait déjà et se retourna enfin vers lui.

Une demi-heure plus tard elle rejoignit Jolyau qui buvait un gin-fizz, battit des mains devant ce choix judicieux et en commanda un également. Elle le but avec une paille, levant de temps en temps sur Jolyau ses grands yeux sombres.

Jolyau se sentait attendri. Qu'elle était gentille avec ses comédies, ses petites ambitions forcenées! Que ce goût de la réussite était une chose drôle dans le grand cirque de l'existence! Il se sentait l'esprit cosmique. « Quelle vanité, chère Béatrice, tous nos efforts de ces jours-ci... »

Il commença un long discours. Il adorait cela; il lui expliquait quelque chose pendant dix minutes, elle l'écoutait avec attention puis lui résumait son discours en une petite phrase merveilleusement sage et commune pour bien lui montrer qu'elle avait compris. «Après tout, si elle résume, c'est que c'est résumable.» Et comme chaque fois qu'il touchait du doigt sa propre médiocrité, une sorte de plaisir féroce l'envahit.

«C'est bien vrai, dit-elle, à la fin. Nous ne sommes pas grand-chose. Heureusement que nous l'ignorons souvent. Ou nous ne ferions rien.

— C'est ça, exulta Jolyau. Vous êtes parfaite, Béatrice.»

Il lui baisa la main. Elle résolut de s'expliquer. La désirait-il ou était-il pédéraste? Elle ne voyait pas d'autre alternative pour un homme.

«André, vous savez qu'il court des bruits fâcheux sur votre compte? Je vous le dis en amie.

— Des bruits fâcheux sur quoi?

— Sur — elle baissa la voix —, sur vos mœurs.»

Il éclata de rire.

«Et vous les croyez? Chère Béatrice, comment vous détromper?»

Il se moquait d'elle, elle le comprit en une seconde. Ils se regardèrent fixement et il leva la main comme pour prévenir un éclat.

«Vous êtes très belle, et très désirable. J'espère qu'un jour prochain, vous me laisserez vous le dire plus longuement.»

Elle lui tendit la main par-dessus la table d'un geste royal et il y posa une bouche amusée. Décidément, il adorait son métier.

CHAPITRE X

ET ENFIN, le soir de la générale arriva. Béatrice était debout dans sa loge; elle regardait dans sa glace cette étrangère vêtue de brocart; elle la regardait avec effarement. C'était elle qui allait décider de son destin. Déjà la sourde rumeur de la salle lui parvenait, mais elle se sentait glacée. Elle attendait le trac qui ne venait pas. Pourtant tous les bons comédiens l'ont, elle le savait. Mais elle ne pouvait que se regarder, immobile, se répétant machinalement la première phrase du rôle :

« Encore lui ! Ne suffit-il pas que j'aie obtenu sa grâce ?... »

Il ne se passait rien. Les mains un peu moites, une impression d'absurde. Elle avait lutté, pensé si longtemps à ce moment-là. Il fallait qu'elle réussît ; elle se ressaisit, redressa une mèche de cheveux.

« Vous êtes superbe ! »

Jolyau venait d'ouvrir la porte, souriant, dans son smoking. Il s'approcha d'elle :

« Quel dommage que nous ayons cette obligation. Je vous aurais bien emmenée danser. »

Cette obligation !... Par la porte ouverte la rumeur monta et elle comprit brusquement. « Ils » l'attendaient. Elle allait avoir tous leurs regards fixés sur elle, toutes ces mouches féroces, bavardes. Elle eut peur. Elle prit la main de Jolyau, la serra. C'était son complice mais il allait la laisser seule. Elle le haït un instant.

« Il faut descendre », dit-il.

Il avait conçu la première scène de telle sorte qu'au lever du rideau elle se présentait de dos au public. Elle devait être appuyée au piano, et ne se retourner qu'à la deuxième phrase de sa partenaire. Il savait pourquoi : il se trouverait lui-même derrière un portant et il verrait l'expression de son visage quand le rideau se lèverait derrière elle. Cela l'intéressait plus que le succès de la pièce. Qu'allait faire l'animal Béatrice ? Il l'installa devant le piano et prit son poste. Les trois coups résonnèrent. Elle entendit le glissement du rideau. Elle regardait fixement un faux pli du napperon à l'autre bout du piano. A présent « ils » la voyaient. Elle avança la main, arrangea le pli. Puis quelqu'un d'autre qu'elle, lui sembla-t-il, se retourna :

« Encore lui ! Ne suffit-il pas que j'aie obtenu sa grâce ? »

C'était fini. Elle traversait la scène. Elle oubliait que l'acteur qui venait à sa rencontre était son ennemi juré, car il avait un rôle de la même importance que le sien ; elle oubliait qu'il était pédéraste. Elle allait l'aimer, il fallait lui plaire, il avait le visage de l'amour. Elle ne voyait même plus la masse sombre qui respirait à sa droite, elle vivait enfin.

Jolyau avait vu l'incident du napperon. Il eut une seconde l'intuition rapide que Béatrice le ferait souffrir un jour. Puis, à la fin du premier acte, sous les applaudissements, elle revint vers lui, intacte, armée jusqu'aux dents et il ne put s'empêcher de sourire.

C'était un triomphe. Josée était ravie, elle avait toujours eu une sympathie amusée pour Béatrice. Elle jeta un coup d'œil interrogateur à Edouard à sa droite. Il ne semblait pas particulièrement ému.

«J'aime décidément mieux le cinéma mais ce n'est pas mal», dit Jacques.

Elle lui sourit ; il prit sa main et elle qui détestait toute démonstration en public le laissa faire. Il y avait quinze jours qu'ils ne s'étaient vus car elle avait dû se rendre chez ses parents au Maroc. Il ne l'avait retrouvée que cet après-midi chez des amis, après son cours. Elle était assise devant une porte-fenêtre ouverte car il faisait doux et elle l'avait vu jeter son manteau dans l'entrée avant de se précipiter dans le salon. Elle n'avait pas bougé, elle avait simplement senti un sourire irrépressible se former sur sa bouche et il s'était arrêté en la voyant, avec le même sourire presque douloureux. Puis il était venu vers elle et, pendant qu'il faisait les trois pas qui les séparaient, elle avait su qu'elle l'aimait. Grand, un peu sot, violent. Et, tandis qu'il la prenait dans ses bras, rapidement à cause des tiers, elle avait passé la main dans ses cheveux roux, sans aucune autre pensée que : «Je l'aime, il m'aime, c'est incroyable.» Depuis elle respirait avec d'infinies précautions.

«Alain semble sur le point de s'endormir», dit Edouard.

Maligrasse en effet, venu tremblant au théâtre revoir Béatrice après ces trois mois, était resté de marbre. Cette belle étrangère qui s'agitait avec tant de talent sur la scène n'avait plus rien à voir avec lui. Il cherchait un moyen de rejoindre son bar après la chute du rideau. De plus il avait soif. Bernard avait eu l'intelligence de l'emmener boire un scotch au premier entracte, mais au second il n'osait bouger. Fanny ne broncherait pas mais il devinait sa pensée : d'ailleurs les lumières s'éteignaient à nouveau. Il soupira.

C'était merveilleux. Elle savait que c'était merveilleux. On le lui avait assez dit. Mais cette certitude ne lui servait à rien. Demain peut-être se réveillerait-elle avec ces mots à la bouche, avec la certitude d'être enfin Béatrice B... la révélation de l'année. Mais ce soir... Elle jeta un coup d'œil à Jolyau qui la ramenait chez elle. Il conduisait doucement, avec l'air de réfléchir.

«Que pensez-vous du succès ? »

Elle ne répondit pas. Le succès, c'était cette suite de regards curieux qu'elle avait rencontrés partout au cours du dîner qui avait suivi la générale, cette suite de phrases outrancières prononcées par des visages connus, cette suite de questions. C'était gagné, quelque chose était gagné, et elle s'étonnait un peu que la preuve en soit si dispersée.

Ils étaient arrivés en bas de chez elle.

«Je peux monter ? »

Jolyau lui ouvrait la portière. Elle était éperdue de fatigue mais elle n'osa refuser. Tout cela était sans doute logique mais elle n'arrivait pas à saisir le lien entre cette ambition, cette volonté qui ne lui laissaient aucun repos depuis sa prime jeunesse, et la soirée qui les couronnait.

De son lit, elle regardait Jolyau en bras de chemise marcher de long en large. Il discutait de la pièce. Ça lui ressemblait assez de s'intéresser au sujet d'une pièce après l'avoir choisie, montée et écouté répéter pendant trois mois.

« J'ai affreusement soif », dit-il enfin.

Elle lui indiqua la cuisine. Elle le regarda sortir, un peu étroit d'épaules, un peu trop vif. Elle revit un instant le long corps sinueux d'Edouard et elle le regretta. Elle aurait voulu qu'il fût là, qu'il y eut n'importe qui de très jeune pour s'extasier sur cette soirée ou pour en rire avec elle comme d'une énorme farce. Quelqu'un qui eût redonné vie à tout cela. Mais il n'y avait que Jolyau et ses commentaires ironiques. Et il allait falloir passer la nuit avec lui. Ses yeux se remplirent de larmes, elle se sentit faible soudain et très jeune. Les larmes giclaient, elle se répétait vaguement que tout cela était merveilleux. Jolyau revint. Heureusement Béatrice savait pleurer sans se défigurer.

Au milieu de la nuit, elle se réveilla. Le souvenir de la générale lui revint aussitôt. Mais elle ne pensait plus à son succès. Elle pensait aux trois minutes où le rideau s'était levé, où elle s'était retournée, où elle avait dépassé quelque chose de considérable par ce simple mouvement de son corps. Ces trois minutes seraient à elle tous les soirs, à présent. Et elle devinait déjà confusément que ce seraient les seules minutes vraies de toute son existence, que c'était là son lot. Elle se rendormit paisiblement.

CHAPITRE XI

Le lundi suivant, les Maligrasse donnèrent une de leurs habituelles soirées, la première depuis le printemps. Bernard et Nicole, Béatrice triomphalement modeste, Edouard, Jacques, Josée, etc., s'y rendirent. C'était une soirée fort gaie. Alain Maligrasse titubait un peu, mais personne n'y prêtait attention.

A un moment, Bernard se retrouva près de Josée contre un mur où ils s'appuyèrent en regardant les autres.

Comme il lui posait une question, elle lui désigna du menton le jeune musicien protégé de Fanny qui se mettait au piano et commençait à jouer.

« Je connais cette musique, chuchota Josée, c'est très beau.

— C'est la même que l'année dernière. Vous vous rappelez, nous étions là, les mêmes, et il jouait le même morceau. Il n'a pas dû avoir d'autre idée. Nous non plus, d'ailleurs. »

Elle ne répondit pas.

Elle regardait Jacques, à l'autre bout du salon.

Bernard suivit son regard.

«Un jour vous ne l'aimerez plus, dit-il doucement, et un jour je ne vous aimerai sans doute plus non plus.

«Et nous serons à nouveau seuls et ce sera pareil. Et il y aura une autre année de passée...

— Je le sais», dit-elle.

Et dans l'ombre elle lui prit la main et la serra un instant sans détourner les yeux vers lui.

«Josée, dit-il, ce n'est pas possible. Qu'avons-nous fait tous?... Que s'est-il passé? Qu'est-ce que tout cela veut dire?

— Il ne faut pas commencer à penser de cette manière, dit-elle tendrement, c'est à devenir fou.»

CHÂTEAU EN SUÈDE

Théâtre

PERSONNAGES

AGATHE (40 ans), sœur d'Hugo.
HUGO (40 ans), époux d'Éléonore et d'Ophélie.
ÉLÉONORE (28 ans), actuelle épouse d'Hugo.
SÉBASTIEN (30 ans), frère d'Éléonore.
OPHÉLIE (30 ans), première femme d'Hugo.
FRÉDÉRIC (25 ans), cousin éloigné d'Hugo et d'Agathe.
GUNTHER (60 ans), vieux serviteur.
LA GRAND-MÈRE, mère d'Hugo et d'Agathe (impotente).

Pièce jouée pour la première fois au théâtre de l'Atelier, le 9 mars 1960.

ACTE PREMIER

Le living-room ou la salle des gardes d'un château en Suède : quand le rideau se lève, Éléonore et Sébastien sont seuls en scène, lisant. Ils sont en costumes Louis XV.

SÉBASTIEN, *relevant la tête.* — Où en es-tu?

ÉLÉONORE, *elle le regarde puis se penche à nouveau sur son livre.* — Où j'en suis? *(Lisant.)* : «Alors Malcolm approcha de la jeune femme son visage empourpré par le désir.»

SÉBASTIEN. — Seulement... Moi j'en suis au moment où il l'étrangle. Ma chère sœur, je lis deux fois plus vite que toi.

ÉLÉONORE. — Peut-être que ce livre t'intéresse.

SÉBASTIEN. — Pas du tout. Il est inutile de l'avoir en deux exemplaires. Tu devrais signaler à ton mari que j'ai lu tous les livres de sa bibliothèque — de même que j'ai mangé tous les canards de ses étangs et abusé de toutes ses soubrettes. Qu'il se réapprovisionne! Je veux dire en livres.

Éléonore ne répond pas. Elle semble lire.

SÉBASTIEN. — Pourquoi ne réponds-tu pas? Voilà deux mois qu'on essaie de lire ce livre ensemble. On ne peut pas. Parle-moi plutôt.

ÉLÉONORE. — De quoi?

SÉBASTIEN. — Ah! tu me connais trop. Je suis ton frère, voilà vingt-sept ans que tu me vois, cinq ans que tu vois ton mari et sa famille, et ce château. Tu t'ennuies, c'est bien naturel, je pense? Pourquoi as-tu épousé Hugo? *(Un silence.)* ... C'est sans doute la deux centième fois que je te le demande. Tu ne me réponds pas, bien. Mais nous serions mieux à Stockholm. Encore que ces châteaux tristes aient leur charme.

ÉLÉONORE. — J'entends le tracteur d'Hugo.

SÉBASTIEN. — Il va rentrer avec ses bottes de chasse, son odeur de nature, et sa belle force... Est-ce notre famille un peu dégénérée qui t'a menée à cette corruption ? Car il n'y a pas de pire raffinement que ce goût de la santé. Tu le sais...

Entre Agathe — quarante ans — plus habillée qu'eux-mêmes.
Elle marche toujours solennellement.

AGATHE. — J'ai reçu un courrier de Stockholm. Frédéric Falsen, un allié de la branche cadette, arriverait dans quelques jours chez nous.

SÉBASTIEN. — N'allez pas me dire que nous recevrions encore une visite.

AGATHE. — Notre famille a toujours été l'une des plus hospitalières du Nord. L'ignorez-vous encore ?

SÉBASTIEN. — Si c'est une allusion à ma présence ici, elle est inutile. Je n'ai pas d'argent, je ne sais pas m'en procurer et cela m'ennuie. Ma sœur a épousé votre frère et habite ce château où je l'ai rejointe. J'aimerais que vous compreniez à quel point cela est fixé.

AGATHE. — Je le sais assez. Mais laissez-moi dire qu'un gentilhomme...

Hugo entre, énorme. Il a une canadienne et des bottes qui contrastent étrangement
avec les habits du XVIIIᵉ de ses compagnons.

AGATHE. — Hugo. Je vous en prie.

Elle se cache les yeux de la main et sort.

HUGO, *se tourne vers les autres.* — Je n'ai pas eu le temps de mettre mon costume d'opérette. A-t-elle vu mon tracteur ?

SÉBASTIEN. — Ne vous inquiétez pas. Sa manie de l'histoire est assez imaginative. Elle l'aura pris pour un instrument de torture.

HUGO. — C'en est un. Il marche très mal. J'ai passé la journée avec les mains dans le carter. C'est pourquoi je ne vous ai pas embrassée, Éléonore.

Il montre ses mains, Éléonore sourit.

ÉLÉONORE. — Quel est ce Frédéric qui arrive et dont parle Agathe ?

HUGO. — Ah oui ! c'est un cousin à nous. Je ne sais pas ce qu'il vient faire ici. Chasser peut-être. Pauvre garçon ! Je vais me changer.

SÉBASTIEN, *aimable.* — Si ce tracteur ne marche pas, vous devriez le revendre et acheter Balzac mon cher. Il n'y a plus rien à lire ici.

HUGO. — Balzac... ? Ah oui ! J'aime mieux arranger le tracteur.

Il éclate de rire et disparaît.

ÉLÉONORE. — Il est assez sympathique.

SÉBASTIEN. — Ton mari ? oui, mais cette pauvre Agathe...

ÉLÉONORE. — Cessez donc de vous disputer.

SÉBASTIEN. — Me disputer avec Agathe ! Il n'en est pas question. Tu oublies toujours que je suis intelligent.

ÉLÉONORE. — Intelligent et sournois. Tu t'es fait renvoyer de dix collèges pour ça.

SÉBASTIEN. — Ma seconde femme, l'Américaine, m'a aussi renvoyé pour ça. Elle me trouvait sournois et mes arrivées la faisaient soi-disant sursauter. Il fallait pourtant bien que j'arrive à un moment quelconque, ne serait-ce qu'aux repas.

ÉLÉONORE. — C'étaient les seuls moments où tu arrivais.

SÉBASTIEN. — Et j'avais beau sonner, tousser, me prendre les pieds dans le tapis, il y avait toujours un moment où elle sursautait et s'écriait : « Mon Dieu, vous êtes là ! » d'une voix angoissée. Je serais devenu nerveux, à force.

ÉLÉONORE. — Moi, c'est Ophélie qui me gêne.

SÉBASTIEN. — Elle est charmante, rêveuse...

ÉLÉONORE. — Trop. Il va falloir la cacher si ce Frédéric arrive.

SÉBASTIEN. — Quel est ce Frédéric ? Quelle idée a eue ce jeune homme d'accepter l'invitation d'Agathe au milieu de l'hiver. Il doit être bien laid ou bien malade. Ou amoureux de toi.

ÉLÉONORE. — Je ne le connais pas.

SÉBASTIEN. — Il a pu te voir à ton mariage, ou à l'enterrement d'Ophélie. La voici d'ailleurs.

Entre Ophélie, en robe blanche et chantonnant.

OPHÉLIE. — Je voudrais aller me promener, je voudrais voir des gens. Je voudrais saluer mes parents. Je voudrais avoir des robes sur mesure.

Elle sort par l'autre porte. Le frère et la sœur soupirent.

SÉBASTIEN. — Quel destin ! Tu te rappelles quand on a su... ce fou rire que j'avais...

ÉLÉONORE. — Pas moi. Pauvre Hugo, il était gêné...

SÉBASTIEN. — C'est là que j'ai commencé à l'estimer. Séquestrer une femme, faire croire à sa mort pour en épouser une seconde, c'est assez extraordinaire. Il faut avoir des sentiments. Ah ! si j'avais eu envers les femmes le tiers de ces sentiments ! Mais moi, j'ai toujours été séquestré moi-même. Séquestré, nourri, blanchi. Le coq en pâte. Sébastien von Milhem.

ÉLÉONORE. — Ne t'abîme pas en de tristes réflexions.

SÉBASTIEN. — Je sais bien que je t'énerve, ma chérie, mais je n'y peux rien. Malgré le violent abrutissement qui règne ici, je me sens l'esprit léger, sentencieux, discoureur comme un poisson. Et plus ça va, plus ça augmente. Je finirai fou comme l'oncle Jan.

ÉLÉONORE, *violemment.* — Ne parle pas de lui.

SÉBASTIEN. — Je ne te comprends pas. Il y a tellement de gens qui se disent un peu fous, et avec une telle satisfaction, un tel soulagement. Nous le sommes sûrement un peu pour de bon... profitons-en.

ÉLÉONORE. — Comment? Comment en profiter?

SÉBASTIEN, *déconcerté.* — Mais je ne sais pas... pour le rester... sans doute.

> *Rentre Hugo habillé en gentilhomme, Agathe le précède.*

AGATHE. — Avant que retentisse la cloche du déjeuner, il faut que nous tenions un conseil de famille. Si Frédéric Falsen nous rend visite, il serait bon qu'il remporte un souvenir décent de notre maison. Et qu'il ne découvre pas notre honteux secret...

HUGO, *grommelant.* — Honteux... Honteux, c'est vite dit.

AGATHE. — La bigamie est chose honteuse. Notre pauvre mère vous l'avait assez dit. N'est-ce pas, mère?

> *Elle se tourne vers un fauteuil où gît une chose informe vêtue d'un bonnet.*
> *Il serait bon qu'on ne la découvre pas avant la phrase d'Agathe.*

HUGO. — Laisse notre mère tranquille.

SÉBASTIEN. — De toute manière, cela ne risque guère de la déranger. Il y a quatre ans qu'elle n'entend plus et voit à peine. Vous ne vous en souvenez que pour vos scènes.

ÉLÉONORE, *distraite.* — Comment est-il ce Frédéric?

SÉBASTIEN. — Tu veux dire physiquement?

HUGO. — C'est un petit jeune homme. Il doit jouer aux cartes et courir les femmes.

ÉLÉONORE. — C'est bien dommage qu'il faille cacher Ophélie. Ça l'aurait distraite.

HUGO, *furieux.* — Il n'est pas question qu'Ophélie...

SÉBASTIEN. — Vous avez encore des réflexes bien maritaux. Vous avez convié toute la Suède à l'enterrement d'Ophélie. Tout ceci afin d'épouser ma sœur. Considérez-vous comme veuf et remarié.

ÉLÉONORE. — Mais c'est ainsi qu'il se considère.

Elle prend le bras libre d'Hugo : il la serre contre lui avec un rire satisfait.

AGATHE. — Bon. Au reste nous avons tous pardonné à Hugo cette... incartade. Maintenant, il faut bien penser qu'Ophélie va être excédée de se voir à nouveau enfermée dans son appartement.

ÉLÉONORE. — Combien de temps va rester ce Frédéric ?

HUGO. — Pas longtemps. Les neiges vont commencer dans trois semaines. Il faudra bien qu'il parte à la première chute.

AGATHE. — Mon cher Hugo, c'est à vous d'expliquer les choses à Ophélie.

HUGO. — Elle ne m'écoute plus.

SÉBASTIEN. — Mettez-vous à sa place.

ÉLÉONORE, *lasse.* — Je lui parlerai s'il le faut.

Pendant ce temps, Ophélie est rentrée dans la salle.
Elle les écoute avec attention.

OPHÉLIE. — Comment est-il ce Frédéric ?

Ils sursautent et se retournent vers elle.

AGATHE. — Ennuyeux et laid, ma petite. C'est pourquoi il vaudrait mieux que vous ne le vissiez point...

OPHÉLIE. — J'ai connu un Frédéric Falsen à Stockholm... Est-ce le même ? Nous jouions ensemble au Parc, il était beau, il voulait m'épouser plus tard. *(Un temps. Ils la regardent.)...* Plus tard, j'ai épousé Hugo... Le vilain Hugo, le méchant Hugo...

Elle sort en chantonnant la dernière phrase. Ils se regardent en silence.

SÉBASTIEN. — Je ne connais rien de pire que les femmes enfants.

AGATHE. — Il faut dire que cette pauvre Ophélie devient étrange...

Ophélie repasse la tête par la porte.

OPHÉLIE. — Si c'est mon Frédéric, je lui dirai tout. Et il m'épousera et nous habiterons ici avec vous. Ce sera bien fait pour Hugo.

Elle disparaît.

AGATHE. — Elle le ferait... Je vais dire au vieux Gunther de la mener à sa chambre et de lui porter ses repas, comme l'hiver dernier.

Apparaît Gunther, vieux serviteur de la famille.

GUNTHER. — Madame la comtesse, il y a là un jeune homme, Frédéric Falsen...

Frédéric Falsen est dans la porte déjà, jeune et fort beau.
Il s'arrête et regarde Éléonore, comme ébloui.

AGATHE, *devant le costume de Frédéric.* — Ah!... Ah non!...

Elle sort. Frédéric reste stupéfait.

FRÉDÉRIC. — Je... Je m'excuse. Que se passe-t-il?

SÉBASTIEN. — Votre costume!

FRÉDÉRIC. — Mon... mon costume? *(Il s'inspecte.)* Je ne vois pas, il vient de chez Pyle *(Il rit.)* et il n'a jamais fait peur jusqu'ici.

SÉBASTIEN. — Vous trouvez ça joli, vous? ces pantalons étriqués, ces ridicules petits revers là et là. Hein?

FRÉDÉRIC. — Mon Dieu, comparé à votre jabot, évidemment...

SÉBASTIEN. — Eh bien voilà. Vous avez raison. Mon jabot est plus joli que votre cravate de Pyle. Comment va-t-il ce vieux Pyle? Je lui devais cinq cent mille francs, il y a deux ans. Maintenant aussi d'ailleurs. Quand on dit que tout augmente...

HUGO. — Un instant de silence, par pitié, Sébastien. Monsieur, je suis Hugo Falsen, votre cousin. Voici ma femme Éléonore et son frère Sébastien.

Frédéric s'incline.

HUGO. — Quant à la jeune femme qui vient de sortir, c'est ma sœur, Agathe. C'est elle qui correspond avec votre famille. C'est une jeune femme nerveuse...

SÉBASTIEN. — Oh! combien...

HUGO, *continuant.* — Nerveuse, qui s'est entichée de l'ancien temps. Pour ne pas la contrarier et surtout pour qu'elle me fiche la paix, vu qu'elle possède les deux tiers du domaine, nous nous habillons en costumes d'époque. C'est tout. Vous serez assez aimable d'emprunter quelques colifichets de style à Sébastien, car vous nageriez dans les miens. Voilà. Sur ce, j'ai du travail. *(Il sort et rentre aussitôt.)* Je vous remercie de votre visite, monsieur.

Frédéric reste ahuri. Sébastien le contemple et jette un coup d'œil à Éléonore
qui semble un peu réveillée.

FRÉDÉRIC. — Vous pouvez croire, madame, que si j'avais pensé donner un tel choc à votre, euh!... belle-sœur, j'aurais voyagé en costume d'époque, quitte à scandaliser les wagons-lits...

SÉBASTIEN. — Les wagons-lits... ça existe encore? Quelle merveille!

FRÉDÉRIC, *souriant.* — J'en sors. Ils n'ont pas changé, je pense, depuis, euh...

SÉBASTIEN, *martyr.* — Cinq ans, monsieur.

FRÉDÉRIC. — Il y a toujours des compartiments marron, une petite échelle...

SÉBASTIEN. — Une échelle, pouah! je ne voyageais qu'en première, monsieur, c'est ce qui m'a perdu d'ailleurs, entre autres.

FRÉDÉRIC. — Ah bon! *(Un silence.)* Ce château est très beau, madame.

ÉLÉONORE, *doucement.* — Vous vous nommez Frédéric, cousin?

Derrière son dos. Sébastien lève les bras au ciel.

FRÉDÉRIC. — Oui. Et vous Éléonore.

Ils se fixent. Silence.

SÉBASTIEN. — Oui. Et moi, Sébastien. C'est épatant, on est à égalité.

ÉLÉONORE. — Ne prêtez pas trop attention à mon frère, il est un peu bizarre, extrêmement bavard, voire inopportun.

SÉBASTIEN. — En revanche, prêtez attention à ma sœur. Elle est jeune, belle, isolée, relativement drôle et...

FRÉDÉRIC. — Je crois que vos conseils seront superflus, monsieur.

SÉBASTIEN. — Vous verrez. Éléonore, tu devrais montrer sa chambre à ton cousin. Il faut que je veille à tout décidément ici. Moi, le parasite, je suis la clef de voûte de cette cathédrale qu'est la famille Falsen.

ÉLÉONORE, *à Frédéric.* — Vous me suivez?

FRÉDÉRIC, *souriant.* — Partout.

SÉBASTIEN. — Voilà du tac au tac, cousin Frédéric. J'aime cette rapidité chez les jeunes gens...

Ils sont sortis. Sébastien continue.

SÉBASTIEN. — Et voilà, je parle seul une fois de plus. *(Il se tourne vers le fauteuil.)* Il est vrai que vous êtes là, grand-mère par alliance. J'ai un faible pour vous, le savez-vous? Vous vous taisez, vous ne comprenez pas. Nous aurions vécu heureux ensemble. Hélas! je vous ai connue trop tard. *(Il s'assoit à ses pieds.)* Savez-vous que vous êtes divine? Même pas un tricot, même pas une de ces affreuses occupations qui nous arrachent les femmes. Le tricot et le goût du mariage m'ont fait perdre toutes mes amies, grand-mère chérie, n'est-ce pas triste?...

Il lui caresse les cheveux. Rentre Hugo.

HUGO. — Où est-il celui-là? On lui apporte ses bagages. Dans quelle chambre Éléonore l'installe-t-elle?

SÉBASTIEN. — Je l'ignore.

HUGO, *accablé*. — Vous avez vu sa tête, et son sourire... Qu'est-ce qu'ils ont tous à minauder en ce moment?

SÉBASTIEN, *gracieux*. — Vous trouvez que je minaude aussi?

HUGO. — Vous non. Vous grincez. Pourquoi avez-vous l'air si content? Ça vous amuse, vous, ces petits cousins qui débarquent chaque hiver et nous encombrent? Tout cela au nom de la fameuse hospitalité des Falsen!

SÉBASTIEN. — Je les trouve assez distrayants.

HUGO. — Je sais. Ça vous amuse même rudement. Si vous n'aviez pas engrossé toutes les femmes de chambre, je me demanderais... mais non, ça vous amuse, simplement. Éléonore et vous passez l'hiver à ricaner dans leur dos, à jouer un jeu que je ne comprends pas. Quel plaisir prenez-vous à vous moquer d'un autre homme?

SÉBASTIEN. — Le plaisir le plus bas, Hugo, donc un des plus profonds.

HUGO. — Vous aimez bien les phrases, hein?

SÉBASTIEN. — C'est tout ce qui me reste, mon cher. L'intelligence est devenue une chose terrible, à notre époque. Elle vous tourmente vous-même, elle irrite les autres, elle ne convainc ni eux ni vous...

HUGO. — Vous philosophez une fois de plus. Vous feriez mieux de vous occuper de ces bagages.

SÉBASTIEN. — J'y vais. J'adore me rendre utile.

(Un noir.)

Éléonore rentre dans la pièce — la même — en amazone. Elle s'affale sur le sofa. Frédéric la suit à deux pas. Ils rient tous deux.

ÉLÉONORE. — Finissez votre histoire, Frédéric, maintenant que nous sommes seuls.

FRÉDÉRIC. — Eh bien voilà. Le mari était naturellement furieux. Il est venu jusqu'à Stockholm en avion, il arrive à dix heures à l'hôtel, entre dans la chambre comme un taureau, bref le scandale. Il voulait me provoquer en duel... en 1958...

ÉLÉONORE. — Qu'avez-vous fait?

FRÉDÉRIC, *insouciant*. — Je l'ai pris au collet, je l'ai un peu secoué et je lui ai rendu sa femme qui d'ailleurs devenait fatigante...

ÉLÉONORE. — Vous ne l'aimiez donc pas?

FRÉDÉRIC. — On ne peut pas aimer chaque fois, n'est-ce pas?

ÉLÉONORE. — C'est vrai.

FRÉDÉRIC. — La passion, je sais bien que c'est beau mais je suppose que j'attendais la bonne occasion.

ÉLÉONORE. — Vous avez de la chance. Personnellement j'ai eu le cœur brisé dix fois, non, douze.

FRÉDÉRIC. — Douze?

ÉLÉONORE. — Eh oui : douze. Qu'y a-t-il là de si étonnant? N'ai-je pas un physique à passion?

FRÉDÉRIC. — Que vous en ayez suscité cent, je le comprendrais.

ÉLÉONORE. — Mais... vous êtes bien aimable.

FRÉDÉRIC. — Maintenant je vais vous donner ce que j'ai abattu derrière la colline. Regardez.

ÉLÉONORE. — Une sarcelle bleue... C'est aussi rare qu'un visiteur... Qu'elle est douce. Regardez, ses plumes sont légères et transparentes. Elle est tiède encore.

FRÉDÉRIC. — Elle est aussi douce que vous semblez dure, aussi transparente que vous restez obscure. Aussi tiède que vous êtes glaciale, ou brûlante, j'ignore.

ÉLÉONORE. — Vous parlez bien. J'oubliais que les jeunes gens parlent bien à la ville. Toutes ces merveilleuses comparaisons, sur le corps de cette malheureuse sarcelle. N'avez-vous pas honte de me faire la cour sur le dos de vos victimes?

Il tend la main vers elle, impulsivement. Elle le regarde, éclate de rire.

ÉLÉONORE. — Nous badinons, je crois.

Il rit aussi. Il doit être gai et charmant.

FRÉDÉRIC. — Je badine encore. Sérieusement, Éléonore, sérieusement croyez-moi un instant...

ÉLÉONORE. — Oui, oui, vous me désirez sérieusement. C'est une des rares choses sérieuses, chez les jeunes hommes riches.

FRÉDÉRIC. — Que voulez-vous de moi? Oui, je sais, rien. Mais je suis : rien. Je veux dire : si vous me laissez une chance de vous plaire, laquelle est-elle? Dois-je être amoureux, ou pas? Il y a des moments où vous riez tellement comme moi... je crois, j'ai l'impression de vous retrouver.

ÉLÉONORE. — Je ne sais pas; pourquoi pas? Comprenez-moi. Vous êtes une telle occasion, Frédéric. Ce château triste, cette jeune femme qui s'y ennuie (je parle de moi) et ce jeune visiteur... Mais je n'aime pas les occasions. Pas tellement. Et puis si vous me brisiez le cœur, une treizième fois...

Elle rit.

FRÉDÉRIC. — Aimez-moi un peu.

ÉLÉONORE. — Tromper Hugo... Je ne tromperais que vous.

FRÉDÉRIC. — Je n'en suis pas si sûr.

Ils se regardent et éclatent de rire. Rentre Sébastien, un lapin mort à la main.

SÉBASTIEN. — Un lapin, un malheureux lapin! Voici ma chasse. J'aurais pu tuer le même près de Paris. Ah! pourquoi n'y suis-je pas resté?

ÉLÉONORE. — Tu aurais été obligé de le manger. Pour te nourrir.

SÉBASTIEN. — C'est vrai. Mais à Paris, le lapin cuit est excellent. Ici, il est simplement infâme. Frédéric, auriez-vous tué une sarcelle? Éléonore va vous égorger. C'est son oiseau préféré.

Frédéric regarde Éléonore.
Elle caresse la sarcelle et lève un instant les yeux sur lui.

FRÉDÉRIC. — Que je suis maladroit. Que je suis heureux. Vous ne m'avez rien dit.

AGATHE, *rentrant.* — La chasse est donc finie?

ÉLÉONORE. — Nous rentrons à l'instant. Hugo n'est pas là?

AGATHE. — Il surveille le dépiquage. N'avez-vous pas aperçu, au cours de vos chevauchées, une étrange machine qui plie le blé comme le linge?... Nos manants deviennent bien ingénieux. Tout cela ne me dit rien qui vaille. Frédéric, faisons-nous notre piquet après dîner? Depuis quinze jours que vous êtes là, vous ne m'avez battue qu'une fois, votre sang doit bouillir.

FRÉDÉRIC. — Il bout.

AGATHE. — Vous ai-je parlé de notre ancêtre commun Richard Falsen, et de sa partie de piquet à la bataille d'Enongen?

FRÉDÉRIC. — Je ne me rappelle pas...

SÉBASTIEN. — Vous la lui racontez tous les soirs depuis son arrivée.

AGATHE. — Vous me surprenez, Sébastien. Je ne suis pas de ces femmes qui se répètent.

FRÉDÉRIC. — A propos... Quelle est cette charmante jeune femme blonde que je croise tout le temps dans les couloirs? Elle est ravissante et un peu bizarre. Est-ce une cameriste?

SÉBASTIEN, *intéressé.* — Une grande blonde? avec un œil marron et l'autre bleu? C'est Frieda.

FRÉDÉRIC. — Non. Elle est mince et ses yeux se ressemblent beaucoup.

SÉBASTIEN. — Alors c'est Viena. Mais vous n'êtes pas difficile pour les femmes. Pardon, Éléonore.

AGATHE. — Qu'est-ce què...?

FRÉDÉRIC, *précipitamment.* — Non, non, elle est ravissante. Elle m'appelle « cousin » et m'a embrassé la joue.

Un instant de silence consterné.

AGATHE. — Où l'avez-vous vue? Quand?

FRÉDÉRIC. — Mais je ne sais pas... Je la rencontre partout.

AGATHE. — Je... C'est trop fort... N'y prêtez pas attention.

FRÉDÉRIC, *vers Éléonore.* — Je n'en ai pas envie.

AGATHE. — C'est une lointaine cousine, une malheureuse. Elle a perdu récemment son mari et...

SÉBASTIEN. — C'est la meilleure...

AGATHE, *furieuse.* — Je vous en prie. *(A Frédéric.)* Elle a en même temps perdu l'esprit. Elle dit n'importe quoi.

FRÉDÉRIC. — C'est ce qu'il m'a semblé. Mais elle est très charmante.

Hugo rentre. Il a l'air de mauvaise humeur.

HUGO. — Vous avez bien chassé? Je vous serais reconnaissant de ne pas galoper dans mes fourrages.

ÉLÉONORE. — Mon cheval s'est emballé.

FRÉDÉRIC. — Nous avons eu très peur.

HUGO. — Il y a eu un moment où vous saviez tenir vos chevaux. Tout au moins vous.

Il parle à Éléonore.

AGATHE. — Insinueriez-vous que notre hôte soit mauvais cavalier? Mon frère, dois-je vous rappeler que les règles les plus élémentaires de l'hospitalité...

HUGO. — Ne me rappelez rien. Et ne m'énervez pas. J'en ai par-dessus la tête du XVIIIe siècle, de m'habiller en clown et de cacher ma jeep.

AGATHE. — Hugo....

HUGO. — Parfaitement. Si vous n'aviez pas les trois quarts du domaine, nous n'en serions pas là.

AGATHE. — Vous vous promèneriez avec cette « jipe » sans doute?

HUGO. — Oui. Et je déjeunerai un jour ou l'autre en complet veston. Vous m'entendez : en complet veston.

Il sort en claquant la porte.

SÉBASTIEN. — Moi, je ne comprends pas... Je me suis tout à fait habitué à ces petites tenues...

Il fait trois pas de menuet.

AGATHE. — Je prendrai ce repas dans mon appartement. Mais moi vivante, les coutumes et l'honneur des Falsen resteront saufs.

Elle sort. Sébastien se met à rire.

SÉBASTIEN. — Vous allez finir par déjeuner tous les deux. Moi, je vais déjeuner avec Ophélie.

ÉLÉONORE. — Qu'as-tu encore inventé ?

SÉBASTIEN. — Rien de très nouveau... *(Il éclate de rire et, avant de sortir, se retourne vers Frédéric.)* Vous savez, Frédéric, il va bientôt neiger.

Il sort.

FRÉDÉRIC. — Quelle est cette obsession de la neige ?

ÉLÉONORE. — Il commence à neiger ici un beau jour et cela ne cesse pas durant quatre mois. Nous sommes coupés du monde extérieur, et bien que le changement ne soit pas grand, c'est angoissant.

FRÉDÉRIC. — J'adorerai être bloqué dans la neige à vos côtés.

ÉLÉONORE. — Vous avez tort.

FRÉDÉRIC. — Ça m'est égal.

ÉLÉONORE. — Ah ! ne dites pas de sottises, voulez-vous ! Il y a des moments dans la vie — rares, je vous le concède — où il faut avoir raison. C'en est un.

Elle fait trois pas dans la pièce.

ÉLÉONORE. — Mon cher Frédéric, ne vous montez pas la tête. Je peux avoir une passade pour vous, un jour de pluie, pas plus. Je n'ai de ma vie éprouvé le moindre sentiment passionné pour qui que ce soit, et j'en suis ravie : j'ai horreur des débordements. Mon frère me plaît et m'amuse, j'aime bien Hugo. C'est tout. La chose qui m'intéresse le plus dans la journée est mon maquillage : j'y passe une heure. J'ai eu quinze liaisons avant d'épouser Hugo, elles m'ont distraite et excédée, dans l'ordre. Tenez-vous-le pour dit.

FRÉDÉRIC. — Et vos douze... passions ?...

ÉLÉONORE. — Rien du tout. Je mens aussi. Soyez gai, aimable et joli garçon. Et méfiez-vous de la neige.

(Un noir.)

Sébastien et Ophélie sont assis devant le feu, ils jouent aux cartes.

SÉBASTIEN. — Ce qu'on est tranquille. Quelle bénédiction, cette chasse, pour tout le monde. J'ai horreur de ça.

OPHÉLIE. — De la chasse ? Pique, Sébastien, non, carreau, non, trèfle.

On la voit tirer des cartes de ses manches.

SÉBASTIEN. — Ne te trompe pas, ça me renseigne sur ton jeu. Déjà que je le vois quand tu te penches... *(Un temps.)* Oui, la chasse.

OPHÉLIE. — Quelle chasse ?

SÉBASTIEN. — La chasse aux perdrix, la chasse à l'argent, la chasse aux femmes. Ça occupe tout le monde, sauf moi.

OPHÉLIE. — Moi, je trouve ça très méchant de tuer des bêtes. Je l'ai dit à Frédéric.

SÉBASTIEN.   Tu le vois souvent ?

OPHÉLIE. — Quand il passe dans les couloirs. C'est difficile. Une fois j'ai confondu son pas avec celui d'Hugo. Et il a failli m'attraper.

SÉBASTIEN. — Qui ?

OPHÉLIE. — Hugo. Il m'aurait remis dans ma chambre.

SÉBASTIEN. — Ils n'ont pourtant pas le même pas.

OPHÉLIE. — Non. Mais Hugo marchait sur la pointe des pieds.

SÉBASTIEN. — Sur la pointe des pieds ? Pourquoi ?

OPHÉLIE. — Il triche.

Un silence.

SÉBASTIEN. — Alors Hugo marchait sur la pointe des pieds... tiens... tiens... *(Un temps.)* Je dirais même : tiens... tiens... tiens...

OPHÉLIE. — Sébastien, tu joues ? *(Il ne répond pas, perdu dans ses pensées. Elle reprend d'un ton geignard :)* Sébastien ?

SÉBASTIEN. — Oui ?

OPHÉLIE. — Pourquoi tu t'occupes de moi ? Tu ne t'occupais pas de moi avant. Et tu me vouvoyais.

SÉBASTIEN. — Il ne faut jamais demander ça à un homme. Si tu veux tout savoir, c'est Frédéric qui m'y a fait penser.

OPHÉLIE. — Frédéric ?

SÉBASTIEN. — Oui, il a dit que tu étais ravissante.

OPHÉLIE. — Lui aussi il est ravissant.

SÉBASTIEN. — N'y pense plus. Tiens, tu as perdu.

OPHÉLIE. — Non, c'est toi, regarde.

SÉBASTIEN. — Si tu le pouvais, je dirais que tu triches... Attention, les voilà... A tout à l'heure, je te porterai du gâteau.

OPHÉLIE. — Un petit morceau. Je grossis.

Elle disparaît. Entrent Hugo, Frédéric, Éléonore et Agathe.

ÉLÉONORE. — Tu joues aux cartes tout seul?

SÉBASTIEN. — Avec qui veux-tu que je joue?

FRÉDÉRIC. — Vous auriez dû venir. On s'est promené dans des champs superbes, gris et noirs. Hugo m'a montré ses terres, enfin une partie. Agathe a découvert un arbre qu'avait planté le général Falsen.

SÉBASTIEN. — Et Éléonore... Qu'a-t-elle découvert?

ÉLÉONORE. — Que j'aimerais assez me promener.

Sébastien et elle se regardent.

HUGO. — Je vais me changer. Éléonore, viens. Tu m'aideras à tirer mes bottes.

Ils sortent suivis d'Agathe. Frédéric se dirige vers la porte.

SÉBASTIEN. — Frédéric. *(Frédéric se retourne. Il a l'air triste.)* Vous savez, pour la neige, c'est vrai. Elle va tomber d'ici deux jours. Quelquefois la première chute est bonne. On ne peut plus partir d'ici pendant quatre mois. Tout est blanc et l'on est prisonnier. Et ce n'est pas drôle.

FRÉDÉRIC, *lentement.* — Je le sais.

SÉBASTIEN. — Ça vous laissera peu d'occasions de rire.

FRÉDÉRIC. — Je n'ai pas envie de rire.

SÉBASTIEN. — Éléonore...

FRÉDÉRIC. — Je sais. Elle ne m'aime pas. Elle sera peut-être à moi quand même. Et je vais souffrir.

SÉBASTIEN. — Souffrir... quelle jolie idée... Mais, mon cher Frédéric, je pensais que vous faisiez partie d'une certaine jeunesse suédoise très saine où l'on buvait du lait ou du schnaps et où l'on troussait les filles sans que cela porte à conséquence. Je n'ai pas été au cinéma depuis longtemps, hélas! malgré mes efforts pour qu'Hugo se décide à l'acquisition d'un... heu... appareil de projection, mais cela se passait ainsi sur l'écran, dans une grande gaieté des sens.

FRÉDÉRIC. — Je ne crois pas que cela puisse se passer ainsi.

SÉBASTIEN. — Avec Éléonore, n'est-ce pas? *(Changeant de ton.)* Voudriez-vous insinuer que la sensualité de ma sœur est plus complexe, voire perverse? Ah mais! je vous ferais rentrer ces mots dans la gorge, foi de von Milhem...

FRÉDÉRIC, *las.* — Il ne s'agit pas de ça. Je sais que ça tourne mal et je vais souffrir.

SÉBASTIEN. — Vous êtes bien renseigné.

FRÉDÉRIC. — Oui, par elle-même. Et par moi. Je souffre déjà un peu.

SÉBASTIEN. — Parce qu'elle lui enlève ses bottes?

FRÉDÉRIC. — Par exemple.

SÉBASTIEN. — Elle n'enlève pas les vôtres, bien sûr...

Frédéric fait un pas vers lui.

FRÉDÉRIC. — Qu'est-ce que tout cela peut vous faire? Ça doit vous distraire. Vous n'avez pas une telle amitié pour Hugo.

SÉBASTIEN. — Je n'aime pas être distrait. D'ailleurs, j'aime bien Hugo.

FRÉDÉRIC. — L'idée de ma souffrance à venir vous dérange-t-elle à ce point?

SÉBASTIEN. — Pas le moins du monde. C'est très bon pour les jeunes gens. Moi-même à votre âge... *(Il s'arrête.)* D'ailleurs, non, je n'ai jamais beaucoup souffert par les femmes. Mais, j'ai entendu dire que c'était très bon.

FRÉDÉRIC, *éclatant.* — Je la veux, il me la faut. Vous comprenez : il me la faut.

SÉBASTIEN. — Voulez-vous que je lui fasse la commission?

FRÉDÉRIC. — Elle est faite. Et je vais la refaire.

Éléonore rentre.

SÉBASTIEN. — Alors je vous laisse.

Il sort.

FRÉDÉRIC. — Éléonore. C'est fini, je n'en peux plus.

ÉLÉONORE. — Et de quoi?

FRÉDÉRIC. — D'attendre. De vous attendre. Vous jouez, je joue, nous jouons. Bien. Mais, c'est trop long.

ÉLÉONORE. — Vous êtes étonnant. Vous jouez, nous jouons, le jeu est trop long, etc. A la suite de quoi je tombe dans vos bras? C'est ça? A quoi riment ces discours?

FRÉDÉRIC. — Je vous plais?

ÉLÉONORE. — Oui.

FRÉDÉRIC. — Vous me plaisez.

ÉLÉONORE. — Je suppose.

FRÉDÉRIC. — Vous ne m'avez pas découragé, vous... et... Éléonore, vous avez raison, ça ne veut rien dire, mais je t'aime.

Il s'assied dans un fauteuil, la tête dans les mains. Elle sourit un peu,
va vers lui et, lui relevant la tête, l'embrasse.

ÉLÉONORE. — Je te retrouverai ici à deux heures cette nuit. Mais je ne t'aime pas. Ces brûlantes amours me glacent. A deux heures.

Elle sort.

(Un noir.)

La même salle, dans l'ombre. Deux heures sonnent.
Ophélie, assise près d'une bougie, fait des réussites.
Rentre Frédéric sur la pointe des pieds. Il sursaute.

FRÉDÉRIC. — Qu'est-ce que vous faites ici?

OPHÉLIE. — J'attends Sébastien. Il veut faire une partie de piquet avec moi.

FRÉDÉRIC. — A cette heure-ci? Il est fou. Vous êtes sûre?

OPHÉLIE. — Il me l'a dit. Maintenant ce que les hommes disent...

Elle a un geste désabusé.

FRÉDÉRIC. — Vous devriez aller vous coucher. Sébastien ne va plus venir. Il est deux heures.

OPHÉLIE. — C'est ce qu'il m'a dit. Deux heures. Vous n'avez qu'à jouer avec moi, si vous voulez, jusqu'à ce qu'il arrive.

FRÉDÉRIC. — Je ne suis pas venu pour jouer aux cartes.

Il marche nerveusement.

OPHÉLIE. — Vous avez tort, c'est amusant le piquet.

FRÉDÉRIC, *violent.* — Je me moque du piquet. Écoutez, mademoiselle, je n'ai jamais dit ça à une femme, mais ça vous ennuierait d'aller jouer ailleurs? Je vous enverrai Sébastien, s'il vient.

OPHÉLIE. — Pauvre Sébastien... Vous ne lui direz pas?

FRÉDÉRIC, *excédé.* — Quoi?

OPHÉLIE, *mâtine*. — Eh bien, s'il perd tout le temps, c'est parce que je triche... Je me sers d'un autre jeu...

Elle rit.

FRÉDÉRIC. — Je vous en supplie, allez jouer ailleurs.

OPHÉLIE. — Ah non! Je passe mon temps à me perdre dans ces couloirs ct après je ne retrouverai plus Sébastien...

Sébastien rentre.

SÉBASTIEN, *calme*. — Tiens... Comment allons-nous faire? C'est très difficile, le piquet à trois.

FRÉDÉRIC. — Écoutez, Sébastien...

Éléonore rentre à son tour, très élégante, en robe de chambre.

ÉLÉONORE. — Mais c'est une réunion! Cher Frédéric, moi qui croyais vous trouver seul.

SÉBASTIEN. — Je suis navré. Je devais finir ce piquet avec Ophélie.

ÉLÉONORE. — Est-ce que quelqu'un a pensé à ranger mère?

Elle se tourne vers le fauteuil — vide.

SÉBASTIEN. — Tu t'es levée pour venir ranger ta belle-mère? C'est très gentil.

ÉLÉONORE. — J'avais rendez-vous avec Monsieur. Voulez-vous continuer votre piquet ici ou dans la chambre d'Ophélie?

Elle et Sébastien se regardent.

SÉBASTIEN. — De toute façon, ces grandes pièces sont bien inconfortables. Venez, douce Ophélie, venez tricher ailleurs. *(A Frédéric.)* Faites un beau rêve!

Ils sortent. Frédéric un peu déconcerté va vers Éléonore et la prend dans ses bras.

FRÉDÉRIC. — Ne craignez-vous pas que Sébastien...

ÉLÉONORE. — Je crains tout de Sébastien...

FRÉDÉRIC. — Vous pensez qu'il dirait...

ÉLÉONORE. — ... Tout ce qui lui passe par la tête. Mais la vérité lui passe rarement par la tête.

FRÉDÉRIC. — Quelle étrange maison... Il fait si noir ici. Que c'était long, Éléonore, que c'était long... Il y a eu minuit et une heure et une heure et demie. De quoi mourir... Toujours le temps entre soi et ce qu'on veut.

ÉLÉONORE. — Avant ce n'est pas grave. Ce qu'il y a de terrible c'est le temps après. Entre soi et ce qu'on a voulu. Ça ne pardonne pas.

FRÉDÉRIC. — Qu'as-tu voulu?

ÉLÉONORE. — Pourquoi? Je ne l'ai jamais su. Mais j'ai toujours voulu quelque chose.

FRÉDÉRIC, *l'embrasse*. — Et ce n'était pas moi? Ce ne sera pas moi?

ÉLÉONORE. — Non, ce ne sera pas toi, pas toi...

Elle l'emmène.

ACTE II

Même décor. En scène Éléonore et Sébastien. Allongés devant le feu.

SÉBASTIEN. — Tu rêves?

ÉLÉONORE. — Non.

SÉBASTIEN. — On pourrait le croire. Alors, tu ne me racontes rien?

ÉLÉONORE, *bâillant*. — A quel sujet?

SÉBASTIEN. — Disons au sujet de l'origine de ces bâillements. Ce petit Frédéric est-il une bonne affaire, comme on disait si gaiement à **Paris**?

ÉLÉONORE. — Oh! tu sais... Oui, d'une certaine manière, dans le style chiot, et encore...

Elle bâille.

SÉBASTIEN. — Est-il attendrissant?

ÉLÉONORE. — Assez, oui. Et très beau, ça je dois le reconnaître, il est remarquablement bien fait.

SÉBASTIEN. — C'est déjà ça. Quoique à mon sens, pour un homme... Comme disait Talleyrand, «la beauté fait gagner quinze jours».

ÉLÉONORE. — Comme au bout de quinze jours un homme me fatigue, je gagne du temps.

SÉBASTIEN. — C'est juste. Affligeant, mais juste. En attendant, je commence à m'occuper d'Hugo. Il se doute de quelque chose, je crois, et je l'encourage vivement dans cette voie.

ÉLÉONORE. — Attends un peu. Tu es toujours trop pressé.

SÉBASTIEN. — Tu sais bien que c'est ma distraction favorite. Et puis quoi? Tu as assez roucoulé, il me semble?

ÉLÉONORE. — Serais-tu jaloux ?

SÉBASTIEN. — Depuis toujours, voyons, tu le sais bien. Nous aurions figuré avec grâce, mais sans leur entrain, hélas ! chez les Atrides.

Un silence. Éléonore marche de long en large.

ÉLÉONORE. — Ne commence pas tout de suite à effrayer Frédéric : Ni à exciter Hugo, tu veux ?

Un silence.

SÉBASTIEN, *souriant.* — C'est là ton désir ?

ÉLÉONORE. — C'est là ma volonté.

SÉBASTIEN. — Pour moi, les deux se sont toujours confondus. *(Il fait une révérence.)* Mais ça lui coûtera d'autant plus cher, à ce niais.

Entre Frédéric.

FRÉDÉRIC. — J'aurais dû penser que je vous trouverais ici, et ensemble. Comment avez-vous vécu, mon cher, les deux années où vous avez vécu sans Éléonore, lorsqu'elle n'était pas née ?

SÉBASTIEN. — J'ai tellement braillé, mon cher, que mon père s'est décidé. Ceci dit, j'ai horreur des scènes de jalousie. Je vous laisse la place.

Il sort.

FRÉDÉRIC, *sombre.* — Pas un mot... Pas un regard... Depuis deux semaines que nous sommes amants *(Elle lève la main.)*, c'est le mot, il semble que tous les jours je m'éteigne au chant du coq, et que je disparaisse à vos yeux...

ÉLÉONORE. — Je vous retrouve tous les soirs, Frédéric.

FRÉDÉRIC. — Oui. Et toutes les nuits vous êtes à moi. Vraiment à moi. Comprenez-vous que ce dédain, cette distraction tout le reste du jour me soient insupportables ?

ÉLÉONORE. — Mais il y a beaucoup de femmes ainsi, mon cher Frédéric. Les nuits sont faites pour l'amour, et les jours pour la vie quotidienne, les travaux ménagers... Que sais-je ?

FRÉDÉRIC. — Les travaux ménagers ? Vous ne cousez pas, vous ne faites rien...

ÉLÉONORE. — Est-ce un reproche ? Voudriez-vous que je raccommode subrepticement et amoureusement vos chaussettes tous les jours en cachant vite mes aiguilles à l'entrée d'Hugo ?

FRÉDÉRIC. — Je n'ai pas dit ça, vous le savez bien. Au fond je me plains d'un vieux mal pour les amants : l'« indifférence ».

ÉLÉONORE, *grave.* — Mon cher Frédéric, je vais vous dire vraiment ce que je pense. Quand une femme a un mari qui lui plaît et que par quelque perversion cérébrale elle prend un amant, il faut que ce dernier soit gai, car autrement ce n'est plus le mari qui est ridicule. Vous me suivez?

FRÉDÉRIC. — Je vous suis. J'essaie de vous suivre. *(Il réfléchit.)* Dites-moi, Éléonore, avez-vous avec Hugo ces moments, ces... *(Il s'arrête, elle le regarde.)* Éléonore, lui embrassez-vous les mains, après...

ÉLÉONORE. — Je vous conseille vivement d'aller faire un tour dehors. L'air froid vous fera du bien. Ah! j'oubliais la neige. Eh bien, restez seul...

Elle sort, Frédéric reste seul, se ronge les ongles et fait deux pas.
Rentre Hugo.

HUGO. — Éléonore n'est pas là?

FRÉDÉRIC. — Non, elle vient de sortir.

HUGO. — Ah! je ne l'ai pas vue.

FRÉDÉRIC. — Vous auriez dû la croiser.

Un temps.

FRÉDÉRIC. — Vous avez une femme charmante, Hugo.

HUGO. — Oui, on me l'a dit. Je le savais déjà, d'ailleurs.

FRÉDÉRIC, *incapable de s'arrêter.* — Très, très charmante, et le comble de la séduction.

HUGO. — Vous trouvez?

FRÉDÉRIC. — Si Éléonore n'avait pas été votre femme...

HUGO. — Là, je vous arrête. Le fait qu'une femme appartienne à un autre n'a jamais retenu personne.

FRÉDÉRIC, *rouge.* — Alors...

Un temps.

HUGO. — Heureusement, Éléonore est Éléonore, et vous êtes Frédéric. Elle ne vous aimerait donc jamais.

FRÉDÉRIC. — Et pourquoi?

HUGO, *tonnant.* — Vous espériez peut-être qu'il en serait autrement?

Il devient menaçant.

FRÉDÉRIC. — Non, non. Mais on s'intéresse toujours beaucoup à soi. Et je voulais savoir en quoi je pouvais déplaire à votre épouse. Vous qui la connaissez bien...

HUGO. — Vous êtes trop jeune, et trop bien habillé, et trop, euh...

Il fait un geste ondulatoire.

FRÉDÉRIC. — Je vois. Mais si vous pensez vraiment que ma présence peut être désagréable à votre femme, je peux partir. Demandez-le-lui.

Il a un petit rire fat.

HUGO. — Mais non, mais non, elle s'en moque. D'ailleurs, elle ne vous regarde pas, vous le voyez bien.

Frédéric accuse le coup.

FRÉDÉRIC. — Si vous voulez bien m'excuser.

Il sort.

HUGO. — Je vous en prie!...

Hugo est assis dans un fauteuil.
Par la fenêtre on voit tomber de longs flocons de neige. Ophélie passe la tête.
Elle ne voit pas Hugo caché dans son fauteuil et avance dans la salle.
Quand elle le voit, il est trop tard.

HUGO. — Ah! te voilà! *(Elle a un geste de fuite.)* N'aie pas peur, je ne te remettrai pas dans ta chambre.

OPHÉLIE. — Tu le promets?

HUGO. — Je te le promets. Viens ici. Non, je t'en prie, n'aie pas peur. Surtout, n'aie pas peur de moi. Je ne le supporte pas.

Elle s'assoit sur le bras de son fauteuil. Il lui caresse les cheveux.
Il a l'air triste.

HUGO, *attendri.* — Tu es douce. Que tu es blonde. Es-tu très malheureuse, Ophélie?

OPHÉLIE. — Malheureuse, pourquoi?

HUGO. — Très bien, mais je pense quelquefois... Est-ce que tu m'en veux beaucoup?

OPHÉLIE. — Ça oui. Je trouve que tu t'es mal conduit avec moi. D'ailleurs ta mère te l'a dit.

HUGO. — Je sais.

OPHÉLIE, *lancée.* — C'est même très mal élevé. Quand on m'a enterrée, j'étais dans ma chambre à la fenêtre, et j'ai vu passer ma mère derrière mon cercueil, qui pleurait, qui pleurait... Et mon frère. S'il avait su ça, mon frère, il t'aurait rossé, il est plus fort que toi.

HUGO. — Ça m'étonnerait. Non, mais il ne s'agit pas de ça. Tu comprends, si j'ai agi ainsi, c'est que je voulais Éléonore. J'ai toujours été comme ça. Quand je veux quelque chose, si je ne l'ai pas, je meurs...

OPHÉLIE. — Là, c'est moi qui suis morte.

Entre Sébastien, l'air joyeux.

SÉBASTIEN. — Tiens, vous vous connaissez? On ne vous voit jamais ensemble. Bonjour, ma chérie.

Il embrasse Ophélie sur le front.

SÉBASTIEN. — Ce temps me met d'une humeur exquise.

HUGO. — Ça tombe bien, il y en a pour quatre mois. On peut à peine aller jusqu'aux remises.

SÉBASTIEN. — Encore une fois, Hugo, je m'excuse d'abuser ainsi de votre hospitalité, mais les circonstances climatiques m'obligent à le faire.

HUGO. — Qu'est-ce qui vous prend?

SÉBASTIEN. — Vous savez bien que je vous fais ce petit discours tous les hivers. Ça me donne un sentiment agréable. A chaque chute de neige, je me sens contraint par autre chose que ma paresse à rester ici. Ça me repose. Ça repose ma conscience. Où est Éléonore?

HUGO. — Chaque fois que je vous vois, vous me demandez où se trouve Éléonore.

SÉBASTIEN. — Et à qui voulez-vous que je le demande?

OPHÉLIE, *elle a l'air ravie de retrouver Hugo.* — Je l'ai vue dans le couloir avec Frédéric. Il courait en la tirant par la main.

HUGO. — Et elle?

OPHÉLIE. — Elle courait aussi, mais moins vite. Il court très vite. Frédéric.

SÉBASTIEN. — Eh bien, je vais aller demander à Frédéric où est ma sœur.

HUGO. — Et dites-lui, à votre sœur, de revenir ici et toujours en courant.

SÉBASTIEN. — A vos ordres. Viens, Ophélie.

Ils sortent. Rentre aussitôt Éléonore.
Elle va, songeuse, jusqu'au fauteuil d'Hugo et, comme Ophélie, sursaute.

HUGO. — Décidément, je fais peur à tout le monde Je suis navré de ne pas être aux champs, mais le temps m'en empêche.

ÉLÉONORE, *elle s'assoit sur le bras du fauteuil à son tour.* — Qu'as-tu? Pourquoi as-tu l'air furieux et buté?

HUGO. — Je ne le sais pas encore.

ÉLÉONORE, *tendre, elle pose sa joue sur la sienne.* — Hugo... Tu n'as aucune raison d'être furieux. Quoi qu'il arrive, tu n'as aucune raison. Cette maison est triste parfois, et l'on essaie de croire à des choses...

HUGO. — Qu'est-ce que ça veut dire ?

ÉLÉONORE. — Rien. Tu ne comprendrais pas. Je t'ai épousé pour ça. Parce que tu ne comprenais pas. Et que tu ne cherchais pas à comprendre.

HUGO. — Il y a une chose que je comprends : ce temps et cette inactivité m'exaspèrent. Et aussi ce gandin.

ÉLÉONORE. — Frédéric ? Il est bien gentil.

HUGO. — Il est niais. Je ne comprends rien de ce qu'il dit. Et il parle tout le temps, et il est folâtre... Entre lui et Sébastien, on ne s'entend plus. Vivement le printemps. Mais qu'est-ce que...

Sébastien et Frédéric rentrent en riant.

FRÉDÉRIC. — Sébastien prétend qu'Agathe a fait une petite chapelle dans son cabinet de toilette pour l'âme du général Falsen. Vous saviez ça, Hugo ?

HUGO. — Non. Vous pourriez aller vérifier.

SÉBASTIEN. — J'adore votre sœur, Hugo, mais on ne peut dire qu'elle soit très affriolante. Surtout pour un jeune homme gâté comme Frédéric.

HUGO. — Ce n'est pas ce que je voulais dire. Et vous le savez.

SÉBASTIEN. — Je suis désolé. A force de plaisanter, on arrive toujours à faire des plaisanteries de mauvais goût.

Frédéric s'est rapproché d'Éléonore, toujours assise sur le fauteuil d'Hugo.
Il lui tend la main.

FRÉDÉRIC. — Je voudrais vous enlever.

ÉLÉONORE. — Pardon ?

FRÉDÉRIC. — Je voudrais vous enlever pour faire une partie de piquet.

Il rit. Il doit avoir l'air faraud.

ÉLÉONORE. — Je me trouve excessivement bien ici.

Elle caresse la tête d'Hugo. Frédéric se détourne.
Sébastien lui donne une tape dans le dos.

SÉBASTIEN. — Allons, mon vieux, venez faire une partie avec votre ami Sébastien. Ophélie nous attend à côté.

FRÉDÉRIC. — J'aime mieux rester ici.

SÉBASTIEN. — Vous êtes bien libre !

Sébastien sort, Frédéric arpente la pièce sous l'œil d'Hugo et d'Éléonore qui continue à caresser pensivement le gros crâne de son mari.

FRÉDÉRIC. — Cette neige ne finira donc jamais !

HUGO. — Dans quatre mois. Le temps vous paraît long ?

FRÉDÉRIC. — Oui et non. D'un certain côté oui...

HUGO. — Et de l'autre non. C'est la vie, cher cousin. *(Il éclate de rire et prend la taille d'Éléonore.)* Grâce à Éléonore, le temps ne me semble jamais long. Sauf quand je suis obligé d'aller aux champs. Vous devriez vous marier, de retour à Stockholm.

FRÉDÉRIC, *pâle.* — Il faudrait que je trouve une femme comme Éléonore.

HUGO. — C'est difficile. Si ça vous arrive, prenez-en soin. Rien d'autre n'est vrai : « Être aimé de quelqu'un qu'on aime. » C'est une bonne vieille vérité.

ÉLÉONORE, *tête baissée.* — Une de ces bonnes vieilles vérités qui semblent si inoffensives à vingt ans et qui deviennent épouvantables peu à peu au fil des jours...

FRÉDÉRIC. — Pourquoi « épouvantables » ?

ÉLÉONORE. — Parce que ce sont effectivement des vérités. Et que c'est rare.

FRÉDÉRIC. — Je suis flatté de me trouver devant l'un de ces cas.

ÉLÉONORE, *relevant la tête.* — Vous pouvez être flatté.

Un silence. Hugo s'étire et se lève.

HUGO. — Je vais essayer de tirer Agathe de sa chambre. Pourquoi boude-t-elle ainsi ? On finit par se demander qui est la séques... heu. Quel temps...

Il sort.

FRÉDÉRIC. — C'est étrange chez vous, ces subites cruautés. C'est un des rares domaines d'ailleurs où Hugo devienne fin : la cruauté...

ÉLÉONORE. — Hugo ne sait rien.

FRÉDÉRIC. — Je viens d'en avoir la preuve. Il me croit niais, et amoureux de vous. Et il a raison, car il est niais de vous aimer. Seulement je le sais. Éléonore, ma chérie, je suis un jeune homme qui vous agace, plus un jeune homme qui vous retrouve la nuit. Tout cela vous est bien égal.

ÉLÉONORE. — Ça m'est assez égal, en effet, mais je n'aime.pas que tu cherches à me compromettre sans cesse devant Hugo.

FRÉDÉRIC, *sarcastique.* — Tu as peur?

Un long silence.

ÉLÉONORE. — Oui.

SÉBASTIEN, *rentrant.* — Éléonore, cesse de dire oui à ce jeune homme. Décidément Ophélie triche trop. Je suis obligé de m'en apercevoir. Et elle tire les cartes de sa manche... Où a-t-elle pu lire que ça se faisait?

Éléonore et Frédéric se regardent longuement. Elle lui sourit lentement et il marche vers elle, prend sa main qu'il baise.

ÉLÉONORE. — Allons sur la véranda. Vous verrez la neige sur la colline de la Sarcelle.

Il rebaise sa main et ils sortent.
L'expression de Sébastien pendant toute la scène doit être comique.

HUGO, *rentrant.* — Agathe est folle. Où est Éléonore?

SÉBASTIEN. — Elle est allée voir «la neige» avec Frédéric. C'est assez original...

Hugo va vers lui et le prend au collet.

HUGO. — Imbécile. Croyez-vous que je supporterai une minute qu'elle me trompe? Je le tuerai. Qu'est-ce que vous croyez?

SÉBASTIEN. — Que vous déchirez ma cravate Louis XV: et que tout ça est bien tragique.

HUGO. — J'en ai par-dessus la tête de vos allusions et de vos sourires, à vous et à ce jeune imbécile.

SÉBASTIEN. — Frédéric est, effectivement, un jeune imbécile. Mais je n'y suis pour rien, mon cher beau-frère. Il s'imagine plaire à Éléonore, le grand mal... Il y a une espèce d'hommes ainsi, qui ont l'imagination plus débordante que le tempérament.

HUGO. — Vous en parlez bien légèrement. Vous avez laissé des souvenirs assez scandaleux à Stockholm et...

SÉBASTIEN. — Eh bien... Je n'ai jamais été un fameux lapin, moi, hélas!... Il me fallait toujours vérifier certaines théories, jamais les mêmes, et je devais changer de sujets, c'est tout.

HUGO, *ricanant.* — Quel genre de théories?

SÉBASTIEN. — Pas celles que vous croyez, mon cher. Des théories sur le bonheur, la vie, la connaissance des autres... du sérieux.

HUGO. — Ah, ah... et pour laquelle avez-vous opté finalement?

SÉBASTIEN, *méprisant*. — Mais aucune... Il n'y en a pas une qui se soit révélée possible. *(En colère.)* Pourriez-vous me dire ce que je ferais ici sans ça... Si j'avais la moindre petite idée de ce que peut signifier mon existence? Ici, à jouer les morts-vivants, avec en plus l'affreux rictus des macchabées... Hein?

HUGO, *stupéfait*. — Mais mon vieux, je ne vous savais pas si... euh, si mal en point. Occupez-vous des domaines avec moi ..

SÉBASTIEN, *souriant*. — Je plaisantais, Hugo. Vous me connaissez? J'ai lu un mauvais livre cette nuit, tout triste. Allez donc me chercher Éléonore avant qu'elle sourie trop à ce gandin.

HUGO. — S'il la touche, je l'étranglerai...

SÉBASTIEN. — C'est que vous le feriez...

Hugo le lâche et part vers la véranda.

SÉBASTIEN. — C'est extraordinaire... L'aveuglement des maris est extraordinaire. Et leur force musculaire de même. *(Il se secoue.)* Cet imbécile aurait pu me faire mal. Qu'y puis-je si ma sœur est adultère... N'est-ce pas?

OPHÉLIE, *entrée*. — Pourquoi es-tu si rouge? As-tu honte?

SÉBASTIEN. — La honte me rend blême. Et de quoi aurais-je honte?

OPHÉLIE. — D'avoir dit que je trichais.

Elle pleure.

SÉBASTIEN. — Oh! Dieu, quelle famille! Non, mon chéri, tu ne trichais pas. Comment tricherais-tu avec ta petite nature si droite, si enfantine...

OPHÉLIE. — Tu n'avais qu'à ne pas regarder dans mes manches. *(Elle sanglote.)* Moi, autrement, ça ne m'amuse pas le piquet.

SÉBASTIEN. — Ne pleure plus. Je vais t'apprendre un jeu où il faut tricher. Tu entends? « Il faut. » Comme dans la vie, en somme. Disparais, les voici... disparais.

Rentrent Hugo, Éléonore et Frédéric.

SÉBASTIEN. — Eh bien, vous les avez retrouvés! Il ne fallait pas vous affoler.

HUGO. — Je ne m'affole jamais.

SÉBASTIEN, *à Éléonore*. — Figure-toi que ton mari, ne te trouvant pas ici, m'a pris par la cravate et secoué comme un... comme un malheureux freluquet, que je suis hélas...

Silence pesant.

SÉBASTIEN. — Vous ne me croyez pas? Non mais, c'est vrai. Tenez, Frédéric, tâtez ces biceps. *(Il tend son bras.)* Rien, vous voyez rien. Quelques os, peut-être, un peu de chair, un peu de sang pâlot, un peu de peau pour faire le paquet... C'est tout.

Frédéric ne bouge pas.

SÉBASTIEN. — Vous ne voulez pas tâter? Vous préférez les biceps de ma sœur?

HUGO. — Qu'avez-vous dit?

SÉBASTIEN. — Mon cher, dans ce cas, il n'y a qu'une alternative : ou vous avez entendu et vous me reprenez au collet et vous me resecouez, ou vous n'avez rien entendu, et tout va bien. D'ailleurs je ne me répète jamais.

ÉLÉONORE. — Il est bien connu que Sébastien aime jeter de l'huile sur le feu. Surtout quand le feu est imaginaire.

FRÉDÉRIC, *doucereux*. — Imaginaire?

Hugo le regarde, fait un pas en.avant, puis hausse les épaules et sort en claquant la porte.

SÉBASTIEN. — Quelle ambiance... Quelle merveilleuse ambiance...

FRÉDÉRIC, *léger*. — Je crains que bientôt Hugo et moi ne soyons à couteaux tirés.

SÉBASTIEN. — Je crains qu'il ne tire son couteau plus vite que vous.

FRÉDÉRIC, *à Éléonore*. — Ce serait une belle mort.

ÉLÉONORE, *excédée*. — Ne dites pas de sottises. Et d'ailleurs, vous ne connaissez rien à la mort.

FRÉDÉRIC. — Pourquoi dites-vous cela?

ÉLÉONORE. — Parce que tu ne connais rien à rien. Tu ne connais rien à la vie d'abord.

SÉBASTIEN. — Connaît-il seulement quelque chose à l'amour?

ÉLÉONORE, *froidement*. — Oui, heureusement ; ce serait le comble.

Elle sort. Sébastien éclate de rire.

SÉBASTIEN. — Eh bien : vous voilà un peu sot, mais bon amant...

FRÉDÉRIC, *furieux*. — Moins bon que vous, je suppose.

SÉBASTIEN. — Nous serions à Stockholm, je pourrais chercher un terrain de comparaison. Mais comprenez qu'ici, entre ma sœur, ma... euh... cousine et Agathe.

FRÉDÉRIC, *lent*. — Je n'en suis pas si sûr.

SÉBASTIEN, *grave.* — Je vous interdis, mon cher, d'insinuer quoi que ce soit sur la moralité d'Agathe ou d'Ophélie, d'ailleurs.

FRÉDÉRIC. — Je ne parle pas d'elles.

SÉBASTIEN. — Et alors? de qui? Vous rougissez? Dites-le... *(Il se fait caressant.)* Dites-le, mon cher petit Frédéric, osez le dire ce que vous pensez...

FRÉDÉRIC. — Je ne pense rien. Et vous me répugnez...

SÉBASTIEN. — Vous me répugnez aussi. La sottise c'est comme les oreilles sales, j'ai horreur de ça.

FRÉDÉRIC. — Ce ne sont pas vos oreilles qui me paraissent sales.

SÉBASTIEN. — Eh bien tant pis. D'ailleurs vous me fatiguez! Vous êtes jeune, la jeunesse est odieuse en société fermée, et brouillonne et imprudente. Vous paradez, n'est-ce pas, devant Hugo? Vous faites le malin? Eh bien ça va vous passer, mon cher, et vite, très vite.

FRÉDÉRIC. — Je me moque d'Hugo. Hugo est un bon lourdaud et je ne crois pas à ses finasseries de paysan matois.

SÉBASTIEN. — Vous y croirez. Vous y croirez avant que je ne croie à votre finasserie tout court. Et de plus, Hugo a une chose que vous n'avez pas et moi non plus : c'est un homme fort.

FRÉDÉRIC. — Un homme fort? Vous voulez parlez musculature?

SÉBASTIEN. — Non, non. Hugo fait ce qu'il veut, il a ce qu'il veut et il n'en veut pas plus. Vous avez une meilleure définition de l'homme fort?

FRÉDÉRIC. — Ce n'est pas exactement ce que cherchent les femmes.

SÉBASTIEN. — Les femmes, peut-être pas, mais ma sœur peut-être bien. A propos, Frédéric, qui vous a donné le tuyau pour Éléonore?

FRÉDÉRIC. — Le tuyau? Quel tuyau?

SÉBASTIEN. — Allons... un jeune et brillant Suédois ne vient pas s'enterrer dans le château de son cousin si on ne lui a pas vanté les charmes de la cousine? Hein? Qui est-ce? Éric?

FRÉDÉRIC. — Si vous voulez tout savoir, j'ai entendu parler de votre sœur par Bjord Elsen. Il a séjourné ici, je crois?

SÉBASTIEN. — Oui, il s'en est tiré. Je vous souhaite la même chance.

Il sort, laissant Frédéric étonné.
Ophélie rentre et met la main sur l'épaule de Frédéric.

OPHÉLIE. — Vous réfléchissez, n'est-ce pas?

FRÉDÉRIC. — Oui.

Elle le regarde avec compassion.

FRÉDÉRIC. — Qu'y a-t-il? Ce n'est pas si affligeant de réfléchir, vous savez.

Ophélie lève les yeux au ciel et joint les mains.

OPHÉLIE. — Mon Dieu, que vous êtes jeune, que vous êtes inconscient.

FRÉDÉRIC, *vexé.* — Dans votre bouche, ce serait presque flatteur.

OPHÉLIE. — Ne vous vexez pas, mon ami. Je vous aime trop, c'est tout.

FRÉDÉRIC. — Pardon?

OPHÉLIE. — Je vous aime parce que vous êtes jeune et beau et un peu fou fou... C'est tout. Et puis il faut dire qu'une nouvelle tête ça change un peu.

FRÉDÉRIC. — Je sais. Je suis une excellente distraction.

OPHÉLIE. — Oh oui... oh combien...

FRÉDÉRIC. — Ce n'est pas à vous de me le dire.

OPHÉLIE. — Si jeune, quelle tristesse...! quel sombre destin, comme dirait Agathe. Je peux vous embrasser, Frédéric?

Il a l'air désemparé. Elle vient vers lui.

OPHÉLIE. — Alors? Je voulais dire «sur la bouche».

FRÉDÉRIC. — Non.

OPHÉLIE. — Quoi, non?

FRÉDÉRIC. — Non! pas sur la bouche.

OPHÉLIE. — Mais ce n'est pas amusant, autrement.

FRÉDÉRIC. — Je n'ai pas envie de rire.

OPHÉLIE. — Ça, je vous comprends. Mais ne vous découragez pas. On peut y échapper parfois.

FRÉDÉRIC. — Que voulez-vous dire?

OPHÉLIE. — Mon Dieu, si vous saviez...

FRÉDÉRIC. — Si je savais quoi?

OPHÉLIE. — Ce qu'ils vont vous faire... Mon Dieu...

FRÉDÉRIC. — Que voulez-vous qu'on me fasse? Et qui?

OPHÉLIE. — Les autres. Ils vont vous faire peur, d'abord, et puis vous tuer, peut-être. Mon Dieu...

FRÉDÉRIC, *impatient.* — Me tuer, mais on est au XXᵉ siècle, ma petite, malgré ces dentelles. Et si Sébastien me cherche noise...

OPHÉLIE. — Il y a Hugo aussi. Il m'a bien tuée, moi.

Un silence.

FRÉDÉRIC. — Vous devriez aller vous reposer un peu.

OPHÉLIE. — Il avait invité tout le monde à mon enterrement. Ma mère qui pleurait, qui pleurait...

FRÉDÉRIC, *gentil.* — Mais oui, mais oui ; calmez-vous.

OPHÉLIE, *lancée.* — Et mon frère aussi pleurait. Derrière une caisse vide, c'est quand même trop bête...

FRÉDÉRIC. — Une caisse vide ?

OPHÉLIE. — Naturellement : vide. Je n'étais pas dedans, non, puisque je vous parle.

FRÉDÉRIC, *saisi.* — Bien sûr. Mais...

OPHÉLIE, *sévère.* — Vous avez tout intérêt à être logique ici, vous savez.

FRÉDÉRIC. — Où étiez-vous alors ?

OPHÉLIE. — Mais dans ma chambre. Enfermée à double tour. Et dès qu'il vient quelqu'un, hop ! on m'y remet. Sauf là, où je me suis échappée.

FRÉDÉRIC. — Et pourquoi, s'il vous plaît ? Pourquoi tout ça ?

OPHÉLIE. — Parce que je gênais Hugo. Vous comprenez, il était fou d'Éléonore ; on ne divorce pas chez les Falsen. C'est Agathe qui l'a dit.

FRÉDÉRIC. — Et alors ?

OPHÉLIE. — Je suis la première femme d'Hugo. Je jouais avec vous à Stockholm au parc. Vous ne vous rappelez pas ? Je m'appelais Mathilde. Mathilde Nielsen. C'est Sébastien qui m'a appelée Ophélie quand Hugo leur a tout dit.

FRÉDÉRIC. — Ils ne savaient pas ? Éléonore ne savait pas ?

OPHÉLIE. — Non, bien sûr. Elle est gentille, Éléonore.

FRÉDÉRIC, *assis.* — Tout ça est dément ! Je me souviens de Mathilde Nielsen. bien sûr, et de sa mort, on en a parlé à Stockholm. Ce serait vous ?

OPHÉLIE. — Vous n'avez pas vu comme ils essaient de me cacher ? Plus maintenant : ils me croient folle, ils croient que je ne vous dirai rien. Ils ont raison d'ailleurs, je ne dirai rien à personne, je l'ai promis à Agathe.

FRÉDÉRIC. — Vous... vous êtes mariée à Hugo ?

OPHÉLIE. — Bien sûr. Voulez-vous voir la photo de mon mariage, elle doit être dans un album de famille, quelque part. Attendez, ils les cachent Dieu sait où... Voilà.

*Elle s'est mise à fouiller dans la bibliothèque
et en sort un vieil album avec difficulté.*

OPHÉLIE, *riant.* — Ça va vous paraître bien démodé... Tenez, là, me
voilà avec Hugo, fiancée ; et puis avec Agathe ; mon Dieu ! quelle robe
j'avais... Et puis là, le jour du mariage... C'est drôle, n'est-ce pas...?

FRÉDÉRIC. — Très drôle. *(Il réfléchit.)* Vous êtes la femme d'Hugo.
Hugo est bigame. Éléonore n'est donc la femme de personne.

OPHÉLIE. — Eh oui...

FRÉDÉRIC. — Pardon. Vous avez beaucoup souffert, Ophélie, pardon,
Mathilde?

OPHÉLIE. — Ne m'appelez jamais comme ça. Vous êtes fou, ils vous
tueraient.

FRÉDÉRIC. — Répondez-moi.

OPHÉLIE. — Non. Pourquoi aurais-je souffert? Hugo, il m'ennuyait un
peu, surtout le soir. Et puis ça fait de la compagnie, Éléonore et
Sébastien.

FRÉDÉRIC. — Évidemment, si vous le prenez ainsi...

OPHÉLIE. — Et puis, j'ai des distractions ; je vous raconterai. Vous
êtes gentil, vous. Et puis vous êtes beau.

FRÉDÉRIC, *gêné.* — Merci... Euh...

OPHÉLIE. — Si, si, vous êtes très beau. Ah! voyons, il faut ranger
l'album. Il faut aussi que j'aille faire une petite toilette avant le dîner.
Vous m'attendrez? Je compte sur vous. Maintenant que je vous ai tout
dit, nous n'allons plus nous séparer.

*Elle disparaît, laissant Frédéric tout seul. Il marche de long en large, en jubilant.
Et soudain se met à rire tandis que le rideau tombe.*

ACTE III

Sébastien et Éléonore sont en scène.

SÉBASTIEN. — Oui. Eh bien, si nous étions à Paris en ce moment,
nous serions prêts à sortir. Nous fourbirions nos armes de chasse.

ÉLÉONORE. — Nous entrerions bras dessus, bras dessous chez
Maxim's ou dans une boîte de nuit. On dirait bonjour distraitement à
quelques amis... comme ça...

SÉBASTIEN. — J'aurais l'air très amoureux de toi. On nous regarderait d'un air trouble. « Vous savez, c'est Éléonore von Milhem, celle qui a ruiné ce pauvre Cliquot. Avec son frère. Il paraît qu'ils sont ensemble, ça se fait peut-être en Suède... Et patati et patata... »

ÉLÉONORE. — On rirait beaucoup... On chercherait un visage, je te conseillerais une jeune femme, tu ferais le dégoûté... Je regarderais pensivement un homme parfois...

SÉBASTIEN. — Et puis on irait danser... Il y aurait plein de musique et des profils éperdus, et des sourires échanges. J'adore Paris.

ÉLÉONORE. — Et à l'aube, on rentrerait. A deux ou à quatre. Jusqu'au dernier moment, on leur laisserait espérer une petite orgie,

SÉBASTIEN. — Et ils ne l'auraient pas. Ou alors on se serait perdus, et le dernier rentré irait tout raconter à l'autre. Et on boirait du champagne rosé pour se réveiller. Tu dirais : « Je suis vieille, folle et laide. » Ce serait l'aube.

ÉLÉONORE. — Et tu dirais : « Je suis un débauché, un parasite et un incapable. »

SÉBASTIEN. — Qu'est-ce qu'on serait heureux... En attendant, le poulet Frédéric m'a l'air à point. Il est fou d'amour, il se dresse sur ses ergots, il se pavane. Mon Dieu, quand je pense que j'ai pu avoir cet air-là à cet âge... l'homme à femmes... Comblé, amusé, réticent mais fringant tout de même, la main dans les cheveux de temps en temps, fatigué par sa propre virilité... pouah.

ÉLÉONORE. — Tu sais, il n'est pas si sûr de lui. La nuit (pardonne à ta sœur ces détails d'alcôve), c'est plutôt le jeune homme suppliant, empressé...

SÉBASTIEN. — Il est temps de déclencher notre petit jeu. Déjà Hugo s'énerve. Il devient violet par moments. Le sang Falsen lui obstrue la vue, ses narines palpitent, ses dents crissent : c'est un délicieux spectacle. Mais ton petit garçon est un peu trop désinvolte à mon gré.

ÉLÉONORE. — Il va prendre peur vite, maintenant. Je m'en charge.

SÉBASTIEN. — C'est le moment que je préfère, quand la peur commence, que tu les provoques, qu'ils ont honte, qu'Hugo les regarde fixement...

Rentre Frédéric.

FRÉDÉRIC. — Finalement, j'aime cette neige. Elle est un peu drue peut-être mais bien poétique.

ÉLÉONORE. — Vous m'avez l'air bien excité, mon petit Frédéric. Et bien content depuis quelque temps.

FRÉDÉRIC. — Je dois l'avouer.

ÉLÉONORE. — Vous sifflotez entre vos dents, vous considérez tout le monde avec une sorte d'ironie et même la neige semble vous réjouir le cœur.

FRÉDÉRIC. — La neige finira bien un jour. Et ce jour-là...

ÉLÉONORE. — Ce jour-là, vous partirez. Votre allégresse me semble un peu désobligeante.

FRÉDÉRIC. — Pourquoi? Puisque vous partirez avec moi.

SÉBASTIEN. — Ah! jeunesse, impudente jeunesse...

Hugo apparaît sur le balcon. Les autres ne le voient pas.

ÉLÉONORE. — Je vous rappelle que je suis mariée, mon cher ami.

FRÉDÉRIC. — Je vous rappelle que vous ne l'êtes pas, chère amie.

SÉBASTIEN. — Qu'est-ce qui vous prend?

FRÉDÉRIC, *docte*. — Un mariage n'est valide que si le partenaire est libre. Hugo étant le mari d'Ophélie, devant la loi et devant les hommes, vous voici libre. Je vous emmènerai avec moi. Comme Hugo est un plutôt bon garçon, je ne dirai rien à personne. Il aura l'air d'un pauvre mari délaissé au lieu d'avoir l'air d'un bigame et d'un geôlier.

SÉBASTIEN, *atterré*. — Qu'est-ce que cette histoire? Vous écoutez les divagations d'Ophélie, à présent?

FRÉDÉRIC. — Je crois aux photos de famille, cher Sébastien. Elles sont insuffisamment cachées.

ÉLÉONORE. — Vous êtes fou.

FRÉDÉRIC. — Éléonore, vous avez été victime d'Hugo et du sens très particulier qu'ont les Falsen du scandale. Je vous emmènerai avec moi.

SÉBASTIEN. — Charmant programme! Où habitez-vous à Stockholm?

FRÉDÉRIC. — Copenhaguen boulevard. Pourquoi?

SÉBASTIEN. — J'ai horreur de ce quartier. Et comme je suis ma sœur partout...

FRÉDÉRIC. — Cela me paraît inutile.

SÉBASTIEN. — Ma mère me l'a pourtant confiée.

Il éclate de rire.

ÉLÉONORE. — Ce n'est pas le moment de rire. Alors, vous imaginez, mon petit détective, qu'Hugo va vous serrer la main, s'excuser et me laisser partir?

FRÉDÉRIC. — Il n'a pas le choix, il me semble : mon silence contre le sien.

SÉBASTIEN. — Eh bien... nous voilà dans les complications. Décidément Ophélie parle trop.

FRÉDÉRIC. — C'est très bien ainsi. Cette équivoque devenait lassante. Je parlerai à Hugo demain.

ÉLÉONORE. — Vous n'en ferez rien.

FRÉDÉRIC. — Pourquoi pas ?

ÉLÉONORE. — Si vous parlez à Hugo, moi, je ne vous adresserai plus la parole. D'ailleurs vous ne m'entendriez pas : vous seriez mort.

FRÉDÉRIC. — Écoutez, Éléonore, nous sommes au XXᵉ siècle. Décidément tout le monde l'oublie dans cette maison.

ÉLÉONORE. — Nous sommes au siècle de nos vêtements, ici. Vous auriez pu le comprendre. Je vous dis, moi, que Hugo vous tuera. Et que si jamais il ne vous tuait pas, moi, je ne vous adresserais plus la parole. Vous m'avez comprise ?

Elle sort.

SÉBASTIEN. — On n'a pas idée d'être nigaud à ce point ! Vous croyez qu'un homme qui séquestre sa première femme pour laquelle il éprouve une vague affection hésiterait à supprimer un lointain cousin qui l'énerve ?

FRÉDÉRIC. — La police existe, non ?

SÉBASTIEN. — Il doit y avoir en effet un gendarme à six kilomètres d'ici. Sa femme travaille au château depuis vingt ans. De plus il a un droit de chasse dans le domaine.

FRÉDÉRIC. — Et à Stockholm ? Vous pensez acheter la police municipale avec trois lièvres ?

SÉBASTIEN. — Si vous saviez comme Stockholm est loin... et combien de neige s'entasse entre nous...

FRÉDÉRIC. — Alors, vous trouvez ça très bien, vous, que votre sœur soit la concubine d'Hugo avec une pauvre petite jeune femme folle ?

SÉBASTIEN. — Pas de gros mots. Au reste, ma sœur se plaît ici. Et Hugo l'aime. S'il l'avait humiliée de quelque manière, je l'aurais tué. Par-derrière, vu sa force. Non, mon cher Frédéric, croyez-moi : taisez-vous. Quand la neige sera finie, quand vous pourrez partir, vous verrez bien. Mais vous vous rendez compte ? Si vous parlez ? L'ambiance qu'il y aura ici ? Ce sera odieux. Et vous vous aliénerez définitivement Éléonore. Elle tient parole, en général.

FRÉDÉRIC. — Il faut que je réfléchisse.

SÉBASTIEN. — Si vraiment vous y parvenez, ce serait mieux. Venez avec moi. Nous allons parler avec Éléonore.

Ils sortent. Hugo descend l'escalier lentement, pas à pas.
Puis brusquement se met à tambouriner sur les murs, de toute sa force.
Rentre Agathe.

AGATHE. — Mais qui est-ce qui tape ainsi sur les murs?... On se croirait attaqués par les Danois à coups de boulets, ma parole!

HUGO. — Agathe... Il faut que nous parlions. Vous tombez bien.

AGATHE. — De toute façon, rien ne justifie ces coups furieux. Vous êtes porté à la colère, mon frère, mais le château de nos pères est à respecter.

HUGO, *hurlant.* — C'est fini?

AGATHE, *sursautant.* — Parlez.

HUGO. — Cet imbécile, euh... Frédéric... il sait.

AGATHE. — Il sait quoi?

HUGO, *hurlant.* — Pour Ophélie.

AGATHE, *sursautant.* — Mais ne criez pas ainsi. Qu'est-ce qu'elle a, Ophélie?

HUGO, *très doucement.* — Je l'ai épousée, il y a dix ans. Ce garçon le sait. Voilà.

AGATHE. — Oh!... Quelle horreur. Et qui le lui a dit?

HUGO. — Elle, sans doute.

AGATHE. — Vous croyez? Mais elle m'avait juré de ne rien lui dire.

HUGO. — Elle a dû lui dire aussi.

AGATHE. — Quoi?

HUGO, *hurlant.* — Qu'elle vous l'avait juré.

AGATHE. — Ça devait arriver. Et le nom des Falsen sera souillé à jamais... Ah! dieux, vous qui réglez le sort de vos créatures, d'où que vous soyez...

HUGO, *hurlant.* — C'est fini?

AGATHE. — Qu'est-ce qu'on va faire?

HUGO. — Ce petit crétin s'imagine qu'il va partir avec Éléonore, auquel cas il ne dira rien.

AGATHE. — Eh bien... Eh bien... s'il jure vraiment de ne...

HUGO. — Quoi?

AGATHE. — Je veux dire... si Éléonore le persuade de se taire...

HUGO. — Êtes-vous folle ou vicieuse? Éléonore est à moi, rien qu'à moi.

AGATHE. — Je vous défends de m'appeler folle. Ou vicieuse, d'ailleurs. Ophélie aussi est à vous, rien qu'à vous, après tout.

HUGO. — Ne nous disputons pas. Il faut que ce garçon se taise. Il faut nous assurer de son silence.

AGATHE, *sentencieuse.* — Il n'y a qu'un vrai silence : celui de la mort.

HUGO. — Pourquoi dites-vous cela ?

AGATHE, *étonnée.* — C'était un des axiomes favoris du général Falsen.

HUGO. — Il avait raison.

AGATHE. — Toujours. *(Sursautant.)* Quoi ? Que voulez-vous dire ?

Ils se regardent.

HUGO. — L'honneur des Falsen ou ça, Agathe. Vous comprenez ?

AGATHE. — Oui, mais, mais...

HUGO. — Où est mon revolver ?

AGATHE. — Mais vous êtes fou, Hugo... La police... ses parents...

HUGO. — Taisez-vous !

Il marche de long en large en réfléchissant.

AGATHE, *à la fenêtre.* — Vous ne trouvez pas que la saison est spécialement rigoureuse, en ce moment ? Avez-vous remarqué comme le temps se détraque... Les printemps deviennent pluvieux, il fait beau en automne, c'est à n'y rien comprendre... Quel souci pour nos cultures... Je me demande ce qui produit ça... ?

Hugo ne répond pas.

AGATHE, *sévère.* — Hugo, je vous parle ! Hugo !...

HUGO, *hurlant.* — Quoi ?

AGATHE. — Je vous parlais.

HUGO. — Et de quoi ?

AGATHE, *déconcertée.* — Mais... euh... du temps...

HUGO. — C'est le moment. C'est vraiment le moment. Etes-vous folle ? Du temps... Du temps... Mais, j'ai une idée, Agathe, une très bonne idée...

AGATHE. — C'est vrai ? Venez dans ma chambre, quelqu'un vient. Je me sens revenue à treize ans, c'est délicieux. Vous vous rappelez nos petits complots, quand Mère nous poursuivait et...

Ils sortent. Entrent Sébastien et Éléonore.

SÉBASTIEN. — C'est gai. Je n'ai jamais vu un idiot pareil. Il va nous flanquer notre jeu en l'air.

ÉLÉONORE. — Je crois qu'il a compris. Il ne parlera pas.

SÉBASTIEN. — Enfin, on verra bien. Toi, tu l'empêches de parler à force de tendresses. Moi, je surveille.

ÉLÉONORE. — Toi, tu neutralises Ophélie.

SÉBASTIEN. — Qu'appelles-tu neutraliser ? Tu veux que je l'enferme ?

Il rit.

ÉLÉONORE. — Occupe-toi d'elle.

SÉBASTIEN. — Mais je m'en occupe. Nous jouons aux cartes comme deux fous ou deux enfants attardés.

ÉLÉONORE. — Elle a passé l'âge des cartes.

SÉBASTIEN. — C'est tout ce qu'elle aime.

ÉLÉONORE. — Comment jouez-vous aux cartes ?

SÉBASTIEN. — Comment ? Mais assis, si c'est ce que tu veux dire.

ÉLÉONORE. — Eh bien, fais-lui la cour.

SÉBASTIEN. — Et comment fait-on la cour ?

ÉLÉONORE. — Couché.

SÉBASTIEN. — Tu en es vraiment sûre ?

ÉLÉONORE, *faisant la révérence.* — Mon cher frère, il n'y a rien sur la vie ou même sur l'amour que je puisse te donner pour vrai.

Sébastien lui rend sa révérence. Ils se regardent et éclatent de rire.

SÉBASTIEN. — Bon ! Alors c'est d'accord. Au nom de la paix domestique, tu persuades Frédéric de rengainer ses menaces et de continuer à jouer les amoureux transis. Quant à moi, pauvre beau-frère d'un sadique bigame, comme dit Frédéric, je séduis, dans tous les sens du terme, ma première belle-sœur, enfin Ophélie. Es-tu sûre qu'il n'y a pas entre elle et moi des liens de consanguinité ? Je m'embrouille, à la fin.

ÉLÉONORE, *découragée.* — J'avoue que nous aurons un hiver plus rude que les autres... C'était plus drôle avant. Cette Ophélie est une petite oie.

SÉBASTIEN. — Pas un mot sur ma fiancée, s'il te plaît. *(Il se prend la tête à deux mains.)* Mon Dieu, il va falloir lui faire la cour en plaisantant, l'amour en jouant aux cartes, que sais-je ? Dans quelle aventure romanesque vais-je encore m'enfoncer ? Éléonore, Éléonore, j'aimerais tant être pur, Éléonore, pur avec les yeux clairs et tendres des bêtes à âmes, tu sais, Éléonore, certains humains qui ont posé les armes, ou qui n'en ont jamais eu plutôt, sauf ce regard, ce regard qui ne cherche rien de bas, ni de risible, nulle part, ce regard que j'ai peut-être vu deux fois et qui m'a rendu fou d'envie...

ÉLÉONORE. — C'est le regard des fous, mon chéri, en effet. Tu as ta crise de mysticisme un peu plus tôt que les autres années.

SÉBASTIEN. — Ce n'est pas le regard des fous, c'est le regard des tendres. Une race perdue, les tendres, ou presque : rien à gagner, rien à perdre, même un bon mot. Mais nous, nous finirons fous, ma chère, et pour de bon. L'oncle Jan...

ÉLÉONORE. — J'ai horreur de ces discussions.

Elle se dirige vers la porte.

SÉBASTIEN. — Penses-y : l'hérédité, le climat, la solitude et nos petits jeux... *(Elle claque la porte.)* Je t'apprendrai à te moquer des tendres...

Frédéric rentre.

FRÉDÉRIC. — Vous parlez tout seul ? Que se passe-t-il ? J'ai croisé Éléonore, elle ne m'a pas regardé.

SÉBASTIEN. — Ah non ? Eh bien, laissez-moi vous regarder, moi-même. Non, vous n'avez rien d'un tendre. Un mou, tout au plus. Et puis vous calculez, vous faites des petits marchés ridicules. Voulez-vous boire quelque chose ? Un schnaps ?

Il lui tend un verre.

FRÉDÉRIC. — Qu'appelez-vous un tendre ?

SÉBASTIEN. — Je ne vais pas recommencer.

FRÉDÉRIC. — Vous n'en devez rien savoir, d'ailleurs ?

SÉBASTIEN. — J'en ai rencontré, j'ai failli l'être.

FRÉDÉRIC, *railleur.* — Et soudain quelqu'un vous marcha sur le cœur, et détruisit votre foi dans les êtres... ?

SÉBASTIEN. — Même pas... Mais nous vivons une époque pourrie, mon cher. Ayez de l'orgueil, un peu d'argent, quelque sensualité et vous êtes fait. Fichu. Ce schnaps n'est-il pas délicieux ? Quand j'en bois beaucoup, je me sens redevenir un tendre, justement, un tendre titubant : j'aime ! je vous aimerais même. Seulement, je tombe sur une femme de chambre et je me mets à l'aimer aussi, à la hussarde.

Il se met à rire et se reverse à boire. Frédéric l'observe.

FRÉDÉRIC. — Au fond, vous êtes un inadapté.

Sébastien siffle d'admiration et s'incline.

SÉBASTIEN. — Oh! le joli mot. Pour moi tout seul. Vous avez mis le doigt juste sur la plaie. Comment vous remercier, comment? Me voilà guéri : je sais ce que j'ai depuis trente ans : je suis un inadapté. Vous m'excuserez si j'emmène la bouteille avec moi, je vais fêter ça tout seul. Ah non! pardon, avec Ophélie.

Il sort.

Gunther, le vieux domestique, entre avec un panier à bûches.
Il met une bûche dans le poêle. Il doit avoir l'air parfaitement inintelligent.
Rentre Agathe, sur la pointe des pieds.

AGATHE, *elle chuchote.* — Gunther...

GUNTHER. — Elle m'appelle?

AGATHE. — Il n'y a personne ici qui rôde?

GUNTHER. — Non. Il y a elle et moi.

AGATHE. — Gunther, quand je vous ai dit mille fois que vous devriez m'appliquer la troisième personne du singulier, cela voulait dire « mademoiselle ». Pas « elle ».

GUNTHER. — Bon.

AGATHE. — Gunther, je vais vous tutoyer. Pour la première fois sans doute depuis trente ans.

GUNTHER, *étonné.* — Elle est bien libre. C'est pas moi qui lui ferai des histoires.

AGATHE, *solennelle.* — Gunther, tu m'es attaché, n'est-ce pas? Et à notre demeure? Et à mon frère Hugo?

GUNTHER. — Je les aime tous les deux comme s'ils étaient de ma famille. Elle le sait bien.

AGATHE. — Oui, elle le sait. Elle a une mission à te confier, Gunther, il faut que tu l'écoutes.

GUNTHER. — Qu'elle parle.

AGATHE. — Qu'elle parle.

Ils se taisent tous les deux, l'air mou.

AGATHE, *agacée.* — Elle, c'est moi! Tu comprends, Gunther. Que c'est agaçant, cette manie chez toi! On est toujours trois.

GUNTHER. — J'y comprends rien. Si je lui dis « elle », elle est pas contente et elle me dit « tu » tout d'un coup après trente ans... A mon âge, ça fait peur.

AGATHE. — Gunther... revenons au fait. Tu dois jouer un rôle, et par chance, un rôle passif.

GUNTHER. — Il faudra que je parle ?

AGATHE. — Non. M. Hugo va descendre dans la cave, tout à l'heure : tu y seras.

GUNTHER. — Bon.

AGATHE. — M. Hugo te dira que faire. Tu lui obéiras. Après, tu te cacheras dans les communs. Il faudra que personne ne te voie.

GUNTHER. — Qu'est-ce qu'elle va dire ?

AGATHE. — Puisque je te le demande...

GUNTHER. — Je ne parlais pas d'elle, je parlais de ma femme.

AGATHE. — Allons, bon ! nous voilà quatre ! Mets-la au courant. Elle seule. Alors, tu as bien compris ?

GUNTHER. — Oui. Je vais à la cave. M. Hugo, il vient et il me dit ce qu'il faut faire. Et après je me cache comme faisait Mme Ophélie.

AGATHE. — Cache-toi mieux, tu veux. Merci, Gunther. Je savais que tu ne poserais pas de questions et que tu nous obéirais aveuglément. Merci au nom des Falsen, elle te serre la main. *(Ils se serrent la main.)* Merci, mon brave Gunther, vous pouvez disposer. Allez donc à la cave.

> *Gunther sort. Rentrent Éléonore, Frédéric, Sébastien et Ophélie,*
> *avec un gramophone qu'ils mettent en marche aussitôt,*
> *Frédéric et Éléonore commencent à valser.*

AGATHE, *dressée.* — Il me faut sans cesse vous rappeler à l'ordre et à la décence. Savez-vous que c'est aujourd'hui le centième anniversaire de la bataille d'Eningen ? Et que notre ancêtre, le général Falsen, y mourut ?

SÉBASTIEN. — Je crains qu'il n'ait vécu.

AGATHE. — Qu'est-ce à dire ?

SÉBASTIEN. — Je veux dire que nous avons trouvé une excellente distraction, la valse, et que la mort d'un général est de peu de prix devant cette aubaine.

AGATHE. — Éléonore, voulez-vous arrêter cette chose étrange ?

> *Elle indique le pick-up.*

ÉLÉONORE. — Je ne peux pas, chère Agathe, ça marche à l'électricité, c'est inarrêtable.

AGATHE. — Je vous ai assez conseillé de renoncer à ces nouvelles manies. En avons-nous pour plusieurs jours, de cette musique ?

SÉBASTIEN. — Le temps des neiges.

Agathe sort.

FRÉDÉRIC. — Valsons, Éléonore...

Ils valsent tendrement.

SÉBASTIEN. — Ophélie danse comme un ange. Si nous avions un tango... Mais Agathe en mourrait.

Hugo rentre. Hirsute.

HUGO. — D'où vient ce pick-up ?

SÉBASTIEN. — C'est un gramophone, hélas ! Ophélie l'a trouvé au grenier. C'est décidément une perle, Ophélie. Mon cher Hugo, je vous comprends mal.

HUGO. — C'est bien. Je vais scier un peu de bois.

Il sort. Les autres continuent à valser.

SÉBASTIEN. — Tu ne crains pas que ton mari ne s'épuise à couper du bois ainsi. Il doit être mort, le soir..,

FRÉDÉRIC. — Vous allez vous taire !

SÉBASTIEN. — Je n'ai rien dit, mon cher, mais enfin que croyez-vous ? Hugo a toujours été un mari empressé et a toujours rempli consciencieusement ses devoirs conjugaux. Enfin la moitié, car Ophélie la pauvre... Que l'amour lui communique un profond sommeil et que ma sœur ait un tempérament assez solide pour partir ensuite à votre recherche, je ne peux que vous en féliciter. Mais considérez les choses en face : vous êtes le second, le second quotidien...

FRÉDÉRIC. — Ça suffit, Sébastien. Vous m'entendez, ça suffit. Je partirai d'ici avec Éléonore. Et rien ne m'en empêchera. Elle est libre, non ?

SÉBASTIEN. — Libre ? Mais vous êtes fou, mon bon. Avec un frère comme moi on n'est jamais libre. N'est-ce pas, Éléonore ?

ÉLÉONORE. — Je n'écoute pas, je valse.

FRÉDÉRIC. — Mais enfin, qu'avez-vous, Sébastien ? Êtes-vous si amoureux de votre sœur ?

SÉBASTIEN. — Je l'ai été. Et elle aussi. Nous allions partout ensemble : Paris, Stockholm, Londres. Nous formions un beau couple d'ailleurs, plutôt scandaleux. Tu te souviens, Éléonore ? A nos amours...

Il jette son verre par terre et s'en verse un autre.

FRÉDÉRIC. — Éléonore ? Est-ce vrai ?

ÉLÉONORE. — Voyons, Frédéric, vous ne voyez pas qu'il a bu? Valsons.

SÉBASTIEN. — C'est cela, valsez, petit cousin valseur. C'est votre rôle. Ma sœur est très menteuse, c'est là son moindre défaut. Que faisiez-vous au temps chaud? dit-il à cette valseuse. Vous connaissez La Fontaine, Frédéric?

ÉLÉONORE. — Sébastien, arrête de boire et de délirer. Ou je vais te battre.

FRÉDÉRIC. — Je vous y aiderai bien volontiers.

SÉBASTIEN. — Si vous me battez, je dirai tout à Hugo. Il ne faut jamais battre un lâche. Et je suis lâche, Dieu merci. J'énerve tellement les gens, si je me battais chaque fois, je serais en morceaux.

OPHÉLIE. — Vous allez vous battre? Que ce serait amusant!

SÉBASTIEN. — Silence, petit monstre. N'oublie pas que tu l'aimes, ton vieux Sébastien...

ÉLÉONORE. — Sébastien... Es-tu ivre? Pourquoi es-tu si odieux?

SÉBASTIEN. — Je suis ivre, mais je ne suis pas odieux. Je suis excédé par ce galopin, moi aussi. Et ses airs enamourés, et ses airs de Don Quichotte. On ne peut plus s'amuser, il faut le ménager. Tout ça parce que monsieur a découvert une malheureuse bigamie... Et toi, avec ton sourire languissant, et cette valse lubrique... Bouh... Tu te tiens mal, ma chère, si tu veux mon avis.

ÉLÉONORE. — Tu l'auras voulu.

Elle le gifle. Ils se battent.

FRÉDÉRIC. — Lâchez-la. Vous m'entendez... Voyons, Éléonore.

Il essaie en vain de les séparer. Rentre Agathe.

AGATHE. — Quels sont ces cris, encore? Vous êtes de vrais voyous. Aïe! mais vous allez vous tuer! Qui m'a donné ce coup de pied? Voyons, Frédéric, séparez-les. Ou non, allez plutôt chercher Hugo. Il est à la cave, et d'ailleurs il voulait vous voir.

Frédéric sort en courant. Les autres arrêtent de se battre.

SÉBASTIEN. — Tu m'as griffé. Es-tu folle? On ne doit jamais griffer en combat loyal.

ÉLÉONORE, *riant.* — Tu m'as brisé un poignet. Enfin, ça t'a un peu dessoulé. Qu'est-ce qui t'a pris?

SÉBASTIEN. — Rien. Un coup d'énervement. Ce garçon m'obsède, à force.

ÉLÉONORE. — Drôle d'obsession.

OPHÉLIE. — Obsession, passion, papillon, donjon, mouton, thon... Si on jouait? Vous savez, les mots qui finissent par «on».

SÉBASTIEN. — A l'écouter, on retomberait vite en enfance. Ça vaudrait peut-être mieux, d'ailleurs. Vous souffrez, Agathe?

Agathe est assise, se tenant la jambe, l'air digne.

AGATHE. — Je souffre dans ma dignité, oui.

SÉBASTIEN. — Tant mieux, c'est bien ce qu'il y a de moins douloureux.

La porte s'ouvre. Rentre Frédéric, hagard.

FRÉDÉRIC. — Hugo... Hugo vient de tuer un homme...

SÉBASTIEN. — Quoi? Qui?

FRÉDÉRIC. — Il s'acharnait dessus à coups de bâton, dans la cave, comme une bête, c'était horrible...

Il se cache la figure dans les mains, les autres se regardent, consternés.

ÉLÉONORE. — Êtes-vous sûr? Vous êtes fou, Frédéric.

FRÉDÉRIC. — Oui, fou, il y avait de quoi devenir fou... C'est un monstre, un horrible monstre. Il s'acharnait... Ah!... Il faut partir...

SÉBASTIEN. — J'y vais. *(Il se dirige vers la porte.)* Oh! et puis non, je n'y vais pas. D'abord quel était l'autre homme?

FRÉDÉRIC. — Le vieux Gunther. Jamais je n'oublierai cette scène!

AGATHE. — Hugo, s'attaquer au vieux Gunther! C'est incompréhensible!

FRÉDÉRIC. — Je vous dis qu'il l'a tué.

AGATHE. — Mon Dieu... Mon pauvre frère... Il doit encore avoir une de ses crises!

ÉLÉONORE. — Venez, Agathe. Il faut aller voir.

Elles sortent.

FRÉDÉRIC. — Jamais je n'oublierai...

SÉBASTIEN. — Êtes-vous sûr qu'il l'ait tué?

FRÉDÉRIC. — Sûrement. Des coups... et des coups... hurlant de colère en même temps. C'était épouvantable.

SÉBASTIEN, *stupéfait.* — Le tranquille Hugo? Pourquoi n'êtes-vous pas intervenu? *(Un silence. Ils se regardent. Légèrement.)* Remarquez, je vous comprends fort bien.

Rentrent Hugo, Éléonore et Agathe. Sur le dos d'Hugo, le cadavre de Gunther.

ÉLÉONORE. — Étendez-le, mon chéri.

HUGO. — Je ne sais pas... Je ne comprends pas ce qui m'a pris...

Il a l'air dépassé par lui-même.

ÉLÉONORE. — On le sauvera. Je vous le promets.

HUGO. — Je vais le rendre à sa femme. Elle l'enterrera.

Hugo sort, portant le corps de Gunther. Éléonore le suit.

SÉBASTIEN. — Ça, alors..

AGATHE. — Ce pauvre Gunther. Évidemment, il travaillait très mal... Hugo s'est mis en colère, il avait un bâton, vous le connaissez?

FRÉDÉRIC. — Il est coutumier du fait?

Il est blême.

SÉBASTIEN. — Remettez-vous, mon cher. Il n'y a pas de roses sans épines... Je vous concède que celles-ci sont grosses.

FRÉDÉRIC. — Et cette neige... Cette neige...

Il s'effondre contre la fenêtre.

AGATHE. — Tout va rentrer dans l'ordre. Pauvre maman, si elle comprend tout ça?...

Elle regarde vers le fauteuil et le bonnet.

FRÉDÉRIC. — Que vais-je faire?

SÉBASTIEN. — Rester là. Attendre la fin de la neige.

AGATHE. — Excusez encore mon frère, cher Frédéric, pour ses odieux accès. Sachez que mon hospitalité vous est acquise et que, moi vivante, vous aurez une table et un lit dans cette maison.

Elle sort.

SÉBASTIEN. — Elle n'a pas spécifié quel lit.

OPHÉLIE. — Il était tout rouge, Hugo.

SÉBASTIEN. — Oui, mon chéri. Il s'est battu avec un monsieur.

OPHÉLIE. — C'est pourquoi il a peur, Frédéric?...

FRÉDÉRIC. — Je n'ai pas peur... *(Ils le regardent en silence. Hurlant.)* Je l'aime. Je l'aime. Et je n'ai pas peur, vous m'entendez, je n'ai pas peur...

SÉBASTIEN. — Je n'en dirais pas autant.

ACTE IV

Éléonore et Frédéric en scène. Ils lisent.

FRÉDÉRIC. — Où en êtes-vous ?

ÉLÉONORE, *lisant.* — « Alors Malcolm approcha de la jeune femme son visage empourpré par le désir. »

FRÉDÉRIC. — Vous n'en êtes que là ?

ÉLÉONORE. — Je ne vais jamais plus loin.

FRÉDÉRIC. — Pourquoi ?

ÉLÉONORE. — Je connais la suite.

FRÉDÉRIC. — Vous l'avez déjà lue ?

ÉLÉONORE. — Non. Je la devine. Par exemple, quand vous approchez du mien votre visage cramoisi, cher Frédéric, que pensez-vous qu'il se passe ensuite ?

FRÉDÉRIC, *décontenancé.* — Évidemment.

ÉLÉONORE. — A moins, bien sûr, que l'on n'entende le pas d'Hugo. Auquel cas votre visage s'allonge, pâlit et s'éloigne rapidement. Et il n'y a plus qu'à attendre le nouveau moment où votre visage, etc.

FRÉDÉRIC. — J'imagine que tous les romans ne ressemblent pas à notre situation actuelle.

ÉLÉONORE. — A peu près. Dans celui-ci, au point où j'en suis, il n'y a guère que sa mort qui puisse les arrêter.

FRÉDÉRIC, *pincé.* — C'est amusant...

ÉLÉONORE. — Non, l'étreinte paraît inévitable. Et j'ai horreur des descriptions amoureuses. Aussi vais-je me promener. C'est-à-dire faire un tour sur les créneaux. Venez-vous ?

FRÉDÉRIC. — Éléonore, vous vous ennuyez tellement avec moi ?

ÉLÉONORE. — Un peu moins depuis quelque temps. Mais je vous trouve moins empressé... Cette nuit, vous trembliez comme une feuille. C'était désagréable. Et quand la porte s'est ouverte, vous avez fait un bond à tomber du lit.

FRÉDÉRIC. — Naturellement, je pensais à vous. Et d'abord qui a ouvert cette porte ? Le vent ?

ÉLÉONORE, *sur le seuil.* — Un vent nommé Sébastien, je suppose.

Elle sort, Frédéric reste seul. Il lit, l'air préoccupé.
Sébastien rentre derrière lui, et sur la pointe des pieds, s'approche.
Il pose la main sur son épaule. Frédéric bondit.

SÉBASTIEN. — Ah !

FRÉDÉRIC. — Ah ! c'est vous, Sébastien. Vous m'avez fait… euh…
Pourquoi marchez-vous sur la pointe des pieds ?

SÉBASTIEN, *chuchotant*. — Je ne sais pas, j'ai pris cette habitude. Je
marche sur la pointe des pieds, je chuchote, je respire à peine… Tous les
animaux font ça, avant l'orage.

FRÉDÉRIC. — Avez-vous croisé Éléonore ? Ce château où tout le
monde se cherche…

SÉBASTIEN. — Rassurez-vous : tout le monde se trouve…

> *Il ressort sur la pointe des pieds, en exagérant.*
> *Entre Ophélie, chantonnant.*

OPHÉLIE. — Vous avez vu Sébastien ?

FRÉDÉRIC. — Vous le cherchez ?

OPHÉLIE. — Apparemment.

FRÉDÉRIC. — Pourquoi ?

OPHÉLIE. — J'ai une bonne nouvelle pour lui. Une exquise petite
nouvelle.

> *Elle fredonne.*

FRÉDÉRIC. — Laquelle ? Et d'abord, dites-moi… Contre quoi m'avez-
vous mis en garde, l'autre fois ?

OPHÉLIE. — Moi ? Je vous ai parlé ?

FRÉDÉRIC. — Oui. Vous m'avez révélé certaines choses.

OPHÉLIE. — Je ne me rappelle plus, vous savez, en ce moment, je n'ai
pas ma tête à moi. Enfin, je l'ai à autre chose. Et puis Sébastien ne veut
pas que je vous parle.

FRÉDÉRIC. — Pourquoi ?

OPHÉLIE, *gaie*. — Il est jaloux.

> *Entre Éléonore.*

ÉLÉONORE. — Ophélie… Je crois que Sébastien vous attend dans la
bibliothèque.

> *Ophélie sort.*

ÉLÉONORE. — Il fait un vent affreux jusque dans les couloirs… Un
vent qui sent la forêt, les loups, les jeunes hommes…

> *Elle va vers lui, l'embrasse longuement.*

FRÉDÉRIC. — La porte… Tu devrais fermer la porte.

ÉLÉONORE. — Tu veux que j'aille fermer la porte? Tu veux que je te quitte même une seconde? Et si je n'ai plus envie de t'embrasser en revenant?

FRÉDÉRIC. — Je t'aime. Je t'aime tant que je n'ai même plus la force de te le dire.

Il a la tête sur son épaule. Elle lui caresse les cheveux.

ÉLÉONORE. — Là. Ne me le dis pas. Veux-tu que nous allions dans ta chambre tout à l'heure?

FRÉDÉRIC. — Hugo... Hugo m'a demandé d'aller le voir au sujet de ce tracteur...

ÉLÉONORE. — Cela doit être un piège. Tu ne connais rien aux tracteurs... Hugo le sait bien.

Elle rit.

FRÉDÉRIC. — Mais si je lui dis que je ne peux pas... Il cherchera à savoir ce que je fais; il me cherchera, il...

ÉLÉONORE, *dure.* — Bien. Occupe-toi donc de ce tracteur.

FRÉDÉRIC, *suppliant.* — Éléonore, comprenez-moi... Ma situation est très difficile...

ÉLÉONORE. — Depuis deux semaines, tu sembles particulièrement soucieux.

FRÉDÉRIC. — Il faut que tu me croies. Je t'aime.

Elle l'embrasse. La porte grince et s'ouvre doucement.
Frédéric se lève d'un bond. Entre Sébastien.

FRÉDÉRIC. — Ah! c'est vous?

SÉBASTIEN. — On dirait absolument ma seconde femme : «Ah, c'est toi?» *(Il fait semblant de sursauter.)* Hugo a l'air de mauvaise humeur, ce matin.

FRÉDÉRIC. — Qu'est-ce qu'il a?

SÉBASTIEN. — Je ne sais pas. Vous ne l'avez pas vu? Il se dirigeait par ici et il a failli m'écraser contre le mur.

FRÉDÉRIC, *pâle.* — Je ne l'ai pas entendu.

Éléonore se met à rire.

FREDERIC. — Pourquoi riez-vous?

Éléonore continue à rire, sans répondre.

SÉBASTIEN. — Elle est gaie. C'est une jeune femme gaie. Grâce à vous, peut-être. Vous n'en semblez pas particulièrement fier ?

Frédéric marche vers lui. Sébastien fait un bond derrière un fauteuil.

SÉBASTIEN. — Gardez vos forces pour quelqu'un qui les mérite. Voyons, Frédéric, calmez-vous. Je vous jure que je suis fragile...

Rentre Hugo. Frédéric s'arrête.

HUGO. — Vous jouez à cache-cache ?

FRÉDÉRIC. — Non, non. Nous plaisantions.

HUGO. — Venez-vous ? J'ai quelque chose à vous montrer sur le tracteur. Votre père était un fameux ingénieur...

FRÉDÉRIC. — En effet. Il était sorti premier de l'école...

ÉLÉONORE. — Et ne prenez pas froid, Frédéric.

Ils sortent.

SÉBASTIEN, *minaudant.* — Mon papa était sorti premier de l'école...

ÉLÉONORE. — Que tu es cruel...

SÉBASTIEN. — Et toi ?

ÉLÉONORE. — Moi, ce n'est pas pareil... Je suis cruelle aussi avec moi...

SÉBASTIEN. — Je m'en doutais. Il t'a toujours fallu un maître ou un valet. Il y a des femmes comme ça. Et là, entre sa peur et son amour, on ne peut rêver un valet plus valet.

ÉLÉONORE. — Il se débat... Il se débat. Le plus content, c'est Hugo. Il s'en sert comme d'une suivante.. Pauvre Frédéric ! J'adore lui faire peur. Tiens, j'ai une idée ! Tu fais Hugo et moi Frédéric. *(Mimant.)* Cher monsieur, comment pouvez-vous être sûr de vos récoltes avec ce temps ?

SÉBASTIEN, *riant.* — Non, c'est moi Frédéric.

ÉLÉONORE. — Pourquoi ?

SÉBASTIEN. — Tu sais bien que ça m'amuserait davantage.

Ils se regardent. Elle sourit.

ÉLÉONORE. — Mon cher Sébastien, je n'aime que toi.

SÉBASTIEN. — Que dirais-tu d'un petit voyage à Paris ?

ÉLÉONORE. — Avec quel argent ? Et puis Hugo est suffisamment agacé, cet hiver.

SÉBASTIEN. — A cause de ce petit idiot... Il manque de lyrisme ce garçon, entre nous. Qu'il crève de peur devant ton époux à la rigueur, mais qu'il soit héroïque tout seul alors. Je ne sais pas, moi... qu'il se coupe l'oreille et la pose sur ton oreiller, comme Van Gogh... D'ailleurs assez plaisanté. Tu sais que je suis beaucoup plus inquiet que tu ne le crois. Gunther est mort. Hugo n'a pas eu un mot de regret. Qu'est-ce qui lui a pris?

ÉLÉONORE. — Je ne sais pas. Il est bizarre. Et cette affection pour Frédéric... affection simulée, sans doute, mais patiente...

SÉBASTIEN. — Écoute, c'est vraiment étrange. Il enferme sa première femme, tue son jardinier, fait des sourires au soupirant de sa femme, quelque chose ne va plus.

ÉLÉONORE. — Il est vrai qu'il se tient très mal.

SÉBASTIEN. — Et qu'il agit comme un dément.

ÉLÉONORE. — J'ai horreur de ce mot.

SÉBASTIEN. — Et moi je redoute cette espèce. Ton brave rustaud de mari me fait peur. Qu'il fasse peur à Frédéric qui, mon Dieu, s'est permis quelques nuits avec toi, je le conçois. Mais moi? Ne suis-je pas le beau-frère idéal? La conscience pure et tout? Et pourtant, Éléonore, il me fait peur.

ÉLÉONORE. — Mais non... Il dort comme un enfant.

SÉBASTIEN, agacé. — Ne me fais pas de la psychologie d'alcôve. J'aimerais mieux qu'il dorme en hurlant et ne tue pas ses vieux serviteurs, une fois réveillé.

ÉLÉONORE. — Enfin, Sébastien, je ne sais pas, moi... Pourquoi es-tu inquiet? As-tu fait une sottise?

SÉBASTIEN. — Je ne sais pas encore. Mais ton mari m'a l'air susceptible d'en faire de bien pires que toutes les nôtres... Et Dieu sait...

Entrent Frédéric et Hugo.

HUGO. — Impossible d'aller même jusqu'au garage. La neige redouble. Je n'ai jamais vu ça.

Éléonore va vers Frédéric. Elle lui essuie le visage avec son mouchoir.

FRÉDÉRIC. — Merci bien. Laissez, laissez, je vous en prie. Je me sécherai bien tout seul...

Il a un rire faux.

ÉLÉONORE. — Laissez-moi faire.

Entre Ophélie tricotant. Elle va s'asseoir dans une bergère.
Sébastien lui fait signe de se taire, mais elle hausse les épaules.

HUGO. — Elle a raison. Vous êtes trempé. Et vous n'êtes pas bien costaud. Vous devriez vous changer. Si vous attrapiez une pneumonie... Il serait difficile de faire venir un docteur...

OPHÉLIE. — Ça ne fait rien. Moi j'ai été infirmière. Heureusement d'ailleurs...

Elle regarde Sébastien qui lui refait signe de se taire.

ÉLÉONORE, *à Frédéric.* — Vous voyez... Ophélie vous soignerait. Vous croyez que j'y consentirais...

FRÉDÉRIC, *gêné.* — Il est vrai...

ÉLÉONORE. — Vous êtes glacé... Vous qui êtes en général si chaud, si fiévreux même...

Elle lui sourit.

HUGO. — Peut-être peut-il se changer tout seul?

FRÉDÉRIC, *précipitamment.* — Naturellement, j'y vais.

Il sort.

HUGO. — C'est incroyable, ce temps. Je me demande si ce petit cousin a une seule notion sur les tracteurs. *(Un temps.)* Ah! ah!

Il rit.

ÉLÉONORE. — Vous devriez vous sécher aussi.

HUGO. — Ce n'est pas la peine. Je ne suis pas en sucre. Nous faisons un piquet au coin du feu?

ÉLÉONORE. — Volontiers.

Ils s'installent.

SÉBASTIEN. — Ophélie, je voudrais te dire deux mots à côté. Viens avec moi.

Ils sortent. Hugo et Éléonore jouent.

HUGO. — Vous jouez mieux que moi. Cela ne vous ennuie pas?

ÉLÉONORE. — J'aime bien jouer avec vous.

HUGO. — C'est le propre d'une bonne épouse. Depuis quelque temps j'ai l'impression que ce petit Frédéric est moins dans vos jupes. Je me trompe?

ÉLÉONORE. — Non, il a très peur.

HUGO. — Ah! ah! Il a raison. Il a une jolie petite peau de fille, des petits os de perdrix. Un cœur aussi, j'imagine. Et le reste à l'avenant sans doute.

ÉLÉONORE. — Ce n'est pas prouvé.

HUGO. — C'est tout ce que j'espère.

Il rit.

ÉLÉONORE. — Vous allez perdre si vous jouez aussi mal, Hugo. A quoi pensez-vous?

HUGO. — A vous. Vous êtes la seule femme reposante que j'aie connue, Éléonore.

ÉLÉONORE. — Qu'appelez-vous une femme reposante?

HUGO. — Une femme qui n'est pas toujours à vos basques. Ma première femme...

ÉLÉONORE, *l'interrompant.* — Ophélie...

HUGO, *gêné.* — Oui, Ophélie... C'est drôle, j'ai toujours l'impression qu'elle est morte.

ÉLÉONORE. — Impression partagée par toutes nos relations.

HUGO. — Oui. Eh bien, Ophélie était toujours après moi. Vous savez : « Emmène-moi à la chasse, porte mon fusil, ouh qu'il est lourd mon fusil, tire pas sur la petite bête, etc. » Tuante, elle était.

ÉLÉONORE. — Tandis que moi...

HUGO. — Vous, vous restez ici, je ne sais pas ce que vous faites toute la journée et je n'ai pas à vous le demander. N'est-ce pas?

ÉLÉONORE. — C'est vrai. Nous ne nous demandons rien.

HUGO. — Vous pensez que nous avons tort?

ÉLÉONORE. — Nous avons raison. J'ai horreur des questions. Vous aussi.

HUGO. — J'imagine que vous avez connu des types du style Frédéric avant, enfin, en plus malin?

ÉLÉONORE. — Oui, et alors?

HUGO. — La différence ne vous gêne pas trop?

ÉLÉONORE. — Je suis là depuis cinq ans.

HUGO. — C'est une bonne réponse.

ÉLÉONORE, *tendre.* — Hugo... je suis très bien avec vous.

HUGO, *gêné.* — Eh bien, très bien. N'en parlons plus.

Un temps.

ÉLÉONORE, *douce*. — Hugo, tu n'as jamais envisagé que je pourrais te tromper ?

HUGO, *catégorique*. — Mais non.

ÉLÉONORE. — Puis-je savoir pourquoi ?

Ils doivent avoir tous les deux l'air très absorbé par leur partie.

HUGO. — C'est simple, si tu me trompes je te tue. Si je te tue étant bigame et veuf, je me retrouve marié à Ophélie. Et je veux éviter ça. Ah ! ah !... *(Il éclate de rire.)* Et puis comment m'inquiéter ? Vous vous endormez à mon côté, que je sache, et j'ai beau avoir le sommeil lourd...

ÉLÉONORE. — Vous avez beau avoir le sommeil lourd ?

HUGO, *riant*. — Non, ne vous inquiétez pas. Vous ne m'avez pas trompé, Éléonore. Je ne m'inquiète pas. Dites-vous bien une chose : un homme trompé le sait toujours. C'est un huitième sens qu'ont tous les maris, quand ils sont amants. Et je suis un mari aimant.

ÉLÉONORE, *tendre*. — Et aimé.

Elle pose sa main sur la sienne. Regard tendre. Entre Frédéric.

ÉLÉONORE. — Frédéric, vous êtes changé ? Venez vous asseoir près de moi. Vous allez assister à la fin d'un piquet magistral.

FRÉDÉRIC, *gêné*. — Je ne veux pas vous déranger.

ÉLÉONORE. — Mais non.

HUGO, *grosse voix*. — Asseyez-vous, nom d'un chien, puisque ma femme vous le demande. Vous n'avez pas peur des femmes, au moins ? Il paraît que ça se répand parmi les jeunes gens raffinés.

FRÉDÉRIC. — Je vous garantis que pour ma part...

Il rit.

ÉLÉONORE. — Frédéric est même tout le contraire. Frédéric adore les femmes, je sais tout de lui.

Elle rit. La main d'Éléonore saisit la main de Frédéric qui se débat, puis s'immobilise.

ÉLÉONORE. — Vous ne m'échapperez pas, mon petit cousin.

FRÉDÉRIC, *égaré*. — Quoi ?

ÉLÉONORE. — Vous assisterez de bout en bout à cette partie.

HUGO. — Elle a raison. Vous pourrez ainsi battre Agathe. Pourquoi vous agitez-vous ainsi ? Vous êtes mal ?

FRÉDÉRIC. — Très bien. Il fait très chaud près du feu, c'est tout.

ÉLÉONORE, *bas*. — Tenez, j'ai pitié de vous.

De dos, on la voit lâcher la main de Frédéric. Entre Agathe,
visiblement soucieuse, puis Sébastien et Ophélie.

AGATHE. — Je commence à trouver le temps long. Pourquoi ne
ferions-nous pas un peu de musique, avec votre é-lec-tri-ci-té ?

SÉBASTIEN. — On aura tout vu. Je vais de ce pas monter le
gramophone.

FRÉDÉRIC. — Et moi je vais chercher quelques disques.

Il sort. Le gramophone joue une valse.

OPHÉLIE. — Agathe ?

AGATHE. — Oui, mon petit ?

OPHÉLIE. — Vous trouvez ça joli pour un garçon : Julien ?

AGATHE. — Oui, pourquoi ?

Sébastien fait des gestes d'affolement.

OPHÉLIE. — Parce que.

Agathe hausse les épaules.

HUGO. — Je ne sais pas si Frédéric connaît grand-chose aux tracteurs,
en tout cas il commence à s'intéresser à la vie campagnarde. Ah ! ah !...

Rire énorme.

OPHÉLIE. — Agathe ?

AGATHE. — Oui, mon petit ?

OPHÉLIE. — Pour avoir un enfant, c'est bien neuf mois ?

AGATHE. — Oui, mon petit.

Un silence plein de pensées.

AGATHE. — Pourquoi tricotez-vous, Ophélie ?

SÉBASTIEN. — Aimez-vous la valse, Agathe ?

AGATHE. — Un instant, Sébastien. Pourquoi, Ophélie ?

SÉBASTIEN. — Je vous invite, Agathe. Venez, que diable, les Falsen
ont toujours été de fameux danseurs.

OPHÉLIE. — C'est pour mon baby.

AGATHE, *hurlant*. — Quoi ?

Éléonore et Hugo lèvent la tête de leur piquet.

ÉLÉONORE. — Que se passe-t-il ?

SÉBASTIEN. — Mais rien. Ophélie devient folle.

AGATHE. — Ophélie attend un enfant...

Brouhaha.

AGATHE. — C'est un grand malheur mais une grande joie, Hugo. Le nom des Falsen sera conservé. Autant vous le dire, Éléonore, je m'inquiétais.

ÉLÉONORE. — Vous attendez un enfant, Ophélie? C'est pour ça que vous étiez malade?

OPHÉLIE. — Oui, je l'appellerai Julien.

AGATHE. — Julien Falsen ça sonne bien. Mais quelles complications!

HUGO, *tonnant.* — Qu'est-ce que tout cela veut dire, je n'ai pas touché Ophélie depuis notre... euh... séparation.

OPHÉLIE. — Non, Hugo, ce n'est pas ton baby. C'est celui de Sébastien.

Pendant la scène, Sébastien s'aidant d'une chaise est monté sur l'armoire.

HUGO. — Où est-il, où est-il, l'infâme...

SÉBASTIEN, *perché.* — Ne vous fâchez pas, Hugo. Vous ne saurez pas m'attraper. De toute façon, je compte réparer.

ÉLÉONORE. — Sébastien... Ça suffit. Descends.

SÉBASTIEN. — Pour que cette brute m'étrangle, merci bien. Puisque je vous dis que je compte réparer.

HUGO, *fou de rage.* — Réparer... réparer... et comment voulez-vous réparer, imbécile... C'est ma femme.

SÉBASTIEN. — Je ne pourrai peut-être pas réparer, mais avouez que c'est plus votre faute que la mienne.

HUGO. — Descendez.

SÉBASTIEN. — Jamais de la vie. Et cessez de crier ainsi devant Ophélie. Je ne tiens pas à avoir un enfant peureux, ou plein de complexes.

ÉLÉONORE. — Sébastien, tu exagères.

SÉBASTIEN. — Qu'avez-vous tous à crier? Ne pensez-vous pas qu'un petit être tout neuf, tout innocent — et avec Ophélie il y a des chances pour qu'il le soit — rafraîchira un peu l'ambiance trouble de ce château?

OPHÉLIE. — Ce ne sera pas dommage!

SÉBASTIEN. — Je vois d'ici Hugo berçant dans ses gros bras si forts ce frêle petit Julien... Allons, allons je m'attendris.

HUGO. — Je vais vous casser les reins.

AGATHE. — Je l'ai toujours dit. Sébastien, vous êtes un homme sans honneur et sans foi, un renégat. Avec vous, la honte et le malheur sont entrés dans notre demeure. Que les dieux...

HUGO. — Vous, taisez-vous.

SÉBASTIEN. — Et pourquoi criez-vous ainsi? Vous avez un certain cynisme, Hugo? Pourquoi vouliez-vous que votre femme soit privée de certains plaisirs? Est-ce un objet? Et qui s'occuperait d'elle? Personne. Si Frédéric ne m'y avait pas fait penser...

HUGO. — Encore celui-là. Où est-il?

SÉBASTIEN. — Il n'est sûrement pas déjà sur une armoire, bien qu'il en meure d'envie depuis quinze jours, le pauvre.

ÉLÉONORE. — Frédéric n'a rien à voir avec ceci, Hugo. Ne soyez pas injuste.

HUGO. — Je vous en prie!...

SÉBASTIEN. — De plus, notre union a été bénie. S'il le faut, nous vivrons sur cette armoire, Ophélie et moi. Avec le baby. Ce sera un peu juste, mais l'amour maternel fait des miracles.

OPHÉLIE, *pleurant.* — Je ne veux pas que l'on fasse du mal à Sébastien. Il a été très gentil avec moi. Aussi gentil que Richard...

HUGO. — Qui est Richard?

AGATHE. — Mais c'est un garde-chasse!

Silence consterné.

HUGO. — Parce que lui aussi. Ah çà, c'est extraordinaire... Et qui d'autre encore, Ophélie, n'as-tu pas honte?

SÉBASTIEN. — Là, mon cher, je me joins à vous. Je croyais bien être le premier, enfin le second.

OPHÉLIE, *pleurant.* — C'est tout. Tu ne m'avais pas demandé, Sébastien.

SÉBASTIEN. — Ne pleure pas, mon chou, je te pardonne.

HUGO. — Vous lui pardonnez? Vous lui pardonnez? Vous faites un enfant à une jeune femme inconsciente et vous lui pardonnez!

SÉBASTIEN. — Pas si inconsciente. Et puis je m'engage à vivre avec elle, à assurer sa subsistance...

HUGO. — C'est-à-dire à me laisser assurer votre subsistance, c'est ça?

SÉBASTIEN. — Vous êtes le mari, non?

Il rit. Entre Frédéric.

FRÉDÉRIC, *étonné.* — Tiens, Sébastien.

HUGO. — Ah ! vous voilà, vous.

FRÉDÉRIC. — Oui. Mais que fait Sébastien ?

HUGO. — Il vit encore un peu. Dès qu'il descend, je le tue. Il a fait un enfant à Ophélie.

FRÉDÉRIC. — A Ophélie ? Pourquoi ?

HUGO. — Vous avez fini de poser des questions ?

Il fait un pas vers Frédéric.

SÉBASTIEN. — Ne vous inquiétez pas pour moi, mon vieux. Il va se calmer. Il ne peut pas faire un petit orphelin.

HUGO. — Venez, Agathe. Il faut que nous parlions.

Ils sortent. Sébastien descend et prend Ophélie par la main.

SÉBASTIEN. — Tu ne pouvais pas te taire... Allez, viens. Nous allons être deux à errer dans les couloirs...

OPHÉLIE. — Non, trois, maintenant.

Ils sortent.

FRÉDÉRIC. — Si tu n'étais pas là, j'essaierais de passer... Je n'en peux plus.

ÉLÉONORE. — Mon pauvre Frédéric... Je t'aime assez par moments.

FRÉDÉRIC. — Vous m'aimez assez... Quel drôle d'adverbe pour le mot amour.

ÉLÉONORE. — En tout cas, c'est celui qui me vient à l'esprit.

FRÉDÉRIC. — Éléonore, je vous le demande encore une fois. Aidez-moi à vous rendre heureuse, aidez-moi à vous comprendre.

ÉLÉONORE, *furieuse.* — Voilà... ça devait arriver. Maintenant vous voulez me comprendre... Mais, mon petit Frédéric, savez-vous pourquoi j'ai quitté Paris et Londres et Stockholm et les hommes de Paris et de Londres et de Stockholm ? Savez-vous pourquoi, à vingt-huit ans, je vis dans un château désertique ?

FRÉDÉRIC, *ébahi.* — Non, je ne vois pas...

ÉLÉONORE. — Parce que les hommes que j'ai connus n'avaient que ça à la bouche, mon cher : ils voulaient me comprendre. Voilà votre génération.

FRÉDÉRIC. — Je ne vois pas le mal..

ÉLÉONORE. — Ah non ? Vous croyez vraiment que les femmes tiennent à être comprises ? Elles s'en moquent, mon petit. Les femmes veulent être tenues, vous m'entendez, «tenues», et elles tombent sur des benêts qui sont tout juste bons à leur faire des discours et, au mieux, l'amour. Je n'ai rien à expliquer, moi, en tant que femme, et Hugo l'a compris. S'il sait que je le trompe, il ne cherchera pas à comprendre, lui. Il me tuera. Il me nourrit, il tient à moi et me le prouve le soir. Voilà.

FRÉDÉRIC. — Si vous êtes si contente de lui...

Petit rire.

ÉLÉONORE. — Ah! vous parlez de nos nuits? Hélas! on ne vit pas impunément cinq ans à Paris: en même temps que les hommes on y apprend l'ennui et la comédie.

En scène. Sébastien et Ophélie habillés en moderne. Il est très tard.
Ils sont assis par terre et mangent tristement.

SÉBASTIEN. — Je bénis le Ciel d'avoir choisi une compagne si débrouillarde. A part quelques petits ennuis comme celui de m'avoir fait condamner à mort par le maître de maison, elle assure ma subsistance...

OPHÉLIE. — De qui parles-tu?

SÉBASTIEN. — De toi. Quand je pense qu'il y a encore quelques jours j'entrais, librement, dans cette pièce, en faisant sonner mes pas. Et que maintenant je vis entre les oubliettes et le grenier, avec ma femme enceinte, fuyant Hérode, non Hugo.

OPHÉLIE. — Moi, je trouve ça plutôt amusant. J'ai tellement l'habitude. Tiens, regarde ce que je t'ai porté.

Elle défait sa ceinture et sort un ravissant chandail d'homme gris clair.

SÉBASTIEN. — Qu'est-ce que c'est? Je te trouvais bien forte aussi malgré ma faute.

OPHÉLIE. — C'est un chandail que j'ai volé à Frédéric. Il en a plein et, comme il doit être en costume d'époque, il ne peut pas les mettre.

SÉBASTIEN, *se changeant.* — Charmant ce chandail! C'est le seul côté agréable de cet exil, ce retour aux vêtements normaux.

OPHÉLIE. — J'en ai pris un pour moi aussi. Maintenant il est un peu grand, mais dans deux mois il ira très bien.

SÉBASTIEN. — Laisse-moi espérer que d'ici deux mois, Hugo sera calmé. Et que tu tricoteras près du feu commun avec, euh... tes deux belles-sœurs.

OPHÉLIE. — Ça m'est égal. Dis-moi, tu m'aimes, Sébastien?

SÉBASTIEN. — Mais oui, mon chou, bien sûr. Aurais-je désiré un enfant de toi sans cela?

Il rit, mais gentiment.

OPHÉLIE. — Et ça veut dire quoi ?

SÉBASTIEN. — Quoi ?

OPHÉLIE. — Aimer ? Que tu m'aimes ?

SÉBASTIEN. — Laisse-moi penser... aimer, c'est ce que nous faisons quelquefois le soir. Plus quelques variantes chez les cérébraux.

OPHÉLIE. — C'est très bien. Je croyais que c'était bien plus compliqué... Écoute.

On entend des bruits de pas.

SÉBASTIEN. — Cachons-nous.

Ils se dissimulent derrière les rideaux du fond.
Rentrent Frédéric et Éléonore, elle en robe de chambre.

ÉLÉONORE. — Pourquoi es-tu si nerveux ? Tu as trouvé un cadavre ?

Elle rit.

FRÉDÉRIC, *sombre*. — On a fouillé mes affaires. Mes bagages ont été mis à sac.

ÉLÉONORE. — Tes bagages... ? Mais par qui ?

FRÉDÉRIC. — Qui veux-tu que ce soit ?

ÉLÉONORE. — Écoute, tu es fou. Je vois mal Hugo fouillant tes valises... Ce n'est pas son genre.

FRÉDÉRIC. — Il n'y a pas de genre pour les hommes détraqués. Ils peuvent tout faire. Et qui veux-tu que ce soit ? Sébastien et cette pauvre petite jeune femme sont cachés dans le grenier d'où ils n'osent pas sortir à cause de cette brute... Agathe n'entrerait pour rien au monde dans une chambre d'homme. Alors ? Non, je te le dis, il chercherait un mot de toi, une preuve ?

Éléonore reste pensive.

FRÉDÉRIC. — Nous en sommes là. Nous sommes traqués. Les quatre êtres normaux de cette maison sont traqués par un sadique et une vieille maniaque de l'histoire.

ÉLÉONORE. — On ne peut pas dire qu'Ophélie ou Sébastien soient spécialement normaux.

Derrière le rideau, on voit rire les intéressés.

ÉLÉONORE. — Écoute, ne fais pas un drame. Hugo pardonnera un jour ou l'autre à Sébastien.. Il l'aime bien, au fond. Quant à tes bagages, ce doit être une femme de chambre qui cherchait, je ne sais pas, moi, une vieille photo de toi.

Elle rit.

FRÉDÉRIC. — C'est tout ce que tu sais faire. Tu ris. Et tu défies Hugo, devant lui tu me prends la main, tu me lances des coups d'œil, des allusions...

ÉLÉONORE. — Mais il n'y a pas si longtemps tu me reprochais ma froideur diurne. Tu te plaignais de « disparaître à mes yeux dès le chant du coq », tu faisais des allusions toi-même. Alors ?

FRÉDÉRIC. — C'était avant.

ÉLÉONORE, *innocente*. — Avant quoi ?

FRÉDÉRIC. — Avant la mort de Gunther. Là, j'ai compris : ton mari est fou.

ÉLÉONORE. — Ah ! Frédéric, je vous en prie. J'ai horreur des gros mots.

FRÉDÉRIC. — Et moi j'ai horreur des coups de bâton.

ÉLÉONORE. — Eh bien... c'est simple. Renoncez à moi. Ne parlons plus de tout ça. Nous serons bons amis, mon cousin.

Elle a pris une voix théâtrale.

FRÉDÉRIC. — Seulement, je vous aime. Bon, je l'admets, j'ai peur. Et pourquoi n'aurais-je pas peur ? Pourquoi aurais-je envie de mourir ?

ÉLÉONORE. — Prenez un fusil de chasse. Dormez avec. Nous serons un peu serrés...

FRÉDÉRIC. — Et même... Si Hugo entre dans ma chambre un beau matin ? Hein ? Est-ce que je saurais s'il vient m'étrangler ou me parler de ces maudites cultures ?

ÉLÉONORE. — Évidemment. Maintenant peut-être m'étranglerait-il, moi, plutôt que vous...

FRÉDÉRIC. — Pensez-vous... ! Il n'y a que les sentimentaux qui étranglent leur femme. Les hommes forts étranglent l'autre homme.

ÉLÉONORE. — Mais Hugo n'est pas un homme fort. C'est un petit garçon, un pauvre bébé dont il faut s'occuper.

Elle semble tout attendrie.

FRÉDÉRIC. — Éléonore, je vous parle sérieusement. Avez-vous vu comme il me regardait ce soir, à table ?

ÉLÉONORE, *énervée*. — Ah ! écoutez, Frédéric, cela suffit. Je suis navrée pour vous, mais enfin je vous avais bien prévenu qu'il fallait partir avant la neige. Qu'y puis-je si mon mari est un homme sanguin et nerveux, moi ? Il vous a pris en grippe, c'est un fait, mais...

La lumière s'éteint brusquement.

ÉLÉONORE. — Ce doit être une panne.

On entend un gros rire, un cri étouffé, une chaise qui tombe.
Quand la lumière se rallume, Frédéric est juché sur l'armoire de Sébastien, blême.
Hugo a remis l'électricité, il est en robe de chambre, un fusil de chasse à la main.

HUGO. — Alors?

ÉLÉONORE. — Voulez-vous poser cet affreux fusil, Hugo, il va mal avec votre tenue.

HUGO, *à Frédéric.* — Alors?

FRÉDÉRIC, *blême.* — Alors quoi?

HUGO. — Vous descendez, oui ou non?

Frédéric descend de l'armoire.

HUGO. — Que faites-vous la nuit ici? Vous venez boire le schnaps Falsen en douce? Et toi, Éléonore? As-tu entendu des bruits suspects? Je dois dire que ton départ m'a réveillé... Un Falsen ne dort pas bien sans sa femme.

ÉLÉONORE. — Vous avez bonne oreille.

HUGO. — Excellente. Alors, Frédéric, on rôde la nuit? Vous cherchez à retrouver Ophélie ou Sébastien?

Tout en parlant il bouge négligemment son fusil. Frédéric se tortille.

FRÉDÉRIC. — Eh bien, en effet, j'ai entendu du bruit. Je me suis levé et je suis arrivé au moment où Éléonore arrivait elle-même. Nous nous demandions...

HUGO. — Nous les retrouverons. Et ensuite... *(Il marche brusquement vers les rideaux du fond et découvre les deux réfugiés.)* Tiens, tiens... Venez donc à la lumière, tous les deux.

Il les menace de son fusil.

SÉBASTIEN. — Voyons, Hugo, posez cet engin, vous êtes assez musclé pour vous en passer.

HUGO. — Taisez-vous. Vous allez voir, mon cher Frédéric, ce qui arrive à quiconque touche à mon bien.

OPHÉLIE, *riant.* — Oh! Hugo, on dirait Barbe-Bleue.

HUGO. — Il y a là une excellente armoire de fer. On y mettait les chiens quand ils chassaient mal.

SÉBASTIEN. — Ma chasse était plutôt bonne.

HUGO. — Ne m'interrompez pas. Les chiens peuvent hurler, on ne les entend pas. C'est très pratique. Vous me suivez?

SÉBASTIEN. — Euh... Oui... par la pensée.

ÉLÉONORE. — Hugo... Vous n'allez pas...

HUGO. — Rentrez là-dedans.

SÉBASTIEN. — Vous croyez vraiment qu'on ne pourrait pas s'arranger autrement? Je ne sais pas, moi, n'importe comment... en gentlemen même, si vous voulez.

HUGO, féroce. — Rentrez là-dedans.

Sébastien et Ophélie entrent dans l'armoire. On entend la voix d'Ophélie qui dit : « Il fait noir.» Hugo referme la porte à clef.

ÉLÉONORE. — Hugo... C'est mon frère...

HUGO. — J'en suis navré.

FRÉDÉRIC. — Ça ne se passera pas comme ça. Vous êtes un criminel.

HUGO. — Et alors? Vous pourrez raconter ce que vous voudrez à Stockholm dans deux mois, vous pourrez revenir avec des policiers. Vous trouverez l'armoire vide. Et on ne vous croira pas. Ophélie est morte pour toute la Suède. Elle le sera pour de bon. Quant à Sébastien... c'était un mauvais sujet. D'ailleurs, j'ignore si vous parviendrez à Stockholm... Vous commencez à m'agacer, mon garçon.

Il sort. Frédéric se jette sur l'armoire, appelle : « Sébastien! Ophélie!» Rien. Il se retourne vers Éléonore.

FRÉDÉRIC. — Vous n'allez pas laisser faire ça?

ÉLÉONORE. — Je... je... c'est trop horrible... Sébastien...

FRÉDÉRIC. — Et Ophélie... Ne pouvez-vous lui reprendre la clef?

ÉLÉONORE. — Vous plaisantez... Il y a de l'oxygène pour un jour, peut-être deux, là-dedans... Mais après, après...

Elle se détourne.

FRÉDÉRIC. — Agathe?

ÉLÉONORE. — Agathe obéit à Hugo.

FRÉDÉRIC. — Les domestiques?

ÉLÉONORE. — Ils obéissent à Hugo. Ils en ont plus peur que du diable.

FRÉDÉRIC. — Il faut chercher du secours. A tout prix. Il faut que je passe et que je revienne avant vingt-quatre heures. A quelle distance est le bourg?

ÉLÉONORE. — Cinq, six kilomètres. Mais vous ne passerez pas... Mon Dieu! Sébastien!

FRÉDÉRIC. — Il le faudra bien. De toute manière, il me tuerait. Je vais sortir par la porte-fenêtre, en bas. Vous le distrairez pendant ce temps.

ÉLÉONORE. — Frédéric, vous ne passerez pas.

FRÉDÉRIC. — Quand ce monstre sera sous les verrous, vous viendrez avec moi. C'est sûr?

ÉLÉONORE. — Oui.

Frédéric lui baise les mains.

ÉLÉONORE. — Frédéric...

FRÉDÉRIC. — Mon amour!...

ÉLÉONORE. — Je t'en supplie, fais attention!

Il sort en courant. Éléonore hurle : « Sébastien ! » et frappe sur l'armoire.
Rentre Hugo qui sans un mot ouvre la porte avec la clef.
Sébastien et Ophélie paraissent, apeurés, sur le seuil de l'armoire.

HUGO. — Il n'y a que moi à avoir de la tête ici. Il est parti et bien parti.

Tous le regardent se diriger vers l'escalier.
Passe Gunther avec son panier à bois.

TOUS. — Gunther!

Hugo éclate de rire.

SÉBASTIEN, *admiratif.* — Vous nous avez bien eus!

ÉLÉONORE. — Tu m'as vraiment fait peur!

HUGO. — Allez, viens maintenant!

Il lui tend la main. Éléonore se dirige vers lui.

Le soleil éclaire la pièce. En scène, Agathe et Ophélie tricotant.
Rentre Gunther, poussant le fauteuil de la belle-mère.

GUNTHER. — Elle a fait une bonne promenade.

AGATHE, *de dos.* — Qui encore? *(Se retournant.)* Ah! mère!

GUNTHER. — Il faut dire que le temps est exceptionnellement doux. Les oiseaux chantaient au-dessus de nos têtes, les arbres frémissaient et le vent semblait un simple soupir venu des pays chauds.

AGATHE. — Très bien. Mettez-la devant le poêle quand même.

GUNTHER. — Rien ne vaut bien sûr la chaleur du foyer. Elle a raison, et j'espère qu'il va bientôt être là.

AGATHE. — Qui, il?

GUNTHER, *malicieux*. — Je ne sais pas encore son nom *(Montrant Ophélie)*, mais il naîtra au temps suave de l'églantine.

Il s'incline et sort.

AGATHE. — Je me demande ce qu'a pu lire ce pauvre Gunther pendant sa réclusion. En tout cas, ça lui a monté à la tête. Mais c'est très bien ainsi. Les pauvres aussi ont le droit de rêver.

OPHÉLIE. — Vous êtes communiste, Agathe?

AGATHE, *sidérée*. — Mais qu'est-ce qui vous prend, mon petit?

OPHÉLIE. — Rien. Une question, comme ça. Ah! ah!

Elle prend l'air fin. Agathe et Ophélie tricotent.

OPHÉLIE. — Vous êtes bien sûre de ce que vous m'avez dit, Agathe?

AGATHE. — Sûrement. A quel sujet?

OPHÉLIE. — Eh bien, pour la brassière... Un point à l'endroit, un point à l'envers...

AGATHE. — Et alors?

OPHÉLIE. — Je ne sais pas, ça paraît idiot. C'est un pas de clerc, en somme : un point à l'endroit, un point à l'envers.

AGATHE. — Un pas de clerc! Quel est ce nouveau langage? Vous n'allez pas commencer à discuter tricot, maintenant! Vous n'y connaissez rien et les règles du tricot sont fixées depuis mille ans.

OPHÉLIE. — Tout doit être toujours remis en question.

AGATHE. — Ah! je vous en prie! Cessez de singer Sébastien.

Rentrent Sébastien et Éléonore, en tenue de cheval.

SÉBASTIEN. — On a galopé une heure dans la forêt vert pomme. C'était charmant!

AGATHE. — Avez-vous seulement pensé à trouver un nom pour votre enfant?

SÉBASTIEN, *rêveur*. — Que pensez-vous de Rémy?

AGATHE. — Rémy? Rémy? Pourquoi voulez-vous à tout prix donner un nom français à cet enfant qui après tout aura le sang suédois le plus pur...

SÉBASTIEN. — Le plus pur... Enfin un compliment! Agathe... le premier compliment depuis trois ans. Ah! laissez-moi...

Il se jette sur elle et l'embrasse.

AGATHE, *émue*. — Mon cher Sébastien... nos différends étaient de peu de poids devant cet événement à venir... Et entre nous, ces... comment dire, ces querelles... ces...

ÉLÉONORE, *soufflant*. — Ces zizanies...

OPHÉLIE. — Oh! Quel joli nom pour une fille... Zizanie, Zizanie Falsen.

SÉBASTIEN. — Non, mon chéri. Zizanie von Milhem. Je suis le père, faute d'être l'époux.

OPHÉLIE. — J'ai faim. J'ai toujours faim. Que c'est agréable.

AGATHE. — En quoi est-ce agréable?

OPHÉLIE. — Ça me fait une occupation : j'ai faim. Quand je vois le soleil, j'ai faim. Quand je vois Hugo, j'ai faim, quand je marche, j'ai faim, quand j'ai mal au cœur, j'ai faim.

Rentre Hugo.

HUGO. — Le houblon va être superbe, cette année.

OPHÉLIE. — Oh! quel joli nom pour un garçon : Houblon.

ÉLÉONORE. — Espérons que vous aurez des jumeaux : Zizanie et Houblon.

OPHÉLIE. — Oui, Zizanie et Houblon Falsen.

SÉBASTIEN. — Ah! non, Zizanie et Houblon von Milhem.

HUGO, *bonasse*. — Oh! qu'est-ce que ça peut vous faire?

SÉBASTIEN, *sec*. — Ça m'agace.

ÉLÉONORE. — Mon petit frère est agacé, mon cher petit frère.

Elle l'embrasse. Ambiance de bonheur domestique.
Rentre Gunther, un message à la main.

GUNTHER. — Un courrier pour elle.

Il sort.

AGATHE, *lisant*. — Ah non! Ils exagèrent. On nous envoie encore un cousin : Eric Ettingen! Il y a trois ans, c'était ce pauvre Gund, deux ans, ce Vladimir, l'an dernier, Christian, cet hiver, ce pauvre Frédéric... Et vous vous rappelez dans quel état on l'a retrouvé lui aussi, au coin du bois de Zema. De si petits os... Il n'y aura plus la moindre goutte de sang jeune en Suède!

Ils restent songeurs.

ÉLÉONORE, *rêveuse*. — Et comment est-il, cet Eric Ettingen?

Tous la regardent. La belle-mère lève les bras au ciel.

AIMEZ-VOUS BRAHMS...

Roman

A Guy

CHAPITRE PREMIER

PAULE contemplait son visage dans la glace et en détaillait les défaites accumulées en trente-neuf ans, une par une, non point avec l'affolement, l'acrimonie coutumiers en ce cas, mais avec une tranquillité à peine attentive. Comme si la peau tiède, que ses deux doigts tendaient parfois pour souligner une ride, pour faire ressortir une ombre, eût été à quelqu'un d'autre, à une autre Paule passionnément préoccupée de sa beauté et passant difficilement du rang de jeune femme au rang de femme jeune : une femme qu'elle reconnaissait à peine. Elle s'était mise devant ce miroir pour tuer le temps et — cette idée la fit sourire — elle découvrait que c'était lui qui la tuait à petit feu, doucement, s'attaquant à une apparence qu'elle savait avoir été aimée. Roger devait venir à neuf heures ; il en était sept ; elle avait tout le temps. Le temps de s'allonger sur son lit, les yeux fermés, de ne penser à rien. De se détendre. De se relaxer. Mais à quoi pensait-elle de si passionnant, de si exténuant dans la journée pour devoir s'en reposer le soir ? Et cette nonchalance inquiète qui la menait d'une pièce à l'autre, d'une fenêtre à l'autre, elle la reconnaissait bien. C'était celle de son enfance, les jours de pluie.

Elle entra dans la salle de bains, se pencha pour toucher l'eau dans la baignoire, et ce geste lui en rappela subitement un autre… Il y avait près de quinze ans. Elle était avec Marc, ils passaient leurs vacances ensemble pour la seconde année et déjà elle sentait que tout cela ne pourrait durer. Ils étaient sur le voilier de Marc, la voile battait au vent comme un cœur incertain, elle avait vingt-cinq ans. Et subitement elle s'était sentie envahie de bonheur, acceptant tout de sa vie, acceptant le monde, comprenant en un éclair que tout était bien. Et pour cacher son visage, elle s'était penchée sur le plat-bord, cherchant à tremper ses doigts dans l'eau fuyante. Le petit voilier avait gîté ; Marc lui avait lancé un de ces regards atones dont il avait le secret et, en elle, aussitôt l'ironie avait remplacé le bonheur. Bien sûr, elle avait été heureuse ensuite, avec ou par d'autres, mais jamais de cette manière totale, irremplaçable. Et ce souvenir ressemblait finalement à celui d'une promesse mal tenue.

*

Roger allait venir, elle lui expliquerait, elle essaierait de lui expliquer. Il dirait « oui, bien sûr » avec l'espèce de satisfaction qu'il prenait chaque fois à découvrir les tricheries de la vie, un réel enthousiasme à commenter l'absurdité de l'existence, leur entêtement à la prolonger. Seulement, tout cela était compensé chez lui par une incessante vitalité, de durs appétits et, au fond, un grand contentement d'être qui ne s'arrêtait qu'avec son sommeil. Alors, il s'endormait d'un coup, la main sur le cœur, aussi attentif à sa vie en dormant qu'éveillé. Non, elle ne pourrait pas expliquer à Roger qu'elle était lasse, qu'elle n'en pouvait plus de cette liberté installée entre eux comme une loi, cette liberté dont il était le seul à se servir et qui ne représentait pour elle que la solitude ; elle ne pourrait pas lui dire qu'elle se sentait parfois comme une de ces femelles âpres et possessives qu'il haïssait. Brusquement, son appartement désert lui parut horrible et inutile.

A neuf heures, Roger sonna et en lui ouvrant, en le voyant souriant, un peu massif, devant la porte, elle se dit, une fois de plus et avec résignation, que c'était là son destin et qu'elle l'aimait. Il la prit dans ses bras :

« Que tu es bien habillée... Je m'ennuyais de toi. Tu es seule ?

— Oui. Entre. »

« Tu es seule... ? » Qu'eût-il fait si elle lui avait répondu : « Non, tu tombes mal ? » Mais depuis six ans, elle ne l'avait jamais dit. Il ne manquait pas de le lui demander, de s'excuser parfois de la déranger, par une rouerie qu'elle lui reprochait plus que son inconstance. (Il ne pouvait même pas admettre l'idée qu'elle pût être seule et malheureuse par lui.) Elle lui sourit. Il ouvrit une bouteille, remplit deux verres, s'assit :

« Viens près de moi, Paule. Où veux-tu que nous allions dîner ? »

Elle s'assit près de lui. Il avait l'air las, lui aussi. Il lui prit la main, la serra.

« Je nage dans les complications, dit-il. Les affaires sont idiotes, les gens sont bêtes et mous comme il n'est pas possible. Ah ! tu sais, vivre à la campagne... »

Elle se mit à rire :

« Ton Quai-de-Bercy te manquerait, et tes entrepôts, et tes camions. Et tes longues nuits dans Paris... »

A la dernière phrase, il sourit, s'étira et se laissa tomber en arrière sur le divan. Elle ne se retourna pas. Elle regardait sa main qu'il avait laissée sur la sienne, une large main ouverte. Elle connaissait tout de lui, ses cheveux drus et plantés bas, l'expression exacte de ses yeux bleus un peu saillants, le pli de sa bouche. Elle le savait par cœur.

« A propos, dit-il, à propos de mes folles nuits, j'ai été ramassé par des agents, l'autre soir, comme un gamin. Je m'étais battu avec un type. A plus de quarante ans... Au poste... tu te rends compte...

— Pourquoi te battais-tu ?

— Je ne me rappelle pas. Mais il était mal en point. »

Et comme si le souvenir de cette démonstration physique l'avait ranimé, il se leva d'un bond.

« Je sais où on va, dit-il. Au Piemontias. Après on ira danser. Si tu veux bien considérer que je danse.

— Tu te promènes, dit Paule. Tu ne danses pas.

— Ce n'est pas l'avis de tout le monde.

— Si tu parles des malheureuses que tu subjugues, dit Paule, c'est autre chose.»

Ils se mirent à rire. Les petites aventures de Roger étaient un excellent sujet de plaisanterie entre eux. Paule s'appuya au mur un instant avant de mettre la main sur la rampe. Elle était sans courage.

Dans la voiture de Roger, elle mit la radio d'une main distraite. Elle entrevit une seconde, sous la lumière blafarde du tableau de bord, sa propre main, longue et soignée. Les veines s'étalaient dessus, commençaient à grimper à l'assaut des doigts, s'entremêlaient en un dessin désordonné. «A l'image de ma vie», pensa-t-elle, puis elle réfléchit aussitôt que cette image était fausse. Elle avait un métier qui lui plaisait, un passé sans regrets, de bons amis. Et une liaison durable. Elle se tourna vers Roger :

« Combien de fois ai-je fait ce geste : allumer la radio de ta voiture en partant dîner avec toi ?

— Je ne sais pas.»

Il lui jeta un coup d'œil oblique. Malgré le temps et la certitude qu'il avait de son amour pour lui, il restait étonnamment sensible à ses humeurs, toujours aux aguets. Comme aux premiers temps... Elle refréna un : « Te souviens-tu ?» et décida de faire très attention ce soir-là à sa propre sentimentalité.

« Ça te paraît usé ?

— Non. C'est moi qui me sens un peu usée parfois.»

Il tendit la main vers elle, elle la prit entre les siennes. Il conduisait vite, les rues connues se pressaient sous la voiture, Paris luisait d'une pluie automnale. Il se mit à rire.

« Je me demande pourquoi je conduis si vite. Je crains que ce ne soit pour faire le jeune homme.»

Elle ne répondit pas. Depuis qu'elle le connaissait, il faisait le jeune homme, il était le «jeune homme». Ce n'était que depuis peu qu'il le lui avouait, et cet aveu même lui faisait peur. Elle prenait une peur grandissante du rôle de confidente où elle se laissait glisser, à force de compréhension, à force de tendresse. Il était sa vie, il l'oubliait et elle l'aidait à l'oublier, avec une pudeur tout à fait honorable.

Ils dînèrent tranquillement, en parlant des ennuis communs à toutes les entreprises de transport comme celle de Roger, puis elle lui raconta deux ou trois anecdotes amusantes sur les magasins qu'elle décorait. Une cliente de Fath voulait absolument qu'elle s'occupât de son appartement. Une Américaine, assez riche.

« Van den Besh ? dit Roger. Ça me dit quelque chose. Ah ! oui... »

Elle haussa les sourcils. Il avait l'air allègre que lui donnait certaine catégorie de souvenirs.

« Je la connaissais dans le temps. Avant la guerre, je crains. Elle était toujours chez "Florence".

— Depuis, elle s'est mariée, divorcée, etc.

— Oui, oui, dit-il rêveur, elle s'appelait euh... »

Il l'agaçait. Elle eut brusquement envie de lui planter sa fourchette dans la paume.

« Son prénom m'indiffère, dit-elle. Je crois qu'elle a pas mal d'argent et aucun goût. Exactement ce dont j'ai besoin pour vivre.

— Quel âge a-t-elle maintenant ?

— Dans les soixante », dit-elle froidement, et en voyant l'expression de Roger, elle éclata de rire. Il se pencha à travers la table, la fixa :

« Tu es vraiment horrible. Tu fais tout pour me déprimer. Je t'aime quand même mais je ne devrais pas. »

Il se plaisait à jouer les victimes. Elle soupira.

« Quoi qu'il en soit, j'y vais demain. Avenue Kléber. J'ai des besoins d'argent qui deviennent angoissants. Et toi aussi, ajouta-t-elle vivement comme il levait la main.

— Parlons d'autre chose, dit-il. Allons danser un peu. »

Dans la boîte de nuit, ils s'assirent à une petite table loin de la piste et regardèrent défiler les visages sans un mot. Elle avait sa main sur la sienne, elle se sentait parfaitement en sécurité, parfaitement habituée à lui. Jamais elle ne pourrait faire l'effort de connaître quelqu'un d'autre et elle puisait en cette certitude un bonheur triste. Ils dansèrent. Il la tenait solidement, traversant la piste d'un bout à l'autre sans aucun rythme, l'air très content de lui-même. Elle était très heureuse.

Plus tard, ils revinrent en voiture, il descendit et la prit dans ses bras devant le porche.

« Je te laisse dormir. A demain, mon chéri. »

Il l'embrassa légèrement et partit. Elle agita la main. Il la laissait dormir de plus en plus souvent. Son appartement était vide et elle rangea méticuleusement ses affaires avant de s'asseoir sur le lit, les larmes aux yeux. Elle était seule, cette nuit encore, et sa vie à venir lui apparut comme une longue suite de nuits solitaires, dans des draps jamais froissés, dans une tranquillité morne comme celle d'une longue maladie. Dans son lit, elle étendit le bras instinctivement comme s il y avait un flanc tiède à toucher, elle respirait doucement comme pour protéger le sommeil de quelqu'un. Un homme ou un enfant. N'importe qui, qui ait besoin d'elle, de sa chaleur pour dormir et s'éveiller. Mais personne n'avait vraiment besoin d'elle. Roger, peut-être, par à-coups... Mais pas vraiment. Pas de cette façon, non pas passionnelle, mais physiologique qu'elle avait parfois ressentie. Elle remâchait doucement, amèrement sa solitude.

*

Roger laissa sa voiture devant chez lui et marcha à pied un long moment. Il respirait profondément, allongeait son pas peu à peu. Il se sentait bien. Il se sentait bien chaque fois qu'il voyait Paule, il n'aimait qu'elle. Seulement, ce soir, en la quittant, il avait senti sa tristesse et il n'avait su que dire. Elle lui demandait quelque chose confusément, il le savait bien, quelque chose qu'il ne pouvait pas lui donner, qu'il n'avait jamais pu donner à personne. Sans doute, il aurait dû rester avec elle et lui faire l'amour, c'était encore le meilleur moyen de rassurer une femme. Mais il avait envie de marcher, de parcourir les rues, de rôder. Il avait envie d'entendre le bruit de son pas sur le pavé, de surveiller cette ville qu'il connaissait si bien, et peut-être d'en surprendre les occasions nocturnes. Il se dirigea vers les lumières au bout du quai.

CHAPITRE II

ELLE S'EVEILLA courbatue, en retard, et partit précipitamment. Elle devait passer chez cette Américaine avant de se rendre à son bureau. A dix heures, elle entra dans un salon à moitié vide, avenue Kléber, et, comme la propriétaire dormait encore, se refit tranquillement un maquillage devant la glace. C'est dans la glace qu'elle vit venir Simon. Il portait une robe de chambre trop grande, il était décoiffé et remarquablement beau. «Pas mon genre», pensa-t-elle toujours sans se retourner et elle se sourit un instant. Il était très mince, très brun, avec des yeux clairs, un peu trop fin.

Il ne la vit pas tout d'abord et se dirigea vers la fenêtre en chantonnant. Elle toussa et il se tourna vers elle, l'air pris en faute. Elle pensa une seconde que ce devait être la dernière fantaisie de Mme Van den Besh.

«Je vous demande pardon, dit-il, je ne vous avais pas vue. Je suis Simon Van den Besh.

— Votre mère m'a demandé de passer ce matin pour m'occuper de son appartement. Je crains d'avoir réveillé tout le monde.

— De toute manière, il faut toujours se réveiller, tôt ou tard», dit-il tristement. Et elle pensa avec lassitude qu'il devait être du style petit jeune homme plaintif.

«Asseyez-vous donc», dit-il, et il prit place en face d'elle très sérieusement en resserrant sa robe de chambre autour de lui.

Il avait l'air plutôt intimidé. Paule commença à éprouver une vague sympathie pour lui. En tout cas, il ne semblait absolument pas conscient de son physique : c'était inespéré.

«Je crois qu'il pleut toujours?»

Elle se mit à rire. Elle pensait à l'expression de Roger, s'il la voyait assise, avec son visage de femme d'affaires, terrorisant un petit jeune homme trop beau, en robe de chambre, à dix heures du matin.

«Oui, oui, il pleut», dit-elle gaiement.

Il leva les yeux.

«Que voulez-vous que je vous dise? dit-il. Je ne vous connais pas. Si je vous connaissais déjà, je vous dirais que je suis très heureux de vous revoir.»

Elle le regarda, interloquée.

«Pourquoi?

— Comme ça.»

Il détourna la tête. Elle le trouvait de plus en plus étrange.

«Cet appartement a effectivement besoin d'être un peu meublé, dit-elle. Où vous asseyez-vous, lorsque vous êtes plus de trois?

— Je ne sais pas, dit-il. Je suis rarement là. Je travaille toute la journée et, en rentrant, je suis si fatigué que je me couche.»

Paule perdait décidément toutes ses idées sur ce garçon. Il ne faisait pas profession de son physique, il travaillait tout le jour. Elle faillit demander : «Que faites-vous?» et s'arrêta. Cette curiosité lui était peu naturelle.

«Je suis avocat stagiaire, reprit Simon. C'est beaucoup de travail, couché à minuit, levé à l'aube…

— Il est dix heures, fit remarquer Paule.

— On a guillotiné mon principal client ce matin», dit-il d'une voix traînante.

Elle sursauta. Il gardait les yeux baissés.

«Mon Dieu, dit-elle… et il est mort?»

Ils éclatèrent de rire ensemble. Il se leva et prit une cigarette sur la cheminée.

«Non, en fait, je ne travaille pas beaucoup, pas assez. Vous, en revanche, levée à dix heures du matin, prête à meubler cet affreux salon, vous m'en imposez.»

Il marchait de long en large, l'air très exalté.

«Calmez-vous», dit Paule.

Elle se sentait de très bonne humeur, égayée. Elle se mit à craindre aussi l'arrivée de la mère de Simon.

«Je vais m'habiller, dit Simon. J'en ai pour une minute. Attendez-moi.»

*

Elle passa une heure avec Mme Van den Besh, visiblement de mauvaise humeur et un peu hagarde dans le matin, fit avec elle des projets compliqués et descendit l'escalier, enchantée, établissant des plans financiers et ayant complètement oublié Simon. Dehors, il pleuvait toujours. Elle leva le bras pour appeler un taxi, et une petite voiture basse s'arrêta devant elle. Simon ouvrit la portière.

«Je peux vous déposer? Je partais pour le bureau.»

Il attendait visiblement depuis une heure, mais son air sournois attendrit Paule. Elle monta à grand-peine en se pliant en deux, et sourit :

«Je vais avenue Matignon.

— C'est arrangé avec ma mère?.

— Au mieux. Vous pourrez bientôt reposer vos fatigues sur des canapés moelleux. Je ne vais pas trop vous mettre en retard? Il est plus de onze heures. On aura eu le temps de guillotiner tout le monde.

— J'ai tout le temps, dit-il maussade.

— Je ne me moque pas de vous, reprit-elle gentiment ; je suis de très bonne humeur parce que j'avais de gros soucis d'argent et que, grâce à votre mère, ils vont disparaître.

— Faites-la payer d'abord, dit-il, elle est rudement avare.

— On ne parle pas comme ça de ses parents, dit Paule.

— Je n'ai pas douze ans!

— Combien?

— Vingt-cinq. Et vous?

— Trente-neuf.»

Il eut un petit sifflement si malpoli qu'une seconde elle faillit se mettre en colère, puis elle éclata de rire.

«Pourquoi riez-vous?

— Ce sifflement admiratif...

— C'est bien plus admiratif que vous ne le pensez», dit-il, et il la regarda d'un air si tendre qu'elle se sentit gênée.

Les essuie-glaces battaient la mesure sur la vitre avec une parfaite inefficacité et elle se demanda comment il pouvait conduire. En montant, elle avait déchiré un bas ; elle se sentait merveilleusement gaie, dans cette voiture inconfortable, avec ce jeune homme inconnu visiblement séduit, et cette pluie qui entrait par la capote, salissant son manteau clair. Elle se mit à chantonner : quand elle aurait payé ses impôts, envoyé la pension de sa mère, réglé ses dettes au magasin, il lui resterait... elle n'avait pas envie de calculer. Simon conduisait vite, lui aussi. Elle pensa à Roger et à la nuit qu'elle avait passée, et se rembrunit.

« Vous ne voudriez pas déjeuner avec moi, un jour ? »

Simon parlait vite, sans la regarder. Elle eut un instant de panique. Elle ne le connaissait pas, il allait falloir qu'elle fasse des efforts de conversation, qu'elle lui pose des questions sur lui, qu'elle entre dans une nouvelle existence. Elle se débattit.

« Je ne peux pas ces jours-ci ; j'ai trop de travail.

— Ah ! bon », dit-il.

Il n'insista pas. Elle lui jeta un coup d'œil, il avait ralenti et semblait même conduire tristement. Elle prit une cigarette et il lui tendit son briquet. Il avait des poignets d'adolescent, trop maigres, qui sortaient comiquement d'une veste de gros tweed. « On ne s'habille pas comme un trappeur avec ce genre de physique », pensa-t-elle, et elle eut une seconde l'envie de s'en occuper. C'était parfaitement le genre de garçon à inspirer des sentiments maternels à une femme de son âge.

« C'est ici », dit-elle.

Il descendit sans dire un mot, ouvrit la portière. Il avait l'air buté et mélancolique.

« Merci encore, dit-elle.

— De rien. »

Elle fit trois pas vers la porte et se retourna. Il la regardait, immobile.

CHAPITRE III

SIMON mit un quart d'heure à trouver une place et finit par se garer à cinq cents mètres de son cabinet. Il travaillait chez un ami de sa mère, avocat très connu et tout à fait odieux, qui, pour des raisons que Simon craignait de comprendre, supportait ses sottises. Il avait par moments envie de le pousser à bout mais sa paresse l'en empêchait. En prenant le trottoir, il buta et se mit à boiter aussitôt, l'air doux et résigné. Les femmes se retournaient sur son passage, et Simon sentait leurs pensées frapper son dos : « Si jeune, si beau et infirme, quel dommage ! » Encore qu'il ne tirât de son physique aucune assurance, seulement un soulagement : « Je n'aurais jamais eu la force d'être laid. » Et, à cette idée, il entrevoyait une vie d'ascète, tantôt peintre maudit, tantôt berger des Landes.

Il entra en boitant dans le bureau, et la vieille Alice lui jeta un regard mi-attendri mi-sceptique. Elle connaissait ses distractions favorites et les supportait avec une condescendance pleine de regrets. S'il avait été sérieux, avec son physique et son imagination, il eût pu être un grand avocat. Il lui fit un salut emphatique et s'assit à sa table.

« Pourquoi boitez-vous ?

— Je ne boite pas pour. de bon. Qui a tué qui, cette nuit ? Quand aurai-je à m'occuper d'un beau crime bien insupportable ?

— On vous a demandé trois fois ce matin. Il est onze heures et demie. »

« On » désignait le grand maître. Simon lança un coup d'œil vers la porte.

« Je me suis réveillé tard. Mais j'ai vu quelqu'un de très bien.

— Une femme ?

— Oui. Vous savez, un visage très beau, très tendre, un peu défait... des gestes qui sont des gestes... Souffrant de quelque chose qu'on ne connaît pas...

— Vous feriez mieux de regarder le dossier Guillaut.

— Bien entendu.

— Elle est mariée ? »

Simon sortit brusquement de ses rêves.

« Je ne sais pas... Mais si elle est mariée, elle est mal mariée. Elle avait des ennuis d'argent qui se sont arrangés et elle était toute gaie ensuite. J'aime bien les femmes que l'argent réjouit. »

Elle haussa les épaules.

« Alors vous les aimez toutes.

— Presque, dit Simon. Sauf les trop jeunes. »

Il se plongea dans son dossier. La porte s'ouvrit et maître Fleury passa la tête.

« Monsieur Van den Besh... une minute. »

Simon échangea un regard avec la secrétaire. Il se leva et passa dans le bureau anglais qu'il haïssait pour sa perfection.

« Vous savez quelle heure il est ? »

Maître Fleury se lança dans une apologie de l'exactitude, du travail, et termina sa période par un éloge de sa propre patience et de celle de Mme Van den Besh. Simon regardait par la fenêtre. Il lui semblait revivre une très vieille scène, avoir toujours vécu dans ce bureau anglais, toujours entendu ces mots ; il lui semblait que quelque chose se resserrait autour de lui, l'étouffait et le menait à sa mort. « Qu'ai-je fait, pensa-t-il tout à coup, qu'ai-je fait depuis vingt-cinq ans, sinon passer de professeur en professeur, toujours réprimandé, toujours flatté de l'être ? » C'était la première fois qu'il se posait la question avec cette vigueur et il éleva la voix machinalement.

« Qu'ai-je fait ?

— Comment ? Mais vous n'avez rien fait, mon bon ami, c'est là le drame : vous ne faites rien.

— Je crois même que je n'ai jamais aimé personne, continua Simon.

— Je ne vous demande pas de tomber amoureux de moi ou de la vieille Alice, explosa maître Fleury. Je vous demande de travailler. Il y a des limites à ma patience.

— Il y a des limites à tout», reprit Simon pensivement.

Il se sentait en plein rêve, en plein absurde. L'impression de n'avoir pas dormi depuis dix jours, d'être à jeun, de mourir de soif.

« Vous vous moquez de moi ?

— Non, dit Simon. Excusez-moi, je ferai attention. »

Il sortit à reculons, s'assit à sa table, la tête entre les mains, sous le regard surpris de Mme Alice. « Qu'est-ce que j'ai, pensait-il, mais qu'est-ce que j'ai ? » Il tentait de se rappeler une enfance en Angleterre, des universités, une passion, oui, à quinze ans, pour une amie de sa mère qui l'avait déniaisé au bout d'une semaine, une vie facile, des amis gais, des filles, des routes au soleil... tout tournait en sa mémoire sans qu'il puisse s'arrêter sur quelque chose. Il n'y avait rien, peut-être. Il avait vingt-cinq ans.

« Ne vous tracassez pas, dit Mme Alice. Ça lui passera, vous savez bien. »

Il ne répondit pas. Il crayonnait vaguement sur un buvard.

« Pensez donc à votre petite amie, continua Mme Alice, inquiète. Ou plutôt au dossier Guillaut, se reprit-elle.

— Je n'ai pas de petite amie, dit Simon.

— Et celle de ce matin, comment s'appelle t-elle déjà ?

— Je ne sais pas. »

C'était vrai, il ne savait même pas son prénom. Il y avait quelqu'un à Paris dont il ne savait rien, c'était déjà merveilleux. Tout à fait inespéré. Quelqu'un qu'il pourrait imaginer à son gré pendant des jours.

*

Roger était étendu sur le canapé du salon, il fumait lentement, épuisé de fatigue. Il avait passé la journée sur le quai de débarquement à surveiller la rentrée de ses camions, il avait été trempé, et, de plus, obligé de partir sur la route de Lille, au moment du déjeuner, voir un accident qui lui coûtait plus de cent mille francs. Paule desservait la table.

« Et cette Thérésa ? dit-il.

— Quelle Thérésa ?

— Mme Van den Besh. J'ai retrouvé son prénom ce matin, Dieu sait pourquoi.

— C'est arrangé, dit Paule. Je m'occupe de tout. Je ne te l'ai pas dit parce que tu as eu tellement d'ennuis...

— Tu crois que le fait que tu n'en aies plus m'aurait affligé davantage ?

— Non. Je pensais simplement...

— Tu me crois très égoïste, Paule ?»

Il s'était assis sur le divan, il la fixait de ses yeux bleus ; il avait son air furieux. Elle allait devoir le calmer, lui expliquer qu'il était le meilleur des hommes, ce qui, en un sens, était vrai, et qu'il la rendait très heureuse. Elle s'assit près de lui. «Tu n'es pas égoïste. Tu es préoccupé par tes affaires ; il est normal que tu en parles...

— Non. Je veux dire : par rapport à toi. Tu me trouves très égoïste ?»

Il s'aperçut qu'il y avait pensé toute la journée, probablement depuis qu'il l'avait laissée devant sa porte, la veille, les yeux troublés. Elle hésita : il ne lui avait jamais posé la question et peut-être était-ce le moment d'en parler avec lui. Mais elle se sentait de bonne humeur, sûre d'elle, et il avait l'air si las... Elle recula.

«Non, Roger. Il y a des moments, c'est vrai, où je me sens un peu seule, moins jeune, incapable de te suivre. Mais je suis heureuse.

— Tu es heureuse ?

— Oui.»

Il se rallongea. Elle avait dit : «Je suis heureuse», et la petite question angoissante qui l'avait poursuivi toute la journée n'avait plus qu'à disparaître. Il ne demandait que ça.

«Tu sais, toutes ces petites histoires qui m'arrivent, c'est... enfin tu connais leur valeur.

— Oui, oui», dit-elle.

Elle le regardait, les yeux clos ; elle le trouvait enfantin. Allongé sur ce divan, si grand, si lourd, et posant des questions si puériles : «Tu es heureuse ?» Il tendit la main vers elle ; elle la prit et s'assit près de lui. Il gardait les yeux clos.

«Paule, dit-il, Paule... sans toi, tu sais, Paule...

— Oui.»

Elle se pencha, embrassa sa joue. Il dormait déjà. Insensiblement, il enleva sa main de celles de Paule, la remonta et la posa sur son cœur. Elle ouvrit un livre.

Une heure plus tard, il se réveilla, plein d'agitation, consulta sa montre, décréta qu'il était l'heure d'aller danser et boire pour oublier tous ces maudits camions. Paule avait sommeil, mais aucun argument ne pouvait résister à une envie de Roger.

Il la conduisit dans un nouvel endroit, un sous-sol du boulevard Saint-Germain, décoré en square, baigné d'ombres et qu'un pick-up inondait de rythmes sud-américains.

«Je ne peux pas sortir tous les soirs, dit Paule en s'asseyant, j'aurai cent ans demain. Déjà, en me levant ce matin...»

C'est seulement alors qu'elle se rappela Simon. Elle l'avait complètement oublié. Elle se tourna vers Roger.

« Figure-toi que ce matin… »

Mais elle se tut. Simon se tenait devant elle.

« Bonjour, dit-il.

— Monsieur Ferttet, monsieur Van den Besh, dit Paule.

— Je vous cherchais, dit Simon. Je vous trouve, c'est bon signe. »

Et, sans attendre, il se laissa tomber sur un tabouret. Roger se redressa, mécontent.

« Je vous cherchais partout, reprit Simon. Je finissais par me demander si je vous avais rêvée. »

Ses yeux brillaient, il avait posé la main sur le bras de Paule stupéfaite.

« Vous avez peut-être une autre table ? dit Roger.

— Vous êtes mariée ? demanda Simon à Paule. Je ne voulais pas le croire.

— Il m'ennuie, dit Roger à voix haute. Je vais l'emmener. »

Simon le regarda puis s'appuya des deux coudes à la table, la tête dans les mains.

« Vous avez raison, monsieur, je vous demande pardon. Je crois que j'ai un peu bu. Mais j'ai découvert ce matin que je n'avais jamais rien fait dans la vie. Rien.

— Alors, faites quelque chose d'agréable et allez-vous-en.

— Laisse-le, dit Paule doucement. Il est malheureux. On a tous bu un peu trop, un jour ou l'autre. C'est le fils de ta… euh Thérésa.

— Le fils ? dit Roger saisi… C'est le comble. »

Il se pencha en avant, Simon avait posé sa tête sur ses bras.

« Réveillez-vous, dit Roger. Nous allons boire un verre ensemble. Vous nous expliquerez vos malheurs. Je vais chercher les verres, c'est trop long ici ! »

Paule commençait à s'amuser. L'idée d'une conversation entre Roger et ce jeune homme farfelu la distrayait d'avance. Simon avait relevé la tête, il regardait Roger évoluer entre les tables avec difficulté.

« Voilà un homme, dit-il. Hein ? Un vrai homme ? J'ai horreur de ces types costauds, virils, avec des idées saines, je…

— Les gens ne sont jamais si simples, dit Paule sèchement.

— Vous l'aimez ?

— Ça ne vous regarde pas. »

Il avait une mèche de cheveux sur les yeux, la lumière des bougies lui creusait le visage, il était superbe. A la table voisine, deux femmes le contemplaient avec béatitude.

« Je vous demande pardon, dit Simon. Tiens, c'est drôle : je passe ma vie à m'excuser depuis ce matin. Vous savez, je crois que je suis un paltoquet. »

Roger revenait avec trois verres et grogna que tout le monde en arrivait là un jour ou l'autre. Simon but son verre d'un trait et garda un silence prudent. Il était assis à côté d'eux et ne bougeait pas. Il les regarda danser, il les écouta parler sans une réaction si bien qu'ils l'oublièrent peu à peu. Seulement, de temps en temps, en se retournant, Paule le voyait à ses côtés comme un enfant sage et ne pouvait s'empêcher de rire. Quand ils se levèrent pour partir, il se mit debout poliment et s'effondra. Ils décidèrent de le ramener chez lui. Dans la voiture de Roger, il dormait et sa tête ballottait sur l'épaule de Paule. Il avait les cheveux soyeux, il respirait doucement. Elle finit par poser sa main sur son front pour qu'il ne se heurte pas à la vitre, et la tête devint lourde contre sa main, entièrement abandonnée. Avenue Kléber, Roger descendit, fit le tour de la voiture, et ouvrit la portière.

«Fais attention», chuchota Paule.

Il surprit son expression, mais ne dit rien et sortit Simon de la voiture. Ce soir-là, il monta chez Paule en la ramenant, et la garda ensuite longtemps serrée contre lui dans son sommeil, l'empêchant de dormir.

CHAPITRE IV

A MIDI, le lendemain, agenouillée dans la vitrine, comme elle essayait de persuader le couturier qu'un buste de plâtre, ce n'était pas d'une originalité folle pour supporter un chapeau, Simon arriva. Il la regardait depuis cinq minutes, caché derrière un kiosque, le cœur battant. Ne sachant plus s'il battait de la voir, ou de se cacher. Il avait toujours aimé se cacher; il lui arrivait aussi de se servir de sa main gauche avec mille contorsions, comme si la droite eût été crispée sur un revolver ou couverte d'eczéma, ce qui effrayait les gens dans les magasins. Il relevait sûrement de la psychanalyse; du moins sa mère le prétendait-elle.

En regardant Paule agenouillée dans la vitrine, il eût aimé ne l'avoir jamais rencontrée ni la voir ainsi, à travers la glace. Il n'aurait pas à se heurter à ce refus probable qu'il allait essuyer pour la seconde fois. Qu'avait-il pu dire la veille? Il s'était conduit comme un petit imbécile, s'était enivré malproprement, avait parlé de ses états d'âme, comble de l'indécence... Il se rencoigna derrière le kiosque, faillit partir, puis lui jeta un dernier coup d'œil. Brusquement, il eut envie de traverser la rue, de lui arracher le chapeau, ce chapeau cruel avec ses longues épingles, de l'arracher en même temps à son travail; à cette vie où il fallait se lever à l'aube pour venir s'agenouiller dans une vitrine sous le regard des passants. Les piétons s'arrêtaient, la regardaient avec curiosité et, sans doute, certains la désiraient, à genoux comme elle était, les bras tendus vers le buste de plâtre. Il eut très envie d'elle et traversa la rue.

Il l'imaginait déjà accablée de ces regards, épuisée, se tournant vers lui comme vers une diversion souhaitable; mais elle se borna à lui adresser un petit sourire sec.

« Vous voulez un chapeau pour quelqu'un ? »

Il balbutia, mais le couturier le bousculait, non sans coquetterie.

« Cher monsieur, vous attendez Paule, c'est bien ; mais asseyez-vous là, laissez-nous finir.

— Il ne m'attend pas, dit Paule en déplaçant un bougeoir.

— Je le mettrais à gauche, dit Simon. Un peu en arrière. C'est plus évocateur. »

Elle le regarda une seconde avec colère. Il lui sourit. Il avait déjà changé de rôle. Il était le jeune homme allant chercher sa maîtresse dans un endroit élégant. Le jeune homme plein de goût. Et l'admiration du couturier pédéraste, bien qu'il n'y fût pas sensible, était ou allait devenir un sujet de plaisanterie entre Paule et lui.

« Il a raison, dit le couturier. C'est bien plus évocateur.

— De quoi ? » dit Paule froidement.

Ils la regardèrent.

« De rien. De rien du tout. »

Et il se mit à rire tout seul, d'un rire si gai que Paule tourna la tête pour ne pas s'y mêler. Le couturier vexé s'écarta. Comme elle s'éloignait un peu de la vitre, pour mieux voir, elle heurta l'épaule de Simon qui s'était rapproché et la retint par le coude sur l'estrade.

« Regardez, dit-il d'une voix rêveuse, il fait soleil. »

A travers la glace baignée d'eau, le soleil les transperçait, avec ces subites chaleurs pleines de remords que lui procure l'automne. Paule en fut inondée.

« Oui, dit-elle, il fait soleil. »

Ils restèrent un instant immobiles, elle, encore sur l'estrade, plus haute que lui, lui tournant le dos et cependant appuyée à lui. Puis elle se dégagea.

« Vous devriez aller dormir.

— J'ai faim, dit-il.

— Alors, allez déjeuner.

— Vous ne voudriez pas venir avec moi ? »

Elle hésita. Roger lui avait téléphoné qu'il serait sans doute retenu. Elle avait pensé prendre un sandwich au bar d'en face et faire quelques courses. Mais ce brusque rappel du soleil rendait odieux les carrelages des cafés et les couloirs des grands magasins. Elle avait envie d'herbe, même déjà jaunie par la saison.

« J'ai envie d'herbe, dit-elle.

— Allons-y, dit-il. J'ai ma vieille voiture. La campagne est proche...»

Elle eut un geste de défense. La campagne, avec ce petit jeune homme inconnu, peut-être ennuyeux... Deux heures de tête-à-tête...

«... Ou le Bois de Boulogne, ajouta-t-il rassurant. Si vous vous ennuyez, vous pourrez appeler un taxi par téléphone.

— Vous pensez à tout.

— Je dois dire que j'étais assez honteux en me réveillant. J'étais venu m'excuser.

— Ce genre de choses arrive à tout le monde», dit Paule gentiment. Elle mettait son manteau ; elle s'habillait très bien. Simon lui ouvrit la portière et elle s'assit sans se rappeler quand elle avait dit «oui» à ce déjeuner saugrenu. Elle accrocha son bas en entrant et eut un petit gémissement de colère.

«Je suppose que vos petites amies ont des pantalons.

— Je n'en ai plus, dit-il.

— De petites amies?

— Oui.

— Comment cela se fait-il?

— Je ne sais pas.»

Elle avait envie de se moquer de lui. Ce mélange de timidité et d'audace, de gravité, presque ridicule par moments, et d'humour l'égayait. Il avait dit : «Je ne sais pas», à voix presque basse et d'un air mystérieux. Elle hocha la tête.

«Tâchez de vous rappeler... quand cette désaffection générale a-t-elle commencé?

— C'est plutôt moi, vous savez. J'étais avec une fille gentille mais trop romanesque. Elle ressemblait à une image de la jeunesse pour gens de quarante ans.»

Elle accusa le coup intérieurement.

«Quelle image se fait-on de la jeunesse à quarante ans?

— Eh bien... elle avait l'air sinistre, elle conduisait sa quatre-chevaux à toute vitesse, les dents serrées, elle fumait des gauloises en se réveillant... et, à moi, elle me disait que l'amour n'est que le contact de deux épidermes.»

Paule se mit à rire.

«Et alors?

— Quand je suis parti, elle a pleuré quand même. Je n'en suis pas fier, ajouta-t-il vivement, j'ai horreur de ça.»

Le Bois sentait l'herbe mouillée, le bois qui moisit doucement, les routes d'automne. Il s'arrêta devant un petit restaurant, fit précipitamment le tour de la voiture pour ouvrir la porte. Paule fit un grand effort musculaire pour descendre gracieusement. Elle se sentait en pleine escapade.

Simon commanda tout de suite un cocktail et Paule le regarda avec sévérité.

« Après votre nuit passée, vous devriez boire de l'eau.

— Je me sens très bien. Et puis je manque de courage. Il va falloir que je m'arrange pour que vous ne vous ennuyiez pas trop, je prends des forces. »

Le restaurant était à peu près vide et le garçon, grincheux. Simon se taisait et continua à se taire lorsqu'ils eurent commandé. Paule, cependant, ne songeait pas à s'ennuyer. Elle sentait que c'était un silence volontaire, que Simon avait un plan de conversation pour ce déjeuner. Il devait être plein d'idées sournoises, toujours, comme un chat.

« C'est bien plus évocateur », minauda-t-il brusquement, imitant le couturier, et Paule, surprise, éclata de rire.

« Vous imitez toujours aussi bien ?

— Pas mal. Malheureusement, nous n'avons pas beaucoup de relations communes. Si j'imite ma mère, vous direz que je suis indigne. Et pourtant : "Vous ne pensez pas qu'un effet de satin, là, un peu sur la droite, donnerait de l'ambiance, de la chaleur ?"

— Vous êtes indigne, mais juste.

— Quant à votre ami d'hier, je ne l'ai pas assez bien vu. Et, de plus, il doit être inimitable. »

Il y eut une seconde de silence. Paule sourit.

« Il l'est.

— Et moi, je ne suis que la pâle copie d'une douzaine de petits jeunes hommes trop gâtés, fourrés dans des professions libérales grâce à leurs parents et s'occupant à s'occuper. Vous perdez au change, je veux dire : pour déjeuner. »

L'agressivité de sa voix réveilla Paule.

« Roger était pris, dit-elle. Autrement, je ne serais pas là.

— Je le sais bien », dit-il avec un accent de tristesse qui la déconcerta.

Pendant le reste du déjeuner, ils parlèrent de leur métier respectif. Simon mima tout le procès d'un crime passionnel. A un certain moment, il se redressa en pleine plaidoirie, braqua un doigt sur Paule qui riait beaucoup :

« Et vous, je vous accuse de n'avoir pas fait votre devoir d'être humain. Au nom de ce mort, je vous accuse d'avoir laissé passer l'amour, d'avoir négligé le devoir d'être heureuse, d'avoir vécu de faux-fuyants, d'expédients et de résignation. Vous devriez être condamnée à mort, vous serez condamnée à la solitude. »

Il s'arrêta, but son verre de vin d'un trait. Paule n'avait pas bronché.

« Affreuse condamnation, dit-elle en souriant.

— La pire, dit-il. Je ne vois rien de pire, ni de plus inévitable. Rien ne me fait plus peur. Comme à tout le monde d'ailleurs. Mais personne ne l'avoue. Moi, j'ai envie de le hurler par moments : j'ai peur, j'ai peur, aimez-moi.

— Moi aussi», dit-elle, comme malgré elle.

En une seconde, elle revit le pan de mur en face de son lit, dans sa chambre. Avec les rideaux tirés, le tableau démodé, la petite commode à gauche. Ce qu'elle regardait tous les jours, matin et soir, ce qu'elle regarderait probablement dans dix ans. Encore plus seule qu'aujourd'hui. Roger, que faisait Roger ? Il n'avait pas le droit, personne ne pouvait la condamner à vieillir ainsi ; personne, même elle-même...

«Je dois vous sembler un peu plus ridicule et plaintif encore qu'hier soir, dit Simon doucement. Ou peut-être pensez-vous que c'est une comédie de jeune homme pour vous attendrir ?»

Il était en face d'elle, ses yeux clairs légèrement troubles, le visage si lisse, si offert qu'elle faillit y poser sa main.

«Non, non, dit-elle, je pensais... je pensais aussi que vous étiez un peu jeune pour ça. Et sûrement trop aimé.

— Il faut être deux, dit-il. Venez, on va faire quelques pas dehors. Il fait très beau maintenant.»

Ils sortirent ensemble, il lui prit le bras et ils marchèrent un peu, sans un mot. L'automne montait au cœur de Paule avec une grande douceur. Les feuilles mouillées, roussies, piétinées, accrochées les unes aux autres, se mélangeaient lentement à la terre. Elle se sentit une sorte de tendresse pour cette silhouette silencieuse qui lui tenait le bras. Cet inconnu devenait pour quelques minutes un compagnon, quelqu'un avec qui l'on marche dans une allée déserte, à la fin d'une année. Elle avait toujours éprouvé de la tendresse pour ses compagnons, qu'ils fussent de promenade ou de vie, une sorte de reconnaissance de ce qu'ils soient plus grands qu'elle, si différents et si proches à la fois. Elle revit le visage de Marc, son mari qu'elle avait quitté en même temps que la vie facile, le visage d'un autre qui l'avait beaucoup aimée. Et enfin le visage de Roger, le seul visage que sa mémoire lui projetât vivant, changeant d'expression. Trois compagnons dans la vie d'une femme, trois bons compagnons. N'était-ce pas déjà immense ?

«Vous êtes triste ?» demanda Simon.

Elle se tourna vers lui, sourit sans répondre. Ils continuèrent leur marche.

«Je voudrais, dit Simon d'une voix étouffée, je voudrais que... Je ne vous connais pas, mais je voudrais croire que vous êtes heureuse. J'ai, euh, j'ai de l'admiration pour vous.»

Elle ne l'écoutait plus. Il était tard. Roger l'avait peut-être appelée pour prendre le café avec elle. Elle l'aurait manqué. Il avait parlé de partir le samedi, de passer le week-end à la campagne. Pourrait-elle se débarrasser de son travail avant ? En aurait-il encore envie ? Ou était-ce une de ses promesses que l'amour, la nuit, lui arrachait, quand (elle le savait) il n'envisageait plus la vie sans elle et que leur amour lui paraissait d'une évidence si lourde qu'il ne se débattait plus. Mais dès qu'il passait la porte, dès qu'il respirait sur le trottoir la violente odeur de son indépendance, elle le perdait à nouveau. Elle parla peu durant le trajet, remercia Simon de son déjeuner et déclara qu'elle serait ravie s'il lui téléphonait un jour ou l'autre. Simon la regarda partir, immobile. Il se sentait très las, maladroit.

CHAPITRE V

C'ETAIT vraiment une agréable surprise. Roger se retourna vers la table de chevet et chercha une cigarette. La jeune femme près de lui eut un petit rire.

« Les hommes fument toujours, après. »

Ce n'était pas une réflexion très originale ! Roger lui tendit son paquet qu'elle refusa de la tête.

« Maisy, puis-je vous poser une question ? Qu'est-ce qu'il vous a pris, ce soir ? Depuis deux mois que nous nous connaissons et que vous ne quittez pas ce M. Chérel...

— M. Chérel est utile, pour mon métier. J'ai eu envie de m'amuser un peu. Tu comprends ? »

Il nota au passage qu'elle appartenait à cette race qui tutoie automatiquement, sitôt allongée. Il se mit à rire.

« Pourquoi moi ? Il y avait des jeunes gens très bien à ce cocktail ?

— Tu sais, les jeunes gens, ça parle, ça parle. Et puis toi, au moins, tu as l'air d'aimer ça. Et je te jure que ça devient rare. Les femmes le sentent. Ne me dis pas que tu n'es pas habitué aux conquêtes...

— Pas si vite », dit-il en riant.

Elle était bien jolie. Il y avait sûrement plein de petites idées sur la vie, les hommes, les femmes dans sa tête étroite. S'il insistait un peu, elle lui expliquerait le monde. Il aurait bien aimé ça. Comme chaque fois, il se sentait lointain et attendri, effrayé à l'idée que ces beaux corps, si différents, qu'il aimait tant découvrir, circulaient dans les rues, dans la vie, menés par des petites têtes incertaines et bornées. Il lui caressa les cheveux.

« Toi, tu dois être un tendre, dit-elle. Les grandes brutes comme toi, c'est toujours tendre.

— Mais oui, dit-il distraitement.

— Je n'ai pas envie de te quitter, continua-t-elle. Si tu savais ce qu'il est ennuyeux, Chérel...

— Je ne le saurai jamais.

— Si on partait deux jours, Roger? Samedi et dimanche. Tu ne veux pas? On resterait sans bouger, dans une grande chambre, à la campagne.»

Il la regarda. Elle s'était soulevée sur un coude. il voyait la veine battre à son cou, elle le regardait de la même façon que pendant ce fameux cocktail, il sourit.

«Dis oui. Tout de suite, tu entends...

— Tout de suite», répéta-t-il en l'attirant sur lui.

Elle le mordit à l'épaule, en gloussant, et il pensa vaguement que même l'amour pouvait se faire bêtement.

*

«C'est dommage, dit Paule. Enfin, travaille bien, ne conduis pas trop vite. Je t'embrasse.»

Elle raccrocha. Il n'y avait plus de week-end. Roger devait aller à Lille ce samedi, lui avait-il expliqué, pour ses affaires avec son associé de là-bas. C'était peut-être vrai. Elle supposait toujours que c'était vrai.

Elle pensa subitement à l'auberge où ils allaient généralement ensemble, aux feux brûlant partout, à la chambre qui sentait un peu l'antimite; elle imagina ce qu'auraient pu être ces deux jours, les promenades avec Roger, les conversations avec Roger, le soir, et les réveils l'un près de l'autre, avec tout le temps devant soi, toute une journée, chaude et lisse comme une plage. Elle se retourna vers le téléphone. Elle pouvait déjeuner avec une amie, aller faire un bridge le soir chez... Elle n'avait envie de rien. Et elle avait peur de rester seule deux jours. Elle haïssait ces dimanches de femme seule : les livres lus au lit, le plus tard possible, un cinéma encombré, peut-être un cocktail avec quelqu'un ou un dîner et, enfin, au retour, ce lit défait, cette impression de n'avoir pas vécu une seconde depuis le matin. Roger avait dit qu'il l'appellerait le lendemain. Il avait sa voix tendre. Elle attendrait son téléphone pour sortir. De toute manière, elle avait des rangements à faire, de ces occupations typiques que lui avait toujours recommandées sa mère, ces mille petites choses de la vie d'une femme qui la dégoûtaient vaguement. Comme si le temps eût été une bête molle qu'il fallait réduire. Mais elle en venait presque à regretter chez elle l'absence de ce goût. Peut-être y avait-il effectivement un moment où on ne devait plus attaquer sa vie, mais s'en défendre, comme d'une vieille amie indiscrète. Y était-elle déjà? Et elle crut entendre derrière elle un immense soupir, un immense chœur de «déjà».

Ce même samedi à deux heures, elle décida de téléphoner à Mme Van den Besh. Si, par miracle, elle n'était pas à Deauville, elle pourrait peut-être travailler avec elle l'après-midi. C'était la seule chose qui la tentât. «Comme certains hommes, pensa-t-elle, qui vont au bureau le dimanche afin d'éviter leur famille.» Mme Van den Besh avait une légère crise de foie, s'ennuyait visiblement et accueillit sa proposition avec enthousiasme. Munie d'échantillons de toutes sortes, Paule se rendit avenue Kléber. Elle y trouva Mme Van den Besh en robe de chambre damassée, un verre d'eau d'Evian à la main, et légèrement couperosée. Paule songea une seconde que le père de Simon avait dû être très beau pour contrebalancer la banalité de ce visage.

« Comment va votre fils ? Vous savez que nous l'avons rencontré l'autre soir. »

Elle n'ajouta pas qu'elle avait déjeuné avec lui la veille et s'étonna elle-même de sa réticence. Elle eut aussitôt devant elle un visage de martyre.

« Comment le saurais-je ? Il ne me parle pas, ne me raconte rien, sauf ses soucis d'argent, bien sûr ! De plus, il boit. Son père buvait déjà.

— Il n'a pas l'air d'un grand alcoolique, sourit Paule. Elle revoyait le visage lisse de Simon, son teint d'Anglais bien nourri.

— Il est beau, n'est-ce pas ? »

Mme Van den Besh s'anima, tira des albums où l'on voyait Simon enfant, Simon sur un poney avec des anglaises le long des joues, Simon en collégien ahuri, etc. Il y avait, sans doute, mille photos de lui, et Paule admira intérieurement qu'il ne soit devenu ni odieux ni pédéraste.

« Mais il y a toujours un moment où les enfants s'éloignent de vous », soupira la mère attristée.

Et, en un instant, elle redevint la femme un peu trop légère qu'elle avait dû être.

« Il faut dire qu'il ne manque pas d'occasions...

— Sûrement, dit Paule avec politesse. Voulez-vous regarder ces tissus, madame, il y en a un...

— Appelez-moi Thérésa, je vous en prie. »

Elle devenait amicale, faisait venir du thé, posait des questions. Paule pensait que Roger avait dormi avec elle vingt ans plus tôt et recherchait vainement les traces de quelque charme sur ce lourd visage. En même temps, elle essayait désespérément de maintenir la conversation sur un terrain professionnel, mais voyait Thérésa glisser inexorablement vers des confidences de femme. Il en avait toujours été ainsi. Elle avait dans le visage quelque chose d'équilibré, de fier, qui provoquait les pires déluges de paroles.

« Vous êtes très probablement plus jeune que moi, commençait Mme Van den Besh — et Paule ne put réprimer un sourire à ce "probablement" — mais vous savez à quel point le cadre peut influer... »

Paule ne l'écoutait plus. Cette femme la faisait penser à quelqu'un. Elle s'aperçut qu'elle ressemblait simplement à l'imitation qu'en avait faite Simon la veille et pensa qu'il devait avoir une certaine faculté d'intuition, une certaine cruauté que ses timidités ne laissaient pas voir. Que lui avait-il dit : « Je vous accuse d'avoir laissé passer l'amour, d'avoir vécu d'expédients et de résignation, je vous condamne à la solitude.» Pensait-il à elle? Avait-il deviné quelque chose de sa vie? Avait-il fait exprès? Elle se sentait envahie de colère à cette pensée. Elle n'écoutait plus le long bavardage à ses côtés, et l'entrée de Simon la fit sursauter. Il s'arrêta net en la voyant et fit une petite grimace pour cacher son plaisir qui la toucha.

«J'arrive bien. Je vais vous aider.

— Hélas! il faut que je parte, à présent.»

Elle avait envie de sortir précipitamment, de s'enfuir, d'échapper aux deux regards de la mère et du fils, de se cacher chez elle, enfin, avec un livre. A cette heure-ci, elle aurait dû être sur la route avec Roger, allumant et éteignant la radio, riant avec lui, ou s'effrayant car il lui prenait des colères aveugles d'automobiliste qui les menaient parfois près de la mort. Elle se leva lentement.

«Je vous raccompagne», dit Simon.

A la porte, elle se tourna vers lui et le regarda pour la première fois depuis son arrivée. Il avait mauvaise mine et elle ne put s'empêcher de le lui dire.

«C'est le temps, dit-il. Est-ce que je peux vous accompagner jusqu'en bas?»

Elle haussa les épaules, et ils s'engagèrent dans l'escalier. Il marchait derrière elle, sans un mot. Au dernier étage, il s'arrêta et n'entendant plus son pas, elle se retourna machinalement. Il s'appuyait à la rampe.

«Vous remontez?»

La lumière s'éteignit et le grand escalier ne fut plus éclairé que par la faible lueur d'une croisée. Des yeux, elle chercha la minuterie.

«C'est derrière vous», dit Simon.

Il descendit la dernière marche et avança vers elle. «Il va se précipiter sur moi», pensa Paule avec ennui. Il passa un bras du côté gauche de sa tête, ralluma, puis mit son bras droit de l'autre côté. Elle ne pouvait plus bouger.

«Laissez-moi passer», dit-elle très calme.

Il ne répondit pas mais se courba et mit sa tête sur son épaule, avec précaution. Elle entendit son cœur battre à grands coups et soudain se sentit troublée.

«Laissez-moi, Simon... Vous m'ennuyez.»

Mais il ne bougeait pas. Simplement, il murmura son nom deux fois à voix basse. «Paule, Paule», et derrière sa nuque, elle voyait la cage d'escalier si triste, si lourde de morgue et de silence.

«Mon petit Simon, dit-elle aussi à voix basse, laissez-moi passer.»

Il s'écarta et elle lui sourit un instant avant de s'en aller.

CHAPITRE VI

En se reveillant, le dimanche, elle découvrit un message sous sa porte, ce qu'on appelait autrefois poétiquement un bleu et qu'elle trouva poétique car le soleil, réapparu dans le ciel si pur de novembre, remplissait sa chambre d'ombres et de lumières chaleureuses. « Il y a un très beau concert à six heures, salle Pleyel, écrivait Simon. Aimez-vous Brahms ? Je m'excuse pour hier. » Elle sourit. Elle sourit à cause de la seconde phrase : « Aimez-vous Brahms ? » C'était le genre de questions que les garçons lui posaient lorsqu'elle avait dix-sept ans. Et sans doute les lui avait-on reposées plus tard, mais sans écouter la réponse. Dans ce milieu, et à cette période de la vie, qui écoutait qui ? Et d'ailleurs aimait-elle Brahms ?

Elle ouvrit son pick-up, fouilla parmi ses disques et retrouva au dos d'une ouverture de Wagner qu'elle connaissait par cœur un concerto de Brahms qu'elle n'avait jamais écouté. Roger aimait Wagner. Il disait : « C'est beau, ça fait du bruit, c'est de la musique. » Elle posa le concerto, en trouva le début romantique et oublia de l'écouter jusqu'au bout. Elle s'en aperçut lorsque la musique cessa, et s'en voulut. A présent, elle mettait six jours à lire un livre, ne retrouvait pas sa page, oubliait la musique. Son attention ne s'exerçait plus que sur des échantillons de tissus et sur un homme qui n'était jamais là. Elle se perdait, elle perdait sa propre trace, elle ne s'y retrouverait jamais. « Aimez-vous Brahms ? » Elle passa un instant devant la fenêtre ouverte, reçut le soleil dans les yeux et en resta éblouie. Et cette petite phrase : « Aimez-vous Brahms ? » lui parut. soudain révéler tout un immense oubli : tout ce qu'elle avait oublié, toutes les questions qu'elle avait délibérément évité de se poser. « Aimez-vous Brahms ? » Aimait-elle encore autre chose qu'elle-même et sa propre existence ? Bien sûr, elle disait qu'elle aimait Stendhal, elle savait qu'elle l'aimait. C'était le mot : elle le savait. Peut-être même savait-elle simplement qu'elle aimait Roger. Bonnes choses acquises. Bons repères. Elle eut envie de parler à quelqu'un, comme elle en avait envie à vingt ans.

Elle appela Simon. Elle ne savait encore que lui dire. Probablement : « Je ne sais pas si j'aime Brahms, je ne crois pas. » Elle ne savait pas si elle irait à ce concert. Cela dépendrait de ce qu'il lui dirait, de sa voix ; elle hésitait et trouvait cette hésitation agréable. Mais Simon était parti déjeuner à la campagne, il passerait se changer à cinq heures. Elle raccrocha. Entre-temps, elle avait décidé d'aller au concert. Elle se disait : « Ce n'est pas Simon que je vais retrouver mais la musique ; peut-être irais-je tous les dimanches si l'atmosphère n'est pas odieuse l'après-midi ; c'est une bonne occupation de femme seule.» Et, en même temps, elle déplorait que ce soit dimanche et qu'elle ne puisse se précipiter tout de suite dans une boutique en vue d'acheter les Mozart qu'elle aimait et quelques Brahms. Elle craignait seulement que Simon ne lui tienne la main, durant le concert ; elle le craignait d'autant plus qu'elle s'y attendait et que la confirmation de ses attentes imaginaires l'emplissait toujours d'un ennui insurmontable. Elle avait aimé Roger pour cela aussi. Il était toujours à côté de l'attendu, un peu à faux dans toutes les situations acquises.

A six heures, salle Pleyel, elle se trouva prise dans un remous de foule, faillit manquer Simon qui lui tendit son billet sans rien dire, et ils montèrent les marches précipitamment dans une grande débandade d'ouvreuses. La salle était immense et sombre, l'orchestre faisait entendre en préambule quelques sons spécialement discordants comme pour faire mieux apprécier ensuite au public le miracle de l'harmonie musicale. Elle se tourna vers son voisin :

«Je ne savais pas si j'aimais Brahms.

— Moi, je ne savais pas si vous viendriez, dit Simon. Je vous assure que ça m'est bien égal que vous aimiez Brahms ou pas.

— Comment était la campagne ?»

Il lui jeta un regard étonné.

«J'ai téléphoné chez vous, dit Paule, pour vous dire que... que j'acceptais.

— J'avais si peur que vous téléphoniez le contraire ou pas du tout que je suis parti, dit Simon.

— La campagne était belle ? De quel côté avez-vous été ?»

Elle éprouvait un plaisir triste à imaginer la colline de Houdan dans la lumière du soir ; elle aurait aimé que Simon lui en parlât. A cette heure-ci, elle se serait arrêtée à Septeuil avec Roger, ils auraient marché dans le même chemin, sous les arbres roux.

«J'ai été par-ci, par-là, dit Simon, je n'ai pas regardé les noms. D'ailleurs, on commence.»

On applaudissait, le chef d'orchestre saluait, il levait sa baguette et ils se laissaient glisser sur leur fauteuil en même temps que deux mille personnes. C'était un concerto que Simon pensait reconnaître, un peu pathétique, un peu trop pathétique par moments. Il sentait le coude de Paule contre le sien, et quand l'orchestre s'élançait, il s'élançait avec lui. Seulement, dès que la musique s'alanguissait, il devenait conscient de la toux des voisins, de la forme du crâne d'un homme, deux rangs en avant, et surtout conscient de sa colère. A la campagne, dans une auberge près de Houdan, il avait rencontré Roger, Roger avec une fille. Il s'était soulevé, avait salué Simon, sans le présenter.

«Il me semble que nous nous rencontrons tout le temps ?»

Simon, surpris, n'avait rien dit. Le regard de Roger le menaçait, lui ordonnait de taire cette rencontre; ce n'était pas, Dieu merci, un regard complice de franc luron à franc luron. C'était un regard furieux. Il n'avait rien répondu. Il n'avait pas peur de Roger, il avait peur de faire souffrir Paule. Il n'arriverait jamais rien de mal à cette femme par lui, il se le jurait; pour la première fois, il avait envie de s'interposer entre quelqu'un et l'infortune. Lui que ses maîtresses ennuyaient si vite, effrayaient même avec leurs confidences, leurs secrets, leur volonté de lui faire jouer à tout prix un rôle de mâle protecteur, lui, Simon, si habitué à la fuite, avait envie de se retourner et d'attendre. Mais attendre quoi? Que cette femme comprît qu'elle aimait un goujat sans envergure: c'était peut-être la chose la plus longue au monde... Elle devait être triste, elle devait retourner dans sa tête l'attitude de Roger, peut-être en découvrir les failles. Un violon s'élança au-dessus de l'orchestre, palpita désespérément en une note déchirée, et retomba, aussitôt noyé dans le flot mélodieux, envahissant des autres. Simon faillit se retourner, prendre Paule dans ses bras, l'embrasser. Oui, l'embrasser... il imagina qu'il se penchait sur elle, sa bouche touchait sa bouche, elle ramenait ses mains autour de son cou... Il ferma les yeux. Paule pensa, en voyant son expression, qu'il devait être vraiment mélomane. Mais aussitôt une main tremblante chercha la sienne et elle la dégagea avec impatience.

Après le concert, il l'emmena prendre un cocktail, ce qui signifia pour elle une orange pressée et pour lui deux dry. Elle se demanda si les craintes de Mme Van den Besh n'étaient pas justifiées. Simon, les yeux brillants, les mains agitées, lui parlait musique et elle écoutait d'une oreille distraite. Peut-être Roger se serait-il arrangé pour quitter Lille à temps et revenir pour le dîner. De plus, on les regardait. Simon était un peu trop beau ou simplement était-il un peu trop jeune et elle plus assez, tout au moins pour l'accompagner?

« Vous ne m'écoutez pas?

— Si, dit-elle. Mais il faudrait partir. On doit me téléphoner chez moi et puis, on nous regarde beaucoup ici!

— Vous devriez être habituée », dit Simon avec admiration. La musique et le gin aidant, il se sentait définitivement amoureux.

Elle se mit à rire : par moments, il était tout à fait attendrissant.

« Demandez l'addition, Simon. »

Il le fit tellement à contrecœur qu'elle le regarda attentivement, pour la première fois sans doute de l'après-midi. Peut-être tombait-il doucement amoureux d'elle, peut-être son petit jeu se retournait-il contre lui? Elle le croyait simplement assoiffé de conquêtes; peut-être était-il plus simple, plus sensible, moins vaniteux. Il était drôle que ce soit son physique qui le desserve auprès d'elle. Elle le trouvait trop beau. Trop beau pour être vrai.

Si cela était, elle avait tort de le voir, elle devait y renoncer. Il avait appelé le garçon, tournait son verre entre ses mains, sans un mot. Il s'était tu brusquement. Elle posa sa main sur la sienne. «Ne m'en veuillez pas, Simon, je suis un peu pressée. Roger doit m'attendre.»

Il lui avait demandé, ce premier soir, «Chez Régine»: «Aimez-vous Roger?» Qu'avait-elle répondu? Elle ne s'en souvenait plus. De toute manière, il fallait bien qu'il le sache. «Ah! oui, dit-il... Roger. L'homme. Le brillant.» Elle l'arrêta. «Je l'aime», dit-elle, et elle se sentit rougir. Elle avait l'impression d'avoir eu une voix de théâtre. «Et lui?

— Lui aussi.

— Bien entendu. Tout est pour le mieux dans le meilleur des mondes.

— Ne jouez pas les sceptiques, dit-elle doucement. Ce n'est pas de votre âge. Vous devriez être au moment de la crédulité, vous...»

Il l'avait prise aux épaules et la secouait.

«Ne vous moquez pas de moi, cessez de me parler comme ça...»

«J'oublie trop que c'est un homme, pensa Paule en essayant de se dégager. Il a une vraie tête d'homme en ce moment, d'homme humilié. Il n'a pas quinze ans, mais vingt-cinq; c'est vrai!»

«Je ne me moque pas de vous mais de vos attitudes, dit-elle doucement. Vous jouez...»

Il l'avait lâchée, il semblait las.

«Il est vrai que je joue, dit-il. Avec vous, j'ai joué le jeune et brillant avocat, et l'amoureux transi, et l'enfant gâté, et Dieu sait quoi. Mais depuis que je vous connais, tous mes rôles sont pour vous. Vous ne pensez pas que c'est l'amour?

— C'en est une assez bonne définition», dit-elle en souriant.

Ils se turent quelques instants, gênés.

«J'aimerais bien jouer les amants passionnés, dit-il.

— Je vous ai dit que j'aimais Roger.

— Et moi, j'aime ma mère, ma vieille nourrice, ma voiture...

— Je ne vois pas le rapport», interrompit-elle.

Elle avait envie de partir. Ce petit carnassier trop jeune, que pouvait-il comprendre à son histoire, à leur histoire; à ces cinq ans mêlés de plaisir et de doutes, de chaleur et de peines? Personne ne pourrait la séparer de Roger. Elle éprouva une telle reconnaissance pour lui de cette certitude, une telle tendresse qu'elle s'appuya à la table.

«Vous aimez Roger mais vous êtes seule, dit Simon. Vous êtes seule, le dimanche; vous dînez seule et probablement vous... vous dormez seule souvent. Moi je dormirais contre vous, je vous tiendrais dans mes bras toute la nuit, et je vous embrasserais pendant votre sommeil. Moi, je peux encore aimer. Lui, plus. Vous le savez...

— Vous n'avez pas le droit..., dit-elle en se levant.

— J'ai le droit de parler. J'ai le droit de tomber amoureux de vous et de vous prendre à lui, si je peux. »

Déjà, elle était dehors. Il se leva, et se rassit, la tête dans les mains. « Il me la faut, pensait-il, il me la faut... ou bien je vais souffrir. »

CHAPITRE VII

L<small>E</small> WEEK-END avait été bien agréable. Cette Maisy — elle lui avait avoué, en minaudant, s'appeler tout bonnement Marcelle, prénom incompatible pour des raisons évidentes avec sa vocation de starlette —, cette Maisy avait tenu parole. Une fois couchée, elle ne s'était plus relevée, contrairement à certaines créatures familières à Roger pour qui existaient l'heure du cocktail, du déjeuner, du dîner, du thé, etc.; autant de prétextes pour elles à des changements vestimentaires. Ils avaient passé deux jours sans sortir de leur chambre, sauf une seule fois, où naturellement il était tombé sur ce petit jeune homme trop mignon, fils de la chère Thérésa. Il avait peu de chance de rencontrer Paule, bien sûr, mais Roger restait vaguement inquiet. Ce prétexte de Lille était un peu grossier, non qu'il s'imaginât abuser Paule en lui étant infidèle, ni même en lui mentant. Mais ses infidélités ne devaient être circonscrites ni dans le temps ni dans l'espace. « J'ai vu votre ami de l'autre soir, déjeunant dimanche, à Houdan. » Il imaginait Paule recevant cette phrase sans rien dire, peut-être le regard détourné une seconde. Paule souffrant... C'était une vieille image à présent et si souvent repoussée qu'il en avait honte; et honte aussi du plaisir qu'il aurait à passer chez elle tout à l'heure, après avoir déposé Maisy-Marcelle. Mais elle ne le saurait pas. Elle avait dû se reposer ces deux jours, sans lui, lui qui l'obligeait trop souvent à sortir; elle avait dû bridger avec ses amis, s'occuper de son appartement, lire ce nouveau livre... Il se demanda soudain pourquoi il cherchait si ardemment un emploi du temps au dimanche de Paule.

« Tu conduis bien, dit une voix près de lui et il sursauta, regarda Maisy.

— Tu trouves?

— D'ailleurs, tu fais tout bien », reprit-elle en s'alanguissant sur la banquette.

Et il eut envie de lui dire d'oublier; d'oublier une seconde son petit corps et ses appétits satisfaits. Elle eut un rire langoureux, ou voulant l'être, et lui prenant la main, la posa sur sa jambe. Elle était dure et chaude sous ses doigts, et il sourit. Elle était sotte, bavarde et comédienne. A force de ridiculiser l'amour, elle le rendait curieusement cru ; et sa façon de réduire à néant chez lui toute envie de tendresse, de camaraderie, ou de vague intérêt, la rendait plus excitante. «Un sale petit objet incommunicable, prétentieux, vulgaire et avec qui je fais bien l'amour.» Il se mit à rire tout haut. Elle ne lui demanda pas pourquoi mais tendit la main vers la radio. Roger suivit son geste des yeux... Qu'avait dit Paule, l'autre soir? Au sujet de la radio et de leurs soirées...? Il ne se rappelait plus. On diffusait un concert qu'elle coupa, puis auquel elle revint faute de mieux. C'était du Brahms, disait le speaker, d'une voix chevrotante, et les applaudissements crépitaient.

«Quand j'avais huit ans, je voulais être chef d'orchestre, dit-il. Et toi?

— Moi, je voulais faire du cinéma, dit-elle, et j'y arriverai.»

Il songea que c'était probable et la déposa enfin devant sa porte. Elle s'accrocha à sa veste.

«Demain, je vais dîner avec mon vilain monsieur. Mais je veux revoir mon petit Roger très vite, très vite. Je te téléphone dès que j'ai une seconde.»

Il sourit, assez content de ce rôle de jeune amant caché, surtout à un autre homme de son âge.

«Et toi, reprit-elle, tu pourras? On m'avait dit que tu n'étais pas un homme libre...

— Je suis un homme libre», dit-il avec une petite grimace. Il n'allait quand même pas parler de Paule, avec elle! Elle gambada sur le trottoir, agita la main derrière le porche, et il repartit. Sa dernière phrase le gênait un peu. «Je suis un homme libre.» Ça voulait dire : «Libre de ne pas prendre de responsabilités.» Il accéléra : il voulait revoir Paule au plus vite ; elle seule pouvait le rassurer, et elle le ferait.

*

Elle avait dû rentrer juste avant lui car elle avait encore son manteau ; elle était pâle, et quand il arriva, elle se jeta contre lui et resta sur son épaule, sans bouger. Il referma les bras sur elle, posa sa joue sur ses cheveux et attendit qu'elle parlât. Il avait bien fait de rentrer vite, elle avait besoin de lui, il avait dû lui arriver quelque chose, et songeant qu'il en avait eu le pressentiment, il sentait sa tendresse pour elle devenir immense. Il la protégeait. Bien sûr, elle était forte, et indépendante, et intelligente, mais elle était probablement plus femelle que n'importe quelle femme qu'il ait connue, il le savait bien. Et en cela il lui était indispensable. Elle se dégagea doucement de ses bras.

«Tu as fait bon voyage? Comment était Lille?»

Il lui jeta un coup d'œil. Non, bien sûr, elle ne se doutait de rien. Ce n'était pas le genre de femme à tendre des pièges de cette sorte. Il leva les sourcils.

«Comme ça. Mais toi? Qu'as-tu?

— Rien», dit-elle, et elle se retourna.

Il n'insista pas, elle le lui dirait plus tard.

«Qu'as-tu fait ici?

— Hier, j'ai travaillé. Et aujourd'hui, je suis allée à un concert, salle Pleyel.

— Tu aimes Brahms?» dit-il en souriant.

Elle lui tournait le dos et elle se retourna si brusquement qu'il recula d'un pas.

«Pourquoi me demandes-tu ça?

— J'ai entendu une partie du concert à la radio, en rentrant.

— Oui, bien sûr, dit-elle, c'est retransmis, c'est vrai... Mais tu m'as surprise, ce côté mélomane chez toi...

— Chez toi aussi. Qu'est-ce qu'il t'a pris? Je te voyais bridgeant chez les Daret, ou...»

Elle avait allumé les lampes du petit salon Elle enleva son manteau d'un geste las.

«Le petit Van den Besh m'a invitée au concert; je n'avais rien à faire, et je ne me rappelais plus si j'aimais Brahms... Crois-tu?... Je ne me rappelais plus si j'aimais Brahms...»

Elle se mit à rire doucement d'abord, puis de plus en plus fort. Un tourbillon se déclenchait dans la tête de Roger. Simon Van den Besh? Et il n'avait pas parlé de leur rencontre... à Houdan? Et d'abord, pourquoi riait-elle?

«Paule, dit-il, calme-toi. Et d'abord que faisais-tu avec ce galopin?

— J'écoutais Brahms, dit-elle entre deux rires.

— Mais arrête de parler de Brahms...

— Il s'agissait de lui...»

Il la prit aux épaules. Elle avait les larmes aux yeux à force de rire.

«Paule, dit-il, ma Paule... que t'a raconté ce type? Et d'abord, qu'est-ce qu'il te veut?»

Il était furieux; il se sentait distancé, berné.

«Evidemment, il a vingt-cinq ans, dit-il.

— Pour moi, c'est un défaut», dit-elle tendrement, et il la reprit dans ses bras.

«Paule, j'ai tellement confiance en toi. Tellement! L'idée qu'un petit freluquet de ce genre pourrait te plaire m'est insupportable.»

Il la serrait contre lui; subitement, il imaginait Paule tendant la main vers un autre, Paule en embrassant un autre, donnant sa tendresse, son attention à un autre; il souffrait.

«Les hommes sont inconscients, pensait Paule sans amertume. "J'ai tellement confiance en toi", tellement confiance que je peux te tromper, te laisser seule, et qu'il n'est pas possible que le contraire arrive. C'est sublime.»

«Il est gentil et insignifiant, dit-elle. C'est tout. Où veux-tu que nous dînions?»

CHAPITRE VIII

« JE VOUS DEMANDE PARDON, écrivait Simon. Je n'avais pas le droit, en effet, de vous dire tout ça. J'étais jaloux et j'imagine qu'on n'a le droit d'être jaloux que de ce que l'on possède. De toute façon, il semble évident que je vous ennuyais plutôt. Vous allez être débarrassée de moi, je pars en province, avec mon cher maître, étudier un procès. Nous habiterons une vieille maison de campagne chez des amis à lui. J'imagine que les lits sentiront la verveine, qu'on fera un feu dans chaque chambre, que les oiseaux chanteront devant ma fenêtre le matin. Mais je sais que, pour une fois, je ne pourrai pas jouer au jeune homme bucolique. Vous dormirez près de moi, je vous croirai à la portée de ma main, éclairée par les flammes ; je manquerai revenir dix fois. Ne croyez pas, même si vous ne voulez jamais me revoir, ne croyez pas que je ne vous aime pas. Votre Simon. »

La lettre hésitait entre les doigts de Paule Elle glissa sur le drap, puis sur le tapis. Paule reposa la tête sur son oreiller, ferma les yeux. Sans doute l'aimait-il... Elle était lasse, ce matin, elle avait mal dormi. Cela tenait-il à la petite phrase qu'avait laissée échapper Roger la veille lorsqu'elle l'interrogeait sur son trajet de retour, petite phrase qu'elle n'avait pas relevée tout d'abord, mais sur laquelle il avait buté, et sur laquelle sa voix avait baissé progressivement pour finir en un murmure.

« Bien sûr, c'est toujours odieux la rentrée du dimanche... Mais, au fond, l'autoroute, même encombrée, est rapide... »

Sans doute, s'il n'avait pas changé d'intonation, elle n'aurait rien remarqué. Elle eût imaginé aussitôt, par un réflexe inconscient de son esprit, ce terrible réflexe de protection tellement développé depuis deux ans, elle eût imaginé une merveilleuse autoroute toute neuve vers Lille. Mais il s'était arrêté, elle ne l'avait pas regardé, et il avait fallu que ce soit elle qui fasse, quinze secondes plus tard, repartir leur dialogue de gens tranquilles. Leur dîner s'était achevé sur le même ton, mais il semblait à Paule que la fatigue, le découragement qu'elle ressentait, bien plus que toute jalousie ou toute curiosité, ne la quitteraient jamais. En face d'elle, se tendait ce visage si connu, si aimé, ce visage qui cherchait à savoir si elle avait compris, ce visage qui cherchait la souffrance sur le sien comme un insupportable bourreau. Elle en vint à penser alors :
« Mais n'est-ce pas déjà assez qu'il me fasse souffrir ; est-ce que ça ne pourrait pas, au moins, lui être égal ? » Et il lui semblait qu'elle ne pourrait plus jamais se lever de sa chaise, traverser le restaurant avec l'aisance, la grâce qu'il attendait d'elle, ni même lui dire au revoir sur le pas de sa porte. Elle aurait aimé pouvoir autre chose : elle aurait aimé

pouvoir l'insulter, lui jeter son verre à la tête, se départir d'elle-même, de tout ce qui la rendait digne, estimable, de tout ce qui la différenciait des douze petites traînées qu'il voyait. Elle eût aimé en être une. Il lui avait bien assez dit ce qu'elles représentaient pour lui, et qu'il était comme ça, et qu'il ne voulait pas lui cacher. Oui, il avait été honnête. Mais elle se demandait si l'honnêteté, la seule honnêteté possible dans cette vie inextricable, ne consistait pas à aimer quelqu'un suffisamment pour le rendre heureux. Même en renonçant, au besoin, à ses représentations favorites.

La lettre de Simon était restée sur le tapis et elle mit le pied dessus en se levant. Elle la ramassa, la relut. Puis elle ouvrit le tiroir de sa table, prit un stylo et du papier, et répondit.

*

Simon était resté seul dans le salon, n'ayant pas voulu, à l'issue du procès, se mêler à la foule qui félicitait le grand maître. La maison était triste et froide, il avait gelé la nuit d'avant et par la fenêtre on apercevait un paysage figé, deux arbres dénudés et une pelouse jaunie, où pourrissaient doucement deux fauteuils de rotin sacrifiés à l'automne par un jardinier insouciant. Il lisait un livre anglais, une étrange histoire au sujet d'une femme transformée en renard, et de temps en temps riait tout haut, mais ses jambes s'agitaient, il croisait les pieds, les décroisait, et le sentiment de son malaise physique se glissait peu à peu entre le livre et lui jusqu'au moment où il se leva, posa le livre et sortit.

Il descendit jusqu'à une petite mare, au bas du jardin, respirant l'odeur du froid, l'odeur du soir mêlées à celle, plus lointaine, d'un feu de feuilles mortes dont il distinguait à peine la fumée derrière une haie. Il aimait cette dernière odeur plus que tout et s'arrêta une seconde pour mieux la respirer, les yeux clos. De temps en temps, un oiseau poussait un petit cri sans grâce et l'ensemble parfait, la réunion de ces nostalgies le soulageaient vaguement de la sienne. Il se pencha sur l'eau terne, y plongea la main, regarda ses doigts maigres que l'eau rendait obliques, presque perpendiculaires à sa paume. Il ne bougeait pas, refermait son poing dans l'eau, avec lenteur, comme pour y capter un mystérieux poisson. Il n'avait pas vu Paule depuis sept jours maintenant, sept jours et demi. Elle avait dû recevoir sa lettre, hausser un peu les épaules, la cacher pour éviter que Roger ne la trouve et ne se moque de lui. Car elle était bonne, il le savait bien. Elle était bonne, et tendre, et malheureuse, il avait besoin d'elle. Mais comment le lui faire savoir? Il avait déjà essayé, un soir, dans cette maison sinistre, de penser à elle si longtemps, si intensément qu'elle en soit atteinte, dans son Paris lointain, et était même redescendu en pyjama fouiller dans la bibliothèque pour découvrir un ouvrage de télépathie. En vain, bien sûr! C'était puéril, il le savait, il essayait toujours de se tirer de tout par des solutions enfantines ou des coups de chance. Mais Paule était quelqu'un qu'il fallait mériter, il ne pouvait se le cacher. Il ne pourrait pas la conquérir à force de charme. Au contraire, il sentait que son physique le desservait auprès d'elle. « J'ai une tête de garçon coiffeur », gémit-il tout haut, et l'oiseau arrêta une seconde son cri lancinant.

Il remonta lentement vers la maison, s'allongea sur le tapis, remit une bûche dans le feu. Maître Fleury allait rentrer, modeste, en son triomphe, mais encore plus sûr de lui que d'habitude. Il évoquerait des causes célèbres, devant quelques provinciales éblouies qui, au dessert, un peu lasses, commenceraient à détourner leurs regards teintés de la légère buée du bourgogne vers le jeune assistant stagiaire, poli et silencieux, c'est-à-dire lui-même. « Vous avez une chance avec celle-ci, mon petit Simon », lui soufflerait maître Fleury et probablement en lui désignant la plus vieille. Ils avaient déjà voyagé ensemble mais les allusions obsédées du grand avocat ne les avaient jamais entraînés loin ni l'un ni l'autre.

Ses prévisions se confirmèrent. Seulement, ce fut un des dîners les plus gais de sa vie ; il n'arrêta pas de parler, coupa la parole au grand avocat et séduisit toutes les femmes présentes. En arrivant, maître Fleury lui avait donné une lettre qu'on avait fait suivre de l'avenue Kléber au palais de justice de Rouen. Elle était de Paule. Il mettait la main dans sa poche, la sentait sous ses doigts et souriait de bonheur. Et, tout en parlant, il essayait de s'en rappeler les termes exacts, la reconstituait doucement dans sa tête.

« Mon petit Simon — elle l'avait toujours appelé ainsi —, votre lettre était trop triste. Je n'en mérite pas tant. D'ailleurs, je m'ennuyais de vous. Je ne sais plus très bien où j'en suis » — et elle avait réécrit son nom : « Simon » — et puis elle avait ajouté ces deux mots merveilleux : « Revenez vite. »

Il allait rentrer tout de suite, dès le dîner fini. Il roulerait très vite jusqu'à Paris, il passerait devant sa maison, peut-être la verrait-il.

A deux heures, il était devant chez elle, incapable de bouger. Une demi-heure après, une voiture s'arrêta devant lui, Paule en descendit, seule. Il ne bougea pas, la regarda traverser la rue, agiter la main vers la voiture qui repartit. Il ne pouvait pas bouger. C'était Paule. Il l'aimait, et il écoutait cet amour en lui appeler Paule, la rejoindre, lui parler ; il l'écoutait sans bouger, effrayé, l'esprit douloureux et vide.

CHAPITRE IX

Le lac du Bois de Boulogne s'étalait, glacé, devant eux, sous un soleil morne ; seul un rameur sportif, un de ces hommes étranges que l'on voit chaque jour essayer de garder une forme dont personne ne peut sembler soucieux, tant leur physique est anonyme, faisait de grands efforts pour y rappeler l'été, sa rame soulevant parfois une gerbe d'eau étincelante, argentée, et presque inopportune tant l'hiver, parmi les arbres figés, s'annonçait triste. Paule le regardait s'escrimer au fond de la barque, le front plissé. Il ferait le tour de l'île, rentrerait fatigué, content de lui-même ; et elle découvrait un aspect symbolique à ce petit tour quotidien et obstiné. Simon, près d'elle, se taisait. Il attendait. Elle se tourna vers lui et sourit. Il la regarda sans lui rendre son sourire. Il n'y avait aucune mesure entre la Paule pour laquelle il avait traversé un département la veille au soir, une Paule offerte, et — il le savait bien — nue, vaincue dans son esprit comme la route qu'il parcourait, et la Paule tranquille, à peine contente de le voir, qui somnolait à son côté sur une chaise en fer, dans un décor trop usé. Il était déçu, et travestissant sa déception, croyait qu'il ne l'aimait plus. Ces huit jours obsédés à la campagne, dans cette maison triste, avaient été un bel exemple des sottises où pouvait l'entraîner son imagination. Cependant, il ne pouvait refouler en lui-même ce désir douloureux, ce vertige à la seule idée de renverser cette tête lasse sur le dossier de la chaise, lui meurtrissant ainsi la nuque, et d'approcher sa bouche de cette bouche pleine, si tranquille, et d'où tombaient depuis deux heures des mots d'apaisement, de gentillesse dont il n'avait que faire. Elle lui avait écrit : «Revenez vite.» Et plus que de son attente de ces mots, il se repentait de sa joie à les recevoir, de son allégresse imbécile, de sa confiance. Il préférait avoir été malheureux pour une bonne raison qu'heureux pour une mauvaise. Il le lui dit et elle détourna son regard du rameur pour le fixer.

«Mon petit Simon, tout le monde en est là. C'est vous dire si cette prétention est naturelle.»

Elle se mit à rire. Il était arrivé comme un fou avenue Matignon, le matin, et elle lui avait fait tout de suite comprendre que cette lettre ne signifiait rien.

«Quand même, recommença-t-il, vous n'êtes pas une femme à écrire "Revenez vite" à n'importe qui.

— J'étais seule, dit-elle. Et dans un drôle d'état. Evidemment, je n'aurais pas dû vous écrire : "Revenez vite", c'est vrai !»

Pourtant, elle pensait le contraire. Il était là, et elle était heureuse qu'il y fût. Si seule, elle avait été si seule ! Roger avait une nouvelle histoire (on ne le lui avait pas laissé ignorer) avec une petite jeune femme folle de cinéma ; il en semblait plutôt honteux, bien qu'ils n'en parlassent jamais, mais ses alibis avaient une diversité que le contentement ne lui fournissait pas d'habitude. Elle avait dîné deux fois avec lui cette semaine-là. Seulement deux fois. En fait, sans ce garçon à côté d'elle, malheureux par sa faute, elle eût été extrêmement malheureuse, elle-même.

« Venez, dit-il, rentrons. Vous vous ennuyez. »

Elle se leva sans protester. Elle avait envie de le pousser à bout et s'en voulait comme d'une cruauté. C'était l'envers de sa tristesse que cette cruauté, l'absurde besoin d'une vengeance qu'il ne méritait pas. Ils montèrent dans la petite voiture de Simon et il eut un sourire amer en se rappelant ce qu'aurait dû être dans son esprit cette première promenade ensemble : la main dans la main de Paule, conduisant de la main gauche avec des prodiges d'habileté, ce beau visage penché sur lui. Il tendit la main vers elle à l'aveuglette et elle la prit entre les siennes. Elle pensait : « Ne pourrai-je donc jamais, jamais faire de bêtises ? » Il arrêta la voiture ; elle ne dit rien et il regarda sa propre main, immobile entre les mains, légèrement ouvertes, de Paule, prêtes à laisser fuir la sienne, ne demandant sans doute que ça, et il renversa la tête en arrière, subitement las à mourir, résigné à la quitter pour toujours. En cet instant, il avait vieilli de trente ans, il se soumettait à la vie et il sembla à Paule, pour la première fois, qu'elle le reconnaissait.

Pour la première fois, il lui apparut semblable à elle, à eux (Roger et elle), non point vulnérable, car elle avait toujours su qu'il l'était et elle n'imaginait personne qui pût ne pas l'être. Mais plutôt libéré, dépouillé de tout ce que sa jeunesse, sa beauté, son inexpérience lui prêtaient d'insupportable à ses yeux ; il avait toujours été pour elle, confusément, un prisonnier : prisonnier de sa facilité, de la facilité de sa vie. Et voilà qu'il renversait, non pas vers elle, mais vers les arbres, ce profil d'homme demi-mort, ne se débattant plus. En même temps, elle se souvint du Simon allègre, ahuri, qu'elle avait rencontré en robe de chambre, et elle eut envie de le rendre à lui-même, de le chasser définitivement, le livrant ainsi à un chagrin passager et à mille petites demoiselles futures et trop imaginables. Le temps l'instruirait mieux qu'elle et moins vite. Il laissait sa main immobile dans la sienne, elle sentait le pouls contre ses doigts et, soudainement, les larmes aux yeux, ne sachant pas si elle les versait sur ce jeune homme trop tendre ou sur sa propre vie un peu triste, elle attira cette main vers ses lèvres et l'embrassa.

Il ne dit rien, repartit. Pour la première fois, il s'était passé quelque chose entre eux ; il le savait et il était plus heureux encore que la veille. Elle l'avait « vu », enfin, et s'il avait été assez sot pour penser que le premier événement entre eux ne puisse être qu'une nuit d'amour, il n'avait à s'en prendre qu'à lui. Il lui faudrait beaucoup de patience, beaucoup de tendresse et, sans doute, beaucoup de temps. Et il se sentait patient, tendre, avec toute la vie devant lui. Il songeait même que cette nuit d'amour, si elle venait, ne serait qu'une étape et non point l'aboutissement habituel qu'il prévoyait en général ; qu'il y aurait des jours et des nuits entre eux, peut-être, mais que ce ne serait jamais fini. En même temps, il la désirait âprement.

CHAPITRE X

MADAME VAN DEN BESH vieillissait. Ayant eu jusque-là — en raison de son physique et de ce qu'on eût pu presque appeler, tout au moins jusqu'à ce mariage inespéré avec Jérôme Van den Besh, une « vocation » — plus d'amis hommes que femmes, elle constatait avec l'apparition de la vieillesse une solitude qui la désespérait et l'accrochait au premier venu, à la première venue. Elle trouva en Paule une compagnie idéale du fait même de leurs relations d'affaires. L'appartement de l'avenue Kleber était sens dessus dessous, Paule devait y passer tous les jours ou presque et Mme Van den Besh trouvait mille prétextes pour la retenir. De plus, cette Paule, malgré sa distraction apparente, semblait être très amie avec Simon, et bien que Mme Van den Besh eût cherché en vain entre eux le moindre signe d'une complicité plus certaine, elle ne pouvait s'empêcher de lui jeter des clins d'œil, des allusions qui semblaient glisser sur Paule mais mettaient Simon hors de lui. C'est ainsi qu'elle l'avait vu un soir, pâle et défait, s'accrochant brusquement à elle et la menaçant — elle, sa mère ! — des pires sévices si elle « gâchait » tout.

« Gâcher quoi ? Veux-tu me lâcher ? Tu couches avec elle, ou pas ?
— Je t'ai déjà dit que non.
— Eh bien alors ? Si elle n'y pense pas, je l'y fais penser. C'est très bien pour toi. Elle n'a pas douze ans. Tu l'emmènes au concert, aux expositions, Dieu sait où... Tu crois que ça l'amuse ? Nigaud, tu ne comprends... »

Mais Simon était déjà sorti. Il était rentré depuis trois semaines et vivait de Paule, pour Paule, des quelques heures qu'elle lui accordait parfois dans la journée, ne la quittant qu'au dernier moment et retenant sa main dans la sienne un instant de trop, comme les héros romantiques dont il s'était tellement moqué. Aussi fut-il épouvanté le jour que, son salon fini, sa mère décida de donner un dîner et d'y inviter Paule. Elle ajouta qu'elle inviterait aussi Roger, compagnon officiel de Paule, ainsi que dix autres personnes.

Roger accepta. Il voulait voir de plus près ce petit gandin qui suivait Paule partout et dont elle parlait avec une affection plus rassurante pour lui que n'eût été toute réserve. De plus, il avait des remords envers Paule car il la négligeait depuis un mois.

Mais il était envoûté par Maisy, par sa bêtise, son corps, par les scènes affreuses qu'elle lui faisait, par sa jalousie morbide et enfin par la passion inattendue qu'elle développait pour lui et qu'elle lui jetait au visage tous les jours avec une impudeur si parfaite qu'il en était fasciné. Il avait l'impression de vivre dans un bain turc, il pensait vaguement que c'était la dernière passion à l'état cru qu'il provoquerait de sa vie et il cédait, il décommandait Paule — qui disait : « Très bien, mon chéri, à demain » de sa voix égale — avant de retourner dans le petit boudoir affreux où Maisy, en larmes, jurait de lui sacrifier sa carrière, s'il en exprimait le désir. Il s'observait avec curiosité, se demandait jusqu'à quel point il pourrait supporter la bêtise de cette liaison, puis il la prenait dans ses bras, elle commençait à roucouler et il puisait dans les phrases mi-idiotes mi-grossières qu'elle murmurait une excitation érotique comme il en avait rarement connu. Ce Simon, en tenant compagnie à Paule, en toute modestie, était donc bien commode. Dès qu'il en aurait fini avec Maisy, il remettrait les choses en place et d'ailleurs épouserait Paule. Il n'était sûr de rien, ni de lui-même : la seule chose dont il ait jamais été sûr, c'était l'amour indestructible de Paule et, depuis quelques années, de son propre attachement à elle.

Il arriva un peu en retard et, dès le premier coup d'œil, se rendit compte que c'était le type même de dîner où il s'ennuierait à mourir. Paule lui reprochait souvent son manque de sociabilité, et, en effet, en dehors de son travail, il ne voyait personne, si ce n'est dans des buts très précis, ou sinon, comme avec Paule et un seul ami, pour parler. Il vivait seul, il ne supportait pas certaines réunions mondaines trop fréquentes à Paris, il avait tout de suite envie d'être grossier ou de partir. Il y avait là quelques personnes choisies, connues dans leur milieu ou par les journaux, sûrement aimables en plus et avec qui l'on parlerait théâtre pendant le dîner, ou cinéma, ou, ce qui serait pire, de l'amour et des rapports entre hommes et femmes, sujet qu'il craignait entre tous car il avait l'impression de n'y rien connaître, ou tout au moins d'être incapable de formuler les connaissances qu'il en avait. Il salua tout le monde d'un air rogue, son grand corps un peu raide, et, comme chaque fois, en gardant de son arrivée l'impression d'avoir malencontreusement créé un courant d'air. Impression demi-juste d'ailleurs, car il provoquait toujours une diversion, tant il semblait peu assimilable, dès l'abord, dans une conversation, et par là, pour beaucoup de femmes, désirable. Paule portait la robe qu'il aimait, noire, plus décolletée que les autres, et en se penchant vers elle, il lui sourit avec reconnaissance, pour ce qu'elle était : elle, à lui, seule reconnaissable en ce lieu. Et elle ferma les yeux une seconde, souhaitant désespérément qu'il la prenne dans ses bras. Il s'assit près d'elle et, seulement à ce moment, vit Simon immobile, pensa qu'il devait souffrir de sa présence et retira instinctivement le bras qu'il avait passé derrière Paule. Elle se retourna et il y eut brusquement, au milieu de la conversation générale, un silence à trois, passionné des deux côtés, et qui ne fut interrompu que par le geste de Simon, se penchant pour donner du feu à Paule. Roger les regardait, regardait la longue silhouette de Simon, son profil sérieux, un peu trop fin, penché vers le profil grave de Paule, et une sorte de rire irrespectueux le gagnait. Ils étaient réservés, sensibles, bien élevés, il lui tendait du feu, elle lui refusait son corps, tout cela avec des nuances et en disant : «Merci, non merci.» Lui était d'une autre espèce, une petite putain l'attendait avec les plaisirs les plus ordinaires, et après elle, la nuit de Paris, et mille rencontres ; puis, à l'aube, un travail épuisant, presque manuel, avec des hommes comme lui, morts de fatigue, et dont il avait fait le métier. Au même moment, Paule dit : «Merci», de sa voix tranquille, et il ne put s'empêcher de lui prendre la main, de la lui serrer pour la rappeler à lui. Il l'aimait. Ce petit garçon pouvait bien l'entraîner dans les concerts ou les musées, il n'y toucherait pas. Il se leva, prit un scotch sur un plateau, le but d'un trait et se sentit mieux.

Le dîner se passa comme il l'avait prévu. Il émit quelques grognements, essaya de parler et ne se réveilla qu'à la fin alors que Mme Van den Besh lui demandait, avec une évidente envie de le lui apprendre, s'il savait avec qui couchait X ? Il répondit que ça ne l'intéressait pas plus que de savoir ce qu'il mangeait, que ça n'avait pas plus d'importance à ses yeux et qu'on ferait mieux de s'occuper de la table des gens que de leur lit, ce qui leur attirerait moins d'ennuis. Paule se mit à rire, car il avait ainsi jeté à bas toute la conversation du dîner, et Simon ne put s'empêcher de l'imiter. Roger avait trop bu, il titubait un peu en se levant et ne remarqua pas le siège que tapotait près d'elle, en minaudant, Mme Van den Besh.

«Ma mère vous demande», dit Simon.

Ils étaient en face l'un de l'autre. Roger le regardait et cherchait confusément en lui un menton mou, ou une bouche veule, mais sans les trouver, ce qui le mit de mauvaise humeur.

«Et Paule doit vous chercher ?

— J'y vais», dit Simon et il tourna les talons.

Roger le rattrapa par le coude. Il était brusquement furieux. Le garçon le regardait, l'air surpris.

«Attendez... j'ai quelque chose à vous demander.»

Ils s'examinaient, l'un et l'autre conscients qu'il n'y avait rien à dire, encore. Mais Roger s'étonnait de son geste, et Simon en était si fier qu'il sourit. Roger comprit, le lâcha.

«Je voulais vous demander un cigare.

— Tout de suite.»

Roger le suivit des yeux. Puis il vint vers Paule qui parlait à un groupe
et la prit par le bras. Elle le suivit et l'interrogea aussitôt.
« Qu'as-tu dit à Simon ?
— Je lui ai demandé un cigare. Que craignais-tu ?
— Je ne sais pas, dit-elle, soulagée. Tu avais l'air furieux ?
— Pourquoi serais-je furieux ? Il a douze ans. Tu me crois jaloux ?
— Non, dit-elle, et elle baissa les yeux.
— Si je devais être jaloux, ce serait plutôt de ton voisin de gauche.
Au moins, c'est un homme. »
Elle se demanda une seconde à qui il faisait allusion, comprit et ne put
s'empêcher de sourire. Elle ne l'avait même pas remarqué. Tout le dîner
avait été, pour elle, éclairé par Simon, dont les yeux, comme un phare,
venaient régulièrement effleurer son visage toutes les deux minutes,
cherchant son regard une seconde de trop. Parfois elle le lui accordait et
il souriait alors, d'un sourire si tendre, si anxieux qu'elle ne pouvait pas
ne pas le lui rendre. Il était infiniment plus beau, plus vivant que son
voisin de gauche, et elle pensa que Roger n'y connaissait rien. D'ailleurs
Simon s'approchait et tendait une boîte de cigares à Roger.

« Merci, dit Roger (il en choisissait un avec précautions), vous ne
savez pas encore ce que c'est qu'un bon cigare. Ce sont des plaisirs
réservés à mon âge.
— Je vous les laisse, dit Simon. J'ai horreur de ça.
— Paule, la fumée ne te dérange toujours pas ? D'ailleurs, nous
allons bientôt rentrer, dit-il en se retournant vers Simon, je dois me lever
tôt. »
Simon n'accusa pas le « nous ». « Ça veut dire qu'il va la poser en bas
de chez elle pour aller retrouver cette petite grue, et que, moi, je serai
ici, privé d'elle. » Il regarda Paule, crut voir la même pensée sur son
visage, murmura :
« Si Paule n'est pas fatiguée... je peux la ramener plus tard. »
Ils se tournèrent ensemble vers elle. Elle sourit à Simon et décida
qu'elle aimait mieux rentrer, qu'il était tard.
Dans la voiture, ils ne dirent pas un mot. Paule attendait. Roger l'avait
arrachée à une soirée où elle s'amusait ; il lui devait une explication, ou
une excuse. Devant sa porte, il s'arrêta, laissa le moteur tourner... et elle
comprit aussitôt qu'il n'avait rien à dire, qu'il ne monterait pas, que tout
cela n'avait été de sa part qu'une réaction de propriétaire prudent. Elle
descendit, murmura : « Bonsoir », et traversa la rue. Roger démarra
aussitôt ; il s'en voulait.
Mais devant chez elle, il y avait la voiture de Simon et Simon à
l'intérieur. Il la héla et elle vint vers lui, étonnée.
« Comment êtes-vous là ? Vous avez dû conduire comme un fou. Et la
soirée de votre mère ?
— Asseyez-vous une seconde », supplia-t-il.

Ils chuchotaient dans la nuit comme si quelqu'un eût pu les entendre. Elle se glissa dans la petite voiture avec habileté et remarqua qu'elle en avait pris l'habitude. L'habitude aussi de ce visage confiant tourné vers elle et que la lumière du réverbère coupait en deux.

« Vous ne vous êtes pas trop ennuyée ? dit-il.

— Mais non... je... »

Il était tout près d'elle, beaucoup trop près, pensa-t-elle. Il était trop tard pour parler, et il n'avait pas à la suivre. Roger aurait pu le voir, tout cela était fou... elle embrassa Simon.

Le vent d'hiver se levait dans les rues, il passa sur la voiture ouverte, rejeta leurs cheveux entre eux, Simon couvrait son visage de baisers ; elle respirait, étourdie, cette odeur de jeune homme, son essoufflement, et la fraîcheur nocturne. Elle le quitta sans un mot.

A l'aube, elle se réveilla à demi et comme en un rêve, elle revit la masse noire des cheveux de Simon, mêlés aux siens par le vent violent de la nuit, toujours entre leurs visages comme une barrière soyeuse et elle crut sentir encore la bouche si chaude qui la traversait. Elle se rendormit en souriant.

CHAPITRE XI

Il y avait dix jours à présent qu'il ne l'avait vue. Le lendemain de ce soir affolé, si tendre, où elle l'avait embrassé, il avait reçu un mot d'elle, lui enjoignant de ne pas chercher à la revoir. « Je vous ferais du mal et j'ai trop de tendresse pour vous. » Il n'avait pas compris qu'elle avait moins peur pour lui que pour elle ; il avait cru à sa pitié et ne s'en était même pas vexé, cherchant simplement un moyen, une idée qui lui permît d'envisager la vie sans elle. Il ne pensait pas que ces précautions de style : « Je vous ferais trop de mal, c'est imprudent », etc., sont souvent les guillemets d'une histoire, venant immédiatement avant, ou immédiatement après, mais en aucun cas décourageants. Paule l'ignorait aussi. Elle avait eu peur, elle attendait inconsciemment qu'il vienne la chercher et l'oblige à se laisser aimer. Elle n'en pouvait plus, et la monotonie des jours d'hiver, l'éternel défilé des mêmes rues qui la menaient, solitaire, de son appartement à son travail, ce téléphone si traître qu'elle regrettait chaque fois de décrocher tant la voix de Roger y était absente, honteuse, enfin la nostalgie d'un long été jamais retrouvé ; tout la conduisait à une passivité désarmée et exigeant à tout prix « que quelque chose se passe ».

Simon travaillait. Il était ponctuel, appliqué et taciturne. De temps en temps, il relevait la tête, fixait Mme Alice d'un regard absent et passait sur ses lèvres un doigt hésitant... Paule, ce dernier soir, la manière brusque et presque autoritaire dont elle avait mis sa bouche sur la sienne, sa tête renversée ensuite et ses deux mains maintenant doucement contre le sien le visage de Simon, le vent... Mme Alice toussotait, gênée par ce regard, et il souriait un peu. Paule avait eu un mouvement de dépit, c'était tout. Il n'avait pas essayé de la suivre ensuite, il avait peut-être eu tort ? Il ressassait dix fois, vingt fois les moindres incidents des semaines passées, leur dernière promenade en voiture, cette exposition si ennuyeuse d'où ils s'étaient échappés, ce dîner infernal chez sa mère... et chaque détail revenu, chaque image, chaque hypothèse le faisaient souffrir un peu plus. Cependant, les jours passaient, il gagnait du temps, ou il perdait sa vie, il ne savait plus où il en était.

Un soir, il descendit un escalier sombre avec un ami et se retrouva dans une petite boîte de nuit qu'il ne connaissait pas. Ils avaient beaucoup bu, ils recommandèrent à boire et devinrent tristes à nouveau. Puis une femme noire vint chanter, elle avait une immense bouche rose, elle ouvrait les portes de mille nostalgies, elle allumait les feux d'une sentimentalité désespérée où ils se laissèrent glisser ensemble.

« Je donnerais deux ans de ma vie pour aimer quelqu'un, dit l'ami de Simon.

— Eh bien, moi, j'aime, dit Simon, et elle ne saura jamais que je l'aimais. Jamais.

Il se refusa à tout commentaire, mais en même temps il lui semblait que rien n'était perdu, que ce n'était pas possible ; tout ce flot en lui pour rien ! Ils invitèrent la chanteuse à boire ; elle était de Pigalle, mais elle rechanta comme si elle arrivait de La Nouvelle-Orléans, offrant à Simon étourdi une vie bleutée et tendre, peuplée de profils et de mains tendues. Il resta très tard, tout seul, à l'écouter, et rentra dégrisé chez lui, à l'aube.

*

A six heures du soir, le lendemain, Simon attendait Paule devant son magasin. Il pleuvait, il enfonçait dans ses poches des mains qu'il s'en voulait de sentir trembler. Il se sentait étrangement vide et sans réaction. « Mon Dieu, pensa-t-il, peut-être ne suis-je plus bon, vis-à-vis d'elle, qu'à souffrir. » Et il eut une grimace de dégoût.

A six heures et demie, Paule sortit. Elle avait un tailleur sombre, un foulard bleu-gris comme ses yeux, l'air las. Il fit un pas vers elle, elle lui sourit et il se sentit tout à coup envahi d'un tel sentiment de plénitude, de tranquillité, qu'il ferma les yeux. Il l'aimait. Quoi qu'il lui arrive, si cela lui arrivait par elle, il ne pouvait rien perdre. Paule vit ce visage aveugle, ces deux mains tendues, et elle s'arrêta. Il lui avait manqué, c'était vrai, pendant ces dix jours. Sa présence continuelle, son admiration, son entêtement avaient créé, pensait-elle, une sorte d'habitude sensible à laquelle elle n'avait aucune raison d'échapper.

Mais le visage qu'il tendait vers elle n'avait rien à voir avec l'habitude, ni le confort moral d'une femme de trente-neuf ans. C'était autre chose. Le trottoir gris, les passants, les voitures autour d'eux lui semblèrent tout à coup un décor stylisé, figé, sans époque. Ils se regardaient à deux mètres l'un de l'autre et avant qu'elle ne se rendormît dans la réalité bruyante et morne de la rue, tandis qu'elle restait encore aux aguets, éveillée, à l'extrémité de sa propre conscience, Simon fit un pas et la prit dans ses bras.

Il la tenait contre lui, ne la serrant pas, le souffle suspendu, mais possédé par un grand calme. Il appuyait sa joue contre ses cheveux et regardait fixement devant lui l'enseigne d'une librairie « Les Trésors du Temps », tout en se demandant vaguement combien de trésors il pouvait y avoir dans cette librairie et combien de déchets. En même temps, il s'étonnait de se poser une question aussi absurde en ce moment précis. Il avait l'impression d'avoir enfin résolu un problème.

« Simon, dit Paule, depuis quand êtes-vous là ? Vous devez être tout mouillé. »

Elle respirait l'odeur de sa veste de tweed, de son cou, et n'avait pas envie de bouger. Elle éprouvait de son retour un soulagement inattendu, comme une délivrance.

« Vous savez, dit Simon, je ne pouvais absolument pas vivre sans vous. J'agissais dans le vide. Je ne m'ennuyais même pas, j'étais privé de moi-même. Et vous ?

— Moi, dit Paule. Oh ! vous savez, Paris n'est pas très gai en ce moment. (Elle essayait de redonner un ton normal à la conversation.) J'ai vu une collection nouvelle, fait la femme d'affaires, rencontré deux Américains. Il est question que j'aille à New York... »

En même temps, elle pensait qu'il était inutile de parler sur ce ton dans les bras de ce garçon debout sous la pluie, comme resteraient deux amants éperdus, mais elle ne pouvait pas bouger. La bouche de Simon se posait doucement sur ses tempes, ses cheveux, sa joue, ponctuant ses phrases. Elle s'arrêta de parler, appuya un peu plus son front contre son épaule.

« Vous avez envie d'aller à New York ? » dit au-dessus d'elle la voix de Simon.

Pendant qu'il parlait, elle sentait sa mâchoire bouger contre sa tête. Cela lui donnait envie de rire, comme une écolière.

« Les USA, c'est une expérience sûrement amusante. Vous ne croyez pas ? Je n'y ai jamais été.

— Moi non plus, dit Simon. Ma mère trouve ça épouvantable, mais elle a toujours eu horreur des voyages ! »

Il aurait pu lui parler, des heures durant, de sa mère, du goût des voyages, de l'Amérique et de la Russie. Il avait envie de lui dire cent lieux communs, de lui faire cent discours tranquilles, sans effort. Il ne pensait plus à l'étonner ni à la séduire. Il était bien, il se sentait sûr de lui et fragile à la fois. Il lui fallait l'emmener chez elle pour pouvoir l'embrasser pour de bon, mais il n'osait pas la lâcher. «J'ai besoin de réfléchir», dit Paule. Et elle ne savait même pas si elle parlait de lui ou de son voyage. Elle avait peur aussi de relever la tête, de voir ce visage encore adolescent, contre le sien, peur de se retrouver elle-même, Paule, sage et décidée. Peur de se juger.

«Simon», dit-elle à voix basse.

Il se pencha, l'embrassa légèrement sur les lèvres. Ils gardaient les yeux ouverts et chacun ne voyait de l'autre qu'une immense tache scintillante, pleine de reflets et d'ombres, une pupille démesurément grandie, liquide et comme épouvantée.

Deux jours plus tard, ils dînèrent ensemble. Paule n'eut besoin que de quelques phrases pour que Simon comprît ce qu'avaient été pour elle ces dix jours : l'indifférence de Roger, ses sarcasmes sur Simon, la solitude. Paule avait sans doute espéré mettre cette trêve à profit pour reprendre Roger, tout au moins le revoir, recréer leur entente. Mais elle s'était heurtée à un enfant exaspéré. Ses efforts, si touchants dans leur modestie : un dîner comme lui les appréciait, plus la robe qu'il aimait, et plus une conversation sur le thème qu'il préférait, tous ces moyens qui, dans les magazines féminins, semblent autant de recettes dérisoires, pires même que basses mais qui, utilisés par une femme intelligente, sont plus émouvants que n'importe quoi, n'avaient servi à rien. Et elle ne se sentait pas humiliée de les utiliser, n'étant même pas honteuse de remplacer par un éclairage savant ou un gigot tendre les phrases qui lui brûlaient les lèvres : «Roger, je suis malheureuse par ta faute ; Roger, ça doit changer.» A y penser, ce n'était pas par un réflexe ancestral de ménagère qu'elle agissait ainsi, ni même par une amère résignation. Non, c'était plutôt une sorte de sadisme envers «eux», envers ce qu'ils avaient été ensemble. Comme si l'un d'eux, lui ou elle, avait dû se lever brusquement et dire : «En voilà assez.» Et elle attendait ce réflexe d'elle-même presque aussi anxieusement que de Roger. Mais en vain. Quelque chose, peut-être, était mort.

Ayant donc passé dix jours dans les calculs et les faux espoirs, elle ne pouvait être que vaincue par Simon. Simon disant : «Je suis heureux, je vous aime», sans que ce soit plat ; Simon balbutiant au téléphone ; Simon qui lui apportait quelque chose d'entier, ou tout au moins la moitié entière de quelque chose. Elle savait assez qu'il faut, pour ce genre de choses, être deux, mais elle se sentait lasse d'être, depuis trop longtemps, toujours la première et apparemment la seule. Ce n'est rien d'aimer, lui disait Simon, parlant de lui-même, il faut aussi être aimé. Et cela lui paraissait singulièrement personnel. Seulement, au seuil de cette histoire où elle s'était engagée, elle s'étonnait de ne ressentir, au lieu de l'excitation, de l'élan qui avaient préludé par exemple à sa liaison avec Roger, qu'une immense et tendre lassitude qui affectait jusqu'à ses pas. Chacun lui conseillait de changer d'air, et elle songeait, tristement, qu'elle allait simplement changer d'amant : moins dérangeant, plus parisien, tellement fréquent... Et elle se détournait de son propre reflet dans la glace ou le couvrait de cold-cream. Seulement quand Simon sonna, ce soir-là, qu'elle vit sa cravate foncée, et ses yeux inquiets, l'intense jubilation de toute sa personne, sa gêne aussi, comme quelqu'un de trop gâté par la vie et qui hérite encore, elle eut envie de partager son bonheur. Le bonheur qu'elle lui donnait : « Voici mon corps, ma chaleur, ma tendresse ; ils ne me servent à rien ; mais peut-être, entre tes mains, recouvreront-ils pour moi quelque saveur. » Il resta cette nuit-là sur son épaule.

Elle imaginait sur quel ton les gens, ses amis, diraient cela : « Vous savez, Paule ? » Et plus que la peur des racontars, plus même que la peur de la différence d'âge entre elle et Simon qui, elle le savait bien, serait soulignée, c'était la honte qui la prenait. Honte à penser avec quelle gaieté les gens diraient cela, quel entrain ils lui prêteraient, quel goût pour la vie et les jeunes hommes, alors qu'elle ne se sentait que vieille et lasse, et à la recherche d'un peu de réconfort. Et elle s'écœurait à penser qu'on puisse être à la fois, vis-à-vis d'elle, féroce et flatteur, ce qu'elle avait vu cent fois au sujet d'autres personnes. On avait dit d'elle : « Cette pauvre Paule » parce que Roger la trompait, ou « Cette folle indépendante » ; lorsqu'elle avait quitté un jeune et beau et ennuyeux mari, on l'avait blâmée ou plainte. Mais on n'avait jamais eu pour elle ce mélange de mépris et d'envie que, cette fois, elle allait susciter.

CHAPITRE XII

CONTRAIREMENT à ce qu'avait cru Paule, Simon, leur première nuit, ne dormit pas. Il se borna à la tenir contre lui, la main sur un pli léger qu'elle avait à la taille, immobile, écoutant sa respiration régulière et y adaptant la sienne. « Il faut être très amoureux ou très dégoûté pour simuler le sommeil », pensait-il vaguement et lui, qui n'était habitué qu'au second cas, se sentait aussi fier et responsable du sommeil de Paule que les vestales de leur feu sacré. Ainsi passèrent-ils leur nuit côte à côte, chacun veillant sur le faux sommeil de l'autre, attentifs et attendris, n'osant bouger.

Simon était heureux. Il se sentait plus responsable vis-à-vis de Paule, pourtant de quinze ans son aînée, qu'il ne l'eût été envers une jeune vierge de seize. Tout en restant émerveillé de la condescendance de Paule et, pour la première fois, retirant de cette étreinte une impression de cadeau, il lui semblait indispensable de veiller, l'œil fixe, comme pour la protéger à l'avance du mal qu'un jour il pourrait lui faire. Il veillait, il montait la garde. contre ses propres lâchetés, ses comédies passées, ses terreurs, ses ennuis subits et sa faiblesse. Il la rendrait heureuse, il serait heureux, et il se disait avec étonnement qu'il ne s'était jamais formulé ce genre de serments au cours de ses plus grandes conquêtes. Ils eurent ainsi, au matin, quelques faux réveils, simulant l'un après l'autre le bâillement, l'étirement tranquille, mais jamais ensemble. Quand Simon se retournait ou se dressait sur un coude, Paule s'enfouissait instinctivement dans les draps, craignant son regard, ce premier regard d'une liaison, plus banal et plus décisif que n'importe quel geste. Et quand, à bout de patience, c'était elle qui bougeait, Simon, les yeux clos, attentif lui aussi. et craignant déjà de perdre son bonheur nocturne, retenait son souffle. Enfin, elle le surprit, la regardant les yeux mi-clos dans la faible lueur du jour à travers les rideaux et elle s'immobilisa, tournée vers lui. Elle se sentait vieille et laide, elle le regardait fixement afin qu'il la voie bien, qu'au moins, il n'y ait pas entre eux cette équivoque du réveil. Simon, les yeux toujours mi-clos, sourit, murmura son nom et se glissa contre elle. « Simon », dit-elle, et elle se raidit, elle essaya encore de transformer cette nuit en caprice. Il mit la tête sur son cœur, l'embrassa doucement, à la saignée du bras, à l'épaule, à la joue, la serrant contre lui. « J'ai rêvé de toi, dit-il, je ne rêverai plus que de toi. » Elle referma les bras sur lui.

Simon voulut la conduire à son travail, précisant qu'il la laisserait au coin, si elle préférait. Elle répondit, un peu tristement, qu'elle n'avait de comptes à rendre à personne et il y eut entre eux un moment de silence. Ce fut Simon qui le rompit.

« Tu ne sors pas avant six heures ? Tu déjeunes avec moi ?

— Je n'ai pas le temps, dit-elle, je prendrai un sandwich là-bas.

— Que vais-je faire jusqu'à six heures ? » gémit-il.

Elle le regarda. Elle s'inquiétait ; pouvait-elle lui dire qu'il n'était pas obligatoire pour eux de se retrouver à six heures ? D'un autre côté, l'idée qu'il pourrait être devant la porte, impatient, dans sa petite voiture, tous les soirs, lui procurait un réel bonheur... Quelqu'un qui vous attend tous les soirs, quelqu'un qui ne téléphone pas d'un air vague, à huit heures et quand il en a envie... Elle sourit.

« Qui te dit que je n'ai pas un dîner, ce soir ? »

Simon, qui mettait ses boutons de manchettes avec difficulté, s'arrêta. Au bout d'une seconde, il dit : « Rien en effet », d'une voix. neutre. Il pensait à Roger, bien sûr ! Il ne pensait qu'à Roger, il le voyait prêt à reprendre son bien ; il avait peur. Mais elle savait que Roger ne pensait pas à elle. Tout cela lui parut odieux. Qu'elle soit au moins généreuse !

« Je n'ai pas de dîner, ce soir, dit elle. Viens là, je vais t'aider. »

Elle était assise sur le lit et il s'agenouilla devant elle, tendant ses bras comme si ses manchettes avaient été des menottes. Il avait des poignets de jeune garçon, lisses et maigres. En lui mettant ses boutons, Paule eut soudain l'impression de rejouer cette scène pour la seconde fois. « Ça fait très théâtre », pensa-t-elle, mais elle posa sa joue contre les cheveux de Simon, avec un petit rire heureux.

« Et que vais-je faire jusqu'à six heures ? dit Simon entêté.

— Je ne sais pas... tu vas travailler.

— Je ne pourrai pas, dit-il, je suis trop heureux.

— Ça n'empêche pas de travailler !

— Moi si. D'ailleurs, je sais ce que je vais faire. Je vais me promener et je penserai à toi, puis je déjeunerai seul en pensant à toi, et puis j'attendrai six heures. Je n'ai rien d'un jeune homme actif, tu sais.

— Que va dire ton avocat ?

— Je ne sais pas. Pourquoi veux-tu que j'aille gâcher mon temps à préparer mon avenir, puisque mon présent seul m'intéresse. Et me comble », ajouta-t-il avec un grand salut.

Paule haussa les épaules. Mais Simon fit exactement ce qu'il avait dit, ainsi que les jours suivants. Il roulait dans Paris, souriant à tout le monde, passait dix fois devant le magasin de Paule à dix à l'heure, lisait un livre, arrêté n'importe où, le reposant parfois pour renverser la tête en arrière, les yeux clos. Il avait l'air d'un somnambule heureux et cela ne laissait pas d'émouvoir Paule et de le lui rendre plus cher. Elle avait l'impression de donner et s'étonnait que ça lui semble tout à coup presque indispensable.

*

Roger voyageait depuis dix jours, par un temps épouvantable, passant de dîner d'affaires en dîner d'affaires, et le département du Nord se symbolisait pour lui par une route glissante et interminable et des décors anonymes de restaurants. De temps en temps, il téléphonait à Paris, demandant deux numéros à la fois, et écoutait les plaintes de Maisy-Marcelle avant de se plaindre à Paule — ou après. Il se sentait découragé, incapable ; sa vie ressemblait à cette province. La voix de Paule changeait, devenait à la fois plus angoissée et plus lointaine ; il avait envie de la revoir. Il n'avait jamais pu passer quinze jours loin d'elle sans qu'elle lui manque. A Paris, bien sûr, où il la savait prête à le voir, toujours à sa disposition, il pouvait espacer leurs rencontres ; mais Lille la lui rendait comme aux premiers jours où il vivait suspendu à sa vie, craignant de la conquérir comme il craignait maintenant de la perdre. Le dernier jour, il lui annonça son retour. Il y eut un silence puis elle reprit aussitôt : « Il faut que je te voie » d'un air définitif. Il ne posa pas de questions, mais prit rendez-vous avec elle pour le lendemain.

Il rentra à Paris dans la nuit et se retrouva devant chez Paule vers deux heures du matin. Pour la première fois, il hésitait à monter. Il n'était pas sûr de retrouver ce visage heureux, se contraignant au calme, que ses surprises provoquaient d'habitude ; il avait peur. Il attendit dix minutes, gêné par lui-même, se fournissant de mauvaises raisons : « elle dort, elle travaille trop », etc., puis repartit. Devant chez lui, il hésita encore, puis soudain fit demi-tour et se rendit chez Maisy. Elle dormait, elle lui tendit un visage bouffi : « elle était sortie très tard avec ses inévitables producteurs... elle était trop heureuse... d'ailleurs, elle rêvait de lui juste avant », etc. Il se déshabilla rapidement, s'endormit aussitôt malgré ses agaceries. Pour la première fois, il n'avait pas envie d'elle. A l'aube, il s'exécuta machinalement, s'amusa un peu de ses récits et décida que tout allait bien. Il passa la matinée chez elle, et la quitta dix minutes avant son rendez-vous avec Paule.

CHAPITRE XIII

« Je dois donner un coup de téléphone, dit Paule. Après le déjeuner, il serait trop tard. »

Roger se leva comme elle quittait la table et Paule lui fit ce petit sourire d'excuses qu'elle ne pouvait s'interdire lorsqu'elle l'obligeait, par les convenances de la société ou du cœur, à se déranger pour elle. Elle y pensait avec agacement en descendant l'escalier humide qui conduisait au téléphone. Avec Simon, c'était différent. Il était tellement appliqué et content, tellement prêt à s'occuper d'elle, lui ouvrir les portes, allumer ses cigarettes, courir au-devant de ses moindres désirs qu'il finissait par y penser avant elle et que cela ressemblait plus à une série d'attentions que d'obligations. Ce matin-là, elle l'avait quitté à demi endormi, l'oreiller entre les bras, ses mèches noires dispersées, et lui avait laissé un mot : « Je t'appellerai à midi. » Mais, à midi, elle avait retrouvé Roger et à présent elle se surprenait à le laisser seul pour téléphoner à un jeune amant paresseux. Le remarquerait-il ? Il avait son front plissé et soucieux des mauvais jours, il semblait plus vieux.

Simon décrocha aussitôt. Il se mit à rire dès qu'elle eut dit : « Allô », et elle rit aussi.

« Tu es réveillé ?

— Depuis onze heures. Il est une heure. J'ai déjà téléphoné à la poste pour savoir si le téléphone n'était pas en dérangement.

— Pourquoi ?

— Tu devais m'appeler à midi. Où es-tu ?

— Chez Luigi's. Je commence à déjeuner.

— Ah! Bon», dit Simon.

Il y eut un silence. Enfin, elle ajouta sèchement :

«Je déjeune avec Roger.

— Ah! Bon...

— Tu ne sais dire que ça, dit-elle. "Ah! Bon..." Je suis au magasin à deux heures et demie, au plus tard. Que fais-tu?

— Je vais prendre quelques vêtements chez ma mère, dit Simon très vite. Je vais les pendre sur des cintres chez toi et puis je vais chercher cette aquarelle qui te plaît chez Desnos.»

Une seconde, elle eut envie de rire. C'était bien Simon, cette manière d'enchaîner deux phrases.

«Pourquoi? Tu comptes mettre ton vestiaire à la maison?»

Elle cherchait en même temps des arguments sérieux pour l'en dissuader. Mais lesquels? Il ne la quittait guère et jusqu'ici elle ne lui en avait pas fait reproche...

«Oui, dit Simon. Il y a trop de gens autour de toi. Je veux faire le chien de garde et avec des costumes propres.

— Nous en reparlerons», dit-elle.

Elle avait l'impression de téléphoner depuis une heure. Roger était seul, en haut. Il allait lui poser des questions et elle ne pouvait se défendre, vis-à-vis de lui, d'un sentiment de culpabilité.

«Je t'aime», dit Simon avant de raccrocher.

En sortant, elle se donna machinalement un coup de peigne devant la glace du vestiaire. Il y avait, en face d'elle, un visage à qui quelqu'un disait : «Je t'aime.»

Roger buvait un cocktail et Paule s'en étonna, sachant qu'il ne prenait jamais rien avant le soir.

« Ça ne va pas?

— Pourquoi? Ah! le dry? Non, je suis fatigué aujourd'hui.

— Il y a longtemps que je ne t'ai vu», dit-elle, et comme il acquiesçait un peu distraitement, elle sentit les larmes lui monter aux yeux. Un jour, ils en seraient vraiment là : «Il y a deux mois qu'on ne s'est vu, ou trois?» Et ils feraient le compte, paisiblement. Roger, avec ses drôles de gestes et son visage fatigué, cet air enfantin en dépit de sa force et de sa semi-cruauté... Elle détourna la tête. Il avait sa vieille veste grise qu'elle avait vue pendre, presque neuve, sur une chaise de sa chambre, au début de leur liaison. Il en était très fier. Il ne se souciait que rarement d'être élégant et il était d'ailleurs un peu lourd pour l'être vraiment.

«Quinze jours, dit-elle tranquillement. Tu vas bien?

— Oui. Enfin, comme ça.»

Il s'arrêta. Sans doute, attendait-il qu'elle dise : «Tes affaires?» mais elle ne le fit pas. Il fallait d'abord qu'elle lui parle de Simon; ensuite, il pourrait se confier à elle sans avoir à éprouver plus tard le sentiment d'avoir été ridicule.

« Tu t'es amusée ? » dit-il.

Elle s'arrêta. Ses tempes battaient, elle sentait son cœur s'éteindre. Elle s'entendit dire :

« Oui, j'ai revu Simon. Souvent.

— Ah! dit Roger. Ce charmant garçon ? Toujours fou de toi ? »

Elle hocha la tête lentement et une fois de trop, sans lever les yeux.

« Ça t'amuse toujours ? » dit Roger.

Elle leva la tête mais, à son tour, il ne la regardait pas : il portait une grande attention à son pamplemousse. Elle pensa qu'il avait compris.

« Oui, dit-elle.

— Ça t'amuse ? Ou ça fait plus que t'amuser ? »

A présent, ils se regardaient. Roger posa sa cuillère sur son assiette. Elle détaillait avec une tendresse affolée les deux longues rides autour de la bouche, le visage immobile et les yeux bleus, un peu cernés.

« Plus », dit-elle.

La main de Roger revint sur la cuillère, la saisit. Elle pensa qu'il n'avait jamais su manger un pamplemousse correctement. Le temps semblait à la fois ne pas passer et lui siffler aux oreilles.

« Je suppose que je n'ai rien à dire », dit Roger.

Et, à cela, elle sut qu'il était malheureux. Heureux, il l'eût reprise. Mais là, il semblait le lapidé à qui elle eût jeté la dernière pierre. Elle murmura :

« Tu avais tout à dire.

— Tu le mets toi-même à l'imparfait.

— Pour t'épargner, Roger. Si je te disais que tout dépend encore de toi, que pourrais-tu me répondre ? »

Il ne répondit rien. Il fixait la nappe.

Elle continua :

« Tu me dirais que tu es trop obsédé par ta liberté, que tu as trop peur de la perdre, pour... enfin pour faire l'effort nécessaire à me reprendre.

— Je te dis que je ne sais rien, dit Roger brusquement. Evidemment, je déteste l'idée que... Il est doué au moins ?

— Il ne s'agit pas de dons de cette sorte, dit-elle. Il m'aime. »

Elle le vit se détendre un peu et le détesta une seconde. Il se rassurait : tout cela était une crise sentimentale, il restait, lui, l'amant, le vrai, le mâle.

« Quoique évidemment, ajouta-t-elle, je ne peux pas dire qu'il me laisse indifférente, sur un certain plan. »

« C'est la première fois, pensa-t-elle, étourdie, que je lui fais mal, volontairement. »

« Je t'avouerai, dit Roger, que je ne pensais pas, en t'invitant à déjeuner, subir le récit de tes ébats avec un petit jeune homme.

— Tu pensais me faire supposer les tiens avec une petite jeune femme, dit Paule aussitôt.

— C'est déjà plus normal », dit-il, les dents serrées.

Paule tremblait. Elle prit son sac, se leva.

« Je suppose que tu vas me parler de mon âge ?

— Paule... »

Debout à son tour, il la suivait dans les portes où elle se perdait, les yeux aveuglés de larmes. Il la rattrapa à sa voiture. Elle essayait en vain de tirer le démarreur. Il passa la main par la portière, mit le contact qu'elle avait oublié. La main de Roger... elle tourna vers lui un visage défait.

« Paule... tu sais très bien... J'ai été ignoble. Je te demande pardon. Tu sais que je ne pensais pas ça.

— Je sais, dit-elle. J'ai été mal, aussi. Il vaut mieux ne pas nous revoir un temps. »

Il restait immobile, l'air perdu. Elle lui adressa un petit sourire.

« Au revoir, mon chéri. »

Il se pencha vers la portière.

« Je tiens à toi, Paule. »

Elle partit très vite pour qu'il ne voie pas les larmes qui lui brouillaient la vue. Machinalement, elle mit les essuie-glaces et son geste lui arracha un petit rire désolé. Il était une heure et demie. Elle avait tout le temps de rentrer chez elle, de se calmer, de se remaquiller. Elle espérait et redoutait à la fois que Simon fût parti. Elle se heurta à lui sous la porte cochère.

« Paule... qu'est-ce que vous avez ? »

Dans sa panique, il la vouvoyait à nouveau. « Il voit que j'ai pleuré, il doit me plaindre », pensa-t-elle, et ses larmes redoublèrent. Elle ne répondit pas. Dans l'ascenseur, il l'entoura de ses bras, but ses larmes, la supplia de ne plus pleurer, jura indistinctement de « tuer ce type », ce qui la fit sourire.

« Je dois être affreuse », dit-elle avec l'impression d'avoir lu mille fois cette phrase, ou de l'avoir entendue cent fois au cinéma.

Plus tard, elle s'assit sur le canapé près de Simon et lui prit la main.

« Ne me demande rien, dit-elle.

— Pas aujourd'hui. Mais un jour, je te demanderai tout. Très bientôt. Je ne supporte pas qu'on te fasse pleurer. Je ne supporte surtout pas qu'il y arrive, s'écria-t-il avec colère. Et moi, moi, je ne pourrai jamais te faire pleurer... ? »

Elle le regarda : les hommes étaient décidément des bêtes féroces.

« Tu y tiens tant que ça ?

— J'aimerais mieux souffrir moi-même », dit Simon, et il enfouit son visage dans le cou de Paule.

Quand elle rentra le soir, il avait bu les trois quarts d'une bouteille de scotch et n'était même pas ressorti. Il déclara avec une grande dignité qu'il avait eu des soucis personnels, ébaucha un discours sur la difficulté d'être et s'endormit sur le lit pendant qu'elle lui retirait ses chaussures. Mi-attendrie, mi-effrayée.

*

Roger était à la fenêtre, il regardait l'aube. C'était une de ces fermes-hôtels d'Ile-de-France où la campagne rejoint étrangement l'idée que s'en font les épuisés de la ville. Avec des collines tranquilles, des champs féconds et, tout au long des routes, des panneaux publicitaires. Mais, là, à cette heure insolite où le jour se lève, c'était la vraie et lointaine campagne de l'enfance qui venait assiéger Roger d'une lourde et frileuse odeur de pluie. Il se retourna et dit : « Charmant temps pour un week-end », mais il pensait : « C'est merveilleux. J'aime ce brouillard. Si je pouvais être seul. » Dans la tiédeur de son lit, Maisy se retourna.

« Ferme la fenêtre, demanda-t-elle. Il fait froid. »

Elle tirait le drap sur ses épaules. Déjà prise à la gorge, malgré l'heureuse langueur de son corps, par l'effrayante idée de cette journée à venir, dans cet endroit inconnu, avec Roger silencieux et distrait, et ces champs à perte de vue... Elle avait envie de gémir.

« Je t'ai demandé de fermer la fenêtre », dit-elle sèchement.

Il avait allumé une gauloise, la première du jour, et il en goûtait l'âcreté presque désagréable et cependant délicieuse, déjà arraché à sa rêverie matinale et sentant, avec une sorte d'impatience, l'hostilité de Maisy monter dans son dos. « Qu'elle se fâche, qu'elle se lève d'un bond, qu'elle prenne le car, qu'elle rentre à Paris ! Je me promènerai à pied dans les champs toute la journée, je trouverai bien un chien perdu pour m'accompagner », car il avait horreur d'être seul.

Cependant, après sa deuxième injonction, Maisy hésitait. Elle pouvait oublier la fenêtre et se rendormir, ou bien recommencer la scène. Dans son esprit encore embué de sommeil, s'agitaient des phrases telles que : « Je suis une femme qui a froid. Il est un homme qui doit fermer la fenêtre », en même temps que l'instinct, très matinal ce jour-là, qu'il ne fallait pas provoquer Roger.

Elle choisit un moyen terme.

« Tu devrais fermer la fenêtre et demander le petit déjeuner, chéri. »

Roger se retourna déçu et dit au hasard :

« Chéri ? Qu'est-ce que ça signifie : "chéri ?" »

Elle se mit à rire. Il continua :

« Je ne te demande pas de rire. Sais-tu seulement ce que ça veut dire : "chéri" ? Est-ce que tu me chéris ? Connais-tu autrement que par ouï-dire le verbe "chérir" ? »

« Je dois en avoir vraiment assez, pensait-il, étonné lui-même par ses propres mots; quand je commence à m'occuper du vocabulaire d'une femme, c'est que la fin est proche.»

«Qu'est-ce qu'il te prend?» dit Maisy.

Elle soulevait hors du lit une tête presque horrifiée et qui lui parut comique, et des seins qu'il ne désirait plus. Indécente. Elle était indécente!

«C'est très important, dit-il, les sentiments. Je suis une passade pour toi. Une passade commode. Aussi ne m'appelle pas "chéri", surtout le matin; la nuit, passe encore!

— Mais, Roger, protesta Maisy justement alarmée, je t'aime.

— Ah! non, ne dis pas n'importe quoi», s'écria-t-il, avec un mélange de gêne car il était plutôt brave — et de soulagement — car cette phrase ramenait leur situation à celle si classique et pour lui si familière de l'homme excédé par un amour intempestif.

Il enfila son chandail sur son pantalon et sortit, en regrettant sa veste de tweed. Mais il lui eût fallu faire le tour du lit pour la prendre et cette manœuvre eût compromis la rapidité nécessaire de sa sortie. Dehors, il respira l'air glacé, et une sorte de vertige le prit. Il lui fallait rentrer à Paris, et sans retrouver Paule. La voiture glisserait sur les routes fraîches, il prendrait son café à la porte d'Auteuil, dans le Paris mort du dimanche. Il revint payer sa note et partit comme un voleur. Maisy rapporterait sa veste, il enverrait sa secrétaire la prendre chez elle avec des fleurs. «Car je ne sais pas vivre», pensait-il sans gaieté.

Il roula un moment, les sourcils froncés, puis tendit la main vers la radio et se rappela:

«Chérir, pensa-t-il, chérir, c'était Paule et moi.» Il n'avait plus de goût à rien. Il l'avait perdue.

CHAPITRE XIV

Une semaine plus tard, dans l'appartement, l'odeur de tabac prit Paule à la gorge. Elle ouvrit la fenêtre du salon, appela «Simon» et ne reçut pas de réponse. Une seconde, elle eut peur et s'en étonna. Elle traversa le salon, entra dans sa chambre. Simon dormait étendu sur le lit, le col de sa chemise ouvert. Elle l'appela une seconde fois et il ne bougea pas. Elle revint au salon, ouvrit un placard, regarda la bouteille de scotch et la reposa avec une petite grimace de dégoût. Elle chercha un verre des yeux, ne le trouva pas et gagna la cuisine. Un verre lavé s'égouttait dans l'évier. Elle resta immobile, un instant, puis enleva lentement son manteau et, dans la salle de bains se remaquilla et se coiffa avec soin. Elle posa sa brosse à cheveux très vite, s'en voulant de sa coquetterie comme d'une faiblesse. Il s'agissait bien de séduire Simon !

Revenue dans sa chambre, elle le secoua, et alluma la lampe de chevet. Il s'étira, murmura son nom et se retourna contre le mur.

« Simon », dit-elle sèchement.

En se retournant, il laissa voir le foulard de Paule dans lequel il avait dû enfouir son visage avant de s'endormir. Elle l'avait assez plaisanté sur son fétichisme. Mais elle n'avait plus envie de rire. Elle se sentait gagnée d'une colère froide. Elle le retourna vers la lumière. Il ouvrit les yeux, sourit et s'arrêta de sourire aussitôt.

« Que se passe-t-il ?

— J'ai à te parler.

— Je le savais », dit-il, et il s'assit sur le lit.

Elle se leva car elle avait dû réprimer un geste machinal pour repousser la mèche noire qui lui tombait sur les yeux. Elle s'appuya à la fenêtre.

« Simon, ça ne peut pas durer. C'est la dernière fois que je te le dis. Il faut que tu travailles. Tu en es à boire en cachette.

— J'ai juste lavé le verre. Tu as horreur du désordre !

— J'ai horreur du désordre, du mensonge et de la veulerie, dit-elle avec violence. Je commence à avoir horreur de toi. »

Il s'était levé, elle le sentait debout derrière elle, le visage défait et, volontairement, ne se retournait pas.

« Je sentais bien, dit-il, que tu ne me supportais plus. Entre aimer bien et ne plus aimer du tout, le pas est rapide, n'est-ce pas ?

— Il ne s'agit pas de sentiments, Simon. Il s'agit de ce que tu bois, que tu ne fais rien, que tu t'abêtis. Je t'ai dit de travailler. Je te l'ai dit cent fois. Celle-ci est la dernière.

— Et après ?

— Après, je ne pourrai plus te voir, dit-elle.

— Tu pourrais me quitter comme ça, dit-il pensivement...

— Oui. »

Elle se retourna vers lui, ouvrit la bouche :

« Ecoute, Simon... »

Il s'était rassis sur le lit, il regardait ses mains avec une drôle d'expression. Il les leva lentement et les appuya sur son visage. Elle resta interdite. Il ne pleurait pas, ne bougeait pas et il semblait à Paule qu'elle n'avait jamais vu quelqu'un aussi complètement désespéré. Elle murmura son nom, comme pour l'arracher à un danger qu'elle ne concevait pas, puis vint vers lui. Il oscillait doucement au bord du lit, le visage toujours caché. Elle crut un instant qu'il était ivre et avança la main pour arrêter ce balancement. Puis elle essaya d'écarter ses mains, il résistait et elle finit par s'agenouiller en face de lui et le prendre aux poignets.

« Simon, regarde-moi... Simon, cesse cette comédie. »

Elle écarta ses mains et il la regarda. Il avait un visage parfaitement immobile, lisse, comme l'ont certaines statues, avec le même regard aveugle. Instinctivement, elle mit sa propre main sur ses yeux.

« Qu'est-ce que tu as ? Simon... Dis-moi ce que tu as... »

Il se pencha un peu plus, mit sa tête sur son épaule avec un soupir, comme quelqu'un de très fatigué.

« Il y a que tu ne m'aimes pas, dit-il paisiblement, et que tout ce que je peux faire ne sert à rien. Et que, depuis le début, je savais que tu me renverrais. Et que j'attendais, en courbant le dos et parfois en espérant... C'est ça le pire, en espérant parfois, surtout la nuit, dit-il plus bas, et elle se sentit rougir. Et puis aujourd'hui c'est arrivé, et depuis huit jours, je le sentais bien, et tout le whisky du monde ne parvenait pas à me rassurer. Et je te sentais me haïr doucement. Et voilà... Paule, dit-il, ensuite, Paule... »

Elle avait refermé les bras sur lui et elle le serrait contre elle, les yeux pleins de larmes. Elle s'entendait murmurer des mots rassurants : « Simon, tu es fou... tu n'es qu'un enfant... Mon chéri, mon pauvre amour... » Elle embrassait son front, ses joues, et elle pensa une seconde, avec cruauté pour elle, qu'elle en était enfin arrivée au stade maternel. En même temps, quelque chose en elle s'obstinait, se complaisait à bercer en Simon une vieille douleur commune.

« Tu es fatigué, dit-elle. Tu t'es joué la comédie de l'homme délaissé et tu as été ta propre victime. Je tiens à toi, Simon, je tiens beaucoup à toi. J'étais distraite ces temps-ci, à cause de mon travail, c'est tout.

— C'est tout ? Tu ne veux pas que je m'en aille ?

— Pas aujourd'hui, dit-elle en souriant. Mais je veux que tu travailles.

— Je ferai tout ce que tu voudras, dit-il. Allonge-toi près de moi, Paule, j'ai eu si peur ! J'ai besoin de toi. Embrasse-moi. Ne bouge plus. Je déteste ces robes compliquées... Paule... »

Après, elle ne bougeait pas. Il respirait doucement contre elle, épuisé, et en mettant la main sur sa nuque, elle fut envahie d'un sentiment de possession si déchirant, si douloureux, qu'elle pensa l'aimer.

Le lendemain, il partit travailler, se réconcilia un peu avec son patron, consulta quelques dossiers, téléphona six fois à Paule, emprunta de l'argent à sa mère soulagée et revint chez Paule à huit heures et demie, avec l'air accablé de travail. En fin de journée, il avait passé deux heures à jouer au 421 dans un bar, à la seule fin de pouvoir opérer ce retour triomphal. Il pensait en lui-même que c'était décidément un métier bien ennuyeux et qu'il aurait beaucoup de mal à combler les heures creuses.

CHAPITRE XV

D'ORDINAIRE, Roger et Paule partaient ensemble en février passer
une semaine à la montagne. Il avait été convenu entre eux que, quelle
que soit leur situation sentimentale (et à ce moment-là, il ne s'agissait
que de celle de Roger), ils s'arrangeraient pour se réserver ainsi, tous les
hivers, quelques jours tranquilles. Un matin, Roger appela Paule à son
bureau, lui annonçant qu'il partait dix jours plus tard et lui demandant
s'il devait prendre un billet pour elle. Il y eut un silence. Un instant, elle
se demanda avec terreur ce qui motivait chez lui cette invitation : un
instinctif besoin d'elle, ou un remords, ou le désir de la séparer de
Simon. Elle ne se fût peut-être rendue qu'à la première de ces raisons.
Mais elle savait très bien que, quoi qu'il lui dise, elle n'en serait jamais
assez sûre pour ne pas souffrir beaucoup durant ce séjour. En même
temps, le souvenir de Roger à la montagne, débordant de vitalité,
descendant les pistes comme un boulet en l'entraînant à sa suite,
épouvantée, lui déchirait le cœur.
   « Alors ?
   — Je ne crois pas que ce soit possible, Roger. Nous ferions semblant
de... enfin de ne pas penser à autre chose.
   — C'est justement pour ne penser à rien que je pars. Et je t'assure
que j'en suis très capable.
   — Je partirais avec toi si tu... (elle allait dire : « Si tu étais capable de
penser à moi, à nous », mais elle se tut)... si tu avais besoin vraiment
que je vienne. Mais tu seras très bien tout seul ou avec... quelqu'un
d'autre.
   — Bien. Si je comprends, tu ne veux pas quitter Paris en ce
moment ? »
   « Il pense à Simon, se dit-elle ; pourquoi personne ne peut-il séparer
les apparences de la réalité ? » En même temps, elle se dit que, depuis un
mois, l'apparence de Simon était devenue sa vie quotidienne. Et peut-
être lui devait-elle ce refus que quelque chose en elle avait aussitôt
opposé à la voix de Roger.
   « Si tu veux... », dit-elle.
   Il y eut un silence.
   « Tu n'as pas très bonne mine, Paule, en ce moment. Tu as l'air
fatigué. Si tu ne pars pas avec moi, pars autrement, tu en as besoin. »
   Sa voix était tendre et triste, et Paule sentit les larmes lui monter aux
yeux. Oui, elle avait besoin de lui, elle avait besoin qu'il la protège
complètement au lieu de lui proposer ces dix jours au rabais. Il aurait dû
le savoir ; il y avait des bornes à tout, même à l'égoïsme masculin.

« Je partirai sûrement, dit-elle. Nous nous enverrons des cartes postales, d'une cime à l'autre. »

Il raccrocha. Après tout, il lui avait peut-être simplement demandé une aide et elle la lui avait refusée. C'était là un bel amour qu'elle lui portait ! Mais, en même temps, elle sentait confusément qu'elle avait raison, qu'elle avait le droit d'être exigeante et d'en souffrir, presque le devoir. Après tout, elle était une femme passionnément aimée. Jusqu'ici, elle était sortie avec Simon dans des petits restaurants du quartier, toujours seuls. Mais en rentrant, ce soir-là, elle le trouva sur le pas de la porte, dans un costume sombre, ses cheveux parfaitement coiffés, l'air solennel. Une fois de plus, elle remarqua sa beauté, l'allongement félin de ses yeux, le dessin parfait de sa bouche, et elle pensa avec amusement que ce petit garçon, qui passait la journée enfoui dans ses robes à l'attendre, avait un physique de reître et de bourreau des cœurs.

« Quelle élégance ! dit-elle. Que se passe-t-il ?

— Nous sortons, dit-il. Nous allons dîner dans un endroit somptueux et danser. Si on mangeait deux œufs au plat ici, je serais aussi content, mais j'ai envie de te sortir. »

Il lui enlevait son manteau. Elle remarqua qu'il s'était inondé d'eau de toilette. Dans sa chambre, sur le lit, était étalée une robe de demi-soir, très décolletée, qu'elle avait mise deux fois dans sa vie.

« C'est celle que je préfère, dit Simon. Veux-tu un cocktail ? »

Il avait préparé des cocktails, ceux qu'elle aimait. Paule s'assit sur le lit, désorientée : elle descendait de la montagne pour se trouver dans une soirée mondaine !

Elle lui sourit.

« Tu es contente ? Tu n'es pas fatiguée, au moins ? Si tu veux, j'enlève ce costume tout de suite et on reste ici. »

Il mit un genou sur le lit en faisant le geste d'enlever sa veste. Elle s'appuya à lui, glissa sa main sous sa chemise, sentit la chaleur de la peau sous sa paume. Il était vivant, tellement vivant.

« C'est une si bonne idée, dit-elle. Tu tiens à cette robe ? J'ai l'air un peu folle dedans.

— Je t'aime nue, dit-il, et c'est la plus nue que tu aies. J'ai bien cherché. »

Elle prit son verre, le but. Elle aurait pu rentrer seule dans son appartement, se coucher avec un livre, un peu triste, comme souvent avant lui, mais il était là, il riait, il était heureux, elle riait avec lui et il voulait à tout prix qu'elle lui apprenne le charleston, la vieillissant gaiement de vingt ans, et elle trébuchait sur le tapis en dansant, et elle tombait dans ses bras essoufflée, et il la serrait contre lui, et elle riait de plus belle, oubliant parfaitement Roger, la neige et les regrets. Elle était jeune, elle était belle, elle le poussait dehors, se maquillait un peu en vamp, mettait cette robe indécente et il tambourinait à la porte dans son impatience. Quand elle sortit, il la regarda ébloui, couvrit de baisers ses épaules. Il lui fit boire un deuxième cocktail, à elle qui ne savait pas boire. Elle était heureuse. Merveilleusement heureuse.

Dans le cabaret, à une table voisine de la leur, elle reconnut deux femmes un peu plus âgées qu'elle qui travaillaient parfois avec elle et qui lui adressèrent un sourire surpris. Quand Simon se leva pour la faire danser, elle entendit cette petite phrase : «Quel âge a-t-elle maintenant?»

Elle s'appuya contre Simon. Tout était gâché. Sa robe était ridicule pour son âge, Simon un peu trop voyant et sa vie un peu trop absurde. Elle demanda à Simon de la raccompagner. Il ne protesta pas et elle sut qu'il avait, lui aussi, entendu.

Elle se déshabilla très vite. Simon parlait de l'orchestre. Elle eût aimé le renvoyer. Elle s'allongea dans le noir pendant qu'il se déshabillait. Elle avait eu tort de boire ces deux cocktails et ce champagne; le lendemain, elle aurait les traits tirés. Elle était comme étourdie de tristesse. Simon rentra dans la chambre, s'assit au bord du lit, mit une main sur son front.

«Pas ce soir, Simon, dit-elle, je suis lasse.»

Il ne répondit pas, resta immobile. Elle voyait sa silhouette contre la lumière de la salle de bains, il avait la tête penchée et semblait réfléchir.

«Paule, dit-il enfin, il faut que je te parle.

— Il est tard. J'ai sommeil. Demain.

— Non, dit-il. Je veux te parler tout de suite. Et tu vas m'écouter.»

Elle rouvrit les yeux, étonnée. C'était la première fois qu'il usait d'autorité envers elle.

«J'ai entendu comme toi ce qu'ont dit ces vieilles peaux, derrière nous. Je ne supporte pas que cela t'affecte. Ce n'est pas digne de toi, c'est lâche, et blessant pour moi.

— Mais, Simon, tu fais un drame de rien...

— Je ne fais pas un drame, je veux au contraire éviter que tu en fasses. Naturellement, tu me les cacherais. Mais tu n'as pas à me les cacher. Je ne suis pas un petit garçon, Paule. Je suis tout à fait en mesure de te comprendre et peut-être de t'aider. Je suis très heureux avec toi, tu le sais, mais mon ambition ne se borne pas là : je veux que toi, tu sois heureuse avec moi. Pour le moment, tu tiens trop à Roger pour l'être. Mais il faut que tu veuilles bien considérer notre histoire comme une chose positive, que tu dois m'aider à construire et non comme un heureux hasard. Voilà.»

Il parlait posément mais avec effort. Paule l'écoutait avec étonnement et une sorte d'espoir. Elle l'avait cru inconscient, il ne l'était pas et croyait qu'elle pouvait tout recommencer. Peut-être, après tout, le pouvait-elle...?

«Je ne suis pas inconséquent, tu sais. J'ai vingt-cinq ans, je n'avais jamais vécu avant toi et sûrement je ne vivrai plus après. Tu es la femme et surtout l'être humain qu'il me faut. Je le sais. Si tu le voulais, je t'épouserais demain.

— J'ai trente-neuf ans, dit-elle.

— La vie n'est pas un journal féminin, ni une suite de vieilles expériences. Tu as quatorze ans de plus que moi et je t'aime et je t'aimerai très longtemps. C'est tout. Aussi, je ne supporte pas que tu t'abaisses au niveau de ces vieilles taupes, par exemple, ni de l'opinion publique. Le problème, pour toi, pour nous, c'est Roger. Il n'y en a pas d'autres.

— Simon, dit-elle, je te demande pardon de... enfin d'avoir cru...

— Tu n'as pas pensé que je pensais, c'est tout. Maintenant, pousse-toi un peu. »

Il se glissa près d'elle, l'embrassa et la prit. Elle ne protesta pas de sa fatigue et il lui arracha un plaisir violent qu'il ne lui avait jusque-là pas fait connaître. Il caressa ensuite son front mouillé de sueur, l'installa au creux de son épaule, à l'opposé de son habitude, rabattit les couvertures sur elle, soigneusement.

« Dors, dit-il, je m'occupe de tout. »

Dans le noir, elle eut un petit sourire tendre et posa sa bouche sur son épaule, caresse qu'il accueillit avec le calme olympien d'un maître. Il resta longtemps éveillé, effrayé et fier de sa propre fermeté.

CHAPITRE XVI

PAQUES approchait et Simon passait ses journées sur des cartes, dissimulées entre les dossiers de son patron ou étalées sur le tapis de Paule. Il avait composé ainsi deux périples en Italie, trois en Espagne et oscillait à présent vers la Grèce. Paule l'écoutait sans rien dire : elle ne disposerait, au mieux, que de dix jours et se sentait trop fatiguée, même pour prendre un train. Elle eût voulu une maison à la campagne, des jours qui se ressemblent : l'enfance, bref ! Mais elle ne se sentait pas le cœur de décourager Simon. Il se voyait déjà en parfait voyageur, sautant du wagon pour l'aider à descendre, la guidant vers une voiture louée dix jours à l'avance, qui les amènerait au meilleur hôtel de la ville, dans une chambre où il aurait fait par télégramme disposer des fleurs, oubliant qu'il n'avait jamais su prendre une correspondance ni conserver un billet. Il rêvait, il continuait à rêver, mais tous ses rêves partaient vers Paule, s'y précipitaient comme des fleuves agités vers une mer calme. Il ne s'était jamais senti aussi libre que pendant ces quelques mois qui le voyaient tous les jours au même bureau, tous les soirs auprès du même être, dans le même appartement, suspendu au même désir, au même souci, à la même souffrance. Car Paule continuait à s'échapper parfois, à détourner les yeux, à sourire tendrement devant ses phrases passionnées. Paule continuait à se taire quand on parlait de Roger. Il avait souvent le sentiment d'une lutte absurde, exténuante et sans issue, car le temps, il le sentait bien, le temps qui passait ne lui faisait rien gagner. Il n'avait pas à effacer le souvenir de Roger, il avait à tuer en Paule quelque chose qui était Roger, une sorte de racine indestructible, douloureuse, et qu'elle portait avec constance, et il en venait parfois à se demander si ce n'était pas cette constance, cette souffrance acceptée qui l'avaient rendu amoureux d'elle et peut-être même entretenaient son amour. Mais, le plus souvent, il se disait : « Paule m'attend, dans une heure, je la tiendrai dans mes bras », et il lui semblait que Roger n'avait jamais existé, que Paule l'aimait, lui, Simon, et que tout était simple et éclatant de bonheur. Et c'était à ces moments-là que Paule le préférait, quand il lui imposait leur entente comme une évidence, un fait qu'elle ne pouvait qu'admettre. Elle avait bien assez de ses propres réserves. Seulement, lorsqu'elle était seule, la pensée de Roger vivant sans elle lui apparaissait une erreur capitale, elle se demandait avec terreur comment ils en étaient arrivés là. Et « eux », « nous », c'était toujours Roger et elle. Simon, c'était « lui ». Seulement, Roger n'en savait rien. Lorsqu'il serait lassé de sa vie, il viendrait se plaindre auprès d'elle, essayer sans doute de la reprendre. Et peut-être y parviendrait-il. Simon serait définitivement blessé, elle serait à nouveau seule, attendant des coups de téléphone incertains et des petites blessures certaines. Et elle se révoltait contre son propre fatalisme, cette impression que tout cela était inéluctable. Dans sa vie, il y avait quelqu'un d'inéluctable : Roger.

Mais cela n'empêchait pas qu'elle vécût avec Simon, qu'elle soupirât dans ses bras, la nuit, et qu'elle le retînt parfois contre elle dans un de ces mouvements que peuvent seuls arracher les enfants ou les amants trop habiles, un mouvement si possessif, si épouvanté à l'idée de la précarité de toute possession que lui-même n'en percevait pas l'intensité. En ces moments-là, Paule touchait à la vieillesse, à cette passion merveilleuse, unique, de l'amour qu'a la vieillesse, et elle s'en voulait ensuite, en voulait à Roger qui, lui, ne l'obligeait pas à dissocier, Roger qui n'était pas là. Quand Roger la prenait, il était son maître, elle était sa propriété, il était à peine plus âgé qu'elle, tout était conforme à certaines règles morales ou esthétiques qu'elle ne s'était pas jusque-là soupçonnée d'entretenir. Mais Simon ne se sentait pas son maître. Il avait adopté, par un cabotinage inconscient et dont il ne pouvait penser qu'il causerait sa perte, toute une attitude de dépendance qui le faisait s'endormir sur l'épaule de son amie, comme pour lui demander protection, qui le faisait se lever à l'aube pour préparer le petit déjeuner, qui le faisait enfin demander conseil pour tout, attitude qui émouvait

Paule mais qui la gênait confusément, la mettait mal à l'aise comme
devant quelque chose d'anormal. Elle l'estimait : il travaillait à présent ;
il l'avait emmenée une fois à un procès, à Versailles, où il lui avait joué
un remarquable numéro de jeune avocat, serrant des mains, souriant
avec condescendance aux journalistes et toujours revenant vers elle
comme vers le pivot de son agitation, arrêtant parfois les démonstrations
verbales qu'il faisait à des inconnus pour se retourner vers elle,
furtivement, vérifiant si elle le regardait. Non, il ne lui jouait pas la
comédie du détachement. Aussi le fixait-elle, mettant dans son regard
toute l'admiration, tout l'intérêt possibles, regard qui se changeait, dès
qu'il lui tournait le dos, en affection et une certaine fierté. Les femmes
le regardaient beaucoup. Elle se sentait bien, quelqu'un vivait pour elle.
Pour elle enfin, la question de leur différence d'âge ne se posait plus ;
elle ne se demandait pas : « Et dans dix ans, m'aimera-t-il encore ? »
Dans dix ans, elle serait seule ou avec Roger. Quelque chose en elle le
lui répétait obstinément. Et sa tendresse pour Simon, à l'idée de cette
duplicité à laquelle elle ne pouvait rien, redoublait : « Ma victime, ma
chère victime, mon petit Simon ! » Pour la première fois, elle goûtait cet
affreux plaisir d'aimer qui l'on va faire souffrir, inéluctablement.

Cet « inéluctablement » et ses conséquences : les questions que lui
poserait un jour Simon, qu'il serait en droit de lui poser comme un
homme qui souffre, l'épouvantaient. « Pourquoi me préférez-vous
Roger ? En quoi ce mufle distrait l'emporte-t-il sur le violent amour que
je vous offre tous les jours ? » Et déjà elle s'affolait à la simple idée de
devoir expliquer Roger. Elle ne dirait pas : « lui », elle dirait : « nous »
car elle ne parvenait pas à dissocier leurs deux vies. Elle ignorait
pourquoi. Peut-être parce que les efforts qu'elle avait faits pour leur
amour depuis six ans, ces incessants, ces douloureux efforts lui étaient
enfin devenus plus précieux que le bonheur. Peut-être parce que orgueil-
leusement elle ne pouvait supporter qu'ils eussent été inutiles, et que ce
même orgueil en elle, à force de subir ces coups, s'en était à peu près
nourri, finissant par choisir et consacrer Roger son maître à souffrir.
Enfin, il lui avait toujours échappé. Et ce combat douteux était devenu
sa raison d'être.

Cependant, elle n'était pas faite pour la lutte ; elle se le disait parfois,
en caressant à rebours les cheveux doux, soyeux, coulants de Simon.
Elle aurait pu glisser dans la vie comme sa main dans ces cheveux ; elle
le lui murmurait. Ils restaient ainsi de longues heures dans la nuit noire,
avant de s'endormir. Ils se tenaient la main, ils chuchotaient, elle avait
par moments l'impression saugrenue d'être avec une camarade de classe
à quatorze ans, dans un de ces dortoirs fantomatiques où les filles, à voix
basse, parlent de Dieu ou des hommes. Elle chuchotait et Simon, ravi de
ce demi-mystère, parlait bas à son tour.

« Comment aurais-tu vécu ?

— Je serais restée avec Marc, mon mari. Il était gentil, au fond, très mondain. Trop d'argent aussi... J'ai voulu essayer...»

Elle tentait de lui expliquer. Comment sa vie avait brusquement pris la forme d'une vie, par sa simple décision, à ce moment où elle s'était plongée dans le monde. compliqué, si difficile, humiliant, des professions féminines. Les démarches, les ennuis matériels, les sourires, les silences. Simon l'écoutait, essayant de démêler dans ces souvenirs quelque chose qui se rapportât à son amour.

«Et alors?

— Alors, je pense que j'aurais vécu ainsi ; j'en serais venue à tromper Marc distraitement, je ne sais pas... Mais seulement, j'aurais eu un enfant. Et rien que pour ça...»

Elle se taisait. Simon l'étreignait : il voulait un enfant d'elle, il voulait tout. Elle rit, lui caressa les yeux de ses lèvres, continua.

«A vingt ans, ce n'était pas pareil. Je me rappelle très bien : j'avais décidé d'être heureuse.»

Oui, elle se rappelait très bien. Elle marchait dans les rues, sur les plages avec la hâte de son désir ; elle ne s'arrêtait pas de marcher, de chercher un visage, une idée : une proie. La volonté du bonheur planait sur sa tête, après avoir plané sur la tête de trois générations, il n'y avait pas d'obstacles, il n'y en aurait jamais assez. Maintenant, elle ne cherchait plus à prendre, elle ne cherchait qu'à garder. Garder un métier et un homme, les mêmes depuis longtemps et dont, à trente-neuf ans, elle n'était pas encore sûre. Simon s'endormait contre elle, elle murmurait : «Mon chéri, tu dors...?» et ces deux mots le réveillaient à demi, il niait, il se pressait contre elle dans le noir, dans son parfum, dans leurs chaleurs mélangées, merveilleusement heureux.

CHAPITRE XVII

C'ETAIT sa trentième cigarette, il le sentit en écrasant son mégot dans le cendrier débordé. Il eut un frémissement de dégoût, ralluma la lampe de chevet une fois de plus. Il était trois heures du matin, il ne parvenait pas à dormir. Il ouvrit la fenêtre brusquement et l'air glacé l'atteignit au visage, au cou, si durement qu'il referma la vitre, s'y appuya comme pour «regarder» le froid. Il délaissa enfin la rue déserte, jeta un coup d'œil à son miroir, détourna les yeux aussi vite. Il ne se plaisait pas. Il prit le paquet de gauloises sur la table de nuit, en mit une machinalement à sa bouche et la reposa aussitôt. Il n'aimait plus ces gestes machinaux qui avaient été pour lui une grande part de la saveur de la vie ; il n'aimait plus ces gestes d'homme seul, il n'aimait plus le goût du tabac. Il fallait qu'il se soigne, il devait être malade. Bien sûr, il regrettait Paule, mais ce n'était pas suffisant. Elle devait dormir en ce moment dans les bras de ce petit garçon gâté, elle avait tout oublié. Lui, Roger, n'avait qu'à sortir, trouver une putain, et boire. Comme elle le supposait, d'ailleurs. Il le sentait, elle ne l'avait jamais vraiment estimé. Elle l'avait toujours trouvé rustre, brutal, bien qu'il lui eût offert le meilleur de lui-même, le plus solide. Les femmes étaient ainsi : elles semblaient tout exiger, tout offrir, elles vous laissaient glisser dans une complète confiance, puis elles disparaissaient un beau jour, pour la plus futile raison. Car rien n'était plus futile pour Paule qu'une liaison avec un Simon. Mais en ce moment, ce garçon la prenait dans ses bras, il se penchait sur ce visage renversé, sur ce corps si doux, si abandonné dans le plaisir, si... il se retourna brusquement dans la pièce, alluma enfin sa cigarette, aspirant la fumée avec une avidité furieuse, puis vida le cendrier dans la cheminée. Il aurait dû faire du feu ; Paule l'allumait chaque fois qu'elle venait, elle restait à genoux devant la cheminée, surveillant la naissance des flammes, l'activant parfois d'un de ces gestes adroits, si calmes, puis elle se relevait, reculait un peu, et la pièce devenait rose, ombreuse, agitée, il avait envie de faire l'amour et il le lui disait. Mais il y avait longtemps de cela. Depuis combien de temps Paule n'était-elle plus venue ? Deux ans, trois ans peut-être ? Il avait pris l'habitude de la retrouver chez elle : c'était plus facile, elle l'attendait.

Il tenait toujours le cendrier dans la main et il le lâcha : le cendrier roula par terre, intact. Il aurait aimé que cet objet se brise, sorte de son inertie, qu'il y ait des éclats, des débris. Mais le cendrier ne se cassait pas ; ils n'éclatent que dans les romans et dans les films, il eût fallu un de ces précieux petits cendriers en verre qui encombraient l'appartement de Paule, et non ce bon cendrier de Prisunic. Il avait dû casser au moins cent objets divers chez Paule, elle en riait toujours ; la dernière fois, c'était un verre de cristal ravissant, le whisky y prenait une couleur mordorée, inhabituelle. Tout était à l'avenant, d'ailleurs, dans cet appartement dont il avait été le seigneur et maître. Tout était cohérent, doux, et tranquille. Il avait cru s'en échapper chaque fois, quand même, lorsqu'il repartait dans la nuit. Et maintenant il était seul chez lui, avec une colère inutile, contre un cendrier incassable. Il se recoucha, éteignit, s'avoua qu'il était malheureux, un instant, avant de s'endormir, la main sur le cœur.

CHAPITRE XVIII

ILS SE RENCONTRERENT à la porte d'un restaurant, un soir, et ils exécutèrent, tous les trois, ce petit ballet classique et extravagant, si fréquent à Paris : elle fit un petit signe de tête lointain à l'homme contre l'épaule duquel elle avait gémi, soupiré, dormi ; il le lui rendit sans grâce, et Simon le regarda un instant sans le frapper comme il en avait envie. Ils s'assirent à deux tables assez éloignées et elle commanda son menu sans relever les yeux. Pour le patron du restaurant, pour les quelques clients qui connaissaient Paule, c'était une scène tout à fait ordinaire. Simon commanda à boire d'une voix décidée, et Roger, à une autre table, demanda à sa compagne quel cocktail elle préférait. Enfin Paule releva les yeux, sourit à Simon et regarda dans la direction de Roger. Elle l'aimait, cette évidence l'avait atteinte dès qu'elle l'avait vu dans la porte, avec son air buté : elle l'aimait encore, elle sortait d'un long sommeil inutile. Il la regarda à son tour, puis il essaya un sourire qui s'arrêta aussitôt.

« Que prenez-vous ? dit Simon. Du vin blanc ?

— Pourquoi pas ? »

Elle regardait ses mains sur la table, les couverts bien disposés, la manche de Simon contre son bras nu. Elle but très vite. Simon parlait sans son animation habituelle. Il semblait attendre quelque chose d'elle — ou de Roger. Mais quoi ? Pouvait-elle se lever, lui dire : « Excuse-moi », pouvait-elle traverser la salle et dire à Roger : « Cela suffit, rentrons ? » Cela ne se faisait pas. Rien ne se faisait plus, d'ailleurs, d'intelligent ni de sensible, à cette époque.

Après dîner, ils dansèrent ; elle vit Roger tenant dans ses bras une femme brune, pour une fois pas trop mal, Roger qui oscillait devant elle avec sa maladresse coutumière. Simon se leva, il dansait bien, les yeux un peu fermés, il était souple et mince, il chantonnait, elle se laissait aller. A un moment, son bras nu frôla la main de Roger, plaquée sur le dos de la femme brune, elle ouvrit les yeux. Ils se regardèrent, Roger, Paule, chacun derrière l'épaule de « l'autre ». C'était un slow sans rythme, immobile. Ils se contemplaient à dix centimètres, sans aucune expression, sans se sourire, sans se reconnaître, semblait-il, puis soudainement la main de Roger lâcha le dos de la femme, se tendit vers le bras de Paule, l'effleura du bout des doigts et il y eut une expression si suppliante sur son visage qu'elle ferma les yeux. Simon tourna et ils se perdirent de vue.

Cette nuit-là, elle refusa de dormir avec Simon, alléguant une fatigue qu'elle ne ressentait pas. Elle resta dans son lit, longtemps, les yeux ouverts. Elle savait ce qui allait arriver, elle savait qu'il n'y avait pas, qu'il n'y avait jamais eu d'autre solution possible, et elle s'y résignait, dans le noir, la gorge un peu serrée. Au milieu de la nuit, elle se leva, passa dans le salon où dormait Simon, en travers du canapé. Elle voyait, éclairé par la lumière oblique venant de sa chambre, le corps étendu du garçon, le remous de son souffle. Elle regardait sa tête écrasée dans l'oreiller, et le petit sillon entre les deux vertèbres de sa nuque; elle regardait sa propre jeunesse dormir. Mais quand il se retourna en gémissant vers la lumière, elle s'enfuit. Elle n'osait déjà plus lui parler.

Le lendemain matin, le pneumatique de Roger l'attendait au bureau. «Il faut que je te voie, cela ne peut plus durer. Téléphone-moi.» Elle téléphona. Ils convinrent de se retrouver à six heures le soir. Mais dix minutes après, il était là. Immense, dans ce magasin de femmes, désorienté. Elle vint vers lui, le fit passer dans un petit salon encombré de chaises cannées, dorées; un décor de cauchemar! Seulement alors, elle le vit. C'était bien lui. Il fit un pas vers elle, mit ses deux mains sur ses épaules. Il bégayait un peu, signe chez lui d'extrême émotion:

«J'étais si malheureux, dit-il.

— Moi aussi», s'entendit-elle répondre, et s'appuyant un peu contre lui, elle se mit enfin à pleurer, suppliant en elle-même Simon de lui pardonner ces deux derniers mots.

Il avait posé la tête sur ses cheveux, il disait: «Là, ne pleure pas», d'une voix bête.

«J'ai essayé, dit-elle enfin d'un ton d'excuse... j'ai essayé... vraiment...»

Puis elle pensa que ce n'était pas à lui qu'elle devait dire ça, mais à Simon. Elle s'embrouillait. Il fallait toujours faire attention, on ne pouvait jamais tout dire à la même personne. Elle continuait à pleurer, le visage immobile. Il se taisait.

«Dis quelque chose, murmura-t-elle.

— J'étais si seul, dit-il, j'ai réfléchi. Assieds-toi là, prends mon mouchoir. Je vais t'expliquer.»

Il lui expliqua. Il lui expliqua qu'il fallait surveiller les femmes, qu'il avait été imprudent et qu'il comprenait que tout ça était sa faute. Il ne lui en voulait pas de son inconséquence. Ils n'en parleraient plus. Elle disait: «Oui, oui, oui, Roger» et elle avait envie de pleurer encore plus et d'éclater de rire. En même temps, elle respirait l'odeur familière de son corps, de son tabac, et elle se sentait sauvée. Et perdue.

Dix jours plus tard, elle était chez elle, seule avec Simon pour la dernière fois.

«Tu oublies ça», dit-elle.

Elle tendait deux cravates, elle ne le regardait pas, elle se sentait à bout de forces. Il y avait près de deux heures maintenant qu'elle l'aidait à faire ses bagages. Légers bagages de jeune homme amoureux mais désordonné. Et partout ils retrouvaient le briquet de Simon, les livres de Simon, les chaussures de Simon. Il n'avait rien dit, il s'était bien tenu et il en avait conscience, ce qui l'étranglait.

« Ça suffit, dit-il. Vous n'aurez qu'à déposer le reste chez votre concierge. »

Elle ne répondit pas. Il jeta un coup d'œil autour de lui, essayant de penser : « La dernière fois, la dernière fois », mais il n'y parvenait pas. Il tremblait nerveusement.

« Je n'oublierai pas », dit Paule, et elle leva les yeux vers lui.

« Moi non plus. C'est autre chose, dit-il, autre chose. »

Et il oscilla, à mi-route, avant de jeter vers elle son visage défait. Elle le soutenait dans ses bras, une fois de plus, elle soutenait son chagrin comme elle avait soutenu son bonheur. Et elle ne pouvait s'empêcher de l'envier pour ce chagrin si violent, un beau chagrin, une belle douleur comme elle n'en aurait jamais plus. Il se dégagea brusquement et sortit, en abandonnant ses bagages. Elle le suivit. se pencha sur la rampe, cria son nom :

« Simon, Simon, et elle ajouta sans savoir pourquoi : Simon, maintenant je suis vieille, vieille... »

Mais il ne l'entendait pas. Il courait dans l'escalier, les yeux pleins de larmes ; il courait comme un bienheureux, il avait vingt-cinq ans. Elle referma la porte doucement, s'y adossa.

A huit heures, le téléphone sonna. Avant même de décrocher, elle savait ce qu'elle allait entendre :

« Je m'excuse, disait Roger, j'ai un dîner d'affaires, je viendrai plus tard, est-ce que... »

LES MERVEILLEUX NUAGES

Roman

A mon ami Philippe

L'ETRANGER

« Qui aimes-tu le mieux, homme énigmatique, dis ? Ton père, ta mère, ta sœur, ou ton frère ?

— Je n'ai ni père, ni mère, ni sœur, ni frère.

— Tes amis ?

— Vous vous servez là d'une parole dont le sens m'est resté jusqu'à ce jour inconnu.

— Ta patrie ?

— J'ignore sous quelle latitude elle est située.

— La beauté ?

— Je l'aimerais volontiers déesse et immortelle.

— L'or ?

— Je le hais comme vous haïssez Dieu.

— Eh ! Qu'aimes-tu donc, extraordinaire étranger ?

— J'aime les nuages... les nuages qui passent... là-bas... là-bas... les merveilleux nuages ! »

CHARLES BAUDELAIRE
(*Poèmes en prose*).

CHAPITRE PREMIER

Sᴜʀ ʟᴇ ᴄɪᴇʟ ʙʟᴇᴜ ᴄʀᴜ de Key Largo, le palétuvier se détachait en noir, à contre-jour, et sa forme desséchée, stéréotypée n'évoquait en rien un arbre mais plutôt un insecte infernal. Josée soupira, referma les yeux. Les vrais arbres étaient loin, à présent, et surtout le peuplier de jadis, ce peuplier isolé, au bas d'un champ, près de la maison. Elle s'étendait dessous, les pieds contre le tronc, elle regardait les centaines de petites feuilles agitées par le vent, pliant ensemble et très haut, la tête de l'arbre, toujours sur le point de s'envoler, semblait-il, dans sa minceur. Elle avait quel âge, quatorze, quinze ans ? Ou bien, elle s'appuyait contre lui, la tête entre les mains, la bouche contre l'écorce rugueuse, elle se chuchotait des promesses, elle respirait sa propre haleine dans ce trouble de l'adolescence, dans cet effroi du futur et dans cette assurance. Elle n'imaginait pas alors qu'elle pût quitter ce peuplier ni qu'en revenant là, dix ans plus tard, elle le trouverait coupé à ras, la cicatrice beige de la hache sur le tronc définitivement asséchée.

« A quoi penses-tu ?

— A un arbre.

— Quel arbre ?

— Tu ne le connais pas », dit-elle et elle se mit à rire.

« Naturellement. »

Sans rouvrir les yeux, elle sentit en elle cette contraction qu'amenait toujours un certain ton dans la voix d'Alan.

« C'était un peuplier, j'avais huit ans. »

En même temps, elle se demanda pourquoi elle se rajeunissait dans son souvenir. Peut-être parce qu'en s'éloignant ainsi dans le temps, elle avait l'impression qu'Alan diminuerait de quelques degrés sa jalousie. Non, à huit ans, il ne pouvait lui demander : « Qui aimais-tu ? »

Il y eut un silence. Mais il était réveillé, elle le sentait réfléchir auprès d'elle et sa torpeur de tout à l'heure avait fait place à une attention crispée. Elle sentait la toile de la chaise longue contre son dos et la goutte de sueur sur sa nuque n'en finissait pas de couler.

« Pourquoi m'as-tu épousé ? demanda-t-il.

— Parce que je t'aimais.

— Et maintenant ?

— Je t'aime encore.

— Pourquoi ? »

C'était le début. Ces trois phrases étaient comme les trois coups au théâtre. Une sorte de convention qu'ils finissaient par observer tacitement avant qu'il ne se mette à se déchirer lui-même.

« Alan, gémit-elle, pas maintenant.

— Pourquoi m'as-tu aimé ?

— Je te prenais pour un Américain bien tranquille. Je te l'ai dit cent fois, et je te trouvais beau.

— Et maintenant ?

— Je te prends pour un Américain pas tranquille et tu es toujours beau.

— L'Américain plein de complexes, hein ? Ma maman, trop de dollars...

— Oui, oui, j'ai épousé une image ; c'est ce que tu veux que je dise ?

— Je veux que tu m'aimes.

— Je t'aime.

— Non. »

« Que les autres reviennent, pensa-t-elle, qu'ils reviennent vite. On n'a pas idée de pêcher par une chaleur pareille. Il boira un peu trop, il conduira trop vite, il dormira comme un plomb. Il dormira contre moi, en m'écrasant, je l'aimerai encore un peu pendant une heure peut-être, dans son abandon. Demain matin, il me racontera les rêves atroces qu'il aura faits. Son imagination est prodigieuse. »

Elle se redressa et regarda le ponton blanc. Aucune silhouette en vue. Elle retomba dans son fauteuil.

« Ils ne sont pas encore là, dit la voix sardonique. Dommage. Tu t'ennuies, non ? »

Elle tourna la tête vers lui. Il la fixait. Il avait vraiment l'air d'un jeune héros de western. Les yeux clairs, la peau tannée, l'air franc. La simplicité même apparemment. Alan. Oui, elle l'avait aimé. Et elle l'aimait toujours un peu quand elle le regardait vraiment. Mais de plus en plus elle détournait les yeux.

« Alors ? On continue ?

— Ça t'amuse ?

— Quel effet ça t'a fait quand je t'ai demandé de m'épouser ?

— Ça m'a fait plaisir.

— C'est tout ?

— J'ai eu l'impression d'être sauvée. Je... j'étais fatiguée, tu le sais bien.

— Fatiguée... par qui ?

— Par l'Europe.

— Qui en Europe ?

— Je te l'ai raconté.

— Répète. »

« Je m'en irai, pensa Josée, brusquement. Il faut que je le sache. Je m'en irai. Il fera ce qu'il voudra. Il se tuera s'il veut. Il l'a assez dit. Son psychiatre à la noix l'a assez dit. Et sa mère. Eh bien, qu'il se tue. Qu'il devienne fou comme son maudit père. Qu'ils mènent tous à bout leurs stupides histoires d'alcooliques. Vive la France et Benjamin Constant. »

Mais en même temps, à imaginer Alan mort, lui qui s'y attendait tellement, une sorte de nausée lui venait : « Le premier prétexte sera le bon, je ne veux pas être ce prétexte. »

« C'est du chantage, dit-elle.

— Hé oui. Je sais à quoi tu penses.

— Je ne peux pas t'estimer, tant que tu exerces ce genre de chantage sur moi, dit-elle faiblement.

— Que veux-tu que ça me fasse ?

— Rien, en effet. »

Il se moquait bien de son estime. D'ailleurs elle s'estimait trop peu elle-même pour que cela devienne contagieux : elle se contentait d'un rôle de garde-fou. A vingt-sept ans. Il y avait encore trois ans, elle était à Paris, elle vivait seule ou avec qui lui plaisait, elle respirait. A présent, elle transpirait dans ce décor de carton-pâte près d'un jeune époux névrosé qui ne savait pas lui-même ce qu'il attendait d'elle. Elle se mit à rire. Il se redressa, les yeux plissés. Il n'aimait pas qu'elle rît dans ces moments-là bien qu'il eût parfois un assez grand sens de l'humour.

« Ne ris pas ainsi. »

Mais elle continua, doucement, avec une sorte de tendresse. Elle pensait à son appartement de Paris, aux rues, la nuit, aux années folles. Alan se leva.

« Tu n'as pas soif ? Tu vas prendre un coup de soleil, mon chéri. Veux-tu que j'aille te chercher une orange pressée ? »

Il s'agenouillait près d'elle, il posait la tête sur son bras, il la regardait. C'était sa seconde arme : quand elle échappait à sa jalousie, il devenait tendre. Elle dessina de la main le visage régulier, la bouche ferme, les yeux allongés, se demanda une fois de plus ce qui rendait inutile toute la virilité tranquille de ce visage.

« Va plutôt me chercher un Bacardi », dit-elle.

Il sourit. Il aimait boire et il aimait qu'elle boive avec lui. On l'avait mise en garde contre ça aussi. Mais bien qu'elle n'aimât pas spécialement l'alcool, elle avait par moments envie de s'enivrer jusqu'à la fin de ses jours.

« Alors, deux Bacardi », dit-il.

Il lui baisa la main. Une Américaine à cheveux blancs et short fleuri leur jeta un regard attendri. Mais Josée ne lui sourit pas. Elle regardait partir Alan, de sa belle démarche d'homme gâté par la vie, et comme chaque fois qu'il s'éloignait une sorte de tristesse l'envahit. « Je ne l'aime pourtant plus », murmura-t-elle et elle replia son bras devant son visage vivement comme si le soleil même pouvait lui infliger un démenti.

Quand les autres revinrent, ils les trouvèrent allongés dans le sable, la tête de Josée sur l'épaule d'Alan et parlant de littérature avec passion. Quelques verres traînaient près d'eux et Brandon Kinnel les désigna du regard à sa femme. Eve Kinnel était intelligente et laide, les deux sans agressivité. Elle aimait bien Josée et, comme Brandon, redoutait Alan. D'ailleurs les Kinnel s'entendaient sur tout, partageaient tout, sauf, bien sûr, le sentiment désespéré et secret que Brandon vouait à Josée.

« Quelle journée! dit Eve. Trois heures en mer pour un malheureux barracuda...

— Pourquoi parcourir les mers? dit Alan. Le bonheur est sur la plage.»

Il embrassa les cheveux de Josée. Elle leva les yeux, vit le regard de Brandon sur les verres vides, et l'envoya mentalement au diable. Elle avait passé une heure douce, très gaie, le paysage était superbe, Alan brillant et détendu; qu'importait que quelques Bacardi y aient contribué? Elle posa la main sur la jambe dorée de son mari.

« Le bonheur est sur la plage », répéta-t-elle.

Brandon détourna les yeux. « Je l'ai blessé, pensa-t-elle, au fond il doit m'aimer. C'est drôle, je n'y pensais pas.» Elle lui tendit la main.

« Aidez-moi à me lever, Brandon, le soleil m'a étourdie. »

Elle avait appuyé sur le « soleil ». Il lui tendit la main. Bien des gens s'étaient demandé pourquoi Brandon Kinnel qui ressemblait à un boucanier distrait avait épousé Eve qui ressemblait à une fourmi. Il y avait deux raisons : elle était intelligente et il était timide. Il releva donc Josée, qui trébucha et se retint à lui.

« Et moi, Eve, gémit Alan, vous allez me laisser tout seul sur la plage toute la nuit? Vous voyez bien que je suis aussi ivre que Josée. Car nous sommes ivres. Ne vous a-t-elle pas dit que nous étions heureux? »

Il restait dans le sable, il les contemplait avec un petit sourire. Josée lâcha le bras de Brandon, puis le reprit fermement.

« Si tu ne peux pas boire deux verres, c'est ton affaire. Moi, je suis sobre et de plus j'ai faim. Je vais dîner avec Brandon. »

Elle fit demi-tour, oubliant Eve. Pour la première fois depuis un an, elle pensait qu'il y avait d'autres hommes qu'Alan sur la terre. «Il est trop maladroit, pensa-t-elle tout haut. Il gâche tout.

— Vous devriez le quitter, dit Brandon.

— Ce serait une loque, enfin, je veux dire...

— C'est une loque, déjà.

— Je sais.

— Mais il est séduisant, c'est ça?»

Elle ouvrit la bouche pour protester puis haussa les épaules. «C'est peut-être ça, en effet.»

Ils se dirigeaient vers le restaurant, à petits pas. Brandon sentait la main de Josée sur son bras, il se demandait s'il ne devrait pas le retirer avant le restaurant tant il le tenait gauchement, paralysé par une sorte de crampe.

«Je n'aime pas que vous buviez», dit-il.

Il parlait trop fort, avec trop d'autorité. Il s'en rendait compte. Josée releva la tête.

«La mère d'Alan non plus n'aime pas qu'il boive. Et moi non plus. Mais vous, qu'est-ce que ça peut vous faire?»

Il dégagea son bras avec un soulagement résigné. Pour une fois qu'il pouvait parler seul deux minutes avec elle, il fallait qu'il la vexe.

«Ça ne me regarde pas.»

Elle tourna la tête vers lui. Il marchait les bras ballants, il avait un visage honnête, rassurant. Elle avait cru épouser un homme comme lui. Elle lui sourit.

«Vous avez raison, Brandon. Excusez-moi. Mais vous parlez toujours "santé". Ce n'est pas un raisonnement européen. Voyez-vous, je vis avec Alan. Je ne peux pas me dire : "Il faut le quitter", comme : "Il faut me faire enlever l'appendice."

— Pourtant, il le faut, Josée, si vous avez besoin de moi, un jour...

— Je sais, merci. Vous êtes très bons, Eve et vous.

— Pas seulement Eve et moi. Mais moi tout seul.»

Il était écarlate. Josée ne répondit pas. A Paris, elle avait bien aimé jouer pourtant avec certains hommes. «J'ai vieilli», pensa-t-elle. Le restaurant était plein. Sur la plage, loin derrière eux, les silhouettes d'Alan et d'Eve les suivaient lentement.

A nouveau, ils étaient seuls, chez eux. Le bungalow était constitué de trois pièces fort longues, en bambous clairs, décorés de masques nègres, d'objets de paille et de harpons, bref de tout ce qui correspondait aux notions exotiques de la mère d'Alan. De ce dernier, et bien qu'il y eût habité seul fort longtemps, il n'y avait rien. Les disques, les livres, ils les avaient apportés ensemble de New York. Elle n'avait jamais connu d'homme que son passé intéressât si peu. Il ne se voyait que par rapport à elle et dans un rapport si systématique de persécuteur qu'elle avait parfois envie d'en rire. En fait, il poussait si loin la stylisation de leurs relations et si loin la désaffection de lui-même que le vertige la prenait parfois comme devant certaines mauvaises pièces de théâtre ou devant certains films prétentieux. Mauvaise pièce, mauvais film mais dont l'auteur ambitieux était son mari et elle ne pouvait s'empêcher de gémir avec lui devant son inévitable échec.

Il marchait de long en large devant elle, toutes les fenêtres ouvertes, et l'air chaud de la Floride leur effleurait parfois le visage, odeur douceâtre et lointaine, mélange de mer, d'essence et de chaleur têtue. Elle le regardait marcher en se disant qu'elle n'avait jamais participé si peu à un décor et même à une vie. Et jamais non plus été si sensible — comme écorchée — à quelqu'un.

«Brandon est amoureux de toi», dit-il enfin.

Elle sourit. Il voyait toujours tout en même temps qu'elle. Deux jours plus tôt, elle eût ri de sa phrase et l'eût taxée d'obsession. Deux jours plus tard, d'aveuglement. En même temps, elle savait qu'elle ne pouvait pas plaisanter avec lui de cet état de choses comme avec n'importe quel homme.

«Quels sont les atouts de Brandon?» demanda-t-il rêveusement, et il s'arrêta de marcher, s'appuya à la fenêtre.

«Nuls, dit-elle.

— Voyons..., reprit-il. Il est bel homme, solide, rassurant... Il est le seul homme possible à Key Largo en ce moment. Sa femme est intelligente et sait se tenir. Et je l'imagine très bien me mettant knock-out si je t'insultais. Tu sais, le parfait gentleman : "Il y a des choses, mon cher, qu'un homme ne doit pas souffrir et Lady Josée, au-dessus de tout soupçon...", etc.»

Il se mit à rire.

«Tu ne dis rien. La scène te paraît inimaginable?

— Non. Rien ne me paraît inimaginable.

— Même de coucher avec lui?

— Non. Mais ça ne me paraît pas désirable non plus.

— Ça viendra, va.»

Il se décolla de la fenêtre et elle remarqua une fois de plus son goût du théâtre. Il s'adossait pour certaines répliques, repartait à la fin de la scène, semblait toujours sanctionner ses phrases par des mouvements. Pour sa part, elle était allongée sur un divan de toile, les mains jointes au-dessus de sa tête, les yeux mi-clos. Elle avait sommeil et se demandait en même temps combien de temps elle pourrait supporter cela. Non sans un secret amusement. Pour la première fois, aujourd'hui, elle s'était formulé sa décision : «Je dois sortir de là.»

«Quel que soit l'ennui que te procure Brandon, tu n'aurais pas dû le dissimuler à ce point-là, reprit Alan. Tu l'as embarqué sur la plage de

belle manière, laissant cette pauvre Eve seule avec moi. Elle vous a
suivis d'un regard plus que mélancolique.
— Je n'y ai pas pensé. Tu crois...»
Elle allait dire : «Tu crois que je l'ai blessée?» mais s'arrêta. De
toute façon, il dirait «oui». Il ne visait qu'à développer chez elle un
sentiment de culpabilité. Brusquement une sorte de colère la submergea :
«Je ne l'ai pas blessée. Eve a confiance en moi. Brandon aussi. Ils ne
s'imaginent pas, eux, que je vis sur le dos, les bras en croix, à attendre
un mâle. Ils sont normaux.
— Tu veux dire que je ne le suis pas?
— Tu le sais assez ; tu en es assez fier, non ? Tu dorlotes tes petites
névroses à longueur de jour. Tu serais désespéré de mettre les pieds sur
terre et de te conduire comme un homme...»
«Mon Dieu, pensait-elle en même temps, je lui parle comme le
Reader's Digest. Mon Dieu, moi qui ai horreur du bon sens, je lui tiens
les discours d'un père de famille. Il finira par me rendre ennuyeuse.
D'ailleurs il est ravi.»
Il s'approchait d'elle, en effet, et en souriant.
«Tu te rappelles, Josée, ce que tu m'as dit un jour : "Les gens sont
comme ils sont, je n'ai jamais voulu changer personne, personne n'a le
droit de dire un mot sur personne." Tu te rappelles?»
Il était assis près d'elle et il parlait tout doucement, à ce point qu'elle
ne savait plus s'il répétait ses mots comme une sorte d'évangile dont
dépendait son bonheur, ou pour la confondre. Elle avait la gorge serrée.
Oui, elle avait dit ça un jour d'hiver, à New York. Elle avait parlé une
heure avec la mère d'Alan, et elle était sortie avec lui pleine de pitié, de
tendresse et de beaux principes. Ils avaient marché une heure dans
Central Park et il semblait si éperdu, si confiant en elle...
«Oui, dit-elle, j'ai dit ça. Et je le pensais. Et je le pense encore. Alan,
dit-elle plus bas, tu ne m'aides pas.
— Tu me trouves méchant?
— Oui.»
Et elle ferma les yeux. Elle avait gagné, il lui avait fait dire qu'il la
faisait souffrir, c'était bien ce qu'il voulait : l'atteindre. N'importe
comment. Il la prit dans ses bras, la souleva, puis la laissa retomber,
s'allongea contre elle et enfouit sa tête dans son épaule. Il murmurait son
nom d'une voix suppliante, il la caressait, il eût aimé qu'elle pleure.
Mais elle ne pleurait pas. Alors il la prit à moitié habillée, et lui en
voulut presque du plaisir qu'ils partagèrent. Plus tard, il acheva de la
déshabiller et la transporta endormie dans leur chambre. Il s'endormit en
lui tenant la main, convulsivement. Elle le trouva en travers de son lit, le
lendemain matin, il ne s'était pas couché.
«Etrange paysage d'un dormeur... La main ouverte sur le drap, le
visage détourné, les jambes repliées contre le buste. Comment appelle-

t-on ça, déjà? La position du fœtus. Alan regrettait-il sa mère, son insupportable mère? Quelle drôle d'idée. Freud avait-il prévu la mère d'Alan? (Elle se mit à rire, tendit la main vers la carafe d'eau.) Je hais le Bacardi. Je hais cette eau stérilisée, fade, qui me coule dans la gorge. Je hais cette fenêtre fermée et cet air climatisé. Je hais le bambou et les fétiches nègres à deux dollars. Je hais les voyages, et les paysages tropicaux. Est-ce que je hais cet étranger qui dort en travers de mon lit? « Il est beau. Son flanc est long, plat, un flanc de jeune homme mince. Son flanc est doux sous mes lèvres, je ne hais pas ce jeune homme. Je bouge un peu la tête et l'étranger gémit, se réveille sous ma bouche avant de se réveiller complètement. Ce n'est plus de déchirement d'échapper au sommeil qu'il gémit à présent, mais de plaisir. Ses jambes sont étendues, il a quitté sa mère, retrouvé sa maîtresse. « Mère des souvenirs, maîtresse des maîtresses... » Verlaine, Baudelaire... ? Je ne le saurai pas maintenant. Il m'a prise par la nuque, il m'a retournée. Il me fait glisser vers lui, il dit mon nom, c'est vrai, je m'appelle Josée et lui Alan. Il n'est pas possible que cela ne veuille rien dire, Alan, il n'est pas possible qu'après tout redevienne pareil, il n'est pas possible que je puisse dire un autre prénom que le tien. »

CHAPITRE II

« Tu OUBLIES ton chapeau. »
Il fit un geste d'insouciance. La voiture ronflait déjà, ronronnait plutôt. C'était une vieille Chevrolet grenat. Alan n'avait aucun goût pour les voitures de sport.
« Il va faire une chaleur folle, insista Josée.
— Monte. Brandon me passera le sien. Il a le crâne dur. »
Il ne parlait plus que de Brandon, il ne voyait plus que les Kinnel. C'était le nouveau jeu d'Alan. Il prenait l'air du spectateur impuissant devant une grande passion, appelait Eve « ma pauvre compagne d'infortune » et souriait avec ostentation quand Brandon adressait la parole à Josée. La situation devenait doucement insupportable malgré les efforts conjugués de Josée et des Kinnel pour la transformer en plaisanterie. Elle avait tout essayé, la colère, le flegme, la prière. Elle était même restée seule, refusant de les voir, mais Alan avait passé l'après-midi en face d'elle, à boire et lui vanter les charmes de Brandon.
Ce jour-là, ils devaient partir pêcher ensemble. Josée avait mal dormi et attendait avec une sorte de délectation le moment où Brandon, Eve ou elle-même éclaterait. Avec un peu de chance, ce serait le jour même.
Les Kinnel étaient sur le ponton, l'air accablé, comme d'habitude,

depuis une semaine. Eve avait un panier de sandwiches à la main et leur fit un geste qui se voulait joyeux de sa main libre. Brandon sourit faiblement. Le gros chriscraft se balançait mollement dans le petit port, le marin attendait.

C'est alors qu'Alan trébucha et porta la main à sa nuque. Brandon fit un pas et lui prit le bras :

« Qu'avez-vous ?

— Le soleil, dit Alan. J'aurais dû prendre mon chapeau. Je ne me sens pas bien. »

Il s'assit sur une borne, la tête baissée. Les autres se regardèrent, indécis.

« Si tu ne te sens pas bien, dit Josée, on va rester ici. Ce serait idiot, avec ce soleil, de partir en mer.

— Non, non, tu adores la pêche. Pars avec eux.

— Je vais vous reconduire chez vous, au moins, dit Brandon. Vous devez avoir une petite insolation, il vaut mieux ne pas conduire.

— Vous perdriez une heure. Et vous êtes un fin pêcheur. Non, le mieux serait qu'Eve, que la pêche assomme, me reconduise. Elle me soignerait et me ferait la lecture. »

Il y eut un silence. Brandon détourna la tête et Eve, qui le regardait, crut le comprendre.

« C'est la meilleure idée. Je suis dégoûtée des requins et autres poissons. Et puis vous serez vite revenus. »

Sa voix était calme et Josée, qui allait protester, se tut. Mais elle était hors d'elle. « C'est ce qu'il voulait, ce petit idiot. Et sans risques... il sait bien que le bateau fait quatre mètres et qu'il y a un marin. Et Eve qui prend l'air effacé et Brandon qui rougit... Mais que cherche-t-il à la fin ? » Elle fit volte-face et monta sur la passerelle.

« Eve, tu es sûre..., hasarda Brandon.

— Mais bien sûr, chéri. Je ramène Alan. Bonne pêche, n'allez pas trop au large, la mer se lève. »

Le marin sifflotait impatiemment. Brandon embarqua à contrecœur et s'accouda à la rambarde, près de Josée. Alan avait relevé la tête et les regardait ; il semblait fort bien et souriait. Le bateau quittait doucement le quai.

« Brandon, dit soudain Josée, sautez. Sautez à terre, tout de suite. »

Il la regarda, regarda le quai à un mètre déjà et sauta d'un bond par-dessus la rambarde, glissa, se rétablit. Eve poussa un cri.

« Alors quoi, dit le marin.

— On part », dit Josée sans se retourner.

Elle regardait Alan dans les yeux. Brandon était sur le quai, il s'époussetait nerveusement. Alan ne souriait plus. Elle quitta la rambarde et s'assit à l'avant du bateau. La mer était superbe et elle était seule. Elle ne s'était pas sentie aussi bien depuis longtemps.

Naturellement le panier était resté à quai et elle partagea la nourriture du marin. La pêche avait été bonne. Deux barracudas avaient été pris, après une demi-heure d'efforts chacun, et elle était épuisée, affamée et ravie. Le marin se nourrissait apparemment d'anchois et de tomates et ils avaient plaisanté ensemble sur l'intérêt qu'aurait eu un énorme steak. Il était très grand, un peu dégingandé, complètement brûlé, avec des yeux de cocker.

Le ciel se couvrait, la mer devenait houleuse et ils étaient à l'autre bout des Keys quand ils décidèrent de rentrer. Il mit une ligne à la mer et Josée s'assit dans le fauteuil de pêche. La sueur coulait sur leur corps sans arrêt, ils regardaient la mer chacun de son côté sans plus parler. A un moment un poisson attaqua, elle ferra trop tard et elle ramena un hameçon vide. Elle appela le marin pour qu'il lui donne un autre appât.

« Mon nom est Ricardo, dit-il.

— Moi, Josée.

— Française, hein ?

— Oui.

— Et l'homme sur le quai ? »

Il disait « l'homme », il ne disait pas « votre mari ». Key Largo était une île à aventures sans doute. Elle se mit à rire.

« Il est américain.

— Il n'est pas venu ?

— Non. Insolation. »

Ils n'avaient pas parlé de leur bizarre départ depuis le matin. Il avait baissé la tête, ses cheveux étaient plantés en brosse, très drus. Il accrocha un appât à l'énorme hameçon, très vite. Puis il alluma une cigarette et la lui tendit. Elle aimait bien cette familiarité et cette tranquillité des rapports dans ce pays-là.

« Vous aimez pêcher seule ?

— J'aime bien être seule de temps en temps.

— Moi, je suis seul tout le temps. J'aime mieux. »

Il était derrière elle. Elle pensa vaguement qu'il avait dû fixer la barre et que ce n'était pas très prudent par cette mer.

« Vous avez chaud », dit-il encore et il posa sa main sur l'épaule de Josée.

Elle se retourna. Il la regardait tranquillement de ses yeux pensifs de chien, sans menace mais sans équivoque. Elle regarda la main qu'il avait posée sur elle, elle était grande, carrée, pas soignée. Son cœur se mit à battre. Ce qui la troublait, c'était ce regard tranquille, attentif, sans aucune gêne. « Si je lui dis d'enlever sa main, il l'enlèvera et ce sera fini. » Elle avait la bouche sèche :

« J'ai soif », dit-elle faiblement.

Il la prit par la main. Il y avait deux marches entre le pont et la cabine. Les draps étaient propres et Ricardo très brutal. Après, ils trouvèrent un malheureux poisson accroché à la ligne et Ricardo se mit à rire comme un enfant.

« Le pauvre…, on ne s'occupait pas de lui, pourtant… »

Son rire était contagieux et elle se mit à rire avec lui. Il la tenait par les épaules, elle était de bonne humeur et ne se disait pas que c'était la première fois qu'elle trompait Alan.

« Les poissons sont aussi idiots en France ? dit Ricardo.

— Non. Ils sont plus petits et plus malins.

— Je voudrais aller en France. Et voir Paris.

— La tour Eiffel, hein ?

— Et les Françaises. Je vais remettre le moteur en marche. »

Ils rentrèrent doucement. La mer était calmée, le ciel de ce rose vénéneux que lui donnent les orages avortés. Ricardo tenait la barre et de temps en temps se retournait pour lui sourire.

« De ma vie, il ne m'est arrivé ce genre de chose », pensait Josée, et elle lui rendait son sourire. Avant d'arriver, il lui demanda si elle reviendrait pêcher et elle lui dit que non, qu'elle allait partir bientôt. Il resta un moment sur le pont et elle se retourna une fois.

Au débarcadère, on lui apprit que son mari et M. et Mme Kinnel l'attendaient au bar du Sam's. La Chevrolet était restée là. Elle les rejoignit, après s'être douchée et changée. Dans la glace, il lui sembla avoir rajeuni de dix ans et retrouvé son visage de Paris certains jours, mi-gêné, mi-malicieux. « Femme excédée, femme facile », dit-elle à la glace. C'était un vieil adage de son ami le plus cher, Bernard P.

Ils l'accueillirent dans un silence poli, les deux hommes se levant un peu trop précipitamment, et Eve lui décochant un demi-sourire. Ils avaient passé l'après-midi à jouer aux cartes et avaient dû s'ennuyer. Elle parla de ses deux barracudas, fut félicitée et le silence tomba. Elle ne chercha pas à le rompre. Assise sur sa chaise, les yeux baissés, elle regardait leurs mains et comptait leurs doigts machinalement. Quand elle s'en aperçut, elle éclata de rire. Ils sursautèrent.

« Qu'est-ce qui te prend ?

— Rien, je comptais vos doigts.

— Au moins, tu es revenue gaie. Alors que Brandon a été triste comme la nuit tout le temps.

— Brandon ? » dit-elle. Elle avait oublié le jeu d'Alan. « Brandon ? Pourquoi ?

— Tu l'as fait sauter du bateau. Tu ne te rappelles pas ? »

Ils avaient tous les trois, curieusement, l'air vexé.

« Si, bien sûr. En fait, je ne voulais pas qu'Eve passe la journée en tête à tête avec toi. On ne sait jamais.

— Tu renverses les rôles, dit Alan.

— Nous sommes quatre, dit-elle gaiement, ça peut faire deux diagonales. N'est-ce pas, Eve ? »

Elle la regarda sans répondre, interloquée.

« Et même si, fou de jalousie, tu ne t'étais pas intéressé à Eve, uniquement obsédé par l'image de Brandon et moi pêchant amoureusement ensemble de petits poissons, elle se serait horriblement ennuyée. Aussi j'ai renvoyé Brandon. Voilà. Qu'est-ce qu'on mange ? »

Brandon écrasait nerveusement sa cigarette. Il n'avait pas aimé qu'elle ridiculise, même abstraitement, la merveilleuse journée qu'ils auraient pu passer ensemble. Une seconde, elle eut pitié de lui mais elle était lancée.

« Tes plaisanteries sont d'un goût charmant, dit Alan. J'espère qu'Eve les trouvera drôles.

— J'en ai une très drôle, dit Josée, qui vous fera beaucoup rire, mais au dessert. »

Elle n'essayait plus de se contrôler. Elle retrouvait cette joie, ce goût de la violence et de l'irréparable qui l'avaient si longtemps caractérisée. Elle sentait en elle naître ce rire intérieur, cette insouciance parfaite, cette liberté qu'elle avait oubliés. Elle se leva et se dirigea vers la cuisine.

Ils dînèrent dans un silence lourd, uniquement coupé des plaisanteries de Josée, de ses récits de voyages et de ses considérations gastronomiques. Les Kinnel finirent par rire avec elle. Seul Alan se taisait et la regardait fixement. Il buvait beaucoup.

« Voici le dessert », dit tout à coup Josée, et elle pâlit.

Le garçon arrivait avec un gâteau rond surmonté d'une bougie. Il le posa sur la table.

« Une bougie, dit Josée. C'est la première fois que je te trompe. »

Ils restaient pétrifiés, regardant tour à tour Josée et la bougie, comme pour déchiffrer un rébus.

« Le marin du bateau, dit-elle impatiemment. Ricardo. »

Alan se leva, hésita ; Josée le regarda puis baissa les yeux. Il sortit lentement.

« Josée..., dit Eve. C'est une mauvaise plaisanterie...

— Pas du tout. Alan l'a bien compris. »

Elle prit une cigarette. Sa main tremblait. Brandon mit une minute à trouver son briquet et lui offrir du feu.

« De quoi parlions-nous ? » dit Josée.

Elle se sentait épuisée.

La portière claqua. Josée restait à côté, indécise. Les Kinnel la regardaient sans rien dire. Aucune lumière dans la maison. Pourtant la Chevrolet était là.

« Il doit dormir », dit Eve sans y croire.

Josée haussa les épaules. Non, il ne dormait pas. Il l'attendait. Il allait y avoir une belle scène. Elle avait horreur des scènes, des violences de toutes sortes et, dans ce cas-là, des mots. Pourtant, elle l'avait bien cherché. «Je suis idiote, pensa-t-elle une fois de plus, complètement idiote. Je ne pouvais pas me taire?...» Elle se retourna vers Brandon, désespéré. «Je ne pourrai pas supporter ça, dit-elle. Brandon, emmenez-moi à l'aéroport, prêtez-moi l'argent du voyage, je rentre.

— Vous ne pouvez pas faire ça, dit Eve. Ce serait... euh... lâche.

— Lâche, lâche... Qu'est-ce que ça veut dire, lâche? J'évite une scène inutile, c'est tout. Quels sont ces termes de boy-scout? Lâche...» Elle parlait à voix basse. Elle cherchait désespérément un moyen de s'en sortir. Quelqu'un allait lui faire des reproches, quelqu'un qui en avait le droit. C'était une idée qu'elle n'avait jamais supportée.

«Il doit vous attendre, dit Brandon. Il doit être très secoué.»

Ils chuchotaient tous les trois. Ils avaient l'air de conspirateurs effrayés.

«Bon, dit Josée. Ça ne peut pas durer. J'y vais.

— Voulez-vous que nous attendions un peu?»

Brandon avait un air tragique et noble à la fois. «Il m'a pardonné mais son cœur de vieux soupirant saigne», pensa Josée et un rapide sourire lui vint.

«Il ne me tuera pas, dit-elle. Et même...», ajouta-t-elle avec emphase devant l'air horrifié des Kinnel.

Et elle leur fit un petit salut résigné avant de s'éloigner. A Paris, cela aurait été différent : elle aurait passé la nuit dehors avec de bons amis, bien gais, et serait rentrée à l'aube, trop épuisée pour qu'une scène l'épouvante. Mais là, elle avait traîné une heure avec deux censeurs sévères, ce qui avait achevé de la déprimer. «Peut-être va-t-il me tuer, pensa-t-elle, fou comme il l'est.» Mais elle n'y croyait pas. Au fond, il devait être enchanté, il avait un bon prétexte pour se torturer. Il allait lui demander mille détails, il allait...

«Mon Dieu, soupira-t-elle, que fais-je ici?»

Elle avait besoin de sa mère, de sa maison, de sa ville, de ses amis. Elle avait voulu faire la maligne, voyager, se marier, s'expatrier, elle avait cru pouvoir tout recommencer. Et là, dans la nuit chaude de Floride, appuyée à la porte de cette maison de bambou, elle avait envie de gémir, d'avoir dix ans, d'appeler à l'aide.

Elle poussa la porte, hésita dans le noir. Peut-être dormait-il vraiment? Peut-être pourrait-elle aller se coucher sur la pointe des pieds sans qu'il l'entende. Un grand espoir l'envahit. Comme lorsqu'elle rentrait du collège avec des bulletins désastreux et qu'elle écoutait sur le paillasson les rumeurs de la maison. Ses parents avaient-ils un grand dîner? Si oui, elle était sauvée. C'était bien la même impression et elle pensa confusément qu'elle n'avait pas plus peur maintenant, devant un mari bafoué, que quinze ans auparavant, devant des parents somme toute indifférents à un zéro de géographie, fût-il décerné à leur fille unique. Peut-être y avait-il un palier à la mauvaise conscience, à l'effroi des conséquences, et peut-être l'atteignait-on une bonne fois à douze ans. Elle tendit la main vers l'interrupteur, alluma. Alan était assis sur le canapé, il la regardait.

« C'est toi ? » dit-elle bêtement.

Et elle se mordit les lèvres. La repartie était facile mais il la lui épargna. Il était pâle et nulle bouteille ne se voyait près de lui.

« Que fais-tu dans le noir ? » reprit-elle.

Et elle s'assit à quelques mètres, résignée. Il passa la main sur ses yeux, en un geste familier, et subitement elle eut envie de lui mettre les bras autour du cou, de le consoler, de lui jurer qu'elle avait menti. Mais elle ne bougea pas.

« J'ai téléphoné à mon avocat, dit Alan d'une voix calme. Je lui ai dit que je voulais divorcer. Il m'a conseillé d'aller à Reno ou ailleurs. Ce sera vite fait. Torts réciproques, ou les miens, comme tu veux.

— Bon », dit Josée.

Elle se sentait étourdie et soulagée à la fois. Mais elle ne pouvait détacher les yeux de lui.

« Après ce qui s'est passé, il semble que c'est le mieux », dit Alan.

Il se leva et posa un disque sur le pick-up.

Elle acquiesça de la tête. Il se retourna vers elle, si vite qu'elle sursauta.

« Tu ne penses pas ?

— J'ai dit "oui", enfin, j'ai fait "oui" de la tête. »

La musique s'éleva dans la pièce, et elle chercha machinalement à la reconnaître. Grieg, Schumann ? Il y avait deux concertos qu'elle confondait toujours.

« J'ai téléphoné aussi à ma mère. Je lui ai raconté — succinctement — les choses et je lui ai dit ma décision. Elle m'a approuvé. »

Josée ne répondit pas. Elle le regarda avec une grimace qui signifiait : « Ça ne m'étonne pas. »

« Elle m'a même dit qu'elle était contente de me voir enfin agir en homme », ajouta Alan, d'une voix presque inaudible.

Il lui tournait le dos. Elle ne pouvait voir son visage mais elle le devinait. Elle esquissa un mouvement vers lui, puis s'arrêta.

« En homme !... répéta Alan d'une voix pensive. Tu te rends compte ? C'est ce qui m'a réveillé. Sincèrement — et il se retourna vers elle —, sincèrement, tu penses que c'est se conduire en homme que de quitter la seule femme qu'on ait jamais aimée parce qu'elle a passé une demi-heure dans les bras d'un pêcheur de requins ? »

Il lui posait la question de bonne foi, visiblement comme il l'eût posée à un vieil ami. Il n'y avait nulle trace de rancune ni d'ironie dans sa voix. «Il a quelque chose qui me plaît, pensa Josée, il a quelque chose de fou qui me plaît.»

«Je ne sais pas, dit-elle. Je ne crois pas, non.

— Tu es objective, n'est-ce pas? Je le sais. Tu es capable d'être objective sur n'importe quoi. C'est une des raisons pour lesquelles je t'aime tant. Et si profondément.»

Elle se leva. Ils étaient debout l'un en face de l'autre, ils se regardaient, ils se reconnaissaient. Il mit les bras sur ses épaules, elle se laissa glisser et posa la joue contre son chandail.

«Je te garde. Je ne te pardonne pas, dit-il. Je ne te pardonnerai jamais.

— Je sais, dit-elle.

— Je n'ai pas crevé l'abcès, je ne recommence pas à zéro, il n'y a pas de coup d'éponge. Je ne suis pas un homme comme ma mère l'entend, tu le sais?

— Je sais», dit-elle. Elle avait envie de pleurer.

«Tu es fatiguée et moi aussi. De plus je suis aphone. Il fallait hurler pour se faire entendre de New York. Tu me vois hurlant : "Ma femme m'a trompé, je répète : ma femme m'a trompé"? Comique, non?

— Oui, dit-elle, comique. Je veux dormir, à présent.»

Il la lâcha et enleva le disque du pick-up. Il le rangea soigneusement puis se retourna vers elle :

«Il t'a fait plaisir? Dis-moi..., il t'a fait plaisir?»

Septembre finissait. Ils auraient dû être de retour à New York mais ni l'un ni l'autre n'y faisait allusion. Alan détestait «les autres». Quant à Josée, elle préférait encore vivre seule avec lui que de supporter la jalousie qu'éveillaient la moindre de ses paroles, le moindre de ses regards quand ils ne lui étaient pas directement adressés. En ce sens, il avait réussi son plan : peu à peu, l'Amérique, l'Europe se fondaient dans la brume et il ne subsistait de sa vie que le visage anxieux, de plus en plus bronzé, de plus en plus creusé, d'Alan. Les Kinnel s'attardaient aussi. Mais le rythme des conversations avait baissé. Alan affichait un mépris bizarre pour Brandon depuis l'histoire de Ricardo. «Si cet idiot-là n'avait pas sauté à ton injonction comme un toutou...», et Josée n'essayait même pas de lui démontrer le comique de son raisonnement. Au reste, elle était lasse de parler de Ricardo, de répondre aux mille questions que lui posait Alan sur les charmes de Ricardo et de crier «non» quand on lui demandait si elle pensait à Ricardo. Elle ne pensait plus à rien. Le soleil l'excédait, elle déplorait amèrement qu'Alan ne dût pas aller au bureau de huit heures à six heures du soir, elle regrettait les gros chandails des pays froids et elle passait son temps dans la pénombre de sa chambre climatisée à lire des romans policiers. En dehors de ça, elle était calme, souriante, inerte. Il lui semblait qu'elle mourrait un beau jour, en Floride, sans que personne ni elle-même ne sût pourquoi. Alan rôdait autour d'elle, l'interrogeait sur sa vie passée, sur Paris, et cela finissait invariablement par Ricardo, des mots violents, des insultes et l'amour sur le lit de bambou. Tout était dans l'ordre. Elle le regardait arriver comme l'oiseau regarde le fameux serpent, mais comme un oiseau blasé, s'il en existe.

«Au fond, tu aimes ça», lui dit-il un jour, après une scène particulièrement longue, et elle le regarda, horrifiée. Peut-être en effet finissait-elle par aimer cela : être traitée non plus comme un être indépendant mais comme l'objet impuissant d'un amour maladif. Elle se posa la question toute la nuit, s'avoua qu'elle était envoûtée et qu'elle n'avait plus la force de réagir. Mais elle n'aimait pas ça. Non. Elle aimait partager la vie d'un homme sans en être l'obsession. Et elle était loin de l'imbécile fierté que cette obsession avait provoquée chez elle les premiers temps.

Un soir, dans un accès de courage, elle supplia Alan de la laisser partir, seule, quinze jours, n'importe où. Il refusa.

«Je ne peux pas vivre sans toi. Si tu veux me quitter, quitte-moi. Renonce à moi complètement ou supporte-moi.

— Je te quitterai.

— Sûrement un jour. En attendant, je ne vais pas m'infliger quinze jours de torture pour rien. Je t'ai, j'en profite.»

Il riait. Elle n'arrivait pas à le haïr. Elle n'osait pas le quitter. Elle avait peur. Elle n'avait jamais rien fait de tellement brillant dans sa vie pour qu'elle pût s'offrir le luxe d'être responsable de la mort d'un homme, ou de sa déchéance. Ou même de son désespoir. Sans doute, elle «gâchait» sa vie, comme disait Brandon, mais qu'avait-elle fait d'autre jusque-là ? «J'ai été très heureuse quand même», se disait-elle. Mais c'était peu dans la balance. Une vie relativement propre, des amis fidèles, de la gaieté, rien de tout cela ne pouvait s'opposer à l'idée fixe d'un homme de trente ans.

«Où veux-tu que ça nous mène ? Nous ne sommes pas heureux.

— Par moments, un peu, disait-il (et c'était vrai). De toute manière, nous irons jusqu'au bout. Je t'userai, je m'userai, je ne te quitterai pas, nous n'aurons pas de répit. Deux êtres humains doivent pouvoir vivre cramponnés l'un à l'autre sans respirer. Ça s'appelle l'amour.

— Deux êtres humains pourris d'argent, dit-elle. Si tu devais travailler...

— La question ne se pose pas, Dieu merci. Et si je devais travailler, je me ferais pêcheur et je t'emmènerais sur mon bateau. Il paraît que tu aimes les pêcheurs...»

Et tout recommençait. Tout recommençait mais rien ne ressemblait à ce qu'elle avait connu. Alan avait un prestige à ses yeux plus fort que ses tares : il était détaché. Détaché de lui-même jusqu'au suicide qu'il avait déjà manqué par hasard un hiver. Et puis il ne se chérissait pas, il n'avait pas pour lui ces dorlotements affreux des autres gens, il n'avait même pas une bonne idée de lui-même. Il était désarmé devant elle, il disait : « Je te veux et si tu pars, rien ne me consolera, même pas le plaisir de pleurer.» Il l'effrayait. Car il lui était indifférent d'être beau alors qu'elle aimait plaire, indifférent d'être riche alors qu'elle aimait dépenser, indifférent d'exister alors qu'elle aimait la vie. Son indifférence ne cédait que devant elle. Et d'une façon si affamée..., si morbide.

« Tu aurais dû être pédéraste, disait-elle. Avec ta mère comme raison. Et puis ton physique et ton argent comme moyens. Tu aurais été la coqueluche de Capri...

— Et toi, tu aurais été tranquille... Seulement j'ai toujours aimé les femmes. Enfin... j'ai toujours eu des femmes. Jusqu'à toi. Avant toi, je n'aimais rien vraiment. Et tu as été aussi mon premier corps.»

Elle le regardait, un peu égarée. Elle avait aimé d'autres hommes que lui, d'autres corps surtout. Les nuits de Paris, les plages du Midi ; cette tendre usure qu'elle en gardait et qu'il haïssait, elle ne pouvait les renier devant lui. Elle trouvait plus indécent qu'il exposât ce passé glacé et confortable et qu'il s'en glorifiât presque. Mais non, il ne s'en glorifiait pas. En fait, il n'avait aucune idée d'ensemble de sa vie, aucune attitude délibérée. Il voguait de crise en crise, de sensation en sensation comme un malade ou un homme complètement sincère. Et elle ne voyait pas s'il était l'un ou l'autre ; ni comment, dans le premier cas, elle avait le droit de lui dire : « Voyons, mon cher, vous êtes un être humain. Soignez-vous.» Ni comment elle pouvait, dans le second cas, le convaincre que ce n'était pas la bonne méthode, qu'il y avait des petites concessions à faire dans la vie de société et certaines tricheries pieuses à effectuer. Encore qu'elle fût persuadée de la nécessité de ces tricheries sans l'être de leur bien-fondé. Les gens qui parlaient d'absolu la dégoûtaient encore plus que ceux qui n'y pensaient pas. Seulement Alan n'en parlait pas.

Leurs meilleurs moments étaient toujours au milieu de la nuit, après qu'ils se soient bien acharnés l'un sur l'autre, selon des rites bien établis, lorsque la fatigue desserrait le visage d'Alan, l'amollissait et lui rendait cette enfance balbutiante dont il n'aurait sans doute jamais dû sortir. Alors elle essayait de lui parler, doucement, de faire rentrer ses mots dans son sommeil, dans cette vie sans elle à laquelle il se résignait enfin pour quelques heures. Elle lui parlait de lui. Elle lui disait combien il était fort, et sensible, et séduisant, et exceptionnel, elle essayait de le ramener à lui-même, de l'intéresser à lui, il disait : « Tu trouves ?» d'une voix puérile et ravie et il s'endormait contre elle. Un matin, songeait-elle, il s'éveillerait épris de lui-même, autonome, et elle le verrait à un léger signe. Il bâillerait et chercherait ses cigarettes sans lui jeter un regard. Elle feignait le sommeil, parfois, pour l'épier. Mais sitôt réveillé, il tendait la main convulsivement vers elle pour vérifier sa présence et, rassuré, ouvrait définitivement les yeux, se soulevait sur son coude pour la regarder dormir. Un jour où elle s'était levée pour regarder l'aube, très tôt, il eut un véritable cri d'angoisse qui la fit accourir. Ils se dévisagèrent sans un mot et elle se recoucha près de lui.

« Tu n'es pas un homme, disait-elle.

— Qu'est-ce que c'est "être un homme" ? Si c'est être courageux, je le suis. Viril, aussi. Egoïste, aussi.

— Un homme ne doit pas avoir perpétuellement besoin de quelqu'un, sa mère ou sa femme, pour vivre.

— Je n'ai pas eu besoin de ma mère. Et je suis épris de toi. Lis Proust. Et si tu as besoin de protection, je suis là, aussi, en tant qu'homme.

— Je n'ai pas besoin de protection, en ce moment, j'ai besoin d'air.

— De l'air du large ? De Ricardo ? »

Elle sortait. Elle sortait et restait sur le pas de la porte, écrasée par le soleil. Parfois, elle pleurait de fatigue et ramassait ses larmes sur sa joue, avec la langue, d'un geste d'écolière. Puis elle rentrait. Alan mettait un disque qu'ils aimaient, ils parlaient de la musique qu'il connaissait bien, elle finissait par lui répondre. Le temps passait.

Un jour de septembre, à la fin du mois, ils reçurent un télégramme. La mère d'Alan allait être opérée. Ils firent leurs bagages et ils quittèrent, le cœur serré, la maison où ils avaient été si heureux.

La pause

CHAPITRE III

LA CHAMBRE BLANCHE était encombrée de petites boîtes de Cellophane où se desséchaient des orchidées pâlottes. Helen Ash fixait sa belle-fille de son fameux regard d'oiseau de proie — elle ne se rappelait plus quel journaliste avait écrit cela à son propos mais, depuis dix ans, elle écarquillait la prunelle dans les cas sérieux et resserrait les narines. Josée, qui reconnaissait ce symptôme, soupira.

« Alors, quelles nouvelles ? J'ai vu Alan ce matin. Il a bonne mine plutôt. Mais c'est un paquet de nerfs.

— Il l'a toujours été, je suppose. Enfin, tout va bien, mère. Et vous ? L'opération n'est pas grand-chose, il paraît ? »

Le regard d'oiseau de proie fit place à une expression résignée.

« Les opérations des autres ne semblent jamais très graves. Même aux plus proches.

— Même aux chirurgiens, dans votre cas, dit paisiblement Josée, et c'est ce qui me rassure. »

Il y eut un silence. Helen Ash n'aimait pas qu'on lui gâche ses numéros. Et aujourd'hui il consistait à léguer son fils fragile à sa bru avant de partir vers une opération fatale. Elle posa sa main sur le bras de Josée qui en admira distraitement les bagues.

« Ce saphir est ravissant, dit-elle.

— Tout cela sera bientôt à vous. Si, si, continua-t-elle devant le geste de Josée, si, si, bientôt. Et ils vous aideront à vous consoler bien vite de la mort d'une vieille femme insupportable. »

Elle s'attendait à plusieurs protestations sur sa santé, son âge et son caractère, et l'attachement qu'elle savait inspirer. Mais elle en eut une autre :

« Ah ! non, dit Josée en se levant. Ah ! non, j'en ai assez. Je ne vais pas, en plus, gémir sur vous. Vous n'avez pas un vieil oncle, aussi, dans la famille, qui ait besoin qu'on le plaigne ?

— Ma petite Josée…, vous êtes à bout de nerfs, vous aussi.

— Oui, dit Josée, je suis également à bout de nerfs…

— La Floride…

— La Floride est ensoleillée, c'est tout.

— C'est tout ? »

Le ton de la voix surprit Josée. Elle fixa Helen qui baissa les yeux. « Alan m'a téléphoné un soir. Mais vous pouvez tout me dire, ma petite fille, entre femmes…

— Ricardo, hein ?

— J'ignore son nom. Alan était dans un état fou et… Josée… »

Elle était déjà sortie. Elle ne se calma que dehors. Les rues de New York étaient ensoleillées et bruyantes, l'air vif et excitant comme toujours. « Ricardo, murmura-t-elle en souriant, Ricardo…, ce nom me rendra folle. » Elle essaya de se rappeler son visage et n'y parvint pas. Alan signait des papiers pour sa mère, seul travail qu'il ait accepté, bien entendu, et elle décida de remonter l'avenue à pied.

Elle retrouvait l'odeur de la ville, l'air pressé de la foule, la sensation de marcher avec des hauts talons, et elle souriait aux anges quand elle reconnut Bernard. Ils se dévisagèrent avec le même ahurissement avant de tomber dans les bras l'un de l'autre.

« Josée… Je te croyais morte.

— Mariée seulement. »

Il se mit à rire. Il avait été très amoureux d'elle à Paris quelques années auparavant. Et elle se le rappelait encore désemparé, maigre dans son vieil imperméable, lui disant adieu, les yeux brouillés. Elle le retrouvait plus large, plus brun, souriant. Brusquement, il lui sembla qu'elle retrouvait d'un coup toute sa famille, tout son passé, qu'elle se récupérait elle-même. Elle se mit à rire.

« Bernard, Bernard…, quelle joie de te voir ! Que fais-tu ici ?

— Mon livre est sorti ici. Tu sais, j'ai eu un prix. Finalement.

— Et tu es devenu prétentieux ?

— Très. Et riche en même temps. Et homme à femmes. Tu sais : l'écrivain épanoui. Celui qui a fait une œuvre.

— Tu as fait une œuvre ?

— Non. Un livre qui a pris. Mais je ne le dis pas et j'y pense à peine. Viens boire quelque chose. »

Il l'entraîna dans un bar. Elle le regardait et souriait. Il lui parlait de Paris, de leurs amis, de son succès et elle retrouvait ce mélange de gaieté et d'amertume qu'elle avait toujours aimé chez lui. Il avait toujours été un frère pour elle, bien qu'il en ait souffert et bien qu'elle ait essayé une fois de l'en consoler. C'était si loin. Entre-temps, il y avait eu Alan. Elle se rembrunit et il s'arrêta de parler.

« Et toi ? Ton mari ? Américain ?

— Oui.

— Gentil, honnête, tranquille, adorateur ?
— Je l'ai cru.
— Méchant, désaxé, cruel, sans scrupules, brutal ?
— Non plus.»
Il se mit à rire.
«Ecoute, Josée, je t'ai fait deux portraits types. Je ne suis pas surpris que tu aies trouvé un oiseau rare, mais explique.
— Voilà, dit-elle, il...»
Et subitement elle éclata en sanglots.
Elle pleura longtemps sur l'épaule de Bernard, Bernard bouleversé et confus. Elle pleura longtemps sur Alan et elle-même et sur ce qu'ils avaient été l'un pour l'autre, sur ce qui était fini ou qui allait l'être. Car cette rencontre lui avait fait comprendre ce qu'elle refusait de croire depuis six mois : qu'elle s'était trompée. Et elle avait trop de goût pour elle-même, trop de fierté pour supporter de se tromper plus longtemps. Ce cauchemar trop tendre était terminé.

Pendant ce temps, Bernard promenait son mouchoir sur son visage, en tous les sens, et murmurait des mots indistinctement, des menaces envers le petit salaud, etc.
«Je vais le quitter, dit-elle enfin.
— Tu l'aimes ?
— Non.
— Alors ne pleure plus. Ne dis rien, bois quelque chose, tu vas être complètement déshydratée. Tu as embelli, tu sais.»
Elle se mit à rire. Puis elle prit sa main entre les siennes.
«Tu repars quand ?
— Dans dix jours. Tu repars avec moi ?
— Oui. Ne me quitte pas pendant dix jours, enfin, pas trop.
— Je dois passer à la radio entre deux réclames de chaussures, mais c'est tout. Je pensais flâner. Tu me montreras New York.
— Oui. Viens à la maison ce soir. Tu verras Alan. Tu lui diras que ça ne peut pas durer. Il t'écoutera peut-être, et...»
Bernard sursauta.
«Tu es toujours aussi folle. C'est à toi de lui parler. Voyons.
— Je ne pourrai pas.
— Ecoute, en Amérique, un divorce, ce n'est pas un événement.»
Alors elle tenta de lui parler d'Alan. Mais Bernard fit son petit Français, parla de bon sens, de névrose, et de divorce immédiat.
«Il n'a que moi, dit-elle avec désespoir.
— C'est une phrase idiote», commença Bernard.
Puis il s'arrêta et reprit :
«Excuse-moi. J'ai dû avoir une vieille jalousie. Je viendrai ce soir. Mais ne t'inquiète pas : je suis là.»

Deux ans plus tôt, cette phrase l'eût fait rire. Mais elle se sentit rassurée. Il était vrai que le succès, qu'il y croie ou non, avait équilibré Bernard. Enfin elle lui avait demandé protection, elle avait toujours son charme d'antan ; ils se quittèrent mutuellement impressionnés.

Alan était debout devant la glace, nouant sa cravate, étonnamment beau dans son costume sombre. Déjà prête, elle l'attendait. C'était une des manies d'Alan : il la regardait s'habiller, se maquiller, la gênait, la dérangeait sous prétexte de l'aider, puis se changeait à son tour devant elle, lentement, avec une sorte de narcissisme. Elle admirait une fois de plus ce torse bronzé, ces hanches étroites, ce cou vigoureux, elle pensait qu'ils ne lui appartiendraient plus très prochainement et elle se demandait avec une sorte de honte si cette beauté ne lui manquerait pas autant que le reste.

« Où dîne-t-on ?

— Où tu veux.

— Voilà, j'ai oublié de te dire. J'ai rencontré un vieil ami à moi, un Français, Bernard Palig. Il écrit des romans et son livre sort ici. Je l'ai invité à dîner. »

Il y eut une seconde de silence. Elle se demanda pourquoi la réaction d'Alan lui importait tant puisqu'elle devait aussi bien le quitter dans dix jours. Mais cela lui paraissait aussi impossible en face de lui qu'inéluctable deux heures avant.

« Pourquoi ne me l'as-tu pas dit plus tôt ?

— Je n'y pensais plus.

— C'est un amant à toi ?

— Non.

— Tu n'as jamais rien eu avec lui ? Il est borgne ou quoi ? »

Elle retint son souffle une seconde. Elle sentait le nœud de la colère se resserrer entre ses côtes, elle compta les pulsations subitement perceptibles de l'artère à son cou. Elle faillit dire : « Je divorce », d'une voix tranquille et définitive. Puis elle songea qu'on ne peut quitter quelqu'un comme on se venge, qu'elle allait lui faire assez mal.

« Il n'est pas borgne, dit-elle, il est très gentil et je suis sûre qu'il te plaira. »

Alan resta immobile, sa cravate mal nouée entre les doigts. Dans la glace, il leva les yeux vers elle, surpris par la douceur de sa voix.

« Je te demande pardon, dit-il. Que la jalousie me rende sot, c'est déjà triste, mais grossier, c'est inexcusable. »

« Ne deviens pas humain, pensa Josée, ne commence pas à changer, ne m'enlève pas mes armes ni mes bonnes raisons pour te quitter. Ne me fais pas ça. » Elle n'aurait peut-être plus le courage de le quitter et il le fallait. Il le fallait absolument. Maintenant qu'elle s'y était décidée, qu'elle avait entrevu sa vie sans lui, elle vivait en plein vertige au bord des mots. Tant qu'elle ne les aurait pas dits, rien ne serait fait, sa décision n'existait pas.

« J'ai eu une histoire avec lui, en fait, trois jours.

— Ah? dit Alan, c'était l'écrivain de la province. Comment tu l'appelles déjà?

— Bernard Palig.

— Tu m'as raconté un soir. Tu étais allée lui dire que sa femme avait besoin de lui et tu es restée à l'hôtel, c'est ça?

— Oui, dit-elle, c'est ça. »

Elle revit brusquement la place grise de Poitiers, le papier usé sur les murs de la chambre, elle respira tout d'un coup l'odeur de la province, et elle sourit. Tout cela allait lui être rendu. Les collines douces de l'Ile-de-France, les petits jardins de curé, les vieilles maisons, l'air des rues de Paris, la Méditerranée dorée, la mémoire.

« Je ne me rappelais pas te l'avoir dit.

— Tu m'as dit plein de choses. Ce que je ne sais pas de toi, c'est que tu l'as oublié toi-même. Je t'ai tout arraché. »

Il se tournait vers elle. Depuis longtemps, elle ne l'avait pas vu habillé ainsi et cet homme en bleu marine, ce visage enfantin aux yeux durs lui étaient subitement étrangers. « Alan », gémit une voix en elle-même, mais elle ne bougea pas.

« On n'arrache jamais rien à personne, dit-elle. Ne t'inquiète pas. Et sois assez gentil pour ne pas insulter Bernard.

— Tes amis sont mes amis. »

Ils ne se quittaient pas des yeux. Elle se mit à rire.

« Hostiles... Voilà ce que nous sommes devenus : hostiles l'un à l'autre.

— Oui, mais moi je t'aime, dit Alan d'une voix polie. Viens, nous allons attendre ton ami dans la bibliothèque. »

Il lui prit le bras et elle s'appuya sur lui machinalement. Il y avait combien de temps qu'elle s'appuyait sur ce bras? Un an, deux ans? Elle ne se rappelait plus, elle avait peur subitement que ce bras ne lui manque, qu'elle ne sache plus jamais où poser sa main. La sécurité... cet homme névrosé était sa sécurité, douce dérision.

Bernard arriva à l'heure et ils burent un cocktail, en parlant de New York poliment. Josée avait eu l'impression qu'elle allait assister à la rencontre de deux mondes, de ses deux mondes, mais en fait elle buvait un dry avec deux hommes de la même taille, également bien élevés, qui avaient eu ou avaient un sentiment pour elle. Alan souriait et le regard de Bernard qui était plein de condescendance à l'arrivée s'était vite transformé en un regard d'agacement. Elle avait oublié à quel point Alan était beau et s'en sentit bizarrement fière. Elle en oublia de surveiller le shaker et seule une mimique expressive de Bernard la fit se retourner vers son mari. Il avait la plus grande difficulté à extraire une cigarette de son paquet.

« Nous pourrions aller dîner, dit-elle.

— Un dernier verre », proposa Alan aimablement et il se tourna vers Bernard qui refusa.

« J'y tiens, reprit Alan, j'y tiens beaucoup. »

L'atmosphère s'était brusquement tendue. Bernard se leva.

« Non, merci. J'ai vraiment très faim.

— Je vous demande de porter un toast avec moi, dit Alan. Vous ne pouvez pas refuser.

— Si Bernard n'y tient pas…, commença Josée mais Alan l'interrompit :

— Alors, Bernard ? »

Ils étaient en face l'un de l'autre. « Alan est plus musclé mais il est soûl, pensa Josée rapidement. D'ailleurs, je ne me rappelle plus si Bernard est costaud ou pas… C'est bien le moment de me faire un cours d'anatomie comparée. » Elle prit le verre des mains d'Alan.

« Je boirai avec toi. Et Bernard aussi. A quoi ?

— A Poitiers », dit Alan et il vida son verre d'un trait.

Bernard leva son verre.

« A Key West, dit-il. Une politesse en vaut une autre.

— A cette charmante soirée », dit Josée.

Et elle éclata de rire.

Ils rentrèrent à l'aube, tous les trois, de Harlem. Les gratte-ciel renaissaient dans le brouillard mauve qui montait de Central Park et les feuilles jaunies aux arbres semblaient reprendre à l'air froid une nouvelle jeunesse.

« Quelle belle ville ! » dit Bernard à voix basse.

Josée hocha la tête. Elle était entre eux deux, comme pendant toute la soirée. Ils l'avaient installée entre eux, fait danser à tour de rôle, comme des automates. Alan avait bu modérément pour une fois et n'avait pas recommencé ses allusions. Bernard s'était un peu détendu mais elle ne se rappelait pas qu'ils se soient adressé directement la parole. « Une vie de chien, pensa-t-elle, une vraie vie de chien. Et une vie qu'on m'envierait, probablement. » Alan ouvrit la fenêtre pour jeter sa cigarette et l'air froid s'engouffra dans le taxi.

« Il fait froid, dit-il. Il fait froid partout.

— Sauf en Floride, dit-elle.

— Même en Floride. Mon cher Bernard, dit-il tout à coup et ce dernier sursauta, mon cher Bernard, oublions une seconde cette jeune femme entre nous sur la banquette. Oublions, moi votre côté petit Français, vous mon côté fils de famille. »

Bernard haussa les épaules. «C'est curieux, pensa Josée, il sait que je vais quitter Alan, rentrer à Paris en même temps que lui et c'est lui qui est vexé.»

«Voilà, dit Alan, c'est oublié. Nous allons parler un peu maintenant. Taxi, cria-t-il, trouvez-moi un bar, n'importe où.

— J'ai sommeil, dit Josée.

— Tu auras sommeil plus tard. Moi, il faut que je parle à mon ami Bernard qui a une conception latine de l'amour et peut m'éclairer sur mon ménage. Et puis j'ai soif.»

Ils se retrouvèrent dans un petit bar désert de Broadway, le Bocage, et ce nom fit sourire Josée. Quelle idée pouvait se faire le patron d'un bocage normand? Ou bien était-ce le son des deux syllabes qui lui avait plu? Alan commanda trois alcools et menaça de les boire tous les trois s'ils prenaient autre chose.

«Nous avons donc oublié Josée, dit-il. Je ne vous connais pas, je suis un ivrogne que vous rencontrez dans un bar et qui vous casse les pieds avec le récit de sa vie. Je vais vous appeler Jean, c'est typiquement français.

— Appelez-moi donc Jean», dit Bernard.

Il vacillait de sommeil.

«Mon cher Jean, que pensez-vous de l'amour?

— Rien, dit Bernard, strictement rien.

— Ce n'est pas vrai, Jean. J'ai lu vos œuvres, enfin un tome. Vous pensez beaucoup de choses de l'amour. Eh bien, moi, je suis amoureux. D'une femme. De ma femme. Amoureux d'une manière sadique et dévorante. Que dois-je faire? Elle songe à me quitter.»

Josée le regarda, regarda Bernard qui se réveillait.

«Si elle vous quitte et que vous savez pourquoi, je vois mal ce que je peux ajouter.

— Je vais vous expliquer ce que je crois. L'amour on le cherche. On se met à deux pour le chercher. Il se trouve que l'un des deux le possède. Dans ce cas, c'était moi. Ma femme a été ravie. Elle venait comme une biche manger dans ma main ce fruit tendre et inépuisable. C'était la seule biche que je supportasse de nourrir.»

Il but son verre d'un trait, sourit à Josée.

«Vous excuserez ces comparaisons, mon cher Jean. Les Américains sont souvent poètes. Bref, ma femme s'est gavée, ma femme a envie d'autre chose ou ne supporte pas que je la nourrisse de force. Et pourtant j'ai toujours ce fruit qui me pèse dans la paume et que je veux lui donner. Que faire?

— Vous pourriez imaginer qu'elle a aussi un fruit dans la main et que... d'ailleurs vos comparaisons m'agacent. Au lieu de vous poser comme le généreux donateur, vous auriez pu penser qu'elle avait quelque chose à donner aussi, la comprendre, je ne sais pas, moi...

— Vous êtes marié, non, mon cher Jean?

— Oui, dit Bernard, et il se contracta.

— Et votre femme vous aime, et vous nourrit. Et vous ne la quittez pas, bien qu'elle vous ennuie.

— Vous êtes bien renseigné.

— Et vous ne la quittez pas par ce que vous appelez de la pitié, c'est ça?

— Ça ne vous regarde pas, dit Bernard. On parle de vous.

— Je parle de l'amour, dit Alan. Il faut fêter ça. Barman…

— Arrête de boire», dit Josée.

Elle avait parlé à voix basse. Elle se sentait mal. Il était vrai qu'elle s'était nourrie de l'amour d'Alan, qu'elle y avait trouvé une raison de vivre — ou une occupation, pensa-t-elle furtivement. Il était vrai qu'elle n'en pouvait plus. Qu'elle ne voulait plus être «nourrie de force» comme il disait. Alan reprenait:

«Donc, votre femme vous ennuie, mon cher Jean. Il y a longtemps, vous avez aimé Josée, enfin vous avez cru que vous pourriez l'aimer, elle vous a cédé, vous avez joué ensemble une comédie triste et sentimentale, sur la même note. Car vos violons s'accordent bien, sur le mode mineur, s'entend.

— Si vous voulez», dit Bernard.

Il regarda Josée et ils ne se sourirent pas. En ce moment, elle aurait donné tout au monde pour l'avoir passionnément aimé, pour opposer quelque chose aux paroles d'Alan. Bernard le comprit et rougit.

«Et vous, Alan? Qu'avez-vous fait? Vous avez aimé une femme et vous lui avez empoisonné l'existence.

— C'est déjà quelque chose. Croyez-vous que quelqu'un puisse la lui remplir?»

Ils se retournèrent vers elle. Elle se leva lentement.

«Je suis ravie de cette discussion. Puisque vous m'avez oubliée, continuez. Je vais me coucher.»

Elle était dehors avant qu'ils ne soient debout et trouva aussitôt un taxi. Elle lui donna l'adresse d'un hôtel qu'elle connaissait vaguement.

«Il est tard, murmura le taxi en connaisseur, il est tard pour se coucher.

— Oui, dit-elle, il est trop tard.»

Et subitement, elle se vit, fuyant dans un taxi, à vingt-sept ans, quittant son mari qui l'aimait, traversant New York à l'aube et disant: «Il est trop tard» d'une voix grave. Elle se dit que toute sa vie elle ne pourrait s'empêcher de récapituler les situations, de les mettre en scène, de «se voir» en action, elle se dit qu'elle aurait pu pleurer dans ce taxi ou laisser la peur l'envahir au lieu de se demander distraitement si le nom du chauffeur, épinglé au siège selon la loi, était réellement Silvius Marcus.

Seulement, lorsqu'elle eut commandé un billet d'avion pour Paris, une brosse à dents et du dentifrice — le tout pour l'après-midi même —, lorsqu'elle se fut couchée en chien de fusil, le jour pénétrant vaguement dans la chambre anonyme, elle se mit à trembler de froid, de fatigue et d'absence. Elle avait l'habitude de dormir le long d'Alan ; et pendant une demi-heure, le temps qu'elle s'endorme, sa vie lui apparut comme une vaste catastrophe.

CHAPITRE IV

IL FAISAIT un vent affreux qui cassait les branches des arbres, les soulevait une minute, libres, transfigurées, avant de les laisser retomber sur le sol et de les y rouler, dans la poussière, l'herbe ratatinée et finalement la boue où elles s'enlisaient définitivement. Josée, devant la porte, regardait la pelouse, les champs jaunâtres et les marronniers affolés. Une grande branche se détacha brusquement du tronc avec un gémissement aigu, fit un bond en l'air, toutes les feuilles rabattues par le vent, et retomba aux pieds de Josée. « Icare », dit-elle, et elle la ramassa. Il faisait froid. Elle rentra dans la maison, monta jusqu'à sa chambre. C'était une pièce carrelée, sans meubles, sauf une table couverte de journaux et une énorme armoire. Elle posa la branche sur son lit, la racine sur l'oreiller et l'admira une seconde. Elle était froissée, convulsée, jaunie, elle ressemblait à une mouette abattue, à une gerbe de cimetière, elle était l'image même de la désolation.

Depuis quinze jours qu'elle vivait là, dans cette campagne normande, ravagée par un automne violent, elle n'avait rien fait. Dès son arrivée à Paris, elle avait loué à une agence trop contente cette vieille maison isolée, comme elle en aurait loué une en Touraine ou dans le Limousin. Elle n'avait prévenu personne. Elle avait voulu se ressaisir et elle trouvait à présent ce mot piquant. Il n'y avait rien à ressaisir, et surtout pas elle-même. Elle avait dû lire ce verbe dans trop de romans. Ici, il y avait le vent qui saisissait tout et relâchait tout, il y avait l'agrément du feu le soir dans la cheminée, de tous les parfums de la terre et de la solitude. Bref, la campagne. Mais il avait fallu qu'elle fût encore bien jeune, ou bien livresque, pour imaginer si délicieusement dans l'avion du retour une maison de campagne où reconstruire sa vie, se rebâtir. Rien n'était démoli, rien n'avait été perdu, pas même le temps, et il lui fallait bien admettre cette inviolabilité de son esprit, cet équilibre de son corps malgré tous les regrets et toutes les réminiscences déchirantes de sa mémoire. Elle pouvait rester ici longtemps, quitte à s'ennuyer. Ou

rentrer à Paris et recommencer. Recommencer à chercher ce fruit dont
parlait Alan, ou un certain confort, ou à travailler, ou à s'amuser. Elle
pouvait aussi aller se promener dans le vent, ou poser un disque sur le
pick-up, ou lire. Elle était libre. Ce n'était pas désagréable, ce n'était pas
exaltant. C'était simplement cet optimisme inattaquable qui était le seul
élément constant de son caractère.

Elle ne se rappelait pas avoir jamais été désespérée. Simplement
déprimée parfois jusqu'à l'abrutissement. Elle se rappelait avoir
sangloté sur un chat mort, son vieux siamois, mort de typhus, il devait
y avoir quatre ans de cela. Elle se rappelait les secousses violentes
de son chagrin, l'espèce de raclement affreux en elle-même qui
amenait ses larmes. Elle se rappelait avoir évoqué complaisamment les
mimiques du chat, ses sommeils devant le feu, sa confiance. Oui,
c'était bien là le pire : la disparition de quelqu'un qui ait entière
confiance en vous, qui vous ait remis sa vie. Il ne devait pas être
supportable de perdre un enfant. Il devait l'être plus de perdre un mari
jaloux. Alan... que faisait-il ? Rôdait-il dans New York de bar en bar ?
Ou se rendait-il chez son psychiatre tous les jours, la main dans la main
de sa mère ? Ou, plus simplement, dormait-il avec une petite Américaine
compatissante ? Rien de tout cela ne la satisfaisait. Elle aurait voulu
savoir.

Elle ne parlait à personne, sauf à la jardinière picarde qui s'occupait
du ménage et dormait dans la maison car Josée avait peur la nuit. De
temps en temps, elle allait au village sans raison précise, simplement
pour parler français et acheter les journaux qu'elle feuilletait sans
les lire. L'arrivée à Paris, après deux ans d'absence, avait été incroyable.
Elle avait passé trois jours dans les rues, dormant d'un hôtel à
l'autre, étourdie de reconnaissance. Rien n'avait changé ; son ancien
appartement semblait toujours inhabité. Les gens avaient la même
expression. Elle n'avait rencontré personne, téléphoné à personne. Et
puis l'envie de la campagne lui était venue si soudainement qu'elle
avait loué une voiture et s'était enfuie. Ses parents devaient la croire
toujours en Floride, Bernard et Alan la cherchaient peut-être à
New York et, seule dans la maison, elle lisait Conan Doyle. Tout
cela était comique. Mais seul le vent semblait vraiment sérieux dans sa
rage, lui seul semblait poursuivre un but précis, avoir une destination.
Quand il serait calmé, plus tard, la gardienne ramasserait ses victimes
sur la pelouse et les brûlerait. La douce odeur des feux d'herbes
monterait par la fenêtre, l'arracherait aux aventures de Sherlock
Holmes, la soumettrait une fois de plus à leur nostalgie ; comme
l'odeur de la terre la nuit, comme le contact des draps rugueux et
parfumés à l'antimite, comme tout ce qui lui rappelait une jeunesse trop
proche et déjà loin, comme embaumée. Le chien grattait à la porte.
C'était le chien de la ferme, il l'aimait et passait des heures, la tête sur

ses genoux. Malheureusement, il bavait un peu. Elle lui ouvrit et, par la fenêtre du corridor, aperçut le facteur. C'était la première fois qu'il venait. Le télégramme disait : « T'attends d'urgence Paris. Tendresses. Bernard. » Elle s'assit sur son lit, caressa la branche morte, distraitement, pensa une seconde qu'elle se ferait faire un manteau de la même couleur. Le chien la regardait.

CHAPITRE V

« Ma douce, je te connais. Tu avais envie d'être seule et envie de province. Donc de louer quelque chose. Comme tu simplifies toujours tout, tu ouvres le Bottin des professions à Agences. Tu prends le premier encadré de noir ; tu demandes une maison de campagne pour un mois. Pour te retrouver, j'ai fait la même chose. Seulement, c'était la deuxième agence. Pourquoi ?

— Le premier numéro était occupé », dit Josée sombrement.

Bernard haussa les épaules, assez content de lui.

« J'y ai pensé. Quand on m'a dit qu'une jeune folle avait loué une maison normande non chauffée en octobre, j'ai été fixé. J'ai même pensé à venir te chercher.

— Et puis ?

— Et puis, je n'ai pas osé. Ton départ avait été assez brutal. J'ai passé la nuit à sillonner New York, avec Alan. Nous étions jolis, au petit matin. Il a pensé à Air France, mais une heure trop tard.

— Qu'avez-vous fait ?

— Nous avons pris le suivant. L'avion suivant. J'ai loupé mon émission à la radio. C'est tout juste si j'ai pu emporter mes bagages.

— Alan est là ? »

Elle s'était levée. Bernard l'obligea à se rasseoir.

« Ne prends pas la fuite. Il est là depuis quinze jours. Au Ritz, bien entendu. Il a mis Sherlock Holmes et Lemmy Caution sur ta piste...

— Sherlock Holmes, répéta-t-elle, c'est drôle, justement j'ai lu...

— Je suis moins malin que Sherlock Holmes, mais je connais tes habitudes. Aussi, je t'en supplie, fais quelque chose. Divorce ou fuis au Brésil. Mais ne me laisse pas Alan sur le dos. Il ne me quitte pas. Il a presque de l'amitié pour moi en attendant de me haïr si tu m'adresses la parole. Je n'en peux plus. »

Il se renversa sur le divan. Ils étaient dans un petit hôtel de la rive gauche où Josée avait longtemps habité. Elle le secoua brusquement. « Tu ne vas pas te plaindre, non ? Quinze jours !... Moi, il y a dix-huit mois que je vis avec lui.

— Tu dois y trouver certaines compensations que je n'ai pas. » Elle hésita et éclata de rire. Ce rire gagna Bernard et pendant deux minutes ils furent courbés sur le divan, gémissant et hoquetant, les yeux pleins de larmes.

« Tu es inouïe, suffoquait Bernard, tu es inouïe. Tu vas me reprocher ton mariage, moi qui étais fou amoureux de toi... Ah !... et qui le suis sûrement encore... Ah ! ah !... et qui tiens ton époux par la main depuis quinze jours... ce n'est pas croyable...

— Tais-toi, disait Josée. Il faut que je m'arrête de rire. Il faut que je réfléchisse... J'ai voulu réfléchir à la campagne... Ah !... si tu m'avais vue... Je ne pensais à rien, je grelottais... et il y avait un chien charmant qui me bavait dessus... Ah ! ah !... »

L'idée du chien leur donna un nouveau fou rire et ils finirent par se retrouver, exténués et cramoisis, l'un en face de l'autre. Bernard avait un mouchoir qu'ils partagèrent fraternellement.

« Qu'est-ce que je vais faire ? » dit Josée.

« A présent, Alan était dans la même ville qu'elle, peut-être tout près, et son cœur battait lourdement, devenait un objet précieux, encombrant, incontrôlable.

« Si tu veux divorcer, entame la procédure, c'est tout. Il ne te tuera pas.

— Ce n'est pas pour moi, c'est pour lui... Je ne sais pas.

— Je sais maintenant, dit Bernard. C'est un drôle de type. Quand je le quitte et que je pense qu'il se promène tout seul dans Paris, j'ai des frissons. Il m'a fait découvrir chez moi un instinct maternel que j'ignorais.

— Toi aussi ? Moi, je...

— Mais ça ne me paraît pas suffisant pour faire un couple, dit Bernard sévèrement. C'est à toi de juger. En attendant, viens au cocktail de Séverin, tout à l'heure. Il n'y sera pas. Moi, il faut que je m'en aille. Il est au Ritz, si tu veux le joindre. Dévoré des yeux par quinze vieilles Anglaises. »

Josée s'accouda à la porte, désemparée, puis se jeta sur ses bagages. Cette occupation lui prendrait bien deux heures. Jusqu'au cocktail, elle n'aurait pas à réfléchir. Et au cocktail, elle trouverait bien quelqu'un plein de principes ou d'idées arrêtées qui la conseillerait.

« Décidément, je suis lâche, pensa-t-elle. C'est à moi de décider de ma vie. » Mais sa vie ressemblait à une mêlée confuse et humoristique, elle pensa au fou rire de Bernard et se sourit dans la glace. Puis elle se rappela la petite phrase qu'il avait glissée : « Moi qui étais fou amoureux de toi et le suis sûrement encore... » Elle prit un cintre, y suspendit sa robe. Soigneusement. C'était une jolie robe, et qui lui allait bien. Oui, on l'aimait. Oui, elle ne faisait rien de ces amours. Elle grignotait dans la main des autres. Elle ne s'aimait pas.

Séverin donnait les cocktails les plus réussis du genre. Quelques personnes très riches, quelques personnes très drôles, deux acteurs étrangers, quelques personnalités du monde des arts et des lettres, une proportion honnête d'homosexuels, de vieux amis. Bref, Josée retrouvait avec joie ce petit monde pourri, factice et creux, mais aussi le petit monde le plus vivant, le plus libre et le plus gai de toutes les capitales de la terre. Elle en connaissait beaucoup, ils la retrouvaient après deux ans comme s'ils l'avaient vue la veille, ils poussaient des cris de joie qui n'étaient qu'à demi exagérés, ils se jetaient à son cou et l'embrassaient selon cette manie française qui datait, disait Séverin, de la Libération.

Séverin avait cinquante ans, trop lu Huxley et se prenait pour un faune mondain. Son appartement était encombré de photos de femmes superbes que personne ne connaissait et sur lesquelles il était d'une discrétion inhabituelle. Il riait toujours un peu trop fort pour faire ressortir sa vitalité, et devenait fumeux avec l'aube, mais sa réelle générosité, sa gentillesse et la permanence de son whisky lui assuraient de vrais amis. Josée en était. Quand il l'eut embrassée six fois et proposé le mariage selon les rites, il l'emmena à l'écart, la fit asseoir sous une lampe et la regarda sévèrement.

« Montre-toi. »

Josée renversa la tête en arrière avec résignation. C'était une des prétentions les plus fatigantes de Séverin : il lisait tout sur les visages.

« Toi, tu as souffert.

— Non, non, Séverin. Tout va bien.

— Toujours aussi secrète, hein ? Tu disparais deux ans et tu reviens avec l'air aimable, sans rien expliquer. Où est ton mari ?

— Au Ritz », dit Josée, et elle se mit à rire.

« C'est le genre Ritz ? » dit Séverin, et il fronça les sourcils.

« Il y a dix personnes chez toi ce soir qui doivent y habiter.

— Ce n'est pas pareil. Ils ne sont pas mariés avec ma meilleure amie. »

Josée releva la tête, la lumière lui blessait les yeux.

« Ta meilleure amie a soif, Séverin.

— Je reviens. Ne bouge pas. Ne te mêle pas à cette foule immonde ; tu as passé deux ans en Amérique, tu es comme une sauvage. Ils ne savent pas parler aux sauvages. »

Il émit son grand rire et disparut. Josée promena un regard attendri sur la foule immonde. Ils discutaient avec passion, ils éclataient de rire, ils changeaient d'interlocuteurs aussi rapidement que de sujet, ils parlaient français. Elle se sentit effectivement une sauvage. Deux ans sur une île perdue avec Alan et les lentes réflexions des Kinnel, deux ans à ne voir qu'un seul visage. Paris était bien agréable.

« Tu vois cette femme là-bas, dit Séverin en se rasseyant près d'elle, tu la reconnais ?

— Attends... Non, je ne sais pas qui c'est.

— Elisabeth. Tu te rappelles ? Elle travaillait dans un journal, j'étais fou d'elle...

— Mon Dieu ! Mais quel âge a-t-elle ?

— Trente ans. Elle en fait cinquante, non ? C'est une des plus belles dégringolades que j'aie vues depuis ton départ. En deux ans. Elle s'est amourachée d'une espèce de peintre demi-fou, elle a tout plaqué pour lui, elle ne travaille plus ; et elle boit. Car en plus, maintenant, il ne veut plus la toucher. »

La nommée Elisabeth, comme prévenue, se tourna vers eux et fit un petit sourire à Séverin. Elle avait le visage à la fois maigre et gonflé et un regard de bête malade.

« Tu t'amuses ? cria Séverin.

— Je m'amuse toujours chez toi. »

« La passion, pensait Josée, le visage de la passion, bouffi et décharné, avec deux rangs de perles dessous. Dieu, que j'aime les gens... » Une espèce de vague la souleva ; elle aurait voulu parler des heures à cette brusque vieille femme, la faire parler, tout savoir, tout comprendre. Elle aurait voulu tout savoir de chaque personne présente ; comment ils s'endormaient, de quoi ils rêvaient, ce qui leur faisait peur, et plaisir et de la peine. Pendant une minute, elle les aima tous avec leurs ambitions, leur vanité, leur défense puérile et cette petite solitude qui tremblait au milieu de chacun sans jamais s'arrêter.

« Elle va mourir, dit-elle.

— Elle a essayé dix fois. Jamais suffisamment. Chaque fois, il sanglote et s'occupe d'elle pendant trois jours. Pourquoi veux-tu qu'elle se tue vraiment ? Attends, voilà mon orchestre qui s'installe. Ils jouent le charleston comme personne. »

Le charleston était revenu à Paris, comme en 1925 — la gaieté en moins, disaient les grognons tout en s'amusant bien. Le pianiste s'installa et ils commencèrent gaiement Swannee, ce qui fit tomber un peu les conversations. Le goût inopportun de Séverin pour les attractions à toute heure du jour était aussi connu que son scotch. Un jeune homme maigre vint s'asseoir près de Josée, se présenta et ajouta aussitôt :

« Je m'excuse, je ne vous ferai pas la conversation, j'ai horreur de ça.

— C'est idiot, dit Josée gaiement. Si vous n'aimez pas parler, n'allez pas dans les cocktails. Si c'est pour être original, ça ne marchera pas ici. Chez Séverin, il faut être gai.

— Je me fous d'être original », dit le jeune homme violemment, et il se mit à bouder.

Josée avait envie de rire. La fumée envahissait la pièce, le bruit était assourdissant, les gens criaient pour couvrir l'orchestre consciencieux et les verres vides jonchaient les tables. Elle aurait bien voulu que Bernard arrivât et lui donnât des nouvelles complémentaires d'Alan.

« Par pitié, hurla Séverin, pouvez-vous contenir un instant vos bavardages ? Robin Douglas va chanter deux merveilleuses chansons qu'il m'a promises. »

En rechignant un peu, tout le monde s'assit et Séverin éteignit les trois quarts des lumières. Une silhouette trébucha et s'assit près de Josée. Le chanteur annonça tristement *Old Man River,* quelqu'un cria « bravo », et il se mit à chanter. Comme il était noir, les gens furent aussitôt persuadés de son talent et le silence complet se fit. Il chantait lentement, en bêlant un peu, et le jeune homme boudeur murmura quelque chose sur la nostalgie de l'âme noire. Josée qui avait parcouru Harlem avec Alan se sentait moins enthousiaste et bâilla. Elle se renversa en arrière, jeta un coup d'œil sur son voisin de droite. Elle vit d'abord un soulier noir, très ciré, qui étincelait dans l'ombre, puis le pli d'un pantalon, puis sur ce pantalon, à plat, une main. C'était la main d'Alan. A présent, elle sentait son regard sur elle, elle n'avait qu'à tourner la tête pour le rencontrer mais quelque chose en elle s'affolait. L'idée stupide, bourgeoise, qu'elle l'avait quitté, qu'il avait des droits sur elle et qu'il allait les proclamer, faire une scène peut-être chez Séverin qu'il ne connaissait pas. Elle ne bougea pas. Près d'elle, contre elle, respirait doucement cet étranger, cet homme qui ne comprenait rien à cette soirée et que ce mauvais chanteur ennuyait sûrement aussi, cet amant qu'elle n'avait pas vu depuis un mois. Dans le noir, près d'elle, ne lui disant rien, n'osant peut-être rien lui dire : Alan. Et elle eut une seconde de désir si violent pour lui qu'elle remonta la main à sa gorge, brusquement, comme prise en flagrant délit. En même temps éclatait dans sa tête l'évidence que lui seul, étranger parmi ses pairs, ses amis à elle, Josée, lui était proche, non pas seulement physiquement mais par un passé indéniable, irrattrapable en cette seconde et qui réduisait à rien l'expression de gaieté, de liberté qu'elle avait eue dix minutes plus tôt.

« Il chante mal », dit Alan à voix basse, et elle se tourna vers lui.

Alors leurs regards se rencontrèrent et se fixèrent l'un dans l'autre, gênés, éperdus, se reconnaissant et se niant à la fois, mélangeant l'amabilité, la fausse surprise, la rancune et la panique, chacun ne voyant de l'autre que cet éclat clair de l'œil, l'arête du visage trop connu et le frémissement maniaque et silencieux de la bouche. « Où étais-tu ? — Pourquoi es-tu venu ? — Comment as-tu pu me quitter ? — Que me veux-tu encore ? » tout cela remplaçant brutalement les paroles *d'Old Man River* qui, heureusement, se terminait. Josée applaudit avec les autres en appuyant sur ce curieux geste — frapper les mains l'une contre l'autre tandis que quelqu'un vous regarde en face —, geste ridicule qui ne signifiait rien pour elle (puisqu'elle n'aimait pas ce chanteur) sinon la volonté délibérée de se rallier aux autres, à sa famille, à ses compatriotes, même dans leur mauvais goût provisoire, et ainsi se libérer d'Alan, affirmer qu'elle avait repris sa place dans leur vie et que ce serait désormais la sienne. C'est alors que Séverin ralluma les lampes et qu'elle vit vraiment le visage si enfantin, si désarmé de son mari, non pas comme celui du cruel ravisseur mais d'un jeune homme honnête et malheureux.

« Comment es-tu ici ?

— Je cherchais Bernard. Il m'avait promis de te retrouver.

— D'où sors-tu cette affreuse cravate ? » reprit-elle avec un vif sentiment de bonheur, qui, la première panique passée, l'atteignait maintenant et l'empêchait de penser.

« Je l'ai achetée hier rue de Rivoli », dit Alan avec un léger rire dans la voix.

Ils continuaient à se parler de profil comme si le chanteur ne s'était pas tu et qu'un invisible spectacle se déroulait dans le salon.

« Tu as eu tort.

— Oui. »

Il dit « oui » à voix basse et elle ne sut pas s'il faisait allusion à autre chose. A nouveau les visages bougeaient devant elle, les conversations reprenaient mais il lui semblait être au spectacle, aussi coupée de ces gens qu'elle s'en était sentie proche une demi-heure plus tôt. Une marionnette ivre et gloussante passa devant eux, elle reconnut Elisabeth.

« Tu as aimé Robin ? Il chante merveilleusement, non ? »

Séverin se penchait vers elle. D'une voix distraite, elle lui présenta Alan qui se leva, serra la main de Séverin avec chaleur.

« Ravi de vous connaître, dit Séverin — il avait l'air gêné. Vous êtes à Paris pour longtemps ? »

Alan balbutia quelque chose. Elle réalisa qu'ils devaient partir au plus vite, s'expliquer ou ne pas s'expliquer mais que de toute manière cette soirée si facile devenait un terrible cauchemar. Elle se leva à son tour, embrassa Séverin, sortit sans se retourner. Alan était près d'elle, il ouvrait la porte, lui mettait son manteau, se taisait. Dehors, ils firent trois pas incertains avant qu'il ne se décide à lui prendre le bras.

« Où habites-tu ?

— Rue du Bac. Et toi ? Oui, je sais, au Ritz.

— Je peux te raccompagner ? Je veux dire, jusqu'à ta porte ?

— Bien sûr. »

Un vent léger balayait les rues. Ils partirent à pied, un peu trébuchants. Josée ne pensait strictement à rien, sauf : « Ce serait plus court par le boulevard Saint-Germain mais le vent doit être affreux. »

Elle regardait avec une sorte de stupeur ses pieds se poser l'un devant
l'autre, se demandait vaguement quand elle avait acheté ces chaussures
et où.

« Ce qu'il chantait mal, ce type, dit la voix d'Alan.

— Oui. Il faut prendre à gauche maintenant. »

Ils obliquèrent avec ensemble. Alan retira son bras et une seconde elle
se sentit parfaitement perdue.

« Tu vois, dit Alan, je n'y comprends rien.

— A quoi ? »

Elle n'avait pas envie de parler. Elle ne voulait surtout pas qu'il lui
parle d'eux ou de leur vie. Elle voulait rentrer, elle voulait bien faire
l'amour avec lui, mais elle ne voulait pas parler. Cependant, il s'adossait
à un mur, allumait une cigarette et restait appuyé au mur, les yeux
ailleurs.

« Je n'y comprends rien, dit-il. Qu'est-ce que je fais ici ? Encore trente
ans à vivre ou plus, et puis ? Quel sale tour on nous joue ? Ça veut dire
quoi, tout ce qu'on fait, tout ce qu'on essaie de faire ? Un jour, je serai
rien. Tu comprends ça : rien. On m'arrachera à la terre, on m'en privera,
elle tournera sans moi. Quelle horreur ! »

Elle le regardait, indécise, puis vint s'adosser au mur près de lui.

« C'est idiot, Josée, tu sais. Qui a demandé à vivre ? C'est comme si
on nous avait invités à passer le week-end dans une maison de
campagne, pleine de trappes et de parquets glissants, une maison où
nous chercherions en vain le maître de maison. Dieu ou n'importe quoi
d'autre. Mais il n'y a personne. Un week-end, oui, pas plus. Comment
veux-tu qu'on ait le temps de se comprendre, de s'aimer, de se
connaître ? Quelle est cette sinistre blague ? Rien, tu te rends compte. Un
jour, il n'y aura plus rien. Le noir. L'absence. La mort.

— Pourquoi me dis-tu ça ? »

Elle tremblait de froid et d'une horreur instinctive devant sa voix
rêveuse.

« Parce que je ne pense qu'à ça. Mais quand tu es près de moi, la nuit,
que nous avons chaud ensemble, alors je m'en fiche. C'est le seul
moment. Je me fiche de mourir ; je n'ai qu'une peur, c'est que toi, tu
meures. Bien plus important que n'importe quoi, que n'importe quelle
idée, ton souffle sur moi. Comme un animal, je veille. Dès que tu te
réveilles, je m'enfouis dans toi, dans ta conscience. Je me jette sur toi. Je
vis de toi. Ah ! quand je pense que tu as pris l'avion sans moi, qu'il
aurait pu tomber, tu es folle ! Tu n'avais pas le droit. Tu imagines : la vie
sans toi ? »

Il se reprit aussitôt :

« Je veux dire : la vie sans toi existant. Je comprends que tu ne
veuilles plus de moi, je comprends que… »

Il aspira une bouffée de cigarette puis se détacha brusquement du mur.

« Non. D'ailleurs, je ne comprends rien. Quand je me suis assis près de toi et que tu ne m'as pas vu, quelques minutes, j'ai cru être drogué ou ivre mort. Pourtant, je n'ai rien bu, depuis longtemps. C'est vrai, non? »

Il la prit par le bras.

« Il y a quelque chose de vrai, non, entre nous ?

— Oui », dit Josée. Elle parlait doucement, elle avait envie de s'appuyer à lui et de le fuir. Oui, il y a quelque chose de vrai.

« Je m'en vais, dit Alan. Je rentre. Si je vais jusque chez toi, je monterai. »

Il attendit un instant mais elle ne dit rien.

« Tu viens me chercher à l'hôtel demain, reprit-il à voix basse. Très tôt. Tu jures ?

— Oui. »

Elle aurait dit « oui » à tout, et les larmes lui vinrent aux yeux. Déjà, il se penchait vers elle.

« Ne me touche pas », dit-elle.

Elle le regarda s'éloigner, il courait et, bien qu'elle fût tout près de chez elle, elle héla un taxi.

Elle se coucha aussitôt. Elle tremblait de froid, de nervosité, de tristesse. Il avait dit exactement ce qu'il devait dire, il avait généralisé leur problème, il l'avait remise devant cette grande évidence nue : le temps, la mort, il lui avait montré le seul moyen de la tromper, hormis la foi, l'alcool, ou la bêtise. C'est-à-dire l'amour. « Je t'aime, tu n'es plus sûre de ne plus m'aimer, j'ai besoin de toi et qu'as-tu à perdre ? » Oui, bien sûr, il avait raison. Mais cet animal furieux d'être repris, désespéré de s'être laissé émouvoir, c'était bien elle aussi. Cet animal si gai et si curieux au début du cocktail, si pitoyable envers cette Elisabeth, si passionné par la petite faune de Séverin, c'était bien elle aussi. Tout était devenu lointain, sans poids, sans intérêt, dès qu'elle avait aperçu, près d'elle, la main d'Alan. Il la coupait du monde. Non parce qu'elle l'aimait trop, mais parce qu'il n'aimait pas le monde et l'entraînait à sa suite, dans son vertige personnel, égocentrique... Lui, lui seul, elle ne devait voir que lui parce qu'il ne voyait qu'elle. Elle s'endormit d'un coup, exténuée, la tête contre le mur.

Le lendemain matin, il faisait beau, froid et venteux. En sortant, elle regrettait amèrement sa promesse d'aller au Ritz : elle eût aimé s'asseoir à la terrasse des Deux-Magots ou du Flore, retrouver de vieux amis, dire des bêtises en buvant des jus de tomate, comme avant. Retrouver Alan au Ritz lui semblait faire partie d'un scénario américain et factice, sans aucun rapport avec l'air qu'elle respirait ni avec sa démarche sur le boulevard Saint-Germain, tranquille et benoîte, résignée aux feux verts.

Elle gagna la place Vendôme à pied, demanda la chambre d'Alan et ne reprit conscience d'elle-même, de lui, d'eux qu'en ouvrant la porte.

Il était courbé, les épaules nues avec un vieux foulard rouge autour du cou. Le plateau du petit déjeuner gisait au pied du lit et elle pensa avec agacement qu'il aurait pu faire un effort pour la recevoir. En somme, elle l'avait quitté volontairement, elle le revoyait et venait chez lui pour envisager le divorce. Cette tenue légère ne convenait pas à une discussion de cet ordre.

« Tu as une mine merveilleuse, dit-il. Assieds-toi. »

Elle s'assit sur un fauteuil inconfortable qui lui laissait le choix entre se crisper au bord ou se vautrer. Elle choisit la première solution.

« Heureusement que tu n'as pas un sac à main et un chapeau, dit-il d'un air moqueur, je croirais que tu viens quêter le reste de mes œufs au bacon.

— Je viens quêter le divorce », dit-elle sèchement.

Il éclata de rire.

« De toute façon, ne prends pas l'air si féroce. Tu as l'air de... d'un enfant. En fait d'ailleurs, tu n'as jamais quitté ton enfance, elle marche près de toi, tranquille, pudique, lointaine, comme une double vie. Tes essais pour te rapprocher de la vraie vie sont bien infructueux, hein, mon chéri ? J'en discutais avec Bernard...

— Je ne vois pas ce que Bernard vient faire ici. Mais je lui en parlerai. De toute manière...

— Et tu lui tireras les oreilles. Et il t'expliquera que tu es la personne la plus humaine qu'il connaisse. »

Elle soupira. Parler ne servirait à rien. Elle n'avait qu'à quitter cet hôtel. Cependant la gaieté d'Alan, son sourire l'inquiétaient vaguement.

« Quitte ce fauteuil et viens là, dit-il. Tu as peur ?

— Peur de quoi ? »

Elle s'assit sur le lit. Ils étaient tout près l'un de l'autre et elle voyait ses traits s'amollir imperceptiblement, ses yeux se troubler. Il étendit la main, prit la sienne, la posa sur un pli du drap.

« J'ai envie de toi, dit-il. Le sens-tu ?

— La question n'est pas là, Alan... »

Le foulard rouge lui balayait le visage, il la renversait contre lui, elle ne distinguait plus que la blancheur du drap et son cou hâlé, marqué déjà d'une ride bien nette.

« J'ai envie de toi, reprit-il.

— Je suis tout habillée, toute fardée, toute sérieuse. Je peux à peine respirer. Ton entrain me flatte mais j'ai à te parler. »

Cependant, elle retrouvait machinalement un geste caressant et il haletait un peu contre elle, s'énervait sur sa jupe, et finalement elle le laissait faire, se demandant encore si elle cherchait à se rendormir après une mauvaise nuit ou à retrouver un contact d'homme près d'elle. Très vite, ils furent nus sur le lit, pressés, épuisés, en proie à cette imagination physique qu'est parfois l'amour, se demandant les larmes aux yeux ce qui avait pu les séparer si longtemps, écoutant et se répétant cette plainte du corps si violente et néanmoins insuffisante, transformant le jour tranquille de la place Vendôme en une série syncopée d'ombres et de lumières, et le lit de bois sculpté en radeau.

Après, ils restèrent immobiles un moment, chacun essuyant la sueur sur le corps de l'autre, d'un geste tendre. Déjà elle s'en remettait à lui. « Demain, je nous chercherai un appartement », dit enfin Alan. Elle ne broncha pas.

« Moi, je me trouvais beaucoup mieux à Key West, avait dit Alan. Mais toi pas. Pour le moment, il te faut des gens. Tu as envie de voir des gens, tu crois aux gens. Très bien. Voyons des gens, tes gens, tu me diras ceux qui sont intéressants. Quand tu en auras assez, nous repartirons dans un endroit tranquille. » Elle l'avait écouté, la tête penchée, prenant l'air penaud de la femme frivole avant de lui répondre : « Excellente idée. Et quand nous repartirons dans un endroit tranquille, tu te rappelleras le nom de mes gens, comme tu dis, tu me poseras des questions et tu me diras : "Pourquoi as-tu offert des chips à Séverin le vendredi 9 octobre ? Couchais-tu avec ?" »

Il avait jeté son verre par terre, dans un de ses rares moments d'enfantillage et la femme de chambre, nouvellement engagée, avait déclaré que si ça devait être tout le temps comme ça, elle ne resterait pas longtemps, etc. Finalement leur appartement était très agréable quoique mansardé d'une façon qui évoquait plus la bohème vue par Hollywood que les vieux quartiers de Paris. Josée y avait installé trois meubles confortables et relativement beaux, un piano et un gigantesque électrophone. Ils y avaient passé un premier matin agréable couchés dans une chambre vide — à part le lit, une lampe et un cendrier — à écouter un enregistrement superbe de Bach qui les avait rendormis. Les jours suivants se passèrent chez les antiquaires et au marché aux puces, plus quelques soirées où Josée amenait Alan, comme une chatte trimbale son petit, du bout des dents, par la peau du cou, prête à déguerpir avec lui au moindre danger. Telle était du moins la comparaison qu'avait établie Bernard. « Sauf que les chattes font ça par amour, avait-il ajouté méchamment, et toi par respect humain. Peur qu'il s'enivre, peur qu'il soit désagréable, peur qu'il fasse des scènes. » Mais Alan jouait au contraire un rôle de jeune mari américain naïf et ébloui, avec une telle ostentation que Josée était partagée entre la fureur et le rire.

« Vous savez, dit Alan à Séverin enchanté, je suis tellement content que vous me serviez de guide. En Amérique, nous sommes tellement loin de l'Europe, de la France surtout, si raffinée, si subtile en tout. Je me fais l'effet d'un lourdaud chez vous et j'ai peur de gêner Josée. »

Ce petit discours modeste, joint à son physique, lui valait tous les cœurs. On en voulait presque à Josée de ne pas le mettre plus à l'aise. Pour elle, qui entendait ces cœurs disséqués par Alan tous les soirs avec une férocité froide, cela devenait comique et triste à la fois, comme une erreur judiciaire. Néanmoins, en plus de Bernard, quelques-uns de ses amis avaient entendu rire Alan par moments, avaient surpris ses réflexions et le regardaient avec une sorte de méfiance doublée de sympathie, assez proche en somme des sentiments qui, en moins mesuré, partageaient le cœur de Josée ; et de ce fait la rassuraient confusément.

Il avait été convenu entre eux, au cours de la longue et bâtarde discussion qui avait suivi la matinée du Ritz, matinée qu'ils ne se sentaient ni l'un ni l'autre la force d'appeler autrement que réconciliation, il avait été convenu entre eux qu'ils repartaient sur de nouvelles bases, mots destinés à sanctionner le départ de Josée, leur séparation et leurs retrouvailles. Non qu'ils crussent beaucoup l'un ou l'autre à ces termes, mais c'était une sorte de coup de chapeau qu'ils rendaient d'un commun accord, lassés de leurs propres fantaisies, aux lois sociales, aux conventions de l'époque et aux mœurs de leur milieu. En même temps que cette lassitude, ils ne pouvaient admettre, plus profondément, que ce départ, douloureux pour eux deux, ces quinze jours un peu égarés et cette soirée surtout où ils s'étaient retrouvés et dont chacun gardait un souvenir excessivement romantique — le vent, le chanteur noir, la surprise, la peur —, que tout cela ne correspondît pas à une décision. En fait, pour Alan, c'était : « Tu admets que je doive partager toute ta vie », et pour Josée : « Tu admets que tu n'es pas toute la vie. » Mais cela, ils ne se l'étaient pas dit. Simplement : « Nous sommes libres, nous nous mêlons au monde, nous essayons de nous y mêler à deux. »

Seulement, plus rien n'avait de sel. Où qu'elle fût, le regard d'Alan la suivait, évaluait ses interlocuteurs, il lui semblait entendre chez lui une petite mécanique inlassable se livrer à des recoupements, des imaginations, des calculs dont elle n'aurait le soir qu'un faible écho car il craignait qu'elle ne le fuît à nouveau, mais dont elle était sans cesse consciente, à tel point qu'il lui arrivait de se retourner d'un coup pour le surprendre en délit de surveillance, rarement à tort. En dehors de ça, il y avait le lit et elle s'étonnait que cela existe encore, que cela survive à sa fatigue. La nuit, ils retrouvaient ensemble ce trouble, cette hâte, cet essoufflement, convertis dès leur réveil en une double méfiance. Sans doute elle ne restait pas à cause de ça, mais serait-elle restée sans ça ?

En attendant, ils s'installaient peu à peu dans leur nouvelle vie, matinées interminables, déjeuners légers, après-midi consacrés aux courses ou aux musées, dîners avec les vieux amis de Josée. Alan bien sûr ne travaillait pas. Ils menaient une vie de touristes et cela ne contribuait pas peu à donner à Josée cette impression de provisoire, d'irréel qu'Alan entretenait complaisamment, attendant qu'elle n'en puisse plus et qu'il l'emmène ailleurs. Ailleurs, où ils seraient seuls. En attendant, il se montrait aimable, de cette amabilité qu'on réserve parfois aux caprices d'autrui. Seulement ce caprice, elle le savait, était sa vie. Bernard les voyait souvent. Il avait compris le jeu et essayait par tous les moyens d'appuyer Josée, de lui rendre Paris, de recréer ses charmes, de la mêler aux gens. Mais il lui semblait plus souvent lutter avec une sourde-muette acharnée à se mêler à une conversation qu'aider une jeune femme libre et intéressée. Il voyait son regard subitement bifurquer, fouiller un salon, se heurter à celui d'Alan et revenir vers lui, soucieux, chargé d'une sorte de colère impuissante. Il lui semblait finalement que le seul acte d'indépendance qu'elle ait accompli fût cette aventure grotesque avec un pêcheur de squales. Le jour qu'il le lui dit, elle détourna la tête et se déroba.

« C'est comme si tu menais une vie double, dit-il, une autre vie te suit partout si proche de l'enfance que tu ne peux t'y arracher, une vie où tu es irresponsable et punie à la fois, toujours liée à des gens qui te jugent et auxquels tu donnes le droit de te juger, uniquement parce que tu peux les faire souffrir. »

Elle secoua la tête, l'air absent. C'était chez Séverin, ce soir-là aussi, et ils étaient au milieu d'une telle cohue qu'ils pouvaient enfin parler tranquillement.

« Alan m'a déjà dit ça, l'autre jour, vous êtes d'accord. Mais qu'as-tu à m'offrir d'autre ? dit-elle.

— Moi... ? » Il hésita à dire « tout », puis pensa que c'était un mot d'auteur. « Moi ? Il ne s'agit pas de moi. Il s'agit que tu es malheureuse et prisonnière. Et que ça ne convient pas à ton genre.

— Qu'est-ce qui convient à mon genre ?

— N'importe quoi que tu ne subisses pas. Parce qu'il t'aime d'une manière encombrante, ça te paraît une chose positive. Ça ne l'est pas. »

Elle prit une cigarette, l'alluma au briquet qu'il lui tendait, sourit.

« Je vais te dire. Alan est persuadé que chaque être humain patauge dans sa boue originelle, que rien ne peut l'en tirer, et surtout pas les gestes vagues et les mots incompréhensibles qu'il s'évertue à faire ou à prononcer chaque jour. En ce sens, il est lui-même irréductible, incommunicable.

— Et toi ? »

Elle s'appuya au mur, subitement détendue, parlant si bas qu'il dut se pencher pour l'entendre :

« Moi, je ne crois pas à cette nullité. Cette sorte de pathétique m'assomme. Personne n'est noyé. Je crois que chaque homme dessine sa vie à grands gestes volontaires, d'une manière éclatante et définitive.

Je ne suis pas sensible à la grisaille. Je vois des sentiments lyriques partout, qu'ils s'appellent l'ennui, l'amour, le cafard ou la paresse. Bref... »

Elle posa la main sur la main de Bernard, la serra et il comprit qu'elle avait pour une minute complètement oublié le regard d'Alan.

« Bref, je ne crois pas que nous soyons des numéros. Mais plutôt des animaux vivants, des animaux lyriques. »

Il serra sa main entre les siennes, la garda. Elle ne se dégagea pas. Il avait envie de l'embrasser, de la serrer contre lui, de la consoler. « Mon doux animal, murmura-t-il, mon petit animal lyrique », et elle se décolla doucement du mur et l'embrassa tranquillement, au milieu des gens. « Si cet imbécile arrive en braillant, pensa-t-il, les yeux fermés, si cet obsédé s'en mêle, je l'assomme. » Mais déjà elle n'avait plus ses lèvres contre les siennes et il apprit ainsi qu'on pouvait embrasser quelqu'un sur la bouche en pleine soirée sans que quiconque le remarque.

Elle le quitta aussitôt. Elle ne savait pas pourquoi elle l'avait embrassé mais n'en ressentait nulle gêne. Il y avait eu quelque chose d'irrésistible dans le regard qu'il posait sur elle, une telle expression de tendresse, d'acceptation, qu'elle avait tout oublié. Elle était mariée à Alan, et Bernard à Nicole, elle ne l'aimait pas mais peut-être n'avait-elle jamais été plus proche de quelqu'un qu'en cette minute. Il lui semblait qu'elle ne supporterait pas une réflexion d'Alan à ce sujet, si par hasard il les avait vus, mais en même temps elle savait bien qu'il ne les avait pas vus. Que c'était pour lui une vision si inacceptable que quelque chose avait dû la lui éviter. « Je commence à croire au destin », pensa-t-elle et elle se mit à rire.

« Je te cherchais, dit Alan. Figure-toi que j'ai rencontré un type avec qui j'avais appris à peindre, à l'université. Il vit ici. J'ai bien envie de retravailler avec lui.

— Tu peins ? » Elle était abasourdie.

« J'aimais beaucoup ça, à dix-huit ans. Et puis, c'est une occupation, non ? L'appartement est installé, je vois mal comment occuper mes journées puisque je ne sais rien faire de pratique. »

Il ne semblait pas spécialement sarcastique mais plutôt enthousiaste.

« Rassure-toi, dit-il, et il la prit par les épaules et la serra contre lui, je ne te demanderai pas de mélanger les couleurs à ma place, tu iras te promener avec tes vieux amis, ou plutôt seule, car quand même...

— Tu as du talent ? »

« Je suis peut-être sauvée, pensa-t-elle. Il va peut-être s'intéresser à quelque chose d'autre que lui ou moi. » En même temps, elle s'en voulut de tout ramener à elle.

« Je ne pense pas, non. Mais je sais dessiner convenablement. Demain je commence. Je prendrai la chambre vide, au fond.

— Tu n'y verras rien.

— Je ne sais quand même pas peindre ce que je vois, dit-il, et il éclata de rire. J'enverrai ma première œuvre à ma mère, elle la montrera au psychiatre de la famille, ça l'amusera sûrement.»
Elle le regardait, indécise. Il la relâcha.
«Tu n'es pas contente? Je croyais que tu aimerais que je fasse quelque chose tout seul.
— Je suis très contente, dit-elle. C'est très bon pour toi.»
Par moments, il lui prêtait les réflexes de sa mère. Et effectivement, elle finissait par en avoir le ton.

«Ça va?»
Elle ouvrait la porte, passait la tête. Alan avait gardé ses impeccables costumes bleu foncé, même pour peindre, et accueilli avec horreur les suggestions de Séverin qui voyait surtout les peintres en chandail et pantalon de velours. En fait, il n'y avait pas beaucoup d'ambiance artistique dans la chambre du fond. Simplement un chevalet éloigné de la fenêtre, une table couverte de tubes bien rangés, quelques toiles blanches sur une étagère et, au milieu de la pièce, un jeune homme bien habillé qui fumait distraitement, assis sur une chaise capitonnée. On avait l'impression qu'il attendait la peinture. Néanmoins depuis quinze jours, il passait là tous ses après-midi, ressortait sans une tache et sans une trace de fatigue mais d'excellente humeur. Josée restait perplexe, mais que ce fût une plaisanterie ou pas, elle avait quatre heures de solitude tous les jours, ce qui n'était pas rien.
«Ça va. Qu'as-tu fait?
— Rien. Je me suis promenée.»
Elle disait la vérité. Après le déjeuner, elle partait en voiture, roulait doucement dans les rues et s'arrêtait quand il lui plaisait. Elle avait trouvé un square qui lui convenait particulièrement, à cause de la forme tendre d'un arbre, et y passait souvent une heure, sans descendre de voiture, à regarder les rares passants, et le vent dans les branches desséchées par l'hiver. Elle rêvait, allumait une cigarette, écoutait la radio, parfois, immobile, comme morte à elle-même, envahie d'un plaisir très doux. Elle n'osait pas en parler à Alan, il eût été peut-être plus jaloux que si elle avait vu quelqu'un. D'ailleurs elle n'avait envie de voir personne. Elle repartait plus tard, toujours doucement, au hasard. Peu à peu, l'après-midi finissait et elle sentait s'appesantir la nécessité de revenir auprès de lui, avec une sorte de soulagement d'ailleurs, comme s'il eût été le seul lien qui la rattachât à la vie. Dormir, rêver... elle eût aimé passer sa vie sur une plage à regarder la mer, ou dans une maison de campagne à respirer l'herbe, ou au bord de ce square, une vie à rêver, seule, le temps suspendu à sa seule conscience.
«Quand me montreras-tu quelque chose?
— Dans une semaine peut-être. Pourquoi ris-tu?

— Tu as tellement l'air en visite. On parle toujours des gens qui se collettent avec la peinture...

— Je ne connaissais pas ce mot en français : «collettent». C'est vrai, j'ai horreur de me salir les mains et c'est très dur pour peindre. J'ai soif, pas toi?

— Si. Pendant que tu enlèves la miette de rouge vermillon sur ton index, je vais te préparer un dry martini. La femme du peintre, parfaite et empressée...

— Je voudrais que tu poses pour moi.»

Elle fit semblant de ne pas entendre et referma la porte, très vite. Il la rejoignit plus tard mais ne répéta pas sa phrase. Il buvait moins d'ailleurs depuis qu'il peignait, et semblait même faire des efforts pour s'installer dans la maison autrement que dans un hôtel.

«Où t'es-tu promenée?

— Dans les rues. J'ai pris une tasse de thé sur une petite place, près de la Porte d'Orléans.

— Seule?

— Oui.»

Il souriait. Elle le regarda sévèrement. Il émit un petit rire.

«Tu ne me crois pas, j'imagine.

— Si, si.»

Elle faillit dire : «Pourquoi?» et se retint. En fait, cette absence de questions l'étonnait. Elle se leva.

«J'en suis contente, je veux dire : que tu me croies.»

Elle avait parlé tendrement. Il rougit soudain et sa voix monta.

«Tu es contente que ma jalousie maladive aille mieux. Tu es contente que mon petit cerveau tourne plus rond. Tu es contente que j'aie enfin une activité comme tout homme digne de ce nom, même si ça consiste à barbouiller des toiles, c'est ça?»

Elle ne répondit pas. La crise commençait. Elle se laissa tomber dans un fauteuil :

«"Mon mari ressemble enfin à un mari, il me fiche la paix quatre heures par jour." C'est ce que tu penses. "Il salope des toiles que des pauvres types pleins de talent ne peuvent peut-être pas s'acheter, mais moi, je suis tranquille." Hein?

— Je suis contente de te voir enfin des soucis sociaux. De toute façon, tu n'es pas le seul à barbouiller des toiles, si tu ne sais que barbouiller.

— Je ne fais pas que barbouiller. Je fais un peu mieux. C'est en tout cas aussi bien que de rester des heures dans une voiture à regarder un square.

— Je ne te reproche rien, dit-elle, mais elle s'arrêta. Comment sais-tu que je... que... mon square...?

— Je te fais suivre, dit-il. Qu'est-ce que tu crois?»

Elle le regarda, sidérée. Ce n'était pas de la colère qu'elle ressentait mais plutôt une horrible tranquillité. Allons, rien n'avait changé, la vie continuait.

« Tu me fais suivre? Tout l'après-midi? Est-ce que tu peins, seulement? »
Elle éclata de rire. Il était livide. Il l'attrapa par le bras, la traîna derrière lui, elle pleurant de rire. « Ce pauvre détective, disait-elle, ce qu'il doit s'ennuyer! » Il l'amena jusqu'à la chambre du fond.
« Voilà ma première toile. »
Il retourna un tableau. Josée n'y connaissait pas grand-chose mais ça ne lui parut pas mal du tout. Elle s'arrêta de rire.
« C'est bien, tu sais. »
Il rejeta le tableau contre le mur, la regarda un instant, indécis.
« A quoi penses-tu, toutes ces heures, seule, dans la voiture? A qui? Dis-le-moi. Je t'en prie. »
Il la serrait contre lui. Elle était prise de dégoût et de pitié à la fois.
« Pourquoi me fais-tu suivre? Tu sais que c'est très démodé, et très mal élevé? Ce pauvre garçon doit haïr ce square. »
Le rire la reprenait. Elle se mordit la lèvre.
« Dis-moi à quoi tu penses?
— Je pense... je ne sais pas. Sincèrement, je ne sais pas à quoi je pense. A cet arbre, à toi, aux gens, à l'été...
— Mais penses-tu précisément...? »
Elle se dégagea brusquement; elle n'avait plus envie de rire.
« Lâche-moi. Tu as l'air, je ne sais pas, tu as l'air obscène avec tes questions. Je ne pense à rien. Tu m'entends, à rien! »
Elle claqua la porte et sortit en courant. Elle revint une heure après, calmée, pour le trouver ivre mort.

Ils étaient tous les trois dans le petit salon, enfin doté d'un divan et de deux fauteuils. Josée allongée sur le divan, les deux hommes parlant au-dessus de sa tête. L'après-midi finissait.
« Bref, dit Bernard, elle est éperdument amoureuse de toi, mon cher Alan.
— Ça me fait assez plaisir, dit Josée nonchalamment. Elle a été assez méchante avec assez de gens.
— Je ne vois pas qui c'est, dit Alan d'un air dégoûté.
— Laura Dort? On a dîné avec elle, il y a dix jours, chez Séverin. Cinquante ans, à peu près. Elle a été très belle, elle n'est pas mal encore. Elle reçoit le jeudi.
— Cinquante ans? Tu exagères, Josée. A peine quarante. Et elle est très, très bien.
— De toute manière, je n'en ai rien à faire, dit Alan. Je ne pense pas que ça te rendrait jalouse, si? »

— Hé, hé…, dit Josée en souriant. Sait-on jamais? En tout cas, ça nous changerait.»

Bernard éclata de rire. Ils avaient pris l'habitude de plaisanter la jalousie d'Alan comme une petite manie dans le vain espoir de l'atténuer. Alan riait aussi sans changer le moins du monde, ce qui les déconcertait.

«Alors vous venez chez elle après dîner ou pas? Il faut que je m'en aille.

— Nous verrons, dit Alan. Nous irons voir un film d'épouvante avant et on te rejoint.»

Bernard parti, ils discutèrent un moment de Laura Dort que Josée connaissait bien. Elle avait un mari commode, dans les affaires, et une passion maladive pour la même faune que Séverin. Elle avait eu deux ou trois amants bien placés, sans trop de scandale, et fait souffrir quelques autres sans trop de ménagements. C'était le genre de femme toujours aux aguets qui rendait Josée muette. Mais par curiosité, elle en dit assez de bien à Alan. Au reste, c'était une femme intelligente, souvent assez drôle, et que Josée ne mésestimait pas.

Ils arrivèrent à minuit chez elle, de bonne humeur après un film atroce, et Laura Dort leur fit un accueil triomphant. Elle était grande, rousse, plantureuse, mais avec un visage de chat, et Josée s'étonna de ressentir une vague appréhension. Alan prit sa tête d'Américain ébloui et maladroit, fut tout de suite happé et Josée, voyant Bernard occupé, se dirigea vers un vieil ami «d'avant», les présentations une fois terminées dans le style: «Vous connaissiez la petite Josée?» et «Voici Alan Ash.» Bernard s'approcha d'elle, un peu plus tard.

«Je crois que ça marche très bien.

— Quoi?

— Laura et Alan. Regarde.»

Ils étaient debout au fond du salon, elle le fixant avec une bizarre expression tandis qu'il racontait en souriant le film qu'ils venaient de voir. Josée sifflota doucement.

«Tu as vu son regard, à elle?

— Ça s'appelle la passion. La passion chez Laura Dort. Le coup de foudre, mon chéri.

— La pauvre…, dit Josée.

— Ne sois pas si rassurée, ça m'énerve. Et si tu veux mon avis, simule la jalousie, tu pourras respirer. Ou éprouve-la, sait-on jamais…»

Elle sourit. Elle ne se voyait pas ainsi soulagée de son mari, en le laissant dans les bras un peu fanés de Laura. Elle eût préféré qu'il peignît. Elle n'envisageait pas de le quitter et encore moins de continuer à vivre avec lui. Depuis son arrivée à Paris, il lui semblait être sur une corde raide, dans une sorte de trêve où elle s'engourdissait, aussi loin du bonheur que de ce désespoir qu'elle avait goûté à Key West.

« Solution boiteuse, murmura-t-elle pour elle-même.

— Souvent les meilleures », dit Bernard.

Puis il ajouta d'une voix hésitante :

« Car si je comprends toujours bien, tu souhaites te débarrasser de lui ? Mais sans drame. C'est bien ça ?

— Je crois, oui, dit-elle. Je ne sais plus très bien ce que je souhaite, sinon la paix.

— C'est-à-dire quelqu'un d'autre. Or, tu ne trouveras jamais quelqu'un d'autre tant qu'il sera là. Tu le sais ? »

« Je ne sais pas très bien ce que tu veux toi », pensa-t-elle. Mais elle se tut. Alan approchait, suivi de Laura. « Les femmes mûres ne lui vont pas, pensa Josée, il est trop beau, il fait gigolo. »

« J'ai supplié votre mari de venir passer le week-end à Vaux, dans ma maison de campagne. Il a l'air prêt à accepter. Sa réponse dépend de vous. Je suis sûre que vous aimez toujours autant la campagne, non ? »

« Allusion à qui ? pensa Josée très vite. Ah ! oui, ce séjour chez elle avec Marc, il y a quatre ans. » Elle sourit.

« J'adore la campagne. Je serais ravie.

— Ça lui fera du bien, dit Alan en se tournant vers Laura, elle est pâle en ce moment.

— A son âge, on devrait toujours avoir bonne mine », dit Laura gaiement.

Elle reprit le bras d'Alan et l'entraîna. Bernard se mit à rire.

« Vieille tactique. "Josée est une enfant. Cher ami, nous qui sommes de grandes personnes", etc. Tu auras une bouillotte dans ton lit, à Vaux. Et on te fera jouer aux cartes avec le vieux Dort.

— Je crois que je vais m'amuser assez, dit Josée. J'adore les cartes, les bouillottes et les vieux messieurs. Et les perfidies des femmes m'enchantent. »

En rentrant, Alan déclara d'un ton docte que cette femme était très cultivée, et savait recevoir.

« Je trouve bizarre, dit Josée, que parmi tous les gens que je t'ai montrés et qui sont parfois un peu détraqués, je le concède, tu n'aies d'estime que pour celle qui manque des qualités principales.

— Quelles sont les qualités principales, d'après toi ? »

Il était de bonne humeur. Laura Dort avait dû le couvrir de compliments et Josée pensait qu'elle avait été bien naïve de l'y croire insensible. Même chez les hommes détachés comme lui, il devait traîner un solide fonds de vanité masculine.

« Les qualités principales... ? Je ne sais pas exactement. Si tu veux, l'humour et le désintéressement. Elle n'a ni l'un ni l'autre.

— Moi non plus. Il est vrai que je suis américain.

— C'est sûrement ce qui lui plaît. Pense à prendre ta robe de chambre écossaise demain pour les petits déjeuners. Tu as l'air d'un jeune cow-boy dedans, elle sera aux anges.»

Il se retourna vers elle.

«Si ce week-end t'ennuie, nous n'irons pas, tu sais.»

Il avait l'air ravi. «Je devrais lui jouer la scène de jalousie, pensa Josée, Bernard a raison.» Elle se démaquilla et se coucha avec un air contrarié. «Je n'arriverais jamais à être aussi insupportable que lui», pensa-t-elle avant de s'endormir et elle sourit dans le noir.

La maison de Vaux était une longue ferme, arrangée en maison de campagne anglaise par un décorateur à la mode, meublée de divans profonds en cuir et de ces tissus grossiers aux prix exorbitants qui faisaient fureur. Arrivés vers cinq heures, ils avaient fait une longue marche dans la propriété — «Mon vrai refuge», avait dit Laura, l'air grave, en renversant ses cheveux roux sous les arbres. Ils avaient mangé les inévitables œufs à la coque — «Je peux vous jurer qu'ils ne sont pas d'hier», avait dit Laura en secouant ses cheveux roux vers ses invités —, et en cet instant, ils goûtaient le marc du pays. «Ça vaut tous les whiskies du monde», était en train de dire Laura, faisant briller ses cheveux roux aux lueurs du feu de bois. Josée, installée sur le divan, se demandait combien de temps leur hôtesse supporterait d'être ainsi accroupie comme Gigi devant la cheminée, tendant vers les flammes ses ongles vernis et un visage extatique. En dehors d'eux, étaient invités un jeune peintre taciturne, deux jeunes femmes bavardes, et — apparemment — le mari de Laura. Il était petit, maigre, avec des yeux bleus derrière des lunettes et semblait hésiter, chaque fois, à prendre une cigarette dans la boîte d'Hermès. Alan, détendu, parlait de New York avec une des jeunes femmes et Josée, bâillant un peu, se décida à passer dans la bibliothèque à côté. «Ici, chacun est chez soi, avait proclamé Laura, je déteste les maîtresses de maison qui s'imposent à leurs invités.» Sur ces bonnes paroles, Josée fouilla les rayons encombrés d'une superbe édition de Lesage et des *Lettres* de Voltaire, soigneusement époussetées, et se plongea dans un roman policier. Au bout de dix minutes, elle lâcha son livre, ferma les yeux. Cinq ans auparavant, elle était dans cette pièce, avec des amis et son amant d'alors; ils étaient venus de Paris un peu vite en voiture, quatre ou cinq entassés dans la vieille MG de Marc car ils ne se déplaçaient qu'en bande à cette époque. Ils avaient plaisanté toute la nuit et Marc faisait la tête parce qu'il avait envie d'elle. Elle avait de bons amis, jaloux et tendres, ils n'imaginaient pas que la vie puisse les séparer et qu'un jour quelque chose leur apparaîtrait plus important que ces rires et cette confiance mutuelle. Elle se demanda pourquoi ces souvenirs étaient tous si gais et si douloureux à la fois, lui oppressant le souffle comme une menace, et elle se leva brusquement de son fauteuil. Elle aperçut alors le mari de Laura, allongé sur un canapé, qui sursauta en la voyant. Il n'avait pas dit un mot de la soirée sauf une petite phrase rapide, alors qu'Alan venait de déclarer son indifférence complète en matière de politique : « Si on ne s'intéresse pas au monde autour de soi, on ne devient jamais un homme », phrase noyée rapidement dans le brouhaha général. Elle lui sourit et l'empêcha d'un geste de se lever. Il bredouilla : « Je ne vous avais pas vue. Voulez-vous boire quelque chose ? »

Elle refusa de la tête :

« Je n'en pouvais plus de la fumée à côté. C'est vous qui lisez Lesage ? »

Il sourit à son tour et haussa les épaules.

« C'est le décorateur qui les a mis là. Il paraît que la reliure est très belle. J'imagine qu'un jour d'hiver, avec une bonne pipe et un chien fidèle, je pourrai les lire enfin. Je n'ai pas eu le temps.

— Le travail ?

— Oui. Je fais des comptes toute la journée, je réfléchis, je téléphone. Heureusement que nous avons ce refuge à la campagne pour nous reposer des frénésies de la ville.

— Laura dit en effet que c'est son seul refuge.

— Oui ? »

Il y avait un côté si sarcastique dans son « oui » qu'elle éclata de rire.

« Ici, nous avons le temps de penser à nous-mêmes, récita-t-il, de voir passer le temps. Il y a les champs où personne ne s'allonge. Les fleurs que le jardinier coupe, l'odeur de la terre qui peut rendre mélancolique, l'automne. »

Elle s'assit près de lui. Il avait la figure d'un petit garçon de soixante ans, à la fois joufflu et ridé. Derrière ses lunettes, ses yeux étaient brillants.

« Ne faite pas attention, j'ai dû boire trop de cognac. Chaque fois que ma femme reçoit, je bois trop de cognac pour oublier le goût de ces maudits œufs à la coque que nos poules pondent quotidiennement. Nos poules viennent du Yorkshire, figurez-vous. Il paraît que c'est la meilleure race. »

« Il est très soûl ou très malheureux, pensa Josée, ou c'est un gai humoriste. » Elle choisit instinctivement la dernière solution.

« Les invités de Laura vous ennuient beaucoup ?

— Pas du tout. Je ne suis généralement pas là. Je voyage énormément. Par exemple j'ai entendu parler de vous il y a cinq ans et je ne vous avais jamais vue. Je le regrette d'ailleurs, car vous avez énormément de charme. »

Il ajouta à sa dernière phrase un petit salut de la tête et ajouta précipitamment :

« Votre mari est très bel homme aussi. Vous devez avoir de très beaux enfants.

— Je n'ai pas d'enfants.

— Vous en aurez de très beaux.

— Mon mari n'en veut pas », dit Josée avec brusquerie.

Il y eut une seconde de silence. Elle regrettait sa phrase et la confiance un peu rapide que lui inspirait cet homme.

« Il a peur que vous ne les lui préfériez, dit-il fermement.

— Pourquoi dites-vous cela ?

— C'est évident. Il ne regarde que vous, comme ma femme ne regarde que lui et comme vous regardez en l'air.

— Joli trio, dit-elle sèchement.

— Joli quatuor si vous admettez que je ne regarde que les cours de la Bourse. »

Ils se dévisagèrent et ne purent s'empêcher de rire.

« Ça vous est égal ? dit Josée.

— Madame, je suis arrivé à l'âge heureux où l'on ne peut aimer que les gens qui vous font du bien. Je ne veux pas dire qui ne vous font pas souffrir, je veux dire les gens qui respectent votre intégrité. Ça vous arrivera un jour. Excusez-moi, mon verre de cognac est vide. »

Il se leva et elle le suivit vers le salon. Ils s'arrêtèrent sur le seuil. Alan était assis aux pieds de Laura et elle baissait sur lui un regard si tendre et si avide que Josée eut un mouvement de recul. Alan leva les yeux vers eux et adressa à sa femme un clin d'œil complice qui la fit rougir. Elle eut peur un instant que Dort ne l'ait intercepté, mais il traversait la pièce déjà, en direction du bar. De toute manière, elle ne voulait pas être mêlée aux petits jeux d'Alan.

Elle le lui signifia le soir, dans leur chambre, tandis qu'il se promenait de long en large dans la pièce, récapitulant avec une férocité complaisante les manifestations de l'intérêt de Laura.

« Tes distractions me déplaisent. On ne s'amuse pas avec les gens de cette manière, quels qu'ils soient. »

Il s'arrêta de marcher.

« Il semble que tu n'as pas toujours dit ça. Tu venais souvent ici, avant ?

— Quelquefois.

— Avec qui ?

— Des amis.

— Des ou un ?

— J'ai dit "des".

— Tu ne m'as jamais rien raconté sur cette maison de campagne : Vaux. Je t'ai tiré des récits à la mer, à la montagne, en ville, jamais à la campagne. Alors ? »

Elle enfouit la tête sous son oreiller. Quand elle étouffa un peu, elle le souleva avec précaution. Les yeux d'Alan étaient fixés sur elle.

« Ne t'inquiète pas, je le saurai. »

— Par Laura?

— Pour qui me prends-tu? Par toi, ma douce, et bientôt.»

Il ne croyait pas si bien dire.

Il y avait quand même quelque chose d'étrange dans la condition de Laura. Sa provocation tenait du défi. Quand Josée était arrivée au petit déjeuner, précédant Alan, Laura l'avait accueillie avec de grands cris de bienvenue avant de se lancer dans le panégyrique d'Alan.

«Il dort encore? Au fond, c'est un enfant, il doit avoir besoin de sommeil. Ce qu'il y a de si charmant dans ces jeunes Américains, c'est qu'on a l'impression qu'ils viennent de naître quand on les rencontre. Vous prenez du café?

— Du thé.

— Quand vous avez connu Alan, vous n'avez pas eu cette impression? Qu'il n'avait pas de passé? Qu'il n'y ait pas eu de femmes avant vous dans sa vie?

— Pas exactement, dit Josée à moitié assoupie.

— Le seul ennui, dit Laura sans remarquer l'interruption, c'est qu'ils croient que tout le monde est comme eux. Alors que dans notre vieille Europe...»

Josée n'avait pas écouté la suite. Elle avait levé les yeux un instant puis tendu la main vers un toast. A présent, après la promenade hygiénique du matin pendant laquelle Laura n'avait pas lâché le bras d'Alan, l'entraînant loin devant les invités fourbus par le grand air, elle se les rappelait et cherchait vaguement où elle voulait en venir. Ils profitaient du soleil pour prendre des jus de fruits devant la maison, sur des fauteuils, et Josée pensait à la phrase de Jean-Pierre Dort: «C'est comme les champs, personne ne s'y couche», quand Laura, décidément agitée, se leva.

«Je vous enlève Alan. Je veux lui montrer mon merveilleux grenier avant le déjeuner.»

Elle regardait Josée en disant cela, qui lui sourit en retour.

«Je ne vous propose pas de venir, Josée, vous le connaissez déjà, je crois.»

Josée esquissa un geste. C'était dans ce grenier, il y avait cinq ans de cela, que Laura les avait trouvés, Marc et elle, dans une situation compromettante. A l'époque ils avaient tous beaucoup plaisanté sur ce charmant grenier. Ainsi elle croyait lui faire peur... La colère qui l'envahissait la fit pâlir et le jeune peintre sortit de son mutisme pour lui offrir un porto avec un air de complicité qui l'acheva.

«Vous parlez du grenier où j'ai couché avec Marc?» dit-elle paisiblement.

Il y eut un silence consterné. Josée se tourna vers Alan.

«Je ne sais pas si je t'en ai parlé. Un nommé Marc, quand j'avais vingt ans. Laura te donnera des détails.»

Une jeune femme éclata de rire, sans doute par impossibilité de dire quoi que ce soit, et le peintre la suivit.

«Qui n'a pas fait des fredaines dans cette maison! dit-il gaiement. C'est la maison du Bon Dieu.

— L'expression me paraît un peu fausse, dit Laura avec fureur. Quant aux fredaines de Josée, je n'en ai pas le détail, Dieu merci.

— Les fredaines passées de ma femme ne regardent qu'elle», dit Alan tendrement, et il se pencha pour embrasser Josée sur les cheveux.

«Il va me mordre», pensa-t-elle brusquement et, prévoyant toutes les questions, les colères que son éclat allait provoquer, elle ferma les yeux, épuisée d'avance. Elle était trop bête. Alan lui souriait. Il avait l'air si content qu'il devait être vraiment fou ou maniaque. Elle devait le quitter avant qu'il ne soit trop tard et que quelque chose d'affreux ne survienne. Mais elle ne bougea pas de son fauteuil. Au cinéma non plus, elle ne savait pas partir avant la fin.

Il ne fut question que de Marc pendant deux mois. Comment avait-elle connu Marc, en quoi lui avait-il plu, combien de temps? Elle avait beau en faire un accident sans importance, le réduire même à un fantoche, il semblait que cette diminution même surexcitât l'imagination d'Alan. Car enfin, s'il était aussi léger, aussi insignifiant qu'elle le prétendait, il devait y avoir autre chose, autre chose qu'elle ne pouvait pas dire. Elle en venait à provoquer les sorties nocturnes, à les prolonger jusqu'à leur double épuisement, simplement pour retarder le moment où, penché sur elle, il lui dirait: «Je te fais moins plaisir que lui, n'est-ce pas?» Et où viendrait le déluge de questions, toujours précises, parfois crues, qu'elle détestait. Au bout de ces deux mois, elle avait le visage gonflé par l'alcool, les yeux cernés, et elle s'insurgea brusquement. Elle se coucha à dix heures, fit de la culture physique et opposa aux supplications, aux menaces d'Alan un silence obstiné. Chaque phrase était un piège et elle se surprit à le haïr plusieurs fois.

Laura Dort était devenue une familière. Ils la retrouvaient presque chaque soir, souvent chez elle, car elle donnait des dîners agréables et Alan l'entraînait ensuite dans les boîtes de nuit où l'aube la retrouvait hagarde et ravie, vieillie de dix ans. Elle passait souvent chez eux l'après-midi, se passionnait pour les tableaux d'Alan, disait partout que ce jeune ménage était charmant et qu'elle rajeunissait à son contact. Josée prenait la fuite dès qu'elle arrivait, la laissait déambuler entre le salon et l'atelier où Alan, visiblement ravi d'avoir un public, peignait tout en lui tenant des discours extravagants. A son retour, elle les trouvait effondrés dans des fauteuils, et prenant les premiers drys de la soirée. Depuis qu'elle ne buvait plus, elle avait le plus grand mal à suivre leur conversation. Elle notait seulement, du coin de l'œil, les rides supplémentaires sur le visage de Laura, les bouffissures sous les yeux et la diabolique sollicitude avec laquelle Alan remplissait son verre. Il ne se départait jamais à son égard d'une gentillesse charmante, l'interrogeait sur le moindre détail de sa vie, et dansait avec elle des heures entières. Josée ne voyait pas du tout où il voulait en venir.

En rentrant un peu tard, un soir, elle trouva Bernard, assis avec eux deux. Il revenait d'un long voyage et elle lui sauta au cou mais il garda l'air sombre. Dès que Laura fut partie, il se tourna vers elle.

«A quoi jouez-vous, tous les deux?»

Josée leva les sourcils.

«A quoi nous jouons?

— Oui. Alan et toi. Que voulez-vous à cette pauvre Laura?

— Personnellement, je ne lui veux rien. Demande plutôt à Alan.»

Ce dernier souriait mais Bernard ne se retourna pas vers lui.

«C'est à toi que je le demande. Tu étais bonne dans le temps. Pourquoi acceptes-tu de transformer cette femme en guignol? Tout le monde se moque d'elle. Ne me dis pas que tu l'ignores.

— Je l'ignorais, dit Josée agacée. De toute façon, je n'y suis pour rien.

— Dans la mesure où tu laisses ce petit sadique la détraquer, la soûler et la bercer d'illusions, tu y es pour quelque chose.»

Alan sifflota avec admiration.

«Petit sadique…, comme vous y allez…

— Pourquoi laissez-vous croire à Laura que vous l'aimez ou que vous l'aimerez? Pourquoi l'avez-vous mise dans une situation ridicule? De quoi vous vengez-vous sur elle?

— Je ne me venge pas, je m'amuse.

Il avait tiqué. Bernard était furieux. Josée se rappela qu'on avait beaucoup parlé d'une liaison entre lui et Laura, dans les beaux temps de Vaux.

«Vous avez des amusements à votre hauteur. Des amusements de petit mufle trop riche et narcissique. Vous menez une vie imbécile tous les deux, vous par Dieu sait quel complexe assommant, Josée par veulerie, ce qui est pire.

— Tu as des retours agréables, dit Josée. Comment était ton voyage?

— Tu vas te décider quand à quitter ce type?»

Alan se leva, lui envoya un coup de poing et il y eut une bagarre fort maladroite et inesthétique, vu leur inexpérience. Néanmoins ils étaient assez furieux pour que le nez d'Alan se mette à saigner sur un bon coup de coude; et que la table se renverse avec les bouteilles. Le gin inonda la moquette, les verres roulèrent sous les chaises et Josée leur cria de s'arrêter. Ils se regardèrent, décoiffés, ridicules, et Alan sortit son mouchoir pour éponger son nez.

«Asseyons-nous, dit Josée. De quoi parlions-nous?

— Je te demande pardon, dit Bernard. Laura est une vieille amie, même si elle m'agace, et elle a été très généreuse avec beaucoup de gens. Je ne pensais pas avoir un duel pour elle, quand même.

— Je saigne comme un bœuf, dit Alan. Si j'avais su que je devrais me battre avec tous les soupirants de Josée, j'aurais fait un stage chez les marines avant de l'épouser.»

Il se mit à rire.

«Vous avez connu un Marc quelque chose, vous, Bernard?

— Non, dit Bernard fermement. Vous me l'avez déjà demandé. Et ça n'a rien à voir avec Laura.

— Je ne veux aucun mal à Laura. Je n'en veux ni à sa fortune ni à ses charmes. Laura est une artiste, c'est tout. C'est elle d'ailleurs qui va patronner mon exposition.

— Ton exposition?

— Parfaitement. Elle a amené un critique, hier. Il paraît que c'est très bien. J'expose dans un mois. Je pense ainsi échapper à l'inutilité dont m'accable ton ami, chère Josée.

— Quel critique était-ce? dit Josée.

— Un nommé Daumier, je crois.

— C'est un excellent critique, dit Bernard. Je vous félicite. J'espère que vous ne m'en voulez pas.»

Il semblait glacé. Josée, encore ahurie, le raccompagna jusqu'à la porte.

«Qu'en penses-tu?

— La même chose, dit-il avec colère. Il serait premier ministre, il ne te laisserait pas en paix une seconde. Alors, tu penses: peintre! Je n'aurais jamais dû l'aider à te retrouver.

— Pourquoi dis-tu cela? A cause de Laura?

— Entre autres. Je le croyais un peu fou mais gentil. Il n'est pas gentil et il est complètement fou.

— Tu exagères», dit-elle.

Il était dans le noir, sur le palier, et il la prit par le poignet.

«Il te détruira, je t'assure. Sauve-toi.»

Elle essaya de protester mais il descendait déjà l'escalier. Elle entra, pensive, dans le salon; Alan vint à sa rencontre, la serra contre lui.

«Quelle histoire... J'ai très mal au nez. Tu es contente pour mon exposition?»

Elle passa la soirée à lui mettre des compresses et à faire des plans joyeux avec lui. Il semblait enfantin et désarmé, il semblait qu'il n'ait peint que pour lui faire plaisir. Il s'endormit dans ses bras, et elle resta longtemps, attendrie, à le regarder dormir.

Dans la nuit, elle se réveilla, baignée de sueur. Les paroles de Bernard avaient porté leurs fruits. Elle avait rêvé de Laura, étendue, défigurée, sur la pelouse de Vaux. Et elle avait beau appeler au secours, gémir, les gens passaient près d'elle sans la voir. Josée courait de l'un à l'autre, leur montrait Laura mais ils avaient l'air ennuyé et disaient : « Ce n'est rien, voyons. » Alan souriait assis dans un fauteuil. Elle se leva, tituba jusqu'à la salle de bains, but deux immenses verres d'eau, il lui semblait qu'elle ne se lasserait jamais de ce contact glacé et pur coulant dans sa gorge. Alan gémit un peu et elle lui jeta un coup d'œil. Dans la tranche de lumière qui venait de la salle de bains, il semblait à demi mort, renversé sur le dos, son nez enflé défigurant son beau visage, et elle sourit. Elle n'avait plus sommeil du tout et il était cinq heures. Elle attrapa une robe de chambre et quitta la pièce sur la pointe des pieds.

Dans le salon, une aube confuse se devinait, avec des clartés livides, mi-effrayantes, mi-douces. Elle tira un fauteuil devant la fenêtre, s'y assit. La rue était déserte, l'air frais. Elle se souvint brusquement de son voyage retour de New York. Partie à midi, elle était arrivée six heures plus tard à Paris, où il était minuit. Elle avait vu en une période d'une demi-heure le soleil éblouissant du matin se baisser, devenir rouge, disparaître tandis que les ombres du soir semblaient se lancer à l'assaut de l'appareil, défilaient en nuages bleus, mauves et enfin noirs sous les hublots et d'un coup elle était rentrée dans la nuit. Elle avait éprouvé un curieux désir alors, celui de se baigner dans cette mer de nuages, ce mélange d'air, d'eau et de vent qu'elle imaginait sur sa peau, léger et doux, enveloppant comme certains souvenirs d'enfance. Il y avait quelque chose d'incroyable dans ces paysages du ciel, quelque chose qui réduisait votre vie à un rêve idiot « empli de bruit et de fureur », rêve accompli aux dépens de cette sérénité poétique qui comblait les yeux et aurait dû être la vraie vie. Seule, être seule sur une plage, étendue, laissant passer le temps, comme elle l'entendait passer en ce moment dans cette pièce déserte, que l'aube hésitait à découvrir. Echapper à la vie, à ce que les autres appelaient la vie, échapper aux sentiments, à ses propres qualités, à ses propres défauts, être seulement une respiration provisoire sur la millionième partie d'un des milliards de galaxies. Elle s'étira, fit craquer ses bras, s'immobilisa. Combien de fois Alan ou Bernard ou Laura avaient-ils éprouvé ce sentiment incommunicable, combien de fois avaient-ils essayé de le traduire par des mots qui le défiguraient aussitôt ? Ces frêles assemblages d'os, de sang et de matière grise qui s'arrachaient entre eux des petites souffrances, des petites joies avant de disparaître..., elle sourit. Elle savait bien qu'il ne servirait à rien de confronter les problèmes de leur vie à un infini plus sage. Le jour allait se lever, criard, avide de gestes et de paroles.

« Mes compliments, monsieur. Il y a quelque chose d'autre dans votre peinture, une... » L'inconnu fit un geste parabolique, chercha son mot, le trouva :

« Une connaissance. Voilà, une nouvelle connaissance. Bravo encore. »
Alan sourit, s'inclina. Il semblait très ému, l'exposition était un grand
succès. Menée de main de maître par Laura, la campagne avait été
fulgurante. Les journaux parlaient de force, de bizarrerie, de profondeur.
Les femmes regardaient Alan. On s'étonnait de n'avoir pas entendu
parler plus tôt de ce jeune Américain, venu à Paris chercher l'inspiration. On chuchotait qu'il était arrivé sur un cargo comme soutier. Josée
aurait bien ri si Alan n'avait semblé si bouleversé. Ils avaient passé les
trois semaines qui les séparaient de l'exposition terrés chez eux. Alan
gémissant d'inquiétude, se levant la nuit pour regarder ses toiles et la
faisant lever, parlant de ses pinceaux comme de son destin, effrayant
même Laura par ses crises de conscience, obligeant Josée à une présence
de tous les instants, tantôt mère, tantôt maîtresse, tantôt critique. Mais
elle était heureuse. Il s'intéressait à autre chose qu'à lui-même, il parlait
avec respect, avec passion de son métier, il créait quelque chose.
Brusquement leur vie commune redevenait une chose possible, une vie
où il aurait besoin d'elle sans doute mais comme un homme a besoin
d'une femme. Il avait à présent autre chose. Aussi regardait-elle d'un œil
serein Laura Dort jouer la muse et Alan se redresser peu à peu, devenir
désinvolte et légèrement supérieur : elle aimait mieux parler de Van
Dyck que de Marc. C'est ce qu'elle murmura à Séverin, vêtu de velours
noir, qui se faufilait jusqu'à elle.

« Je te comprends, sourit-il, il m'avait assez abruti de questions. Tu
sais que presque tout est vendu ?

— Oui. Comment trouves-tu ça ?

— Très étonnant. Ça me fait penser à... euh...

— Ne te fatigue pas, dit Josée. Je sais bien que tu n'y comprends
rien.

— C'est vrai. On dîne chez Laura, ensuite ? Regarde-la, on dirait que
c'est elle qui a tout fait.

— Elle est enchantée, dit Josée qui se trouvait des abîmes
d'indulgence pour elle. Et effectivement, elle l'a beaucoup aidé.

— On le dit partout, reprit Séverin rapidement. Tu vas avoir droit à
des allusions fielleuses.

— J'aime ce genre de rôle, dit Josée en haussant les épaules.

— Tant que tu es tranquille, hein ? »

Ils éclatèrent de rire. Alan se retourna vers eux, les sourcils froncés,
puis sourit en voyant Séverin.

« Vous êtes gentil d'être venu. Qu'en pensez-vous ?

— Epatant, dit Séverin.

— Ça semble être l'opinion générale », dit Alan avec un petit rire
satisfait et il fit face à un nouvel admirateur.

Séverin toussota, un peu gêné, et Josée rougit.

« S'il se croit Picasso, maintenant...

— Ça vaut mieux comme rôle qu'Othello, ma douce. »

Il l'entraîna. Ils sortirent de l'exposition et s'assirent à une terrasse de café. L'air était doux, le soleil se couchait sur les Invalides et Séverin bavardait. Josée l'écoutait d'une oreille distraite. Elle revoyait le visage crispé d'Alan dix jours avant : « Tu crois que c'est bien, tu crois que ça vaut quelque chose ? Dis-le-moi, parle. » Et son expression de tout à l'heure. « Ça semble être l'opinion générale. » Il y avait un revirement un peu rapide. Alan était trop intelligent, trop dénué de vanité surtout, en général.

« Tu ne m'écoutes pas, n'est-ce pas ?

— Si, Séverin. »

Il frappa la table du poing.

« Non. Depuis ton retour, tu ne m'écoutes pas. Tu n'écoutes personne, tu as toujours l'air aux aguets. Vous êtes comme deux fantômes, tous les deux. Tu le sais ?

— Oui.

— C'est le principal. »

Etonnée par sa gravité, elle se tourna vers lui, puis elle eut un sursaut de colère.

« Tu parles comme Bernard. Notre couple vous occupe un peu trop, non ?

— Bernard devrait s'occuper de ses affaires comme moi. Mais, comme moi, il t'aime bien. »

D'un geste impulsif, Josée lui prit la main.

« Excuse-moi. Je ne sais plus... où j'en suis. Dis-moi, Séverin, qu'est-ce que tu en penses... est-ce ma faute ? »

Il ne demanda pas « de quoi ». Il secoua la tête de droite à gauche.

« Ce n'est pas "ta faute", comme tu dis. Ce n'est jamais la faute de personne, ce genre de choses. Mais si tu veux dire qu'il dépend peut-être de toi de les arranger, je ne crois pas, non plus. Il a bien failli m'avoir, d'ailleurs, au début, avec son air naïf. S'il n'avait pas mis Laura dans cet état-là...

— Mais quel état ?

— Folle amoureuse, la voyant tous les jours, la séduisant et ne la touchant pas... Allons. Elle vit entre les somnifères et les dopants. Dort voulait l'emmener en Egypte mais ton mari a dit : "Mon exposition... sans vous ?" l'air déchiré. Elle est restée.

— Je ne savais pas.

— Tu ne sais rien, toi. Tu as tellement peur d'être coincée dans ces histoires que tu rêves à autre chose. A quoi d'ailleurs ? »

Elle se mit à rire.

« A une plage déserte. »

— Naturellement. Dès que tu es fatiguée d'une histoire ou d'un méfait, tu rêves de plages désertes. Tu te souviens de...»

Elle eut un coup d'œil instinctif de côté qui l'égaya.

«Ne t'inquiète pas, il n'est pas là.

— Ce n'est pas une simple histoire, Séverin, c'est mon mari, et il m'aime, et j'y tiens.

— Ne deviens pas bourgeoise. Tu as épousé celui-là. Et pas les autres? Et alors? Ne t'en va pas si vite, j'adore quand tu es en colère, mon petit chat...»

Il la suivait dans la rue, elle marchait devant en murmurant les dents serrées : «Je ne suis pas comme ça, je ne suis pas comme ça.» Il finit par l'entendre.

«Bien sûr, tu n'es pas comme ça. Tu es faite pour avoir une vie heureuse, et gaie, et aimer quelqu'un qui ne te tienne pas à la gorge toute la journée. Josée, tu es fâchée?»

Ils arrivaient à la galerie, elle se retourna vers lui et répondit «non» brièvement, les yeux pleins de larmes. Séverin resta interdit sur le seuil.

Josée fendait la foule, en se mordant les lèvres pour s'arrêter de pleurer. Elle cherchait Alan. «Alan, mon chéri, toi qui m'aimes trop, toi qui es fou, toi qui n'es pas comme les autres, Alan, dis-moi qu'ils ont tort, qu'ils n'y comprennent rien, que ça ne s'arrêtera jamais.» Elle buta presque contre lui alors qu'il serrait la main d'un dernier invité.

«Ou étais-tu passée?

— J'ai été prendre une bière avec Séverin, on étouffait.

— Avec Séverin, tiens, tiens. Je l'ai vu, il y a cinq minutes.

— Ce n'est pas possible. Je t'en prie, ne recommence pas.»

Il lui jeta un coup d'œil et se mit à rire.

«Tu as raison. C'est un grand jour. Oublions nos petites manies. Place à la peinture. Place au génie.»

Elle était seule avec lui, à présent. La galerie était vide. Laura leur faisait des signes d'appel, de sa voiture. Alan prit Josée par le bras, l'amena devant un de ses tableaux.

«Tu vois ça? Ça ne vaut rien. Ce n'est pas de la peinture. C'est la mise en couleur d'une petite obsession. Les bons critiques ne s'y sont pas trompés, va. C'est de la mauvaise peinture.

— Pourquoi dis-tu ça?

— Parce que c'est vrai... Je l'ai toujours su. Qu'est-ce que tu crois? Que je m'étais pris à ma comédie? Tu me connais si mal?

— Pourquoi?»

Elle était atterrée.

«Pour me distraire. Et pour t'occuper, mon chéri. Je regrette, d'ailleurs, que ce ne soit pas vrai. Tu étais sublime, en femme de peintre, les derniers temps. Rassurante..., pas enthousiasmée par mes œuvres, non. Mais le cachant bien. Ça m'occupait, c'était toujours ça, hein?»

Elle avait repris son sang-froid. Elle le regardait avec curiosité.
« Pourquoi me dis-tu tout ça maintenant ?
— Je n'ai pas envie de passer le reste de mes jours à gribouiller cette peinture d'obsédé. Et puis je n'aime pas te mentir », ajouta-t-il avec grâce.
Elle restait immobile devant lui. Elle se rappelait confusément les nuits blanches qu'il lui avait fait passer, ses comédies de terreur, son insistance. Elle eut un petit rire sec.
« Tu as un peu chargé ton rôle. Viens, ton mécène t'attend. »
Laura était rouge d'excitation et de bonheur. Elle s'installa entre eux deux dans la voiture, ne s'arrêta pas de parler. De temps en temps, sa main passait sur celle d'Alan, enthousiaste et craintive. Il répondait avec une gaieté naturelle et Josée, entendant leurs rires, apercevant les mouvements convulsifs de cette main, avait envie de mourir.

L'appartement de Laura Dort, rue de Longchamp, était trop grand, trop solennel, un meuble de Boulle succédant à un autre, ce qui faisait que personne, du moins au début des soirées, ne savait où poser son verre. Josée le traversa au pas de charge et s'enferma dans une salle de bains où elle répara soigneusement les dégâts causés par ses brèves et brûlantes larmes, une heure plus tôt. En se fixant dans la glace, elle trouva à son visage une expression fiévreuse, altérée, qui lui allait bien, et peu à peu allongea l'arc de ses yeux, l'ovale de son visage, accentua le renflement de sa lèvre inférieure et finit par sourire à l'inconnue plus âgée, dangereuse, qu'elle avait dessinée. Il montait en elle une petite fièvre pas désagréable du tout, une envie de détruire, de scandaliser qu'elle n'avait pas éprouvée depuis Key West. « Ils commencent à m'agacer, murmura-t-elle, ils commencent à m'agacer sérieusement », « ils » représentant une multitude confuse et mensongère. Elle sortit de la salle de bains, pleine d'entrain ou d'une douce fureur qu'elle ne contrôlait déjà plus. Dans le salon, Laura et Alan, appuyés à un mur, péroraient gaiement. Quelques rescapés de l'exposition étaient déjà arrivés. Josée les ignora délibérément et se servit un immense whisky sur le plateau. Alan l'interpella :
« Je croyais que depuis deux mois, tu ne buvais que de l'eau ?
— J'ai soif, répondit-elle, et elle lui décocha un grand sourire qui le déconcerta. Je bois à tes succès, reprit-elle en levant son verre, et à ceux de Laura puisque c'est grâce à elle que tout s'est si bien passé. »
Laura lui rendit un sourire distrait et secoua le bras d'Alan pour se rappeler à son attention. Il hésita un instant, les yeux toujours fixés sur sa femme, mais elle lui fit un grand clin d'œil et lui tourna le dos. Elle parcourut le salon du regard, cherchant une proie, n'importe quel homme beau et placide qui s'occuperait d'elle. Mais le salon était encore presque vide. En désespoir de cause, elle alla s'asseoir près d'Elisabeth G., plus

livide que jamais, qui attendait une fois de plus son amant terrible. Elle
s'était encore suicidée dix jours auparavant et des bandages douteux
entouraient ses poignets.

« Comment allez-vous ? » dit Josée.

Elle avala une gorgée de son verre qu'elle trouva infecte.

« Mieux, merci (les suicides d'Elisabeth faisaient partie de la
conversation au même titre que les rhumes des autres). Je ne sais pas ce
que fait Enrico, il devrait être là Je suis tellement contente pour Alan,
vous savez...

— Merci », dit Josée.

Elle la regardait avec chaleur, elle se sentait prête à séduire un tigre.

Sous ce regard bienveillant, Elisabeth s'anima. Elle hésita un instant
puis proféra :

« Si Enrico pouvait avoir la moitié même d'un succès comme celui-
là ! Ça le réconcilierait avec le monde, il serait sauvé. Car il est brouillé
avec la terre, vous savez ? »

Elle annonçait ça comme la brouille de ses deux femmes de chambre.
Josée hocha gravement la tête. Elle se sentait merveilleusement bien.
Pourquoi ? « Parce que j'agis, je vis uniquement en fonction de moi, je
ne me soucie plus des réactions de ce petit faiseur qui est en train de
mentir un peu plus, là-bas », et une joie féroce l'envahit. Elisabeth
continuait :

« Il me dit : "Si tes bons amis m'aidaient..." Evidemment, mais je ne
peux pas obliger Laura à s'occuper de lui. Il croit que mes amis lui en
veulent parce que je me plains de lui. Mais je ne me plains pas de lui,
jamais. Je le connais. Il est plein de talent, il est torturé par son échec,
par l'aveuglement du public qui n'aime que les copies... euh... Je ne
parle pas d'Alan, bien entendu.

— Vous pouvez, dit Josée froidement. Personnellement, je n'aime
pas sa peinture.

— Vous avez tort, dit Elisabeth faiblement, quoique stupéfaite, il y a
quelque chose de... »

Son poignet bandé décrivait une courbe. Josée sourit.

« Quelque chose d'autre, hein ? Vous avez peut-être raison. Ne vous
suicidez plus, Elisabeth, en tout cas. »

« Je dois être légèrement ivre, pensa-t-elle en s'éloignant, ivre en deux
gorgées, c'est incroyable. » Quelqu'un l'attrapa par le bras, c'était
Séverin.

« Josée, je voulais m'excuser pour tout à l'heure. Je t'ai fait de la
peine ? »

Il était penaud et parlait bas, doucement, comme pour ne pas la
blesser davantage. Elle secoua la tête.

« Tu m'as brisé le cœur, Séverin. Mais remis la tête d'aplomb. Tu te
souviens de ce film avec Bette Davis ? Elle donnait une grande party à

Hollywood et apprenait juste avant que quelqu'un lui avait soulevé son amant.

— *All about Eve,* dit Séverin étonné.

— Oui. Elle se dirigeait vers ses invités en disant : « Accrochez-vous, ça va barder.» Ça va barder, mon cher Séverin.

— Laura? Alan?

— Mais non. Moi.

— Quel est ce maquillage de vamp? Josée...»

Il la rattrapa au bar. Elle introduisait méticuleusement deux glaçons dans son verre.

«Qu'est-ce que tu vas faire?»

Il était partagé entre le rire et l'effroi. Ce qu'il appelait les réveils de Josée étaient souvent catastrophiques.

«Je vais m'amuser, mon cher Séverin. Ce rôle d'infirmière, boy-scout et pécheresse à la fois m'assomme. Je vais m'amuser. Et ici, ce qui n'est pas facile. Je me sens tellement bien que j'en ai mal aux poignets.

— Tu dois faire attention, dit Séverin, ne t'énerve pas pour...»

Mais il s'arrêta. Un homme venait d'entrer dans la pièce, souriant, affable, et Josée se retourna devant l'expression de Séverin.

«Sûrement une idée de Laura, dit-il.

— Ce cher Marc», dit Josée tranquillement et elle vint à sa rencontre.

Il n'avait pas changé. Les traits un peu trop réguliers, une aisance vaguement agaçante, et une bonne humeur mondaine de tous les instants. Il eut une expression de terreur comique en voyant Josée, puis la serra dans ses bras.

«Une revenante!... Veux-tu encore briser ma vie? Bonjour, Séverin.

— D'où viens-tu? dit celui-ci, l'air morne.

— De Ceylan. Un mois et demi pour le journal. Avant j'ai passé deux mois à New York et six semaines à Londres. Et en rentrant, que vois-je? Josée. Pour une fois, je bénis la vieille Dort de m'avoir invité. Qu'as-tu fait, mon chéri, depuis deux ans?

— Je me suis mariée. Si tu n'es pas au courant, la soirée est donnée pour les débuts picturaux de mon époux.

— Mariée? Folle! Voyons, voyons, si je comprends bien (il tira un bristol de sa poche), tu t'appelles Mme Ash?

— Précisément.»

Elle riait. Il n'avait pas changé. Il passait ses jours, jadis, à jouer les reporters débordés et cyniques et ses nuits à lui parler du chef-d'œuvre qu'il mettrait en scène plus tard.

«Mme Ash... Tu es encore mieux qu'avant. Prenons un verre ensemble. Lâche ton peintre et épouse-moi.

— Je vous laisse, dit Séverin, vous avez des souvenirs à évoquer sans moi.»

Effectivement, ils passèrent une heure entre «tu te rappelles le jour...?» et «dis-moi qu'est devenu...?» etc. Josée ne pensait pas que cette période de sa vie lui ait laissé tant de souvenirs ni surtout qu'elle aurait tant de plaisir à les évoquer. Elle avait oublié Alan. Il passa près d'eux, lança un «tu t'amuses?» et un regard faussement distrait à Marc.

«C'est ton mari? demanda ce dernier. Il n'est pas mal. Et en plus, il a du talent.

— Et des flots de dollars, dit Josée en riant.

— Et toi? C'est trop, déclara Marc. Tu es heureuse?»

Elle sourit sans répondre. Par chance, Marc ne s'arrêtait jamais à une question. Sa vitalité qui le faisait glisser sans cesse d'un sujet à l'autre, d'une attitude à l'autre, en avait fait peu à peu le garçon le plus inconsistant et le plus agréable de Paris. Josée se rappelait à quel point il l'avait excédée les derniers temps de leur brève liaison et s'en étonnait presque, tant elle se sentait bien avec lui en ce moment précis.

«Josée, appelait Laura, venez voir.»

Elle se leva, sentit le plancher se dérober un peu sous ses pieds et sourit. Laura tenait Alan par un bras et un inconnu de l'autre.

«Je suis navrée de vous arracher à Marc, dit-elle, et Alan blêmit brusquement, mais Jean Perdet voulait absolument faire votre connaissance.»

Elle se retrouva en train d'échanger quelques banalités sur la peinture avec le nommé Perdet, qui visiblement voulait faire sa connaissance mais pas lui parler, et finit par s'en débarrasser. Alan la rejoignit aussitôt.

«C'est ça, Marc?»

Il parlait entre ses dents. Il avait dû beaucoup boire, un léger tic lui secouait la paupière. Elle le dévisagea. Elle avait envie de lui rire au nez.

«Oui, c'est ça, Marc.

— Il a une tête de garçon coiffeur.

— Il l'avait déjà, à l'époque.

— Vous évoquez des souvenirs?

— Mais oui. Tu sais lesquels, non?

— Je suis content que tu fêtes mon succès de cette manière.

— Dis donc? Tu te rappelles ce que tu m'as dit?»

Il l'avait probablement un peu oublié, les compliments et l'alcool aidant. Au fond, il y avait des chances qu'il recommence à peindre. Elle lui tourna le dos. Cette soirée devenait irréelle. «Qu'il barbouille des toiles sans y croire, qu'il pousse Laura au suicide, qu'il fasse ce qu'il veut», pensa-t-elle. Et elle partit se repoudrer.

La salle de bains était occupée et elle décida d'utiliser celle de Laura un peu plus loin. Elle traversa une chambre bleue, capitonnée, où deux pékinois se prélassaient et entra dans la minuscule salle de bains, bleu et or, où Laura devait essayer chaque matin de rajuster ses charmes pour séduire Alan. Cette idée la fit sourire. Dans la glace, elle avait les yeux dilatés, plus clairs que d'habitude. Elle y appuya son front un instant. «Tu penses?» La voix de Marc la fit sursauter. Il était appuyé au chambranle, dans une attitude nonchalante que l'on voit parfois aux mannequins d'*Adam*. Elle se retourna vers lui. Ils se sourirent. Il fut contre elle, d'un pas, et l'embrassa. Elle se débattit un peu et il la lâcha. «C'était pour te rappeler le bon vieux temps», dit-il d'une voix un peu rauque.

«J'ai envie de lui, pensa-t-elle, je le trouve un peu ridicule, il parle comme un mauvais livre, et j'ai envie de lui.» Il ferma la porte à clef, doucement, et la reprit dans ses bras. Ils luttèrent un instant pour se déshabiller l'un l'autre, glissèrent maladroitement par terre. Il se cogna contre la baignoire et jura. Un robinet était resté ouvert et Josée pensa vaguement à se relever pour le fermer. Mais déjà, il prenait sa main, la pressait contre son ventre et elle se rappela qu'il avait toujours été fier de sa virilité. Néanmoins, il faisait toujours l'amour aussi vite et Josée n'oublia pas un instant le bruit de l'eau dans la cuvette. Il resta effondré sur elle après, respirant fort, et l'exiguïté de l'endroit, le danger, le bruit confus que l'on entendait venir du salon firent que le souvenir de cette étreinte provoqua toujours par la suite chez Josée un trouble plus grand que celui que l'étreinte elle-même lui avait apporté.

«Lève-toi, dit-elle. On va nous chercher. Si Laura...»
Il se leva, lui tendit la main et l'aida à se mettre debout. Ses jambes tremblaient et elle se demanda si c'était de peur. Ils se recoiffèrent en silence.
«Je pourrai te téléphoner? dit-il.
— Bien sûr, demande à Séverin.»
Ils se regardaient dans la glace. Il avait l'air très content de lui. Avec un petit rire, elle l'embrassa sur la joue et sortit la première. Elle savait que derrière elle, il allumait une cigarette, passait une dernière fois la main dans ses cheveux et finalement sortirait avec un air dégagé susceptible de donner des soupçons à l'observateur le moins doué. Mais qui pourrait croire que le jour de l'exposition de son jeune et beau mari, Josée Ash ferait l'amour à moitié habillée dans une salle de bains de cinq mètres carrés avec un vieil ami qu'elle n'aimait pas? Qu'elle n'avait jamais aimé? Même Alan n'y penserait pas.

Elle rentra au salon, prit un jus de fruits et bâilla discrètement. Elle avait sommeil comme chaque fois. Comme chaque fois que l'amour se réduisait à un acte sans lyrisme. Laura papillonnait d'un groupe à l'autre, décrivant un cercle enchanté autour d'Alan, debout, sombre et dépeigné, en face du sieur Perdet, qui bavardait gaiement. Josée se dirigea vers lui mais elle fut devancée par Laura.

« Le héros de la fête est dans tous ses états. Mon petit Alan, vous avez l'air d'un bandit. »

Elle lui rectifia son nœud de cravate et il la laissa faire sans la regarder. C'est à ce moment-là que Josée comprit qu'il était ivre mort. Laura leva la main pour repousser ses mèches et brusquement Alan se dégagea, d'un geste violent.

« Ah ! non ! Vous m'avez assez tripoté pour aujourd'hui. »

Il y eut un silence terrible. Laura restait figée, comme foudroyée, et elle essaya un petit rire qui ne s'acheva pas. Alan avait baissé les yeux, l'air boudeur. Josée se sentit avancer vers lui.

« Je crois qu'il est temps que nous rentrions. »

L'humour de sa phrase ne lui apparut que dans le taxi. Alan avait ouvert la fenêtre et le vent la décoiffait, la soulageait à la fois.

« Tu n'as pas été très aimable, dit-elle.

— Ce n'est pas parce que j'ai flirté deux fois avec elle qu'elle doit... » Le reste se perdit dans un murmure.

Josée se retourna vers lui, incrédule.

« Tu as flirté avec elle ? Quand ?

— A l'atelier. C'était lancinant à la fin, cette femme qui s'excitait sur moi. »

« On ne sait jamais rien sur personne, pensa Josée. Alan troublé par Laura. La caressant parfois par énervement ou par cruauté, le sait-il seulement ? » Elle lui posa la question.

« Les deux, dit-il. Elle fermait les yeux, elle soupirait, je m'arrêtais tout de suite, je m'excusais, je parlais de toi, de son mari, la grande âme, le grand peintre. Josée, quand sortirons-nous de tous ces mensonges, j'étouffe, quand partirons-nous pour Key West ?

— Les mensonges viennent de toi, dit-elle. De toi seul. Tu les aimes trop. »

Elle parlait tristement, doucement, le taxi filait dans les rues grises, les arbres brillaient aux lumières.

« Et ce Marc ? dit-il.

— Rien. »

Elle avait parlé sèchement et pour une fois il n'insista pas.

Marc téléphona à onze heures précises le lendemain matin, au seul moment judicieux, Alan étant sous la douche. Josée put ainsi lui donner rendez-vous dans l'après-midi, à l'heure où elle savait Alan occupé par le directeur de la galerie et quelques photographes. En fixant ce rendez-vous, elle n'avait aucun plaisir, simplement la volonté de s'enfoncer dans quelque chose, de détruire une idée d'elle-même qu'elle avait trop longtemps entretenue. Après quoi, Alan sortit de la salle de bains et appela Laura. Il lui déclara froidement que son éclat de la veille avait été inévitable et qu'il pensait qu'elle l'avait parfaitement compris. Il y eut un silence stupéfait dans l'écouteur et Josée qui s'habillait suspendit son geste.

«Josée se doute que nos rapports ont dépassé un peu le cadre de la simple amitié, reprit Alan en souriant à sa femme. C'est une fille délicieuse mais elle est d'une jalousie morbide. J'ai voulu la rassurer, changer les rôles, lui faire croire que c'était vous qui... enfin qui avez un penchant pour moi.»

Il était assis au bord du lit, enveloppé d'un peignoir rouge. Il ne la quittait pas des yeux. Elle restait interdite, devant lui. Il lui tendit l'écouteur et elle le prit machinalement.

«Je m'en doutais, disait la voix altérée — mais combien soulagée — de Laura. Alan, mon ami, il ne faut pas que quiconque se doute de cette affinité entre vous et moi. Nous n'avons pas le droit de faire souffrir les autres et...»

D'un geste vif, Josée rejeta le récepteur sur le lit. Elle avait honte. Elle regarda Alan, qui continuait à parler sur le même ton tendre et respectueux, avec une sorte d'horreur. Il décida Laura à le rejoindre à la galerie dans l'après-midi et raccrocha.

«Bien joué, s'écria-t-il, tu as vu ce retournement?

— Je ne vois vraiment pas à quoi tout ça va te mener, dit Josée en contrôlant sa voix.

— Mais à rien. Pourquoi veux-tu que ça me mène quelque part? C'est notre grande différence, mon chéri. Quand tu te maries, c'est pour avoir des enfants, quand tu parles à un homme qui te plaît, c'est pour aller au lit. Moi, je fais la cour à une femme dont je n'ai pas envie et je peins sans y croire. C'est tout.»

Il cessa brusquement de plaisanter et s'approcha d'elle.

«Je ne vois pas pourquoi, dans cette gigantesque farce qu'est une vie d'homme, je ne jouerais pas un peu les miennes. Que vas-tu faire pendant que je parlerai peinture avec ma dulcinée?

— L'amour avec Marc, dit-elle gaiement.

— Méfie-toi, je te fais toujours suivre», dit-il en riant aussi.

Et elle éprouva une curieuse douleur au cœur en se rappelant leur promenade dans Central Park, la première fois, les précautions avec lesquelles elle essayait de le connaître, cet immense capital de tendresse, d'intérêt, de douceur qu'elle avait avancé alors comme n'importe qui, quand on commence d'aimer un être.

Ils déjeunèrent d'huîtres et de fromages dans un bistrot de luxe — Alan ne supportait que les nappes blanches — et se quittèrent à deux heures et demie. «Je suis suivie», pensait Josée, et elle marchait lentement comme pour ne pas fatiguer son suiveur. Peut-être était-il vieux et minable et lassé de son métier, peut-être même s'était-il pris d'une vague affection pour elle au bout de trois mois... Ces choses-là arrivaient-elles? En tout cas, elle l'amenait droit au café où l'attendait

Marc. Ce dernier l'accueillit par des cris joyeux et elle le regarda avec
stupéfaction. Par quelle aberration l'avait-elle trouvé distrayant la
veille? Il pérorait, il sentait la lavande, il disait bonjour à tout le monde.
Mais elle n'était venue que pour une seule raison, ou plutôt pour une
seule déraison car, même sur ce chapitre, elle préférait mille fois Alan.
Elle eut un sourire ou deux un peu appuyés et il se leva aussitôt.

« Tu veux? » dit-il.

Elle hocha la tête affirmativement. Oui, elle voulait. Mais quoi? Se
distraire? Donner raison à Alan, se détruire confusément? Déjà, il
l'entraînait. Ils montèrent dans une de ces petites voitures pétaradantes
qu'affectionnent les reporters et il prit, pour lui faire peur, deux ou trois
virages un peu justes. Malgré sa fatuité, il semblait quand même un peu
désarçonné.

Les choses se passèrent comme la veille quoique plus confortablement, grâce au lit ostensiblement trop grand qui encombrait le studio
de Marc. Après il alluma une cigarette, la lui donna et commença son
questionnaire :

« Dis-moi, ton mari? Tu ne l'aimes pas? Ou il n'est pas doué? On dit
que les Américains...

— Ne pose pas de questions, dit Josée sèchement.

— Je ne peux quand même pas croire que tu es amoureuse de moi,
si? »

Le « si? » était un chef-d'œuvre d'intonation. Josée sourit, s'étira,
écrasa sa cigarette dans le cendrier.

« Non, dit-elle. Pas du tout. En ce moment, je saccage. Je saccage
même quelque chose auquel j'ai pas mal tenu. »

Elle s'apitoyait.

« Pourquoi? »

Il semblait quand même un peu vexé par l'évidente vérité du « non ».

« Parce que c'est ça ou moi, dit-elle.

— Il le saura?

— Il paie un type qui m'attend en bas. Un détective privé.

— Non? »

Il était visiblement enchanté; il fit un bond jusqu'à la fenêtre, ne vit
personne mais prit un air farouche pour l'amuser, puis affolé et
brusquement la prit dans ses bras quand elle se mit a rire.

« J'adore quand tu ris.

— Je riais beaucoup, avant?

— Avant quoi? »

Elle faillit dire « avant Alan », puis se retint.

« Avant mon départ pour New York.

— Oui, très souvent. Tu étais très gaie.

— J'avais vingt-deux ans, non, quand je t'ai connu?

— A peu près. Pourquoi?

— J'en ai vingt-sept. Ça change. Je ne ris plus autant. Et puis avant, je buvais pour rejoindre les gens, maintenant je bois pour les oublier. C'est drôle, non?

— Ça n'a pas l'air», grommela-t-il.

Elle passa la main sur la joue de Marc. Il vivait sa petite vie, entre ses reportages et son studio et ses conquêtes faciles, il était brave et bavard, il était un gentil spécimen de l'espèce humaine. Il était simple, ennuyeux et content de lui. Elle soupira.

« Il faut que je rentre.

— Si vraiment tu es suivie, qu'est-ce qui va se passer?»

Il souriait en disant cela et elle fronça les sourcils.

« Tu ne me crois pas?

— Non. Tu as toujours eu des histoires extravagantes à raconter. J'adorais ça. On adorait ça. D'autant plus que tu n'y croyais pas toi-même.

— Si je comprends bien, dit-elle, j'étais gaie et folle.

— Tu l'es restée», commença-t-il mais il s'arrêta.

Ils se regardèrent et, pour la première fois, Marc se demanda si l'ambiguïté d'une situation ne lui échappait pas. Cela le mit de mauvaise humeur et il la reconduisit tambour battant. Devant chez elle, il hésita.

« Demain?

— Je t'appellerai au journal.»

Elle monta l'escalier lentement. Il était sept heures. Alan devait savoir déjà qu'elle était rentrée rue des Petits-Champs à trois heures et demie avec un jeune homme brun et qu'elle n'en était ressortie que deux heures plus tard. Ses mains tremblaient en cherchant sa clef mais elle savait qu'elle devait rentrer, que c'était la seule solution.

Il était là, en effet, allongé sur un divan, un journal du soir à la main. Il lui sourit et tendit la main. Elle s'assit près de lui.

« Tu sais que ça va très mal au Congo? Un avion s'est écrasé à Bruxelles. Les journaux sont funèbres, ces jours-ci.

— Tu as vu Laura?»

Elle goûtait désespérément ces dernières minutes de paix, ce moment où elle pouvait encore lui parler comme à un compagnon, même s'il tremblait de rage, intérieurement.

« Bien sûr, j'ai vu Laura. On dirait une conspiratrice.»

Il semblait très gai. Elle hésita un instant.

« Et tu as eu ton rapport?

— Mon rapport?

— Le détective privé qui me suit.»

Il éclata de rire.

« Penses-tu! Ça n'a pas duré quinze jours. Si tu avais la moindre inclination, nos bons amis me le feraient savoir.»

Elle fléchit tout d'un coup, s'allongea près de lui, la tête sur son épaule. Une grande douceur l'envahissait. Elle avait le choix, mais déjà elle savait que ce n'était pas vrai et que les larmes qu'elle avait versées à New York sur l'épaule de Bernard, dans un bar climatisé, en pensant à Alan, à elle, à leur échec, correspondaient à une vérité profonde. Plus profonde que l'habitude qu'elle avait de ce corps tranquille près du sien, et de ce bras protecteur sous sa tête. Leur histoire était morte ce jour-là, au moment même où elle comprenait qu'elle ne pouvait pas la raconter à Bernard, ni se la raconter à elle-même, comme une histoire vraie. La vérité de son mariage était trop ténue et trop passionnelle à la fois, elle résidait en des moments de tendresse, de plaisir, et de méchanceté. Ce n'était ni un dialogue ni un partage. Elle soupira. La main d'Alan passait dans ses cheveux, tendrement.

Elle promenait son regard sur les poutres foncées, les murs clairs, les quelques tableaux de la pièce. «Combien de temps aurai-je vécu ici? Cinq mois, six?» et elle ferma les yeux. «Et avec cet homme qui respire tranquillement près de moi, deux ans et demi, trois ans? Que vais-je faire, où vais-je aller et avec qui?» Toutes ces questions lui semblaient pressantes mais absurdes, toutes dépendaient d'une petite phrase qu'elle devait dire, pour commencer, et que tout son corps, tous les muscles de son visage se refusaient à prononcer. «Il faut attendre, pensa-t-elle, parler d'autre chose, respirer, puis je pourrai, facilement, d'un coup.»

«Parle-moi un peu de Marc», dit la voix railleuse d'Alan et il retira sa main des cheveux de Josée.

«J'ai passé l'après-midi avec lui, chez lui, dit-elle.

«Je ne plaisante pas, dit-il.

— Moi non plus.»

Il y eut quelques instants de silence. Puis Josée se mit à parler. Elle racontait tout, minutieusement; comment était l'appartement, comment il l'avait déshabillée, leurs positions, leurs caresses, ce qu'il avait dit en la prenant, une certaine exigence ensuite. Elle employait les mots les plus précis, elle faisait réellement un effort de mémoire. Alan ne bougeait pas. Quand elle eut fini, il eut un curieux soupir.

«Pourquoi me dis-tu tout ça?

— Pour t'éviter de me le demander.

— Tu recommenceras?

— Bien sûr.»

C'était vrai. Et il devait le savoir. Elle tourna la tête vers lui. Il n'avait pas l'air de souffrir, il avait plutôt l'air déçu et cela confirma les pensées de Josée.

«Ai-je oublié quelque chose?

— Non, dit-il lentement, il semble que tu aies tout dit, tout ce qui m'intéressait. Tout ce que j'aurais pu imaginer», cria-t-il brusquement en se redressant, et pour la première fois sans doute il la regarda avec haine.

Elle ne cilla pas et, soudain, il fut à genoux, secoué de sanglots sans larmes.

« Qu'ai-je fait, murmurait-il, qu'ai-je fait de toi, qu'avons-nous fait ? »
Elle ne répondit pas, elle ne bougeait pas ; elle écoutait un grand vide s'installer en elle.

« Je voulais tout de toi, dit-il encore, et le pire.

— Je ne pouvais plus », dit-elle simplement, et il releva la tête.

Il fit une dernière tentative.

« C'était une erreur. »

Mais il ne parlait pas de sa journée avec Marc, il parlait de son récit et elle le savait.

« Ce serait pareil chaque fois, dit-elle doucement, le jeu est fini. »

Ils restèrent longtemps ainsi l'un contre l'autre, comme deux lutteurs exténués.

LA CHAMADE

Roman

A mes parents

J'ai fait la magique étude
Du Bonheur, que nul n'élude.

RIMBAUD.

Première partie

LE PRINTEMPS

CHAPITRE PREMIER

ELLE OUVRIT les yeux. Un vent brusque, décidé, s'était introduit dans la chambre. Il transformait le rideau en voile, faisait se pencher les fleurs dans leur grand vase, à terre, et s'attaquait à présent à son sommeil. C'était un vent de printemps, le premier : il sentait les bois, les forêts, la terre, il avait traversé impunément les faubourgs de Paris, les rues gavées d'essence et il arrivait léger, fanfaron, à l'aube, dans sa chambre pour lui signaler, avant même qu'elle ne reprît conscience, le plaisir de vivre.

Elle referma les yeux, se retourna sur le ventre, chercha de la main, à tâtons, sa pendule par terre, le visage toujours enfoui dans l'oreiller. Elle avait dû l'oublier, elle oubliait toujours tout. Elle se leva avec précautions, glissa la tête par la fenêtre. Il faisait sombre, les fenêtres en face étaient fermées. Ce vent n'avait aucun sens commun de circuler à cette heure-là ! Elle se recoucha, rabattit ses draps énergiquement autour d'elle et fit quelque temps semblant de dormir.

En vain. Le vent paradait dans la chambre, elle le sentait s'énerver dans la mollesse penchée des roses, du gonflement effrayé des rideaux. Il passait sur elle par moments, la suppliant de tous ses parfums de campagne : «Viens te promener, viens te promener avec moi.» Son corps engourdi s'y refusait, des bribes de rêves revenaient embuer son cerveau, mais un sourire lui détendait peu à peu la bouche. L'aube, la campagne à l'aube... Les quatre platanes sur la terrasse, leurs feuilles si bien découpées sur le ciel blanc, le bruit des graviers sous les pattes du chien, l'éternelle enfance. Qu'est-ce qui pouvait encore conférer quelque charme à cette enfance après les plaintes des écrivains, les théories des psychanalystes, les épanchements subits de tout être humain dès qu'il partait sur ce thème, «quand j'étais enfant»? Cette nostalgie sans doute d'une irresponsabilité souveraine et perdue. Mais (elle n'eût voulu le dire à personne), elle ne l'avait pas perdue. Elle se sentait parfaitement irresponsable.

Cette dernière pensée la mit debout. Elle chercha de l'œil sa robe de chambre et ne la trouva pas. Quelqu'un avait dû la ranger, mais où ? Elle ouvrit les penderies en soupirant. Elle ne s'habituerait décidément jamais à cette chambre. Ni à aucune autre d'ailleurs. Les décors la laissaient parfaitement indifférente. C'était pourtant une belle pièce, haute de plafond, avec deux grandes fenêtres sur une rue de la rive gauche et une moquette bleu-gris, douce à l'œil, et au pied. Le lit semblait une île, entourée de deux uniques récifs : la table de nuit et une table basse entre les deux fenêtres, chacune très pure de style d'après Charles. Et la robe de chambre enfin découverte était en soie et le luxe une chose très agréable en vérité.

Elle passa dans la chambre de Charles. Il dormait les fenêtres fermées, sa lampe de chevet allumée, et nul vent ne le dérangeait jamais. Ses somnifères étaient bien rangés près de son paquet de cigarettes, son briquet, son réveil fixé à huit heures et sa bouteille d'eau minérale. Seul *Le Monde* traînait à terre. Elle s'assit au pied du lit et le regarda. Charles avait cinquante ans, de beaux traits un peu mous et l'air malheureux quand il dormait. Ce matin-là, il avait l'air encore plus triste que d'habitude. Il avait des affaires immobilières, beaucoup d'argent et des rapports humains plutôt difficiles dus à un mélange de politesse et de timidité qui le rendait parfois glacial. Il y avait deux ans qu'ils vivaient ensemble, si l'on pouvait appeler vivre ensemble le fait d'habiter le même appartement, de voir les mêmes gens et de partager parfois le même lit. Il se retourna vers le mur et gémit un peu. Elle pensa une fois de plus qu'elle devait le rendre malheureux et, tout aussitôt, qu'il l'eût été de toute façon avec une femme de vingt ans plus jeune que lui et frappée d'indépendance. Elle prit une cigarette sur la table de nuit, l'alluma sans bruit et reprit sa contemplation. Les cheveux de Charles devenaient gris en haut, les veines saillaient sur les mains qu'il avait très belles, la bouche se décolorait un peu. Elle eut un mouvement de tendresse vers lui. Comment pouvait-on être bon, intelligent et si malheureux ? Et elle ne pouvait rien pour lui : on ne peut consoler personne d'être né et d'avoir à mourir. Elle se mit à tousser, elle avait tort de fumer le matin à jeun. Il ne fallait pas fumer à jeun, ni boire d'alcool d'ailleurs, ni conduire vite, ni faire trop l'amour, ni fatiguer son cœur, ni dépenser son argent, ni rien. Elle bâilla. Elle allait prendre la voiture et suivre le vent de printemps assez loin dans la campagne. Elle ne travaillerait pas plus aujourd'hui que les autres jours. Elle en avait, grâce à Charles, perdu l'habitude.

Une demi-heure plus tard, elle roulait sur l'autoroute de Nancy. La radio du cabriolet transmettait un concerto. Etait-ce de Grieg, Schumann, Rachmaninov ? En tout cas un romantique, mais lequel ? Cela l'agaçait et lui plaisait à la fois. Elle n'aimait la culture que par la mémoire et par une mémoire sensible. « J'ai entendu cela vingt fois et je sais que

j'étais malheureuse à ce moment-là et que cette musique me semblait
appliquée à cette souffrance comme une décalcomanie.» Déjà, elle ne
savait plus de qui lui était venue cette souffrance, déjà sans doute elle
vieillissait. Mais cela lui importait peu. Il y avait beau temps qu'elle ne
se pensait plus, qu'elle ne se voyait plus, qu'elle ne se définissait plus à
ses propres yeux, et que seul le présent courait avec elle dans ce vent
d'aube.

CHAPITRE II

LE BRUIT de la voiture dans la cour réveilla Charles. Il entendit Lucile
chantonner en fermant la porte du garage et se demanda avec stupeur
quelle heure il pouvait être. Sa montre indiquait huit heures. Il pensa un
instant que Lucile devait être malade, mais, en bas, le son de sa voix
gaie le rassura. Il eut une seconde la tentation d'ouvrir la fenêtre, de
l'arrêter, mais se retint. Cette euphorie, il la connaissait bien chez elle :
c'était l'euphorie de la solitude. Il ferma les yeux un instant, c'était le
premier geste réprimé des mille gestes qu'il réprimerait ce jour-là pour
ne pas gêner Lucile, pour ne pas encombrer Lucile. S'il avait eu quinze
ans de moins, il aurait sans doute pu ouvrir la fenêtre, crier : «Lucile,
monte, je suis réveillé», d'un ton autoritaire et désinvolte. Et elle serait
montée prendre une tasse de thé avec lui. Elle se serait assise sur son lit
et il l'aurait fait rire aux éclats à force de drôlerie. Il haussa les épaules.
Même quinze ans plus tôt il ne l'aurait pas fait rire. Il n'avait jamais été
drôle. Il n'avait découvert l'insouciance qu'un an plus tôt, grâce à elle,
et c'était apparemment l'une des plus longues études et l'une des plus
difficiles, si l'on n'était pas doué au départ.
    Il se redressa, regarda le cendrier près de lui avec étonnement. Une
cigarette écrasée y trônait et il se demanda s'il avait pu, la veille, oublier
de le vider dans la cheminée avant de s'endormir. C'était impossible.
Lucile avait dû venir et fumer dans sa chambre. D'ailleurs, un léger
creux sur son lit indiquait qu'elle s'y était assise. Lui-même ne
dérangeait jamais rien en dormant. Les femmes de chambre qui avaient
veillé sur sa vie de célibataire l'en avaient assez souvent félicité. C'était
une des choses pour lesquelles on l'avait toujours complimenté : son
calme, éveillé ou pas ; son flegme ; sa bonne éducation. Il y avait des
gens que l'on félicitait pour leur charme mais ça ne lui était jamais
arrivé, tout au moins d'une manière parfaitement désintéressée. C'était
dommage : il se serait senti comme muni d'un plumage étincelant, doux,
merveilleux. Certains mots le faisaient cruellement et tranquillement

souffrir comme un souvenir irrattrapable : les mots « charme, aisance, désinvolture » et, Dieu sait pourquoi, le mot « balcon ».

Il avait parlé une fois à Lucile de cette nostalgie. Pas des premiers mots, bien sûr, mais du dernier. « Balcon ? avait dit Lucile, étonnée. Pourquoi balcon ? » Elle avait répété : « balcon, balcon », puis lui avait demandé s'il voyait ce terme au pluriel. Il avait dit que oui. Elle lui avait demandé s'il y avait des balcons dans son enfance et il avait dit que non. Elle l'avait regardé intriguée et comme chaque fois qu'elle le regardait autrement qu'avec gentillesse, un espoir fou s'était levé en lui. Mais elle avait marmonné quelque chose sur les balcons du ciel de Baudelaire et ils en étaient restés là. Nulle part, comme d'habitude. Et pourtant, il l'aimait, il ne pouvait lui laisser savoir à quel point il l'aimait. Non qu'elle en eût abusé d'aucune manière mais cela l'aurait troublée, désolée. C'était déjà inespéré qu'elle ne le quitte pas. Il ne lui offrait que la sécurité et il savait que c'était le dernier de ses soucis. Peut-être.

Il sonna. Puis ramassa *Le Monde* par terre et essaya de le lire. En vain. Lucile devait conduire trop vite comme d'habitude le cabriolet pourtant très sûr qu'il lui avait offert pour Noël. Il avait téléphoné à un de ses amis de *L'Auto-Journal,* afin de savoir quelle était la meilleure voiture de sport, celle qui tenait le mieux la route, la plus sûre, etc. Il avait dit à Lucile que c'était la plus facile à avoir, il avait fait semblant de l'avoir commandée par hasard, la veille, avec « désinvolture ». Elle avait été ravie. Mais si on lui téléphonait à présent pour lui dire qu'un cabriolet bleu sombre avait été retrouvé sur une route, renversé sur le corps d'une jeune femme dont les papiers... Il se leva. Il devenait idiot.

Pauline entra, le plateau du petit déjeuner dans les mains. Il sourit.

« Quel temps fait-il ?

— Un peu gris. Mais ça sent le printemps », dit Pauline.

Elle avait soixante ans et s'occupait de lui depuis dix ans. Les réflexions poétiques n'étaient pas dans ses habitudes.

« Le printemps ? répéta-t-il machinalement.

— Oui, c'est ce que m'a dit Mlle Lucile. Elle est descendue à la cuisine avant moi, elle a pris une orange et elle m'a dit qu'elle devait filer, que ça sentait le printemps. »

Elle souriait. Charles avait eu très peur qu'elle ne haïsse Lucile les premiers temps mais après deux mois d'expectative, l'attitude morale de Pauline s'était bien définie : « Lucile avait dix ans d'âge mental et Monsieur, qui n'en avait pas plus, n'était pas en mesure de la protéger efficacement contre les choses de la vie. Il relevait de ses attributions à elle, Pauline, de le faire. » Elle commandait donc avec une énergie admirable à Lucile de se reposer, de manger, de ne pas boire et Lucile, apparemment enchantée, lui obéissait. C'était un des légers mystères de sa maison qui troublaient les raisonnements de Charles et le ravissaient à la fois.

« Elle a juste pris une orange ? demanda-t-il.

— Oui. Et elle m'a dit de vous dire de bien respirer en sortant, puisque ça sentait le printemps. »

La voix de Pauline était plate. Se rendait-elle compte qu'il lui mendiait le message de Lucile ? Elle détournait les yeux parfois devant lui. Et il sentait alors que ce n'était pas Lucile qu'elle lui reprochait ainsi mais la forme de sa passion pour elle. La forme affamée, douloureuse, qu'il ne laissait deviner sans doute qu'à elle et que, dans son bon sens, dans son acceptation maternelle et un peu condescendante de la personnalité de Lucile, elle ne pouvait s'expliquer. Elle eût pu, sans doute, le plaindre s'il avait été épris, non pas de ce qu'elle appelait « une gentille personne », mais d'une « méchante femme ». Elle ne se rendait pas compte que c'était peut-être pire.

CHAPITRE III

L'APPARTEMENT de Claire Santré avait été somptueux, du temps de ce pauvre Santré. Il l'était un peu moins à présent et cela se voyait à d'infimes détails dans le mobilier plus clairsemé, les rideaux bleus vingt fois reteints et les airs hagards des maîtres d'hôtel à la journée, qui cherchaient parfois, une minute de trop, laquelle parmi les cinq portes du grand salon donnait sur l'office. Néanmoins, c'était un des appartements les plus agréables de l'avenue Montaigne et les soirées de Claire Santré étaient très recherchées. C'était une femme longue, sèche, vigoureuse, une de ces femmes blondes qui pourraient aussi bien être brunes. Elle avait un peu plus de cinquante ans, ne les paraissait pas et elle parlait gaiement de l'amour en femme que ça n'intéresse plus mais qui en garde de bons souvenirs. En conséquence, les femmes l'aimaient bien et les hommes lui faisaient une cour égrillarde avec de grands rires. Elle faisait partie de cette vaillante petite cohorte de femmes quinquagénaires qui, à Paris, se débrouillent, et pour vivre et pour rester à la mode — parfois même pour la faire. Claire Santré avait toujours, dans ses dîners mondains, un ou deux Américains, un ou deux Vénézuéliens dont elle prévenait à l'avance qu'ils n'étaient pas drôles mais qu'elle était en affaires avec eux. Ils dînaient chez elle près d'une femme à la mode, suivaient difficilement une conversation faite d'énigmes, d'ellipses et de plaisanteries incompréhensibles dont on pouvait espérer qu'ils feraient, au retour, un joyeux récit à Caracas. Moyennant quoi, Claire avait l'exclusivité des tissus vénézuéliens en France ou le contraire et ses réceptions ne manquaient pas de whisky. Au demeurant, c'était une habile personne et elle ne disait du mal de quelqu'un que lorsque c'était indispensable pour n'avoir pas l'air stupide.

Charles Blassans-Lignières avait été, durant dix ans, un des piliers des dîners de Claire. Il lui avait prêté beaucoup d'argent et ne lui en parlait jamais. Il était riche, il était bel homme, il parlait peu mais à propos, et, de temps en temps, il se résignait à prendre pour maîtresse une des protégées de Claire. Cela durait un an, parfois deux. Il les emmenait en Italie en août et il les envoyait se distraire à Saint-Tropez quand elles se plaignaient de la chaleur de l'été, ou à Megève quand elles se plaignaient de la fatigue, l'hiver. Cela finissait par un très beau cadeau qui sonnait le glas de leur liaison, généralement sans qu'on sût pourquoi et, six mois plus tard, Claire recommençait à «s'occuper de lui». Or, depuis deux ans, cet homme tranquille, cet homme pratique lui avait échappé. Il s'était amouraché de Lucile, et Lucile était insaisissable. Elle était gaie, polie, souvent drôle mais elle se refusait obstinément à parler d'elle, de Charles ou de ses projets. Elle travaillait dans un journal modeste avant de rencontrer Charles, un de ces journaux qui se disent de gauche afin de mal payer leurs collaborateurs et dont l'audace s'arrête là. Elle n'y travaillait presque plus et, en fait, on ne savait absolument pas ce qu'elle faisait dans la journée. Si elle avait un amant, il ne faisait pas partie de l'entourage de Claire, bien que celle-ci lui eût délégué plusieurs de ses mousquetaires. Sans succès. A bout d'imagination, Claire lui avait proposé une de ces petites affaires balzaciennes comme en pratiquent couramment les femmes à Paris et qui aurait laissé Lucile nantie d'un vison et d'un chèque de Charles équivalent au prix du vison.

«Je n'ai pas besoin d'argent, avait dit Lucile. Et je déteste ce genre d'affaires.»

Sa voix était sèche. Elle ne regardait plus Claire. Cette dernière, après un instant de panique, eut un de ces coups de génie qui justifiaient sa carrière. Elle avait pris les mains de Lucile.

«Merci, mon petit. Comprenez-moi, j'aime Charles comme mon frère et je ne vous connais pas. Excusez-moi. Si vous aviez accepté, j'aurais eu peur pour lui, c'est tout.»

Lucile avait éclaté de rire et Claire, qui espérait vaguement une scène d'attendrissement, était restée inquiète jusqu'au premier dîner où elle revit Charles exactement semblable à lui-même. Lucile savait se taire. Ou, peut-être, oublier.

De toute façon, ce printemps s'annonçait néfaste. Claire marmonnait en vérifiant l'ordonnance de sa table. Johnny, arrivé le premier, suivant une vieille convention, la suivait pas à pas. Il avait été pédéraste jusqu'à quarante-cinq ans, mais, à présent, il n'avait plus la force, après une journée de travail et un dîner en ville, de retrouver un beau jeune homme à minuit. Il se contentait de les suivre d'un œil mélancolique dans les salons. La mondanité tue tout, même les vices. Il faut, pour les âmes pieuses, mettre ça à sa décharge. Johnny était donc devenu le chevalier servant de Claire. Et il l'accompagnait aux premières, aux dîners, et recevait confusément chez elle mais avec un tact admirable. Au demeurant, il s'appelait Jean, mais tout le monde trouvant Johnny plus gai, il s'était incliné et, en vingt ans, avait même contracté un léger accent anglo-saxon.

« A qui pensez-vous, mon chou? Vous avez l'air bien nerveuse.

— Je pensais à Charles. Je pensais à Diane. Vous savez qu'elle amène son bel amour ce soir. Je ne l'ai vu qu'une fois, mais je ne compte pas trop sur lui pour égayer le dîner. Comment peut-on avoir trente ans, ce physique et être aussi lugubre?

— Diane a tort de donner dans les intellectuels. Ça ne lui a jamais réussi.

— Il y a des intellectuels amusants, dit Claire avec mansuétude. Mais Antoine n'est pas un intellectuel : il se borne à diriger une collection chez Renouard. Et combien gagne-t-on dans l'édition? Rien. Vous le savez comme moi. La fortune de Diane, Dieu merci, est suffisante pour...

— Je ne crois pas qu'il s'y intéresse tellement, dit faiblement Johnny qui trouvait Antoine fort beau.

— Il y viendra, dit Claire, avec cette intonation très lasse que donne l'expérience. Diane a quarante ans et des millions, il en a trente et deux cent mille francs par mois. Cette équation n'est pas faite pour durer.»

Johnny se mit à rire et s'arrêta aussitôt. Il avait utilisé une crème antirides que lui avait conseillée Pierre-André et il n'avait pas eu le temps de la laisser sécher complètement. Il devait garder l'air marmoréen jusqu'à huit heures et demie. Au fait, il était huit heures et demie. Il recommença donc de rire et Claire lui jeta un œil étonné. Johnny était un ange mais les quelques balles qu'il avait reçues, quand il faisait le héros dans la RAF, en 42, avaient dû démolir quelque chose dans son cerveau. Un... comment disait-on? un lobe, oui, un lobe avait dû être atteint. Elle le regarda avec amusement. Quand on pensait que ces longues mains blanches, qui arrangeaient à présent avec trop de douceur les fleurs sur la table, avaient saisi une mitrailleuse, un manche à balai, ramené des avions en flammes au milieu de la nuit... Les êtres humains étaient vraiment inattendus. On ne savait jamais «tout» sur eux. C'était d'ailleurs pour cela qu'elle ne s'ennuyait jamais. Elle poussa un long soupir de satisfaction, vite arrêté par le gros-grain de sa robe. Cardin exagérait, il la voyait comme une sylphide.

Lucile essaya de déguiser un bâillement, il suffisait d'aspirer l'air par le côté et de le souffler doucement par-devant, entre les dents. Cela donnait un peu l'apparence d'un lapin mais on n'avait pas les yeux pleins de larmes après. Ce dîner n'en finissait pas. Elle était entre le pauvre Johnny qui se tapotait les joues depuis le début du repas, l'air inquiet, et un beau jeune homme taciturne qu'on lui avait dit être le nouvel amant de Diane Merbel. Ce silence, d'ailleurs, ne la dérangeait pas. Elle n'avait pas la moindre envie de plaire, ce soir. Elle s'était levée trop tôt. Elle essaya de se rappeler l'odeur de ce maudit vent et ferma les yeux une seconde. Quand elle les rouvrit, elle rencontra le regard de Diane, un regard très dur dont elle s'étonna. Etait-elle si amoureuse du jeune homme, ou jalouse ? Elle le regarda : il avait des cheveux si blonds qu'ils en étaient cendrés et un menton volontaire. Il pétrissait une boule de pain. Il y en avait toute une série autour de son assiette. La conversation roulait sur le théâtre. Avec profit, car Claire adorait une pièce que Diane abhorrait. Lucile fit un effort et se tourna vers le jeune homme :

« Vous avez vu cette pièce ?

— Non. Je ne vais jamais au théâtre. Et vous ?

— Rarement. La dernière fois, j'avais vu cette comédie anglaise, charmante, à l'Atelier, avec cette actrice qui s'est tuée depuis en voiture, comment s'appelait-elle ?

— Sarah », dit-il très bas, et il allongea ses deux mains sur la nappe.

Lucile resta pétrifiée une seconde devant son expression. Elle pensa très vite : « Dieu qu'il est malheureux ! »

« Pardonnez-moi », dit-elle.

Il se retourna vers elle et demanda « quoi ? » d'une voix morne. Il ne la voyait plus. Elle le sentait respirer à côté d'elle, d'un souffle inégal, du souffle de quelqu'un qui a reçu un coup et la pensée que c'était elle qui le lui avait donné, même si involontairement, lui était insupportable. Elle n'éprouvait aucun plaisir à pratiquer l'insolence, encore moins la cruauté.

« A quoi rêvez-vous, Antoine ? »

La voix de Diane avait une note bizarre, un accent un peu trop léger et il se fit un silence. Antoine ne répondit pas : il semblait aveugle et sourd.

« Mais, décidément, il rêve, dit Claire en riant. Antoine, Antoine... »

Rien. Il y avait à présent un silence parfait. Les convives, la fourchette immobile, regardaient ce jeune homme pâle qui fixait lui-même une carafe sans grand intérêt au milieu de la table. Lucile posa brusquement sa main sur sa manche et il se réveilla.

« Vous disiez ?

— Je disais que vous rêviez, dit Diane d'une voix sèche, et nous nous demandions à quoi ? Est-ce indiscret ?

— C'est toujours indiscret », dit Charles.

Il regardait Antoine avec attention à présent, comme chacun. Arrivé comme le dernier amant, peut-être le gigolo de Diane, il était brusquement devenu un jeune homme qui rêvait. Et un vent d'envie, de nostalgie passa sur la table.

Un vent de rancune aussi dans le cerveau de Claire. Après tout, c'était là un dîner de privilégiés, de gens connus, brillants et drôles, au courant de tout. Ce garçon aurait dû écouter, rire, approuver. S'il rêvait d'un dîner avec une petite au Quartier latin dans un snack-bar, il n'avait qu'à abandonner Diane qui était une des femmes les plus lancées, les plus charmantes de Paris. Et qui portait mieux que bien ses quarante-cinq ans. Sauf ce soir ; elle était pâle et aux aguets. Si elle ne l'avait pas si bien connue, Claire aurait pu penser qu'elle était malheureuse. Elle enchaîna :

« Je parie que vous rêviez d'une Ferrari ? Carlos a acheté la dernière, il me l'a fait essayer l'autre jour, j'ai cru ma dernière heure venue. Et Dieu sait pourtant qu'il conduit bien », ajouta-t-elle avec une nuance d'étonnement, car Carlos étant héritier d'un trône quelconque, Claire trouvait admirable qu'il sût faire autre chose qu'attendre, assis dans le hall du Crillon, le retour de la monarchie.

Antoine se tourna vers Lucile et lui sourit. Il avait des yeux marron clair, presque jaunes, un nez fort, une longue et belle bouche, quelque chose de très viril qui contrastait avec la pâleur, la finesse adolescente de ses cheveux.

« Je vous demande pardon, dit-il à mi-voix, vous devez me trouver bien grossier. »

Il la regardait bien en face, son regard ne glissait pas indolemment sur la nappe ou sur ses épaules selon la coutume et il semblait l'exclure complètement du reste de la table.

« En trois phrases, nous nous sommes déjà demandé deux fois pardon l'un l'autre, dit Lucile.

— Nous commençons par la fin, dit-il gaiement. Les couples finissent toujours par se demander pardon, tout au moins l'un des deux. « Je te demande pardon, je ne t'aime plus. »

— C'est encore assez élégant. Ce qui me navre, personnellement, c'est le style honnête : « Je te demande pardon, je croyais t'aimer, je me trompais. Il est de mon devoir de te le dire. »

— Cela n'a pas dû vous arriver souvent, dit Antoine.

— Merci mille fois.

— Je veux dire, vous n'avez pas dû laisser le temps à beaucoup d'hommes de vous le dire. Vos bagages devaient déjà être dans le taxi.

— Surtout que mes bagages consistent en deux chandails et une brosse à dents », dit Lucile en riant.

Il prit un temps :

« Tiens, je vous croyais la maîtresse de Blassans-Lignières. »

« C'est dommage, pensa-t-elle très vite, je le croyais intelligent. » Il n'y avait pour elle aucune possibilité de coexistence entre la méchanceté gratuite et l'intelligence.

« C'est vrai, dit-elle, vous avez raison. Si je partais maintenant, ce serait dans ma voiture, avec plein de robes. Charles est très généreux. » Elle avait parlé d'une voix tranquille. Antoine baissa les yeux.

« Excusez-moi. Je déteste ce dîner et ce milieu.

— N'y venez plus. A votre âge d'ailleurs, c'est dangereux.

— Vous savez, mon petit, dit Antoine, l'air subitement vexé, je suis très sûrement votre aîné. »

Elle éclata de rire. Les deux regards de Diane et de Charles se posèrent sur eux. On les avait placés côte à côte, à l'autre bout de la table, en face de leurs « protégés ». Les parents d'un côté, les enfants de l'autre. De vieux enfants de trente ans qui refusaient de faire les grandes personnes. Lucile s'arrêta de rire : elle ne faisait rien de sa vie, elle n'aimait personne. Quelle dérision. Si elle n'avait pas été si heureuse d'exister, elle se serait tuée.

Antoine riait. Diane souffrait. Elle l'avait vu éclater de rire, avec une autre. Antoine ne riait jamais avec elle. Elle aurait encore préféré qu'il embrassât Lucile. C'était affreux, ce rire, et cet air jeune qu'il prenait tout à coup. De quoi riaient-ils ? Elle jeta un coup d'œil à Charles, mais il avait l'air attendri. Charles était devenu idiot d'ailleurs depuis deux ans. Cette petite Lucile avait du charme, elle se tenait bien mais ce n'était pas une beauté, ni une lumière. Antoine non plus d'ailleurs. Elle avait eu des hommes autrement beaux qu'Antoine et fous d'elle. Oui, fous. Seulement voilà, c'était Antoine qu'elle aimait. Elle l'aimait, elle voulait qu'il l'aime, elle le tiendrait un jour à sa merci. Il oublierait cette petite actrice défunte, il ne verrait plus qu'elle, Diane. Sarah… Combien de fois n'avait-elle entendu ce nom : Sarah. Il lui en avait parlé d'abord, jusqu'au jour où, excédée, elle lui avait dit que Sarah le trompait, que tout le monde le savait. Il avait dit : « Moi aussi, je le savais », d'une voix neutre et ils n'avaient jamais plus prononcé ce nom. Mais il le murmurait la nuit en dormant. Bientôt… bientôt, quand il se retournerait dans son sommeil et qu'il étendrait son bras en travers de son corps dans le noir, ce serait son nom à elle qu'il dirait. Elle se sentit tout à coup les yeux pleins de larmes. Elle se mit à tousser et Charles lui tapota gentiment le dos. Ce dîner n'en finissait pas. Claire Santré avait un peu trop bu, cela lui arrivait de plus en plus souvent. Elle discutait peinture avec une conviction nettement au-dessus de ses connaissances, et Johnny, dont c'était la passion, semblait au supplice.

« Eh bien moi, achevait Claire, quand ce garçon est arrivé chez moi avec cette chose sous le bras, quand j'ai mis cette toile à la lumière, pensant que je devenais myope, savez-vous ce que je lui ai dit ? »

L'assemblée esquissa une dénégation lassée.

« Je lui ai dit : "Monsieur, je croyais avoir des yeux pour voir et bien, je me trompais ; je ne vois rien sur cette toile, monsieur, rien." » Et d'un geste éloquent, destiné sans doute à illustrer le vide de la toile, elle renversa son verre de vin sur la nappe. Chacun en profita pour se lever, Lucile et Antoine, la tête baissée, car-ils avaient le fou rire.

CHAPITRE IV

On ne parlera jamais assez des vertus, des dangers, de la puissance du rire partagé. L'amour ne s'en passe pas plus que l'amitié, le désir ou le désespoir. Entre Antoine et Lucile, c'était le rire subit des écoliers. Tous deux convoités, déshabillés, aimés par des gens graves, sachant qu'ils seraient punis d'une manière ou d'une autre, ils s'abandonnaient au fou rire dans un coin du salon. Le protocole parisien, s'il sépare les amants dans un dîner, demande néanmoins une petite trêve ensuite, où chacun va retrouver d'un air distrait son compagnon de lit et échange avec lui quelques commentaires, quelques mots d'amour ou quelques reproches. Diane attendait qu'Antoine vienne la rejoindre et Charles avait esquissé un pas vers Lucile. Mais celle-ci regardait obstinément par la fenêtre, les yeux pleins de larmes et, dès que son regard rencontrait celui d'Antoine, debout près d'elle, elle se détournait précipitamment, tandis qu'il s'enfouissait dans son mouchoir. Claire essaya un moment de les ignorer, mais il était évident que l'envie et une légère rancune gagnaient le salon. Elle dépêcha Johnny d'un signe de tête qui signifiait « dites à ces enfants de bien se tenir ou ils ne seront plus invités », signe de tête hélas surpris par Antoine qui dut s'appuyer au mur. Johnny prit l'air gai :

« Par pitié, mettez-moi au courant, Lucile, je meurs de curiosité.

— Rien, dit Lucile, rien, il n'y a rien, c'est bien ça, l'affreux.

— Affreux », renchérit Antoine. Il était parfaitement décoiffé, rajeuni, éclatant, et Johnny eut un instant de désir violent.

Mais Diane arrivait. Elle était en colère et la colère lui allait bien. Son fameux port de tête, ses célèbres yeux verts, sa minceur extrême en faisaient un excellent cheval de bataille.

« Qu'avez-vous pu trouver à vous dire de si drôle ? dit-elle d'un ton parfait où perçaient le doute et l'indulgence, mais surtout le doute.

— Oh ! nous, rien », dit Antoine innocemment. Et ce « nous » qu'elle n'avait jamais obtenu de lui pour aucun projet, pour aucun souvenir, acheva la colère de Diane.

« Alors, cessez de vous conduire comme des gens grossiers, dit-elle. Si vous n'êtes pas drôles, soyez polis. »

Il y eut une seconde de silence. Lucile trouvait normal que Diane rabrouât son amant mais ce pluriel lui sembla un peu excessif.

« Vous perdez la tête, dit-elle. Vous n'avez pas à m'interdire de rire.

— A moi non plus, dit Antoine posément.

— Vous m'excuserez, je suis fatiguée, dit Diane. Bonsoir. Pouvez-vous m'accompagner, Charles, dit-elle au malheureux qui s'était approché. J'ai très mal à la tête. »

Charles s'inclina et Lucile lui sourit :

« Je vous rejoins à la maison. »

Après leur départ, il s'éleva un de ces joyeux brouhahas qui suivent les éclats, dans les soirées, chacun parlant d'autre chose pendant trois minutes avant de se consacrer aux commentaires, et Lucile et Antoine restèrent seuls. Elle le regarda pensivement et s'appuya au balcon. Il fumait, l'air tranquille.

« Je suis désolée, dit-elle. Je n'aurais pas dû m'énerver.

— Venez, dit-il. Je vais vous raccompagner avant que cela ne devienne dramatique. »

Claire leur serra la main d'un air entendu. Ils avaient raison de rentrer à la maison mais elle savait bien ce que c'était que d'être jeune. Ils faisaient un charmant couple ensemble. Elle pourrait les aider... mais non, il y avait Charles Blassans-Lignières ; où avait-elle la tête ce soir ?

Paris était noir, luisant, séduisant et ils décidèrent de rentrer à pied. Le soulagement qu'ils avaient tout d'abord ressenti en voyant se refermer la porte sur le visage faussement complice de Claire se transformait en une subite envie de se quitter, ou de se connaître, en tout cas de mettre quelque violence, en point final, à cette soirée décousue. Lucile n'avait aucune envie de jouer, ne fût-ce qu'une seconde, le rôle que lui proposaient les regards des invités quand elle leur avait dit au revoir : celui de la jeune femme qui abandonne son vieux protecteur pour un beau jeune homme. Il n'en était pas question. Elle avait dit un jour à Charles : « Je vous rendrai peut-être malheureux, mais jamais ridicule. » Et effectivement, les quelques fois où elle l'avait trompé, il n'en avait rien pu soupçonner. Cette soirée était ridicule. Que faisait-elle dans la rue auprès de cet étranger ? Elle se tourna vers lui et il lui sourit :

« N'ayez pas l'air si lugubre. Nous allons prendre un verre en route, vous voulez ? »

Mais ils en prirent d'autres. Ils entrèrent dans cinq bars, en évitèrent deux parce que, visiblement, il était insupportable à Antoine d'y aller avec quelqu'un d'autre que Sarah et ils parlaient. Ils traversaient et retraversaient la Seine en parlant, remontaient la rue de Rivoli jusqu'à la Concorde, entraient au Harry's Bar, repartaient. Le vent du matin s'était levé à nouveau. Lucile chancelait de sommeil, de whiskies et d'attention.

« Elle me trompait, disait Antoine, voyez-vous, elle croyait, la pauvre, que cela se faisait, de coucher avec des producteurs ou des journalistes, elle me mentait sans cesse et je la méprisais, je faisais le fier, l'ironique, je la jugeais. De quel droit, mon Dieu, elle m'aimait, sans doute, oui, elle m'aimait, qu'avait-elle à tirer de moi... «Ce soir-là, la veille de sa mort, elle me suppliait presque de l'empêcher de partir pour Deauville. Mais je lui ai dit : "Vas-y, vas-y, puisque ça t'amuse." Quel idiot, quel idiot prétentieux.» Ils passaient un pont. Il l'interrogeait. «Je n'ai jamais rien compris à rien, disait Lucile. La vie m'a paru logique jusqu'à ce que j'aie quitté mes parents. Je voulais faire une licence à Paris. Je rêvais. Depuis, je cherche des parents partout, chez mes amants, chez mes amis, je supporte de n'avoir rien à moi, ni le moindre projet ni le moindre souci. Je suis bien dans la vie, c'est affreux, je ne sais pas pourquoi, quelque chose en moi s'accorde avec la vie dès que je m'éveille. Je ne pourrais jamais changer. Qu'est-ce que je peux faire? Travailler? Je n'ai pas de dons. Il faudrait que j'aime, peut-être, comme vous. Antoine, Antoine, que faites-vous avec Diane?

— Elle m'aime, disait Antoine. Et j'aime les femmes minces et grandes comme elle. Sarah était petite et grosse et cela me faisait pleurer d'attendrissement. Vous comprenez, vous? En plus, elle m'ennuyait.»

La fatigue lui allait bien. Ils remontaient la rue du Bac et, d'un commun accord, ils rentrèrent dans un bar-tabac livide. Ils se regardaient en face, sans sourire et sans sévérité. Le juke-box jouait une vieille valse de Strauss dont un ivrogne esquissait les pas, dangereusement, au bout du comptoir. «Il est tard, il est très tard, gémissait une petite voix chez Lucile. Charles doit être fou d'inquiétude. Ce garçon ne te plaît même pas, rentre.»

Et, subitement, elle se retrouva la joue contre le veston d'Antoine. Il la tenait d'un bras contre lui, la tête sur ses cheveux, il ne disait rien. Elle sentait une étrange tranquillité tomber sur eux. Le patron, l'ivrogne, la musique, les lumières avaient toujours existé; ou, peut-être, n'avait-elle jamais existé elle-même. Elle ne savait plus rien. Il la posa devant sa porte en taxi et ils se dirent au revoir d'une voix polie, sans se donner la moindre adresse.

CHAPITRE V

Mais on eut vite fait de les remettre en présence. Diane avait fait un éclat et il n'y avait pas une femme, assistant à ce dîner, qui aurait désormais imaginé d'inviter Diane sans inviter Charles ou, plus exactement, Antoine sans Lucile. Diane avait changé de camp : elle était passée du camp des bourreaux, où elle avait fort bien tenu son rang, vingt ans durant, au camp des victimes. Elle était jalouse, elle l'avait montré, elle était perdue. De douces rumeurs d'hallali couraient dans le printemps parisien. Par un de ces curieux renversements si particuliers à ce milieu, tout ce qui faisait auparavant son prestige, sa force, devenait sa perte : sa beauté « qui n'était plus celle de sa jeunesse », ses bijoux qui ne « suffisaient » pas (alors que le moindre d'entre eux eût largement suffi une semaine plus tôt à n'importe laquelle de ses amies), jusqu'à sa Rolls « qui, du moins, lui resterait ». Pauvre Diane : l'envie s'était retournée comme un gant ; elle allait s'user le visage avec ses fards, se meurtrir le cœur sur ses diamants, promener un pékinois dans sa voiture. Enfin, enfin on pouvait la plaindre.

Elle savait tout cela. Elle connaissait très bien sa ville et elle avait eu la chance, à trente ans, d'épouser un écrivain intelligent qui lui avait fait remarquer quelques petits rouages de ces machines avant de prendre la fuite, proprement épouvanté. Diane avait un certain courage, qu'elle devait également à une ascendance irlandaise, une nurse sadique dans son jeune âge, et une fortune personnelle assez considérable pour qu'elle n'ait jamais eu besoin de se plier à qui que ce soit. L'adversité courbe le dos, quoi qu'on dise, spécialement celui des femmes. Et Diane, qui avait à peu près échappé aux passions, qui n'avait jamais regardé un homme que dans la mesure où lui la regardait, se voyait avec horreur épier le dos d'Antoine. Et déjà, elle pensait à d'autres moyens que la passion pour le retenir.

Que voulait-il ? Il n'aimait pas l'argent. Il gagnait une somme ridicule chez son éditeur et refusait tout bonnement de sortir quand il ne pouvait l'inviter. Cela la condamnait à dîner souvent chez elle en tête à tête avec lui, programme qui lui eût paru impensable six mois plus tôt. Il y avait, heureusement, toutes ces premières, tous ces soupers, tous ces dîners, toutes ces réjouissances gratuites que l'on offre à Paris aux gens qui en ont les moyens. Antoine disait parfois, l'air vague, qu'il n'aimait que les livres et qu'il réussirait un jour dans l'édition. Et, en effet, dans les dîners, il ne s'animait que s'il trouvait quelqu'un susceptible de lui parler un peu gravement de littérature. Comme un amant écrivain se portait beaucoup cette année-là, Diane, un peu ranimée, lui avait parlé du Goncourt, mais il prétendait ne pas savoir écrire et, chose plus grave, que le contraire était indispensable pour commettre un livre. Elle avait pourtant insisté : « Je suis sûre que si tu voulais… » « Pense au petit X… » — « Ah ! non, ah ! non », avait crié Antoine et il ne criait jamais. Non, il finirait lecteur chez Renouard, avec deux cent mille francs par mois et pleurerait toujours sur Sarah dans cinquante ans. En attendant, elle l'aimait.

Elle avait passé une nuit blanche après le dîner : Antoine était rentré à l'aube, sûrement ivre, et chez lui. Elle lui avait téléphoné toutes les heures, prête à raccrocher si elle entendait sa voix, elle voulait simplement savoir où il était. A six heures et demie, il avait décroché, murmuré simplement « j'ai sommeil » d'une voix enfantine, sans même demander qui était à l'appareil. Il avait dû traîner dans ces bars de Saint-Germain, et peut-être avec Lucile. Mais elle ne devait pas lui parler de Lucile, il ne fallait jamais nommer ce dont on avait peur. Le lendemain, elle téléphona à Claire pour s'excuser de son départ précipité : elle avait eu si mal à la tête toute la soirée.

« Vous aviez, en effet, très mauvaise mine, dit Claire affable et compréhensive.

— Je ne rajeunis pas, dit Diane, froidement. Et ces jeunes gens sont bien fatigants. »

Claire eut un rire complice. Elle adorait les allusions ou, plus exactement, les précisions grivoises et personne ne pouvait être plus précis et technique sur les qualités viriles de son amant qu'une mondaine parlant à une autre mondaine. Comme si l'utilisation constante d'adjectifs passionnels pour leurs couturiers ne leur laissait que des termes de poids et mesure pour leurs amants. Il y eut donc deux ou trois commentaires sur Antoine, plutôt flatteurs. Claire s'énervait un peu, Diane ne parlait de rien. Elle prit les devants :

« Cette petite Lucile est un peu agaçante avec ses fous rires de pensionnaire. Elle a près de trente ans, non ?

— Elle a de jolis yeux gris, dit Diane. Et si ça amuse ce brave Charles...

— Deux ans avec elle, ce doit être quand même bien long, soupira Claire.

— Avec lui aussi, mon chou, ne l'oubliez pas », et, sur cette bonne parole, elles éclatèrent de rire et raccrochèrent enchantées. Diane croyait avoir atténué l'incident. Et Claire pouvait dire que la capricieuse Diane, qui n'en faisait jamais qu'à sa tête, lui avait téléphoné à midi pour s'excuser. Diane avait oublié ce principe fondamental qu'à Paris, il ne faut jamais s'excuser de rien et qu'on ne peut faire n'importe quoi que si on le fait gaiement.

Johnny donc, sur les instructions de Claire, fit inviter Charles Blassans-Lignières à une première de théâtre où devait également se rendre Diane. Il était convenu qu'on irait ensuite, « seulement les amis », dîner quelque part. En dehors de l'amusement qu'elle prendrait à la réunion Lucile-Antoine, Claire avait l'assurance que Charles paierait automatiquement le dîner. Ce qui était bien commode, car enfin Johnny était pratiquement ruiné en ce moment, on ne pouvait laisser payer Diane et elle ne se rappelait plus si elle avait pensé à inviter un homme riche supplémentaire. Espèce qui devenait précieuse et rare à une époque où les seules personnes vraiment entretenues luxueusement étaient les hommes à hommes. Au demeurant, la pièce serait sûrement très drôle puisqu'elle était de Bijou Dubois et que Bijou Dubois savait ce que c'était que le théâtre.

« Que voulez-vous, mon chou, disait-elle à Johnny dans le taxi qui les menait à l'Atelier, je n'en peux plus, moi, de votre théâtre moderne. Quand je vois des acteurs assis dans des fauteuils ânonner des phrases sur la vie, je meurs d'ennui. Je ne vous le cache pas, dit-elle énergiquement, je préfère encore le boulevard. Johnny, vous m'entendez ? »

Johnny, à qui elle faisait ce discours pour la dixième fois de la saison, hocha la tête. Claire était charmante mais sa vitalité l'épuisait et il eut tout à coup envie de descendre de cette voiture, de remonter le boulevard de Clichy grouillant de monde, de manger des frites dans un cornet et, voire, de se faire battre par un voyou. Les intrigues de Claire lui paraissaient trop simples et il était toujours étonné de les voir aboutir.

Place Dancourt, les invités tournaient en rond et se saluaient en s'assurant que c'était le plus joli théâtre de Paris et que cette petite place était absolument provinciale. Lucile sortit d'un café, escortée de Charles, et s'assit sur un banc pour manger un énorme sandwich. Après quelques instants de blâme, quelques affamés en firent autant. La voiture de Diane arriva sans bruit et s'arrêta par hasard juste devant le banc. Antoine en sortit le premier, fit descendre Diane et se retourna. Il vit Lucile, la bouche pleine, l'air heureux et Charles, embarrassé, qui se levait pour saluer Diane.

« Mon Dieu, vous pique-niquez ? Quelle bonne idée », dit Diane.

Elle avait jeté un coup d'œil rapide et aperçu Edmée de Guilt, Doudou Wilson et Mme Bert qui en faisaient autant sur d'autres bancs.

« Il est neuf heures, ils ne commenceront pas avant un quart d'heure. Antoine, soyez gentil, courez dans ce café, je suis affamée. »

Antoine hésita. Lucile le vit regarder le café, Diane, puis esquisser finalement un geste de fatalisme et traverser la rue. Il poussa la porte du café. Alors Lucile vit le patron se lever d'un coup, faire le tour du comptoir, serrer la main d'Antoine, l'air affligé. Le garçon vint à son tour. Elle ne voyait que le dos d'Antoine, elle avait l'impression qu'il reculait, qu'il s'affaissait lentement comme sous une grêle de coups. Elle se rappela subitement : Sarah. Le même théâtre, les répétitions, le café où Antoine devait l'attendre. Où il n'était jamais revenu.

« Mais que fait Antoine ? dit Diane. Il s'enivre tout seul ? »

Elle se retourna et vit Antoine qui essayait de passer la porte, à reculons, comme en s'excusant, sans sandwich. La patronne était arrivée aussi, elle hochait la tête, elle tenait la main d'Antoine. Il avait dû rire avec elle, autrefois, en attendant. C'était toujours très gai, pendant les répétitions, les cafés près des théâtres.

« Qu'est-ce qui lui prend ? dit Diane.

— Sarah », dit Lucile sans la regarder.

Le nom la gênait mais il ne fallait pas qu'on pose de questions à Antoine, il ne fallait pas qu'on lui parle. Il arrivait vers elles, le visage lisse comme un aveugle. Diane comprit d'un coup et elle se retourna si brusquement vers Lucile que celle-ci eut un mouvement de recul. Et, en effet, Diane avait failli la frapper : ainsi cette fille savait ça, aussi. Elle n'en avait pas le droit. Antoine lui appartenait et le rire d'Antoine et le chagrin d'Antoine. C'était sur son épaule qu'il rêvait de Sarah, la nuit. C'était à elle qu'il préférait le souvenir de Sarah. Le théâtre sonnait. Elle prit le bras d'Antoine, l'entraîna. Il se laissait faire, absent. Il dit bonjour poliment à quelques critiques, quelques amis de Diane. Il l'aida à s'asseoir. Les trois coups résonnèrent et, dans le noir, elle se pencha vers lui :

« Mon pauvre chéri », dit-elle...
Et elle lui prit la main, qu'il lui laissa.

CHAPITRE VI

A L'ENTRACTE ils formèrent deux groupes séparés. Lucile et Antoine se sourirent de loin et, pour la première fois, se plurent. Il la regardait parler, distraitement appuyée contre l'épaule massive de Charles, et la courbe de son cou, le pli un peu amusé de sa bouche l'attiraient. Il avait envie de traverser la foule et de l'embrasser. Il y avait bien longtemps qu'il n'avait eu envie, à froid, d'une femme inconnue. Elle se retourna à ce moment précis, rencontra le regard d'Antoine et s'immobilisa, reconnaissant le sens de ce regard, avant de lui adresser un petit sourire gêné. Elle n'avait jamais pensé à la beauté d'Antoine, il avait fallu qu'il la désirât pour que cette beauté lui devienne sensible. Toute sa vie, d'ailleurs, elle avait été ainsi, ne s'intéressant — par un heureux hasard ou une horreur des difficultés presque pathologique — qu'aux êtres qui s'intéressaient à elle. Maintenant, lui tournant le dos, elle revoyait la belle bouche d'Antoine, la couleur dorée de ses yeux et elle se demandait par quelle extravagance ils ne s'étaient pas embrassés l'autre soir. Charles la sentit quitter son épaule, la regarda et reconnut aussitôt cette expression pensive, douce, presque résignée qu'arborait Lucile dès que quelqu'un lui plaisait. Il se retourna et vit Antoine.

A la sortie, le petit groupe se reforma. Claire s'extasiait sur la pièce, les bijoux d'une maharani, la douceur du temps, elle était en plein délire euphorique. On ne parvenait pas à choisir un restaurant. Finalement, ils décidèrent d'aller dîner à Marnes, tant il était évident que le gazon et l'air du soir feraient le bonheur de Claire. Le chauffeur de Diane attendait mais Charles, brusquement, s'avança vers elle :

« Diane, soyez gentille, emmenez-moi avec vous. Nous sommes venus dans le cabriolet de Lucile et je me sens vieux, ce soir, et enrhumé. Confiez-lui Antoine. »

Diane ne cilla pas. Claire, en revanche, roula vers eux des yeux exorbités et incompréhensifs.

« Mais, bien sûr, dit Diane. A tout à l'heure, Antoine, ne roulez pas trop vite. »

Ils montèrent tous les quatre dans la Rolls. Lucile et Antoine restèrent sur le trottoir, légèrement ahuris. Ni Charles ni Diane ne tournèrent la tête. Claire, en revanche, leur adressa un clin d'œil qui les glaça et qu'ils firent semblant tous deux de ne pas voir. Lucile était songeuse. Il était assez dans le caractère de Charles de se faire souffrir mais comment pouvait-il soupçonner un désir dont elle n'avait eu conscience elle-même qu'une heure auparavant ? C'était bien ennuyeux. Elle n'avait jamais trompé Charles qu'avec des garçons dont elle savait qu'il ne les rencontrerait jamais. S'il y avait une chose qu'elle détestait dans ce monde, c'était bien les complicités de deux amants dans le dos d'un troisième, et les rires amusés de témoins comme Claire. Elle ne voulait pas de ça. Antoine posa la main sur son épaule et elle secoua la tête. Après tout, la vie était simple, il faisait doux et ce garçon lui plaisait. On verrait bien. Le nombre de fois où elle s'était dit « on verrait bien » au cours de trente ans d'existence devenait incalculable. Elle se mit à rire.

« Pourquoi riez-vous ? dit Antoine.

— Je me moquais de moi. La voiture est plus haut. Où ai-je mis les clefs ? Vous conduisez ? »

Antoine conduisait. Ils roulèrent sans un mot d'abord, respirant l'air de la nuit dans la voiture ouverte, inquiets. Antoine roulait doucement. A l'Etoile, seulement, il se tourna vers elle :

« Pourquoi Charles a-t-il fait ça ?

— Je ne sais pas », dit-elle.

Ils se rendirent compte aussitôt qu'ils venaient par ces deux phrases d'admettre, d'entériner le regard furtif de l'entracte, qu'ils avaient à présent posé quelque chose entre eux et qu'ils ne pourraient plus revenir là-dessus. Elle aurait dû répondre : « Quoi ? ça ? » et transformer ainsi le geste de Charles en une sage décision d'homme enrhumé. Trop tard. Elle n'avait plus qu'une envie, c'était d'arriver rapidement au restaurant. Ou qu'Antoine se conduise vulgairement, qu'il fasse une réflexion un peu basse et elle s'en débarrasserait aussitôt. Mais Antoine ne disait rien. Ils traversaient le Bois à présent ; ils longeaient la Seine, ils devaient avoir l'air de deux amoureux de la jeunesse dorée, dans ce cabriolet ronronnant. Elle était la fille des Filatures Dupont, lui le fils des Sucres Dubois, ils allaient se marier à Chaillot dans huit jours, avec l'accord des familles. Ils auraient deux enfants.

« Encore un pont, dit Antoine en tournant vers Marnes. Le nombre de ponts que nous avons traversés ensemble. »

C'était la première allusion à leur soirée. Lucile se rappela subitement qu'elle était restée cachée contre sa veste dans ce petit café. Elle l'avait complètement oublié. Elle se troubla :

« C'est vrai, oui. En effet... »

Elle eut un geste vague de la main et la main d'Antoine attrapa la sienne au vol, la serra doucement, la garda. Ils entraient dans le parc. « Voyons, pensait Lucile, il me tient la main pour traverser le parc, c'est le printemps, il n'y a pas de quoi s'affoler, je n'ai plus seize ans. » Mais son cœur battait lourdement et il lui semblait que son sang quittait son visage, ses mains, se réfugiait dans sa gorge, l'étouffait. Quand il arrêta la voiture, elle n'avait plus la moindre idée claire. Il la prit dans ses bras, l'embrassa furieusement et elle s'aperçut qu'il tremblait autant qu'elle. Il se redressa, la regarda et elle lui rendit son regard sans bouger le moins du monde jusqu'au moment où il revint vers elle. Il l'embrassait lentement, à présent, gravement, il embrassait ses tempes, ses joues, revenait à sa bouche et en voyant ce visage tranquille, attentif au-dessus du sien, elle savait déjà qu'elle le reverrait souvent ainsi et qu'elle ne pourrait rien faire contre lui. Elle avait oublié qu'on pouvait désirer quelqu'un à ce point. Elle avait dû rêver. Combien de temps ? Deux ans, trois ans ? Mais elle ne parvenait pas à se rappeler un autre visage.

« Qu'est-ce qu'il m'arrive, disait la voix inquiète d'Antoine dans ses cheveux, qu'est-ce qu'il m'arrive ?... »

Elle sourit, Antoine sentit la joue de Lucile se plisser contre la sienne et il sourit aussi.

« Il faut rentrer, dit-elle à voix basse.

— Non, dit Antoine, non » ; mais après un instant il se détacha d'elle et la souffrance immédiate qu'ils en éprouvèrent acheva de les instruire.

Antoine démarra très vite et Lucile se remaquilla tout de travers. La Rolls était déjà là et ils se rendirent compte tout à coup qu'ils auraient très bien pu la doubler dans Paris, qu'elle aurait pu arriver derrière eux dans le parc, les surprendre dans ses phares comme deux oiseaux de nuit. Ils n'y avaient pas pensé une seconde. Mais elle trônait là, sur la petite place, symbole de la puissance, du luxe, de leurs liens et le petit cabriolet, garé à son côté, semblait ridiculement jeune et fragile.

Lucile se démaquillait. Elle se sentait parfaitement épuisée et elle contemplait les petites rides naissantes au coin de ses paupières, de sa bouche, en se demandant ce qu'elles signifiaient, de qui ou de quoi elles pouvaient venir. Ce n'était pas les rides de la passion, ni celles de l'effort. C'était sans doute les marques de la facilité, de l'oisiveté, de la distraction et, un instant, elle se fit horreur. Elle passa une main sur son front, elle avait de plus en plus souvent, depuis un an, ces moments de dégoût à son propre égard. Il fallait qu'elle aille voir son médecin. Ce devait être une question de tension. Elle prendrait quelques vitamines et elle pourrait continuer à perdre sa vie (ou à la rêver) en toute gaieté. Elle s'entendit prononcer avec une sorte de colère :

« Charles… ? Pourquoi m'avez-vous laissée seule avec Antoine ? »

En même temps, elle savait qu'elle cherchait l'éclat, le drame, n'importe quoi d'autre que ce dégoût tranquille. Et c'était Charles qui paierait, Charles qui souffrirait. Qu'elle n'aimât que les extrêmes était une chose, qu'elle le fasse supporter aux autres en était une autre. Mais la phrase était déjà partie et, tel un javelot, traversait la chambre à coucher, le palier et venait frapper Charles qui se déshabillait lentement dans sa propre chambre. Il pensa une seconde, tant il était fatigué, éluder la question, dire : « Mais voyons, Lucile, j'étais enrhumé. » Elle n'aurait pas insisté : ses quêtes de vérité, « ses moments russes » n'allaient jamais très loin. Mais il avait déjà trop envie de savoir, de souffrir, il avait à jamais perdu ce goût de la sécurité qui lui avait fait si habilement ignorer, vingt ans durant, les aventures de ses maîtresses. Il répondit :

« Je pensais qu'il vous plaisait. »

Il ne s'était pas retourné. Il se regardait dans la glace. Il s'étonnait de ne pas pâlir.

« Vous êtes décidé à me jeter dans les bras de tous les hommes qui me plaisent ?

— Ne m'en veuillez pas, Lucile, c'est trop mauvais signe, dans ce cas. »

Mais déjà, elle avait traversé la chambre et mettait ses bras autour de son cou en murmurant des « pardons » indistincts. Dans la glace, il ne voyait, dépassant de son épaule, que les cheveux foncés de Lucile, une longue mèche tombant sur son bras et il ressentit le même pincement au cœur, la même douleur. « C'est tout ce que j'aime, cela ne sera jamais vraiment à moi. Elle me quittera. » Et, dans cet instant, comment pouvait-on imaginer possible d'aimer une autre mèche de cheveux, un autre être. L'amour ne reposait sans doute, dans sa force, que sur cette impression d'irréparable.

« Je ne voulais pas dire cela, disait Lucile. Mais je n'aime pas…

— Vous ne m'aimez pas complaisant, dit Charles, en se retournant vers elle. Mais rassurez-vous, je ne le suis pas. Je voulais vérifier quelque chose, c'est tout.

— Qu'avez-vous vérifié ?

— Votre expression en rentrant au restaurant. Votre façon de ne pas le regarder. Je vous connais. Il vous plaît. »

Lucile se détacha de lui.

« Et alors ? dit-elle…, est-il vraiment impossible que quelqu'un vous plaise sans que quelqu'un d'autre en souffre ? Est-ce que je ne serai

jamais tranquille? Mais quelles sont ces lois? Mais qu'avez-vous fait de
la liberté? de, de...»
Elle s'embrouillait, elle bafouillait et elle avait en même temps le
sentiment d'être — depuis toujours — incomprise.

«Je n'ai rien fait de ma liberté, dit Charles en souriant, vous savez
bien que je suis épris de vous. Quant à la vôtre, vous l'avez, il me
semble. Antoine vous plaît: voilà. Vous donnerez suite ou non, je le
saurai ou non. Je n'y peux rien.»

Il s'était allongé sur son lit, en robe de chambre. Lucile était debout
devant lui. Il s'assit au bord du lit.

«C'est vrai, dit-elle rêveusement, il me plaît.»

Ils se regardèrent.

«Si cela se produisait, vous souffririez? dit Lucile tout à coup.

— Oui, dit Charles. Pourquoi?

— Parce que, sinon, je vous quitterais», dit-elle et elle s'allongea à
demi sur le lit de Charles, la tête sur la main, les genoux recroquevillés
au menton, le visage délivré. Deux minutes plus tard, elle dormait et
Charles Blassans-Lignières eut beaucoup de mal à partager équitablement les couvertures entre eux deux.

CHAPITRE VII

Il eut son numéro par Johnny et il lui téléphona le lendemain matin. A
quatre heures, ils se retrouvèrent chez lui, dans la chambre, mi-étudiant,
mi-homme sérieux qu'il habitait rue de Poitiers. Elle ne vit pas la
chambre tout d'abord, elle ne vit qu'Antoine qui l'embrassait sans un
mot, sans une simple phrase d'accueil comme s'il ne l'avait pas quittée
un instant depuis le parc de Saint-Cloud. Il leur arriva ce qui arrive à un
homme et une femme entre qui s'installe le feu. Très vite, ils ne se
rappelèrent plus avoir connu autrefois le plaisir, ils oublièrent les limites
de leur propre corps et les termes de pudeur ou d'audace devinrent aussi
abstraits l'un que l'autre. L'idée qu'ils devraient se quitter, dans une
heure ou deux, leur semblait d'une immoralité révoltante. Ils savaient
déjà qu'aucun geste de l'autre ne saurait jamais être gênant, ils
murmuraient en les redécouvrant les mots crus, maladroits et puérils de
l'amour physique et l'orgueil, la reconnaissance du plaisir donné, reçu,
les rejetaient sans cesse l'un vers l'autre. Ils savaient aussi que ce
moment était exceptionnel et que rien de mieux ne pouvait être donné à
un être humain que la découverte de son complément. Imprévisible,
mais à présent inéluctable, la passion physique allait faire — de ce qui
aurait pu être, entre eux, une passade — une véritable histoire.

Le ciel s'assombrissait et ils refusaient l'un et l'autre de regarder l'heure. Ils fumaient, la tête renversée, ils gardaient sur eux une odeur d'amour, de mêlée, de transpiration qu'ils respiraient ensemble comme deux combattants épuisés et comme deux vainqueurs. Les draps gisaient par terre, la main d'Antoine reposait sur la hanche de Lucile.

« Je ne pourrai plus te rencontrer sans rougir, dit Lucile, ni te voir partir sans avoir mal, ni te parler devant quelqu'un sans détourner les yeux. »

Elle s'accouda, regarda la chambre en désordre, la fenêtre étroite. Antoine mit la main sur son épaule : elle avait le dos très droit, très lisse ; dix ans et toute la vie la séparaient de Diane. Il referma la main au moment où elle se retournait vers lui et, un instant, il la tint ainsi par le bas du visage, presque férocement, la bouche de Lucile plaquée contre sa paume, ses doigts à lui crispés autour de son visage. Ils se dévisagèrent et se promirent mille heures semblables, quoi qu'il arrive, sans se dire un mot.

CHAPITRE VIII

« Ne faites pas cette tête-là, mon bon, dit Johnny, c'est un cocktail ici, pas un film d'épouvante. »

Il glissait un verre dans les mains d'Antoine qui sourit machinalement sans cesser de regarder la porte. Il y avait une heure qu'ils étaient là, il était près de neuf heures, Lucile n'arrivait pas. Que faisait-elle ? Elle lui avait promis de venir. Il se rappelait sa voix, lui disant : « Demain, demain », sur le seuil de sa chambre. Il ne l'avait pas revue depuis. Peut-être se moquait-elle de lui ? Après tout, elle vivait des bons soins de Blassans-Lignières, c'était une femme entretenue, elle pouvait trouver de jeunes mâles comme lui partout. Peut-être avait-il rêvé cet après-midi rouge et noir de la veille, peut-être n'était-ce pour elle qu'un après-midi comme tant d'autres avec un garçon. Peut-être était-il imbécile et prétentieux. Diane cinglait vers lui nantie du maître de maison, un Américain « fou de littérature ».

« William, vous connaissez Antoine, dit-elle d'un ton affirmatif. (Comme si le fait que quelqu'un puisse encore ignorer qu'il était son amant fût inconcevable.)

— Mais, bien sûr », dit William avec un sourire appréciateur.

« Peut-être va-t-il soulever ma lèvre supérieure et regarder mes dents », pensa Antoine avec une sorte de fureur.

« William me raconte des choses renversantes sur Scott Fitzgerald, reprit Diane. C'était un ami de son père. Antoine a une passion pour

Fitzgerald. Il faut que vous lui racontiez tout, William, absolument tout... »

Le reste de sa phrase fut perdu pour Antoine. Lucile entrait. Elle fit le tour du salon des yeux, très vite, et Antoine comprit la plaisanterie de Johnny ; elle avait exactement, comme sans doute lui-même, cinq minutes plus tôt, l'air épouvanté. Elle le vit, s'arrêta et, machinalement, il fit un pas vers elle. Un vertige s'empara d'Antoine : « Je vais aller vers elle, la prendre dans mes bras, l'embrasser sur la bouche, je me moque du reste. » Lucile vit sa résolution et, une seconde, elle faillit le laisser faire. La nuit, la journée avaient été trop longues et trop long le retard de Charles qui lui avait fait craindre, deux heures durant, d'arriver trop tard. Ils restèrent ainsi face à face, comme à l'arrêt, et, brusquement, Lucile se détourna, d'un mouvement violent, un mouvement d'impuissance exaspérée. Elle ne pouvait pas faire ça, elle essaya de penser que c'était pour épargner Charles mais elle savait bien que c'était par peur.

Johnny était près d'elle. Il souriait et l'examinait avec une bizarre sollicitude. Elle lui rendit son sourire et il la prit par le bras pour l'emmener vers le buffet.

« Vous m'avez fait peur, dit-il.

— Pourquoi ? »

Elle le regardait dans les yeux. Cela n'allait pas commencer, pas si tôt : « Les complices, les amis, les renseignés, les ricanements. » Ce n'était pas possible. Johnny haussa les épaules.

« Je vous aime bien, dit-il doucement. Vous vous en moquez, mais je vous aime bien. »

Quelque chose dans sa voix émut Lucile. Elle le regarda. Il devait être bien seul.

« Pourquoi m'en moquerais-je ?

— Parce que vous ne vous intéressez qu'à ce qui vous plaît. Tout le reste vous gêne. N'est-ce pas vrai ? Au demeurant, ce n'est pas mal dans notre petit groupe. Ça vous permettra de rester intacte un peu plus longtemps. »

Elle l'écoutait sans l'entendre. Antoine avait disparu derrière une forêt de têtes, à l'autre bout du salon. Où était-il ? « Où es-tu, mon idiot, mon amant, Antoine, où as-tu caché ton grand corps osseux, à quoi te sert d'avoir les yeux si jaunes si tu ne me vois pas, là, à dix mètres au plus de toi, idiot, cher idiot », et une vague de tendresse l'envahit. Que racontait Johnny ? Evidemment, elle n'aimait que ce qui lui plaisait, et ce qui lui plaisait, c'était Antoine. Il semblait que, pour la première fois depuis des années, elle tînt une évidence.

Johnny regardait cette évidence avec un mélange d'envie et de tristesse. Il était vrai qu'il aimait bien Lucile, il aimait sa manière de se taire, de s'ennuyer et de rire. Maintenant, il contemplait ce visage nouveau, rajeuni, enfantin, presque barbare, à force de désir, et il se rappelait avoir voulu ainsi, très loin dans le temps, quelqu'un plus que tout au monde. C'était Roger. Oui, il avait vu arriver Roger ainsi dans les salons et il avait l'impression de ne plus vivre, ou de revivre enfin. Où était la vie, où était le rêve, dans ces histoires d'amour? En tout cas, ce petit Antoine n'avait pas perdu son temps. C'était bien la veille qu'il lui avait demandé le téléphone de Lucile. Tranquillement, comme une chose évidente, d'homme à homme. Curieusement, il y avait une sorte de complicité virile dans leurs rapports, et Johnny n'avait même pas envisagé de parler de ce coup de téléphone à Claire dont il eût pourtant fait les délices. Il y avait encore des petites choses qu'il ne faisait pas, Johnny, et Dieu sait pourtant que la vie était chère.

Diane n'avait pas remarqué le mouvement d'Antoine, sa robe s'étant miraculeusement accrochée à un guéridon à l'instant même où Lucile entrait et seul William s'était étonné du mouvement de fuite de ce jeune homme à l'énoncé du nom de Scott Fitzgerald. Au demeurant, Antoine était rapidement retourné près d'eux et il aidait à présent Diane à dégager sa robe, non sans provoquer la chute de quelques strass.

«Tes mains tremblent», dit Diane à voix mi-haute.

Elle le vouvoyait généralement en public à seule fin de le tutoyer parfois comme par accident, mais ces accidents lui arrivaient à présent un peu trop souvent. Antoine lui en voulait. Il lui en voulait de tout d'ailleurs depuis deux jours. Il lui reprochait son sommeil, sa voix, son élégance, ses gestes, il lui reprochait d'exister et de n'être plus pour lui que le moyen de rejoindre les salons où pouvait apparaître Lucile. Il s'en voulait, de plus, de n'avoir pu la toucher, depuis. Elle s'en inquiéterait vite. A ce sujet Antoine s'était toujours comporté avec cette parfaite régularité que donne le mélange de la sensualité et de l'indifférence. Il ne savait pas que cette défaillance même donnait quelque espoir à Diane, tant elle s'effrayait parfois de cet amant efficace, silencieux et sans lyrisme. Et tant la passion se nourrit de tout, y compris les signes les plus contraires à ses désirs. En attendant, il cherchait Lucile des yeux. Il savait qu'elle était là, il surveillait aussi attentivement la porte de peur qu'elle ne sorte qu'il ne la surveillait tout à l'heure dans l'espoir qu'elle y rentre. La voix de Blassans-Lignières, derrière lui, le fit sursauter et il se retourna, serra la main de Lucile, celle de Charles avec cordialité. Puis il rencontra à nouveau les yeux de Lucile qui souriaient et un sentiment de triomphe, de parfait bonheur s'empara de lui, si violent qu'il se mit à tousser pour cacher l'expression de son visage.

«Diane, disait Blassans-Lignières, c'est William qui a ce Boldini dont je vous parlais l'autre jour à table. William, il faut que vous le lui montriez.»

Un instant, le regard d'Antoine croisa celui de Charles avant qu'il ne s'éloigne flanqué de William et de Diane. C'était un regard bleu,

soucieux, parfaitement honnête. Souffrait-il? Se doutait-il? Antoine ne
s'était pas encore posé la question. Il ne s'était préoccupé que de Diane
et encore, si légèrement. Depuis la mort de Sarah, il ne s'était jamais
posé aucune question, sur personne. Maintenant, il se retrouvait seul, en
face de Lucile et il lui demandait silencieusement : « Qui es-tu? Que
veux-tu de moi? Que fais-tu ici? Que suis-je pour toi?»
« J'ai cru que je n'arriverais jamais», dit Lucile.
« Je ne connais rien de lui, pensait-elle, rien que sa façon de faire
l'amour. Pourquoi sommes-nous dans une position si passionnelle?
C'est la faute des autres. Si nous étions libres, non surveillés, nous
serions sûrement plus tranquilles, le sang plus tiède.» Un instant, elle
eut envie de lui tourner le dos, d'aller rejoindre le petit groupe voguant
vers le Boldini. Quel avenir l'attendait, de mensonges, et de hâtes? Elle
prit la cigarette que lui tendait Antoine et posa sa main sur la sienne
tandis qu'il lui tendait une allumette. Elle reconnut aussitôt la chaleur, le
contact de cette main, elle baissa les paupières, deux fois, comme pour
un consentement secret avec elle-même.
« Vous venez demain? dit Antoine précipitamment. A la même
heure?»
Il lui semblait qu'il n'aurait pas une seconde de repos avant de savoir
précisément quand il la tiendrait à nouveau contre lui. Elle acquiesça. Et,
comme un reflux, la tranquillité envahit l'esprit d'Antoine et il se
demanda même une seconde si ce rendez-vous ne lui était pas au fond
parfaitement indifférent. Il avait pourtant assez lu pour penser que
l'inquiétude — plus profondément sans doute que la jalousie — est le
grand accélérateur des passions. De plus, il avait la certitude qu'il lui
suffisait d'étendre la main, d'attirer Lucile contre lui, au centre de ce
salon, pour que le scandale arrive, que l'irrémédiable soit fait; et cette
assurance même lui permettait de ne pas étendre la main, voire d'y
prendre un plaisir équivoque et vif qu'il connaissait mal : celui de la
dissimulation.
« Alors, les petits? Qu'avons-nous fait de nos amis?»
La voix sonore de Claire Santré les fit sursauter. Elle s'appuyait d'une
main à l'épaule de Lucile et elle fixait Antoine d'un regard appréciateur
comme si elle eût essayé de se mettre à la place de Lucile et y fût bien
arrivée. «Voici venir le numéro de la complicité féminine», pensa
Lucile et, à sa grande surprise, elle n'en fut pas agacée. C'était vrai,
Antoine était beau ainsi, l'air gêné et résolu tout à la fois. Il devait être
trop distrait pour mentir longtemps, c'était un homme fait pour lire, pour
marcher à grands pas, pour faire l'amour, pour se taire, ce n'était pas un
homme fait pour le monde. Encore moins qu'elle-même, que son
indifférence, son insouciance revêtait d'un scaphandre à toute épreuve
dans les profondeurs abyssales des relations mondaines.

« Il y a un Boldini quelque part chez le nommé William, dit Antoine d'un ton rogue. Diane et Charles le contemplent. »

Il pensa que c'était la première fois qu'il nommait Blassans-Lignières par son prénom. Tromper quelqu'un vous obligeait, sans qu'on comprenne bien pourquoi, à une certaine familiarité. Claire poussa un cri :

« Un Boldini ? Mais c'est tout récent ! Où William l'a-t-il trouvé ? Je n'étais pas au courant, ajouta-t-elle du ton vexé qu'elle prenait dès qu'une faille se découvrait dans son immense réseau de renseignements. Ce pauvre William a encore dû se faire voler, il n'y a qu'un Américain pour acheter un Boldini sans consulter Santos. »

Un peu rassérénée par la bêtise et l'imprudence de ce pauvre William, elle reporta son attention sur Lucile. Il était peut-être temps, enfin, de faire payer à cette petite son insolence, ses silences et son refus de jouer le jeu. Lucile souriait, les yeux levés vers Antoine, et c'était un sourire tranquille, amusé, un sourire rassuré. C'était bien là le terme, « rassuré ». Un sourire que ne peut avoir une femme qui ne connaît pas intimement un homme. « Mais quand, mais quand ont-ils pu ? » L'esprit de Claire se mit à fonctionner à une vitesse folle. « Voyons, le dîner à Marnes était il y a trois jours, ce n'était pas fait. Ce devait être un après-midi, plus personne ne fait l'amour le soir à Paris, tout le monde est généralement trop fatigué et puis, eux, ils ont les autres, en plus. Aujourd'hui ? » Elle les regardait, les yeux brillants, le nez tendu, elle essayait de déceler les traces du plaisir sur eux avec cette folie passionnée que donne la curiosité à certaines femmes. Lucile le comprit et, malgré elle, éclata de rire. Claire recula son visage et son expression de chien d'arrêt fit place à une expression plus douce, plus résignée du style « je comprends tout, j'admets tout » qui passa malheureusement inaperçue.

Car Antoine regardait Lucile et riait avec elle de confiance, ravi de la voir rire, ravi de savoir qu'elle lui expliquerait pourquoi le lendemain, dans son lit, à l'heure heureuse et fatiguée qui suit l'amour. Il ne lui demanda donc pas : « Pourquoi riez-vous ? » Beaucoup de liaisons se dénoncent ainsi, par des silences, par une absence de questions, par une phrase que l'on ne relève pas, par un mot de passe que l'on a choisi anodin, exprès, et qui l'est tellement qu'il en devient extravagant. De toute manière, le premier observateur qui eût vu rire Lucile et Antoine, qui eût vu leur expression de bonheur, ne s'y serait pas trompé. Ils le sentaient confusément et ils profitaient avec une sorte d'orgueil de cette trêve qui leur était offerte par le Boldini, ces quelques instants où ils pouvaient se regarder et se plaire sans alarmer deux personnes. Et la présence de Claire, des autres, bien qu'ils l'eussent nié, redoublait leur plaisir. Ils se sentaient la jeunesse, presque l'enfance des gens à qui l'on interdit quelque chose, qui l'ont fait quand même et que l'on n'a pas encore punis.

Diane revenait, fendant la foule, avec quelques virements de bord rapides vers un ami empressé qui lui prenait la main, la baisait et à qui elle l'arrachait aussitôt, négligeant de répondre à sa question pourtant bienveillante sur sa santé ou à une affirmation enthousiaste de sa beauté. Dans un bruit confus de : «Comment vas-tu, Diane? Comme vous êtes en forme, Diane. Mais d'où vient cette robe divine, Diane?» elle essayait de rejoindre le coin obscur, maléfique où elle avait laissé son amant, son amour, avec cette fille qui l'intéressait. Elle haïssait Charles de l'avoir entraînée loin du salon, elle haïssait Boldini, elle haïssait William pour l'insipide et interminable récit qu'il avait fait de son acquisition. Il l'avait acheté pour rien, bien entendu, c'était une occasion unique, le pauvre marchand n'y avait vu que du feu. C'était agaçant, cette manie qu'avaient les gens richissimes de ne faire jamais, jamais que des affaires. D'avoir des réductions chez les couturiers, des prix chez Cartier et d'en être fiers. Elle avait échappé à cela, Dieu merci, elle n'était pas de ces femmes qui cajolent leurs fournisseurs quand elles ont les moyens de faire tout autrement. Elle devrait dire cela à Antoine, cela le ferait rire. Le monde l'amusait, il évoquait toujours Proust à ce sujet et d'ailleurs à bien d'autres, ce qui agaçait légèrement Diane qui avait peu le temps de lire. La petite Lucile avait sûrement lu Proust, cela se voyait à sa tête, il fallait bien dire qu'avec Charles, elle devait avoir le temps. Diane s'arrêta. «Mon Dieu, pensa-t-elle brusquement, je deviens vulgaire. Est-ce qu'on ne peut vraiment pas vieillir sans devenir vulgaire à ce sujet?» Elle souffrait elle souriait à Coco de Balileul, elle échangeait un clin d'œil avec Maxime qui lui en adressait un sans qu'elle sût pourquoi, elle butait sur dix obstacles souriants, aimables; elle accomplissait un steeple-chase affreux pour rejoindre Antoine qui riait là-bas, qui riait de sa voix basse, il fallait qu'elle arrête ce rire. Elle fit un pas de plus et ferma les yeux de soulagement : il riait avec Claire Santré. Lucile leur tournait le dos.

CHAPITRE IX

«CE COCKTAIL était bien agité, dit Charles. Les gens boivent de plus en plus, non?»

La voiture glissait doucement sur les quais, il pleuvait. Lucile avait mis sa tête à la portière comme d'habitude, elle recevait des petites gouttes de pluie sur la figure, elle respirait l'odeur de Paris, la nuit, en avril, elle pensait au visage traqué d'Antoine quand ils avaient dû se dire au revoir poliment, une demi-heure plus tôt, elle s'émerveillait.

«Les gens ont de plus en plus peur, dit-elle gaiement. Ils ont peur de vieillir, ils ont peur de perdre ce qu'ils ont, ils ont peur de ne pas obtenir ce qu'ils veulent, ils ont peur de s'ennuyer, ils ont peur d'ennuyer, ils vivent en état de panique et d'avidité perpétuelles.

— Cela vous amuse? dit Charles.

— Cela m'amuse quelquefois et quelquefois ça m'émeut. Pas vous?

— Je ne fais pas très attention, dit Charles. Je ne suis pas un fin psychologue, vous le savez. Je remarque seulement qu'il y en a de plus en plus qui me tombent dans les bras sans que je les connaisse et de plus en plus qui titubent dans les salons. »

Il ne pouvait pas dire : « Je ne m'intéresse qu'à vous, je fais des heures et des heures de psychologie à votre sujet, je suis la proie d'une idée fixe, moi aussi j'ai peur, comme vous le dites, de perdre ce que j'ai, moi aussi je suis en état de panique et d'avidité perpétuelles. »

Lucile rentra la tête et le regarda. Elle se sentait tout à coup une immense tendresse pour lui, elle ne l'avait jamais tant aimé. Elle eût voulu partager avec lui ce bonheur violent qu'elle éprouvait à présent à penser au lendemain. « Il est dix heures du soir, dans dix-sept heures, je serai dans les bras d'Antoine. Pourvu que je dorme tard demain, que je ne sente pas le temps passer. » Elle posa la main sur la main de Charles. C'était une belle main fine, soignée, avec quelques petites taches jaunes qui commençaient à paraître.

« Comment était ce Boldini ? »

« Elle cherche à me faire plaisir, pensa Charles amèrement. Elle sait que je suis un homme d'affaires doublé d'un homme de goût. Elle ne sait pas que j'ai cinquante ans et que je suis malheureux comme un animal. »

« Assez joli. De la bonne époque. William l'a eu pour rien. »

— William a toujours tout pour rien, dit Lucile en riant.

— C'est la réflexion que m'a faite Diane », dit Charles.

Il y eut un vague silence. « Je ne vais pas commencer à observer des silences gênés dès qu'il parlera de Diane ou d'Antoine, pensa Lucile, c'est idiot. Si je pouvais seulement lui dire la vérité : Antoine me plaît, j'ai envie de rire avec lui, d'être dans ses bras. Mais que pourrais-je dire de pire à un homme qui m'aime ? Il supporterait peut-être que je couche avec lui, mais pas que je rie. Je le sais : rien n'est plus affreux que le rire pour la jalousie. »

« Diane est dans un étrange état, dit-elle. J'étais en train de parler avec Antoine et Claire quand je l'ai vue revenir dans le salon. Elle avait l'air fixe, égarée…, elle me faisait peur. »

Elle essaya de rire. Charles se tourna vers elle :

« Peur ? Vous voulez dire pitié ? »

— Oui, dit-elle d'une voix tranquille, pitié aussi. Il n'est pas gai de vieillir pour une femme.

— Pour un homme non plus, dit Charles avec entrain. Je vous le garantis. »
Ils eurent un rire très faux qui leur glaça le sang. « Bien, se dit Lucile, c'est comme ça. Nous éviterons, nous plaisanterons, nous ferons ce qu'il voudra. Mais, moi, demain à cinq heures, je serai dans les bras d'Antoine. »
Et elle qui détestait la férocité se sentit enchantée de s'en découvrir capable.

Car rien, personne, aucune supplication, ne saurait l'empêcher de retrouver Antoine le lendemain, de retrouver le corps, le souffle, la voix d'Antoine. Elle le savait et l'implacabilité de son désir, à elle dont tous les projets étaient toujours suspendus à un changement d'humeur ou de temps, l'étonnait encore plus que cet élan de joie parfaite tout à l'heure, quand elle avait rencontré le regard d'Antoine. Sa seule passion, à vingt ans, avait été malheureuse et elle en avait conservé pour l'amour un mélange curieux de considération et de tristesse assez proche de celui qu'elle éprouvait pour la religion : comme d'un sentiment perdu. Brusquement, elle découvrait l'amour dans sa force — l'amour heureux — et il lui semblait que son existence au lieu de se cantonner à un seul être devenait immense, impossible à remplir, triomphale. Elle, dont les journées se déroulaient nonchalamment, sans repères, s'effrayait du peu de vie qu'il lui restait échu : elle n'aurait jamais assez de temps pour aimer Antoine.

« Vous savez, Lucile, il va falloir que je parte pour New York, bientôt. Vous m'accompagnez ? »
La voix de Charles était calme, elle sous-entendait même un acquiescement. De fait, Lucile aimait les voyages et il le savait. Elle ne répondit pas tout de suite.
« Pourquoi pas ? Vous partiriez longtemps ? »
« Impossible, pensa-t-elle, impossible. Que faire sans Antoine dix jours ? Charles pose ses conditions trop tôt ou trop tard, en tout cas trop cruellement. Je donnerais toutes les villes du monde pour la chambre d'Antoine. Je n'ai pas d'autres voyages, d'autres découvertes à faire que celles que nous ferons ensemble dans le noir. » Et un souvenir précis lui revint brusquement, elle se troubla et détourna la tête vers la rue.
« Dix, quinze jours, dit Charles, New York est charmant au printemps. Vous ne l'avez vu qu'en plein hiver. Je me rappelle que vous aviez le nez tout bleu, un soir, tellement il faisait froid. Vos yeux étaient écarquillés, vos cheveux hérissés d'indignation et vous me jetiez des regards de reproche comme si c'était ma faute. »
Il se mit à rire, sa voix était tendre, nostalgique. Lucile se rappelait l'abominable froid de cet hiver-là mais elle n'en avait gardé aucun souvenir attendri. Simplement celui d'une course éperdue de taxi entre l'hôtel et le restaurant. Les souvenirs mélancoliques et dorés du cœur,

c'était Charles, toujours Charles qui les avait et elle en eut subitement honte. Sentimentalement aussi, elle vivait aux crochets de Charles et cela la gênait bien plus que le reste. Elle ne voulait pas le faire souffrir, elle ne voulait pas lui mentir, elle ne voulait pas lui dire la vérité, elle voulait simplement la lui laisser supposer sans qu'elle eût à s'en expliquer. Oui, elle était vraiment d'une lâcheté parfaite.

Ils se retrouvaient deux, trois fois par semaine. Antoine faisait preuve d'une immense imagination pour quitter son bureau et Lucile, de toute façon, ne racontait jamais ses journées à Charles. Ils se retrouvaient dans la même petite chambre, tremblants, ils sombraient dans le noir, ils n'avaient presque pas le temps de se parler. Ils ne savaient rien l'un de l'autre, mais leurs corps se reconnaissaient avec tant de ferveur, de piété, un tel sentiment d'absolu que leur mémoire se décrochait sous la force de l'instant et qu'ils cherchaient désespérément et vainement l'un et l'autre, après s'être quittés, un souvenir précis, un des mots chuchotés dans l'obscurité, un geste. Ils se quittaient toujours comme deux somnambules, presque distraits et c'était seulement deux heures plus tard qu'ils recommençaient à attendre, comme le seul point vivant de leur vie, la seule réalité, le moment où ils se retrouveraient. Tout le reste était mort. Seule cette attente les maintenait au courant de l'heure, du temps, des autres, parce qu'elle les transformait en obstacle. Lucile vérifiait six fois avant d'aller rejoindre Antoine la présence de la clef de sa voiture dans son sac, dix fois elle se remémorait les rues à prendre pour rejoindre la maison d'Antoine, dix fois elle regardait ce réveil qu'elle avait toute sa vie si superbement dédaigné. Dix fois, Antoine prévenait la secrétaire qu'il avait un rendez-vous urgent à quatre heures, et il quittait le bureau à quatre heures moins le quart, bien qu'il lui fallût deux minutes à pied pour rentrer chez lui. Et ils arrivaient chaque fois un peu pâles, elle, parce qu'elle avait cru ne jamais sortir d'un embouteillage, lui, parce qu'il avait rencontré un auteur de sa maison qui ne voulait pas le laisser partir. Ils s'étreignaient en soupirant, comme s'ils avaient échappé à un grave danger, lequel, dans le pire des cas, eût été cinq minutes de retard.

Ils se disaient «je t'aime» dans le plaisir mais jamais autrement. Parfois Antoine se penchait sur Lucile et tandis qu'elle reprenait son souffle, les yeux clos, il dessinait son visage, son épaule avec la main et disait : «Tu me plais, tu sais», d'une voix tendre. Elle souriait. Il lui parlait de son sourire, il lui disait combien son sourire l'agaçait quand elle l'adressait à quelqu'un d'autre, les yeux élargis. «Tu as un sourire trop désarmé, disait-il, c'est inquiétant. — Mais je pense à autre chose souvent, c'est une manière d'être aimable. Je n'ai pas l'air désarmé, j'ai l'air vide. — Dieu sait à quoi tu penses, reprenait-il, tu as toujours l'air de remâcher un secret ou un mauvais coup dans les dîners. — Je pense à un secret, en effet, Antoine...», et elle appuyait la tête d'Antoine contre son épaule, elle chuchotait : «Ne réfléchis pas trop, Antoine, nous sommes bien.» Et il se taisait. Il n'osait pas lui dire ce qui l'occupait à présent, sans cesse, ce qui le laissait éveillé de longues nuits auprès de Diane qui faisait, elle-même, semblant de dormir. «Cela ne peut durer, cela ne peut durer, pourquoi n'est-elle pas près de moi?» L'insouciance, la capacité qu'avait Lucile de nier tout problème le mettait mal à l'aise. Elle refusait de parler de Charles, elle refusait tout projet. Peut-être tenait-elle à Blassans-Lignières par intérêt? Mais elle semblait si libre, elle se soustrayait si naturellement à toute conversation dès que celle-ci se posait sur l'argent (et Dieu sait que personne ne parle plus d'argent que les gens qui en ont trop...) qu'il ne pouvait l'imaginer faisant quoi que ce soit par calcul. Elle lui disait : «J'ai le goût de la facilité.» Elle lui disait : «Je déteste l'instinct de possession», elle lui disait : «Tu m'as manqué», et il n'arrivait pas à concilier tout cela. Il attendait confusément que quelque chose se passe, qu'on les surprenne, que le destin le remplace dans son rôle d'homme et il s'en méprisait.

Antoine se savait nonchalant, sensuel mais moral. Il n'avait sans doute jamais eu autant de goût pour une femme que pour Lucile, mais il avait eu de nombreuses passions et il avait, par remords, transformé sa liaison, somme toute insignifiante, avec Sarah, en une tragique histoire d'amour. Il se savait facilement la proie de conflits intérieurs. En fait, il était presque aussi doué pour le malheur que pour le bonheur et Lucile ne pouvait que le déconcerter. Il ne comprenait pas qu'elle n'avait aimé qu'une fois, dix ans auparavant, qu'elle l'avait oublié et qu'elle considérait leur passion comme un merveilleux cadeau, imprévisible, inespéré, fragile, dont elle ne voulait pas, presque par superstition, prévoir la suite. Elle aimait l'attendre, elle aimait qu'il lui manquât, elle aimait se cacher, comme elle eût aimé vivre avec lui au plein jour. Chaque instant de bonheur se suffisait à lui-même. Et si, depuis deux mois, elle se surprenait à s'attendrir sur d'ineptes chansons d'amour, elle ne se sentait aucunement concernée par les sentiments «d'exclusivité ou d'éternité» qui en faisaient généralement le thème. Car sa seule morale étant de ne pas se mentir, elle se trouvait forcément entraînée à un cynisme involontaire mais profond. Comme si le fait de pouvoir trier ses sentiments conduisait automatiquement à ce cynisme alors que les tricheurs, les mythomanes peuvent rester toute leur vie d'un romantisme échevelé. Elle aimait Antoine mais elle tenait à Charles, Antoine faisait son bonheur et elle ne faisait pas le malheur de Charles. Estimant les deux, elle ne s'intéressait pas suffisamment à elle-même pour se mépriser de se partager. Son absence complète de suffisance la rendait féroce, bref, elle était heureuse.

Ce fut tout à fait par hasard qu'elle découvrit qu'elle pouvait souffrir. Elle n'avait pas vu Antoine depuis trois jours, les hasards des cérémonies parisiennes les ayant égarés dans des théâtres et des dîners différents. Elle avait rendez-vous avec lui à quatre heures et elle arriva à l'heure, étonnée de ne pas le voir lui ouvrir la porte. Pour la première fois, elle utilisait la clef qu'il lui avait donnée. La chambre était vide, les volets ouverts et elle crut un instant s'être trompée car elle arrivait toujours dans une chambre ténébreuse, Antoine allumant seulement une lampe rouge par terre qui n'éclairait que le lit et un pan du plafond. Amusée, elle fit le tour de cette chambre, à la fois si connue et si ignorée, lisant les titres des livres sur les rayons, ramassant une cravate à terre, détaillant un tableau 1900 cocasse et charmant qu'elle n'avait jamais vu. Pour la première fois, elle pensait à son amant comme à un jeune célibataire, travailleur par accès, plutôt modeste. Qui était Antoine, d'où venait-il, quels étaient ses parents? Quelle avait été son enfance? Elle s'assit sur le lit, puis, brusquement gênée, se releva et se dirigea vers la fenêtre. Elle se sentait chez un étranger, elle se sentait indiscrète. Pour la première fois surtout, elle pensa qu'Antoine était un «autre», et que tout ce qu'elle savait de ses mains, de sa bouche, de ses yeux, de son corps n'en faisait pas forcément son indissoluble complice. Où était-il? Il était quatre heures et quart, elle ne l'avait pas vu depuis trois jours et le téléphone ne sonnait pas. Elle se promenait dans la chambre triste de la porte à la fenêtre, elle prenait un livre, ne comprenait pas ce qu'elle lisait, le reposait. Le temps passait, s'il n'avait pu venir, il aurait pu lui téléphoner. Elle décrocha le téléphone, espérant qu'il fût détraqué, il ne l'était pas. Et s'il n'avait pas envie de venir? Cette idée la figea au milieu de la pièce, immobile, attentive, comme semblent certains soldats sur les estampes lorsqu'ils viennent de recevoir une balle décisive. Aussitôt, le tourbillon se déchaîna dans sa mémoire : ce qu'elle avait pris pour un reproche dans les yeux d'Antoine, c'était l'ennui ; cette hésitation, l'autre fois, lorsqu'elle lui avait demandé ce qui le tourmentait n'était pas due à la peur de la contrarier comme elle l'avait cru, mais à la peur de la faire souffrir en lui avouant la vérité : qu'il ne l'aimait plus. Elle revit en un éclair dix attitudes d'Antoine, les attribua toutes à l'indifférence. «Allons bon, dit-elle tout haut, il ne m'aime plus.» Elle murmura cela d'une voix tranquille, mais aussitôt cette petite phrase se retourna contre elle avec la rapidité d'un coup de fouet et elle porta la main à son cou comme pour se défendre. «Mais que vais-je faire de moi si Antoine ne m'aime plus?» Et sa vie lui apparut dépourvue de sang, de chaleur, de rire, comme cette plaine pétrifiée, recouverte de cendres, au Pérou, dont la photographie récente dans *Match* avait provoqué l'admiration un peu morbide d'Antoine.

Elle restait debout, en proie à un tremblement intérieur si violent qu'elle vint au secours d'elle-même. «Allons, allons, dit-elle à voix haute, allons.» Elle parlait à son corps, à son cœur comme à deux chevaux effrayés, elle s'allongea sur le lit, elle s'obligea à respirer doucement. En vain. Une espèce de panique, de désespoir la faisait se recroqueviller, serrer les épaules entre ses mains, plaquer son visage sur l'oreiller. Elle entendit sa voix gémir : «Antoine, Antoine...», et en même temps que cette insupportable douleur, elle était la proie d'un grand étonnement. «Tu es folle, se disait-elle, tu es folle», mais quelqu'un d'autre qu'elle, pour une fois beaucoup plus fort, criait : «Et les yeux jaunes d'Antoine, et la voix d'Antoine, que peux-tu faire sans Antoine, imbécile.» Cinq heures sonnèrent à une église et elle eut l'impression qu'un dieu cruel et fou tirait les cloches à son intention. Un instant après, Antoine entra. En voyant son expression, il s'arrêta un instant puis il s'écroula près d'elle sur le lit. Il était fou de bonheur, il ignorait pourquoi, il couvrait son visage, ses cheveux de baisers tendres, il s'expliquait, il insultait son éditeur qui l'avait retenu une heure dans son bureau. Elle était accrochée à lui, elle murmurait son nom d'une voix encore indécise. Puis, elle se redressa, s'assit sur le lit et lui tourna le dos.

«Tu sais, Antoine, dit-elle, je t'aime pour de bon.

— Moi aussi, dit-il, ça tombe bien.»

Ils observèrent un silence méditatif. Puis Lucile eut un petit rire résigné, elle se retourna vers lui et elle regarda avec gravité s'approcher du sien le visage qu'elle aimait.

CHAPITRE X

En le quittant, deux heures plus tard, elle crut à un accident. Fatiguée par l'amour, comblée, la tête vide, elle se prit à penser que cette demi-heure de panique était d'origine nerveuse plus que sentimentale et elle décida de dormir plus, de boire moins, etc. Elle était trop habituée à vivre seule, profondément, pour admettre sans difficulté que quelqu'un ou quelque chose puisse être indispensable à son existence. Cela lui paraissait, en fait, plus monstrueux que souhaitable. Sa voiture glissait sur le quai, elle conduisait machinalement, admirant la Seine dorée, plus loin, dans une des premières belles soirées de printemps. Elle souriait un peu. «Qu'est-ce qui lui avait pris? A son âge? Avec sa vie? Après tout, elle était une femme entretenue, une femme cynique.» Cette idée la fit rire et un automobiliste arrêté près d'elle lui sourit. Elle lui rendit son sourire, distraitement, continua ses réflexions. «Oui, qui était-elle?» Ce qu'elle pouvait être aux yeux des autres et jusqu'ici aux siens lui était parfaitement indifférent. Elle ne se voyait plus, était-ce un mal? Un signe d'abrutissement intellectuel? Elle avait beaucoup lu, plus jeune, avant de découvrir qu'elle était heureuse. Elle s'était posé beaucoup de questions aussi avant de devenir cet animal bien nourri, bien vêtu et si agile à éviter toute complication. Où allait-elle, que faisait-elle ? Grâce à une ligne de vie curieuse dans sa paume, elle avait toujours admis nonchalamment qu'elle mourrait jeune, elle y avait même compté. Et si elle vieillissait ? Elle essaya de s'imaginer pauvre, vieillie, abandonnée de Charles, œuvrant péniblement dans une carrière sans charme. Elle essaya de se faire peur mais n'y parvint pas. A cet instant, il lui paraissait que, quoi qu'il arrive, la Seine serait toujours aussi dorée et lumineuse près du Grand Palais et que c'était la chose la plus importante. Elle n'avait pas besoin de cette voiture ronronnante, ni de ce manteau de Laroche pour vivre, elle en était sûre. Charles aussi, d'ailleurs, en était sûr, ce qui le rendait malheureux. Et comme chaque fois qu'elle quittait Antoine, elle se sentit une grande bouffée de tendresse pour Blassans-Lignières, une grande envie de le rendre heureux.

Elle ne savait pas que Charles, habitué à la trouver là en rentrant, marchait de long en large dans sa chambre comme elle-même trois heures plus tôt en se posant la même question. « Et si elle ne revenait plus ? » Elle ne le savait pas et elle ne le sut pas car, lorsqu'elle rentra, il lisait placidement *Le Monde,* allongé sur son lit. Il connaissait par cœur le bruit de sa voiture. Il demanda « bonne journée ? » d'une voix calme et elle l'embrassa tendrement. Il mettait une eau de Cologne qu'elle aimait bien, elle devrait penser à acheter la même à Antoine.

« Bonne, dit-elle. J'ai eu peur de… »

Elle s'arrêta. Elle avait envie de parler à Charles, de tout lui raconter, « j'ai eu peur de perdre Antoine, j'ai eu peur de l'aimer ». Mais elle ne pouvait pas. Elle n'avait personne à qui raconter ce bizarre après-midi, elle n'avait jamais eu le goût des confidences et elle s'en sentait un peu triste.

« … J'ai eu peur de vivre à côté, ajouta-t-elle confusément.

— A côté de quoi ?

— De la vie. De ce que les autres appellent la vie. Charles, faut-il vraiment aimer, enfin, avoir une passion malheureuse, faut-il travailler, gagner sa vie, faire des choses pour exister ?

— Ce n'est pas indispensable, dit Charles (il baissa les yeux), du moment que vous êtes heureuse.

— Ça vous paraît suffisant ?

— Largement », dit-il. Et quelque chose dans sa voix, une intonation bizarre, lointaine à force de nostalgie, déchira Lucile.

Elle s'assit sur le lit, tendit la main, caressa le visage fatigué. Charles ferma les yeux, sourit légèrement. Elle se sentait compréhensive, bonne, capable de le rendre heureux, elle ne se disait pas qu'elle devait ses bons sentiments à l'arrivée d'Antoine et que, s'il ne fût pas venu, elle eût détesté Charles. Quand on est heureux, on prend volontiers les autres

pour des auxiliaires de son bonheur et l'on sait seulement quand on ne l'a plus qu'ils n'en étaient que les insignifiants témoins.
« Que faisons-nous ce soir ? dit-elle.
— Il y a ce dîner chez Diane, dit Charles. Vous l'avez oublié ? »
Sa voix était incrédule et ravie à la fois. Elle devina aussitôt pourquoi et elle rougit. En lui répondant « oui », elle lui dirait la vérité et, en même temps, elle l'induirait en erreur. Elle ne pouvait quand même pas lui dire : « J'avais oublié le dîner, mais pas Antoine. Je viens de chez lui. Et nous étions si égarés que nous avons pris rendez-vous pour demain. »
« Je ne l'avais pas oublié, dit-elle, mais je ne savais pas que c'était chez elle. Quelle robe voulez-vous que je mette ? »
Elle s'étonnait de ne pas être plus contente de revoir Antoine dans quelques heures. Au contraire, elle en était vaguement contrariée. Ils avaient atteint une sorte de paroxysme dans l'émotion cet après-midi et il lui semblait qu'en admettant que cette expression puisse s'appliquer aux sentiments, la coupe était pleine. Elle eût préféré dîner paisiblement avec Charles. Elle ouvrit la bouche pour le lui dire mais s'arrêta : cela lui ferait trop plaisir et ce serait un plaisir mensonger. Elle ne voulait pas lui mentir.
« Qu'alliez-vous dire ?
— Je ne sais plus.
— Vos réflexions métaphysiques vous donnent l'air encore plus brouillon que d'habitude.
Elle se mit à rire :
« J'ai l'air brouillon en général ?
— Tout à fait. Je n'oserais jamais vous laisser voyager seule, par exemple. Je vous trouverais dans une salle de transit, Dieu sait où, huit jours plus tard, entourée de livres de poche et parfaitement au courant de la vie des barmen. »
Il avait l'air presque soucieux à cette éventualité et elle éclata de rire. Il la considérait vraiment comme incapable de se colleter avec la vie et, en un éclair, elle comprit que c'était ce qui l'attachait à lui, bien plus que tout sentiment de sécurité. Il acceptait son irresponsabilité, il entérinait le choix inconscient qu'elle avait fait, quinze ans plus tôt, de ne jamais quitter son adolescence. Ce même choix qui, sans doute, exaspérait Antoine. Et peut-être la coïncidence parfaite entre le personnage qu'elle voulait être et celui que voyait Charles serait-elle plus forte que toute passion qui l'obligerait à le renier.
« En attendant, prenons un whisky, dit Charles, je suis mort de fatigue.
— Pauline ne veut plus que je boive, dit Lucile. Vous pourriez lui en demander un double et je boirais dans votre verre. »
Charles sourit et sonna. « Je commence à jouer à la petite fille, se dit Lucile, même involontairement, et, d'ici peu de temps, j'aurai des

animaux en peluche sur mon lit.» Elle s'étira, passa dans sa chambre et, regardant son lit, se demanda si, un jour, elle se réveillerait près d'Antoine.

CHAPITRE XI

L'APPARTEMENT de Diane, rue Cambon, était très beau, inondé de fleurs fraîches et, bien qu'il fît très doux et qu'elle eût même laissé les portes-fenêtres ouvertes, deux grands feux brûlaient dans les cheminées, à chaque bout du salon. Si bien que Lucile enchantée allait respirer, tantôt l'odeur de la rue qui dénonçait déjà l'été à venir, un été poussiéreux et chaud, languide, tantôt l'odeur du bois en flammes qui lui rappelait l'automne passé, si âpre, lié indissolublement pour elle à ces bois de Sologne où Charles l'emmenait chasser.

«C'est très beau, dit-elle à Diane, d'avoir mélangé deux saisons en une seule soirée.

— Oui, dit Diane, mais on se sent tout le temps mal habillée.»

Lucile se mit à rire. Elle avait un rire tranquille, communicatif, elle lui parlait sans aucune gêne et Diane se demanda si sa jalousie n'était pas stupide. Au fond Lucile se tenait bien; elle avait évidemment cette attitude distraite, comme en marge, qui la rapprochait d'Antoine mais peut-être n'y avait-il pas entre eux d'autres affinités. Blassans-Lignières avait l'air parfaitement détendu, Antoine n'avait jamais été de si bonne humeur, elle se trompait sûrement. Elle eut un mouvement de sympathie, presque de gratitude pour Lucile :

« Venez avec moi, je vais vous montrer le reste de l'appartement. Cela vous amuse ? »

Lucile détailla gravement la salle de bains en céramiques italiennes, admira à voix haute les commodités de la penderie et suivit Diane dans sa chambre.

« Il y a un léger fouillis, dit Diane, ne faites pas attention. »

Arrivé en retard, Antoine s'était changé chez elle. La chemise et la cravate qu'il portait l'après-midi traînaient par terre. Diane jeta un coup d'œil rapide vers Lucile, ne lui vit qu'une légère expression de gêne comme quelqu'un de simplement bien élevé. Mais quelque chose poussait Diane, quelque chose qui lui faisait honte mais qu'elle ne pouvait réprimer. Elle ramassa les vêtements, les mit sur un fauteuil, se retourna vers Lucile, immobile, avec un petit sourire complice :

« Les hommes sont si désordonnés…

Elle la regardait dans les yeux :

«Charles est très rangé», dit Lucile aimablement.

Elle avait envie de rire. «Voyons, pensait-elle, est-ce qu'elle va aussi m'expliquer qu'Antoine ne rebouche jamais son dentifrice?» Elle n'éprouvait aucune jalousie, la cravate lui était apparue comme une vieille amie de collège rencontrée par miracle au bas des Pyramides. En même temps elle pensait que Diane était d'une grande beauté et qu'Antoine était vraiment curieux de la délaisser pour elle. Elle se sentit objective et perspicace, bienveillante comme chaque fois d'ailleurs qu'elle avait un peu trop bu.

«Il va falloir retourner là-bas, dit Diane. Je ne sais pas pourquoi je me crois obligée de temps en temps de donner des soirées. En tant que maîtresse de maison, c'est exténuant. Et je ne crois pas que les gens s'y amusent tellement.

— La soirée a l'air très gaie, dit Lucile, avec conviction. D'ailleurs Claire fait un peu la tête, ce qui est toujours bon signe.

— Vous aviez remarqué ça? (Diane sourit.) Je ne le pensais pas. Vous avez toujours l'air un peu... euh...

— Brouillon, dit Lucile.

— Exact.

— Charles me l'a encore dit à sept heures. Je finirai par le croire.»

Elles se mirent à rire et Lucile se sentit tout à coup une certaine affection pour Diane. Dans ce petit milieu, c'était sûrement une des rares femmes qui eût un peu de distinction morale, elle ne lui avait jamais entendu dire une platitude ou une grossièreté. Charles disait du bien d'elle et il était extrêmement pointilleux sur une certaine forme de bassesse, pourtant plus que répandue. C'était bien dommage qu'elle ne puisse s'en faire une amie. Peut-être un jour, si Diane était vraiment intelligente, tout pourrait-il s'arranger au mieux. Cet optimisme aberrant lui semblait aussi un signe de sagesse, et seule l'arrivée d'Antoine dans la pièce l'empêcha de commencer avec Diane une explication qui n'eût pu être que catastrophique.

«Destret vous cherche partout, dit Antoine. Il est furieux.»

Il regardait Diane et Lucile, troublé.

«Il doit penser que je suis jalouse et que je cherchais une preuve, pensa Diane, rassurée par l'évidente gaieté de Lucile. Pauvre Antoine...»

«Nous ne faisons rien de mal, je montrais l'appartement à Lucile qui ne le connaissait pas.»

Et Lucile, que l'air égaré d'Antoine amusait, se mit à rire avec elle. Elles avaient l'air complice et une colère masculine s'empara d'Antoine.

«Comment, je sors des bras de l'une, je vais dormir avec l'autre et elles se moquent de moi ensemble. C'est le comble.»

«Qu'ai-je dit de si drôle? dit-il.

— Mais rien, dit Diane. Vous semblez vous faire un souci immodéré pour les mauvaises humeurs de Destret qui est, vous le savez comme moi, perpétuellement furieux. Ça nous amuse, c'est tout. »

Elle passa devant Lucile, adressant à Antoine une grimace dédaigneuse et, outrée, la suivit. Il hésita un instant puis sourit. Elle lui avait dit : « Je t'aime pour de bon », deux heures plus tôt et il se rappelait sa voix pour le dire. Elle pouvait bien jouer les faraudes à présent.

Lucile, revenue au salon, se heurta à Johnny qui s'ennuyait et qui, de ce fait, se précipita vers elle, lui mit un verre à la main et l'entraîna à la fenêtre.

« Je vous adore, Lucile, dit-il, avec vous, au moins, je suis tranquille. Je sais que vous n'allez pas me dire ce que vous pensez de la dernière pièce parue, ni des mœurs des invités.

— Vous me dites cela chaque fois.

— Méfiez-vous, dit Johnny brusquement, vous avez l'air insolemment heureuse. »

Elle passa la main sur son visage machinalement comme si le bonheur eût été un masque qu'elle eût oublié de décrocher. En effet, le même jour, elle avait dit : « Je t'aime » à quelqu'un qui lui avait répondu : « Moi aussi. » Cela était-il si évident ? Elle se sentit tout à coup le point de mire de l'assemblée, elle crut voir des regards se tourner vers elle, elle rougit. Elle but d'un trait le scotch très peu dilué que lui tendait Johnny.

« Je suis simplement de bonne humeur, dit-elle faiblement, et je trouve tous ces gens charmants. »

Et elle, qui se dépensait peu dans ce genre de soirées, se mit brusquement en tête de se faire excuser cette expression épanouie, comme certaines femmes laides qui ne s'arrêtent pas de parler pour faire oublier leur disgrâce. Lucile passait de groupe en groupe, aimable, confuse et tendre, allant même jusqu'à féliciter Claire Santré, ébahie, de la perfection de sa robe. Charles la suivait des yeux, intrigué, et il allait se décider à l'emmener quand Diane le prit par le bras :

« Charles, c'est la première belle soirée de printemps. Nous allons danser. Personne n'a envie de dormir, et je crois que Lucile en a moins envie que personne. »

Elle suivait Lucile des yeux avec une gentillesse amusée et Charles, qui connaissait sa jalousie et qui, de plus, l'avait vue prendre Lucile à part, quelques minutes, en fut brusquement rassuré. Lucile avait dû oublier Antoine. Et tacitement, c'était une sorte de gala, de fête en l'honneur de la paix que lui proposait Diane. Il accepta.

Ils avaient rendez-vous dans une boîte de nuit. Charles et Lucile arrivèrent les premiers, ils dansèrent, ils discutèrent gaiement car Lucile, sur sa lancée, parlait comme une pie. Tout à coup, elle s'arrêta. Elle voyait dans la porte, debout, un homme grand, un peu plus grand que les autres, avec un costume bleu sombre et les yeux jaunes. Elle connaissait par cœur le visage de cet homme, chaque cicatrice sous le costume bleu sombre, et le dessin de ses épaules. Il vint vers eux, s'assit. Diane se remaquillait en bas et il invita Lucile à danser. La pression de sa main sur son épaule, le contact de sa paume contre la sienne et la distance curieuse, un peu trop grande, qu'il maintenait entre sa joue et celle de Lucile, distance qu'elle reconnaissait exactement comme celle du désir, la troublaient à tel point qu'elle arborait même une expression légèrement ennuyée destinée à tromper un public qui ne la voyait même pas. C'était la première fois qu'elle dansait avec Antoine et c'était une de ces chansons sentimentales et balancées que l'on jouait partout ce printemps-là.

Il la raccompagna à la table. Diane, revenue, dansait avec Charles. Ils s'assirent sur la banquette, assez loin l'un de l'autre.

« Tu t'es bien amusée ? »

Il avait l'air furieux.

« Mais oui, dit Lucile étonnée, pas toi ?

— Pas du tout, dit-il. Je ne m'amuse pas dans ce genre de réunions. Et, contrairement à toi, j'ai horreur des situations fausses. »

En fait, il n'avait pu parler à Lucile de la soirée et il avait envie d'elle. La pensée qu'elle partirait dans quelques minutes avec Charles l'ulcérait. Il était en proie à une de ces crises de vertu, d'exclusivité, que donne si facilement le désir frustré.

« Tu es faite pour cette vie-là, dit-il.

— Et toi ?

— Moi pas. Il y a des hommes qui mettent leur virilité à naviguer entre deux femmes. Moi, ma virilité m'empêche de les faire souffrir avec délectation.

— Si tu t'étais vu dans la chambre de Diane, s'exclama Lucile, tu avais l'air si penaud... »

Elle se mit à rire :

« Ne ris pas, dit Antoine d'une voix contenue. Dans dix minutes, tu seras dans les bras de Charles ou seule, en tout cas loin de moi...

— Mais demain...

— J'en ai assez des "demains", dit-il. Il faut te le mettre dans la tête. »

Lucile se tut. Elle essaya de prendre l'air grave mais n'y parvint pas. L'alcool la rendait euphorique. Un garçon inconnu vint l'inviter à danser, Antoine le renvoya d'une voix sèche et elle lui en voulut. Elle aurait volontiers dansé, parlé ou même fui avec un tiers, elle ne se sentait plus tenue de rien, sinon de s'amuser.

« J'ai un peu trop bu, dit-elle plaintivement.

— Cela se voit, dit Antoine.

— Tu aurais peut-être dû en faire autant, dit-elle. Tu n'es pas amusant. »

C'était la première fois qu'ils se disputaient. Elle jeta un coup d'œil vers ce profil buté, enfantin et s'attendrit :

« Antoine, tu sais bien...

— Oui, oui, que tu m'aimes pour de bon. »

Et il se leva. Diane revenait à leur table. Charles semblait fatigué. Il jeta un regard implorant vers Lucile et pria Diane de les excuser : il devait se lever tôt le lendemain et cet endroit était vraiment trop bruyant pour lui. Lucile ne protesta pas et le suivit. Mais dans la voiture, pour la première fois depuis qu'elle le connaissait, elle se sentit prisonnière.

CHAPITRE XII

Diane se démaquillait dans la salle de bains. Antoine avait allumé le pick-up et assis par terre écoutait, sans l'entendre, un concerto de Beethoven. Diane le voyait dans la glace et souriait. Antoine s'asseyait toujours devant le pick-up comme devant une statue païenne ou un feu de bois ; elle avait beau lui expliquer que le son venait des haut-parleurs perfectionnés placés de chaque côté de la chambre et que ceux-ci relançaient chaque note exactement au milieu, à la hauteur de son lit, il s'installait devant le pick-up, comme fasciné par la rotation noire et luisante du disque. Elle enleva soigneusement son maquillage de jour, puis appliqua son maquillage de nuit si bien étudié pour cacher les rides sans les approfondir. Il n'était pas plus question de laisser respirer sa peau (comme le préconisaient les magazines féminins) que de laisser respirer son cœur. Elle n'en avait plus le temps. Elle considérait sa beauté comme essentielle pour conserver Antoine et, de ce fait, elle ne la ménageait pas pour un futur sans intérêt. Certaines natures, les plus généreuses d'ailleurs, ne cultivent que le provisoire et brûlent le reste. Diane en faisait partie.

Antoine, raidi, écoutait les bruits légers dans la salle de bains. Le déchirement des Kleenex, le crissement de la brosse à cheveux couvraient largement pour lui les violons et les cuivres du concerto. Dans cinq minutes, il devrait se lever, se déshabiller et glisser dans ces draps si fins, près de cette femme si soignée, dans cette chambre si belle. Or il avait envie de Lucile. Lucile venait chez lui, tombait sur le lit bancal de la propriétaire, Lucile se déshabillait à la hâte, Lucile disparaissait de même, elle était son insaisissable, sa voleuse, son invitée. Elle ne s'installait pas, elle ne s'installerait jamais, il ne se réveillerait jamais près d'elle, elle serait toujours de passage. De plus, il avait gâché sa soirée et il se sentait la gorge serrée, le désespoir d'un adolescent.

Diane rentra dans son déshabillé bleu, considéra un instant ce dos tourné, cette nuque raide, blonde, qu'elle se défendait de trouver hostiles. Elle était fatiguée, elle avait exceptionnellement un peu bu, elle était de bonne humeur. Elle avait envie qu'Antoine lui parle, qu'il rie avec elle, qu'il lui raconte son enfance, sans arrière-pensée. Elle ignorait qu'il était justement obsédé par cette arrière-pensée, par l'obligation morale de lui faire l'amour et que, dans son injustice, il la croyait incapable de désirer autre chose de lui. Aussi, quand elle s'assit près de lui et passa son bras sous le sien, d'un geste amical, il pensa : « Oui, oui, une seconde », avec une muflerie mentale très inhabituelle chez lui. Car même dans ses pires liaisons, il avait toujours observé un certain respect de l'amour et comme une minute de recueillement avant de poser la main sur quelqu'un.

« J'aime ce concerto, dit Diane.

— Il est très beau, dit Antoine, sur le ton poli des gens qu'on dérange sur la plage, en leur faisant remarquer le bleu de la Méditerranée.

— La soirée était assez réussie, non ?

— Un vrai feu d'artifice », dit Antoine et il s'étendit sur la moquette, renversé, les yeux clos.

Il semblait immense ainsi, et à jamais solitaire. Il entendait encore sa propre intonation, sarcastique et méchante, il se détestait. Diane restait immobile, « belle, vieille et fardée ». Où avait-il lu ça ? Dans le journal de Pepys.

« Tu t'es beaucoup ennuyé ? »

Elle s'était relevée, elle marchait dans la chambre, redressait une fleur dans un vase, caressait un meuble de la main. Il l'observait entre ses cils. Elle aimait les objets, elle aimait ces fichus objets, il en faisait partie, il était une pièce maîtresse de son luxe, il était un jeune homme entretenu. Pas vraiment, non, bien sûr, mais il dînait chez « ses amis », il dormait dans « son appartement », il vivait « sa vie ». Il avait beau jeu de juger Lucile. Au moins Lucile était une femme.

« Tu ne réponds pas ? Tu t'es tellement ennuyé ? »

Sa voix. Ses questions. Son déshabillé. Son parfum. Il n'en pouvait plus. Il se retourna sur le ventre, la tête dans les bras. Elle s'agenouilla près de lui.

« Antoine... Antoine... »

Il y avait une telle désolation, une telle tendresse dans sa voix qu'il se retourna. Elle avait les yeux un peu trop brillants. Ils se fixèrent et il se détourna, l'attira vers lui. Elle eut un geste gauche, peureux, pour s'étendre à ses côtés comme si elle eût craint de craquer, comme si elle eût été la proie de quelque rhumatisme. Et à force de ne pas l'aimer, il eut envie d'elle.

Charles était parti pour New York, seul, et son voyage s'était réduit à quatre jours. Lucile se promenait dans les rues bleuissantes de Paris, en voiture découverte; elle attendait l'été, elle le reconnaissait à chaque parfum, à chaque reflet sur la Seine, elle devinait déjà cette odeur de poussière, d'arbres et de terre qui envahirait bientôt le boulevard Saint-Germain, la nuit avec les grands marronniers découpant le ciel rose, le cachant presque; et les réverbères toujours trop tôt allumés, humiliés dans leur orgueil professionnel lorsqu'ils passaient du rôle de guides précieux l'hiver à celui de demi-parasites l'été — coincés entre un jour qui n'en finissait pas de tomber et l'aube qui piaffait déjà dans le ciel de l'envie de s'y étendre. Le premier soir, elle traîna à Saint-Germain-des-Prés, y rencontra des amis de faculté, des amis d'après, qui l'accueillirent à grands cris comme une revenante, ce qu'elle se sentit rapidement. Une fois évoqués quelques plaisanteries, quelques souvenirs, elle se rendit compte qu'ils étaient en puissance de métier, de soucis matériels, de petites amies et que son insouciance à elle les agaçait plus qu'elle ne les distrayait. On passait le mur de l'argent comme celui du son. Toute parole prononcée ensuite n'arrivait que quelques secondes plus tard, trop tard, à l'interlocuteur.

Elle refusa de dîner avec eux au bon vieux bistrot de la rue Cujas, elle rentra chez elle à huit heures et demie un peu déprimée. Pauline, approbatrice, lui fit cuire un steak dans la cuisine et elle s'allongea sur son lit, la fenêtre grande ouverte. Le jour diminuait rapidement sur le tapis, les bruits de la rue s'estompaient et elle se souvint d'avoir été réveillée par le vent, deux mois plus tôt. Non pas un vent languissant et installé comme celui-là, mais un vent audacieux, rapide, plein d'alacrité qui l'avait obligée à se réveiller comme celui-ci la poussait à s'endormir. Entre eux deux, il y avait eu Antoine, et la vie. Elle devait dîner avec lui le lendemain. Seuls, pour la première fois. Et cela l'inquiétait. Enfin, elle avait plus peur que quelqu'un ne s'ennuie avec elle que du contraire. Mais, d'une autre façon, elle se sentait si comblée par la vie, elle éprouvait une telle douceur, allongée sur ce lit et peu à peu cernée par l'ombre, elle approuvait tellement l'idée que la terre fût ronde et la vie complexe qu'il lui semblait que rien ne pourrait lui arriver de mal par rien.

Il y a des moments de bonheur parfait, quelquefois dans la solitude, dont le souvenir, plus que celui de n'importe qui d'extérieur, peut, en cas de crise, vous sauver du désespoir. Car on sait qu'on a été heureux, seul et sans raison. On sait que c'est possible. Et le bonheur — qui vous semble si lié à quelqu'un lorsqu'on est malheureux par lui, si irrévocablement, organiquement presque, dépendant de lui — vous réapparaît comme une chose lisse, ronde, intacte et à jamais libre, à votre merci (lointaine, bien sûr, mais forcément possible). Et ce souvenir est plus réconfortant que celui d'un bonheur partagé avant, avec quelqu'un d'autre, car ce quelqu'un d'autre, ne l'aimant plus, vous apparaît comme une erreur et ce souvenir heureux basé sur rien.

Elle devait passer chez Antoine à six heures, le lendemain. Ils prendraient la voiture de Lucile et iraient dîner à la campagne. Ils auraient toute la nuit pour eux. Elle s'endormit en souriant.

Le gravier crissait sous le pied des garçons, des chauves-souris rôdaient autour des lampes sur la terrasse et un couple congestionné avalait sans dire un mot une omelette flambée à la table voisine. Ils étaient à quinze kilomètres de Paris, il faisait un peu frais et la patronne avait posé un châle sur les épaules de Lucile. C'était une de ces mille petites auberges qui offrent une chance plus ou moins sûre de discrétion et de bon air aux Parisiens adultères ou fatigués. Antoine était décoiffé par le vent, il riait. Lucile lui racontait son enfance, une enfance heureuse.

«... Mon père était notaire. Il avait une passion pour La Fontaine. Il se promenait au bord de l'Indre en récitant des fables. Après, il en écrivait lui-même, en changeant les rôles, bien sûr. Je suis sûrement une des rares femmes de France qui sache par cœur une fable intitulée *L'Agneau et le Corbeau.* Tu as de la chance.

— J'ai beaucoup de chance, dit Antoine. Je le sais. Continue.

— Il est mort quand j'avais douze ans et mon frère a été frappé par la poliomyélite. Il est encore assis dans un fauteuil. Ma mère s'est prise d'une passion dévorante pour lui, bien sûr. Elle ne le quitte pas. Elle m'a un peu oubliée, je crois.»

Elle se tut. En arrivant à Paris, elle avait envoyé de l'argent à sa mère, tous les mois, difficilement. Depuis deux ans, c'était Charles qui le faisait, sans jamais lui en parler.

«Moi, mes parents se haïssaient, dit Antoine. Ils ne divorçaient pas pour que j'aie un foyer. Je t'assure que j'aurais préféré en avoir deux.»

Il sourit, il tendit la main à travers la table, serra celle de Lucile.

«Tu te rends compte? Nous avons toute la soirée, toute la nuit.

— On va rentrer doucement à Paris, la capote baissée. Tu iras très doucement parce qu'il fait froid. Je t'allumerai tes cigarettes pour que tu ne lâches pas le volant.

— Nous irons doucement parce que c'est toi. Nous irons danser. Puis, nous rentrerons dans notre lit et demain matin, tu sauras enfin si je prends du café, ou du thé, et combien de sucre.

— Danser? Nous allons tomber sur tout le monde.

— Et alors, dit Antoine sèchement, tu ne penses pas que je vais passer ma vie à me cacher?»

Elle ne répondit pas, baissa les yeux.

«Il va falloir que tu prennes une décision, dit Antoine avec douceur, mais pas ce soir, ne t'inquiète pas.»

Elle releva la tête, si visiblement soulagée qu'il ne put s'empêcher de rire :

«Je sais déjà que le moindre délai t'enchante. Tu ne vis que dans l'instant, n'est-ce pas?»

Elle ne répondit pas. Elle était parfaitement bien avec lui, parfaitement naturelle, il lui donnait envie de rire, de parler, de faire l'amour, il lui donnait tout et cela lui faisait un peu peur.

Elle se réveilla tôt, le lendemain, ouvrit des yeux égarés sur la chambre en désordre et sur le bras long, semé de poils blonds, qui l'empêchait de bouger. Aussitôt, elle referma les yeux, se retourna sur le ventre, sourit. Elle était près d'Antoine, elle savait ce que voulait dire l'expression « passer une nuit d'amour ». Ils avaient été danser et ils n'avaient rencontré personne. Ils étaient rentrés chez lui et ils avaient parlé, fait l'amour, fumé, parlé, fait l'amour jusqu'à ce que le grand jour les découvre sur le lit, ivres de paroles et de gestes dans cette grande paix exténuée que donne l'excès. Ils avaient cru un peu mourir cette nuit, dans leur acharnement, et le sommeil était arrivé comme un miraculeux radeau sur lequel ils s'étaient hissés, étendus, avant de s'évanouir, se tenant légèrement par la main, quand même, en dernière complicité. Elle regardait le profil détourné d'Antoine, son cou, la barbe qui poussait sur ses joues, le cerne bleu sous ses yeux et il lui semblait inconcevable qu'elle eût pu jamais s'éveiller ailleurs qu'à ses côtés. Elle aimait qu'il fût si nonchalant, si rêveur le jour et si violent, si précis la nuit. Comme si l'amour réveillait en lui un païen insouciant dont la seule loi, inflexible, eût été celle du plaisir.

Il tourna la tête vers elle, ouvrit les yeux, posa sur elle ce regard de nouveau-né, mi-hésitant, mi-étonné, qu'ont les hommes au réveil. Il la reconnut, sourit et se retourna vers elle. Sa tête lourde et chaude de sommeil pesait sur l'épaule de Lucile, elle regardait en souriant les grands pieds d'Antoine émerger des draps emmêlés à l'autre bout du lit. Il soupira, marmonna quelque chose d'un ton plaintif.

« Tu as les yeux jaune clair le matin, c'est incroyable, dit-elle. On dirait de la bière.

— Quelle poétesse », dit-il.

Il se redressa brusquement, attrapa le visage de Lucile, le tourna vers la lumière.

« Les tiens sont presque bleus.

— Non, ils sont gris. Gris-vert.

— Fanfaronne. »

Ils étaient face à face, assis dans le lit, nus. Il tenait toujours son visage, l'air scrutateur et ils se souriaient. Il avait les épaules très larges, osseuses, et elle échappa à sa main, appuya sa joue contre le torse d'Antoine. Elle entendait son cœur battre très fort, aussi fort que le sien.

« Ton cœur bat très fort, dit-elle. C'est la fatigue ?

— Non, dit Antoine, c'est la chamade.

— Qu'est-ce que c'est exactement que la chamade ?

— Tu regarderas dans le dictionnaire. Je n'ai pas le temps de t'expliquer maintenant.»
Et il l'allongea doucement en travers du lit. Dehors, il faisait grand jour.

A midi, Antoine téléphona à son bureau, expliqua qu'il avait la fièvre mais qu'il viendrait l'après-midi.

«Je sais bien, dit-il, que ça fait écolier, mais il n'est pas question que je me fasse jeter dehors. C'est mon gagne-pain, comme on dit.
— Tu gagnes beaucoup d'argent? demanda Lucile nonchalamment.
— Très peu, dit-il sur le même ton. Tu trouves ça important?»
Elle se mit à rire :
«Non, je trouve l'argent commode, c'est tout.
— Commode au point d'être important?...
Elle s'étonna, le regarda :
«Pourquoi toutes ces questions?
— Parce que j'ai l'intention de vivre avec toi, donc de te faire vivre...
— Je te demande pardon, coupa Lucile très vite, je peux gagner ma vie. J'ai travaillé un an à *L'Appel,* un journal aujourd'hui disparu. C'était amusant, sauf que tout le monde était horriblement sérieux et prêcheur et que...»
Antoine étendit la main, la bâillonna.
«Tu m'as bien entendu. Je veux vivre avec toi, ou ne plus te voir. Je vis ici, je gagne peu d'argent, je ne peux en aucun cas te faire mener la vie que tu mènes actuellement. Tu m'entends?
— Mais, Charles? dit Lucile faiblement.
— Charles ou moi, dit Antoine. Il rentre demain, n'est-ce pas? Demain soir tu viens ici pour de bon ou nous ne nous voyons plus. Voilà.»
Il se leva, passa dans la salle de bains. Lucile se rongeait les ongles, elle essayait de réfléchir, sans y parvenir. Elle s'étira, ferma les yeux. Cela devait arriver, elle savait que cela devait arriver, les hommes étaient horriblement fatigants. D'ici après-demain, elle devrait prendre une décision et c'était un des mots de la langue française qui lui faisaient le plus horreur.

CHAPITRE XIII

ORLY était inondé d'un soleil froid qui se reflétait dans les vitres, sur les dos argentés des avions, sur les flaques de la piste en mille éclats brillants et gris, éblouissants pour les yeux. L'avion de Charles avait deux heures de retard et Lucile errait nerveusement dans le grand hall. S'il arrivait quelque chose à Charles, elle ne le supporterait pas, ce serait sa faute, elle avait refusé de partir avec lui, elle l'avait trompé. Et le visage décidé et triste qu'elle arborait deux heures plus tôt, visage destiné à prévenir Charles, avant même qu'elle ne lui parle, que quelque chose n'allait pas, se transformait, sans qu'elle le sût, en un visage angoissé et tendre. C'est ce visage-là qu'il vit en franchissant le poste de douane et il lui adressa un sourire chaleureux, rassurant, qui fit monter les larmes aux yeux de Lucile. Il se dirigea vers elle, l'embrassa tendrement, la garda un instant contre lui et Lucile vit une jeune femme lui lancer un vilain regard de jalousie. Elle oubliait toujours que Charles était bel homme, tant sa tendresse pour elle était exclusive. Il l'aimait pour ce qu'elle était, il ne lui demandait aucun compte, il n'exigeait rien d'elle et elle se sentit une bouffée de rancune contre Antoine. Il était facile de parler de choix, de rupture comme si on pouvait vivre deux ans avec un être humain sans s'y attacher. Elle prit la main de Charles, la garda. Il lui semblait qu'elle devait le défendre, elle ne se rappelait plus que c'était contre elle-même.

«Je me suis beaucoup ennuyé sans vous», dit Charles. Il souriait, réglait le porteur, indiquait ses valises au chauffeur avec son aisance habituelle. Elle n'avait pas remarqué depuis longtemps combien tout était simple, facile avec lui. Il lui ouvrait la portière, faisait le tour de la voiture, s'installait près d'elle, reprenait sa main, presque timidement, disait «à la maison» avec la voix joyeuse d'un homme heureux de rentrer. Elle se sentait prise au piège.

«Pourquoi vous êtes-vous ennuyé de moi, que me trouvez-vous encore?»

Sa voix était désespérée mais Charles sourit comme à une coquetterie:

«Je vous trouve tout, vous le savez bien.

— Je ne le mérite pas, dit-elle.

— La notion de mérite, vous savez, dans les sentiments... Je vous ai rapporté un très joli cadeau de New York.

— Qu'est-ce que c'est?»

Il ne voulut pas le lui dire et ils se disputèrent tendrement jusqu'à l'appartement. Pauline poussa des cris de soulagement en les voyant car tout voyage en avion lui semblait un péril mortel et ils déballèrent ensemble les valises de Charles. Il lui avait rapporté un manteau de vison clair, du même gris que ses yeux, soyeux et doux, et il riait comme un enfant tandis qu'elle l'essayait. L'après-midi, elle téléphona à Antoine, lui dit qu'elle devait le voir, qu'elle n'avait pas eu le courage de parler à Charles.

«Je ne te reverrai pas avant», dit Antoine et il raccrocha.

Il avait une drôle de voix.

Pendant quatre jours, elle ne le vit pas et, sous le coup de la colère, n'en souffrit pas. Elle lui en voulait d'avoir raccroché si brutalement. Elle détestait toute forme de grossièreté. Enfin, elle était presque sûre qu'il la rappellerait. Ils s'étaient trop liés cette nuit-là, ils étaient allés trop loin ensemble dans l'amour, ils étaient devenus les deux servants d'un même culte et ce culte existait à présent en dehors d'eux, quels que soient les caprices de l'un ou de l'autre. L'esprit d'Antoine pouvait bien lui être hostile, son corps était à présent l'ami du sien, avait besoin du sien pour se sentir complet, le regrettait. Leurs corps étaient comme deux chevaux amis, séparés momentanément par la brouille de leurs maîtres mais qui finiraient par repartir ensemble, au grand galop, dans les paysages ensoleillés du plaisir. Le contraire lui semblait impossible, elle n'imaginait pas qu'on puisse résister à ses désirs, elle n'en avait jamais compris ni la nécessité ni la justification. Et dans cette France louis-philipparde, geignarde, elle distinguait mal une meilleure morale que celle procurée par un sang vif et chaud.

Elle en voulait surtout à Antoine de ne pas l'avoir laissée s'expliquer. Elle lui aurait raconté le retard de l'avion, son angoisse, elle lui aurait prouvé sa bonne foi. Sans doute, elle aurait pu conserver sa décision et l'exprimer à Charles le soir. Mais elle avait eu tant de mal à se décider, elle s'était tellement efforcée de se mettre dans cette situation dramatique de rupture que l'échec de sa tentative lui semblait un signe cabalistique. Une certaine mauvaise foi rend facilement superstitieux. En attendant, Antoine ne téléphonait pas et elle s'ennuyait.

L'été arrivait, les soirées commencèrent à se donner en plein air et Charles l'emmena à un dîner quelconque, au Pré-Catelan. Antoine et Diane étaient au centre d'un groupe très animé, sous un arbre, et Lucile entendit le rire d'Antoine avant de le voir. Elle pensa très vite : « Tiens, il rit sans moi », mais un mouvement de joie l'emporta quand même vers lui. Elle lui tendit la main en souriant, mais il ne lui rendit pas son sourire, s'inclina très vite, se détourna. Alors le Pré-Catelan illuminé et verdoyant devint lugubre et elle vit brusquement la futilité des gens, leur indigence, l'ennui désespéré de cet endroit, de ce milieu, de sa propre vie. S'il n'y avait pas Antoine, ses yeux jaunes, sa chambre et les quelques heures de vérité qu'elle passait dans ses bras trois fois par semaine, chaque détail de ce monde agité et confus, plutôt gai, deviendrait l'affreuse invention d'un décorateur peu doué. Claire Santré lui parut bien hideuse, Johnny ridicule, et Diane à demi morte. Elle recula.

« Lucile, appela Diane de sa voix impérieuse, ne fuyez pas ainsi. Vous avez une bien jolie robe. »

Diane aimait beaucoup à présent prodiguer des amabilités à Lucile. Elle pensait ainsi prouver sa parfaite sécurité. Mais cela faisait sourire Johnny et surtout Claire à laquelle il avait fini par tout « avouer ». Bien entendu, le petit cercle avait été mis au courant et c'était maintenant, à l'instant précis où Lucile et Antoine se tenaient indécis et pâles, tourmentés, l'un près de l'autre, qu'on leur jetait de ces regards mi-envieux, mi-ironiques que l'on réserve aux nouveaux amants. Lucile s'approcha :

« J'ai cette robe depuis hier, dit-elle machinalement, mais je crains qu'il ne fasse un peu froid, ce soir.

— Il est moins facile d'attraper une bronchite avec cette robe qu'avec celle de Coco Dourede, dit Johnny. Jamais vu si peu de tissu sur une si grande surface. En plus, elle m'a dit que ça se lavait comme un mouchoir. Ça doit même prendre moins de temps. »

Lucile jeta un coup d'œil vers Coco Dourede qui se promenait, en effet, demi-nue sous les guirlandes électriques. Une profonde, délicieuse odeur de terre mouillée montait du bois de Boulogne.

« Vous n'avez pas l'air bien gaie, ma petite Lucile », dit Claire.

Ses yeux brillaient. Sa main était posée sur le bras de Johnny qui la surveillait aussi. Diane, intriguée par son silence, la regarda. « Mais ce sont des chiens, pensa Lucile, des chiens, ils me mettraient en pièces s'ils pouvaient avec leur curiosité. » Elle sourit faiblement :

« J'ai vraiment froid. Je vais demander mon manteau à Charles.

— J'y vais, dit Johnny. Le jeune homme du vestiaire est superbe. »

Il revint en courant. Depuis son arrivée, elle n'avait plus regardé Antoine, elle le voyait de profil, comme certains oiseaux.

« Mais c'est un nouveau manteau, s'exclama Claire... C'est divin, ce gris pastel, je ne vous l'avais jamais vu.

— Charles me l'a rapporté de New York », dit-elle.

Et à ce moment-là, elle croisa le regard d'Antoine et ce qu'elle y lut lui donna envie de le gifler. Elle fit brusquement demi-tour et s'éloigna.

« Les visons me rendaient plus épanouie, dans mon jeune temps », dit Claire.

Mais Diane fronçait les sourcils. Antoine, près d'elle, avait pris ce qu'elle appelait son air d'aveugle. Immobile, le visage vide.

« Trouvez-moi un whisky », dit-elle.

N'osant pas lui poser de questions, elle lui donnait des ordres. Cela la consolait un peu.

Ils ne firent pas un pas l'un vers l'autre de toute la soirée. Mais, vers minuit, ils se retrouvèrent seuls à chaque bout d'une table, tout le monde étant allé danser. Il ne pouvait, sans grossièreté, ne pas la rejoindre et il ne voulait pas l'avoir contre lui. Ce qu'il avait souffert depuis deux jours l'écrasait. Il l'avait imaginée dans les bras de Charles, l'embrassant. lui disant ce qu'elle lui disait à lui. Il l'avait surtout imaginée avec un certain visage, visage offert et cependant refermé sur un violent secret, visage qu'il avait obtenu d'elle et qui était désormais sa seule ambition.

Il était mortellement jaloux de cette femme. Il fit le tour de la table, s'assit près d'elle.

Elle ne le regardait pas et, subitement, il craqua, se pencha en avant.

Ce n'était pas possible, ce n'était pas supportable, cette étrangère distraite qui avait été nue, près de lui, au soleil, il n'y avait pas une semaine.

« Lucile, dit-il, que fais-tu de nous ?

— Et toi ? dit-elle. Tu as un caprice et il faut que je rompe dans les vingt-quatre heures. Ce n'était pas possible. »

Elle se sentait parfaitement désespérée et parfaitement tranquille. Vidée.

« Ce n'est pas un caprice, dit-il d'une voix hachée. Je suis jaloux. Je n'y peux rien. Je ne peux plus supporter de mentir, ça me tue. Je t'assure. L'idée que... que... »

Il s'arrêta, passa la main sur son visage, continua :

« Dis-moi, depuis que Charles est rentré, est-ce que tu, est-ce que vous... »

Elle se tourna vers lui, violemment :

« Si j'ai couché avec lui ? Bien entendu. Il m'a rapporté un vison, non ?

— Tu ne penses pas ce que tu dis, dit-il.

— Non. Mais toi, tu l'as pensé. Je l'ai vu sur ton visage tout à l'heure. Je te déteste pour cela. »

Un couple revenait et Antoine se leva très vite.

« Viens danser, dit-il. Il faut que je te parle.

— Non, dit-elle. Ce que je t'ai dit est vrai, non ?

— Peut-être... On peut avoir de mauvais réflexes.

— Mais pas des réflexes vulgaires », dit-elle et elle se détourna de lui.

« Elle me met dans mon tort, pensa-t-il, elle me trompe et elle me met dans mon tort. » Une bouffée de colère l'envahit, il attrapa son poignet et l'attira vers lui d'un geste si brusque que des têtes se tournèrent.

« Viens danser. »

Elle résistait, elle avait des larmes de colère et de douleur dans les yeux.

« Je n'ai pas envie de danser. »

Antoine se sentait prisonnier de lui-même, aussi incapable de la lâcher que de l'entraîner de force. En même temps, il était fasciné par ses larmes, il pensait très vite : « Je ne l'ai jamais vue pleurer, comme j'aimerais qu'elle pleure contre moi d'un vieux chagrin d'enfance, la nuit, j'aimerais tant la consoler. »

« Lâche-moi, Antoine », dit-elle à voix basse.

Cela devenait grotesque. Il était bien plus fort qu'elle, elle était à demi soulevée de sa chaise et incapable de sourire bêtement, nonchalamment, comme à une plaisanterie. On les regardait. Il était fou, fou et méchant, il lui faisait peur, il lui plaisait encore.

«C'est ce qu'on nomme la valse hésitation», dit Charles dans le dos d'Antoine.

Antoine lâcha Lucile brusquement et se retourna. Il allait donner un grand coup de poing à ce vieux type et quitter à jamais tous ces gens. Mais près de Charles, il y avait Diane, souriante, impeccable, un peu intriguée, semblait-il, lointaine.

«Vous voulez faire danser Lucile de force?

— Oui», dit-il en la fixant. Il allait la quitter, ce soir, il s'en rendait compte et un grand calme refluait en lui. Une grande pitié aussi. Elle comptait si peu dans cette affaire, elle ne l'avait jamais intéressé.

«Vous n'êtes pourtant pas un yé-yé, dit-elle, vous avez passé l'âge.»

Déjà, elle s'asseyait à la table. Déjà, Charles se penchait vers Lucile et lui demandait en souriant, mais le visage dur, ce qui s'était passé. Lucile souriait à son tour, elle devait répondre n'importe quoi, elle ne manquait pas d'imagination. Tout le monde ici, d'ailleurs, débordait d'imagination pour se tirer d'un mauvais pas, pour dissimuler, nourrir, entretenir ses petits secrets. Tout le monde, sauf lui, Antoine. Il hésita, fit un demi-tour curieux, comme un entrechat, et partit à grands pas.

CHAPITRE XIV

Il PLEUVAIT dehors, elle entendait les gouttes s'écraser sur le trottoir, ce devait être une de ces pluies d'été, mélancoliques et molles, qui semblent plus le fait d'un jardinier désœuvré que de la fureur des éléments. Le jour filtrait déjà sur le tapis, elle était couchée dans son lit, elle ne pouvait pas dormir. Son cœur battait, elle le sentait s'agiter, envoyer son sang en pulsations frénétiques dans toutes les extrémités de son corps, elle sentait s'alourdir le bout de ses doigts, et sauter la veine bleue qui traversait sa tempe à gauche comme une flèche. Elle ne pouvait pas calmer ce cœur, elle le subissait avec un mélange d'ironie et de désespoir, depuis bientôt deux heures. Depuis qu'ils étaient rentrés du Pré-Catelan, peu après qu'elle se fut retournée pour constater la disparition d'Antoine, la pâleur de Diane et la réjouissance générale devant ce petit scandale.

Elle n'était plus en colère, elle se demandait même ce qui l'avait motivée. Le regard d'Antoine, lors de l'incident du manteau, lui avait semblé insultant. Il semblait inclure qu'elle était vénale. Mais, en un sens, ne l'était-elle pas? Elle était à la charge de Charles et sensible à ses cadeaux qu'elle acceptait — sans doute plus pour l'intention que pour le prix — mais qu'elle acceptait. Elle ne pouvait le nier, et, d'ailleurs, n'y pensait pas, tant il lui semblait naturel d'être entretenue par un homme qui en avait les moyens et que, de plus, elle estimait. Simplement, Antoine avait fait une erreur énorme d'interprétation : il avait pensé qu'elle restait avec Charles pour cela, qu'elle renonçait à lui pour cela, il l'avait crue capable de ce genre de calculs, il l'avait jugée et, sans doute, méprisée. Elle savait déjà que la jalousie conduit presque irrésistiblement à des raisonnements, des actes, des jugements bas mais elle ne pouvait supporter cela d'Antoine, si jaloux fût-il. Elle croyait en lui, en une sorte de parenté entre eux, de complicité morale et il lui semblait avoir reçu, par sa faute, un coup bas.

Que pouvait-elle lui dire ? «Bien sûr, Charles m'a rapporté ce manteau et cela m'a fait plaisir. Bien sûr, j'ai partagé son lit depuis qu'il est rentré comme cela nous arrive de temps en temps. Bien sûr, cela n'a rien à voir avec ce qui se passe entre toi et moi, dans ce domaine, car cela, c'est la passion et la passion ne ressemble à rien d'autre. Mon corps n'a d'imagination, d'intelligence qu'avec le tien et tu devrais le savoir.» Mais il ne la comprenait pas. C'était un lieu commun mille fois entendu et mille fois vérifié que les hommes ne comprenaient pas ce genre de choses chez une femme. Elle se sentait tomber dans une philosophie de suffragette, elle s'agaçait. «Est-ce que je lui parle de ses rapports avec Diane ? Je ne suis pas jalouse, suis-je un monstre pour cela ? Et si je suis un monstre, que puis-je y changer, rien.» Mais si elle ne changeait pas, elle perdrait Antoine et cette pensée la faisait grelotter, se retourner dans son lit comme un poisson sur l'herbe. Il était quatre heures du matin.

Charles entra dans la chambre. Il s'assit doucement sur le lit, les traits tirés. Dans la lumière crue de l'aube, il faisait vraiment cinquante ans et la robe de chambre en foulard, un peu sportive, qu'il arborait, n'arrangeait rien. Il mit la main sur l'épaule de Lucile et resta immobile un instant.

«Vous ne dormiez pas non plus ?»

Elle esquissa un mouvement de dénégation, essaya de sourire, d'accuser la cuisine du Pré-Catelan. Mais elle n'en avait plus la force. Elle referma les yeux.

«Peut-être devrions-nous..., commença Charles... (Il s'arrêta puis reprit d'une voix plus ferme :) Pourriez-vous partir ? Seule ou avec moi, dans le Midi ? La mer vous guérit de tout, me disiez-vous toujours.»

Elle ne lui demanda pas à quelle guérison il faisait allusion, ce n'était pas la peine et quelque chose dans l'interrogation de Charles le lui signalait.

«Le Midi, reprit-elle, d'une voix rêveuse... le Midi ?...»

Et sous ses paupières obstinément closes, elle vit se précipiter la mer sur la plage, elle vit la couleur du sable, le soir, lorsque le soleil l'abandonne. Tout ce qu'elle aimait. Tout ce qui lui manquait, sans doute.

« Je partirai avec vous dès que vous le pourrez », dit-elle. Elle rouvrit les yeux pour le regarder mais il détournait la tête. Elle s'en étonna un instant avant de sentir, avec une sorte d'horreur, la chaleur de ses propres larmes sur sa joue.

Il n'y a pas grand monde sur la Côte d'Azur début mai et le seul restaurant ouvert, comme l'hôtel, comme la plage, leur appartenait. Au bout de huit jours, Charles se reprit à espérer. Lucile passait des heures au soleil, des heures dans l'eau, lisait beaucoup, parlait avec lui de ses lectures, avalait des poissons grillés, jouait aux cartes avec les quelques couples sur la plage, semblait heureuse. En tout cas, contente. Simplement, elle buvait beaucoup le soir et elle avait fait l'amour avec lui une nuit d'une manière violente, presque agressive qu'il ne lui connaissait pas. Il ne savait pas que tous ses actes relevaient d'un espoir, celui de revoir Antoine. Elle se bronzait pour lui plaire, elle se nourrissait pour ne pas lui paraître famélique, elle lisait les livres publiés par sa maison d'édition pour pouvoir lui en parler ; elle buvait pour l'oublier et pouvoir dormir. Cet espoir, bien sûr, elle ne se l'avouait pas, elle vivait comme un animal résigné à être coupé en deux mais, parfois, justement quand elle avait une seconde d'inattention, quand elle cessait de se cramponner désespérément aux éléments, quand elle oubliait de constater la chaleur du soleil, la fraîcheur de l'eau, la douceur du sable, le souvenir d'Antoine tombait sur elle comme un caillou, et elle le subissait avec un mélange de bonheur et de désespoir, les bras en croix sur la plage, crucifiée, non pas aux paumes par des clous, mais au cœur par les terribles dards de la mémoire. Elle s'étonnait alors de sentir son cœur se retourner, se vider sous le choc, devenir à la fois vide et affreusement encombrant. Que lui importaient ce soleil, cette mer, et même le bien-être purement physique de son corps, que lui importait ce qui, autrefois, suffisait si bien à son bonheur puisque Antoine n'était pas là pour le partager avec elle. Elle aurait pu nager avec lui, s'accrocher à ses cheveux blonds, trempés, que la mer eût blondis encore, elle aurait pu l'embrasser entre deux vagues, l'aimer dans les dunes derrière les cahutes encore désertes, à deux pas de là, elle aurait pu rester avec lui le soir sans bouger et regarder plonger les hirondelles sur les toits roses. Le temps eût été alors autre qu'une chose à tuer, le temps eût été une chose à choyer, chérir, empêcher de passer. Quand elle n'en pouvait plus, elle se levait distraitement et se dirigeait vers le bar, à son extrémité, là où Charles, de sa chaise longue, ne pouvait la voir. Elle buvait un, deux cocktails très vite sous l'œil vaguement sarcastique du barman. Il la prenait pour une alcoolique honteuse, cela lui était bien égal et, d'ailleurs, elle finirait sans doute par le devenir. Elle revenait vers la plage, s'allongeait aux pieds de Charles, fermait les yeux, le soleil devenait blanc, elle ne distinguait plus la chaleur qui pesait sur sa peau de celle de l'alcool qui courait dessous, elle ne voyait plus sous ses paupières qu'un Antoine dilué, flou, impuissant à la faire souffrir. Elle retrouvait quelques heures une autonomie animale, presque végétative qui lui permettait de respirer un peu. Charles avait l'air heureux, c'était déjà beaucoup et, quand elle le voyait marcher vers elle, avec ses pantalons de flanelle, son foulard soigneusement plié dans le col de sa chemise, son blazer bleu sombre, ses mocassins, elle repoussait énergiquement l'idée d'Antoine, sa chemise ouverte sur son torse, ses hanches étroites et ses longues jambes prises dans un vieux pantalon de toile, les pieds nus, les cheveux dans les yeux. Elle avait connu bien des jeunes hommes et, sans doute, ce n'était pas la jeunesse qu'elle aimait chez lui. Elle l'eût aimé vieux. Mais elle l'aimait d'avoir son âge, comme elle l'aimait d'être blond, comme elle l'aimait d'être puritain, comme elle l'aimait d'être sensuel, comme elle l'aimait de l'avoir aimée, elle, comme elle l'aimait de ne, sans doute, plus l'aimer en ce moment. C'était ainsi. Son amour était là, posé, comme un mur entre elle et le soleil et la facilité, voire même le goût de vivre. Et elle en avait effectivement honte. Le bonheur était sa seule morale et le malheur, s'il vous était infligé par vous-même, lui semblait inexcusable (ce qui lui avait d'ailleurs assuré toute sa vie auprès des autres membres de la société une incompréhension, voire un reproche presque perpétuel).

«Maintenant, je paie», pensait-elle avec dégoût. Dégoût d'autant plus profond qu'elle ne croyait pas aux dettes, que les tabous moraux et sociaux de l'heure l'excédaient et que le souci général, mille fois constaté chez les autres, de se gâcher la vie avait toujours provoqué chez elle un léger recul, comme devant une maladie honteuse. Elle avait contracté cette maladie, elle souffrait et elle souffrait sans aucun plaisir à se le dire, ce qui est bien une des manières les plus désagréables de souffrir.

Charles dut repartir pour Paris. Elle l'accompagna à la gare, promit d'être sage, fut tendre. Il devait revenir six jours plus tard, il l'appellerait tous les soirs. Il le fit. Mais le cinquième jour, vers quatre heures, quand elle décrocha distraitement le téléphone, elle entendit la voix d'Antoine. Il y avait quinze jours qu'elle ne l'avait pas vu.

CHAPITRE XV

En sortant du Pré-Catelan, Antoine avait traversé le bois de Boulogne à pied, en parlant tout seul, comme un fou. Le chauffeur de Diane lui avait couru après, proposant ses services, mais à sa grande stupeur,

Antoine lui avait donné cinq mille francs en marmonnant : « Tenez, pour tout ce temps, ce n'est pas lourd, mais je n'ai que ça sur moi. » Et sans doute, tant était vif son désir d'en finir avec Diane, Antoine s'imaginait-il que tout le monde devait en être prévenu. Il avait remonté l'avenue de la Grande-Armée à grands pas, avait expliqué à une prostituée empressée qu'il connaissait assez de femmes de sa sorte, puis avait fait demi-tour pour venir s'excuser auprès d'elle. Elle avait disparu, probablement consolée, et il passa une demi-heure à la chercher vainement. Il était rentré dans un bar des Champs-Elysées, avait tenté de s'enivrer et s'était vaguement colleté avec un autre ivrogne pour une histoire fumeuse de politique, en fait parce que le malheureux occupait obstinément le juke-box et qu'il était, pour sa part, décidé à y mettre vingt fois le disque qu'il avait dansé, écouté, chantonné avec Lucile. « Ah, je suis malheureux, pensait-il, soyons-le bien. » Ayant gagné son match de boxe, il mit le disque huit fois à la consternation générale puis dut laisser sa carte d'identité au barman, étant parfaitement démuni d'argent. Il rentra chez lui à trois heures du matin, épuisé et dégrisé par l'air du matin. Bref, il fit le jeune homme. Le malheur donne parfois des forces, une vivacité, une sorte d'entrain égales à celles que donne l'euphorie.

Devant son porche, il y avait Diane, assise dans sa voiture. Il reconnut la Rolls de loin, faillit faire demi-tour. Puis l'idée du chauffeur qui devait attendre, hagard de sommeil, que le petit ami de Madame veuille bien rentrer, le décida. Il ouvrit la portière et Diane descendit, sans un mot. Elle s'était remaquillée dans la voiture et la lumière de l'aube, tout en faisant paraître sa bouche trop rouge, donnait à ses traits soigneusement indifférents une expression nouvelle de jeunesse, d'égarement, d'erreur. Et, de fait, elle commettait une erreur à ses propres yeux en venant au petit jour relancer son amant, de même qu'elle avait commis une erreur depuis deux ans en s'éprenant de lui. Simplement cette erreur qui, jusque-là, avait résonné comme une musique de fond dans le film de sa vie, obstinée mais discrète, devenait à cet instant un tam-tam cruel et irrémédiable. Elle se voyait descendre de voiture, elle se voyait accepter la main d'Antoine, elle se voyait accomplir un dernier effort d'aisance pour maintenir quelques instants encore le rôle de femme aimée avant d'entrer dans ce rôle, inconnu et terrifiant pour elle, de femme délaissée. Et elle adressa bizarrement à son chauffeur (tout en le renvoyant) un sourire complice comme si elle savait qu'il était le dernier et précieux témoin de son bonheur.

« Je vous dérange ? » dit-elle.

Antoine secouait la tête. Il lui ouvrit la porte de sa chambre, s'effaça. C'était la deuxième fois qu'elle y venait. La première fois, ils venaient de se connaître et Diane avait été amusée de passer leur première nuit chez ce jeune homme gauche et plutôt mal habillé. Ensuite, elle lui avait

offert le grand lit de la rue Cambon, son luxe et ses pompes, car enfin
cette chambre était assez minable et sans confort. A présent, elle eût tout
donné au monde pour dormir dans ce lit bancal et plier ses vêtements sur
la chaise hideuse qui lui faisait pendant. Antoine ferma les volets,
alluma une lampe rouge et passa la main sur sa figure. Il était mal rasé,
il semblait avoir maigri en l'espace de quelques heures, bref, il avait cet
air de clochard que le chagrin donne si facilement aux hommes. Elle ne
savait plus ce qu'elle voulait lui dire. Depuis son départ précipité, elle
s'était ressassé la même phrase : « Il me doit une explication. » Mais que
lui devait-il en fait, que pouvait-on devoir à qui que ce soit ? Elle s'assit
sur le lit, très droite, elle eut la tentation de s'y étendre, de dire :
« Antoine, j'avais simplement envie de vous voir, j'étais inquiète, j'ai
sommeil à présent, dormons. » Mais Antoine était debout au milieu de la
pièce, il attendait et tout, dans son attitude, indiquait qu'il voulait
éclaircir la situation, c'est-à-dire la briser et lui faire, de ce fait,
affreusement mal.

« Votre départ était un peu rapide, dit-elle.

— Je m'en excuse. »

Ils parlaient comme deux acteurs, il le sentait, il attendait d'avoir
assez de force, de souffle, pour lui dire — comme une mauvaise mais
indispensable réplique — « tout est fini entre nous ». Il espérait
vaguement qu'elle lui ferait des reproches, qu'elle évoquerait Lucile et
que la colère lui donnerait assez de force pour être brutal. Mais elle avait
l'air doux, résigné, presque craintif, et il se dit un instant avec horreur
qu'il ne la connaissait pas et qu'il n'avait jamais rien fait pour cela.
Peut-être tenait-elle à lui autrement qu'il ne l'avait toujours cru, c'est-à-
dire comme à un bon amant et un être insaisissable. Il pensait que seules
sa sensualité satisfaite et sa vanité blessée (parce qu'elle n'avait pu le
réduire à sa merci comme ses autres mâles) étaient les principaux
ressorts de son attachement pour lui. Et s'il y avait autre chose ? Si
Diane, brusquement, pleurait ? Mais c'était inconcevable. La légende de
Diane, celle de son invulnérabilité et de sa désinvolture, était trop ancrée
à Paris et il en avait trop entendu parler. Pendant une seconde, ils
manquèrent se connaître. Puis elle ouvrit son sac, sortit son poudrier en
or et se remaquilla. C'était un geste de femme affolée et il le prit pour
un geste de femme sèche. « Au reste, Lucile ne m'aime pas, donc
personne ne peut m'aimer », pensa-t-il pour conclure, avec cette
mauvaise foi masochiste que donne le malheur, et il alluma une
cigarette.

Il eut un geste pour jeter son allumette dans la cheminée, un
mouvement excédé, impatient qu'elle attribua à l'ennui et qui réveilla sa
colère. Elle oublia Antoine, sa passion pour lui, elle ne se soucia plus
que d'elle, Diane Mirbec, et de la manière dont un homme, son amant,
l'avait abandonnée sans raison apparente en pleine soirée et devant tous

ses amis. Elle prit à son tour une cigarette, la main tremblante, et il lui tendit une allumette. La fumée avait un goût âcre, désagréable, elle avait trop fumé et elle se rendit compte soudainement que ce bruit confus et multiple qui l'obsédait sans qu'elle le nommât, depuis quelques instants, était simplement dans la rue le chant des oiseaux. Ils s'éveillaient avec le jour, ils saluaient, fous de joie, les premiers rayons du soleil sur Paris. Elle regarda Antoine :

« Je peux savoir la raison de cette fuite ? Ou cela ne me regarde-t-il pas ?

— Vous pouvez la savoir, dit Antoine (il la regardait en face lui aussi et une petite grimace qu'elle ne connaissait pas déforma sa bouche). Je suis amoureux de Lucile... Lucile Saint-Léger », ajouta-t-il stupidement comme s'il y eût pu avoir une confusion quelconque.

Diane baissa les yeux. Son sac du soir était éraflé sur le dessus, elle devrait le changer. Elle regardait cette déchirure, obstinément, elle ne voyait qu'elle, elle essayait d'y fixer son esprit : « Où ai-je pu faire cela ? » Elle attendait, elle attendait que son cœur reparte, que le jour éclate, que n'importe quoi, un coup de téléphone, une bombe atomique, un hurlement dans la rue vienne couvrir son propre cri muet. Mais rien n'arrivait et les oiseaux continuaient de piailler dehors et c'était odieux, cette frénésie, ce désordre.

« Tiens, tiens, dit-elle... Vous auriez peut-être pu m'en avertir plus tôt.

— Je ne le savais pas, dit Antoine. Je n'en étais pas sûr. Je me croyais simplement jaloux. Mais, voyez-vous, elle ne m'aime pas, maintenant je le sais et je suis malheureux pour de bon... »

Il eût pu continuer. En fait, c'était la première fois qu'il parlait de Lucile à quelqu'un, il y prenait un plaisir douloureux et il oubliait, avec une inconscience très masculine, qu'il en parlait à Diane. D'ailleurs celle-ci n'avait retenu qu'un mot, « jaloux ».

« Pourquoi jaloux ? On n'est jaloux que de ce que l'on a, vous me l'avez expliqué deux fois. Vous avez été son amant ? »

Il ne répondit pas. La colère remontait en Diane, la délivrait.

« Vous êtes jaloux de Blassans-Lignières ? Ou cette petite a-t-elle encore deux ou trois amants de plus ? Vous auriez du mal à l'entretenir tout seul, mon pauvre Antoine, de toute façon, si cela peut vous consoler.

— Ce n'est pas la question », dit Antoine sèchement.

Subitement, il haïssait Diane de juger Lucile comme il l'avait fait lui-même quatre heures plus tôt. Il lui interdisait de la mépriser. Il lui avait avoué la vérité, il fallait qu'elle s'en aille, qu'elle le laisse seul avec le souvenir de Lucile, au Pré-Catelan, les yeux pleins de larmes. Avait-elle pleuré seulement parce qu'il lui faisait mal aux poignets ou parce qu'elle tenait à lui ?

«Où la voyiez-vous, dit la voix de Diane dans le lointain. Ici?
— Oui, dit-il. L'après-midi.»

Et il se souvint du visage de Lucile dans l'amour, de son corps, de sa voix, de tout ce qu'il avait perdu par sa bêtise, son intransigeance et il eut envie de se battre. Il n'y aurait plus de pas de Lucile dans l'escalier, il n'y aurait plus d'après-midi somptueux et brûlants, plus de rouge et de noir, plus rien. Il tendit vers Diane un visage si nostalgique, si passionnel qu'elle eut un mouvement de recul.

«Je ne pensais pas que vous m'aimiez, dit-elle, mais je vous supposais une certaine estime pour moi. Je crains...»

Il lui jeta un regard incompréhensif et elle découvrit dans ce regard un monde immuable, masculin, un monde où un homme ne pouvait estimer sa maîtresse s'il ne l'aimait pas. Sans doute le flattait-elle, sans doute avait-il même un certain respect pour elle mais, instinctivement, profondément, elle était pour lui la pire des prostituées. Car elle avait accepté de vivre avec lui deux ans sans exiger qu'il l'aime, ni qu'il le dise et sans le lui dire elle-même. Et dans les yeux jaunes d'Antoine, elle devinait trop tard une enfance brutale, sentimentale, absolue, avide de mots, de scènes et de cris d'amour. Le silence, l'élégance n'étaient pas des preuves pour les jeunes gens. En même temps, elle savait que si elle se roulait sur ce lit, comme elle avait envie de le faire, en le suppliant, il serait affolé et vaguement dégoûté. Il était habitué à son personnage, au profil qu'elle lui tendait obstinément depuis deux ans, il n'en voudrait pas un autre. Décidément, son port de tête lui coûtait cher. Mais, dans cet orgueil qui la maintenait assise, droite sur ce lit, à l'aube, orgueil si inhérent à son personnage mondain qu'elle en avait presque oublié l'existence, elle découvrait à présent l'allié le plus proche, le plus intime, le plus précieux. Comme un cavalier né qui découvre brusquement que ce sont ses trente années d'équitation qui lui ont permis de passer souplement sous un autobus, Diane, étonnée, regardait sa fierté, ce patrimoine ignoré, tout au moins mal utilisé, lui épargner le pire: c'est-à-dire d'agir en sorte que, Antoine ne l'aimant plus, elle en vienne à ne plus pouvoir se supporter elle-même.

«Pourquoi me dire cela aujourd'hui, demanda-t-elle d'une voix tranquille, vous auriez pu continuer longtemps? Je ne me doutais pas de grand-chose. Ou plutôt, je ne le croyais plus.

— Je pense que je suis trop malheureux pour mentir», dit Antoine.

Et il se rendit compte avec ahurissement que c'était vrai, qu'il eût pu mentir toute la nuit à Diane, la consoler, la persuader s'il avait eu l'assurance de retrouver Lucile le lendemain ou qu'elle l'aimât. Le bonheur permettait tout et, une seconde, il comprit Lucile, sa facilité, sa capacité de dissimulation qu'il lui avait si violemment reprochée ces dernières semaines. Mais il était trop tard, il l'avait blessée à mort, elle

ne voulait plus de lui. Mais que faisait donc cette autre femme chez lui ?
Elle comprit sa pensée et, aveuglément, frappa :

« Et votre chère Sarah, que devient-elle dans tout cela ? dit Diane avec
douceur. Est-elle enfin morte pour de bon ? »

Il ne répondit pas. Il la regardait avec fureur à présent mais elle
préférait ça de beaucoup à ce regard amical, lointain qu'il lui adressait
quelques instants plus tôt. Elle voguait droit vers le pire, vers
l'incompréhension, la méchanceté, l'impardonnable et elle en était
comme soulagée.

« Je crois qu'il vaudrait mieux que vous partiez, dit-il enfin. Je ne
voudrais pas que nous nous quittions mal. Vous avez toujours été très
bonne pour moi.

— Je n'ai jamais été bonne pour personne, dit Diane en se levant. Je
vous trouvais assez agréable dans certaines circonstances, c'est tout. »

Elle se tenait droite devant lui, elle le regardait en face, il ne pouvait
pas savoir qu'il n'eût fallu que le passage d'un souvenir, d'un regret sur
son propre visage pour qu'elle se laissât aller, contre lui, à ses larmes.
Mais il ne la regrettait pas et elle se borna à lui tendre la main, à le
regarder s'incliner machinalement sur cette main ; et l'expression de
souffrance forcenée qu'elle eut à regarder une dernière fois la nuque
blonde et penchée d'Antoine avait disparu lorsqu'il releva la tête. Elle
murmura : « Au revoir », se cogna un peu à la porte et s'engagea dans
l'escalier. Il habitait au troisième mais ce n'est qu'au premier qu'elle
appuya contre le papier humide et sale du mur son célèbre visage et ses
belles mains, désormais inutiles.

CHAPITRE XVI

Antoine passa quinze jours tout seul. Il marchait beaucoup à pied, ne
parlait à personne, ne s'étonnait même pas quand il rencontrait quelque
connaissance, amie de Diane, de s'en voir à ce point ignoré. Il
connaissait les règles du jeu : amené par Diane dans un milieu qui n'était
pas le sien, il en était automatiquement rejeté en la quittant. C'était la
loi, et l'affabilité hâtive que lui témoigna Claire, un soir qu'il la
rencontra, lui sembla même un maximum. Elle lui signala néanmoins
que Lucile et Charles étaient à Saint-Tropez et ne parut même pas
étonnée qu'Antoine l'ignorât. Il semblait évident qu'en renonçant à une
femme, il avait perdu l'autre à tout jamais. Cette idée le fit rire un peu,
bien qu'il eût, ces temps-ci, de moins en moins envie de rire. Une phrase
d'Apollinaire l'obsédait : « J'erre dans mon beau Paris sans avoir le
cœur d'y mourir. Des troupeaux d'autobus mugissants... » Il ne se

rappelait pas la suite et ne cherchait pas d'ailleurs à la retrouver. Il était vrai que Paris devenait d'une beauté déchirante, bleue, blonde, alanguie, il était vrai qu'il n'avait pas plus le cœur d'y mourir que celui d'y vivre. Tout était pour le mieux, au demeurant. Lucile était au bord de cette Méditerranée qu'elle lui avait dit adorer, elle devait y être heureuse, à nouveau, puisqu'elle était faite pour cela, et peut-être tromper Charles avec un beau jeune homme du pays. Diane s'affichait avec un jeune diplomate cubain, il avait vu une charmante photo du couple à une première de ballets dans un journal. Quant à lui-même, il lisait, ne buvait pas et, parfois, la nuit, se tordait de rage dans son lit en pensant à Lucile. Tout cela lui semblait d'une fatalité évidente. Il n'avait plus d'espoir, sa mémoire ne lui en fournissant aucune raison. Les seuls souvenirs qu'elle lui tendait étaient ceux du plaisir de Lucile, du sien propre, souvenirs qui le ravageaient sans le rassurer, car on n'est jamais parfaitement sûr de l'intensité du plaisir de l'autre — ni, surtout, que cette intensité, il ne puisse la retrouver ou la dépasser avec un étranger. S'il savait Lucile irremplaçable pour lui dans la volupté, il ne pouvait s'imaginer qu'il le fût pour elle. Parfois, il se rappelait son visage traqué, le jour qu'il était arrivé si tard, il se rappelait sa phrase : « Tu sais, je crois que je t'aime pour de bon. » Mais il pensait alors qu'il était passé ce jour-là à côté de sa chance, qu'il eût dû se consacrer un peu plus à l'esprit de Lucile, un peu moins à son corps, et que, s'il l'avait sans doute possédée physiquement, il l'avait parfaitement manquée en tant qu'être humain. Bien sûr, ils riaient ensemble et le rire était le propre de l'amour mais cela ne suffisait pas. Il n'avait pour le comprendre qu'à se remémorer l'étrange nostalgie qui s'était emparée de lui au milieu de sa colère en découvrant des larmes dans les yeux de Lucile, au Pré-Catelan. Pour qu'un homme et une femme s'aiment vraiment, il ne suffisait pas qu'ils se soient fait plaisir, qu'ils se soient fait rire, il fallait aussi qu'ils se soient fait souffrir. Elle pouvait bien soutenir le contraire. Mais elle ne lui soutiendrait plus rien à présent, elle était partie. Et il interrompait brusquement le dialogue, l'explication qu'il entreprenait mentalement vingt fois par jour avec elle, il se levait brusquement de son siège ou il arrêtait brusquement sa marche. Cela n'en finissait pas.

Le quinzième jour, il rencontra Johnny, qui, en vacances, rôdait au Flore et qui sembla ravi de le revoir. Ils s'assirent à la même table, prirent un whisky, et Antoine s'amusa de la manière faraude dont Johnny répondait aux saluts de ses amis. Il se savait plutôt beau comme il se savait blond, sans plus d'intérêt.

« Comment va donc Lucile ? dit Johnny à un moment.

— Je n'en sais absolument rien. »

Johnny se mit à rire.

« Je le savais. Vous avez eu raison de rompre. C'est un être charmant mais dangereux. Elle finira probablement alcoolique, d'ailleurs bercée par Charles.

— Pourquoi cela?»

Antoine surveillait sa voix, il en calculait soigneusement l'indifférence.

«Elle a commencé. Un ami à moi l'a vue tituber sur la plage. Mais cela ne doit pas vous étonner.»

Et devant l'expression d'Antoine, il se mit à rire.

«Voyons, vous n'ignorez pas qu'elle était folle amoureuse de vous, cela se voyait à vingt pas, sans la connaître. Qu'est-ce qui vous prend?»

Antoine riait, il ne pouvait plus s'arrêter de rire, il était fou de bonheur, il était fou de honte, il était trop bête, il avait été trop bête. Bien sûr, elle l'aimait, bien sûr, elle pensait à lui, comment avait-il pu croire qu'ils avaient été si heureux ensemble deux mois sans qu'elle l'aime, comment avait-il pu être si pessimiste, si égoïste, si inconscient? Elle l'aimait, elle le regrettait, elle buvait en cachette pour cela. Peut-être même pensait-elle qu'il l'avait oubliée alors qu'il ne pensait qu'à elle depuis quinze jours, peut-être était-elle malheureuse à cause de son imbécillité profonde à lui, Antoine. Il allait la retrouver tout de suite, il lui expliquerait tout, il ferait tout ce qu'elle voudrait, mais il la prendrait dans ses bras, il lui demanderait pardon, ils s'embrasseraient des heures. Où était Saint-Tropez?

Il s'était levé de sa chaise.

«Mais, dites-moi, dit Johnny, calmez-vous. Vous avez l'air d'un fou furieux, mon bon ami.

— Excusez-moi, dit Antoine, il faut que je téléphone.»

Il courut jusqu'à chez lui, se disputa avec une dame des PTT qui tardait à lui expliquer le fonctionnement de l'automatique dans le Var, appela trois hôtels, finit par savoir dans le quatrième que Mlle Saint-Léger était à la plage mais qu'elle allait rentrer, demanda un préavis et s'installa sur son lit, la main sur le récepteur du téléphone, comme Lancelot du Lac sur la poignée de son épée, décidé à attendre deux heures, six heures, toute la vie, plus heureux qu'il ne l'avait jamais été, pensait-il.

A quatre heures, le téléphone sonna et il décrocha:

«Lucile? c'est Antoine.

— Antoine, répéta-t-elle, comme rêveusement.

— Il faut... je voudrais te voir. Je peux venir?

— Oui, dit-elle. Quand?»

Et bien que sa voix fût calme, il devinait, à la brièveté de ses termes, le recul, la défaite de la chose immonde et cruelle qui, comme lui-même, l'avait tordue, secouée, maltraitée pendant quinze jours. Il voyait sa propre main posée sur son lit, il s'étonnait de ne pas trembler.

«Il doit y avoir un avion, dit-il. Je pars maintenant. Tu viens me chercher à Nice?

— Oui, dit-elle. (Elle hésita puis ajouta :) Tu es à la maison?» Et il répéta trois fois son nom dans l'appareil : «Lucile, Lucile, Lucile...», avant de répondre par l'affirmative.

«Dépêche-toi», dit-elle, et elle raccrocha.

Il pensa simplement à ce moment-là qu'elle était peut-être avec Charles et qu'il n'avait pas les moyens de prendre l'avion. Mais il y pensa distraitement. Il était capable de dévaliser un passant, de tuer Charles et de conduire un Boeing. Et, effectivement, à sept heures et demie, conseillé par l'hôtesse, il aurait pu admirer, à la gauche de l'appareil, la ville de Lyon s'il en avait eu la moindre envie.

Après avoir raccroché, Lucile ferma son livre, prit un chandail dans l'armoire, les clefs de la voiture qu'avait louée Charles et descendit. Elle se surprit dans la glace qui encombrait l'entrée de l'hôtel et s'adressa un sourire furtif, indécis comme l'on peut en adresser à un grand malade, que l'on savait condamné et qui serait brusquement sorti, apparemment guéri, de l'hôpital. Il fallait qu'elle fasse très attention en conduisant, la route était pleine de virages, la chaussée mauvaise. Il ne fallait pas qu'un chien imprudent, un chauffard, un accident matériel s'interposent entre elle et Antoine et elle ne pensa pratiquement qu'à cela, comme anesthésiée, privée d'elle-même jusqu'à l'aéroport. Il y avait une arrivée de Paris à six heures et, bien qu'il n'y ait aucune chance pour qu'Antoine y soit, elle attendit à la sortie. Le prochain avion était à huit heures et elle acheta un roman policier, s'installa au bar, en haut, essaya en vain de comprendre ce qui arrivait à un détective privé, d'ailleurs fort dégourdi, mais incapable en ce moment de la séduire. Elle connaissait l'expression «un bonheur accablant» mais elle n'en avait jamais vérifié la véracité et elle s'étonnait de se sentir moulue, brisée, épuisée à tel point qu'elle se demandait si elle ne s'évanouirait pas ou ne s'endormirait pas sur sa chaise avant huit heures. Elle appela le garçon et lui signala qu'elle attendait quelqu'un à l'avion de huit heures, ce qui sembla, d'ailleurs, intéresser médiocrement cet homme. Mais enfin, si jamais il lui arrivait quelque chose, il pourrait prévenir Antoine. Elle ne voyait pas bien comment, mais elle voulait prendre toutes les précautions possibles pour protéger ce personnage nouveau, ahurissant, fragile, ce personnage heureux, enfin, qu'elle était devenue. Elle alla même jusqu'à changer de table car elle voyait mal la grosse horloge du bar et il lui semblait de surplus qu'elle n'entendait pas de sa place les haut-parleurs. Quand elle eut regardé consciencieusement tous les signes noirs contenus dans les pages de son livre, il n'était que sept heures, une femme en larmes embrassait le détective blessé mais triomphant à l'hôpital de Miami et son propre cœur lui faisait mal.

Il se passa une heure, deux mois, trente ans, avant qu'Antoine n'apparaisse, le premier, car il était sans bagages au bout du hall. Et pendant les quelques pas qu'il fit vers elle, elle pensa simplement qu'il était maigre, très pâle, mal habillé, qu'elle le connaissait à peine, avec la même conscience détachée qui admettait en ce moment, également, qu'elle l'aimait. Il vint à elle, gauchement, ils se serrèrent la main sans trop se regarder et ils hésitèrent un instant avant de se diriger vers la sortie. Il murmura qu'elle était bronzée, elle espéra à voix haute qu'il avait fait bon voyage. Après quoi, ils montèrent en voiture, Antoine prit le volant, et elle lui montra où était le démarreur. La nuit était chaude, l'odeur de la mer se mêlait à celle de l'essence et les palmiers de l'aéroport tremblaient un peu sous le vent. Ils roulèrent quelques kilomètres sans dire grand-chose, sans savoir même où ils allaient, puis Antoine arrêta la voiture au bord de la route et la prit contre lui. Il ne l'embrassait pas, il la tenait simplement dans ses bras, sa joue contre la sienne et elle aurait pu pleurer de soulagement. Quand il lui parla, ce fut très doucement, très bas, comme à un enfant :

« Où est Charles ? Il faut le lui dire, à présent.

— Oui, dit-elle. Il est à Paris.

— On va prendre le train ce soir. Il y a un train de nuit, non ? On va le prendre à Cannes. »

Elle acquiesça, se recula un peu pour le regarder, vit enfin ses yeux, la forme de sa bouche et il se pencha pour l'embrasser. A Cannes, il restait un wagon-lit. Toute la nuit, il y eut les hurlements du train, les éclairs de lumière sur leurs visages mêlés, et quand ils se reposaient parfois dans une gare, le bruit métallique, régulier du cheminot qui, de sa barre de fer, surveillait l'état des roues, surveillait leur montée à Paris, surveillait leur destin. Il leur semblait que la vitesse redoublait dans le plaisir, que le train devenait fou, et que c'étaient eux-mêmes qui poussaient parfois cet infernal gémissement dans les campagnes endormies.

« Je le savais », dit Charles.

Il lui tournait le dos, il s'appuyait du front à la fenêtre. Elle était assise sur son lit, elle chancelait de fatigue. Il lui semblait avoir encore dans les oreilles le tintamarre du train. A leur arrivée, très tôt, gare de Lyon, il pleuvait. Et puis, elle avait téléphoné à Charles, de chez lui, de chez eux, et elle l'y avait attendu. Il était venu très vite et elle lui avait dit tout de suite qu'elle aimait Antoine et qu'elle devait le quitter. A présent, il faisait semblant de regarder par la fenêtre et elle s'étonnait que sa nuque fût restée si droite, mais qu'elle ne l'émeuve pas, alors que celle d'Antoine, avec ses cheveux rêches et emmêlés, l'attendrissait tant. Il y avait des hommes dont on ne pensait jamais à évoquer l'enfance.

« Je pensais que ce serait sans conséquence, dit-il encore. Voyez-vous, j'espérais... »

Il s'interrompit brusquement, se tourna vers elle :
«Il faut que vous compreniez bien que je vous aime. Ne pensez pas
que je vais me consoler de vous, ni vous oublier, ni vous remplacer. Je
n'ai plus l'âge de ces substitutions.»
Il sourit un peu :
«Voyez-vous, Lucile, vous me reviendrez : je vous aime pour vous.
Antoine vous aime pour ce que vous êtes ensemble. Il veut être heureux
avec vous, ce qui est de son âge. Moi, je veux que vous soyez heureuse
indépendamment de moi. Je n'ai qu'à attendre.»
Elle eut un geste de protestation, mais il leva la main, très vite :
«De plus, il vous reprochera ou il vous reproche déjà ce que vous
êtes : épicurienne, insouciante et plutôt lâche. Il vous en voudra
forcément de ce qu'il appellera vos faiblesses ou vos défauts. Il ne
comprend pas encore que ce qui fait la force d'une femme, c'est la
raison pour laquelle les hommes l'aiment, même si cela recouvre le pire.
Il l'apprendra avec vous. Il apprendra que vous êtes gaie, et drôle, et
gentille parce que vous avez tous ces défauts. Mais ce sera trop tard. Du
moins, je le crois. Et vous me reviendrez. Parce que vous savez que je
sais.»
Il eut un léger rire :
«Je ne vous avais pas habituée à de si longs discours, n'est-ce pas ?
Maintenant, dites-lui de ma part que s'il vous fait du mal, s'il ne vous
rend pas à moi, dans un mois ou trois ans, intacte et heureuse comme
vous l'êtes actuellement, je le briserai tout bonnement.»
Il parlait presque avec colère et elle le regardait, étonnée. Il donnait
une impression de force, presque de violence qu'elle ne lui connaissait
pas.
«Je ne cherche pas à vous retenir, ce n'est pas la peine, n'est-ce pas ?
Mais rappelez-vous bien ceci : je vous attends. N'importe quand. Et quoi
que vous vouliez de moi, sur n'importe quel plan, vous l'aurez. Vous
partez tout de suite ?»
Elle hocha la tête affirmativement.
«Vous allez emporter tout ce qui est à vous (Et comme elle secouait
la tête, définitive :) Tant pis, mais je ne pourrai pas voir traîner vos
manteaux dans vos placards ni votre voiture au garage. Votre absence
peut être longue, après tout...», ajouta-t-il avec un petit sourire.
Elle le regardait, inerte. Elle savait que ce serait ainsi : affreux, et
qu'il serait ainsi : parfait. Tout se déroulait comme elle le savait depuis
longtemps et au désespoir de le faire souffrir se mêlait en elle une vague
fierté d'avoir été aimée par lui. Ce n'était pas possible, elle ne pouvait
pas le laisser ainsi, dans cet immense appartement, tout seul. Elle se
leva :
«Charles, dit-elle, je...
— Non, dit-il. Vous avez assez attendu. Allez-vous-en, maintenant.»

Il resta immobile, en face d'elle, une seconde, l'air presque rêveur tant il la regardait avec intensité. Puis il se pencha rapidement, effleura ses cheveux, se détourna :

« Partez à présent. Je ferai porter vos valises rue de Poitiers, tout à l'heure. »

Elle ne s'étonna pas qu'il connût l'adresse d'Antoine. Elle avait tellement horreur d'elle-même qu'elle ne voyait que ce dos un peu voûté, ces cheveux gris, et elle avait l'impression de voir son œuvre. Elle murmura : « Charles... », et elle ne sut pas si elle voulait lui dire « merci » ou « pardon » ou quelque grossièreté de ce genre car il remua la main, d'un petit geste fébrile, cassé, sans se retourner, un petit geste qui signifiait qu'il n'en supporterait pas beaucoup plus et elle sortit à reculons. Dans l'escalier, elle s'aperçut qu'elle pleurait et elle rentra en sanglotant dans la cuisine pour s'effondrer sur l'épaule de Pauline qui lui assura que les hommes étaient bien fatigants, mais qu'il ne fallait pas pleurer pour eux. Antoine l'attendait dehors, dans un café, au soleil.

Deuxième partie

L'ÉTÉ

CHAPITRE XVII

ELLE se sentait la proie d'une maladie merveilleuse, bizarre, qu'elle savait être le bonheur mais qu'elle hésitait à nommer ainsi. D'une certaine façon, elle trouvait extravagant que deux êtres intelligents, nerveux, critiques, en arrivent à être à ce point à bout d'aspirations, à ce point étroitement mêlés l'un à l'autre qu'ils puissent juste se dire «je t'aime» avec une sorte de sanglot dans la voix car il n'y avait rien d'autre à ajouter. Elle savait qu'il n'y avait rien à ajouter, en effet, qu'il n'y avait rien d'autre à espérer, que c'était enfin ce qu'on appelle la plénitude, mais elle se demandait comment elle ferait plus tard, un jour, pour survivre au souvenir de cette plénitude. Elle était heureuse, elle avait peur.

Ils se racontaient tout : leur enfance, leur passé et surtout, surtout, ils revenaient inlassablement aux mois précédents, ils ressassaient interminablement, comme tous les amants, leurs premières rencontres, les moindres détails de leur liaison. Ils se demandaient avec cette stupeur (vraie et un peu sotte) si classique comment ils avaient pu douter si longtemps de leurs propres sentiments. Mais, s'ils roulaient dans leur passé commun, inquiet et contrarié, ils ne rêvaient pas d'un futur commun qui eût pu être tranquille et durable. Lucile, encore plus qu'Antoine, avait peur des projets, et de la vie simple. En attendant, ils regardaient, comme fascinés, se dérouler le présent, se lever le jour qui les trouvait réunis dans le même lit, jamais rassasiés l'un de l'autre, descendre le soir qui les voyait marcher dans un Paris tiède, tendre, inégalable. Et, par moments, ils étaient si heureux qu'il leur semblait qu'ils ne s'aimaient plus.

Il suffisait alors qu'Antoine eût une heure de retard pour que Lucile — qui l'avait vu partir avec une tranquillité, presque une indifférence si totale qu'elle en parvenait à douter d'avoir été ce qu'elle avait été à Saint-Tropez : cet animal malade, déchiré et sans voix —, pour que

Lucile alors se mette à trembler, à imaginer le corps d'Antoine sous un autobus, et qu'elle se décide enfin à nommer mentalement « bonheur » sa présence puisque son absence était le désespoir. Et il suffisait que Lucile sourît par hasard à un autre homme pour qu'Antoine (que la possession physique constante de ce corps — s'il ne s'en lassait pas — rassurait quand même complètement) en vienne à pâlir, à lui rendre d'un coup tous les prestiges d'un bonheur fragile, provisoire, jamais acquis. Il y avait entre eux quelque chose d'inquiet, de violent, même aux moments de la plus grande douceur. Et s'ils souffraient parfois de cette inquiétude, ils savaient confusément que sa disparition chez l'un comme chez l'autre signifierait en même temps la disparition de leur amour. En fait, une majeure partie de leurs rapports avait été déterminée par deux chocs sentimentaux, à peu près égaux : pour elle, le retard d'Antoine, ce fameux après-midi et pour lui, le refus de Lucile de revenir chez eux le jour du retour de Charles. Et Lucile — dont la modestie était aussi grande que l'égoïsme, comme beaucoup de gens insouciants — pensait confusément qu'un jour Antoine ne reviendrait pas comme Antoine pensait confusément de son côté qu'un soir, elle le tromperait. Ces deux plaies — que le bonheur eût dû cicatriser —, ils les maintenaient ouvertes, presque délibérément, comme le rescapé d'un grave accident qui, après six mois de souffrances, se plaît à raviver de l'ongle sa dernière écorchure afin de mieux éprouver, par comparaison, le parfait état du reste de son corps. Ils avaient l'un et l'autre besoin d'une écharde, lui, par goût profond, elle, parce que ce bonheur partagé lui était trop étranger.

Antoine se réveillait tôt le matin, et son corps réalisait avant sa conscience la présence de celui de Lucile dans le lit, le désirait, avant même qu'il n'ait ouvert les yeux. Il glissait vers elle, endormi, souriant et c'était parfois le gémissement de Lucile, ou la crispation de sa main sur son dos qui arrachait Antoine à ses derniers rêves. Il dormait profondément, lourdement comme certains hommes et beaucoup d'enfants et il n'aimait rien autant que ces lents et voluptueux réveils. Quant à Lucile, la première appréhension qu'elle eut du monde tous les matins était celle du plaisir et elle reprenait conscience étonnée, comblée et vaguement vexée de ce demi-viol qui la privait de toutes les péripéties habituelles de ses réveils : ouvrir les yeux, les refermer, refuser le jour ou l'admettre, tout ce petit combat confus et tendre livré à soi-même. Elle essayait parfois de tricher, de se réveiller avant lui, de le deviner, mais Antoine ne dormait jamais plus de six heures et il la devançait toujours. Il riait de son air furieux, il se réjouissait d'avoir arraché si vite cette femme aux ténèbres du sommeil pour la replonger si vite dans les ténèbres de l'amour, il aimait plus que tout cet instant où elle ouvrait les yeux, égarée, indécise, puis le reconnaissant, les refermait aussitôt, comme obligée, en même temps qu'elle nouait ses bras autour de son cou. Les valises de Lucile surmontaient l'armoire et seulement deux ou trois robes, qu'Antoine préférait, côtoyaient à l'intérieur ses deux complets. En revanche, la salle de bains témoignait activement de la présence d'une femme par la multitude de petits pots, généralement inutilisés, que Lucile y avait entreposés. En se rasant, Antoine se livrait à mille commentaires sur l'utilisation du masque aux herbes contre les rides ou autre facétie. Lucile lui disait qu'il serait bien content, plus tard, de les avoir sous la main, qu'il vieillissait à vue d'œil, qu'il était laid d'ailleurs. Il l'embrassait. Elle riait. Il faisait extraordinairement beau à Paris cet été-là.

Il partait travailler à neuf heures et demie et elle restait dans sa chambre, tranquillement, soupirant après une tasse de thé mais incapable, dans son engourdissement, de descendre le boire au tabac du coin. Elle prenait un des cent livres entassés en pile dans chaque coin de la chambre et lisait. La grosse horloge qui l'avait tant fait souffrir un jour sonnait toutes les demi-heures et, à présent, elle en adorait la sonorité. Quelquefois même, à entendre les coups, elle posait son livre et souriait dans le vide, comme à une enfance retrouvée. A onze heures ou à onze heures et demie, Antoine téléphonait, d'une voix souvent nonchalante, mais parfois, de celle, rapide, décidée de l'homme débordé de travail. Lucile, dans ces cas-là, lui répondait très sérieusement, quoique avec un léger fou rire intérieur car elle le savait rêveur, paresseux mais elle en était à ce stade de l'amour où l'on aime aussi tendrement chez l'autre ses comédies que ses vérités, ou même, au contraire, ses demi-mensonges, parce qu'on les décèle comme tels, vous paraissent comme les signes d'une ultime confiance. A midi, elle le retrouvait à la piscine, à la Concorde et ils mangeaient un sandwich au soleil. Puis il repartait travailler, à moins que le soleil, le contact de leurs peaux nues, légèrement hâlées, leur dialogue ne les aient troublés et il l'emmenait en courant chez lui, chez eux et arrivait en retard à son bureau. Lucile commençait alors sa longue promenade oisive dans Paris, à pied, elle rencontrait des amis, des vagues connaissances, prenait des jus de tomate aux terrasses des cafés. Et comme elle avait l'air heureux, tout le monde lui parlait. Le soir, il y avait tous les cinémas, toutes les routes chaudes autour de Paris, tous les cabarets à moitié déserts où elle lui apprenait à danser, tous les visages inconnus et tranquilles de la ville, l'été ; et tous les mots qu'ils avaient envie de dire et tous les gestes qu'ils avaient envie de faire.

Fin juillet, ils rencontrèrent Johnny, par hasard, au Flore, qui revenait d'un épuisant week-end à Monte-Carlo, flanqué d'un jeune homme bouclé, nommé Bruno. Il les félicita de leur air heureux et leur demanda pourquoi ils ne se mariaient pas. Ils rirent beaucoup à cette idée et lui firent remarquer qu'ils n'étaient pas des gens à se soucier de l'avenir et que c'était quand même une idée saugrenue. Johnny en convint, rit avec eux. Mais, quand ils s'éloignèrent, il murmura «c'est dommage» d'un ton qui intrigua le dénommé Bruno. A ses questions, Johnny opposa un visage mélancolique, curieux, que le garçon ne lui connaissait pas, puis il déclara simplement: «Tu ne comprendrais pas, mais c'était trop tard», réponse qui suffit d'ailleurs amplement à son interlocuteur dont le rôle, en effet, n'était pas de comprendre quoi que ce soit.

Août survint et Antoine eut un mois de vacances. Mais il n'avait pas d'argent et il resta donc chez lui avec elle.

Il fit subitement très chaud à Paris ce mois d'août, il régnait une atmosphère étouffante, orageuse, coupée de pluies violentes et brèves qui laissaient les rues épuisées, fraîches comme des convalescentes ou de jeunes accouchées. Lucile passa pratiquement trois semaines sur son lit, en robe de chambre. Son vestiaire d'été était composé de maillots de bain et de pantalons de toile, destinés aux beaux jours de Monte-Carlo ou de Capri que lui réservait généralement Blassans-Lignières, et il n'était pas question de le changer. Elle lisait énormément, fumait, descendait acheter des tomates pour le déjeuner, faisait l'amour avec Antoine, parlait littérature avec lui, s'endormait. Les orages dont elle avait peur la jetaient contre lui et il s'attendrissait, lui expliquait scientifiquement de sombres histoires de cumulus qu'elle ne croyait qu'à moitié, il l'appelait «ma païenne» d'une voix troublée. Mais il ne parvenait pas à la troubler en retour jusqu'à ce que le dernier coup de tonnerre eût disparu depuis longtemps. Parfois, il lui jetait des coups d'œil furtifs, interrogateurs. La paresse de Lucile, sa capacité énorme à ne rien faire, ne rien prévoir, sa faculté de bonheur — à vivre des jours aussi vides, aussi inactifs, aussi semblables —, lui semblait par moments extravagante, presque monstrueuse. Il savait bien qu'elle l'aimait et que, de ce fait, elle ne pouvait pas plus s'ennuyer avec lui que lui avec elle mais il sentait que cette façon de vivre était celle qui se rapprochait le plus de sa profonde nature, à elle, tandis que lui savait que c'était à la passion qu'il devait de supporter cette vacuité perpétuelle. Il lui semblait qu'il était tombé sur un animal incompréhensible, une plante inconnue, une mandragore. Alors il venait vers elle, se glissait sous les draps, il ne se lassait pas de leur plaisir, de leurs sueurs mélangées, de leurs fatigues et il se prouvait ainsi, de la manière la plus précise, qu'elle n'était qu'une femme. Ils avaient peu à peu pris de leurs corps une connaissance exacte, en avaient presque fait une sorte de science, science faillible parce qu'elle était basée sur le souci du plaisir de l'autre mais qu'elle disparaissait souvent désarmée, impuissante devant leur propre plaisir. Dans ces moments-là, ils n'imaginaient pas qu'ils aient pu ne pas se connaître, trente ans durant. Et une journée ne pouvait être morte où ils étaient obligés de s'avouer à eux-mêmes, à plusieurs reprises, que rien d'autre n'était vrai, n'avait de valeur que l'instant qu'ils vivaient à ce moment-là. Août passa donc comme un rêve. La veille du 1er septembre, vers minuit, ils étaient allongés côte à côte et le réveil d'Antoine, qui avait été inutile pendant un mois, avait repris sa marche frénétique. Il sonnerait à huit heures. Antoine était sur le dos, immobile et sa main, qui tenait une cigarette, pendait hors du lit. La pluie se mit à tomber dans la rue, à coups lents et mous, il devinait qu'elle était tiède, il soupçonnait même qu'elle était salée comme les larmes que Lucile, contre sa joue, commençait à verser, tranquillement, les yeux ouverts. Il n'avait besoin de demander ni à elle ni aux nuages les raisons de ces pleurs. Il savait bien que l'été était fini et que ç'avait été le plus bel été de leur vie.

Troisième partie

L'AUTOMNE

Je vis que tous les êtres ont une fatalité de bonheur. L'action n'est pas la vie mais une façon de gâcher quelque force, un énervement.

ARTHUR RIMBAUD.

CHAPITRE XVIII

Lucile attendait l'autobus place de l'Alma et s'énervait. Le mois de novembre était spécialement froid, spécialement pluvieux et la petite guérite devant la station était bondée de gens frileux, maussades, presque agressifs. Aussi avait-elle préféré rester dehors et ses cheveux mouillés lui collaient au visage. De plus, elle avait oublié de prendre un ticket en arrivant et il s'était trouvé une femme pour ricaner méchamment quand, au bout de six minutes, elle y avait pensé. A cet instant, elle regrettait amèrement sa voiture, le bruit de la pluie sur la capote et les virages indécis qu'elle prenait sur le pavé mouillé. Le seul charme réel de l'argent, pensait-elle, c'était qu'il vous permettait d'éviter cela : l'attente, l'énervement, les autres. Elle venait de la Cinémathèque du Palais de Chaillot où Antoine, énervé par son inactivité, lui avait conseillé, d'un ton presque impérieux, d'aller voir un chef-d'œuvre de Pabst. Ledit chef-d'œuvre en était un effectivement, mais elle avait dû faire la queue une demi-heure au milieu d'une cohorte d'étudiants braillards, entreprenants et elle se demandait pourquoi elle n'était pas restée tranquillement dans la chambre à achever un livre de Simenon qui la passionnait. Il était plus de six heures et demie, elle arriverait après Antoine, et peut-être cela le guérirait-il de cette déplorable manie qu'il avait contractée : celle de mêler Lucile à la vie extérieure. Il lui disait qu'il n'était pas normal, pas sain, qu'après avoir mené durant trois ans une vie mondaine, agitée, avec ce qu'il nommait des rapports humains, elle restât à présent calfeutrée dans une chambre à ne rien faire. Elle ne pouvait lui dire ce qu'elle commençait à découvrir à présent qu'une ville, fût-elle Paris, si l'on avait pris l'habitude d'y vivre autrement, devenait terrifiante avec des tickets d'autobus et deux cents francs en poche. Cela l'eût humilié, lui, presque autant qu'elle. Car elle se rappelait avoir vécu ainsi à vingt ans et elle n'aimait pas l'idée de ne pouvoir recommencer à trente. Un autobus

s'arrêta, on appela les premiers numéros, fort éloignés du sien, et les malheureux suivants retournèrent dans leur clapier de verre. Une sorte de désespoir animal envahissait Lucile à présent. Dans une demi-heure, avec un peu de chance, elle monterait dans l'autobus qui l'amènerait à trois cents mètres de la chambre d'Antoine, trois cents mètres qu'elle ferait sous la pluie et elle arriverait fatiguée, laide, décoiffée près d'un homme également fatigué. Et s'il lui demandait d'un air enthousiaste ce qu'elle pensait de Pabst, elle aurait envie de lui parler de la cohue, des autobus, de l'infernal régime auquel l'on soumet les gens qui travaillent, et il serait déçu. Un autobus passa sans s'arrêter. Soudain, elle décida de rentrer à pied. Une vieille dame s'approcha d'elle et tendit la main vers la machine distributrice. Impulsivement, Lucile lui tendit son ticket :
« Tenez, prenez le mien, je vais à pied.»
Le regard de la femme était interrogateur, presque hostile. Peut-être pensait-elle que Lucile faisait cela par charité, à cause de son âge ou Dieu sait quoi. Les gens devenaient méfiants à présent. Ils étaient tellement gavés d'ennuis, de soucis, d'une télévision stupide, de journaux insanes qu'ils n'avaient plus aucune notion de gratuité.
Lucile s'excusa presque :
« J'habite à deux pas, je suis en retard et il pleut un peu moins, non ? »
Ce « non » était presque suppliant, elle le sentait, tout en levant vers le ciel un regard de mauvaise foi, car il pleuvait de plus belle. En même temps, elle pensait. « Mais que peut me faire l'approbation de cette femme, si elle ne veut pas de ce ticket, qu'elle le jette. Je m'en moque qu'elle attende une demi-heure de plus, moi.» Elle se sentait totalement désemparée : « Qu'est-ce qui m'a pris ? J'aurais dû faire comme tout le monde : jeter mon ticket. Quelle est cette manie de vouloir plaire, de vouloir instaurer des rapports affectueux place de l'Alma, à six heures et demie du soir, devant un autobus, de vouloir que tout le monde m'aime. Les rapports affectueux, les grands élans de sentiments entre inconnus, cela se passe entre deux whiskies, chez les gens qui en ont les moyens, ou dans un bar calfeutré, ou dans une révolution. » En même temps, elle souhaitait désespérément se prouver le contraire. La femme tendit la main, saisit le ticket :
« Vous êtes bien aimable », dit-elle.
Elle sourit. Lucile lui renvoya un sourire incertain et s'éloigna. Elle allait suivre les quais jusqu'à la Concorde, traverser, prendre la rue de Lille. Elle se souvint tout à coup d'avoir fait cette même promenade à pied, un soir, le soir où elle avait connu Antoine. Mais c'était alors le début du printemps, ce jeune homme était inconnu et ils étaient partis à pied de leur plein gré dans la nuit tiède et solitaire, dédaignant les taxis pour d'autres raisons que celle qui l'en détournait aujourd'hui. « Il faudrait que je m'arrête de grogner », pensa-t-elle. Que faisaient-ils ce soir ? Ils devaient dîner chez Lucas Solder, un ami d'Antoine. C'était un

journaliste énervé, bavard avec un grand goût pour les abstractions. Il amusait Antoine et eût amusé Lucile si sa femme, depuis longtemps dépassée, n'eût tenté chaque fois d'engager avec elle des conversations qui allaient des derniers soldes aux maladies féminines. De plus, Nicole, qui aimait «se débrouiller», confectionnait des menus économiques et immangeables. «Je serais volontiers allée dîner au Relais-Plazza, marmonna Lucile en marchant. J'aurais pris un daiquiri glacé avec le barman et commandé un hamburger avec une salade. Au lieu de la soupe épaisse, du ragoût immonde, des fromages desséchés, des trois fruits qui m'attendent. A croire qu'il n'y a que les gens riches qui aient le droit de manger peu...» Elle se berça un instant de cette image, le bar du Plazza à moitié vide, les éternels glaïeuls au bout du long bar, les maîtres d'hôtel affables et elle, seule à une table, lisant un journal nonchalamment en regardant passer les visons des Américaines. Elle se rendit compte avec un petit pincement au cœur que cette rêverie excluait Antoine, qu'elle s'était imaginée sans lui. Il y avait bien longtemps qu'elle n'avait pris un repas seule, sans doute, mais elle se sentit coupable. Elle courut dans la rue de Lille et dans l'escalier. Antoine était allongé sur le lit avec *Le Monde* — il semblait qu'elle fût vouée à des hommes qui lisent *Le Monde* —, il se redressa et elle se jeta dans ses bras. Il avait chaud, il sentait la fumée, il était immense, ainsi, allongé sur ce lit, elle ne se lassait pas de ce corps osseux, de ces yeux clairs, des mains dures qui écartaient ses cheveux trempés. Il marmonnait quelque chose sur la folie des femmes qui errent sous la pluie.

«Alors, dit-il enfin, et le film?

— C'était superbe, dit-elle.

— Avoue que j'ai eu raison de t'y envoyer.

— J'avoue», dit-elle.

Elle était debout dans la salle de bains en avouant de la sorte, une serviette dans la main droite et elle se vit soudain dans la glace un drôle de petit sourire inconnu. Elle resta interdite un instant, puis passa la serviette sur la glace, doucement, comme pour en effacer un complice qui ne devait pas être.

CHAPITRE XIX

Elle attendait Antoine dans le petit bar de la rue de Lille où ils avaient pris l'habitude de se retrouver le soir vers six heures et demie. Elle discutait courses avec le garçon, un nommé Etienne, assez bel homme, très bavard qu'Antoine soupçonnait de nourrir pour elle des sentiments coupables. Il était arrivé à Lucile de suivre ses conseils hippiques et le résultat avait toujours été désastreux, aussi Antoine, en arrivant, leur jetait-il toujours un regard soupçonneux, non par jalousie mais par crainte d'une catastrophe matérielle. Ce jour-là, Lucile était de très bonne humeur. Ils s'étaient endormis très tard, ils avaient passé la nuit à faire des projets compliqués et triomphants qu'elle ne se rappelait plus très bien, mais qui les conduisaient rapidement sur une plage, en Afrique, ou dans une maison de campagne idéale près de Paris. En attendant, Etienne, l'œil étincelant, lui parlait d'une nommée Ambroisie II, cotée dix contre un et qui devait gagner à coup sûr le lendemain à Saint-Cloud. Et le billet de mille francs qui sommeillait solitairement dans la poche de Lucile aurait sans doute changé de propriétaire si Antoine n'était arrivé, l'air agité. Il embrassa Lucile, s'assit et commanda deux whiskies, ce qui, étant donné qu'on se trouvait être le 26 du mois, était un signe de fête.

« Que se passe-t-il ? dit Lucile.

— J'ai parlé à Sirer, dit Antoine (et devant l'air incompréhensif de Lucile), tu sais, le directeur du *Réveil*... Il a une place pour toi aux archives.

— Aux archives ?

— Oui. C'est assez amusant, il n'y a pas trop de travail et il te donne cent mille francs par mois pour commencer. »

Lucile le regardait avec consternation. Elle se rappelait parfaitement à présent ce dont ils avaient parlé la nuit passée. Ils étaient convenus ensemble que la vie de Lucile n'était pas une vie, qu'elle devait faire quelque chose. Elle avait accueilli avec entrain l'idée de travailler, elle avait même développé une image lyrique d'elle-même dans un journal, grimpant peu à peu les échelons, devenant une de ces brillantes journalistes féminines dont on parlait à Paris ; bien sûr, elle aurait beaucoup de travail et beaucoup de soucis, mais elle sentait en elle assez de ténacité, d'humour, d'ambition pour y arriver. Ils auraient un appartement somptueux payé par le journal car ils seraient obligés de recevoir beaucoup, mais ils fuiraient ensemble tous les ans, sur un bateau, au moins un mois, en Méditerranée. Elle avait développé cette théorie avec enthousiasme devant Antoine, d'abord sceptique, puis, peu à peu, intéressé car personne n'était plus convaincante que Lucile dans ses projets, surtout quand ils étaient aussi fous, aussi contraires à sa nature que celui-là. Mais qu'avait-elle pu boire ou lire la veille pour se lancer dans une telle histoire ? Elle n'avait pas plus d'ambition que de ténacité, pas plus envie d'avoir un métier que de se tuer.

« Tu sais que pour ce genre de journal, c'est très bien payé », dit Antoine.

Il avait l'air ravi de lui-même. Elle le regarda avec attendrissement : il était toujours sous l'influence de ses discours nocturnes, il avait dû y penser toute la journée, remuer ciel et terre à Paris. Il était très difficile de trouver ce genre de situations à Paris, tant étaient nombreuses les femmes du monde qui, se sentant brusquement menacées de dépression nerveuse pour cause d'oisiveté, auraient payé volontiers elles-mêmes pour nettoyer des parquets, à condition qu'ils fussent ceux d'une maison d'éditions, de couture ou d'un journal. Et voilà que ce fou de Sirer s'apprêtait à la payer, elle qui n'aimait que l'oisiveté. La vie était stupide. Elle tenta de sourire à Antoine.

« Tu n'as pas l'air enchanté, dit-il.

— Ça paraît trop beau », dit-elle sombrement.

Il lui jeta un regard amusé. Il savait bien qu'elle regrettait ses décisions nocturnes, il savait aussi qu'elle n'osait pas le lui dire. Mais il pensait vraiment qu'elle ne pouvait pas ne pas s'ennuyer en vivant ainsi, qu'elle finirait par se lasser de sa vie et de lui-même. Plus bas, il se disait aussi que ces cent mille francs, ajoutés à son salaire à lui, permettraient à Lucile une vie beaucoup plus facile matériellement. Avec ce bel optimisme des hommes, il imaginait Lucile s'achetant gaiement deux petites robes par mois, qui, évidemment, ne seraient pas signées d'un grand couturier, mais lui iraient parfaitement puisqu'elle était bien faite. Elle prendrait des taxis, elle verrait des gens, elle s'occuperait un peu de politique, du monde en général, des autres enfin. Sans doute, il regretterait de ne pas trouver en rentrant chez lui, comme un animal enfoui dans sa tanière, cette femme qui ne vivait que de lectures et d'amour mais il s'en sentirait vaguement rassuré. Car il y avait dans cette vie immobile un absolu du présent, un dédain de l'avenir qui l'effrayait, le vexait même obscurément comme s'il n'eût été qu'un des éléments d'un décor, un décor de studio, qu'on brûlerait forcément, inexorablement au dernier tour de manivelle.

« Je commencerais quand ? » dit Lucile.

Elle souriait vraiment à présent. Après tout, elle pouvait bien essayer. Il lui était déjà arrivé de travailler dans son jeune temps. Elle s'ennuierait sans doute un peu mais elle le cacherait à Antoine.

« Le 1er décembre. Dans cinq ou six jours. Tu es contente ? »

Elle lui jeta un coup d'œil méfiant. Pouvait-il vraiment croire qu'elle était contente ? Elle avait déjà relevé des pointes de sadisme chez lui. Mais il avait l'air innocent, convaincu. Elle hocha la tête gravement :

« Je suis très contente. Tu avais raison, ça ne pouvait pas durer. »

Il se pencha et l'embrassa, à travers la table, d'une façon si impulsive et si tendre qu'elle sut qu'il la comprenait. Elle sourit contre sa joue et ils rirent d'elle, ensemble, avec indulgence. Et sans doute, elle était soulagée qu'il l'ait devinée, car elle n'aimait pas qu'il se trompât sur elle, mais, en même temps, elle lui gardait une vague rancune de l'avoir jouée.

Le soir, chez eux, Antoine, crayon en main, se livra à des calculs financiers des plus réjouissants. Il s'occupait évidemment du loyer, du téléphone, des choses ennuyeuses. Avec ses cent mille francs, Lucile payait ses robes, ses transports, ses déjeuners — il y avait une très bonne cantine, d'ailleurs très gaie, au *Réveil* — où il pourrait venir déjeuner avec elle. Assise sur son lit, Lucile écoutait ces chiffres avec ahurissement. Elle avait envie de lui dire qu'une robe chez Dior coûtait trois cent mille francs, qu'elle haïssait le métro — fût-il direct — et que le simple mot de cantine lui donnait envie de fuir. Elle se sentait snob, d'un snobisme définitif et exaspéré. Mais quand il eut fini de marcher de long en large et qu'il tourna vers elle un visage souriant, indécis, comme incrédule à lui-même, elle ne put s'empêcher de sourire à son tour. Il était comme un enfant, il faisait des comptes d'épicier comme en font les enfants, il faisait des budgets comme en font les ministres, il jouait avec les chiffres comme aiment faire les hommes. Qu'importait, après tout, que sa vie à elle dût se plier à ces équations chimériques tant que c'était lui qui les établissait.

CHAPITRE XX

Il lui semblait être là depuis des années mais il n'y avait que quinze jours qu'elle était entrée dans le bureau du *Réveil*. C'était une grande pièce grise, encombrée de bureaux, d'armoires, de classeurs et dont l'unique fenêtre donnait sur une petite rue des Halles. Elle travaillait avec une jeune femme nommée Marianne, enceinte de trois mois, très aimable, très efficace et qui parlait avec la même vigilance attendrie de l'avenir du journal et de celui de son rejeton. Et comme elle était persuadée que ce dernier serait du sexe mâle, il arrivait à Lucile quand Marianne proférait une de ces sentences optimistes telles que : « Il n'a pas fini de faire parler de lui », ou : « Il ira loin », de se demander un instant s'il s'agissait de *Réveil* ou du futur Jérôme. Elles triaient ensemble des coupures de journaux, cherchaient, au fur et à mesure des demandes, les dossiers sur l'Inde, la pénicilline ou Gary Cooper, rétablissaient l'ordre ensuite lorsqu'on leur rendait ces dossiers en fouillis. Ce qui agaçait Lucile, c'était le ton d'urgence, de sérieux qui régnait dans cet établissement et cette sinistre notion d'efficacité dont on leur rebattait les oreilles. Huit jours après son arrivée, elle avait assisté à une réunion générale de la rédaction, véritable réunion d'abeilles bourdonnantes d'idées remâchées — où l'on avait, par souci de démagogie, convié les fourmis du rez-de-chaussée et des archives. Durant deux heures, elle avait assisté, hébétée, à une comédie humaine accélérée où la flagornerie, la suffisance, la gravité, la médiocrité avaient mené bon train dans un souci général d'améliorer le tirage du rival de Jérôme. Seuls trois hommes n'avaient pas formulé de sottises, le premier parce qu'il boudait systématiquement, le second parce qu'il était directeur et — l'espérait-elle — le directeur atterré et le troisième parce qu'il avait l'air un peu plus intelligent. Elle avait fait un récit épique de cette conférence à Antoine qui, après avoir beaucoup ri, lui avait dit qu'elle exagérait et qu'elle voyait tout en noir. Au reste, elle maigrissait à vue d'œil. Elle s'ennuyait tellement qu'elle était même incapable de finir le sandwich qu'à midi — fuyant la cantine, une première et dernière fois tentée — elle allait prendre dans une brasserie proche, en lisant un roman. A six heures et demie, parfois huit heures (ma petite Lucile, je suis navrée de vous mettre en retard mais vous savez qu'on «boucle» après-demain) elle cherchait vainement un taxi puis finissait, vaincue, dans le métro, généralement debout car elle répugnait encore à se battre pour un siège. Elle regardait les visages fatigués, soucieux, hagards de ses compagnons de wagon, elle se sentait saisie de révolte, bien plus pour eux que pour elle car il lui semblait évident que tout cela, pour sa part, n'était qu'un mauvais rêve et qu'elle allait se réveiller incessamment. Mais, chez eux, Antoine l'attendait, il la prenait dans ses bras, elle retrouvait aussitôt le sentiment d'exister.

Ce jour-là, elle n'en pouvait plus et, en arrivant dans sa brasserie, à une heure, elle commanda un cocktail au garçon étonné, car elle ne buvait jamais rien, puis un second. Elle avait un dossier à étudier et elle le feuilleta deux minutes avant de le refermer en bâillant. On lui avait pourtant laissé entendre qu'elle pourrait écrire trois lignes là-dessus et que, si elles plaisaient, ces trois lignes seraient peut-être publiées. Mais ce n'était pas possible, pas aujourd'hui. Ce n'était pas davantage possible de rentrer dans ce bureau gris tout à l'heure et de se mettre à jouer son petit rôle de jeune femme active, devant des gens qui joueraient leurs rôles de penseurs ou d'hommes d'action. C'étaient de mauvais rôles, tout au moins une mauvaise pièce. Et si Antoine avait raison, si cette pièce qu'elle était en train de jouer était une pièce convenable, utile, eh bien, c'était que son rôle à elle était mauvais ou qu'il était, en tout cas, écrit pour quelqu'un d'autre. Antoine avait tort, elle le savait à présent à la violente lumière de ses cocktails, car l'alcool a parfois des projecteurs impitoyables, définitifs et ils lui dévoilaient, à présent, les milliers de petits mensonges qu'elle se faisait à elle-même tous les jours pour se persuader qu'elle était heureuse. Elle était malheureuse, et c'était injuste. Une violente pitié pour elle-même l'envahissait. Elle commanda un troisième cocktail et le garçon lui demanda gentiment ce qui n'allait pas. Elle répondit «tout» d'un air lugubre et il lui signala qu'il y avait des jours comme ça, qu'elle ferait mieux de prendre son sandwich et, pour une fois, de le manger car elle finirait tuberculeuse comme son cousin, à lui, le garçon, qui se trouvait à la montagne depuis bientôt six mois. Ainsi il avait remarqué qu'elle ne

mangeait rien, ainsi il se faisait du souci pour elle, Lucile, qui lui disait
à peine bonjour et bonsoir, ainsi quelqu'un l'aimait. Et elle se sentit tout
à coup les larmes aux yeux. L'alcool rendait aussi sentimental que
lucide, elle l'avait oublié. Elle commanda donc son sandwich et ouvrit
sagement le livre qu'elle avait emprunté à Antoine le matin. C'était *Les
Palmiers sauvages* de Faulkner et le destin l'amena assez vite au
monologue d'Harry.

«... La respectabilité. C'est elle qui est responsable de tout. J'ai
compris, il y a déjà quelque temps, que c'est l'oisiveté qui engendre
toutes nos vertus, nos qualités les plus supportables — contemplation,
égalité d'humeur, paresse, laisser les gens tranquilles, bonne digestion
mentale et physique : la sagesse de concentrer son attention sur les
plaisirs de la chair — manger, évacuer, forniquer, lézarder au soleil. Il
n'y a rien de mieux, rien qui puisse se comparer à cela, rien d'autre en
ce monde que vivre le peu de temps qui nous est accordé, respirer, être
vivant et le savoir.»

Lucile s'arrêta là, referma son livre, paya le garçon et sortit. Elle se
rendit droit au journal, expliqua à Sirer qu'elle ne devait plus travailler,
lui demanda de ne pas en parler à Antoine et ne lui donna aucune
explication. Elle se tenait droite, butée, souriante devant lui et il la
regardait avec ahurissement. Elle repartit aussitôt, héla un taxi, se fit
conduire chez un bijoutier de la place Vendôme et revendit à moitié prix
le collier de perles que lui avait acheté Charles la même année pour
Noël. Elle commanda la copie en perles fausses, dédaigna le sourire
complice de sa vendeuse et sortit à l'air libre. Elle passa une demi-heure
au Jeu de Paume à regarder les impressionnistes, deux heures au cinéma
et, en rentrant, déclara à Antoine qu'elle commençait à s'habituer au
Réveil. Ainsi, il ne se ferait aucun souci et elle serait tranquille quelque
temps. Tout compte fait, elle préférait lui mentir que de se mentir à elle-
même.

Elle eut alors quinze jours merveilleux. Paris lui était rendu et sa
paresse, et l'argent nécessaire pour exploiter cette paresse. Elle menait la
vie qu'elle avait toujours menée, mais en fraude, et, bien entendu, le
sentiment de faire l'école buissonnière redoublait ses plaisirs les plus
simples. Elle avait découvert au premier étage d'un restaurant de sa rive
gauche une sorte de bar-bibliothèque où elle passait ses après-midi,
lisant ou conversant avec la série de gens bizarres, désœuvrés et
généralement alcooliques qui le hantaient. L'un d'eux, noble vieillard
qui se disait prince, l'invita un jour à déjeuner au Ritz et elle mit une
heure à s'habiller le matin, cherchant lequel de ses petits tailleurs offerts
par Charles était le plus dans les couleurs à la mode. Elle fit un déjeuner
irréel et exquis à l'Espadon, en face d'un homme qui lui mentait
gravement en lui racontant une vie inspirée à la fois de Tolstoï et de

Malraux, un homme à qui elle mentait aussi, en lui racontant, par politesse, une vie à la Scott Fitzgerald. Il fut donc un prince russe et historien, elle fut une héritière américaine un peu plus cultivée que d'habitude. Ils étaient tous deux trop aimés et trop riches, les maîtres d'hôtel voltigeaient autour de leur table et ils évoquaient Proust qu'il avait fort bien connu. Il paya une addition qui devait crever définitivement le budget de son mois à venir et ils se quittèrent à quatre heures, enchantés l'un de l'autre. En rentrant, elle raconta mille anecdotes à Antoine sur la vie quotidienne du *Réveil,* elle le fit rire ; elle lui mentait d'autant plus qu'elle l'aimait, d'autant plus qu'elle était heureuse et qu'elle avait envie de lui faire partager ce bonheur. Bien sûr, un jour il saurait ; un jour, Marianne, qu'elle avait pourtant prévenue, répondrait au téléphone qu'elle était « sortie » depuis un mois, mais, au contraire, cette menace donnait à toutes ses journées actuelles une saveur imprévue. Elle achetait des cravates pour Antoine, des livres d'art pour Antoine, des disques pour Antoine, elle parlait d'avances, de piges, de n'importe quoi, elle était gaie et Antoine était emporté par sa gaieté. Avec le prix du collier, elle avait deux mois d'assurés, deux mois de fainéantise, de luxe et de mensonges, deux mois de bonheur.

Journées oiseuses et similaires, journées si pleines d'être si parfaitement vides, journées si agitées d'être si tranquilles, l'esprit se mouvant enfin dans un temps sans limites, sans repères, sans but. Elle retrouvait ses journées de jeunesse lorsqu'elle dédaignait systématiquement les cours de la Sorbonne, elle retrouvait ce parfum d'illégalité qu'elle avait perdu depuis si longtemps. Car il n'y avait pas de mesure entre le temps libre que lui laissait Charles et le temps libre qu'elle volait à Antoine. Et quel meilleur souvenir peut laisser une adolescence que celui d'un long et tendre mensonge commis envers les autres, l'avenir et souvent soi-même. A quel point se mentait-elle en courant ainsi au-devant de ce qui serait forcément une catastrophe, la colère d'Antoine provoquée, la confiance d'Antoine perdue, l'obligation où ils seraient tous deux d'admettre ensemble qu'elle ne pourrait jamais vivre avec lui de cette vie normale, équilibrée et relativement facile qu'il lui proposait ? Elle savait fort bien que le fait de dissimuler provisoirement ce gâchis ne signifiait en rien qu'elle fût décidée à le réparer. Il y avait en elle quelque chose d'effroyablement résolu, mais elle ignorait à quoi. En fait, elle était résolue à ne faire que ce qui lui plaisait, mais c'est un aveu que l'on se fait difficilement quand on aime quelqu'un d'autre. Tous les soirs, elle retrouvait la chaleur, le rire, le corps d'Antoine, et pas un instant elle n'avait le sentiment de le tromper. Elle ne pouvait pas plus imaginer la vie sans lui que la vie dans un bureau. Et cette alternative lui semblait de plus en plus arbitraire.

Il fit très froid et, peu à peu, elle retomba dans sa vie sédentaire. Elle se levait en même temps qu'Antoine, descendait prendre un café avec lui, l'accompagnait parfois jusqu'à la maison d'éditions puis elle repartait officiellement pour son rude labeur, en fait vers leur chambre. Elle se déshabillait, se recouchait et dormait jusqu'à midi. L'après-midi, elle lisait, écoutait des disques, fumait beaucoup, puis à six heures, elle refaisait le lit, enlevait les traces de son passage et partait au petit bar de la rue de Lille chercher Antoine, ou, plus sadiquement, au bar du Pont-Royal où elle attendait qu'il fût huit heures pour regagner, l'air épuisé, la rue de Poitiers. Là, Antoine l'attendait, la plaignait, l'embrassait et elle se blottissait dans cette tendresse, cette commisération, cette douceur sans le moindre remords. Après tout, elle était à plaindre de devoir se compliquer la vie de la sorte pour un homme si peu simple. Il eût été facile de dire : «J'ai quitté le *Réveil*» et de ne plus avoir à se livrer à ces pantomimes. Mais puisque ces pantomimes rassuraient Antoine, autant les exécuter. Par moments, elle se jugeait une sainte.

Aussi, le jour qu'Antoine découvrit la vérité, fut-elle complètement désorientée.

«Je t'ai appelée trois fois cet après-midi», dit-il.

Il avait jeté son imperméable sur la chaise sans l'embrasser et il restait debout devant elle, immobile. Elle sourit :

«J'ai dû sortir deux bonnes heures. Marianne ne te l'a pas dit?

— Mais si, mais si. A quelle heure es-tu partie du journal?

— Il doit y avoir une heure.

— Ah?»

Il y avait quelque chose dans ce «ah» qui inquiéta Lucile. Elle leva les yeux mais Antoine ne la regardait pas.

«J'avais rendez-vous à côté du *Réveil,* dit-il très vite. Je t'ai appelée pour te dire que je passerais te chercher. Tu n'étais pas là. Je suis donc venu directement à cinq heures et demie. Voilà.

— Voilà, répéta-t-elle machinalement.

— Ils ne t'ont pas vue depuis trois semaines. Ils ne t'ont pas payé un centime. Je...»

Il avait parlé presque bas jusque-là, puis soudain sa voix s'éleva. Il arracha brusquement sa cravate et la jeta vers elle :

«D'où vient cette cravate neuve? Et ces disques? Où as-tu déjeuné?

— Voyons, dit Lucile, ne crie pas... Tu ne penses quand même pas que j'ai fait le trottoir..., ne sois pas ridicule...»

La gifle d'Antoine la surprit tellement qu'elle ne bougea pas et garda même une seconde ce petit sourire rassurant qu'elle avait adopté. Puis, elle sentit la chaleur sur sa joue et y porta sa main machinalement. Mais ce geste enfantin redoubla la colère d'Antoine. Il avait de ces longues et douloureuses colères des gens nonchalants, bien plus douloureuses pour les bourreaux que pour les victimes.

«Je ne sais pas ce que tu as fait. Je sais que tu m'as menti, sans arrêt, depuis trois semaines. C'est tout ce que je sais.»

Il y eut un silence. Lucile pensait à sa gifle, elle se demandait avec un mélange de colère et d'amusement ce qu'il convenait de faire. La fureur d'Antoine lui apparaissait toujours comme disproportionnée aux faits. «C'est Charles», dit Antoine.

Elle le regarda, ébahie :

«Charles?

— Oui, Charles. Les cravates, les disques, tes chandails, ta vie.»

Elle comprit enfin. Elle eut envie de rire un instant, puis elle vit le visage ravagé d'Antoine, sa pâleur et elle eut brusquement affreusement peur de le perdre.

«Ce n'est pas Charles, dit-elle très vite. C'est Faulkner. Non, écoute, je vais t'expliquer. L'argent, c'est les perles. Je les ai vendues.

— Tu les avais hier.

— Elles sont fausses, tu n'as qu'à regarder. Il suffit de les mordre et tu...»

Ce n'était pas le moment de conseiller à Antoine de mordre ses perles, elle le sentait bien, ni d'évoquer Faulkner. Elle était décidément plus adroite dans le mensonge que dans la vérité. Sa joue la brûlait.

«Je n'en pouvais plus de travailler...

— Au bout de quinze jours...

— Au bout de quinze jours, oui. J'ai été chez Doris, le bijoutier, place Vendôme, j'ai vendu mes perles, j'ai fait faire une copie, voilà.

— Et qu'as-tu fait toute la journée?

— Je me suis promenée, je suis restée ici ; comme avant.»

Il la regardait fixement et elle avait envie de détourner les yeux. Mais il était convenu depuis toujours que détourner les yeux dans ce genre de scènes était un signe de mensonge. Elle s'obligea donc à fixer Antoine. Son regard jaune était devenu plus sombre et elle pensa confusément que la colère l'embellissait, chose très rare.

«Pourquoi te croirais-je? Voilà trois semaines que tu me mens sans arrêt.

— Parce que je n'ai rien d'autre à t'avouer», dit-elle avec lassitude, et elle se détourna. Elle s'appuya du front à la fenêtre, enregistra machinalement la démarche nonchalante d'un chat sur le trottoir, nonchalance inusitée par ce froid. Elle continua d'une voix paisible :

«Je t'avais dit que je n'étais pas faite pour... pour rien de ce genre. Je serais morte ou je serais devenue laide. J'étais malheureuse, Antoine. C'est tout ce que tu as à me reprocher.

— Pourquoi ne me l'as-tu pas dit?

— Tu étais content que je travaille. Que je m'intéresse à "la vie". Je pouvais bien faire semblant.»

Antoine s'allongea sur le lit. Il avait passé deux heures de désespoir, de jalousie interminables et son geste de colère l'avait épuisé. Il la croyait, il savait qu'elle disait la vérité et cette vérité lui semblait à la

fois apaisante mais d'une amertume sans bornes. Elle était seule, elle serait toujours seule, et il se demanda un instant s'il n'eût pas préféré qu'elle l'ait trompé. Il prononça son nom d'une voix lointaine :
« Lucile..., tu n'as aucune confiance en moi ? »
Elle était penchée sur lui, la seconde d'après, elle embrassait sa joue, son front, ses yeux, elle murmurait qu'elle l'aimait, qu'elle n'aimait que lui, qu'il était fou et bête et cruel. Il la laissait faire, il souriait même un peu, il était parfaitement désespéré.

CHAPITRE XXI

UN MOIS passa. Lucile avait réintégré sa tanière d'une manière légale, mais elle éprouvait à présent une certaine gêne, lorsque Antoine revenait, à répondre « rien », toujours « rien », lorsqu'il lui demandait ce qu'elle avait fait. Il lui posait d'ailleurs la question machinalement, sans acrimonie, mais il la posait quand même. Et par moments, elle distinguait dans ses yeux une sorte de tristesse confuse, de méfiance. Il l'aimait avec une frénésie, une rage appliquées et après, tandis qu'il gisait sur le dos, lorsqu'elle se penchait sur lui, il lui semblait qu'il la regardait sans la voir, qu'il voyait même à sa place un bateau filant sur la mer, ou un nuage entraîné par le vent, en tout cas quelque chose de mouvant, quelque chose en train de disparaître. Mais il ne l'avait jamais tant aimée et il le lui disait. Elle retombait alors à ses côtés, elle fermait les yeux, elle se taisait. On dit que tant de gens oublient ce que parler veut dire, mais tant de gens oublient ce que se taire peut signifier de fou, d'extravagant, d'absurde. Elle voyait passer des bribes de son enfance sous ses paupières closes, elle voyait défiler les visages oubliés de certains hommes, celui plus proche de Charles, elle se rappelait soudain la cravate d'Antoine sur le tapis de Diane, ou la forme du grand arbre au Pré-Catelan. Et tous ces souvenirs, au lieu de former ce groupe homogène et vague qu'elle nommait gaiement sa vie lorsqu'elle était si heureuse, devenait un magma confus et inquiétant à présent qu'elle l'était moins. Antoine avait raison : qu'allaient-ils devenir, où voguaient-ils ainsi tous les deux, que deviendraient-ils ? Et ce lit qui avait été le plus beau bateau de Paris devenait un radeau à la dérive, et cette chambre si familière un décor abstrait. Il avait introduit la notion du futur dans la tête de Lucile et, ce faisant, il semblait qu'il l'eût rendu impossible entre eux.
Elle se réveilla un matin de janvier avec un violent mal au cœur. Antoine était déjà parti car il partait parfois à présent sans la réveiller comme si elle eût été convalescente. Elle passa dans la salle de bains et

fut malade sans trop d'étonnement. Les bas qu'elle avait dû laver la veille séchaient sur le petit radiateur et c'est en les regardant, en réalisant qu'il n'y en avait plus d'autres dans son tiroir, que la chambre était aussi exiguë que cette salle de bains, bref, qu'elle n'en avait pas les moyens, qu'elle décida de ne pas garder l'enfant d'Antoine.

Il lui restait quarante mille francs et elle était enceinte. Elle était enfin, après un long combat, rejointe et coincée par la vie. Par ce que ses compagnons de métro subissaient comme tel, par ce que les écrivains décrivaient comme tel : un monde où l'irresponsabilité était punie. Antoine l'aimait et il serait prêt à jouer les futurs pères selon la manière dont elle lui présenterait la chose. Si elle lui disait : « Il nous arrive quelque chose de charmant », il prendrait cet enfant à venir comme un bonheur, elle le savait. Mais elle n'en avait pas le droit. Parce que cet enfant aliénerait définitivement sa liberté et, de ce fait, ne la rendrait pas heureuse. Et puis, elle le savait, elle avait déçu Antoine et elle l'avait conduit à ce stade d'une passion où tout ressemble à une preuve. Et il serait prêt à prendre comme tel cet accident qui n'en était pas un. Elle l'aimait trop, ou pas assez, elle n'avait pas envie de cet enfant, elle n'avait envie que de lui, heureux, blond, les yeux jaunes, libre de la quitter. Et c'était sans doute sa seule honnêteté que, refusant délibérément toute responsabilité, elle refusât aussi d'en charger quelqu'un d'autre. Ce n'était pas le moment de rêvasser sur un petit Antoine de trois ans courant sur une plage. Ni sur Antoine corrigeant sévèrement les devoirs de son fils. C'était le moment d'ouvrir les yeux, de comparer la taille de la chambre et celle d'un berceau, le salaire d'une nurse et le salaire d'Antoine. Tout cela était incompatible. Il y avait des femmes qui se seraient débrouillées de tout cela mais elle n'en était pas. Ce n'était pas le moment non plus de rêvasser sur elle-même.

Quand Antoine revint, elle lui expliqua donc qu'elle avait des ennuis. Il pâlit un peu puis la prit dans ses bras. Il parlait d'une voix rêveuse et elle se sentit serrer les mâchoires d'une manière stupide.

« Tu es sûre que tu n'en as pas envie ?

— Je n'ai envie que de toi », dit-elle.

Elle ne lui parlait pas des difficultés matérielles, elle avait peur de l'humilier. Et, en caressant ses cheveux, il pensait que si elle l'eût voulu, il eût aimé passionnément avoir un enfant d'elle. Seulement c'était un être de fuite, c'était pour cela qu'il l'aimait et il ne pouvait lui en faire le reproche. Il fit un dernier effort :

« On pourrait essayer de se marier et tout cela. On déménagerait.

— Où irions-nous ? dit-elle. Tu sais, je crois aussi que c'est terriblement astreignant, un enfant. Tu rentrerais pour me trouver excédée, de mauvaise humeur…, ce serait…

— Et comment font les autres gens, d'après toi ?

— Ils ne font pas comme nous », dit-elle, et elle s'éloigna de lui.
Cela voulait dire : « Ils ne sont pas farouchement décidés à être
heureux. » Il ne répondit rien. Le soir, ils sortirent et burent beaucoup.
Le lendemain, il demanderait une adresse à un ami.

CHAPITRE XXII

L'INTERNE avait une figure droite et laide, méprisante. Elle ne savait
pas si c'était le mépris de lui-même ou de toutes les femmes qu'il
soulageait tant bien que mal depuis deux ans, pour la somme modique
de quatre-vingt mille francs. Il faisait ça chez elles, sans anesthésie, et il
ne revenait pas si cela tournait mal. Ils avaient rendez-vous le lendemain
soir et elle grelottait de peur et de haine à la simple idée de le revoir.
Antoine avait emprunté les quarante mille francs qui leur manquaient à
sa maison d'éditions, non sans mal et, par chance, il n'avait pas vu le
fameux interne qui se refusait, par une moralité bizarre ou par prudence,
à voir « les types ». Autrement il y avait bien un médecin suisse, près de
Lausanne, mais il fallait être à la tête de deux cent mille francs, plus le
voyage. C'était exclu et elle n'en avait même pas parlé à Antoine.
C'était une adresse snob. Pas question pour elle de clinique, d'infirmière
et de piqûres. Elle allait se livrer à ce boucher, essayer d'en réchapper et,
probablement, traîner des mois après une santé délabrée. C'était trop
bête, trop odieux. Et elle qui n'avait jamais regretté ses sottises pensait
à présent avec amertume à son collier de perles, prématurément vendu.
Elle finirait comme l'héroïne des *Palmiers sauvages* avec une bonne
septicémie et Antoine irait en prison. Elle tournait dans la chambre
comme un animal, elle regardait son visage, son corps mince, elle
s'imaginait enlaidie, malade, dolente, à jamais privée de cette bonne
santé insolente qui assurait en grande partie son bonheur de vivre, elle
enrageait. A quatre heures, elle téléphona à Antoine, il avait la voix
lasse, inquiète, elle n'eut pas le courage de lui parler de sa peur. A cet
instant-là pourtant, elle aurait pu, s'il le lui avait demandé, décider de
garder l'enfant. Mais elle le sentit étranger, elle le sentit impuissant et
elle eut tout à coup très envie d'une protection quelconque. Elle regretta
de n'avoir aucune amie femme, à qui elle puisse parler de ces
complications strictement féminines, à qui elle puisse demander de ces
détails qui jusque-là l'horrifiaient. Mais elle ne connaissait aucune
femme et sa seule amie avait sans doute été Pauline. Et, en se
murmurant ce nom, elle repensa automatiquement à Charles, Charles
qu'elle avait supprimé de sa mémoire comme un remords inconfortable,
comme le nom qui pouvait faire encore souffrir Antoine. En un instant,

elle sut qu'elle allait lui demander son aide, que personne ne l'en empêcherait, qu'il était le seul être humain capable de faire quelque chose pour dissiper ce cauchemar.

Elle lui téléphona, elle refit le vieux numéro du bureau, elle salua la standardiste. Il était là. Elle eut une curieuse émotion en entendant sa voix et elle mit un instant à retrouver son souffle :

« Charles, dit-elle, je voudrais vous voir. J'ai des ennuis.

— Je vous envoie la voiture dans une heure, dit-il d'un air calme. Ça ira ?

— Oui, oui, dit-elle. A tout à l'heure. »

Elle attendit une seconde qu'il raccroche puis, comme il ne le faisait pas, elle se souvint de son infaillible politesse et raccrocha elle-même. Elle s'habilla précipitamment, et dut attendre ensuite trois quarts d'heure, le front à la vitre, que la voiture arrivât. Le chauffeur la salua joyeusement et elle s'assit sur les sièges familiers avec une impression de soulagement sans bornes.

Pauline ouvrit la porte et l'embrassa. L'appartement était toujours le même, chaud, vaste, tranquille et la moquette sous les meubles anglais était d'un bleu aussi doux à l'œil. Un instant, elle se sentit mal habillée puis elle se mit à rire. C'était un peu le retour de l'enfant prodigue, mais porteur lui-même d'un enfant. La voiture était repartie chercher Charles et elle s'assit dans la cuisine avec Pauline comme autrefois, devant un whisky. Pauline la trouva maigrie, les yeux cernés, grommela, et Lucile eut envie de mettre la tête sur son épaule et de lui abandonner son sort. Elle admirait en même temps la gentillesse de Charles qui la faisait revenir seule chez lui, comme si elle eût encore été chez elle, qui lui laissait le temps de se réhabituer à son passé, elle ne songeait pas que c'était peut-être de l'habileté. Et quand il entra dans le hall et cria : « Lucile », d'une voix presque gaie, elle se sentit tout à coup revenue six mois en arrière.

Il avait maigri aussi et vieilli. Il lui prit le bras pour la mener au salon. Il commanda fermement deux autres scotchs à Pauline qui protestait, puis ferma la porte et s'assit en face d'elle. Elle était tout à coup intimidée. Elle jeta un coup d'œil circulaire, remarqua à voix haute que rien n'avait changé et il répéta qu'en effet, rien n'avait changé, même lui, d'une voix trop tendre et elle pensa avec affolement qu'il croyait peut-être qu'elle revenait. Elle se mit à parler si vite qu'il dut lui faire répéter :

« Charles, j'attends un enfant, je ne veux pas le garder, il faut que j'aille en Suisse, je n'ai pas d'argent. »

Il murmura qu'il pensait à quelque chose de ce genre.

« Etes-vous sûre que vous ne vouliez pas le garder ?

— Je n'en ai pas les moyens. « Nous » n'en avons pas les moyens, reprit-elle en rougissant. Et puis je veux être libre.

— Vous êtes parfaitement sûre que ce n'est pas une question uniquement matérielle ?

— Parfaitement sûre », dit-elle.

Il se leva, fit quelques pas dans la pièce, puis, se retournant, se mit à rire tristement :

« La vie est mal faite, n'est-ce pas ?... J'aurais donné très cher pour avoir un enfant de vous et vous auriez eu deux nurses, si vous l'aviez voulu... Mais vous n'auriez pas gardé un enfant de moi non plus, n'est-ce pas ?

— Non.

— Vous ne voulez rien avoir à vous, n'est-ce pas ? Ni un mari, ni un enfant, ni une maison... vraiment rien. C'est bien curieux.

— Je ne veux rien posséder, dit-elle, vous le savez. J'ai horreur de la possession. »

Il passa derrière son bureau, remplit un chèque ; le lui tendit.

« J'ai une très bonne adresse à Genève, je vous demande seulement d'y aller, je serai plus tranquille. Vous me le promettez ? »

Elle hocha la tête. Elle avait la gorge serrée, elle eût voulu à présent lui crier de ne pas être si gentil, si rassurant, de ne pas la mener à ces larmes qu'elle sentait affluer à ses paupières. Des larmes de soulagement, d'amertume, de mélancolie. Elle fixait la moquette bleue, elle respirait l'odeur du tabac et du cuir qui régnait toujours dans ce bureau, elle entendait la voix de Pauline en bas qui riait avec le chauffeur. Elle se sentait au chaud, à l'abri.

« Vous savez, dit Charles, je vous attends toujours. Je m'ennuie affreusement sans vous. Ce n'est pas très délicat de vous le dire aujourd'hui mais nous nous voyons peu. »

Et il eut un petit rire forcé qui acheva la déroute de Lucile. Elle se leva d'un bond, balbutia : « Merci », d'une voix rauque, et se précipita vers la porte. Elle descendit l'escalier en larmes, comme la fois précédente et elle entendit Charles crier : « Donnez-moi de vos nouvelles, après, ou à ma secrétaire, je vous en prie », tandis qu'elle repartait sous la pluie. Elle se savait sauvée, elle se sentait perdue.

« Je ne veux pas de cet argent, dit Antoine. Penses-tu un instant à ce que cet homme croit de moi ? Me prend-il pour un maquereau ? Je lui prends sa femme et je lui fais payer mes sottises ?

— Antoine...

— C'est trop, c'est beaucoup trop. Je ne suis pas un modèle de moralité mais il y a des limites. Tu refuses un enfant de moi, tu me mens, tu vends des perles en cachette, tu fais n'importe quoi pour ton bon plaisir. Mais je ne veux pas que tu empruntes de l'argent à ton ancien amant pour tuer l'enfant de l'actuel. Ce n'est pas possible.

— Tu trouves plus moral, sans doute, que je me fasse charcuter par un boucher que « tu » aurais payé. Qui m'opérera à froid, sans le moindre anesthésique, qui me laissera crever s'il y a la moindre infection ? Tu trouves cela moral que je sois à jamais malade, peut-être, tant que ce n'est pas Charles qui l'empêche ? »

Ils avaient éteint la lampe rouge, ils parlaient à voix basse, tant l'horreur de leur discussion les soulevait. Pour la première fois, ils se méprisaient l'un l'autre, ils s'en voulaient de se mépriser, ils ne se maîtrisaient plus.

« Tu es lâche, lâche et égoïste, Lucile. Tu te retrouveras seule à cinquante ans, sans rien. Ton fichu charme ne marchera plus. Tu n'auras personne pour te réchauffer.

— Tu es aussi lâche que moi. Tu es hypocrite. Ce qui te gêne, ce n'est pas que je tue cet enfant, c'est que ce soit Charles qui paie l'opération. Ton honneur avant ma santé. Où vas-tu le mettre ton honneur, dis-le-moi ? »

Ils avaient froid, ils évitaient de se toucher, ils sentaient peser sur eux, dans ce grand lit — qui avait été si longtemps la seule manière d'y échapper —, le poids du monde. Ils voyaient des soirées solitaires, des ennuis d'argent, des rides, ils voyaient décoller dans un torrent de feu les fusées atomiques, ils voyaient un avenir hostile, difficile, ils voyaient la vie l'un sans l'autre, la vie sans amour. Il sentait que s'il laissait partir Lucile en Suisse, il ne se le pardonnerait pas, qu'il lui en voudrait aussi et que ce serait la fin de leur amour. Il sentait que cet interne était dangereux. Il sentait que s'il gardait cet enfant, elle serait peu à peu accablée par l'usure des jours, qu'elle s'ennuierait et qu'elle ne l'aimerait plus. Elle était faite pour les hommes, pas pour les enfants, elle ne serait jamais assez adulte elle-même. Et si, un jour, elle devenait adulte, elle ne s'aimerait pas ainsi. Toute la journée, il se disait : « Ce n'est pas possible, toutes les femmes un jour ou l'autre passent par là, font des enfants, ont des ennuis d'argent, c'est la vie, il faut qu'elle le comprenne. Ce n'est que de l'égoïsme chez elle. » Mais quand il la revoyait, quand il regardait ce visage intact, insouciant, distrait, il avait l'impression que ce n'était pas une faiblesse honteuse chez elle mais bien une force profonde, cachée, animale qui la détournait de la vie dans son sens le plus naturel. Et il ne pouvait s'empêcher d'éprouver un vague respect pour ce qu'il méprisait dix minutes auparavant. Intouchable, sa volonté de plaisir la rendait intouchable, faisait qu'on nommait intégrité son égoïsme, désintéressement son indifférence. Il eut un drôle de gémissement, un gémissement qui lui sembla venir de son enfance, de sa venue au monde, de tout son destin d'homme.

« Lucile, je t'en prie, garde cet enfant. C'est notre seule chance. »

Elle ne répondit pas. Quelques minutes après, il tendit la main vers elle, toucha son visage. Il rencontra les larmes qui glissaient sur sa joue, son menton, il les essuya maladroitement.

«Je demanderai une augmentation, reprit-il, nous nous arrangerons. Il y a plein d'étudiants qui viennent garder les enfants le soir, ou on peut les mettre dans des crèches toute la journée... ce n'est pas si difficile. Il aura un an, deux ans, dix ans, il sera à nous. J'aurais dû te dire tout cela le premier jour, je ne sais pas pourquoi je ne l'ai pas fait. Il faut essayer, Lucile.

— Tu sais bien pourquoi tu ne l'as pas fait. Tu n'y croyais pas. Pas plus que moi.»

Elle parlait d'une voix tranquille mais elle continuait à pleurer. «Nous n'avons pas commencé ainsi. Nous nous sommes cachés longtemps, nous avons trompé des gens, nous les avons rendus malheureux. Nous étions faits pour l'illégalité et pour notre plaisir. Pas pour être malheureux ensemble. Nous ne nous sommes unis que pour le meilleur, Antoine, tu le sais bien... Ni toi ni moi n'avons la force de... faire comme eux.»

Elle se retourna sur le ventre, mit la tête sur son épaule : «Le soleil, les plages, l'oisiveté, la liberté..., c'est notre dû, Antoine, nous n'y pouvons plus rien. C'est dans notre tête, notre peau. C'est ainsi. Nous sommes probablement ce qu'ils appellent des gens pourris. Mais je ne me sens pourrir que quand je fais semblant de les croire.»

Il ne répondit pas. Il regardait la tache du réverbère au plafond, il revoyait le visage égaré de Lucile quand il avait voulu la faire danser de force, au Pré-Catelan. Il se rappelait l'immense nostalgie qu'il avait eue de ses larmes à ce moment-là, il se rappelait avoir passionnément désiré qu'elle pleurât une nuit contre lui pour pouvoir la consoler. Et elle pleurait à présent et il avait gagné, mais il ne pouvait pas la consoler. Ce n'était pas la peine de se mentir ; il n'avait pas si envie de cet enfant, il n'avait envie que d'elle, seule et insaisissable et libre. Leur amour avait toujours été posé sur l'inquiétude, l'insouciance, la sensualité. Il eut une grande impulsion de tendresse, il prit cette demi-femme, cette demi-enfant, cette sorte d'infirme, cette irresponsable, son amour, dans ses bras et il lui parla à l'oreille :

«Demain matin, je passerai prendre les billets d'avion pour Genève.»

CHAPITRE XXIII

CINQ semaines passèrent. L'opération avait été brève, bien faite et elle avait téléphoné à Charles en rentrant pour le rassurer. Mais il n'était pas là et elle avait laissé le message à la standardiste avec un vague sentiment de déception. Antoine était très absorbé par une nouvelle collection littéraire qu'on lui avait confiée et sa situation s'améliorait sensiblement grâce à un des très nombreux bouleversements qui se produisaient à ce moment-là dans l'édition. Ils dînaient fréquemment avec des amis, des collaborateurs, des relations d'Antoine et elle s'étonnait, se réjouissait de l'ascendant qu'il semblait exercer sur eux. Ils ne parlaient jamais de Genève, simplement ils prenaient désormais certaines précautions. En fait, ce n'était pas très difficile car elle était fatiguée et Antoine assez soucieux, et il leur arrivait parfois de s'embrasser tendrement le soir avant de s'endormir, d'abord le visage tourné vers l'autre, puis le dos. Elle rencontra Johnny au Flore, un après-midi de février où il pleuvait beaucoup. Il lisait une revue d'art d'un œil oblique car il y avait un ravissant jeune homme blond sur une banquette proche et elle commença par passer devant lui, discrètement, mais il l'appela, l'invita avec chaleur et elle s'assit près de lui. Il était évidemment bronzé et il la fit rire un bon moment avec les dernières aventures de Claire à Gstaad. Diane avait changé son diplomate cubain contre un romancier anglais qui la trompait avec des jeunes gens — ce qui enchantait évidemment Johnny. Il lui demanda des nouvelles d'Antoine distraitement et elle lui répondit de même. Il y avait longtemps qu'elle n'avait ri aussi librement, aussi méchamment. Les amis d'Antoine étaient généralement intelligents mais redoutablement sérieux.

« Vous savez que Charles vous attend toujours, dit Johnny. Claire a essayé de lui lancer la petite de Clairvaux dans les bras mais cela n'a pas duré deux jours. Je n'ai jamais vu un homme bâiller autant. Il allait du hall de l'hôtel au restaurant de l'hôtel, au bar de l'hôtel en donnant le cafard à tout le monde. C'était effrayant. Que lui avez-vous fait? Que faites-vous aux hommes en général? J'aurais bien besoin de vos conseils. »

Il souriait. Il avait toujours eu de l'affection pour elle et il lui déplaisait de la voir habillée d'un vieux tailleur et les cheveux en désordre. Elle avait toujours ce charme d'adolescent, cet air lointain et amusé quand même, mais elle était pâle et maigre. Il s'inquiéta :

« Vous êtes heureuse? »

Elle répondit que oui, très vite, trop vite et il en déduisit qu'elle s'ennuyait. Après tout, Blassans-Lignières avait toujours été charmant avec lui, pourquoi ne pas essayer de lui ramener Lucile? Ce serait une bonne action. Et il oubliait complètement, dans la recherche de ses motifs, le violent mouvement de jalousie qu'il avait éprouvé, il y avait huit mois de cela, en voyant se regarder, immobiles et pâles de désir, au cocktail de cet Américain à la mode, Lucile et Antoine qui étaient amants de la veille.

« Vous devriez téléphoner à Charles, un jour. Il a très mauvaise mine. Claire craint même qu'il n'ait une vilaine maladie.

— Vous voulez dire...

— On parle tellement de cancer, en ce moment. Mais là, je crains qu'il n'y ait quelque chose de vrai.»

Il mentait. Il voyait avec amusement le visage de Lucile devenir un peu plus pâle. Charles... Charles si gentil, si seul dans son immense appartement. Charles si abandonné par tous ces gens qu'il n'aimait pas, qui ne l'aimaient pas, par toutes ces filles qu'on lançait sur lui pour son argent. Charles malade. Elle devait lui téléphoner. Antoine avait d'ailleurs des déjeuners et des dîners importants toute la semaine à venir. Elle remercia Johnny de la prévenir et ce dernier se souvint un peu tard de ce que Claire détestait Lucile. Elle serait sûrement furieuse si elle renouait avec Charles. Mais il ne lui déplaisait pas parfois de jouer un vilain tour à cette chère Claire.

Elle appela donc Charles un matin, et ils convinrent de déjeuner ensemble le lendemain. C'était un jour d'hiver, froid, beau et clair et il trouva nécessaire qu'elle prît quelques cocktails pour se réchauffer en même temps que lui. Les mains des maîtres d'hôtel rasaient la table comme des hirondelles, il faisait délicieusement chaud, et le léger et — on le sentait — futile brouhaha du restaurant faisait un bruit de fond des plus rassurants. Charles établit leur menu avec sa science habituelle, il se rappelait tout de ses goûts. Elle le regardait attentivement, essayant de distinguer les marques de la maladie sur son visage mais, en fait, il avait plutôt rajeuni depuis leur dernière rencontre. Elle finit par le lui dire, sur un vague ton de reproche, et il sourit :

«J'ai eu des ennuis cet hiver. Une bronchite qui n'en finissait pas. J'ai passé trois semaines mortelles aux sports d'hiver et c'est fini.

— Johnny m'avait dit que vous aviez des ennuis de santé...

— Moi, pas le moindre, dit-il gaiement, vous pensez bien que je vous en parlerais.

— Vous me le jurez?»

Il prit l'air sincèrement surpris.

«Mais, mon Dieu, bien sûr, que je vous le jure. Vous avez toujours cette manie des serments? Il y a longtemps que je n'avais dû jurer quelque chose.»

Il se mit à rire tendrement et elle rit avec lui.

«Johnny m'avait laissé entendre que vous aviez un cancer, tout bonnement.»

Il s'arrêta de rire aussitôt.

«Et c'est pour cela que vous m'avez téléphoné? Vous ne vouliez quand même pas que je meure seul?»

Elle secoua la tête :

«J'avais envie de vous revoir, aussi.»

Et, à son grand étonnement, elle se rendit compte que c'était vrai.

«Je suis vivant, ma chère Lucile, déplorablement vivant, bien que les morts doivent avoir encore plus de sensations que moi. Je travaille encore et comme je n'ai pas assez de courage pour vivre seul chez moi, je sors. »

Il fit une pause puis reprit à voix plus basse :

« Vous avez toujours les cheveux aussi noirs, les yeux aussi gris. Vous êtes très en beauté. »

Elle se rendit compte qu'il y avait longtemps qu'on ne lui avait parlé de ses couleurs, ni même de son aspect physique. Antoine estimait sans doute que son désir excluait toute nécessité d'explication. C'était pourtant bien agréable, cet homme mûr, en face d'elle, qui la contemplait comme un objet inaccessible et non comme un désir réalisable sur l'heure...

« Je me demandais, dit-il, si vous seriez libre jeudi soir. Il y a un très beau concert chez les Moll, dans leur hôtel de l'île Saint-Louis. On doit jouer ce concerto pour flûte et harpe de Mozart que vous aimiez tant et Louise Wermer elle-même a accepté de venir jouer. Mais, sans doute, cela vous sera-t-il difficile ?

— Pourquoi ?

— J'ignore si Antoine aime la musique et, surtout, si une invitation passant par moi ne l'agacera pas ? »

C'était bien Charles, cette invitation. Il l'invitait avec Antoine parce qu'il était avant tout poli, il préférait la voir avec lui que de ne pas la voir du tout. Il l'attendrait et il la sortirait de tous ses ennuis, quoi qu'il arrive. Et elle l'avait oublié six mois, et il avait fallu qu'elle le croie à l'article de la mort pour se manifester. D'où cela venait-il, comment pouvait-il supporter cette inégalité terrible de rapports, où trouvait-il assez d'éléments pour nourrir cet amour, sa générosité, sa tendresse si peu payée de retour ? Elle se pencha vers lui :

« Pourquoi m'aimez-vous encore ? Pourquoi ? »

Elle lui parlait âprement, presque avec rancune, et il hésita un instant :

« Je pourrais vous dire que c'est parce que vous ne m'aimez pas et ce serait d'ailleurs une très bonne raison, quoique incompréhensible pour vous, avec votre volonté de bonheur. Mais il y a autre chose, chez vous, qui m'a séduit. C'est... »

Il hésita un peu :

« Je ne sais pas. Un élan, l'impression de quelqu'un en route et Dieu sait que vous ne voulez aller nulle part. Une sorte d'avidité et Dieu sait que vous ne voulez rien posséder. Une sorte de gaieté perpétuelle et vous riez rarement. Vous savez, les gens ont toujours l'air débordé par leur vie, et vous, vous avez l'air de déborder la vôtre. Voilà. Je m'explique mal. Voulez-vous un sorbet au citron ?

— C'est sûrement très bon pour la santé, dit-elle rêveusement. Antoine a un dîner d'éditions jeudi, ajouta-t-elle, et c'était vrai, je viendrai seule, si vous le voulez bien. »

Il le voulait bien, il ne voulait que cela. Ils prirent rendez-vous à huit heures et demie et quand il proposa « à la maison », elle ne pensa pas un instant à la rue de Poitiers. La rue de Poitiers, c'était une chambre, ce n'était pas, ce n'avait jamais été une maison même si elle avait été le paradis et l'enfer mêlés.

CHAPITRE XXIV

L'HOTEL des La Moll avait été celui d'un ministre quelconque au XVIIIᵉ siècle. Les pièces étaient immenses, les boiseries superbes et la lumière implacable et douce à la fois des bougies (implacable parce qu'elle fait ressortir l'esprit — ou le manque d'esprit — d'un visage, douce parce qu'elle en efface l'âge) augmentait encore les dimensions, le charme du grand salon. L'orchestre était au fond, sur une sorte de petite scène et, en se penchant, en évitant le reflet des bougies dans la vitre, Lucile pouvait voir la Seine, lumineuse et noire, à vingt mètres sous elle. Il y avait une sorte d'irréalité dans cette soirée, pour elle, tant était parfaite la vue, parfait le décor, parfaite la musique. Elle eût peut-être bâillé, un an auparavant, elle eût peut-être souhaité la glissade malheureuse d'un invité ou la chute sonore d'un verre, mais quelque chose en elle, ce soir-là, appréciait désespérément la tranquillité, l'ordre, la beauté que s'étaient offerts, à force de trafics aux colonies, les respectables La Moll.

« Voici votre concerto », murmura Charles.

Il était assis près d'elle et elle distinguait l'éclat de sa chemise de smoking, la coupe parfaite de ses cheveux, sa main soignée, tachetée et longue tenant un verre de scotch qu'il lui tendrait aussitôt qu'elle en exprimerait le désir. Il était beau, ainsi, dans cette hésitante lumière, il semblait sûr de lui et un peu enfantin, il semblait heureux. Johnny avait souri en les voyant arriver ensemble et elle ne lui avait pas demandé la raison de son mensonge. La vieille dame se penchait sur sa harpe, à présent, elle souriait un peu, le jeune flûtiste la consultait du regard et l'on pouvait voir sa gorge battre. Il y avait une fort belle assemblée et il devait être intimidé. C'était décidément une soirée à la Proust : on était chez les Verdurin, le jeune Morel faisait ses débuts et Charles était le nostalgique Swann. Mais il n'y avait pas de rôle pour elle dans cette superbe comédie, pas plus qu'il n'y en avait eu à *Réveil* dans ce bureau glacé trois mois avant, pas plus qu'elle n'en trouverait sa vie durant. Elle n'était ni une courtisane, ni une intellectuelle, ni une mère de famille, elle n'était rien. Et les premières notes arrachées doucement à la harpe par Louise Wermer lui firent monter les larmes aux yeux. C'était une musique qui deviendrait de plus en plus tendre, elle le savait, de plus en plus nostalgique, de plus en plus irrémédiable, même si cet adjectif ne supportait pas la notion de plus ou de moins. C'était une musique plutôt inhumaine quand on a essayé d'être heureuse, d'être gentille, mais que l'on fait souffrir deux hommes, et que l'on ne sait plus qui l'on est. La vieille dame ne souriait plus et la harpe devenait si cruelle que, subitement, Lucile tendit la main vers l'être humain qui était à sa portée, c'est-à-dire Charles, et saisit sa main à lui. Cette main, cette chaleur provisoire, bien sûr, mais vivante, ce contact de la peau, c'était tout ce qui s'interposait entre elle et la mort, elle et la solitude, elle et l'effroyable attente de tout cela qui se relançait ou conjuguait ensemble là-bas, la flûte et la harpe, le jeune homme timide et la femme âgée, parfaitement à égalité, tout à coup, dans cet éclatant mépris du temps que crée la musique de Mozart. Charles garda sa main dans la sienne. De temps en temps, de sa main libre, il saisissait un verre et le tendait à l'autre main de Lucile. Elle but beaucoup ainsi. Et il y eut beaucoup de musique. Et la main de Charles était de plus en plus sûre, étroite, allongée, chaude dans la sienne. Et qui était cet homme blond qui l'envoyait dans les cinémathèques sous la pluie, qui voulait qu'elle travaille ou qu'elle se fasse avorter par des demi-bouchers ? Qui était cet Antoine qui déclarait pourris ces gens aimables, la lumière exquise des bougies, la profondeur des canapés et la musique de Mozart ? Il ne le disait pas, bien sûr, tout au moins des canapés, des bougies et de Mozart mais il le disait de ceux-là mêmes qui, en ce moment, lui offraient tout cela, plus ce liquide doré, glacé, chaleureux qui coulait dans sa gorge comme de l'eau. Elle était ivre, immobile et comblée, cramponnée à la main de Charles. Elle aimait Charles, elle aimait cet homme silencieux et tendre, elle l'avait toujours aimé, elle ne voulait plus le quitter et elle fut étonnée de son rire navré quand elle le lui déclara, dans la voiture.

« Je donnerais tout pour vous croire, dit-il, mais vous avez bu. Ce n'est pas moi que vous aimez. »

Et, bien sûr, quand elle vit les cheveux d'Antoine sur l'oreiller, son long bras installé en travers de sa place à elle, elle sut que Charles avait raison. Mais elle en éprouva un curieux regret. Pour la première fois...

Il y eut plusieurs autres fois ; elle aimait toujours Antoine, sans doute, mais elle n'aimait plus l'aimer, elle n'aimait plus leur vie commune, l'absence de folies qu'impliquait leur manque d'argent, la monotonie des jours. Il le sentait et il redoublait d'activités extérieures, il la négligeait presque. Les heures vides, qu'elle passait autrefois si comblée à l'attendre, étaient devenues vraiment vides parce qu'elle ne l'attendait plus comme un miracle mais comme une habitude. Elle voyait Charles parfois, elle n'en parlait pas à Antoine, il était inutile d'ajouter la jalousie à ce tourment résigné dans les yeux jaunes. Et la nuit, c'était plus à un combat qu'ils se livraient qu'à un acte d'amour. Cette science, dont ils s'étaient servis si longtemps pour prolonger le plaisir de l'autre,

devenait insensiblement une technique brutale pour en finir plus vite.
Non point par ennui, mais par peur. Ils s'endormaient rassurés par leurs
plaintes, ils oubliaient qu'ils en avaient été d'abord émerveillés.
Un soir qu'elle avait bu, car elle buvait beaucoup en ce moment, elle
rentra chez Charles. Elle se rendit à peine compte de ce qui se passait.
Elle se disait simplement que cela devait arriver et qu'elle devait le dire
à Antoine. Elle rentra à l'aube et elle le réveilla. Six mois auparavant, il
était dans cette même chambre, fou amoureux d'elle qu'il pensait avoir
perdue et ce n'était pas elle, mais Diane qui lui disait adieu. Il l'avait
perdue pour de bon, à présent, il avait dû manquer d'autorité, ou de
force, ou de quelque chose qu'il ignorait mais il ne cherchait même plus
à savoir quoi. Il y avait trop de jours qu'il remâchait obstinément ce goût
de défaite, ce sentiment d'impuissance. Il faillit lui dire que son geste
n'avait aucune importance, qu'elle l'avait toujours trompé de toute
façon, avec Charles, avec la vie, avec sa propre nature. Mais il revit le
mois d'été, il se rappela le goût de ses larmes ce dernier mois d'août, sur
son épaule, et il ne dit rien. Depuis plus d'un mois, depuis Genève, il
s'attendait à son départ. Peut-être y a-t-il des choses après tout qui ne
peuvent se faire entre un homme et une femme sans les blesser
définitivement, aussi libres soient-ils, et peut-être ce séjour à Genève en
faisait-il partie. Ou peut-être en était-il décidé ainsi depuis le départ,
depuis leur fou rire chez Claire Santré. Il lui faudrait longtemps pour se
remettre, il s'en rendait compte en regardant le visage las, les yeux gris
cernés de Lucile, sa main posée sur son drap. Il connaissait chaque angle
de ce visage, chaque courbe de ce corps, ce n'était pas une géométrie
dont on pouvait se débarrasser si facilement. Ils se dirent des choses
banales. Elle avait honte, elle était dépourvue de sentiments et, sans
doute, eût-il suffi qu'il crie pour qu'elle reste. Mais il ne cria pas.
« De toute façon, dit-il, tu n'étais plus heureuse. — Toi non plus. »
Ils échangèrent un curieux sourire d'excuses, désolé et presque
mondain. Elle se leva et partit et c'est seulement quand elle eut refermé
la porte qu'il se mit à gémir son nom : « Lucile, Lucile », et à s'en
vouloir. Elle revint à pied vers la maison, vers Charles, vers la solitude,
elle se savait à jamais rejetée de toute existence digne de ce terme et elle
pensait qu'elle ne l'avait pas volé.

CHAPITRE XXV

ILS SE REVIRENT deux ans plus tard, chez Claire Santré. Lucile avait
finalement épousé Charles ; Antoine était devenu directeur d'un nouveau
groupe d'éditions, et c'était à ce titre qu'il y était invité. Ses affaires

l'absorbaient beaucoup et il avait un peu tendance à s'écouter parler. Lucile avait toujours du charme, son air heureux et un jeune Anglais, nommé Soames, lui souriait beaucoup. Antoine se trouva près d'elle à table, soit le hasard, soit une malice ultime de Claire et ils parlèrent posément de littérature.

« D'où vient l'expression "la chamade", demanda le jeune Anglais à l'autre bout de la table.

— D'après le Littré, c'était un roulement joué par les tambours pour annoncer la défaite, dit un érudit.

— C'est follement poétique, s'écria Claire Santré en joignant les mains. Je sais que vous possédez plus de mots que nous, mon cher Soames, mais vous m'avouerez que, pour la poésie, la France reste la reine. »

Antoine et Lucile étaient à un mètre l'un de l'autre. Mais, de même que la chamade ne leur rappelait plus rien, la déclaration de Claire ne leur donna plus le moindre fou rire.

LE GARDE DU CŒUR

Roman

A Jacques

The earth hath bubbles
As the water has...

MACBETH
(Acte I, scène III).

CHAPITRE PREMIER

La route du bord de mer, à Santa Monica, près d'Hollywood, s'allongeait, droite, implacable, sous la ronronnante Jaguar de Paul. Il faisait chaud, tiède, l'air sentait l'essence et la nuit. Paul roulait à 150. Il en avait adopté le profil distrait des gens qui conduisent trop vite, et, sur ses mains, des gants habilement troués aux phalanges, comme ceux des grands conducteurs, des mains qui, de ce fait, me semblaient légèrement répugnantes.

Je m'appelle Dorothy Seymour, j'ai quarante-cinq ans, les traits légèrement tapés, car rien de ma vie ne l'a sérieusement empêché. Je suis scénariste — non sans succès — et je plais encore beaucoup aux hommes, probablement d'ailleurs parce qu'ils me plaisent aussi. Je suis une de ces affreuses exceptions qui font honte à Hollywood : à vingt-cinq ans, j'obtins, en tant qu'actrice, un succès foudroyant dans un film intellectuel, à vingt-cinq ans et demi, je partis croquer l'argent gagné avec un peintre de gauche en Europe, à vingt-sept ans, je revins inconnue, sans un dollar, et avec quelques procès sur les bras, dans ma ville natale : Hollywood. N'étant plus solvable, on arrêta là les procès et l'on décida de m'employer en tant que scénariste, l'énoncé de mon nom glorieux ne faisant plus aucune impression sur les foules ingrates. J'en fus plutôt ravie, les autographes, les photographes et les honneurs m'ayant toujours ennuyée. Je devins «Celle qui aurait pu» (comme certains chefs indiens). De plus, ma santé étant bonne et mon imagination fertile, les deux, grâce à un grand-père irlandais, je finis par avoir une certaine réputation dans la confection d'âneries en couleur, fort rémunératrices, semble-t-il, à mon grand étonnement. Les films historiques de la RKB par exemple sont très souvent signés par moi et dans mes cauchemars je vois parfois s'approcher Cléopâtre, ulcérée, qui me déclare : «Non, madame, je ne dirai pas : "Passez ô souverain de mon 'cœur' à César".»

En attendant, le souverain de mon cœur, de mon corps tout au moins, devait être Paul Brett, ce soir-là, et j'en bâillais d avance.

Paul Brett est pourtant fort bel homme. Il représente les intérêts de la RKB et de diverses firmes cinématographiques. Il est élégant, agréable et beau comme une image. A tel point que Pamela Chris et Louella Schrimp, les deux plus grandes vamps de notre génération, celles qui depuis dix ans croquent sur les écrans la fortune des hommes, leur cœur et leur propre fume-cigarette, s'en sont successivement entichées et ont sombré dans les larmes après la rupture. Paul a donc un passé glorieux. Or, en le regardant ce soir-là, malgré les circonstances, je ne voyais en lui qu'un blondinet. Et un blondinet quadragénaire. Ce qui est déprimant. Mais il fallait bien se rendre : après huit jours de fleurs, de coups de téléphone, de sous-entendus et de sorties en commun, une femme de mon âge se doit de céder, tout au moins dans nos contrées. Le jour J était arrivé, nous filions à 140 vers ma modeste demeure, à deux heures du matin et, pour une fois, je déplorais âprement l'importance des rapports sexuels dans le comportement de l'individu. J'avais sommeil. Mais j'avais déjà eu sommeil la veille et trois jours avant, je n'en avais donc plus le droit. Le «Bien sûr, mon chou» compréhensif de Paul serait remplacé, je le sentais, par «Dorothy, qu'est-ce qui se passe, vous pouvez tout me dire… » inévitable. Donc à moi la joyeuse tâche de sortir la glace du Frigidaire, de retrouver la bouteille de scotch, de tendre un verre à Paul en faisant tinter joyeusement les glaçons et, enfin, de m'allonger dans une pose délicieuse, à la Paulette Goddard, sur le grand canapé du living-room. Là-dessus, Paul viendrait vers moi, m'embrasserait et me dirait après, l'air profond : «Cela devait arriver, n'est-ce pas, chérie ? » Eh oui, cela devait arriver.

Je poussai un horrible soupir. Et Paul, un cri étouffé.

Dans les phares, surgi comme un fou ou plutôt comme un de ces mannequins de paille disloqués que j'avais vus en France, dans les champs, un homme se jetait vers nous. Je dois dire que mon blondinet eut un fameux réflexe. Il freina à mort et jeta sa voiture dans le fossé de droite en même temps que sa belle compagne — je parle de moi. Je me retrouvai, après une suite de visions étranges, le nez dans l'herbe, mon sac à la main : chose curieuse, car je l'oublie généralement partout. (Quel réflexe me fit saisir ce réticule avant ce qui eût dû être un accident mortel, je ne le saurai jamais.) Toujours est-il que j'entendis la voix de Paul prononcer mon nom avec une angoisse flatteuse et que, rassurée sur son sort, je refermai les yeux, plus que soulagée. Le fou n'avait pas été touché, j'étais intacte, Paul aussi. Avec les formalités à accomplir, le choc nerveux, etc., j'avais une bonne chance de dormir seule ce soir-là. Je murmurai : «Tout va bien, Paul», d'une voix mourante et m'assis confortablement dans l'herbe.

«Dieu soit loué », s'écria Paul, qui employait volontiers de vieilles expressions romanesques, « Dieu soit loué, vous n'avez rien, ma chérie. J'ai cru un instant… » J'ignore ce qu'il avait cru un instant, mais celui d'après, dans un bruit infernal, nous roulions liés dans une folle étreinte à dix mètres de notre fossé. Assourdie à demi, aveugle et légèrement irritée, je me dégageai de ses bras pour voir flamber la Jaguar. Comme une torche, une torche très bien assurée, espérais-je pour lui. Paul se redressa à son tour.

« Mon Dieu, dit-il… l'essence.

— Y a-t-il encore quelque chose susceptible de sauter ? » demandai-je, non sans quelque humeur.

Et, brusquement, je me rappelai l'existence du fou. Peut-être brûlait-il en ce moment même. Je me précipitai, remarquai en me relevant que mes deux bas avaient filé et courus vers la route. Paul me suivait. Sur le macadam, une ombre s'allongeait, à l'abri du feu, mais immobile. Je ne vis d'abord que des cheveux bruns que l'incendie rendait roux, puis je le retournai sans aucun mal et je vis le visage d'un homme qui ressemblait à un enfant.

Qu'on me comprenne bien. Je n'ai jamais aimé, je n'aime pas, je n'aimerai jamais les très jeunes gens, ceux que l'on appelle les minets en Europe. Leur vogue croissante — chez beaucoup de mes amies, entre autres — m'a toujours paru étonnante. Presque freudienne. Des galopins qui sentent encore le lait n'ont pas à se blottir dans les bras des dames qui sentent le scotch. Cependant ce visage retourné sur la route, dans la lumière des flammes, ce visage jeune et déjà si dur, dans sa perfection, me remplit d'un curieux sentiment. J'eus en même temps l'envie de le fuir et de le bercer. Et je n'ai aucun complexe maternel : ma fille que j'ai adorée vit à Paris, heureusement mariée, avec une foule de petits marmots qu'elle ne pense qu'à me confier, l'été, quand il me prend l'idée de passer un mois sur la Riviera. Dieu merci, je voyage rarement seule et je puis ainsi attribuer au sens des convenances mes défaillances maternelles. Pour en revenir à cette nuit-là et à Lewis, car le fou, le mannequin des champs, l'homme évanoui, le beau visage, s'appelait Lewis, je restai immobile, un instant devant lui, sans même poser la main sur son cœur, ni vérifier s'il vivait. Il me semblait sans importance, à le regarder, qu'il fût vivant ou mort. Sentiment inconcevable sans doute et que je devais regretter amèrement plus tard, mais pas dans le sens où on pourrait le croire.

« Qui est-ce ? » dit Paul sévèrement.

S'il y a quelque chose d'admirable dans les gens d'Hollywood, c'est cette manie de vouloir connaître ou reconnaître tout le monde. Paul trouvait désagréable de ne pas pouvoir appeler par son nom le garçon qu'il avait failli écraser au milieu de la nuit. Je m'énervais :

« Nous ne sommes pas dans un cocktail, Paul. Croyez-vous qu'il soit blessé ?… Ah !… »

Cette chose brune qui coulait sous la tête de l'inconnu et sur ses mains, c'était du sang. J'en reconnaissais la chaleur, le contact poisseux, la terrifiante douceur. Paul le vit en même temps que moi :

« Je ne l'ai pas touché, dit-il, ça, je suis sûr. Il a dû recevoir dans l'explosion un morceau de la voiture. »

Il se leva, il avait une voix tranquille, ferme. Je commençais à comprendre vaguement les sanglots de Louella Schrimp.

« Ne bougez pas, Dorothy, je vais téléphoner. »

Il partit à grands pas vers les ombres noires des maisons, plus loin. Je restai seule sur la route, agenouillée près de cet homme qui mourait peut-être. Tout à coup, il ouvrit les yeux, me regarda et me sourit.

CHAPITRE II

« Dorothy, êtes-vous complètement folle ? »

C'est le genre de questions auxquelles j'ai le plus de mal à répondre. De plus, elle m'était posée par Paul qui, vêtu d'un élégant blazer bleu sombre, me regardait sévèrement. Nous étions sur la terrasse de ma demeure et j'étais en tenue de jardinage : vieux pantalon de toile, blouse à fleurs fanées et fichu autour des cheveux. Non que j'aie jamais jardiné de ma vie, la seule vue d'un sécateur m'épouvante, mais j'adore me déguiser. Tous les samedis soir donc, je m'habille en jardinière comme mes voisins, mais au lieu de poursuivre une tondeuse affolée sur une pelouse ou de sarcler des plates-bandes rebelles, je m'installe sur ma terrasse, devant un grand whisky, un livre à la main. C'est dans cette occupation que m'avait, de six à huit, surprise Paul. Je me sentais coupable et négligée, deux sentiments à peu près égaux en violence.

« Vous savez que tout le monde parle de votre dernière extravagance en ville ?

— Tout le monde, tout le monde, répétai-je d'un air aussi incrédule que modeste.

— Au nom du Ciel, que fait ce garçon chez vous ?

— Mais, il se remet, Paul, il se remet. Il a quand même la jambe très abîmée. Et vous savez bien qu'il n'a ni un dollar, ni une famille, ni rien. »

Paul prit sa respiration :

« C'est précisément ce qui m'inquiète, ma chère. Y compris le fait que votre beatnik était bourré de LSD quand il s'est jeté sous ma voiture.

— Mais voyons, Paul, il vous l'a expliqué lui-même. Sous l'influence de ses petites drogues, il ne vous a ni reconnu ni vu comme une voiture. Il a pris les phares pour... »

Paul devint rouge, brusquement.

« Je me moque de ce qu'il a cru. Cet imbécile, ce petit voyou manque nous faire tuer et, le surlendemain, vous l'hébergez chez vous, vous l'installez dans votre chambre d'amis et vous lui montez ses repas. Et s'il vous tue, un jour, vous prenant pour un poulet ou Dieu sait quoi ? Et s'il file avec vos bijoux ? »

Je m'insurgeai :

« Voyons, Paul, personne ne m'a jamais prise pour un poulet. Quant à mes bijoux, les pauvres, ce n'est pas une fortune. Enfin, on ne pouvait pas le laisser à la rue, à demi infirme en plus.

— Vous pouviez le laisser à l'hôpital.

— Il trouvait cet hôpital lugubre et j'avoue qu'il l'était. »

Paul prit un air découragé et s'assit sur le fauteuil de rotin en face de moi. Il prit même mon verre machinalement et en but la moitié. Bien que très agacée, je le laissai faire. Il était visiblement à bout de nerfs. Il me jeta un regard bizarre :

« Vous avez jardiné ? »

Je hochai la tête d'une façon affirmative, plusieurs fois. Il est curieux de constater comme certains hommes vous obligent toujours à leur mentir. Je ne pouvais absolument pas expliquer à Paul mes innocentes occupations du samedi. Il m'aurait taxée de folle, une fois de plus, et je commençai à me demander s'il n'avait pas raison.

« Ça ne se voit pas », reprit-il, après un coup d'œil circulaire.

Mon misérable bout de jardin est effectivement une jungle. Mais je pris néanmoins l'air vexé.

« Je fais ce que je peux, dis-je.

— Qu'avez-vous dans les cheveux ? »

Je passai la main dans mes cheveux et en retirai deux ou trois copeaux de bois, blancs et minces comme des feuilles. Je restai ahurie :

« Ce sont des copeaux, dis-je.

— Je le vois bien, dit Paul, acerbe. De plus il y en a pas mal par terre. En dehors du jardinage, vous vous livrez à la menuiserie ? »

Au même instant, un léger copeau descendit du ciel et se posa sur sa tête. Je levai brusquement les yeux.

« Ah ! oui, dis-je, je sais. C'est Lewis qui sculpte une tête en bois, sur son lit, pour se distraire.

— Et il envoie gracieusement ses épluchures par la fenêtre ? C'est exquis. »

Je commençai à être un peu nerveuse, moi aussi. J'avais peut-être eu tort d'installer Lewis chez moi, mais après tout, c'était charitable, provisoire et sans arrière-pensée. Et Paul n'avait aucun droit sur moi. Je me décidai donc à le lui signifier. Il me répondit qu'il avait sur moi les droits qu'a tout homme sensé sur une femme inconsciente, c'est-à-dire le devoir de la protéger et autres fadaises... Nous nous disputâmes, il partit furieux et me laissa accablée de fatigue dans mon fauteuil de rotin, devant un whisky tiède. Il était six heures du soir, les ombres s'allongeaient déjà sur la pelouse encombrée d'herbes folles et ma soirée s'annonçait vide, ma dispute avec Paul me privant de la party où nous devions nous rendre ensemble. Il me restait la télévision qui m'ennuie généralement assez et les quelques borborygmes qu'émettrait Lewis quand je lui monterai son dîner. Je n'avais jamais vu un être aussi silencieux. Il ne s'était exprimé clairement que pour annoncer sa décision de quitter l'hôpital, le surlendemain de l'accident, et il avait accepté, comme allant de soi, mon hospitalité. J'étais de très bonne humeur ce jour-là, un peu trop sans doute, dans un de ces moments assez rares, Dieu merci, où il vous semble que tous les hommes sont vos frères et vos enfants à la fois et qu'il faut s'en occuper. Depuis sa sortie, je nourrissais Lewis, allongé mollement sur un lit, chez moi, la jambe entourée de pansements qu'il renouvelait lui-même. Il ne lisait pas, n'écoutait pas la radio, ne parlait pas. De temps en temps, il confectionnait un objet bizarre, à base du bois des branches mortes que je lui remontais du jardin. Ou il regardait par la fenêtre obstinément, le visage impassible. Je me demandais, d'ailleurs, s'il n'était pas complètement idiot, et cette idée, jointe à sa beauté, me semblait des plus romantiques. Quant à mes quelques timides questions concernant son passé, son but, sa vie, elles s'étaient attirées toujours la même réponse : « Ce n'est pas intéressant. » Il s'était trouvé sur la route devant notre voiture, une nuit, il s'appelait Lewis, un point c'était tout. Au demeurant, je trouvais ça très reposant : les récits me fatiguent et Dieu sait que les gens ne me les épargnent généralement pas.

J'entrai donc dans ma cuisine, confectionnai rapidement un délicieux dîner à base de boîtes de conserve et montai l'escalier. Je frappai à la porte de Lewis, entrai et posai le plateau sur son lit. Lequel était jonché de copeaux de bois. Me rappelant celui qui était tombé sur la tête de Paul, je me mis à rire. Lewis leva les yeux d'un air intrigué. Il avait les yeux fendus comme un félin, d'un bleu-vert extrêmement clair, sous des sourcils noirs, et je pensais, machinalement chaque fois, que la Columbia l'engagerait illico sur ce seul regard.

« Vous riez ? »

Il avait une voix basse, un peu rauque, hésitante.

« Je ris parce que Paul a reçu un de vos copeaux sur la tête tout à l'heure, par la fenêtre, et qu'il en était indigné.

— Ça lui a fait très mal ? »

Je le regardai, ahurie. C'était bien la première plaisanterie à laquelle il se livrait, ou du moins j'espérais que c'en fût une. J'émis un petit rire niais et je me sentis horriblement mal à l'aise. Paul avait raison, après tout. Que faisais-je avec ce jeune cinglé, seule dans une maison isolée,

un samedi soir? J'aurais pu être en train de danser ou de rire avec des
amis, j'aurais même pu flirter un peu avec ce cher Paul ou un autre...
« Vous ne sortez pas ?
— Non, dis-je, amèrement. Je ne vous dérange pas ? »
Aussitôt, je regrettai ma phrase. Elle était contraire à toutes les lois de
l'hospitalité. Mais Lewis, là, se mit à rire, d'un rire enfantin, cordial,
ravi. Il eut brusquement son âge, brusquement une âme, par la seule
vertu de ce rire.
« Vous vous ennuyez beaucoup ? »
La question me prit à l'improviste. Sait-on jamais si l'on s'ennuie
beaucoup ou un peu, ou inconsciemment, dans ce bizarre fatras qu'est
l'existence ? Je fis une réponse bourgeoise :
« Je n'ai pas le temps. Je suis scénariste à la RKB et je...
— Là-bas ? »
Il eut un mouvement du menton vers la gauche qui désignait
indistinctement la baie scintillante de Santa Monica, Beverly Hills,
l'immense faubourg de Los Angeles, les studios, les bureaux de
production, et qui les englobait tous dans le même mépris. Mépris est un
mot un peu fort, mais c'était pis que de l'indifférence.
« Là-bas, oui. Je gagne ma vie comme ça. »
Je m'énervais. En l'espace de trois minutes, à cause de cet inconnu, je
m'étais sentie mesquine d'abord, puis inutile. Car, en fait, où me menait
ce métier stupide sinon à un petit tas de dollars chaque mois amassés et
chaque mois, d'ailleurs, dépensés ? Néanmoins, il était indécent de
ressentir ce sentiment de culpabilité procuré par un polisson sûrement
incapable et abonné au LSD. Je n'ai rien contre ce genre de
médicaments, mais je n'aime pas qu'on transforme ses goûts en une
philosophie presque toujours méprisante, du reste, envers ceux qui ne les
partagent pas.
« Gagner sa vie, répéta-t-il rêveusement... Gagner sa vie...
— C'est la mode, dis-je.
— Quel dommage ! Moi j'aurais aimé vivre à Florence quand il y
avait plein de gens qui faisaient vivre les autres, comme ça, pour rien.
— Ils faisaient vivre des sculpteurs ou des peintres ou des écrivains.
Vous pratiquez un de ces arts ? »
Il hocha la tête :
« Ils faisaient peut-être vivre aussi des gens qui leur plaisaient,
simplement pour rien. »
Je me mis à rire d'un rire cynique, très Bette Davis.
« Vous pourriez très bien trouver cela ici, actuellement. »
Et j'eus le même mouvement de tête que lui, tout à l'heure, vers la
gauche. Il ferma les yeux.
« J'ai dit "pour rien". Ça, ce n'est pas rien. »
Il avait dit « ça » d'une voix si convaincue que je me posai

brusquement plein de questions plus romanesques les unes que les autres à son sujet. Et que savais-je de lui ? Avait-il aimé quelqu'un à la folie ? enfin ce qu'on appelle la folie et qui m'a toujours paru la seule forme sensée de l'amour. Etait-ce vraiment le hasard, la drogue ou bien le désespoir qui l'avait jeté sous les roues de la Jaguar ? Etait-il en train de guérir — de reposer — son cœur en même temps que sa jambe ? Et les regards obstinés qu'il jetait vers le ciel y discernaient-ils un visage ? Un réflexe affreux me fit souvenir tout à coup que j'avais utilisé cette dernière formule dans la vie de Dante, superproduction en couleur où j'avais eu le plus grand mal à introduire une pointe d'érotisme. Une voix off s'élevait tandis que le pauvre Dante, assis à son bureau rustique et moyenâgeux, relevait la tête d'un manuscrit dentelé, une voix qui murmurait : « Les regards obstinés qu'il jetait vers le ciel y discernaient-ils un visage ? » Question que les spectateurs devaient résoudre eux-mêmes d'ailleurs et, je l'espère, par l'affirmative.

Ainsi donc, j'en étais arrivée à penser comme j'écrivais, ce qui m'eût enchantée si j'avais eu la moindre prétention à la littérature ou le moindre talent. Hélas... je regardai Lewis. Il avait rouvert les yeux, il me fixait.

« Quel est votre nom ?

— Dorothy, Dorothy Seymour. Je ne vous l'avais pas dit ?

— Non. »

J'étais assise au pied de son lit, l'air du soir rentrait par la fenêtre, cet air chargé de l'odeur de la mer, odeur si puissante, si immuable à présent depuis quarante-cinq ans que je la respirais, presque cruelle dans sa constance. Combien de temps la respirerai-je encore avec volupté, combien de temps encore avant que ne vienne la nostalgie des années passées, des baisers, la chaleur des hommes ? Je devrais épouser Paul. Je devrais abandonner cette confiance illimitée en ma bonne santé, en mon équilibre moral. Il est facile d'être bien dans sa peau quand quelqu'un a envie de toucher cette peau, de s'y réchauffer, mais après ? Oui, après ? Après il y aurait les psychiatres sans doute et cette seule idée me levait le cœur.

« Vous avez l'air triste », dit Lewis et il prit ma main, la regarda. Je la regardai aussi. Nous regardâmes ma main avec un intérêt commun, cocasse, inattendu. Lui la regardait parce qu'il ne la connaissait pas, moi parce qu'elle avait un autre aspect entre les doigts de Lewis : elle avait l'air d'un objet, elle ne m'appartenait plus. Jamais personne ne m'avait tenu la main d'une manière aussi peu trouble.

« Vous avez quel âge ? » dit-il.

A ma grande stupeur, je m'entendis répondre la vérité :

« Quarante-cinq ans.

— Vous avez de la chance », dit-il.

Je le regardais ahurie. Il devait avoir vingt-six ans, peut-être moins.

«De la chance? Pourquoi?
— D'être arrivée jusque-là. C'est une bonne chose de faite.»
Il lâcha ma main ou, plus exactement (c'est l'impression que cela me fit), il la raccrocha à mon poignet. Puis il tourna la tête et ferma les yeux. Je me levai :
«Bonsoir, Lewis.
— Bonsoir, dit-il, doucement. Bonsoir, Dorothy Seymour.»
Je fermai la porte doucement et redescendis sur la terrasse. Je me sentais étrangement bien.

CHAPITRE III

«Toi, vois-tu, je ne m'en remettrai jamais. Jamais je ne pourrai m'en remettre.
— On se remet de tout.
— Non. Il y a eu entre toi et moi quelque chose d'inexorable, tu le sens bien. Tu... dois le savoir. Tu ne peux pas ne pas le savoir.»
J'interrompis ce passionnant dialogue, dernier-né de ma création, et jetai un coup d'œil interrogateur à Lewis. Il haussa les sourcils, sourit.
«Vous y croyez, vous, aux choses inexorables?
— Il ne s'agit pas de moi, il s'agit de Franz Liszt et de...
— Mais vous?»
Je me mis à rire. Je savais que la vie m'avait semblé inexorable parfois et certaines amours m'avaient laissé penser qu'effectivement je ne m'en remettrais jamais. Et j'étais là, à quarante-cinq ans, dans mon jardin, de fort bonne humeur et n'aimant personne.
«Je l'ai cru, dis-je. Et vous?
— Pas encore.»
Il ferma les yeux. Petit à petit nous avions commencé à parler, de lui, de moi, de nos vies. Quand je rentrais du studio, le soir, Lewis descendait de sa chambre, appuyé sur deux cannes, s'allongeait sur le fauteuil de rotin et nous regardions le soir descendre en buvant quelques scotches. J'étais ravie de le retrouver en rentrant, tranquille, bizarre, à la fois gai et taciturne comme un animal inconnu. Ravie sans plus. Je n'étais en aucune manière amoureuse de lui et, curieusement, en d'autres circonstances, sa beauté même m'eut effrayée, presque répugnée. J'ignore pourquoi : il était trop lisse, trop mince, trop parfait. Absolument pas efféminé, mais il me faisait penser à cette race élue dont parle Proust : ses cheveux avaient l'air de plumes, sa peau d'un tissu. Bref, il n'avait rien de cette rudesse enfantine qui m'attire chez les

hommes. Je me demandais même s'il se rasait, s'il avait besoin de se raser.

A l'entendre, il venait d'une famille puritaine du nord des USA. Après quelques études des plus vagues, il était parti à pied, avait fait les divers métiers que peut faire un jeune homme qui se promène et il avait abouti à San Francisco. Une rencontre avec des galopins de son genre, une dose trop forte de LSD, une virée en voiture et une bagarre l'avaient amené où il était : chez moi. Quand il serait guéri, il repartirait, il ne savait pas où. En attendant, nous parlions de la vie, de l'art — il était cultivé, avec des carences inouïes —, bref nous avions les relations les plus civilisées et les plus saugrenues aux yeux de la foule que deux êtres humains puissent avoir. Mais s'il me questionnait sans cesse sur mes amours défuntes, Lewis ne parlait jamais des siennes et c'était là la seule ombre, la plus inquiétante d'ailleurs chez un garçon de cet âge. Il disait « les femmes » ou « les hommes » sur le même ton, détaché et sans saveur. Et moi qui, à mon âge, ne pouvais dire « les hommes » sans une inflexion de tendresse, sans un mouvement attendri et confus de la mémoire, je me sentais par instants indécente et glacée.

« Quand avez-vous ressenti cette impression d'inexorable ? dit Lewis. Quand votre premier mari est parti ?

— Mon Dieu, non, là j'étais plutôt soulagée. Voyez-vous, l'art abstrait, tout le temps, tout le temps... Mais quand Frank est parti, là, oui, j'étais comme un animal malade.

— Qui est Frank ? Le second ?

— Oui, le second. Il n'avait rien d'exceptionnel mais il était si gai, si tendre, si heureux...

— Et il vous a quittée ?

— Louella Schrimp s'est toquée de lui. »

Il haussa les sourcils, intrigué.

« Vous avez quand même entendu parler de l'actrice nommée Louella Schrimp ? »

Lewis fit un geste vague qui m'indigna, mais je passai outre.

« Bref, Frank fut flatté, ravi et il me quitta pour l'épouser. Là, comme Marie d'Agoult, je crus que je ne m'en remettrais jamais. Pendant plus d'un an. Ça vous étonne ?

— Non. Qu'est-il devenu ?

— Louella s'est toquée d'un autre deux ans après et elle l'a laissé tomber. Il a tourné trois navets et il s'est mis à boire. Point final. »

Il y eut une seconde de silence. Lewis poussa un faible gémissement et essaya de se tirer de son rocking-chair. Je m'alarmai :

« Ça ne va pas ?

— Je souffre, dit-il. J'ai l'impression que je ne pourrai jamais remarcher. »

J'envisageai une seconde la cohabitation éternelle avec lui, infirme, et, chose curieuse, cette éventualité ne me parut ni absurde ni déplaisante. J'étais peut-être arrivée à l'âge de me mettre un fardeau sur les bras. Après tout, je me serais bien défendue, j'aurais bien lutté et longtemps. « Vous resterez là, lui dis-je gaiement. Et quand vos dents tomberont, je vous ferai des bouillies.

— Pourquoi mes dents tomberaient-elles ?

— Il paraît que cela arrive lorsque l'on reste étendu trop longtemps. J'avoue que c'est paradoxal. Elles devraient tomber quand on est en station verticale, dans le sens de la gravité. Mais non. »

Il me jeta un regard oblique, un peu semblable à ceux de Paul, mais en plus aimable.

« Vous, vous êtes drôle, dit-il. Moi, voyez-vous, je n'aurais jamais pu vous quitter. »

Là-dessus, il ferma les yeux, demanda des poèmes d'une voix éteinte, et j'allai chercher de quoi lui plaire dans ma bibliothèque. C'était aussi un de nos rites. Je récitai doucement, d'un ton bas, pour ne pas le réveiller ou ne pas le choquer, les poèmes de Lorca sur Walt Whitman :

Le ciel a des plages où éluder la vie présente et il est des corps qui ne doivent reparaître à l'aurore.

CHAPITRE IV

J'ETAIS en plein travail lorsque j'appris la nouvelle. Plus exactement, je dictais à ma secrétaire le palpitant dialogue de Marie d'Agoult et de Franz Liszt, par moi imaginé, encore que sans entrain, car j'avais appris la veille que ce serait Nodin Duke qui incarnerait Liszt et je voyais mal ce que ferait du rôle ce costaud brun et musclé. Mais le cinéma a de ces erreurs fatales, funambulesques et dadaïstes. Bref, je murmurais « quelque chose d'irrémédiable » dans l'oreille de ma chère secrétaire en pleurs — elle est excessivement sensible — lorsque le téléphone sonna. Elle décrocha, se moucha bruyamment et se tourna vers moi :

« C'est M. Paul Brett, madame, il dit que c'est urgent. »

Je pris le téléphone.

« Dorothy ? Vous savez la nouvelle ?

— Non. Enfin je ne pense pas.

— Ma chère amie... euh... Frank est mort. »

Je restai silencieuse. Il s'énerva :

« Frank Saylor. Votre ex-mari. Il s'est tué cette nuit.

— Ce n'est pas vrai », dis-je.

Et je le pensais. Frank n'avait jamais eu aucune sorte de courage. Tous les charmes, mais aucune sorte de courage. Et, à mon sens, il faut beaucoup de courage pour se tuer. Il suffit de penser au nombre de gens qui n'ont que ça à faire et n'y parviennent pas.

« Si, reprit la voix de Paul. Il s'est tué ce matin dans un motel minable, près de chez vous. Aucune explication. »

Mon cœur battait lentement, lentement. Si fort et si lentement. Frank... la gaieté de Frank, le rire de Frank, la peau de Frank... Mort. C'est étrange comme la mort de quelqu'un de superficiel vous choque plus que la mort de quelqu'un de sérieux. Je ne pouvais pas y croire.

« Dorothy... vous m'entendez ?...

— Je vous entends.

— Dorothy, il faut que vous veniez. Il n'avait pas de famille et Louella est à Rome comme vous savez. Je suis désolé, Dorothy, il faut que vous veniez pour les formalités. Je passe vous chercher. »

Il raccrocha. Je tendis le récepteur à ma secrétaire — Candy est son nom, Dieu sait pourquoi — et me rassis. Elle me regarda et, avec ce sens de l'opportunité qui me la rend si précieuse, elle se leva, ouvrit un tiroir marqué « archives » et me tendit débouchée la bouteille de Chivas qui s'y trouve en général. J'en bus distraitement une grande rasade. Je sais pourquoi on donne de l'alcool aux gens qui sont en état de choc, c'est parce que l'alcool, dans ces cas-là, est franchement mauvais et qu'il réveille chez vous un instinct de révolte physique, de refus, qui vous sort plus facilement de l'hébétude qu'autre chose. Le whisky me brûla la gorge, le palais, et je me réveillai, horrifiée.

« Frank est mort », dis-je.

Candy retomba dans son mouchoir. Il est vrai que j'avais eu largement le temps, chaque fois que l'inspiration me faisait défaut, de lui raconter ma pauvre vie. Elle aussi, d'ailleurs. Bref, elle savait qui était Frank et j'en tirai un certain réconfort. Je n'aurais pu supporter en cet instant où j'apprenais sa mort la compagnie de quelqu'un qui en eût ignoré l'existence. Et, pourtant, Dieu sait que le pauvre avait disparu depuis longtemps, bien plus oublié d'ailleurs du fait qu'il avait été connu. C'est une chose affreuse la gloire, ici, quand elle ne dure pas, c'est une chose répulsive. Par le vague entrefilet qu'on lui consacrerait, par les vagues échos que son suicide engendrerait, distraits, méchants, à peine pitoyables, Frank, qui avait été le beau Frank, le mari envié de Louella Schrimp, Frank, qui avait ri avec moi, allait mourir deux fois.

Paul fut là très vite. Il me prit le bras amicalement, ne se livra à aucune embrassade qui — je le savais — m'eût jetée illico dans les larmes. J'ai toujours gardé de l'affection, de la tendresse pour les hommes avec qui j'ai couché, bien ou mal. C'est assez rare, semble-t-il. Mais en une nuit, dans un lit, il y a toujours un moment où l'on est plus proche de l'homme qui les partage avec vous que du reste de la terre, et personne ne me fera croire le contraire. Ces corps d'hommes, si vaillants ou si désarmés, si différents et si semblables, si soucieux de n'être pas semblables, justement... Je pris donc le bras de Paul et nous partîmes. J'étais assez soulagée, aussi, de n'avoir jamais aimé Paul... dans cette reconnaissance du passé que j'allais effectuer, je n'aurais rien pu supporter qui me fût réellement présent.

Frank gisait, endormi, indifférent, mort. Il s'était tiré une balle dans le cœur, à deux centimètres, son visage était donc intact. Je lui dis adieu, sans trop de mal, comme j'imagine qu'on dit adieu à quelque chose de soi, qui a été soi, et qu'un obus, une opération ou un vilain réflexe vous enlève. Il était toujours châtain, c'est étrange, je n'ai jamais vu un homme aussi châtain, couleur pourtant banale. Puis Paul décida de me ramener à la maison. J'obéis. Il était quatre heures de l'après-midi, le soleil nous brûlait le visage dans la nouvelle Jaguar de Paul et je pensais qu'il ne brûlerait jamais plus le visage de Frank, lui qui l'avait tant aimé. On est assez mesquin avec les morts : à peine le sont-ils qu'on les enferme dans des boîtes noires, bien fermées, puis dans la terre. On s'en débarrasse. Ou bien on les maquille, on les défigure, on les expose aux pâles lueurs de l'électricité, on les transforme en les figeant. Il me semble qu'on devrait les exposer au soleil dix minutes, les mener au bord de la mer, s'ils l'ont aimée, leur offrir la terre, en fait, une dernière fois, avant qu'ils ne s'y mêlent à jamais. Mais non, on les punit de leur mort. Au mieux, leur joue-t-on un peu de Bach, de musique religieuse que généralement ils n'aimaient pas. Je me sentais abasourdie de mélancolie lorsque Paul me déposa à ma porte.

« Voulez-vous que je rentre un moment avec vous ? »

Je hochai la tête, machinalement, puis je me souvins de Lewis. Oh ! et puis cela n'avait pas d'importance ! Il m'était parfaitement égal que Paul et lui se regardent en chiens de faïence, parfaitement égal qu'ils pensent l'un ou l'autre quoi que ce soit. Paul me suivit donc jusqu'à la terrasse où, allongé sur un rocking-chair, Lewis, immobile, regardait les oiseaux. Il me fit un signe de la main, de loin, qu'il interrompit en voyant Paul. Je montai les marches de la véranda, m'arrêtai en face de lui.

« Lewis, dis-je, Frank est mort. »

Il tendit la main, toucha mes cheveux d'un geste hésitant et brusquement je craquai. Je tombai à genoux, à ses pieds, et je me mis à sangloter contre cet enfant ignorant des peines humaines. Sa main effleurait mes cheveux, mon front, ma joue mouillée, il ne disait rien. Quand je me fus calmée, je relevai la tête. Paul était parti sans un mot. Et je réalisai tout à coup que je n'avais pas pleuré devant lui pour une affreuse et pitoyable raison : c'est qu'il le souhaitait.

« Je ne dois pas être belle à voir », dis-je à Lewis.

Je le regardai en face. Je savais que mes yeux étaient gonflés, mon rimmel envolé, mes traits déformés. Et pour la première fois de ma vie,

devant un homme, cela ne me gênait pas du tout. Dans le regard de
Lewis, dans le reflet moral qu'il me renvoyait de moi, je ne voyais
qu'une enfant en pleurs, moi Dorothy Seymour, âgée de quarante-cinq
ans. Il y avait quelque chose en lui, quelque chose d'obscur, d'effrayant
et de rassurant tout à la fois, quelque chose qui reniait les apparences.
   « Vous avez de la peine, dit-il songeusement.
   — Je l'ai aimé longtemps.
   — Il vous a quittée, il a été puni, dit-il brièvement. C'est la vie. »
Je me récriai :
   « Vous êtes puéril. La vie n'est pas si puérile que vous, Dieu merci.
   — Elle peut l'être. »
   Il ne me regardait plus, il avait repris sa contemplation des oiseaux,
l'air distrait, presque ennuyé. Je pensai un instant que sa compassion
n'allait pas loin, je regrettai l'épaule de Brett, les souvenirs de Frank que
nous aurions pu évoquer, la manière dont il aurait par moments éponge
mes larmes, bref l'affreuse comédie sentimentale et larmoyante que
nous aurions pu jouer ensemble sur cette même véranda. A la fois,
j'étais curieusement fière de m'en être abstenue. Je rentrai dans la
maison, le téléphone sonnait.
   Il ne cessa de sonner de la soirée. Mes ex-amants, mes amis, ma
pauvre secrétaire, les partenaires de Frank, les journalistes (rares ceux-
là), tous se cramponnaient à mon téléphone. On savait déjà que Louella
Schrimp, apprenant la nouvelle à Rome, en avait profité pour s'évanouir
et quitter le plateau en compagnie de son nouveau gigolo italien. J'étais
vaguement écœurée de tout ce remue-ménage. Aucun de ceux-là, qui à
présent se lamentaient, n'avait jamais aidé Frank. C'est moi qui, au
mépris de toutes les lois américaines sur le divorce, l'avais aidé
matériellement jusqu'à la fin. Le coup de grâce me fut porté par
Jerry Bolton, le grand patron des Assembled Actors. Ce personnage,
répugnant s'il en était, m'avait intenté procès sur procès, lors de mon
retour d'Europe, avait essayé de me conduire à la famine, puis, réduit à
l'impuissance, s'était rabattu sur Frank dès que Louella l'eut mis en
disgrâce. C'était un être hargneux, tout-puissant, proche de l'abjection et
qui savait que je le haïssais cordialement. Il eut l'insolence de me
téléphoner :
   « Dorothy ? Je suis navré. Je sais que vous aimiez beaucoup Frank et
je…
   — Je sais que vous l'avez jeté dehors, Jerry, et que vous l'avez
pratiquement fait interdire partout. Raccrochez, s'il vous plaît, je déteste
être grossière. »
   Il raccrocha. La colère me faisait du bien. Je rentrai dans le salon et
j'expliquai à Lewis toutes mes raisons de haïr Jerry Bolton et ses dollars
et ses ukases.
   « Si je n'avais pas eu quelques bons amis et une santé de fer, il

m'aurait menée au suicide, comme il y a mené Frank. C'est le pire
hypocrite salaud de son espèce. Je n'ai jamais souhaité la mort de
personne, mais je souhaiterais presque la sienne. Il est bien pour moi le
seul être humain dans ce cas. »
Ainsi achevai-je mon discours.
« C'est que vous n'êtes pas assez exigeante, ma chère, dit Lewis
distraitement. Il y en a sûrement d'autres. »

CHAPITRE V

J'ETAIS assise dans mon bureau de la RKB, aussi nerveuse qu'un chat,
fixant le téléphone. Candy était pâle d'émotion. Seul Lewis, installé
dans le fauteuil du visiteur, semblait calme et presque ennuyé. Nous
attendions ensemble le résultat de son bout d'essai.
Il s'était brusquement décidé un soir, quelques jours après la mort de
Frank. Il s'était levé, avait fait trois pas très droit, facilement, comme
s'il n'avait jamais été blessé, et s'était arrêté devant moi, ahurie.
« Vous voyez, je suis guéri. »
Je m'étais rendu compte alors que je m'étais tellement habituée à sa
présence, à sa demi-infirmité que je n'avais jamais envisagé cela : cela
qui arrivait. Il allait me dire « au revoir », « merci », et disparaître au coin
de la maison, je ne le reverrais plus. Et une curieuse douleur me serrait
le cœur.
« C'est une bonne nouvelle, dis-je, faiblement.
— Vous trouvez ?
— Mais oui. Qu'est-ce que... qu'allez-vous faire à présent ?
— Ça dépend de vous », dit-il tranquillement. Et il alla se rasseoir.
Je respirai. Du moins ne partait-il pas tout de suite ! En revanche, sa
phrase m'intriguait. En quoi le destin d'un être aussi volatile, indifférent,
libre que lui, pouvait-il dépendre de moi ? Je n'avais jamais été pour lui
qu'une sorte d'infirmière, en somme.
« Si je reste ici, il faudra quand même que je travaille, reprit-il.
— Vous voulez vous fixer à Los Angeles ?
— J'ai dit "ici" », reprit-il sévèrement en désignant du menton la
véranda et son fauteuil. Puis il ajouta, après un temps : « Si ça ne vous
dérange pas, évidemment. »
Je laissai tomber ma cigarette, la ramassai et me levai en marmonnant
quelque chose du genre : « Eh bien, dites-moi, ah ! ça alors, allons bon,
si je m'attendais », etc. Il me regardait sans bouger. Horriblement gênée,
ce qui était quand même un comble, je m'enfuis vers la cuisine et avalai
au goulot une énorme rasade de scotch. Je finirais alcoolique si je ne

l'étais déjà. Un peu raffermie, je revins sur la véranda. Il était temps que j'explique à ce garçon que je vivais seule par goût, par décision et que je n'avais pas besoin d'un jeune homme de compagnie. Que, de plus, sa présence m'empêchait de ramener mes soupirants chez moi, ce qui était bien ennuyeux. Et que, troisièmement, troisièmement, troisièmement... Bref, qu'il n'y avait aucune raison pour qu'il reste là. J'étais aussi indignée brusquement par sa décision de rester que j'avais été désolée deux minutes plus tôt à l'idée de son départ. Mais je n'en étais plus à m'étonner de mes propres contradictions.

« Lewis, dis-je, il est temps que nous parlions un peu.

— Ce n'est pas la peine, dit-il, si vous ne voulez pas que je reste, je pars.

— Ce n'est pas ça, dis-je, déconcertée.

— Qu'est-ce que c'est d'autre ? »

Je le regardai bouche bée. Oui, qu'était-ce d'autre ? D'autre part, ce n'était pas ça. Je ne désirais pas qu'il parte. Je l'aimais bien.

« Ce n'est pas convenable », dis-je faiblement.

Il éclata de rire, ce rire qui le rajeunissait tellement. Je m'énervai :

« Tant que vous étiez malade, blessé, il était normal que je vous recueille. Vous étiez à la rue, handicapé, vous...

— Alors, parce que je marche, ce n'est plus convenable ?

— Ça ne s'explique plus.

— Ça ne s'explique plus à qui ?

— Mais à tout le monde !

— Vous donnez des explications de votre vie à tout le monde ? »

Il y avait une intonation de mépris dans sa voix qui m'exaspéra.

« Mais enfin, que croyez-vous, Lewis ? J'ai une vie, des amis, j'ai même, euh... j'ai même des hommes qui me font la cour. »

Et en disant cette dernière phrase, comble de l'humiliation, je me sentis rougir. A quarante-cinq ans ! Lewis hocha la tête.

« Je sais bien qu'il y a des hommes amoureux de vous. Ce type, par exemple, Brett.

— Il n'y a jamais rien eu entre Paul et moi, dis-je, vertueusement. Oh ! et puis cela ne vous regarde pas. Simplement, comprenez que votre présence est compromettante pour moi.

— Vous êtes assez grande, dit Lewis, avec raison. Je pensais simplement que si je travaillais en ville, je pourrais continuer à habiter ici et je pourrais vous donner de l'argent.

— Mais, je n'ai pas besoin d'argent. Je gagne ma vie sans locataire.

— Ce serait moins gênant pour moi », dit Lewis, paisiblement.

Après une discussion interminable, nous arrivâmes à un compromis. Lewis essaierait de trouver du travail et au bout de quelque temps il se mettrait en quête d'un autre logis, à proximité, s'il y tenait. Il acquiesçait à tout. Nous allâmes nous coucher parfaitement d'accord. La seule question dont nous n'avions pas discuté, je m'en rendis compte avant de m'endormir, était celle-ci : pourquoi voulait-il rester près de moi ?

Le lendemain donc, je m'agitai un peu dans les studios, parlai d'un jeune homme au physique d'ange, récoltai quelques remarques ironiques et un rendez-vous pour Lewis. Il vint au studio avec moi, fit docilement son bout d'essai, et Jay Grant, mon patron, promit de le voir un jour de la semaine suivante. C'était aujourd'hui. Jay était dans la salle de projection en train de juger Lewis et douze autres jeunes premiers en herbe, je mordillais mon stylo et Candy, qui était tombée amoureuse de Lewis au premier coup d'œil, tapait mollement sur sa machine.

« Vous n'avez pas une bien jolie vue », dit Lewis distraitement. Je jetai un coup d'œil sur la pelouse jaunie sous ma fenêtre. Il s'agissait bien de cela ! Peut-être ce garçon allait-il devenir une énorme vedette, le séducteur numéro un des USA et il me parlait de la vue ! Je l'imaginai brusquement idole de la foule, couvert d'oscars, sillonnant le monde, et de temps en temps faisant faire un petit crochet à sa Cadillac pour venir embrasser cette vieille Dorothy qui lui avait mis le pied à l'étrier, dans le temps. Je m'attendrissais sur moi-même lorsque le téléphone sonna. Je décrochai d'une main moite.

« Dorothy ? Ici, Jay. Mon chou, il est très bien votre petit, superbe. Venez le voir un peu sur l'écran. Depuis James Dean, c'est ce que j'ai vu de mieux.

— Il est là, dis-je d'une voix étranglée.

— Parfait. Amenez-le. »

Après que Candy nous eut embrassés en s'épongeant les yeux, une fois de plus, nous sautâmes dans ma voiture, fîmes en un temps record les trois kilomètres qui nous séparaient de la salle de projection, et nous nous précipitâmes dans les bras de Jay. Je dis « nous » très injustement car Lewis sifflotait, traînait les pieds et semblait aussi peu intéressé que possible par tout ça. Il salua Jay poliment, s'assit dans le noir à côté de moi et on repassa son bout d'essai.

Il avait un autre visage à l'écran, quelque chose d'indéfinissable, de violent, de cruel, extrêmement attirant, je dois le dire, mais qui me mit mal à l'aise. C'était un inconnu qui, avec une désinvolture, une présence incroyable, se levait, s'appuyait à un mur, allumait une cigarette, bâillait, souriait, comme s'il eût été seul. La caméra ne l'avait visiblement pas gêné, c'était même à se demander s'il l'avait seulement vue. On ralluma et Jay se tourna vers moi, triomphant :

« Eh bien, Dorothy, qu'en dites-vous ? »

C'était lui qui l'avait découvert, bien entendu. Je hochai la tête, plusieurs fois, sans rien dire, c'est le genre de mimique qui marche le mieux ici. Jay se tourna vers Lewis :

« Comment vous trouvez-vous ?

— Je ne me trouve pas, dit Lewis, sobrement.

— Où avez-vous appris à jouer?

— Nulle part.

— Nulle part? Allons... allons, mon vieux... »

Lewis se leva. Il avait l'air dégoûté, tout à coup.

«Je ne mens jamais, monsieur euh...

— Grant, dit Jay, machinalement.

— Je ne mens jamais, monsieur Grant.»

Pour la première fois de ma vie, je vis Jay Grant déconcerté. Il rougit un peu et dit:

«Je ne dis pas que vous mentez. Simplement vous êtes d'un naturel étonnant chez un débutant. Dorothy peut vous le dire.»

Il se tourna vers moi d'un air presque suppliant qui me donna envie de rire. Je vins à son secours:

«C'est vrai, Lewis, vous êtes très bon.»

Il me regarda, sourit et brusquement se pencha vers moi, comme si nous étions seuls:

«C'est vrai? Je vous ai plu?»

Son visage était à deux centimètres du mien, je m'agitai sur mon fauteuil, horriblement gênée:

— Mais oui, Lewis, je suis sûre que vous avez une carrière devant vous, je...»

Jay toussota discrètement comme je m'y attendais.

«Je vais vous faire préparer un contrat, Lewis, vous le ferez lire à un avocat si vous le voulez. Où puis-je vous joindre?»

Enfouie dans mon fauteuil, atterrée, j'entendis Lewis répondre tranquillement:

«J'habite chez Mme Seymour.»

CHAPITRE VI

Le scandale fut petit, vu ma petite importance à Hollywood. J'eus droit à quelques commentaires maison, quelques félicitations stupides sur les futurs succès de «mon protégé». Mais la rumeur ne dépassa pas les portes de mon bureau. Aucune commère ne vint sonner à ma porte. Un simple entrefilet, dans un journal professionnel, annonça l'engagement d'un jeune inconnu, Lewis Miles, par le célèbre Jay Grant. Seul, Paul Brett, sérieusement, me demanda, pendant un déjeuner improvisé, au bar du studio, ce que je comptais faire de Lewis. Il avait maigri, ce qui lui allait bien, il avait l'air un peu triste qu'ont facilement les quadragénaires dans ce pays, il me rappela tout à coup que les hommes existent et la vie amoureuse. Je lui répondis gaiement que je n'avais rien à faire de Lewis, que j'étais ravie pour lui, tout bonnement, et qu'il allait déménager incessamment ; il me regarda avec suspicion :

« Dorothy, je vous ai toujours aimée parce que vous ne mentiez pas et que vous ne vous livriez pas à ces comédies idiotes que jouent les femmes ici.

— Et alors ?

— Ne me dites pas qu'une femme comme vous habite impunément depuis un mois avec un beau jeune homme. Je reconnais qu'il est beau... »

Je me mis à rire.

« Paul, vous devez me croire. Il ne me plaît pas, pas comme ça. Et je ne lui plais pas non plus. Je sais bien que c'est étrange, mais je n'y peux rien.

— Vous me le jurez ? »

C'est charmant, cette manie des serments qu'ont les hommes. Je jurai donc et, à ma stupeur, le visage de Paul s'épanouit littéralement. A ma stupeur, car je ne le croyais ni assez naïf pour croire à un serment de femme, quelle qu'elle fût, ni assez entiché de moi pour que ce serment lui fasse plaisir. Je me rendis compte que je vivais en effet depuis un long mois avec Lewis, que je n'étais pratiquement pas sortie tout ce temps et que je ne m'étais pas non plus enfoncée dans les abîmes d'un grand lit avec un bel homme, chose qui pourtant avait toujours compté énormément dans ma vie. Je considérai Paul avec plus d'attention, je lui découvris du charme, de l'élégance, une conduite parfaite et je lui donnai rendez-vous pour le lendemain. Il viendrait me chercher vers neuf heures, nous irions dîner chez *Romanoff's* et danser. Il me quitta, je le quittai, enchantés l'un de l'autre.

Le lendemain, je rentrai donc plus tôt que d'habitude à la maison, décidée à m'habiller somptueusement et à séduire définitivement Paul Brett. Lewis était sur son fauteuil, les yeux au ciel comme d'habitude. Il agita un papier sur mon passage, d'une main molle. Je le pris au vol. C'était le contrat de Grant. Il prévoyait trois films avec Lewis, un salaire mensuel très convenable pendant deux ans et, naturellement, l'exclusivité complète. Je le parcourus rapidement et je conseillai à Lewis d'aller voir mon avocat, pour plus de sûreté.

« Vous êtes content, Lewis ?

— Ça m'est égal, dit-il. Si ça vous paraît bien, je signe. Vous avez l'air très pressée ?

— J'ai un dîner, dis-je gaiement. Paul Brett vient me chercher dans une heure. »

J'escaladai mon escalier, me jetai dans la baignoire et, une fois plongée dans l'eau chaude, envisageai mon avenir avec le plus grand optimisme. Décidément, je me tirai bien des situations les plus embrouillées : Lewis allait faire une carrière superbe, Paul était toujours amoureux de moi, nous allions dîner, nous amuser, faire l'amour peut-être, la vie était une chose charmante. Dans la glace, je considérai avec indulgence mon corps toujours mince, mon visage heureux et c'est en chantonnant que je me tirai de ma baignoire et enfilai le ravissant peignoir de Porthault que ma fille m'avait envoyé de Paris. Je m'installai devant ma table de maquillage, sortis mes multiples pots de crème magique et commençai les opérations. C'est dans la glace que je vis arriver Lewis. Il entra dans ma chambre sans frapper, ce qui me surprit beaucoup sans trop m'indigner car j'étais, je l'ai dit, d'une humeur exquise, et s'assit par terre, près de moi. J'avais un œil fait et pas l'autre, ce qui donne l'air assez stupide, et je m'attaquai donc avec rapidité à ce problème.

« Où allez-vous dîner ? demanda Lewis.

— Chez *Romanoff's*. C'est le restaurant d'Hollywood où il faut dîner. Vous irez bientôt parader en vedette.

— Ne dites pas de bêtises. »

Il avait une voix brève, méchante. Je restai une seconde le crayon en l'air :

« Je ne dis pas de bêtises. C'est un endroit délicieux. »

Il ne répondit pas. Il regardait par la fenêtre comme d'habitude. Je finis de me maquiller et bizarrement hésitai à mettre mon rouge à lèvres devant lui. Cela me semblait indécent, comme de me mettre nue devant un enfant. Je passai donc dans la salle de bains, me dessinai soigneusement une bouche voluptueuse à la Crawford et mis ma robe bleu nuit, copiée de Saint-Laurent, celle que je préférais. J'eus quelques ennuis avec la fermeture Eclair, ce qui fait que j'avais complètement oublié Lewis en sortant et que je butai pratiquement sur lui, toujours assis sur le tapis. Il se leva d'un bond et me fixa. Je lui souris, assez fière de moi.

« Comment me trouvez-vous ?

— Je vous préfère en jardinière », dit-il.

Je me mis à rire et me dirigeai vers la porte. Il était temps que je prépare les cocktails. Mais Lewis m'attrapa par le bras :

« Et moi, qu'est-ce que je fais ?

— Mais ce que vous voulez, dis-je, étonnée. Il y a la télévision, du saumon au Frigidaire... ou si vous voulez prendre ma voiture, vous pouvez... »

Il me tenait par le bras, l'air indécis et concentré à la fois. Il me regardait sans me voir et je reconnus ce regard d'aveugle qui m'avait tant frappée dans la salle de projection : le regard d'un étranger sur la terre. Je tentai de dégager mon bras, mais sans y parvenir, et j'eus brusquement envie que Paul arrive très vite.

« Lâchez-moi, Lewis, je suis en retard. »

Je parlai à voix basse, comme pour ne pas le réveiller. Je remarquai la sueur qui coulait sur son front, autour de sa bouche, je me demandai s'il n'était pas malade. Il me vit tout à coup, se secoua, lâcha mon bras. « Votre collier est mal attaché », dit-il.

Il mit ses mains autour de mon cou et, très habilement, posa la petite barrette de sécurité sur mes perles. Puis il recula d'un pas et je souris. Cela n'avait duré qu'une seconde, mais je sentis très nettement, moi aussi, une légère goutte d'eau glisser de ma nuque, tout le long de mon dos. Et cela n'avait rien à voir avec le trouble physique que peut procurer le contact d'une main d'homme sur votre cou. Ce trouble-là je le connais bien et ce n'était pas le même.

Paul arriva à l'heure, fut charmant avec Lewis — un peu condescendant mais charmant — et nous prîmes un cocktail tous les trois. Mon optimisme revint vite. Je fis en partant de grands saluts de la main à Lewis qui restait immobile sur le pas de la porte, longue et mince silhouette, beau, si beau, trop beau. La soirée fut comme je le pensais, je retrouvai mille amis, je dansai avec Paul pendant deux heures et il me ramena chez lui, un peu gaie. Je retrouvai avec délices l'odeur de tabac, le poids d'un homme, et les mots tendres chuchotés dans la nuit noire. Paul était viril, tendre, il me dit qu'il m'aimait et me demanda en mariage. Je lui dis « oui », naturellement, le plaisir m'ayant toujours fait dire n'importe quoi. A six heures du matin, je l'obligeai à me raccompagner chez moi : la fenêtre de Lewis était fermée et seul le vent du matin faisait bouger les herbes folles de mon jardin.

CHAPITRE VII

Un mois passa. Lewis avait commencé à tourner, un rôle secondaire, dans un film sentimental, d'aventures, en couleurs. Néanmoins, aux rushes, le soir, il « crevait » l'écran à tel point que les gens commençaient à parler de lui. Il semblait peu s'en soucier. Il se promenait dans le studio sans ouvrir la bouche, passait le plus de temps possible dans mon bureau, cajolé par Candy, ou bien rêvait dans les vieux sets d'Hollywood. Surtout ceux des films de cow-boys, série B, ceux qu'on ne démonte jamais, villages entiers de façades, avec les balcons et les escaliers de bois, vides derrière, creux, à la fois touchants et morbides. Lewis marchait des heures dans ces fausses rues, s'asseyait sur une marche d'escalier, fumait une cigarette. Le soir, je le ramenais à la maison, je l'y abandonnais souvent. Seul, malgré mes conseils. Paul insistait beaucoup pour me traîner devant un pasteur, il me fallait toute mon habileté diplomatique pour lui résister. Les gens me croyaient partagée entre les charmes de deux hommes, je faisais figure de vamp et cela me rajeunissait, tout en m'agaçant.

Cette délicieuse situation dura près de trois semaines. Ah! je ne dirai jamais assez les charmes de la vie quand on l'aime. La beauté des jours, le trouble des nuits, les vertiges de l'alcool, ceux du plaisir, les violons de la tendresse, l'excitation du travail, la santé, cet incroyable bonheur de se réveiller vivante, avec tout ce temps devant soi, toute cette gigantesque journée offerte avant que le sommeil ne vous fige à nouveau dans une pose mortelle, sur l'oreiller. Jamais je ne remercierai assez le ciel, ou Dieu, ou ma mère de m'avoir mise au monde. Tout était à moi : la fraîcheur des draps ou leur moiteur, l'épaule de mon amant près de moi ou ma solitude, l'océan bleu et gris, la route américaine, lisse, glissante jusqu'aux studios, les musiques de tous les postes et le regard de Lewis, implorant.

C'est là que je butai. Je commençais à avoir honte. J'avais l'impression de l'abandonner, chaque soir. Quand je me rendais sur le set de son film, en voiture, que je claquais la portière et me dirigeais vers lui, de mon pas long et, j'espère, harmonieux de femme équilibrée, je le voyais contracté, frileux, pensif, et je me demandais parfois dans une sorte de délire mental si je ne me trompais pas... si cette vie, la mienne, ce bonheur de vivre, cette gaieté, cet amour des hommes, cet accomplissement n'étaient pas un leurre stupide... si je n'eusse pas dû courir vers lui, le prendre dans mes bras et lui demander... Lui demander quoi?... Quelque chose s'épouvantait en moi. Il me semblait que je me sentais portée vers quelque chose d'inconnu, de morbide mais de définitivement « vrai ». Alors je me secouais, je riais, je disais « hello, Lewis » et il me souriait en retour. Une fois ou deux je le vis tourner. Lui. Immobile comme un animal devant cette caméra avide, faisant très peu de gestes, si absent en quelque sorte qu'il en devenait implacable comme les lions lassés des zoos, dont on ne supporte pas le regard.

Bolton décida alors de l'acheter. Cela lui était facile. Il n'y avait pas un producteur à Hollywood qui fût en mesure de lui refuser quelque chose, pas plus Jay Grant que les autres. Il convoqua donc Lewis, lui offrit un contrat supérieur à celui de Jay, et racheta le contrat initial. J'étais furieuse. D'autant plus que Lewis ne se décidait pas à me raconter leur entrevue. Il fallut que je harcèle :

« C'est un grand bureau. Il était derrière, avec sa cigarette. Il m'a fait asseoir et s'est mis à téléphoner à un autre type. »

Lewis parlait d'une voix lente, ennuyée. Nous étions sur la terrasse, j'avais décidé de ne pas sortir ce soir-là.

« Alors qu'avez-vous fait ?

— Il y avait une revue qui traînait sur son bureau, j'ai commencé à la lire. »

Là, je commençai à me réjouir. Un jeune homme lisant au nez de Jerry Bolton était une image assez réjouissante.

« Et alors ?

— Quand il a raccroché, il m'a demandé si je me croyais chez le dentiste.

— Qu'avez-vous répondu ?

— Que non. Que je n'étais jamais allé chez un dentiste, de toute façon. J'ai de très bonnes dents. »

Il se pencha vers moi et retroussa sa lèvre supérieure de l'index pour prouver la véracité de ses dires. Il avait des dents de loup, blanches et aiguës. J'approuvai de la tête.

« Et puis ?

— Et puis, rien. Il a grogné quelque chose et m'a dit qu'il me faisait l'honneur de s'intéresser à moi ou quelque chose comme ça. Qu'il allait me racheter, me faire faire une carrière, euh... comment a-t-il dit ?... prestigieuse. »

Il se mit à rire tout à coup.

« Prestigieuse... moi !... Je lui ai dit que ça m'était égal, que je voulais juste gagner beaucoup d'argent. J'ai trouvé une Rolls, vous savez.

— Une quoi ?

— Vous savez, ces Rolls, dont vous parliez l'autre jour avec Paul. Où l'on peut monter debout sans se baisser. J'en ai trouvé une pour vous. Elle a vingt ans, mais elle est très haute et pleine d'or à l'intérieur. Nous l'aurons la semaine prochaine. Il m'a donné assez d'argent pour commencer à la payer, alors j'ai signé. »

Je restai ahurie un moment.

« Vous voulez dire que vous m'avez acheté une Rolls ?

— Vous n'en aviez pas envie ?

— Et vous pensez combler ainsi tous mes désirs de midinette ? Etes-vous fou ? »

Il eut un geste d'apaisement, attendri, qui me parut un peu au-dessus de son âge. Nous jouions à rebours le rôle généralement départi aux gens dans notre situation, fût-elle même platonique. Cela devenait comique. Touchant, mais comique. Il dut le voir à mon regard car il se rembrunit :

« Je pensais vous faire plaisir, dit-il. Excusez-moi, je dois sortir ce soir. »

Il se leva et quitta la véranda avant que j'aie pu dire un mot. Je me couchai bourrelée de remords, me relevai vers minuit pour lui écrire une lettre de remerciements, d'excuses, tellement mielleuse que j'en dus supprimer quelques termes. Je glissai la lettre sous son oreiller et restai éveillée un long moment à l'attendre. Mais à quatre heures du matin, il n'était toujours pas rentré et j'en conclus, avec un mélange de soulagement et de tristesse, qu'il avait enfin trouvé une maîtresse.

Ayant mal dormi, j'avais décroché mon téléphone toute la matinée et c'est donc ignorante de l'événement que je me rendis, bâillante encore, aux studios vers midi et demi. Candy sautait sur sa chaise, les yeux noirs d'énervement, on eût dit que sa machine à écrire électrique était branchée sur son tibia. Elle se jeta à mon cou :

« Qu'en dites-vous, Dorothy ? qu'en dites-vous ?

— De quoi, mon Dieu ? »

J'imaginais avec horreur un nouveau et rémunérateur contrat. J'étais en pleine période de paresse, mais elle ne me laisserait pas le refuser. Malgré mon évidente santé les gens s'obstinent depuis ma naissance à veiller sur moi comme sur une déficiente mentale.

« Vous ne savez pas ? »

Le plaisir redoubla sur son visage :

« Jerry Bolton est mort. »

J'avoue avec horreur que j'eus comme elle, comme tout le monde au studio d'ailleurs, l'impression d'une bonne nouvelle. Je m'assis en face d'elle et remarquai qu'elle avait d'ores et déjà sorti la bouteille de scotch et deux verres, comme pour fêter cela.

« Mais comment mort ? Lewis l'a encore vu hier après-midi.

— Assassiné. »

Elle était aux anges. Je me demandai si ma littérature filandreuse n'était pas un peu responsable de son accent mélodramatique.

« Mais par qui ? »

Elle prit l'air brusquement gêné et puritain.

« Je ne sais pas si je peux vous le dire... Il semble que M. Bolton avait... euh... des mœurs... qui... que...

— Candy, dis-je sévèrement, tout le monde a des mœurs, quelles qu'elles soient. Expliquez-vous.

— Il a été découvert dans une maison spéciale, près de Malibu, dont il était un vieux client, paraît-il. Il était monté avec un jeune homme qu'on n'a pas retrouvé et qui l'a tué. Un crime crapuleux, dit la radio. »

Décidément, ce Jerry Bolton avait bien caché son jeu, trente ans durant. Trente ans où il avait joué le veuf inconsolable et puritain. Trente ans où il avait jeté de la boue sur quelques jeunes premiers efféminés, dont il avait souvent brisé la carrière, tout cela par autodéfense sans doute... c'était extravagant.

« Comment n'ont-ils pas étouffé l'affaire ?

— Le meurtrier, croit-on, a téléphoné directement à la police et aux journaux. Ce sont eux qui ont découvert le corps, à minuit. Ils ne pouvaient plus rien empêcher. Le patron de la boîte a dû se mettre à table. »

Je pris machinalement le verre sur la table et le reposai avec dégoût. Il était un peu tôt pour boire. Je décidai d'aller faire un tour dans les studios. Ils étaient en effervescence. Je dirais même en pleine gaieté, ce qui me déplut un peu. La mort d'un homme, finalement, ne pourrait jamais me réjouir. Tous ces gens avaient été humiliés ou brisés un jour par Bolton, et la double annonce de son secret et de sa mort les remplissait d'un entrain malsain. Je filai donc rapidement et me rendis au set de Lewis. Il tournait depuis huit heures et après sa nuit de jeune homme il ne devait pas être très frais. Je le trouvai néanmoins souriant et reposé, appuyé à un portant. Il se dirigea vers moi.

« Lewis... vous connaissez la nouvelle ?

— Oui. Bien sûr. On ne tourne pas demain, en signe de deuil. On va pouvoir jardiner un peu. »

Il fit une pause et ajouta :

« On ne peut pas dire que je lui aie porté chance.

— C'est ennuyeux pour votre carrière. »

Il fit de la main un geste des plus détachés.

« Vous avez trouvé ma lettre, Lewis ? »

Il me regarda et rougit brusquement.

« Non. Je ne suis pas rentré cette nuit. »

J'éclatai de rire.

« C'est votre droit le plus strict. Simplement je vous expliquais que j'étais ravie pour la Rolls, que j'avais été si étonnée que je ne vous l'avais pas fait comprendre, c'est tout. J'étais désolée ensuite.

— Vous ne devez pas être désolée à cause de moi, dit-il. Jamais. »

On l'appelait. Il avait une petite scène d'amour avec une ingénue, Jane Power, brunette à la bouche ouverte. Elle s'installa dans ses bras avec un enthousiasme évident et je pensai que Lewis, désormais, ne passerait plus souvent ses nuits à la maison. C'était bien normal après tout et je repartis vers le restaurant du studio où je devais déjeuner avec Paul.

CHAPITRE VIII

La Rolls était un objet énorme, confondant : décapotable, elle était d'un blanc sale, avec des coussins noirs — ou qui avaient dû l'être — et des bouts de cuivre rutilant partout. Elle devait être au bas mot de 1925. C'était vraiment une horreur. Comme il n'y avait qu'une seule place dans mon garage, nous fûmes obligés de la mettre dans mon jardin, déjà fort petit. Il en dépassait un peu d'herbe de chaque côté, d'une façon romantique. Lewis était enchanté, il tournait autour et avait même délaissé son fauteuil sur ma véranda au profit du siège arrière. Il y transporta progressivement des livres, des cigarettes, des bouteilles et, aussitôt rentré du studio, il s'y installait, les jambes par-dessus la portière, mêlant en ses poumons l'odeur du soir et celle de moisi qui s'échappait des vieux coussins. Dieu merci, il ne parlait pas de la faire marcher, c'était bien le principal. J'ignorais d'ailleurs comment elle avait pu arriver jusqu'à la maison.

Nous avions décidé, d'un commun accord, de la laver tous les dimanches. Qui n'a pas nettoyé un dimanche matin une Rolls 25, installée comme une statue dans un jardin délabré, ignore une des grandes joies de la vie. Il nous fallait une heure et demie pour l'extérieur, une demi-heure pour l'intérieur. J'aidais Lewis d'abord, m'occupant des phares, de la calandre, bref de l'avant. Puis je m'attaquais seule aux coussins. L'intérieur était mon fief, je devenais une femme d'intérieur comme je ne l'avais jamais été dans ma propre maison. Je passais un cirage très fin sur les coussins, puis une peau de chamois. J'essuyais le bois du tableau de bord, je le faisais reluire. Puis je projetais mon souffle sur les cadrans, j'en enlevais la buée ensuite et je voyais briller à mes yeux extasiés le chiffre démesuré de quatre-vingts miles. Dehors, Lewis, en tee-shirt, s'attaquait aux pneus, aux rayons des roues, aux pare-chocs. A midi et demi, la Rolls était étincelante, superbe et nous follement heureux : nous tournions autour en buvant notre cocktail, nous nous félicitions de notre matinée. Je sais pourquoi : elle avait été parfaitement inutile. La semaine allait passer. Les jours, les ronces grimperaient sur la voiture, nous ne nous en servirions jamais. Mais nous recommencerions le dimanche suivant. Nous retrouvions ensemble des plaisirs d'enfants : les plus forcenés, les plus gratuits, les plus profonds. Le lendemain, lundi, nous retournerions à nos travaux rémunérés, précis et quotidiens, ceux qui nous permettraient de manger, boire et dormir, ceux qui rassureraient « les autres » sur notre vie. Mais Dieu, que je haïssais la vie parfois et ses engrenages. C'est drôle : peut-être faut-il, comme je l'ai toujours fait, haïr la vie dans le fond pour l'adorer sous toutes ses formes.

Un beau soir de septembre, j'étais allongée sur ma véranda, blottie dans un des chandails de Lewis, épais, rugueux et chaud, comme je les aime. Je l'avais décidé, non sans mal, à me suivre dans un magasin et il avait ainsi renouvelé, grâce à ses brillants salaires, une garde-robe inexistante. Je lui empruntais tout le temps ses chandails, j'ai toujours fait ça avec mes compagnons d'existence, c'est un des seuls vices, je crois, qu'ils puissent me reprocher vraiment. Je somnolais donc, tout en lisant un synopsis spécialement imbécile dont j'étais censée écrire les dialogues dans les trois semaines. Il s'agissait, je crois, d'une jeune fille stupide qui rencontre un jeune homme intelligent et qui s'épanouit à son contact ou quelque chose d'approchant. Le seul ennui était que la jeune fille stupide me paraissait plus intelligente que le jeune homme. De toute façon, c'était un best-seller et il ne s'agissait pas d'en changer le sens. Je bâillais donc et espérais vivement l'arrivée de Lewis. Or, que vis-je arriver, dans un pauvre tailleur de tweed presque noir, mais un énorme clip au col : la fameuse, l'idéale Louella Schrimp, retour de Cinecittà. Elle descendit devant mon humble demeure, murmura quelques mots à un chauffeur antillais et poussa ma porte. Elle eut quelque mal à contourner la Rolls et quelque stupeur se fit jour aussi dans ses yeux noirs quand elle me vit. Je devais avoir un drôle d'air, les cheveux dans les yeux et cet énorme chandail autour de moi, enfouie dans une chaise longue de rotin, une bouteille de scotch près de moi. Je devais ressembler à une de ces héroïnes de Tennessee Williams, alcooliques et solitaires, comme je les aime. Elle s'arrêta au bas des trois marches et prononça mon nom d'une voix défaillante : « Dorothy... Dorothy »... Je la regardai, ahurie. Louella Schrimp est une institution nationale, elle ne se déplace pas sans un garde du corps, un amant, et quinze photographes. Que faisait-elle dans mon jardin ? Nous nous fixâmes comme deux hiboux et je ne pus m'empêcher de penser qu'elle se défendait rudement bien. A quarante-trois ans, elle avait la beauté, la peau, l'éclat d'une fille de vingt ans. Elle répéta une fois de plus « Dorothy... » et je me relevai péniblement sur mon siège en croassant « Louella... » d'une voix éteinte autant que polie. Alors elle se précipita, fit une enjambée de jeune daim pour grimper les marches. Exploit qui secoua péniblement ses seins sous son tailleur. Et elle tomba dans mes bras. Je réalisai à ce moment-là que nous étions toutes les deux les veuves de Frank.

« Mon Dieu, Dorothy, quand je pense que je n'étais pas là... que vous avez dû vous occuper de tout cela, seule... si, je sais... vous avez été admirable, tout le monde me l'a dit... Il fallait que je vienne vous voir... il fallait... »

Elle ne s'était pas occupée de Frank depuis cinq ans, ne l'avait même pas revu. Je supposai donc qu'elle avait un après-midi à perdre, ou que son nouvel amant ne satisfaisait pas ses capacités émotionnelles. Il n'y a qu'une femme qui s'ennuie pour se trouver des chagrins de ce genre. Je lui offris donc philosophiquement un fauteuil, un verre, et nous entamâmes de concert les louanges de Frank. Elle commença par s'excuser de me l'avoir pris (mais la passion excuse tout), je commençai par le lui pardonner (mais le temps arrange tout) et nous enchaînâmes. En fait, je m'amusai un peu. Elle parlait par clichés avec des petits moments de vérité, de férocité parfaitement terrifiants. Nous en étions à évoquer l'été 59 lorsque Lewis arriva.

Il sauta par-dessus le pare-chocs de la Rolls. Il souriait. Il était mince et beau comme on l'est rarement. Il avait un vieux blouson, ses pantalons de toile, ses cheveux noirs dans les yeux. Je vis tout cela comme je le voyais tous les jours, mais je le vis surtout dans le regard de Louella. C'est curieux à dire : elle broncha. Elle broncha comme fait un cheval devant un obstacle, comme peut donc le faire une femme devant un homme dont elle a trop envie et trop soudainement. Le sourire de Lewis disparut en la voyant, il détestait les inconnus. Je le présentai aimablement et Louella sortit aussitôt ses armes.

Ce n'était pas une sotte, ni une vamp à mi-temps : c'était aussi une femme de tête, une femme du monde, une professionnelle. J'admirai moi-même son numéro. Elle n'essaya pas une seconde d'éblouir Lewis, ni même de l'exciter. Elle prit aussitôt le style de la maison, parla de la voiture, reprit un scotch d'une main nonchalante, s'enquit des projets de Lewis d'une voix distraite, bref la femme aimable et facile à vivre. Loin de tout ça. (Ça étant Hollywood.) A un regard qu'elle me jeta, je vis à la fois qu'elle prenait Lewis pour mon amant et qu'elle avait décidé de me le prendre. Ce serait un peu beaucoup, après ce pauvre Frank, mais enfin... J'étais un peu agacée, je l'avoue. Qu'elle s'amuse avec Lewis passe encore, mais qu'elle se moque de moi, à ce point-là... C'est effrayant la vanité, les bêtises qu'elle fait faire. J'eus pour la première fois en six mois un geste de possession envers Lewis. Il était assis par terre et nous regardait sans dire grand-chose. Je tendis la main vers lui :

« Appuyez-vous à mon fauteuil, Lewis, vous finirez par avoir mal au dos. »

Il s'appuya contre mon fauteuil et je passai la main, négligemment, dans ses cheveux. Aussitôt il renversa la tête en arrière, sur mes genoux, avec une violence subite. Il avait fermé les yeux, il souriait, l'air parfaitement heureux, et je retirai ma main de ses cheveux comme si je m'étais brûlée. Louella avait pâli, mais cela ne me faisait plus le moindre plaisir : j'avais honte de moi.

Louella néanmoins continua la conversation quelque temps, avec un sang-froid d'autant plus méritoire que Lewis ne relevait pas la tête de mes genoux et ne semblait aucunement intéressé par la conversation. Nous avions sûrement l'air de filer le parfait amour et, la première gêne passée, je sentais un léger fou rire me gagner. Louella finit par se lasser et se leva. J'en fis autant, ce qui dérangea visiblement Lewis : il se mit sur ses pieds et s'ébroua, regardant Louella d'un œil si glacé, si ennuyé, si pressé qu'elle s'en aille qu'elle le dévisagea à son tour, froidement, comme un objet :

« Je vous laisse, Dorothy. Je crains de vous avoir dérangée. Mais je vous laisse en belle compagnie, si ce n'est en bonne. »

Lewis ne réagit pas. Moi non plus. Le chauffeur antillais tenait déjà la portière. Louella s'énervait :

« Vous ne savez pas, monsieur, que l'on raccompagne généralement les dames jusqu'à la porte ? »

Elle s'était tournée vers Lewis et je l'écoutai, ahurie, perdre, pour une des premières fois de sa vie, son fameux self-control.

« Les dames, oui », dit Lewis tranquillement. Et il ne bougea pas.

Louella leva alors la main comme pour le gifler et je fermai les yeux.

Louella est aussi très célèbre pour ses gifles, tant à la ville qu'à l'écran. Elle les donne très bien, dans les deux cas, d'abord de la paume, puis du dos de la main, sans bouger le moins du monde les épaules. Mais là, elle s'arrêta net. Je regardai Lewis à mon tour. Il était immobile, aveugle, sourd comme je l'avais déjà vu une fois, il respirait lentement et le même petit filet de sueur encadrait sa bouche. Louella fit un pas en arrière, puis deux, comme pour se mettre hors de sa portée. Elle avait peur et moi aussi.

« Lewis », dis-je.

Et je posai ma main sur sa manche. Il se réveilla, s'inclina vers Louella, d'une manière parfaitement démodée. Elle nous fixa :

« Vous devriez les prendre moins jeunes, Dorothy, et plus polis. »

Je ne répondis pas. J'étais atterrée. Tout Hollywood serait demain au courant. Et Louella se vengerait. Cela représentait quinze jours d'ennuis incessants.

Louella disparue, je ne pus m'empêcher de faire quelques reproches à Lewis. Il me considéra avec pitié :

« Cela vous ennuie vraiment ?

— Oui. J'ai horreur des ragots.

— J'arrangerai ça », dit-il paisiblement.

Mais il n'en eut pas le temps. Le lendemain matin, le cabriolet décapotable de Louella Schrimp manqua un virage, comme elle se rendait aux studios et elle alla s'écraser cent mètres plus bas, dans la vallée de San Fernando.

CHAPITRE IX

LES OBSÈQUES furent somptueuses. En deux mois, avec Jerry Bolton, c'étaient deux célébrités d'Hollywood qui disparaissaient tragiquement. D'innombrables gerbes envoyées par les innombrables survivants envahissaient le cimetière. J'y fus avec Paul et Lewis. Pour moi, c'était la troisième fois : la dernière avait été Bolton après Frank. J'arpentai donc une fois de plus ces allées soignées. J'y avais mené en terre trois êtres si différents, mais tous à la fois faibles et féroces, avides et désabusés, trois êtres atteints d'une frénésie aussi mystérieuse pour eux-mêmes que pour les autres. C'était très déprimant, à y bien songer. Quel mur s'interpose donc toujours entre les êtres humains et leur désir le plus intime, leur effroyable volonté de bonheur ? Est-ce l'image de ce bonheur qu'ils se forment et qu'ils rendent à jamais inconciliable avec leur vie ? Est-ce le temps ou l'absence de temps ? Est-ce une nostalgie cultivée depuis l'enfance ? Revenue à la maison et assise entre mes deux hommes, j'épiloguai longuement là-dessus en interrogeant leurs connaissances et les étoiles. Ni les uns ni les autres ne semblaient à même de me répondre. Je puis même dire que les astres clignotaient aussi faiblement à mes discours que les prunelles de mes compagnons. J'avais pourtant mis *La Traviata* sur le pick-up, musique romantique s'il en est et qui m'a toujours inclinée à la méditation. Je finis par m'agacer de leur mutisme :

« Enfin Lewis, êtes-vous heureux, vous ?

— Oui. »

Le laconisme de la réponse aurait dû me décourager. Je m'entêtai :

« Et vous savez pourquoi ?

— Non. »

Je me tournai vers Paul :

« Et vous, Paul ?

— J'espère l'être très bientôt complètement. »

Cette allusion à notre mariage me glaça légèrement les sangs. J'esquivai promptement :

« Enfin, regardez. Nous sommes là tous les trois, il fait doux, la terre est ronde, nous sommes en bonne santé, nous sommes heureux... pourquoi toutes nos relations ont-elles cet air affamé, traqué... que se passe-t-il ?

— Par pitié, Dorothy, dit la voix geignarde de Paul, je n'en sais rien. Lisez les journaux, c'est bourré d'enquêtes à ce sujet.

— Pourquoi personne ne veut-il jamais parler sérieusement avec moi ? dis-je, avec fureur. Suis-je une oie ? Suis-je parfaitement stupide ?

— On ne peut parler sérieusement du bonheur avec vous, dit Paul. Vous êtes une réponse vivante. Je ne pourrais pas discuter de l'existence de Dieu avec Dieu lui-même.

— C'est parce que, dit Lewis brusquement, et il bégayait presque, c'est parce que vous êtes bonne. »

Il s'était levé brusquement et il était éclairé par la lumière du living-room. Il avait un drôle d'air, la main levée comme un prophète :

« Vous... vous comprenez... vous êtes bonne. Les gens ne sont pas bons du tout, en général... alors... alors ils ne peuvent même pas être bons avec eux-mêmes et...

— Mon Dieu, dit Paul, si nous prenions un autre verre ? Dans un endroit un peu gai ?... Vous venez, Lewis ? »

C'était la première fois qu'il l'invitait et, à ma grande surprise, Lewis accepta. Comme nous étions peu habillés, nous décidâmes de nous rendre dans une boîte de beatniks près de Malibu. Nous nous tassâmes tous les trois dans la Jaguar de Paul et je remarquai en riant que Lewis était mieux là que la première fois que nous l'avions rencontré, devant le pare-chocs. Après cette fine plaisanterie, nous dévalâmes la route, la capote baissée, le vent dans les oreilles et sur les yeux. J'étais merveilleusement bien, coincée entre mon amant et mon jeune frère, presque mon fils ; tous deux beaux, généreux, gentils, deux hommes que j'aimais. Je pensais à la pauvre Louella, enfouie sous la terre, je pensais que j'avais une chance folle et que la vie était un merveilleux cadeau. La boîte en question était bourrée d'une foule de jeunes gens plus ou moins barbus et chevelus et nous eûmes un mal fou à trouver une petite table. Si Paul tenait vraiment à échapper à mes discours, il avait réussi : la musique était si violente qu'on ne pouvait dire un mot. Néanmoins, une assemblée joyeuse gambadait au son du jerk et les scotches étaient buvables. Aussi je ne remarquai pas tout d'abord l'absence de Lewis. Ce n'est que quand il revint s'asseoir à la table que j'observai son regard, légèrement vitreux, et je m'en étonnai : il ne buvait jamais beaucoup. Profitant d'une accalmie, je dansai un slow avec Paul et revins m'asseoir lorsque l'accident se produisit.

Un barbu en nage croisa ma route et me bouscula, près de la table. Je marmonnai «pardon», machinalement, mais il se retourna et me fixa, l'air si hargneux que j'en fus épouvantée. Il devait avoir dix-huit ans, une énorme moto dehors et quelques verres de trop derrière lui. Il ressemblait à un de ces fameux blousons dont les revues nous rebattaient les oreilles à l'époque. Il aboya littéralement vers moi :

« Qu'est-ce que tu fais là, la vieille ? »

J'eus le temps d'être vexée une seconde et je le fus. Le projectile humain qui passa devant moi la seconde d'après et lui sauta à la gorge était Lewis. Ils roulèrent par terre dans un bruit effrayant au milieu des tables renversées et des pieds des danseurs. J'appelai Paul d'une voix perçante et je le vis qui essayait de fendre la foule un mètre plus loin. Mais tous ces jeunes gens enchantés faisaient cercle autour des combattants et l'empêchaient de passer. Je criai : «Lewis, Lewis», mais il se roulait par terre avec des grognements sourds, tenant toujours mon blouson noir à la gorge. Cela dura une minute, une bonne minute de cauchemar. Tout à coup les deux garçons s'arrêtèrent et restèrent immobiles par terre. On les distinguait très mal dans le noir, mais cette immobilité soudaine était plus effrayante que leurs coups. Soudain quelqu'un cria :

« Mais séparez-les, voyons, séparez-les… »

Paul était arrivé jusqu'à moi. Il poussa les premiers spectateurs, si je puis dire, et se précipita. Je vis alors distinctement la main de Lewis. Cette main maigre et longue, accrochée à la gorge d'un garçon immobile, se resserrait frénétiquement. Je vis la main de Paul attraper cette main, en retourner les doigts, un par un, puis je fus bousculée et tombai, ahurie, sur une chaise.

La suite fut confuse : on maintenait Lewis dans un coin, on ranimait le blouson noir dans l'autre. Comme il était évident que personne ne tenait à appeler la police, nous nous retrouvâmes assez rapidement dehors, tous les trois, haletants et décoiffés. Lewis semblait calmé, calmé et absent. Nous nous réinstallâmes dans la Jaguar sans dire un mot. Paul respira profondément, prit une cigarette, l'alluma et me la tendit. Puis il s'en alluma une. Il ne démarrait pas. Je me tournai vers lui et pris une voix aussi gaie que possible :

« Eh bien... quelle soirée... »

Il ne répondit pas mais se pencha et regarda Lewis, par-dessus moi, d'un air curieux :

« Qu'avez-vous pris Lewis? LSD? »

Lewis ne répondit pas. Je sursautai et me retournai vers lui. Il avait renversé la tête en arrière, il fixait le ciel, parfaitement ailleurs.

« N'empêche, reprit Paul doucement, vous avez failli le tuer... Que s'est-il passé, Dorothy? »

J'hésitai. Ce n'était pas très facile à dire.

« Ce garçon a suggéré que j'étais un peu... euh... âgée pour l'endroit. »

J'espérais que Paul allait s'écrier ou s'indigner, mais il se borna à hausser les épaules et démarra tout doucement.

Nous n'échangeâmes pas un mot jusqu'à la maison. Lewis semblait dormir, je pensais avec une légère répulsion qu'il devait être bourré de son fameux LSD. Je n'ai rien, au demeurant, contre les drogues : simplement l'alcool me suffit et le reste me fait peur. J'ai peur aussi des avions, de la pêche sous-marine et de la psychiatrie. La terre seule me rassure, quelle que soit la part de boue qu'elle contient. Une fois arrivés, Lewis descendit le premier, marmonna quelque chose et disparut dans la maison. Paul m'aida à m'extirper de sa Jaguar et me suivit jusqu'à la véranda.

« Dorothy... Vous vous rappelez ce que je vous ai dit au sujet de Lewis la première fois?

— Oui, Paul. Mais vous l'aimez bien, maintenant. Non?

— Oui. Justement. Je... »

Il bafouillait un peu. Ce qui est rare chez lui. Il prit ma main, la retourna, l'embrassa.

« Il... je ne crois pas qu'il soit tout à fait normal, vous savez. Il a vraiment failli tuer ce type.

— Personne ne peut être normal avec un petit sucre imbibé de leur maudit machin, dis-je, avec logique.

— Il n'empêche que c'est un violent et que je n'aime pas l'idée que vous cohabitiez avec lui.

— Sincèrement, je crois qu'il m'aime beaucoup et qu'il ne me ferait jamais de mal.

— De toute manière, dit Paul, il va devenir une star et vous serez débarrassée de lui très bientôt. Grant m'en a parlé. Ils axent leur

prochaine campagne sur lui... et comme, en plus, il a du talent...
Dorothée, quand m'épousez-vous ?
— Bientôt, dis-je, très bientôt.»
Je me penchai et l'embrassai légèrement sur la bouche. Il soupira. Je
le laissai et rentrai dans la maison voir ce que devenait la supervedette à
venir. Il était allongé par terre, sur mon tapis mexicain, la tête dans les
mains. Je me dirigeai vers la cuisine, fis réchauffer le café et en remplis
une tasse pour Lewis, tout en répétant *in petto* un discours moral sur les
méfaits de la drogue. Puis je rentrai dans le living-room, m'agenouillai
près de lui et lui tapotai fermement l'épaule. En vain.
«Lewis, buvez ce café.»
Il ne bougeait toujours pas. Je le secouai. Il devait être aux prises avec
une bande de dragons chinois et de serpents multicolores. Cela
m'agaçait un peu, mais je pensais en même temps que ce beau jeune
homme s'était battu pour moi une heure auparavant et cela porte toute
femme à l'indulgence. Je murmurai :
«Lewis, mon chéri...»
Alors, il se retourna et se jeta dans mes bras. Il était secoué par des
sanglots bizarres, de véritables secousses qui l'étranglaient à moitié et
me faisaient peur. Il avait enfoui sa tête dans mon épaule, mon précieux
café baignait le tapis, et, immobile, à la fois attendrie et épouvantée,
j'écoutais la bizarre litanie qui s'échappait de ses lèvres dans mes
cheveux :
«J'aurais pu le tuer... Oh! j'aurais dû... à une seconde près... Vous
dire ça... à vous... Ah! je le tenais... je le tenais...
— Mais voyons, Lewis, on ne se bat pas avec les gens comme ça, ce
n'est pas raisonnable.
— Un porc... c'était un porc... des yeux de brute. Ils ont tous des
yeux de brute... tous les gens... vous ne voyez pas... vous ne voyez
pas?... Ils finiront par nous avoir, vous verrez... Ils me sépareront de
vous et ils vous auront aussi... vous... vous... Dorothy.»
Je lui tenais la nuque, je lui caressai les cheveux, je lui embrassai les
tempes, j'étais désolée comme devant un chagrin d'enfant. Car c'était un
enfant qui sanglotait contre moi, un enfant sonné par la vie. Je
murmurais des mots vagues dans le genre : «Allons, voyons, calmez-
vous, ce n'est rien.» Je commençais à avoir une vague crampe dans le
mollet, à demi agenouillée ainsi, avec ce poids d'un homme sur le cou,
et je me disais que ce genre de scène n'était pas pour les femmes de mon
âge. Il eût fallu une jeune fille pure pour lui redonner goût ou confiance
dans la vie. Moi, je savais bien comment elle pouvait être, la vie, je le
savais trop bien. Il finit par s'apaiser. Je le laissai doucement glisser le
long de moi, se rallonger sur le tapis. Je posai ma couverture de loden
sur lui et montai me coucher, épuisée.

CHAPITRE X

Je me reveillai au milieu de la nuit, complètement glacée par une idée
atroce. Je restai assise dans mon lit, comme un hibou, dans le noir, près
d'une heure, à faire des recoupements précis. Puis je descendis, toujours
tremblante, dans la cuisine, me fis une tasse de café et, à la réflexion, j'y
ajoutai une goutte de cognac. L'aube se levait. Je passai sur la véranda,
regardai le ciel qui s'étirait, à l'est, en une longue ligne blanche et déjà
bleue, puis je regardai la Rolls, de nouveau attaquée par les ronces —
nous étions un vendredi — puis le fauteuil favori de Lewis, puis mes
mains posées sur le balcon et qui tremblaient quand même. J'ignore
combien de temps je passai ainsi, appuyée à ce balcon. De temps en
temps j'essayais de m'asseoir dans un fauteuil, mais la même idée me
remettait debout, aussitôt, comme un pantin épouvanté. Je ne fumai
même pas une cigarette.

A huit heures, les volets de Lewis battirent le mur au-dessus de ma
tête et je sursautai. Je l'entendis descendre l'escalier et mettre l'eau sur
la cuisinière en sifflotant. Son LSD semblait s'être évaporé avec le
sommeil, c'était déjà ça. Je respirai une grande gorgée d'air frais et
rentrai dans la cuisine. Il eut l'air surpris et je le contemplai une seconde
avec stupeur : si beau, si jeune, si décoiffé, si doux.

« Je suis désolé pour hier, dit-il tout de suite. Je ne reprendrai plus de
cette saleté.

— Il s'agit bien de ça », dis-je, d'un ton lugubre, et je m'assis enfin
sur une chaise de cuisine. Le fait d'avoir un interlocuteur — fût-ce lui
— me soulageait bizarrement. Il surveillait l'eau dans la cafetière, l'air
extrêmement attentif, mais néanmoins quelque chose dans ma voix le fit
tourner les yeux vers moi :

« Que se passe-t-il ? »

Il l'avait l'air si innocent, en robe de chambre, les sourcils en l'air,
que le doute m'envahit. Et le tissu de coïncidences, de demi-preuves, de
remarques que j'avais confectionné pendant la nuit se déchira tout à
coup. Je marmonnai :

« Lewis... ce n'est pas vous qui les avez tués, n'est-ce pas ?

— Lesquels ? »

Cette réponse était, pour le moins, décourageante. Je n'osais pas le
regarder :

« Tous. Frank, Bolton, Louella.

— Si. »

Je poussai un faible gémissement et m'appuyai à ma chaise. Il
poursuivit d'un ton égal :

« Mais il ne faut pas vous faire de soucis. Il n'y a aucune trace. Ils ne vous embêteront plus.»

Il remit un peu d'eau dans la cafetière. Je le regardais à présent, complètement ébahie :

« Mais enfin, Lewis... êtes-vous fou? On ne tue pas les gens, voyons, ça ne se fait pas.»

L'expression me parut faible, mais j'étais si atterrée que je ne trouvais plus mes mots. Dans les circonstances tragiques d'ailleurs, je ne trouve que des phrases de couvent ou de bonne éducation, j'ignore pourquoi.

« Si vous saviez le nombre de choses qui ne se font pas et que les gens font quand même... escroquer les autres, les acheter, les avilir, les abandonner...

— Mais il ne faut pas les tuer», dis-je fermement.

Il haussa les épaules. Je m'attendais à une scène tragique et cette conversation tranquille me déconcertait. Il se tourna vers moi :

« Comment l'avez-vous su?

— J'ai réfléchi. J'ai réfléchi toute la nuit.

— Vous devez être morte. Voulez-vous du café?

— Non. "Moi", je ne suis pas morte, dis-je aigrement. Lewis... qu'allez-vous faire?

— Mais rien. Il y a eu un suicide, un crime crapuleux, mais sans indices, et un accident de voiture. Tout va bien.

— Et moi? éclatai-je. Et moi? Vais-je cohabiter avec un assassin? Vais-je vous laisser tuer les gens comme ça, au petit bonheur, sans rien faire?

— Au petit bonheur? Mais, Dorothy, je ne tue que les gens qui vous ont fait ou qui vous font de la peine. Ce n'est pas au hasard.

— Mais qu'est-ce qui vous prend? Etes-vous mon garde du corps? Vous ai-je demandé quoi que ce soit?»

Il posa enfin sa cafetière et se tourna vers moi, tranquillement :

« Non, dit-il, mais je vous aime.»

Là-dessus, ma tête tourna trop vite, je glissai de ma chaise et, l'insomnie aidant, je m'évanouis pour une fois dans ma vie.

Je me réveillai sur le canapé, en face du visage bouleversé — (enfin) — de Lewis. Nous nous regardâmes en silence puis il me tendit la bouteille de scotch. J'en pris une gorgée sans le quitter des yeux, puis une autre. Mon cœur se remit à battre normalement. Et la colère m'envahit aussitôt :

« Ah! vous m'aimez? vraiment? C'est pour ça que vous avez tué ce pauvre Frank? Et cette malheureuse Louella! Pourquoi n'avez-vous pas tué Paul, tant que vous y êtes? C'est mon amant, après tout?

— Parce qu'il vous aime. Mais s'il essaie de vous quitter ou de vous faire du mal, je le tuerai aussi.

— Mon Dieu, dis-je, vous êtes fou. Avez-vous tué beaucoup de gens avant?

— Avant de vous connaître, non, dit-il. Jamais. Ça n'en valait pas la peine. Je n'aimais personne.»

Il se leva tout à coup, fit trois pas dans la pièce, en se frottant le menton. J'avais l'impression de vivre un cauchemar.

«Voyez-vous, jusqu'à seize ans, j'ai plutôt été battu qu'autre chose. On ne me donnait rien, jamais. Et puis, après seize ans, tout le monde voulait de moi, hommes, femmes, etc., mais à une condition qui euh... que...»

Cet assassin pudique dépassait les bornes. Je le coupai:

«Je vois, oui.

— Jamais rien, n'est-ce pas? Jamais rien pour rien. Jamais rien de gratuit. Jusqu'à vous. Je pensais toujours, quand j'étais étendu là-haut, que vous alliez euh... enfin... un jour...»

Il rougit. J'imagine que je rougis aussi. Je voguais entre J. H. Chase et Delly. J'étais brisée.

«Quand je compris que c'était par bonté, comme ça, j'ai commencé de vous aimer. Voilà. Je sais bien que vous me trouvez trop jeune, que vous préférez Paul Brett et que je ne vous plais pas, mais je peux quand même vous protéger. Voilà.»

Et voilà. Comme il disait. Voilà; voilà. Je m'étais mise dans un épouvantable guêpier. Je ne pouvais rien faire. J'étais fichue. J'avais ramassé un fou, un meurtrier, un obsédé, sur la route, dans un fossé. Paul avait raison une fois de plus, Paul avait toujours raison.

«Vous m'en voulez?» dit Lewis, gentiment.

Je ne répondis même pas. Peut-on «en vouloir» à quelqu'un qui tue trois personnes pour vous faire plaisir? Le terme me semblait un peu écolier. Je réfléchissais, je faisais semblant de réfléchir, plutôt, car ma tête se révélait parfaitement vide.

«Vous savez, Lewis, que mon devoir est de vous livrer à la police?

— Si vous voulez, dit-il tranquillement.

— Je devrais leur téléphoner tout de suite», dis-je d'une voix faible.

Il posa le téléphone près de moi et nous le contemplâmes ensemble d'un air languissant, comme s'il n'y avait pas de fil au bout.

«Comment avez-vous fait? dis-je.

— Pour Frank, je lui ai donné rendez-vous au motel de votre part, dans une chambre louée par téléphone. J'y suis rentré par la fenêtre. Pour Bolton, j'ai compris très vite, à son regard, ce qu'il était. J'ai pris l'air d'accord. Il m'a donné rendez-vous aussitôt dans l'hôtel louche. Il était ravi. On peut arriver dans sa chambre comme on veut avec la clef qu'il m'avait donnée. Personne ne m'a vu. Pour Louella, j'ai passé la nuit à dévisser les boulons, devant. C'est tout.

— C'est suffisant, dis-je. Qu'est-ce que je vais faire?»

Je pouvais me taire et jeter Lewis dehors. Mais c'était lâcher un fauve dans la rue. Il continuerait à me suivre de loin et à tuer autour de moi, comme une machine. Je pouvais exiger qu'il quitte la ville, mais il avait signé un contrat pour des années et on le retrouverait partout. Et je ne pouvais pas le livrer à la police. Je ne pourrai jamais livrer qui que ce soit à la police. J'étais coincée.

« Vous savez, dit Lewis, personne n'a souffert. Tout a été très vite.

— C'est encore heureux, dis-je, aigrement. Vous auriez très bien pu les découper avec un canif.

— Vous savez bien que non », dit-il tendrement, et il me prit la main. Je la lui laissai un instant, distraitement.

Puis je pensai que cette main chaude et maigre qui tenait la mienne avait tué trois personnes et je me demandai pourquoi cela ne me faisait pas plus horreur. Je me dégageai fermement.

« Ce garçon d'hier, vous vouliez le tuer aussi, n'est-ce pas ?

— Oui. Mais c'eût été idiot. J'avais pris une dose de LSD bêtement et je ne savais plus ce que je faisais.

— Tandis qu'à jeun... Lewis vous vous rendez compte de ce que vous avez fait ? »

Il me regarda. Je détaillai ses yeux verts, sa bouche si bien dessinée, ses cheveux noirs, ce visage si lisse, j'y cherchai une trace de compréhension ou une trace de sadisme, je n'y vis rien. Rien qu'une tendresse sans bornes pour moi. Il me regardait comme on regarde un enfant nerveux qui fait un drame pour rien. Il y avait, je le jure, de l'indulgence dans les yeux de Lewis. Cela m'acheva : je me mis à sangloter. Il me prit dans ses bras, me caressa les cheveux, je le laissais faire.

« Entre vous et moi, murmura-t-il, qu'est-ce qu'on peut pleurer depuis hier soir ! »

CHAPITRE XI

Naturellement, j'eus une crise de foie. Dans les cas graves, j'ai régulièrement une crise de foie. Celle-ci dura deux jours et eut l'avantage de m'éviter complètement de penser pendant quarante-huit heures. J'en sortis dolente et décidée à tout arranger. Cela peut paraître peu, deux jours de nausées pour trois cadavres, mais seuls ceux qui ignorent la crise de foie peuvent me jeter la pierre. Quand je sortis de mon lit, les jambes molles, je ne pouvais plus supporter l'idée de la moindre contrariété, c'est tout. Dans ma tête, les meurtres de Lewis avaient à peu près rejoint en importance mes déclarations d'impôts. De plus, le malheureux avait passé deux jours à mon chevet, nanti de compresses, de cuvettes et de camomille, visiblement au comble de l'inquiétude et je ne pouvais pas mordre la main qui m'avait soignée.

Néanmoins, je décidai de mettre les choses au point une bonne fois avec lui. Dès que j'eus pu avaler un steak et un grand whisky, je convoquai Lewis dans le salon et lui adressai mon ultimatum :

1° Il s'engageait formellement à ne tuer strictement personne sans mon autorisation. (Il était évident que je ne la lui donnerais jamais, mais je trouvais plus habile de lui laisser un espoir.)

2° Il arrêtait de prendre ses petits sucres au LSD.

3° Il essayait pour de bon de se trouver une maison à lui.

Pour ce troisième point, j'éprouvais moins de confiance. Enfin, il s'engagea à tout, d'un air très sérieux. Là-dessus, ne voulant quand même pas vivre avec un sadique, je le questionnai habilement pour savoir quel effet lui avaient procuré ces trois crimes. Il me rassura un peu, pas énormément bien sûr, mais un peu : ça ne lui avait strictement rien fait. Pas de peine, évidemment, dit-il, puisqu'il ne les connaissait pas, mais aucun plaisir. C'était déjà ça. Autrement, il n'avait aucun remords, il ne faisait aucun cauchemar à ce sujet, bref aucun sens moral. Je commençais d'ailleurs à me demander ce qu'il advenait du mien.

Paul Brett était venu deux fois durant ma maladie, mais j'avais refusé de le voir. On n'est jamais aussi vilaine que pendant une crise de foie. L'idée de recevoir mon amant avec la peau jaune, les cheveux ternes et les yeux gonflés m'indignait. En revanche, la présence de Lewis ne me gênait aucunement. Sans doute parce qu'il n'y avait aucune sensualité entre nous. Et puis il m'avait dit qu'il m'aimait, ce fameux matin, sur un tel ton qu'il me semblait que j'eusse pu être couverte d'impétigo sans qu'il s'en souciât. C'était à la fois vexant et très flatteur. C'est ce que j'essayai d'expliquer à Paul quand il me fit de tendres reproches à mon retour aux studios :

« Vous avez laissé Lewis vous soigner et je n'ai même pas pu vous voir.

— J'étais hideuse. Vous ne m'auriez plus jamais regardée ensuite.

— C'est drôle, vous savez, j'ai mis très longtemps à croire qu'il n'y avait rien entre lui et vous, mais maintenant, j'en suis sûr. Mais enfin avec qui couche-t-il, ce garçon ? »

Je dus avouer que je n'en savais rien. Je l'avais cru dans les bras de l'ingénue du film, deux ou trois nuits, mais c'était justement les nuits où il trucidait Bolton, ou un autre. Pourtant Gloria Nash, la star qui montait en flèche, le numéro un, maintenant que la pauvre Louella était morte, l'avait remarqué et lui avait même envoyé une invitation à une party où elle n'avait pu faire autrement que de me convier. Je demandai à Paul s'il y allait et il me répondit par l'affirmative.

« Je passerai vous chercher tous les deux. J'espère que cette petite sortie à trois finira mieux que la précédente. »

Je l'espérais vivement aussi.

« Quand même, que cette simple bagarre vous ait rendue malade à ce point, cela m'étonne. Vos crises de foie sont célèbres à Hollywood, Dorothy. Vous en avez eu quand Frank est parti avec Louella, une quand Jerry vous avait jetée dehors parce que vous l'aviez traité de sale avare, une quand votre chère secrétaire est tombée par la fenêtre. Mais c'était plus sérieux, si je puis dire.

— Que voulez-vous, Paul, je vieillis. »

Plus sérieux... s'il savait. Mon Dieu, s'il savait. J'imaginai sa tête une seconde et le rire me prit. C'est affreux à dire, mais je sanglotai de rire cinq minutes à cette simple idée. Mes nerfs avaient dû être légèrement atteints quand même ces temps-ci, Paul prit son air indulgent, patient, protecteur, américain, viril, et me tendit même son mouchoir pour essuyer mon rimmel en déroute. Enfin je me calmai, marmonnai quelque chose de stupide et l'embrassai pour le faire taire. Nous étions dans mon bureau, Candy était sortie, et il devenait très tendre. Nous convînmes de rentrer chez lui, le soir même, et je téléphonai à Lewis pour le prévenir de dîner sans moi. (Il ne tournait pas pendant une semaine.)

Il était à la maison, très gai, et s'amusait avec la Rolls. Je lui recommandai d'être bien sage et le fou rire faillit me reprendre. Il me jura de ne pas bouger jusqu'au lendemain matin. Dans une complète impression d'irréalité, j'allais dîner chez *Romanoff's*, avec Paul, rencontrai cinq cents personnes, « cinq cents personnes qui ne savaient pas ». Cela me stupéfiait. Ce ne fut que plus tard, dans la nuit, allongée près de Paul endormi, sa tête sur mon épaule, comme d'habitude, et son bras droit en travers de moi, que je me sentis soudainement affreusement seule et effrayée. J'avais un secret, un secret mortel, et je n'ai jamais eu une nature à secret. Je veillai jusqu'à l'aube ainsi, tandis que cinq kilomètres plus loin, dans son petit lit, mon meurtrier sentimental devait dormir paisiblement en rêvant de fleurs et d'oiseaux.

CHAPITRE XII

Le soir de la fameuse party chez Gloria Nash, nous nous fîmes spécialement élégants. Je mis une robe en paillettes noires, achetée à Paris un prix fou et qui me découvrait avantageusement le dos — lequel est encore un de mes atouts. Lewis, en smoking, les cheveux noirs bien lustrés, était superbe : il avait l'air d'un jeune prince, avec quelque chose de faunesque. Quant à Paul, il représentait le quadragénaire désinvolte et élégant avec sa blondeur un peu grise aux tempes et ses yeux ironiques. J'allais avec résignation froisser mes paillettes entre leurs deux smokings dans la Jaguar quand Lewis leva une main solennelle :

« J'ai une nouvelle pour vous, Dorothy. »

Je frémis intérieurement. Mais Paul se mit à rire, avec l'air d'un homme au courant :

« C'est une vraie surprise, Dorothy. Suivons-le. »

Lewis sortit dans le jardin, s'installa dans la Rolls et appuya sur quelque chose. La Rolls fit un bruit doux et régulier, recula et vint se ranger devant moi. Lewis descendit précipitamment, fit le tour et m'ouvrit la portière avec une grande courbette. Je restai ébahie.

« Elle était quand même bien arrivée jusqu'ici, dit Paul en riant. Ne soyez pas si étonnée. Montez. Chauffeur, nous allons chez Mlle Gloria Nash, la vedette, Sunset Boulevard. »

Lewis démarra. A travers la glace de séparation je voyais dans le rétroviseur son œil enchanté, ravi, enfantin, qui se posait sur moi, anxieux de mon plaisir. Il y avait décidément des moments où la vie m'échappait. Je trouvai dans cette cage gigantesque un vieux cornet de téléphone et le portai à ma bouche :

« Chauffeur, comment cette Rolls marche-t-elle ? »

— J'ai passé ma semaine de congé à l'arranger. Pour de bon. »

Je regardai Paul ; il souriait :

« Il m'en parle depuis trois jours. Je crois qu'il a douze ans. »

Il reprit le cornet :

« Chauffeur, je vous recommande de faire la cour à notre hôtesse ce soir. Votre indifférence serait mal interprétée. »

Lewis haussa les épaules, sans répondre. J'espérais désespérément que tout le monde serait exquis avec moi, ce soir-là, et que mon criminel ne se mettrait pas d'idées dans la tête. C'était d'ailleurs éprouvant, depuis dix jours, je ne cessais de lui faire des descriptions idylliques des gens, de verser des torrents de miel sur tous mes collaborateurs, tous mes amis, de lui représenter Hollywood, cette jungle infâme, comme le vert paradis des amours enfantines. S'il m'échappait une remarque caustique sur quelqu'un, j'évoquais aussitôt un service imaginaire qu'il m'avait rendu trois ans avant, bref, je deviendrais idiote ou folle très vite en admettant que ce ne soit pas déjà fait.

Gloria Nash nous attendait à la porte de sa petite maison de trente-deux pièces. Tout y était en ordre : les projecteurs dans le jardin, la piscine illuminée, les barbecues géants et les robes du soir. Gloria Nash est blonde, belle, cultivée. Malheureusement elle est née dix ans (au bas mot) après moi et ne cesse de me le rappeler de la façon la plus gracieuse : tantôt en s'exclamant « mais comment faites-vous, Dorothy, pour avoir ce teint ? il faudra que vous me disiez vos secrets, plus tard », tantôt en me regardant avec une expression de stupeur émerveillée

comme si le fait de tenir debout à quarante-cinq ans tenait du prodige.
C'est cette seconde attitude qu'elle adopta ce soir-là et je me fis un
instant l'effet, sous son regard ahuri, de Toutankhamon égaré par hasard
dans une party. Elle m'entraîna aussitôt pour me recoiffer bien que je
n'en aie nul besoin, mais c'est un des rites les plus assommants et les
plus immuables ici, cette manie qu'ont les femmes d'aller en groupe
compact se recoiffer et se repoudrer toutes les dix minutes. En fait elle
débordait de curiosité et me posa sur Lewis mille questions que j'éludai
machinalement. Elle finit par s'agacer, fit quelques allusions que je ne
relevai pas et se décida à l'attaque, en désespoir de cause, comme nous
quittions son délicieux boudoir en toile de Jouy :
« Vous savez, Dorothy, que j'ai beaucoup d'affection pour vous. Si,
si. Déjà toute petite, quand je vous avais vue dans ce film... euh...
enfin, il faut bien que quelqu'un vous prévienne. Il court des drôles de
bruit sur Lewis.
— Quoi ?»
Mon sang s'était glacé. Je dus émettre un vague cri en guise de
question car elle sourit :
« Comme vous y tenez !... Il faut dire qu'il est follement séduisant.
— Il n'y a rien de sentimental entre lui et moi, dis-je. Quels genres de
bruits ?
— Eh bien, les gens disent... vous savez comment sont les gens ici...
Ils disent que Paul et vous et lui...
— Quoi ? Paul et lui et moi ?
— Vous êtes toujours entre les deux, alors forcément...»
Je compris tout à coup, je respirai :
« Oh ! ce n'est que ça, dis-je gaiement, comme s'il s'agissait là d'un
enfantillage (et c'était bien l'effet que cela me faisait, cette idée d'orgie
à trois, comparée à la sinistre vérité). Oh ! ce n'est que ça... ce n'est pas
grave. »
Et laissant Gloria interloquée, je partis dans le jardin vérifier si Lewis,
entre deux petits fours, n'avait pas trouvé le temps de poignarder
quelqu'un qui n'aurait pas aimé ma robe de paillettes. Non. Il parlait
sagement à une des commères d'Hollywood. Soulagée, je me lançai
toutes voiles dehors dans la fête, au demeurant fort réussie. J'y retrouvai
un certain nombre de mes anciens soupirants qui me firent tous la cour
à leur manière, vantant ma robe et mon teint, et je commençai à croire
qu'une bonne crise de foie était un moyen idéal de rajeunir. Il faut
ajouter que je suis toujours restée en bons termes avec mes anciens
amants, ils prennent tous des airs de regret en me voyant, murmurant des
« Ah ! Dorothy, si vous aviez voulu », font des allusions discrètes à des
souvenirs que je ne partage pas toujours, hélas ! ma mémoire devenant
faible avec l'âge. Paul me surveillait de loin, souriant de me voir
gambader de la sorte et une fois ou deux je croisai le regard de Lewis

que Gloria semblait avoir sérieusement attaqué. Mais je ne m'occupais pas de lui. J'avais envie de m'amuser, j'avais eu assez d'émotions comme ça les jours précédents ; à moi le champagne, les parfums de la nuit californienne et les rires rassurants de ces bons et braves et beaux hommes d'Hollywood qui n'avaient jamais tué personne, eux, que je sache, ailleurs que dans les films.

J'étais donc gaie comme un pinson et légèrement éméchée quand Paul vint me retrouver, une heure plus tard. Roy Dardrige, le roi des westerns, m'expliquait, d'une voix plaintive, que j'avais gâché sa vie, quatre ou cinq ans plus tôt, et emporté par son émotion et le flot de martinis qu'il avait ingurgités, il toisa Paul d'un air belliqueux qui laissa ce dernier tout à fait indifférent. Il me prit par le bras et m'emmena un peu à l'écart.

« Vous vous amusez bien ?

— Follement. Et vous ?

— De vous voir rire, oui, même de loin. »

Cet homme était décidément délicieux. Je décidai de l'épouser le lendemain même, puisqu'il y tenait. Seule la règle inflexible que je me suis imposée de ne jamais formuler à haute voix mes décisions dans les soirées m'empêcha de le lui annoncer. Je me bornai à lui embrasser la joue, tendrement, profitant de l'ombre d'un magnolia.

« Comment va notre petit garçon ? »

Paul se mit à rire :

« Gloria le regarde comme un cocker regarde un os. Elle ne le quitte pas d'un centimètre. Décidément sa carrière semble bien assurée. »

« A moins qu'il ne tue le maître d'hôtel », pensai-je rapidement. Je décidai d'aller voir un peu ce qui se passait. Je n'en eus pas le temps : un hurlement s'éleva près de la piscine, et je sentis pour une fois, comme dans les romans, mes cheveux se dresser sur ma tête malgré la laque qui les accablait :

« Qu'est-ce que c'est ? » dis-je d'une voix faible. Mais déjà Paul était parti en courant vers le cercle qui se formait plus loin. Je fermai les yeux. Quand je les rouvris, Lewis était près de moi, impassible.

« C'est cette pauvre Rena Cooper qui est morte », dit-il, paisiblement.

Rena Cooper était la commère avec laquelle il parlait une heure plus tôt. Je le regardai, horrifiée. Bien sûr, Rena n'était pas la bonté même, mais dans sa détestable confrérie, c'était une des mieux.

« Vous m'aviez juré, dis-je. Juré.

— Juré quoi ? »

Il avait l'air éberlué :

« Juré de ne plus tuer personne sans me demander la permission avant. Vous êtes lâche et sans parole. Vous êtes un assassin patenté, un irresponsable. Vous me faites honte, Lewis, vous me faites horreur.

— Mais, dit-il, ce n'est pas moi.

— A d'autres, dis-je aigrement en secouant la main, à d'autres. Qui voulez-vous que ce soit ?»

Paul arrivait, l'air légèrement écœuré. Il me prit par le bras, me demanda la raison de ma pâleur. Lewis restait immobile, nous regardant, presque souriant, je l'aurais giflé.

«Cette pauvre Rena a eu une crise cardiaque de trop. C'était la dixième cette année. Le docteur n'a rien pu faire : elle buvait trop et il l'avait prévenue.»

Lewis écarta les mains, me fit le petit sourire narquois de l'innocent injustement accusé. Je respirai un peu. En même temps, je me rendis compte que je ne pourrai plus de ma vie voir un avis de décès dans un journal ou entendre parler d'une mort quelconque sans le soupçonner. Le reste de la soirée fut évidemment un fiasco. La pauvre Rena fut emportée en ambulance et les gens se séparèrent très vite. Je me retrouvai à la maison, assez déprimée, avec Lewis. Il me donna un Alka-Seltzer d'un air protecteur et me conseilla d'aller me coucher. J'obéis piteusement. C'est incroyable à dire, mais j'avais honte de moi. La moralité est une chose bizarre, soumise à trop de fluctuations, je n'aurais jamais le temps de m'en fabriquer une solide avant de mourir. Mourir cardiaque, moi aussi, sûrement.

CHAPITRE XIII

IL Y EUT alors une période délicieuse de calme. Trois bonnes semaines s'écoulèrent sans la moindre anicroche. Lewis travaillait, Paul aussi, moi aussi, et nous dînions souvent ensemble, le soir, à la maison. Un week-end de beau temps, nous partîmes même sur la côte, à cinquante kilomètres de la ville, dans un bungalow désert que quelqu'un avait prêté à Paul. Il se dressait au-dessus de la mer, presque à pic sur des rochers, et il fallait descendre un petit sentier de chèvre pour pouvoir se baigner. La mer était très violente ce jour-là et Lewis et moi, paresseux, regardions généralement Paul se baigner tout seul. Il voulait faire le sportif comme tous les hommes de son âge bien conservés et cela faillit lui jouer un vilain tour.

Il nageait un petit crawl fort élégant, à trente mètres du rivage environ, quand un malaise le prit. Lewis et moi étions en robe de chambre, croquant des toasts sur la terrasse qui surplombait directement la mer de huit mètres. J'entendis la voix de Paul appeler faiblement, je vis sa main se lever et une énorme vague lui passer sur la tête. Je poussai un hurlement et me précipitai dans le petit chemin. Mais déjà Lewis avait enlevé sa robe de chambre et il avait plongé tout bonnement de huit mètres dans l'eau au risque d'arriver sur un rocher. Il rejoignit Paul, le ramena à terre en deux minutes. Quand Paul eut fini de vomir son eau salée, tandis que je lui tapotai bêtement le dos, je relevai les yeux et vis que Lewis était tout nu. Dieu sait le nombre d'hommes nus que j'ai pu voir dans ma vie, mais je me sentis rougir. Je croisai le regard de Lewis et il se leva d'un bond et courut vers la maison.

«Mon vieux, dit Paul, un peu plus tard, une fois réchauffé et lesté d'un grog, mon vieux, vous avez du courage. Ce plongeon... Je crois que sans vous, j'y restais.»

Lewis poussa un grognement, gêné bien entendu. Je pensai avec amusement que ce garçon passait son temps à ôter et sauver des vies humaines. Son nouveau rôle me plaisait plus que le précédent. Je me levai et l'embrassai sur la joue, impulsivement. J'allais peut-être finalement arriver à en faire un bon garçon. C'était un peu tard, bien sûr, si l'on pensait aux pauvres Frank, Louella, etc., mais il y avait un espoir. Je fus un peu moins optimiste plus tard lorsque, profitant d'une absence de Paul, je le félicitai de sa bonne action :

«Vous savez, dit-il, froidement, personnellement, que Paul meure ou pas, ça m'était bien égal.»

Je restai ahurie :

«Alors pourquoi avez-vous risqué de vous tuer pour le sauver?

— Parce qu'il vous plaît et que vous auriez eu de la peine.

— Si je comprends bien, si Paul· n'avait pas été mon amant, vous l'auriez laissé se noyer sans bouger.

— Exactement», dit-il.

Je pensais qu'il avait décidément une étrange conception de l'amour. En tout cas que le sien, pour moi, ne ressemblait en rien à celles que j'avais jusqu'ici inspirées et où il se mêlait toujours une légère touche d'exclusivité. J'essayai d'insister :

«Mais vous n'avez aucune, euh... sympathie, aucune affection pour Paul, depuis trois mois?

— Je n'aime que vous, dit-il, avec son air sérieux, et ne m'intéresse à personne d'autre.

— Justement, dis-je, est-ce que vous croyez que c'est très sain? Un garçon de votre âge qui euh... qui plaît beaucoup aux femmes devrait de temps en temps... euh... je ne sais pas... moi...

— Vous voudriez que je tombe dans les bras de Gloria Nash?

— Elle ou une autre. Ne serait-ce que d'un point de vue de santé pure, je crois meilleur pour un jeune homme qui... que...»

Je bafouillais. Qu'est-ce qui m'avait pris d'aller lui faire des discours de mère de famille? Il me regarda d'un air sévère :

«Je crois que les gens font beaucoup trop d'histoires à ce sujet, Dorothy.

— C'est pourtant un des grands charmes de la vie, protestai-je faiblement tout en pensant que j'y avais consacré les trois quarts de mon temps et de mes pensées.

— Pas pour moi», dit Lewis.

Il avait repris, un instant, son regard opaque, cette tête de bête dangereuse et myope qui me faisait peur. Je cessai précipitamment la conversation. En dehors de ça, ce long weed-end nous avait fait le plus grand bien. Nous étions bronzés, détendus et de très bonne humeur en revenant de Los Angeles.

J'allais en avoir besoin. Trois jours plus tard, on finissait le film de Lewis, son fameux film de cow-boy et Bill Macley, le metteur en scène, donnait un verre sur le plateau pour fêter le dernier tour de manivelle. Cela se passait dans le faux village, tout en bois et tout en façades dans lequel Lewis avait traîné ses guêtres tout l'été. J'y arrivai vers six heures, un peu en avance, et retrouvai Bill dans le faux saloon, au milieu de la fausse grande rue. Il était visiblement de mauvaise humeur, excédé et assez grossier comme d'habitude. Son équipe préparait le plan un peu plus loin et il était seul, assis sur une table, l'œil mauvais. Il buvait beaucoup à ce moment-là, et on ne lui confiait plus que des films secondaires, ce qui le rendait hypernerveux. Il m'aperçut et je fus obligée de monter les deux marches poussiéreuses du saloon. Il eut un gros rire en me voyant :

«Alors Dorothy? vous êtes venue voir tourner votre gigolo? C'est sa grande scène aujourd'hui. Courage, il a un joli physique, ce petit-là, il ne vous coûtera pas cher bien longtemps.»

Il était ivre mort, mais je ne suis pas d'un naturel très patient, contrairement à ce que l'on pourrait croire. Je le traitai donc aimablement de sale bâtard. Il marmonna que si je n'étais pas une femme, il m'aurait déjà réduite en miettes et je le remerciai aigrement de se rappeler, même un peu tard, que j'en étais effectivement une.

«De toute façon, je vous signale que je suis fiancée avec Paul Brett, dis-je, d'un air pincé.

— Je sais. Tout le monde dit que vous faites ça à trois.»

Il éclata de rire et j'allai lui envoyer quelque chose à la figure, mon sac, par exemple, lorsqu'une silhouette s'encadra dans la porte. C'était Lewis. Aussitôt, je redevins exquise :

«Bill, mon chou, excusez-moi. Vous savez que je vous adore, mais je suis un peu nerveuse ces temps-ci.»

Malgré son état, il fut légèrement surpris mais enchaîna aussitôt :

«C'est votre sang irlandais, ça mène loin. Vous devez en savoir quelque chose, hein mon vieux?»

Il lança une bourrade à Lewis et sortit. J'émis un petit rire nerveux :

«Cher vieux Bill... il ne pèche pas par la distinction, mais quel cœur d'or...»

Lewis ne répondit pas. Il était habillé en cow-boy, avec un mouchoir autour du cou, mal rasé et l'air distrait.

« Enfin, ajoutai-je, c'est un bon ami. Quelle scène tournez-vous pour finir ?

— Le meurtre, dit Lewis tranquillement. Je tue le type qui a violé ma sœur, l'ingénue. Pourtant il lui fallait du courage, je vous l'assure. »

Nous nous rendîmes lentement vers le lieu du tournage. Lewis me quitta dix minutes pour se préparer. Je regardais. Bien que son équipe technique ait tout parfaitement préparé, Bill vociférait des insultes. Il n'était visiblement plus maître de lui-même. Hollywood l'avait démoli, à son tour, Hollywood et l'alcool. Les tables de cocktail étaient dressées dehors et déjà quelques assoiffés vidaient des verres. Nous devions être une centaine dans ce faux village, plus ou moins groupés autour de la caméra.

« Gros plan de Miles, hurla Bill. Où est-il ? »

Lewis vint tranquillement vers lui, il avait une Winchester à la main, et cet air distrait qu'il ne quittait jamais quand on l'ennuyait.

Bill se baissa, mit son œil à la caméra, jura longuement :

« Mal fichu, tout ça, mal fichu. Epaulez Lewis, épaulez, visez-moi... Je veux votre visage en fureur, vous comprenez, en fureur... ne prenez pas cet air idiot, nom de Dieu : vous allez tuer le salaud qui a sauté votre sœur... Là, c'est très bien, ça... c'est très bien... vous tirez... vous... »

Je ne voyais pas Lewis, il me tournait le dos. Mais il tira et Bill mit les deux mains sur son ventre, le sang jaillit et il tomba. Il y eut une seconde complètement figée puis tout le monde se précipita. Lewis, l'air stupide, regardait la carabine. Je me détournai et me mis à vomir, contre un faux mur qui sentait le moisi.

Le lieutenant de police fut très courtois et très logique. Il était évident que quelqu'un avait remplacé les cartouches à blanc par des vraies, il était évident que ce quelqu'un faisait partie des mille personnes qui haïssaient Bill Macley, il était évident aussi que ce ne pouvait être Lewis, qui le connaissait à peine, et semblait assez sensé pour ne pas commettre un meurtre devant cent personnes. On le plaignit presque et on attribua son mutisme, son air farouche au choc nerveux : il n'est jamais drôle d'être l'instrument d'un crime. Nous sortîmes du poste de police vers dix heures, avec quelques autres témoins, et quelqu'un proposa d'aller prendre le verre qui nous avait échappé. Je refusai et Lewis me suivit. Nous fîmes tout le trajet sans dire un mot. J'étais au comble de l'épuisement, je n'étais même plus en colère.

« J'avais tout entendu », dit simplement Lewis, au bas de l'escalier, et je ne répondis rien. Je haussai les épaules, pris trois somnifères et m'endormis d'un coup.

CHAPITRE XIV

Le LIEUTENANT de police était dans mon salon, l'air très ennuyé. Il était bel homme d'ailleurs, les yeux gris, les lèvres pleines, un peu trop mince.
«Ce n'est qu'une pure formalité, vous le pensez bien, disait-il. Mais vous ne savez vraiment rien de plus sur ce garçon?
— Rien, dis-je.
— Et il habite là depuis trois mois?
— Eh oui!»
J'esquissai un mouvement d'excuse :
«Vous devez penser que je manque de curiosité?»
Il leva des sourcils noirs et sa figure arbora une expression similaire à celle que prenait Paul souvent :
«C'est le moins que je puisse dire.
— Voyez-vous, dis-je, je trouve qu'on en sait toujours trop sur les gens qu'on fréquente, c'est ennuyeux. On sait avec qui ils vivent, de quoi, avec qui ils couchent, ce qu'ils aiment penser d'eux-mêmes, euh... trop de choses quoi. Un peu de mystère est reposant, non? Vous ne trouvez pas?»
Visiblement, il ne trouvait pas ça reposant.
«C'est un point de vue, dit-il froidement. Un point de vue qui n'arrange pas mon enquête. Evidemment, je ne pense pas qu'il ait délibérément tué Macley. Il semble même qu'il était le seul que Macley ménageât. Mais c'est quand même lui qui a tiré. Et même pour sa carrière, devant le tribunal, il serait mieux qu'on puisse faire de lui le portrait le plus angélique possible.
— Vous devriez lui demander, dis-je. Je sais qu'il est né dans le Vermont, c'est à peu près tout. Voulez-vous que je le réveille ou voulez-vous un autre café?»
C'était le lendemain du meurtre. Le lieutenant Pearson m'avait tirée du lit à huit heures. Lewis dormait encore.
«Je veux bien un autre café, dit-il. Madame Seymour, je m'excuse de vous poser la question aussi brutalement : qu'y a-t-il entre vous et Lewis Miles?
— Rien, dis-je. Rien de ce que vous pourriez croire. A mes yeux, c'est un enfant.»
Il me regarda et brusquement sourit :
«Il y a bien longtemps que je n'avais pas eu envie de croire une femme.»
J'émis un petit rire flatté. En fait, j'étais horrifiée de laisser ce pauvre

garçon, représentant de la loi de mon pays, cafouiller ainsi dans cette affreuse histoire. En même temps, je me disais que s'il avait été bedonnant, violacé et brutal, mes sentiments civiques auraient été moins forts. De plus, je n'avais pas complètement assimilé mes somnifères et je dormais debout.

«Ce garçon a une jolie carrière devant lui, dit-il. C'est un remarquable acteur.»

Je me figeais derrière ma cafetière.

«Comment le savez-vous?

— Nous nous sommes fait projeter les rushes du film hier soir. Vous avouerez que c'est commode, pour un flic, un meurtre filmé en direct: ça évite la reconstitution.»

Il parlait par la porte de la cuisine. Je poussai un rire niais et me renversai de l'eau bouillante sur les doigts. Il continuait:

«On voit le visage de Lewis en gros plan: j'avoue que ça fait frémir.

— Je crois que ce sera un grand comédien, fis-je. Tout le monde le dit.»

Là-dessus j'attrapai la bouteille de scotch sur le Frigidaire et en avalai une grande rasade à même le goulot, en toute discrétion. Les larmes me vinrent aux yeux, mais mes mains cessèrent de trembler comme deux pauvres feuilles. Je revins dans mon living-room et servis le café très convenablement.

«Pour votre part, vous ne voyiez aucun motif à ce jeune Miles pour tuer Macley?

— Pas le moindre», dis-je, fermement.

Ça y était, j'étais complice. Non seulement à mes propres yeux, mais à ceux de la loi. Les prisons de l'Etat me guettaient. Eh bien, tant mieux: j'irai en prison, je serai tranquille. Tout à coup je réalisais que si Lewis avouait, je serais non seulement complice, mais, aux yeux des gens, instigatrice de tous ses crimes et que c'était la chaise électrique qui me recueillerait. Je fermai les yeux un instant: décidément, le sort m'était contraire.

«Malheureusement, nous n'en voyions aucun non plus, dit la voix de Pearson. Excusez-moi: je veux dire malheureusement pour nous. Ce Macley était une brute, semble-t-il, et n'importe qui pouvait entrer au magasin d'accessoires et changer les cartouches. Il n'y a même pas de gardien. Cela risque d'être long. Et je suis claqué ces temps-ci.»

Il commençait à se plaindre, mais cela ne me surprit pas. Tous les hommes que je rencontre, qu'ils soient flics, facteurs ou écrivains, finissent toujours par me raconter leurs soucis. C'est un don que j'ai. Jusqu'à mon percepteur qui me narre ses démêlés conjugaux.

«Quelle heure est-il?» dit une voix ensommeillée, et Lewis apparut dans l'escalier, en robe de chambre, se frottant les yeux. Il avait visiblement dormi fort bien et la colère me gagna. Qu'il tue des gens à la rigueur, mais qu'au moins il accueille lui-même les policiers à l'aube au lieu de ronronner sur son oreiller. Je le présentai brièvement. Lewis n'eut pas l'ombre d'un sursaut. Il serra la main de Pearson, me demanda la permission de se servir de café d'un air confus, avec son petit sourire de biais, et je vis le moment où, dans sa somnolence, il allait me demander si je lui en voulais encore pour la veille. C'eût été complet. Je lui servis moi-même son café, il s'installa devant Pearson et l'interrogatoire commença. J'appris ainsi que ce doux meurtrier venait d'une fort bonne famille, que ses études avaient été brillantes, que ses différents patrons avaient été ravis de lui et que seul son goût du vagabondage, du changement, l'avait empêché de faire une brillante carrière. J'écoutai tout cela bouche bée. Ce garçon avait été un parfait citoyen, si je comprenais bien, avant de tomber dans les bras de Dorothy Seymour, femme fatale numéro un, qui l'avait par quatre fois poussé au crime. C'était confondant : moi qui de ma vie n'ai tué une mouche sans un sentiment de gêne, moi chez qui les chiens, les chats et les gens perdus se précipitent. Lewis expliqua calmement qu'il avait pris la Winchester sur la table où on la rangeait d'habitude, dans le magasin, et qu'il n'avait même pas pensé à vérifier quoi que ce soit, étant donné qu'ils tiraient tous des coups de fusil dans toutes les directions depuis huit semaines de tournage sans le moindre accroc.

« Que pensiez-vous de Macley ? dit Pearson soudainement.

— Un ivrogne, dit Lewis. Un pauvre ivrogne.

— Quel effet cela vous a-t-il fait quand il est tombé ?

— Rien, dit Lewis froidement, j'étais étonné.

— Et maintenant ?

— Je le suis encore.

— Ça ne vous a pas empêché de dormir, l'idée d'avoir tué un homme ? »

Lewis releva la tête et le regarda en face. Je sentis la sueur couvrir mon front tout à coup. Il se mordilla le doigt, eut un geste embarrassé des deux mains :

« Ça ne m'a rien fait du tout », dit-il.

Je savais que c'était vrai et, à ma grande stupeur, je vis que cela convainquait plus Pearson de son innocence que n'importe quoi. Il se leva, soupira, ferma son bloc-notes.

« Tout ce que vous m'avez dit avait déjà été vérifié cette nuit, monsieur Miles, ou à peu près. Je suis désolé de vous avoir dérangé, mais c'est le règlement. Madame, je vous remercie infiniment. »

Je le raccompagnai jusqu'au perron. Il marmonna quelque chose sur l'éventualité de prendre un cocktail un jour ensemble et j'acceptai précipitamment. Je lui fis un doux sourire lorsqu'il démarra, sourire qui me donna l'impression d'avoir cinquante-deux dents. Je rentrai en tremblotant à la maison. Lewis buvait son café à petites gorgées, l'air très content de lui, et la colère, après la peur, me submergea. J'attrapai un coussin, le lui jetai à la tête, puis quelques objets de médiocre valeur qui traînaient dans mon living-room. Je fis ça très vite, sans trop viser et, bien entendu, une tasse s'écrasa sur son front. Il se mit à saigner abondamment et j'éclatai en sanglots, une fois de plus. C'était la deuxième fois en un mois et dix ans.

Je tombai sur le divan.

Lewis avait la tête sur mes deux mains, je sentais le sang tiède qui coulait de mes doigts et je me demandais pourquoi je n'avais eu aucun pressentiment, six mois plus tôt, alors que je tenais cette même tête entre ces mains, sur une route déserte, à la lueur des flammes, et que le même sang coulait sur mes doigts. J'aurais dû le laisser là, m'enfuir ou l'achever. Tout en pleurant, je montai à la salle de bain, baignai sa coupure avec de l'alcool et lui mis un Albuplast. Il ne disait rien, il avait l'air extrêmement penaud.

« Vous avez eu peur, dit-il enfin d'un air incrédule, vous n'êtes pas raisonnable.

— Pas raisonnable, dis-je, amèrement. J'ai sous mon toit un garçon qui a tué cinq personnes...

— Quatre, dit-il, modestement.

— Quatre... c'est pareil, à force, et un policier vient me réveiller à huit heures du matin... et vous ne trouvez pas raisonnable que j'aie eu peur... c'est le comble.

— Mais, ça ne risque rien, dit-il gaiement. Vous l'avez bien vu.

— En plus, dis-je, en plus... quelle est cette vie d'enfant modèle que vous avez eue ? Bon étudiant, bon employé, bon tout ?... de quoi ai-je l'air, moi ? De Mata-Hari ? »

Il éclata de rire :

« Je vous l'ai dit, Dorothy. Avant de vous connaître, je n'avais rien, j'étais seul. Maintenant que j'ai quelque chose à moi, je le défends, c'est tout.

— Mais vous n'avez rien à vous, dis-je, exaspérée. Je ne suis pas à vous, je ne suis pas votre maîtresse que je sache. Et vous savez bien que si l'on ne nous grille pas ou si l'on ne nous pend pas haut et court, j'ai l'intention d'épouser Paul Brett un de ces jours. »

Il se leva brusquement et me tourna le dos.

« Vous pensez, dit-il, d'une voix lointaine, que, lorsque vous aurez épousé Paul, je ne pourrai plus habiter avec vous ?

— Mais je ne crois pas du tout que ce soit dans les idées de Paul, commençais-je, il vous aime beaucoup bien sûr, mais... »

Je me tus brusquement. Il s'était retourné et il me regardait avec cet effrayant visage que je connaissais si bien à présent. Cette tête d'aveugle. Je me mis à crier d'une voix suraiguë :

« Non, Lewis, non. Si vous touchez à Paul, je ne vous verrai plus de ma vie. Plus jamais. Je vous détesterai, ce sera fini, vous et moi, fini. »
Fini, quoi ? je me demandai. Il passa la main sur son front, se réveilla :
« Je ne toucherai pas à Paul, dit-il. Mais je veux vous voir toute ma vie. »
Il monta l'escalier lentement, comme quelqu'un qui a reçu un coup bas et je sortis de la pièce. Le soleil éclairait joyeusement mon vieux jardin, la Rolls qui avait repris son rôle de statue, les collines au loin, tout ce petit monde qui avait été si paisible et si gai toute ma vie. Je versai encore quelques larmes sur ma vie brisée et rentrai en reniflant. Je devais m'habiller. Ce sergent Pearson était fort bel homme quand même, à la réflexion.

CHAPITRE XV

Le surlendemain, après deux jours de cauchemars où je passai le plus clair de mon temps à croquer de l'aspirine et où j'essayai même un tranquillisant, pour la première fois de ma vie, lequel d'ailleurs me jeta par terre moralement et me fit envisager le suicide comme une solution délicieuse à mes problèmes, le surlendemain, l'orage éclata. Plus exactement la tornade. Un typhon nommé Anna (avec cette exquise manie qu'on a ici de donner des petits noms charmants aux cataclysmes) arriva sur nos côtes. Je fus réveillée par le tremblement de mon lit à l'aube, puis le fracas de l'eau et j'en éprouvai une sorte d'amer soulagement. Les éléments s'en mêlaient, Macbeth n'était pas loin, la fin approchait. Je me mis à la fenêtre, vis passer quelques voitures vides sur la route transformée en rivière, suivies de quelques débris divers, puis je fis le tour de la maison et, par une autre fenêtre, je vis flotter la Rolls dans le jardin, comme un bateau de pêche. La véranda était juste au-dessus de l'eau, à un demi-mètre environ. Je me félicitai, une fois de plus, de n'avoir pas cultivé mon jardin amoureusement, il n'en serait rien resté.
Je descendis. Lewis était à la fenêtre, ravi. Il se précipita pour me donner du café avec ces yeux suppliants qu'il avait depuis le meurtre de Bill Macley : des yeux d'enfant qui voudrait qu'on lui pardonne une vilaine blague. Je pris aussitôt mon air altier.
« Impossible d'aller au studio aujourd'hui, dit-il gaiement. Aucune route n'est viable. Et le téléphone est coupé.
— Charmant, dis-je.
— Heureusement, j'ai acheté hier, chez Tojy, deux steaks et des cakes, ceux que vous aimez, ceux aux fruits confits.

— Merci », dis-je, dignement.

Mais j'étais enchantée. Ne pas travailler, traîner en robe de chambre, et ces gâteaux de Tojy qui sont délicieux... ce n'était pas si mal. En plus, je lisais un livre passionnant en ce moment, plein de fleur bleue et de délicatesse, qui me changeait agréablement des meurtres et du climat ambiant.

« Paul doit être furieux, dit Lewis, il voulait vous emmener à Las Vegas ce week-end.

— J'irai me ruiner un autre jour, dis-je. D'ailleurs, j'ai ce livre à finir. Et vous, qu'allez-vous faire ?

— De la musique, dit-il, puis je vous ferai la cuisine, puis nous pourrions jouer au gin-rummy, non ? »

Il était visiblement fou de joie. Il m'avait à sa merci pour la journée, il devait jubiler depuis le petit matin. Je ne pus m'empêcher de lui sourire :

« Faites un peu de musique pour commencer pendant que je lis. J'imagine que la télévision et la radio sont coupées aussi. »

J'ai omis de signaler que Lewis jouait souvent de la guitare, une musique lente et plutôt mélancolique, assez bizarre, et qu'il composait lui-même. Je l'ai oubliée parce que je ne suis absolument pas mélomane. Il prit donc sa guitare et commença ses accords. La tempête soufflait dehors, je buvais mon café bien chaud en compagnie de mon assassin favori, je ronronnais. C'est terrible, finalement, d'avoir le bonheur facile. C'est très astreignant, le bonheur, on ne peut pas plus s'y dérober qu'à la neurasthénie. On nage au milieu des pires ennuis, on se débat, on se défend, on est obsédé par une pensée et subitement le bonheur vous frappe au front comme un caillou ou un éclair de soleil et on se laisse aller en arrière, toute au plaisir d'exister.

La journée passa ainsi. Lewis me prit quinze dollars au gin, me laissa faire, Dieu merci, la cuisine, joua de la guitare, je lus. Je ne m'ennuyai absolument pas avec lui, il était léger comme un chat. Alors que souvent Paul, avec sa belle carrure, m'excédait un peu. Je n'osai imaginer ce qu'eût été cette même journée, dans ces mêmes conditions avec Paul : il aurait voulu arranger le téléphone, amarrer la Rolls, préserver les volets, finir avec moi mon scénario, parler des gens, faire l'amour, que sais-je... Des actes. Agir. Mais Lewis s'en fichait. La maison pouvait quitter ses amarres, décoller comme une arche de Noé, il était là languissant, heureux avec sa guitare. Oui, si j'y pense, ce fut une journée très douce au milieu de cette tornade nommée Anna.

A la nuit, les éléments redoublèrent leurs facéties. Les volets partirent dans le vent, les uns après les autres, comme des oiseaux, non sans des craquements lugubres. Dehors, on n'y voyait strictement rien. Je ne me rappelai pas avoir jamais assisté à quelque chose de tel dans ce pays. De temps en temps, la Rolls venait frapper à la porte ou contre le mur, comme un gros chien furieux d'être laissé dehors. Je commençais à avoir peur. Je trouvais que Dieu, dans son infinie bonté, en faisait un peu trop voir depuis quelque temps à son humble servante. Lewis, bien sûr, était enchanté, se réjouissait visiblement de mon air penaud et faisait le fier-à-bras. Un peu agacée, j'allai me coucher de bonne heure, pris ce qui devenait mes habituels somnifères — après toute une vie passée à éviter les médicaments — et essayai de m'endormir. En vain. Le vent sifflait à présent, comme une locomotive bourrée de loups, la maison craquait de tous côtés et vers minuit, elle craqua pour de bon. Le toit s'envola littéralement de dessus ma tête et je reçus une trombe d'eau sur le corps.

Je poussai un hurlement et enfouis en un réflexe stupide ma tête sous mes draps trempés, puis je me précipitai hors de ma chambre et tombai dans les bras de Lewis. Il faisait nuit noire. Il me tira vers lui et, à tâtons, je rentrai dans sa chambre où le toit, par miracle, avait résisté. (La maison avait été décapitée à demi par un coup de vent furieux et naturellement c'était moi qui avais reçu le paquet d'eau.) Lewis avait arraché une couverture de son lit et il me frictionnait comme un vieux cheval en me parlant d'ailleurs sur le ton que l'on emploie pour ces quadrupèdes quand ils ont peur. «Là... là... ce n'est rien... ça va passer...» Il descendit ensuite dans la cuisine à la lumière de son briquet pour chercher la bouteille de scotch et revint trempé jusqu'aux genoux.

«La cuisine est pleine d'eau, dit-il allégrement. Le divan flotte dans le salon avec les fauteuils. J'ai pratiquement dû nager pour attraper cette maudite bouteille qui flottait aussi, au hasard. C'est fou comme les objets ont l'air gai quand ils changent d'usage. Même le Frigidaire, si gros et si bête, qui se prend pour un bouchon.»

Je ne trouvais pas ça tordant, mais je sentais bien qu'il faisait ce qu'il pouvait pour me distraire. Nous étions assis sur son lit, grelottant, entortillés dans les couvertures, et buvant à la bouteille, dans le noir.

«Qu'allons-nous faire? demandai-je.

— On va attendre le jour, dit Lewis, paisiblement. Les murs sont solides. Vous n'avez qu'à vous étendre dans mon lit sec et dormir.»

Dormir... Ce garçon était fou. Néanmoins la peur et l'alcool me faisaient tourner la tête et je m'étendis sur son lit. Il était assis près de moi, je distinguais son profil contre la fenêtre battante sur des nuages éperdus. Je commençais à me dire que cette nuit ne finirait jamais, que j'allais mourir, et un chagrin, une terreur enfantine me prenaient à la gorge.

«Lewis, suppliai-je, j'ai peur. Allongez-vous près de moi.»

Il ne répondit pas, mais au bout d'un instant, il fit le tour du lit et s'allongea à mon côté. Nous étions tous les deux sur le dos et il fumait une cigarette, sans parler.

A ce moment-là, la Rolls, soulevée par une vague plus grosse que les autres, se jeta contre le mur où nous étions. Le mur trembla avec un bruit atroce et je me jetai dans les bras de Lewis. Ce n'était pas réfléchi, mais il me fallait absolument un homme qui me serre dans ses bras et m'y tienne très serrée. Ce que fit Lewis. Mais, en même temps, il inclina son visage vers le mien et se mit à embrasser mon front, mes cheveux, ma bouche avec des baisers doux et réguliers, d'une tendresse incroyable. En même temps, il murmurait une sorte de litanie amoureuse autour de mon nom, litanie que je comprenais mal, enfouie comme je l'étais dans ses cheveux et contre son corps. «Dorothy, Dorothy, Dorothy...» sa voix ne couvrait pas le bruit de la tempête. Je ne bougeais pas, j'étais au chaud contre un corps chaud, je ne pensais vraiment à rien d'autre, sinon, confusément, que cela devait finir ainsi et que ce n'était pas bien grave.

Seulement cela ne pouvait pas finir ainsi et je le compris tout à coup. Et en même temps je compris ce qu'était Lewis et l'explication de tous ses actes. Et ces meurtres et ce fol amour platonique pour moi. Je me redressai vite, trop vite, et il me lâcha aussitôt. Nous restâmes immobiles un instant, pétrifiés l'un et l'autre, comme si un serpent se fût tout à coup glissé entre nous, et je n'entendais plus le vent, simplement les coups assourdissants de mon cœur.

«Ainsi vous savez», dit la voix de Lewis lentement...

Et il alluma son briquet. Je le vis à la lumière de la flamme, parfaitement beau, si seul, à jamais seul... Je tendis la main vers lui, envahie d'une pitié affreuse. Mais il avait déjà son regard d'aveugle, il ne me voyait plus, il lâcha son briquet, mit ses deux mains sur ma gorge.

Je ne suis absolument pas suicidaire, mais j'eus un instant envie de le laisser faire, je ne sais pourquoi. Cette pitié, cette tendresse que j'éprouvais me projetaient vers la mort comme vers un refuge. C'est probablement ce qui me sauva : je ne me débattis pas une seconde. La pression des doigts de Lewis me rappelant que l'existence était mon bien le plus précieux, je me mis à lui parler calmement, dans ce qui risquait d'être mon dernier souffle :

«Si vous voulez, Lewis... mais ça me fait de la peine. J'ai toujours aimé la vie, vous savez, et j'aime beaucoup le soleil et mes amis et vous Lewis...»

La pression de ses doigts continuait. Je commençais à suffoquer un peu :

«Qu'allez-vous faire sans moi, Lewis, vous allez vous ennuyer vous savez... Lewis, mon chéri, soyez aimable, lâchez-moi.»

Et, tout à coup, ses mains quittèrent mon cou et il s'abattit contre moi, sanglotant. Je l'installai confortablement sur mon épaule et je lui caressai les cheveux sans rien dire un long moment. Quelques hommes se sont effondrés au cours de ma vie sur mon épaule et rien ne m'attendrit et ne m'inspire plus de respect que ces sauvages et brusques chagrins masculins, mais aucun ne m'avait inspiré autant d'amour tendre que celui de ce garçon qui avait manqué me tuer. Il y a longtemps, Dieu merci, que j'ai renoncé à la logique.

Lewis s'endormit rapidement, terrassé en même temps que la tempête et je le gardai toute la nuit sur mon épaule, observant le ciel blanchir, les nuages disparaître et enfin se lever un soleil insolent sur une terre ravagée. Ce fut une des plus belles nuits d'amour de ma vie.

CHAPITRE XVI

L<small>E LENDEMAIN</small>, j'avais néanmoins sur le cou quelques traces bleues du plus vilain effet. Je réfléchis un peu devant ma glace, pour une fois dans ma vie, et décrochai le téléphone.

Je dis à Paul que j'acceptais de l'épouser, ce qui sembla le combler d'aise. Puis j'annonçai à Lewis que j'épousais Paul, que j'allais partir sûrement un peu en Europe en voyage de noces et que je lui confiais la maison en mon absence. Le mariage eut lieu en dix minutes, avec Lewis et Candy pour témoins. Après quoi je bouclai mes bagages, pris Lewis dans mes bras et l'y gardai un long moment en lui promettant de revenir bientôt. Lui me promit d'être sage, de bien travailler et de désherber la Rolls tous les dimanches. Quelques heures plus tard, je volais vers Paris et en regardant par le hublot les ailes argentées de l'avion déchirer des cohortes de nuages gris-bleu, il me semblait émerger moi-même d'un cauchemar. La main de Paul tiède et dure était sur la mienne.

Nous ne devions rester qu'un mois à Paris. Mais Jay me télégraphia d'aller aider un malheureux esclave comme moi qui calait sur un script en Italie. De son côté, Paul avait des gens à voir à Londres où la RKB montait une autre maison de production. Pendant six mois, nous fîmes la navette Londres-Paris-Rome, sans discontinuer. J'étais ravie : je rencontrais quantité de gens nouveaux, je voyais ma fille très souvent, je me baignais en Italie, je faisais la fête à Paris, à Londres, je me rhabillais de pied en cap, Paul était exquis à vivre et j'adorais l'Europe comme toujours. De temps en temps je recevais une lettre de Lewis qui me parlait puérilement du jardin, de la maison, de la Rolls, et se plaignait timidement de notre absence. La publicité faite autour de son premier film par la mort de Macley avait fait rebondir l'affaire. C'était Charles Vaugt, un très bon metteur en scène, qui avait été chargé de remanier le film, parfaitement loupé semblait-il par endroits, et Lewis avait donc repris son costume de cow-boy. Son rôle semblait s'être un peu agrandi. Mais, enfin, il écrivait ça d'une manière plutôt plaintive, aussi je tombai des nues, trois semaines avant notre retour, en apprenant que le film était merveilleux et que le jeune premier Lewis Miles avait de fortes chances pour l'oscar tant son interprétation était remarquable.

Je n'étais pas au bout de mes surprises. En débarquant à Los Angeles, je trouvai Lewis à l'aéroport. Il se jeta à mon cou, puis à celui de Paul, comme un enfant, et commença à se plaindre amèrement. «On» n'arrêtait pas de l'embêter, «on» lui proposait tout le temps des contrats auxquels il ne comprenait rien, «on» lui avait même loué une énorme maison avec une piscine, «on» lui téléphonait tout le temps. Il semblait éperdu et furieux. Si je n'étais pas rentrée le jour même, il se serait enfui. Paul riait aux éclats, mais je trouvai effectivement que Lewis avait mauvaise mine et qu'il avait maigri. La grande soirée des oscars avait lieu le lendemain.

Tout Hollywood était là, paré, masqué, éclatant, et Lewis eut l'oscar. Il monta d'un air distrait sur la scène et je vis avec philosophie trois mille personnes applaudir à tout rompre un meurtrier. On se fait à tout. Après la remise des oscars, une grande soirée organisée par Jay Grant avait lieu dans la nouvelle demeure de Lewis. Jay, visiblement très fier de lui, me fit tout visiter : les penderies bourrées de costumes neufs pour Lewis, les garages où dormaient les voitures neuves plus ou moins offertes à Lewis, les appartements où dormirait Lewis, où recevrait Lewis. Celui-ci suivait en marmonnant. A un moment, je me tournai vers lui :

«Vous avez déménagé vos vieux blue-jeans, déjà?»

Il secoua négativement la tête d'un air horrifié. Pour le héros de la soirée, il semblait singulièrement détaché. Il se bornait à me suivre pas à pas, se refusant, malgré mes injonctions, à s'occuper de ses hôtes, et je commençais à surprendre certains regards, certaines réflexions qui me poussèrent à accélérer notre départ. Je pris Paul par le bras, profitant de ce que quelqu'un accaparait Lewis, et lui chuchotai que j'étais fatiguée.

Nous avions décidé d'habiter chez moi, en tout cas provisoirement, car l'appartement de Paul était au centre de la ville alors que je ne supportais que la campagne. Il était près de trois heures du matin et nous effectuâmes une retraite discrète jusqu'à la voiture. Je regardai l'énorme maison illuminée, les reflets de l'eau dans la grande piscine, les silhouettes des gens sur les fenêtres, et je me dis qu'un an avant, à peine, nous rentrions par cette même route lorsqu'un jeune homme s'était jeté sur le capot de la voiture. Quelle année!... Enfin, tout finissait bien, sauf pour Frank, Louella, Bolton et Macley, bien sûr.

Paul effectua une marche arrière savante entre deux Rolls, neuves celles-là, et démarra doucement. Et, comme un an auparavant, un jeune homme vint se jeter contre la voiture, les bras ouverts, dans la lumière des phares. Je poussai un cri de stupeur et Lewis se précipita de mon côté, ouvrit la portière, me prit les deux mains. Il tremblait comme une feuille :

«Emmenez-moi à la maison, dit-il d'une voix hachée. Emmenez-moi, Dorothy, je ne veux pas rester là.»

Il appuyait sa tête sur mon épaule, puis la relevait avec de longues aspirations d'air comme quelqu'un qui a reçu un coup.

Je balbutiai :

«Mais voyons, Lewis, votre maison, c'est ici maintenant. Et tous ces gens qui vous attendent...

— Je veux rentrer à la maison», dit-il.

Je jetai un coup d'œil vers Paul. Il riait silencieusement. Je fis un dernier effort.

«Pensez au pauvre Jay qui s'est donné tant de mal... il va être furieux que vous partiez comme ça.

— Celui-là, je le tuerai», dit Lewis, et je sursautai.

Je me poussai aussitôt et Lewis se laissa tomber près de moi sur le siège. Paul démarra et nous étions de nouveau tous les trois sur la route, moi complètement ahurie. Néanmoins, je fis un petit discours moral à Lewis en lui expliquant que ça allait pour ce soir, parce qu'il était nerveux et qu'il y avait de quoi, mais qu'il faudrait qu'il rentre chez lui dans deux, trois jours, que les gens ne comprendraient pas qu'il n'habite pas cette merveilleuse maison, etc.

«Je pourrais habiter chez vous et on irait tous se baigner là-bas», dit-il d'une voix raisonnable.

Là-dessus, il s'endormit sur mon épaule. Nous le descendîmes pratiquement de la voiture, nous le montâmes dans sa vieille petite chambre et nous le couchâmes. Il ouvrit un peu les yeux, me regarda, me sourit et se rendormit d'un air béat.

Nous passâmes dans notre chambre, Paul et moi, et je commençai à me déshabiller. Puis je me tournai vers Paul :

«Vous croyez que nous l'avons pour longtemps?

— Pour la vie, dit Paul négligemment. Vous le savez bien.»

Il souriait. Je protestai faiblement, mais il me coupa :

«Vous n'êtes pas heureuse comme ça?

— Si, dis-je, très.»

Et c'était vrai. Evidemment, j'aurais sûrement du mal à empêcher Lewis de tuer des gens de temps en temps, mais avec un peu de surveillance et de chance... «on verrait bien». Cette formule maudite me détendit, comme toujours, et je me dirigeai vers la salle de bains, en chantonnant.

UN PEU DE SOLEIL DANS L'EAU FROIDE

Roman

Inconnue, elle était ma forme préférée,
Celle qui m'enlevait le souci d'être un homme,
Et je la vois et je la perds et je subis
Ma douleur, comme un peu de soleil dans l'eau froide.

PAUL ELUARD.

Première partie

PARIS

CHAPITRE PREMIER

Cela lui arrivait pratiquement tous les matins, à présent. A moins qu'il ne se soit sérieusement enivré la veille et que l'effort de se lever, de se doucher, de se vêtir ne devienne si flou, si inconscient presque, qu'il le fasse à tâtons, privé ou plutôt soulagé de lui-même par sa fatigue. Mais les autres jours étaient plus fréquents et plus durs : il se réveillait à l'aube, le cœur battant de peur — de ce qu'il ne pouvait appeler autrement, déjà, que sa peur de la vie — et il attendait le récitatif dans sa tête de ses angoisses, de ses échecs, du lourd calvaire de la journée à venir. Son cœur battait, il essayait de se replonger dans le sommeil, il essayait de s'oublier. En vain. Il s'asseyait alors dans son lit, attrapait la bouteille d'eau à son côté, avalait une gorgée tiède, fade, lamentable comme lui paraissait sa vie depuis trois mois et il pensait « mais qu'est-ce que j'ai, qu'est-ce que j'ai ? » avec un mélange de désolation et de fureur car il était orgueilleux. Et l'éventualité, pourtant si souvent rencontrée chez les autres, chez des gens qu'il estimait vraiment, d'une dépression nerveuse, l'humiliait comme une claque. Il ne s'était jamais intéressé beaucoup à lui-même depuis son adolescence, sa vie lui ayant suffi, et de se trouver brusquement confronté à ce personnage maladif, falot et exaspéré le remplissait d'une terreur superstitieuse. C'était donc lui, cet homme de trente-cinq ans qui tremblait sans raison au bord d'un lit, au petit matin ? C'était là que l'avaient mené trente ans de rires, d'insouciance et parfois de chagrins d'amour ? Il se replongeait sur l'oreiller, il l'étreignait contre sa joue comme s'il eût été, par sa fonction, détenteur du bienheureux sommeil. Mais ses yeux restaient ouverts. Et il avait froid, et il tirait la couverture, et il avait trop chaud, et il la repoussait, et il ne pouvait empêcher en lui ce grelottement, ce demi-désespoir, cette complète désolation.

Bien sûr il aurait dû se retourner vers Eloïse et faire l'amour avec elle. Mais il ne pouvait pas. Cela faisait trois mois qu'il ne l'avait pas

touchée, trois mois d'ailleurs qu'ils n'en parlaient pas. La belle Eloïse…
C'était curieux comme elle supportait cela. Comme si elle flairait
quelque chose chez lui de malade, d'étranger, comme si elle avait pitié
de lui. Et l'idée de sa pitié le ravageait bien plus que sa colère ou son
éventuelle trahison. Que n'eût-il donné pour avoir envie d'elle, s'abattre
sur elle, dans cette chaleur d'un corps différent, faire des gestes violents,
s'oublier enfin dans autre chose que le sommeil… Mais il ne pouvait
pas. Et les quelques tentatives timides qu'elle avait osées l'avait dégoûté
d'elle d'une manière incroyable. Lui, qui avait tant aimé l'amour et qui
avait pu le faire indifféremment dans les circonstances les plus ridicules
ou les plus bizarres, se retrouvait impuissant, au fond d'un lit, près d'une
femme qui lui plaisait, qui était belle et qu'en plus, il aimait bien.

D'ailleurs, il exagérait. Ils avaient fait l'amour, une fois, trois
semaines plus tôt, après la fameuse soirée chez Jean. Mais il ne s'en
souvenait pas. Il avait trop bu, ce soir-là — et pour cause — et il se
rappelait juste une mêlée noire et confuse dans son grand lit et le
soulagement au réveil d'avoir gagné un point. Comme si la brève
seconde de plaisir donné et reçu eût été une revanche contre des nuits de
malaise, de mauvaises excuses et de fausse désinvolture. Ce n'était pas
brillant. La vie, qui lui avait jusque-là tout donné — du moins, le
pensait-il et c'était une des raisons de ses succès —, la vie se retirait de
lui comme la mer brusquement recule et délaisse un rocher trop
longtemps caressé. L'idée de lui-même en vieux rocher le fit rire un
instant, d'un petit rire amer. Mais en effet, la vie s'enfuyait de lui, lui
semblait-il, comme par une blessure secrète. Le temps ne passait plus : il
disparaissait. Et il pouvait bien se dire, se répéter les avantages de sa vie
présente : bon physique, métier amusant, succès de toute espèce, cela lui
apparaissait aussi fade, aussi dénué d'intérêt que les litanies à la Sainte
Vierge. Morts… les mots étaient morts.

La soirée chez Jean avait de plus projeté un aspect physiologique
répugnant sur tout cela. Il était sorti du salon un moment et dans les
vestiaires s'était repeigné et lavé les mains. C'est alors que le savon lui
avait échappé, était tombé par terre, sous le lavabo et qu'il s'était baissé
pour le ramasser. Le savon gisait sous un tuyau, s'y cachait, semblait-il,
c'était un savon rose et — trouva-t-il brusquement — un savon obscène.
Il avait avancé la main pour le ramasser, et il n'avait pas pu. Comme si
une bête sournoise et nocturne attendait dans l'ombre le contact de sa
main et une brusque horreur le figeait sur place. Il s'était relevé,
transpirant et s'était fixé dans la glace, avec, surgie du fond de son
intelligence, une sorte de curiosité détachée qui avait vite rendu sa place
à la terreur. Il s'était accroupi à nouveau, après avoir respiré une bonne
fois comme un plongeur, et il avait attrapé le savon. Mais il l'avait jeté
aussitôt dans la cuvette, comme à la campagne on rejette un reptile
endormi qu'on a pris pour un bout de bois, et il avait dû se passer de

l'eau froide sur le visage, une bonne minute. C'est alors qu'il avait pensé que «c'était autre chose que le foie, la fatigue ou l'époque actuelle». C'est alors qu'il avait admis que «cela» existait vraiment et qu'il était malade. Mais que faire? Qui est plus seul qu'un homme qui a pris le parti de la gaieté, du bonheur, d'un cynisme affectueux — et qui l'a pris, en plus, naturellement, par instinct — et à qui tout échappe d'un coup, à Paris, en l'an de grâce 1967? L'idée d'un psychiatre l'humiliait et, même, il la refusait profondément par un orgueil de l'esprit dont il n'était pas loin de penser que c'était le meilleur de lui-même. Il ne pouvait donc que se taire. Et continuer. Enfin essayer de continuer. De plus, la foi aveugle qu'il avait toujours eue dans la vie et ses hasards lui faisait apparaître tout cela comme temporaire. Le temps, le seul maître qu'il se reconnût, avait brisé ses amours, ses bonheurs, ses chagrins, parfois ses idées, il n'y avait pas de raison qu'il ne brise pas de même «cette chose-là». Mais «cette chose-là» était incolore, innommable, il ne savait pas ce que c'était. Et peut-être le temps n'a-t-il de pouvoir que sur ce que l'on connaît.

CHAPITRE II

IL TRAVAILLAIT à la rubrique des affaires étrangères et il avait passé toute la matinée au journal. Le monde était plein d'événements sanglants, absurdes qui éveillaient chez ses confrères une horreur satisfaite qui l'exaspérait. Jadis, trois mois avant, il aurait aimé s'exclamer avec eux, s'indigner, mais là il ne pouvait pas. Il se sentait même légèrement vexé qu'on essayât ainsi, au Moyen-Orient, aux USA ou ailleurs de le distraire de son vrai drame : lui. La terre bougeait dans le chaos, et qui aurait eu l'envie, ou le temps, de se pencher sur ses petits problèmes? Et pourtant combien d'heures avait-il passées lui-même à écouter des discours désespérés, des aveux d'échec, combien de faux sauvetages n'avait-il effectués? Non. Les gens marchaient autour de lui, les yeux brillants d'excitation et il était seul, aussi dépourvu de convictions tout à coup qu'un chien égaré, aussi égoïste que certains vieillards, aussi nul. Il décida brusquement d'aller voir Jean, à l'étage au-dessus, et de lui parler. Jean était le seul homme assez détaché, assez sensible aussi à une certaine proximité du malheur, qu'il connût à ce moment-là.

A trente-cinq ans, il était encore beau. Cet «encore» tenait au fait qu'il avait été d'une rare beauté à vingt ans, beauté dont il n'avait jamais eu conscience d'ailleurs mais dont il s'était joyeusement servi et qui avait indistinctement fait envie longtemps aux femmes comme aux hommes — ces derniers en vain. Quinze ans plus tard, il était plus maigre, plus mâle, mais avec quelque chose encore dans sa démarche, ses gestes, de l'adolescent triomphant qu'il avait été. Et Jean, qui l'avait follement aimé, en ce temps-là, sans le lui dire et sans d'ailleurs se le dire à lui-même, eut un petit choc au cœur en le voyant entrer. Cette maigreur, ces yeux bleus, ces cheveux noirs un peu longs, cette nervosité... Il devenait d'ailleurs de plus en plus nerveux, il fallait que lui, Jean, s'en occupe. Mais il ne pouvait s'y résoudre : Gilles avait été si longtemps pour lui le symbole du bonheur, de l'insouciance, qu'il répugnait à lui parler, comme on répugne à s'attaquer à une image. Et si l'image s'effritait... si lui, Jean, depuis toujours rond, chauve et déchiré par la vie, découvrait qu'il n'y a pas d'homme « forcément » heureux ? Il n'en était plus à une illusion perdue mais celle-ci lui paraissait par sa naïveté même une des plus dures à perdre. Il poussa une chaise vers Gilles qui s'assit précautionneusement car la pièce était littéralement pleine de dossiers en vrac, sur les bureaux, par terre, sur la cheminée et il lui tendit une cigarette. La fenêtre ouvrait sur une vue de toits gris, bleus, un univers de gouttières, d'antennes de télévision qui avait longtemps ravi Gilles. Mais il ne les regarda pas.

— Alors ? dit Jean. C'est bien, tout ça, hein ?

— Tu parles de l'assassinat ? Oui, on peut dire que c'est du joli.

Puis il se tut, baissa les yeux. Une minute passa et Jean dans un dernier effort, rangea quelques dossiers en sifflotant comme si un silence d'une minute eût été normal entre eux. Enfin, il se résigna ; une grande bonté montait en lui : il se rappelait la chaleur de Gilles, sa gentillesse, son attention quand sa propre femme l'avait quitté, il se trouvait brusquement affreusement égoïste. Cela faisait deux mois qu'il sentait Gilles malheureux, deux mois qu'il évitait de lui en parler. C'était beaucoup trop pour un ami. Néanmoins puisque Gilles lui laissait ou plutôt lui imposait l'attaque, il ne put se retenir d'organiser une légère mise en scène. On en est tous là après trente ans : tout événement, qu'il soit d'ordre mondial ou affectif, exige presque un certain sens du théâtre pour qu'on puisse en profiter vraiment ou en être vraiment atteint. Donc Jean écrasa sa cigarette à demi consumée dans le cendrier, s'assit et croisa les mains. Il fixa Gilles une seconde, toussa et dit sobrement :

— Alors ?

— Alors quoi ? dit Gilles. Finalement, il avait envie de partir tout en sachant qu'il ne partirait pas, qu'il avait tout fait pour acculer Jean à son questionnaire. Et pire, il en ressentait déjà un soulagement.

— Alors, ça ne va pas, n'est-ce pas ?

— Non.

— Depuis un mois ou deux, hein ?

— Trois.

Jean avait donné ce délai un peu au hasard pour montrer à Gilles qu'il lui prêtait attention et que s'il ne lui en avait pas parlé plus tôt ce n'était que par pudeur. Mais Gilles pensa aussitôt : « Voilà, il fait le perspicace, le malin, et en plus il se trompe d'un mois.» Il reprit :

— Cela fait trois mois que je... que je vis mal.

— Raisons précises ? demanda Jean en rallumant une cigarette d'un geste bref. Et un instant Gilles le haït : qu'il quitte ce ton d'officier de police, ce ton de type expert qui ne s'attendrit pas, qu'il cesse cette comédie. Mais à la fois il fallait qu'il parle, un courant tiède, facile, irrésistible le traînait vers les confidences.

— Aucune.

— C'est plus grave, dit Jean.

— Ça peut dépendre, dit Gilles.

L'agressivité de sa voix arracha Jean à son rôle de psychiatre. Il se leva, fit le tour de la table et mit la main sur l'épaule de Gilles en marmonnant «mon pauvre vieux, va» ce qui, comble de l'horreur, fit monter des larmes aux yeux de Gilles. Décidément, il n'en pouvait plus. Il tendit la main vers le bureau, attrapa un crayon Bic et se mit à faire rentrer et sortir la mine avec le plus grand intérêt.

— Qu'est-ce qui ne va pas, mon petit ? demanda Jean. Tu es sûr que tu n'es pas malade ?

— Rien. Je n'ai rien. Je n'ai plus envie de rien, c'est tout. C'est une maladie à la mode, non ?

Il tenta un bref ricanement. En fait, que ce fût aussi fréquent et pratiquement homologué parmi les médecins de tous bords ne le rassurait pas. Cela l'eût plutôt vexé. Il aurait pu au moins, faute de mieux, se sentir un cas.

— Voilà, reprit-il avec effort. Je n'ai plus envie de travailler, je n'ai plus envie de faire l'amour, je n'ai plus envie de bouger. Ma seule envie, c'est de passer mes journées seul dans mon lit, les draps sur ma tête. Je...

— Tu as essayé ?

— Bien sûr. Mais pas longtemps. J'avais envie de me tuer, le soir à neuf heures. Le lit me semblait sale, ma propre odeur m'exaspérait et je détestais ma marque de cigarettes. Tu trouves ça normal ?

Jean grogna, plus choqué par ces détails de misère mentale qu'il ne l'eût été par des détails obscènes et fit un dernier effort vers une explication logique :

— Et Eloïse ?

— Eloïse ? Elle me supporte. Elle n'a jamais eu grand-chose à me dire, tu sais. Elle m'aime bien. De plus, je suis impuissant. Pas seulement avec elle, non, en général. Enfin, presque. De toute façon, même si j'y arrive, ça m'ennuie. Alors...

— Ça, ce n'est pas grave, dit Jean. Ça s'arrange.

Il essayait de rire, de ramener l'affaire à une histoire de petit coq blessé dans son amour-propre.

— Tu devrais voir un bon médecin, prendre des vitamines, de l'air et dans quinze jours, tu recommenceras à courir le guilledou.

Gilles leva les yeux. Il était hors de lui :

— Mais ne ramène pas tout à ça. Je m'en fiche, tu comprends, je m'en fiche. Je n'ai envie de rien tu comprends : pas seulement des femmes. Je n'ai pas envie d'exister. Tu connais des vitamines pour ça ?

Il y eut un silence.

— Un scotch ? dit Jean.

Il ouvrit un tiroir, sortit une bouteille, l'offrit à Gilles qui en but une gorgée, machinalement. Il frissonna, secoua la tête :

— Cela non plus ne me sert plus de rien. Sauf à dormir, à m'abrutir à mort. L'alcool n'est plus gai. Et de toute manière ce ne serait pas une vraie solution, si ?

Jean prit la bouteille à son tour, en but une grande gorgée :

— Viens, dit-il, on va se balader.

Ils sortirent. Paris était ravissant, bleu à pleurer en ce début de printemps. Et les rues étaient les mêmes, avec les mêmes bistrots : le *Sloop* où ils allaient boire en chœur, en cas de grand événement, le tabac où Gilles allait donner des coups de téléphone en cachette à Maria, du temps qu'il l'aimait. Mon Dieu, il se rappelait ses tremblements d'alors, cette chaleur dans la cabine, la façon dont il relisait sans les comprendre les graffitis du mur tandis que le téléphone sonnait, sonnait et ne répondait pas. Comme il souffrait, comme il prenait l'air dégagé devant la patronne en lui demandant un verre, après, qu'il avalait d'un coup, le cœur convulsé de peine, de rage, comme il vivait ! Et cette période atroce où sa vie était subordonnée à quelqu'un et par ce quelqu'un piétinée, lui apparaissait presque enviable comparée à maintenant. Il était blessé mais du moins cette blessure avait-elle un visage.

— Et si l'on partait ? dit Jean. On se trouverait bien un reportage à faire quelque part, quinze jours ?

— Je n'en ai pas envie, dit Gilles. L'idée d'un avion à heure fixe, d'hôtels inconnus, de gens à voir... non, je ne peux pas... Et les bagages... ah non.

Jean lui lança un regard oblique, se demandant une seconde s'il n'exagérait pas. Gilles aimait assez les comédies dans le temps, d'autant plus que chacun s'y prêtait. Mais là, il avait un visage de peur, de dégoût qui convainquit Jean.

— Et si on passait une soirée avec deux filles, comme dans le vieux temps, toi et moi ? Comme si on était deux paysans qui s'encanaillent... Non, c'est idiot... Et ton livre ? Ton reportage sur l'Amérique ?

— Il y en a eu cinquante déjà, et meilleurs. Et me crois-tu capable d'écrire deux lignes intéressantes alors que je ne m'intéresse à rien ?

L'idée de ce livre l'achevait. C'était vrai qu'il avait voulu écrire un reportage sur les USA qu'il connaissait bien, c'était vrai qu'il en avait rêvé, qu'il avait même fait un plan. Et vrai aussi qu'il eût été à présent incapable d'en écrire une ligne ni de développer une idée à ce sujet. Mais qu'est-ce qui lui arrivait à la fin? De quoi le punissait-on? Et qui? Il avait toujours été fraternel avec ses amis et plutôt tendre avec les femmes. Il n'avait jamais délibérément fait de mal à qui que ce soit. Pourquoi recevait-il sa vie à la tête, à trente-cinq ans, comme un boomerang empoisonné?

— Je vais te dire ce que tu as, dit la voix de Jean près de lui, une voix apaisante, insupportable. Tu es fatigué, tu...

— Tu ne vas pas me dire ce que j'ai, hurla Gilles brusquement au milieu de la rue, tu ne vas pas me le dire parce que tu ne le sais pas! Parce que *moi,* je ne le sais pas! Et de plus, ajouta-t-il, avec une parfaite mauvaise foi, je veux que tu me fiches la paix!...

Les gens les regardaient et il rougit soudain, tendit la main vers le revers de la veste de Jean comme pour ajouter quelque chose puis se détourna et partit très vite, vers les quais, sans dire «au revoir».

CHAPITRE III

ELOISE l'attendait, Eloïse l'attendait toujours. Elle était mannequin dans une maison de couture, ne réussissait pas trop bien et s'était avec enthousiasme installée chez lui deux ans auparavant, un soir que le souvenir de Maria le faisait trop souffrir et qu'il ne supportait plus la solitude. Elle était brune ou blonde ou rousse selon les trimestres, pour des raisons de photogénie qu'il avait renoncé à élucider, avec des yeux bleus fort beaux, un joli corps et une bonne humeur inaltérable. Ils s'étaient très bien entendus sur un certain plan, longtemps, mais à présent, il se demandait avec angoisse que lui dire, comment passer la soirée avec elle. Il pouvait toujours prétexter un dîner dehors et sortir sans elle, elle ne s'en formaliserait pas, mais il n'avait pas envie de réaffronter la rue, la nuit, Paris, il avait envie de se terrer et d'être seul. Il habitait un petit appartement de trois pièces, rue Monsieur-le-Prince, qu'il n'avait jamais fini d'aménager. Il y avait au départ, avec enthousiasme, accroché des étagères, installé une chaîne de stéréophonie, une bibliothèque, la télévision, bref des dizaines de gadgets qui sont censés vous rendre la vie agréable et enrichissante. Objets qu'il regardait avec ennui aujourd'hui, incapable même de prendre un livre, lui qui s'était nourri de littérature des journées durant. Eloïse regardait la télévision quand il entra, un journal à la main, afin de ne pas manquer surtout une

de ces admirables émissions, et elle se leva d'un bond pour l'embrasser,
l'air joyeux : un bond qui lui parut à lui exagéré et ridicule, très « la
vraie petite femme ». Il alla vers le bar, ou plus exactement la table
roulante qui en tenait lieu, et se servit un whisky sans en avoir envie.
Puis il alla s'asseoir dans le fauteuil jumeau de celui d'Eloïse et fixa à
son tour d'un air intéressé le petit écran. Eloïse s'arracha une seconde à
sa contemplation et tourna la tête vers lui :

— Bonne journée ?
— Très. Et toi ?
— Moi aussi.

Soulagée, semblait-il, elle se rabattit sur le poste. De jeunes inconnus
essayaient de former un mot avec des lettres en bois que la meneuse de
jeu, un doux sourire aux lèvres, leur offrait en pagaille. Gilles alluma
une cigarette, ferma les yeux.

— Je crois que c'est « pharmacie », dit Eloïse.
— Pardon ?
— Je crois que c'est « pharmacie » le mot qu'ils cherchent.
— C'est bien possible, dit-il.

Il referma les yeux. Puis il essaya de boire une gorgée de son verre. Il
était déjà tiède. Il le reposa sur la moquette.

— Nicolas a téléphoné, il demande si on veut le rejoindre au *Club,* ce
soir. Qu'est-ce que tu en penses ?
— On verra, dit-il, je viens de rentrer.
— Sinon, il y a du veau froid dans le frigidaire. Et le feuilleton à la
télé.

« Parfait, pensa-t-il. Joli choix. Ou je dîne avec Nicolas qui
m'expliquera une fois de plus que si le cinéma n'était pas pourri, il
aurait depuis longtemps fait son chef-d'œuvre. Ou bien je regarde une
ânerie dans mon fauteuil en mangeant du veau froid. Quelle horreur ! »
Mais enfin, dans le temps, il sortait, il avait des amis, il s'amusait, il
rencontrait des gens nouveaux, chaque nuit était une fête !... Où étaient
ses amis ? Il savait bien où ils étaient et qu'il n'avait qu'à tendre la main
vers le téléphone. Eux s'étaient lassés de le faire sans résultat depuis
trois mois, c'était tout. Mais il avait beau chercher un nom, un visage
qu'il eût aimé voir, il n'en trouvait pas. Seule, cette loque de Nicolas
s'accrochait. Et pour cause : il ne devait pas avoir de quoi payer ses
verres.

Le téléphone sonna et il ne bougea pas. Il y avait eu un temps où il
bondissait vers le téléphone : c'était l'amour ou la fortune ou l'aventure
qui l'appelait, il en était sûr. Mais maintenant c'était Eloïse qui
décrochait. Elle cria de la chambre :

— C'est pour toi. C'est Jean.

Il hésita une seconde. Que lui dire ?

Puis il pensa qu'il avait été grossier le matin et qu'il était stupide et honteux d'être grossier. Après tout, c'était lui qui était allé embêter ce pauvre Jean avec ses ennuis et lui qui l'avait plaqué au milieu de la chaussée. Il prit l'appareil :

— C'est toi, Gilles? Ça va?

— Oui, dit-il.

La voix de Jean était chaleureuse, inquiète, une vraie voix d'ami. Gilles s'émut.

— Je suis désolé pour ce matin, commença-t-il. Je...

— On en parlera demain sérieusement, dit Jean. Que fais-tu ce soir?

— Je crois que je vais... que nous allons rester ici, dit-il, et manger du veau froid.

C'était un véritable appel au secours, à peine déguisé et il y eut un léger silence. Jean reprit doucement :

— Tu devrais sortir, tu sais; il y a la première de Bobino si tu veux, j'ai des places, je...

— Merci, dit Gilles. Je n'ai pas très envie de sortir. Demain on fera une nouba effrénée, si tu veux.

Il ne le pensait pas et Jean le savait. Mais Jean était en retard, il devait encore se changer, ressortir, cette fausse promesse l'arrangeait bien. Il acquiesça, dit quand même «au revoir, mon petit» d'une voix plus tendre que d'habitude et il raccrocha. Gilles se sentit un peu plus seul. Il rentra dans le studio, se rassit. Eloïse était toujours fascinée par la télévision. Il s'énerva brusquement :

— Comment peux-tu regarder ça?

Elle n'eut même pas l'air surpris, elle tourna vers lui un visage éteint, doux, résigné :

— Je pensais que ça t'éviterait de me parler.

Il fut si étonné une seconde qu'il ne répondit pas. En même temps l'humilité de la phrase le remplissait d'une sourde horreur trop bien connue : celle de faire souffrir. Et il se sentait démasqué.

— Pourquoi dis-tu ça?

Elle haussa les épaules.

— Comme ça. Je crois... j'ai l'impression que tu as envie d'être seul, qu'on ne s'occupe pas de toi. Alors, je regarde la télévision.

Elle le regardait d'un air implorant, elle eût voulu qu'il lui dise «mais si, occupe-toi de moi, au contraire, parle-moi, j'ai besoin de toi», et il en eut un instant la tentation, pour lui faire plaisir. Mais c'eût été un mensonge, un de plus, et il n'en avait même pas le droit.

— Je ne vais pas très bien en ce moment, dit-il d'une voix faible. Ne m'en veux pas. Je ne sais pas ce que j'ai.

— Je ne t'en veux pas, dit-elle, je sais ce que c'est. A vingt-deux ans, j'ai eu la même chose. Une dépression. Je pleurais tout le temps. Ma mère était folle.

Ça devait arriver : la comparaison! Eloïse avait tout eu, toujours.

— Et comment ça s'est arrangé ?

Il avait une voix ironique, mauvaise. En fait, il ne parvenait pas à comparer « sa » maladie à celle d'Eloïse. C'était presque insultant pour lui-même.

— C'est passé d'un coup, comme ça. J'ai pris des petits cachets pendant un mois — c'est idiot, j'ai oublié leur nom. Et un matin, ça allait mieux.

Elle ne riait même pas. Il la regardait avec une sorte de haine :

— C'est dommage que tu aies oublié leur nom. Tu peux peut-être téléphoner à ta mère pour le lui demander.

Elle se leva, vint à lui, prit sa tête dans ses mains. Il regardait fixement ce beau visage tranquille, cette bouche tant embrassée, ces yeux bleus et pitoyables :

— Gilles… Gilles… Je sais que je ne suis pas très maligne et que je ne peux pas grand-chose pour toi. Mais je t'aime, Gilles, mon chéri…

Elle pleurait à présent, appuyée à sa veste et, en même temps que de la pitié, il ressentait un immense ennui.

— Ne pleure pas, disait-il, ne pleure pas, ça va s'arranger tout ça… Je suis claqué, je vais aller voir un médecin demain.

Et comme elle pleurait de plus en plus doucement, comme une enfant effrayée, il lui jura d'aller voir un docteur le lendemain, mangea son veau froid en souriant, et essaya de lui parler un peu. Puis il l'embrassa tendrement sur la joue et se retourna sur le côté, dans leur lit, en espérant que l'aube ne se lèverait pas.

CHAPITRE IV

LE MEDECIN était intelligent et cela n'arrangeait rien. Au contraire. Il avait ausculté les poumons de Gilles, écouté son cœur, posé des questions banales avec l'air excédé de l'homme qui ne s'illusionne pas sur ses propres manigances. A présent, Gilles était assis en face de lui, dans un grand fauteuil Louis XIII et il le regardait fixement, avec le vague espoir que cette assurance, cette résolution ne cachât pas une totale impuissance à le guérir. « Après tout il a arboré une tête décidée de médecin, comme il y a des têtes convaincues d'avocat, comme je dois avoir de temps en temps une tête intéressée et compréhensive de journaliste. » Mais il ne pouvait empêcher l'espoir de se lever en lui. Et s'il y avait une petite pilule quelque part qui guérisse du mal de vivre ? Pourquoi pas ? Et si il lui manquait seulement un peu de calcium ou de fer ou de Dieu sait quoi pour être heureux ? Ces choses-là existaient, après tout ! On veut toujours faire les malins avec sa tête, sa volonté, sa liberté et puis l'on se retrouve enchaîné parce qu'il vous manque des vitamines B. Voilà. C'était cela qu'il fallait se dire. Cela qu'il fallait admettre. Un corps n'est qu'une usine délicate et...

— Bref, vous ne vous sentez pas bien, dit le docteur. Et je ne vous cacherai pas que je n'y peux pas grand-chose.

— Comment ça?

Gilles se sentait furieux, humilié. Il s'était moralement mis sous la protection de cet homme durant une heure, il lui avait fait confiance et ce charlatan lui déclarait froidement qu'il ne fallait pas compter sur lui. Mais il était médecin, après tout, c'était son métier. Il «devait» faire quelque chose. Et si les garagistes ne comprenaient plus rien aux voitures et si...

— Vous vous portez très bien physiquement. Enfin, apparemment. Je peux faire des analyses, si vous voulez. Ou vous donner des médicaments pour votre tonus. Une ampoule avant chaque repas, que vous prendrez une fois sur cinq...

Il ricanait presque et Gilles le détesta. Il cherchait un père affectueux, on lui offrait un blasé scientifique.

— Si vous pensez que ça peut m'aider, je suis tout à fait capable de prendre un médicament deux fois par jour, dit-il sèchement.

Le médecin se mit à rire :

— Et lequel? Vous souffrez de cette atonie généralisée qu'on appelle dépression. C'est mental, c'est sexuel, etc., comme vous me l'avez dit. Je peux vous envoyer à un psychiatre, si vous voulez. Quelquefois ça marche. Quelquefois pas. Il y a le docteur Giraut qui est très bien...

Gilles fit un geste de la main qui excluait ce projet.

— Je peux vous dire de voyager, de vous reposer ou de vous exténuer. Je ne suis pas un bon médecin en cela, je vous l'avoue. Je ne sais pas affirmer ce que j'ignore. Je ne peux rien vous conseiller que d'attendre.

Là-dessus, il appela une secrétaire, dicta une ordonnance bénigne et compliquée à la fois comme pour faire un cadeau à Gilles. A la réflexion, il avait une bonne tête, intelligente et lasse. Il signa le papier, le tendit à Gilles.

— Vous pouvez toujours essayer. De toute façon, cela rassurera votre femme, si vous en avez une.

Gilles se leva, hésita. Il avait envie de dire «mais alors, qu'est-ce que je dois faire?». Il se rendait si rarement chez un médecin que l'abandon de celui-ci le stupéfiait.

— Je vous remercie, dit-il. Je sais que vous êtes très occupé et que c'est Jean qui...

— Jean est un de mes meilleurs amis, dit l'autre. De toute façon, mon vieux, des hommes comme vous, j'en vois quinze par semaine; ça s'arrange, généralement. C'est l'époque, comme on dit.

Il tapota le dos de Gilles et le mit à la porte. A cinq heures de l'après-midi, il se retrouva sur le trottoir, étourdi comme un homme à qui l'on vient d'annoncer sa mort prochaine, et furieux. Bien sûr, Jean lui avait dit : « Va chez ce docteur, lui au moins ne te racontera pas d'histoires. » Mais est-ce qu'on avait le droit, en exerçant ce métier de ne pas raconter d'histoires ? Il eut préféré un menteur prophétique ou un sot à médicaments, il s'en rendait compte. Il était arrivé si bas qu'il préférait qu'on le trompe, qu'on lui mente, n'importe quoi du moment que ça le réconforte. Voilà où il en était : et son dégoût de lui-même s'en augmentait.

Que faire ? Il pouvait repasser au journal évidemment, bien qu'il ait pour une fois une bonne raison de « manquer ». « J'étais chez le médecin, monsieur. » Cette attitude infantile, cette manie de s'excuser, de mentir, cette façon de considérer les autres adultes comme des surveillants faciles à blouser, oui, cette mentalité qui était la sienne le déprimait de plus en plus. Et son travail, ce travail qui l'avait passionné et qu'il se sentait incapable, même, de mal faire. Jean faisait tout pour lui, actuellement et cela finirait par se savoir. On le jetterait dehors, on le chasserait de ce journal qu'il avait aimé, dans lequel il avait eu tant de mal à se faire une place, il se retrouverait scribouillard dans une feuille à scandales et il ne l'aurait pas volé. C'était inéluctable. Il finirait parmi cette canaille avide qui remplit certains journaux, il s'enivrerait sans cesse, il pleurerait sur lui le soir dans les boîtes de nuit. Voilà.

Eh bien, tant qu'à s'encanailler, autant s'encanailler tout de suite. Gilda devait être chez elle, Gilda aurait une idée, Gilda était toujours là, prête pour le plaisir des autres ou le sien, ou les deux ensemble. Elle était entretenue depuis des années par un doux Brésilien que son cynisme fascinait et elle ne sortait pratiquement jamais de son rez-de-chaussée de Passy, confinée dans le plaisir comme d'autres dans l'opium. A quarante-huit ans elle était superbe de corps avec une tête de lionne à peine marquée et des colères abominables. Jean disait d'elle qu'elle était un des derniers personnages de Barbey d'Aurevilly et Gilles aurait pu le croire s'il n'avait pas été meilleur connaisseur en femmes et s'il n'avait pas deviné parfois derrière le mufle triomphant une comédie un peu facile et un peu livresque. Quoi qu'il en soit, Gilda était bonne fille et elle l'aimait bien. Il héla un taxi car depuis deux mois déjà, l'idée de conduire sa Simca dans Paris lui semblait une épreuve insurmontable et il donna l'adresse de Gilda.

Elle était seule pour une fois, dans une de ces robes d'intérieur chamarrées qui étaient sa spécialité et elle accueillit Gilles avec mille tendresses et mille reproches. Il s'assit au bord du lit et l'écouta. Il lui avait manqué. Elle revenait des Bahamas. Elle détestait les pays chauds, presque autant que la neige. Elle avait un nouvel amant de dix-neuf ans avec qui elle jouait « Chéri ». Mais la sœur lui plaisait bien aussi.

Voulait-il un whisky ou un dry ? Avant, il prenait toujours des dry. De son temps, à elle. Combien de jours cela avait-il duré, au fait ? Elle avait bien failli l'aimer. Pour de bon. Au bout de dix minutes, elle s'arrêta, le considéra gravement :

— Toi, tu me couves quelque chose !

Ils éclatèrent de rire. Ils avaient longtemps usé de cette expression : toi, tu me fais une grippe. Agacé au début, Gilles se détendait, allongeait ses jambes, jetait un coup d'œil affectueux et lointain d'ex-locataire sur les objets baroques de la pièce.

— Je viens de voir un médecin, dit-il.

— Toi ? Qu'est-ce que tu as ? C'est vrai que tu as maigri. Tu n'as pas attrapé un...

Le mot flotta entre eux et Gilles pensa avec ironie que c'était bien le seul mot qui provoquât encore la pudeur de Gilda.

— Non, je n'ai pas de cancer. Je n'ai rien. J'ai le cafard !

— Ah bon, dit-elle, tu m'as fait peur. Il y a longtemps ?

— Euh... à peu près trois mois... Je ne sais pas.

— Ça, dit-elle brusquement docte, ce n'est pas le cafard. C'est une dépression. Tu te rappelles dans quel état j'étais en soixante-deux...

L'ennuyeux avec cette maladie c'est qu'il semblait bien premièrement que tout le monde l'ait eue et deuxièmement que tout le monde la trouvât passionnante à raconter. Gilles écouta donc le récit de la dépression de Gilda qui s'était terminée miraculeusement un beau matin à Capri, semblait-il, et chercha vaguement un point commun avec ce qu'il ressentait, lui. En vain.

— Je sais à quoi tu penses, dit brusquement Gilda. Tu penses que toi, ce n'est pas pareil. Seulement tu te trompes. C'est pareil. Tu te réveilleras un beau matin gai comme un pinson, comme avant, ou tu te tireras une balle dans la tête. Tu es plus intelligent que moi, d'accord, mais ça te sert à quoi, en ce moment, d'être intelligent, hein ?

Elle lui parlait tendrement, la main sur son genou, son beau corps incliné vers lui et il s'étonnait de ne pas la désirer. Il avait toujours eu envie d'elle chaque fois qu'il la voyait. Il fit un geste vers le déshabillé, mais elle arrêta sa main au passage.

— Non, dit-elle. Je vois bien que tu n'en as pas envie.

Alors, il posa la tête sur l'épaule offerte et s'allongea contre elle, tout habillé, sans bouger. Elle lui caressait les cheveux sans rien dire. Il était dans le noir, le nez dans la soie, il avait du mal à respirer, il se sentait mal et incapable de bouger. Elle finit par le secouer et il grogna un peu :

— Ecoute, Gilles, Arnaut va arriver. Il faut que je m'habille, il veut m'emmener dans je ne sais quelle boîte de nuit horrible. Mais je te laisse la maison. Et si tu veux, je t'envoie Véronique. C'est une Indienne superbe, et une des femmes les plus douées que je connaisse. Ça te distraira un peu. Tu es toujours avec ton Eloïse ?

Elle avait pris instantanément ce ton de dédain des femmes qui désapprouvent chez leurs ex-amants toute liaison un peu longue. Il hocha la tête.

— Alors, c'est oui ?

Il n'avait qu'une idée, c'était de ne pas bouger. De ne pas se rejeter dans Paris, à la recherche d'un taxi, à sept heures du soir, au milieu d'une foule pressée.

— C'est oui, dit-il.

Il la regarda avec un réel plaisir se maquiller encore un peu plus, se changer, téléphoner. Il serra même affectueusement la main du jeune Arnaut qui était le minet parfait. Non sans condescendance.

Dans cet appartement oublié, attendant une inconnue, il se sentait un peu un héros de roman policier et s'en amusait. Puis, après leur départ, il s'allongea dans le canapé du salon, dans une robe de chambre d'homme miraculeusement abandonnée par quelqu'un, alluma une cigarette, prit une revue, installa un verre près de lui, à ses pieds, dut se lever pour chercher un cendrier, dut se lever pour baisser le pick-up et la musique douce installée pas assez doucement par Gilda, dut se relever pour ouvrir la fenêtre car il étouffait, dut se lever pour la refermer car il avait froid, dut se relever pour prendre ses cigarettes oubliées dans la chambre de Gilda, dut se lever pour mettre un glaçon dans son whisky chaud, dut se lever pour changer le disque au bout de trois fois consécutives, dut se lever pour répondre au téléphone, une seule fois, dut se lever pour changer de revue. C'est dans un état d'exaspération totale contre lui-même qu'il entendit sonner à la porte, au bout d'une heure, et qu'il ne se leva pas.

CHAPITRE V

IL MARCHAIT dans les rues, à présent, se dirigeant vers sa maison, mais faisant des crochets énormes, incapable de s'arrêter, incapable de rentrer. Il avait un grand vide bruissant dans la tête, il lui semblait que tout le monde le dévisageait, que tout le monde le trouvait laid, minable comme il se trouvait lui-même, il lui semblait tantôt qu'il n'avançait pas, tantôt qu'il avait traversé toute une place sans s'en rendre compte. Un moment, il se retrouva aux Tuileries, pensa à Drieu la Rochelle, à sa fausse dernière promenade, là, et ricana presque : lui-même n'aurait jamais le courage ou l'envie de se tuer. Même pas. C'était un désespoir qui pouvait supporter tous les qualificatifs hormis ceux de courageux ou de romantique. Il aurait presque aimé avoir envie de se tuer, en vérité. Il aurait aimé n'importe quoi d'extrême.

« Mais peut-être finirai-je quand même par là, se disait-il, comme pour se rassurer, sûrement si ça dure, je ne pourrai pas le supporter... Il faudra bien que "je" fasse quelque chose... » Et il pensait à ce « je » avec un mélange d'espoir et de crainte comme à un étranger doué de la possibilité d'agir à sa place. Mais plus tard : car il n'y avait rien en lui à ce moment-là, personne, qui fût capable de saisir un revolver et de s'en tirer un coup dans la bouche ou de projeter son corps dans la Seine vert sombre, en bas. Il ne pouvait pas plus imaginer sa mort que sa vie et cela le laissait simplement là, respirant, existant, souffrant.

Il frissonna brusquement et décida d'aller s'enivrer au *Club*. Ce n'était pas une solution bien brillante mais il n'en pouvait plus, à marcher ainsi avec les mains glacées dans les poches de son imperméable et ces fils nerveux, électriques qui reliaient ses mains à son épaule, son cœur, ses poumons. Il allait s'enivrer à mort et quelqu'un le ramènerait. Au moins, il dormirait. Et Eloïse le borderait.

Il entra au *Club*, salua le barman, donna une bourrade à Joël, échangea une plaisanterie avec Pierre, un signe de main avec André, Bill, Zoé, bref, fit ce qu'il devait faire selon les convenances et, malgré les appels divers, s'assit seul au bar. Il but un scotch, un autre avec l'impression de boire de l'eau. C'est à ce moment-là que Thomas arriva, visiblement saoul, lui, le bienheureux, et qu'il s'installa près de lui. Ils étaient ennemis intimes au journal depuis quatre ans pour une sombre histoire de fille et de reportage mélangés dont Gilles ne se rappelait plus le détail. Il savait juste qu'ils étaient brouillés. Thomas était petit, maigre et pointu, avec une voix aiguë qui exaspérait Gilles.

— Tiens, voici le beau Gilles, cria-t-il, et comme il lui parlait dans la figure, son haleine fit reculer Gilles machinalement d'un pas. Il ne lui manquait plus que ça, décidément, pour clore la soirée.

— Pourquoi tu recules ? Je te plais pas ? Dis-le, si je te plais pas...

Pierre faisait des signes de loin. Il s'occupait du *Club*, le soir, et il montrait par gestes à Gilles que l'autre était saoul, ce qui était, au demeurant, plus qu'évident. Thomas insistait.

— Alors, le beau Gilles ? Tu me réponds ?

Et tout à coup, d'un geste dont on ne pouvait savoir s'il était volontaire ou pas, il renversa son verre sur la chemise de Gilles. Le verre s'écrasa par terre et tout le monde s'arrêta de parler.

Et quelque chose en même temps se brisa en Gilles. Sa volonté de bonheur, son respect des gens, sa maîtrise de soi ; il lui sembla qu'enfin, tout craquait, tout disparaissait dans l'élan de sa colère et il se retrouva en train de frapper Thomas — déjà à terre, le pauvre, dès le premier coup de poing —, il se retrouva à genoux, boxant ce visage pointu, boxant la vie, sa déception de la vie, boxant lui-même, tandis que des mains violentes le prenaient aux épaules, qu'on le tirait en arrière et qu'il continuait à se battre quand même, en sanglotant presque, jusqu'à ce que le mot de «chien enragé» lui parvienne aux oreilles en même temps qu'un bon coup de poing sur la bouche. Il y eut un silence lorsqu'il cessa de se débattre, il vit autour de lui dix visages incompréhensifs, scandalisés, il vit par terre le petit Thomas qui se relevait à quatre pattes et il sentit sur sa lèvre le mélange salé des larmes et du sang. Il sortit à reculons et personne ne lui dit un mot. Même Pierre avec qui il s'était enivré toute sa jeunesse. C'était même Pierre qui l'avait frappé, à la réflexion, et il avait bien fait. C'était son boulot, après tout. Chacun doit gagner sa vie.

Il y avait des bruits de voix chez lui et il resta étonné une seconde sur le seuil. Il était près de minuit. Il sortit son mouchoir de sa poche et essuya le sang séché sur sa bouche : il ne tenait pas à faire une entrée à la Frankenstein. Autrefois, il n'y eût pas résisté mais ces petites comédies qui l'amusaient tant avaient perdu tout leur sel. Jean était dans le salon avec Marthe, son amie, une grosse fille brune, sotte et tendre et Eloïse regardait par la fenêtre. Elle sursauta quand il entra, Jean tourna vers lui un visage volontairement tranquille et Marthe poussa un cri :

— Mon Dieu! Gilles... Qu'est-ce que vous vous êtes fait?

«Le vrai conseil de famille, pensa-t-il. Les bons, les vrais amis s'inquiètent enfin en même temps que la fidèle compagne... De plus, comble de chance, le héros revient blessé.»Déjà, Eloïse volait vers la salle de bains à la recherche de coton hydrophile.

Il se laissa choir dans un fauteuil, sourit :

— Je me suis battu, bêtement comme chaque fois qu'on se bat. Tu sais avec qui, Jean? Avec Thomas.

— Avec Thomas? Ne me dis pas que c'est Thomas qui t'a fait ça?

Jean eut le bon rire incrédule de l'homme qui va à la boxe tous les lundis.

— Non, dit Gilles. C'est Pierre en nous séparant.

Il avait horreur tout à coup de cette dispute minable, de son acharnement, de ce goût de frapper qui l'avait envahi tout à l'heure. «Il suffit que je sois odieux pour moi-même, si je le deviens aussi pour les autres...» Il leva la main :

— N'en parlons plus. Demain, on me traitera de brute au journal, après-demain on aura oublié. Je dois à quoi la joie de vous voir?

Il posait cette question à Marthe qui lui sourit aimablement sans répondre. Jean avait dû lui dire : «Gilles ne tourne pas rond» et elle regardait avec intérêt cet homme qui ne tournait pas rond, situation visiblement inconcevable pour elle. Déjà Eloïse revenait avec cet air précis, fermé des femmes qui jouent les infirmières et lui renversait la tête en arrière.

— Ne bouge pas. Ça va te piquer un peu et puis ce sera fini.

«La mère, à présent. Mon petit garçon a fait des bêtises. Mais qu'est-ce qu'ils ont tous avec leurs comédies ineptes? Tout à l'heure, c'était le sketch des copains mâles déçus : on ne tape pas sur un nabot. Maintenant le retour au foyer au sein d'un complot pour mon bien. Jean fait le viril dont le copain s'est battu — ah, ah, ah — , Eloïse fait la femme d'intérieur, Marthe ne fait rien, elle, mais c'est parce qu'elle ne sait rien faire. Autrement, elle tiendrait l'alcool à 90 et le tendrait à Eloïse, debout près de moi, elle aussi. » En effet, ça piquait beaucoup. Il grogna.

— Alors, dit Jean, que t'a raconté Daniel ?

— Daniel ?

— Le docteur.

— Tu ne l'as pas appelé ?

Il avait dit ça au hasard, méchamment, faisant allusion au comportement de Jean à son égard depuis toujours — comportement paternel, protecteur et légèrement abusif —, et il se rendit compte, en le voyant rougir, qu'il avait fait mouche. Ainsi, Jean s'inquiétait vraiment. Et cela lui fit peur, brusquement, une peur animale, atroce : et s'il finissait à l'asile ?

— Si, dit Jean avec l'air pieux de l'homme qui ne veut pas mentir — parce qu'il sait qu'il ne le peut plus — , si, je lui ai téléphoné.

— Tu étais inquiet ?

— Un peu. Il m'a rassuré d'ailleurs.

— C'est parce qu'il t'a rassuré que tu es ici à minuit ?

Jean s'énerva brusquement.

— Je suis ici parce qu'Eloïse te savait chez le docteur à quatre heures, qu'elle n'avait pas de nouvelles de toi, et qu'elle s'affolait. Je suis venu lui tenir compagnie et la rassurer. J'ai parlé avec Daniel : tu es nerveux, fatigué, déprimé comme les neuf dixièmes de la population parisienne. Ce n'est pas une raison pour laisser les gens s'inquiéter et te battre dans les bars avec Thomas ou un autre.

Il y eut un silence. Puis Gilles sourit :

— Oui, papa. Il ne t'a rien dit d'autre, ton camarade ?

— Tu devrais changer d'air.

— Ah, ah... le journal va m'offrir une croisière aux Bahamas ? Tu vas en parler au boss ?

Il se sentait stupide, méchant, pas drôle et il ne pouvait pas s'arrêter.

— Il paraît que c'est très beau les Bahamas, dit d'un ton mondain Marthe, l'innocente, et Jean lui jeta un coup d'œil furieux qui déclencha une immense envie de rire chez Gilles. Il se mordit les lèvres, ce qui lui fit très mal, mais il sentait le rire monter en lui, inexorable, comme tout à l'heure la violence. Il fit un effort désespéré, respira à fond mais la phrase de Marthe lui courait dans la tête et lui semblait d'un comique irrésistible. Il toussa un peu, ferma les yeux et brusquement éclata de rire.

Il riait, il riait à perdre haleine. « Les Bahamas, les Bahamas », marmonnait-il entre deux quintes, comme pour s'excuser. Et s'il ouvrait les yeux, les trois visages consternés en face de lui redoublaient son rire. Sa petite blessure à la bouche s'était rouverte, il sentait un peu de sang couler sur son menton, et il se disait confusément qu'il devait avoir l'air d'un fou, ainsi, saignant et sanglotant de rire, à minuit, dans un fauteuil de velours côtelé. Tout était devenu miraculeusement absurde et désopilant... Et sa journée... Mon Dieu, l'après-midi qu'il avait passé... installé comme un pacha dans une robe de chambre inconnue à attendre une femme à qui il n'avait même pas ouvert... s'il pouvait seulement raconter cela à Jean... Mais il riait trop, il ne pouvait pas articuler un son... Il gémissait de rire. Loufoque, la vie était loufoque, pourquoi ne riaient-ils donc pas, en face ?

— Arrête, disait Jean, arrête.

« Il va me gifler, c'est sûr, il croit que ça se fait dans ces cas-là. Tout le monde croit qu'il y a des choses à faire dans chaque occasion de la vie. Si on rit trop, on vous gifle, si on pleure trop, on vous endort, ou alors on vous envoie aux Bahamas. »

Mais Jean ne le giflait pas. Il avait ouvert la fenêtre, les femmes s'étaient réfugiées dans la chambre, et son rire s'apaisait. Il ne savait même plus pourquoi il avait ri. Pas plus qu'il ne savait, à présent, pourquoi des larmes chaudes, douces, intarissables inondaient son visage sans répit, ni pourquoi la main de Jean lui tendant une pochette bleue à carreaux grenat tremblait de la sorte.

Deuxième partie

LIMOGES

CHAPITRE PREMIER

Il ETAIT ALLONGE dans l'herbe, à plat ventre, surveillant le lever du soleil, plus loin, sur la colline. Il se réveillait toujours trop tôt, depuis qu'il était là, il dormait mal, aussi épuisé par le calme de la campagne qu'il l'avait été par la frénésie de Paris. Sa sœur, chez qui il vivait, le savait et s'en vexait obscurément. Elle n'avait jamais eu d'enfant et Gilles lui avait toujours tenu licu de fils. N'avoir pas pu « le remettre sur pieds », comme elle disait, en quinze jours lui paraissait une insulte directe au Limousin, au bon air et à la famille en général. Bien sûr, elle avait entendu parler de ces « dépressions nerveuses » dans les journaux mais cela lui paraissait plus près d'un caprice que d'une maladie. Partageant équitablement son temps depuis quarante ans entre ses parents, puis son mari et les soins de la maison, aussi dénuée d'imagination que remplie de bonté, Odile ne pouvait pas croire que le repos, les gros biftecks et la marche à pied ne puissent guérir tous les maux. Et Gilles continuait à maigrir, à se taire et à s'enfuir parfois de la pièce quand elle parlait par exemple avec Florent, son mari, des derniers événements. Et si, par hasard, elle mettait la télévision, un poste merveilleux avec deux chaînes, qu'ils venaient d'acheter, il s'enfermait dans sa chambre et ne réapparaissait que le lendemain. Il avait toujours été déroutant mais Paris l'avait vraiment complètement détraqué, cette fois-ci. Pauvre Gilles... Elle lui passait la main parfois dans les cheveux et curieusement il la laissait faire, s'asseyait même à ses pieds, souvent sans rien dire, lorsqu'elle tricotait, comme soulagé tout à coup par sa présence. Elle lui parlait de choses qui, elle le sentait confusément, ne l'intéressaient pas mais le calmaient, par leur pérennité même : les saisons, les récoltes, les voisins.

Il avait décidé de partir, le lendemain de cette pénible journée à Paris, et comme il était plutôt couvert de dettes, et que de surcroît, n'importe quel inconnu lui faisait peur, il s'était réfugié chez Odile, dans la maison

un peu croulante que leur avait laissée leurs parents et où elle vivait
depuis avec son notaire de mari, le doux Florent, aussi incapable
semblait-il de faire une affaire qu'un enfant, vivant de quelques
fermages et de quelques rentes une vie aussi peu actuelle que possible.
Bien sûr, il le savait, il s'ennuierait mortellement mais du moins serait-
il à l'abri de lui-même, de ces accès ridicules qui, il le sentait, seraient
de plus en plus fréquents s'il restait à Paris. Et du moins, s'il se roulait
par terre, serait-ce devant les brebis du Limousin que cela gênerait
moins que ses amis ou sa maîtresse. En plus, se retrouver près de sa
sœur, quelqu'un de son sang, avec laquelle les relations allaient de soi
lui semblait une bénédiction. Toute affectivité, toute démonstration lui
faisaient horreur. Il n'aurait plus rien à se reprocher, vis-à-vis de
personne. Il avait laissé Eloïse dans l'appartement, Jean au journal, avec
la ferme promesse de revenir guéri dans un mois. Il y avait quinze jours
de ça et il se sentait parfaitement désespéré. La campagne était belle
mais il le savait, sans le ressentir, la maison était familière mais il s'y
reconnaissait sans s'y faire, et chaque arbre, chaque mur, chaque couloir
semblait lui dire «tu étais heureux ici avant, tu étais bien» tandis qu'il
glissait de biais sur les allées ou dans les corridors comme un voleur. Un
voleur volé de tout, même de son enfance.

Le soleil se levait à présent, il commençait à baigner la prairie et il
retourna son visage dans l'herbe humide, une fois, deux fois, lentement,
respirant l'odeur de la terre, essayant d'y retrouver d'une manière
délibérée ce délicieux bonheur qu'il y prenait autrefois. Mais même ces
plaisirs simples ne se commandaient pas et il se regardait avec dégoût
faire ces gestes de comédien, de faux amoureux de la nature, comme un
homme qui a eu une passion pour une femme et qui ne l'aimant plus se
retrouve au lit avec elle, usant des mêmes mots et des mêmes gestes,
mais le cœur sec, et consterné. Il se leva, constata avec ennui que son
pull-over était trempé et se dirigea vers la maison.

C'était une vieille maison grise, au toit bleu, avec deux petits pignons
cocasses, une maison classique du Limousin, encadrée d'une terrasse
devant et d'une colline derrière, une maison qui sentait le tilleul et l'été
et le soir tombant, quelles que soient la saison ou l'heure. Du moins, lui
apparaissait-elle toujours ainsi, même dans cette lumière d'aube où,
grelottant un peu, il rentra dans la cuisine. Odile était déjà debout, en
robe de chambre, surveillant la cafetière. Il l'embrassa et elle grommela
quelque chose sur les fluxions de poitrine qu'on attrape le matin à se
rouler dans la rosée. Néanmoins, il se sentait bien près d'elle, respirant
déjà l'odeur du café et de son eau de Cologne, celle du feu de bois dans
la cheminée, il eût voulu être le gros chat roux qui s'étirait à présent sur
le bahut et se décidait enfin à s'éveiller. «Mon Dieu, mon Dieu, la vie
est là, simple et tranquille.» Quel dommage qu'il ne puisse se rallier
plus de quelques minutes à ces clichés et qu'aussitôt la vie, son

obsession ne le rattrapent comme une meute acharnée qui n'a laissé souffler le cerf, trois minutes, que pour prolonger la chasse.

Florent, également en robe de chambre, entra à ce moment-là. C'était un homme petit et gras, comme sa femme, mais avec des yeux bleus immenses comme des flaques d'eau qui dans son visage poupin donnaient l'impression d'une erreur. De plus, il avait la curieuse manie de mimer tout ce qui se disait : il mettait le bras devant sa figure si l'on parlait de la guerre, le doigt sur ses lèvres si l'on parlait d'amour, et ainsi de suite. Il leva donc le bras très haut en voyant Gilles et lui dit bonjour comme s'ils eussent été à cent mètres.

— Bien dormi, mon cher? De beaux rêves?

Et il lui jeta un coup d'œil complice. Il s'entêtait, en effet, à ne voir dans l'état de Gilles qu'une simple et malheureuse histoire de femme. Et toutes les dénégations de Gilles n'avaient servi de rien. A ses yeux, Gilles était un séducteur qui, pour une fois, s'était laissé mater par une coquine. C'est ainsi que, lorsqu'il rencontrait Gilles prostré dans un fauteuil par exemple, il lui lançait des phrases gaies dans le style « une de perdue, dix de retrouvées » en écartant frénétiquement les dix doigts de ses mains. A ces moments-là, Gilles, pris entre le fou rire et la rage, ne répondait pas. Mais à y bien penser, il éprouvait une sorte de plaisir à être ainsi incompris, une sorte de réconfort. Après tout, cela aurait pu être vrai. En les embrouillant, cela atténuait les choses. Tel un malheureux qui, atteint de jaunisse et cloué sur son oreiller pareil à un citron, verrait un des amis s'inquiéter chez lui d'un début de calvitie.

— Quelle heure est-il? s'enquit Florent gaiement. Huit heures? Quelle belle journée!...

Gilles se tourna vers la fenêtre en frissonnant. Quelle belle journée l'attendait, en vérité! Il emmènerait sa sœur faire les courses au village, tout à l'heure, achèterait les journaux, des cigarettes, reviendrait lire sur la terrasse avant le déjeuner, essaierait de faire la sieste ensuite, sans y parvenir. Puis, il ferait un tour dans le bois, sans aucune envie, boirait un whisky avec Florent en rentrant, avant le dîner, et irait se coucher tôt, très tôt, afin que sa sœur, piaffante depuis huit heures, puisse enfin brancher sa télévision. Il mettait, d'ailleurs, une certaine affectation dans son horreur de ce poste, il ne savait pas pourquoi. Il eut une seconde de remords : de quel droit privait-il sa sœur de ce plaisir, fût-il mortel à ses yeux? Elle n'avait pas une vie si gaie. Il se pencha vers elle :

— Ce soir, je regarderai la télévision avec vous.

— Ah non, dit-elle, pas ce soir. Nous allons chez les Rouargue, je te l'ai dit l'autre jour.

— Alors, je regarderai la télévision tout seul, plaisanta-t-il.

Odile sursauta :

— Mais tu es fou! Tu viens! Mme Rouargue a beaucoup insisté. Elle t'a connu à cinq ans...

— Je ne suis pas venu ici pour sortir, cria Gilles, horrifié. Je suis venu ici pour me reposer. Je n'irai pas !...

— Si tu iras... mal élevé... sans cœur, espèce de voyou...

Ils hurlaient tous les deux, retrouvant tout à coup le ton de leurs querelles d'enfance et Florent, ahuri, multipliait en vain les signes d'apaisement, imitant tantôt de ses deux bras un chef d'orchestre dépassé, tantôt d'un seul doigt un prédicateur convaincu. Tout cela en vain, durant cinq minutes où furent évoqués la mère de Gilles, la vie crapuleuse de ce dernier, le respect des convenances et la stupidité foncière d'Odile — ce dernier point par Gilles. Là-dessus, elle éclata en sanglots, Florent la prit dans ses bras, non sans avoir esquissé à l'adresse de Gilles un mouvement de boxe des plus cocasses, et Gilles, ahuri, écrasé, la prit dans ses bras à son tour en jurant d'aller où elle voudrait. Il fut reconnu, pour sa récompense, qu'il était quand même un bon petit. A huit heures du soir, ils montèrent donc ensemble dans la vieille Citroën de Florent, voiture qu'il conduisait d'une manière si bizarre que, durant les trente kilomètres qui les séparaient de Limoges, Gilles n'eut pas le temps de s'angoisser pour autre chose que pour sa vie.

CHAPITRE II

Il y avait encore quelques salons bleus à Limoges, de plus en plus rares, et celui des Rouargue était un des derniers. Il y avait eu, en effet, une sorte de toquade générale pour le velours bleu d'ameublement dans cette ville, des années auparavant et certaines familles, pour des raisons généralement financières — ou de fidélité —, les avaient conservés. En entrant dans le salon des Rouargue, Gilles eut ainsi l'impression que son enfance lui sautait à la tête, il revit mille goûters, mille heures d'ennui à attendre les parents sur un pouf, mille rêveries à base de bleu passé. Mais déjà la maîtresse de maison, rose et blanche, le serrait sur son cœur.

— Gilles... mon petit Gilles... il y a vingt ans que je ne vous ai vu... mais vous savez que nous lisons tous vos articles, mon mari et moi, nous ne vous perdons pas de vue... bien sûr, nous ne sommes pas forcément d'accord, car nous avons toujours été un peu réactionnaires — ajouta-t-elle comme pour signaler un petit travers — mais nous vous suivons... vous êtes parmi nous pour longtemps ?... Un peu d'anémie, m'a dit Odile ?... Quelle joie de vous avoir !... Venez, que je vous présente à tout le monde.

Bousculé, ahuri, Gilles se laissait embrasser, palper, féliciter par la vieille dame. Le salon était plein de gens debout, à l'exception de trois vieillards piqués sur des chaises, et la panique commença à envahir Gilles. Il jeta un coup d'œil furieux vers sa sœur mais celle-ci, enchantée, toutes voiles dehors, cinglait dans le salon en se jetant au cou de parfaits inconnus. « Je ne suis pas venu ici depuis combien de temps ? pensa Gilles. Mon Dieu, depuis la mort de mon père, cela fait quinze ans, mais qu'est-ce que je fais ici ? » Il suivit la vieille dame, se pencha sur dix mains, en serra douze autres, essayant de sourire chaque fois, mais regardant à peine ces visages inconnus, bien que plusieurs femmes fussent jolies et bien habillées. Il finit par se réfugier près d'un vieux monsieur assis qui lui déclara avoir été un des vieux amis de son père et lui demanda ce qu'il pensait de la situation politique avant de commencer à la lui expliquer. Gilles faisait semblant d'écouter, légèrement penché vers le vieillard, lorsque Mme Rouargue le saisit par la manche :

— Edmond, dit-elle, cessez d'accaparer notre jeune ami. Gilles, je voudrais vous présenter à Mme Silvener. Nathalie, voici Gilles Lantier.

Gilles se retourna et se trouva face à face avec une femme grande, belle qui lui souriait. Elle avait des yeux verts hardis, des cheveux roux, quelque chose d'arrogant et de généreux à la fois dans le visage. Elle lui sourit, dit « bonsoir » d'une voix basse, et s'éloigna aussitôt. Il la suivit des yeux, intrigué. Dans ce petit salon bleu, fané et vieillot, elle détonnait bizarrement, avec son air de flamme.

— C'est une question de prestige..., reprenait l'intarissable Edmond... Ah, vous regardez la belle Mme Silvener ? La reine de notre ville... Ah, si j'avais votre âge !... Pour en revenir à la politique extérieure d'un pays comme le nôtre...

Le dîner fut interminable. Placé à l'autre bout de la table, Gilles voyait de temps en temps la belle Mme Silvener jeter un regard vers lui, un regard calme, réfléchi, qui contrastait avec son attitude générale. Elle parlait beaucoup, on riait beaucoup autour d'elle, et Gilles la regardait avec une légère ironie. Elle devait vraiment se sentir la reine du Limousin, et avoir envie de plaire à ce Parisien inconnu, journaliste de surcroît. Cela l'aurait bien distrait, dans le temps, une liaison de quinze jours avec la femme d'un magistrat de province, il en aurait fait un joli récit, à la Balzac, aux amis en rentrant. Mais il n'en avait pas la moindre envie. Il regardait ses propres mains sur la nappe, maigres et inutiles, il avait envie de partir.

Dès la fin du dîner, il alla se blottir près d'Odile comme un enfant et elle vit ses traits tirés, le tremblement de ses mains, l'expression presque suppliante de ses yeux. Pour la première fois, elle eut vraiment peur pour lui. Elle s'excusa auprès de Mme Rouargue et, tirant Florent légèrement éméché, ils filèrent à l'anglaise, autant que ce puisse être possible dans un salon de province. Au fond de la voiture, Gilles, tassé sur lui-même, grelottant, se rongeait les ongles. Il ne recommencerait jamais une expédition pareille, il se le jurait bien.

Quant à Nathalie Silvener, elle l'aima dès qu'elle le vit.

CHAPITRE III

GILLES pêchait. Ou plus exactement, il regardait avec nonchalance Florent offrir avec mille ruses des asticots dégoûtants à des poissons plus malins que lui. Il était près de midi, il faisait chaud, ils avaient enlevé leurs chandails et, pour la première fois depuis longtemps, une sorte de bien-être envahissait Gilles. L'eau était d'une clarté étonnante et, allongé à plat ventre, il regardait les cailloux ronds au fond et la ronde enchantée des poissons qui se jetaient sur l'hameçon de Florent, en décrochaient délicatement l'appât et repartaient ravis tandis que son beau-frère ferrait le vide d'un coup sec avec un énorme juron.

— Tes hameçons sont trop gros, dit Gilles.

— Ils sont faits exprès pour les goujons, dit Florent, furieux. Essaie toi-même, au lieu de ricaner.

— Non merci, dit Gilles. Je suis très bien comme ça. Tiens, qui est-ce?

Il se redressa, alarmé : une femme descendait le petit chemin vers la rivière, elle se dirigeait tout droit vers eux. Il chercha des yeux un coin où se réfugier mais la prairie au bord de l'eau était lisse et nue. Le soleil fit étinceler les cheveux de la femme et il la reconnut aussitôt.

— C'est Nathalie Silvener! s'exclama Florent et il rougit violemment.

— Tu es amoureux d'elle? plaisanta Gilles, mais il reçut en échange un coup d'œil si furieux qu'il se tut. Elle était tout près d'eux à présent et charmante à voir, dans ce soleil, droite et souriante, les yeux plus verts que l'autre soir.

— Odile m'envoie. Je lui avais promis de passer l'autre jour et j'ai tenu parole. Vous faites bonne pêche?

Les deux hommes s'étaient levés et Florent, piteux, désignait son seau où gisait un poisson suicidaire. Elle éclata de rire, se tourna vers Gilles :

— Et vous? Vous vous bornez à regarder?

Il rit sans répondre. Elle s'assit par terre près d'eux. Elle portait une jupe de cuir marron, un pull marron, des souliers bas, elle avait l'air bien plus jeune que l'autre fois. Moins fatale. Elle devait avoir trente-cinq ans, jugea Gilles, au hasard! Elle lui faisait beaucoup moins peur que l'autre fois, ou plus exactement, il ne la sentait pas comme une étrangère.

— Montrez-moi vos talents, dit-elle à Florent, et la même scène se reproduisit. Ils virent avec horreur le bouchon s'enfoncer d'un coup dans l'eau, Florent tirer d'un grand coup sec sa canne à pêche et l'hameçon vide qui pendait au bout. Gilles éclata de rire tandis que Florent jetait sa canne à pêche par terre et faisait semblant de la piétiner.

— J'en ai assez, je remonte, dit ce dernier. Je vous prépare un porto-flip, si vous voulez.

— Un porto-flip? dit Gilles, étonné. Ça existe encore?

Ils s'amusèrent encore un peu en voyant Florent escalader le chemin, encombré de ses deux cannes, de son pliant et de sa musette puis il disparut et ils se retrouvèrent seuls, brusquement gênés. Gilles attrapa un brin d'herbe, le mit entre ses dents. Il sentait le regard de cette femme posé sur lui, il pensait confusément qu'il n'avait peut-être, au fond, qu'à tendre la main. Il recevrait une claque ou un baiser, il ne savait pas. Mais quelque chose se passerait, il en était sûr. Seulement, il avait perdu l'habitude des ambiances troublées, tout était offert, évident, trop sûr à Paris. Il toussa un peu, leva les yeux. Elle le regardait, pensivement, comme pendant ce maudit dîner de l'avant-veille.

— Vous êtes une grande amie de ma sœur?

— Non. Pour dire la vérité, elle était stupéfaite de me voir arriver. Elle s'arrêta là. «Bon, pensa Gilles, et bien ce serait un baiser. On ne perd pas de temps en province non plus.» Mais quelque chose en cette femme gênait son cynisme.

— Pourquoi êtes-vous donc venue?

— Pour vous voir, dit-elle tranquillement. Vous m'avez plu toute de suite, l'autre soir. J'ai eu envie de vous revoir.

— C'est très gentil à vous.

Ce qui gênait Gilles, c'était la gaieté de sa voix, le calme. Il était déconcerté.

— Quand vous êtes parti l'autre soir, si vite, tout le monde s'est mis à papoter : vous, votre vie, votre maladie nerveuse... c'était passionnant. Freud, en province notamment, est passionnant.

— Et vous êtes venue voir quelques symptômes?

Il était furieux à présent. Et qu'on parle de lui comme d'un malade et qu'elle le lui répète avec cette désinvolture.

— Je vous ai dit que j'étais venue vous voir, vous. Je me moque de votre maladie. Venez prendre votre porto-flip.

Elle s'était levée d'un bond, et il restait allongé, tout à coup mécontent de cette interruption. Il la regardait entre ses cils baissés, l'air boudeur, avec une expression qui, il le savait, lui allait fort bien et tout à coup, aussi brusquement, elle s'agenouilla près de lui, prit sa tête entre ses mains et lui sourit de très près, mystérieusement.

— Vous êtes trop maigre, dit-elle.

Ils se regardèrent fixement. «Si elle m'embrasse, c'est fichu, pensa

Gilles, je ne pourrai plus la revoir. Mais ce serait dommage. » Toutes ces idées stupides lui passèrent ensemble dans la tête et son cœur se mit à battre tout à coup. Mais déjà elle était debout, s'époussetant, sans le regarder. Il se leva et la suivit. Dans le chemin, il s'arrêta un instant et elle se retourna vers lui :

— Vous n'êtes pas un peu folle, dites-moi ?

Elle prit un air grave tout à coup qui la vieillit de dix ans et elle secoua la tête.

— Non, pas du tout.

Ils rentrèrent sans dire un mot jusqu'à la maison. Les portos-flips étaient frais, Odile, rose d'excitation — car Nathalie était une célébrité — et Florent avait mis une veste propre. Elle resta une demi-heure, fut exquise et bavarde et ce fut Gilles qui la reconduisit à sa voiture. Elle passerait le chercher le lendemain après-midi, puisqu'il avait tant envie de voir l'exposition Matisse, au musée. Et Gilles passa le reste de la journée avec un visage sombre et furieux, alla se coucher encore plut tôt que d'habitude : « Qu'est-ce qui m'a pris ? Pourquoi me suis-je mis cette femme sur le dos ? Tout cela finira dans un bordel de campagne près de Limoges, où je serai sûrement impuissant. Et je vais passer deux heures demain à m'ennuyer dans un musée. Suis-je devenu fou ? » Il se réveilla très tôt, le cœur battant de terreur à cette idée, regrettant amèrement l'ennui confortable qui présidait généralement à ses journées. Mais ils n'avaient pas le téléphone et il était impossible de prévenir Nathalie. Il l'attendit donc.

CHAPITRE IV

— LA, dit-il, vous êtes contente ?

Il s'était rejeté sur le dos, transpirant, essoufflé, humilié. D'autant plus humilié qu'il était injuste et que c'était lui qui l'avait pratiquement traînée dans ce lit. Ils avaient pris le thé dans une auberge et c'était lui qui avait soudoyé le patron pour avoir cette chambre minable. Elle n'avait pas bronché quand il le lui avait annoncé, elle n'avait pas protesté, de même qu'elle n'avait rien fait pour l'aider tandis qu'il s'acharnait en vain sur elle. A présent, elle était près de lui, nue, calme, comme indifférente.

— Pourquoi serais-je contente ? Vous avez l'air si furieux...

Elle souriait. Il s'énerva :

— Ce n'est jamais agréable pour un homme.

— Ni pour une femme, dit-elle tranquillement. Mais tu savais avant que ce serait comme ça et moi aussi d'ailleurs. Tu as fait exprès de prendre cette chambre. Par goût de l'échec. Ce n'est pas vrai ? Si, c'était vrai. Il posa sa tête sur l'épaule nue, près de lui, il ferma les yeux. Il se sentait épuisé, brusquement, et bien, comme s'il eût réellement fait l'amour. Cette chambre était extravagante avec ces rideaux à fleurs et cet horrible bahut. Elle était hors du temps, hors de toute raison comme lui-même. Comme la situation.

— Pourquoi as-tu accepté, dit-il rêveusement, si tu savais...

— Je crois qu'il y a beaucoup de choses que je vais accepter de toi, dit-elle.

Il y eut un silence, puis elle murmura « raconte » et il se mit à raconter. Tout : Paris, Eloïse, les amis, le travail, les derniers mois. Il lui semblait qu'il lui faudrait des années pour tout raconter. Pour délimiter ce « rien ». Elle l'écoutait sans rien dire, simplement de temps en temps, elle allumait deux cigarettes et lui en passait une. Il devait être six heures du soir ou sept, mais elle ne semblait pas s'en soucier. Elle ne le touchait pas, elle ne lui caressait pas les cheveux, elle restait immobile contre lui, l'épaule sûrement ankylosée, à présent.

Il finit par se taire, vaguement honteux et il se dressa sur un coude pour la regarder. Elle le fixa sans bouger, le visage sérieux, concentré, et tout à coup elle lui sourit. « Cette femme est bonne, pensa Gilles, cette femme est incroyablement bonne. » Et l'idée de cette bonté parfaite, disponible, l'idée que quelqu'un s'intéressait à lui de cette manière totale, lui mit un instant les larmes aux yeux. Il se pencha pour le lui cacher, il embrassa doucement ce sourire, ces joues, ces yeux clos. Il n'était pas si impuissant que ça finalement. Les deux mains de Nathalie s'accrochèrent à ses épaules.

Beaucoup plus tard, il devait se rappeler que c'était l'idée de sa bonté qui lui avait permis de lui faire l'amour, la première fois. Et lui qui n'avait jamais vu aucun érotisme dans les bons sentiments, lui que l'expression « c'est une garce » aurait plutôt excité, confusément, devait plus tard, bien plus tard, trop tard d'ailleurs, dresser l'oreille quand on disait négligemment d'une femme, près de lui : « C'est une bonne fille ». Mais à présent, il la regardait, il souriait, il s'excusait d'avoir été brutal non sans une certaine satisfaction. Elle était au pied du lit, elle se rhabillait et, tournant brusquement la tête, elle l'arrêta :

— Je ne peux pas dire que ç'ait été délicieux, mais tu te sens mieux, non ? Exorcisé ?

Il sursauta, hésita à se vexer :

— Tu te crois toujours obligée de dire ce genre de vérités ?

— Non, dit-elle, c'est la première fois.

Il se mit à rire et se leva à son tour. Il était sept heures et demie, elle devait être en retard.

— Tu as un grand dîner, ce soir ?

— Non, je dîne à la maison. François doit être inquiet.

— Qui est François ?

— Mon mari.

Il se rendit compte avec stupeur qu'il n'avait jamais pensé qu'elle fût mariée, qu'il ne savait rien de sa vie, de son passé, de son présent. Odile avait commencé un cours mondain à son sujet, l'autre jour, mais il n'avait pas écouté. Il se sentit vaguement honteux.

— Je ne sais rien de toi, murmura-t-il.

— Et moi je ne savais rien de toi, il y a une heure. Et je n'en sais pas beaucoup plus.

Elle lui sourit et il resta, figé, une minute devant ce sourire. C'était maintenant, tout de suite, qu'il devait arrêter les choses, s'il le fallait. Et il le fallait : il était incapable d'aimer qui que ce soit dans la simple mesure où il était incapable de s'aimer lui-même. Il ne pourrait que la faire souffrir. Il lui aurait suffi d'une plaisanterie un peu grossière sans doute, de quelque chose qui la poussât à le mépriser. Mais déjà cela lui répugnait et le sourire appuyé, sincère et plein de promesses qu'elle lui adressait lui faisait peur. Il balbutia :

— Tu sais... je...

— Je sais, dit-elle tranquillement. Mais je suis déjà amoureuse de toi.

Il eut une seconde de révolte, voire d'indignation. Mais enfin le jeu ne se jouait pas comme ça, on ne se remettait pas, avec tous ses vaisseaux, entre les mains d'un inconnu ! Elle était folle. Et lui, comment pourrait-il alors s'amuser à la séduire si elle avouait l'être déjà ? Comment pourrait-il avoir une chance de l'aimer si, dès le départ, il ne pouvait douter d'elle ? Elle gâchait tout ! C'était contraire à tous les règlements. Mais, à la fois, cette sorte de prodigalité, d'incurie, le fascinait.

— Comment peux-tu le savoir ? dit-il sur le même ton léger, agréable et en la regardant, il pensa tout à coup qu'elle était très belle, très faite pour l'amour, et qu'elle se moquait peut-être de lui. Elle le fixait et se mit à rire :

— Tu as peur à la fois que ce soit vrai et que ce ne soit pas vrai, n'est-ce pas ? — Et il hocha la tête, secrètement enchanté d'être deviné.

— Eh bien, c'est vrai ! Tu n'as jamais lu des romans russes ? Brusquement quelqu'un dit à quelqu'un, après deux entrevues : « Je vous aime. » Et c'est vrai, cela mène le récit tout droit vers la catastrophe finale.

— Et quelle catastrophe prévois-tu pour nous à Limoges ?

— Je ne sais pas. Mais comme les héros russes, cela m'est complètement égal. Dépêche-toi.

Il sortit avec elle, un peu rassuré : une femme qui a lu est moins inquiétante, elle sait vaguement ce qui l'attend — ou ce qui attend l'autre. Dehors le soleil allongeait des ombres obliques, baignait d'or rose les foins coupés et il regardait avec un certain contentement le profil de sa nouvelle maîtresse. Après tout, elle était belle, la campagne aussi, il s'était montré viril, sinon brillant, et elle disait l'aimer. Ce n'était pas si mal pour un névropathe. Il se mit à rire et elle tourna la tête vers lui.

— Pourquoi ris-tu?

— Pour rien. Je suis content.

Elle arrêta brusquement la voiture, prit sa veste entre ses deux mains et le secoua, tout cela si vite qu'il resta stupéfait :

— Dis-le. Redis-le. Dis-moi que tu es content.

Elle avait un ton nouveau, exigeant, autoritaire, sensuel, et il eut soudain envie d'elle. Il lui prit les poignets, baisa ses mains, répétant : «Je suis content, je suis content», d'une voix changée et elle le lâcha, repartit sans rien dire. Ils ne se parlèrent presque plus jusqu'à la maison et elle l'abandonna devant la grille sans qu'ils aient fixé le moindre rendez-vous. Mais le soir dans sa chambre, Gilles, allongé, se rappelait cet étrange moment au bord de la route et se disait avec un petit sourire que cela avait rudement ressemblé à la passion.

CHAPITRE V

IL N'EUT aucune nouvelle pendant plusieurs jours et il ne s'en étonna pas. Il avait été une occasion pour elle, une mauvaise d'ailleurs, et elle lui avait parlé d'amour par convenances, peut-être, ces bizarres convenances bourgeoises, ou par maniaquerie. Néanmoins, il se sentait un peu déçu et cela accentuait sa tristesse naturelle. Il parlait peu, se rasait un jour sur deux et essayait de lire quelques livres, de préférence pas russes.

Le cinquième jour, il pleuvait affreusement l'après-midi, il était mal rasé et installé en chien de fusil sur le divan du salon quand elle entra, seule, et vint s'asseoir près de lui. Elle le regardait fixement, il voyait ses yeux verts dilatés et respirait l'odeur de la pluie sur sa robe de laine. Quand elle parla, ce fut d'une voix tendue et il ressentit aussitôt un immense soulagement.

— Tu ne pouvais pas me téléphoner? Ou venir?

— Je n'ai ni téléphone, ni voiture, dit-il gaiement et il essaya de lui prendre la main. Elle la retira sèchement.

— Cinq jours que j'attends, dit-elle. Cinq jours que je guette un homme sale, mal rasé et qui fait des mots croisés en plus!

Elle semblait évidemment au comble de la colère et cela réjouissait Gilles, bien plus qu'il ne l'eût imaginé. Et curieusement, pour une fois, il n'avait pas l'impression d'avoir bien manœuvré, simplement celle de s'être trompé de personne. Il essaya de s'expliquer :

— Je n'étais pas sûr que tu tiennes à me revoir.

— Je t'ai dit que je t'aimais, dit-elle d'un air maussade, te l'ai-je dit ou pas ?

Et elle se leva et se dirigea vers la porte, si vite qu'il faillit la laisser partir. Elle était déjà dans le vestibule, mettant son imperméable, quand il la rejoignit. Odile pouvait arriver à tout instant, ou la cuisinière, mais il la prit dans ses bras quand même. Le bruit de la pluie dehors, cette femme en colère, l'inattendu de sa visite, l'odeur de bois qui venait de l'escalier, le silence de la maison, tout cela grisait un peu Gilles. Il l'embrassait doucement et elle baissait la tête, obstinée, jusqu'à l'instant où elle la releva délibérément et mit les bras autour de son cou. Il l'emmena jusqu'à sa chambre sans aucune ruse, avec cette audace extravagante — et cette chance d'ailleurs — que donne le désir et ils furent enfin vraiment amants, comme peuvent l'être deux êtres humains amoureux de l'amour — et le connaissant. C'est ainsi que Gilles retrouva le goût du plaisir.

Le soir tombait. Gilles entendait sa sœur donner des instructions en bas, d'une voix plus forte que d'habitude et brusquement il comprit, se tourna vers Nathalie et se mit à rire, silencieusement. Elle ouvrit les yeux, paresseusement, les referma aussitôt. Il questionna :

— Où as-tu laissé ta voiture ?

— Devant la porte. Pourquoi ? Ah, mon Dieu, j'avais complètement oublié ta sœur et Florent. Je voulais juste t'insulter et repartir. Que vont-ils penser ?

Elle parlait d'une voix lasse, tranquille, une voix d'après l'amour et Gilles se demandait comment il avait pu vivre près de quatre mois sans ce genre de voix dans son oreille. Il sourit.

— Que crois-tu qu'ils vont penser ?

Elle ne répondit pas, se retourna.

— Je savais, dit-elle. Je savais que ce serait comme ça, toi et moi. Je le savais dès que je t'ai vu. C'est drôle.

— C'est mieux que drôle, dit-il. Viens, on va boire un porto-flip.

— On va descendre comme ça, sans explication ?

— C'est le seul moyen, dit Gilles. Il ne faut jamais rien expliquer. Habille-toi.

Il retrouvait un ton d'autorité, de décision, qu'il n'avait pas eu depuis longtemps et il s'en rendit compte tout à coup en voyant le regard gai et un peu ironique que lui lança Nathalie, encore enfouie sous les draps. Il se pencha, lui embrassa l'épaule :

— Oui, dit-il, nous sommes peu de chose. Et subitement emporté par quelque chose d'incontrôlable — je te remercie, Nathalie.

Ils entrèrent dans le petit salon avec cette insouciance que l'on acquiert généralement après trente ans lorsqu'on s'est livré avec succès à une opération de l'importance de l'amour et ce furent Florent et Odile qui sautèrent sur leurs pieds en rougissant. Florent s'exclama «quelle surprise!» en levant les bras au ciel et Odile félicita Nathalie d'avoir eu le courage de venir par ce temps, elle-même n'ayant pas eu le courage de mettre le nez dehors. Ce qui signifiait, bien entendu, qu'ils n'avaient ni l'un ni l'autre aperçu la voiture stationnée depuis deux heures devant leur perron. Cette démonstration de tact et d'extrême myopie effectuée, au grand bonheur de Gilles, Odile parla du temps, de l'urgence de prendre quelque chose pour se réchauffer — sur quoi elle rougit derechef — et Florent se précipita vers la bouteille de porto. Installée sur le canapé, ses longues mains posées sur ses genoux comme des objets, Nathalie souriait, répondait, regardait Gilles parfois, très vite, qui, lui, se tenait debout, appuyé à la cheminée, amusé par cette petite comédie de province, légèrement supérieur.

— Les Cassignac vont peut-être avoir un bien vilain temps pour leur bal en plein air, disait Odile, l'air désolé.

— Vous y allez? questionna Nathalie.

— J'avais peur que Gilles ne veuille pas y aller, dit Odile étourdiment, mais maintenant...

Elle eut une seconde de terreur, s'arrêta net et Florent qui lui tendait un verre, s'immobilisa, roulant des yeux furibonds. Gilles faillit éclater de rire et il se détourna vivement.

— ... maintenant qu'il a un peu meilleure mine, enchaîna Odile sans aucun entrain, peut-être voudra-t-il nous accompagner?...

Elle regardait son frère d'un air suppliant et il hocha la tête pour la rassurer. Les yeux de Nathalie étaient pleins de larmes, elle devait avoir du mal à réprimer un fou rire, elle aussi. «Mon Dieu, pensa Gilles tout à coup, quelle reconnaissance ne dois-je pas avoir pour cette femme. Depuis combien de temps ne m'étais-je pas trouvé dans cet état de fatigue, de grâce, qui suit l'amour et où le fou rire ou les larmes vous guettent?»

— Bien sûr, j'irai, dit-il gaiement. Mais je ne danserai qu'avec vous deux.

Et il eut un sourire si tendre vers Nathalie qu'elle battit des paupières et détourna la tête.

— Il faut que je rentre, dit-elle. Je vous vois donc demain soir, chez les Cassignac?

Gilles l'aidait à mettre son manteau. Il lui ouvrit la portière de la voiture, passa sa tête par la fenêtre :

— Et demain après-midi?

— Je ne peux pas, dit-elle avec désespoir, c'est la réunion des dames de la Croix-Rouge.

Il éclata de rire :

— C'est vrai, tu es la femme d'un haut fonctionnaire.

— Ne ris pas, dit-elle subitement d'une voix basse, tremblante, ne ris pas. Tu ne dois pas rire.

Et elle démarra aussitôt, laissant Gilles interloqué et un peu pensif. Sa sœur l'entoura de petits soins nouveaux toute la soirée, ce qui le fit rire. Les femmes aiment bien voir leurs frères, leurs fils parfois, transformés en chasseurs, surtout quand elles mènent comme Odile une vie dénuée de tout romanesque. Cela les venge un peu d'une défaite obscure.

CHAPITRE VI

Le temps se révéla clément pour les Cassignac et leur garden-party battait son plein quand ils arrivèrent. On était au début de juin, il faisait délicieusement doux sur la grande terrasse et les robes vives des femmes, les rires des hommes, l'odeur des marronniers, donnèrent à Gilles subitement une impression d'avant guerre, d'irréalité. Il y avait quelque chose de détendu dans les rapports de ces gens entre eux, quelque chose de tendre dans l'atmosphère qui lui fit envisager Paris, ce Paris qu'il avait tant aimé, comme un cauchemar. Odile le tenait par le bras, le présentait à gauche et à droite en attendant de découvrir dans la foule la maîtresse de maison. Subitement il sentit sa main se raidir sur son bras et elle s'arrêta devant un homme grand, assez beau, l'air curieusement anglais parmi ces gens du Sud-Ouest :

— François... vous connaissez mon frère ? Gilles, voici M. Silvener.

— Mais oui, nous avons dîné ensemble chez les Rouargue, dit Silvener étonné.

— Bien sûr, dit Gilles, qui ne se le rappelait absolument pas. Il pensait : «Tiens, voilà le mari. Pas mal. Très riche à ce qu'on dit. Ne doit pas être très commode. Ni très drôle. Est-ce qu'elle lui dit à l'oreille les choses qu'elle me dit à moi ? Sûrement pas. » Et en serrant la main de Silvener, il eut très envie de tenir Nathalie dans ses bras, comme l'avant-veille.

— Vous habitez Paris ? dit Silvener.

— Oui, depuis dix ans. Vous y venez souvent ?

— Le moins possible. Ma femme adore ça, bien entendu, mais, personnellement, je m'y agace très vite.

Odile, comme soulagée de voir que Silvener et Gilles ne s'étaient pas immédiatement provoqués en duel, émigrait vers un autre groupe. Gilles eût bien aimé la suivre : il avait toujours détesté faire ami-ami avec les maris ou les compagnons de ses maîtresses, par un dernier reste de

morale ou d'esthétique. Mais Silvener était seul et il lui était difficile de
le quitter. Il cherchait Nathalie des yeux, sans la trouver, tout en parlant
des ennuis de la circulation à Paris, du prix des hôtels et du bruit infernal
des grandes villes. «Je vais partir, pensa-t-il, brusquement excédé, j'en
ai déjà assez de cette sauterie. Elle aurait pu me guetter tout de
même...» Il cherchait une phrase polie pour fuir Silvener lorsqu'elle
arriva. Elle portait une robe verte, comme ses yeux, très bien coupée,
elle le regardait en souriant, un peu pâle, et il décida de rester, à l'instant
même.

— Vous vous connaissez, je crois, dit Silvener.

— Nous nous sommes rencontrés chez les Rouargue, répéta Gilles en
s'inclinant, assez content, car cette phrase avait l'avantage d'être vraie
sans être à double sens, chose qu'il détestait aussi entre les amants
surveillés. Nathalie sourit.

— C'est vrai. Monsieur Lantier, Mme Cassignac qui est impotente
vous a vu de son fauteuil et m'a donné la mission de vous amener à elle.
Venez-vous?

Gilles la suivit, saluant confusément au passage des gens qu'il croyait
reconnaître, souriant à l'idée de la tête qu'aurait arborée Jean, par
exemple, à le voir là. Ils avaient traversé la terrasse, ils se dirigeaient
vers un jardin ombragé où, sous une tonnelle de fer rouillé, trônait le
fauteuil roulant de la maîtresse de maison, lorsque Nathalie fit un écart
à droite, comme un cheval effrayé et l'attira derrière un arbre. Tout de
suite, il eut ses cheveux contre sa joue, son corps contre le sien et la
folie, l'imprudence de son geste lui donnèrent une sorte de chaleur au
visage, au cœur, telle qu'il se mit à la couvrir de baisers comme s'il eût
été amoureux fou d'elle.

— Arrête, dit-elle arrête. Oh Gilles, arrête, je...

Des gens arrivaient dans l'allée et il eut juste le temps de se baisser
pour remettre un lacet de soulier imaginaire, tandis que Nathalie, l'air
distrait, secouait ses cheveux. Elle échangea une phrase gaie avec les
passants, leur présenta Gilles. Puis il alla baiser la main de la vieille
Mme Cassignac, le cœur battant encore et elle le félicita de ses articles
qu'elle n'avait manifestement pas lus. Ils revinrent, posément cette fois-
ci, vers la terrasse. Le soir tombait, le petit-fils de Mme Cassignac
avait déjà déclenché des jerks sur un vieux pick-up et de très jeunes
gens se déhanchaient en mesure sous l'œil attendri et goguenard de
quelques adultes plus ou moins rhumatisants. Gilles s'en voulait de son
émotion.

— Tu sais que ton mari n'est pas mal du tout, dit-il d'un ton
appréciateur presque insultant.

Elle le regarda :

— Ne me parle pas de lui. Ne parlons pas de lui.

— J'essaye simplement d'être objectif, dit Gilles sur le même ton badin.

— Je ne te demande pas d'être objectif, dit-elle sèchement et elle le quitta. Il alluma une cigarette, se mit à rire et, tout à coup, se fit horreur. Pour qui se prenait-il ? Quel était ce rôle de Parisien blasé en vacances, cynique et désinvolte ? Où avait-il trouvé cette image d'Epinal du séducteur ? Il s'appuya à un arbre, une seconde. Ah, il fallait qu'il parte, qu'il disparaisse, qu'il laisse cette femme à sa vie. Elle était trop bien pour lui, trop entière pour le malheureux dégénéré, comédien et tricheur qu'il était devenu. Il fallait qu'il le lui explique, à l'instant même.

Mais quand il la retrouva, elle n'était pas seule. Sa malheureuse victime était entourée de trois hommes, dont un très beau, tous visiblement fascinés par elle et qui riaient aux éclats. Gilles l'invita à danser mais le bel inconnu l'arrêta gentiment de la main :

— Vous n'allez pas enlever Nathalie à ses spadassins, car nous sommes ses trois spadassins ! Je m'appelle Pierre Lacour, voici Jean Noble et Pierre Grandet. Prenez quelque chose avec nous et parlez-nous de Paris, un peu.

Ses yeux brillaient de malice, d'une tranquille assurance, comme ceux de ses deux amis, comme les yeux même de Nathalie, et Gilles se sentit ridicule. Ce garçon était sûrement son amant lui aussi ou bien il l'avait été et il considérait avec indulgence ce petit Parisien qui faisait le faraud. Et lui qui craignait de la faire souffrir, lui qui avait des scrupules... Il sourit, prit un whisky sur une table.

— Nathalie était en train de démolir sauvagement un livre dont j'avais fait une bonne critique, dit le nommé Lacour. Je dois vous dire que je suis professeur de lettres à Limoges et que de temps en temps je collabore modestement au journal local.

— Nous voilà confrères, dit Gilles poliment.

Il s'en voulait à mort : qu'il avait été bête ! Comment avait-il pu penser que cette femme qui s'était jetée à sa tête, qui lui avait cédé pratiquement la première fois qu'il le lui avait demandé, qui possédait une telle science de l'amour, comment avait-il pu penser qu'elle fût amoureuse de lui ! C'était une nymphomane, cultivée de surcroît. Il enrageait et s'en étonnait. Il y avait longtemps qu'il ne s'était pas mis en colère.

— Puis-je insister pour cette danse, dit-il ? Les slows ont l'air rare, ici. Et je n'ai plus l'âge de ces acrobaties...

Nathalie sourit, posa la main sur son bras et ils atteignirent le petit parquet rond installé sur la terrasse. Ils firent trois pas en silence et Nathalie leva la tête vers lui.

— Tu ne recommenceras pas ?

— A quel sujet ?

— François.

Il avait complètement oublié cet incident. Il s'agissait bien de cela...
Il sourit affectueusement.

— Non. Je ne recommencerai pas. Dis-moi, il est charmant ton
spadassin numéro un. Le professeur de lettres. Il a l'air de t'adorer.

Quand elle lui répondit il manqua un pas.

— J'espère bien qu'il m'adore. C'est mon frère. Il est beau, n'est-ce
pas ?

Un peu plus tard elle chuchota :

— Ne me serre pas ainsi, Gilles, les gens nous regardent. Gilles,
Gilles, es-tu heureux ?

— Oui, dit-il.

Et à cet instant même, c'était parfaitement vrai.

CHAPITRE VII

Il AVAIT REÇU un télégramme de Jean, le matin, lui demandant de
l'appeler d'urgence. Il était midi à présent et il étouffait de chaleur dans
le petit bureau de poste de Bellac, à la fois inquiet et ravi de ce coup de
téléphone qui lui redonnait une sorte d'importance professionnelle. Il
dut passer par trois secrétaires attendries avant d'avoir Jean et la voix de
ce dernier lui parut tout à coup très lointaine, comme venant d'une autre
planète :

— Allô, Gilles ? Tu vas mieux ? Oui ? Ah, j'en étais sûr... je suis
ravi, mon vieux...

«Pauvre idiot, pensait Gilles injustement. Tu n'en étais pas sûr du
tout ! Tu ne pouvais même pas t'en douter. Ne me dis pas que tu
comptais comme Odile sur le bon air du Limousin. Je vais mieux parce
qu'il y a ici une femme qui m'aime et dont je supporte l'amour.
Comment aurais-tu pu le prévoir ?»

Néanmoins il répondait par petites phrases brèves et calmes comme
un grand blessé, enfin sauvé, et qui se rend compte de la peur qu'il a fait
à ses amis.

— ... Tu sais, continuait Jean, Lenoux s'est brouillé à mort avec le
patron. On envisage de te confier toute la section étrangère. Je te jure
que c'est vrai... Ce n'est même pas moi qui en ai parlé... qu'est-ce que
tu en dis ?

Il semblait exulter et Gilles essayait en vain de se joindre à lui. Il s'en
moquait ! Ce poste qui lui faisait tellement envie lui paraissait à présent
tout à fait irréel.

— ... Ce ne serait pas avant octobre, bien sûr. J'ai dit au patron que
tu étais en pleine escapade, froidement. Ta dépression, ça l'aurait fichu

mal, tu comprends, à ce moment-là... Il faudrait que tu reviennes très vite, pour quelques jours au moins... qu'il te voie... tu connais les petits copains...

« Ainsi, ça l'aurait fichu mal, ma dépression, pensait Gilles ironiquement. Un honnête homme n'a pas le droit d'être mal dans sa peau... Un bon journaliste doit être heureux, actif, voire paillard... tout sauf déprimé. Ma parole, on finira par empoisonner les gens tristes, un jour... ils auront du travail. »

— Tu es content ? disait la voix de Jean, une voix tendre, en fait, et enchantée de l'être. Tu arrives quand ?

— Je prendrai le train demain, dit Gilles sans conviction. Il n'y a pas d'avion, tu sais. Je serai là vers onze heures du soir, par le Capitole.

— Mais prends-le aujourd'hui !

Gilles s'énerva tout à coup.

— Mais enfin il n'y a pas le feu... S'il est décidé à me prendre, moi, il peut attendre un jour !

Il y eut un silence, puis la voix de Jean, un peu brève, déçue :

— Je pensais qu'il y aurait le feu pour toi, c'est tout. Je viendrai te chercher demain, au train. Au revoir, mon vieux.

Il avait raccroché et Gilles s'essuyait le front dans la cabine surchauffée. Il avait rendez-vous à trois heures avec Nathalie. Etait-ce donc cela qui l'avait retenu ? Oui, il le savait, il y avait le feu à Paris dans ce journal, comme chaque fois qu'un poste important était libre. Cela devait rudement s'agiter, même. Et lui, à cause d'une femme, allait peut-être manquer l'occasion. Il faillit rappeler Jean, lui dire qu'il arrivait le jour même. Il hésitait, bafouillait devant la dame des Postes. Puis, par la fenêtre, il vit le mouvement des blés agités par le vent, la campagne verdoyante, il imagina le corps, la chaleur de Nathalie, ses conseils et il sortit précipitamment. Florent l'attendait devant la porte, au volant.

— Alors ? Bonnes nouvelles ?

Il avait l'air sincèrement inquiet et Gilles, qui ne le « voyait » jamais, eut un instant de réelle affection pour ces grands yeux bleus. Il sourit, non sans courage, car Florent passait au ras d'un camion :

— Ils m'offrent un poste assez important au journal.

— Tout s'arrange, s'exclama Florent, tout s'arrange à la fois... Je l'ai toujours dit : la vie, c'est comme des vagues, une mauvaise, une bonne...

Et il esquissa des mouvements de vague avec les mains qui faillirent les jeter au fossé. Il avait peut-être raison, d'ailleurs. Mais Gilles n'osait pas lui dire qu'il avait aussi peur des bonnes vagues que des mauvaises, aussi peur de ses nouvelles responsabilités et de la passion de Nathalie que de la médiocrité et de la solitude.

CHAPITRE VIII

— Alors, tu pars demain? répéta-t-elle.

Elle était allongée tout habillée sur le lit de Gilles, l'air rêveur. Il lui avait tout raconté dès son arrivée, assez heureux en somme de jouer à ses yeux le rôle de l'ambitieux vainqueur, rôle qui le changeait agréablement de celui de neurasthénique. Emporté, il lui avait même décrit avec un certain lyrisme l'importance de sa nouvelle tâche, la responsabilité morale qu'elle incluait vis-à-vis des lecteurs, l'intérêt passionnant de la politique étrangère, bref il avait été pris devant elle d'un enthousiasme qu'il aurait dû avoir au téléphone avec Jean. Peut-être était-ce le remords d'avoir déçu ce dernier qui le poussait à éblouir ainsi sa maîtresse, se disait-il avec un peu d'ironie. Mais elle semblait tout, sauf éblouie. Simplement un peu atone.

— Je pars une semaine dit-il. Une semaine ou deux. Et je reviens. Je ne commencerai qu'en octobre, tu sais.

— Comme les écoliers, dit-elle distraitement.

Il s'agaçait un peu. A force d'en parler, il finissait par croire à l'importance, l'intérêt de ce poste, il finissait par s'en vouloir, par «lui» en vouloir, d'avoir pris, pour un après-midi passé avec elle, le risque de le manquer. Mais cela quand même, il n'osait pas le lui dire. Ce fut elle qui lui en parla :

— Si c'est si important, pourquoi n'as-tu pas pris le train cet après-midi?

— Nous avions rendez-vous.

Il avait l'impression de parler faux et pourtant c'était strictement vrai. Elle le fixa :

— Peut-être pensais-tu simplement que l'on ne peut quitter une femme, même si on ne la connaît que depuis quinze jours, en lui laissant un petit mot?

Elle parlait tranquillement et il se surprenait à secouer la tête, à rougir presque, comme quelqu'un qui ment. Peut-être avait-elle raison après tout, peut-être ne reviendrait-il jamais? Paris le reprendrait, l'été, les amis, la mer, les voyages, peut-être n'aurait-elle été que quinze jours d'un début d'été, en Limousin. Brusquement, dans le regard de cette femme, il se voyait libre, décidé, à nouveau léger et fort comme il l'avait été toute sa vie. Une grande tendresse l'envahit dont il ne savait si c'était reconnaissance de retrouver chez quelqu'un ce reflet gai, oublié, de lui-même ou simplement pitié anticipée au cas où il ne reviendrait pas. Il se pencha vers elle :

— Si je ne revenais pas, que ferais-tu?

— Je viendrais te chercher, dit-elle paisiblement. Embrasse-moi.

Il l'embrassa, oublia tout de suite Paris et la politique. Il pensa d'abord grossièrement qu'en tout cas elle lui manquerait comme maîtresse puis oublia cela aussi et resta immobile ensuite, un long moment, sur son épaule, effrayé à l'idée de la quitter même une semaine. Elle lui caressait les cheveux, la nuque, sans dire un mot. Le soleil couchant inondait la chambre et il pensa tout à coup qu'il n'oublierait jamais cet instant-là. Quoi qu'il arrive.

— Je te mènerai à la gare demain, dit-elle. Pas à Limoges, à Vierzon. Et je viendrai te chercher, quand tu rentreras.

Il y avait dans sa voix une curieuse tranquillité, presque désespérée.

Troisième partie

PARIS

CHAPITRE PREMIER

CE NE FUT qu'en la voyant courir à sa rencontre sur le quai de la gare qu'il se souvint d'Eloïse. Jean marchait derrière, l'air bonasse et discret, et il dut embrasser longuement la bouche de cette étrangère, parfaitement atterré de sa propre distraction. « Mais c'est vrai, se disait-il, elle existe et elle habite chez moi, c'est effrayant... Jean aurait pu me prévenir quand même. » Et cette simple idée le fit rire tout seul. Comme si un bon ami devait vous rappeler qu'on a une maîtresse à demeure chaque fois qu'on rentre de vacances... En même temps le parfum d'Eloïse, le contact de ses lèvres le dégoûtaient vaguement. Il se rappelait son dernier baiser avec Nathalie à Vierzon, trois heures plus tôt, le côté haletant, éperdu de leur adieu et il se sentait rempli d'une vague superstition. Et si elle avait eu un accident, en rentrant sur cette route bourrée de virages, avec les yeux pleins de larmes qu'il lui avait vus tout à coup au dernier moment ? Lui-même était resté assis cinq minutes, hébété, dans son compartiment avant de réagir et de se diriger fermement vers le wagon-bar. Il aurait été incapable de conduire une voiture à ce moment-là et elle conduisait si vite. Si bien d'ailleurs mais si vite... Il devenait idiot. Il se détacha d'Eloïse doucement, tapa sur l'épaule de Jean, essaya de sourire. La gare était noire de suie, assourdissante. Ce n'est que dans la voiture de Jean qu'il retrouva son Paris favori, paresseux et bleu dans la nuit, son Paris d'été. Et l'idée de tous les bonheurs qu'il avait connus dans ce Paris-là, pendant dix années, lui serrait le cœur comme s'ils eussent été à jamais perdus pour lui. Il avait peur, il se sentait de nouveau égaré, incapable. Il eut tout donné pour être sur une prairie du Limousin, allongé à l'ombre de Nathalie.

— Content d'être de retour, disait Jean ?

— Très. Et toi, ça va ?

Il s'efforçait de prendre l'air bon enfant.

— Heureusement que Jean m'a prévenu, disait la voix d'Eloïse derrière, une voix gaie d'ailleurs, on ne peut pas dire que tu m'aies bombardée de nouvelles...

— J'ai voulu éviter à Eloïse de venir te chercher en taxi, dit Jean, je suis passé la chercher. Elle tombait des nues...

Il riait aussi mais sa gaieté était un peu forcée. Il jeta un coup d'œil oblique à Gilles, un coup d'œil de copain gaffeur.

— J'ai essayé de t'appeler, mentit Gilles à Eloïse, ça ne répondait jamais.

— Ça ne m'étonne pas, j'ai fait des photos toute la journée. Et tu sais pour qui ? pour *Vogue* !

Elle était triomphante : « Eh bien, tant mieux, pensa Gilles cyniquement, voilà au moins une chose qui marche ». Mais déjà une idée commençait à l'obséder : téléphoner à Nathalie ou lui faire téléphoner par Jean. Il était convenu avec elle de ne l'appeler que le lendemain car il était onze heures du soir et il risquait de tomber sur son mari mais il ne pouvait se débarrasser de cette obsession stupide d'accident. Il n'était pas amoureux d'elle bien sûr, mais il voulait, pour sa quiétude personnelle, la savoir en vie. D'autre part comment téléphoner de chez lui avec Eloïse qui ne le quitterait pas d'un pas et Jean qui lui parlerait métier...

— Tu as bien meilleure mine, dit Jean. Tu as même bronzé un peu. Ça tombe bien : j'ai dit au patron que tu étais sur la Côte avec une starlette italienne.

— Ce que je dois supporter ! dit Eloïse en riant, et Gilles se renfonça un peu sur son siège, gêné. Mais l'idée de Nathalie en starlette italienne le remplit d'un sentiment de fierté incoercible : elle était plus belle qu'une starlette italienne et elle avait tout ce que n'ont pas généralement les starlettes italiennes.

L'appartement était le même, en plus féminin. Un énorme ours en peluche, cadeau d'un photographe à Eloïse, hérissa Gilles une seconde mais il s'en détourna aussitôt. Il s'en moquait. Il se sentait parfaitement étranger chez lui. Il se posa dans un fauteuil, espérant que Jean et Eloïse en feraient autant et qu'il pourrait gagner comme distraitement la chambre et donc le téléphone. Mais déjà Eloïse, en femme d'ordre, traînait sa valise dans la chambre et ouvrait bruyamment la penderie. Il se sentait exaspéré et n'écoutait pas Jean qui finit par s'en apercevoir et s'arrêta de parler, l'air interrogateur. Gilles se leva :

— Excuse-moi une seconde, mon vieux. J'ai promis d'appeler ma sœur en arrivant, elle est très mère poule, tu sais...

Il bafouillait. Jean se contenta de hocher la tête en souriant poliment. Gilles ne put s'empêcher de lui rendre son sourire et une bouffée d'affection pour son vieux complice lui revint. Il lui tapa sur la tête au passage et passa dans sa chambre, prit le téléphone d'un air naturel, s'assit sur le lit et consulta le Bottin. Il fallait faire une douzaine de chiffres pour téléphoner à Nathalie.

— Tu téléphones à cette heure-ci ? s'enquit Eloïse en accrochant sa veste bleue sur un cintre.

— Ma sœur, dit-il laconique.

Il composa le numéro. S'il tombait sur le mari, il raccrocherait. Il y eut de longues sonneries puis toute proche, très réveillée, Nathalie. Il se rendit compte que sa main était moite contre le récepteur :

— Allô ! dit-il, c'est moi. Je voulais te dire que j'étais bien arrivé. Je voulais juste savoir si toi aussi tu étais bien rentrée.

Il parlait très vite, d'un ton distrait. Il y eut un silence puis la voix troublée, un peu rauque de Nathalie :

— Je crois que c'est une erreur, dit-elle.

Puis un instant après :

— Mais vous ne m'avez pas dérangée du tout, monsieur, dit-elle presque tendrement et elle raccrocha. Gilles resta immobile un instant, dit : « Je vous embrasse tous les deux » dans le récepteur muet à l'intention d'Eloïse et raccrocha. Il transpirait affreusement.

Ainsi son mari devait être là, près d'elle. Et elle n'avait rien pu lui dire. Mais qu'elle était maligne... et que ce « monsieur vous ne m'avez pas dérangée du tout » était drôle et attendrissant... Et elle était vivante, bien sûr. Et elle l'aimait. C'était étrange, ces nervosités qu'il avait de temps en temps... Il rentra en homme d'affaires dans le salon, léger, libéré, ne se souciant pas plus de Nathalie que d'Eloïse puisque rassuré à son sujet. Il ne pensa pas un instant que s'il était rassuré c'est qu'il avait eu à l'être.

— Nous revoilà comme avant, dit la voix d'Eloïse dans le noir. Je savais que toi et moi, ça durerait longtemps, très longtemps.

Gilles ne répondit pas, se retourna dans le lit, furieux contre lui-même. Ils avaient trop bu ce soir-là avec Jean, ils avaient trop bu tous les trois, et à son retour et à sa gloire nouvelle. Quand Jean était parti, vers trois heures du matin, lui, Gilles, n'avait pas sommeil, il se sentait gai, triomphant, sûr de lui, un peu ivre enfin et il avait couché avec Eloïse presque machinalement, comme une dernière démonstration de sa puissance et comme il aurait couché avec n'importe quelle femme qui se fût trouvée dans son lit. Bref, il avait trompé Nathalie, ce qui était peu grave puisqu'elle ne le saurait jamais, il s'était trompé lui-même puisque, même dans son ébriété, il n'avait pris là qu'une sorte de plaisir nerveux, excédé, et enfin il avait trompé Eloïse qui y avait vu une preuve d'amour. Il fallait qu'il lui explique, qu'il lui parle de Nathalie et cela au moment précis où elle recommençait à croire, par sa propre faute, qu'il tenait encore à elle. Il alluma brusquement, chercha une cigarette constata sans aucun intérêt qu'Eloïse était ravissante ainsi, les cheveux défaits sur l'oreiller et chercha un moyen de commencer son discours. Il avait mal à la tête, il était claqué, il avait soif.

— C'est quand même drôle, dit Eloïse, songeuse. Tout s'arrange à la fois. Je vais être modèle permanent à *Vogue*, grâce à ce photographe américain, toi, tu as le poste dont tu rêvais et tu es guéri. On m'aurait dit cela il y a un mois ! Tu m'as fait peur, tu sais. Très peur. Très, très, très.

Elle parlait toujours d'une manière enfantine après l'amour. Ce qui avait successivement attendri puis excédé Gilles. Maintenant cela redoublait ses remords.

— Ce n'est pas si simple, dit-il d'une voix enrouée. Je ne suis pas tout à fait bien, tu sais. Je vais repartir chez ma sœur dès que j'aurai réglé cette histoire.

— De toute façon avec les collections, je vais travailler tout l'été, dit-elle. Mais je viendrai te voir entre deux séances. Il y a un avion, maintenant sur Air Inter pour Limoges.

« Il ne manquait plus que cela », pensait Gilles. Le progrès s'en mêlait. Il faudrait qu'il lui parle, décidément. Lui qui avait une horreur presque maniaque des ruptures... Mais pas ce soir, pas ce soir. Il regarda Eloïse pour la première fois depuis son arrivée, il regarda ses yeux confiants, ce corps si familier, toute cette beauté, cette tendresse inutiles à présent et il eut subitement si pitié d'elle, de lui, de Nathalie, si pitié de l'amour, de toutes ces amours destinées à mourir un jour au milieu des pleurs et des regrets qu'il se laissa retomber sur son oreiller, les larmes aux yeux. Eloïse se pencha vers lui :

— Tu es triste ? Mais puisque tout est arrangé ?

Il ne répondit pas, éteignit la lumière. Allongé, la tête dans ses bras, il revoyait la prairie au bord de la rivière, l'arrivée de Nathalie ; il respirait l'odeur de l'herbe chaude, il voyait les peupliers osciller doucement au-dessus de lui et la promesse étrange dans les yeux clairs de Nathalie.

CHAPITRE II

FAIRMONT, le directeur du journal, était un homme grand, sec, maladroit et travailleur. Issu d'une famille de grands bourgeois, il avait monté, à l'étonnement général, grâce à sa fortune personnelle, ce journal de gauche, qui était réellement aussi de gauche que l'on pouvait l'être en cette période confuse. Néanmoins il lui restait des manières autoritaires, dictatoriales, et l'on savait notamment au journal que tout en condamnant les privilèges sous toutes ses formes, il cherchait depuis quelques années à rétablir à son profit le titre de comte de Fairmont égaré sous Charles X. Gilles était dans son bureau en compagnie de Jean et essayait de suivre avec intérêt un discours fort grave sur ses responsabilités à venir.

— ... Il est évident que vous devrez renoncer à vos frasques, disait Fairmont. Je ne veux pas vous chercher à Saint-Tropez si l'Amérique et le Viêt-nam font la paix. Vous êtes très jeune pour ce poste, je le sais, et c'est une raison de plus pour vous y mettre à fond. D'ailleurs vous n'ignorez pas qu'il aurait dû revenir à Garnier, sans cette affaire.

Gilles dressa l'oreille. Il regarda Jean qui secouait la tête, l'air gêné.

— Je ne suis pas au courant, dit-il. C'est vrai, Garnier, il est là depuis longtemps, il est très calé...

— Garnier a eu une histoire de mœurs, très pénible. Il est fiché à la police, à présent, à cause d'un petit garçon.

— Mais, dit Gilles, ça n'a rien à voir !

Il était indigné, furieux. Jean lui lança un coup d'œil d'apaisement. Mais il était lancé :

— Si je comprends bien, c'est à mes goûts que je dois ce poste ?

Fairmont le fixa, glacial :

— Ce n'est pas à vos goûts, c'est aux miens. Je ne veux pas avoir un rédacteur important que l'on puisse faire chanter. Vous commencerez en septembre.

Dans le bureau de Jean, Gilles laissa exploser sa fureur. Il marchait de long en large sous l'œil impavide de Jean, gesticulait :

— Je ne peux pas prendre ce poste, c'est du vol. Qu'est-ce que ça veut dire, cette histoire ? Quel est ce puritain ? Qui, à notre époque, peut faire chanter quelqu'un sur ses mœurs ? Je ne peux pas accepter... Et toi, qu'est-ce que tu en dis ? Tu aurais pu m'en parler ! C'est vrai, j'avais complètement oublié Garnier.

— Tu avais oublié Garnier et Eloïse et moi, dit Jean paisiblement. D'ailleurs ne t'inquiète pas, si tu refuses, on trouvera quelqu'un d'autre. Ton ami Thomas, par exemple.

— Mais je m'en fiche, que ce soit Thomas ou un autre. Je ne peux pas, moi, faire ça à Garnier. Je l'aime bien, moi, Garnier. Et il est largement aussi compétent que moi.

Il fumait à toute vitesse, tournait dans la pièce. Jean finit par l'arrêter :

— Assieds-toi. Tu me donnes le vertige. J'ai déjà discuté avec Garnier. Il pense que tu es le mieux. Il ne se fait aucune illusion pour lui-même. Va le voir.

— C'est commode ! grogna Gilles. C'est vraiment commode !

Il se laissa tomber dans un fauteuil, accablé. Jean sourit :

— Tu es vexé qu'on ne t'ait pas choisi uniquement pour ta belle intelligence ?

— Tu ne comprends pas, dit Gilles. C'est une injustice et je n'aime pas être celui qui en profite.

Mais en même temps, il se sentait obscurément vexé. Vexé et

dégoûté. Il avait envie de tout envoyer promener : Paris, ses intrigues, ses ukases, ses hypocrisies. Il voulait retrouver la campagne et les salons de Limoges, résignés, fragiles et bleus comme les yeux de son beau-frère. Il allait téléphoner à Nathalie et lui demander conseil. Elle saurait. Il y avait quelque chose d'inflexible en elle, de naturellement pur. Et dont il avait grand besoin.

— Je vais téléphoner, murmura-t-il machinalement.

— A qui ?

La voix précise de Jean l'étonna. Il était d'un naturel discret d'habitude.

— Pourquoi me demandes-tu cela ?

— Par intérêt. Tu es parti comme un forçat, les boulets de l'existence aux pieds et tu reviens sur des nuages. Je voudrais savoir grâce à qui.

— Mais tu te trompes, s'exclama Gilles, proprement horrifié. Je ne suis absolument pas amoureux d'elle, ajouta-t-il naïvement, je la connais à peine et elle a été charmante, c'est tout.

Jean se mit à rire :

— C'est tout. Mais quand je te propose le poste de ta vie, tu ne viens que le lendemain. Mais tu tombes des nues en retrouvant Eloïse. Mais tu te débrouilles pour appeler cette femme dès ton arrivée. Mais au moindre pépin, tu veux lui demander conseil. Voilà, autrement c'est tout. Ne me regarde pas comme si j'avais un chapeau tyrolien sur la tête, tu as l'air bête à faire peur.

— Ça, c'est le comble, dit Gilles. (Et il bégayait de fureur dans son désir d'être cru, de se croire lui-même). Je te dis que je l'aime bien, c'est tout. Tu connais mes sentiments mieux que moi, maintenant ?

— Ce n'est pas maintenant, dit Jean, c'est depuis quinze ans. Viens, on va prendre un verre et tu vas me parler d'elle, un peu.

Ils descendirent au *Sloop,* s'assirent à la terrasse. Il faisait merveilleusement doux, le soleil brûlait un peu leur visage et Gilles commença à l'intention de Jean un récit sobre et précis de sa liaison provinciale. Il avait, à sa propre surprise, le plus grand mal à y introduire cette note de cynisme ou d'ironie qui eût convaincu Jean de sa bonne foi ou plutôt de sa mauvaise. Mais il s'entêtait. Jean fumait sa pipe, l'air endormi :

— Si c'est simplement ça, dit-il, pourquoi y retournes-tu ? Va dans le midi, avec Eloïse, comme d'habitude.

— Mais il n'en est pas question, dit Gilles, exaspéré. Cette femme m'intéresse, quand même ! Psychologiquement...

— Il y a trois quarts d'heure que tu m'en parles, dit Jean. A la montre. Et tu n'as même pas bu ta bière, malgré la chaleur du soleil et de tes discours. Pauvre Eloïse. Et pauvre François. Oui, le mari. Je sais même son nom, maintenant.

Gilles le regarda, ébahi. Il eut une seconde de vertige, l'impression que quelque chose se soulevait en lui, l'inondait de chaleur, de terreur et de soulagement à la fois et il tendit la main, prit son verre et le porta à ses lèvres, cérémonieusement. Il renversa la tête en arrière, les yeux fermés, la bière tiède envahit sa bouche, sa gorge et il eut l'impression qu'il aurait pu en boire des litres, qu'il serait toujours altéré ainsi à l'avenir, délicieusement. Il reposa son verre :

— Tu as raison, dit-il, je l'aime sans doute.

— Je te suis quand même bien utile, conclut Jean, sans rire.

CHAPITRE III

Il passa la journée comme un rêve. Il mourait d'envie de téléphoner à Nathalie, de lui annoncer son amour, triomphalement. En même temps il avait envie de le lui rapporter comme une surprise, comme un merveilleux et imprévu cadeau, il voulait voir son visage quand il le lui dirait. S'il pouvait attendre encore quelques jours, s'il pouvait attendre jusqu'à la gare, quand elle viendrait le chercher... Dès qu'ils auraient quitté la ville, il lui ferait arrêter la voiture, il prendrait son visage entre ses mains, il lui dirait : « Tu sais, je suis fou amoureux de toi. » Et l'idée du bonheur qu'elle en aurait le remplissait d'orgueil, de tendresse, il se sentait fastueux. Emporté par sa propre générosité, il s'arrêta chez un bijoutier, acheta sur ses derniers francs un petit bijou ridicule qui l'attendrit encore plus et c'est le cœur débordant qu'il lui téléphona à cinq heures comme prévu d'un café-tabac près de chez lui.

Il l'eut tout de suite mais il tomba sur une voix sèche, presque indifférente, qui tout d'abord l'étonna puis le blessa. Aussitôt il se dit : « Tiens, bien sûr, c'est normal. » Il savait qu'en amour il y en a toujours un qui finit par faire souffrir l'autre et que quelquefois, rarement, cette situation est réversible. Mais là, si vite, de souffrir par elle alors qu'il venait juste de s'avouer à lui-même qu'il l'aimait, alors qu'elle l'ignorait encore, lui parut tout à coup injuste et décevant en même temps qu'il vérifiait en une seconde, grâce à cette blessure, la vérité de son amour.

— Que se passe-t-il ? demanda-t-il d'une voix gaie.

— Il se passe qu'il a fait trop chaud, qu'il y a des orages atroces depuis ce matin et que... que j'ai une peur bleue des orages. Ne ris pas, dit-elle aussitôt. Je n'y peux rien.

Mais il riait, soulagé et étonné à la fois. C'était le premier signe de puérilité qu'elle lui donnât. Son comportement emporté, imprudent, absolu lui semblait jusque-là plus proche de l'adolescence que de la bourgeoise et peureuse enfance.

— Je t'ai acheté un cadeau, dit-il.

— Que tu es gentil… écoute, Gilles je vais raccrocher. C'est très dangereux de tenir un engin électrique pendant les orages. Rappelle-moi demain.

— Mais, dit-il, le téléphone n'a rien d'électrique. C'est…

— Je t'en supplie, dit une voix sauvage, dénaturée par la peur, je t'embrasse.

Elle raccrocha et il resta pantois, le récepteur à la main, essayant de rire. Essayant de se dire qu'au prochain orage sur Limoges, il lui ferait l'amour, voir qui de la peur ou du plaisir l'emporterait. Mais il se sentait triste, abandonné, le soleil était tombé sur les rues et son cadeau lui semblait bien plus ridicule à présent qu'attendrissant. Il voulait la voir, tout de suite. Bien sûr, il y avait Air Inter, le fameux Air Inter, qu'il pourrait prendre au pire, s'il se sentait trop mal. Il téléphona à Orly, il n'y avait pas d'avion avant le lendemain ; le train était parti, sa Simca vendue et il n'avait plus un sou. Et il avait rendez-vous le lendemain avec l'administrateur du journal pour discuter de ses nouveaux appointements et il devait parler à Eloïse et la vie était un enfer. D'ailleurs il avait été trop heureux toute la journée, il aurait dû se méfier. Et l'idée qu'il en était arrivé là, à penser «tout se paie» le remplit de dégoût envers lui-même. Ah non, il n'était pas guéri ! Il était maintenant doublement malade puisque déprimé et à la merci d'une inconnue. Une inconnue qui disait l'aimer et qui au moindre orage lui raccrochait au nez. Il remâchait sa colère sous l'œil bonasse de la patronne du café et il finit par sentir son regard sur lui, essaya de sourire.

— Il fait rudement beau, dit-il.

— Un peu trop chaud, dit la femme aimablement. Il va y avoir de l'orage.

Il attaqua aussitôt :

— Ça vous fait peur, vous, l'orage ?

Elle éclata de rire :

— L'orage, vous voulez rire. Nous, c'est des impôts qu'on a peur.

Elle allait développer ce sujet mais devant l'air déconfit de Gilles, poussée par une bonté instinctive et cette divination merveilleuse qu'ont si souvent les dames des cafés, à force de laisser errer leur regard sur des visages de solitaire, heureux ou décomposés, elle ajouta :

— Remarquez, ma nièce, qui est du Morvan, pourtant, où il y en a de terribles, elle n'a jamais pu s'habituer. Elle peut être en train de dîner, si ça tonne, elle passe sous son lit. C'est les nerfs.

— Oui, dit Gilles enchanté, c'est «les nerfs», songeant que jusque-là Nathalie s'était beaucoup plus préoccupée de ses nerfs à lui que des siens propres et qu'il était peut-être juste que l'inverse se produisît. Il entama une longue conversation, offrit et se fit offrir quelques portos, vin qu'il exécrait d'habitude mais qui lui rappelait les cocktails de son beau-frère et, un peu grisé, sortit plus optimiste de son café. A présent, il lui fallait parler à Eloïse. Demain il passerait au journal, essayerait de leur emprunter un peu d'argent et demain soir, au fond, il pouvait très bien repartir. Déjà il imaginait les cent kilomètres de voiture avec Nathalie, ces cent kilomètres nocturnes et enchantés, ces cent kilomètres de mots d'amour. Pourquoi lui avait-il parlé d'une semaine ou de deux de séparation? Par défense, sans doute, pour se persuader, en la persuadant, que huit jours sans elle étaient possibles, supportables, pour se persuader aussi que Paris existait, et l'ambition et les amis, idée parfaitement fausse d'ailleurs puisque tout cela était irréel depuis deux jours, qu'il ne voyait rien, ne ressentait rien et que seuls vivaient en lui les collines du Limousin et le visage de Nathalie. Mais que penserait-elle à le voir revenir si vite, à le savoir enchaîné? N'en prendrait-elle pas cette assurance fatale et un peu lasse que l'on éprouve devant quelqu'un dont est trop sûr? Ou serait-elle folle de joie? Il se rappelait successivement ses yeux pleins de larmes à la gare, sa voix sèche de tout à l'heure, il en concluait à deux femmes différentes, et en la multipliant, en la compliquant, en embrouillant Nathalie, se donnait ainsi, involontairement, la possibilité d'un grand amour.

Eloïse regardait la télévision quand il rentra mais elle se leva d'un bond, et se jeta à son cou. Il se rappela une scène analogue, longtemps avant, et avec surprise se rendit compte que ce temps se réduisait à un mois, à peine. Il lui semblait qu'il s'était passé tant de choses depuis... Mais que s'était-il passé au fond? Il avait passé quinze jours d'ennui interminables chez sa sœur puis avait fait l'amour dix jours ensuite avec une femme, l'après-midi. Cela se résumait de la sorte, si on voulait. Mais il ne le voulait plus, c'est tout.

— Alors ça s'est bien passé? Tu as vu Fairmont?

— Oui dit-il, je l'ai vu, c'est d'accord.

Il n'avait pas envie de lui expliquer, de lui raconter l'affaire Garnier. Il n'avait envie d'en parler qu'à Nathalie. Peut-être que l'amour pouvait se résumer ainsi parfois : l'envie de ne rien raconter qu'à une seule personne. Il marmonna :

— Tu n'as pas de porto? et aussitôt il regretta ses mots : il se conduisait en visiteur.

— Du porto? mais tu as toujours eu horreur de ça...

— J'en ai déjà bu trois et je n'aime pas changer et..., dit-il en s'éclaircissant la voix, j'ai besoin de prendre un verre.

Voilà. Il avait posé un jalon. Elle allait dire «pourquoi» et il répondrait «parce qu'il faut que je te parle». Mais elle était trop loin de tout ça, elle s'écria :

— Je te comprends; quelle journée, mon pauvre chou... Je fais un saut chez l'épicier, en bas, j'en ai pour une minute.

— Ce n'est pas la peine, dit-il, désolé, mais déjà elle claquait la porte. Il alla à la fenêtre, la regarda traverser la rue de son pas dansant de mannequin, entrer chez l'épicier. Il jeta un coup d'œil traqué autour de lui : il y avait ses cigarettes préférées sur la table basse, son journal du soir, bien plié, des fleurs fraîches dans un vase. Il savait, sans même le regarder, que sa chemise blanche et son costume gris, le plus léger, étaient posés sur le lit à côté. Et même l'ours, l'affreux ours en peluche, dont il ne lui avait rien dit, avait disparu. Elle avait dû attribuer son silence à sa gentillesse alors qu'il ne relevait que d'une indifférence totale. Et lui, comme un beau goujat, insouciant et ivre, lui avait fait l'amour. Il se haïssait. Tout cela aussi il le raconterait à Nathalie, il ne lui cacherait rien. Il s'enorgueillissait déjà de sa franchise à venir, de sa propre humiliation, il ne se demandait pas quelle part il entrerait dans cette confession du désir de diminuer sa honte, en l'avouant, et de donner ainsi plus de prix, aux yeux de Nathalie, à sa rupture.

Il but donc mélancoliquement un verre de porto et décida de parler à Eloïse après le journal télévisé. Mais elle mourait d'envie, ensuite, de suivre un feuilleton qui la passionnait comme il passionnait d'ailleurs depuis un mois, sa sœur Odile. Il bénéficia ainsi, contre son gré, de cinquante minutes de répit, qui ne firent qu'augmenter son désarroi. Il avait grande envie de l'entraîner ailleurs, au *Club* par exemple et de lui expliquer tout là, au milieu de la musique et des gens ; ce serait moins dur. Mais c'était trop inélégant.

— Tu n'as pas faim ? dit-elle en éteignant le poste.

— Non. Eloïse... je voudrais te dire... Je... J'ai rencontré une autre femme, à la campagne et je... je...

Il bafouillait horriblement. Eloïse s'était immobilisée, pâle, elle le regardait :

— Elle m'a beaucoup aidé, ajouta-t-il précipitamment. En fait, c'est grâce à elle que je tiens debout. Je te demande pardon pour ça et pour hier soir. Je n'aurais pas dû.

Eloïse se rassit lentement. Elle ne disait rien.

— Je vais repartir là-bas. Bien sûr, tu restes ici tant que tu veux... tu sais bien que toi et moi, on est amis pour la vie...

« On ne peut pas être plus niais que je suis, pensait-il, ni plus maladroit. C'est la rupture dans tout son conformisme, toute sa cruauté. Mais je n'ai rien d'autre à dire. » Il se sentait glacé.

— Tu l'aimes ? dit Eloïse.

Elle avait l'air incrédule.

— Oui. Du moins je le crois. Et elle m'aime, ajouta-t-il très vite.

— Alors pourquoi... pourquoi hier soir... ?

Elle ne le regardait même pas. Elle ne pleurait pas, elle regardait le poste fixement comme si un film invisible s'y déroulait pour elle.

— Je... j'avais envie de toi, je suppose, dit-il. Je te demande pardon, j'aurais dû tout te dire tout de suite.

— Oui, dit-elle. Tu aurais dû.

Elle se tut. Ce silence devenait insupportable. Mais qu'elle crie, qu'elle pose des questions, qu'elle fasse n'importe quoi d'outré qui lui permette de respirer, lui ! Il passa la main dans ses cheveux, il était trempé de sueur. Mais elle ne disait toujours rien. Il se leva, fit trois pas dans la pièce :

— Veux-tu boire quelque chose ?

Elle releva la tête. Elle pleurait et il fit un mouvement vers elle, instinctivement, mais elle se rejeta en arrière, la main devant les yeux :

— Va-t-en, dit-elle, je t'en prie, Gilles, va-t-en tout de suite... je partirai demain. Non, je t'en prie, va-t-en.

Il dégringola l'escalier, courut dans la rue, le cœur battant. Essoufflé, il s'appuya contre un arbre, l'enlaça. Il était à demi mort de honte et de tristesse.

— Je suis content que ce soit vous, dit Garnier. Ils étaient dans le bar de l'hôtel Pont-Royal, un bar souterrain où les lumières ne changeaient jamais l'hiver ou l'été. Gilles avait dormi à l'hôtel, il était mal rasé, sa chemise était sale, il avait fait des cauchemars. Curieusement Garnier qui était grand et fort, avec des yeux gris, des cheveux gris, quelque chose de très doux dans le visage, semblait plus à l'aise que lui.

— Ce... cette place vous revenait, dit Gilles. Je n'aime pas vous la prendre.

— Vous n'y êtes pour rien. Fairmont n'aime pas mes mauvaises mœurs, c'est tout.

Il se mit à rire et Gilles rougit.

— Voyez-vous, reprit Garnier avec douceur, ce n'est pas si grave. « Tout est perdu fors l'honneur. » J'aime vraiment ce garçon. Qu'il m'ait dit qu'il avait dix-neuf ans au lieu de dix-sept et que, quand on l'a raflé, il ait fini par dire de quoi il vivait, ou plutôt de qui, tout cela est normal. J'aurais très bien pu nier. Ils n'avaient pas de preuves. Mais c'est là que j'aurais perdu mon honneur : en le reniant et en sauvant ma réputation. Comique, n'est-ce pas ?

— Qu'allez-vous faire ? dit Gilles.

— Il sortira dans six mois. Il aura dix-huit ans. Et il sera libre, de me revoir ou pas.

Gilles le regardait avec admiration.

— Mais s'il ne vous revient pas, dit-il, vous aurez tout perdu pour rien...

— Je n'ai jamais rien perdu de ce que j'ai donné, dit Garnier paisiblement. C'est ce qu'on vole aux gens qui vous coûte cher, mon bon, rappelez-vous ça...

Il éclata de rire :

— ... Je dois vous paraître bien moral pour un inverti. Mais croyez-moi : le jour où vous aurez honte de ce que vous aimez, vous serez fichu. Fichu pour vous-même. Maintenant parlons travail.

Il donna plusieurs conseils à Gilles qui l'écouta à peine. Il pensait à ce qu'il avait volé à Eloïse, il pensait qu'il n'aurait jamais honte de Nathalie, il pensait qu'il l'aimerait avec autant de tendresse, d'honneur que Garnier aimait son petit jeune homme. Il lui dirait tout cela, il lui parlerait de Garnier, il mourait d'envie de la revoir. Dans une demi-heure, il passerait au journal, réglerait au plus vite la question d'argent, déjeunerait avec Jean, lui confierait Eloïse, ferait ses bagages et sauterait dans le train à cinq heures. Il allait téléphoner à Limoges d'ici même.

Nathalie avait une voix gaie, tendre et il sentit un grand bonheur l'inonder :

— Je suis désolée pour hier, dit-elle aussitôt. J'avais vraiment très peur, c'est nerveux.

— Je sais, dit-il. Nathalie, que dirais-tu si je revenais ce soir ?

Il y eut un silence :

— Ce soir, dit-elle ? Non, c'est trop beau, Gilles. Tu peux ?

— Oui. J'en ai assez de cette ville. Et tu me manques, ajouta-t-il avec modération. Je vais prendre le train. Tu viens me chercher à Vierzon ?

— Mon Dieu, dit-elle consternée, nous dînons chez les Couderc ! Qu'est-ce que je vais faire ?

La véritable détresse de sa voix consolait Gilles. Il fit l'homme fort :

— J'irai jusqu'à Limoges, je prendrai un taxi et je te verrai demain. Tu peux déjeuner avec moi ? Tu n'as pas la Croix-Rouge ?

— Oh ! Gilles, dit-elle… Gilles, tu te rends compte : déjeuner avec toi demain… quel bonheur… Je m'ennuyais affreusement.

— Tu viens me chercher chez ma sœur à midi ? Tu peux la prévenir ?

Il se sentait tout à coup organisé, décidé, viril. Il émergeait de ce chaos confus qu'était Paris. Il revivait .

— Je vais y passer tout à l'heure, dit-elle. Et demain à midi, je serai là. Tout va bien pour toi ?

— J'ai eu quelques complications, beaucoup même, mais je… j'ai tout arrangé, conclut-il avec fermeté.

« C'était beaucoup dire, pensa-t-il brusquement, j'ai accepté la place d'un type et fait pleurer une femme. » Mais il ne pouvait empêcher cette euphorie en lui, cette bonne conscience cruelle, irrémédiable que donne le bonheur.

— A demain, dit-elle, je t'aime.

Il n'eut pas la tentation de dire « moi aussi ». Elle avait raccroché.

Quatrième partie

LIMOGES

CHAPITRE PREMIER

C<small>E</small> TRAIN n'en finissait pas de traverser la France. Il y avait d'abord eu, en quittant la gare, ces longues banlieues étirées que la lumière du soleil d'été, avant la nuit, rendait presque poétiques. Puis les premières prairies avant la Loire, toute cette herbe verte et luisante, encadrées par l'ombre démesurément allongée des arbres, puis la Loire elle-même déjà grise. Puis il avait fait nuit et Gilles avait détourné son visage de la fenêtre, regardé les visages paisibles de ses compagnons de voyage. Il était bien dans ce train, il roulait inexorablement vers la maison de sa sœur, vers Nathalie, il roulait vers la paix et vers l'amour à la fois et il lui semblait que c'était la première fois qu'il rencontrait dans son existence cette conjonction.

Il était plus de onze heures quand il descendit à Limoges. Il faisait très sombre et il resta stupéfait quand tout à coup Nathalie se jeta contre lui. Il avait lâché sa valise et il la serrait dans ses bras sans dire un mot, étourdi de bonheur. Ils restèrent une longue minute ainsi sur ce quai de gare, accrochés l'un à l'autre, chancelants et parfaitement insoucieux des regards qui s'attardaient sur eux. Il finit par se dégager, la regarda : il ne se rappelait pas qu'elle eût les yeux si grands, si écartés.

— Comment as-tu fait pour venir ?

— Je me suis échappée, dit-elle. Je ne pouvais plus. Ce dîner était un cauchemar. Au potage, je savais que tu était à Orléans, au turbot que tu passais Châteauroux, je croyais que j'allais m'évanouir. Embrasse-moi. Gilles, tu ne partiras plus.

Il l'embrassait, il passait la porte avec elle, il cherchait sa voiture, y jetait sa valise, s'y jetait après, la prenait dans ses bras.

— Tu as encore maigri, dit-elle. Est-ce que tu me reconnais ?

— Il y a trois jours que je suis parti, dit-il.

— Ils ont joué au bridge après dîner. J'ai dit que je ne me sentais pas bien, que je rentrais. J'ai failli manquer le train, j'ai failli écraser tout Limoges.

Il l'embrassait, il se sentait parfaitement heureux, parfaitement vide. Il n'avait plus rien à dire et pourtant il se rappelait qu'il avait une grande nouvelle à lui annoncer : qu'il l'aimait. Qu'il s'en était enfin rendu compte. Mais cela ne lui semblait plus du tout aussi important qu'à Paris, aussi fracassant. Néanmoins, par une sorte de fidélité au jeune homme émerveillé par lui-même qu'il avait été toute une journée à Paris, il fit un effort :

— Tu sais, dit-il d'une voix pénétrée qui lui sembla aussitôt ridicule à ses propres oreilles, tu sais, Nathalie, je t'aime.

Elle se mit à rire :

— J'espère bien, dit-elle, sans montrer la moindre surprise, il ne manquerait plus que cela, que tu ne m'aimes pas.

Il se mit à rire à son tour. Elle avait raison, il était complètement stupide. On ne formule pas ces évidences-là. Elle lui avait dit dès le premier jour qu'elle l'aimait et elle avait attendu en toute tranquillité qu'il l'aimât à son tour. C'était une forte femme, ou plutôt une femme dont les faiblesses avaient une telle force qu'elle les sentait irrésistibles. Oui, il avait bien loupé son effet et il était bien heureux de l'avoir loupé.

— Tu ne racontes rien ? dit-elle.

— Je n'ai rien à raconter, dit-il, je suis bien. La campagne était très belle, ce soir, du train.

— C'est un drôle de récit...

— Embrasse-moi, dit-il, je te raconterai tout demain. On ira au bord de l'eau ; tu déjeunes toujours avec moi ?

— Oui. Mais il faut que je rentre. François est peut-être déjà à la maison. Je n'aurais pas dû venir, dit-elle plus bas, c'est affreux de te quitter maintenant.

Ils roulaient dans Limoges, elle conduisait doucement et l'air du soir glissait par la fenêtre. Il tenait sa main, il ne pensait à rien et il savait confusément que cette absence totale de pensées s'appelait le bonheur. Elle le laissa à un taxi et il parcourut trente kilomètres dans le même état d'hypnose avant d'arriver à la vieille maison, réveilla Odile et Florent et tout à coup complètement remonté, leur fit à eux, complètement assoupis, le récit de son séjour, récit interminable, compliqué et drôle qu'il avait préparé pendant des heures dans le train à l'intention de Nathalie.

Il était allongé au bord de l'eau, à côté de Nathalie, il faisait chaud et ils clignaient des yeux aux derniers rayons du soleil. Nathalie prétendait qu'ils étaient en train de bronzer et il se moquait d'elle, disait qu'il n'y a de hâle que de la Méditerranée et qu'ils seraient à peine jaunis à la fin de l'été. A la fois il était ravi de rester ainsi, la chemise à peine ouverte, la joue dans l'herbe fraîche. Tout ce qu'il avait pourtant aimé à la folie avant, ces soleils implacables sur ces plages brûlantes, ces corps trop dénudés et si souvent faciles, lui inspirait à présent une sorte d'horreur. Il lui fallait ce paysage tendre et cette femme difficile. Car elle lui en voulait, il le sentait bien. Le récit qu'il lui avait fait de son séjour parisien n'avait éveillé chez elle que deux sentiments : une compassion immense pour Eloïse et un intérêt admiratif pour Granier. Rien pour lui. Elle n'avait pas eu l'ombre d'un réflexe jaloux à l'aveu de sa nuit avec Eloïse, ni l'ombre d'un attendrissement à sa propre indignation devant Fairmont. Elle trouvait tout cela «navrant», c'était son terme. Et s'il avait été effectivement son but de la navrer, il avait espéré, lui, qu'elle le consolerait, non pas qu'elle le jugerait. Or, visiblement, elle le jugeait et elle le jugeait faible.

— Mais enfin, disait-il, agacé et nonchalant à la fois (car ils avaient passé toute l'après-midi dans sa chambre), mais enfin que voulais-tu que je fasse? Que je reste avec Eloïse? Que je quitte le journal?

— Je ne sais pas. Je n'aime pas ce genre de situation. Et j'ai l'impression que tu y passes ta vie. Un peu à faux. Sans savoir vraiment. Te sentant un peu coupable et y prenant plaisir.

— Pourri, quoi! dit-il en riant.

— Peut-être, oui.

Elle ne riait pas. Il se retournait à plat ventre, la prenait dans ses bras. Elle sentait l'herbe chaude et elle le regardait fixement, les yeux dilatés, presque effrayés. Mais il ne voyait pas l'expression de ses yeux, il ne voyait que le cerne bleu, dessous, dont il était responsable. Il souriait, embrassait ce cerne, riait :

— Toi, tu aimerais un homme pourri?

— On ne choisit pas qui on aime.

— Pour une femme cultivée, tu n'as pas peur des lieux communs, dit-il.

— J'ai très peur d'eux, dit-elle à voix basse, ils sont presque toujours vrais.

Il la regarda, il vit qu'elle avait peur vraiment et il partagea sa peur un instant. Où allaient-ils ensemble? Et si elle le méprisait un jour? Et s'il était vraiment méprisable? Qu'elle ne puisse plus l'aimer? Il enfouit sa tête dans l'herbe, soupira : il n'y avait pas de repos, il n'y avait pas de paix. Il aimait cette femme, il le lui disait et elle avait peur de lui.

— Si tu as peur de moi, il faut me quitter, murmura-t-il.

Il sentit sa joue sur sa nuque, ses lèvres.

— Je ne le pourrais pas, dit-elle, et même si je le pouvais, je ne le ferais pas.

— Pourquoi?

— J'ai eu une vie très protégée, très douce et très ennuyeuse, dit-elle tranquillement. J'imagine que quelque chose comme toi devait m'arriver.

— Tu y penses comme un coup de chance ou une catastrophe?

— Actuellement comme un coup de chance, dit-elle.

Ils restaient immobiles dans l'herbe, elle légèrement allongée sur lui. Elle avait mis la tête sur son dos, il sentait un brin d'herbe lui piquer le front, une grande paix l'envahissait, une sorte de torpeur. Il fut presque surpris de s'entendre parler :

— Qu'est-ce qu'on va faire pour François?

Elle se détacha de lui, se renversa sur le dos. Il avait tourné la tête vers elle et il voyait son profil à présent, ses yeux fixés sur le ciel, tranquilles.

— Je ne sais pas, dit-elle. Il va falloir que je le quitte.

Il eut un léger sursaut. Il s'était inconsciemment habitué à ce fantomatique et peu gênant François. Il savait qu'elle ne couchait plus avec lui, elle le lui avait dit et il connaissait trop son sens de l'absolu pour en douter. Mais ce même sens de l'absolu avait d'autres conséquences.

— Qu'est-ce que tu comptes faire?

Elle tourna la tête vers lui, sourit.

— Te suivre peut-être, le temps que tu m'aimes. Après je verrai.

Elle avait raison, elle avait parfaitement raison : ils s'aimaient, ils devaient vivre ensemble. Il gagnait largement de quoi faire vivre une femme. Quelle était cette liberté qui s'affolait en lui, cette solitude? Pour ce qu'il en faisait de cette liberté, de cette solitude, ces deux bacchantes sans joie qui l'avaient mené droit à la dépression nerveuse, il pouvait aussi bien les jeter aux orties... Mais il avait peur. Elle tendit la main, effleura ses cheveux :

— Ne t'inquiète pas, Gilles. Je ne le quitterai pas avant l'été. La fin de l'été. Et je ne te suivrai que si tu m'en supplies.

Il se redressa, tout à coup furieux. Furieux d'avoir été découvert, furieux qu'il y ait eu quelque chose de semblable en lui à découvrir.

— Mais je ne m'inquiète pas. Je te veux. Je veux que tu me suives. Et que nous partions tout de suite. Tu lui parles ce soir, nous partons demain.

« Et où, pensait-il en même temps? Où? Il me reste trois francs. On ne pourra pas rester ici, après le scandale que ça fera. Que faire jusqu'en septembre? » Mais elle souriait et ce sourire l'exaspérait :

— Je veux que tu me suives.

Il criait presque.

— Je le ferai, dit-elle tranquillement. Mais si tu m'en supplies, pas si tu me l'ordonnes. Ne crie pas comme ça, tu es tout rouge. On n'est pas bien, ici? Où veux-tu aller?

— Je n'aime pas les situations fausses, commença-t-il noblement...

Mais elle le regarda de telle façon qu'il s'arrêta, hésita. Elle éclata de rire et il se mit à rire aussi, retomba sur elle, mélangeant ses cheveux aux siens, l'embrassant au hasard. « Oh ! Nathalie, disait-il, Nathalie, tu me connais si bien... oh, je t'aime, toi. » Et elle riait aux larmes, dans ses bras, les yeux brillants, sans pouvoir s'arrêter.

CHAPITRE II

C'EST curieux comme les situations « tranchées » — par l'autre — deviennent confortables pour soi. Dès que Nathalie eut pris la décision de quitter son mari, il n'y eut plus pour Gilles la moindre gêne vis-à-vis de François; elle allait quitter cet autre homme pour lui et il ne s'y sentait presque pour rien. Dès l'instant qu'elle avait formulé cette idée, qu'elle avait prononcé ces mots, ce n'était plus un choix qui se faisait mais une fatalité qui s'accomplissait. Il ne pensait pas une seconde qu'elle puisse changer d'avis : comme tous les menteurs originels, il était parfaitement crédule. De plus, il n'avait pas l'impression de voler quoi que ce soit à François : les cris d'amour, les voluptés de Nathalie étaient trop évidemment à lui, trop entièrement dépendants de lui pour que quiconque, la connaissant, puisse encore les espérer pour soi. Ce qu'il volait à François, ce n'était pas la femme-Nathalie, mais l'« être »-Nathalie, l'absolue, l'implacable dont il devait admettre que cet homme s'était fort bien occupé des années durant. Si bien qu'il la lui livrait à présent, à la fois maîtresse et mère, sévère et folle, tout ce dont lui, Gilles, avait très précisément besoin. C'était cynique bien sûr, mais le bonheur rend cynique. Et Gilles était heureux.

D'abord, il y avait tous les après-midi d'été dans sa chambre, ou plus exactement dans la chambre du grenier, plus isolée, l'ancienne chambre de domestique, que Gilles avait rouverte et installée tant bien que mal. Un escalier y montait directement de l'arrière de la maison, ménageant ainsi, non pas la pudeur de Nathalie qui s'en moquait, mais celle d'Odile que des principes confus agitaient encore. C'était une grande chambre presque vide, poussiéreuse où trônaient le lit et un fauteuil en pitchpin rouge sur lequel Nathalie jetait ses robes. Gilles y montait vers trois heures, fermait les volets, se couchait, ouvrait un livre, attendait. Très vite, Nathalie arrivait, se déshabillait, se glissait dans le lit, parfois sans un mot comme une sauvage, parfois lentement, indolemment, en lui racontant d'une manière cocasse des déjeuners mortels d'ennui. Il ne savait pas ce qu'il préférait mais ils finissaient toujours par s'aimer et la chaleur était telle sous ce toit qu'ils se séparaient ruisselants de sueur, huilés, ne sachant plus qui était soi, qui était l'autre. épuisés et jamais rassasiés. Il essuyait le corps inerte de Nathalie avec le drap chiffonné, il la bouchonnait en la traitant de petit cheval, elle le laissait faire, les yeux fermés, et il entendait son cœur battre trop vite encore sous sa main. Elle émergeait du plaisir très lentement, comme d'un coma, et il se moquait d'elle pour cela, avec beaucoup d'orgueil. Enfin la vie revenait en elle, elle entendait autre chose que les pulsations de son propre sang, elle pouvait ouvrir les yeux sans que la lumière, pourtant très faible, de la pièce ne les blesse et elle tournait la tête vers lui, qui fumait déjà, avec une sorte de gratitude épouvantée.

Ils parlaient. Peu à peu il apprenait tout d'elle. Son enfance à Tours, ses études à Paris, son premier amant, sa rencontre avec François, son mariage. C'était une vie simple et compliquée à la fois : simple parce qu'elle n'avait rien que de très ordinaire, compliquée parce que Nathalie avait parfois une façon de se taire ou de prononcer un adjectif, ou même de remplacer une proposition par une autre, qui rendait cette vie quiète, et somme toute heureuse, presque déchirante. S'il disait «tu étais contente de venir à Paris pour ta licence?», elle répondait «tu es fou... jusque-là je n'avais jamais quitté mon frère». Et il devait superposer à l'image classique de la jeune provinciale éblouie par Paris et les garçons celle d'une petite fille pleurant son frère dans une ville étrangère. S'il lui demandait comment elle avait jugé François, la première fois, elle répondait «j'ai tout de suite pensé qu'il était honnête» et il était impossible de lui arracher un mot de plus. Quant à ses amants — il semblait qu'il y en ait eu trois avant François et un après — elle reconnaissait paisiblement qu'elle avait eu beaucoup de plaisir avec eux. Il avait demandé un jour, stupidement «autant qu'avec moi» et s'était attiré un «naturellement» qui l'avait mis hors de lui. En vain. Elle n'avait jamais aimé quelqu'un comme lui mais elle avait pris du plaisir avec d'autres, il ne l'en ferait pas démordre. Cette honnêteté le séduisait et l'énervait tour à tour mais aucune de ses ruses, même dans les moments les plus passionnés, ne pouvait l'en détourner. Elle le regardait préparer ses pièges, les tendre, puis les démolissait d'un mot en riant. Et il riait avec elle. Il n'avait jamais vraiment ri de lui-même avec une femme; il ne s'était livré à cette délicieuse occupation qu'avec Jean ou des hommes, par un faux principe viril. Et la possibilité de quitter enfin cette vanité-là l'attachait plus à elle qu'il ne le savait lui-même.

Vers six heures, ils descendaient sur la terrasse, retrouvaient Florent et Odile installés sur des chaises longues et l'on buvait un porto-flip en parlant du temps. Odile ne rougissait plus à tout propos, Florent faisait même le joli cœur, ce qui amusait Gilles prodigieusement. Ecarquillant ses grands yeux bleus, il offrait à Nathalie, avec mille grâces, des cigarettes infâmes, à bout doré, qu'il se prétendait le seul à pouvoir trouver dans la région. Nathalie les fumait stoïquement sous l'œil sarcastique de Gilles, buvait son porto-flip, disait «il va falloir que je parte» d'une voix triste et tout le monde protestait. Les journées devenaient très longues, la fraîcheur du soir ne venait pas avant sept heures, les ombres des arbres, sur la terrasse, s'allongeaient encore. Par moments Gilles se sentait en pleine comédie 1900 : ce guéridon, ces boissons douces, ce notaire bavard... puis Nathalie renversait la tête en arrière et il revivait un moment voluptueux de l'après-midi et il fermait les yeux une seconde. Cette comédie, si c'en était une, il la voulait plus que tout.

CHAPITRE III

Il y avait de nombreuses réceptions, cet été-là, mais Gilles n'y allait jamais. On le croyait malade, déprimé, solitaire et cela arrangeait bien les choses pour tout le monde — y compris, pensait-il, pour Nathalie. Elle avait beau être prête à le suivre, il se sentait quand même l'amant d'une femme mariée. Et qui eût pu soupçonner cette femme mariée, irréprochable, de parcourir tous les après-midi soixante kilomètres pour tomber dans le lit d'un neurasthénique? A Odile qui lui reprochait sa paresse mondaine, il lui avait suffi de répondre «vis-à-vis de Sylvener...» et elle s'était presque excusée, toute rougissante. Souvent le soir, il regardait la petite voiture de Florent disparaître au bout de l'allée vers une fête lointaine, il restait seul dans la grande maison, il traînait dans le salon, ouvrait un livre, tranquille. Ou bien il montait au troisième étage, respirait sur le lit encore défait l'odeur de Nathalie, de l'amour de Nathalie et il restait là allongé, les yeux grands ouverts. Des chauves-souris feutrées fendaient le ciel bleu sombre, les grenouilles commençaient leurs lamentations monotones au bas du jardin, un vent léger, odorant, traversait la pièce; et une grande paix fraîche tombait sur ce qui avait été leur brûlant champ de bataille. Il rêvait à Nathalie, il ne désirait même pas qu'elle fût là. Parfois il s'endormait, dans son vieux chandail, et c'était le bruit des roues de la voiture sur le gravier qui le réveillait. Il descendait, aidait Florent généralement un peu éméché à descendre, les suivait à la cuisine. «Comment, s'exclamait Odile, tu ne dors pas?» Mais enchantée d'avoir une oreille plus susceptible de l'entendre que celle de Florent, elle commençait un récit extatique de la soirée qui, à l'entendre, loin d'être donnée par les Couderc, l'avait été par la duchesse de Guermantes. L'altesse royale en était invariablement Nathalie, qu'elle appelait toujours dans ses récits «Mme Sylvener» alors qu'elle la nommait par son prénom tous les jours. Mme Sylvener avait donc ce soir-là une robe bleue ravissante et elle avait répondu insolemment au substitut de Brive que..., et le préfet n'avait pas quitté d'un pas Mme Sylvener, etc. S'il n'avait pas passé l'après-midi nu avec elle, Gilles eût fini par entretenir des rêveries de lycéen sur cette Mme Sylvener. Mais souriant, attendri, il écoutait pérorer Odile, se moquait du substitut et essayait d'imaginer le bleu exact de la robe. Odile finissait toujours d'ailleurs, probablement par bonté de cœur, par jeter le voile d'une mélancolie secrète sur la radieuse évocation de Mme Sylvener et Gilles prenait l'air distrait de celui qui. Odile allait enfin se coucher gorgée de romanesque auprès de Florent gorgé de champagne et ces deux éléments leur assuraient un sommeil rapide.

Il y avait maintenant quinze jours que Gilles était rentré de Paris, et il n'était pas sorti une fois de la maison, sinon le matin, pour accompagner Odile au village voisin, où elle faisait ses achats. Quelque chose s'était arrêté dans son destin : il lui semblait qu'il passerait sa vie ainsi à traîner au soleil, à faire l'amour avec Nathalie l'après-midi et à rêvasser le soir. L'idée que dans deux mois il serait rédacteur politique, débordé, aussi avare de son temps qu'il en était à présent prodigue, et que ce même temps il le passerait dans ce tourbillon gris qu'était Paris, lui semblait proprement absurde. D'ailleurs, avec cette facilité qui le caractérisait depuis longtemps devant certains projets, il n'y pensait même pas. En s'éveillant, il se demandait simplement s'il irait pêcher avec Florent avant déjeuner, si Nathalie serait dans un jour tendre ou exigeant, s'il y avait moyen d'arranger lui-même le volet de la chambre chaude qui dégringolait. Quelquefois aussi, en lisant le journal, il se demandait ce qui pouvait bien pousser un être humain à en découper un autre en dix-huit morceaux, faisant part de sa perplexité à Odile qui poussait des cris de paon tandis que Florent, selon son humeur, se tapait le front de l'index ou mimait un nœud coulant avec sa cravate. Bref, Gilles était heureux, de plus il le savait et il le répétait sur tous les tons à Nathalie avec une mâle fierté. « Tu penses, disait-il, tu penses qu'il y a deux mois, j'étais un type fichu et que maintenant je suis un homme heureux... » Il avait dans la voix une sorte d'incrédulité satisfaite qui régulièrement amusait Nathalie ; non moins régulièrement, quand il ajoutait « et c'est grâce à toi », elle battait des paupières, très vite.

Puis vint la soirée Sylvener. Tous les ans, à peu près à la même date, François Sylvener recevait Limoges et ses environs. C'était la soirée la plus élégante de la saison et Odile, jetant toute morale aux orties, se réjouissait depuis dix jours d'y aller. C'était aussi la seule soirée à laquelle Gilles avait décidé de sacrifier sa solitude. Il voulait voir où habitait Nathalie. Il voulait la voir en maîtresse de maison, il s'amusait d'avance.

La maison de François Sylvener était une grande bâtisse du XVIIIe siècle, qui avait dû appartenir toujours à des gens de loi. En plein centre de Limoges, elle s'ouvrait sur un grand jardin extérieur, fort beau, un peu trop éclairé pour la circonstance. Il y avait trop de fleurs aussi, pensait Gilles en montant les marches, et quelque chose qui respirait l'argent. L'argent honnête bien sûr et l'argent de tradition mais l'argent quand même : les gros meubles luisants, les tapis anciens, les grandes glaces à peine teintées, les deux maîtres d'hôtel rougeauds et gênés par leurs gants derrière le buffet, tout cela évoquait une opulence provinciale et bien orchestrée. Et Gilles qui, en tant que journaliste et Parisien, avait assisté à des fêtes plus somptueuses et plus folles, souvent données par des fêtards ruinés par ailleurs, se sentait un peu supérieur. Il n'aimait l'argent que gâché. Ce n'était pas le luxe qui était écrasant là, mais l'impression de sécurité. En haut de l'escalier, comme dans les romans 1900, Nathalie et François Sylvener, debout l'un près de l'autre, recevaient leurs invités. Et il y avait dans le regard de Nathalie quand il lui baisa la main un tel souci de lui plaire, une expression qui signifiait si évidemment «tout cela est pour toi» qu'il se sentit honteux tout à coup de sa propre condescendance. Il la félicita aussi chaleureusement que possible de la beauté de sa maison, serra la main de Sylvener et s'engagea dans le grand salon.

Une foule ravie s'y pressait déjà et il dut subir quelques discours, quelques compliments sur sa bonne mine avant de pouvoir émigrer vers ce qui semblait être une bibliothèque. En vérité, il imaginait sans y parvenir Nathalie dans ce fauteuil, au coin de cette cheminée, en face de son mari ; c'était impossible. Nathalie, il ne l'imaginait que renversée dans le grand lit isolé de la chambre chaude, ou allongée dans l'herbe. Dans la bibliothèque, il respira un peu, se dirigea vers le balcon, se heurta à un homme. C'était celui qu'il appelait en lui-même «le petit frère», depuis les récits de Nathalie. Ils ne s'étaient rencontrés qu'une fois mais Pierre Lacour lui tendit aussitôt la main. Le petit frère était singulièrement grand et mâle d'aspect, pensa Gilles, et très beau avec ça. Il se rappela qu'il avait été jaloux de lui ce jour-là et il sourit.

— On désespérait de vous voir, dit Lacour. Vous n'êtes pas très mondain. Je vois votre sœur partout et vous jamais.

— Je ne suis pas très mondain en effet, dit Gilles.

— Est-ce que nos fêtes de province vous ennuient ?

Il y avait une certaine agressivité dans sa voix. Mais Gilles était déjà soucieux de s'en faire un ami :

— Pas du tout. J'ai été fatigué à Paris et je suis là pour me reposer.

Il y eut une seconde de silence puis Pierre Lacour sembla brusquement se décider. Il prit Gilles par le bras :

— Je voudrais vous parler... vous savez que je suis très... euh... ami avec ma sœur ?

— Oui, dit Gilles souriant, je sais.

Il n'allait pas faire l'étonné. Ou ce garçon était au courant de tout ou il ne l'était de rien. De toute façon, il avait quelque chose dans le visage qui plaisait à Gilles, une sorte d'honnêteté maladroite mêlée à beaucoup d'intelligence. Néanmoins, les premiers mots le déconcertèrent :

— Nathalie vous aime, dit-il abruptement. Et j'en suis désolé.

Il s'était détourné pour dire cela et Gilles se demanda un instant s'il avait bien compris :

— Pourquoi en êtes-vous désolé ?

— Parce que je n'ai pas beaucoup d'estime pour vous, je m'excuse de vous le dire.

Ils parlaient à voix mi-basse dans cette pièce obscure, comme deux ennemis projetant un duel secret et inévitable. Le cœur de Gilles se mit à battre :

— Pourquoi ne m'estimez-vous pas ? Je ne vous connais pas.

— Nathalie vous aime, et vous dites que vous l'aimez. Que fait-elle ici ? Croyez-vous que ce soit une petite-bourgeoise habituée à l'adultère ? Croyez-vous que sa situation avec François soit drôle ? La connaissez-vous si mal ?

— Elle a décidé d'attendre la fin de l'été, commença Gilles...

Pierre Lacour eut un geste violent de la main.

— ... Elle n'a rien décidé du tout. Elle pense que vous n'êtes pas sûr de vous, elle ne veut pas vous contraindre. C'est tout. Et depuis un mois elle vit dans ce qu'elle a toujours ignoré : les compromissions. Par votre faute.

Gilles s'énervait. Ce personnage de frère noble allait un peu loin :

— Il ne semble pas que j'aie été sa première aventure...

— Non. Mais sa première passion, sûrement. Et j'en suis désespéré pour elle.

— Et pourquoi ?

— Parce que vous êtes faible, égoïste, velléitaire...

— Tous les hommes le sont, dit Gilles sèchement.

— Mais tous les hommes ne s'y complaisent pas.

Ils étaient prêts à se taper dessus à présent. Gilles essayait de se calmer. Ce garçon avait raison et tort à la fois. Il respira longuement, lentement :

— Que feriez-vous à ma place ?

— Je ne serai jamais à votre place : car si j'étais un autre homme et que Nathalie ne soit pas ma sœur, je l'aurais enlevée depuis longtemps...

Il avait élevé la voix et Gilles sourit :

— Mon Dieu, comme vous l'aimez...

— Ce serait à moi de vous dire ça, non ?

Il y eut un silence.

— Mais je l'aime, dit Gilles doucement.

— Alors prenez soin d'elle.

Il n'avait plus ce visage furieux, il avait au contraire un visage implorant et triste, presque résigné, une expression que Gilles avait déjà vue sur le visage de Nathalie. Quelque chose lui tordit le cœur :

— Vous croyez que je dois l'emmener ? Demain ?

— Oui, dit Lacour. Le plus tôt possible. Elle est trop malheureuse. Ils se fixèrent un instant. A trois pas, on entendait la gaie rumeur de la fête Sylvener. Quelque chose de lyrique, de romanesque souleva Gilles tout à coup :

— Je le ferai, dit-il. Et je prendrai soin d'elle.

Il se voyait déjà traversant la salle de bal, saisissant Nathalie au poignet et l'entraînant sans un mot, parmi les invités stupéfaits. Il voguait en plein XIXᵉ. La voix de Lacour l'arrêta :

— Sylvener est un homme bien. Elle doit le quitter convenablement. S'il est possible de quitter quelqu'un convenablement.

Le souvenir d'Eloïse traversa l'esprit de Gilles et il ne répondit pas.

— N'oubliez jamais qu'elle est absolue, dit Lacour à voix basse, absolue et passionnée.

Et il passa devant Gilles, disparut. Ces quelques minutes avaient été un rêve. Ce garçon devait être un peu fou, à y bien réfléchir. Mais Gilles avait déjà compris. Et en baisant la main de Nathalie, à la fin de la soirée, en la laissant seule en haut de l'escalier, près de son mari, dans sa maison, en réalisant tout à coup que cette femme qui était sienne ne pouvait pas le suivre à la minute même, et qu'elle en était aussi désespérée que lui-même, il prit sa décision.

Cinquième partie

PARIS

CHAPITRE PREMIER

« Mais enfin, que s'est-il passé ? »

Ils étaient chez lui à Paris, elle venait d'arriver, il y avait trois jours qu'il attendait sans nouvelles. Et elle était là, l'air égaré, placide à la fois, comme quelqu'un qui a reçu un coup. Elle n'avait qu'à peine posé sa valise, dans l'entrée, son manteau sur une chaise, elle était arrivée sans le prévenir et elle semblait prête à repartir. Elle ne regardait même pas l'appartement, ce qui était un peu bizarre, si l'on pensait qu'après tout, elle allait désormais y vivre, avec lui, et que cette décision, ils l'avaient prise ensemble, le lendemain de la soirée de Limoges, dans une sorte d'enthousiasme, de bonheur profond. Et sage. Gilles ignorait que le bonheur pût être teinté de cette sagesse implacable et tendre qui consiste à se résigner à faire ce qu'il faut faire. Mais néanmoins elle l'avait envoyé devant, par décence, disait-elle, et ce n'était que trois jours après, à demi fou d'inquiétude, qu'il voyait arriver, à l'improviste, cette muette. Il lui tenait les mains, il la faisait asseoir, il lui versait un verre, mais elle ne disait rien.

— Mais réponds-moi, que s'est-il passé ?

— Mais rien, dit-elle comme agacée. J'ai parlé à François, j'ai vu mon frère, il m'a conduite au train, je n'ai pas eu le temps de te prévenir, j'ai pris un taxi, j'avais l'adresse…

— Mais si je n'avais pas été là…

— Tu m'avais dit que tu m'attendais.

Et quelque chose dans le regard de Nathalie, le souvenir sans doute de moments cruels, indescriptibles, lui fit entrevoir cette attente forcée, nerveuse de célibataire qui avait été la sienne, comme peu de chose. Finalement elle avait quitté toute une vie et lui s'était borné à s'ennuyer. Il n'allait pas comparer : entre relire de vieilles gazettes et dire à son mari qu'on ne l'aime plus, il y a des nuances. Il se pencha, l'embrassa, sur la joue.

— Comment a-t-il réagi ?

Elle lui jeta un regard étonné :

— Qu'est-ce que ça peut te faire ? Tu ne t'es jamais intéressé à ce qu'il était quand je vivais avec lui, n'est-ce pas ? Alors la manière dont je l'ai quitté...

— Je voulais savoir s'il... si ça n'a pas été trop blessant, pour toi surtout...

— Oh ! moi, dit-elle, je le quittais pour un homme que j'aime. Lui restait seul. Tu vois...

Une réflexion vaguement cynique traversa l'esprit de Gilles. Finalement un mari abandonné était bien plus encombrant qu'un mari présent, sentimentalement parlant. Nathalie tremblait un peu, il sentait ses mains glacées entre les siennes, il avait confusément envie qu'elle pleure, qu'elle raconte tout, qu'elle s'abandonne ; ou qu'elle se jette dans ses bras et se donne à lui dans ces mouvements de sensualité que provoque souvent, après coup, la cruauté contre quelqu'un d'autre. Mais il ne supportait pas cette femme transie, pudique et sans voix.

— Tu as peur, dit-il. Tu es mal. Viens voir ma maison. Il avait, avec un entrain tout à fait inhabituel chez lui, « arrangé » la maison pour elle. La concierge avait fait le ménage, il avait acheté du thé, des Kleenex, des flopées de fleurs, des biscottes et un nouveau disque. Les ampoules des lampes avaient été remplacées par le mari de la concierge et le Frigidaire remis en marche. Bref, il n'avait pas imaginé un instant le malheur de Nathalie. Ou plutôt il l'avait imaginé sous une forme théâtrale, pleine de péripéties, de larmes violentes, en somme d'événements « racontables », voire palpitants. Il n'avait pas imaginé cette désolation tranquille.

Elle se leva, le suivit, machinalement. En fait il il n'y avait guère que la cuisine à voir et la chambre et la petite salle de bains en bois, (innovation artistique d'Eloïse). Elle jeta sur tout cela un coup d'œil distrait, gentil. Personne n'eût pu supposer à la voir qu'elle allait dormir dans ce lit, accrocher ses vêtements dans cette armoire, personne ; et à la fin, même pas Gilles. Une panique le prit. Et si elle n'avait pas pu ? Si elle était juste venue lui dire (car c'était trop peu dans son caractère d'écrire ou téléphoner), si elle était juste venue, en train, lui expliquer qu'elle ne le suivrait pas. Et soudain les fleurs qu'il avait achetées, le grand lit défait ouvert pour elle, le mois de septembre, l'hiver entier à venir, la vie, parurent odieux à Gilles, insupportables. Il la prit par le bras, la retourna vers lui :

— Tu aimes, ici ?

— Mais oui, dit-elle, c'est charmant.

Et ce terme de « charmant » le convainquit. Ce silence qu'elle avait, cette absence de gestes vers lui, ces mains glacées, ce regard ailleurs... Nathalie ne l'aimait plus. Ces trois jours d'attente anxieuse, affolée, qu'il avait subis, ces trois jours de journaux jetés par terre et de téléphone raccroché aussitôt que décroché, étaient prémonitoires. Il allait rester seul, une fois de plus, elle allait le quitter. Il se détourna d'elle, alla vers la fenêtre. La nuit était tombée, l'été persistait encore dans les rues. Il était seul.

— Gilles, dit-elle.

Il se retourna. Elle était allongée sur le lit, elle avait enlevé ses chaussures. Non, elle ne repartait pas tout de suite, elle allait encore passer une soirée, une nuit avec «son amour, son cher amour» comme elle l'appelait, et elle lui dirait tout le matin, avant de repartir. Elle était loyale certes, mais il y a des choses dont on ne se prive pas. Il sentit la colère l'envahir, se détacha de la fenêtre, s'assit au bord du lit. Elle était belle ainsi, fatiguée et distraite, comme dédaigneuse. Et il l'aimait.

— Tu m'as appelé ?

Elle le regarda, surprise, tendit la main vers lui. Il l'attrapa au vol, la serra :

— Tu m'offres une dernière nuit ?

Elle se redressa légèrement. Il poursuivit :

— Et demain, tu m'expliques que c'est trop dur pour François, toutes tes habitudes, etc. Et tu pars. C'est ça ?

Il espérait, dans sa colère, la voir se décomposer, sous le choc de la vérité, sous la surprise de son intuition, à lui. Mais elle se bornait à le fixer, les yeux agrandis, et subitement ces yeux se remplirent de larmes, sans que son visage bouge, et il sut qu'il s'était trompé. Il se laissa tomber à côté d'elle, envahi de soulagement et de honte, il enfouit sa tête dans son épaule. Il ne pouvait plus parler. C'est elle qui murmura :

— Mon Dieu, Gilles, que tu es égoïste...

— J'ai eu si peur, dit-il. Trois jours. Et puis maintenant... Tu ne me quitteras jamais ?

Il y eut un petit silence. Puis la voix habituelle de Nathalie, enfin revenue, une voix mi-tendre mi-railleuse :

— Non, dit-elle. A moins que tu n'en aies envie.

— Je ne le supporterais pas, dit-il. Je viens de m'en apercevoir.

Il ne bougeait pas. Il respirait son parfum à nouveau, ce parfum si associé dans son esprit à la campagne, à l'herbe fraîche et à la chambre vide sous les toits. Il lui semblait étrange, presque sacrilège de le respirer ici, dans cette chambre citadine où étaient passées tant de femmes, où Eloïse avait vécu. Vue ainsi, dans ce parfum, et coupée en deux par l'épaule de Nathalie, la chambre ne paraissait plus la même. Il y était étranger et cette femme effrayée aussi. Ils auraient pu aussi bien être dans un hôtel, comme des amants malheureux à la Piaf. Or ils étaient réunis et chez eux. D'où lui venait ce désarroi ? Quelque chose lui serrait la gorge, quelque chose qui n'était plus la panique comme les autres jours, ni la colère, ni le chagrin, quelque chose de bien plus profond, d'inconnu comme un immense pressentiment.

Il se raccrocha à elle, murmura des mots tendres, gémit un peu. La main de Nathalie reposait sur sa nuque, elle respirait doucement et il se rendit compte qu'elle dormait. Il se leva, alla ouvrir la bouteille de champagne dans le réfrigérateur, en versa un grand verre, revint au pied du lit. Le visage de Nathalie était confiant, fatigué, doux. Il tendit son verre brusquement au-dessus d'elle, se jura de ne jamais lui faire de mal et avala une immense gorgée de champagne frais. Cela lui rappela immédiatement le demi de bière chaude qu'il avait bu ainsi d'un trait dans ce café, avec Jean, quand il avait admis qu'il aimait cette femme. C'était un mois, dix ans plus tôt. A présent, elle était chez lui, à lui, il avait gagné. Et il ne put s'empêcher de sourire. A son propre aveuglement, à son propre entêtement, à son propre sens des responsabilités, à ses folies, à ses victoires.

CHAPITRE II

— JE NE T'AI PAS DONNÉ de nouvelles d'Eloïse, dit Jean, en riant. J'imagine qu'il vous a parlé de la pauvre Eloïse?

Nathalie sourit, hocha la tête. Ils étaient dans un petit restaurant des quais, tous les trois et Jean et Nathalie semblaient au mieux. Gilles était très content.

— J'étais sûr qu'il vous en aurait parlé. Gilles ne sait absolument pas se taire. La seule fois où il a vraiment essayé de le faire, c'était à votre sujet. C'est là que j'ai compris qu'il vous aimait. Et que je le lui ai fait avouer. Mais ça, j'imagine qu'il ne vous l'a pas raconté?

— Ça suffit, dit Gilles.

Mais il souriait benoîtement. Finalement c'était un plaisir d'adolescent, sans doute, mais un plaisir délicieux que d'entendre son meilleur ami et sa maîtresse se moquer de vous tendrement. On se sentait un peu en dehors du coup, comme un objet curieux, fragile, insaisissable, on finissait pas s'identifier à cet objet qu'ils décrivaient, on se sentait important et aimé.

— Eh bien, je vais te décevoir : Eloïse fait une carrière foudroyante, elle est la maîtresse du photographe numéro un de *Vogue* et tout va bien. Regardez-le bien, Nathalie, il est déçu. Il voudrait que les femmes le pleurent toute leur vie.

— Je m'en moque, dit Gilles.

— A ta place, j'en ferais autant, dit Jean et il prit la main de Nathalie, la baisa. Elle lui sourit.

Depuis huit jours qu'ils traînaient leurs pas dans un Paris encore vide du mois d'août, depuis huit jours qu'ils dormaient ensemble chaque nuit dans le grand lit de la rue Monsieur-le-Prince, elle semblait parfaitement heureuse. Ils n'avaient vu personne, sauf Jean, rentré de la veille. Simplement, lorsqu'il était passé les chercher, deux heures plus tôt, elle s'était comportée dans cet appartement comme une invitée de hasard et c'était lui, Gilles, qui avait dû servir les verres, chercher la glace, etc. Il fallait qu'il pense à lui demander pourquoi, plus tard.

— Il faut que je passe au Club tout à l'heure, dit Jean. Nathalie y a déjà été? Non? Il faut que vous veniez et que vous voyiez ce qui vous guette, le soir, avec ce voyou.

Nathalie se leva et partit se recoiffer. Jean la regarda partir et une espèce de mélancolie fit tomber son gros visage :

— Elle est rudement belle, dit-il.

— Tu trouves? dit Gilles.

Il avait pris une petite voix flûtée, distraite qui les fit rire ensemble.

— Elle est mieux que toi, poursuivit Jean rêveusement, beaucoup mieux. Je ne parle pas physiquement, ajouta-t-il.

— Merci, dit Gilles.

— Tâche de.., commença Jean, puis il s'arrêta, secoua la tête.

— Je sais, dit Gilles gaiement, tâche de ne pas la faire souffrir, de la garder telle qu'elle est, de ne pas être égoïste, de te comporter comme un vrai homme, etc.

— Oui, dit Jean, tâche.

Ils se dévisagèrent puis détournèrent les yeux ensemble. Par moments, Gilles détestait son reflet dans les yeux de Jean. Ils se levèrent et partirent dès le retour de Nathalie.

Le Club était gai, déjà plein. Il n'y avait plus de mois d'août, semblait-il, pour les Parisiens. Ils furent accueillis par Pierre, tout bronzé, qui serra Gilles sur son cœur en l'appelant « mon fils », oubliant totalement qu'il l'avait boxé la dernière fois qu'il l'avait vu. Il jeta un coup d'œil appréciateur, intrigué vers Nathalie. Gilles hésita. Avec n'importe quelle femme nouvelle, il eût dit « Nathalie, voici Pierre » et c'eût été fini : la nouvelle maîtresse de Gilles Lantier se nommait Nathalie. Mais il ne pouvait pas. Il dit d'une voix rogue : « Puis-je te présenter Pierre Leroux? Mme Sylvener. » Et il rougit.

Il recommença la même cérémonie quinze fois, dans la soirée. Tout le monde lui tapait sur l'épaule, les filles l'embrassaient, selon ces grandes règles d'affection mutuelle en cours à l'époque et à chaque fois il se débarrassait d'un bras puissant ou frêle — selon le sexe (et encore pas forcément) — et, se tournant vers Nathalie, présentait l'un ou l'autre à Mme Sylvener. Il était évident que chaque fois sa simple politesse provoquait une certaine curiosité mais il s'obstinait, sous l'œil amusé de Jean, et celui parfaitement incompréhensif de Nathalie. Naturellement le bon vieux Nicolas, le vieux copain éméché arriva à son tour et dûment présenté s'adressa à Nathalie :

— C'est vous qui nous l'aviez kidnappé? On s'inquiétait, vous savez. Remarquez, à sa place, je ne serais jamais revenu.

Il eut un bon rire de galant homme et s'assit tranquillement à leur table.

— Vous m'offrez un verre, pour fêter ça?

— On ne fêtait rien du tout, fit Gilles excédé, on fêtait notre tranquillité jusqu'à ton arrivée.

— Mon Dieu, dit Nicolas peu susceptible et qui, de toute façon, avait soif, mon Dieu, mais il est jaloux!... Je suis sûr que madame sera ravie que nous buvions à sa première arrivée au Club... car je ne vous ai jamais vue ici, n'est-ce pas? Je me le rappellerais, je peux vous le promettre...

Tout en souriant tendrement à Nathalie, il avait capturé la bouteille sur la table et se versait un grand verre de whisky. Gilles était furieux, d'autant plus qu'il voyait les yeux de Jean se plisser de l'autre coté de la table, tant il avait envie de rire. Nathalie près de lui ne disait rien.

— Ecoute, Nicolas, dit-il, nous parlons affaire.

— Si vous parlez affaire, madame s'ennuie. Voulez-vous danser avec moi, madame?

Et tout à coup Nathalie éclata de rire et Jean aussi. Ils ne pouvaient plus s'arrêter. Par gaieté naturelle et tout en se servant un autre verre, Nicolas les imita. Gilles resta seul avec sa respectabilité, humilié et furieux.

— Hou, hou, hoquetait Jean, si tu voyais ta tête...

Nathalie avait les yeux pleins de larmes à force de rire et Gilles esquissa un petit sourire contraint. Il avait rudement envie de quitter ces deux idiots et d'aller s'enivrer avec ses vieux amis, à une autre table. Il y avait bien longtemps qu'il n'avait pas vu Paris, après tout. Et si tous les efforts qu'il faisait pour ménager la susceptibilité de sa maîtresse le menaient là, il n'y avait qu'à renoncer. C'était facile.

— Pourquoi ne vas-tu pas danser? dit-il à Nathalie.

— Je ne sais pas danser ça, dit-elle, tu le sais bien. Il ne faut pas m'en vouloir, monsieur, dit-elle à Nicolas, j'arrive de la province.

— Mon Dieu, dit Nicolas, quelle province?

— Le Limousin.

— Le Limousin? J'adore le Limousin. J'y ai même des parents. Ça alors... ça s'arrose. Gilles, buvons au Limousin.

Là-dessus, sous les yeux consternés de Gilles, s'engagea une longue conversation entre Nathalie et Nicolas sur les charmes de la campagne, le temps des moissons et celui des vendanges qui semblait — ce dernier — avoir spécialement plu à Nicolas. Il était deux heures du matin quand Jean, vaguement parti lui-même et hilare, les déposa devant chez eux. Nathalie vacillait un peu et Gilles était d'une humeur de dogue. Il prépara quelques phrases cinglantes dans la salle de bains mais quand il rentra dans la chambre, elle dormait déjà à poings fermés. Il s'allongea près d'elle et mit longtemps à s'endormir.

CHAPITRE III

Le LENDEMAIN, elle s'éveilla avec l'air penaud et surpris des gens qui malgré quelques verres de trop et un léger sentiment de culpabilité ont dormi comme des cailloux et se sentent frais et dispos. Elle le regarda avec sournoiserie et il ne put s'empêcher de sourire.

— Alors? dit-il. Tu as bien rêvé de Nicolas?

— J'adore Nicolas, dit-elle. Il a l'air d'un gros chien.

— Un gros chien alcoolique, oui, dit Gilles. Je ne savais pas, à propos, que tu pouvais boire.

Elle le regarda, hésita :

— C'est que, dit-elle, ... c'est que j'avais si peur. Je ne connaissais personne, tu connaissais tout le monde. Et j'avais l'air si ridicule près de toutes ces filles...

Gilles la regarda, ahuri :

— Oui, j'avais ma petite robe noire, mon collier de perles, elles étaient toutes en Dianes chasseresses. Et tu avais l'air si gêné de me présenter à tout le monde...

— Ça, c'est le comble, dit Gilles. Le comble de tout... Tu crois vraiment que je pourrais avoir honte de toi?

Il s'était renversé sur le lit, il la tenait contre lui. Elle avait eu peur... Nathalie qui n'avait peur de rien, qui défiait la province limousine, qui quittait son mari, Nathalie avait eu peur d'un club de gentils alcooliques. Il avait envie de rire et de s'attendrir à la fois.

— Pas honte vraiment, dit-elle d'une voix songeuse. Pas honte, mais tu pourrais t'ennuyer. C'est pourquoi j'étais si contente de voir ce Nicolas s'asseoir avec nous.

— Mais il y avait Jean. Il te trouve merveilleuse, Jean.

— De toute façon, Jean est avant tout ton ami. Tu peux lui faire ou me faire n'importe quoi, il te pardonnera. Je me demande même si, d'une certaine façon, il n'aime pas te voir mal agir.

— Tu es folle, dit-il.

Néanmoins il se rappelait à présent certaines expressions de jubilation de Jean lorsqu'il était lui-même dans ce qu'ils appelaient ses périodes de crise, et que tout excès, toute imbécillité souvent, lui devenaient bons. Jean le calmait, le raisonnait mais avec une sorte d'indulgence amusée, presque admirative qui souvent le relançait de plus belle. De toute façon, on ne sait jamais rien sur ses amis, ni sur l'influence souterraine, inconnue parfois d'eux-mêmes, qu'ils ont sur vous. Néanmoins, l'idée de Jean, le brave Jean, en mauvais ange était cocasse. Il se mit à rire :

— Tu remets tout en question. Tu comptes bousculer toute ma vie, comme ça ?

— Il ne me semble pas que tu aies beaucoup ménagé la mienne, dit-elle paisiblement.

Elle le regardait en souriant, les yeux mi-clos. Elle avait peut-être eu peur de tous ces gens, la veille, mais elle n'avait manifestement aucune peur de lui, ce matin.

— Tu es une femme dure, dit-il, et cruelle. Tu n'as peur de rien. Et en plus, tu es alcoolique. Et en plus tu es perverse, conclut-il en s'abattant sur elle. Il faudra que je te présente à Gilda.

— Qui est Gilda ?

Il était contre elle à présent, il avait envie d'elle et pas du tout envie de parler de Gilda. Néanmoins il répondit confusément :

— Une femme perverse.

— Oh, dit-elle, toutes les femmes peuvent être perverses. Moi aussi, tu sais... Ça ne veut rien dire, la perversité... Le plaisir, si on aime quelqu'un...

— Tais-toi, dit-il, espèce de bavarde.

Ils allèrent déjeuner chez Lipp, très tard, et Gilles continua ses présentations mais avec la plus grande aisance. Dans trois jours, il commençait à travailler, sa maîtresse était belle, elle l'aimait, il était heureux. Il se demandait comment il avait pu être ce fantôme grelottant et désespéré trois mois plus tôt. Il devait être claqué physiquement à l'époque sans même s'en rendre compte. Aujourd'hui le monde était à lui. Il avait envie de champagne, c'était idiot le champagne avec la choucroute mais ils burent du champagne.

Puis ils allèrent voir un film stupide, à côté, et Gilles passa son temps à chuchoter des inepties à l'oreille de Nathalie, furieuse, car elle était devant tout spectacle d'une attention et d'une gravité d'enfant. D'ailleurs elle l'ennuyait depuis trois jours pour aller voir une pièce de théâtre intellectuelle, fort belle, semblait-il, mais dont la seule idée glaçait les sangs de Gilles. Il n'était pas allé au théâtre depuis des années, les soirées prévues d'avance l'excédaient, il se moquait de ce qu'il nommait son côté provincial.

— Tu as bien le temps, disait-il. Tu n'es pas à Paris pour une semaine. Tu n'as pas l'obligation de tout voir en une semaine pour tout raconter aux dames de la Croix-Rouge de Limoges.

— Mais j'aime ça, disait-elle. Tu ne comprends pas. Et c'est avec toi que j'aurai envie d'en parler après.

— C'est gai, gémissait-il, je suis tombé sur une intellectuelle.

— Je ne te l'ai jamais caché, répondait-elle sans rire et l'idée de Nathalie, sa maîtresse, ce corps exigeant et chaud, transformée en intellectuelle, le faisait rire aux larmes. Cependant quelquefois quand il se rendait compte par un détail de la profondeur, de l'étendue de sa culture à elle par rapport à la sienne, il s'étonnait un peu. Bien sûr, elle avait eu le temps de lire, en trente ans, en province, mais effectivement elle aimait ça ; et quand il lui disait par fatigue un des paradoxes ou des lieux communs à la mode, elle le reprenait sans indulgence, avec une sorte d'irritation étonnée comme s'il se fût brusquement montré indigne de lui-même.

— Mon chéri, disait-il — bien que persuadé du contraire — , je ne suis pas un homme très intelligent. Il faut que tu l'admettes.

— Tu pourrais l'être, rétorquait-elle froidement, si tu n'avais pas renoncé à te servir de ton intelligence pour autre chose que ta vie privée. Tu n'as aucune curiosité. Je me demande comment ils t'ont gardé dans ce journal.

— Parce que je suis très travailleur, très doux et que je tape bien à la machine.

Elle haussait les épaules, elle riait mais il y avait une certaine rancune dans son rire. Quand ils en arrivaient là, d'ailleurs, Gilles était ravi. Il avait toujours adoré être « grondé ». Tout cela finissait bien entendu par des mots d'amour, des gestes et, la tenant à sa merci, dans la volupté, Gilles lui demandait d'une voix hachée si elle aimait ce que lui faisait son imbécile d'amant. Il en était à cette exquise période de l'amour où l'on adore se disputer et où l'on ne peut même pas imaginer que ces sujets de tendres batailles puissent être les ferments, les anges annonciateurs de combats moins gais.

CHAPITRE IV

POUR la première fois, depuis deux mois qu'il travaillait, il avait eu envie de prendre un verre en solitaire, dans un bar, avant de rentrer à la maison. Il était très agréable de faire le jeune homme, l'homme libre quand quelqu'un que l'on aimait, dont on était sûr, vous attendait quelque part. Les cafés de Paris étaient des gouffres pour les hommes seuls, mais des tremplins pour les amants heureux. Il prit même le temps de faire quelques compliments à la barmaid, de feuilleter le journal du soir. Il ne se demandait pas pourquoi il ne rentrait pas immédiatement, il était simplement reconnaissant à Nathalie de faire de ce délai idiot qu'il s'imposait avant de la retrouver une image heureuse et comblée d'avance de sa liberté. On n'était jamais libre que par rapport à quelqu'un. Et quand c'était dans le bonheur, comme lui, c'était la plus grande liberté du monde. Il avait beaucoup travaillé ce jour-là et, le soir, il devait dîner avec Fairmont, Jean et Nathalie. On ignorait encore si Fairmont viendrait avec sa femme. Il était probable que non dans la mesure où lui et Jean viendraient avec leurs maîtresses respectives. Il devait rentrer d'urgence et se changer. Or il éprouvait un sentiment d'insouciance, de nonchalance dans ce bar, difficile à secouer. Quand il arriverait, Nathalie serait là, sans doute, légèrement exténuée par cette découverte incessante qu'elle faisait de Paris, de ses musées, de ses quartiers, avec une passion tous les jours renouvelée et qui le laissait chaque fois un peu sceptique. Elle connaissait à présent des rues, des cafés, des galeries de peinture dont il n'avait jamais entendu parler et il se demandait avec un mélange d'inquiétude et de hâte quand elle en aurait fini avec cette ville. Que ferait-elle alors ? Ils dînaient dehors tous les soirs, ils allaient parfois au Club où chaque fois, retranchée dans un détachement complet vis-à-vis des gens amusants qu'il lui présentait et une affection à la russe pour Nicolas, elle se consacrait à ce dernier et à lui-même. Il s'apercevait d'ailleurs avec étonnement que ce gros benêt de Nicolas avait beaucoup lu, qu'il était assez fin, relativement à jeun, et qu'il tombait amoureux de Nathalie à vue d'œil. Finalement c'était assez amusant : au lieu de parler des mœurs d'un acteur à la mode, on parlait de celles d'un héros de Zola et bien qu'il ne risquât pas d'y avoir là la moindre nouveauté, il apprenait quand même pas mal de choses. Nathalie déclarait ensuite avec violence qu'il était effectivement honteux que Nicolas n'ait pas trouvé un producteur assez intelligent pour lui confier trois cents millions, qu'il était merveilleux que ce garçon ne soit pas plus aigri et il la laissait dire, plutôt charmé, ne voulant pas lui expliquer que Nicolas était fainéant comme une chenille, de notoriété publique, alcoolique à mort après six cures sans succès, et impuissant depuis dix ans, dans tous les sens du terme. Jean les rejoignait parfois avec sa bovine Marthe, visiblement épouvantée par Nathalie et ses discours comme par une inconvenance : pour elle, les femmes devaient écouter et se taire. Et parfois, il y avait dans le regard de Jean une expression d'agacement un peu semblable. Mais Gilles savait pourquoi : depuis quinze ans, ils parlaient ensemble par-dessus la tête de jeunes femmes soumises et désirables : qu'il y en ait tout à coup une entre eux deux, à la fois désirable et vivante, ne pouvait provoquer chez lui que de la jalousie. Une de ces jalousies amicales qui sont souvent les pires. Mais Gilles, débonnaire, assez fier, écoutait Nathalie interroger, répliquer, répondre parfois durement, sans jamais broncher. Dans une heure ou deux, elle serait à lui, soumise comme elle ne le serait jamais autrement et cela lui suffisait amplement. Cette Minerve se transformerait vite en amoureuse, il le savait. Et si elle n'avait pas encore adopté les pyjamas ou les bottes des chasseresses du Club, sa tête fière, ses yeux verts, l'espèce de violence contenue dans son corps, faisaient disparaître aussitôt la petite robe noire et les colliers désuets auxquels elle s'accrochait. Il y avait au contraire pour Gilles une sorte d'excitation érotique à regarder, à écouter cette jeune femme un peu démodée parler de Balzac avec passion, cette jeune femme qui disait « vous » à tous ces joyeux noctambules potineurs et familiers, cette jeune femme dont il savait qu'elle serait nue, et plus libre sans doute en amour que n'importe laquelle de ces jeunes femmes « dans le vent », dans quelques heures. D'ailleurs quelques regards éloquents des rares hommes vraiment à femmes du *Club* l'avaient renseigné : il était envié !

Le dîner avait lieu dans un grand restaurant de la rive droite et, grâce à Gilles, ils arrivèrent un peu en retard. Fairmont était venu seul et il excusa sa femme d'une phrase qui fit sourire Gilles et Jean. Il jeta un coup d'œil à Nathalie étonné, sans doute de ne pas dîner avec une starlette, et commanda le dîner d'un air un peu troublé. Marthe, probablement chapitrée par Jean, le regardait d'un œil admiratif, à jamais admiratif, et Gilles eut envie de rire. Il savait Fairmont content de lui, Nathalie curieuse de le connaître, tout allait bien se passer. Et effectivement tout se passa bien au début. Fairmont demanda à Nathalie si elle aimait ce restaurant, elle répondit qu'elle y avait été quelquefois, avec son mari, et que les huîtres y étaient délicieuses. Fairmont, apparemment au courant, s'enquit de l'inévitable Limousin, Nathalie répondit brièvement et la conversation prit un tour général des plus reposants. En fait, ce furent Nathalie et Fairmont qui en assumèrent tous les frais. Il finit par la regarder d'un air légèrement interrogateur, comme pour se demander ce qu'elle pouvait trouver à quelqu'un comme Gilles, et Nathalie le devina, adressa un sourire si tendre à son amant qu'il lui prit la main sous la table un instant. A présent, Fairmont voulait plaire, il pérorait, ayant un peu bu, et les yeux ronds de Marthe se plissaient sous l'effort.

— Nous avons une position très difficile, disait Fairmont. Les événements sont tellement contradictoires...

— Ils l'ont toujours été, dit Nathalie.

— Enfin, dit Fairmont abruptement, « il faut que le cœur se brise ou se bronze », comme disait Stendhal.

— Je crois que c'est Chamfort, dit Nathalie.

— Pardon ?

Fairmont s'était immobilisé, la fourchette en l'air. Il voulait bien inviter ses collaborateurs à dîner, voire même leurs maîtresses, mais il n'aimait pas beaucoup les leçons de culture. Gilles lança un coup de pied à Nathalie qui lui renvoya un regard surpris.

— Je suis navré de vous contredire, dit Fairmont, définitif, mais c'est Stendhal. Je crois même que c'est dans *la Chartreuse*, ajouta-t-il d'un ton rêveur qui terrifia Gilles, car il indiquait un léger doute — lequel prouvait que Nathalie avait raison.

— De toute façon la phrase est ravissante, dit-il précipitamment.

— Si vous permettez, je vérifierai, dit Fairmont à l'adresse de Nathalie. Mais de toute façon, je suis ravi de voir que vous connaissez une jeune femme cultivée, ajouta-t-il vers Gilles d'une voix suave, sa voix de colère. Ça vous change.

Il y eut un léger silence. Gilles s'inclina :

— Merci, dit-il.

Il était assez furieux à présent. Contre Fairmont qu'il jugeait grossier et contre Nathalie qu'il jugeait maladroite. Nathalie avait un peu rougi, elle aussi, il y eut une minute de silence empoisonnante et au moment précis où Gilles allait s'extasier sur l'onctueux du soufflé, il entendit près de lui la voix de Nathalie :

— Je suis navrée, dit-elle. Si j'avais pensé que rectifier une citation puisse vous agacer à ce point je me serais tue.

— Rien ne peut m'agacer venant d'une jolie femme, dit Fairmont avec un petit sourire.

«Je vais finir coursier dans ce journal» pensa Gilles, et il eut un regard implorant vers Jean qui suivait tout ça d'un air impassible. Impassible et même secrètement enchanté. Mais l'était-il de voir Fairmont enfin mouché ou de voir Nathalie le mettre lui, Gilles, dans une situation désagréable...? Le reste du repas fut plutôt languissant et ils se quittèrent tous très tôt. Quand ils furent seuls chez eux, Nathalie se tourna vers lui :

— Tu es furieux, n'est-ce pas? Il était agaçant aussi... j'ai rarement vu un homme aussi prétentieux.

— C'est quand même lui qui nous fait vivre, actuellement, dit Gilles.

— Ce n'est pas un motif pour mélanger Stendhal et Chamfort, dit-elle paisiblement, surtout avec cette autorité imbécile...

— Imbécile ou pas, c'est mon patron, dit Gilles.

Il était agacé de s'entendre prononcer des phrases semblables. Il se sentait «jeune cadre» ou «vieil employé». En tout cas pas le chroniqueur futé et désinvolte qu'il voulait être. Et cela à cause de cette femme, à son côté, qui souriait. Pourquoi ne jouait-elle pas le jeu, après tout? Elle savait bien que les choses sont ce qu'elles sont et qu'il y a des cas où il faut plaire, s'étouffer, quitte à rire après de sa propre lâcheté? On ne pouvait pas jouer la franchise à Paris en l'an 1967, dans ce métier. C'était évident et il y avait une sorte de mauvaise foi à s'y obstiner. Pourquoi mettait-elle partout cet absolu, cette horreur des demi-mesures qui étaient les seules, hélas ou pas, qui vous permettent de vivre tranquillement? Il se sentait comme trahi par elle et il le lui dit.

— Si j'aimais les demi-mesures, répondit-elle, je ne serais pas ici. Je serais à Limoges et je viendrais faire l'amour avec toi tous les quinze jours.

— Tu mélanges un peu les sentiments et les actions d'éclat, dit-il. Tu m'as suivi parce que tu m'aimais, que je t'aimais et qu'il n'y avait que ça à faire. Cette nécessité n'était pas évidente, ce soir, dans ton comportement avec Fairmont.

— Je voulais simplement dire que si j'avais pu supporter cet homme, j'aurais pu aussi bien supporter ma vie passée, c'est tout.

Quelque chose s'exaspérait en Gilles, une sorte de rancune qu'il n'avait jamais distinguée comme telle chez lui.

— Bref, tu es contente de ton rôle : la femme qui quitte tout pour son amant, qui court les musées et se pâme devant les œuvres d'art, qui découvre des héros de Tchekhov dans les Nicolas des clubs, la femme sublime, absolue, acoquinée par hasard avec un malheureux écrivaillon faible et de moins bonne nature, la vraie femme, compréhensive et passionnée, la femme qui…

— Oui, coupa-t-elle, je suis assez une femme entière. Mais, d'une part je n'en suis pas fière, d'autre part je pensais que tu m'aimais pour ça, aussi.

— … En plus, c'est vrai, dit-il rêveusement, tu as toujours raison.

— Gilles, dit-elle.

Il la regarda. Il y avait une panique affreuse dans ses yeux. Il la prit dans ses bras. Au fond il se conduisait comme un beau salaud. Il la laissait seule, dans cette ville inconnue, des journées entières, il l'emmenait dîner avec des gens médiocres et il lui reprochait tout cela. Peut-être s'ennuyait-elle à mort à Paris, peut-être ses efforts désespérés pour maintenir une ombre de dignité à son personnage de maîtresse en titre d'un homme comme lui n'étaient-ils dus qu'à un instinct de préservation aussi vital pour elle que sa passion pour lui… Pourquoi ne l'épousait-elle pas ? Il le lui avait proposé dix fois et dix fois elle avait refusé. Pour lui d'ailleurs, il le savait. Et il était vrai qu'il avait peur de se marier, bêtement, bourgeoisement, sous prétexte d'éviter la bourgeoisie, justement. Elle aurait dû dire « oui », divorcer, et le traîner à la mairie par les cheveux quelles que fussent les réserves, les craintes qu'elle devinait en lui. Il y a un moment où il faut forcer les gens, où il faut délibérément cesser de vouloir les comprendre, où il faut agir pour soi, contre eux-mêmes, et pour leur bien, en définitive. Mais ça, elle ne le pourrait jamais et c'était pour cela qu'il l'aimait. C'était inextricable.

— Viens te coucher, dit-il tendrement, il est tard.

Dans ce grand lit, au moins, il n'y aurait pas de problèmes. Et sans doute partageait-elle sa pensée car elle fut plus passionnée encore, plus tendre que les autres nuits. Vers cinq heures du matin il se réveilla, néanmoins, et vit Nathalie assise près de lui les yeux ouverts, qui fumait une cigarette dans le noir, immobile. Il voulut se réveiller vraiment, la questionner mais quelque chose en lui lui fit refermer les yeux, se taire, comme un lâche. Ils s'expliqueraient demain — s'il y avait quelque chose à expliquer.

CHAPITRE V

— Vous prendrez bien un petit cognac? On a le temps. «J'en prendrais bien une douzaine», pensa Gilles rageusement. Ils étaient dans un de ces restaurants où il faut goûter la terrine à tout prix et dans un quart d'heure, ils seraient assis dans un théâtre à écouter la fameuse pièce que voulait voir Nathalie. Elle avait retrouvé dans Paris une amie d'enfance, laide, intelligente et fort mal mariée à une espèce d'industriel braillard et bon vivant. Elle avait organisé ce dîner, non sans le prévenir à l'avance de l'ennui de l'époux, et une fois assise avait pépié gaiement avec sa vieille amie des incidents de leur enfance, laissant Gilles et l'abruti se débrouiller. Ayant passé en revue la Bourse, les impôts, les restaurants et le gaullisme, Gilles se sentait au bord de la crise de nerfs.

— Croyez-en votre ami Roger — je vous appelle Gilles — hein mon vieux, on va en avoir besoin. Moi, le théâtre, ça m'endort illico. Et ma femme m'y traîne tous les mois au bas mot.

«Nous voilà un point commun, pensa Gilles dégoûté; les pauvres types travailleurs que leurs petites dames font sortir le soir.»

— Surtout, enchaînait Roger, que la télévision, c'est ce que c'est, je vous l'accorde, mais parfois il y a des trucs vraiment intéressants. On est assis dans un bon fauteuil, on fume, on boit un verre, on est chez soi et on paye pas trois mille balles pour s'enquiquiner. Pas vrai?

— J'aime bien le théâtre, dit Gilles fermement. Mais je prendrai un cognac quand même.

— Et tu te rappelles..., commença Nathalie... De quoi parlez-vous tous les deux?

Elle jetait un regard suppliant à Gilles, un regard d'excuse.

— Nous parlions théâtre, dit-il avec dérision. Monsieur... pardon... Roger préfère la télévision.

— J'ai un mal fou à le faire sortir, dit l'amie d'enfance, nous avons une convention : une fois par mois, je le traîne de force à une pièce.

— Nous en arriverons sûrement là, dit Gilles à Nathalie, avec un petit sourire méchant. Les conventions font la force des couples.

Elle ne sourit pas. Il y avait une détresse si évidente sur son visage, tout à l'heure si gai, que Gilles s'en voulut. Après tout, elle ne connaissait que cette malheureuse amie, à Paris, elle n'y était pour rien si le mari était ce qu'il était et elle était ravie d'aller au théâtre. Pourquoi lui gâchait-il sa soirée?

— Tu veux un cognac? dit-il.

Il lui avait pris la main à travers la table, il souriait. Elle lui jeta un regard reconnaissant et Gilles sentit son cœur se serrer tout à coup. Il lui faisait mal, ou il allait lui faire du mal, il le sentait. Qu'est-ce que ça pouvait lui faire après tout une soirée ennuyeuse ? Elle avait dû en passer d'autres depuis trois mois avec ses amis à lui. Il fallait bien dire, quand même, qu'aucun n'avait l'horrible faconde de ce Roger, il fallait bien être de la province pour connaître des parisiens comme celui-là.

— Il faut se dépêcher, dit l'amie. Vous n'imaginez pas, dit-elle à Gilles, comme je suis ravie que Nathalie habite enfin Paris. Nous allons nous voir souvent, j'espère… ?

Il y avait une interrogation un peu anxieuse dans sa voix. Elle devait savoir qui elle avait épousé. On ne pouvait le lui reprocher. C'était logique après tout : une fille laide en province, un Parisien qui passe. C'était bien logique mais Gilles détestait l'assimilation qu'elle faisait de son cas avec celui de Nathalie. C'était vrai qu'elles étaient habillées un peu pareil et qu'elles avaient eu une discussion animée d'écolières qu'on n'aurait pu attendre de deux Parisiennes, trop préoccupées de leurs mâles, en général, pour ces apartés. Mais Nathalie était belle, elle n'était pas bourgeoise, elle l'aimait. Il sourit :

— Bien sûr. De temps en temps nous irons voir des westerns, pour changer, c'est tout.

— Il y en avait justement un, ce soir, à la télé, se plaignit Roger. La prochaine fois, mon vieux, on restera tous les deux à la maison, en garçons, et on enverra les femmes voir leurs histoires. Qu'en pensez-vous ?

La vision de cette soirée épouvanta Gilles si visiblement que Nathalie se mit à rire, nerveusement. Elle riait encore sous cape au théâtre et elle lui prit la main dans le noir. Il la glissa sous son manteau, sur sa cuisse, pour la troubler et l'agacer mais déjà elle ne faisait plus attention à lui, toute au spectacle, à la vérité fort beau, mais que Gilles, les nerfs à vif, alourdi par ce maudit dîner, n'écouta que d'une oreille.

A l'entracte, ils allèrent boire le whisky de rigueur et tandis que les deux femmes discutaient avec passion et que Roger avalait quelques verres supplémentaires, l'œil morne, Gilles regardait autour de lui. Il semblait que toute la province se fût donné rendez-vous là. Il y avait des jeunes couples, ou des couples d'âge mûr, par deux ou quatre, les femmes vêtues de skunks, de visons plus ou moins bien coupés, tous en habits du dimanche et fiers d'être là, pérorant sur les intentions de l'auteur avec la suffisance et la fausse désinvolture des bourgeois français. Il savait bien que les générales étaient pareilles, à l'élégance près, mais cette élégance, acquise ou pas, lui semblait subitement très importante. Il fallait être snob, sûrement, ou communiste, mais il n'arrivait pas à se décider. Après avoir pris l'inévitable verre d'adieu dans un bar sinistre près du théâtre, ils finirent par se séparer. Dans la vieille Simca, enfin récupérée, Gilles observa un silence prudent et légèrement sadique. Nathalie finit par le rompre d'une voix triste :

— Tu t'es affreusement ennuyé, n'est-ce pas ?

— Mais non, dit Gilles, la pièce était très bonne. On va au Club, boire un dernier verre ?

— C'était une fille très bien, tu sais, dit Nathalie sans répondre. Quelqu'un de très gentil, très romanesque.

— Elle a l'air charmante, dit Gilles. C'est dommage qu'elle ait épousé ce type-là.

— Oui. Grand dommage.

Il tourna la tête vers elle, sourit.

— Nathalie, dit-il, tu sais que je t'aime ?

Il ne savait pas pourquoi il disait ça, il sentait simplement qu'il fallait le lui dire. Elle lui prit la main, sur le volant, la serra sans répondre. Ils arrivaient au Club.

La fumée, le bruit des voix excitées, le visage connu de la surveillante, à la porte, firent à Gilles l'effet d'une bouffée d'air frais. C'était quand même étrange à penser. Ils trouvèrent une petite table tout de suite, et burent deux verres très vite. Une sorte de gaieté soulagée venait à Gilles : il avait envie de s'enivrer, de dire des bêtises, de se battre pour rire avec quelqu'un, de faire n'importe quoi. Tout à coup il vit Jean, à l'autre bout de la pièce, avec un groupe inconnu, qui leur fit signe de la main et Gilles se leva aussitôt, entraîna Nathalie. Il se retrouvait avec ses pairs, les noctambules, les dégénérés, les alcooliques, les bons à rien. Ce n'est que près de la table qu'il reconnut Eloïse. Elle était ravissante, extravagante dans un ensemble de cuir très court, couverte de chaînes. Elle lui sourit sans réticence, jeta un coup d'œil approbateur à Nathalie, présenta un grand Américain légèrement saoul comme certaines femmes ont l'habitude de présenter leur amant en titre. Jean souriait, se levait, faisait asseoir Nathalie près de lui. Elle allait sûrement lui parler de la pièce, Jean aimait ce genre de conversation, tout allait bien. Il allait pouvoir faire un peu le jeune homme. L'Américain l'avait pris par les épaules et essayait dans le bruit de la musique de lui dire quelque chose qu'il n'arrivait pas à comprendre.

— Eloïse et vous... ? *before* ? *Yes* ?

Il tendait son index vers Eloïse et Gilles tour à tour, en riant. Il comprit, se mit à rire aussi :

— *Yes. It is me.*

Il croisa le regard de Nathalie, sourit. Au fond il était assez fier qu'elle connût Eloïse, une Eloïse dans une forme pareille surtout. C'était plutôt flatteur pour lui. Et pour elle.

— C'est lui qui m'a fait souffrir, criait Eloïse dans le tumulte.

— *Bad guy*, dit l'Américain en secouant Gilles. Et maintenant, vous tout seul ?

— Non, hurla Gilles — car la musique empirait —, j'aime cette dame.

— Laquelle?

Il montra Nathalie du doigt, remarqua son expression légèrement horrifiée et ne s'y attarda pas. Elle avait compris ce qu'ils disaient, et alors? Il disait qu'il l'aimait à un brave garçon sympathique. Ce n'était pas de l'indiscrétion, c'était une sorte de familiarité, de chaleur nocturne sans importance. Il avala un grand verre de scotch. Après cette soirée, il avait bien le droit de se détendre, après tout. Il ne l'avait pas volé.

— Tu as aimé la pièce? disait Jean.

— Adoré, dit-il, j'ai a-do-ré.

Jean se mit à rire, se retourna vers Nathalie, Gilles se sentait tout gai, irréprochable, irresponsable. Cette soirée si assommante finissait bien.

— Tu pourrais me faire danser, dit Eloïse, en souvenir du bon vieux temps.

Il dansait mal et n'aimait pas ça mais qu'importait. Il se retrouva en train d'accomplir de longues glissades sur la piste, au milieu d'une foule plutôt statique. Les hommes regardaient beaucoup Eloïse, dans sa tenue de femme de Tarzan.

— Mon Dieu, dit-elle, tu te débrouilles toujours aussi mal pour danser.

Il rit sans répondre. Il reconnaissait son parfum, c'était agréable toutes ces femmes posées dans sa vie comme des jalons.

— Et pour le reste? reprit-elle.

— Tu es devenue bien effrontée, dit-il. Mais je ne peux pas te répondre ici.

Pourquoi pas après tout? Ce serait amusant de refaire l'amour un jour avec cette nouvelle Eloïse. C'était un rudement bon jeu de mots, il le lui dit mais elle ne sembla pas comprendre. Nathalie comprendrait, elle, Nathalie était cultivée. D'ailleurs, elle passait près de lui, dans les bras de l'Américain, qui trébuchait un peu, elle semblait plutôt ennuyée. «Mais amuse-toi, pensait-il avec une sorte de rage, amuse-toi donc». Ils regagnèrent leurs places les premiers, Nathalie et l'Américain dansaient encore.

— Ton amie n'a pas l'air de s'amuser, dit Eloïse.

— Ton petit ami doit lui écraser les pieds, dit Gilles.

— Il est bien gentil, dit Eloïse.

«Il y a deux mois, elle n'aurait pas dit d'un homme qu'il était "gentil", pensa Gilles. Elle a dû découvrir les hommes méchants avec moi.» Une sentimentalité subite l'envahissait, avec l'alcool:

— Dis-moi que tu es heureuse, Eloïse.

— Si ça te fait plaisir, dit-elle sèchement et elle détourna la tête. Au même moment, le profil incliné, presque douloureux de Nathalie passa devant ses yeux et il avala un autre verre. Les femmes étaient toutes les mêmes, jamais heureuses. Et c'était toujours votre faute. Il n'y avait que les copains décidément et il jeta un clin d'œil complice à Jean qui le lui rendit. Nathalie revenait et il se leva. Elle le regarda avec une sorte d'hésitation :

— Tu n'es pas fatigué ?

Et maintenant elle voulait rentrer, au moment précis où il s'amusait, où il commençait enfin à s'amuser !...

— Non, dit-il. Viens danser.

Par chance, c'était un slow, un vieux slow de l'été. Il se rappela soudain le bal en plein air chez les gens près de Limoges, cette danse qu'il avait arrachée à Nathalie lorsqu'il était si jaloux de son frère. Et ces baisers fous, furtifs qu'ils avaient échangés derrière un arbre... Nathalie. Elle oscillait doucement contre lui, il avait envie d'elle, il l'aimait, sa provinciale, son bas-bleu, sa folle. Il se pencha, le lui chuchota à l'oreille et elle mit la tête sur son épaule. Il n'y avait plus d'amis, d'ex-maîtresse, de complices, il n'y avait plus qu'elle.

Beaucoup plus tard, ils émergèrent dans le petit matin et Nathalie dut prendre le volant de la voiture. Il tenait à peine debout, mais il débordait de mots, d'idées confuses et fortes à la fois. Il savait ce qu'il se passait entre eux, en fait. Tant qu'il avait été malade, qu'elle s'était occupée de lui comme d'un enfant, il s'était senti entier, rassemblé, complet dans cet amour. Maintenant qu'il devait à son tour s'occuper d'elle, la défendre, il se sentait dissocié, coupé en deux : d'une part lui, l'ancien Gilles, de l'autre, Gilles amoureux de Nathalie. Il lui expliqua tout cela d'une voix pâteuse pendant qu'elle le couchait mais elle ne lui répondit pas. Le lendemain il fut réveillé à l'aube par un fleuriste muni d'une immense gerbe de fleurs et Nathalie, en bâillant, lui raconta que l'Américain l'avait demandée en mariage toute la nuit.

CHAPITRE VI

Il rumina sa rancune toute la journée. Finalement, avec cette femme, il avait toujours un rôle d'idiot. Il ne comprenait rien au théâtre, pas grand-chose à la littérature, rien au bon goût et quand par hasard il faisait le jobard sur ce qu'il croyait être son propre terrain, elle le doublait en cachette. Elle avait dû bien rire de le voir faire la cour à la pauvre Eloïse, cette Eloïse que son riche amant, pas fou, était prêt à quitter à la seconde même, pour elle, Nathalie. Car elle avait quelque chose, derrière sa bonne tenue implacable, quelque chose de parfaitement femelle que cet Américain, à travers son alcool, avait parfaitement senti. Quand Gilles était rentré dans leur chambre, ce matin, tenant le bouquet avec une tête parfaite d'abruti, elle avait éclaté de rire avant de lui expliquer les choses. Et il était resté un moment sur le lit, à marmonner «ça alors, ça alors» jusqu'à l'instant où elle lui avait enlevé le bouquet des mains en riant et s'était levée pour l'embrasser.

— Mais que lui as-tu dit?

— Qu'il était très aimable mais que je tenais à quelqu'un d'autre. J'ai oublié de te montrer du doigt, ajouta-t-elle nonchalamment.

— Il a un certain toupet, dit Gilles, essayant de rire.

Mais il était vexé. Il n'aurait jamais le beau rôle avec elle, voilà tout. Bien sûr, elle l'aimait, mais elle était fondamentalement plus forte que lui. Il pensa une seconde que c'était sans doute cela qui l'avait sauvé, lui, trois mois plus tôt mais en même temps, il cherchait un moyen de lui prouver le contraire. En y réfléchissant, c'était elle qui dès le début de leur liaison avait pris toutes les initiatives. La seule chose qu'il ait faite avait été d'accélérer leur départ. C'était elle qui l'avait choisi, séduit et amené à vivre avec elle. Et c'est elle qui dicterait complètement leur mode de vie dans quelque temps, si il la laissait faire. Témoin, la soirée d'hier. Bien sûr, c'était la première fois en deux mois qu'elle lui imposait une corvée mais il fallait bien un début à tout. D'homme vexé, il se transformait en homme enchaîné. Il travailla mal, fut d'une humeur exécrable et décida d'aller voir Gilda. Il n'était même pas passé lui dire bonjour depuis son retour, ce n'était pas gentil et de plus Gilda avait deux qualités énormes : d'abord, elle était toujours du côté des hommes, ensuite elle savait se taire. A six heures, il était chez elle et il se souvint, dès l'entrée, de la soirée affreuse qu'il avait passée là, un soir de printemps, à attendre une femme à qui, finalement, il n'avait pas ouvert. C'était «avant Nathalie» il s'en rendit compte et un instant il faillit se taire. Nathalie était son secret, sa femme, il ne devait parler d'elle à personne, c'était infâme et c'était sans doute une des rares choses qu'elle ne lui pardonnerait jamais. Mais déjà il était assis dans le grand fauteuil rouge, un verre glacé entre les mains, et en face de lui cette femme amicale et curieuse, la vieille complice de ses folies passées. Il se sentait rajeunir. Après tout une histoire d'amour, c'était une histoire d'amour.

— Alors? dit Gilda. Tu as bonne mine, mon petit loup. Il paraît que tu es très heureux?

— Très, dit-il mollement.

Elle était toujours renseignée.

— Alors que fais-tu là? — elle se mit à rire — Quand les hommes viennent me voir, c'est pour faire l'amour ou pour se plaindre. Tu n'as pas l'air spécialement passionné. Alors?

— C'est compliqué, commença-t-il...

Il parla. Il parlait, il changeait un peu les faits, à son avantage, et se détestait de le faire. Il était parfaitement déprimé en finissant.

Elle l'avait écouté sans mot dire, les yeux plissés, fumant cigarette sur

cigarette, avec ce qu'il appelait en lui-même sa tête de chiromancienne.
Elle se leva quand il se fut tu, fit trois pas dans la pièce, en bougeant
légèrement les hanches, et revint s'asseoir, le fixa. Finalement elle était
assez ridicule et il se demanda ce qu'il faisait là. Elle surprit l'éclair de
malice dans son regard et s'énerva :

— Si je comprends bien, une femme t'a mis le grappin dessus et tu
n'arrives pas à t'en sortir?

Une vague de fureur saisit Gilles :

— Ce n'est pas ça, dit-il. J'ai oublié le principal. Je ne t'ai pas dit le
principal.

Le principal, c'était la chaleur de Nathalie, le creux de son cou
lorsqu'il s'endormait, sa tendresse incessante, sa parfaite loyauté, la
confiance éperdue qu'il avait en elle. Tout ce que cette demi-putain de
luxe avec ses perversions à la noix ne pouvait plus savoir. Mais alors
que faisait-il donc là?

— C'est quoi, le principal? Tu l'as dans la peau, quoi?

Il s'était levé déjà, il balbutiait, de colère ou de honte, il ne savait
plus.

— Je me suis mal expliqué, dit-il péniblement. Oublie tout ça.
Excuse-moi.

— Quand elle sera repartie vers son juge de paix, tu reviendras me
voir, dit-elle. Je suis toujours là, tu sais.

« Oui, pensa-t-il avec haine, tu es toujours là. Tu seras toujours là
pour les lâchetés, les saloperies, les envies de tes hommes. Tu es de ce
genre de femmes qui sont censées vous faire tout oublier de la vie à
force de vous mettre le nez dedans.» Il était à la porte déjà, il se
retourna :

— Ce n'est pas elle qui a mis le grappin sur moi, comme tu dis, c'est
moi qui me suis accroché à elle.

— Alors il fallait me faire un autre récit, dit-elle en riant, et elle
referma la porte. Il tremblait de colère dans l'escalier mais il ne savait
pas bien contre qui. Il traversa Paris à toute vitesse, se rangea n'importe
où, grimpa l'escalier en courant. Mais derrière la porte, il entendit le rire
de Nathalie et une voix d'homme. Il respira profondément. Si c'était
l'Américain, il lui casserait la figure, ça leur ferait le plus grand bien, à
lui, à l'Américain, à tous les deux. Au lieu de prendre sa clef, il sonna,
trouvant quelque chose d'élégant à cet acte. Mais le rire de Nathalie
durait quand elle lui ouvrit la porte

— Devine qui est là, dit-elle.

Son frère était debout à l'entrée du living-room, il souriait.
L'expression de Gilles devait être bizarre car Nathalie questionna :

— Mais qui croyais-tu que c'était?

— Je ne sais pas, dit-il. Bonjour Pierre.

— Tu croyais que c'était Walter?

— Walter?

— L'Américain d'hier soir. J'en parlais justement à Pierre et...

Et elle tomba dans un fauteuil, pleurant de rire. Son frère était près d'elle, il riait aussi et une sorte de bonheur gagnait Gilles. Ils étaient là comme deux enfants, puérils et honnêtes, ils étaient charmants à voir et rassurants. Des gens normaux, il existait encore des gens normaux. Il se laissa tomber dans un fauteuil, épuisé et content. Il était chez lui, en famille, après une journée d'imbécile due à son caractère d'imbécile.

— Depuis quand êtes-vous là?

— Ce matin. J'avais deux jours libres et envie de voir Nathalie. Ses lettres ne me suffisaient pas.

Elle écrivait souvent à son frère? Entre deux musées? Que faisait-elle de ses journées, en somme? Il lui racontait tout des siennes, en rentrant, ils discutaient politique comme des fous, et du journal et des amis, jamais de sa vie quotidienne à elle. Elle ne lui avait jamais parlé de rien, au fond, de rien de sa vie, sauf de son amour pour lui. Que pouvait-elle bien écrire à son frère : « Je suis heureuse... je m'ennuie... Gilles est gentil... Gilles n'est pas gentil... »? Il jeta un coup d'œil à Pierre, essayant de voir un reflet de ces lettres dans son expression, mais il ne vit rien. Une curiosité affectueuse, sans plus. Non, elle devait être aussi secrète avec l'un qu'avec l'autre. Il pensa à cette heure passée chez Gilda et la honte l'envahit.

— Vous n'avez rien à boire? dit-il précipitamment. Nathalie est une maîtresse de maison déplorable.

— Nathalie s'est toujours considérée invitée partout, dit Pierre. Elle n'y peut rien.

Il souriait. Nathalie cinglait vers le Frigidaire, et ils restèrent seuls, quelques instants.

— Ma sœur a l'air heureuse, dit Pierre.

Il parlait tranquillement mais il y avait toujours cette même note de menace dans sa voix. La même qu'à Limoges, ce fameux soir. Ce côté « frère noble » agaça un peu Gilles.

— Je l'espère, dit-il.

— Je serais bien content de m'être trompé, reprit l'autre paisiblement. En tout cas, Limoges est sinistre sans elle.

— J'en suis désolé, dit Gilles. Mais Paris le serait aussi pour moi.

— C'est le principal. En fait, c'est tout ce que je voulais savoir.

— Elle ne vous a pas écrit?

Pierre se mit à rire :

— Nathalie ne parle jamais de ses sentiments. Vous devriez le savoir.

Elle rentrait avec un plateau, l'air empêtré et Pierre se leva d'un bond, l'en débarrassa. Oui, elle avait dû être protégée toute sa vie, aimée toute la vie et elle devait avoir peur souvent avec lui et ses nervosités d'enfant gâté. Il y avait entre elle et son frère une sorte de réciprocité, de gratitude mutuelle, le souvenir de mille bontés données et reçues, de mille gratuités et Gilles souhaita soudainement avoir déjà connu cela aussi dans sa vie. Mais il ne se rappelait avec sa sœur que de rapports un peu niais et unilatéraux, et avec les femmes en général que de sourds et tristes combats, parsemés d'instants de bonheur, mais toujours clos par des victoires au goût de défaite ou des défaites tout court. Il était las, il avait trop bu la veille, il ne s'aimait pas.

— Pourquoi ne dîneriez-vous pas tous les deux? dit-il. Vous seriez plus tranquilles. Et moi, je me coucherai tôt. Je suis fourbu, j'ai trop bu hier soir.

Il s'attendait à des protestations mais Nathalie eut l'air enchanté :

— Ça ne t'ennuie pas? Je n'ai pas vu Pierre depuis si longtemps...

— Vraiment? dit Pierre.

« Pauvre Nathalie, pensait Gilles, tu n'as vu personne de convenable depuis si longtemps. Au fait qui as-tu vu? Nicolas qui est perdu à jamais, Jean qui est jaloux de toi, ta malheureuse amie qui doit être amère et, entre huit heures du soir et le matin, le triste sire que je suis et que tu as la folie d'aimer.» Il secoua la tête :

— Non, vraiment. Allez dîner sans moi. Si je ne dors pas, je prendrai un tilleul avec vous à votre retour.

Quand ils furent partis, il alluma la télévision, l'éteignit très vite, avala un morceau de jambon debout près du Frigidaire et se mit au lit. Il avait un excellent policier à lire, une grande bouteille d'Évian près de lui, des cigarettes, et un très beau concert à la radio. La solitude avait bien ses charmes de temps en temps. Au fond il avait toujours été un solitaire, un bon vieux loup solitaire et c'est en ronronnant un peu sur cette image de lui-même qu'il s'endormit, en pleine lumière.

CHAPITRE VII

LE TEMPS passant, Nathalie décida de travailler. Elle déclara à Gilles qu'elle avait trouvé une place très agréable dans une agence de voyages, qu'elle serait plutôt bien payée et que ça leur permettrait de faire face à des fins de mois qui étaient souvent difficiles. Il commença par rire, mi-agacé qu'elle se fût débrouillée sans lui, mi-amusé à l'idée de Nathalie derrière un bureau.

— Aurais-tu épuisé les musées? Qu'est-ce qui te prend?

— Je n'ai rien à faire de la journée, dit-elle, c'est débilitant.

— Et que faisais-tu à Limoges?

— A Limoges, j'avais mes œuvres, dit-elle calmement.

Il éclata de rire. Cette femme était folle.

— Je sais que ça a l'air stupide, dit-elle, mais tu sais, je rendais service à beaucoup de gens...

— Quand même, dit-il, ... toi, en dame d'œuvres... tu passais tous tes après-midi dans mon lit.

— C'était l'été, dit-elle. C'est en hiver que c'est très dur pour les gens pauvres.

Il la regardait, sidéré :

— Si je comprends bien, si j'étais venu chez ma sœur en hiver, je ne t'aurais pas connue ?

Elle hésita, rougit :

— Si, dit-elle. Mais ce n'est pas la question. Cette agence est très agréable, le directeur est charmant, c'est un ami de Pierre. Et puis c'est amusant de préparer des voyages pour les gens. Je les enverrai au Pérou, aux Indes, à New York.

— Si tu fais ça pour des raisons matérielles, c'est idiot, dit-il. Il suffit que l'on fasse un peu attention.

Il était évident que c'était plutôt lui qui claquait l'argent, il ne savait pas comment d'ailleurs. Entre les amis, les bars, les taxis, l'argent lui filait entre les doigts. Et si Nathalie pouvait sortir, et s'habiller, elle le devait plus aux cent mille francs mensuels qu'elle recevait du Limousin, grâce à une vieille rente de famille, qu'à Gilles. De plus, il lui avait acheté pour Noël un ravissant bijou ancien qu'il n'en finissait pas de payer. Non, cette idée n'était pas mauvaise mais elle irritait Gilles sans raison précise.

— Ce n'est pas pour des raisons matérielles, dit-elle, c'est que ça m'amuse. Mais si tu ne veux pas, je dis non.

— Tu fais comme tu veux, dit-il. A propos de voyages, quand revient le fleuriste ?

Le nommé Walter en effet s'obstinait. Il inondait Nathalie de roses — d'où le surnom que lui donnait Gilles — et de lettres tendres. Il avait dû partir en voyage et envoyait des cartes postales paisibles d'un peu partout, avec la tranquillité de l'homme décidé à attendre, serait-ce trente ans, ce qui amusait Gilles ou l'exaspérait selon les jours. Nathalie, elle, était attendrie et ne s'en cachait nullement, à son habitude, ce qui était rassurant, bien sûr, mais les empêchait d'en rire ensemble. Elle avait déclaré en effet que toute passion, quelle qu'elle fût, n'avait rien de risible. Elle avait même à ce sujet de longues conversations avec Garnier, que Gilles lui avait présenté un jour, lequel attendait toujours la sortie de prison de son petit jeune homme. Garnier d'ailleurs se déchargeait de plus en plus de son travail sur les épaules de Gilles et souvent, rentrant chez lui, il les trouvait au coin du feu bavardant avec passion. Nathalie avait quand même de drôles de goûts. Entre l'impuissant Nicolas et le pédéraste Garnier, elle redoublait de vivacité, de gaieté alors que la compagnie de Jean, pourtant intelligent, lui pesait visiblement. «Tu ne comprends pas, disait-elle, quand il lui en parlait, c'est quelque chose en eux de parfaitement innocent que j'aime», et il haussait les épaules, les jugeant plutôt ennuyeux mais les préférant, comme compagnie pour elle, au fleuriste américain.

Nathalie commença donc à travailler et souvent, le soir, elle passait chercher Gilles au journal. Le monde était de plus en plus fou, les discussions entre les responsables du journal de plus en plus violentes et il arrivait à Nathalie de passer une heure ou deux dans le bar en bas à attendre Gilles. Elle ne le lui reprochait jamais, bien sûr, elle le plaignait même, mais la pensée qu'elle était en bas, s'ennuyant forcément, tourmentait Gilles. Ils finirent par décider de se retrouver toujours «à la maison», directement. C'est ainsi qu'un soir, il ne rentra pas.

Il avait passé une journée épouvantable. Le nommé Thomas, l'affreux Thomas, avait dépassé les bornes de l'odieux. Fairmont avait convoqué Gilles pour lui faire des reproches : il semblait que ses articles soient un peu trop «classiques», dénués de ce sensationnel qui plaisait «au lecteur». Gilles ne connaissait pas ce fameux lecteur dont on lui rebattait les oreilles, cette sorte de soldat inconnu veillant sur la bêtise, mais s'il l'avait tenu, il lui aurait passé une belle correction.

— «Le lecteur», disait Fairmont, doit être mis au courant objectivement bien sûr mais le lecteur doit se passionner, s'exciter même sur un sujet.

— Vous ne trouvez pas les faits suffisamment excitants? disait Gilles ironique. Des guerres partout, des...

— Ce n'est excitant pour le lecteur que s'il se sent directement concerné.

— Mais il l'est, disait Gilles exaspéré. Voulez-vous que je leur donne l'adresse d'un bureau de recrutement pour le Viêt-nam? Les chiffres ne vous semblent pas suffisamment éloquents?

— C'est vous qui n'êtes pas éloquent.

Bref, Gilles était sorti de là fou furieux, contraint de réécrire complètement son article et il était six heures du soir. Il était tombé sur Garnier, l'avait chargé d'aller prévenir Nathalie et si possible de l'emmener dîner, ce qui avait semblé ravir Garnier et il était resté seul dans son bureau, devant sa machine à écrire, beaucoup plus préoccupé des répliques à retardement qu'il inventait pour Fairmont que de cet article. Le journal était désert à présent et il marchait de long en large, parfaitement écœuré par sa propre prose. Il passa dans le bureau de Jean, dénicha la bouteille de scotch et s'en versa un grand verre, en vain. Il en avait assez de ce journal, il n'arriverait jamais à rien, il croupirait là jusqu'à la fin de ses jours, morigéné par un Fairmont de plus en plus gâteux. Il vieillirait, Nathalie se transformerait en dame de province, ils se marieraient peut-être et ils auraient peut-être des enfants, ils s'achèteraient une voiture et une fermette aménagée avec la télévision.

Et encore, ils auraient bien de la chance d'en arriver là. C'était effrayant.
Lui, Gilles, capable de tous les excès, désireux de tous les voyages, lui
Gilles le Jeune, était en train de perdre sa vie entre un patron et une
maîtresse qui le jugeaient tous les deux. Eh bien, il ne voulait plus être
jugé, ni pardonné ni même inclus dans n'importe quel système, qu'il soit
professionnel ou sentimental. Il voulait être seul et libre, comme avant.
Comme le jeune chien qu'il avait été. Il buvait directement à la
bouteille, maintenant, il savourait sa rage. Ah, il était censé corriger ses
pages comme un bon écolier en retenue, ah, il était censé rentrer chez lui
retrouver sa fidèle et loyale maîtresse, eh bien, ils allaient voir. Il prit
son imperméable et sortit, laissant tout allumé. Le fameux lecteur
payerait la note.

Il se réveilla à midi, dans un lit inconnu ou plutôt trop connu, un lit de
maison de passe. Une grosse fille brune ronflait à côté de lui. Il revit
confusément des boîtes de nuit à Montmartre, une bagarre, la tête d'un
flic; Dieu merci, il avait fait ses imbécillités sur la rive droite. Il n'avait
même pas mal à la tête, il était mort de soif. Il se leva, but un litre d'eau
au lavabo émaillé qui ornait gracieusement la chambre. Puis il alla à la
fenêtre : elle donnait sur une petite ruc inconnue. Il gémit un peu
intérieurement. Qu'avait-il bien pu faire ? Il secoua la fille qui grogna, se
réveilla un peu, le regardant à peu près aussi étonnée que lui-même. Elle
était vraiment vilaine.

— Eh bien toi, dit-elle… Qu'est-ce que tu tenais.

— Où est-on ?

— Près des Boulevards. Tu me dois cinq mille balles, coco.

— Qu'est-ce que j'ai fait ?

— Je n'en sais rien. Tu m'es tombé dans les bras, vers cinq heures et
demie. Je t'ai couché et bonsoir. Avant, je ne sais pas.

Il s'habillait très vite. Il posa le billet sur le lit de la fille, se dirigea
vers la porte :

— Au revoir, mon vieux, dit-elle.

— Au revoir.

Il faisait grand soleil et il était boulevard des Italiens. Nathalie,
Nathalie, où était Nathalie à cette heure-ci ? Elle était peut-être encore à
son agence, non, elle devait déjeuner à côté, comme d'habitude. Il prit
un taxi, la tête vide. Il fallait qu'il la voie, c'était tout. Mais l'agence
était fermée et elle n'était pas au restaurant à côté. Il s'affolait. Il avait
gardé le taxi et il lui donna son adresse, à tout hasard. Il ouvrit la porte
sans bruit, s'immobilisa dans l'entrée : Nathalie était assise dans un
fauteuil, l'air tranquille. Il avait l'impression de répéter une scène très
vieille et très bête : le retour du vilain mari après une nuit de débauche.

— Je me suis saoulé, dit-il.

Elle ne répondit pas. Il vit les cernes sous ses yeux. Quel âge avait-elle, au juste ? Elle avait une petite robe noire, son bijou, elle avait dû passer la nuit là, sans bouger.

— Je suis passé à l'agence, continua-t-il. Tu n'y as pas été. Je... je suis désolé, Nathalie. Tu t'es inquiétée ?

Il ne disait que des âneries mais, vraiment, il n'y avait que ça à dire. Il était plutôt soulagé. A présent il se rendait compte qu'il n'avait eu qu'une peur dans ce taxi, tout le temps : ne plus la retrouver. Mais elle était là. Et même, elle souriait presque :

— Inquiétée ? dit-elle. Pourquoi ?

Il s'approcha d'elle et alors elle se leva, le regarda en face, d'un œil curieux, intrigué presque. Puis elle le gifla violemment, deux fois. Après quoi, elle se dirigea vers la cuisine.

— Je vais faire du café, dit-elle d'une voix calme.

Gilles ne bougeait pas. Il n'éprouvait strictement rien, mais il avait mal aux joues : elle avait tapé rudement fort. Finalement il se dirigea vers la cuisine, s'accouda à la porte. Elle regardait l'eau bouillir avec un intérêt énorme.

— Garnier est resté jusqu'à trois heures, dit-elle toujours placidement. Il a téléphoné au journal, puis au Club. Tu n'y étais pas. Alors il a téléphoné à Jean qui nous a dit que tu avait l'habitude de ce genre de choses. Il semblait trouver ça assez drôle, ce qui nous a rassurés.

Il y avait une ironie affreuse dans sa voix.

— Comme il ne savait pas que j'avais l'écouteur, il a même dit à Garnier de me conseiller de m'y habituer. Que j'en aurais besoin.

— Arrête, dit Gilles.

— Je t'explique en deux minutes une nuit de douze heures, ce n'est pas excessif.

— Tout le monde peut s'enivrer une fois ou l'autre.

— Et tout le monde peut téléphoner pour dire : « Je m'enivre, dors tranquille. » Mais j'imagine que ça aurait gâché ton plaisir.

« En plus, c'est vrai, pensa Gilles. C'est l'idée de ma culpabilité qui me relançait dans cette nuit. »

— Voilà du café, dit-elle. Tu as eu tout ce qu'il te fallait : une nuit de stupidités, une scène de ta maîtresse, une paire de claques, une tasse de café ? Ton portrait-robot est complet ? Bon, je vais à l'agence.

Elle prit son manteau au vol et sortit. Il resta interdit un moment, but son café, ouvrit le journal. Mais il ne lisait pas. Ce n'était ni de la jalousie ni de la colère qu'il avait provoquées chez elle. C'était de l'inquiétude d'abord et du mépris. Le téléphone sonna et il bondit vers l'appareil. Peut-être s'en voulait-elle de sa dureté ?

— Alors, mon vieux, dit la voix de Jean, on recommence ses bêtises ?

— Oui, dit Gilles.

— Tu es seul ?

— Oui.

La voix de Jean était gaie, complice. Mais quelque chose en Gilles hésitait à basculer vers cette voix, et ce qu'elle impliquait.
— Comment s'est passé le retour? Mal?
— Deux claques, dit Gilles et quand Jean se mit à rire, il comprit qu'il avait effectivement basculé.

CHAPITRE VIII

A PRESENT, il le savait, il y avait quelque chose de fêlé entre eux. Il ne savait pas exactement quoi... peut-être était-il simplement frustré d'une scène de jalousie, peut-être avait-il besoin, sans le savoir, qu'elle fit quelque chose de bas ou de médiocre qui les remettrait face à face. Etait-ce cette soirée d'ivresse — somme toute banale, d'un homme agacé — qui avait décalé leurs deux visages, mettant celui de Nathalie au-dessus du sien ou était-ce la sanction inévitable de six mois de vie commune? Etait-elle mieux que lui? Peut-on être « mieux » que quelqu'un dans les rapports amoureux, ceux justement où toutes les valeurs morales sont remplacées par des valeurs affectives? En tout cas, elle riait moins qu'avant, elle maigrissait, et il y avait souvent, dans leurs relations purement physiques, quelque chose d'agressif, de délibérément violent, comme si chacun d'eux eût voulu à la fois combler et soumettre l'autre, comme si le plaisir même de l'autre n'eût pas été ce cadeau superbe, jusque-là considéré comme tel, mais la preuve de. Mais, que pouvaient ces cris et ces plaintes et ces sursauts, que pouvaient ces pauvres corps si bien unis après certains regards de Nathalie, certaines absences de regard de Gilles? Ils ne pouvaient rien : indispensables mais insuffisants, ils se rejoignaient souvent, et en vain, dans le plaisir. Gilles n'avait jamais été si amoureux de quelqu'un, physiquement, et si peu gai de l'être.

Elle dut partir, un jour, pour Limoges. La tante Mathilde, celle des cent mille francs mensuels, se mourait, la réclamait. Elle devait y rester une semaine, habiter chez son frère, revenir très vite. Gilles la conduisit à la gare, cette gare d'Austerlitz qui l'avait vu partir si malheureux huit mois plus tôt, revenir inconscient, repartir amoureux, revenir engagé. Il ne savait plus, parmi ces voyageurs qu'il avait été, lequel il préférait. Si, il le savait, c'était l'homme amoureux qui en mai, conscient de son amour et ne se sachant pas attendu, avait vu défiler la Loire, les faubourgs, les nuages, la nuit comme autant de surprises éblouissantes, avant celle de Nathalie, debout sur le quai de gare, échappée d'un dîner, et se jetant vers lui. Il aimait leur histoire même si quelquefois il n'aimait pas leur vie commune. Il en arrivait à aimer ce garçon efflanqué et triste, misérable, qu'il avait tant souffert d'être, il aimait cette femme passionnée, folle, démesurée et si décente qui s'était éprise de lui. Ah, les prairies du Limousin et l'herbe chaude et le fond de l'eau, ah, la main de Nathalie sur sa nuque, et le lit lugubre de leur première fois, et le regard de l'aubergiste et la chambre chaude sous les toits et les portos-flips de Florent... Mais pourquoi rôdaient-ils ainsi sur ce quai, comme deux animaux égarés, cherchant quoi se dire, mettant leur montre à l'heure, achetant des revues stupides? Que s'était-il passé? Il voyait le profil net de Nathalie, il revoyait ces trois mois de Paris, il ne savait plus. Il ne voulait pas qu'elle parte mais si, pour une raison extravagante, deux rails eussent été tordus quelque part, près d'Orléans et qu'elle eût dû rentrer avec lui, chez lui, il eût été furieux. Il devait dîner avec Jean et des amis, rien qui le passionnât, rien qui le passionnât en tout cas autant que cette femme, et il souhaitait qu'elle s'en aille, que le train soit en avance. Il était fou : un malheureux fou, soucieux avant tout d'une liberté inutile, habitait en lui.

Il l'embrassa longuement, la regarda s'éloigner dans le couloir. Devant lui la ville s'étalait, énorme et craquelée comme les photos de la lune, une ville sèche et lumineuse, une ville à sa main. Oui, Nathalie avait raison quand elle disait qu'il était parfaitement adapté à son temps :

— C'est tout ce que tu aimes, disait-elle. Tu prétends détester l'imbécillité naturelle de ce siècle, ses mensonges, sa violence. Mais tu y es comme un poisson dans l'eau. Tu ne nages bien que là-dedans, à contre-courant, bien sur, mais si habilement. Tu éteins la télévision, tu fermes la radio mais tu aimes le faire. Cela te distingue.

— Et toi, disait-il, ... quel siècle aurais-tu aimé?

— Moi, j'aurais aimé admirer, disait-elle.

Admirer... Une femme ne devait pas dire ces choses-là. Une femme devait suffisamment admirer l'homme avec qui elle vivait pour ne pas avoir de ces petites nostalgies puériles dans la tête.

Il rejoignit les autres un peu plus tard et reçut un accueil discrètement triomphal, très discrètement triomphal bien sûr, mais l'accueil que l'on réserve quand même à un homme libéré. «Voilà Gilles», cria quelqu'un et ils se mirent tous à rire quand il s'inclina, la main sur le cœur. Bien sûr, on ne dirait jamais «voici Gilles et Nathalie» de la même voix. Mais il ne pouvait leur en vouloir: les gens de plaisir sont avant tout gens d'habitude et il y avait longtemps, maintenant, près de quinze ans qu'il jouait son rôle de solitaire. Solitaire souvent escorté par une femme mais une femme qu'on pouvait laisser à une table ou à un ami, femme comme Eloïse, par exemple, qui connaissait tout le monde et qu'il abandonnait gaiement, sachant que le premier minet venu s'assiérait à sa table, ou une copine. Seulement, à présent dans sa vie, il y avait Nathalie, Nathalie qui devait passer Orléans à ce moment.

Il passa une soirée tranquille, but peu et rentra seul chez lui, vers minuit et demie. Il avait le numéro de Pierre et il téléphona en rentrant. Nathalie répondit aussitôt et il lui expliqua avec attendrissement qu'il était chez eux, qu'il écoutait de la musique de Mozart, que le lit était beaucoup trop grand sans elle. Il en rajoutait un peu, ébloui par sa propre bonne conduite.

— Le voyage était très long, dit Nathalie, je n'aime pas ce trajet. Tu vas bien?

Elle avait une voix lointaine, la poste marchait mal, il cherchait ses mots. S'il avait fait des âneries, il aurait sûrement eu beaucoup plus de choses à lui dire. Mentir rend ingénieux, imaginatif.

— Je vais me coucher dit-il avec entrain. J'ai beaucoup de travail demain. Je pense à toi, tu sais.

— Moi aussi. Dors bien, mon chéri.

Elle raccrocha. Ils auraient aussi bien pu être mariés depuis dix ans. Il enleva sa cravate, bâillant un peu, se regarda dans la glace. Il allait s'allonger sur ce lit, parfaitement, écouter un bon concert (c'était facile à cette heure-là et il n'avait fait qu'anticiper en parlant de Mozart à Nathalie) parfaitement, et il allait dormir comme un enfant, être en pleine forme le lendemain, travailler comme un forcené, parfaitement, en attendant que son bel amour revienne. Mais son reflet le regardait, il voyait sourire cet étranger en face de lui, il se « voyait » vraiment sourire. Il attrapa sa veste et sortit en claquant la porte.

— On se disait aussi...

Il était au Club, Jean riait, il avait chaud avec tous ses amis, des vrais ou des faux amis, bien sûr, mais des amis gais, prêts à tout, des amis qu'il avait quand même délaissés sérieusement pour une femme. Ce n'était pas bien de sa part : l'équilibre de tous ces gens était fragile, il ne fallait pas manquer la classe du soir trop longtemps, ça les démoralisait. Il se pencha vers Jean :

— Je voulais vraiment rentrer et puis, tout à coup, chez moi, impossible de dormir. Je n'aime pas dormir seul.

— Ça doit pouvoir s'arranger, dit l'amie de Jean.

Elle était bien vulgaire, ce soir. Il l'avait toujours trouvée un peu insignifiante mais jamais vulgaire. Jean n'avait pas tiqué et il pensa qu'il se faisait des idées. Que c'était Nathalie qui avait introduit ces notions de bon ou de mauvais goût dans sa tête et que c'était bien fatigant.

— Il y a évidemment la petite Catherine, dit-il.

C'était une superbe fille blonde qui lui avait toujours laissé entendre qu'il lui plaisait et qui passait devant eux, au moment même.

— Je ne te la conseille pas, dit Jean. Elle est bavarde comme une pie et Nathalie le saurait.

Il lui parlait décidément comme à un collégien échappé. En plus Gilles ne pouvait pas savoir si cette phrase tendait à éviter un chagrin à Nathalie ou à souligner sa dépendance à lui, Gilles.

— Je suis assez grand, dit-il à tout hasard. De toute façon, ce n'est pas une Catherine qui casserait quoi que ce soit entre moi et Nathalie.

— Je n'en suis pas sûr, dit Jean, paisible. Elle a son caractère, ta Nathalie.

Il souriait comme attendri. Gilles lui jeta un coup d'œil inquisiteur qui, comme tous les clins d'œil inquisiteurs, ne lui apprit rien. Il n'y a que les coups d'œil hasardeux qui renseignent. Décidément il avait le cafard. Quand Nathalie était là, il se sentait piégé, quand elle n'y était pas, c'était presque pire : n'était-ce pas ce que l'on appelle «gâcher la vie» de quelqu'un ? Dans tous les regards qu'il croisait, dans tous les propos qu'on lui tenait, il se sentait comme «le type qui est amoureux d'une femme et qui est seul, ce soir» ou «le type qu'une femme a mis en laisse et qui se défoule». (Ce n'était pas ses rôles.) S'il ne bougeait pas de sa table, il avait l'air triste. D'autre part, s'il se précipitait sur Catherine, au Club, c'était humiliant pour Nathalie, pour lui-même. Il soupira, demanda la note, il n'avait fait que gâcher une heure.

CHAPITRE IX

Il n'avait pas fait que gâcher une heure. Il s'en rendit compte le lendemain en téléphonant à Nathalie, dès son réveil.

— J'avais oublié hier soir de t'expliquer que ton costume bleu était prêt chez le teinturier, dit-elle. Je t'ai rappelé mais ça ne répondait pas.

Bien sûr, il était sorti une minute après son coup de téléphone d'enfant sage. Sorti pour rien d'ailleurs mais comment pourrait-elle le croire, à présent. La vérité, le mensonge se liguaient contre lui. Il était bien décidé à rester chez eux pourtant, à ce moment-là.

— J'imaginais bien que tu irais voir tes amis, dit la voix de Nathalie, mais pourquoi me faire ce numéro? Te suis-je si lourde? Pourquoi parler de la maison et du lit trop grand et de la musique? Pourquoi, Gilles?

— Je «voulais» rester, dit-il, quand je t'ai appelée. Et puis j'ai décidé brusquement de sortir.

— Une minute après?

Ça sonnait faux, la vérité sonnait affreusement faux, il n'y pouvait rien. Il continua quand même :

— J'ai pris un verre au Club avec Jean et je suis rentré au bout d'une heure.

«Et non seulement à cause de toi, je n'ai rien fait à cette ravissante Catherine, non seulement je me suis conduit comme un ange, mais en plus je t'ai fait souffrir et tu crois que je mens. C'est sans issue.» Il était furieux et il la comprenait : il était de bonne foi et convaincu de mensonge.

— Ce n'est pas ce que tu fais ou pas, dit Nathalie. C'est ce que tu dis, ce que tu te crois obligé de dire.

Il soupira, alluma une cigarette, passa la main dans ses cheveux.

— Je t'expliquerai, dit-il. Comment va ta tante ?

— Mal. En fait elle va sûrement mourir dans un jour ou deux. J'y vais tout à l'heure avec Pierre.

C'est vrai qu'il y avait Pierre, qu'il avait dû voir sa sœur décrocher la veille, répondre d'une voix tendre, puis ensuite s'exclamer « ah ! le teinturier » rappeler et sans réponse tourner vers lui un visage trop calme. On fait souvent plus de mal aux gens à travers leurs proches qu'à travers eux-mêmes. Car alors, par orgueil, ils doivent plaider le faux, imaginer n'importe quoi, se dépenser, oublier apparemment le téléphone si proche. Seule, Nathalie l'eût peut-être rappelé toutes les demi-heures et elle serait tombée sur lui au second coup de fil. Ah la vie était trop bête, à la fin.

— Nathalie, dit-il, je t'aime.

— Moi aussi, dit-elle, mais il n'y avait aucune gaieté dans sa voix, plutôt une constatation résignée.

Elle raccrocha. Dans une semaine, il lui expliquerait tout, il la tiendrait dans ses bras, il aurait contre lui le corps chaud, vivant, ouvert de Nathalie au lieu de cette tête dure et fermée, au lieu de ces phrases stupides, mornes qui leur servaient de lien au téléphone. Quant aux autres (il ne savait pas exactement qui c'étaient, « les autres », il imaginait un énorme essaim parisien, menaçant et bourdonnant), ils allaient voir aussi. Ou plus exactement ne pas voir. Ne plus le voir, lui, pendant une semaine, d'abord, puis ne plus les voir du tout, eux, quand elle serait rentrée. Ils resteraient chez eux ou ils iraient au théâtre, puisqu'elle aimait le théâtre, ou au concert, puisqu'il aimait la musique. Bien sûr, il préférait un bon disque en fait, affalé sur la moquette, mais il ferait ce qu'il fallait faire. Réconforté par cette idée, il se leva en chantant, partit au journal presque en avance, travailla bien. Il fut tout ahuri de se retrouver debout au Club à trois heures du matin, discutant avec un journaliste anglais de la ségrégation américaine.

Elle arriva à onze heures, dans leur chère gare du Sud-Ouest, dix jours plus tard. Il y avait une joyeuse foule de dames de province qui la dépassaient ou suivaient derrière, et elle était habillée comme elles, un peu trop long, un foulard de soie autour de la tête, sa petite valise à la main. A part son port de tête et, de plus près, sa beauté, rien ne la distinguait des autres. Il avait vécu avec des femmes dont des grooms portaient les petits chiens comme des fleurs, et cela ne l'avait pas amusé du tout à l'époque. Mais néanmoins dans cette gare grise et triste (il pleuvait) il eût aimé voir arriver comme une tache de couleur, un objet baroque, une flamme, sa maîtresse. Il la serra dans ses bras, l'embrassa. Elle avait les yeux cernés et elle était en deuil, bien sûr, qu'il était bête !

— Ah, c'est toi, dit-elle et elle s'abandonnait contre lui, immobile.

On les dévisageait et il avait un peu honte : ils n'avaient pas douze ans, après tout, pour se livrer à ces démonstrations dans une gare. Il essaya de rire :

— Qui voulais-tu que ce soit ?

— Toi, dit-elle. Justement toi.

Elle avait relevé la tête vers lui et il la dévisageait. Il lui trouvait les traits un peu gonflés, elle était mal maquillée et il trouvait son examen aussi normal que sa présence, à lui-même. Il était allé prendre sa maîtresse, sa femme presque, à la gare et il la regardait comme tous les vieux amants se regardent. Il prit son bras :

— J'ai acheté du poulet froid, on va dîner à la maison. Tu es partie aussitôt après l'enterrement ?

— Oui, bien sûr. Tu sais, Limoges n'était pas si agréable.

— Les honnêtes gens te jetaient des pierres dans la rue ?

— Oh non, dit-elle, ils savent que la chair est faible. Ils lisent les journaux, à présent.

Elle jeta un coup d'œil distrait sur le désordre qu'il était arrivé à mettre en deux heures chez eux, avant d'aller à la gare, passa dans la salle de bains, se remaquilla, pendant qu'il découpait le poulet avec force jurons. Après le café, ils passèrent dans le studio et il mit précautionneusement le nouvel enregistrement de Haydn qu'il venait d'acheter.

— Alors, dit-elle, que s'est-il passé à Paris ?

Elle parlait nonchalamment, les yeux clos, il semblait à l'entendre qu'il ne pût rien se passer vraiment à Paris.

— Pas grand-chose, dit-il. Tu as lu les journaux ?

— Et toi ?

La voix était la même. Il sourit :

— Rien, non plus. J'ai beaucoup travaillé. Un peu trop bu, peut-être, en ton absence et j'ai acheté ce disque.

Il n'ajoutait pas qu'il avait finalement raccompagné la belle Catherine, très ivre, chez elle et que ç'avait été un fiasco complet. En tout cas, pour une fois, elle se tairait celle-là. Elle avait d'autant plus intérêt à cacher l'impuissance subite de Gilles qu'il était au courant de toutes ses petites manies. Il tendit la main vers Nathalie et elle la prit :

— Et toi ? Tu as vu François ?

— Oui, dit-elle, bien sûr. Il est venu me voir chez Pierre.

— Pourquoi ?

— Il voulait que je revienne. Je crois qu'il s'ennuie.

— La province a changé, dit Gilles.

Il était un peu vexé sans savoir pourquoi. Tous les hommes voulaient lui prendre cette femme et n'imaginaient pas une seconde qu'elle l'aimât... qu'elle pût l'aimer. Il était un accident, visiblement, dans sa vie.

— Et que lui as-tu dit?

— Que non. Que je t'aimais. Que j'étais désolée. Pierre aussi voulait que je reste.

Une sorte de colère montait en Gilles. Bien sûr, il avait fait le gamin, le jeune homme libre pendant dix jours. Mais ça s'était résumé à quoi? Deux heures avec une petite vicieuse, et des nuits à parler, à parler avec des esprits épuisés d'alcool ou de conformisme. Pendant ce temps, elle affrontait des visages d'hommes connus, animés, brusquement dénués d'orgueil, elle vivait, elle jouait Anna Karénine, à l'envers. Elle avait des remords, voire des regrets, des sentiments, enfin.

— Je ne sais même pas pourquoi je te parle de ça, dit-elle. Je suis si fatiguée. Alors tu es content de ton travail.

Allait-elle lui donner un bon point? Il ne comprenait pas cette jalousie en lui, cette rage. Mais enfin elle était revenue. Elle avait tout laissé pour lui. Elle était là. De quoi avait-il peur?

— J'ai vu ta sœur aussi et Florent, à l'enterrement. Elle se plaint de n'avoir pas de nouvelles. Tu aurais dû leur écrire.

— Je le ferai demain, dit-il.

Il essayait de calmer sa voix, le tremblement de ses mains. Il souriait même.

— Tu devrais aller te coucher, dit-il, tu es claquée. Je te rejoins.

Resté seul, il avala une gorgée d'alcool à même la bouteille, se brûla la gorge. Tout à l'heure, il allait faire l'amour avec cette compagne parfaite, cette parfaite maîtresse, cette Parfaite tout. La vie était très au point, finalement. Il pourrait même lui dire tout à l'heure «tu m'as manqué, tu sais» sans lui mentir. Mais il grelottait.

CHAPITRE X

En fait, elle avait rompu les derniers ponts qui la reliaient à son passé, à son enfance, à ses amis. Son frère l'avait exaspérée de conseils, de supplications et son mari lui avait mis le marché en main «reste maintenant ou pars à jamais». Elle avait avoué tout cela à Gilles, en petites phrases syncopées, dans le noir, et il était heureux de ce noir qui l'empêchait de voir ses larmes. Personne ne faisait confiance à Gilles, décidément, dans le Limousin, jusqu'à sa propre sœur, Odile, qui avait pris Nathalie à part, dans une subite audace et lui avait demandé si elle était heureuse comme on demande l'impossible. «Je n'ai plus rien à faire là-bas», disait Nathalie, et il se demandait souvent si ce n'était pas eux, les solides, les terriens qui avaient raison. En attendant, les jours passaient, avril reverdissait les arbres et ils vivaient comme ils pouvaient. Un matin, Gilles arriva triomphant au journal : il avait écrit un très bon papier la veille sur la Grèce, il l'avait lu à Nathalie que ça avait passionnée, il se sentait sûr de lui. Effectivement, Fairmont trouva ça très bon, Jean aussi et même Garnier, qui depuis sa fameuse bringue l'évitait un peu, le félicita. C'était un article concis, violent et précis, «un article comme il leur en faudrait un chaque semaine», déclara Fairmont. Gilles était enchanté et comme ils bouclaient le journal le matin, il invita Jean, le bon vieux Jean à déjeuner avec lui. Ils parlèrent politique tout le repas, puis, poussés par la paresse, décidèrent d'aller au cinéma. Ils descendirent en vain les Champs-Elysées, chacun ayant vu le film que l'autre n'avait pas vu.

— Je ne te propose pas d'aller chez moi, dit Jean. C'est le jour de réception de Marthe. Je ne peux pas te faire ça.

— Allons à la maison, dit Gilles. Nathalie rentrera vers six heures et demie. D'ailleurs, j'aime mieux te parler encore de cette histoire grecque.

Il se sentait l'esprit vif, abstrait, il était ravi de l'exercer encore deux heures sur Jean, qui, il le savait, savait écouter et renvoyer. Il ouvrit la porte de chez lui, fit asseoir Jean, lui versa un calvados.

— Il y a longtemps que je n'étais pas venu ici, dit Jean en s'asseyant.

Il n'y avait aucun reproche dans sa voix, mais Gilles pensa qu'il avait raison. Il y avait toujours des gens chez lui avant, sur tous les fauteuils. Avant... avant Nathalie. Il grimaça un peu :

— Tu sais...

— Mais je sais, mon vieux, dit Jean. Une passion est une passion. Et c'est ce qui pouvait t'arriver de mieux. Surtout avec quelqu'un comme Nathalie.

Il avait l'air parfaitement sincère.

— Oui et non, dit Gilles et il se pencha en avant. Il se sentait à nouveau l'esprit analyste, subtil, proustien. On ne se sent jamais traître quand on se sent intelligent.

— Vois-tu, quand je l'ai connue, j'étais... tu te rappelles... j'étais écorché vif. Dieu sait pourquoi mais je l'étais. Elle m'a entouré de plumes, mis au chaud, redonné vie. Vraiment. Mais maintenant...

— Maintenant quoi ?

— Maintenant l'oreiller pèse sur ma figure, il m'étouffe. Voilà. Tout ce que j'aimais en elle, qui me soutenait, son absolutisme, son côté linéaire, son intégrité totale... Tout s'est retourné contre elle.

— Parce que tu es veule et instable, dit Jean affectueusement.

— Si tu veux. Je ne suis peut-être qu'un pauvre salaud. Mais il y a des moment où... où... je donnerais cher pour ne pas être jugé par elle. Et pour être seul, comme avant.

Il aurait dû ajouter, par souci d'exactitude, qu'il était incapable de concevoir la vie sans elle. Mais dans l'élan que lui donnait la satisfaction d'avoir fait cet article, l'approbation de tous et l'intérêt de Jean, il s'en dispensa.

— Tu pourrais peut-être lui expliquer, dit Jean.

Mais il s'arrêta net. Gilles se retourna, Nathalie était dans la porte qui menait à la chambre à coucher, tranquille. Si, elle avait les yeux plus clairs que d'habitude. Cette porte était-elle fermée quand ils étaient rentrés?

— Bonsoir, dit Jean.

Il s'était levé. Il était un peu pâle, lui aussi.

— Vous parliez? dit Nathalie. L'agence était fermée cet après-midi et j'en ai profité pour dormir un peu.

— Je... Tu dormais, dit Gilles désespérément.

— Je viens de me réveiller. J'ai quelques courses à faire, je vous laisse.

— Mais reste, dit Gilles très vite, reste. On parlait de cet article avec Jean, justement, que je t'ai lu hier.

— N'est-ce pas qu'il était bon? dit-elle à Jean. Non, il faut vraiment que je sorte.

Elle leur sourit et disparut. Ils se rassirent lentement.

— Nom de Dieu! jura Gilles. Nom de Dieu... Tu crois que...

— Je ne crois pas, dit Jean. Il me semble que la porte était fermée. De toute façon, tu n'as rien dit de grave. Tu as juste dit que par moments, tu en avais marre. Toute femme sait ça.

Si, c'était grave! C'était même horriblement grave.

— Mais tu ne te rends pas compte, cria-t-il. Que je parle de mes relations avec elle, comme ça et avec toi en plus...

— Quoi avec moi, en plus? Qu'est-ce que j'ai fait?

— Rien, dit Gilles, rien. Ce n'est pas le moment de te vexer.

— Crois-moi, finissons ce calvados et attendons, dit Jean apaisant. Tu auras une bonne scène, ce soir, au pire, mais tu as l'habitude.

— Non, dit Gilles songeur, non, je n'ai pas l'habitude.

Le temps passait, ne passait pas, il entendait à peine ce que disait Jean, il guettait le pas dans l'escalier. Il y avait une heure qu'elle était sortie, une heure et demie. Elle qui détestait faire des courses. Ce n'était pas vraisemblable. Il téléphona à Garnier à tout hasard, mais il n'avait pas vu Nathalie. A cinq heures, l'évidence le saisit; elle allait prendre le train, revenir chez elle. Il abandonna Jean, se précipita à la gare, parcourut tout le train, ne la trouva pas. Non, il n'y avait pas de train avant, non l'avion pour Limoges ne décollait pas ce jour-là. A six heures, le train partit sans lui, sans elle. Elle n'y était pas venue. Il refit en sens inverse tout le chemin, hurlant presque de rage dans les embouteillages... Peut-être était-elle à la maison, peut-être n'avait-elle rien entendu? Il était près de sept heures quand il ouvrit sa porte. La maison était vide à part un mot de Jean.

«Ne t'agite pas trop. Si tu veux, viens dîner à la maison», mais il était fou celui-là!... Il n'avait qu'une chose à faire : attendre, la chose au monde qu'il supportât le moins. Et si elle était chez sa vilaine, sa vieille amie? Il se jeta sur le téléphone. Mais elle n'était pas là. Il n'en pouvait plus, quand elle rentrerait, il lui donnerait une paire de claques. Elle avait bien eu raison, ce matin-là, le lendemain de sa saoulerie. Mais cela ne ressemblait pas à Nathalie de l'affoler ainsi, délibérément. Elle avait le respect des autres, elle. Il s'assit dans un fauteuil, n'essaya même pas de lire un journal. Il y avait un grand vide bruyant dans sa tête. A minuit, le téléphone sonna.

Le médecin était un petit homme roux avec des mains musclées, couvertes de poils. C'était drôle à quel point les roux avaient toujours du poil sur les mains. Il regardait Gilles de ce regard impersonnel, ni juge, ni compatissant qu'il avait souvent vu dans des hôpitaux. On avait trouvé Nathalie à onze heures et demie. Elle avait loué une chambre dans un hôtel à quatre heures exactement, parlé de fatigue, demandé qu'on la réveille le lendemain à midi, pris ce qu'il fallait de gardénal. C'était un voisin qui, en rentrant, vers onze heures, l'avait entendue râler. Elle avait laissé un mot pour Gilles et on l'avait appelé après les premiers soins. Il n'y avait pas grand-chose à espérer; le corps s'était révolté bien sûr au dernier moment, le corps s'était plaint mais le cœur ne tiendrait pas.

— Je peux la voir? dit Gilles.

Il tenait mal debout. Tout n'était qu'un stupide cauchemar. Le médecin haussa les épaules :

— Si vous voulez...

Elle était entourée de tubes, à moitié nue, le visage déformé par quelque chose qu'il ignorait. Il regardait battre la veine bleue sur ce cou, il connaissait le battement fou de cette veine dans l'amour, il s'indignait obscurément. Elle n'avait pas pu lui faire ça, lui ôter à jamais ce beau corps vivant si ami du sien, elle n'avait pas pu essayer de lui échapper. Les mèches blondes de Nathalie étaient collées à son front par la sueur, ses mains remuaient sur les draps. Il y avait une infirmière près d'elle qui jeta un coup d'œil interrogateur au médecin.

— Le cœur baisse, docteur.

— Allez-vous-en, mon vieux, je vous rejoins, dit le médecin. On n'a pas besoin de vous.

Gilles sortit, s'appuya au mur. Au bout du couloir, il y avait une fenêtre et c'était la nuit encore, la nuit noire sur cette ville implacable. Il mit la main dans sa poche, trouva un papier, le sortit machinalement.

C'était la lettre de Nathalie. Il l'ouvrit et mit un instant à comprendre ce qu'il lisait :

« Tu n'y es pour rien mon chéri. J'ai toujours été un peu exaltée et je n'avais jamais aimé que toi.» Elle avait signé un grand N, un peu de travers. Il remit la lettre dans sa poche, où avait-il pu mettre ses cigarettes ? Et Nathalie, à côté, Nathalie, où avait-il mis Nathalie ? Le docteur sortit de la chambre. Il était vraiment odieusement roux.

— C'est fini, mon vieux, dit-il. Trop tard. Je suis désolé. Vous voulez la voir ?

Mais déjà Gilles fuyait, courait vers le fond du couloir, se cognant aux murs, Gilles ne voulait pas que ce rouquin le vît pleurer. Il dégringolait l'escalier à présent, dans cet hôpital anonyme, il entendait à peine ce que criait le docteur. A la dernière marche, il s'arrêta, le cœur battant :

— Et pour les papiers, disait la voix, là-haut, très loin, pour les papiers ?... Elle n'avait que vous ?

Il hésita un instant, avant de répondre ce qu'il savait être la vérité :

— Oui.

DES BLEUS A L'ÂME

Roman

J'ai dit que l'âme n'est pas plus que le
corps,
Et j'ai dit que le corps n'est pas plus que
l'âme,
Et que rien, pas même Dieu, n'est plus
grand aux yeux de chacun que soi-même,
Et que quiconque fait deux cents mètres
sans amour va à ses propres funérailles vêtu
c· son linceul.

W. Whitman.

CHAPITRE PREMIER

Mars 1971.

J'AURAIS AIME écrire : «Sébastien montait les marches quatre à quatre, en sifflant et en soufflant un peu.» Cela m'aurait amusée de reprendre maintenant les personnages d'il y a dix ans : Sébastien et sa sœur Eléonore, personnages de théâtre, bien sûr, mais d'un théâtre gai, le mien, et de les montrer fauchés, toujours gais, cyniques et pudiques, essayant en vain de se «refaire» à la Maurice Sachs, dans un Paris désolé de sa propre médiocrité. Malheureusement, la médiocrité de Paris, ou la mienne, est devenue plus forte que mes envies folasses, et j'essaye péniblement, aujourd'hui, de me rappeler quand et comment «cela» a commencé. «Cela» étant ce désaveu, cet ennui, ce profil détourné que m'inspire une existence qui, jusqu'ici, et pour de fort bonnes raisons, m'avait toujours séduite. Plus. Je crois que ce fut en 69 et je ne crois pas, hélas, que les événements de 68, leur élan et leur échec, y soient pour grand-chose. Ni l'âge : j'ai trente-cinq ans, de bonnes dents, et si quelqu'un me plaît, généralement, cela marche encore. Seulement, je n'en ai plus envie. J'aimerais aimer et même souffrir et même trembler au téléphone. Ou mettre un disque dix fois de suite, et respirer le matin, en me réveillant, cet air de bénédiction naturelle qui m'était familier. «On m'a ôté le goût de l'eau et puis celui de la conquête.» C'est un disque de Brel, je crois. Mais en tout cas, cela ne marche plus et je ne sais même pas si je vais montrer ces pages à mon éditeur. Ce n'est pas de la littérature, ce n'est pas une vraie confession, c'est quelqu'une qui tape à la machine parce qu'elle a peur d'elle-même et de la machine et des matins et des soirs, etc. Et des autres. Ce n'est pas beau, la peur, c'est même assez honteux et je ne la connaissais pas. Voilà tout. Mais ce «tout» est terrifiant.

Je ne suis pas seule dans mon cas, en ce printemps 71 à Paris. Je n'entends, je ne vois que des gens indécis, effrayés. Peut-être la mort rôde-t-elle autour de nous et nous la pressentons, et nous sommes malheureux pour rien. Car enfin, ce n'est pas là le problème. La mort — je ne parle pas de la maladie — la mort, je la vois de velours, gantée, noire et, en tout cas, irrémédiable, absolue. Or, l'absolu me manque, comme à quinze ans. Et malheureusement, j'ai connu assez des plaisirs de la vie pour que cette notion d'absolu ne puisse relever chez moi que d'une marche arrière, d'une faiblesse — que je m'échine à vouloir provisoire. Par orgueil, sans doute, et encore une fois, par effroi. Ma mort, c'est le moindre mal.

Mais l'épouvante des choses : cette violence perpétuelle, partout, ces malentendus, cette colère, justifiée si souvent, cette solitude, cette impression d'accélération vers un désastre. Ces jeunes gens qui déjà ne supportent plus en eux — tellement on la leur a jetée à la tête — cette idée de perdre un jour leur jeunesse, et ces gens «mûrs» qui, eux, refusent de vieillir de toutes leurs forces depuis trois ans et se débattent. Et les femmes qui veulent être égales aux hommes, et les bons arguments, la bonne foi de certains et le grotesque inexorable des autres, humains quand même et soumis au même Dieu, qu'ils veulent renier, le seul : le Temps. Mais qui lit Proust?

Et le nouveau langage, et l'incommunicabilité, et le lait de la tendresse humaine, parfois resurgi. Rare. Et parfois un visage admirable. Et la folle vie. Je l'ai toujours considérée comme une bête féroce, follement maternelle. Elle est Bloody Mamma et Jocaste et Léa, et toujours, bien sûr, à la fin : Médée. Nous jetant là, sur cette planète qui ne semble même plus — oh, dernier affront — être la seule ; et quand je dis «affront», je pense «affront», car la seule vie, la seule pensée, la seule musique, la seule histoire était à nous, après tout. Et s'il y en avait d'autres? Et si notre mère, la vie, cette menteuse adultère, avait d'autres enfants, ailleurs? Quand «l'homme», celui d'Apollo, se jette dans l'espace, ce n'est pas pour trouver son frère, j'en suis persuadée. C'est pour vérifier qu'il n'en a pas, et que ces malheureux soixante-dix ans qu'il a à vivre sont à lui seul (ceux qu'elle lui a donnés). Il suffit d'ailleurs de voir la tête «présumée» des Martiens. Pourquoi seraient-ils laids et petits, les Martiens? Parce que nous sommes jaloux. Et puis, «il n'y a pas d'herbe sur la lune, si?» Non, «elle est à nous, l'herbe». Et toute cette bonne terre si nationaliste, si épouvantée, se rassure et s'entre-déchire aussitôt gaiement, s'arrachant l'herbe de la bouche, ou se l'arrosant de sang, en un même mouvement également absurde.

Et tous ces crétins qui s'occupent du «peuple», qui parlent du «peuple», avec quelle touchante maladresse dans leur redingote de gauche, épuisante à la fin dans ce souci qu'elle nous donne, à nous qui haïssons la droite, de les défendre, d'empêcher qu'un fou furieux (ou un calme) n'en fasse vraiment — de cette misérable redingote — une loque impossible à mettre. Le peuple.

Ne pas savoir que ce mot même est injurieux, qu'il y a un homme plus un homme plus une femme plus un enfant plus un homme, etc., que chacun est distinct en tout, y compris dans ses revendications profondes et que, généralement, faute de moyens, ce chacun ne pourra ni l'entendre ni le voir ni le lire. Sartre, en grimpant sur son tonneau, maladroitement, honnêtement, avait compris, peut-être. Et Diogène, à l'intérieur du sien, parlant à chacun. Ce sont ces gens-là, qui sont tendres et ont l'intelligence de leur tendresse, que l'on couvre de ridicule. Au demeurant, ils s'en moquent. C'est une chose superbe, le ridicule, « être ridiculisé », pour un esprit aiguisé, à notre époque. Superbe et inquiétante — parce que superbe. Ni Stendhal ni Balzac ne l'auraient supportée. (Dans leur œuvre, bien sûr.) Le seul prophète en cette matière fut Dostoïevski, pour moi.

Je parlais donc de la vie au lieu de parler de Sébastien Van Milhem, aristocrate suédois fort gai et fort désespéré. Mais qu'en sais-je ? Il peut revenir et je parlerai de ses affaires. C'est mon métier, j'écris et j'aime ça et j'en vis fort bien. A mon sens, la vie, avec son coté animal-femelle, attrape certains de ses petits par le cou pour les promener, comme font les chattes avisées et tendres (ce qui vous promet une existence assez confortable). Ou alors par les reins. Et dans cette position déséquilibrée, cherchant la chute comme un repos, se trouvent nombre de nos contemporains. Ou par une patte, et oublions les fous d'amour, les pris au piège, les grands malades et quelques poètes. Oublions-les. C'est d'ailleurs idiot, je n'oublierai jamais la poésie ; je n'ai jamais aimé que ça et je n'ai jamais su en faire.

Et cependant j'aurais vite fait même d'évoquer l'odeur de l'herbe et de jeter un panier de ces herbes séchées, odorantes, dans ce roman cynique, au détour d'un chapitre. Maintenant que j'en suis réduite à cela : nommer. Car l'odeur de l'herbe, quand je m'y allonge, que j'y pose mon visage, je suis à présent obligée de me la nommer : voici Madame l'odeur de l'herbe. Et la mer, cette folle mer, je dois aussi la présenter à mon corps : c'est ta grande amie, la mer. Il la reconnaît, mais ne bondit pas vers elle. Je suis une mère douce qui promène à Vichy un enfant hargneux : son propre corps. « Dis bonjour à Mme Dupont qui était si gentille lors de sa cure, l'année dernière (ou il y a dix ans), avec toi. » Et l'enfant hargneux refuse. Jusqu'à l'odeur de l'amour, parfois, et de ses sortilèges qu'il refuse. Et mes yeux se détournent, horrifiés, de ces belles réclames en couleur dans les journaux, où des mers transparentes se frottent à des rochers rouges, où des plages s'alignent, impeccables, pour mille trois cent cinquante francs aller et retour. « Oh, qu'ils y aillent, soupire mon corps fasciste, qu'ils y aillent tous ensemble, qu'ils aillent bronzer et s'amuser dans ces endroits qui furent si souvent ma raison de vivre, mon amour, ma proie. Qu'ils les gardent,

même. Vive les Clubs Méditerranée. A bas la mer du même nom !
Qu'elle s'ébatte avec ses jeunes cadres, ses vieux cadres, ses campeurs,
la pauvre folle ! Moi, je ne la chanterai plus, je l'oublierai ; et si, par
hasard, j'y passe, un jour convenable, en avril, par exemple, j'y
tremperai un pied ou une main distraite, frileuse. Elle et moi, qui tant de
fois...» Quelle tristesse, c'est sans doute cela, vieillir : ne plus
reconnaître les siens. Et que dirais-je de ces nombreux corps qui ont
suivi le mien, bord à bord, depuis quinze ans, vers lesquels je revenais
dormir ou m'épanouir de temps en temps et que je fuis maintenant,
comme si j'étais brusquement réinstallée en ce corps dont parle Eluard :
«Le corps maigre et vaniteux, la bête de mon enfance, ce corps éperdu
d'oiseau» ?

CHAPITRE II

SEBASTIEN montait quatre à quatre, en sifflant et en soufflant un peu. Le
sixième étage était devenu un peu haut pour lui, quand même. Ce n'était
pas son poids, non, qui le gênait, mais dix mille cigarettes, plus ou
moins récentes, et dix mille verres de boissons diverses dont la variété
même le faisait rire. En fait, il aurait eu tendance à distinguer ces
dernières années d'après ses boissons favorites plutôt que d'après ses
femmes. Il y avait eu l'année « Negroni », qui correspondait si on voulait
à l'année Hedda, et l'année «Dry» qui correspondait, quoique plus
longue, à Mariella Della. Et l'année « Au Rhum », au Brésil, avec Anne-
Marie. Qu'il s'était amusé, mon Dieu ! Lui qui, en fin de compte, n'était
ni coureur ni même alcoolique, mais que la jonction d'une femme et
d'un verre ravissait. De toute façon, Eléonore, sa sœur régnait toujours
sur son existence, sa sœur, et elle sans alcool ou avec tous les alcools.
De toute manière, la vie sans elle, l'alcool sans elle, n'étaient que de
l'eau fade. Bien commode, en vérité, d'être à ce point délimité dans la
vie par quelqu'un qui — quoi qu'elle en dise — était autant son esclave
que lui-même. De temps en temps, elle s'agaçait, se mariait,
disparaissait et, après quelques mois confus, quelques démêlés qu'elle
ne lui racontait que longtemps après — mais avec quels fous rires —,
elle lui revenait. Riche ou pauvre, épuisée ou éclatante de santé,
mélancolique ou gaie, mais toujours la folle, l'incomparable, la belle
Eléonore, sa sœur, lui revenait.
  Cette fois-là, ils arrivaient ensemble d'un long séjour en Scandinavie,
chez un mari d'Eléonore, et leur situation se présentait mal. C'était par
miracle qu'un ancien ami de Sébastien leur avait prêté ces deux pièces,
rue de Fleurus. Et ils ne devaient pas avoir grand-chose en banque, ni

dans leurs poches. Eléonore lui confierait vite ses deux ou trois merveilleux bijoux, car elle ne tenait à rien, mais qu'en faire? De plus, c'était un atout pour une femme.

Sébastien sonna à leur porte et elle lui ouvrit aussitôt, en robe de chambre.

— Oh, le pauvre garçon, dit-elle en le soutenant jusqu'à un fauteuil branlant, oh, le pauvre garçon qui sifflote dans l'escalier, à son âge... Je t'écoutais monter, j'avais peur que tu ne t'écroules.

Il porta la main à son cœur, l'air accablé.

— Je vieillis, dit-il.

— Et moi, (elle se mit à rire) quand je m'engage dans cet escalier, c'est Isadora Duncan, je volette. En haut, c'est Fats Domino. Tu as trouvé quelqu'un?

Quelqu'un était ce quelqu'un providentiel qui, eu égard à leur charme, leur drôlerie et leur chance, allait entretenir quelque temps le frère et la sœur. Ce personnage n'avait jamais failli dans leur existence et c'était généralement Sébastien qui le découvrait, quand Eléonore, comme c'était le cas, avait la paresse de sortir.

— Rien, dit Sébastien. Arturo est en Argentine, les Villavers en vacances; quant à Nicolas, tu me croiras si tu veux, il travaille.

Une expression de doute et de légère horreur parut dans les yeux d'Eléonore. (Le travail n'avait jamais été le fort des Van Milhem.)

— Quelle ville, dit-elle. Remarque, j'ai une bonne nouvelle, je peux m'habiller n'importe comment. Foin des grands couturiers : un rideau, des pantalons, mes bijoux les grands soirs, tout va. J'ai regardé dans la rue. A condition que je n'oublie pas que j'ai trente-neuf ans, je suis sauvée... Et encore, je ne serai pas la seule...

— Tant mieux, dit Sébastien. Je n'en ai jamais douté.

Il avait raison : avec ses immenses jambes, son corps mince et musclé, son visage si bien dessiné, les pommettes hautes, les yeux clairs et remontés vers les tempes, Eléonore restait superbe. Lui, il avait toujours son expression de sceptique tendre, installée sur la même ossature de visage que celle de sa sœur. Non, ils se débrouilleraient. Il s'étira.

— L'ennui, c'est qu'il semble que ce soit les hommes qui manquent, ici. Il va falloir que je paye de ma personne, peut-être même avant toi.

— C'est bien fait, dit-elle. Comment le sais-tu?

— Par Nicolas. Il paraît que beaucoup d'hommes, excédés, font l'amour entre eux et que des femmes hurlantes ravagent la ville pour trouver un gibier. Et quand elles se taisent, les étudiants les remplacent. Ah, le parasitisme n'est plus ce qu'il était.

— Pas de gros mots. Regarde comme c'est beau, Paris.

Il s'accouda à la fenêtre, près d'elle. Il y avait une lumière rose sur le mur d'en face et des reflets étincelants sur tous les toits qui les entouraient. Une odeur de terre fraîche venait du Luxembourg, surmontant les vapeurs d'essence. Il se mit à rire :

— Si tu t'habilles dans un rideau, je peux laisser pousser mes cheveux?

— Dépêche-toi, alors. Leur chute est proche.

Et il lui donna un petit coup de pied dans les jambes. Il n'avait plus aucun souci.

Peut-être, au fond, devrais-je faire une pièce de l'histoire de mes deux coucous. Cela ne ressemble guère à un début de roman. Peut-être aurais-je dû — comment dit-on? — « camper » mes personnages, le décor. Le décor, surtout, est bien succinct. Mais les décors m'assomment, sauf chez quelques écrivains qui y prennent un plaisir si méticuleux, si savoureux que je me sens sourire pour eux de bonheur. Là, évidemment, à me relire : six étages, un fauteuil branlant, des toits (logique, cela, au sixième) c'est peu. En fait, la condition modeste et précaire de mes héros me semble suffisamment décrite par ces six étages. J'ai toujours détesté les étages : monter m'essouffle et descendre me donne le vertige. (J'ai renoncé à quelqu'un pour cinq étages. Il ne l'a jamais su.) En prêtant à mes Van Milhem mes dégoûts personnels, je les laisse dans un appartement vide, tant pis. Ils sont gais, c'est le meilleur des décors. D'autant que maintenant, il va falloir que je trouve quelqu'un pour les nourrir et que ce quelqu'un ne soit pas ridiculement conventionnel. Je ne sais pas où le trouver : les gens riches hurlent toujours qu'ils n'ont pas d'argent, les gens pauvres n'en ont pas et le disent plus doucement ; et puis les impôts, etc. Il va falloir que je leur trouve un étranger. Voilà où en est arrivée la France en 1971. Je vais être obligée, par souci de vraisemblance, de faire entretenir mes charmants Van Milhem par un étranger. De préférence domicilié en Suisse. C'est très désagréable pour mon orgueil national. D'autre part, je ne peux pas faire travailler Eléonore chez Marie-Martine, ou dans une maison de prêt-à-porter. Ce serait comme de lancer Sébastien dans les finances ou la Bourse. Ils en mourraient tous deux. Contrairement à ce que l'on croit, la paresse est une drogue aussi violente que le travail. Si l'on arrête un grand travailleur, il semble qu'il s'étiole, se déprime, maigrit, etc. Mais un paresseux, un vrai, après quelques semaines de travail, tombe aussi en état de « manque ». Il s'étiole, se déprime, maigrit, etc. Je ne vais pas faire mourir Sébastien et Eléonore au travail. On m'a assez reproché mon petit monde oisif et blasé, et baladi et balada ; ce n'est pas une raison pour immoler sur l'autel de la critique mes deux Suédois fatigués. Je verrai plus tard, avec d'autres, dans un autre livre (si Dieu et mon éditeur me prêtent vie). Un jour, je parlerai de feuilles de paye, de voitures à crédit, de télévision, et des gens normaux. S'il en reste. Avec tout ce qu'on leur inflige. Je connais des gens qui ont des voitures comme des petites boîtes métalliques et que les embouteillages au milieu de cette bonne vieille chère pollution réjouissent secrètement. Ils mettent une heure-une heure et demie entre leur bureau et leur maison et ils sont contents. Parce que, pendant une heure, ils sont *seuls* dans leur petite boîte. Personne ne peut les joindre, leur parler, les «agresser» comme disent les psychiatres. Faites avouer cela à un homme ou à une femme qui travaille... La voiture abri, igloo, sein maternel, etc. Oui, ce n'est pas, à mon sens, un instrument d'agression que les hommes nettoient le dimanche avec de petits chiffons spéciaux, c'est leur solitude et leur seul luxe.

Attention à la gaieté. Je me méfie de cette douce euphorie qui, après un dur départ, saisit un écrivain au bout de deux ou trois chapitres et qui lui fait marmonner des choses comme : «Tiens, tiens, la mécanique s'est remise en marche!» — «Tiens, tiens, ça repart!» Phrases modestes de mécanicien, certes, mais parfois suivies de : «Tiens, tiens, je ne serai pas obligé de me tuer.» (Phrase plus lyrique, mais parfois vraie.) C'est ainsi que déraille le créateur, se distinguant, par cette dissonance de ton, de ses camarades de classe, les autres humains. Cette euphorie est dangereuse, car on croit les «bases posées» (toujours ces références à des métiers concrets) et dans ces conditions, pourquoi, après ces grandes peurs, ne pas aller un peu se promener? Surtout si un Deauville désert et inondé de l'oblique et jaune soleil de mars est à côté. Je comprenais, avant-hier, en regardant ces bâtiments noirs, solitaires, sur ce ciel éclatant, cette mer convenablement seule (nous n'avons jamais eu de rapports passionnels, la Manche et moi, pour des raisons de température), je comprenais que tous les jeunes metteurs en scène y aient traîné l'hiver leurs caméras et leurs héros. Je me disais en même temps que je ne pourrais plus jamais supporter au cinéma l'image d'un homme et d'une femme courant sur une plage, pas plus d'ailleurs, que celle de deux personnes (ou douze), quel que soit leur sexe, torse nu dans un lit, le drap rabattu plus ou moins haut. Je le signale tout de suite aux amateurs de polissonnerie : il n'y en aura pas la moindre dans ce roman. Au maximum : «Eléonore ne rentra pas chez elle, ce soir-là.» C'est vrai, à la fin! Qu'ont-ils fait de la folie de la nuit, des mots chuchotés dans le noir, du «secret», cet énorme secret de l'amour physique? Violence, beauté, honneur du plaisir, où êtes-vous? On voit une dame, les yeux fermés, bouger la tête de droite à gauche dans un lit, et le profil, le dos musclé d'un pauvre garçon qui s'agite en cadence, et on attend dans son fauteuil, paisiblement, qu'ils en aient fini. On en vient à envier les gens que cela choque : cela les distrait, au moins. Tous ces paquets, ces tonnes de chair humaine qu'on nous a jetés à la figure ces temps-ci, bronzés, pâles, debout, assis, couchés, quel ennui! Le corps, son plaisir est devenu, lui aussi, un bien de consommation. Les pauvres... Ils croyaient détruire des préjugés ridicules, ils ont abîmé une mythologie superbe. De temps en temps, je manque écrire : « Mais je m'égare », vieille politesse pour le lecteur, mais stupide, ici, puisque mon propos est de m'égarer. D'ailleurs cette histoire d'érotisme à la petite semaine m'a énervée. Je repars voir mes Van Milhem « qui font beaucoup ces choses-là, mais qui n'en parlent jamais ».

CHAPITRE III

LE RESTAURANT était très bon. Eléonore avait pris neuf huîtres qui bondissaient encore sous le jus du citron et une sole dorée. Le tout, avec du pouilly-fuissé très sec. Plus affamé, Sébastien avait attaqué un œuf en gelée et un steak au poivre, un vrai, arrosé de beaujolais. Il n'y avait pas de vin de Bouzy, ce qu'ils déplorèrent quelques secondes. Contrairement à ses prévisions, Eléonore n'était pas vêtue d'un rideau. Elle avait, par un de ces coups de baguette magique qui n'appartenaient qu'à elle, rencontré dans la rue une vieille amie efficace, laide et dévouée, comme en rêve toute femme, qui l'avait menée chez un ami à elle, maître d'un prêt-à-porter payable « ultérieurement ». Fasciné par Eléonore, il avait de surcroît dessiné quelques robes pour elle, sur elle, agitant le bras négativement à la proposition, parfaitement gasconne d'ailleurs, qu'elle lui faisait d'un chèque. Et c'est ainsi qu'Eléonore, somptueusement habillée, croquait les neuf mille anciens derniers francs de Sébastien — et donc les siens — à la terrasse d'une brasserie, rue Marbeuf.

— Après ce déjeuner et d'après mes calculs, il nous restera deux à trois mille francs, dit Sébastien en plissant les yeux car il y avait le soleil en face. Tu prends un dessert ? Non ? Alors, nous pourrons prendre un taxi pour rentrer.

— C'est stupide, dit Eléonore, car si j'avais pris un mille-feuille, le taxi eût été quasi indispensable pour me transporter. La vie est mal faite.

Ils se sourirent. De petites rides apparaissaient bien, maintenant, sur leurs deux visages dans la lumière crue de mars. « Ma vieille, pensa Sébastien, ma vieille, je te tirerai de là. » Et une subite émotion lui gonfla la gorge et le sidéra.

— Il y a trop de poivre sur ton steak, dit Eléonore distraitement, tu en pleures.

Elle avait baissé les yeux. Est-ce qu'elle se rendait compte qu'ils n'étaient que deux bons à rien dans une ville tout à coup étrangère, pressée et indifférente aux charmes, aux sortilèges Van Milhem ? Les hommes la regardaient, bien sur ; mais il eût fallu aller chez Maxim's, au

Plazza, piaffer et cabrioler. Et son costume à lui n'était pas très frais pour cela. Il but son verre de vin d'un trait.

— Ce soir, dit Eléonore lentement, nous achèterons une boîte de raviolis, j'adore ça. Et, si ça ne t'ennuie pas, si tu sais faire marcher la radio de ton ami, nous écouterons le concert des Champs-Elysées. Il est retransmis. Nous ouvrirons la fenêtre, ce sera superbe.

— Qu'est-ce qu'ils jouent?

— Mahler, Schubert, Strauss. J'ai regardé tout à l'heure. Quel délicieux déjeuner, Sébastien.

Et elle étira ses longs bras, ses longues mains devant elle en signe de bonheur. Un homme, derrière elle, surprit ce geste et Sébastien, amusé, le vit pâlir de désir. Il fixait d'ailleurs sur Eléonore, depuis qu'elle était entrée, un regard très clair, immobile, qui finissait par gêner Sébastien placé de face. Il avait un complet fatigué, une serviette près de lui, une affreuse cravate. Ce devait être un petit employé du quartier, un peu obsédé par les femmes. Mais l'innocence de sa fixité évoquait autre chose. Une folie, peut-être. D'ailleurs quand ils se levèrent pour sortir, il se leva aussi, comme s'il eût été à la même table, et il jeta sur le visage enfin visible d'Eléonore un regard furtif, enfantin, qui la déconcerta.

— Il n'a pas quitté ta nuque des yeux, dit Sébastien devant le regard étonné de sa sœur. On marche un peu, ou on rentre?

— J'aimerais bien finir ce livre, dit-elle.

Elle disparaissait dans ses livres, parfois des journées entières, et l'amie dévouée avait trouvé, rue de Fleurus même, une librairie de location dont le propriétaire, aussitôt ravi, alimentait les grandes faims livresques d'Eléonore. Elle lisait un peu au hasard, allongée sur le divan ou sur le lit, des heures entières, et Sébastien rentrait, sortait, allait parler avec les gens du tabac ou les gardiens du Luxembourg, s'entraînait à monter méthodiquement les six étages. Cette vie exquise finirait ce soir, après les raviolis et Mahler. Et il en était tranquillement désespéré.

Toujours pas de solution pour les Van Milhem. Pas moyen de trouver de l'argent gai, à Paris, en ce moment, même pour eux. La présence de l'obsédé, que je n'avais pas prévue, m'intrigue un peu. Que vais-je en faire? Eléonore déteste les fous, si mes souvenirs sont bons. En tout cas, je signale à mes fidèles lecteurs que c'est la première fois en dix-huit ans de littérature que je leur offre un menu. Un vrai menu. Des huîtres, du poisson, etc. Et les vins. Et même un prix approximatif. Je finirai par faire des romans touffus et interminables, je le sais. A moi la description d'une maison, l'extérieur, l'intérieur, la couleur des rideaux, le style des meubles (*help!*), le visage du grand-père, la robe de la jeune fille, l'odeur du grenier, l'ordre pour passer à table, la forme des couverts, des verres, des nappes et, pour finir, une chose comme : «On vit arriver, sur un fond de laurier, cernée de tomates et de poivrons d'un rouge chaud, une carpe morte dont la peau grise, par endroits décollée, accentuait encore la folle blancheur.» C'est peut-être ça, le bonheur pour un écrivain. Finie la petite musique, vive les flonflons! Puisque je parle de petite musique, second avertissement au malheureux et présumé fidèle lecteur : de même qu'il n'y aura pas de polissonnerie dans ce livre, de même il n'y aura aucun élément autobiographique, aucun souvenir drolatique de Saint-Tropez 54, rien sur mon mode de vie, mes amis, etc. Pour deux raisons. La plus importante, à mes yeux, c'est que cela ne regarde que moi. Et que, deuxièmement, si je me lance dans les faits, mon imagination — qui est vraiment la folle du logis — me fera bifurquer, infléchir mon récit vers n'importe quoi qui me fasse rire, moi. Evitant les précisions, je ne risquerai pas de mentir. Tout au plus me tromperai-je dans mes citations. Amen. Mais en toute bonne foi.

Il serait comique, d'ailleurs, que cette bonne foi (la mienne) qui a si souvent découragé les journalistes — et comme je les comprends (les interviews de Dali me comblent de bonheur) —, il serait amusant que cette bonne foi, paisible bovidé que je traîne en laisse depuis ma naissance (je parle évidemment des sujets généraux), soit devenue brusquement, entre toutes les muletas qu'on lui secoue au museau : Israël, la Russie, la Pologne, le Nouveau Roman, la Jeunesse, les Pays arabes, le Communisme, Soljenitsyne, les Américains, le Viêt-nam, etc., que ce malheureux mammifère, donc, incapable de cueillir et d'assimiler l'herbe nécessaire à sa culture et à sa compréhension d'un monde — où, après tout, je traîne, comme tout un chacun — soit devenu ce taureau exaspéré qui me fait écrire ce bizarre livre au petit galop. Insouciant, ce taureau, «le cœur brisé et bronzé à la fois». Non pas que je cherche à pourfendre mes picadors — ces hommes qui prétendent avoir les clefs et ne les ont pas, les pauvres, tout en s'égosillant à le prétendre. Ce sont mes amis, bien sûr. Mes ennemis, cela fait belle lurette qu'ils crient au loup, au Juif, au Noir, etc. Les picadors dont je parle sont ceux qui évoquent encore la colombe démocratie, cette liberté dont ils sont amoureux — comme moi, d'ailleurs — mais dont je commence à craindre, moi, qu'elle ne préfère laisser ses plumes entre leurs mains enthousiastes et s'envoler, chauve, où elle veut, plutôt que de se poser n'importe où actuellement dans le monde. Quitte à revenir, nostalgique de nos mots tendres, se faire à demi fusiller par ceux qui imitent notre voix. Quand je dis «nous», je parle seulement des pauvres gens qui ne se prennent pas forcément pour des juges ni des experts. Il n'y en a plus beaucoup, je le crains. Revenons à nos Suédois, noyons-les dans la soie, l'or et les mazurkas. Les jerks mal rythmés (d'un pied à l'autre) de nos têtes politiques et pensantes m'exaspèrent. Oublions-les.

CHAPITRE IV

Le concert avait été très beau, bien qu'Eléonore eût laissé brûler les raviolis et que Sébastien se sentît un léger malaise de faim qu'il essayait de calmer à force de cigarettes. La fenêtre était restée ouverte sur la nuit et Eléonore assise par terre, de biais, de sorte qu'il ne voyait que ce profil si connu et si lointain, tranquillement tourné vers la nuit. «La seule femme à qui j'ai eu envie de demander parfois : à quoi penses-tu?» songea-t-il. La seule aussi qui ne lui aurait jamais répondu.

Le téléphone sonna et ils sursautèrent. Personne ne les savait là, dans leur île du sixième, et Sébastien hésita un instant avant de répondre. Puis il décrocha doucement : c'était la vie qui venait les rappeler à l'ordre, il le sentait, à temps pour leurs finances, sans doute, mais trop tôt pour leur état d'âme. Pourquoi ne se seraient-ils pas tués, là, au fond, après quarante ans de bons et loyaux services rendus à l'existence? Il savait, que sans être le moins du monde suicidaire, Eléonore l'eût suivi.

— Allô, dit une voix mâle mais agitée, Robert? C'est toi?

— Robert Bessy est absent, dit Sébastien poliment. Il doit rentrer ces jours-ci.

— Mais alors?... dit la voix. Vous?...

Les gens sont devenus bien mal élevés, pensa Sébastien. Il fit un effort.

— Il a eu la gentillesse de me prêter son appartement en son absence.

— Mais alors, vous êtes Sébastien, c'est merveilleux! Robert parle toujours de vous... Ecoutez, je voulais lui demander de venir, on ouvre un club très gai, très chic, ce soir, les Jedelman... Vous connaissez les Jedelman? Ça vous amuserait que je vous emmène?

Sébastien consulta Eléonore du regard. La voix de l'agité retentissait comme dans un haut-parleur.

— J'ignore votre nom, dit Sébastien lentement.

— Gilbert. Gilbert Benoit. Alors, c'est d'accord? Voici l'adresse...

— J'habite rue de Fleurus avec ma sœur, coupa Sébastien. Je pense que nous pourrons être prêts dans une demi-heure, car nous n'irons en aucun cas seuls, sans les connaître, chez M. et Mme...

— Jedelman, balbutia la voix. Mais c'est un club et...

— Jedelman, bien. Voulez-vous être devant la porte dans une demi-heure ou préférez-vous que nous nous rencontrions plus tard?

Eléonore, les yeux brillants, le regardait. Il jouait rudement bien, car ils n'avaient strictement pas de quoi prendre un taxi, une bouteille de Chianti s'étant adjointe comme d'elle-même chez l'épicier à la boîte de raviolis.

— Je serai en bas, dit la voix. Bien sûr. Je n'avais pas pensé...

— A propos, dit Sébastien, je me nomme Sébastien Van Milhem et ma sœur, Eléonore Van Milhem. Je vous dis ceci pour les présentations ultérieures. A tout de suite.

Il raccrocha, éclata de rire. Eléonore riait plus silencieusement, en le regardant.

— Qu'est-ce que c'est, les Jedelman?

— Dieu sait. Les grosses fortunes adorent la limonade, maintenant. C'est à qui aura son club. Que vas-tu mettre?

— Ma robe verte d'eau, je crois. Fais-toi beau, Sébastien, tu auras peut-être à payer de ta personne plus que tu ne le pensais. (Il la regarda.) D'après les photos de ma chambre et la voix de Gilbert, il semble que ton gentil ami, notre hôte, soit parfaitement pédéraste...

— Nom d'un chien! dit Sébastien d'une voix blanche, c'est vrai, je l'avais complètement oublié. Ça commence bien.

Deux heures plus tard, ils étaient assis à une grande table bruyante, le genou de Sébastien sollicité de temps en temps par celui de la riche Mme Jedelman qui devait courir sur un âge certain. Mais enfin, elle était massée, douchée, laquée, manucurée, et Sébastien pensait avec philosophie qu'il en avait vu d'autres. Eléonore, en revanche, semblait un peu excédée par son voisin. Après une arrivée plus que remarquée (que faisaient là, qui étaient ces deux étrangers blonds, si grands et si lointains, de surcroît frère et sœur?), pilotés par un Gilbert enchanté de sa «trouvaille», ils s'étaient retrouvés à la table d'honneur. M. Jedelman, apparemment las des idées drôles de sa femme, avait dû être raccompagné, ivre mort, dès onze heures du soir. Deux vedettes de cinéma, un chanteur, une chroniqueuse célèbre et un inconnu total formaient la table de Mme Jedelman, tandis que les photographes s'affairaient comme des phalènes. Gilbert essayait de répondre aux questions sur les Van Milhem, mais, comme il n'en savait strictement rien, sinon que Robert avait été toute sa vie l'admirateur inconditionnel de Sébastien, il se réfugiait dans une attitude de mystère, voire de sournoiserie, qui énervait tout le monde.

— Mais non, monsieur, dit subitement la voix d'Eléonore, et Sébastien leva l'oreille, non, je n'ai pas vu tous ces films.

— Mais, ce n'est pas possible, vous ne savez pas qui sont Bonnie and Clyde?

Le cinéphile enragé prenait la table à témoin.

— Elle prétend...

— Madame, coupa Eléonore, comme rêveusement, madame prétend.

— Madame prétend, reprit le malheureux en riant, qu'elle n'a jamais entendu parler de Bonnie and Clyde.

— J'ai vécu dix ans en Suède, monsieur, dans un château bloqué par la neige, je vous l'ai déjà dit. Et mon mari n'avait pas prévu de salle de projection «*at home*», comme vous dites. Et nous ne mettions pas le pied à Stockholm. Voilà tout.

Il y eut un silence soudain car la voix d'Eléonore, sans monter, était devenue plus que coupante.

— Tu t'énerves, mon ange, dit Sébastien.

— Il est lassant de répéter mille fois la même chose et d'entendre mille fois la même chose.

— Pardon, mille pardons, dit le cinéphile sarcastique, mais qui nous vaut alors ce retour des glaces?

— Le château est vendu et mon ex-mari en prison, dit Eléonore, tranquillement. Pour meurtres. Nous faisions notre cinéma nous-mêmes. Sébastien, je suis lasse.

Sébastien était déjà debout près d'elle, souriant. Ils remercièrent Mme Jedelman, ce qui ajouta encore à sa stupeur, et sortirent, dans un silence total. Sébastien riait tellement dans l'escalier du club qu'il pouvait à peine en monter les marches. Quelqu'un leur courut après : c'était le chanteur. Il avait une bonne tête ronde, ouverte.

— Est-ce que je peux vous raccompagner? dit-il.

Eléonore acquiesça, s'assit sans le regarder dans une énorme voiture américaine et donna leur adresse. Puis le fou rire de Sébastien la gagna, puis il gagna le chanteur, et ils cédèrent aux supplications de ce dernier et allèrent fêter ça ailleurs. A l'aube, il les raccompagna ivre mort :

— Roulez doucement, dit Eléonore, aimable.

— Bien sûr. Quelle bonne soirée. Ah, quelle blague, quelle bonne blague...

— Ce n'était pas une blague, dit Sébastien gentiment. Bonne nuit.

                                                        Juillet 1971.

C'est un bel été, cet été 71, décidément. Il fait très beau, on a coupé les foins. En venant, l'autre jour, je me suis arrêtée près de Lieuray. Sous des peupliers. Je me suis allongée dans le foin, les petites feuilles des arbres, vert sombre, innombrables tournaient, viraient dans le soleil, je retrouvais quelque chose. La voiture était rangée au bord de la route comme une grosse bête patiente. J'avais le temps de tout, je n'avais plus le temps de rien. Ce n'était pas mal.

Au fond, la seule idole, le seul Dieu que je respecte étant le temps, il est bien évident que je ne peux me faire plaisir ou mal profondément que par rapport à lui. Je savais que ce peuplier durerait plus que moi, que ce foin, en revanche, serait fané avant moi; je savais que l'on m'attendait à la maison et aussi que j'aurais pu rester facilement une heure sous cet arbre. Je savais que toute hâte de ma part serait aussi imbécile que toute lenteur. Et cela pour la vie. Je savais tout. En sachant que cette science n'était rien. Rien qu'un moment privilégié. A mon sens, les seuls vrais. Quand je dis « vrai », je pense « instructif » et c'est aussi bête. Je n'en saurai jamais assez. Jamais assez pour être parfaitement heureuse, jamais assez pour avoir une passion abstraite qui me nourrisse d'une manière définitive, jamais assez pour « rien ». Mais ces moments de bonheur, d'adhésion à la vie, si on se les rappelle bien, finissent par faire une sorte de couverture, de patchwork réconfortant qu'on pose sur le corps nu, efflanqué, tremblotant de notre solitude.

Le voilà lâché, le mot clef : la solitude. Ce petit lièvre mécanique qu'on lâche sur les cynodromes et derrière lequel se précipitent les grands lévriers de nos passions, de nos amitiés, essoufflés et avides, ce petit lièvre qu'ils ne rattrapent jamais mais qu'ils croient toujours accessible, à force. Jusqu'à ce qu'on leur rabatte la porte au nez. La petite porte devant laquelle ils freinent à mort ou se tapent la tête, comme Pluto. Le nombre de Plutos chez les êtres humains...

Mais voyons : voilà deux mois que je ne me suis pas occupée de Sébastien ni d'Eléonore. Et comment se sont-ils nourris, de quoi ont-ils vécu, mes chers Van Milhem, en mon absence ? Je me sens des remords (des remords gais) de tutrice... Il faut que je retrouve le nom de ces gens riches chez qui ils avaient atterri... les Jedelman, et que je décide que Sébastien, en mon absence, a fait ce qu'il fallait avec cette dame, non sans quelques grognements, style : « Après tout, je ne suis plus un minet, moi, je suis vieux, etc. » Et Eléonore riant... Mais où habitent-ils ? Nous voilà en août, ou presque. Ils ne peuvent plus être rue de Fleurus, ni sur la Côte d'Azur — c'est fini. Deauville, peut-être ? De toute manière il serait amusant de voir la scène de séduction entre Mme Jedelman et Sébastien. Prenons un décor, vrai Louis XV mais « riche », une fin de journée tiède et tendre et bleue comme seul Paris sait en faire, l'été, prenons un sofa moutarde et quelques meubles de Knoll, pour « décaler ». Prenons, en même temps que Sébastien, pour se donner du courage, un grand whisky à l'eau. Non, sans eau...

« Oh ciel ! » se disait in petto Sébastien, comme il l'avait d'ailleurs fait la veille, mais à voix haute, devant sa sœur Eléonore ; et il passait d'un doute douloureux sur ses propres capacités sexuelles à une certitude non moins douloureuse sur les intentions de Mme Jedelman. « Oh ciel, comment vais-je m'en tirer ? Elle va se jeter sur moi, elle va m'emporter dans un maelström. » Comme tout enfant nordique, Sébastien craignait les maelströms.

Il promenait donc ses longues jambes, hélas couvertes de pantalons, dans le somptueux salon des Jedelman (Boulle-Lalenne), avenue Montaigne. Mme Jedelman était allongée mollement sur un sofa. Elle s'était fort bien rappelé Sébastien, sa blondeur, et l'avait invité —

Sébastien disait « convoqué » — dès le lendemain. Il n'était pas question de se refuser puisqu'ils n'avaient plus un sou. Eléonore, compatissante et ironique, l'avait conduit jusqu'au palier comme on escorte son frère aîné partant pour la guerre. Et maintenant, elle était là, l'autre, la Jedelman, comme on l'appelait férocement à Paris. Elle était là, peignée, poncée, poudrée, vieille, admirable. Vieille est au demeurant injuste : simplement, elle n'était plus jeune. Et cela se voyait : au cou, aux aisselles, aux genoux, aux cuisses, à toutes ces féroces régions qui dessinent sur une femme, à un certain moment, une sorte de carte Michelin trop détaillée, trop précise, bref : fichue.

Nora Jedelman le regardait marcher de long en large avec curiosité. Il n'était pas, de toute évidence, ce dont elle avait l'habitude : un « minet ». Non, Sébastien avait un port de tête, de belles mains, un regard net qui l'intriguaient. Elle se demandait, avec une curiosité peut-être égale à celle de Sébastien, ce qu'il venait faire dans son salon, d'abord, dans son lit, ensuite. Néanmoins, comme il semblait se poser la même question, elle décida de mettre fin à ce quiproquo, fût-ce par des actes. Elle se leva de son sofa, légèrement, avec une détente voulue, féline, qui lui rappela brusquement qu'elle devait passer voir son chiropracteur le lendemain, et elle cingla vers Sébastien. Celui-ci l'avait entendue approcher et il restait glacé devant la fenêtre, essayant de se rappeler une femme qui lui aurait plu, ou un excellent ouvrage érotique. En vain. Déjà elle était contre lui, des bras voilés l'entouraient, elle se pendait à son cou et les jaquettes les plus chères de New York heurtèrent ses dents à lui. A sa grande surprise, il se comporta convenablement et elle tint à lui donner une paire de boutons de manchettes ravissants qu'il alla revendre aussitôt : Eléonore, son bel oiseau, sa sœur, sa complice, le grand amour de sa vie, allait passer une soirée royale...

CHAPITRE V

Janvier 1972.

VOILA bientôt six mois que j'ai abandonné ce roman, mes réflexions pertinentes et mes impertinents Suédois. Des circonstances contraires, une vie de fous, la paresse... Et puis, en octobre dernier, cet automne si beau, si roux, si déchirant dans sa splendeur que je me demandais, à force de bonheur, comment y survivre. Seule en Normandie, aussi gaie qu'épuisée, regardant avec stupeur une longue égratignure près du cœur se refermer à toute vitesse, la regardant se transformer en une cicatrice rose, plate, imperceptible, que je toucherais sans doute d'un doigt incrédule plus tard — celui de la mémoire — comme pour me convaincre de ma propre vulnérabilité. Mais retrouvant le goût de l'herbe, le parfum de la terre, m'enfouissant dans les deux, chantant *la Traviata* à tue-tête (c'est le terme) au volant de ma voiture, descendant jusqu'à Deauville. Et, en ce Deauville d'octobre, abandonné et brûlant, je regardais la mer vide, les mouettes affolées qui rasaient les planches, le soleil blanc et, à contre-jour, quelques personnages qu'on eût dits tirés de *Mort à Venise* de Visconti. Et moi, seule, enfin seule, qui laissais pendre mes mains, tels des gibiers morts, de chaque côté de ma chaise longue. Rendue à la solitude, à l'adolescence rêveuse, à ce qu'on ne devrait jamais quitter, mais que les autres — l'enfer, le paradis — vous obligent sans cesse à déserter. Mais là, les autres ne pouvaient rien entre moi et ce triomphant automne.

Oui, mais qu'avaient pu faire mes Suédois, tout l'été? Sur la place de l'Atelier, à Montmartre, où nous représentions une pièce, en août, je m'inquiétais pour eux. Les petites dames en bigoudis, leur sac à main, faisaient leurs courses, les chiens trottaient à leur guise, les travestis déambulaient au hasard d'un soleil dur, encore mal démaquillés. Assise à la terrasse de mon café favori, j'envoyais les Van Milhem en croisière avec les Jedelman, ou en tournée de province avec le jeune chanteur, j'imaginais pour eux des péripéties que je n'écrivais pas, que j'oublierais, je le savais, à la faveur de la prochaine répétition, par exemple. Consciemment et follement, je ne marquais rien sur le moindre bout de papier. Oh, délices, oh, remords... On me confiait un chien à garder parfois, ou un enfant, le temps pour la propriétaire de parcourir son trajet du combattant, chariot au poing, au Prisunic... Je discutais avec un désœuvré heureux du quartier. J'étais bien. Après, il y aurait la salle noire, les projecteurs et les problèmes des comédiens, mais là, l'été était doux, parisien, et bleu. Je n'y pouvais rien. Fini ce chapitre-excuse, ce chapitre-alibi. Aujourd'hui, me revoilà en Normandie. Il pleut, il fait froid, je ne sortirai d'ici que ce livre fini ou par la force des baïonnettes. J'ai dit. Hugh!

— Remets le disque, veux-tu? demanda Eléonore.
Sébastien tendit la main et secoua le bras du pick-up à ses pieds. Il ne demanda pas quel disque. Eléonore, après une période classique, s'était amourachée d'un disque de Charles Trenet et on n'entendait plus que lui :
« Sur une branche de bois mort
Le dernier oiseau de l'été
Se balance... »
Ils étaient allongés dans une balancelle sur la terrasse de la villa Jedelman, au Cap-d'Ail. Après un moment difficile, Sébastien s'était pris d'une sorte d'affection pour Nora Jedelman. Il l'appelait «Lady

Bird», cela à son vif mécontentement, d'ailleurs. Il nommait Henry Jedelman «monsieur le Président» et se livrait, dès qu'il avait bu un peu trop, à des simulacres d'attentat politique du plus mauvais goût. Eléonore, ayant moralement séduit le couple, s'était replongée dans ses chères lectures, mais au bord de la mer, cette fois-ci. Bronzée, aimable et calme, elle avait vu défiler les jours d'été comme un rêve, entre deux pages de ses romans. Quelques amis mondains de leurs hôtes lui avaient fait la cour, vainement. En revanche, Sébastien lui prêtait des rendez-vous nocturnes avec le jardinier de la villa, un garçon superbe au demeurant. Mais de cela, il ne lui parlait pas. Autant leurs «romances» étaient pour eux, entre eux, sujet de plaisanterie, autant leurs à-coups passionnels, clandestins, devaient rester secrets. Et il savait bien que c'était le respect absolu de leurs sensualités respectives (mêlé à une ironie constante sur leurs affaires de cœur) qui leur avait toujours permis de coexister. Ils détestaient également l'exhibitionnisme qui semblait de règle à cette époque et surtout sur cette côte. Les cols roulés étaient leurs seuls sauveurs. A peine séchés, après avoir nagé tous deux dans des maillots 1900, ils se précipitaient sur leurs vêtements. On les trouvait bizarres, exotiques, car ils étaient fort bien faits, l'un et l'autre. Eux, se trouvaient simplement décents. Ils savaient que le goût des corps est une chose sensible, tendre, naturelle, semblable au goût de l'eau, à l'amour des chevaux, des chiens, du feu, et que cela n'a rien à voir ni avec le libertinage ni avec l'esthétique. A preuve Sébastien, qui prenait Nora Jedelman dans ses bras tous les soirs sans la moindre appréhension, rodé qu'il était à son parfum, à sa peau et à sa façon un peu geignarde de quêter des caresses. La grande tendresse de l'indifférence descendait alors sur lui et son corps docile le suivait. De plus, Nordiques de toujours, le soleil n'était pas pour eux ce dieu impérieux et parfois sadique qu'il semblait être pour les autres. Cela, sans qu'ils le sachent, rehaussait leur prestige : tourner le dos au soleil, au hâle, aussi naturellement, à cette époque et à cet endroit, c'était tourner le dos à l'argent.

Les amis des Jedelman étaient composés en majeure partie d'Américains fort riches, pas très raffinés encore, malgré leur incessante navette entre les USA et l'Europe. Il faut dire qu'ils se retrouvaient le plus souvent entre eux, certains salons de Paris leur restant obstinément fermés. On faisait appel à eux pour des fêtes de charité et leur générosité leur valait parfois une invitation à déjeuner, mais au Plazza. Aussi étaient-ils plus que perplexes sur la présence des Van Milhem, si évidemment de vieille famille, et sur la liaison, non moins évidente, de Sébastien et de Nora Jedelman. Il n'avait vraiment rien d'un gigolo — (combien n'en avait-elle pas eus ?) — et pourtant sa sœur et lui vivaient ostensiblement aux crochets de leurs hôtes. Un ancien soupirant de Nora, éjecté pour alcoolisme, s'était permis une réflexion à ce sujet et il avait immédiatement reçu un superbe coup de poing de Sébastien, qui avait clos la discussion. De plus, le frère et la sœur semblaient un peu trop intimes. Bref, ils ne ressemblaient pas à tout le monde ; bref, ils étaient dangereux, donc séduisants. Des femmes réellement belles et aussi riches que Nora tournèrent autour de Sébastien, cet été-là. En vain. Des Américains bien conservés se heurtèrent à l'indifférence totale d'Eléonore. Enfin, si la pauvre Nora n'avait pas eu des goûts si connus et si classiques, ils auraient été soupçonnés des pires perversions.

« Ce soir, ton cœur est là, fidèle.
Oui mais demain plus d'hirondelles sur la plage... »
Trenet chantait, la mer devenait grise. Nora, vêtue d'une tunique de soie mauve qui fit légèrement battre les paupières d'Eléonore, apparut.
— C'est l'heure du cocktail, dit-elle... Mon Dieu, ce disque... Il est joli mais si triste... surtout ces jours-ci...
— Arrête le pick-up, dit Eléonore à Sébastien.
Elle sourit à Nora gentiment. Celle-ci lui rendit son sourire avec une nuance de doute. Elle se posait mille questions sur Eléonore et elle avait dû renoncer à interroger Sébastien qui se figeait aussitôt. Elle savait seulement que là où serait Eléonore serait Sébastien. Et, si c'était rassurant d'un certain côté, c'était un peu vexant de l'autre. Elle avait pourtant jeté Dave Burby, superbe parti, homme charmant, dans les bras d'Eléonore. Sans succès. Et quel était ce Hugo, qui était en prison, en Suède ? Et d'où lui tombait à elle-même cet amant mystérieux et courtois qui acceptait ses cadeaux avec gentillesse et distraction, et qui, à quarante ans, avait des fous rires de jeune homme ou des cafards incompréhensibles ? Elle s'attachait à lui, malgré son cynisme profond — elle avait toujours su acheter et ce qu'elle achetait. Cela l'inquiétait. Que pensait-il faire à Paris ? Où pensait-il habiter avec sa rêveuse de sœur ? Comptait-il sur elle ou sur le hasard ? Il ne lui parlait jamais du retour et pourtant ils devaient tous rentrer dans trois jours.

Mario, le jardinier, remontait l'allée, des dahlias fauves dans les bras qu'il tendit en souriant à Nora. Eléonore le regarda avec tendresse. Quand elle avait ouvert la fenêtre de sa chambre, le premier matin, elle avait vu ce dos bronzé, mince, les mouvements adroits de ces longs bras qui émondaient un arbre, la nuque brune. Quand il s'était retourné, il lui avait d'abord souri poliment, puis il avait cessé de sourire. Alors elle-même lui avait souri avant de refermer sa fenêtre. Quand la maison dormait ou bien les soirs où tout le monde allait à Monte-Carlo ou à Cannes, elle descendait le rejoindre au fond du jardin. Il y avait la cabane à outils qui sentait la menthe fraîche, les pins, il y avait les bals où il l'emmenait parfois danser, il y avait le rire ravi de Mario, le bouche fraîche de Mario, le corps brûlant de Mario, ce corps qui n'avait pas besoin de massage. Il était de bonne race, tendre et gai, et elle respirait près de lui, loin de cette maison trop meublée, de ces gens bruyants et de ce cliquetis de dollars. Sébastien s'était chargé de leurs vacances, après tout. Sébastien, le frère idéal.

— Donnez ces derniers dahlias à Mme Van Milhem, dit Nora... Qu'ils sont beaux... ce mauve...

Mario se tourna vers Eléonore et lui tendit le bouquet. Sa chemise glissa et elle vit, sur son cou, l'ecchymose violette qu'il gardait de ses dents à elle, deux nuits avant, de la même couleur que les fleurs ouvertes. Elle lui toucha la main par hasard, il lui sourit. Et Sébastien, étonné, vit les feux de mille nostalgies, de mille regrets, se mêler à ceux du soleil couchant dans les yeux pâles de sa sœur.

Oui, je sais : me voici retombée en pleine frivolité... Ce fameux petit monde saganesque où il n'y a pas de vrais problèmes. Eh bien, oui. C'est que je commence à m'énerver, moi aussi, malgré mon infinie patience. Un exemple : après avoir déclaré et pensé (d'ailleurs, je continue) qu'une femme efficace devait être payée autant qu'un homme efficace, après avoir déclaré que c'était aux femmes de choisir librement d'avoir un enfant ou pas, et que l'avortement devait être légal puisqu'il est, sinon, une simple contrariété pour les femmes aisées et une sinistre boucherie pour les autres, après avoir juré mes grands dieux que je m'étais fait avorter moi-même et avoir lu dans un hebdomadaire que cela se résumait ainsi : «Femmes, votre ventre est à vous, rien qu'à vous» — quelle tristesse, d'abord, et quelle expression surtout! — après avoir signé mille pétitions, après avoir écouté les doléances de banquiers, de crémiers, de chauffeurs de taxi également ruinés, semblait-il, et m'être fait moi-même dévaliser littéralement par un percepteur devenu fou furieux (il aurait fallu se méfier dès l'abord de Giscard d'Estaing : déjà ses cols roulés m'inquiétaient... Où sont-ils à présent?), après avoir failli casser quinze télévisions à force d'écœurement et manqué tomber, à force d'ennui, de mon fauteuil lors de dix spectacles «réservés au peuple», après avoir constaté l'apathie des uns, la colère impuissante des autres, la bonne volonté, la mauvaise foi, la pagaille qui règne dans ce régime louis-philippard et content de lui, après avoir vu des vieillards tremblants de froid trottiner devant «leurs» vignettes bleues, après avoir écouté des discours absolutistes, modérés, idiots, intelligents, après m'être retrouvée — malgré une voiture de sport pétaradante — du côté des non-possédants, après tout ça, donc, je vais de ce pas me réfugier dans un milieu imaginaire et chimérique «où l'argent ne compte pas». Voilà. C'est mon droit, après tout, comme c'est le droit de tout un chacun de ne pas acheter mes œuvres complètes. Cette époque m'exaspère souvent, c'est vrai. Je ne suis pas un foudre de travail et la bonne conscience n'est pas mon fort. Mais maintenant, grâce à la littérature, je vais aller m'amuser avec mes amis Van Milhem. J'ai dit. Hugh !

CHAPITRE VI

Sans être sadique, Nora Jedelman aimait bien affirmer son pouvoir. Aussi attendit-elle d'être dans sa Cadillac, après Orly, pour demander à Sébastien et Eléonore où elle devait les déposer.

— 8, rue Madame, dit Sébastien d'un ton léger. Si ça ne vous fait pas un détour.

Elle se rencogna. Elle espérait soit « au Crillon », réponse d'homme aux abois, soit « où vous voulez », réponse confiante. Elle s'était tue, non sans mal, dix jours durant, pour rien. Elle ne savait rien.

— Vous avez des amis, là ?

— Nous n'habitons pas que chez des amis, dit Sébastien en riant gentiment. L'un d'eux nous a trouvé un studio, avec deux chambres. Très joli, paraît-il, et pas cher comme loyer.

« Il te suffira de vendre ta montre de Cartier ou ton porte-cigarettes », pensa Nora avec colère. En fait, elle avait assez bien imaginé d'héberger provisoirement Eléonore dans une chambre d'amis, avenue Montaigne, et Sébastien dans le bureau-salon, près de sa chambre à elle. Elle s'était vue en bonne fée hospitalière, en sauveuse. Cette organisation inattendue la privait et de son rôle et de la présence familière et paresseuse de Sébastien. Elle allait rentrer seule dans son immense appartement — son époux était encore à New York —, retrouver ses deux chihuahuas. La panique la prenait.

— C'est stupide, dit-elle, j'aurais pu vous accueillir.

— Nous vous avons assez encombrée, dit Eléonore paisiblement, tout cet été. Nous ne voulons pas abuser.

« Elle se moque de Nora, pensa Sébastien, amusé. Après tout, pour une fois, c'est bien fait... Quelle est cette façon de laisser les gens dans l'expectative ? Quand je pense que j'ai dû bazarder, en trois jours, tous ses boutons de manchettes et envoyer un mandat d'urgence à ce pauvre Robert... Moi qui ai horreur de marchander et d'aller à la poste. Heureusement que Robert connaît tout le quartier... J'espère que ce sera vivable... Bah, pour trois mois... » Car il avait payé trois mois d'avance.

La voiture s'arrêta devant un vieil immeuble. Nora semblait effondrée, à présent...

— Nous vous téléphonons tout de suite, dit Eléonore gentiment.

Ils étaient tous les deux sur le trottoir, leurs bagages à la main, ignorant même où ils allaient entrer, mais minces, blonds, indifférents. Payables mais inachetables, pensa Nora avec désespoir. En tout cas, «deux». Pas seuls. Elle se raidit, fit un signe de la main, se rejeta en arrière. La Cadillac s'envola, le frère et la sœur se sourirent.

— Ce qui me plaît, c'est que c'est un rez-de-chaussée, dit Eléonore. Où est la concierge? Leur studio était plus que sombre, donnant sur un jardin exigu, une plate-bande plutôt. Une pièce vide séparait deux chambres minuscules, mais silencieuses. Il y avait un divan rouge et, sur la seule table, une bouteille de whisky et un mot de Robert, le fidèle Robert, leur souhaitant la bienvenue.

— Comment trouvez-vous? dit la concierge. L'été, comme ça, ça fait sombre, mais l'hiver...

— Mais c'est très bien, dit Eléonore, en s'allongeant sur le divan. Merci mille fois. Où ai-je mis mon livre? Et, sous l'œil ahuri de la concierge, elle fouilla son grand sac et elle reprit sa lecture commencée dans l'avion. Les bagages tramaient par terre et Sébastien se promenait comme un chat dans les trois pièces.

— C'est parfait, dit-il en revenant. Parfait. A propos, madame (il s'adressait à la concierge), je vous trouve très bien maquillée.

— C'est vrai, dit Eléonore, levant les yeux, j'avais remarqué. C'est très rare et bien agréable.

La concierge partit à reculons, en souriant. Il était vrai qu'elle faisait grande attention à son physique et ce M. Van Milhem avait quelque chose. Sa sœur aussi, d'ailleurs. Des gens bien, ça se voyait à leur air (et à leurs bagages). Un peu distraits, peut-être... Ils ne resteraient pas longtemps, sans doute, et déjà, confusément, elle les regrettait.

— Il faut que je téléphone à Nora, dit Sébastien. Après tout, elle n'a pas notre numéro et ce n'est pas gentil de l'abandonner seule, dans sa Cadillac, comme une valise.

— Oh, une valise Vuitton, dit Eléonore, toujours plongée dans son roman et qui, visiblement, avait trouvé dans ce canapé usé, anonyme et presque sale, un refuge parfait.

Elle avait installé ses cigarettes à sa droite, près des allumettes, et enlevé ses chaussures. Ce roman policier, quoique un peu trop sordide et peuplé de détectives un peu trop écœurés, ce roman policier ne l'ennuyait pas. Sébastien, lui, marchait de long en large. Le plaisir de la première surprise passé, ce studio se révélait ridicule, minable, incompatible avec leurs vies. Sébastien commençait à avoir ce qu'on appelle de l'angoisse (en allemand, *Katzenjammer*). Pour une fois, cela lui arrivait rarement, la sérénité apparente et désinvolte de sa sœur provoquait chez lui une sorte d'énervement, énervement dû beaucoup plus à l'inaction (qu'allait-il faire de lui-même l'instant suivant?) qu'à leur destin en général. Il n'avait aucune envie de déballer les bagages, de trouver des cintres, d'accrocher des choses. Il n'avait, non plus, aucune envie d'aller dans un hypothétique café, et pourtant les cafés étaient ses grands repaires. En fait, il ne voulait pas rester seul — car il se sentait brusquement très seul en face d'Eléonore, faussement immuable et qui lisait un roman policier. Il pensait qu'elle aurait dû faire «quelque chose», ce quelque chose étant entre guillemets dans sa tête, et il se rendait compte tardivement que, depuis deux ou trois mois, ce «quelque chose» avait été fait — grâce à la séduction qu'il exerçait sur elle et grâce à son argent — par Nora Jedelman. Il se sentait adolescent, grincheux et abandonné, et il trouvait qu'Eléonore aurait dû — elle qui ne s'était pas infligé le moindre effort de tout l'été — qu'elle aurait dû au moins s'en rendre compte. Bref, il se sentait «Chéri» sans Léa et un «Chéri» de quarante ans, ce qui achevait de le démoraliser.

— Pourquoi une Vuitton? dit-il d'une manière agressive.

— Ce sont les plus solides, répondit Eléonore, toujours sans le regarder. Et à l'idée de la solidité effective, du confort et de l'organisation des Jedelman, une nostalgie littéralement physique vint à Sébastien.

Sébastien Van Milhem était, d'une certaine façon, comme le vieux père Karamazov. Il trouvait quelque chose à toutes les femmes. Et même, il avait aimé beaucoup plus les défauts physiques de certaines femmes que leurs qualités. Pourvu qu'elles ne lui en parlent pas, ni gaiement ni tristement, il n'avait jamais été rebuté par des hanches trop pleines, un cou détendu ou une main fripée. Il pensait que l'amour, le noir amour, n'avait aucun rapport avec Miss France, mais bien plutôt avec Gilles de Rais, Henri VIII, Baudelaire et sa lourde mulâtresse. Il savait que nombre de ces grosses femmes mal fichues avaient tenu en laisse énormément d'hommes — parfois de génie — uniquement par l'acceptation triomphante qu'elles avaient, elles, de leur propre corps, comme d'un ami, d'un animal dévoué aussi bien à leur plaisir qu'à celui de l'homme, un corps amoureux, quoi, de l'amour. Et chaud. C'était tout ce que les hommes souhaitaient : se cacher, en le provoquant, dans le plaisir de quelqu'un, être le maître, le valet, le battu et le battant.

Tout cela Sébastien y avait toujours été sensible et maintenant qu'il avait noué avec cette femme plus âgée que lui, et moins belle en tant que femme qu'il ne l'était en tant qu'homme, des relations sensuelles, il se rendait compte que l'admiration qu'elle avait pour lui était devenue autre chose qu'un stimulant physique. C'était une sorte de fierté qu'il ressentait, généreuse et désinvolte, qu'il aurait pu traduire, tel Clovis : «Courbe la tête, fier Sébastien, adore celle qui t'adore, ne te fatigue plus, cela suffit parfois. »

— Que veux-tu dire par «les plus solides» ?

Eléonore tourna la tête, posa son roman sur ses genoux et éclata de rire.

— Ne fais pas le gentleman, mon petit. Je ne parlais pas de la fortune de Nora, ni même de son squelette. Je parlais de la tendresse réelle qu'elle a pour toi. Et je crois aussi que tu devrais lui téléphoner, car elle doit être seule et avoir peur. Si j'étais toi, je courrais chez elle tout de suite et demain, tu trouveras en rentrant une maison ravissante, arrangée par la fée Mélusine et le Bon Magique réunis — je parle de moi.

Ils se regardèrent un instant, méfiants comme deux chats siamois brusquement indécis ou partagés sur l'image d'une souris. Il n'y avait entre eux ni mépris ni pitié, simplement pour une fois, la complicité n'était pas évidente.

Une heure après, en roulant dans son taxi vers l'avenue Montaigne où Nora l'attendait, folle de joie, Sébastien se disait que le voyou, le bohème, le Van Gogh de leur association, ce n'était plus lui, mais Eléonore qui, d'une certaine manière, et il ne savait pas où, ni quand, avait jeté ses armes.

CHAPITRE VII

Février 1972.

J'AVAIS POURTANT BIEN JURE que je ne sortirais de là (ma campagne) que par la force des baïonnettes et mon livre fini sous le bras. Hélas, le destin s'acharne... Il y a un phénomène astral qui rôde actuellement sur les Van Milhem et sur moi-même et qui fait qu'ayant chu de quelques mètres, me voici, les os brisés mais radiographiés à Paris. Et naturellement : rien de sérieux. Je ne vois vraiment pas, et j'espère que mes fidèles lecteurs touchent du bois, je ne vois vraiment pas quel engin, quelle que soit sa puissance fiscale ou en chevaux-vapeur, ou en cheval sans vapeur, viendrait à bout de moi. On peut juste venir à bout de mes raisonnements moraux et de mes décisions admirables. Exemple : « Je pars pour la campagne, je vais travailler, je me suis assez amusée comme cela, il est temps d'écrire quelque chose qui en vaille la peine. » Fermons les guillemets...

Il y a eu énormément de guillemets dans ma vie, si j'y réfléchis, quelques points d'exclamation (la passion), quelques points d'interrogation (la dépression nerveuse), quelques points de suspension (l'insouciance) et enfin là, m'étant envolée vers ce point final qui devait être posé solennellement à la fin de mon manuscrit (que mon éditeur attend avec une impatience flatteuse), me voilà atterrie dans des points de côté, entortillée, langée (à mon âge !) dans des bandes Velpeau dont je me serais facilement passée. Et encore, est-ce bien sûr ? Pourvu que l'insouciance (points de suspension) ne se réveille pas et que, profitant de cet alibi idéal — l'accident — je ne retombe dans cette absence heureuse qui consiste à regarder par la fenêtre, avec une sorte de férocité anormale et immobile, les arbres du Luxembourg. Qui consiste aussi maintenant à refuser systématiquement le moindre gala, la moindre première, tous les endroits où je suis invitée en tant que Sagan, « La Sagan » comme ils disent en Italie. Ces refus qui n'ont rien de délibéré correspondent tout bêtement, chez moi, à un fou rire nerveux rien qu'à évoquer l'image que les gens ont encore de moi. Non pas que cette image ne m'ait pas servie, mais j'ai quand même passé près de dix-huit ans cachée derrière des Ferraris, des bouteilles de whisky, des ragots, des mariages, des divorces, bref ce que le public appelle la vie d'artiste. Et d'ailleurs, comment ne pas être reconnaissante à ce masque délicieux, un peu primaire, bien sûr, mais qui correspond chez moi à des goûts évidents : la vitesse, la mer, minuit, tout ce qui est éclatant, tout ce qui est noir, tout ce qui vous perd, et donc vous permet de vous trouver. Car on ne m'ôtera jamais de l'idée que c'est uniquement en se colletant avec les extrêmes de soi-même, avec ses contradictions, ses goûts, ses dégoûts et ses fureurs que l'on peut comprendre un tout petit peu, oh, je dis bien, un tout petit peu, ce que c'est que la vie. En tout cas, la mienne.

J'ajouterai, et là je mets une voilette morale (c'est bien dommage qu'il n'y ait plus de voilettes... cela seyait à beaucoup de femmes), j'ajouterai qu'à l'occasion, je me ferais encore tuer pour certains principes moraux ou esthétiques, mais je n'ai pas envie de crier sur les toits les choses que je respecte. Il suffira un jour que quelqu'un ne les respecte plus devant moi pour que cela se démontre tout seul. D'ailleurs, c'est bien connu : ma signature au bas d'un manifeste fait plutôt frivole. On me l'a souvent reproché, tout en me la demandant, d'ailleurs, cette signature, et je l'ai toujours accordée pour des raisons sérieuses. On ne m'a pas souvent prise au sérieux et c'est compréhensible. Mais il faut quand même penser qu'il m'était difficile en 1954 (mon heure de gloire) de choisir entre les deux rôles qu'on m'offrait : l'écrivain scandaleux ou la jeune fille bourgeoise. Car enfin, je n'étais ni l'un, ni l'autre. Plus facilement, j'aurais été une jeune fille scandaleuse ou un écrivain bourgeois. Je n'allais pas faire un choix par rapport à des gens, qu'au demeurant je n'estimais pas, entre ces deux propositions également fausses. Ma seule solution, et je m'en félicite vivement, était de faire ce que j'avais envie de faire : la fête. Ce fut une bien belle fête, d'ailleurs, entrecoupée de romans divers et de pièces diverses. Et là finit mon histoire. Après tout, qu'est-ce que j'y peux ? Ce qui m'a toujours séduite, c'est de brûler ma vie, de boire, de m'étourdir. Et si ça me plaît, à moi, ce jeu dérisoire et gratuit à notre époque mesquine, sordide et cruelle, mais qui, par un hasard prodigieux dont je la félicite vivement, m'a donné les moyens de lui échapper. Ah, ah !

Et vous, chers lecteurs, comment vivez-vous ? Est-ce que votre mère vous aime ? Et votre père ? Etait-il un exemple pour vous, ou un cauchemar ? Et qui avez-vous aimé avant que la vie ne vous coince ? Et quelqu'un vous a-t-il déjà dit de quelle couleur sont vraiment vos yeux, ou vos cheveux ? Et avez-vous peur la nuit ? Et rêvez-vous tout haut ? Et, si vous êtes un homme, avez-vous de ces affreux chagrins qui dégoûtent les femmes mal nées, celles qui ne comprennent pas — et s'en vantent, ce qui est le comble — que toute femme devrait tenir un homme sous son aile, au chaud, quand elle le peut, et l'y garder ? Savez-vous que tout le monde, aussi bien votre patron que votre concierge, ou que cet horrible contractuel dans la rue, ou que sans doute ce pauvre Mao, responsable de tout un peuple, savez-vous que chacun d'eux se sent seul et qu'il a presque aussi peur de sa vie que de sa mort — comme vous-même, d'ailleurs ? Ces lieux communs ne sont effrayants que parce qu'on les oublie toujours dans les relations dites humaines. On veut gagner, ou simplement survivre.

Petits Français bien nourris et mal élevés, regardez-vous en représentation partout : y compris dans l'acte d'amour, aux yeux de votre partenaire. Le conformisme, le snobisme dorment au fond des lits avec la même arrogante tranquillité que dans les salons. Personne, jamais personne, ne se conduit « bien » dans un lit, à moins d'aimer et d'être aimé — deux conditions rarement réalisées. Et puis, parfois, comme si personne n'aimait personne... l'horreur ! Comme si tout ce dialogue tendu, décousu, presque cruel à force, que nous avons, que nous essayons d'avoir, devenait un rideau de fer forgé. Moi-même, qui essaye toujours obstinément, vaguement, de comprendre et qui suis restée en bons termes avec la vie, parfois c'est comme si je n'en pouvais plus, comme si mes interlocuteurs n'en pouvaient plus. Et je voudrais secouer la poussière de mes sandales et fuir vers les Indes. (Mais je crains que les routes hippies ne soient pas assez carrossables pour la Maserati.) Ce sont mes amis, pourtant, qui me parlent et à qui je réponds, et nous nous comprenons. Mais l'image que j'ai de nous, finalement, c'est celle de ces soldats bardés de fer, d'acier, qui sur ces étranges bateaux inventés par Fellini dans le *Satyricon,* s'approchent de la plage où doit mourir Tibère. Seulement, comme me l'a d'ailleurs dit Fellini, ces bateaux étaient imaginaires. Ils n'auraient jamais pu flotter et le premier de ces guerriers à trébucher serait tombé sans rémission au fond de l'eau, si Fellini n'y avait veillé. Seulement, Dieu n'est pas Fellini et, un jour, nous nous retrouverons tous au fond de l'eau, sans avoir compris grand-chose. Mais avec un petit peu de chance, nous aurons une main, gantée ou non de fer, cramponnée à la nôtre.

CHAPITRE VIII

Aʏᴀɴᴛ fini son roman policier, qui finissait d'ailleurs aussi mal que peut finir un roman policier, c'est-à-dire : les coupables tués, les innocents blessés et les détectives de plus en plus désabusés, Eléonore regardait avec une sorte d'amusement les murs grenat, la table Louis-Philippe et les trois bibelots perchés dessus, qui devaient dorénavant constituer son entourage. Sébastien s'était enfui, événement très rare. Elle le comprenait fort bien. Pour elle, toute activité, toute possession, toute liaison correspondaient à une compromission : gagner, perdre ou, dans le cas de Sébastien, grelotter. Elle finit, dans cet appartement désert, à force de démarches incertaines et indifférentes, par trouver un miroir et par s'y regarder. Il fallait évidemment, qu'elle se remît du fond de teint, du noir aux cils, du rouge aux lèvres et qu'elle ranimât ainsi, d'une manière factice, la seule vérité qu'elle sentait en elle et qui était son squelette. Elle ne voulait plus rien. Elle n'avait plus peur de rien. «Et la vie, quant à la vie», comme dit Villiers de l'Isle-Adam, «les domestiques la vivront pour nous.» Il y avait quelque chose de si dérisoire dans les mouvements qu'elle faisait pour retrousser ses cils au noir, alors que ses yeux en avaient vraiment beaucoup trop vu, pour raviver le dessin de sa bouche, alors que sa bouche avait beaucoup trop connu d'autres bouches, quelque dose de si extravagant à peigner, à coiffer des cheveux dont le seul destin avait été, jusque-là, d'être défaits par des mains impatientes, viriles, différentes, et qui en aucun cas n'étaient allées plus loin ou plus exactement plus haut, jusqu'à ce bulbe rachidien enfoui sous la nuque et dont on vous dit qu'il est le centre, le grand raisonneur, le grand PDG de toutes les sensations.

Eléonore n'avait pas la force de défaire ses bagages ni même l'envie. Paris lui semblait terne comme une lampe trop usée, et cet endroit à peu près insupportable de tristesse ne la gênait pas, en fait, mais correspondait chez elle à un certain état d'esprit qu'elle n'avait même pas à se formuler : «Bon, bon, eh bien, voilà, l'été, c'est une bonne chose de faite.» S'étant maquillée en étrangère à elle-même, à son frère, à qui que ce fût, se sachant incapable de sortir dans les conditions précises où elle s'était mise, se sachant incapable de rien, sauf peut-être de lire un autre roman policier — encore fallait-il l'acheter et elle était incapable de passer la porte —, elle se rallongea, toute maquillée, très belle au demeurant, sur le vieux canapé et attendit. Elle attendit que son cœur se calmât d'abord, parce que cet imbécile, ce fou, lui qui n'avait jamais battu pour personne — et quelque chose en elle le lui avait assez souvent reproché — se mettait à battre comme une pendule trop bien remontée, trop régulière, trop forte et si bruyante que ses tempes, selon l'expression consacrée, lui faisaient mal. Eléonore ne pouvait plus rien. Elle ne pouvait pas parler à la concierge qu'elle trouvait cependant sympathique. Elle ne pouvait pas démontrer à Sébastien le dérisoire de son comportement, puisque, après tout, ce comportement n'était fait que pour elle. Elle ne pouvait pas aller voir Hugo puisque les murs des prisons à Stockholm étaient trop épais. Elle ne pouvait pas non plus (bel été) retrouver Mario qui l'avait sûrement déjà oubliée tout comme elle-même. Cette espèce de tristesse mortelle, de solitude acceptée qui avait toujours été au fond de sa vie et avec laquelle elle ne s'était battue que pendant dix ans, entre dix-huit et vingt-huit environ, cette solitude, maintenant qu'elle était parfaitement indéracinable, elle la retrouvait grandie, sordide, magnifiée dans cet appartement grenat et mesquin où même son frère, son Castor, son Pollux, l'avait abandonnée. Elle hésita devant des comprimés blancs, faciles et qu'elle savait faciles, mais cela lui paraissait un peu trop vulgaire, plus exactement, un peu trop évident, elle alla se coucher dans un des deux lits que la concierge avait obligeamment préparés. Si, en dormant, elle étreignait l'oreiller comme on étreint un enfant ou un homme, c'était vraiment parce que le sommeil la privait de ses réflexes naturels.

L'ennuyeux dans ce charmant métier — vocation — besoin — suicide mental — compensation — l'ennuyeux, c'est qu'au bout de dix-huit ans, ce qui est mon cas, on a essuyé, littéralement, tous les commentaires possibles et imaginables. Par exemple, moi, j'ai toujours eu droit à des dames réjouies, ou à de fermes jeunes gens qui me disaient qu'ils avaient toujours beaucoup aimé : a) *Bonjour tristesse,* et b) dans mon théâtre, *Château en Suède.* C'est légèrement déprimant pour un auteur, même si l'intention est bonne, car on a le sentiment d'avoir eu deux beaux enfants, bien sains, qui ont fait leur chemin dans la vie, et ensuite, une file de petits canards boiteux qui, eux, ont moins plu, les pauvres... Cette catégorie de lecteurs est la plus fréquente. Après, il y a ceux qui ont «vu» : «J'avais beaucoup aimé, comme tout le monde, *Bonjour tristesse,* mais je dois vous dire que mon grand faible, c'est *Aimez-vous Brahms....* Ah là là, Ingrid Bergman, qu'est-ce qu'elle était bien là-dedans!» Troisième catégorie, plus raffinée : «Vous savez, techniquement, cette pièce était mal montée.» (Là, je baisse les yeux de honte parce que c'est moi qui l'ai montée.) «Mais je crois que dans votre théâtre, ce que je préfère, c'est *Bonheur, impair et passe.*» Quatrième catégorie, encore plus spécialisée et donc, encore plus à contre-courant : «Moi, je vais vous dire, le seul livre que j'aie aimé de vous (sous-entendu, le reste, je l'aurais volontiers jeté dans la corbeille à papiers), le seul qui ait quelque chose de violent, d'obsessionnel, c'est *Les Merveilleux Nuages.*» On adopte ainsi un comportement tout à fait étrange, à la fois de mère-poule, prête à défendre ses petits quand le reproche est trop gros, et de consentement résigné — tout dépend des jours et de la tête de l'interlocuteur — mais qui peut vous amener à sauter à n'importe quelle gorge en pensant : « Pauvre imbécile, mon meilleur livre, c'est ça ! » Sans savoir lequel, d'ailleurs. Ou bien, au contraire : « Mon pauvre ami, comme vous avez raison, tout cela ne vaut pas tripette. »

Quand on y pense, c'est assez confondant, ce mélange d'ingénuité, de grossièreté et de gentillesse, avec lequel les gens vous parlent de ce qu'on a fait. C'est très logique pourtant : on leur livre deux cents ou trois cents pages — dans mon cas, plutôt deux cents — de prose qu'ils payent quinze-vingt francs, ou un fauteuil d'orchestre, vingt-cinq, et ils se sentent le droit, presque le devoir, de vous informer de leurs réactions. Je me demande même si certains ne pensent pas, ce faisant, vous rendre service. Ce qu'ils n'arrivent pas à ajouter au prix du livre, c'est cette espèce d'énorme TVA mentale, morale, psychologique, morbide, insupportable, qu'est le silence qui règne parfois entre quelqu'un qui aime écrire et la page de papier en face de lui. Et ces innombrables crochets pour éviter de voir la table à laquelle l'on doit s'asseoir, et ces innombrables crochets pour ne pas voir non plus la pluie ou le soleil dehors, affreusement tentateurs. J'ai toujours eu une grande admiration pour les gens — apparemment nombreux — qui écrivent dans les cafés. Moi, il me semble que, dans un café, je passerais mon temps à regarder la tête des autres consommateurs, à parlicoter avec le garçon, à échanger des œillades, ou à essayer de le faire, avec un bel Argentin. Tout me distrait, dès que je ne suis plus seule. Tout m'accapare, tout m'amuse ou me fait de la peine, selon les circonstances. Ce n'est qu'enfermée à double tour par une main inflexible — cette main, hélas, doit être la mienne et Dieu sait que mes mains ne manquent pas de flexibilité — que je peux travailler. J'ai bien essayé quelquefois dans ma vie de me faire enfermer par d'autres, de bonnes âmes soucieuses de mon sort et peu sûres de ma volonté, mais alors ma défunte volonté se réveillait comme une puce, et j'étais capable d'escalader des balcons, de descendre des gouttières, de hurler à la mort jusqu'à ce qu'on me rouvre. Et là, naturellement, hurlant que la littérature était question d'inspiration, que je refusais d'être une bureaucrate, que je n'étais pas payée aux pièces, que je n'avais plus douze ans, etc.

Destin étrange, que celui de l'écrivain. Il doit se mener les rênes courtes, à un pas bien accordé, l'échine droite, alors qu'idéalement il devrait faire le cheval fou, crinière au vent, gambadant par-dessus des fossés ridicules, telles la grammaire, la syntaxe ou la paresse, cette dernière étant une haie gigantesque. Quand je pense qu'on appelle ce métier un métier libéral, quand je pense qu'on n'a même pas un chef de bureau pour vous taper sur les doigts, qu'on n'a personne, vraiment personne, pour noter vos copies et quand je pense que la liberté, au fond, n'est jamais qu'une chose que l'on dérobe, et que la seule personne à qui on puisse la dérober, dans ce cas, c'est nous-même. Voleur volé, arroseur arrosé, c'est notre lot. Les pires brimades ne peuvent jamais venir que de nous-mêmes. Quand je pense à mon malheureux destin qui consiste à faire ce que je veux quand j'en ai envie, de plus à en vivre largement, j'ai envie de sangloter. Enfin, j'espère que mes lecteurs et mon éditeur me comprendront et auront assez d'imagination pour me plaindre.

Alors, me direz-vous, pourquoi écrire ? D'abord pour des raisons sordides : parce que je suis une vieille cigale et que, si je n'écris pas pendant deux ou trois ans, je me fais l'effet d'une dégénérée. Hélas ! Dès que mes livres sont publiés, une certaine partie de la critique me traite précisément de dégénérée. De nature influençable, je m'arrête d'écrire, non sans un vif soulagement... Et puis, deux ans après, les échos de ces voix chères (les critiques) s'étant évanouis, je retrouve mon propre jugement : « Ma pauvre amie, tu n'es qu'une dégénérée. » On voit comme l'enchaînement est agréable et comme il est amusant d'être un écrivain « à succès », à Paris, en 1972. Ah, c'est que je n'ai pas fini de me plaindre ! Cette vie de miel et de roses, de facilité, de gaieté et de bêtises, c'est qu'il faut pouvoir la supporter ! Il faut avoir une rude colonne vertébrale pour ne tolérer ni l'ennui ni les obligations ni les conventions, bref tout ce qui fait, quel que soit le niveau social, les points de ralliement de tout un chacun. Il faut être très équilibrée pour aller se promener librement n'importe où, sans que cette promenade ne devienne pour vous-même autre chose qu'une exquise école buissonnière.

CHAPITRE IX

SEBASTIEN gisait sur le dos dans les draps délicieusement doux, de chez Porthault, du lit de Nora Jedelman. Il faisait chaud encore, et par la fenêtre ouverte sur l'avenue Montaigne, on entendait les pas et les voix de quelques passants attardés. Au début, tout avait été réconfortant. Il y avait eu l'accueil presque timide pour une fois, à force de soulagement, de Nora, le jappement infernal mais attendrissant des chihuahuas et, surtout, cette étendue de moquette gigantesque et beige, semblable à la mer qu'il venait de quitter et, comme elle, rassurante. Et puis un feu de bois un peu précoce, et puis quelques whiskies, avec de la glace cette fois, et pour finir, bien entendu, quelqu'un qui avait besoin de lui, qui l'aimait et le lui disait. Mais à présent, il se faisait l'effet d'un déserteur.

La main nue et fortement baguée qui reposait sur son épaule lui sembla peser de plus en plus lourd, tandis que la voix un peu nasillarde, même dans ses chuchotements, devenait de plus en plus bruyante.

— Cette pauvre Eléonore, dit la voix, et déjà le terme de « pauvre » hérissa Sébastien, tu l'as laissée toute seule.

— Ma sœur adore la solitude, répondit Sébastien. Vous devez le savoir.

— Ta sœur est étrange, dit la voix. Je me demandais... tu sais, quand je lui ai présenté ce charmant Dave Burby, elle ne l'a même pas regardé. Elle parlait plus volontiers à la fille avec qui il était venu, Candice.

— Ah oui, dit Sébastien, distrait.

— Je me suis même demandé à ce moment-là, (petit rire gêné dans le noir) si ta sœur ne préférait pas les femmes.

Sébastien bâilla et se retourna sur le côté.

— Si cette Candice lui avait plu — et à mon avis, elle était bien plus drôle que Burby — Eléonore n'aurait sûrement pas hésité, dit-il.

— *My God*, dit plaintivement Nora dont le protestantisme se réveillait parfois, notamment après l'amour.

— Ne vous inquiétez pas, reprit Sébastien, Eléonore a couché avec le jardinier tout l'été.

— *My God*, s'exclama Nora dont le snobisme était plus violent encore que les conventions morales, avec Mario ?

— Avec Mario, oui, dit Sébastien. Au demeurant, à part moi, c'était bien le plus bel homme qui était chez vous.

Il y eut un instant de silence pétrifié, délicieux pour Sébastien qui commençait à éprouver une allergie pour les draps, les chihuahuas abrités sous la coiffeuse, et cette femme débordante de questions. Ce silence parut moins délicieux à Nora qui, comme beaucoup de gens issus de milieux relativement modestes et arrivés à une certaine fortune, à ce qu'ils appellent dans leur horrible jargon un certain « standing », considérait comme une dépravation exemplaire une liaison avec un domestique. Bien que toutes ces femmes aient pris l'habitude (et même le goût) de transformer leurs amants en valet, la démarche contraire leur paraît inadmissible. A tout prendre, elle eût préféré qu'Eléonore ait une liaison douteuse avec cette Candice qui, du moins, était la fille d'un marchand de textiles fort connu à Dallas. Il n'était évidemment pas question pour elle de condamner la conduite d'Eléonore devant Sébastien : elle savait trop que cela entraînerait automatiquement le départ définitif de ce dernier. Mais il était de son devoir, en tant que maîtresse de maison, de stigmatiser ces agissements et de le faire sentir, légèrement bien sûr, à Sébastien. D'ailleurs, le pauvre chéri devait, sans doute, souffrir atrocement des goûts ancillaires de sa sœur. Comme toute personne qui ne comprend pas grand-chose, elle assimilait aussitôt un accident particulier à un vice continu. Elle vit donc Sébastien, traînant sa sœur d'hôtel en hôtel, évitant les beaux stewards, échappant à des maîtres d'hôtel douteux, Sébastien désespéré du manque de «classe» d'Eléonore. Le cynisme qu'il affichait n'était sûrement qu'une parade pour défendre sa sœur. Comblée, repue et presque les larmes aux yeux à force de bons sentiments, elle mit sa tête sur son épaule tout en lui serrant la main d'une façon éloquente. C'est alors que le fou rire se déclencha chez Sébastien. Il avait dit ces choses par lassitude, pour rire comme d'habitude, et parce que c'était vrai de plus, mais il ne pensait pas susciter par ce modeste récit (Dieu sait qu'ils en avaient vu d'autres, Eléonore et lui) une réaction aussi virginale. Il eût bien préféré celle d'une femme latine, nordique, qui lui eût dit gaiement : «Oh, c'est vrai, Mario... Que je suis bête, je n'y aurais jamais pensé.» Mais l'Amérique était là, près de lui, et bien que ce fût sous des draps de Porthault, le bateau du Mayflower naviguait à son flanc, ainsi que les Quakers, l'argent, ce qui se fait, ce qui ne se fait pas, la Bible et surtout, surtout, les commentaires possibles des petites amies. Sous ces draps européens et doux, célèbres, ces draps pleins de fleurs très pâles, aux couleurs d'aquarelle, ces fleurs européennes, se levait un vent furieux venu du Transvaal, de la Constitution américaine, du Far West et des banques de Boston. L'indignation qu'il sentait dans le petit corps rebondi et confortable, d'ailleurs, de sa compagne de lit, ce petit corps qui avait tellement plus joui grâce aux dollars de Boston qu'aux préceptes de la Bible, l'enchantait. Tout à coup, alors que le premier spasme du rire le prenait à la gorge, il imagina Eléonore dans ce meublé miteux où il l'avait abandonnée, il l'imagina longue, mince, les mains ouvertes — elle dormait toujours les mains ouvertes —, il imagina ses paupières un peu trop longues sur ces yeux gris, gris comme les siens, il imagina l'absence totale de vulgarité ou même de précautions qu'il y avait en elle et, une fois de plus, le sentiment qu'ils étaient du même sang et, quoique n'étant pas jumeaux, à jamais condamnés aux mêmes réflexes, aux mêmes refus, le transperça et lui fit peur. «Cette fois, se disait-il, assis à présent sur le lit et les yeux toujours brillants de larmes de rire (à la seule pensée du Mayflower), c'est vrai que je vais m'encanailler ici», et toujours riant, il se leva, s'habilla malgré les questions éplorées et les assurances amoureuses de la pauvre Nora. Incapable de lui dire un mot, incapable même de lui dire qu'il était venu dans les meilleures intentions du monde et que la pitié qu'il avait eue de sa solitude dans cet appartement trop grand était autant entrée en ligne de compte que son propre malaise dans sa décision de venir. Incapable donc de la rassurer, toujours riant, il descendit quatre à quatre l'escalier, se retrouva dans l'air frais du matin, avenue Montaigne, et se mit à courir vers la rue Madame... pas très longtemps, d'ailleurs, jusqu'à ce qu'il trouve un taxi. A peine arrivé, il réveilla Eléonore en trébuchant sur sa valise dans l'entrée et elle se dressa sur son lit et murmura : «Ah, tiens, c'est toi», d'un air aimable mais étonné comme si elle eût pu attendre quelqu'un d'autre. Alors il se mit sur son lit et lui raconta tout et ils rirent tellement toute la nuit, avec cinquante cigarettes écrasées dans chaque cendrier marqué « Martini », et cette bouteille entre eux qu'ils n'arrêtaient pas de se passer, ils rirent tellement qu'à midi, le lendemain, ils dormaient encore, épuisés, heureux, retrouvés.

CHAPITRE X

Ce qu'il y a d'agréable pour moi, dans ce roman que j'écris au jour le jour et ce que j'espère, cette fois-ci, c'est que personne, vraiment personne, ne viendra me dire : « C'est drôle, vous savez, Sébastien, c'est tellement moi, et Eléonore, c'est absolument moi. » (Pour Nora Jedelman, je me fais peu de souci.) C'est si lassant cette assimilation qui est, paraît-il, hélas, à la base du succès, en tout cas du mien. J'ai vu des dames monstres m'expliquer à quel point elles s'étaient reconnues dans la « Paule » de *Aimez-vous Brahms...*, ou Dieu sait quoi, j'en ai vu des gens étranges, si loin de ma pensée, correspondre dans la leur à mes héros. Ici, je pense quand même que personne ne va voir dans l'un de ces deux fous de Suédois son homologue. Peut-être quelques esprits licencieux viendront-ils m'expliquer que « eux aussi, l'inceste... ». Mais autrement ? Il me semble difficile de s'intégrer à ces gens.

Cela dit, quand les monstres en question me murmuraient : « Vous savez, je suis passée par là », j'étais sûre que d'une certaine manière, c'était vrai. Ce n'est pas le bon sens qui est la chose au monde la mieux partagée, ce sont les sentiments. Et la vilaine dame qui se voyait obligée de choisir entre un homme mûr, solide, et un amant trop ardent, cette vilaine dame ne mentait pas : elle avait eu, à un moment ou un autre, l'occasion d'y croire, ou, sinon l'occasion, du moins le vif désir ; et en fin de compte cela ressemble beaucoup, presque à s'y méprendre, à la vie vécue : la vie rêvée. Etant donné que la denrée la plus précieuse — l'or, le sel, l'eau même — que l'on puisse trouver dans ce repas, ce repas bizarre qu'on appelle la conversation entre deux êtres humains, que cette denrée, donc, c'est l'imagination, que celle-ci est rarissime, que c'est la seule chose dont les gens aient besoin, envie, qu'ils possèdent parfois, d'ailleurs, mais qu'ils ne peuvent jamais imposer. Cette même imagination, que l'on nomme fort justement la folle du logis et qui est la seule à pouvoir empêcher un logis de se construire sur des bases pratiques et assommantes, bref, pour finir ma phrase, il faut bien comprendre qu'il n'y a rien d'autre qu'elle. Je veux dire que, si l'on n'a pas un peu d'imagination vis-à-vis de ses amis, il peut leur arriver de

se tuer bêtement parce que justement, un soir, on en a manqué à leur
égard. Il peut arriver qu'étant seul soi-même, et parfaitement désespéré
pour une raison X, un coup de chaleur et d'envie de vivre se lève en
vous, simplement parce qu'un incident quelconque a réveillé cette
pauvre folle. Il peut arriver, si l'on fait un travail dit créateur, qu'on lui
coure après pendant des nuits, à la fois ravie et épouvantée, comme les
enfants après les chauves-souris, l'été, dans les maisons de campagne. Il
peut arriver qu'on ait l'impression, en rencontrant quelqu'un, de se
trouver en face d'un grand mutilé, presque un mutilé de la face — et
cela quelle que soit sa beauté intrinsèque — tout bonnement parce que
la folle du logis n'est jamais passée chez lui. Il peut arriver qu'on tombe
amoureuse d'un menteur forcené parce que, pris entre deux mensonges
et coincé («*squeezed*» disent les Anglais) devant témoins, il s'en tire
grâce à un troisième mensonge, admirable par ce qu'il révèle. J'en ai vu
dans ma vie, Dieu sait, de ceux que l'on nomme aujourd'hui avec
mépris des mythomanes. Je ne parle pas de la mythomanie de défense,
toujours assez attristante, je parle de l'autre, destinée à plaire. J'en ai été
la victime heureuse, très longtemps. Maintenant, je la détecte à des
signes purement physiques dont je devrais donner le tableau signalétique
aux lectrices de *Elle,* par exemple : c'est l'air calme, la voix un peu
détimbrée, l'œil bien droit, presque plus foncé et, contrairement aux
films provençaux, une absence de gestes délibérée. Les mythomanes ont
pour moi un charme très précis, ils mentent le plus souvent gratuitement.
On pourrait presque dire qu'ils mentent autant pour vous faire plaisir
que pour se faire plaisir. Il y a le mythomane masochiste (rare, hélas) qui
raconte des histoires qui tournent à son désavantage, et c'est la première
forme de l'humour ; puis il y a le mythomane paranoïaque (le plus
fréquent hélas) qui vous raconte en riant ses triomphes, ses succès, ses
gloires. Je ne saurais et ne voudrais pour rien au monde interrompre ni
l'un ni l'autre (à moins qu'ils ne soient mortels d'ennui). Il y a aussi, et
cela c'est tragique, le mythomane sans imagination, le mythomane à
idées fixes, celui dont tous les noctambules s'écartent, tels des oiseaux
affolés par un épouvantail, dès qu'il entre dans un lieu de nuit. Je ne
voudrais pas les interrompre, les mythomanes, pour deux raisons :
d'abord, parce que c'est un effort chez eux de changer leur vie en la
reconstituant — après tout, la littérature, qu'est-ce que c'est d'autre ? —
ensuite parce que c'est par gentillesse qu'ils cherchent à vous entraîner
dans leurs spirales. Ah, si certains sceptiques voulaient comprendre que
certains mensonges qu'on leur fait, certains récits surtout, sont un
hommage qu'on leur rend : on les croit à la fois assez intelligents pour
saisir le problème posé, assez imaginatifs pour souhaiter un dénouement,
assez enfantins pour supposer qu'il y en ait un et assez tendres pour ne
pas dire : « Arrêtez-moi donc ce jeu.» Certaines personnes, dont la vie a
été nourrie de ces récits farfelus, bizarres et faux dont elles se plaignent,

devraient se rendre compte que c'est là qu'elles se sont nourries, abreuvées, et que c'est ainsi que s'est posée sur leur front, pour une fois et pour rien, la main impérieuse, affectueuse et brûlante de la folle du logis.

La concierge leur avait apporté un café très noir pour les réveiller et s'était opportunément proposée à défaire leurs bagages. Elle trouvait un petit peu fort, quand même, qu'au bout de vingt-quatre heures toutes les ravissantes tenues de cette Mme Van Milhem restent serrées entre elles au fond d'une valise. A cet agacement naturel chez une femme qui avait le sens du maquillage (on l'a déjà dit) et donc le respect de l'élégance, commençaient à se mêler la sollicitude légèrement soucieuse, le dévouement spontané que les Van Milhem avaient toujours provoqués sur leur passage quand, par hasard, ils voyageaient seuls. Déjà, Mme Schiller, la concierge, commençait à prendre en main les problèmes du chauffage, du charbon, de l'électricité et autres corporations, enchantée en fait de ces deux enfants attardés qui lui tombaient soudain dans les bras (M. Schiller n'avait jamais voulu d'enfant). Elle s'expliquait dans un langage fleuri, mais pratique, au téléphone, tandis que le frère et la sœur croquaient leurs biscottes avec indifférence. La présence de Mme Schiller leur paraissait tout aussi naturelle dans leur vie, et dans l'organisation de cette vie, que celle — c'est affreux à dire — de Nora Jedelman. Ils la trouvaient même moins encombrante et, toujours aux yeux d'Eléonore, bien mieux maquillée.

— Cette pauvre Nora, dit Sébastien, si elle veut appeler, elle va avoir du mal. Notre maison est un vrai quartier général.

— Tu lui as fait un cadeau empoisonné, dit Eléonore, alors qu'elle te couvrait de ravissantes babioles. Ce n'est pas gentil.

— Quel cadeau? s'enquit Sébastien.

— Tu lui as redonné le goût d'aimer, dit Eléonore, et elle s'étira, passa dans la salle de bains, ou ce qui en tenait lieu, et revint aussitôt pour avertir Mme Schiller qu'il n'y avait pas d'eau chaude.

Il se trouvait que Mme Schiller était justement la meilleure amie de la femme du plombier (un homme insaisissable celui-là) et elle se fit une gloire de le leur démontrer.

— Il me reste environ quatre mille francs, dit Sébastien, et le loyer est payé pour trois mois, mais il faut se nourrir et s'habiller.

— Oh! s'habiller, dit Eléonore, bronzés comme nous sommes...

— C'est une tenue un peu légère quand même, dit Sébastien. Non, je vais trouver du travail.

L'éclat de rire d'Eléonore faillit faire échouer la transaction difficile qui se déroulait entre Mme Schiller et la femme du plombier. Eléonore riait rarement, mais quand elle riait, c'était d'un rire bas, incoercible, contagieux, un rire «à la Garbo» disait son frère. Sébastien se vexa :

— Je vais téléphoner à mon ami Robert une fois que tu seras calmée, ou alors, si tu veux, on peut acheter pour trois mille francs de whisky et les boire ici, à toute vitesse. Ce serait bien le diable si l'on n'en claque pas.

— Avec nos santés, répondit Eléonore, je crains que non. Pourquoi ne demandes-tu pas à Mme Schiller? Elle te trouvera une place de gardien au Luxembourg.

— Sans doute, mais c'est contraire à mes idées. Tu me vois pourchassant les amoureux, les enfants, refusant les chiens et sifflant comme un fou dès cinq heures? Ah non!

— J'aimerais bien être couturière à la journée, dit Eléonore brusquement. Je resterais ici, je coudrais d'une main, je lirais de l'autre.

— Malheureusement, tu ne sais pas coudre et je crois qu'il faut les deux mains, dit Sébastien.

Ils restèrent songeurs, mais ravis. Ils aimaient beaucoup échanger ainsi sur un ton sérieux des projets impossibles et modestes et, sans doute, s'ils en avaient été capables, ces emplois relativement libres leur auraient été moralement plus faciles à supporter que celui de gens entretenus. (Moralement voulant dire fatigue morale, et non moralité pure.)

— J'ai le plombier, s'écria Mme Schiller. Je l'ai attrapé au vol et on l'aura ce soir.

Ce « on » les fit sourire : ils avaient déjà récupéré une mère. Emporté par son élan, Sébastien décrocha le téléphone et appela le numéro de la rue de Fleurus où il trouva Robert Bessy (qui justement allait sortir et qui, naturellement, arrivait tout de suite). Il se retourna vers Eléonore en souriant.

— Il semble bien qu'à Paris les gens vivent uniquement d'adverbes. Ils sont toujours « justement » sur le point de faire quelque chose, ils seront « naturellement » ravis de venir et il va « évidemment » s'occuper « activement », tu verras, de me trouver une situation.

— Je vais essayer de me faire une vague beauté, dit Eléonore, avec ou sans plombier. Bien que ce Robert ne semble pas très réceptif aux femmes, je ne tiens pas à le recevoir en robe de chambre.

Elle était de très bonne humeur, tout à coup. Sébastien était redevenu vacant, Mme Schiller les protégeait et cet appartement, à l'usage, ne manquait pas d'un certain charme.

— Ne t'inquiète pas, dit-elle sur le pas de la salle de bains, tu t'es chargé de tout cet été. Maintenant, je vais prendre les choses en main.

Installé sur le divan grenat et feuilletant le *Parisien libéré* emprunté à M. Schiller, Sébastien eut un petit rire qui signifiait « il était temps ». Lui aussi se sentait aussi heureux qu'on puisse l'être.

Robert Bessy était de taille moyenne, un peu corpulent, habillé de manière trop jeune, et il professait visiblement pour Sébastien une admiration éperdue. Il baisa la main d'Eléonore, s'excusa de les avoir si mal logés — et là, ils se récrièrent — puis accepta dans un verre à dents une goutte du fond de sa bouteille. Il avait environ quarante ans ; chargé de presse de quelque maison de couture, quelque théâtre, organisateur de nombreuses soirées parisiennes, il semblait considérer comme tout à fait facile, bien qu'un peu effrayant, de s'adjoindre Sébastien comme collaborateur. Il tenta de lui expliquer dans les grandes lignes ce que serait son rôle.

— C'est un métier où ce qu'il faut avant tout, c'est de l'entregent, de la vivacité d'esprit, du tact, du charme, bref, toutes tes qualités, Sébastien.

Eléonore était devenue toute rouge, pour une fois, à force de s'empêcher de rire. Sébastien s'énerva.

— Ma sœur est une idiote. Je ne connais plus grand monde à Paris et je manque parfois de tact, mais pour le charme et la vivacité d'esprit, ma chère sœur, permets-moi de te dire que je te rends des points.

— Mais oui, mais oui, dit Eléonore, en éclatant de rire.

— Au début, reprit Robert Bessy, un peu déconcerté, tu seras choqué par certaines choses... les hiérarchies ne sont pas exactement les tiennes dans ce milieu. Mais tu t'habitueras, il te suffira d'un peu de patience...

— ... Et de vivacité d'esprit, enchaîna Eléonore que la gaieté rendait tout à fait irrespectueuse.

— Eh bien, c'est d'accord, dit Sébastien d'un air royal, comme s'il faisait un cadeau à son camarade de classe, c'est d'accord. Je commencerai la semaine prochaine, le temps de reconstituer un peu mon vestiaire qui laisse à désirer.

Une légère étincelle de panique apparut dans l'œil de Robert.

— Tu ne m'as rien demandé, dit-il, au sujet de l'argent. C'est un métier très journalier, tu sais, etc.

— Je te fais confiance, je te fais confiance, dit gaiement Sébastien, tu n'as jamais été un pignouf, que je sache.

L'étincelle de panique était devenue un brasier.

— Il faut quand même que je te prévienne...

— Je ne parle jamais d'argent devant une femme, dit Sébastien sèchement.

Et Robert s'excusa, battit en retraite, et ainsi s'expliqua à Eléonore l'ascendant bizarre qu'avait eu, et que gardait vingt ans après, l'affreux Sébastien. De petites brimades, comme ça, au nom de l'esthétique. La comparaison incessante que Robert devait faire au collège et encore aujourd'hui, entre ce lévrier intelligent nommé Van Milhem et ce cocker dégourdi nommé Robert Bessy, lui-même. Car, de même que la mémoire enregistre et grave les souvenirs d'enfance ou de jeunesse bien plus profondément que ceux de l'âge mûr, de même certains ascendants, certaines séductions, d'ordre physique ou moral, s'ils ont été subis à l'âge tendre, c'est-à-dire l'âge ingrat, continuent, trente ans après, à exercer leur pouvoir. Peut-être parce que, ce que l'on aime vraiment à ces jeunes âges malheureux, c'est l'inaccessible et que Sébastien, malgré le temps, était resté et resterait pour son ami l'inaccessible Sébastien. Les ayant logés, s'engageant à les nourrir, Robert Bessy ne pouvait faire moins que de les inviter à déjeuner, ce qu'il fit. Ce fut un déjeuner fort gai. Eléonore était très en forme, attirait de nombreux regards dans le restaurant luxueux où les avait emmenés Robert. Ce dernier le remarqua et lui qui, malgré son admiration inconditionnelle, avait quand même eu vent, quinze ans auparavant, de la manière dont vivaient les deux coucous, se dit avec un certain soulagement qu'il n'en aurait peut-être pas pour très longtemps à payer Sébastien pour qu'il fasse semblant de travailler. Déjà, dans sa tête, il prévoyait quelques dîners qui le déchargeraient de son engagement. En même temps, avec nostalgie, il pensait que, dix ans plus tôt, il aurait été fou de joie de travailler avec Sébastien et même de le voir faire semblant, tant il savait que, de la sorte, l'imprévu envahirait sa vie. Oui, il y a dix ans encore, à trente ans, il aurait été prêt à prendre tous les risques et à les partager avec quelqu'un qu'il admirait. Seulement depuis, il avait réussi, il avait des responsabilités et, dans ce milieu si fermé et si féroce de Paris, il était arrivé à «faire son trou». Tout en croquant sa langoustine, il se demandait avec tristesse si cette expression n'était pas horriblement juste et si ce «trou» si soigneusement creusé n'était pas celui de la tombe.

CHAPITRE XI

Le soleil rouge de février se couchait derrière les arbres noirs. A la fenêtre de sa maison de Normandie, la malheureuse écrivassière regardait se terminer le jour. Depuis quarante-huit heures, elle ne parvenait plus à écrire le moindre mot. Elle aurait dû en être triste. Essayer d'écrire sans y parvenir, c'était comme faire l'amour sans plaisir, boire sans s'enivrer, voyager sans jamais arriver. C'était l'enfer, l'échec. Bien sûr, les journées passaient toutes seules, toutes semblables, et le temps, enfin calmé, avait des douceurs ralenties, des demi-extases, à force d'immobilité. Mais il fallait bien vivre, quand même, travailler, revenir un jour à Paris, retrouver «les autres». Il fallait se secouer. Cependant, les matinées étaient belles au soleil, la terre sentait le froid, le chien jouait avec un bâton, durant des heures, et les feux de bois ronronnaient au même rythme que ce gros roman anglais, imprudemment commencé. Se secouer... Encore eût-il fallu être malheureuse. C'était vrai, quoi, à force : ça devenait pénible, tout ça.

Elle avait écrit, à dix-huit ans, une jolie dissertation française, que l'on avait publiée et qui l'avait rendue célèbre. Elle avait refusé de prendre tout cela au tragique, voire au sérieux : de toute façon, écrire était *a priori* un plaisir pour elle. Et voilà que dix-huit ans plus tard, elle était obligée de se prendre vraiment au sérieux si elle ne voulait pas que sa situation, celle de sa petite famille, devînt tragique. Et là, elle n'avait aucune envie d'écrire. Et déjà le remords de n'avoir rien fait « ce jour-là » pesait sur sa conscience. Des histoires d'impôts, de dettes, des histoires lugubres gâchaient sa rêverie poétique. On laisse se faire les choses, se créer des habitudes de facilité, on laisse les autres dessiner de nous-même un portrait-robot, on laisse tout filer : le temps, l'argent et les passions, et l'on se retrouve devant une machine à écrire muette comme une comptable épuisée. Avec toujours, en contrepoint, ce léger fou rire intérieur à son propre égard. Cette dérision. Eh oui, elle voulait bien admettre qu'elle conduisait pieds nus ses voitures — comme tout le monde d'ailleurs, en revenant de la plage, car le sable fait mal dans les chaussures —, eh oui, elle voulait bien admettre que le whisky était un de ses plus fidèles lieutenants — car la vie n'est pas si douce aux semi-écorchés que sont les êtres humains. Eh oui ! Mais elle ne s'excuserait jamais de rien car personne ne lui semblait mériter qu'elle s'excusât vis-à-vis de lui. Tout au plus, dans certaines circonstances privées et passionnelles, demanderait-elle pardon dans le noir, avec une vraie humilité, à quelqu'un de blessé. Mais par rapport à ce gentil pantin qu'elle était censée être, et qu'elle était peut-être d'ailleurs, parfois sans s'en rendre compte, ah non, ça non ! Il faut respecter ses effigies, si on les supporte, avec peut être plus de soin que l'on ne se respecte intrinsèquement soi-même. C'est le « B.A.-Ba » de l'orgueil. Et de l'humour.

« Je, me, moi… » Sifflotant de bonheur, la Bonne Dame de Honfleur jeta un coup d'œil par l'autre fenêtre : les vaches paissaient encore l'herbe rasée de l'hiver, le chien jouait avec son bâton comme un dégénéré, les arbres se déployaient sur le ciel, l'heure était calme. Sans idées, sans oiseaux. De toute manière, elle était plus susceptible d'être réveillée le lendemain par le cri des oiseaux que par le bouillonnement de ses idées. Elle dormait sans bouger, ici, son bras abîmé étendu près d'elle, de biais, comme une autre personne. En se réveillant le matin et le trouvant tout engourdi — car le pauvre était vraiment fracturé —, elle avait envie de le consoler, voire de se serrer la main. Son indifférence résolue à la douleur physique et sa gentillesse non moins résolue à son propre égard inquiétaient parfois l'écrivassière. La schizophrénie, chauve-souris (*calva sorices*), volait bas, cette année-là. Il ne lui manquerait plus que cela. Car enfin, de même qu'elle se faisait faire des points de suture sans anesthésie avec une sorte de distraction, absolument pas simulée, de même n'avait-elle de cesse, pour lire par exemple, de se constituer un petit nid rempli d'oreillers, de cigarettes, de Kleenex, un petit nid qu'elle ne jugeait jamais assez parfait, à la fin, pour ses beaux yeux. La Bonne Dame d'Honfleur poussa un profond soupir : l'oiseau du soir, le premier, celui qui faisait « hulihuli-a », s'était déclenché. Le soleil avait disparu et elle avait soif. Elle n'avait pas travaillé. « Encore une journée de fichue », dit-elle à voix haute, mais quelque chose en elle, devant cette pelouse déjà assombrie, murmurait : « Encore une journée de sauvée. » La vie a de ces trêves, parfois, où l'on peut se regarder dans la glace avec un petit sourire mi-condescendant, mi-complice, sans autre exigence profonde que celle d'être vivante et bien dans sa peau, pendant que l'oiseau du soir fait « hulihuli-a ». Mais ces trêves sont rares : les tigres installés dans nos différents moteurs ont vite fait de se réveiller et de se déchirer entre eux.

CHAPITRE XII

— LE TELEPHONE ne sonne pas depuis trois minutes, dit Sébastien. C'est délicieux. Vous ne trouvez pas, mademoiselle ?

La secrétaire le regarda, indécise. Tous les collaborateurs de Robert Bessy prenaient des airs affairés, téléphonaient eux-mêmes si la sonnerie s'arrêtait et l'appelaient « mon petit » ou « Elisa ». Ce grand homme calme, nonchalant, ressemblait aussi peu que possible à un chargé de presse. Même sa courtoisie la déconcertait : il l'aidait à mettre son manteau, se levait pour allumer ses cigarettes, et semblait ignorer totalement le style « coup de vent », si bien vu dans la maison. Voilà trois jours qu'il était là et déjà le bureau avait changé. Les gens ne hurlaient plus, ne couraient plus et murmuraient « pardon » en se cognant dans les portes. Que dirait M. Bessy en rentrant de New York ? De plus, les rares coups de téléphone que recevait ce M. Van Milhem étaient curieux : certains venaient de sa sœur et il lui parlait comme à sa maîtresse, et certains de Mme Jedelman, sa maîtresse, avec laquelle il prenait le ton d'un grand frère.

— Monsieur Van Milhem, dit-elle timidement, vous n'oubliez pas, à six heures, Bruno Raffet.

— Bruno Raffet ?

Elle soupira. Bruno Raffet était le crack, le grand espoir de l'écurie Bessy. Il avait vingt-cinq ans, il était beau comme le diable, il avait du talent et les journaux de cinéma ne parlaient que de lui. Elle se leva, prit le dossier Raffet et le posa devant Sébastien.

— Peut-être devriez-vous le lire, dit-elle, il est assez connu et assez susceptible.

Sébastien sourit, ouvrit le dossier, admira le bel animal qui s'y prélassait.

— Il doit plaire aux femmes, non ? dit-il.

Un long soupir le renseigna. Il détaillait le visage régulier, les yeux bridés, les dents éclatantes, cet air de loup soyeux qu'avait, même sur papier glacé, ce petit jeune homme. Un loup avide, de surcroît. Hélas, il n'avait vu aucun de ses films.

— De quoi suis-je censé lui parler ? demanda-t-il.

Elle écarta les mains.

— Je ne sais pas... C'est M. Bessy qui l'a, euh... découvert, et il vient souvent ici pour, euh... lui demander conseil.

Elle avait un peu rougi. Sébastien se rappela les goûts de son ami Bessy et pensa que ce petit loup devait lui en faire voir.

— Quels conseils voulez-vous que je lui donne ? dit-il gaiement. A part de continuer à se laver ses jolies dents deux fois par jour...

— Je ne savais pas où le joindre pour le décommander.

— Ça va être gai, dit Sébastien.

Effectivement, ce fut gai. Parce qu'Eléonore passant par là, vint le chercher et qu'ils attendirent ensemble l'arrivée de la petite vedette ; qu'Eléonore, de fort bonne humeur, fit mille frais pour la malheureuse Elisa, fascinée, et que les « collègues » de Sébastien vinrent l'un après l'autre se faire présenter à Eléonore — laquelle installée sur le bureau de Sébastien, une de ses longues jambes touchant terre, acceptait indifféremment leurs hommages. Une sorte de « bon ton », de gentillesse, de « cour Louis XIV » se mit à régner dans ces bureaux ripolinés où le seul souci avait été, jusque-là, l'efficacité, et la seule démonstration de respect, des claques dans le dos. Cela n'empêcha pas le jeune loup d'arriver et de s'arrêter sur le seuil, étonné, un peu figé, humant l'air avant d'entrer. Sébastien le remarqua et en déduisit qu'il avait de l'instinct et que son physique n'était pas complètement usurpé. Bruno Raffet était en effet très beau : le teint mat, avec de subits afflux de sang comme un très jeune homme, le cheveu très blond — on avait envie de dire le pelage très blond — et de grandes mains un peu lourdes dont curieusement on pressentait qu'elles seraient fines et élancées à quarante ans, pour des raisons professionnelles. Il avait de plus une petite tache bleue dans le blanc de l'œil gauche, qui lui donnait par moments l'expression d'un animal qui chasse, comme si à force d'attention, d'affût, de guet, un vaisseau ayant sauté dans son œil, ce petit jeune homme arriviste était devenu une véritable bête de proie. Il s'enquit de Robert Bessy poliment, serra la main de Sébastien, l'air intrigué. Mais ce n'est que devant Eléonore qu'il broncha. Ce n'était pas une des starlettes qui encombraient le bureau de Bessy, ce n'était pas non plus ce qu'on appelle actuellement, une femme du monde (c'est-à-dire une femme riche et dont on admet la richesse), ce n'était pas non plus une dame scénariste. Qu'est-ce que ça pouvait être ? Et son frère — ce grand dadais à l'air distrait tellement déplacé en ce lieu qu'il se demanda soudain si ce cher Robert n'en était pas épris — ne l'aidait pas à comprendre quoi que ce soit.

Bruno Raffet avait eu avec Robert Bessy des rapports que l'on appelle couramment pédérastiques, du temps qu'il avait faim et soif, et aussi faim et soif de gloire que de sandwichs. Mais, pour lui, la notion de pédérastie était uniquement liée à une idée de confort. Quand il se réveillait chez un homme, il était sûr de trouver un rasoir électrique, une robe de chambre à sa taille, une certaine manière vigoureuse ou alambiquée de s'exprimer qui était toujours la même. En revanche, chez une femme, il se réveillait avec un plateau de petit déjeuner posé sur les genoux, une serviette en dentelle nouée au menton, des femmes de chambre admiratives, et il repartait de là pas plus mécontent, d'ailleurs, mais plus mal rasé. La sexualité avait donc eu jusque-là, pour Bruno Raffet, un côté purement «Arts ménagers». Doué, de plus, d'un bon tempérament, et lui-même, facile à satisfaire, ayant gardé un sommeil d'enfant et des réveils assez gais, il était le prototype de cette race, hybride jusqu'à trente ans, qui peut aussi bien se battre à mort dans un café pour une allusion parfaitement justifiée, ou soi-même se faire battre à mort pour le plaisir par un vieux monsieur ou une vieille dame aux cheveux roses. Produit incertain d'une époque incertaine, il n'avait qu'une certitude : c'est que l'argent qu'il mettait dans sa poche était à la fois désiré, volé et, en tout cas, à lui. Aussi, quand il se heurta à ce mur de gratuité qu'étaient les yeux d'Eléonore, le comportement d'Eléonore, il ne fut pas moins surpris que Christophe Colomb tombant sur ces bons sauvages en Amérique du Nord. Il était encore assez jeune, ou assez vulnérable, pour s'en étonner et c'est ainsi que Sébastien comprit qu'il allait souffrir. Il n'y a rien de plus affreux pour un jeune loup que de tomber sur la chèvre inaccessible et affectueuse de M. Seguin — mais d'un M. Seguin 1972, bien entendu. Il savait d'avance qu'Eléonore, même s'il parvenait à la mordre, ne chevroterait pas, et que le morceau qu'il emporterait d'elle, s'il y parvenait, lui laisserait dans la bouche un goût particulier et sans doute irremplaçable. Tout cela fut fixé entre eux dès qu'il la salua, mais tout cela ne fut enregistré sciemment que par Sébastien. Pour Eléonore, ce n'aurait pu être qu'un petit fauve de plus, mais ce qu'elle remarqua d'abord, et ce qui l'engagea dans cette affaire, ce fut cette minuscule tache bleue et cette légère taie sur l'œil. Elle lui prêta pour cela le caractère affectueux et maladroit d'un chien de son enfance. Eléonore maintenant, non pas à cause de son âge mais à force d'expériences diverses, préférait de beaucoup les chiens aux loups. C'est sur cette double méprise animalo-sentimentalo-intellectuelle que leur intrigue se noua. Pour en finir avec ce bestiaire, Sébastien, perché derrière son bureau tel un grand hibou, semblait s'engager implicitement à veiller sur leurs nuits et leurs jours.

Aucun de mes héros ne se drogue. Que je suis donc démodée ! Mais quand on y pense, il est absolument comique qu'à notre époque, où tous les tabous, les grands tabous, sont abattus, où la sexualité — et ses corollaires — est une source de revenus déclarables, où la fraude, le vol et la malhonnêteté sont presque devenus des blagues de salon, les gens se fassent taper sur les doigts pour une seule chose : la drogue. Ils vous crient, bien sûr, que l'alcool ou le tabac, c'est pareil, voire pire. Pour une fois, je me rallierai à l'opinion des autorités, car, si l'on connaît un peu ce milieu, il est évident qu'on ne se sort de la drogue qu'une fois sur cent mille, et à quel prix et avec quels dégâts ! Les images d'Epinal que l'on nous en offre le montrent bien — et les images d'Epinal, dans leur naïveté, ont presque toujours plus de vérité que les raisonnements abstraits. Entre un joyeux ivrogne dans un bistrot, gras, titubant et répugnant, certes, mais comme on dit, la face enluminée — autre image d'Epinal — et le jeune homme maigre, seul, dans une chambre, les mains tremblantes et la seringue plongée dans une veine qui saute, il y a un monde, ce monde étant l'absence « des autres » : l'alcoolique se saoule ouvertement et le drogué se cache. Au demeurant, je ne tiens pas à faire le panégyrique de l'alcool ni attaquer la drogue au nom d'une morale, je ne m'attache qu'au côté gai ou triste de la chose. Et puis l'essentiel n'est pas dans cette différenciation, mais dans le fait cruel et évident qu'un être humain, intelligent ou bête, sensible ou idiot, vivant ou atone, est généralement victime aujourd'hui de l'un de ces trois dictateurs : l'alcool, la drogue ou la pharmacie (les tranquillisants). Comme si la vie n'était qu'une longue route savonneuse où l'on déraperait horriblement à toute vitesse vers un tunnel noir et inconnu, et où l'on essaierait désespérément de ficher des crampons qui claquent au fur et à mesure, que leurs noms soient whisky, Librium ou héroïne. Tout en sachant que ce dernier crampon, l'héroïne, doit être remplacé plus vite que les autres et qu'il est moins solide. Absence de Dieu, pollution, manque d'idéal ou manque de temps, rapports hommes femmes, faux confort, balali balala... la chanson explicative qu'on nous chante est bien aimable à entendre et presque rassurante dans sa monotonie. Mais enfin pourquoi vous, je, me, moi, nous, ils — telle une déclinaison épouvantée —, que nous ayons vingt ou cinquante ans, que nous soyons riches ou pauvres (et qu'on ne vienne pas me parler des paysans : la vente des tranquillisants a décuplé depuis deux ans en province et ce dans les provinces les plus calmes), pourquoi nous retrouvons-nous toujours, à un moment quelconque, la main tendue non pas vers notre prochain, mais vers un tube, un flacon, une bouteille ? Ce n'est pas la multiplication de l'angoisse qui m'inquiète : il me semble qu'elle a toujours existé et que les Grecs les plus beaux et les plus comblés et les plus érudits devaient, au bord de la plus belle mer du monde, à la plus belle époque de leur beau pays, s'arracher les cheveux, parfois, à quatre pattes dans le sable, et se ronger les ongles de terreur. Ce qui m'inquiète, c'est qu'aujourd'hui il leur suffirait d'un médecin compréhensif, d'une ordonnance, et de l'un des six mille ou dix-huit mille flacons de tranquillisants pour se calmer en dix minutes. Ce qui m'inquiète surtout, surtout, c'est l'idée qu'ils n'iraient même pas se rouler dans le sable : l'Equanil serait dans leur péplum...

CHAPITRE XIII

Eleonore et le jeune homme dansaient dans une boîte de nuit... Catastrophe! Qu'ai-je dit? Me voici retombée dans le petit monde de Sagan et des boîtes de nuit... En ce moment il est curieux, pour moi qui lis les journaux, de voir à quel point un auteur, qu'il s'appelle Troyat ou Jardin, ou n'importe qui, à l'instant où il fait entrer ses personnages dans une boîte de nuit, évoque aussitôt aux yeux des critiques mon joli nom. Il semblerait que je sois devenue l'Hélène Martini de la littérature. Quant au malheureux auteur qui aurait le culot monstre d'exalter les charmes d'une voiture de sport, je lui en souhaite... Les trois quarts des critiques sont affreusement hypocrites. Car qu'y a-t-il de plus agréable que de rouler au soleil dans une belle voiture découverte, ronronnante à vos pieds comme un tigre apprivoisé? Et qu'y a-t-il de plus agréable que de savoir qu'un whisky glacé vous attend au bout de ce golf, chez des gens aussi gais que vous-même, aussi dénués de soucis matériels? Qu'y a-t-il de plus normal, en définitive, que cette recherche, et cette trouvaille d'un lieu plaisant, sans difficultés immédiates? Oui, quels hypocrites, ces gens! L'argent n'est jamais infect dans la mesure où on le dépense, où on le jette par les fenêtres (quand quelqu'un passe dessous de préférence). Bref, dans la mesure où on en fait une chose clinquante, baroque, ridicule et naturellement : liquide. Le plus souvent, l'argent est infect par la façon dont on le gagne et surtout dont on le garde. Il m'amuserait bien que ces démagogues à la noix aillent dire le contraire à ceux qui savent la vérité : les gens qui voyagent en seconde classe ou en caravane ne préféreraient-ils pas mille fois débarquer dans la villa dont je parlais, avec ses glaçons et ses mimosas? Seulement, ils n'y sont pas invités pour des raisons que la justice réprouve mais qui font qu'ils ne pourront jamais supporter qu'on leur dise avec entrain que ce sont eux les justes dans l'affaire, et les bienheureux.

Donc, dans cette boîte de nuit, Eléonore dansait avec ce jeune homme blond promis à la plus grande destinée, celle de la gloire, de la fatigue, de la vieillesse et de l'oubli. Cette destinée superbe où l'on rencontre son visage dans des quotidiens que l'on méprise — au moins au début — et auxquels on en veut à mort plus tard de n'y plus figurer. Les comédiens sont un peu comme ça et souvent les écrivains, les peintres, les cinéastes, tous les gens qui ont été ce qu'on appelle «des têtes d'affiches», mais ayant, si l'on me passe ce mot, plus d'affiche que de tête.

Eléonore dansait donc avec Bruno et leurs gestes les poursuivaient à travers la piste et la musique glissait sur eux, les emmenait, et l'évidence du désir de Bruno, alliée à l'apparente indifférence d'Eléonore, leur indiquait des pas, des mesures, des figures qu'ils n'auraient jamais trouvés autrement, ensemble. Elle aimait bien se reculer par rapport à lui, elle aimait bien ses jambes dures contre les siennes et ce visage légèrement abasourdi qu'il avait, exprimant uniquement : «J'ai envie de vous.» Un peu plus loin que cela — un cela dont elle avait l'habitude — elle entendait la phrase effrayante : «Je ne réponds de rien.» Elle souriait lorsqu'il lui proposa de prendre un verre en bas, loin du bruit, loin de Sébastien qui palabrait avec Dieu sait qui. La dame du vestiaire était une amie de Bruno et il lui fit un signe qu'elle connaissait en descendant et il entra dans la cabine téléphonique avec Eléonore, la tenant d'une main par les épaules et, de l'autre, par la taille. Il avait un peu trop bu, il ne savait plus très bien qui elle était, ni ce qu'il voulait d'elle, surtout après ce dîner trop élégant, trop léger, trop gai pour lui, ce dîner de gens pour qui la vie et le plaisir de vivre étaient une habitude consommée. Cette femme, il voulait la choquer et la marquer. Mais quand il l'attira vers lui, c'est elle qui, en riant doucement, embrassa son cou moite et mit en même temps que lui les mains à sa ceinture. Les yeux d'Eléonore brillèrent dans le noir un instant, avant qu'elle ne referme ses trop longues paupières, et puis ils se laissèrent glisser, engloutir dans un univers de vêtements écartés, de mains tièdes, de gestes tendres, tout cela accompli avec une sorte d'adresse étonnante, parce que dénuée de cynisme et qu'il avait jusque-là totalement ignorée. Il se réveilla plus tard sur son épaule, les yeux clos, ou plutôt les yeux cloués par le plaisir (comme on cloue un hibou à un pieu), et il s'étonna qu'elle eût la bouche si fraîche. Eléonore, elle, regardait ce chevreau furieux et se disait qu'il y avait longtemps qu'elle n'avait pris un tel risque. Elle ignorait la complicité de la dame du vestiaire et elle avait toujours détesté le scandale. Mais il fallait bien apaiser ce garçon et elle savait que la seule manière de rassurer quelqu'un, c'était le plaisir partagé. C'est très simple, les gens après l'amour : une main sur un bras ou sur une hanche dans la nuit, le dormeur qui s'étire, soupire, se rendort. Il ne faudrait pas dormir seul. Vivre seul, à la rigueur, oui, mais pas dormir seul. Elle savait bien que le danger, ce n'était pas la vie crue, vécue, qui pouvait être dure, bien sûr, et parfois ennuyeuse — mais au moins cette vie-là ne nous obligeait pas à rêver, sauf en cas de passion (et là, c'est un combat, cruel souvent mais précis, tout au moins régi par des règles précises). En revanche, les rêves échevelés et les réveils hagards qu'elle connaissait à l'aube, le cœur tapant, l'inquiétaient beaucoup plus. Ces aubes navrantes dont parlait Rimbaud, qu'elle avait lu grâce à Sébastien et qu'elle connaissait mieux que n'importe quel poète. Elle n'avait pas peur de mourir, car mourir n'est rien en soi, ce n'est qu'une ultime dent de sagesse. Mais de la mort elle-même, elle se méfiait. Eléonore, dans ses rêves et, plus grave, dans les projections qu'elle s'en faisait, voyait la mort inexorable, vêtue de dentelle grise, avec un chapeau, un profil altier et riant poliment à des sottises comme toute personne décente dans un dîner qui traîne et d'où elle essaierait de filer gentiment, mais en vous emmenant. De là naissait sa révolte absolue : la mort était vraiment pour elle cette vieille dame indigne qui vient nous violer, lentement en cas de maladie, abruptement en cas d'accident, mais toujours avec cette intention de viol. Il n'y avait pas pour elle de mort héroïque. Personne ne peut mourir bien ni même délivré. On se cramponne à tout, y compris à ses tortures, même les personnes atteintes de cette « longue et douloureuse maladie » comme disent les journaux. (Curieux, on dit facilement dans la presse : « érection, bassin, hépatite, vessie » mais jamais « cancer ».) Cette fausse pudeur donne une légère nausée. Ah si, pardon, on peut parler du cancer du poumon : c'est le tabac. Enfin, pour une fois il faut le reconnaître, Eléonore, la belle Eléonore, l'indifférente Eléonore, Eléonore aussi lointaine que cette princesse d'Aquitaine dont elle avait le prénom, redécouvrait en ce jeune homme inconnu dont elle méprisait, au départ, et le métier et les photos et les plaisirs et les soucis, redécouvrait en lui une chose si violente, si éperdue, si épouvantée qu'elle en était tout à fait troublée. Il y a des gens blessés, comme ça, avant même qu'ils n'aient pris des coups et alors qu'ils ont tous les atouts en main — et là, j'imagine qu'il faut remonter à Freud, à leurs petites mamans qui manquaient d'affection à leur égard, à leurs vilains papas couchés avec leurs petites mamans, et à eux-mêmes, dans le noir, les yeux écarquillés, écoutant le bruit du lit conjugal, bref à tout ce folklore parfois juste, mais le plus souvent assommant et, de toute manière, humiliant. Si, à quinze ans, je n'avais pas admis que mon père et ma mère s'étaient aimés aussi physiquement, j'aurais été non seulement une imbécile, mais *a posteriori* une belle ingrate.

Je commence à tout mélanger, Eléonore et moi, et sa vie et la mienne, et c'est normal puisque c'est mon propos, comme le verra le fidèle lecteur s'il parvient au bout de ce texte bizarroïde. Je laisse donc

Eléonore, les genoux un peu tremblants dans cette cabine téléphonique, accrochée au cou d'un garçon qu'elle connaît à peine et dont elle apprécie l'impulsivité. Elle va dormir avec lui très vite, maintenant qu'elle sait son poids, son odeur, son souffle. Eléonore n'a jamais rien eu à voir avec les femmes évoluées — ce qu'on appelle les femmes évoluées. Pour elle, les hommes sont maladroits, attirants, inconsistants, nigauds ou attendrissants. Elle s'en moque du MLF. A travail égal, salaire égal, d'accord. Bien entendu, puisque, de toutes façons, elle ne travaille pas. Ça l'ennuie, tout ça. Et puis les hommes dorment bien, ils dorment comme des chiens (de fusil) ou comme des hérissons, un peu contractés, ou comme des lions superbes, généreux et ronflants, mais toujours, si on les aime bien, avec ces gestes nonchalants de propriétaire qui leur font mettre le coude sur votre estomac et vous empêchent de dormir. Et nous, pauvres femmes, les yeux ouverts dans le noir, supportant sans broncher ce poids si proche et si dictatorial. Ah là, oui, cette jambe sur la vôtre pendant des heures et les fourmis qui en résultent, ah là, vive le MLF ! Seulement parfois, une main perdue, une main nue comme dirait Aragon, vient vers nous, enfantine ou tendre, et se cramponne à la nôtre. Les jeux de l'amour sont tous pareils, qu'ils soient puérils, enfantins, sexuels, tendres, sadiques, érotiques, chuchotés. Il faut juste comprendre, il faudrait avant tout *se* comprendre : au lit, en plein jour, à la folie ou pas du tout, à l'ombre, au soleil, au désespoir ou à table. Autrement, c'est fichu. Tout ça. Et ce peu qu'il nous reste à vivre, vivant, c'est-à-dire en plaisant encore, et le peu qu'il nous reste à penser (à faire semblant) dans ce stupide et immense coassement qu'est devenue la vie quotidienne, inéluctable, injugeable et inacceptable vraiment pour tout être bien né, ce peu, il faudrait penser avant tout à le partager. Parfois même je souhaite, oui, je souhaite la venue de cet avion gris acier, ce ronronnement inattendu et un peu trop fort, les visages étonnés et levés vers ce bruit, et le colis noir, à peine visible, qui tombera de cet avion. J'en arrive à souhaiter l'éclatement, le déchirement du ciel, de nos yeux, de nos tympans, et même cette infâme brûlure et ce cri primitif, grotesque à notre époque de progrès technique et qui sera forcément : « Maman ! » La seule chose dont j'aurais peur, si cette horreur nous arrivait, ce serait d'être seule dans une maison vide. Mourir, oui, mais mourir avec le nez dans le cou de quelqu'un pendant que la terre saute ou se détériore à jamais. Il me semble que j'aurais un sentiment d'orgueil, de folie, de poésie…, l'occasion ultime et unique de savoir qu'il y avait chez moi une colonne vertébrale, un défi, une passion des autres ou de l'amour ou de ce que l'on veut et que Dieu n'y pouvait rien…

Je rêve, je rêve et je déraille, et puis flûte ! je me sens dans un soir un peu lyrique, après deux jours de Paris avec des gens raisonnables, pratiques et tellement bien établis dans la vie qu'ils en meurent à toute vitesse, étant même, horreur, conscients de ce qui leur arrive. Il n'y a pas de farce possible pour eux. Tous les poètes étaient noctambules, alcooliques et détraqués. Vraiment devrons-nous acheter des actions Shell et des machines à laver pour être bien considérés et pour être sûrs de mourir vieux. Et confortables dans le sein flétri de notre vieillesse ? Ah non ! Vive la vie des boîtes de nuit, et vive la joyeuse ou triste solitude de ceux qui s'y entassent ! Vive la fausse et vraie chaleur d'une fausse et vraie amitié qui s'y noue ! Vive la fausse tendresse des rencontres et vive, enfin, ce que tout le monde fait au ralenti et que nous, les nocturnes, faisons au grand galop, en accéléré : la découverte d'un visage, la liaison folle, l'amitié romanesque, le pacte de l'alcool remplaçant aux tempes le pacte du sang aux poignets ! Nous ne sommes plus de bons Indiens. Et alors ? Nous sommes des Européens fatigués.

C'est pourquoi, pour revenir absolument et directement à mes moutons, à mes agneaux, à mes tigres ou, plus exactement, à ma tigresse, Eléonore, elle eut, ce soir-là, une seconde d'éblouissement devant le désarroi et la volonté de cacher ce désarroi qu'avait l'enfant mal poussé en graine, devenu à vingt-huit ans l'espoir numéro un du cinéma français, Bruno Raffet.

CHAPITRE XIV

Mars 1972.

Dans ce train, entre Deauville et Paris, je vois par la fenêtre une chèvre paisible, littéralement assise au bord d'un étincelant filet d'eau, seule. Plus loin, trois hommes, torse nu, dont deux blanc porcelaine et l'autre, bronze, très beau, qui font brûler les mauvaises herbes (et leur feu éclipsé par ce soleil pâle mais qui n'en brûle que plus clair, tel un feu hémophile...) Tut-tut, quelle jolie composition française ! J'eusse aimé que ma vie fût une longue et classique composition française : citations de Proust tout le temps, de Chateaubriand pendant les vacances, de Rimbaud à dix-huit ans, de Sartre à vingt-cinq ans, de Scott Fitzgerald à trente. J'en passe, bien sûr, et trop, et trop délibérément. Ma vie est d'ores et déjà une dissertation accélérée et bâclée, celle de la mauvaise élève, celle qui n'a rien su faire de ses citations, sinon, par moments, son propre bonheur, son propre orgueil et ses réjouissances. En fait, je vis si vite que déjà je ne distingue plus les mois ni les années et que les gestes lents et les cigarettes éteintes de ces chemineaux-faucheurs me paraissent le comble du luxe. Je vis, moi aussi, lentement, somme toute, en ce moment. Mais j'ai l'impression qu'ils se souviennent, eux, de chaque instant tandis que pour moi ces six mois passés à travailler à la campagne se transforment en une grande valse des instants, bordée d'arbres noirs, puis vert sombre, puis vert pomme, d'oiseaux d'abord discrets et frileux dans le ciel beige, puis d'oiseaux bavards et vaniteux sur un ciel rouge au premier soleil de printemps. On va me croire bien sensible aux saisons (cf. ce livre : «Oh, quel automne, oh, quel printemps»), mais c'est qu'il n'y a pas eu d'hiver en 1971 sur cette patinoire glacée du temps, entre les deux saisons.

A plat ventre dans ce lit étranger et sachant que son dos était bien construit, doré et lisse à la main, Eléonore regardait l'un après l'autre les objets bizarres qui traînaient sur le plancher de la pièce. Il y avait des têtes en bois, plus ou moins africaines (plutôt moins que plus), il y avait quelques poteries, il y avait ce qu'elle discernait comme étant le sens du goût — plus précisément, l'idée du goût — chez ce jeune homme qui n'en avait pas. Il avait de l'instinct et aucun goût. Il faisait partie de cette espèce d'hommes qui vont relativement droit vers les êtres dont ils ont besoin, ou qui ont besoin d'eux ou qui simplement les attirent. Mais qui, devant un objet, restent les bras ballants, demandant des dates, des détails, des références qu'ils ne demanderaient jamais à quiconque de vivant puisqu'ils savent déjà (d'instinct) tout leur curriculum vitae. Pour Eléonore, qu'une certaine réputation d'esthétisme pédérastique entendue à propos de Bruno Raffet ennuyait assez — car rien ne la déprimait plus que le goût des collections chez un très jeune homme —, cette absence totale de discernement dans les achats sûrement très onéreux qu'il avait faits embellissait singulièrement la vie de ce nouvel amant. Elle voyait bien, dans cet appartement faussement excentrique, que ce n'était pas le bon goût d'un vieux protecteur qui avait tout ordonné, mais plutôt le mauvais goût de ce jeune homme qui avait tout jeté en vrac à l'admiration d'une foule ou méchante ou ignorante. Cela la faisait rire, mais d'un rire doux, apitoyé et presque tendre. Il dormait près d'elle, la tête entre les épaules, aussi peu détendu dans le sommeil que dans la vie et, un instant, elle le plaignit du fond du cœur d'avoir ce destin inexorable de carnassier. Il serait un jour, à moins de sombrer dans la panoplie, dans les rideaux de l'alcoolisme, de la drogue ou de Dieu sait quoi, il serait un jour un de ces hommes-chiens dressés à bondir aux museaux des Leicas, des caméras de télévision, un de ces hommes-chiens qui, d'une certaine façon, comme leurs compagnes de travail, se mettraient sur le dos, agitant leurs pattes à la simple idée d'une photographie en première page. En attendant, il était beau dans la lumière du matin, entouré de ses fétiches venus d'un Burma de l'antiquaille, d'autant plus beau, d'ailleurs, que ces vieux bois étaient faux et que sa jeune peau était vraie, d'autant plus beau que l'effort intellectuel dérisoire et si artificiel qu'il avait fait pour se saisir des vrais bois était manqué. Dans dix ans il serait ou pauvre ou raté ou, peut-être bien, cultivé. Et il ne devrait compter en fait que sur ce qu'il avait à la fois de plus irresponsable : sa peau, l'éclat de ses yeux, sa capacité amoureuse, et sur ce qu'il avait de plus bas : son ambition, son manque de scrupules et son sens du commerce, pour passer, si tout allait bien, d'un stade à l'autre — ce dernier stade étant qualifié de privilégié.

Eléonore qui se moquait, pour les raisons que l'on sait, de tout cela, puisqu'elle avait tout reçu au départ, la culture, l'élégance et surtout la gratuité, savait aussi que tout cela n'appartient qu'à une race — pas noble dans le sens héraldique du terme — mais plutôt à ces gens de n'importe quel milieu qui, pour parler trivialement, sont toujours prêts à vider leurs poches ; et elle se sentait prise d'une tendresse bizarre pour cet inconnu trop bien loti. Elle ne pensait pas une seconde qu'il pût la faire souffrir un jour. Il avait trop d'atouts, elle n'en avait plus assez, il tenait trop à ceux qu'il avait, elle ne tenait plus à ceux qui lui restaient. Dans les rapports passionnels, il faut bien considérer que le seul panzer indestructible, le seul canon à très longue portée, la seule mine inévitable et en plus, horreur, la seule bombe qu'on ne puisse pas jeter à la tête des autres, celle qui, du même coup, prolonge affreusement le combat, c'est l'indifférence. Elle en avait derrière elle un stock suffisant pour ravager les champs meubles qu'étaient la poitrine de ce garçon et ses flancs, ses flancs semés de poils dorés comme autant de moissons ; elle avait assez de canons fatigués pour viser droit ce cœur battant dans le noir, près du sien. Quant à la bombe dont elle ne se servirait, elle l'espérait, jamais, ce serait la simple petite phrase tellement usée à présent, son Hiroshima sentimental à elle : « Vous m'ennuyez. » Et ce vainqueur vaincu, en son grand sommeil d'enfant, avec ses cheveux blonds et ses mains refermées sur la joue dans un geste de défense instinctive, peut-être inspiré par elle ou par une vie antérieure qu'elle ignorait, lui donnait une sorte de mélancolie tendre à son propre égard. Il était temps qu'elle rejoigne Sébastien, son frère aussi lointain et aussi proche qu'on peut le rêver, cet incapable capable de tout, ce fou furieux si sage, cet indifférent si tendre, cet instable si sûr, ce paradoxe vivant, le seul homme, non pas qu'elle eût aimé, mais qui l'eût intriguée. Elle laissa le dormeur entre ses statues muettes, africaines et, par instants, effrayantes de méchanceté trop ancienne sur cette moquette trop neuve, elle laissa le beau jeune homme endormi, sachant qu'il se réveillerait très vite et, telle une héroïne de Cocteau, elle appela un taxi d'une voix sourde, celle dont on appelle à son secours un prêtre ou un voyou qui vous a aimée. Puis, ayant laissé sa voix romantique dans le récepteur du téléphone, elle descendit les marches en sifflotant un vieil air d'Offenbach, air qui ne correspondait même pas à son humeur mais qui l'obsédait tout à coup parce qu'il correspondait au bruit de ses pas dans l'escalier. Comme Sébastien deux mois plus tôt, elle fit quelques pas dans un Paris matinal éblouissant et bleu, pensant comme lui qu'elle était intacte, mais oubliant de se dire que, du fait même qu'elle se posait la question, elle ne l'était plus.

CHAPITRE XV

Dans ce petit matin-là, donc, ce petit matin qui n'avait rien de blême puisque l'automne était spécialement triomphant, c'était au tour de Sébastien d'attendre. Il avait bien vu Eléonore se laisser capturer ou, plus exactement, capturer ce jeune homme. Cela l'avait fait rire, d'abord, réfléchir ensuite; et, finalement, cela l'avait attristé d'une manière viscérale d'être seul dans cet appartement, comme un orphelin. Cela ne lui était jamais arrivé. Sans s'en rendre compte, il avait pris depuis six mois l'habitude d'être celui qui sort, et le fait d'être celui qui reste ou, plutôt, celui qui attend lui était extrêmement pénible, comme une anomalie. Il prit un crayon et se mit à noter pour se distraire les différentes sortes d'absences qu'il connaissait. (Quand cela allait trop mal ou un peu mal, Sébastien avait la saine habitude de s'expliquer pourquoi et de l'écrire sur un petit papier.) Il fit donc un tableau précis de ce que l'on appelle les absences. Il nota:

1° L'absence, celle où l'on n'aime pas «X» mais où «X» ne vient pas non plus (cf. Proust). Et là, l'imagination peut commencer à rôder et à entraîner des conséquences imprévisibles allant de la passion subite à la désinvolture totale.

2° Celle où l'on aime «X», et où l'on sait que «X» vous aime et où «X» ne vient pas. Alors là, la folle du logis déjà nommée se déchaîne: «Est-il mort, en prison, accidenté, quelque part?» C'est ce que l'on appelle la vraie terreur sentimentale.

3° Celle où l'on sait que l'on aime «X» mais où l'on n'est pas sûr des sentiments de «X». Là, ce n'est pas la terreur, mais l'horreur: «Où est-il? L'a-t-il fait exprès? Joue-t-il avec moi? Et à quoi?»

Cette énumération qu'il trouvait pertinente consola un peu Sébastien avant qu'il ne s'allongeât tout habillé sur ce lit de hasard, car, pour des raisons obscures, il n'eût pas aimé être déshabillé quand sa sœur rentrerait. Toujours son rôle, peut-être. Il essaya de ne pas entendre le hurlement de la solitude qui montait en lui quand il pensait à ce qui constituait l'essence de sa vie quotidienne: Nora Jedelman, à qui il ne rendait plus que des visites de commisération, ce travail auquel il ne pouvait pas décemment croire et maintenant cette absence physique de son alter ego, Eléonore. Non pas qu'il réprouvât ni même qu'une seconde il imaginât les plaisirs que devait à l'heure présente se dispenser

Eléonore — il savait trop bien que le plaisir n'existe que dans l'amour, en tout cas le plaisir qu'il trouvait valable, et il savait trop bien aussi qu'il était hors de question pour le moment qu'elle aimât ce petit —, mais il aurait voulu qu'elle soit là, qu'ils partagent un dernier verre, qu'ils se parlent, qu'ils commentent cette soirée, bref, qu'il ne soit plus seul. Ce hurlement, ce vrombissement plutôt de la solitude, devenait plus que gênant : obsédant. Et il sembla que Dieu lui-même aurait dû se boucher les oreilles, mais il y a beau temps que les oreilles de Dieu seraient bouchées s'il en avait. Entre les cris des enfants et ceux des adultes sous des bombes ou sous la faim, en ce siècle ou en un autre, ce malheureux et sadique vieillard aurait une belle crampe aux bras. Je hais l'idée de Dieu, de n'importe quel Dieu — j'en demande pardon à ceux qui y croient —, mais enfin, pourquoi y croire? Etait-Il vraiment nécessaire? Ou alors, pourquoi fallait-il qu'Il se rendît nécessaire uniquement par compensation? Et pourtant, je le promets, je fus catholique, ramassant les images pieuses et chantant même, en 1943 dans un couvent, entre autres mélodies : «Plus près de Toi, mon Dieu» en même temps que «Maréchal, nous voilà». Si j'y pense, je fus entre quatre et dix ans une enfant exemplaire, sage, saine, pieuse, croquant mes rutabagas comme tout le monde et chantant mes prières avec le même entrain que tous les enfants de mon âge. (Après, bien sûr, je fus moins saine, moins pure, la vie aidant et les rutabagas devenant introuvables.) Seulement il y eut une vision atroce, dans un cinéma où je fus emmenée par erreur, petite, à la campagne, et qui décida de la naissance en moi de quelqu'un d'autre... Je passe très vite là-dessus : c'était Dachau, ses bulldozers et ses cadavres, tout ce qui maintenant, chaque fois, m'oblige à me lever de table au moindre propos antisémite, à ne pas supporter certaines formes de conversation et même certains cynismes — et Dieu sait que le temps, ma vie et les gens que j'ai connus ont contribué à me créer un cynisme délibéré. Il est évident pour moi — et j'ai honte de le dire à une époque où tout le monde porte ses «bons sentiments» en bandoulière avec la même ostentation que les mauvais —, il est évident que je me ferais gaiement (gaiement, j'exagère, mais en tout cas délibérément) supprimer pour ne pas dire, ne pas faire ou ne pas laisser faire certaines choses. Il est évident aussi que je n'en ai pas pour autant la moindre estime pour moi-même, n'ayant jamais cultivé vis-à-vis de moi que le goût infernal et incessant de plaire. Jamais celui d'être respectée. Le respect m'est complètement indifférent, et cela tombe bien, d'ailleurs, car entre mes Ferraris conduites pieds nus, les verres d'alcool et ma vie débridée, il serait bien extravagant que quelqu'un me considérât comme respectable — à moins que, parfois, une phrase, dans un de mes livres, ne l'ait atteint et qu'il s'en souvienne et me le fasse savoir. Mais là, il me semble toujours que cette phrase, ce projectile affectif a été tiré par moi au hasard, comme par un fusil au canon coudé,

et que j'en suis aussi peu responsable que de l'air du temps. Je ne pense
pas qu'il soit si important pour quelqu'un de s'estimer ou de penser à soi
comme à une entité, avec un signalement précis. Je pense seulement
qu'il ne faut pas se mettre dans une position méprisable (j'entends très
précisément, par « méprisable », une position où l'on puisse se mépriser
soi-même). Je ne parle pas des autres, bien sûr. L'opinion des autres
dans ce cas-là, c'est une sorte d'écume aussi vaine que celle qui s'amuse
avec les rochers et ce n'est pas cela qui vous use. Ce qui vous use, c'est
la vague : et la vague, c'est ce reflet de soi-même mille fois affronté
abruptement dans quelque glace, et ce reflet est mille fois plus pur, mille
fois plus dur que celui qui traîne, trop souvent attendri, dans le regard de
ces fameux autres. Bien sûr, il m'est arrivé de me haïr d'une façon
altruiste, si je puis dire, généralement parce que j'avais fait du mal à
quelqu'un. Bien sûr, il m'est arrivé de me mépriser parce que je n'avais
fait de bien ni à quelqu'un ni à moi-même. Bien sûr, il m'est arrivé
d'être sur le sable, le souffle court et cherchant l'air du bonheur ou de ce
que les Anglais appellent « *self-satisfaction* », comme un poisson
cherchant l'eau. Et puis ? La vérité, ce n'était jamais que moi, me
haïssant parfois d'exister dès l'aube, comme c'était aussi bien moi
paisiblement consciente de ma vie, de mon souffle et de ma propre main
éloignée sur le drap, l'aube d'après. Mais, en tout cas, seule.

C'est un sujet un peu trop à la mode mais néanmoins fascinant que
celui de la dépression. J'ai commencé ce roman-essai ainsi, par une
description de cet état. J'ai rencontré quinze cas similaires depuis et je
ne m'en suis tirée moi-même que grâce à cette bizarre manie d'aligner
des mots les uns après les autres, des mots qui recommençaient tout à
coup à jaillir en fleurs à mes yeux et en échos dans ma tête. Et chaque
fois que je la rencontrais chez quelqu'un, cette dépression, cette
catastrophe — car il n'y a pas à plaisanter là-dessus ni à parler d'oisiveté
ou de laisser-aller —, chaque fois, cette maladie m'accablait de
tendresse. D'ailleurs, en y pensant, pourquoi écrirait-on sinon pour
expliquer aux « autres » qu'ils peuvent y échapper, à cette maladie, ou,
en tout cas, s'en remettre ? La raison d'être, absurde, naïve de tout texte,
que ce soit un roman ou un essai ou même une thèse, c'est toujours cette
main tendue, ce désir effréné de prouver bêtement qu'il y a quelque
chose à prouver. C'est cette façon comique de vouloir démontrer qu'il y
a des forces, des courants de force, des courants de faiblesse, mais que
dans la mesure où tout cela est formulable, c'est donc relativement
inoffensif. Quant aux poètes, mes préférés, ceux qui font joujou avec
leur mort, leur sens des mots et leur santé morale, quant aux poètes, ils
prennent peut-être plus de risques que nous, les « romanciers ». Il faut un
joli toupet pour écrire : « La terre est bleue comme une orange » et il faut
une gigantesque audace pour écrire : « Les aubes sont navrantes, toute

lune est atroce et tout soleil amer. » Parce que c'est jouer avec la seule chose qui nous appartienne à nous, les fonctionnaires de la plume, les mots, leur sens, et c'est quasiment abandonner ses armes à l'entrée de la guerre ou décider de les tenir à l'envers en attendant, les yeux déjà éblouis, demi-éteints, qu'elles vous sautent au visage. C'est bien ce que je reproche aux gens du nouveau roman. Ils jouent avec des balles à blanc, des grenades sans goupille, laissant le soin à ceux qui les lisent de créer eux-mêmes des personnages non dessinés entre des mots neutres, et qu'ils s'en lavent ostensiblement les mains. Dieu sait que l'ellipse est séduisante. J'ignore quel plaisir certains auteurs ressentent en l'utilisant à ce point, mais c'est vraiment un petit peu trop aisé, peut-être même malsain, de faire rêver des gens sur des obscurités dont rien ne prouve qu'elles ont réellement fait souffrir l'auteur lui-même. Vive Balzac qui pleurait sur ses héroïnes, ses larmes tombant dans son café, vive Proust qui dans sa maniaquerie ne donne champ à aucun développement...

Après ce petit cours de littérature française, je vais revenir à mes Suédois ou, plus précisément, à ma Suédoise qui arpente de ses grandes jambes le pavé parisien et matinal, rentrant elle ne sait où, à ce « chez elle » qui ne veut rien dire dans sa tête, rentrant plutôt à ce « chez eux » qui veut dire : son frère. J'ignore encore pourquoi j'ai jeté Eléonore dans les bras de ce galopin. (C'est que, sans doute, j'ai du mal à imaginer les conséquences de cette péripétie.) C'était peut-être parce que j'aime étirer mon histoire ou que, mue par une jalousie exotique chez moi, je commence à être légèrement énervée par son intégrité et sa manière de se défendre en amour, usant d'une technique aussi implacable et souveraine que celle du close-combat chez Modesty Blaise. On n'admire pas ses héros ni ses héroïnes, on ne les envie même pas, car ce serait une opération complètement masochiste et le masochisme n'est pas mon fort. Ni mon faible. Néanmoins, Eléonore me snobe. C'est vrai, à la fin : je voudrais qu'elle morde la poussière, qu'elle se roule dans un lit, transpire en se rongeant les poings, je voudrais qu'elle attende des heures près du téléphone que ce petit Bruno veuille bien l'appeler, mais sincèrement je ne vois pas comment faire pour l'amener là. La sensualité, chez elle, est maîtrisée dans la mesure où elle se permet tout, et la solitude neutralisée par la présence de son frère. Et son ambition est nulle. Je finirai par être du côté de Bruno Raffet qui, étant ce qu'il est, reste vulnérable. Il m'est souvent arrivé, d'ailleurs, de préférer des gens médiocres à des gens dits supérieurs, uniquement à cause de cette fatalité qui les faisait se cogner comme des lucioles ou des papillons nocturnes aux quatre coins de ce grand abat-jour que peut être la vie. Et mes essais désespérés pour les attraper au vol sans leur faire mal, sans friper leurs ailes, pas plus que mes tentatives grotesques pour éteindre l'ampoule à temps n'ont jamais servi à grand-chose. Et un peu plus tard, que ce soit une heure, dans le cas des insectes, ou un an, dans le cas des humains, je les retrouvais collés à l'intérieur de ce même abat-jour, aussi avides de s'étourdir; de souffrir, de se cogner que lorsque j'avais essayé d'arrêter leur misérable carrousel. J'ai l'air peut-être résignée mais je ne le suis pas, ce sont les autres : les journaux, la télévision, qui le sont. « Oyez, oyez, bonnes gens. Tant pour cent de vous vont mourir en voiture bientôt, tant pour cent d'un cancer à la gorge, tant pour cent de l'alcoolisme, tant pour cent d'une vieillesse minable. Et ça, on peut vous le dire, les gazettes vous auront bien prévenus. » Seulement, pour moi, je crois que le proverbe est faux et que prévenir, ce n'est pas guérir. Je crois le contraire : « Oyez, oyez, bonnes gens, c'est moi qui vous le dis, tant pour cent de vous vont connaître un grand amour, tant pour cent vont comprendre quelque chose à leur vie, tant pour cent vont être à même d'aider quelqu'un, tant pour cent mourront (et bien sûr, cent pour cent mourront), mais il y en aura tant pour cent avec le regard et les larmes de quelqu'un à leur chevet. » C'est, là, le sel de la terre et de cette fichue existence. Ce ne sont pas les plages qui se dévident dans des décors de rêve, ce n'est pas le Club Méditerranée, ce ne sont pas les copains, c'est quelque chose de fragile, de précieux que l'on saccage délibérément ces temps-ci et que les chrétiens appellent « l'âme ». (Les athées aussi, d'ailleurs, sans employer le même terme.) Et cette âme, si nous n'y prenons pas garde, nous la retrouverons un jour devant nous, essoufflée, demandant grâce et pleine de bleus... Et ces bleus, sans doute, nous ne les aurons pas volés.

CHAPITRE XVI

Eleonore était née comme la plupart de nous, dans le noir, avec les draps du lit de sa mère rabattus sur sa tête et comme nous tous, cette bande de petits chats-huants que nous sommes, elle avait tenté de s'en découvrir le plus tard possible. Comme elle n'était pas pauvre, on ne lui avait pas arraché brutalement les draps de la tête à un âge trop jeune et elle avait eu tout loisir de se faufiler lentement vers ce qu'on appelle la lumière ou la vie. Seulement, elle n'était jamais arrivée en pleine lumière. Elle avait commencé à rabattre les draps et à retomber dans le noir et ses conforts, bien avant la date que son physique et ses qualités intrinsèques pouvaient laisser espérer. En fait, sans Sébastien, elle n'aurait plus eu avec la vie que des contacts épidermiques, à la fois figés et débridés, et le plus possible éloignés de toute crudité et de toute vérité dure, que ce soit la misère, la passion ou la violence. Cette rêveuse manquait d'imagination. C'est ainsi, d'ailleurs, que s'expliquait sa tendresse pour les livres et sa dureté envers ses amants. Les chats l'aimaient plus que les chiens. Ils reconnaissaient en elle cet infini, cette chaleur morte, cette sorte de vie brûlante et atone qu'ils partageaient avec elle. Bruno Raffet, qui n'était pas du tout de cette race, mais au contraire de la race à jamais affamée, insatisfaite et, à l'occasion, féroce, des loups, n'était pas en âge de le comprendre. Pour en finir avec cette comparaison une fois de plus animale, s'il y avait eu un feu quelque part et que leurs caractères aient été réduits à leur état le plus élémentaire, Eléonore s'en serait approchée en ronronnant et Bruno aurait fui, les babines retroussées. En attendant, ils roulaient ensemble dans une voiture découverte, élégants et beaux comme deux images, allant déjeuner dans une auberge près de Paris, et Bruno, qui avait peu l'usage de ce genre de femmes, avait adopté un style qui exaspérait prodigieusement Eléonore. Il avait jeté, gentiment d'ailleurs, mais «jeté» ses clés au pompiste, il avait donné des coups de pied connaisseurs et amicaux à chaque pneu, il avait tapoté d'un air responsable, les divers cadrans de son petit bolide anglais, il était même allé jusqu'à conseiller à Eléonore d'allumer ses cigarettes avec l'allume-cigares. Or, elle trouvait inconcevable qu'un homme ne s'arrêtât pas en pleine autoroute pour lui allumer sa cigarette. Elle trouvait inconcevable qu'on jetât ses clés au pompiste ou, d'ailleurs, à tout être humain au lieu de les lui poser tranquillement dans la main, elle trouvait ridicule cette pantomime de pilote que, dans son euphorie, il jouait pour elle ; en fait, elle se demandait presque pourquoi il n'avait pas crié «hue cocotte» en démarrant. Pour tout arranger et malgré le vent trop violent qui défaisait le maquillage d'Eléonore, il s'était mis en tête de trouver des airs entraînants ou de la belle musique sur son poste de radio dont on devinait qu'il serait inaudible, une fois dépassé le cent vingt kilomètres-heure. L'ennui d'une certaine vulgarité (même si chez Bruno Raffet, elle révélait plutôt l'enfance) c'est qu'elle ressort brusquement par rapport à un objet possédé et dont on veut à tout prix faire partager le charme à quelqu'un qui s'en moque. Bruno ignorait ses masques africains et son indifférence évidente lui avait rallié Eléonore, mais il aimait sa voiture et, aux yeux d'Eléonore, il l'aimait mal. Elle avait eu beaucoup de chevaux dans son enfance. Elle n'avait jamais pensé à leur tapoter la tête ni à leur donner du sucre. Elle avait simplement pensé à ménager leurs bouches et à les aider dans leurs allures. C'était pour elle le meilleur moyen de rendre grâce à leur beauté, à leur vigueur et à leur indifférence. Elle n'allait pas, dix ans après, s'extasier sur un tableau de bord. C'est donc de fort mauvaise humeur qu'elle se mit à table dans une auberge mal fréquentée à ses yeux, c'est-à-dire par des gens qui parlaient trop fort ou trop bas et qui faisaient de cet endroit anodin, ou qui essayaient d'en faire, un lieu soit de prestige, soit de mystère. Bruno, pour qui tout allait bien et qui se trouvait même admirable d'inviter à déjeuner, le lendemain du jour où il l'avait «eue», une femme qui ne lui

servirait à rien, Bruno, qui se sentait le jeune seigneur du lieu et de la
route et de sa proie, Bruno ronronnait. Il lui tendit la carte d'un geste
noble et prit même l'air patient, voire un peu excédé de l'homme qui sait
que les femmes hésitent longtemps à faire un choix, étant donné qu'elles
pensent à la fois à leurs goûts et à leur ligne. Son attitude n'était pas
destinée uniquement à Eléonore mais à toutes les têtes de
l'établissement qui avaient immédiatement reconnu le célèbre Bruno
Raffet et il regardait ses mains avec la discrétion et le sourire indulgent
indiqués plus haut. C'est pourquoi il fut surpris de voir les yeux gris et
impavides d'Eléonore détailler son manège et plus surpris encore quand
elle lui rendit le menu, comme on tend un cache-nez à un enfant, avant
de se lever et de disparaître. Il n'eut que le temps de repousser sa chaise,
car son impresario lui avait dit que cela se faisait, et de se rasseoir —
supposant dans son euphorie de propriétaire qu'elle était allée se donner
un coup de peigne. «Peut-être avait-elle un peu mal au cœur, il avait
conduit trop vite, mais que faire avec trois cents chevaux tous seuls sous
un capot et cette autoroute pour une fois dégagée? Les Suédoises étaient
pourtant censées avoir un cœur bien accroché.» Au bout de dix minutes,
il commença à s'énerver et de découvrir une forme de vie qu'il ignorait.
Il était passé, non sans mal (à travers quels lits et quelles embûches!) du
stade du petit garçon hargneux, maladroit et avide, au stade encore
récent de jeune homme blasé. Ce manque de temps, si l'on peut dire,
entre les deux états, fit qu'il s'affaira, qu'il secoua presque le maître
d'hôtel, qu'il interrogea trop vivement la dame du vestiaire, qu'il courut
jusqu'à sa voiture, et qu'il revint aussi vite téléphoner à Paris, sous les
yeux amusés du barman, déjà renseigné. A ce moment-là, ignorant tout
des raisons de son abandon, il aurait pu prendre le parti de l'oublier.
Dans l'espèce d'horlogerie où l'avaient introduit ses impresarios, les
journaux et ses conquêtes, il ne devait pas y avoir la moindre faille, que
ce fût par rapport à un contrat ou à une femme. Mais Eléonore était
partie en taxi et cela le rejetait trois ans en arrière, à l'époque où il avait
peur et faim et soif, à l'époque où la vie n'était pas, comme maintenant,
que ce qu'il voulait bien qu'elle soit. Et comme dans les histoires qu'il
avait lues, histoires dont le héros lui avait toujours paru un pauvre type,
il reprit sa voiture et fonça vers Paris, chez elle. Ce fut Sébastien qui lui
ouvrit, en chandail. «Oui, dit Sébastien, elle est rentrée, oui, elle a eu
trop de vent, oui, vous savez, elle n'aime pas les auberges rustiques, oui,
vous savez, parfois elle ne sait pas s'expliquer, oui, elle dort.» Alors il
eut l'impulsion qui le sauva, il bouscula presque Sébastien qui prit un air
sceptique et indulgent, ouvrit la porte et trouva Eléonore, allongée sur le
lit, qui lisait paisiblement *Les Aventures de M. Pickwick*. Des souvenirs,
des récits de ses amis lui revinrent en tête pendant qu'il la regardait et il
se dit que, là, il devait montrer qui était le maître. Une femme, on la
rosse une bonne fois et elle comprend. Ou alors il aurait fallu ne pas

marquer le coup et jouer le bel indifférent, mais c'était trop tard puisqu'il était revenu et qu'il était là, tremblant de colère et de peur, au pied de son lit, dans cet appartement minable mais qui était devenu pour lui tout à coup le pire des châteaux forts et le mieux défendu. Il n'avait plus qu'à attendre le verdict, qui arriva aussitôt.

— Tu en as eu assez de cet horrible endroit, toi aussi, dit Eléonore. Ecoute, j'en suis à l'endroit du livre où Pickwick et ses amis sont sur le champ de bataille pendant une manœuvre. Je crois que je n'ai jamais rien lu d'aussi drôle de ma vie.

Et comme il la regardait, encore hébété par le vent, la colère et la stupeur, elle tapota gaiement l'oreiller près d'elle et lui désignant un passage du doigt le força presque à s'allonger. Il n'avait jamais lu Pickwick et quand son cœur fut calmé et qu'il put comprendre les phrases qu'elle lui lisait d'une voix basse, entrecoupée de rires, il finit par rire aussi, par se blottir contre elle, parfaitement détendu, et il passa ainsi l'un des meilleurs après-midi de sa vie. Comme ils avaient faim, vers cinq heures, Sébastien qui ne semblait pas décidé à jouer l'impresario ce jour-là, leur confectionna des spaghettis.

CHAPITRE XVII

Il peut sembler bizarre de commencer un chapitre par un *nota bene* mais, quand même, une chose m'inquiète depuis hier soir où je l'ai remarquée : pourquoi dans tous les romans policiers, dès qu'un homme traqué refuse dans la rue les bons services d'une prostituée, lit-on : « Il la repoussa » ? Et chaque fois la malheureuse l'insulte. Les prostituées ont-elles tellement de dépit, de vanité ; ou alors, les hommes prennent-ils plaisir à l'idée qu'en se refusant, eux-mêmes ou leur argent, à des femmes dont c'est le métier (et, j'imagine, un métier souvent accablant) celles-ci doivent en concevoir quelque hargne, rogne, grogne ? Je l'ignore. De toute façon, c'est, je l'ai dit, un problème secondaire mais amusant. Quand je dis « secondaire », je n'en suis pas sûre. Je crois que les hommes aiment bien être désirés par n'importe qui et pour n'importe quoi, même si cela doit alléger légèrement leurs poches. Les femmes aussi, d'ailleurs. Mais les femmes, c'est plus normal : elles sont encore, quoiqu'on puisse dire et faire, « l'objet » ; un objet, finalement, c'est calme, c'est pratiquement invulnérable, et d'autant plus invulnérable que cela n'attaque pas. Mais ces grands enfants mâles, nos maîtres, nos Samsons que l'on veut priver de Dalilas — car enfin il est évident qu'en dehors de leur force, c'est bien nous qui leur couperons les cheveux en même temps que leur cœur — je trouve qu'on les maltraite fort dans les

gazettes actuellement. Si je comprends bien : a) ils gagnent de l'argent
pour leur foyer — mais de toute façon, c'est injuste puisqu'ils en
gagnent plus que les femmes ; b) ils conduisent leur voiture avec leur
femme, trois enfants et un chien, durant les week-ends, et c'est très
dangereux pour leurs femmes ; c) ils font l'amour, bien sûr, mais d'une
part, c'est semble-t-il surfait — voir *Marie-Claire* (*Marie-Claire* soi-
même qui explique le peu d'importance de leur sexe dans l'affaire) ;
d) et, d'autre part, si jamais il y a un « ennui », qui va en souffrir ? Ce
n'est pas eux ! Et c'est fort injuste pour nous, même si nous avons oublié
de prendre cette chère pilule avec le café au lait ; e) ils trompent leurs
femmes, ils boivent, et finalement préfèrent souvent se retrouver entre
amis, ce qui est, paraît-il, un signe de mépris total pour nous ; f) ils ont
acheté une télévision et ont une tendance fâcheuse à s'effondrer devant,
et bien que nous les ayons plus ou moins obligés à l'acheter, c'est un
signe d'ennui Et puis, quand même, on leur demande peu de chose, en
fait : ne pas trop jouer l'homme dans la vie mais l'être vraiment, et puis
remarquer quand même qu'on a une robe neuve et s'en réjouir et nous
en désirer davantage. Quant à l'idée que nous les rassurions, nous, sur
eux, il ne faut pas tellement qu'ils y comptent. Ils ont eu deux mille ans,
même s'ils sont nés il y a trente ans, pour nous oppresser, nous
empêcher de faire de grandes choses et il est apparemment temps qu'ils
le payent. Naturellement je plaisante, mais autant je déteste l'ostentation
virile de certains hommes qui, il faut bien le reconnaître, ennuient
généralement les femmes (aussi bien la nuit que le jour), autant je dois
dire que, parfois, surtout ces temps-ci, cette petite complainte tendre et
ahurie de certains hommes commence à me faire de la peine. Que cette
manie de s'exprimer en généralités est excédante ! Ce n'est pas l'homme
avec lequel on vit qui décidera du salaire « égal », pas plus que ce n'est
lui qui décidera du nombre d'enfants que nous aurons envie d'avoir, pas
plus que ce n'est lui qui représente le symbole de cette fameuse lutte
homme-femme dont on nous rebat les oreilles. Il est trop facile, à ce
sujet, d'évoquer des ridicules et Dieu sait qu'il y en a, et des deux côtés,
mais il me paraît fâcheux, stupide plus exactement, qu'à la faveur de
certaines théories, donc d'abstractions, deux personnes jusque-là liées
dans le concret en arrivent à des discussions complètement hors de
propos et sans vie.

D'ailleurs qu'est-ce que je dis ? Ou bien un homme et une femme se
complètent intellectuellement et peuvent se dire pourquoi ils aiment un
article dans le journal ou un poème ou une musique ou un cheval de
tiercé (et Dieu sait que c'est rare après quelques années cette envie de
parler ensemble !) ou leurs rapports ne sont que passionnels. « Où es-tu ?
Qu'as-tu fait ? Je ne t'aime plus. Je t'aime. Je m'en vais. Je reste. » Ça
mènera à quoi, ces théories : séparer en deux l'espèce humaine sous
prétexte de la réconcilier, de l'unifier, ou de la mettre sur le même

niveau, alors qu'on sait que ce niveau est toujours atteint, manqué ou dépassé par certaines femmes ou certains hommes qui avaient plus ou moins de force ou de faiblesse que les autres et que, finalement, c'est dérisoire. J'ai vu des brutes aimées par des femmes sensibles, des femmes féroces aimées par des hommes tendres, etc. Je n'ai jamais pensé que cette notion d'égalité sexuelle puisse être valable : en dehors naturellement du salaire des gens et des discriminations, pour ainsi dire raciales, qui existent et existeront, je le crains, longtemps encore entre eux. Si l'on admet que tout rapport humain est basé sur une inégalité fondamentale — inégalité asexuée, au demeurant, et qui est résumée je crois, de la manière la plus précise et la plus féroce par Huxley : « En amour, il y en a toujours un qui aime et l'autre qui se laisse aimer », et si l'on admet cette cruelle mais inéluctable vérité, on devrait comprendre que ce n'est pas cette inégalité des sexes qui est la vraie question. Et c'est là où plein de femmes intelligentes et de bonne foi se laissent prendre. La vérité, c'est que le couple, les gens, la foule sont parfaitement abrutis par un mode de vie destiné à les abrutir et qui, même s'il n'était pas *destiné* à le faire, y arriverait. Et qu'alors, bien entendu, selon les systèmes en vigueur — qui sont des systèmes de *diversion* — on se débrouille pour faire passer au compte de la différence des sexes l'épuisement partagé d'un couple. Car enfin qui, homme, ou femme, peut rentrer chez lui, chez elle, chez eux après tant d'heures de travail sans avoir autre chose que faim, soif ou sommeil ? Sinon, peut-être, dans la première année de leur cohabitation... (De même a-t-on voulu travestir le refus profond et à mon sens motivé d'une génération de jeunes gens, assez éveillés, parce que ce refus était celui d'un avenir dont aucun quadragénaire de bonne foi ne voudrait.) Ah, on les entend assez se plaindre, nos bruyants quadragénaires : « Ah non, les plages ne sont plus les plages ! Il n'y a plus de campagne ! Il n'y a plus de liberté ! » Et si on leur offrait une jeunesse à nouveau, croyez-vous vraiment qu'ils choisiraient celle de leurs enfants ? Elle leur paraîtrait insupportable. Ils demanderaient une marche arrière de ce grand *tape-recorder* qu'est l'existence et ils repartiraient au même point d'où ils étaient venus. Et ce n'est pas un manque de curiosité ni un goût du passé qui les dicte, c'est l'horreur profonde d'un avenir dont tout laisse à croire qu'il ne va pas être drolatique. Et alors là — même système de diversion —, ils expliquent que cette génération aime la violence, qu'elle ne veut rien reconstruire à la place de... et que même l'amour ne l'attire pas. Moi, pourtant, j'ai vu de très jeunes gens, très passionnés, d'une manière plus que romantique, seulement ça, on ne le leur accorde pas : « Les sentiments, vous permettez, c'était ma génération, c'était moi qui lisais Balzac et les classiques, et si mon fils pleure dans son lit, c'est parce qu'une petite putain, qui s'envoyait d'ailleurs tous ses copains, lui a fait une crasse. » Quant à l'érotisme : « Ces pauvres enfants ne savent pas ce que c'est, tandis que nous, à vingt-cinq ans, tu te rappelles, Arthur, on ne s'ennuyait pas ? » Il faut quand même se mettre dans la tête, chers bourgeois de tous les âges et de tous les milieux, (car au sujet de l'amour, les Français, considérant leur glorieux passé, sont dix fois plus nationalistes que n'importe quel pays), il faut bien se rendre compte que l'amour entre des gens de vingt ans, ce n'est pas seulement le contact de deux épidermes. Ce qu'il faut absolument admettre, c'est que ces petits loups, avec la même nécessité intérieure, veulent aussi la chaleur, la poésie — ces désirs étant peut-être plus vite engloutis sous les draps que du temps de leurs aînés, mais tout aussi impérieux.

De toute façon, et Dieu merci, ce n'est pas ce gouvernement ni les suivants qui feront de ces jeunes gens ce qu'ils seront un jour. Leurs racines ont déjà poussé et leurs racines, c'est la dérision, le mépris et, malheureusement, pas encore l'espoir. C'est bien facile, de leur dire : « Vous verrez, à notre âge, vous serez payés tant pour un poste de sous-chef et vous paierez tant pour une AMI-6, vous verrez comme on aura vite fait de vous bâillonner et si ce n'est pas nous, ce seront les circonstances, l'argent ou plutôt, le manque d'argent. » Mais il me semblerait plus normal, ou plus tendre, de la part de leurs aînés, de dire : « Allez-y, amusez-vous, mais ne cassez pas la figure de vos professeurs ni celles de vos copains — parce que vraiment la violence est un phénomène irréversible, qu'elle est avant tout bourgeoise et que, l'utilisant, vous tomberiez dans la même chienlit que nous. Allez plutôt voir ailleurs, allez vous promener très loin puisque vous en mourez d'envie, oubliez les folklores, allez voir les Hindous avec ou sans haschich, c'est très faisable, allez voir aussi les Anglais et, à moins que vous n'en ayez pas envie, jouez avec la terre puisque depuis peu son étendue vous est offerte pour quelques dollars et peu de temps. » C'est difficile à dire à ces enfants nerveux, compliqués et souvent déjà englués. Mais s'ils sont englués, il faut bien se dire qu'on les a laissés faire et que, dans ce cauchemar des vingt dernières années, il n'y avait rien qui puisse les drainer hors d'eux-mêmes. Pas plus que nous. Mais ce n'est plus à nous de gémir, et Dieu sait que nous ne nous en sommes pas privés. C'est à nous d'aider. Amen.

Catastrophe !... Je me rends compte avec horreur que j'ai oublié complètement un personnage en route : ce pauvre homme fasciné par la nuque d'Eléonore, rue Pierre-Charron et qui devait jouer dans sa vie un rôle bizarre et obsédant. Le voilà oublié et j'ai beau essayer de m'y intéresser, je vois bien qu'il ne tiendra pas la distance. Après tout, tant pis. Quels qu'aient été mes desseins machiavéliques, il aura été un homme qui regardait fixement, dans un restaurant ensoleillé, le profil d'Eléonore. Son rôle s'arrête là. N'importe qui peut perdre des figurants en cours de route, mais celui-ci, par politesse et avant de le rayer à

jamais de mes papiers, je lui donnerai un nom : il s'appelle Jean-Pierre
Bouldot, il est employé de banque depuis vingt ans, fort mal payé et,
comme on dit, bon citoyen. Il paye ses impôts à temps, non sans
difficulté, sa femme est tiède, ses enfants plutôt médiocres et il prend le
métro tous les jours à «Auber». Il a escompté un moment que les
changements de ce métro l'intéresseraient du point de vue technique car
enfin, il a manqué être ingénieur. Il a espéré que les rapports humains en
seraient simplifiés et que ce serait pour lui une sorte de fête d'en
descendre les marches tous les matins et de les remonter tous les soirs.
Malheureusement, c'était un peu trop compliqué, un peu trop abstrait et
ses enthousiasmes exprimés à voix haute n'avaient trouvé aucun écho
auprès des autres passagers. Maintenant, néanmoins, il réussit à se
débrouiller ; il vit le ticket de métro entre les dents et il arrive chez lui le
soir, à l'heure pour, selon les circonstances, apaiser ou gifler ses enfants.
Le jour où il rencontra Eléonore, il avait été coincé par tant de portillons,
il avait pris tant de mauvaises correspondances, il avait tant transpiré et
s'était tant essoufflé dans ce dédale devenu pour lui la pire des pampas
dans le plus atroce des westerns, qu'il était descendu, vaincu, aux
Champs-Elysées. Et là, bénéficiaire, certes, du progrès mais n'imaginant
pas vis-à-vis de son chef de bureau, M. Colet-Roillard, une autre excuse
que la grippe (excuse qui, en tout cas, lui interdisait l'accès du bureau
pour l'après-midi), il avait décidé de déjeuner dans un snack-bar, rue
Pierre-Charron. C'est là qu'il avait vu Eléonore comme on voit
quelqu'un qu'on a toujours connu, et dont on sait qu'on ne le connaîtra
jamais. Longtemps après, ayant rêvassé entre ces stations du métro qui
étaient son trajet habituel et cette trajectoire inexorable qu'était son
destin, il avait bien fini, au moment où j'en parle, par l'oublier
complètement l'Eléonore. Exit Jean-Pierre Bouldot.

CHAPITRE XVIII

En attendant, Bruno était bien heureux. Il s'était introduit dans le
camp Van Milhem. Il était à la fois raillé et soutenu par Sébastien qu'il
amusait assez et accueilli par Eléonore qui se bornait sans doute à ne lui
donner que son corps. Mais quand il s'éveillait près d'elle et qu'il tentait
de la réveiller à son tour, à petits coups de tête interrogatifs et tendres, il
s'émerveillait de la voir s'étonner, bâiller et se retourner contre lui,
ventre plat contre ventre plat, dos plat contre dos plat sous leurs mains,
et il s'émerveillait aussi de l'accélération de son souffle — chose qu'il
ne pouvait provoquer que par ses gestes. Car aucun de ses mots, de ses
pensées ne semblait vexer, attendrir ou humilier Eléonore. Blotti contre

elle, le sang chaud, il attendait paisiblement, sans le savoir, qu'elle le
chasse. C'est alors que Robert Bessy revint de New York. Il y avait
passé trois semaines difficiles, les affaires avaient été dures et il avait dû
se gaver pour les besoins de la cause, de différents tranquillisants. Il
rentrait à Paris désemparé, comme il en était parti. C'est-à-dire : petit,
gros et peu sûr de lui. La seule pensée qui le réconfortât, c'était celle
justement de ses amis Van Milhem, ces beaux Van Milhem que
n'effleurait pas un instant le vent des dollars, et de ce Bruno un peu trop
beau, un peu trop fou et qu'il avait, à force de patience et de
concessions, amené assez haut. Son sentiment pour lui était parfaitement
élégant dans la mesure où il n'en attendait rien, jamais, de passionnel et
où, du même coup, il en était devenu lui, Robert Bessy, à quarante ans,
aussi tendre et désespéré qu'un enfant en bas âge. Il n'y avait personne
à l'aéroport mais il y avait un message pour lui dans son appartement,
cet appartement de la rue de Fleurus au-dessus duquel avaient habité
Eléonore et Sébastien, cet appartement qu'il avait conservé parce qu'il
avait été le lieu de ses premières rencontres avec Bruno, cet appartement
maintenant désert, sans vie, sans fleurs, mille fois plus désespérant dans
son côté anglais que l'actuel et désertique local des Van Milhem. Il y a
une forme de confort, de luxe et de bien-être qui n'est peut-être
supportable que si l'on est deux ou dix à la partager et qui, dans le cas
de Robert seul, devenait féroce. A quoi servaient ces deux fauteuils
Regency près d'un feu éteint, à quoi servait cette vue ravissante sur les
toits, à quoi servait cette kitchenette parfaitement installée d'un point de
vue électroménager, à quoi servait ce valet où il accrochait son manteau,
à quoi servaient ces bagages avec leurs rêveuses étiquettes «TWA»
«NEW YORK» «PARIS» et surtout, à quoi servait son visage dans la glace,
ce visage mal rasé et dont il n'avait jamais aimé la barbe? Il essaya
d'attribuer tout cela à ce fameux décalage horaire qui est, comme on
sait, une excuse toujours répétée par les gens qui voyagent. Astronautes
minables, ils ont vite fait de confondre les carences de leur sang avec les
grands poncifs du siècle : la distance, l'heure, la fatigue nerveuse. Bref,
il prit quelques comprimés mi-dopants, mi-tranquillisants et, avec des
gestes de somnambule, prit son bain, se rasa, se changea, etc. Il était
arrivé à trois heures de l'après-midi, heure locale, il était cinq heures,
heure toujours locale et il avait l'impression qu'il était minuit, heure
sensible. Au lieu de téléphoner·à son bureau, il s'assit sur son lit, étant
de toute façon incapable de défaire ses bagages, et il attendit. Une heure
plus tard, heure qui lui parut le comble de la tristesse et de la solitude, il
reçut un coup de téléphone. C'était Sébastien, Eléonore et Bruno qui
l'appelaient d'un bar : ils n'avaient pas voulu le déranger plus tôt, afin
qu'il puisse se reposer un peu. La bonne volonté a de ces crimes… Il prit
l'air gai, enjoué, et quand Bruno dit au téléphone (il avait une voix
nouvelle, Bruno) : «Si tu veux, "on" vient te chercher, si tu veux, "on"

se retrouve ailleurs, si tu veux, "nous" venons chez toi», il sut illico, d'une manière décisive, que les petits coups au cœur qu'il encaissait avec ces «on» et ces «nous», avec cette absence de «les autres», n'étaient que le prélude d'un énorme et douloureux tam-tam qui ne lui laisserait plus de paix. Les autres, c'était les autres et c'était donc l'enfer. Et lui, c'était lui tout seul, habillé et rasé de près, attendant l'heure de sa convocation, c'est-à-dire, de sa condamnation, une heure et demie plus tard. En plus, se disait-il avec dérision, ce n'était vraiment la faute de personne, ni de Bruno dont il savait parfaitement qu'il préférait les femmes, ni de Sébastien qui n'avait jamais pu prendre ce genre d'histoires — c'est-à-dire, la sienne, quoi! — au sérieux, ni d'Eléonore qui capturait qui elle voulait depuis toujours ; et qui, s'il lui avait parlé, aurait sans doute aussitôt rejeté Bruno pour le lui rendre. Mais personne ne peut jamais vous rendre personne : il faut *prendre et garder*. Et lui, Robert Bessy, ce bon et brave Robert Bessy, en avait toujours été incapable : en allant vers ces trois fauves insouciants il eut l'impression d'être Daniel marchant vers la fosse aux lions. Seulement Daniel était beau et mince et jeune et les lions s'étaient couchés à ses pieds. Ces lions à lui allaient le bousculer gaiement, gentiment, avec leurs pattes élégantes et pleines de griffes jamais assez limées. Ils allaient, sans s'en rendre compte, le déchiqueter proprement et le renvoyer seul chez lui, dans cet appartement où il n'avait plus à regarder, comme chose vivante, que sa valise. A tout hasard, il mit deux petits cachets supplémentaires dans la poche de son gilet — de ce gilet rassurant — puis il attendit ; en regardant ses pieds, l'extrémité noire de ses chaussures superbes, achetées trente dollars chez Sacks sur la 5e Avenue, mocassins merveilleux dont il avait d'ailleurs ramené une paire identique pour Bruno, il attendit que la nuit tombe et que l'heure du sacrifice arrive.

La ville est vide et je me demande avec une sorte de fascination si un jour les gens vont rentrer. Je sais qu'ils sont tous sur les routes, dans leurs engins divers, roulant vers des plaisirs ou des morts semblables et moi, je me sens assez libre, à l'abri. Je me fais l'effet de cet oiseau qui habite juste en face de chez moi, mon plus proche voisin en somme, et qui a planté sa tente dans un arbre scié ras lequel a, néanmoins, un air horriblement vivant, peut-être même plus vivant que les autres — ceux couverts de feuilles, de bourgeons et de promesses. Lequel arbre étant tout nu, a l'air mutilé et d'ailleurs ne l'est pas. En tout cas, qu'il soit aimé pour cela ou pour des raisons de confort que sait le coucou et que j'ignore, cet arbre est bourré d'oiseaux. Avec une tronçonneuse — je crois que c'est le terme — ils ont au printemps, à mon vif déplaisir, plus auditif, je l'avoue, que sentimental, découpé ce voisin. Car, à Paris, on émonde toujours les arbres à l'aube. Ces ouvriers audacieux, perchés à des hauteurs qui me faisaient trembler autant d'effroi pour eux que de rage pour mon sommeil, sectionnaient ces malheureux marronniers.

Comme pour le rassurer — je parle toujours de mon arbre — les oiseaux ont choisi ses intersections, ses amputations comme autant de refuges. Il est bien plus fréquenté que les autres, les vivants. Tiens, à ce sujet, je me demande où je me réfugierai plus tard. On peut mourir de tellement de manières différentes et il y en a si peu d'élégantes. Bien sûr, il y a les «noces d'acier froissé» dont parle Blondin à propos de Nimier, il y a une vieillesse désuète et tranquille, au coin du feu, dans quelque province avec des petits-enfants plus ou moins ennuyeux qui vous grimpent sur les jambes, il y a le suicide, cette pente dont il ne faut jamais parler, il y a aussi des solutions comiques. Au fond, ce n'est pas par principe, mais par une paresse qui est devenue chez moi un principe en soi, que j'ai toujours refusé de faire partie d'un jury quelconque ou d'avoir ce qu'on appelle des responsabilités dans le monde littéraire. Mais aujourd'hui, perchée sur mon balcon et regardant passer un chien hargneux, un père excédé et un enfant en larmes, je me vois très bien plus tard, pleine de décorations diverses, siégeant, aimable et toujours un peu confuse au point de vue diction (il y a peu de chance que l'âge arrange les choses) dans un banquet chez Drouant, ou chez Maxim's, je ne suis pas maniaque. J'ai soixante-quatorze ans. Mon quatrième mari vient de mourir bêtement, comme on dit, je suis en noir et mes décorations n'en ressortent que mieux. Je finis juste une petite sole au citron, car mon médecin m'a interdit tout excès. Le petit neveu d'Edgar Schneider ou d'un autre m'interviewe, non sans mal, car un verre de chablis aidant, j'ai légèrement perdu la tête. Je lui explique néanmoins que ce dernier roman primé est admirable et que nous sommes bien contentes, mes copines Duras, Mallet-Joris et moi-même d'avoir consacré un talent neuf. Là-dessus, je me mets à glapir car je n'ai pas eu ma tarte à la framboise et que l'âge m'a rendu fort gourmande. Benoît IV, mon dernier chauffeur, impassible, me met sur les épaules mon manteau de cigogne de Poméranie (c'est la dernière fourrure à la mode en 2010). Le lauréat, déjà vêtu de Môa, me baise les mains éperdument. Benoît IV m'ouvre la portière de notre aérocar et nous allons nous poser, non sans croiser d'autres aérocars amis, rue Guynemer, sur la terrasse. En effet, depuis quelques temps, le trajet Invalides-Champs-Elysées est devenu, au crottin près, semblable aux Champs-Elysées de Zola. Lecanuet règne toujours sur la France grâce aux piqûres fort efficaces du docteur Jekyll (Hyde Park). La Côte d'Azur, pour cause de pollution, est interdite aux estivants à moins de cinq kilomètres du rivage. Ah! j'en ai vu, j'aurai tout vu avant de mourir... J'ai vu des femmes redevenues sauvages brûler les archives de leurs patrons sur la place de la Concorde. J'ai vu des enfants mener leurs parents à la cravache, ne supportant pas chez eux le moindre écart sexuel. « Ah ! disaient-ils, attentions aux traumatismes !», et les parents heureux, enfin tranquilles, enfin irresponsables puisque matés, suivaient à la trace ces petits gnomes déchaînés dont le principal souci (freudien paraît-il, d'après une nommée Grégoire) était de leur couper toute nourriture. J'ai vu « le sablier de la terre et du ciel se renverser » (cf. Eluard). J'ai vu des plantes vertes pousser à Paris, sans souci. J'ai vu des gens fous d'amour qui acceptaient que leur amour soit unilatéral. J'ai vu des amis donner leurs vestes à leurs amis tout en sachant que ces derniers l'ignoreraient toujours. J'ai vu des fermiers lisant des poèmes, à l'ombre de leurs vaches, allongés, et qui me criaient quand je passais : « Vous savez, la terre est bleue comme une orange !» J'ai vu des poissons ivres de désespoir, (généralement des goujons, j'ignore pourquoi) se jeter, les yeux révulsés, sur un hameçon de fer. J'ai vu des hiboux se cacher et refuser des nuits entières d'ouvrir les yeux, tellement ils en avaient leur claque de notre félicité.

CHAPITRE XIX

— Si on prenait un peu de caviar ?, dit Robert. Il était l'un de ces derniers rescapés d'une génération mal nourrie pour qui le mot « caviar » ou le mot « champagne » avait encore des inflexions de fête. Malheureusement, Eléonore n'avait jamais aimé le caviar. Sébastien le supportait mal. Quant à Bruno, depuis qu'il pensait qu'il pourrait se l'offrir longtemps, il n'y accordait plus qu'un intérêt condescendant. Ils étaient tous les trois autour de lui, affectueux et très lointains, comme dans un rêve, et il essayait de les mettre de son côté, les uns après les autres, comme font les petits garçons mal aimés dans les cours de récréation. Bruno d'abord, bien sûr. Bruno superbe, étincelant, plus blond, plus bleu que jamais, comme ces personnages de Proust dont il n'avait lu que la biographie, et comme si, surtout, par un phénomène étrange, sa nouvelle passion pour Eléonore avait renforcé ses couleurs naturelles, les avait rendues flamboyantes. Car il n'y avait plus à en douter à présent, il était très amoureux d'Eléonore. Tous ses gestes étaient vis-à-vis d'elle, vers elle, pour elle, et l'accueil gracieux mais réservé qu'elle offrait à ses hommages était encore plus inquiétant pour Robert. Cette attitude, en effet, indiquait qu'elle n'aimait pas encore Bruno, qu'elle avait pris du retard sur lui dans cette affaire, c'est-à-dire, de l'avance. Et Robert savait bien, lui qui avait toujours aimé trop tôt, que ce léger décalage était généralement irrattrapable. Sébastien faisait ce qu'il pouvait pour comprendre les problèmes de ce pauvre Robert, mais il avait une tendance naturelle à rire et, de toute façon, il y avait mille explications à cette expression paniquée qui envahissait parfois le visage de son ami : le voyage, la fatigue, l'énervement, peut-être même cette affaire d'Eléonore et de Bruno, affaire qu'il savait, lui, sans importance réelle mais qui pourrait devenir plus grave qu'il n'aurait cru. Robert devait quand même bien savoir que Bruno aimait les femmes, qu'Eléonore n'était pas sa première maîtresse, ni la dernière, et que la nonchalance avec laquelle sa sœur traitait ses affaires passionnelles était un gage de sécurité pour l'avenir. Quant à Eléonore, elle s'efforçait, elle (par délicatesse vis-à-vis de Robert), de canaliser, voire d'étouffer les élans de son jeune amant et sa désinvolture était plus accentuée que jamais. Ce qui, naturellement, rendait Bruno encore plus emporté qu'à l'habitude et plus impatient. Il ne savait à quoi attribuer cette demi-indifférence qui, au demeurant, le faisait souffrir, et de plus, ne pouvait imaginer qu'Eléonore connût ses rapports passés avec Robert. Les jeunes gens, même cyniques, ont de ces refus pudiques et qu'ils croient partagés. De plus, ne comprenant pas du tout pourquoi il souffrait de la sorte, il décida que c'était la faute de Robert, élément étranger introduit après quinze jours d'absence dans leur délicieux trio. Ils avaient tous raison et tous se tenaient bien. Seulement, il y avait cet animal crucifié sur la nappe rose, dans ce restaurant, et c'était Robert. Après le caviar refusé, il y eut le caneton aux olives et puis un fromage, également refusé par tout le monde, et puis un sorbet adopté à l'unanimité. Chacun de ces plats et surtout, chaque intervalle de temps entre ces plats était un supplice extravagant pour Robert Bessy. A un moment, il attrapa ses petites pilules tranquillisantes (celles qu'il avait eu la précaution de glisser dans son gilet) et il les avala en riant beaucoup et en déclarant que ces menus américains, si sains soient-ils, lui donnaient des brûlures d'estomac. Ils décidèrent d'une boîte où aller prendre un dernier verre et le mot «dernier verre» fit sursauter Robert comme une indécence. Il se surprit, néanmoins, en homme d'affaires maniaque, à ramasser l'addition en vue de ses frais généraux et cela le fit sourire. Quelle facétie incompréhensible ! La vie n'avait jamais été pour lui que ça. Sa bonne volonté naturelle, son entrain, ses admirations et, un peu plus tard, ses goûts avaient transformé le temps qu'il avait à vivre en un horrible mélange dont chaque seconde ne pouvait que le blesser. Il était là, les yeux ouverts dans le taxi, parfaitement lucide pour une fois, et ne regardant même plus, ne voyant même plus la main de Bruno crispée dans l'ombre de la voiture sur celle d'Eléonore. L'endroit où ils allaient «s'amuser» était l'Enfer de Dante ou celui de Jérôme Bosch. Et puis, il disait «bonjour, bonjour», il serrait des mains et quand un vieux complice lui désigna Bruno en clignant de l'œil, il sourit gaiement d'un air de connivence comme il l'avait fait trois ans auparavant. La musique, la fumée, l'alcool étaient devenus non plus des vertiges agréables mais des contraintes féroces, inévitables et qui ne pourraient jamais plus freiner sa chute. Une heure passa, qui fut longue. Sébastien somnolant, Eléonore dansant aussi peu que possible mais ce peu était déjà beaucoup, car Bruno la harcelait de questions dès qu'ils étaient seuls. Robert attendait. Il attendait le coup de grâce qui ne devait pas tarder. Quand ils sortirent, assourdis et un peu épuisés, les Van Milhem déclarèrent qu'ils rentraient ensemble, à pied, seuls, et après l'avoir embrassé chaleureusement, ils s'éloignèrent dans la nuit. Bruno, lui, le regard détourné, expliqua précipitamment qu'il avait rendez-vous avec des copains depuis deux jours et qu'il lui téléphonerait plus tard. Resté seul, Robert appela un taxi et il vit, en s'éloignant, sans en tirer la moindre blessure supplémentaire, il vit Bruno qui ayant contourné l'immeuble, courait comme un fou vers la maison d'Eléonore, vers ce petit appartement que lui, Robert, avait déniché un soir d'août grâce à sa concierge, sans savoir que cet endroit un peu minable s'appellerait désormais, pour lui, le paradis perdu. Que ce fût par fatigue, à cause de ces fuseaux horaires apparemment si meurtriers, ou pour une raison majeure qu'il lui sembla soudain avoir toujours refusé d'entendre, Robert Bessy se tua cette nuit-là. Il avala, sans difficulté d'ailleurs, les pilules restantes et, par hasard, la dose était la bonne. Comme on dit dans certains romans policiers, il se buta. Et ce terme d'argot est assez poétique dans la mesure où, ayant lui-même buté sur la vie, il n'avait pu passer par-dessus. Sur les champs de courses souvent, des chevaux superbes et pleins de sang butent sur une haie, ne se redressent pas ou se redressent mal, et le vétérinaire vient achever leur histoire. Robert Bessy n'était ni superbe ni plein de sang et il se passa de vétérinaire.

CHAPITRE XX

J'AI DONC MIS mes héros dans la situation la plus infernale, la plus insupportable et la plus odieuse : celle de se sentir responsable d'une mort qu'on n'a d'aucune manière souhaitée et surtout, qu'on n'a d'aucune manière pressentie. Quand je faisais, au cours de ce livre, l'apologie de l'imagination, c'était bien sûr pour cette raison : le bonheur et le malheur, l'insouciance, la joie de vivre sont des éléments parfaitement sains, auxquels on a parfaitement droit et dont on n'a jamais assez, mais qui rendent aveugles. La situation de mes deux Suédois et de mon petit Français apprenant, à l'aube, la mort par désespoir, par abandon, de leur ami, est une situation parfaitement inextricable. Sébastien était triste et se sentait incompréhensif bien plus qu'il ne l'était vraiment, il se sentait même brutal, car dans ces cas-là, on préfère s'inventer des défauts que reconnaître ses manques. Eléonore se sentait inopportune. Quant à Bruno, le plus concerné, il avait la sauvagerie et la bonne foi de son âge, c'est-à-dire qu'il ne pensait qu'à une chose : les conséquences que la mort de Robert aurait sur ses relations avec les Van Milhem. De cela, je parlerai plus tard, mais il serait bon que les gens qui se suicident et qui ne vous permettent pas de l'ignorer sachent, une fois pour toutes, que ce n'est ni le chagrin, le vrai chagrin, qu'ils entraînent généralement après eux, ni le remords, Et pourtant, c'est leur but, toujours. Ce qu'ils entraînent, c'est une parade, en tout cas un essai de parade désespéré. Et qui fait que les amis concernés, quelle que soit leur réelle affliction, sont beaucoup plus occupés à expliquer aux autres comment ils n'ont pas compris, comment ils n'ont pas pu comprendre : « Tu savais comme elle était », bref, plus occupés à se forger un alibi qu'à les pleurer. J'en ai vu des suicides, Dieu sait, dans ma vie. J'en ai vu des beaux, des propres, des minables, des loupés, des refaits. Je ne crois plus à rien à ce sujet. Il n'est pas vrai que les gens ne recommencent pas après une tentative malchanceuse, si l'on peut dire. Il n'est pas vrai, à mon avis et contre celui des psychiatres, qu'on naisse suicidaire. En revanche, je crois vraiment que si l'on a pris le pli d'attirer l'attention sur soi par ce biais, il n'en existe plus d'autres. Etant donné qu'attirer l'attention sur soi est le but de quatre-vingt-dix-neuf pour cent des êtres humains (et je suis bonne), on pourrait presque faire des statistiques et, dans les cas extrêmes, frénétiques, délimiter très précisément, par une sorte d'IFOP dérisoire, combien ont choisi les somnifères, combien la séduction, combien l'orgueil. Seulement, il y a un vrai cauchemar pour ceux qui restent là, c'est le « si ». Le conditionnel, le temps du conditionnel tel qu'il est conjugué m'a toujours prodigieusement ennuyée. Pour moi, le « si j'avais su », le « si j'avais compris », le « si », bref, a toujours été une chose morte parce qu'imaginée avant d'avoir été vécue, et donc forcément irrecevable. « Si on peut mettre Paris en bouteille » m'a toujours paru le comble de la bêtise, de la dérision et du mépris, parce qu'enfin, si on savait pourquoi on vit, si on savait pourquoi quelqu'un qu'on aime meurt, ou peut-être plus bêtement, si on savait pourquoi quelqu'un qu'on aime ne vous aime plus, on en saurait des choses ! L'horreur du suicide chez les amis, c'est que ce « si » que l'on pose une fois de plus est brusquement fixé, en tout cas, repérable dans l'espace et dans le temps : « C'est idiot, j'ai quitté Arthur à trois heures, il avait l'air très bien. Si j'avais su que... » « C'est idiot, je l'ai croisé devant le Flore, il était tout bronzé, il m'a fait un signe de la main. Si... » Et cette multitude de petits souvenirs que tout le monde vous rapporte devient une bande de barracudas bien décidés à vous faire la peau et les os. Tous ces souvenirs sont situés, donc insupportables. Parce qu'enfin, si je lis dans le journal qu'Arthur est mort dans un accident de voiture (puisqu'il semble que ce soit le moyen le plus courant de mourir) eh bien, selon mes relations avec Arthur, je me frappe le front contre les murs, je téléphone à sa mère, je pleure ou je dis tout bêtement : « Pauvre Arthur, il conduisait mal ». Mais si le même Arthur a décidé que ce n'est pas possible finalement la vie et donc, d'une certaine façon, la mienne, puisque je parle d'un ami, si personne n'a pu l'en empêcher, ni ses amis, ni les miens, ni moi-même, et qu'Arthur est mort et glacé quelque part, j'en arrive à me demander s'il n'avait pas raison parfois, Arthur, un de nos Arthurs. Ce qu'on met en miettes en se tuant, ce n'est pas seulement le cœur des gens, leur tendresse pour vous, le sens de leurs responsabilités vis-à-vis de vous, c'est aussi leur raison initiale de vivre et qui n'est rien, s'ils y pensent vraiment, sinon un souffle et ce battement au poignet et parfois, ce regard ébloui devant un jardin, un être humain ou un projet, si bête soit-il. Ça jette tout par terre. Les suicidés sont très courageux et très coupables. J'en ai trop aimés pour les juger définitivement et d'ailleurs comment pourrais-je juger qui que ce soit ? Mais certaines décences, comme celle d'un accident simulé et bien sûr solitaire, me paraissent quand même plus humaines, plus gentilles — le mot est faible et c'est bien pour ça qu'il me plaît — que cette façon de vous jeter son cadavre au visage en vous disant : « Tu vois, tu n'as rien pu empêcher. » Qu'ils me laissent tranquille, à présent, tous mes amis neurasthéniques, qu'ils mettent du Schumann, du Wagner sur leurs mini-cassettes dans leurs 2 CV ou dans leurs Ferraris, mais au nom du Ciel, qu'ils fassent semblant. L'élégance, un peu d'élégance !... Ce n'est pas parce que la vie n'est pas élégante qu'il faut se conduire comme elle. Qu'ils nous épargnent les comprimés, les coups de feu, voire même le gaz qui rend si vilain, qu'ils nous épargnent tout cela et qu'ils nous fassent la grâce de nous laisser croire que la vie pour eux était un charme, une beauté, une folie au sens XVIIIe, que c'est vraiment un malheureux hasard si elle leur a été arrachée et que maintenant, à six pieds sous terre, envahis d'herbes, ils nous envient d'être encore là pour en profiter. Il me semble que c'est le moindre des cadeaux qu'on puisse faire aux gens qu'on aime, à ceux qu'on laisse tomber. De toute façon, je ne peux rien dire de sévère à ce sujet parce que comme chacun, comme chaque chien de cirque que nous sommes, je suis passée à travers les cerceaux enflammés et, dorés de cette tentation, comme chacun j'ai eu peur et envie et comme chacun, j'aurais volontiers multiplié ces cerceaux et ces tremplins à certaines époques. Depuis, il s'est passé quelque chose, ou un léger dégoût de ce procédé ou un léger goût revenu pour moi-même, pour ma vie ou tout bêtement, la peur quand il ne fallait pas ou quand il fallait. Les démêlés des êtres humains avec leur mort volontaire sont les démêlés à la fois les plus élégants et les plus obscènes qui soient. Si j'ai choisi de parler platement de la mort de ce pauvre garçon, c'est parce que j'ai horreur de ce genre de cri sur soi-même, ce cri qui pour lui aurait été sans doute « Bruno », « maman » ou « mon Dieu » ou « j'ai mal » ou « j'ai soif », ce cri qui fait que la mort n'est jamais triomphante.

Il pleuvait des seaux et, dans cette église sinistre du seizième, essayant de suivre un culte qu'ils ignoraient, étant protestants, les Van Milhem étaient droits, blonds et fatigués, ne sachant pas quand baisser ou lever la tête et d'ailleurs s'en moquant éperdument. Un peu plus loin il y avait Bruno qui ne les avait pas revus. Et puis il y avait cette exquise cohorte qui, à Paris, accompagne toujours, à des titres divers, les mariages, baptêmes et enterrements et qui, si elle le pouvait, suivrait les divorces. Quelques journalistes remontaient la contre-allée en faisant ce qu'ils appellent des flashes discrets. Et le curé, qui avait bien compris que le suicide n'était plus une clause d'interdiction à un enterrement chrétien, lisait la messe en français. Il expliquait donc à la foule et aux Van Milhem réunis, dans un langage théâtral que l'on n'oserait plus attribuer à aucune dame professeur de la Comédie-Française, il expliquait donc à tous ces gens abattus qu'ils ne reverraient plus sur cette terre leur ami Robert Bessy, qu'il allait disparaître quelque part dans les nuages mais que, Dieu merci, il y avait quelqu'un ailleurs pour le recueillir, le bercer et s'occuper enfin de son bonheur éternel. Pour quiconque savait que cet être berceur, enthousiaste et tendre avait été et ne pouvait plus être aux yeux de Robert Bessy que ce petit nigaud inconscient de Bruno, l'idée pouvait faire sourire ou pleurer à grandes eaux. Les gens de Paris vont aux enterrements d'une manière à la fois solennelle et grotesque. Ils se donnent rendez-vous avant, déjeunent ensemble et d'une certaine façon, plus émouvante qu'autre chose, se tiennent les coudes, des coudes de vivants. Après quoi, ils font quelques commentaires à voix basse et de manière lugubre sur le ridicule sermon du curé, et puis il y a la minute étonnante, la seule vraie sans doute, où ils voient passer dans un petit carcan de bois celui ou celle qui se crut le Robin des Bois ou la Jeanne d'Arc ou Dieu sait qui, qu'importe, de sa génération. Ce petit carcan, ils savent bien qu'il les attend et qu'un jour, que ce soit à force de fumer, de rouler en voiture ou d'être brusquement vulnérables à l'une des multiples attaques de la vie, ils se retrouveront dedans, horizontaux devant des gens verticaux qui auront plus ou moins chuchoté pendant la messe. C'est le seul instant où l'on voit les visages des gens se défaire : quand le cercueil passe, soit qu'ils aient perdu quelqu'un qu'ils aimaient et qu'ils s'en souviennent, soit qu'ils aient peur pour eux-mêmes. Les Van Milhem n'avaient peur de rien et de toute façon ils avaient perdu quelque chose qui était pour eux irrattrapable : ce cadavre, c'était effectivement le cadavre de leur chance, le cadavre de leur gentillesse, de leur insouciance et pire, de leur noblesse d'âme. Ils avaient laissé, par distraction, se tuer un de leurs amis et quoique n'en ayant jamais parlé entre eux, même sur le coup et le coup avait été dur, il y avait dans leur comportement, pour quelqu'un qui les connaissait bien, mille commentaires plus affreux les uns que les autres. Robert Bessy avait comme beaucoup de ces morts bien parisiens, un père et une mère en province qui ne ressemblaient pas à grand-chose, sinon aux autres pères et aux autres mères de province et qui se tenaient fort droits. Ils allèrent tous, les impresarios, les producteurs, les cinéastes, les acteurs, les amis, ils allèrent tous saluer ce couple quasiment exotique qui ne comprenait pas que leur fils était pédéraste, isolé, snob, et qu'il s'était tué pour ça. Et même, la mère de Robert Bessy considéra que le plus amical, la meilleure « tête » de l'assemblée était Bruno Raffet. Après quoi, tout le monde sortit sur le parvis. On embarqua rapidement — car les Pompes funèbres ont ceci de commun avec la Voirie, c'est qu'elles sont fort rapides — on embarqua le carcan de bois et chacun se retrouva sous la pluie battante, cherchant qui sa voiture, car après tout une voiture c'est bien commode même si on est triste (surtout si on est triste) qui, un taxi. C'est alors que, grimpant les marches, Bruno vint les cheveux trempés, plus beau que jamais vers les Van Milhem qui semblaient deux oiseaux indifférents, lointains, distraits et, un instant, il eut l'espoir que leur absence de communication avec cette messe affreuse, bref, leur apparente distraction lui laissait toutes les chances. Mais doucement, presque tendrement, alors qu'il levait vers Eléonore un visage épouvanté et que, d'une certaine façon, il lui demandait son aide — je veux dire par là, d'une façon enfantine, dans le style « je n'ai rien fait, vous savez bien, vous ne pouvez quand même pas m'en vouloir de vous aimer, de vous avoir aimée » — à ce moment-là donc, Sébastien le repoussa de la main, comme un huissier, et lui fit du doigt un signe négatif qui n'était pas du tout un signe de complicité, mais au contraire, un signe qui voulait dire qu'il fallait vraiment, là, abandonner. Eléonore ne le regarda même pas. Elle avait un vieux manchon venu de Dieu sait où, une vieille toque trempée de pluie et pour une fois les Van Milhem, leur port de tête exclu, naturellement, étaient moins élégants que d'habitude. Bruno ne put jamais les revoir. Il savait très bien que ce n'était pas de sa faute, ni même qu'ils considéraient, eux, que ce soit la sienne ni la leur, seulement les Van Milhem avaient manqué à quelqu'un qui était leur ami, qui s'était occupé d'eux comme un ami, et il était hors de question qu'ils se le pardonnent. Ni, en tout cas, qu'« elle » se le pardonne dans les bras du bourreau. Même si ce bourreau n'était devenu bourreau que grâce à elle.

CHAPITRE XXI

Avril 1972.

JE LES AI RENCONTRÉS le soir même. Ils s'enivraient délibérément et moi aussi. Ils avaient l'air assez blessés et je l'étais aussi. J'ignorais leur histoire mais je connaissais trop la mienne. Je me mis à leur parler d'une maison en Normandie qui était ventée, cernée d'arbres, avec des chiens et des chats — je veux dire par là, un chien et un chat car on ne doit pas avoir *des* chiens et *des* chats : ça correspond à un refus de la jalousie animale, refus que je réprouve. Je leur parlais donc de cette maison. Je leur dis que le vent y faisait battre les volets comme des fous, que quelquefois, le jour, il faisait beau, que la mer était proche et qu'enfin c'était un refuge parfait ou qu'il pouvait l'être. Nous décidâmes d'une date relativement abstraite et je fus très étonnée qu'ils me téléphonent la veille de mon départ, toujours d'accord. Entre-temps j'avais appris leur histoire, tout au moins l'histoire de Robert Bessy. Je savais les coups de téléphone incessants et vains de Bruno Raffet, je connaissais les jugements des gens sur eux, sur ce que les gens appelaient leur « morgue » et tout cela me plaisait assez. Nous partîmes donc dans une Mercedes louée, avec des bagages qui semblaient à peu près aussi hagards que leurs propriétaires, et nous prîmes la route de Normandie. Les discussions furent brèves dans cette voiture. Le plus bavard et le plus gai, pour des raisons que j'ignore et que je n'eus pas le temps de découvrir, était le chauffeur. Il semblait que nous recherchions tous un mode de politesse et de gentillesse élémentaire. Il semblait que chacun de nous ait besoin de sparadrap partout. La maison leur plut. C'est une grande maison et le vent, effectivement, y souffle beaucoup. Et elle n'est pas très soignée, ce qui permet à tout le monde de mettre les pieds sur les divans. Le premier soir, ce fut drôle. Nous nous reconnûmes, naturellement. Nous aurions pu interchanger chacun de nos gestes et chacune de nos paroles et de ce fait, nous nous parlions très poliment et nous nous évitions presque. L'alcool était devenu un liniment, la musique un « fond d'ambiance » comme on dit. Quant au chien, pataud et tendre, les yeux braqués sur nous, gêné d'ailleurs par ces trois humains qui auraient dû être dictatoriaux et qui n'étaient que fatigués, il semblait le seul vivant d'entre nous. Ma cicatrice à moi étant moins grave, je décidais pendant cette soirée embuée de politesse et de précautions réciproques, je décidais d'essayer de les aider. « Demain, je leur donnerais tout, me disais-je, je leur donnerais l'herbe, cette fameuse herbe, je leur donnerais une chèvre sans oreilles qui ferait sûrement rire

Eléonore, je leur donnerais une forme de calme, une forme de refus, de colère et d'indignation, je leur donnerais même mes propres colères, mes propres indignations, mes propres refus, je leur donnerais tout ce que j'avais pu faire ou être dans l'espace de trente-sept ans, je leur donnerais même, si j'y parvenais, j'essayerais de leur donner un moyen de se réconcilier avec eux-mêmes en même temps que j'essayerais, moi, d'en faire autant. » Mais demain, c'était demain et je crois que la nuit fut longue dans ces chambres éloignées, pour chacun de nous.

Après il plut sans cesse. Sébastien et moi, nous sentant trop faibles, avions pris l'habitude de dormir ensemble avec ou sans bonnes raisons. En tout cas, nous passions nos journées aux genoux d'Eléonore toujours plongée dans ses romans policiers, élégante, oh combien, près de nous si sales, si désemparés, humains. De temps en temps, elle passait ses belles et longues mains dans nos cheveux, en comparant la texture, la douceur et nous devenions ainsi, lui son frère et moi l'inconnue, nous devenions rivaux pour rire, et encore plus tendres. Nous n'écoutions que des opéras : *La Bohème, Tosca, La Traviata* et la voix sublime de ces chanteurs alliée à la simplicité de leurs problèmes sentimentaux nous perçait le cœur. L'allée d'arbres ruisselait tellement de pluie que le chien préférait encore jouer avec nous, à l'intérieur, qu'avec ses bouts de bois dehors. Le feu ronronnait, invitant de part et d'autre à des confidences que nous ne nous fîmes jamais. Cela aurait pu être la vie, bien sûr, une vie bizarre mais réelle parce qu'en aucune façon astreignante, et lorsque la main longue d'Eléonore traînait sur ma joue tandis que la tête de Sébastien qui chantonnait « *Me llaman Mimi* » reposait sur mon épaule, oui, cela ressemblait à quelque chose. Quelque chose de discret, de tendre, de fichu au départ. On devrait faire, comme pour les Indiens, des réserves pour les cœurs purs. Ma maison de campagne n'en était pas si loin, car j'y veillais aussi méticuleusement que mon chien trop tendre et mon chat trop attentif. Puis, il y eut Stockholm. Un télégramme de Stockholm. Je me souviens de cet après-midi-là, j'étais comme d'habitude entre les genoux d'Eléonore et de Sébastien, allongée sur le tapis, riant avec eux parce que, malgré tout, le rire nous avait repris dans ses pièges et j'entendis les Postes arriver. Le télégramme disait que Hugo était enfin libéré et que le seul homme qui n'ait jamais douté d'Eléonore, ni de son amour, même une minute, attendait à l'aéroport de Stockholm qu'elle lui revienne. Elle se leva et je la comprenais, je la compris très vite de vouloir retrouver cet homme qui se trompait sur elle, de vouloir retrouver cette interminable erreur et cette rassurante folie. Car enfin pour une femme aussi épuisée qu'elle, et je voyais bien à ses yeux, à ses gestes qu'elle n'en pouvait plus, d'une certaine façon, de ce Paris de pacotilles 1972 que son frère essayait de faire briller pour elle, je voyais bien que c'était la limite. A ce télégramme, elle respira, ils respirèrent. A eux les rivières tranquilles de la Suède, à eux ce Hugo si généreux dans sa bêtise, à eux des mondes que je n'avais pu connaître. Néanmoins la dernière soirée fut pénible. Nous étions tous les trois dans ce petit salon, le chat sur les genoux d'Eléonore, le chien allongé, respirant encore Dieu sait quelles odeurs de chasse mais respirant fort entre Sébastien et moi. Et puis, la fatigue tomba, l'énervement, et nous nous dîmes « au revoir, à demain » sachant que ce demain serait une espèce d'adieu bouleversé par le temps, l'urgence, la nécessité, car le train était à midi et quart et que nous n'étions pas des gens bien réveillés à midi et quart. En effet, le trajet fut un peu douloureux — de ma maison jusqu'à la gare de Deauville. Quand je dis douloureux, je veux dire silencieux. Nous avions cinq minutes à perdre et nous les perdîmes le nez dans le cou les uns des autres. Je ne savais plus de qui il s'agissait et eux non plus. Et puis ce train stupide commença à souffler et à fumer, à faire des bruits de train. Et brusquement, je retrouvais accrochés à ce qu'on appelle une rampe ces deux visages à la fois très lointains, mais si tendres que je savais que je n'en reverrais plus jamais de pareils. Je levais la main. Il pleuvait des seaux, mais ni l'un ni l'autre ne me priait de partir et je dis d'une voix légèrement éteinte, je crois, « au revoir, au revoir ». Eléonore Van Milhem se pencha (et toute la campagne normande oscilla avec elle dans la vitre) et elle me dit « non, pas au revoir, adieu » d'un ton si doux et si définitif que j'aurais pu le prendre mal si je n'avais pas su. Il avait fait très froid à Deauville au printemps, cette année-là. Néanmoins, quand je sortis de la gare, seule et légèrement écœurée de l'être, il faisait beau grâce à ces tourmentes heureuses que connaissent les ciels de Normandie et, en cherchant la voiture, je reçus un rayon de soleil, irrémédiable, sur le visage et je sus qu'Eléonore avait raison et que c'était la dernière fois que je revoyais, de face, les Van Milhem, et peut-être bien moi-même.

LE LIT DÉFAIT

Roman

A Isabelle Held

« Face aux rideaux apprêtés
Le lit défait vivant et nu
Redoutable oriflamme
Son vol tranchant
Éteint les jours franchit les nuits
Redoutable oriflamme
Contrée presque déserte
Presque
Car taillée de toutes pièces pour le sommeil et l'amour
Tu es debout auprès du lit »
PAUL ÉLUARD.

CHAPITRE PREMIER

« C'EST drôle, disait la voix de Béatrice — très haut, bien plus haut que lui-même, semblait-il, sur le lit —, c'est drôle que tu ne m'aies pas oubliée depuis cinq ans...»

Il ne répondait pas. Il écoutait son cœur battre, il recherchait son souffle essoufflé par l'amour, il essuyait la sueur de son front contre ce flanc si familier et si perdu. Il n'avait rien à lui répondre sinon que depuis cinq ans en effet, grâce à elle qui l'avait rejeté, il marchait près de ses chaussures, près de son propre corps et de son propre cœur, il marchait comme un vagabond à la fois inconscient et conscient de sa ruine, et que ce n'était que maintenant, sur cette épaule où il s'abandonnait, qu'il reconnaissait sa seule patrie.

Son silence intriguait Béatrice. Quelques années auparavant, elle avait connu ce jeune homme, alors courtier d'assurances, chez des amis communs. Il était alors plutôt pitoyable, bien qu'il ressemblât à un chevreau, mais elle l'avait admis dans son écurie six mois durant, comme favori. Il était charmant et tendre, les yeux et les cheveux marron, et pensait-elle, un peu terne. Elle, elle se savait brune et belle, avec (comme le lui indiquaient et ses critiques et ses amants) un air violent et désarmé, des pommettes hautes et une bouche pleine. Béatrice s'était bâti une brillante carrière au cinéma comme au théâtre — dans un théâtre dit de facilité mais qui n'était pas si facile ces années-là. Et à présent, il semblait que le jeune Édouard, ce chevreau égaré sur ses longues, trop longues jambes, soit en passe de devenir l'un des meilleurs auteurs de «l'autre théâtre», celui dit incommunicable. C'était là d'ailleurs querelle de snobs. Les gens à cette époque riaient, pleuraient ou s'ennuyaient tous ferme aux mêmes spectacles, et seul le succès (mis à part les subventions d'Etat), l'argent donc, assurait la survie aux bateleurs des deux bords. Trois ans plus tôt, Édouard Maligrasse, abandonné depuis longtemps par Béatrice qui l'avait aimé inconnu, avait osé commettre — pour elle d'ailleurs — un petit acte qu'il trouvait insignifiant; et bien que ce petit acte, ayant été trouvé génial par l'ami d'une amie, ait été joué en public et aussitôt découvert par dix critiques sérieux et neuf cents mondains, bien qu'il ait compris que Paris pouvait, d'une certaine façon, lui appartenir à lui, Édouard, fils de retraités, lui, Édouard, jeune homme égaré, amoureux et triste, il n'avait quand même pas imaginé qu'il y aurait, un jour, corrélation entre ce coup de chance littéraire, parisien, et l'occasion de retrouver celle qui était l'objet de son amour, de sa chaleur, de sa sensualité; bref de tout ce qu'il avait pu, dès son arrivée, gagner et perdre à Paris : Béatrice.

Ils étaient allongés dans le noir, lui un peu en travers d'elle, comme préparé d'avance à quelque crucifixion. A travers les cheveux noirs de Béatrice, il regardait, sur le tapis beige, les tulipes mauves d'ores et déjà réveillées et oscillantes devant la fenêtre. Cinq ans plus tôt, il avait vu, lui semblait-il, ces mêmes tulipes et cette même fenêtre, et cette même peau mate et rose au premier plan, et il avait alors ressenti, ou plutôt cru ressentir un bonheur impérissable. Il n'avait cessé depuis d'en rêver, mais ce n'était que maintenant qu'il s'en rendait compte, à l'instant où cette femme lui disait ces mots, ces mots faussement modestes et comme suspendus dans le noir : « C'est drôle que tu te souviennes encore de moi après cinq ans... » Elle lui tirait les cheveux à présent, elle riait d'un rire bas, furieux, il n'entendait pas très bien ce qu'elle lui disait mais il comprenait qu'elle exigeait une réponse. Et déjà, il voulait, il devait se taire, et déjà il s'y obligeait.

« Et qu'ai-je fait pendant cinq ans, se demandait-il toujours enfoui dans cette épaule nue, mais qu'ai-je fait sinon tenter de l'oublier en devenant célèbre — comme ils disent — en supportant ces conversations glacées et ces dialogues idiots avec des journalistes semi-intelligents, en rêvant à ce que j'avais écrit et ce que je voulais écrire, et ce que je pourrais peut-être écrire? Mais qu'ai-je fait, sinon désirer revenir là? J'ai passé cinq ans à tenter d'oublier cette femme, tel un héros romantique d'Alfred de Musset, et, comble de l'absurde, je ne savais même pas que c'était elle, mon bourreau, mon épouse, ma sœur, et elle seule que je voulais oublier. » Alors, comme elle lui tirait toujours les cheveux et s'inquiétait d'une voix railleuse de cette soudaine syncope, il se mit à rire aussi, releva la tête, posa ses lèvres au coin de ses lèvres à elle, et il lui dit en souriant et d'une voix distraite — enfin d'une voix qu'il voulait distraite — qu'il n'avait jamais cessé de l'aimer mais que néanmoins, il boirait bien un verre de quelque chose. Elle se leva aussitôt et disparut vers l'office. Et lui qui n'avait qu'une vague idée de lui-même, de sa nature comme de son avenir, eut la sensation, soudain, d'être l'objet d'un destin inexorable, sensation aussi baroque qu'évidente et que lui confirma la voix de Béatrice, revenue dans la chambre avec deux verres.

— Je ne me rappelais pas, dit-elle, je ne me rappelais pas que tu faisais si bien l'amour.

Il relevait déjà la tête pour lui répondre : « C'est parce que tu ne m'aimais pas », mais il se replongea dans le lit défait et articula nettement, à son cœur défendant :

— J'ai appris depuis... qu'est-ce que tu veux...

CHAPITRE II

LE LENDEMAIN, il lui proposa de l'emmener déjeuner dehors, car il se rappelait trop bien, et cela presque avec masochisme, le goût de s'afficher qu'avait Béatrice : ce goût qui, pensait-il, l'avait fait se débarrasser de lui, cinq ans plus tôt, pour un autre amant plus représentatif. Pour sa part, il était, de nature, tout à fait indifférent à ce qu'on appelait les échos, les potins, bref les pétards mouillés du succès. Mais ce matin-là, sachant qu'elle y était sensible, et étant décidé à déguiser ses désirs à elle en initiatives de sa part, ayant déjà peur, surtout, de se retrouver seul — dans la rue, sur un lit ou n'importe où —, seul, privé de son parfum et de sa voix, il aurait volontiers convoqué tous les habitués des bars et des restaurants en vogue à un déjeuner de retrouvailles officielles, si elle l'avait désiré le moins du monde. Il se rendait compte au rythme de son cœur, au tremblement de ses mains à quel point il avait été privé de sang, d'oxygène et de nerfs durant cinq ans. Il n'essayait même pas de savoir pourquoi il avait été si fou de cette femme, ni comment il avait pu espérer l'oublier. Ni pourquoi il s'en souvenait à présent, si violemment. Il s'inclinait devant elle comme devant le saint sacrement. Il ne dirigeait plus ses pas, il se bornait à les suivre.

A sa grande surprise, Béatrice refusa ce déjeuner. Elle préférait, disait-elle, rester seule avec lui, et elle fit apporter dans leur chambre des sandwiches, du vin blanc, des fruits et du café. Elle dessinait d'un air mi-hostile, mi-plaisant, des signes cabalistiques sur sa poitrine ; elle lui touchait le cou, puis l'épaule, puis le pied, puis l'aine. Elle semblait reprendre possession de quelque chose qui lui appartenait depuis toujours, sans qu'elle le sache, et un instant, il se demanda si elle n'était pas soumise au même phénomène que lui ; si cette impression théâtrale de possession et de fatalité ne la frappait pas autant que lui-même. Mais cela faisait longtemps maintenant qu'il vivait à Paris, qu'il en connaissait les rythmes et les détours bien plus quotidiens que stendhaliens, et il ne se hasarda pas à lui poser la question. En même temps, il repoussait une voix secrète, la même voix qu'il y a cinq ans, sinistre et jalouse, entêtée à lui demander pourquoi elle ne voulait pas sortir avec lui, l'exhiber triomphalement dans ce restaurant où tout déjeuner était un aveu et où lui-même, Édouard, ferait un complice très convenable. Voulait-elle encore le cacher ? Pourtant il savait bien que le secret qui avait pu exister entre eux, en sa saison, n'était plus nécessaire : il était connu, elle était connue, ils étaient en droit de partager des harengs Baltique à deux heures de l'après-midi, dans cette brasserie faussement familiale où cela revenait à dire : « Nous sortons du même lit, nous nous sommes plu, nous avons faim. »

— Tu as honte de moi ? dit-il.

Elle le regardait, elle caressait ses cheveux, elle semblait l'étriller, elle tâtait le grain de sa peau, elle souriait en le regardant, ironique, pensive et tendre, intelligente peut-être ? En tout cas, elle ressemblait au rêve qu'il avait fait d'elle durant de longues années, lorsqu'elle l'avait quitté et qu'il l'avait, croyait-il, oubliée.

— Honte de toi ? dit-elle, non. Tu es beau, tu sais. Mais pourquoi veux-tu aller dehors ? Il fait jour, il fait soleil, cela m'agace.

Et elle s'abattit contre lui, chercha la veine à son cou et lui dit d'une voix un peu sauvage, quoique froide :

— A présent, je vais te marquer, mon petit garçon. Tu vas être oblitéré en bleu, là, pendant deux semaines, et tes femmes n'y pourront rien.

Elle le mordait, elle aspirait son sang à sa gorge, elle était le vampire de sa vie.

— Tu veux vraiment rester seule avec moi ? dit-il empêtré dans ses idées, ses souvenirs et dans les draps qui enroulés déjà autour d'elle et de lui semblaient comme soulevés par le vent, le vent de leur plaisir, sans doute.

Elle ne répondit pas et là, il n'y avait plus de questions à se poser.

A quatre heures ils étaient assis à une table de brasserie, également défaits, pâlis et triomphants. Les cernes sous leurs yeux étaient autant de couronnes et de lauriers pour les vieux habitués. A quatre heures, les mains lasses et le regard trop clair, ils échangèrent des harengs, des pommes à l'huile et des serments. Tout cela périssable, bien sûr ; mais tout cela épié, surveillé et enregistré par ces infatigables fureteurs, ces chiens d'arrêt, ces gens de bien et de mal qu'on appelle le Tout-Paris ou les copains, bref les autres. Et l'un disait à l'autre : « Mais oui, tu ne te rappelles pas, il y a cinq ans, ils avaient eu une histoire ! » Et l'autre s'indignait : « Enfin, ce n'est pas croyable, elle joue le boulevard. Et ce qu'il écrit, c'est autre chose, il me semble, non ? » Et le premier concluait : « Oui, la recherche théâtrale, je veux bien, mais elle est salement belle, dis donc ! » Et tous ces regards égayés, curieux, semblaient autant de projecteurs ennemis ou amis qui les balayaient, les rapprochaient et les éloignaient dans une espèce de cinéma perpétuel ; mais sans réalité pour eux car elle lui disait : « Tu ne manges pas assez, Édouard. Est-ce que tu m'aimes ? », et lui, tout en se servant d'une main lasse des pommes de terre dont il n'avait nulle envie, lui répondait : « Je t'aime, je n'ai jamais aimé que toi. En revanche, je crois que je n'aime pas ces harengs. » Et alors souveraine, elle levait la main, le maître d'hôtel, devenu complice dès l'instant qu'il les avait vus entrer, se précipitait vers eux et les harengs disparaissaient. Et à quatre heures de l'après-midi, en plein soleil, enfin en pleine ombre mais on sentait le soleil s'agiter dehors, derrière la véranda de verre, ils commandaient deux boissons fortes, tels des héros de Fitzgerald, que la fatigue, le désir et l'alcool aidant, ils se sentaient devenir. Et plus personne ne pouvait les voir ni les entendre car ce jour-là, Édouard et Béatrice étaient ensemble au comble du bonheur.

Depuis de longues années, Béatrice tenait son journal. C'était un calepin en cuir rouge, de papier vélin, avec un vague cadenas 1930 qui ne marchait d'ailleurs pas, et qu'elle avait pris l'habitude, délicieusement enfantine et désuète, pensait-elle, de cacher dans ses lingeries. Ce jour-là, ayant quitté Édouard abruptement à son habitude, elle prit sa plume et y inscrivit ces quelques phrases :
« Retrouvé Édouard. Toujours autant de charme. Toujours cet air affamé qui me l'avait fait aimer il y a ?... ans. » Elle s'arrêta là. (Ce point d'interrogation était plus plaintif que cynique. Faute de pouvoir se rappeler avec précision ses trop nombreux amants, Béatrice en était arrivée à déplorer l'absence, chez elle, de ce qu'elle nommait aimablement la mémoire des dates. Faculté qui, au demeurant, l'eût conduite sinon au remords, du moins au vertige.) Elle reprit : « En dehors de son talent, on sent en lui un tel besoin de chaleur, il y a un tel appel dans ses yeux brun-doré (elle mit le petit tiret avec application et délectation) que j'ai décidé de tout casser, de tout effacer de ce qui fut ma vie avant. Demain, je romprai avec B... (Ces points de suspension, en revanche, n'étaient mystérieux pour personne, tout Paris sachant qu'elle vivait avec Bruno Kane, le producteur.) Et je dirai à Édouard que je suis à lui. »
Ayant ainsi accompli ce magistral chef-d'œuvre de ponctuation et de mauvaise foi, et sa dernière phrase lui semblant définitive, en tout cas pour l'année, Béatrice referma son cahier avec la clé gothique et le remit dans ses chemises de nuit. Comme beaucoup de gens sensuels, violents et libertins, Béatrice se sentait disculpée par le fait d'annoncer ou d'écrire ses décisions, si cruelles soient-elles. Puis elle alla se peigner, se remaquiller et s'installer, modestement, les genoux repliés sous le menton, dans une méridienne grenat visiblement conçue pour ce genre

d'attitude. Elle essaya de trouver un livre qui séduirait Édouard lorsqu'il rentrerait. Mais elle n'était pas sotte et elle avait beaucoup lu. Aussi hésita-t-elle longuement. Une Série noire risquait de lui donner l'air futile, un Proust, l'air prétentieux, et un Valéry, pensa-t-elle, l'air indéfinissable. Elle opta donc pour ce dernier.

Pendant ce temps, comme un fou, Édouard marchait dans Paris, se demandant à chaque instant s'il avait une chance, une simple chance, une faible chance de revoir Béatrice. Elle l'avait quitté si brusquement devant chez Lipp... Il achetait des fleurs, des disques, des livres, tout ce qu'il aimait, et tout cela pour elle, avec le frêle espoir que le concierge de Béatrice ne les raccompagnerait pas à coups de pied jusqu'à la chaussée, lui et ses cadeaux. Il était fou, il était faible et il avait été imprudent ; il aurait dû poser des jalons, dire : « On se voit quand ? Et où ? » Ce n'était pas parce que Béatrice lui avait dit : « Je t'aime » qu'ils avaient pour cela un rendez-vous précis. Il aurait dû penser que de même, quand quelqu'un vous dit « Je t'aime », il n'indique que la date de son désir immédiat, le sien, jamais la vôtre, et qu'amoureux comme il l'était, et son amour étant permanent, tout rendez-vous ne pouvait être qu'un délai et toute date qu'un affront, une souffrance, le malheur, quoi...
Bien sûr il avait passé la nuit dans les bras de cette femme qui l'avait assuré de son amour, et bien sûr il pouvait téléphoner. Mais elle avait tourné les talons si vite devant le restaurant, et lui avait si gaiement dit « Au revoir » qu'à présent il ne savait plus. Il doutait de ses sens, de sa mémoire, de sa chance, enfin bref, il doutait de lui-même. Dans son égarement, il heurta plusieurs passants qui durent le prendre pour un fou, un de ces fous qui se croient à Noël en septembre, ce qui était son cas, et c'est ainsi que, résigné au pire, il arriva devant l'immeuble de Béatrice.

Il était alors sept heures du soir et à force d'ennui, elle en était arrivée à mettre en doute son fameux pouvoir de séduction. Depuis son désinvolte et d'ailleurs habituel au revoir, devant le restaurant, il ne s'était rien passé : pas un coup de téléphone, pas une fleur, pas un signe. Elle recommençait à se haïr, car curieusement, quand les choses ne marchaient pas comme elle le voulait, Béatrice ne songeait pas plus à se plaindre qu'à s'interroger ; elle se haïssait, tout uniment, comme elle haïssait tout échec. Et puis on sonna à la porte, elle entendit les explications embrouillées de Guillaume, le concierge-valet de chambre-cuisinier, dans l'entrée, mais pas un instant, bizarrement, elle n'eut l'intuition que ce pût être Édouard. Et lorsqu'elle le vit devant elle, débordé de paquets et de fleurs malgré l'aide de Guillaume, lorsqu'elle vit ces deux hommes aussi ébahis l'un que l'autre, aussi épouvantés, apparemment, par sa présence à elle, Néfertiti, reine de ces lieux, elle eut un véritable élan d'amour vers Édouard. Il était revenu, il était à elle, il justifiait le cours de sa vie, il était la réponse à la grande question, l'affreuse question, celle qui la hantait depuis son enfance : « Est-ce que je plais ? » Et elle dut avoir une expression de soulagement telle que, pour une fois, Édouard, le distrait, le rêveur Édouard la remarqua. Il lâcha ses paquets et — tandis que Guillaume s'éclipsait avec une célérité depuis longtemps acquise — il prit Béatrice dans ses bras et lui dit avec une assurance extravagante — étant donné l'enfer dont il sortait : « Je t'ai manqué, hein ? »

Et il ne fut pas surpris quand elle acquiesça, ni quand, relevant la tête vers lui, elle l'embrassa avec lenteur au coin de la bouche, ni quand elle ouvrit son manteau d'abord, puis sa veste, ni quand elle dégrafa sa ceinture toujours sans le regarder. Ils étaient pourtant debout tous deux, dans cette entrée si violemment éclairée, ils étaient peut-être surveillés, mais apparemment elle s'en moquait, et lui, sentait le sang retrouver le chemin de ses veines. Il s'obligeait à ne pas bouger, le coin de sa propre bouche contre celle de Béatrice, il se disait, il se rappelait que l'amour était une chose sublime. Maintenant, elle glissait la main entre sa chemise et sa peau à lui, Édouard, le mal-aimé, elle allait à sa rencontre ; et là, dans ce hall toujours stupidement illuminé, elle l'appuyait contre elle, soupirait, disait son nom, « Édouard, Édouard » d'une drôle de voix. Il avait mal aux lèvres, à présent, il respirait très vite, il se disait que c'était fou, tout ça, extravagant, qu'ils n'avaient que deux pas à faire pour entrer dans la chambre bleue et retrouver le lit, leur lit. Que faisaient-ils donc là, empêtrés dans leurs vêtements, titubant l'un contre l'autre comme des lutteurs exténués ? Mais obscurément, il sentait qu'elle avait raison, qu'ils n'avaient pas le temps de faire ces quelques pas et que la main suppliante accrochée à son dos, comme la main exigeante posée sur lui, avaient toute leur sagesse en même temps que leur folie et leur précision maniaque. Il tourna un peu la tête, rencontra de plein fouet la bouche de Béatrice et aussitôt, il cessa de lutter, écarta la robe de chambre écarlate et ne s'étonna pas une seconde de la trouver nue, et l'attendant, alors qu'une heure auparavant, il se fût fait tuer pour cela. Alors, l'appuyant contre le mur le plus proche, entre deux plantes distraites et vertes, il s'empara d'elle ; la bouche de Béatrice s'ouvrit sous la sienne ; elle dégagea sa main provocante et tenta de rejoindre l'autre, l'épouvantée, accrochée au dos d'Édouard ; elle commença à lui frapper doucement les côtes, à lui mordiller le visage, à marmonner des mots incompréhensibles. Puis — mais là il était si heureux et si près du précipice qu'il devait, à s'en faire mal, serrer les poings contre ce maudit mur — elle se souleva vers lui et commença à gémir très bas, tandis que ses deux mains se rabattaient définitivement sur le dos maintenant rigide d'Édouard. Et sa voix (devenue plus basse, étrangère et superbe) lui ordonna « Viens », sur un tel ton qu'il s'abandonna aussitôt à elle, tandis qu'elle mordait le revers de sa veste dans un ultime et tardif effort de décence.

Elle était pétrifiée contre lui, à présent. Ils restaient tous deux debout, hagards et épuisés, les yeux ouverts sous le lustre et ses lumières fades, tellement fades après le plaisir et ses éblouissants courts-circuits, déclenchés sous leurs paupières. Béatrice se sépara de lui lentement, sans le regarder, elle l'embrassa sur la bouche, mais rêveusement, semblait-il, et il se laissa faire, immobile, inondé de sueur, de peur ou de bonheur, comment savoir ?

— Quels sont ces paquets ? demanda-t-elle.

Il releva la tête et la regarda. Elle l'aimait, il le sentait, elle l'aimait à ce moment-là, et quoi qu'il arrivât par la suite, là du moins, elle l'aimait.

— Je ne sais pas, dit-il, des cadeaux pour toi.

— Je ne veux pas de cadeaux de toi, dit-elle doucement. C'est toi que je veux, toi seul.

Elle sortit, et il resta un instant dans le hall, puis, guidé par la lumière, retrouva la chambre bleue et les tulipes. Béatrice gisait en travers du lit, la main sur la bouche. Il la regarda et s'allongea sur elle. Et là, quand elle se mit à l'appeler, puis à le supplier, puis à l'insulter, là, il sut qu'il ne s'en remettrait jamais et qu'il avait été créé en somme pour la fidélité.

CHAPITRE III

— C'EST EXTRAVAGANT, claironnait Tony d'Albret (née Marcelle Lagnon à Provins), il n'y a vraiment que toi pour faire des choses pareilles...

Il y avait dans sa voix une nuance d'admiration en même temps que de reproche qui combla Béatrice. Depuis sept ans, elle faisait partie de l'écurie de Tony et avait tout lieu, ainsi qu'une douzaine d'autres acteurs, de se féliciter de son impresario. Petite, râblée et vive (elle parlait volontiers d'elle comme d'un vif-argent), Tony d'Albret joignait à une âme d'esclave, une avidité, un sens des affaires et une mauvaise foi qui en faisaient un des agents les plus efficaces de Paris. Selon leur degré de sensibilité, les gens qui la connaissaient la disaient tonique ou effroyable, mais tous reconnaissaient qu'il valait mieux l'avoir de son côté, car elle était un danger public. Elle adorait d'ailleurs cette définition d'elle-même.

— Qu'as-tu pu faire depuis une semaine, sans me téléphoner ? A part l'amour, ajouta-t-elle avec un petit rire gras et qu'elle voulait complice.

En effet elle jouait aussi l'amie, la confidente, voire la mère, elle jouait tous les rôles vis-à-vis de ces malheureux enfants éblouis par les spots, égarés dans leurs propres reflets qu'étaient très souvent devenus les comédiens. Elle misait sur tout : sur leur avidité, leur courage, leur vanité et leurs vices, s'ils en avaient. Il n'y avait pas de terrain sur lequel elle n'essayât de gagner. Elle était un guide, dans tous les sens du terme, et elle avait tendance à assurer ses prises le plus bas possible. Béatrice, dupe et pas dupe, la regardait entre ses longs cils. Comme d'habitude, Tony était plutôt mal habillée, mal maquillée, et comme d'habitude Béatrice, qui ignorait que c'était par habileté, se sentait condescendante et amusée.

— A part l'amour, je n'ai rien fait d'autre, avoua-t-elle.

— Et peut-on savoir avec qui ?

Tony feignait l'impatience. En fait, dix témoins avaient vu Béatrice déjeuner en tête à tête avec le jeune auteur Édouard Maligrasse, et depuis une semaine, plus personne n'avait entendu parler ni de l'un ni de l'autre. Après quelques recoupements, Tony était sûre de son fait.

— Tu ne connais pas, dit Béatrice rêveusement.

«Là quand même, elle exagère!» pensa Tony. Cela faisait la deuxième pièce d'Édouard que l'on jouait à Paris, et chaque fois avec succès. Théâtre intellectuel, certes, et qui ennuyait plutôt les gens pas snobs, naturels comme elle-même, Tony, mais néanmoins, gros succès d'estime. Le visage d'Édouard était apparu dans les pages d'une bonne douzaine de magazines. Elle voulait bien, par politesse, poser des questions, mais il ne fallait pas non plus qu'on la prît pour une sotte.

— Es-tu bien sûre que je ne le connaisse pas ? dit-elle en tentant d'allumer une lueur malicieuse dans ses yeux bleus, un peu protubérants.

— Tu connais peut-être son nom, bien sûr, dit Béatrice toujours rêveuse, mais lui, personne ne le connaît. «Vraiment», veux-je dire.

«Allons bon, elle va encore se croire amoureuse», pensa Tony qui, habituée aux foucades de Béatrice, savait qu'elle en cultivait de deux sortes : les unes, les plus classiques, «sans» sentiment, et les autres, beaucoup plus fatigantes pour son entourage (et plus rares d'ailleurs, Dieu merci) «avec» sentiment. Elle soupira, puis laissa échapper, pour une fois, une opinion sincère :

— Il a du talent, bien sûr, bien sûr, mais ce n'est vraiment pas notre genre de théâtre.

— Ne mélange pas tout, dit Béatrice sévèrement.

Dans la lumière du matin, à contre-jour, elle était extrêmement belle, dut reconnaître Tony, et ne paraissait pas du tout les trente-cinq ans qu'elle avouait volontiers.

— Je te signale que tu pars en tournée dans huit jours, ma chère, dit-elle.

Béatrice hocha la tête d'un air vraiment mélancolique, pour une fois.

— Il supportera ça très mal, dit-elle. Il est très sensible.

Une voix joyeuse et virile s'éleva du côté de la salle de bains, une voix qui chantait un vieil air d'opéra. La porte s'ouvrit brusquement, et l'homme sensible apparut, en peignoir de bain, décoiffé et, sembla-t-il à Tony, extrêmement jeune. Il s'arrêta net, sembla s'excuser et Béatrice, l'air languissant, comme si c'eût été là une situation des plus classiques, le présenta :

— Édouard Maligrasse, dit-elle, Tony d'Albret, mon ange gardien et ma maquerelle.

Elle éclata de rire tandis que les deux autres se serraient la main, et qu'Édouard rougissait à la place de Tony, visiblement enchantée.

— Tony est venue me rappeler, cruellement, que je partais en tournée la semaine prochaine, dit Béatrice.

— Ah ! dit simplement Édouard, et il s'assit au pied du lit, déconcerté.

Depuis une semaine, une semaine flamboyante et tendre, une semaine rouge et gris perle, il avait oublié la vie, enfin ce que les gens appellent la vie, et cette petite femme brune et décidée, carrée dans son fauteuil, lui semblait terrifiante comme l'image même de la fatalité. Cette petite femme ordinaire et dont il devinait aussitôt le caractère, malgré toute son indulgence naturelle, cette petite femme, c'était le reflet de son époque, de son milieu, de cette mentalité qu'il haïssait depuis toujours et qu'il redoutait, à présent, comme la pire ennemie de son bonheur. Béatrice, il le sentait, il le savait d'ailleurs depuis toujours, Béatrice nageait souvent dans ces eaux-là et y prenait souvent plaisir.

— Nous commencerons par le Nord, par Amiens, dit l'envoyée du destin, puis nous nous rapprocherons de Paris avant de rejoindre le Midi. J'ai beaucoup aimé votre dernière pièce, monsieur Maligrasse, *L'Orage immobile*.

Elle s'était arrêtée après le mot « monsieur », pensant qu'Édouard lui dirait aussitôt, « Appelez-moi Édouard », mais il n'y pensait visiblement pas et elle en fut irritée. « Après tout, ces intellectuels, qu'ils soient incommunicables ou pas — comme ils disaient tous — finissaient par faire le même travail qu'elle et ils se retrouvaient dans le même bateau... » Elle tiqua, Béatrice remarqua son mouvement d'humeur et s'en amusa. Par habitude, plus que par nécessité — car elle était à présent une comédienne très connue —, elle avait besoin de Tony, mais elle se plaisait bien à la rabaisser, voire à la « moucher ». Elle était elle-même sensible à l'aura de force et de vulgarité mêlées qui se dégageait de cette femme. Et, ou elle riait avec elle, lui donnait des bourrades, l'embrassait et la cajolait, ou elle la tenait à distance par un réflexe quasiment animal, comme on s'écarte d'une fouine ou d'une créature grotesque. L'instinct remplaçait très souvent la réflexion, chez Béatrice, et généralement ce n'en était que mieux.

— Mais si tu pars, dit Édouard avec naturel, les mains ouvertes, qu'est-ce que je vais faire, moi ?

Il semblait si désarmé, si sincère que Tony sursauta. «Il est fou, celui-là, pensa-t-elle, ou connaît-il si peu les femmes, en tout cas si peu Béatrice ? Il cherche les coups, ma foi». Mais quelque chose semblait fondre, se dilater dans l'œil éclairé de Béatrice, et le sourire qu'elle eut pour lui avait un reflet que Tony n'y avait jamais vu et qui ressemblait furieusement à de la tendresse. Tony d'Albret décida dès cet instant, avec son flair implacable, que c'était là une histoire à suivre de près. En prétextant un rendez-vous, elle partit glaner ailleurs quelques renseignements complémentaires sur le petit Maligrasse.

Après son départ, Béatrice sourit à Édouard.

— Comment la trouves-tu ?

— Je ne la trouve pas, répondit Édouard.

Et en effet, il n'avait aucune opinion sur Tony d'Albret. Il savait simplement qu'elle avait ouvert la porte de cette chambre désordonnée, capitonnée et close dans laquelle il vivait depuis dix jours, et qu'avec elle, le vent de Paris, le vent des autres s'y était introduit. Il gisait sur le lit, en peignoir de bain, la tête tournée vers Béatrice. «Comme d'habitude, déjà... !» pensa-t-elle.

Il y avait dix jours, en effet, que ce regard ne la quittait pas, à tel point qu'elle lui mettait parfois la main devant les yeux ; dix jours qu'elle ne voyait d'elle-même que ce reflet passionnel et il lui semblait qu'elle s'y était oubliée. Elle s'allongea près de lui, sur le lit, respira une fois de plus sur les draps le parfum de cet homme mêlé au sien, l'odeur têtue, violente et fade de l'amour physique, et soupira. Pendant ces jours et ces nuits, le paysage autour d'elle n'avait pas bougé : des rivières de moquette, des collines de drap, des soleils de sensualité ; et encore que son goût du plaisir y eût trouvé son compte, il lui semblait avoir participé involontairement à une pieuse autant que luxurieuse retraite ; elle s'en étonnait : il y avait longtemps que le souci de sa carrière, de ses ambitions avait découpé son temps en une série de rendez-vous pratiques, précis, et de ce fait, presque dédaigneux de l'amour. Elle s'étonnait donc, mais non sans une certaine satisfaction. En fait, son corps était si animal, si simple, et son esprit l'était devenu si peu qu'elle ressentait parfois, en elle-même, une sorte de gêne, comme un étrange hiatus. Elle en était arrivée à trouver presque original d'avoir pu, sans s'ennuyer, passer dix jours et dix nuits aussi semblables et pour un peu, elle se fût félicitée de son propre tempérament. De même, d'ailleurs, qu'elle eût félicité Édouard — dont elle avait gardé un souvenir assez confus — pour la violence, l'insatiabilité et l'habileté de son désir.

Elle ignorait que cette science qu'elle lui reconnaissait était de celles que donne la peur. Elle ignorait que chaque cri qu'il lui arrachait, bien avant que de l'exciter, le rassurait. Elle ignorait que, devenu avare et fou, il thésaurisait des paroxysmes, des aveux, des mots, des gestes. Qu'il tentait, aux moments les plus aveuglants, de saisir un détail, un repère, une borne où un jour, plus tard, sa mémoire pourrait revenir s'accrocher, pour s'en délecter ou pour en souffrir. Elle ignorait que chaque instant de ces dix jours avait été pour Édouard un instant volé, un sursis. Elle ignorait aussi que c'était la part la plus instinctive d'elle-même qui lui donnait son charme. Une fois dans son lit, on devenait son bien, son jouet, son bourreau ou son esclave selon ses humeurs, on était à elle, et elle le proclamait. Elle s'affirmait propriétaire de son corps, de celui de l'autre, avec des mots lyriques ou crus, des gestes humbles ou despotiques, qui faisaient d'elle une sorte d'idole baroque, implacable devant laquelle Édouard, en bon sauvage affamé, ne pouvait s'empêcher de s'agenouiller. Oui, ces dix jours avaient été une trêve dans le temps, mais la Vie, la vraie vie était dehors, il fallait bien qu'elle la rejoigne. Seulement, pour Édouard, la vraie vie, c'était là, à l'instant même ; elle le sentait confusément et déjà elle commençait à s'en irriter.

— Tu vas vraiment partir ? dit-il.

— Mais oui. Tu viendras nous retrouver où tu veux.

Déjà elle disait «nous» ; et ce «nous» impliquait les autres comédiens de la tournée, son impresario, les machinistes, les directeurs d'hôtel, les amis, bref tous ceux qui déjà agaçaient Édouard. Cela dut se voir car elle se mit à rire et lui rebroussa les cheveux.

— C'est du joli, dit-elle, cet épi, là, dans tes cheveux. Ça fera sérieux quand tu seras à l'Académie française.

— Ne parle pas de malheur, dit Édouard faiblement.

— Pourquoi ? Tu serais très beau... Tu as les yeux un peu verts, là...

Et elle se penchait vers lui, retroussait sa lèvre entre ses doigts, inspectait ses dents, tirait sur sa joue, effaçait le cerne sous son œil, soupesait, jaugeait, s'amusait.

— J'ai l'impression de jouer «Chéri», dit-elle. Pourquoi fais-tu cette tête-là ? Nous ne pouvons quand même pas passer notre vie dans cette chambre sans sortir.

Édouard leva les yeux vers elle. Il y avait quelque chose dans son regard, un avertissement, une supplication ou une résignation, elle n'aurait su dire précisément quoi, qui troubla Béatrice et lui fit baisser les yeux.

— Et pourquoi pas ? dit-il tristement.

CHAPITRE IV

Ils étaient assis côte à côte, dans le noir, dans une grande salle des Champs-Élysées, et Édouard tentait de s'intéresser au film. C'était leur première sortie, une Première de cinéma, et ils avaient recueilli à leur arrivée le nombre prévisible de regards, de semi-félicitations, de mimiques surprises et de chuchotements. Les photographes et leurs flashes les avaient escortés jusqu'à leurs places, et Béatrice avait fait la panthère. Elle avait eu une façon de lui tenir le bras, de lui donner son manteau, de se pencher vers lui, comme indifférente à tout le reste — comme s'ils étaient seuls, justement — qui avait à la fois gêné et comblé Édouard. Il s'était senti ahuri, gauche, envié et mal compris. Mais néanmoins aussi triomphant que ridicule. Cette femme qui lui souriait, que certains hommes saluaient avec l'ombre d'un souvenir dans les yeux ou dans la voix, cette femme que beaucoup lui enviaient, car elle était spécialement belle et arrogante, ce soir-là, cette femme qu'il avait crue perdue et si miraculeusement retrouvée, cette femme était la sienne. Et tous ces regards, bien qu'ils leur soient adressés par des gens qu'il ignorait ou craignait instinctivement, étaient quand même autant de preuves : elle était à lui. Du coin de l'œil, il regardait ces pommettes écartées, ces yeux obliques, cette bouche droite très ourlée, ce visage qu'il avait défait à sa guise et mené jusqu'aux larmes parfois, durant ces nuits interminables et si récentes, et il éprouvait l'orgueil absurde et délicieux du propriétaire. Lui, Édouard, lui qui méprisait plus que tout le sens de la propriété et qui, dans sa morale et dans ses écrits, lui attribuait tous les malheurs du monde.

Béatrice sentait ce regard sur elle et souriait. Elle savait qu'elle était en beauté, ce soir ; le regard des femmes comme celui des hommes le lui avait appris, et elle savait que le délicat, le sensible et modeste Édouard ronronnait d'orgueil à ses côtés, tout comme ceux qui l'avaient précédé. D'ailleurs il était beau, lui aussi, avec sa longue dégaine, ses traits fins, sa nonchalance et ses grandes mains maladroites. Cela aussi, elle l'avait vu dans le regard des autres. Elle se tourna vers lui avec un vif sentiment de contentement et lui sourit dans le noir.

— Si on partait ? dit Édouard à voix basse. Je m'ennuie.

Elle haussa les épaules. Décidément, il était enfantin. On ne quittait pas une Première comme ça pour se retrouver ensuite brouillé, avec les producteurs, et le metteur en scène et les comédiens. Il fallait vraiment qu'elle éduque Édouard — ce qu'elle n'avait pas eu le temps de faire cinq ans auparavant, lorsqu'il n'était qu'un caprice. Mais à présent qu'il était devenu lui-même quelqu'un, à présent qu'ils pouvaient équitablement partager leurs vies privées et publiques, il fallait que leur liaison se déroule dans les formes. Même si Édouard ne rêvait que d'être dans un lit, seul, avec elle — et cette idée la flattait —, il était néanmoins indispensable qu'il restât tranquillement assis dans un fauteuil d'orchestre, puis à une table de restaurant, puis peut-être, dans une boîte de nuit à la mode, provoquant ainsi l'approbation générale. Comme tous les gens qui n'en font finalement qu'à leur tête ou plutôt qu'à leurs instincts, Béatrice avait en permanence une grande soif d'estime, voire d'approbation, notamment dans les galas.

Le film était fini à présent, et Tony, empanachée, leur serrait les mains avec chaleur et tous les signes d'une grande joie, comme si elle avait assisté à leur mariage. Elle semblait, par son enthousiasme, entériner leur union et signifier ainsi à un Tout-Paris, *a priori* ébaubi, qu'effectivement cela était : qu'Édouard Maligrasse, jeune auteur fraîchement célèbre, et Béatrice Valmont, la belle comédienne, couchaient ensemble.

Édouard, jusque-là passif, se secoua tout à coup et agita la main. Kurt van Erck, un metteur en scène décrété d'avant-garde, se dirigeait vers lui. C'était un petit homme roux, aux yeux perçants, à la voix brève, qui avait monté les deux premières pièces d'Édouard. Il était craint, en général, pour ses jugements abrupts, sa sécheresse, et le mépris qu'il professait pour tout ce qui n'était pas le « théâtre engagé ». Édouard, content de retrouver un visage connu, le présenta à Béatrice qui lui adressa un sourire éclatant. En vain. Aux yeux de Kurt, elle était visiblement une comédienne de classe moyenne qui jouait du « Boulevard ». Il trouvait d'ores et déjà dommage qu'Édouard Maligrasse se compromît avec elle et perdît une partie de son temps dans son lit. Tout cela, naturellement, ne fut pas dit mais quasiment exprimé par sa manière de saluer Béatrice et d'adresser un bref signe de tête à Tony. Et naturellement, tout cela fut enregistré aussitôt par Béatrice qui tout aussi naturellement le détesta.

— Vous ne vous connaissiez pas? dit Édouard naïvement. C'est drôle, je sors peu dans ces endroits, (d'un geste vague, il désignait la salle) mais je croyais que tout le monde se connaissait, à Paris, dans le théâtre.

— La grande famille, hein? dit Kurt en ricanant.

— Bien sûr, nous sommes tous un peu dans le même bateau, dit obligeamment Tony.

— Vous trouvez?

La question de Kurt était au bord de l'insolence. Édouard lui-même, malgré sa distraction, se sentit gêné.

— Je ne trouve pas du tout, répliqua Béatrice aimablement. Et je dirai même : Dieu merci.

Elle eut vers Kurt un sourire encore plus aimable, en forme d'au revoir, et se tourna vers Édouard.

— Édouard, dit-elle, mon ange, je meurs de soif.

Elle le regardait avec une telle tendresse, un tel bonheur apparent qu'Édouard oublia instantanément Kurt, leurs discussions du temps passé et leurs projets d'avenir, et, le plantant là, il ouvrit vers le bar un chemin à ses deux femmes.

— Tu connais ce Kurt depuis longtemps? demanda Béatrice une fois qu'elle fut appuyée au bar.

Des amis ou des relations lointaines défilaient devant eux, appâtés ou amusés par cette nouvelle liaison. Mais Béatrice ne semblait voir que lui.

— Depuis trois ans, dit Édouard. C'est mon meilleur ami.

Béatrice laissa échapper un petit rire plutôt gai, mais légèrement dubitatif, qui fut fidèlement repris par Tony.

— Mon pauvre chéri, dit-elle en haussant les épaules... Personnellement, reprit-elle d'une voix changée, j'aime mieux Nicolas.

Édouard se retourna vers la foule. Béatrice désignait du menton le toujours beau Nicolas Sainclair qui se dirigeait vers eux et ils tombèrent dans ses bras. Il y avait chez Nicolas quelque chose d'irrésistiblement attirant. D'abord, parce qu'il semblait irrésistiblement attiré par les autres, et qu'en effet, il l'était, à quarante-cinq ans et malgré l'usage immodéré qu'il avait fait et de lui-même et de son charme. Nicolas Sainclair, acteur raté, mauvais père, mauvais époux, déplorable scénariste, scrupuleux gigolo et mécène sans moyens, Nicolas respirait néanmoins l'amour de son prochain. Il avait été l'amant de bien des femmes à Paris qui en gardaient toutes un charmant souvenir, et plus curieusement, les hommes ne lui en voulaient pas. (Il faut dire que, n'ayant jamais réussi, il risquait moins d'être haï.) Toujours fauché, parasite sans rancune et quelque peu ivrogne à présent, Nicolas vivait de l'air du temps; on le rencontrait partout, fidèle jusqu'à la caricature à l'image qu'on se faisait de lui. Tel d'une traîne, il était suivi partout d'une atmosphère de frivolité obligatoire, d'un ton à la Feydeau qui ramenait toute situation, aussi dramatique soit-elle, dans les limites du «déjà-vu». Sans se moquer de qui que ce soit, car il n'avait pas l'esprit critique, Nicolas Sainclair dédramatisait tout, et bien des maîtresses de maison s'étaient souvent félicitées de sa présence. Enfin, derrière tout cela, gémissait, ou plutôt se taisait, un petit garçon ulcéré, sensible et craintif qui dans mille lits et mille rôles, au cours de sa vie agitée, n'avait pu retrouver le «lait de l'humaine tendresse». Il parut sincèrement heureux de voir réunis ses deux amis: Béatrice, entre les bras de laquelle il avait passé jadis une longue saison, et Édouard, aux crochets duquel il vivait depuis deux ans.

— Je ne savais pas, pour vous deux, dit-il, en les prenant par le cou.

Et à l'instant, chacun se sentit coupable de ne lui avoir pas téléphoné, dès le lendemain de leur première étreinte. Béatrice s'appuya de la hanche contre lui, comme toutes les femmes dès qu'elles étaient près de Nicolas, et Édouard posa son bras sur son épaule. A sa façon à lui, Nicolas était le «parrain» de toutes les liaisons parisiennes. Quand il se dégagea pour aller saluer quelque autre figurant de la soirée, Édouard et Béatrice échangèrent un regard attendri.

— J'ai passé tout un printemps avec lui, dit Béatrice, rêveuse.

— Ah, dit Édouard surpris, je ne savais pas.

— Voyons, dit Béatrice presque sévèrement, il a été si beau !

Il y avait dans sa voix une intonation qui signifiait qu'il eût été grossier, presque indécent de ne pas céder à une telle beauté. Il faut ajouter que cette intonation se retrouvait dans la voix de chacune des ex-femmes de Nicolas ; et comme les autres hommes, Édouard reconnut intérieurement qu'en effet, elle n'avait pas eu le choix. Mais aussitôt la terrible pensée qu'il y en avait eu d'autres que Nicolas le fit tressaillir, et il jeta autour de lui un regard furtif et inquisiteur, essayant de découvrir sur lequel, parmi ces visages glabres ou velus, débonnaires ou fermés, spirituels ou sots, avait pu se poser la bouche de Béatrice. Il en vit évidemment quinze plausibles et il en éprouva une sorte de colère.

— Et celui-ci ? dit-il en désignant du menton un malheureux jeune homme, plutôt séduisant, qui les saluait.

— Tu es fou, dit Béatrice avec un petit rire. Ce demi-homme... D'ailleurs, ajouta-t-elle avec sincérité, je déteste les acteurs.

Et effectivement, Béatrice éprouvait un secret mépris pour ses pairs. Utilisant, en tant qu'actrice, toutes les rouries, les mensonges et les armes de la féminité, il lui était devenu impossible de dissocier cette féminité de son métier ; et pour elle (malgré quelques expériences qui auraient dû la détromper), tout comédien digne de ce nom cachait un impuissant ou un pédéraste. Il lui faudrait expliquer tout cela à Édouard qui, s'il semblait aussi naïf qu'auparavant, semblait de plus être devenu un jaloux. Aussi hésitait-elle un peu : allait-elle dessiner d'elle-même la silhouette d'une vamp au trouble passé, ou celle, plus grave, d'une véritable actrice avant tout éprise de son art ? Elle ne savait pas encore lequel de ces deux rôles lui plaisait le plus. Au demeurant, pas une seconde elle ne s'inquiétait des différents recoupements que pourrait, par la suite, faire Édouard, ni des plus qu'inévitables contradictions qu'il relèverait dans l'une ou l'autre de ces versions. La vérité, pour Béatrice, n'existait pas. La vérité de sa vie, c'était elle qui la savait, et elle seule. Et en cela, au cœur même de son mensonge, elle était d'une bonne foi admirable. Elle en était arrivée à un tel point d'auto-persuasion que, lorsqu'elle racontait sa vie passée, les quelques témoins qu'elle invoquait, se voyant obligés, ou de la contredire, ou de renier leur propre mémoire, choisissaient presque invariablement de se taire.

Elle oscillait donc entre deux désirs : éblouir Édouard, l'effrayer, le troubler par une suite d'allusions, de souvenirs, d'équivoques, ou bien, rôle plus maternel, le rassurer, lui laisser espérer chez elle une stabilité, un «fond», comme on disait, et pourquoi pas, une promesse d'avenir. C'était la première fois depuis bien longtemps, se rendit-elle compte, qu'elle envisageait le futur au sujet d'un homme. Il y avait maintenant plus de quinze ans qu'elle ne vivait que pour les dix jours à venir. Mais elle verrait bien... Cette phrase vague lui avait presque toujours tenu lieu de décision, et toujours pour son bien.

Nicolas revenait vers eux. Il disait : «Où va-t-on?» comme s'il était inéluctable qu'ils aillent quelque part ensemble, et Édouard qui ne rêvait que de rentrer, de se retrouver seul avec elle, s'inclinait devant cette conviction. Et alors, encadrée par ses deux hommes, escortée par la beauté, l'amour et le talent, Béatrice, enchantée, fit une sortie aussi réussie que son arrivée.

Ils rentrèrent à l'aube, et la chambre bleue apparut à Édouard comme un paradis trop longtemps perdu. Il passa le premier dans la salle de bains, pendant que Béatrice s'effondrait tout habillée sur le lit. Par un accord tacite, il s'habillait et se déshabillait toujours avant elle, comme s'il était établi, en somme, que c'était elle que l'on finirait par attendre. Devant la glace, Édouard souriait à son reflet, celui de ce jeune homme avenant, bien rasé, rassurant, ce visage assez plaisant, en tout cas, pour se faire ouvrir la porte de cette chambre; et y introduire ainsi surrepticement un sentiment aussi démesuré que dangereux. Pauvre Béatrice, crédule Béatrice... Croyant héberger un homme qui lui plaisait, elle hébergeait en fait un homme qui l'aimait. Édouard souriait de son hypocrisie et, plus tendrement, de certaines petites choses glanées au hasard de la nuit, en discutant avec Nicolas et d'autres comparses. Dont une notamment qui l'émouvait aux larmes : Béatrice trichait sur son âge : Nicolas avait éclaté de rire quand elle avait parlé de ses trente-cinq ans; puis s'était repris mais trop tard. Édouard s'était senti aussitôt submergé d'une vague de tendresse à l'idée que Béatrice si belle, si inaltérable à ses yeux, puisse d'une manière si enfantine retrancher quelques années de son état-civil; cela lui paraissait une sorte de faille inespérée, exquise, chez cette femme armée jusqu'aux dents. «Enfin, pensait-il, elle a peur de quelque chose : vieillir.» Il n'évaluait pas un instant la menace que cette crainte chez elle pouvait un jour signifier pour lui : les gens qui ont peur ont toujours envie de se rassurer; il leur faut des preuves. Et pour Béatrice, les hommes qu'elle séduisait avaient toujours un peu fait fonction de preuves. Les hommes et pas un homme.

De plus Édouard avait appris avec stupeur que, lors de cette lointaine liaison avec Nicolas, c'était celui-ci qui s'était lassé le premier. Non que Nicolas le lui ait dit d'ailleurs, car la goujaterie n'était pas son fort, mais il avait laissé échapper un : « Si j'avais su » qui signifiait, avec une sorte d'innocence, le regret de n'avoir pas deviné le brillant avenir de sa jeune amie. L'idée que l'on puisse quitter Béatrice dépassait l'entendement d'Édouard. Non seulement d'une manière instinctive, parce qu'il l'aimait et qu'il eût été incapable de la quitter, mais aussi parce que cela ne correspondait pas pour lui au personnage de sa maîtresse. L'image qu'il avait de Béatrice était stylisée, implacable et naïve à la fois, c'était celle d'une femme fatale, image dont rien, jusqu'ici, ne l'avait détrompé. Et là, en une seule soirée, il venait d'apprendre que cette femme avait supporté des ruptures et des rides, que cette statue avait des failles, des lézardes inconnues. Mais loin de diminuer son amour, cette pensée le redoublait. Par un phénomène classique pour les amants, tout ce qui se révélait dissimulé ou contradictoire chez cette femme lui apparaissait comme autant de signes d'humanité. Il ignorait que ce que l'on appelle les « faiblesses » de l'autre attendrissent toujours avant de se révéler mortelles. Ce n'est pas sur un défaut qu'on se blesse mais sur l'absence d'une qualité. Et Édouard plus tard, ne souffrirait pas tant de ce que Béatrice le trompe que de ce qu'elle lui manque de fidélité.

En rentrant dans sa chambre, il trouva Béatrice, toujours allongée sur son lit, maquillée, habillée, les yeux clos. Il éclata de rire et tira le drap : elle n'avait même pas enlevé ses chaussures.

— Tu comptes dormir ainsi ? dit-il.

Elle leva les yeux et le fixa.

— Je ne compte pas dormir, je compte réfléchir.

Elle parlait sérieusement et Édouard s'assit, penaud, au pied du lit. Devant cette femme couverte de plumes noires sur un fond de draps blancs, il se sentait, dans son peignoir de bain, tout à fait négligé.

— Tu veux réfléchir à quoi ? dit-il. C'est l'aube, ce n'est pas une heure pour réfléchir.

— Il n'y a pas d'heure pour ça, dit-elle, et elle lui jeta un regard méprisant.

Il se rappela alors qu'elle avait beaucoup bu, et d'une manière qui l'avait frappé, dès le début de la soirée ; Béatrice prenait ses verres d'une main hésitante, les soupesait puis, comme après réflexion, les vidait d'un trait et sans respirer. Elle semblait boire pour s'enivrer et, apparemment, elle y avait réussi. Édouard, que l'alcool égayait et rendait tendre, se sentit tout à coup enchanté. Il était là, à cinq heures du matin, les pieds nus, le regard nu, lui semblait-il, au chevet d'une belle femme, toute de noir vêtue, les yeux brûlants sous un drap frais.

— Nous devons avoir l'air d'une gravure licencieuse de la Belle

Époque, dit-il, sauf que généralement, c'est l'homme qui est en habit et la femme en déshabillé. Tu ne trouves pas ?

Elle ne répondit pas et lui fit signe d'approcher, de l'index, jusqu'à ce que son visage fût près du sien. Il respirait doucement, il voyait cette bouche rouge tout près de la sienne, il aimait la légère odeur d'alcool, de tabac et de parfum qui émanait de ce corps livré à lui. Il avait les tempes battantes de fatigue et de bonheur.

— Je vais te dire un secret, dit Béatrice, un grand secret.

Il eut un mouvement d'effroi. Il craignit un instant que tout cela : cette chambre, cette femme, ce lit, cette soirée, ce bonheur, tout cela n'éclate en morceaux et redevienne ce qu'il craignait toujours que ce soit : un rêve.

— Finalement, reprit Béatrice, je déteste le monde.

Il se mit à rire de soulagement. Le monde, ce n'était pas lui.

— Pourtant tu ne voulais pas rentrer, dit-il. Tu n'avais pas l'air de t'ennuyer du tout, mais alors pas du tout...

Ivre, encore plus qu'à jeun, Béatrice détestait l'ironie. Elle jeta un regard sévère sur ce jeune homme attentif, « aussi attentif qu'il y a cinq ans, pensa-t-elle, et aussi désarmé ». Elle ferma les yeux.

— Mon pauvre Édouard, dit-elle, et sur ses traits passa l'expression qu'elle espérait la plus proche d'une amère résignation, mon pauvre Édouard, c'est là mon masque. Comme tu me connais mal, toi aussi ! Si tu savais...

Il ne devait pas en savoir plus, ce soir-là, car la seconde d'après, foudroyée par le sommeil comme elle l'était par le plaisir, Béatrice dormait. Et dans le cercle doré distribué par la lampe de la grande chambre de la rue Chambiges, il n'y avait plus de gravure licencieuse, mais un jeune homme penché, maladroit, qui recouvrait précautionneusement le corps abandonné, étrangement plumeux, d'une belle sirène, rejetée à ses mers.

CHAPITRE V

LE TABLEAU de Magritte représentait une maison bourgeoise, plutôt belle, dessinée contre un ciel bleu d'un bleu indéfinissable, un bleu d'aube, violent, pâle et cru, un bleu sombre, une maison flanquée d'un réverbère au premier plan, une maison que connaissait Édouard. Il avait passé son enfance dans cette maison, enfin une de ses enfances, il en était sûr. De même qu'il était sûr qu'il aurait voulu y vivre à jamais, et que Béatrice y vive et qu'il puisse entrer dans ce tableau, monter les marches de ce perron, gravir un escalier dans le noir, à l'intérieur, et retrouver derrière la fenêtre éclairée à droite, l'attendant assise sur une bergère démodée et folle d'inquiétude de son retard, Béatrice.

Le gardien de musée toussota et Édouard redescendit l'escalier précipitamment, referma la porte de la maison de Magritte et sortit du tableau puis du musée du Jeu de Paume. Béatrice l'attendait, en effet, à Amiens ; mais sûrement dans un hôtel anonyme et sûrement pas, hélas ! folle d'inquiétude. Depuis une semaine qu'elle était partie en tournée, depuis huit jours que durait leur séparation, Édouard n'avait échangé avec elle, au téléphone, que des phrases imprécises, énervées, distraites. Il lui demandait : «Comment supportes-tu ça ?» «Ça» étant leur inhumaine séparation et elle lui répondait que «ça» était insupportable mais pour elle, il s'agissait de la tournée. «Je te manque ?» demandait Édouard à cette chose noire, moite et froide, à cette horreur, ce sauveur, l'écouteur d'ébonite. «Mais bien sûr disait Béatrice, tu me manques.» Et Édouard avait envie de crier, «Bien sûr ! Pourquoi bien sûr ! Tu as tant vécu sans moi. Comment es-tu sûre de souffrir loin de moi ? Comment puis-je, moi, être sûr que tu souffres ?» Mais il disait seulement : «Tu n'es pas trop fatiguée ?», «Tu n'es pas triste ?» Ta chambre est-elle silencieuse ?» Il avait l'impression que lorsqu'en le quittant, elle lui avait dit «A samedi», — ce samedi qui était devenu pour lui le seul jour vivant et réel de la semaine —, elle aurait pu aussi bien lui dire «A mardi» ou «A lundi», c'était pour ne pas arriver trop tôt, pour ne pas avoir à traîner sur la route — c'est-à-dire à conduire lentement, donc pour lui distraitement — qu'il s'était arrêté devant le musée du Jeu de Paume. Il avait traversé l'exposition au galop. Tous ces tableaux, ces chefs-d'œuvre, ces morceaux de toile peinte où s'emmêlaient la sueur, le sang, les nerfs, l'âme d'un autre homme, n'avaient été que de petits obstacles, de petites haies ridicules entre lui et le début de l'autoroute du Nord. Seul, le Magritte l'avait arrêté vraiment. Et un instant, un long instant avant qu'il n'y fît habiter Béatrice, lui avait infligé ce bonheur sensuel, ce plaisir presque orgueilleux que peuvent donner certains tableaux.

A présent, il roulait. Le soir tombait déjà sur la route et Édouard pensa tout à coup que c'était l'automne. Depuis quelque temps, il n'y avait plus de saisons pour lui, plus d'avenues, plus de dates, sinon ce samedi, souligné en rouge, en noir, dans tous ses agendas, encadré d'un trait enfantin, maniaque, comme s'il eût pu l'oublier. Car depuis une semaine, chaque fois qu'il ouvrait son petit carnet devant quelqu'un, pour prendre un rendez-vous dont il se moquait, ce samedi souligné de rouge lui sautait aux yeux comme une promesse et presque une indécence. Derrière ces six lettres plates, il y avait le corps brûlant de Béatrice, ses mots d'amour, ses exigences, et Édouard refermait son carnet précipitamment, comme s'il y eût retrouvé par mégarde un texte licencieux adressé à lui seul.

Amiens... la plate ville d'Amiens était à ses yeux devenue Capoue. Il y arriva bien entendu trop tôt et se fit presque un devoir de s'y perdre ; il n'avait jamais pu oublier la réplique stupide que Béatrice prononçait dans une pièce, lors de leur première rencontre, cinq ans auparavant ; cette phrase qu'il venait écouter tous les soirs lorsque, rejeté par elle et fou de malheur, il utilisait ses derniers francs à louer une chaise de poulailler dans le théâtre où elle jouait. Elle avait le rôle minime, à l'époque, d'une soubrette, et et elle devait dire : « Sachez-le, monsieur : pour une femme l'heure, ce n'est pas vraiment l'heure. Après l'heure, c'est quelquefois encore l'heure. Mais avant l'heure, ce n'est jamais l'heure. » C'était la réplique la plus longue qu'elle eût à prononcer, et bien qu'il la jugeât d'une platitude extrême, cette phrase avait toujours, chaque soir de cette triste période, serré le cœur d'Édouard ; car à cette époque-là, elle lui faisait penser que son heure à lui était passée et qu'elle ne reviendrait plus. Et sans aucun doute, une formule intelligente et sensible sur l'amour, le temps qui passe et ses ravages, l'eût moins frappé, en tout cas d'une manière moins cruelle et sournoise que cette niaiserie.

Pour devenir ce qu'elle était devenue : une actrice consacrée, une vedette, Béatrice, il s'en rendait compte, avait dû beaucoup désirer, beaucoup lutter et beaucoup supporter. Or Béatrice désirant quelque chose sans l'avoir tout de suite, Béatrice attendant, quémandant, Béatrice en butte à des rebuffades, tout cela était insensé et dérangeait une fois de plus son image d'Épinal. En tout cas, lui vivant, cela ne se reproduirait plus. Au volant de sa 504, la mâchoire serrée, Édouard Maligrasse, pourtant officiellement adulte depuis longtemps, promettait à sa maîtresse une vie enchanteresse, pavée de triomphes et d'amour (le premier terme étant au pluriel mais bien sûr, pas le deuxième). C'était en fait un des plus grands charmes et une des plus grandes vertus d'Édouard : il ne rêvait pas d'une Béatrice abattue, démunie et appelant à l'aide ; il ne rêvait pas (sinon sur un plan passionnel) d'une Béatrice ayant besoin de lui. Il ne l'avait d'ailleurs jamais rêvé. Même aux pires moments de leur rupture, il l'avait souhaitée, voulue, heureuse et applaudie. Mais en fait, outre sa bonté naturelle, c'était aussi, et surtout, parce qu'inconsciemment sa sensualité était plus excitée par l'image d'une Béatrice triomphante. Et comme il était avant tout un écrivain, il évitait aussi instinctivement que rigoureusement, de modifier le cours de ses rêveries : dans sa vie, bien au contraire, il ne retenait que ce qui les étayait, il rejetait le reste. Sans le savoir, Édouard construisait son amour comme il construisait ses pièces. Il ignorait qu'en se faisant ainsi à la fois l'objet et le sujet de sa passion, il risquait d'en devenir deux fois l'esclave — voire la victime. Mais il venait juste de retrouver Béatrice, ces craintes ne l'effleuraient même pas, et c'était ce soir-là un vieux jeune homme et un jeune soupirant des plus allègres qui demandait à chaque piéton le plus court chemin pour l'hôtel de l'Univers.

— Tu ne sais pas ce que m'a fait Agostini, ce butor, ce soir en scène ? Avec sa tête de casse-noix, il s'est mis à croquer une grappe de raisin qui traînait sur la scène et à en cracher les pépins, avec l'air réjoui, dans tous les coins du décor... J'ai failli y rester.

Béatrice riait. La salle à manger de l'hôtel était vide et, dans le petit coin que par faveur spéciale on avait laissé éclairé pour leur dîner tardif, Béatrice et Édouard chuchotaient comme deux pensionnaires. Il avait été happé dès son arrivée dans le tourbillon classique des valises, des baisers hâtifs, des taxis, des présentations. Puis il avait assisté à la pièce comme dans un rêve et enfin, ils se retrouvaient seuls, dans cet endroit lugubre. Après cette interminable semaine, il la retrouvait ; et cette rencontre qu'il avait imaginée dorée et pourpre, prestigieuse quoi, se passait entre des murs beiges, sur une moleskine marron, devant un garçon de café gris de fatigue. «Et c'était toujours comme ça», pensait Édouard. Mais tout à l'heure, il leur suffirait d'éteindre pour que la chambre anonyme malgré ses sortilèges de fadeur, ses envoûtements d'insignifiance et ses excès de banalité redevienne, grâce à la nuit, le champ clos de leur plus beau combat. Il y aurait l'éclair blanc des bras de Béatrice, il y aurait le noir de ses cheveux, plus noir que l'obscurité, il y aurait le rouge presque visible de son sang à sa gorge, quand il l'amènerait vers le plaisir, il y aurait toutes ces pâles et fulgurantes couleurs dont il avait été sevré durant ces sept, ces interminables nuits sans elle.

— ... Et d'ailleurs, je ne le supporte pas, achevait de dire Béatrice, je ne supporte pas ce genre de types, je me sens carrément hostile vis-à-vis de lui ; je me sens, comme on dit bêtement, toute d'une pièce.

Cette dernière expression n'était pas totalement injustifiée : si Béatrice n'était pas tout d'une pièce, si même elle était, bien au contraire, faite de mille pièces rapprochées et contradictoires, elle était toujours et en tout cas complètement chacune de ces pièces. Et comme elle n'avait aucun recul vis-à-vis d'elle-même, elle pouvait être chaque fois complètement dure ou complètement tendre, complètement sotte ou complètement lucide. Elle ne se sentait jamais «partagée» en elle-même. Et c'était peut-être pour ça, parce qu'elle n'avait jamais pu admettre un partage dans ses propres sentiments, qu'elle n'avait jamais pu les partager non plus avec quelqu'un d'autre. En revanche cette carapace si fausse, cette armure si démantibulée, si hétéroclite que pas un chevalier du Moyen Âge n'eût osé l'endosser, l'avait mise à l'abri de bien des plaies, sinon de bien des bosses. Elle ne s'était jamais laissée glisser sur les sentiers de l'amitié commode, de la confiance assurée, ou tout simplement, de l'habitude. Ses amis, ses amies, ses amants, ses

relations en général, avaient toujours été, un jour ou l'autre, férocement
maltraités par elle ou férocement adorés ; et aucun de ceux qui l'avait
approchée n'était honnêtement en droit, à aucun moment, d'avoir
confiance en elle ; mais s'ils pouvaient tout attendre de sa part, ils
pouvaient aussi totalement se fier à cet imprévisible : ils étaient sûrs,
absolument sûrs qu'elle était aussi capable de leur tendre la main pour
les tirer de l'eau que d'appuyer le pied sur leurs têtes pour les y noyer.
Et sûrs aussi qu'elle accomplirait ces deux gestes avec la même absence
de calcul et la même bonne conscience.

En fait, c'était une des rares femmes, dans cette époque si morale, si
prêcheuse et si conformiste dans son anticonformisme prétendu, c'était
une des rares femmes, parmi ces serins catéchisés et ces moutons bêlant
au loup, qui fût aussi fière de ses vilenies que de ses bonnes actions.
Seuls ses échecs lui faisaient remettre en doute son bon droit, c'est-à-
dire sa chance. Ses échecs et, bien entendu, ses malaises, car une
mauvaise grippe était pour Béatrice aussi humiliante qu'une mauvaise
critique. Dans ces cas-là, d'ailleurs, par un coup de rein machinal, elle
évitait de préciser sa rancune ; et au lieu d'accuser l'incompétence du
critique ou la compétence du virus, elle se rabattait froidement sur le
Destin : tout ce qui n'allait pas bien dans sa vie était aussitôt dévié,
détourné, sur un plan astrologique, mystérieux et maléfique. En
revanche, tout ce qui allait bien lui revenait de droit. Bien des hommes
s'étaient ainsi cassé les dents, les nerfs et parfois le cœur, à vouloir lui
prouver qu'elle avait, dans sa propre existence, une quelconque
responsabilité.

— Ce type t'embête ? demanda Édouard. Je le rosserai demain, si tu
veux.

Béatrice éclata de rire, mais son œil brilla. Elle adorait que l'on se
batte pour elle. Un instant, elle eut la vision d'Édouard sanglant, défait,
allongé au pied d'un meuble d'époque, et elle, à genoux, mettant la main
dans ces cheveux châtains poissés d'un rouge clair, elle, relevant cette
tête chaude, avide et douce, elle, violant sur le tapis cet homme demi-
évanoui... C'était étrange, à y penser, qu'elle n'imaginât pas, comme
d'habitude elle le faisait avec ses mâles, Édouard debout, dédaigneux et
secouant du pied un goujat par lui assommé. Comme il était étrange
aussi de penser que cet amant si éperdu, ce garçon si bien élevé écrivait
des pièces, et que ces pièces avaient du succès auprès des plus difficiles
critiques dans cette ville déjà si difficile. Et quand elle regardait de près,
de très près cet homme, si visiblement, si passionnément occupé d'elle,
elle se demandait dans quelle soupente cachée dans sa tête, sous ces
cheveux si doux, ces cheveux d'enfant, pouvait bien se dissimuler cette
force inconnue, bizarre, peut-être malsaine, mais qu'elle respectait
instinctivement : la possibilité d'écrire. Le regard d'Édouard, dans son
désir, était si pur et son visage si ouvert, si lisse... Où était l'arrière-

plan, le fameux arrière-plan? Où était l'ivoire de la tour? Où commençait l'inviolable chez cet homme déjà violé et qui ne demandait qu'à l'être à nouveau et toujours, de corps et de cœur? Il faudrait bien qu'elle le sache un jour. Une envie inconnue s'allumait en elle, mi-curiosité, mi-volonté de puissance. Elle voulait tout savoir; elle ignorait pourquoi, mais elle voulait que rien de cet homme ne lui échappe. «Et pourtant, pensait-elle confusément, je ne suis pas amoureuse de lui, pas vraiment. J'ai toujours été sûre qu'il allait arriver, ce samedi, et le temps ne m'a pas semblé long... » Alors d'où lui venait cette sorte de vertige et cette grande faim sans réel appétit?

Elle se secoua, sourit à Édouard d'un air las. Il appela le garçon gris qui apporta l'addition et un livre d'or grenat. Béatrice le signa posément non sans un petit sourire mi-excédé, mi-résigné. Puis elle le passa à Édouard qui, les yeux baissés, confus, le signa aussi.

Ils jouaient à Lille le lendemain et Édouard, qui avait imaginé ce trajet avec Béatrice comme une escapade dans un paysage poétique et misérabiliste à la fois, avec les terrils noirs et les bleus et pâles soleils du Nord, eut en fait à conduire trois heures sous la pluie, trois heures rythmées par les essuie-glaces et les rares phrases de Béatrice qui s'était réveillée de mauvaise humeur. Elle avait d'ailleurs énoncé aussitôt : «Je suis grognon, ce matin» avec une sorte d'objectivité fataliste, comme elle eût dit : «Il pleut.» Elle considérait visiblement ses états d'âme comme des phénomènes naturels, imprévisibles, aussi indépendants de sa volonté que les perturbations météorologiques. Cette tonalité étant ainsi donnée à la journée, elle multiplia les agacements, les griefs, l'ennui, et elle arriva excédée dans un hôtel de Lille, tout aussi amusant que celui d'Amiens. Les bras ballants, Édouard, accablé, la regarda ouvrir ses valises et ses armoires et lorsqu'elle lui demanda avec un petit rire amer s'il lui serait possible, à elle, Béatrice, d'avoir quelques heures tranquilles afin de se mettre dans la peau de son personnage, il battit vite en retraite et se réfugia dans le hall désert de leur hôtel. Il lut le *Journal du Nord* trois fois, sans rien y comprendre, fit deux pas dehors sous la pluie et ne découvrit dans une librairie que deux romans policiers qu'il craignait d'avoir déjà lus. A tout hasard, il racheta pour la dixième fois *Madame Bovary* dans le Livre de Poche. Dans un ultime effort, pour s'assurer une fin d'après-midi douillette, il commanda un thé, des toasts, et n'osant pas remonter dans la chambre, attendit deux heures en bas.

Il éprouvait d'ailleurs une sorte de plaisir dans ce hall désolé. C'était une journée sinistre, dans un endroit sinistre, mais il savait que pour rien au monde il n'eût voulu être ailleurs. «C'était l'un des grands charmes de la passion, pensait-il, que celui de ne plus se dire : que fais-je ici? mais au contraire : comment m'y maintenir?» Béatrice, qui s'était vite ennuyée dans sa chambre, et à qui la présence d'Édouard finissait par manquer, ou plus précisément par manquer à sa mauvaise humeur, descendit, toute prête à lui chercher noise. Elle lui fit remarquer qu'il avait l'air d'un de ces héros minables chers à Simenon et que d'ailleurs son apathie, son absence de curiosité pour la belle ville de Lille étaient des plus significatives. Elle espérait confusément qu'il lui répondrait la vérité, à savoir qu'il était là pour ses beaux yeux, qu'il lui avait servi de chauffeur et qu'il n'était pour rien dans cette funeste et pluvieuse tournée. Mais Édouard n'était pas homme à se plaindre ni à se chamailler et, frustrée de sa scène, Béatrice lui conseilla de repartir pour Paris dès le lendemain matin ou le soir même, s'il préférait. Cette mise en demeure allait sûrement empoisonner la soirée d'Édouard, le faire réagir vers le chagrin ou la colère, bref après la représentation mettre un léger piment à leurs retrouvailles. En vérité, Béatrice aimait bien les «complications». Les histoires sentimentales, pour elle, se devaient d'être tendues, spécialement dans un décor aussi plat.

Effectivement pendant une heure, Édouard, inquiet, malheureux, tourna en rond dans le hall. Il n'envisageait même pas de disparaître noblement : il y avait eu dans la voix de Béatrice une intonation qui voulait dire : «De toute manière, tu seras là à mon retour, je le sais» qui lui montrait le chemin du devoir. La vision qu'avait Béatrice de leurs rapports était la bonne pour lui, et il ne cherchait pas à la modifier. Il ne voulait pas étonner Béatrice, il voulait l'apprivoiser ; il fallait qu'il lui soit indispensable, qu'elle s'habitue à lui et que cette habitude devienne réellement une seconde nature et c'est ainsi qu'amoureux, jeune, passionné, il avait des tactiques de vieillard. La propriétaire de l'hôtel, apitoyée par sa solitude, lui indiqua un cinéma tout proche où il alla s'échouer. Il serait plus volontiers resté dans la chambre, à regarder le plafond, mais il savait qu'en rentrant, Béatrice lui demanderait ce qu'il avait fait et qu'en répondant «Rien», il se sentirait coupable. Autant donc être en mesure de lui raconter, avec enthousiasme ou ironie, le scénario d'un film.

Bien sûr, ce qu'il aurait voulu, et passionnément, c'eût été parler avec elle de leur première liaison, des raisons de leur rupture, de leurs années de séparation, de leur bonheur actuel ; mais comme elle l'avait dit le matin, Béatrice était de mauvaise humeur et sa mauvaise humeur excluait toute introspection. Ce n'était que dans ses moments de bonheur, ou tout au moins de contentement de soi, que Béatrice consentait à gambader dans les chemins sinueux et verdoyants de la psychologie. Cela, et bien qu'il lui semblât avoir été, cinq ans auparavant, amoureux d'une femme bien autrement féroce, Édouard se le rappelait encore.

Le film se passait dans un Boeing à la dérive, et Édouard observa quelque temps les efforts désespérés d'une hôtesse de l'air plus que débordée pour sauvegarder ses passagers. Au bout d'une heure, excédé, il se leva. Comme beaucoup de gens nerveux, Édouard supportait fort bien de s'ennuyer tout seul, mais il ne tolérait pas qu'un élément extérieur l'y contraignît. Il rentra d'un pas décidé à l'hôtel, jeta ses chaussures en l'air et s'allongea sur le lit. Il était dix heures et demie. Dans un peu plus d'une heure, Béatrice serait là. Il n'avait qu'à rester tranquille. A attendre. Et attendre avec une certitude de son retour tout aussi délicieuse qu'aurait pu être insupportable le moindre doute.

D'une certaine manière, il se retrouvait dans la situation de Frédéric, le héros de sa nouvelle pièce. Il l'avait complètement oublié, celui-là, depuis quelque temps. Il y pensait parfois avec une sorte de timidité, de tendresse et de remords, comme on peut penser à un ami intime et cafardeux brutalement délaissé pour une femme. Il n'avait bien entendu parlé ni de sa pièce ni de ses héros à Béatrice d'abord parce qu'il n'abordait jamais ce sujet : son travail, cela lui semblant le comble de l'impudeur, et enfin parce qu'il avait imaginé Frédéric, le personnage de Frédéric, avant de retrouver Béatrice ; et maintenant, il lui semblait inconvenant d'avouer à Béatrice la présence, dans sa vie, de qui que ce soit d'autre, cet autre fût-il imaginaire, ou plutôt imaginé. Seulement Frédéric était né dans sa tête et y trottait encore très souvent, avec beaucoup plus d'insistance qu'une vieille maîtresse. Il avait trouvé une idée, d'ailleurs, en roulant vers Amiens, pour le deuxième acte. Il se rappelait très bien ce qu'il voulait dire mais il ne voyait pas comment amener sa scène. Machinalement, il se leva du lit, ouvrit un tiroir, et barrant d'un trait énergique l'en-tête gravé à l'hôtel de la Poste, il commença à écrire. Cela lui prendrait quelques minutes et cela l'avancerait.

Deux heures plus tard, il avait des feuilles gribouillées tout autour de lui, il n'était plus à Lille mais dans une ville de Louisiane, il sifflotait quatre mesures, toujours les mêmes, avec allégresse, et il sursauta quand quelqu'un ouvrit la porte derrière lui et qu'une voix inconnue prononça son nom. C'était Béatrice qui, ayant dîné avec des journalistes locaux, rentrait tardivement, nantie de vagues excuses et déjà excédée d'avoir à les faire. Seulement elle ne découvrit pas un jeune homme angoissé, arpentant nerveusement une chambre d'hôtel, elle découvrit un homme heureux. Et bien qu'il se levât d'un bond, radieux, en la voyant, elle eut une seconde, une seconde très brève mais très frappante, l'impression de le déranger.

Plus tard, dans la salle de bains, elle se brossait les cheveux rêveusement devant la glace, en racontant d'une voix gaie toutes les péripéties de la représentation à Édouard, dont elle entendait le rire en écho dans la chambre. Mais quand elle passa la tête par la porte, elle le vit debout près du petit guéridon où elle l'avait trouvé, en train de raturer soigneusement une de ses feuilles volantes :

— Tu ne m'écoutes pas ? dit-elle.

Il se retourna, comme pris en faute, le stylo à la main. Il eut l'air d'un écolier, tout à coup.

— Mais si, protesta-t-il, tu disais...

— C'est une nouvelle pièce que tu écris ?

— Oui, dit-il nerveusement, enfin c'est un brouillon. C'est l'histoire d'un type qui...

Il bredouillait. Elle revint devant la glace, posa la brosse sur l'étagère et se dévisagea. Elle avait mauvaise mine, elle avait une petite ride, près de la bouche, qui s'accentuait. Elle n'était pas en beauté, ce soir, malgré les applaudissements des Lillois. Elle était loin de Paris et elle se sentait tout à coup affreusement seule. Bien plus tard, dans la nuit, elle contemplait le papier triste sur le mur et le reflet des phares au plafond, sans remuer un cil. Édouard, comblé de bonheur, car elle avait été plus passionnée et plus tendre que d'habitude, dormait paisiblement à côté d'elle.

CHAPITRE VI

A SON RÉVEIL, le lendemain matin, Édouard était seul. Seul avec une lettre dramatiquement épinglée sur l'oreiller voisin. Avant même de l'ouvrir, au sortir des brumes douloureuses et fragiles de son sommeil, Édouard sentit son cœur cesser de battre, son sang se diluer, et il hésita une minute avant de décacheter l'enveloppe.

« Mon chéri, disait Béatrice, je te quitte pour toi et pour moi. Nous ne devrions pas nous voir pendant cette tournée car ta présence m'empêche de me concentrer et je sais que pour toi, ce rôle de suivant n'est pas bon. Tu es un écrivain, (le mot "écrivain" était souligné) et je ne veux pas être celle qui t'empêche d'écrire. Cette séparation me sera aussi pénible qu'à toi. Je t'embrasse. Béatrice. »

Il y avait un post-scriptum rajouté d'une main plus pressée et moins lisible :

« N'oublie pas que je suis sotte, que je n'ai pas ta valeur et que, même sans le faire exprès, je ne peux que te faire du mal. »

Le post-scriptum était le plus important mais c'est à peine si, dans son abandon, son chagrin violent comme celui d'un enfant, Édouard y fit attention. Il ne songea qu'à fuir cette chambre et une heure plus tard, il refaisait, en sens inverse, la route triomphale de l'avant-veille.

Il conduisait mal, nerveusement, remâchant sa défaite. Car c'était bien une défaite. Il était parti rejoindre sa maîtresse, passer une semaine avec elle, et au bout de deux jours, elle l'avait abandonné. Et il lui semblait que les panneaux publicitaires, tout au long de l'autoroute, lui aboyaient : «Défaite! Défaite!» à bout portant. Les «Bières Munchen» lui signifiaient qu'il n'en boirait jamais avec Béatrice, la «TWA» que ses beaux avions ne les emporteraient jamais ensemble sous des cieux tropicaux. A un moment, il faillit emboutir un camion et grelottant de terreur rétrospective et de désarroi, il se réfugia dans un café — enfin plutôt dans un de ces sinistres couloirs bondés qui recueillent à présent les rescapés de l'autoroute. Il aurait voulu demander un café chaud à une servante au grand cœur mais il dut, à la place, changer un billet de dix francs contre des pièces, puis introduire une de ces pièces dans un engin nickelé et sale à la fois, qui lui rendit, en échange, un café sans goût dans un gobelet de carton. Décidément, ce monde nouveau n'était pas fait pour lui. Il ouvrit sa valise et y retrouva une petite boîte de pilules psycho-toniques dont il faisait usage de temps en temps. Mais cette fois-ci, ce ne fut pas sans remords. Édouard se fût volontiers piqué à l'héroïne si cela lui avait permis d'écrire dix pages éblouissantes, mais l'idée de stimuler ou d'étouffer chimiquement ses humeurs l'humiliait profondément. En tout cas, cela lui permit de rester attentif jusqu'à Paris.

En arrivant, il se rendit machinalement devant l'appartement de Béatrice, devant sa maison, leur maison. Et c'est en la regardant qu'il se rappela tout à coup le tableau de Magritte et c'est là que vraiment, le désespoir le prit. Il était garé devant cette porte close, il n'avait pas le droit de pénétrer jusqu'à la chambre bleue, il en était peut-être exclu pour toujours. Il resta là une heure, inerte, la tête contre la vitre, regardant sans les voir des passants lointains, pressés, qui avaient l'air triste. Ne pouvant pas non plus rentrer chez lui, il finit par téléphoner à Nicolas qui Dieu merci, était là, et Dieu merci, prêt à l'accueillir.

Nicolas, bien qu'il fût corrompu, égaré et amoral, était resté un homme tolérant. Il ne comprenait pas — l'ayant conquise et l'ayant quittée — que l'on puisse souffrir par Béatrice, qu'au demeurant il aimait beaucoup. Néanmoins, il admettait parfaitement bien qu'Édouard, pour lequel il éprouvait mille fois plus d'estime et d'affection, en fût amoureux fou. Il lui semblait même tout à fait normal que dans l'horrible bataille qu'étaient les amours parisiennes, cette implacable machine de guerre nommée Béatrice triomphât du civil désarmé nommé Édouard. C'était dans la logique même des choses.

— Tu es tombé sur une bête sauvage, dit-il. C'est une femme qu'il faut aimer moins qu'elle ne vous aime. Ou en tout cas, il faut faire semblant. Tu pars battu.

— Je ne pars pas battu, dit Édouard d'une voix subitement posée (car il n'avait jusque-là, en racontant son week-end manqué, que balbutié des mots hachés et désespérés) je ne pars pas battu puisque je ne pars pas battant. Je déteste les rapports de force.

— Cela finit toujours comme ça, pourtant, dit sentencieusement Nicolas, et surtout avec Béatrice. Tu te conduis comme un niais.

Édouard soupira. Il était dans ce petit studio minable mais charmant de célibataire coureur et sans travail. Il s'était plaint, il avait parlé de ses sentiments — chose qui ne lui arrivait jamais, chose plutôt qui ne lui était pas arrivée depuis très longtemps, depuis plus de cinq ans exactement, puisque depuis cinq ans, depuis Béatrice, il n'avait aimé personne.

— Je suis peut-être niais, dit-il, mou et lâche, mais ça m'est égal. Il y a une chose que tu ne comprends pas Nicolas, à mon sujet : du moment que c'est par Béatrice, je me moque tellement d'être détruit, que ça me rend indestructible. Cela m'est égal que mille personnes me méprisent du moment que Béatrice m'embrasse.

— Mais parmi ces mille personnes, il y a des gens plus intelligents, plus valables, plus sensibles que Béatrice, non ?

Nicolas s'énervait.

— Qu'ils gardent leurs qualités, dit Édouard. Je n'en ai rien à faire. J'aime cette femme qui est belle et peut-être méchante, comme tu dis, mais il n'y a que près d'elle que je me sente vivre.

Nicolas leva les bras au ciel et se mit à rire.

— Eh bien, mon cher, souffre ! Aime et souffre, que veux-tu que je te dise ?... Cela sera peut-être très bien pour ta pièce.

— A propos de ma pièce, commença Édouard étourdiment, j'ai eu une idée !...

Il s'arrêta net, avec une impression de sacrilège. Il s'agissait bien de sa pièce, Béatrice l'avait quitté !

— Ce que je n'ai pas compris, reprit-il très vite, c'est la fin de sa lettre.

Il la tira de son portefeuille, relut le post-scriptum et leva vers Nicolas un regard incertain.

— Elle dit qu'elle est trop bête pour moi, c'est curieux, et qu'elle m'empêche peut-être d'écrire.

Nicolas sourit :

— C'est bien la première fois que je lui vois un réflexe d'honnêteté, ou plutôt d'humilité.

— Tu crois qu'elle le pense vraiment ? dit Édouard. Tu crois qu'elle a vraiment peur de gâcher ma vie ?

Et brusquement, parce que cette hypothèse était la seule qui le délivrât de son chagrin et qui même le transformât en bonheur, Édouard eut l'impression de découvrir la vérité, de comprendre la vérité : Béatrice, cette belle, tendre et folle Béatrice se croyait vraiment inférieure à lui, intellectuellement, elle croyait vraiment que c'était important; et c'était déchirée, sans doute, qu'elle était, ce matin-là, partie de Lille.

— Attention, dit Nicolas, ce n'est quand même pas la Dame aux Camélias ! Béatrice n'a aucun sens du sacrifice, je te signale...

Mais déjà Édouard était debout, triomphant et bouleversé.

— Quand je pense, dit-il, quand je pense que je n'ai pas compris ! Hier soir, en rentrant, elle m'a trouvé en train de travailler, elle a dû penser... Oh mais elle est folle ! dit-il, elle est exquise, mais elle est folle...

Déjà il courait vers la porte, déjà il volait vers Béatrice, déjà il brûlait de la consoler, de la rassurer et de s'excuser. Pris d'une gratitude tardive, il se retourna vers Nicolas :

— Au revoir, Nicolas, dit-il, et merci.

— De rien, dit Nicolas avec un petit sourire.

Et par la fenêtre, il vit Édouard traverser la rue en courant, se jeter dans sa voiture et repartir vers son destin. Il évoquait un de ces papillons de nuit, effondrés, inertes dans l'obscurité, mais qui, dès qu'une lampe se rallume, repartent s'y crucifier avec, chaque fois, le même enivrement. Et Nicolas haussa les épaules.

Mais déjà sur la route de Roubaix, des chopes de «Bière Munchen» se tendaient vers les mains d'Édouard et Béatrice, déjà des avions piaffaient au sol impatients de les emporter sur une plage dorée, et Édouard chantait. Il ne pouvait pas savoir que l'après-midi même, Béatrice ayant cru à ce qu'elle avait écrit, oubliant que c'était parce qu'Édouard l'ennuyait qu'elle s'était déclarée ennuyeuse, et parce qu'il lui pesait qu'elle s'était crue légère, Béatrice avait sincèrement et douloureusement renoncé à son rôle d'égérie; et que résignée à n'être qu'une comédienne charnelle, elle s'était, dans son élan, laissée glisser deux heures dans le lit du jeune premier.

Il arriva au petit matin, se fit annoncer et monta aussitôt. Béatrice était allongée dans son lit, l'air las. Agostini, le jeune premier, était un piètre amant, et passer près du plaisir avait toujours cerné les yeux de Béatrice alors qu'y parvenir lui donnait une mine reposée et presque enfantine. D'ailleurs Édouard attribua aussitôt ses cernes au chagrin. Lui-même, après cette journée infernale, ces routes et ces pilules, avait l'air hagard, mal rasé, et il semblait flotter dans sa veste de velours. Béatrice, tout à fait revenue de son rôle de courtisane, se demanda comment elle avait pu préférer un cabot abominable au jeune homme séduisant, épuisé et attendrissant qui se tenait devant elle. Comment avait-elle pu le faire souffrir ? Et comment avait-elle pu le tromper ? Mais ces deux dernières questions, elle se les était posées si souvent dans le passé, et si vainement faute de pouvoir les poser à voix haute, qu'elle n'en cherchait plus la réponse. Elle tendit les bras vers Édouard qui s'y jeta. Il retrouvait le parfum familier, la chaleur, la douceur de la peau, la voix basse, il revenait enfin chez lui. Il se disait, « C'est fou, c'est fou d'être si heureux », et Béatrice qui entendait les à-coups de son cœur, s'en alarma.

— Calme-toi, dit-elle, tu trembles... D'où viens-tu, à cette heure-ci ?

— De Paris. Ce matin, j'étais furieux, en me réveillant, à Lille, et je suis rentré. Puis j'ai relu ta lettre et je suis reparti. Dès que j'ai compris...

— Que tu as compris quoi ?

Béatrice avait un peu oublié les termes de sa propre lettre. Elle lui avait semblé, sur le coup, fort habile et fort émouvante (et une partie de la journée, fort juste). A présent, elle se la rappelait, mais après cette parenthèse déplorable avec Agostini, elle ne pouvait que la renier. Non, elle n'était pas une de ces femmes faciles, enfin, facilement comblées. Sa tête, comme son cœur, avait ses exigences. Bref, se sentant frustrée, elle se sentait une âme. Édouard qui ne pouvait être au fait de tous ces revirements moraux, ou du moins mentaux, continuait son discours :

— Tu es folle, Béatrice. D'abord, tu es intelligente, et souvent plus intelligente que moi. Tu m'aides à écrire, à vivre. Je ne pourrais plus rien faire sans toi, je n'aurais plus envie de rien faire, tu comprends ?

Il avait relevé la tête, il la regardait, il semblait éperdument sincère. Béatrice sourit : bien sûr il avait besoin d'elle en ce moment puisqu'il l'aimait, et bien sûr elle l'empêcherait d'écrire un jour s'il souffrait trop. Et bien sûr il s'en remettrait aussi, un autre jour. En attendant, c'était un enfant. Elle posa la main sur son visage, elle dessina ses sourcils, ses pommettes, la courbe de sa joue, puis le contour de sa bouche avec son index. Elle ferma les yeux. C'était un enfant, bien sûr, mais c'était aussi un amant, et un très bon amant. Cela, elle se le rappelait très bien.

— Déshabille-toi, dit-elle.

— Oui, dit Édouard, oui...

Il était déconcerté. Il était venu pour parler de quiproquos, d'incompréhension, de sentiments, mais le regard de Béatrice qu'il avait imaginé traqué, luisant de larmes, devenait à présent opaque, animal, lointain, dans son désir. Que s'était-il passé toute la journée ? Cette journée de fou furieux, tous ces kilomètres pour se retrouver devant cette seule source de vie, cette bouche pleine, arquée en haut et droite en bas, qu'une très fine sueur recouvrait à présent. « Mon destin, pensa-t-il, mon destin... » La fatigue et la relâche de ses nerfs multipliaient l'envie qu'il avait d'elle. Il tremblait à présent, au bord de ce lit. Elle ferma les yeux et il se pencha.

Plus tard, elle lui disait, « Tais-toi, tais-toi », et pourtant, il ne disait rien. Plus tard, elle le mordit à la naissance du cou, et plus tard, elle se retourna sur le ventre et lui dit :

— Tu sais, finalement, lorsque j'écris des choses déplaisantes sur moi, comme ce post-scriptum, c'est que je le pense.

Mais elle ne voulut pas répondre, ensuite, à ses questions, et elle s'endormit d'un coup, le bras replié sur sa propre nuque, comme si elle craignait le froid ou un éclat d'obus.

CHAPITRE VII

C'ÉTAIT une matinée grise et bleue, une matinée avec des odeurs, des bruits de rue, des variations de lumières qui semblaient toutes avoir été concertées par un seul homme. Proust, par exemple. Quelqu'un, dehors, dirigeait cette gigantesque et naïve machinerie du monde, orchestrait les nuages, les vents, les klaxons des autobus et les parfums des lilas avec le doigté, la ferveur et l'habileté d'un grand artiste. Pour Édouard, qui ne croyait pas en Dieu, cette harmonie était la preuve de l'existence de l'Art. Allongé dans son lit, seul, il fermait les yeux de bonheur. Car il devenait rare, à présent, que sa vie, sa vie qui courait toujours de profil à son côté, s'arrêtât soudain et se tournant vers lui, lui avouât brusquement : « Eh oui, j'existe et l'Art existe, et la beauté, et l'harmonie, et c'est à toi de les décrire, de les traduire et de les prouver aux autres. » Et alors, un sentiment violent de bonheur et d'impuissance mêlés envahissait Édouard Il lui donnait envie à la fois de remercier le Ciel d'écrire et envie de casser ses crayons. Il aurait voulu, à ce moment-là, ne plus aimer personne, ne plus être aimé de personne, il aurait voulu être simplement plus intelligent plus sensible, et rester là, attentif, avide, prêt à tout enregistrer, tout comprendre et tout traduire en mots. Pour lui, d'abord, et ensuite, pour les autres. Bien sûr, cette traduction pour les autres serait fausse d'une certaine manière, car les mots, une fois rassemblés, devenaient des traîtres. Mais dans ce rassemblement arbitraire et unique, le sien, il toucherait, lui, sa vérité.

Et même il savait que c'était dans cette différence entre ce qu'il aurait voulu dire et ce qu'il finissait par dire (et quels que soient ses efforts pour réduire cette différence), que c'était là que résidaient son style, sa voix, et peut-être son talent. Les mots étaient ses maîtres et ses valets à la fois. Il savait que dans la vie, souvent, il n'était devant les autres qu'un partenaire désolant, désolé, dans cette mauvaise pièce réaliste qu'ils s'obstinaient tous, tous les vivants, à jouer gravement ou platement selon les jours. Il savait qu'il balbutiait devant eux et commettait des erreurs de psychologie ou de conduite, et qu'il s'en voudrait en les quittant. Mais plus tard, tout à l'heure, il serait seul dans sa chambre, avec son papier blanc, et tous les chevaux, tous les violons de l'imagination galoperaient avec lui. Et qu'importerait alors que tous ces chevaux soient des tocards ou que ces violons jouent faux ? De toute façon, ils l'entraîneraient avec eux et la vie redeviendrait réelle, lourde de sens et de sang. Il se jetterait à l'eau et il s'enfouirait dans les recoins les plus sombres de sa propre pensée, tel un sous-marin frénétique et aveugle. Il ne resterait de lui, à la surface, que son corps, sa tête, ses mains installées sur la table. Il resterait même son regard, si on le dérangeait, mais un regard qui ne refléterait rien, rien d'autre que ce qu'il verrait lui-même dans le périscope de son imagination, et que nul autre ne pourrait voir à son tour. Sinon en décodant les signes embrouillés et noirs que sa main, tel un télégraphiste en catalepsie, tracerait sur le papier.

Après, bien sûr, il faudrait réintégrer ce corps, ces mains, ce regard. Il lui faudrait retrouver les autres et, comme ils disaient, « replonger dans la vie ». Seulement, c'est justement à cet instant-là qu'il se sentirait, lui, en émerger, et émerger en plein rêve, qu'il se verrait resurgir, tel un noyé, sur la surface vide et sans couleur de la réalité : cet effrayant océan de la réalité où les seuls îlots se nommeraient Béatrice ; tout au moins les seuls où il puisse aborder ; car près d'elle, en l'aimant comme en écrivant, il rêvait, c'est-à-dire qu'il vivait. Le reste du temps, il habitait son corps et son époque avec toute la peur et la bienveillance possible, et les autres le sentaient bien, aussi égarés qu'ils puissent être dans leurs déductions. « Toi, disaient-ils, tu penses encore à tes personnages, non ? A tes histoires. » Et ils souriaient avec indulgence. Édouard, trop content de cette noble excuse, acquiesçait volontiers. En fait, il ne pensait jamais vraiment à ses héros sinon lorsqu'il y travaillait. Le plus souvent, il se déroulait dans sa tête un film confus, mal mixé, un patchwork fait de bouts de poèmes, de musiques inachevées, de répliques manquées et de situations inextricables, qu'il se plaisait à rendre inextricables. Dans ces dernières, Béatrice jouait toujours le premier rôle. Il ne rêvait pas de la sauver des flammes ni de l'avoir à ses genoux, folle amoureuse de lui. Jamais. La réalité était déjà si éblouissante pour lui, malgré ses doutes et ses paniques, qu'il ne songeait pas à y ajouter un iota. Il ne voulait pas que ça change, il voulait simplement que ça continue. Ni en mieux ni en pire, puisque de toute façon, rien ne pouvait être mieux que Béatrice se glissant dans ses bras, et rien ne pouvait être pire que Béatrice s'en dégageant. Et cela lui arrivait dix fois par jour : cet éblouissement et cette déchirure. Il tremblait à l'idée que se dérange ce beau désordre, se freine cette chute ou que se consolide cet échafaudage. Il voulait que rien ne bouge à l'intérieur de cette toupie affolée qu'était devenue sa passion. Ni elle, ni lui.

En attendant, c'était le printemps, à Paris. Béatrice devait rentrer le lendemain, sa tournée finie, et il était là, chez elle, la fenêtre ouverte, parfaitement heureux. Et de plus, sachant qu'il était parfaitement heureux. Il pouvait paresser dans ce lit, ou se lever et aller lire le journal dans son hamac. Béatrice avait installé en effet, dans le petit jardin qui prolongeait son rez-de-chaussée, deux hamacs et une table de fer qui semblaient aussi lugubres l'hiver que romantiques l'été. Édouard adorait cet endroit. Il pouvait aussi téléphoner à son ami Nicolas et aller déjeuner avec lui dehors, où on lui demanderait des nouvelles de Béatrice — car déjà, partout on lui demandait des nouvelles de Béatrice ce qui le comblait de joie — ou retrouver Kurt au théâtre, et assister à une de ces féroces et minutieuses séances dont le metteur en scène avait le secret. Il pouvait aussi travailler, mais là, mille liens le retenaient cloué au lit brusquement, comme un vieillard : la paresse, le doute, la peur, l'impuissance, l'humilité, le vertige ; il lui fallait passer à travers tous ces cerceaux enflammés, tel un chien de cirque, afin de rejoindre son héros, Frédéric. « Vous avez de la chance, vous écrivez ce que vous voulez, vous êtes libre. » Ah oui, certains jours, il la leur souhaitait, cette liberté ! Il était libre, oui, de recevoir des gifles, et données par lui-même quand ça ne marchait pas.

La femme de chambre de Béatrice, la douce Catherine, surnommée Cathy, bien entendu, entra. Elle avait un faible pour Édouard. Elle avait connu depuis dix ans tous les amants de Béatrice, et avait pris l'habitude de les juger avant tout sur leur courtoisie et leur générosité. La sensibilité évidente d'Édouard l'attendrissait, et lui faisant présager une rupture prochaine, lui donnait vis-à-vis de lui une attitude d'infirmière. Voir cette femme de soixante ans, tout habillée au pied de son lit, à midi passé, gêna Édouard. Il choisit donc le plus austère de ses projets : il irait voir Kurt et il lui parlerait un peu plus longuement de sa pièce. Voir le reflet de Frédéric se lever dans l'œil d'un autre, savoir que Frédéric existait déjà en dehors de lui, que ce n'était pas seulement un phantasme, le rassurerait et l'aiderait à continuer. Et à part Kurt il n'y avait personne à qui il puisse en parler ; il sentait bien que Béatrice ne comprendrait rien à Frédéric, qu'elle n'était pas de la même espèce, de la même complexion ; et il s'en désolait comme s'il eût dû présenter l'un à l'autre une maîtresse adorée et un frère hostile. Il sentait que Frédéric ne plairait pas à Béatrice, et chose plus curieuse, il n'était pas sûr que Béatrice plaise à Frédéric. L'éventualité d'une rencontre, entre eux deux, dans le petit salon, par exemple, le glaçait d'horreur et de gêne. Il se rendit compte qu'il délirait, se mit à rire tout seul et se leva.

La salle était petite, sombre, et sur le plateau nu, deux acteurs hirsutes attendaient visiblement quelque chose. Assis dans l'ombre, au premier rang, Kurt van Erck semblait attendre aussi. Édouard posa la main sur son épaule et s'assit près de lui, sans un mot Il connaissait cette technique de Kurt : le silence. Laisser réfléchir les acteurs et les laisser penser. Par moments, d'ailleurs, Édouard avait l'impression que certains comédiens profitaient de ces pauses pour penser à autre chose, et même, sacrilège, que Kurt en faisait autant. Néanmoins, il savait qu'il était inconvenant de troubler ce silence, et son arrivée lui avait déjà semblé gênante. Kurt faisait répéter une pièce d'un auteur tchèque assez hermétique, pièce qu'Édouard avait lue et relue avec difficulté, bien qu'il y trouvât une certaine beauté, et il était curieux de voir ce que Kurt saurait en faire. «Ce que tu ne comprends pas, ce que tu ne vois pas, avait coutume de dire Kurt, c'est à moi de le montrer. Ce qu'il y a entre les lignes, c'est ce qui m'importe.» Édouard avait tendance à penser que c'étaient les lignes elles-mêmes qui importaient mais il savait que c'était là une notion un peu primaire, on le lui avait expliqué assez souvent.

Au demeurant, il s'en moquait. Du moment que ses propres mots étaient dits sur le ton qui lui convenait par des servants au physique approprié, il était content. Il lui semblait que tout reposait sur les comédiens, sur leur talent, et que celui du metteur en scène se bornait à leur préciser leurs rôles, à les faire entrer et sortir, et à les éclairer quand il le fallait. Mais de cela, naturellement, après une première explication des plus orageuses, il ne reparlait plus jamais à Kurt qui l'aurait traité d'égoïste, d'aveugle et de retardataire. (L'affection réelle qui les liait leur semblait d'ailleurs à tous deux incompréhensible.) Au bout de deux minutes, il s'ennuya franchement. Il faisait beau, dehors, si beau, la rue était si vivante, si gaie au soleil. Que faisait-il là, dans le noir, avec ces gens prostrés? Kurt dut le sentir car il se leva.

— Recommencez, dit-il.

Les deux comédiens reprirent leur place et la fille, une petite blonde à l'air las, se tourna lentement vers son partenaire.

— Où veux-tu aller? dit-elle, tu n'as pas de ticket, pour rien, tu n'as pas de ticket pour la vie, tu n'en as même pas pour l'autobus!...

Le jeune homme hirsute boudait visiblement.

— C'est vrai, je n'ai pas de ticket, je n'ai jamais eu de ticket, je suis un homme sans ticket...

— Attends!

La voix de Kurt était impérative.

— Attends, Jean-Jacques. Quand tu dis que tu n'as pas de ticket pour la vie, tu le dis pourquoi? Tu es schizophrène, tu crois, ou simplement velléitaire? Qu'en penses-tu? Et toi, Armanda, quand tu lui parles de son absence de ticket, c'est avec pitié ou avec reproche? Alors?

— Je n'en sais rien, dit la nommée Armanda, j'aimerais même bien que tu me le dises...

— Mais d'après toi? insista Kurt.

Elle regarda son partenaire, puis Kurt, et haussa les épaules d'un air d'impuissance.

— Bon, eh bien tâchez de réfléchir, reprit Kurt, relisez le texte, peut-être... Je reviens dans dix minutes.

Il emmena Édouard jusqu'au bistrot d'en face. Il grommelait :

— Tu entends ça ? On a fait dix lectures, je leur ai expliqué vingt fois ce qu'ils étaient, ça fait huit jours qu'on répète et tu les vois...

— La petite n'a pas l'air mal..., dit Édouard par pure gentillesse.

— Et toi ? interrompit Kurt, commençons par le plus important. Où en est ta pièce ?

Tout à coup, Édouard n'avait plus du tout envie de parler de Frédéric. Un rayon de soleil traversait le café, faisait mousser la bière blonde dans le bock d'un gros monsieur au comptoir, réveillait les commandes des flippers, semblait jouer avec tous les éléments luisants de ce café. Frédéric était bien au chaud, à l'ombre, dans sa tête. Frédéric n'avait besoin de personne d'autre que lui pour vivre. Une pulsation nouvelle gonfla, une seconde, le cœur d'Édouard, un sentiment d'orgueil, de propriété et de secret.

— Ça marche, dit-il, ça marche.

Et il leva la main d'un geste décidé qui, il le savait, interdisait à Kurt, selon les codes en vigueur, d'insister. Il y avait, Dieu merci, cette convention pompeuse et comique, nommée le mystère de la création, derrière laquelle le plus timide des auteurs, même lui, Édouard, pouvait se réfugier d'un air altier et pudique.

— Je n'insiste pas, dit Kurt. Bon, eh bien alors (et il réprima ou fit semblant de réprimer un léger bâillement) comment vont tes amours ?

— Bien, dit Édouard sur le même ton léger. Tout va bien.

— Si tu n'as rien à me dire, ni sur ton travail ni sur tes amours, de quoi veux-tu qu'on parle ? dit Kurt avec une intonation de reproche.

— Je suis passé te dire bonjour, dit Édouard innocemment, je ne voulais pas te déranger.

Il y eut un silence et les deux garçons se dévisagèrent. Édouard constata distraitement, une fois de plus, que Kurt avait les sourcils plantés très bas, la mâchoire forte, des yeux bleus et des mains carrées, « des mains de travailleur manuel » comme il aimait à dire. Et aussi qu'il semblait agacé :

— Je passais par là, reprit-il, et comme je n'avais rien à faire...

— Mais nous, nous répétions, dit Kurt.

— Bon, dit Édouard en se levant, excuse-moi.

Kurt l'attrapa par sa manche et l'obligea à se rasseoir.

— Écoute, dit-il, passe la main, OK ? Je suis content que tu sois venu. Il fallait que je te parle. (Et là, il prit un temps, un très long temps, comme dans ses mises en scène.) Ta Béatrice ne vaut rien. Comme actrice, elle passe ; mais pour toi, pour « toi » elle ne vaut rien.

— Mais..., dit Édouard interloqué, je sais ce que je fais.

— Non, dit Kurt, tu es un enfant et tu ne sais rien. D'ailleurs peux-tu me dire ce que tu as fait depuis trois mois ? Tu as écrit quelque chose ?

— Oui, une scène, dit Édouard, et j'ai pensé à la pièce, je t'assure.

— Tu y as pensé entre deux trains, j'imagine, entre deux rendez-vous. Tu y as pensé quand Mme Béatrice Valmont t'en a laissé le temps. Une pièce qui commençait si bien! Elle devrait être finie à l'heure actuelle, et à cause d'une bonne femme...

Édouard se raidit tout à coup. Il lui semblait que Kurt l'avait connu adolescent et qu'il ne voulait pas se rendre compte qu'il était, grâce à Béatrice, devenu adulte. Et surtout pour la première fois, Kurt lui parlait faux, et grossièrement : Édouard détestait que l'on parlât de «bonnes femmes» ou de «bons hommes ou de «types valables».

— Est-ce que tu sais ce que ça veut dire, travailler? reprit Kurt.

— Oui, dit Édouard tranquillement.

Et il se leva et sortit.

Dehors, il marcha à grands pas pour calmer sa colère, et instinctivement prit le chemin de «la maison». La maison où l'attendaient, pêle-mêle, les vêtements de Béatrice, son parfum, leur lit, leur hamac, et du papier blanc. Il ne laisserait personne s'interposer entre lui et ces choses-là. Néanmoins, il éprouvait une légère tristesse. Après tout, Kurt était bien l'un de ses meilleurs amis, avec... Avec qui d'autre, au fond? Il marchait dans la ville, cherchant à se rappeler le nom des quelques êtres humains dont il avait partagé le temps, les émotions, les idées, parfois le lit. Il cherchait à se rappeler un visage, une voix, un personnage, dans l'énorme comédie humaine de son passé. Mais il ne voyait plus que des figurants anonymes. Piéton ailé dans un désert surpeuplé, il brûlait tous les feux verts et tous les clous qu'il avait jadis respectés. La seule circulation dont il supporterait désormais les règlements était celle de son sang. Parce que oui, il savait ce que c'était que de travailler, il aurait pu le dire à Kurt. Oui, travailler, c'était autre chose que de faire ânonner par des souffre-douleur incompréhensifs un texte écrit par un autre. Oui, il savait, lui, ce que c'était que de travailler. Et dès qu'elle serait rentrée, il présenterait Frédéric à Béatrice.

CHAPITRE VIII

A PEINE arrivée, et après une brève étreinte, Béatrice s'était précipitée dehors et sillonnait les rues de Paris, affichant la frénésie d'une provinciale ou d'une exilée, alors qu'il n'y avait, en fait, que deux mois qu'elle était partie. Elle n'avait, disait-elle, plus rien à se mettre et Édouard devait donc choisir ou de rester dans son hamac un après-midi de plus, ou de la suivre dans ses achats. C'est ainsi qu'à cinq heures, fourbu, il se retrouva tassé sur un petit tabouret dans le salon d'un couturier, assistant au dixième essayage de Béatrice. Il se sentait de trop, démodé et un peu ridicule, il se faisait l'effet d'un vieux beau 1900. Béatrice le consultait parfois, d'un bref coup d'œil, sur le choix d'une de ses robes, mais constatant qu'à travers tous ces voiles, il n'y avait que sa peau nue qui fascinait Édouard, elle résolut de ne plus s'occuper de lui. Peu à peu, l'envie qu'elle avait de ces robes était devenue un véritable besoin comme toutes ses envies d'ailleurs — et elle s'énervait, ronchonnait contre des vendeuses débordées. A présent, elle surveillait, à ses genoux, une petite jeune fille rousse qui, d'abord un peu hautaine et sûre d'elle, s'était vite radoucie devant le ton impératif et les manières cassantes de sa cliente.

— Voilà quatre fois que vous me piquez! dit Béatrice, vous me prenez pour saint Sébastien, ou quoi?

A la grande consternation d'Édouard, et d'ailleurs à la grande stupeur de Béatrice, la jeune fille éclata en sanglots et sortit en trébuchant. La première vendeuse fut aussitôt là, visiblement contrite :

— Excusez Zoé, madame, dit-elle à Béatrice, cette chaleur... nous sommes très énervées, ici, en ce moment. Laissez, je vais finir l'essayage moi-même.

— Je vous attends au café, en face, dit Édouard.

Et il sortit. Il était furieux et bouleversé. Il ne supportait pas que l'on s'attaquât aux garçons de café ni aux vendeuses, ni aux maîtres d'hôtel, ni à tous les gens en somme qui ne pouvaient se défendre. Cela lui semblait le comble de la vulgarité. Aussi lorsque Béatrice entra, triomphante, dans ce café, et lui sourit en demandant un grand Gin Fizz d'une voix allègre, il se borna à répéter sa commande au garçon d'une voix plate, sans lever les yeux.

— Mon Dieu, dit Béatrice, quel après-midi! Cette robe orange est ravissante, tu ne trouves pas?... Qu'est-ce que tu as?

— Je pense à cette fille, dit Édouard, cette pauvre fille qui doit pleurer dans son atelier, en face. Tu as dû gâcher sa journée; et sa soirée.

— Elle voulait m'imposer une longueur qui ne me va pas, dit Béatrice. Crois-moi, elle a des clientes autrement dures que moi... Oh! et puis Édouard, je t'en prie, explique-toi.

Édouard se lança alors dans un discours confus et humanitaire (et qui se révélait peu à peu plus confus qu'humanitaire) sur le niveau social des gens, sur les rapports de force, sur la dignité d'autrui, etc. Béatrice l'écoutait sans mot dire, en tapotant simplement de temps en temps son verre avec sa bague. Son visage était froid et lorsque Édouard, dépassé par la pompe de son propre discours, se fut arrêté, elle leva vers lui un regard aimable, approbateur presque, qui lui fit peur.

— Tu as raison, dit-elle, j'ai sûrement été un peu trop dure avec cette petite. Je vais essayer d'arranger ça.

Depuis quelques minutes elle regardait l'avenue, et soudain, abandonnant son sac, elle se leva et la traversa d'un pas ferme. La maison de couture se vidait et Édouard, stupéfait, vit Béatrice cingler vers le groupe des employées, en attraper une (sa victime) par le bras, et engager avec elle une discussion souriante. Curieusement l'autre semblait nier quelque chose, se défendre, s'excuser presque, puis cédant tout à coup, elle suivit Béatrice qui la ramenait droit vers Édouard. Il se leva, au comble de la gêne.

— Mademoiselle, dit Béatrice, je vous présente Édouard Maligrasse. Édouard, voici Zoé à qui j'ai fait de la peine. Pour me prouver qu'elle ne m'en voulait pas, elle a accepté de dîner avec nous, ce soir.

— C'est-à-dire, dit la nommée Zoé (et elle jetait vers Béatrice des regards enchantés et confus), c'est-à-dire, je disais à madame que ce n'était pas de sa faute. J'ai des ennuis personnels, en ce moment, et cette chaleur...

— Buvez un peu de champagne, dit Béatrice gaiement. Nous sommes tous claqués, aujourd'hui. Moi-même, je rentre de tournée et je ne sais plus trop ce que je dis.

Édouard, hébété, la contemplait. Ainsi leur premier dîner à Paris après cette interminable tournée, ce dîner qu'il avait imaginé dans le jardin et dans la fraîcheur du soir, allait se dérouler avec une inconnue insignifiante, qui déjà se redressait et sur sa demande, appelait Béatrice par son prénom. Il aurait dû se lever et partir, mais il craignait que cette Zoé n'y vît un signe de snobisme, ou que plus tard, en toute bonne foi, Béatrice ne lui reprochât ses changements d'attitudes. Le dîner fut affreux. Les deux femmes parlèrent de couture, du cinéma et de ses gloires. Zoé s'enivra un peu, pouffa, s'exclama dix fois qu'on ne la croirait jamais — au sujet de ce dîner — et en partant, elle embrassa Béatrice sur les deux joues. Celle-ci avait été exquise pendant tout le dîner, gaie, drôle même, et son regard avait souvent croisé ouvertement, et sans ironie apparente, le regard exaspéré et triste de son amant. Il était dix heures et demie du soir. Ils étaient tous deux debout sur le trottoir, devant le restaurant, regardant disparaître vers le métro la silhouette de leur invitée.

— Charmante, non? dit Béatrice d'une voix gaie. Tu crois qu'elle est consolée?

Elle tourna vers Édouard un visage lisse, sincère, presque inquiet. Il la dévisagea dix bonnes secondes avant qu'elle n'éclate de rire et n'aille s'affaler sur un banc, à trois mètres de là. Elle riait tellement qu'il la comprenait à peine. Elle disait : « Ah mon Dieu! Ta tête, Édouard... si tu avais vu ta tête!... » et elle repartait de plus belle. Les passants se retournaient sur ce banc où sanglotait de rire une belle femme brune devant un jeune homme visiblement furieux. Finalement, elle déclara qu'il fallait arroser ça et Édouard, décidé à s'enivrer, la suivit dans une boîte de nuit.

Dans cette boîte de nuit, toujours la même, il y avait Nicolas, Tony d'Albret et d'autres. Béatrice, enchantée, se jeta dans leurs bras et entreprit aussitôt un récit, qui s'avéra désopilant, de leur dîner. Nicolas et Tony, à leur tour, s'étouffèrent de rire. Béatrice au demeurant esquissait d'Édouard un croquis aussi attendrissant que comique et dont il ne put se fâcher. En fait, il s'en rendait bien compte, ce qui le faisait souffrir dans cette histoire idiote, ce n'était pas le ridicule de son rôle mais bien plutôt son insignifiance. N'importe quel compagnon de Béatrice, sujet à des crises de sentimentalité ou des tendances faussement gauchistes, aurait pu remplir son rôle. Ce qui le faisait souffrir, c'est qu'il était l'amant de Béatrice, qu'elle était revenue du jour même et que, plutôt que de dîner en tête à tête avec lui, elle avait préféré lui infliger cette leçon ; et que de plus, tout le monde ici semblait trouver cela normal. « D'ailleurs, comme le disait Tony, en s'essuyant les yeux, avec Béatrice, on pouvait toujours s'attendre à tout. »

— En vérité, ajouta Béatrice triomphante, cette Zoé essayait vraiment de gâcher mon essayage, elle le « bâclait ». Tout ça parce qu'il était six heures ! Je n'aime pas les gens qui bâclent leur travail.

Et là, comme elle avait repris un ton sérieux, son auditoire hocha la tête avec empressement et dignité. Du coup, Édouard commanda une troisième vodka. C'était une boisson qui le rendait insouciant. Il savait que dans une demi-heure, il finirait comme eux, par rire, et comme eux, par se moquer d'un jeune homme niais, faussement apitoyé par les larmes d'une cousette. Et ce ne serait pas sans raison, car bien que ce soit lui qui ait souligné l'odieux de leur différence sociale, c'était néanmoins Béatrice, et elle seule, qui avait su l'oublier et la faire oublier à cette Zoé pendant tout le dîner. Elle avait laissé sa victime — si c'en était une — enchantée de sa soirée, alors que lui-même, Édouard le pitoyable, l'égalitaire, n'avait su que parler faux et faire la tête.

— En somme, insista Tony d'Albret, vous êtes un homme de gauche, non, vous, Édouard ? Ça ne m'étonne pas.

Elle souriait malicieusement, l'index tendu vers lui.

— Je ne fais pas de politique, mais je suis plutôt de gauche, effectivement, reconnut Édouard. En quoi cela ne vous étonne-t-il pas ?

— D'abord cette histoire d'essayage, dit Tony, et puis (et là, elle pouffa) vous ne m'en voudrez pas, mais je ne comprends rien à ce que vous écrivez, et généralement quand je ne comprends pas ce qu'écrit quelqu'un, c'est qu'il est de gauche.

Elle avait dû pas mal boire, elle aussi, et s'en rendit compte tout à coup. Et grâce à ce prodigieux instinct qui, au milieu d'un naufrage, lui aurait fait tendre la dernière bouée au passager le plus riche — fût-il un inconnu en pyjama de pilou — elle fit marche arrière : Édouard, après tout, était un auteur et, de gauche ou pas, les critiques étaient tellement farfelus à l'heure actuelle, qu'il avait une chance de réussir.

— Je vous dis ça comme ça, dit-elle en lui tapotant le bras, mais j'exagère. J'aime bien ce que vous faites, et maintenant on est assez bons amis, non ? Et puis on n'a pas fini de se voir, mon cher Édouard, avec cet oiseau-là...

Elle indiquait du menton Béatrice qui dansait, à présent, souriante, les yeux clos, dans les bras de Nicolas. Ils dansaient très bien ensemble.

— Un beau couple, hein ? dit Tony. Ne vous inquiétez pas pour eux, mon petit Édouard, c'est déjà fait. Et puis si vous avez des soucis, téléphonez-moi. S'il y a quelqu'un qui connaît Béatrice à Paris, c'est bien moi.

Il y eut une seconde de silence.

— Non merci, dit enfin Édouard.

Malgré sa vague ivresse, il était horrifié : d'abord de la proposition de Tony, puis du léger temps qu'il avait pris à la refuser. Sans doute Tony l'écœurait-elle, mais peut-être valait-il mieux se faire une amie de cette fausse Œnone ? Déjà il s'imaginait lui téléphonant à l'aube, la suppliant de lui fournir des pistes, des moyens pour retrouver une Béatrice enfuie. Déjà il se voyait happé dans un engrenage infernal, un Feydeau tragique où il serait le dindon, Tony, la confidente et Béatrice bien entendu, la féroce coquette.

— Comme au théâtre, dit-il à voix haute.

Le mot «théâtre» réveilla définitivement la conscience professionnelle de l'impresario.

— Comment avance votre pièce ? demanda Tony. Dites-moi, dites-moi tout, puisque nous sommes amis à présent. Y a-t-il un rôle pour Béatrice ?

Édouard la contempla, stupéfait, comme si elle était folle, puis il la comprit. Il était écrivain, Béatrice était actrice, et il l'aimait. Il se rendit compte que jamais, pas un instant il n'avait envisagé d'écrire un rôle pour elle. C'était une idée totalement incongrue, vulgaire, comme une sorte d'insulte à la gratuité de leur liaison. Son amour était une chose, son travail, une autre, et l'idée de les mélanger lui semblait, par sa logique même, une obscénité. Il se sentit presque coupable.

— Non... non..., balbutia-t-il, en fait, le principal rôle est masculin, et j'avais commencé cette pièce avant de...de...

A présent il se débattait, il s'excusait presque.

— Eh bien il faudra y penser, reprit Tony gaiement, pour une autre fois, en tout cas. Remarquez, en ce moment, nous sommes submergées de propositions. Béatrice ne vous a rien dit ?

— Non, dit Édouard surpris. Non, rien.

En effet, Béatrice ne lui avait rien dit. Béatrice ne lui parlait jamais de son métier, sinon en maugréant contre ses horaires ou ses obligations de presse. Dieu merci, elle semblait avoir sur ce sujet la même pudeur que lui.

— C'est curieux, constata Tony, elle ne pense qu'à ça, pourtant... Sauf quand elle est amoureuse, bien sûr, ajouta-t-elle obligeamment.

Mais cette seconde phrase, loin de rattraper la première, acheva d'accabler Édouard. Évidemment Béatrice ne pensait qu'à ça : son métier, c'était sûrement vrai ; et évidemment, elle n'avait pas assez confiance en lui pour lui en parler, et évidemment, de temps en temps, il lui arrivait d'être amoureuse ; avant lui, ç'avait été un autre, et après lui, qui se profilait déjà ? Il n'était pas le destin de Béatrice et elle était le sien. Cette certitude pourtant si remâchée par lui, durant des jours et des nuits, lui apparut soudain si éclatante, si définitive, qu'il eut envie de se lever et de fuir. Mais leurs amis continuaient à danser, les garçons à transporter les verres, Tony à marmonner, et il ne pouvait plus partir. Comme s'il fût monté en marche sur un manège bruyant, cahotant et désastreux dont il eût voulu descendre à tout prix — dont il savait même qu'il serait arraché un jour, et à l'improviste — mais sur lequel, aujourd'hui, la vitesse acquise et les lois physiques de la pesanteur le maintenaient cloué. Il redemanda à boire, et la nuit se déroula en projets mirifiques, et en théories confuses. C'est à quatre heures du matin qu'Édouard Maligrasse, qui ne buvait jamais, fut ramené ivre mort, chez elle, par sa belle maîtresse. Elle le déshabilla, l'embrassa sur le front et s'endormit, tout égayée, à son côté.

CHAPITRE IX

Dès onze heures du matin, le lendemain, Béatrice, fraîche comme une aquarelle et comme un défi, se balançait dans son hamac. Posé sur une chaise de jardin, et fort mal en point, Édouard essayait de ne pas la regarder.

— Que je me sens bien ! disait Béatrice. C'est affreux ! Dès que je fais la fête, je me sens très bien. Hélas, aujourd'hui, il faut que je travaille.

Le mot « travail » résonna comme un gong dans le cerveau endolori d'Édouard. Béatrice se mit à rire.

— Tu as l'air effondré, Édouard. On s'est bien amusés pourtant, non ?

Démaquillée, dans une robe de chambre d'été, un peu décoiffée, elle paraissait tout à coup très jeune et très gaie. Elle tapota le manuscrit qu'elle avait près d'elle.

— Regarde, dit-elle, c'est le nouveau script de Raoul Dantys. Il voudrait tourner ça en octobre. C'est un sujet lugubre mais intéressant. Tu ne voudrais pas le lire pour moi ?

— Si, bien sûr, dit Édouard. C'est un bon rôle ?

— En tout cas, c'est le grand rôle, dit Béatrice ; et comme tu sais, Raoul a l'argent qu'il faut pour le monter. En fait, je vais sûrement finir par le faire. Raoul a toujours de bons sujets, un peu gros mais efficaces. Et puis j'ai besoin d'argent. J'ai toujours besoin d'argent, d'ailleurs. Je ne sais pas ce que j'en fais... Et toi ?

— Oh moi, dit Édouard, j'ai mes droits d'auteur ; en Europe, ça ne marche pas mal. Il y a un Kurt qui s'en occupe pour moi.

— Tu devrais confier tout ça à Tony, dit Béatrice. C'est un vrai requin.

Édouard se mit à rire :

— Mais elle a dit, elle-même, qu'elle ne comprenait rien à ce que j'écrivais.

— Raison de plus, dit Béatrice, ça la vexerait, elle te vendrait deux fois plus cher. Tu écris en ce moment ?

Édouard sursauta :

— J'ai commencé un peu, dit-il, tu sais, ce que j'écrivais à Lille...

Il s'arrêta, cherchant ses mots. Il ne se sentait pas très brillant, ce matin, ni très sûr de lui. Il aurait aimé parler de sa pièce après l'amour, par exemple, dans le noir, lorsque sûr de lui-même en tant qu'amant, il se sentirait peut-être sûr de lui en tant qu'auteur. Mais là, dans ce soleil pâle, et avec ce goût de tabac froid dans la bouche... Béatrice tendit la main et lui caressa les cheveux, tendrement.

— Tu sais, dit-elle, si ça t'ennuie, ne m'en parle pas. Mais moi, j'aime bien ce que tu écris. Nous sommes aussi des amis, non, toi et moi ?

Elle avait une inflexion dans la voix, inquiète et douce, qui étonna Édouard. « Ah ! c'est vrai, se dit-il, c'est vrai qu'elle croit que je suis trop intelligent, trop intellectuel pour elle. » Bien sûr, elle l'avait plus ou moins couvert de ridicule, la veille, mais peut-être n'était-ce que pour se rassurer ? Les yeux sombres qui le regardaient n'avaient plus rien d'ironique, à présent. Ils étaient simplement attentifs et tendres, et un petit vent de bonheur ébouriffa Édouard. Il craignait tout d'elle, bien sûr, mais il y avait toute une partie de lui-même — et bizarrement une partie qui n'était pas sentimentale — qui lui faisait obscurément confiance. Elle le torturerait peut-être, un jour, mais elle ne lui « manquerait » — dans le vieux sens du terme — jamais. De cela, il en était sûr. Et même c'était sans doute à travers les souffrances qu'elle lui infligerait qu'il trouverait enfin la réponse aux questions, aux innombrables questions qu'il ne s'était jamais formulées, mais qui se bousculaient en lui depuis son enfance.

Elle lui sourit et il lui sembla qu'elle l'avait compris, qu'elle savait tout, déjà, de lui, d'elle-même, et de leurs rapports. Pour la première fois, il eut l'impression évidente et folle qu'ils étaient complices (comme après tout devraient l'être ceux qui essayent, séparément bien sûr, mais ensemble, d'échapper à leur solitude natale). Seulement cette complicité, ils ne pourraient jamais, l'un et l'autre, ni l'admettre, ni en faire état, ni s'y réfugier, car c'était une complicité contre nature, contre la nature même des liens entre les hommes, les femmes, les êtres aimants, les êtres aimés, les sujets et les objets ; c'était une complicité qui, en refusant tout rapport de force, rendait, de ce fait, leur amour, tel qu'il avait déjà existé une fois et tel qu'il existait encore maintenant, artificiel et faux. Et celui-là, cet amour aveugle et bancal, Édouard y tenait déjà énormément — comme certaines mères, dit-on, tiennent plus spécialement à leur enfant mongolien. C'était un bien étrange enfant, que cet amour qui, dès sa naissance, battu et rejeté par une mère indigne et un père désarmé, était finalement revenu, cinq ans plus tard, triomphal et sournois, s'installer chez eux. Et Édouard se demandait si d'eux trois, ce n'était pas cet enfant le plus vivant et le plus important, quoi qu'ils puissent faire, plus tard, pour le renier.

— J'aimerais bien te lire ce que j'écris, dit-il, mais je ne sais pas si ça te plaira.

— Ecoute, dit Béatrice, grimpe d'abord dans ce hamac, bois ton café chaud et respire doucement. Pas à fond, surtout, il ne faut jamais respirer à fond. Ni faire de la gymnastique tous les jours, ni éviter les graisses, ni se démaquiller soigneusement, ça vous tue en dix jours. Ou en dix ans, ce qui est pire.

Édouard s'étonna :

— Tu ne crois pas aux conseils des journaux ?

— Ah non ! dit Béatrice, et elle s'étira longuement, dédaigneusement. Il y a une catégorie de gens, bien sûr, qui ont besoin de ça, ce sont des gens à qui il faut des permissions et des interdictions toute leur vie. Par exemple, maintenant ils peuvent faire l'amour à six, mais ils ne doivent plus fumer. Dieu merci, il y a les autres, les gens comme toi et moi et la concierge en face, et mon chauffeur de taxi, hier, des gens gais, intelligents et libres... Je vais te dire, Édouard, j'aime bien les Français.

— Quelle est cette nouveauté ? dit Édouard, je croyais que tu t'en moquais. Des idées générales, veux-je dire.

— Tu ne sais rien de moi, dit Béatrice avec une voix de tendresse, tu ne sais rien de moi, tu m'aimes. Comment s'appelle ton héros ?

— Frédéric, dit Édouard. C'est un jeune homme un peu fou, qui vit dans une famille rangée. Un jour, il se retrouve l'héritier de la fortune et il oblige chaque membre de sa famille à jouer un rôle outré : sa mère doit devenir amoureuse de lui, son père doit le haïr, sa sœur, lui faire honte, etc. Peu à peu ils entrent si bien dans leur rôle qu'ils finissent par y croire et par le dépasser; et sa comédie tourne mal...

— Mais c'est une horrible histoire, dit Béatrice indignée. De quel droit veut-il changer les gens?

— Au départ, il voulait juste qu'on s'intéresse plus à lui, dit Édouard, comme tout le monde. Alors il leur met des masques. Mais quand ces masques deviennent vrais...

— Pardon, dit Béatrice, le téléphone...

Elle se précipita vers la maison « Avec soulagement », pensa Édouard. Décidément, il était bien incapable de raconter une histoire. Furieux contre lui-même, il ramassa le scénario de Béatrice et l'ouvrit.

« Je ne peux pas vivre, disait l'héroïne, une nommée Cléa. Sans ton amour, je ne sais plus respirer. Je marche dans les rues comme un automate et je ne vois plus la couleur du ciel. Il faut que tu m'aimes. Mon sang est le tien... »

D'abord écœuré, Édouard se mit à rire. Après tout, le style mis à part, c'était bien la même histoire que lui-même et ce Raoul ou son dialoguiste voulaient raconter. C'était la même supplication depuis toujours, la même terreur et la même exigence : ne me laisse pas seul! Ce n'était vraiment pas la peine de chercher ailleurs. Toute la littérature et toutes les musiques dérivaient de ce cri, avec leurs corollaires plus ou moins ridicules; comme par exemple, la jalousie qui le frappait brusquement à cet instant même : à qui Béatrice pouvait-elle bien parler si longuement? Pourquoi avait-elle bondi si vite de son hamac? (comme si elle eût attendu ce coup de téléphone). Et qui avait pu lui communiquer cette opinion si flatteuse des Français? — Opinion, qu'au demeurant, Édouard partageait. Et quand elle revint en disant que Tony d'Albret s'invitait pour déjeuner, Édouard, qui pourtant trouvait cette dernière de plus en plus haïssable, fut humilié de se sentir soulagé.

— Que vous êtes charmants! On dirait un dessin de Peynet!... s'écria Tony d'Albret. Ce jardin est un délice.

Le jardin était charmant et inattendu, en effet, à l'Alma, c'est-à-dire près de ces Champs-Élysées où se dispersaient quotidiennement les forces vives de Tony d'Albret. Elle posa une lourde serviette près d'elle et se laissa choir sur un fauteuil de jardin.

— ... C'est une vraie oasis ici, reprit-elle, Paris est tuant! Béatrice, ma chérie, Raoul est pendu à mon téléphone pour savoir si tu acceptes ou non. Tu as lu le scénario?

— Quand voulais-tu que je le lise? dit Béatrice. Nous nous sommes couchés à quatre heures, non?

— Quatre heures et demie, dit Tony. Et moi, j'étais debout à neuf heures. Vous allez mieux, Édouard? Vous étiez plutôt parti, hier soir, il m'a semblé... En attendant, je n'ai rien oublié de notre conversation.

Édouard rougit. Se pouvait-il qu'elle fît allusion à leur bref dialogue sur Béatrice, et devant celle-ci ? Il craignait tout, décidément, de cette femme. Elle était là, carrée, dans son petit tailleur de gabardine beige, les cheveux courts, l'œil vif, un rouge à lèvres transparent cernant sa bouche mince, les ongles bien polis, brillants, et à l'index, une affreuse et prétentieuse bague berbère qui soulignait la fébrilité maniaque de ses gestes. Dans cette petite forteresse d'astuces, d'ambitions et de lourd bon sens que représentait Tony, c'était la seule lézarde imaginable : celle de ses nerfs.

— J'ai rencontré Maddison, dit-elle d'une voix claironnante, Maddison lui-même ! Au Fouquet's.

Devant l'air incompréhensif d'Édouard, elle enchaîna :

— Ne me dites pas que vous ne connaissez pas E. P. Maddison ? Le dictateur de Broadway ! J'ai eu une idée géniale, Édouard, je l'ai envoyé voir votre pièce. Il y va même ce soir, car il avait sa soirée libre.

— Ça, ce n'est.pas mal, dit Béatrice admirative.

— C'est exactement le genre de théâtre qu'ils aiment, là-bas, actuellement, dit Tony — comme si elle eût évoqué une bizarrerie de mœurs des Papous —, moins ils comprennent, plus ça leur plaît. Je me suis permise de dire que j'étais votre agent. Comme Maddison me fait confiance, c'était plus sûr. D'ailleurs, quel est votre agent ?

— Je n'en ai pas, dit Édouard faiblement. C'est Kurt qui a lu ma pièce le premier, qui a trouvé le théâtre et qui s'est occupé de la faire jouer à Londres et à Stockholm.

— Vous n'avez pas d'agent ? dit Tony sur un ton d'incrédulité totale.

Édouard lui eût-il déclaré être aveugle de naissance ou promis à une mort prochaine, elle n'aurait pas semblé plus consternée. Béatrice se mit à rire.

— Édouard est un orphelin, dit-elle, il est tombé du ciel dans ce hamac, et c'est à peine s'il a bien voulu confier trois chemises à Cathy...

Il était vrai qu'Édouard, par un mélange de superstition et de délicatesse, n'avait pas encore installé le moindre costume ni la moindre robe de chambre chez Béatrice. Cela le contraignait à des navettes incessantes entre le petit studio fonctionnel et vide qu'il habitait auparavant, et la chambre bleue, sa seule vraie maison, lui semblait-il.

— Ne plaisante pas, dit Tony d'un air grave. Édouard, je ne veux pas m'imposer à vous, mais vous connaissez mes références ?

Édouard, qui ne connaissait rien du tout, hocha la tête avec gravité. Il commençait à avoir, lui aussi, envie de rire.

— Je crois qu'il n'y a pas sur la place de Paris, reprit Tony, quelqu'un qui puisse vous dire un mot contre moi. Je suis un peu brutale, c'est vrai, car je dis toujours ce que je pense, et parce que j'aime l'Art, tout bêtement. Seulement, avant tout, mes poulains sont mes amis.

Ça, il faut bien vous le mettre dans la tête, Édouard : si vous entrez chez moi, ce sera en tant qu'ami. Avant tout.

— Et après dix pour cent, ajouta paisiblement Béatrice.

Insensible, Tony balaya de la main ce détail oiseux.

— Ne parlons pas d'argent. Édouard n'est pas un homme d'argent, je l'ai toujours senti. Édouard est un artiste, ma chère…, dit-elle, d'un ton de reproche à Béatrice qui, imitant sa voix, enchaîna :

— … Et c'est à cet artiste que moi, Tony d'Albret, je vais assurer une vie matérielle grandiose et sans problèmes. Et c'est grâce à moi qu'il sera à même de se consacrer totalement à son Art. Tony d'Albret le flair et l'efficacité !…

Elle avait si exactement pris le ton de Tony qu'Édouard se mit à rire. Tony se leva et vint jusqu'au hamac :

— Serrez-moi la main, Édouard. Pour moi, cela vaut tous les contrats.

Édouard, hésitant, jeta un coup d'œil à Béatrice qui, là, éclata de rire ouvertement :

— Tu es inénarrable, Tony, dit-elle. Voici maintenant la franche poignée de main… J'aurai tout entendu ! Édouard, de grâce, serre-lui la main, qu'on puisse déboucher une bouteille de champagne !

Édouard s'exécuta et Tony alla se rasseoir dignement.

— Il faudra commencer par monter votre seconde pièce, dit-elle. Il faudrait que ce soit Woodward qui la monte, par exemple. Ce serait génial, Woodward.

— Mais…, dit Édouard faiblement, mais c'est la mise en scène de Kurt qu'on a utilisée à Londres. Kurt y était…

— Kurt, Kurt, dit Tony avec agacement, votre Kurt est un metteur en scène intellectuel et à la mode, Dieu sait pourquoi ! Les Américains connaissent autrement leur métier, je peux vous l'assurer… C'est bien vous qui avez écrit votre pièce, non ? Alors ? Vous n'avez rien signé avec Kurt ?

— Non, dit Édouard désespéré, mais enfin, c'est lui qui… qui m'a aidé au début et…

— De toute manière, coupa Tony, avec ou sans Kurt, votre pièce aurait été montée. Un talent comme le vôtre… mais si, mais si, Édouard, ne pouvait pas rester ignoré longtemps. Kurt a eu de la chance, croyez-moi. Pas vous, «lui». A partir de maintenant, je vais m'occuper de tout ça. Ah il était temps que j'arrive ! dit-elle.

Et comme pour souligner cette urgence, elle avala d'un trait la coupe de champagne que lui tendait Béatrice. Édouard avait un peu mal au cœur et nulle envie de champagne, mais néanmoins, par politesse, il se crut tenu de vider son verre.

— Il faudra que vous me donniez tous vos textes, reprenait Tony à présent lancée. Chez qui êtes-vous édité ?

— Il faudra que tu lui donnes tes textes et que tu les lui expliques, dit Béatrice à Édouard avec un petit sourire. Ou plutôt que tu lui fasses un résumé de l'action. Tu pourras nous faire des cours du soir, au clair de lune, ici. Nous apprendrons ensemble, Tony et moi, à déchiffrer les codes et les silences du théâtre moderne. Tu auras une petite classe bien sage et bien attentive.

Elle parlait avec une ironie un peu triste qui surprit Édouard. Il lui jeta un coup d'œil interrogateur.

— Il y a cinq ans, reprit Béatrice rêveusement, quand je t'ai connu, tu étais un chevreau. Tu étais... expert-comptable, non, ou dans les assurances ? Maintenant, mon pauvre chéri, entre ton talent et ceux de Tony, te voilà devenu un loup. Un auteur à succès, quoi.

— Tu as quelque chose contre le succès ? s'enquit Tony.

Il y avait un vague sarcasme dans sa voix, et le regard qu'elles échangèrent était chargé de mille choses mais en aucun cas d'amitié. Béatrice détourna les yeux la première.

— Non, dit-elle d'une voix ferme, je n'ai vraiment rien du tout contre le succès. Tiens, à propos, as-tu des nouvelles de notre ami Jolyet ?

Édouard sursauta. C'était le dernier nom qu'il eût voulu entendre. Jolyet était un homme de cinquante ans, séduisant, allègre, désinvolte, et qui, d'une certaine façon, par son intelligence et sa liberté d'esprit, aurait pu beaucoup plaire à Édouard, cinq ans plus tôt, lorsqu'il l'avait rencontré. Malheureusement, André Jolyet était propriétaire d'un théâtre, malheureusement Béatrice lui plaisait physiquement et malheureusement, il l'estimait douée en tant que comédienne ; il lui avait donc offert deux premiers rôles : l'un sur la scène de son théâtre, l'autre dans son lit. Édouard, qui alors vivait depuis deux mois avec Béatrice, avait été proprement jeté à la porte. Il n'avait jamais su — et cela avait empoisonné son chagrin — si Béatrice avait suivi Jolyet par pure ambition ou pour un autre attrait. Il n'avait pu imaginer la vérité qui était pourtant simple : Béatrice avait aimé Jolyet parce qu'il lui donnait l'occasion de réussir. Et elle l'avait aimé sincèrement pour cela, sans nulle mesquinerie, ni calcul sordide. Car enfin, on se laisse bien aller, parfois, à aimer des gens, alors que cet amour vous prive de tout : de votre intelligence, votre humour et votre courage. Pourquoi aussi bien ne se laisserait-on pas aller à aimer ceux dont l'amour, au contraire, vous permet d'utiliser cette intelligence, cet humour et ce courage ? De même qu'il n'est pas plus moral d'aimer qui vous fait souffrir que de se laisser aimer par qui vous fait plaisir, de même peut-on aimer sincèrement quelqu'un pour son argent si cet argent vous donne le temps de rêver à lui, de lui acheter des fleurs, de chercher à lui plaire.

Édouard, quand il avait connu Béatrice, n'était rien qu'une dévotion absolue et le reflet d'elle-même qu'elle recherchait alors. Or ce reflet, grâce à Jolyet, pouvait se transformer en réalité. Et Béatrice, sachant qu'il y avait actuellement mille beaux jeunes hommes à Paris prêts à s'amouracher d'elle mais un seul directeur de théâtre prêt à la lancer, Béatrice avait froidement dit à Édouard qu'elle ne l'aimait plus. Et c'était sans doute ce qu'il n'avait pu supporter. Si elle l'avait trompé avec Jolyet et si elle s'était donné la peine de lui mentir, de lui cacher sa nouvelle liaison, il aurait pu verser dans la jalousie, voire dans le mépris. Mais elle avait été honnête et c'était pire que tout. Elle lui avait dit : « Je ne vous aime plus », ce qui était vrai. Mais il y a des cas où la sincérité, bien que tous les amants la réclament toujours à cor et à cri, il y a des cas où la sincérité ressemble à du mépris. Grâce à la facilité, l'évidence et l'honnêteté de cette rupture, Édouard avait gardé le sentiment de n'avoir rien été pour cette femme, sinon une occasion sensuelle et encore, si peu ; il était alors très jeune et très maladroit.

Désormais il serait toujours, vis-à-vis d'elle, ce qu'il avait été pendant une heure, dans un café de l'avenue Montaigne, lorsqu'elle lui avait signifié son congé : un jeune homme tremblant, égaré, et qui trouvait ce congé aussi normal qu'atroce. Et bien qu'il n'y ait pas eu le moindre miroir sur cette terrasse, il lui semblait encore s'y voir, lui-même, misérable dans sa vieille veste de tweed grise. La mémoire peut être aussi menteuse que l'imagination, et aussi cruelle dans ses mensonges. En tout cas, jusqu'ici, le nom de Jolyet avait toujours été, comme par un accord tacite, soigneusement évité entre eux.

— Je l'ai croisé, hier, sur les Champs-Élysées, dit Tony, bien amaigri... Mais il sifflotait, il marchait au soleil, comme si de rien n'était.

— Comme si de rien n'était ? Qu'est-ce qui est ? demanda Béatrice.

— Tu ne sais pas ? On dit qu'il a un... enfin, une sorte de tumeur... tu me comprends ?

Tony avait baissé la voix, mais le chuchotement chez elle était si anormal qu'il faisait presque sursauter.

— Quoi ? Tu veux dire un cancer ? dit Béatrice. Exprime-toi clairement, Tony. Tes pudeurs, aussi, sont déplacées.

— Un cancer de la gorge, en plus, dit Tony. Mais il ne doit rien savoir puisqu'il se promenait en sifflotant. Il y a des grâces d'état...

— Pas pour Jolyet, dit Béatrice. Je suis sûre qu'il sait, tout. Il n'y a pas de grâce d'état pour lui, il a toujours été gracieux pour deux : la vie et lui. Et maintenant, la mort et lui.

Il y avait une sorte de chaleur, de tendresse dans sa voix qui émut Édouard au lieu de l'agacer. Il imaginait Jolyet marchant, suivi de souvenirs frivoles, à la rencontre d'une mort très réelle, il l'imaginait promenant un sourire résolu sous des marronniers qu'il ne verrait plus refleurir. Il regarda Béatrice : elle avait rejeté la tête en arrière.

— C'est joli, dit-il, ce que tu viens de dire. L'idée qu'on puisse être gracieux pour deux. Tu l'aimais beaucoup? Tu as de la peine? Elle se tourna vers lui et il vit qu'elle avait les yeux embués, liquides. Cela l'épouvanta. Non pas qu'il craignît la rivalité de ce moribond, ni même que cela ait réveillé chez lui une jalousie ancienne. Simplement, il avait peur de cette femme tendre, et sensible à la dignité d'autrui, il avait peur de cette inconnue compatissante, si éloignée de la statue barbare qu'il aimait. Mais elle le rassura très vite.

— Je pleurais sur moi-même, dit-elle, comme d'habitude. Ne t'inquiète pas.

CHAPITRE X

Dix jours passèrent, dix jours délicieux et semblables. Béatrice lisait son scénario, et elle s'occupait de ses plantes vertes avec une compétence qui dépassait Édouard, lui qui pourtant avait été élevé à la campagne. Elle ne voyait pratiquement personne. «Je n'ai pas d'amis, disait-elle à Édouard qui s'en étonnait. Je n'ai jamais eu envie d'avoir des amis, ni le temps. J'ai mon métier et mes amants. Cela me suffit amplement. Elle lui disait cela avec une sorte d'orgueil tranquille dont il ne savait s'il devait, ou pas, se féliciter. L'amitié était pour lui synonyme de constance, de confiance, et il semblait bien que c'était là deux termes qu'ignorait Béatrice. En revanche, cela lui permettait de rester seul avec elle. Elle écoutait des disques, se promenait en chantonnant, et de temps en temps, à n'importe quelle heure du jour ou de la nuit, elle lui disait : «Viens. Fais-moi l'amour», d'une voix impérieuse. Ils rentraient alors dans la chambre bleue, ils tiraient les volets pour en exclure le soleil, et ils s'aimaient. Il y avait un opéra qu'Édouard aimait spécialement, ce printemps-là, il en connaissait tous les élans, toutes les retenues, et il essayait toujours de faire arriver ensemble à leur paroxysme, les plaintes confondues de Béatrice et des violons. Le disque restait toujours posé sur le pick-up, et il le mettait en marche, d'un air distrait, presque chaque fois. Béatrice le remarquait mais ne disait rien. Elle avait d'étranges pudeurs et des impudeurs extravagantes. Parfois, lorsqu'il gisait en travers du lit, mort de soif et de fatigue, Édouard regardait les ombres du soir s'allonger dans le jardin, contemplait à contre-jour les silhouettes des hamacs et celle du vieil arbre. Cette image tranquille et naïve, ce décor incongru, déplacé, installé derrière les draps ravagés et la moquette jonchée de vêtements, lui rappelait des lambeaux de poèmes qu'il avait appris à l'école, ou vers ses dix-huit ans :
«Avec ses baisers et ses étreintes amies, c'était bien un ciel, un

sombre ciel où j'entrais, et où j'aurais aimé être laissée, pauvre, sourde, muette, aveugle...»

... Des phrases de Rimbaud et la voix tranquille de Béatrice au téléphone, derrière lui, cette voix posée, composée même, et qu'il avait entendue si décomposée et si peu posée, une demi-heure plus tôt. Sans se retourner, sans lâcher des yeux le jardin vert et les rideaux gonflés par le vent du soir, il tendait la main en arrière et rencontrait un flanc chaud et consentant. En même temps, dehors, les oiseaux féroces et tendres, faussement puérils, protestaient déjà contre la nuit qui les envahissait très vite, à présent. Les oiseaux semblaient l'avertir de quelque chose, ils lui disaient de faire bien attention, de bien regarder ces dessins de lumière, de bien s'imprégner de cette chaleur si proche, d'inscrire délibérément dans sa rétine, et à jamais, cette image précise : parce que c'était l'image du bonheur et qu'un jour, lorsqu'il ne serait plus, lorsqu'il ne l'aurait plus, ce serait aussi, pour lui, le souvenir même du bonheur, parfait puisque passé.

Il ignorait encore que la mémoire n'a pas de ces esthétismes, que la mémoire n'a pas bon goût, et que l'image, pour lui, du bonheur perdu, ce serait une image anonyme et sans intérêt évident : Béatrice se retournant vers lui, par exemple, avant d'entrer dans un taxi. On ne se rappelle jamais, quand quelqu'un ne vous aime plus, sa voix, avant, disant «Je t'aime»; on se rappelle sa voix disant «Il fait froid, ce soir» ou «Ton chandail est trop long». On ne se rappelle pas un visage bouleversé par le plaisir, on se rappelle un visage distrait, hésitant, sous la pluie. Comme si la mémoire était, tout autant que l'intelligence, délibérément insoumise aux mouvements du cœur.

Il arrivait parfois dans ces moments-là, soit qu'elle fût touchée par la grâce de l'instant, soit que la félicité d'Édouard fût contagieuse, que Béatrice se retournât vers lui et lui dise «Je t'aime». Il souriait alors, mais ne la croyait pas. Ces mots d'amour lui semblaient délicieux, certes, mais comme extraits d'une comédie démodée, ancienne, et qu'il aurait écrite cinq ans auparavant, un jour de folie. A la limite, Béatrice lui semblait jouer faux. Le fait qu'elle ne l'ait pas aimé une fois interdisait formellement qu'elle puisse l'aimer à présent. Il ignorait que l'on peut revenir sur ses indifférences aussi bien que sur ses amours. Il ignorait que le temps s'amuse à ces petits jeux bizarres, à ces retournements qui stupéfient toujours leurs témoins; et qu'on peut se retrouver, un soir, mort de désir, devant celui ou celle que l'on souhaitait au diable, dix ans plus tôt. Néanmoins, ces mots, comme elle les lui disait quand même très rarement, il éprouvait une sorte de bonheur désespéré à les écouter, à les lui faire répéter, voire à les lui faire jurer. Il se disait, «Ce n'est pas vrai», n'étant pas assez lucide pour se dire : «C'est trop tard.» Car alors, il eût dû s'expliquer à lui-même pourquoi c'était trop tard — après tout, il était là et il l'aimait! Mais à cela, il n'avait pas de réponse.

En attendant il travaillait, il travaillait beaucoup, et sa pièce commençait à résonner en lui, par moments, comme une chose ayant une existence propre. Un soir où il s'était senti spécialement inspiré et où il avait bu quelques portos avec Béatrice, dans le jardin, il essaya de lui en lire un passage. Naturellement, au lieu du premier acte, il voulut commencer par ce qu'il avait écrit dans l'après-midi, et qui lui semblait donc le plus brillant. Et Béatrice, introduite brutalement dans la compagnie de héros dont elle ignorait tout, ne put que s'embrouiller, s'énerver, et finalement s'ennuyer d'une manière ostensible. Édouard, dont la voix baissait à mesure qu'il se sentait délaissé, s'exaspéra d'un coup et dans un geste dramatique, se leva, déchira ses pages et les jeta aux pieds de Béatrice stupéfaite.

— Tu as raison, dit-il, tu as raison, ça ne vaut rien!

Il rentra dans la maison et se jeta sur le lit. Son premier souci, une fois la colère tombée, fut de reconstituer dans sa tête la scène qu'il venait de déchirer. Dieu merci, il se la rappelait pratiquement par cœur, et Dieu merci, il avait dû en garder un brouillon quelque part dans un tiroir. Il éprouva un sentiment de soulagement immense. Le principal était là: son texte. L'approbation de Béatrice lui semblait tout à coup secondaire. D'ailleurs, c'était bien sa faute: il n'aurait pas dû lui jeter à la tête la tirade de Frédéric contre sa mère sans lui expliquer le motif de cette tirade. Personne, même les critiques les plus partiaux, n'aurait apprécié la violence qu'il espérait y avoir mise. Seulement maintenant, il aurait à vaincre une réticence chez Béatrice, lorsqu'il essayerait à nouveau de lui lire sa pièce. A priori, par rapport à ce texte comme par rapport à lui-même, elle se méfierait de l'ennui. Est-ce qu'elle s'ennuyait avec lui? Édouard était lui-même si loin de la notion d'ennui, chaque instant lui paraissait si fragile et si intense, qu'il n'avait jamais songé à se demander ce que Béatrice qui, elle, tenait les rênes du Destin, pensait de leur solitude à deux. Peut-être le trouvait-elle un peu plat, fade, en dehors de l'amour, et peut-être cette impression de tendresse et de rire partagés n'existait-elle que pour lui. Il était bien possible, en effet, qu'elle s'ennuyât. Si un condamné à mort, ne s'ennuie jamais, peut-être le bourreau bâille-t-il, lui, avant de se décider.

Le bourreau rentra dans sa chambre, l'air grave, et s'assit au pied du lit. Elle avait la main cachée derrière son dos.

— Excuse-moi, dit Édouard, j'ai été ridicule.

— ... Mais très amusant, dit Béatrice: l'auteur vexé déchirant son manuscrit et le jetant à la tête d'un auditoire obtus. Je ne te savais pas si susceptible.

— Non, dit Édouard faiblement, c'est que j'ai compris que c'était mauvais en le lisant...

Béatrice le coupa :

— Ce n'est pas parce que c'était mauvais, mais c'est parce que tu lis très mal, mon pauvre Édouard. La prochaine fois, tu me donneras ta pièce à lire, toute seule. Tiens.

Elle ramena la main vers lui et lui tendit les feuillets reconstitués. Elle avait fait un savant puzzle avec du papier collant.

— Voilà ton œuvre, dit-elle. Je ne supporte pas qu'on détruise ce qu'on a fait, par colère. C'est précieux quelqu'un qui invente des gens, des idées. Tu n'as pas le droit de faire ce genre de gestes, et puis c'est ridicule.

Elle lui parlait comme à un enfant, et elle avait l'air triste, tout à coup, et un peu lasse. Édouard avait envie de s'excuser, de se plaindre et de la plaindre, mais il ne savait pas trop de quoi. Il se pencha et posa la tête sur l'épaule de Béatrice. Elle mit la main sur sa nuque et lui caressa les cheveux. Ils restaient immobiles, engourdis. Chacun d'eux savait que l'autre suivait des pensées différentes, chacun d'eux s'y résignait obscurément. Ils étaient l'un contre l'autre comme deux chevaux fatigués et pour une fois, le désir ne se levait pas entre eux, violent et précis comme une panique. Pour une fois, leurs deux corps se touchaient en dehors de toute sensualité, naissante ou repue. Enfin ils éprouvaient un sentiment semblable, mais ce n'était que la mélancolie.

Béatrice se secoua la première. Elle se leva, fit un pas vers le jardin et se retourna. Elle était debout, contre la porte-fenêtre, la lumière accusait les arêtes de son visage, le renflement de sa bouche, soulignait les lignes de son corps, et Édouard retrouva d'un coup son désir et sa méfiance. Les horloges se remirent à battre et ils ne furent plus des égaux, ils redevinrent des amants.

— J'ai invité Jolyet, à déjeuner demain, dit Béatrice. Si ça t'ennuie ou si ça te gêne, tu déjeunes dehors. Tu pourrais peut-être téléphoner à ton ami Kurt, non ?

Son ton était parfaitement désagréable. Pour la première fois, depuis dix jours.

— Que veux-tu dire ? demanda Édouard.

Il s'affolait tout à coup. Il avait eu tort de l'encombrer pendant dix jours, de la suivre, de la questionner. Il avait eu tort de vouloir lui lire sa pièce. Il avait eu tort de vouloir partager quoi que ce soit avec elle. Il avait dépassé la marge de sécurité. Elle ne le supportait plus.

— Je veux dire que tu es un peu léger avec ton ami Kurt, dit Béatrice. Tu devrais le prévenir d'abord, au sujet de Tony. En fait, tu lui joues un sale tour, non ?

Édouard sursauta.

— Mais tu as bien vu comment ça s'est passé! D'ailleurs rien n'est décidé, je n'y ai pas pensé une seconde...

— Tu n'as pensé à rien, dit Béatrice, je sais. Mais après, ne viens pas me faire de la morale sur mon absence de ménagement envers les autres. Quant à Jolyet, je tiens à l'égayer, demain, et je ne crois pas que la présence d'un jeune homme faisant la tête m'y aiderait beaucoup.

— Mais pourquoi ferais-je la tête? dit Édouard.

Il perdait pied, à présent. Le jour avait basculé et il n'arrivait pas à reconnaître dans cette silhouette, dure et méprisante et dans ce regard noir et presque minéral d'hostilité, la femme tendre et lasse qui, deux minutes plus tôt, lui caressait les cheveux en lui parlant de son métier.

— Oui, tu feras la tête parce que tu penseras que c'est pour lui que je t'ai quitté, il y a cinq ans : et tu remâcheras de tristes souvenirs en te plaignant beaucoup toi-même. Je me demande ce que tu as pu faire depuis cinq ans, Édouard. Tu ne vis que dans le passé. Moi, le passé m'ennuie. Je me souviens à peine de toi, à cette époque-là. Il me semble simplement que tu étais un peu plus maigre, et moins adroit dans un lit. Quand tu fais allusion à notre amour d'alors, j'ai l'impression que tu parles d'une autre personne. Tu étais un accident pour moi, Édouard, un vague accident. Mets-le-toi bien dans la tête.

— Je le savais, dit Édouard. Je le sais. Je n'ai jamais été qu'un accident. C'est le seul rôle possible pour moi, non?

Béatrice sourit.

— Je n'ai jamais eu que des accidents, mon petit Édouard, plus ou moins longs. Mais quoi que tu penses, leur longueur ne dépend pas toujours de moi.

— Tu t'ennuies avec moi, n'est-ce pas?

Édouard s'entendait parler avec une sorte d'horreur; comment pouvait-il poser des questions aussi directes et aussi dangereuses? Il s'était promis de se laisser glisser dans la vie, côte à côte avec Béatrice, de l'habituer à lui, de ne pas remettre leur histoire en question mais au contraire de la lui faire paraître inévitable et naturelle. Et si Béatrice lui répondait «Oui, je m'ennuie avec toi» que lui resterait-il à faire sinon partir et aller loin d'elle, ailleurs, vivre à petit feu comme on se meurt. Et il la savait capable de lui dire «Oui», d'une voix nette, il la savait capable de renier d'un coup, de rejeter ces deux derniers mois et toutes ces nuits d'amour et tous ces cris et tous ces soupirs, et de l'oublier une fois pour toutes.

— Si je m'ennuyais avec toi, dit Béatrice, je te quitterais. Actuellement, je te trouve un peu nerveux, mais pas ce qu'on appelle ennuyeux.

Elle se mit à rire, brusquement détendue.

— Il y a un très bon western à la télévision, dit-elle, ce soir. Ce doit être l'heure. Range tes petits papiers et ne les déchire plus. Je ne passerai pas ma vie à les recoller. J'ai toujours détesté recoller quoi que ce soit.

Édouard resta sur le lit, épuisé, comme quelqu'un qui vient d'échapper à un danger mortel. Il avait le sentiment d'avoir été roué de coups et d'évidences : Béatrice ne l'aimait pas, ne l'aimerait jamais et le quitterait, un jour. Elle était redevenue la cruelle étrangère d'autrefois, et il s'étonnait de sentir une sorte de plaisir se mêler à son désespoir.

CHAPITRE XI

— Tu deviens de plus en plus belle, dit Jolyet pensivement.

Il étendit le bras et balança légèrement le hamac de Béatrice. Il s'était installé dans un fauteuil, aux pieds de Béatrice ; Édouard s'était assis de l'autre côté et ils semblaient ainsi l'encadrer, le jeune homme et le mourant, comme une allégorie. Jolyet était comme toujours élégant, et vif et mince. Seulement ses yeux étaient devenus grands et plus troubles, et semblaient incrustés comme deux flaques bleues, curieusement égarées dans ce visage ironique. Ils avaient parlé théâtre, littérature, politique, et Jolyet s'était montré nonchalant et très gai. Parfois il toussait un peu, d'un air distrait, et Béatrice le regardait alors fixement, droit dans les yeux, mais il ne sourcillait pas. Édouard avait voulu se lever dès la fin du repas, avait cherché un prétexte, mais Jolyet lui avait dit d'une voix polie mais autoritaire, qu'il ne pouvait pas partir si vite et que cela lui faisait très plaisir, à lui, Jolyet, de le revoir.

— Vous avez embelli aussi, d'ailleurs, dit-il en se tournant vers Édouard. Vous aviez déjà du charme, il y a cinq ans, mais vous avez quelque chose de mieux, à présent. Vous savez, j'aime beaucoup vos pièces. La dernière, surtout, bien qu'elle soit un peu triste pour un homme de mon âge.

Il semblait très sincère et Édouard y fut sensible. On lui parlait rarement de ses pièces sans qu'il en soit gêné, mais il y avait dans le ton de Jolyet une approbation tranquille, une vraie complicité, celle d'un homme de métier discutant avec un autre. Béatrice, qui jusque-là les avait alternativement regardés et écoutés, s'étira et se leva de son hamac :

— Excusez-moi un instant, dit-elle, je dois téléphoner à Raoul. Je crois que je vais faire son film, finalement.

Elle les quitta et les deux hommes la regardèrent rentrer dans la maison. Le regard de Jolyet rencontra celui d'Édouard.

— Vous êtes toujours aussi amoureux, dit-il.

Il souriait affectueusement, et Édouard lui rendit son sourire sans aucun effort. A présent qu'ils étaient seuls, il distinguait mieux les petites rides sur le visage de Jolyet, aux commissures de la bouche, à l'angle des paupières, une série de petites attaques, de cicatrices qui ne semblaient pas dues à la vieillesse mais à quelque chose d'autre, peut-être à l'habitude, trop vite contractée, de souffrir en douce.

— Vous m'aviez beaucoup ému, à l'époque, reprit Jolyet. Ça ne vous gêne pas que je vous en parle?

— Non, dit Édouard. Au contraire.

— Vous m'aviez beaucoup ému parce que je vous croyais complètement désarmé. Si j'avais su que vous écriviez, je me serais fait moins de souci.

Il alluma une cigarette, toussa, regarda sa cigarette avec une sorte de colère détachée, et aspira une seconde bouffée avec un plaisir évident.

— J'étais quand même très malheureux, dit Édouard.

— Ah oui, admit Jolyet, et ça se voyait. Je disais à Béatrice de vous ménager, mais les ménagements ne sont pas son fort, comme vous le savez.

Il se mit à rire, toussa et soudain excédé, jeta sa cigarette par terre et l'écrasa du pied.

— C'est assommant, dit-il. Passe encore de mourir, mais ces petites disputes perpétuelles avec des mégots, c'est odieux...

Il jeta un rapide regard vers Édouard qui s'était immobilisé.

— Vous êtes au courant, naturellement, reprit Jolyet. J'imagine que Tony d'Albret, cette horreur, vous a mis au courant. Béatrice aimerait sûrement que je lui parle de ma mort prochaine, mais j'ai un vieux fond d'éducation provinciale qui m'interdit de parler de mes maladies devant les femmes. Et pourtant, elles aiment ça...

— Vous souffrez beaucoup? dit Édouard.

Jolyet hésita, regarda l'heure à sa montre, curieusement, et répondit :

— Pas encore. Et dès que ce sera vraiment désagréable, j'ai tout ce qu'il me faut chez moi pour en finir. D'ici un mois, je pense, ou deux. Vous savez, il ne faut pas en faire une histoire. D'ailleurs, d'une certaine manière, c'est assez amusant de se promener dans la ville et de regarder les gens, sans se sentir jamais concerné par rien. Si j'avais toujours vécu dans le futur — certaines personnes ne vivent bien que dans le passé — je serais sûrement désespéré, mais je n'ai jamais vécu que dans le présent. Ne parlons plus de tout ça. Et vous, êtes-vous heureux?

— Je ne sais pas, dit Édouard. Je ne me suis même pas posé la question. Je n'ai pas eu le temps.

Il avait très envie de se confier à Jolyet. Il lui semblait que c'était la seule personne à qui il puisse expliquer sa vie et à qui il ait envie de le faire, la seule personne peut-être, qui par son détachement même pourrait l'aider.

— De toute façon, continua-t-il, je sais que je suis malheureux sans elle.

— Béatrice est une femme très estimable, dit Jolyet, féroce mais estimable. J'ai vécu un an avec elle, vous savez. Cette pièce qu'elle a jouée chez moi l'a lancée, comme on dit, et pendant un an elle a cru en moi ou en ma chance, avec beaucoup de fidélité. Puis est arrivé un acteur anglais ou américain, je ne sais plus. Quand elle a essayé de se justifier, de me mentir, je lui ai dit qu'on ne devait jamais se défendre ni s'excuser auprès de qui que ce soit. Sinon auprès de quelqu'un que l'on fait souffrir. Et que comme je ne pouvais pas souffrir par elle...

— C'était vrai? demanda Édouard.

— A moitié... En tout cas, nous nous sommes quittés bons amis, ce qui est un tour de force avec Béatrice. Elle aime bien laisser des ruines fumantes derrière elle. Je suis content de voir que vous avez resurgi de ces ruines.

Il s'était levé et il marchait nonchalamment dans le jardin. Il s'appuya contre l'arbre et y frotta sa joue, un instant, d'un geste animal et très doux, déjà nostalgique, comme s'il était tombé par hasard sur un air oublié. Il se détacha de l'arbre, lui jeta un coup d'œil et revint s'asseoir en face d'Édouard qui le suivait des yeux, fasciné. Il retira un peu d'écorce du revers de sa veste, et Édouard remarqua la longueur, la minceur et la beauté de sa main. Il était l'un des rares directeurs de théâtre à Paris qui ait gardé une réputation d'esthète plus que de commerçant.

— Vous devriez faire attention, dit Jolyet, aux personnages secondaires dans vos pièces. Le personnage de Pénélope, par exemple, dans la dernière, aurait pu être superbe si vous l'aviez développé... Mais c'est un détail. Vous êtes un vrai écrivain, Édouard. Je suis ravi d'avoir pu vous le dire. Et si ça peut vous rassurer...

— On n'est jamais rassuré sur ce qu'on fait, dit Édouard.

— Je ne parle pas de cela, dit Jolyet. Je veux dire que vous, vous n'avez pas grand-chose à craindre tant que vous écrirez. Les écrivains, enfin les gens qui créent quelque chose, savent très bien régenter leur cœur et leur corps. Ils nourrissent l'un et l'autre, dès qu'ils écrivent, avec la même désinvolture. Leurs appétits, aussi violents soient-ils, deviennent secondaires et le bonheur sentimental n'est plus, pour eux, qu'une nécessité presque fastidieuse. S'ils se trompent et s'ils en souffrent, c'est finalement presque allégrement, puisque de toute manière, ils ne peuvent pas se tromper. Vraiment, veux-je dire.

— Je ne le crois pas, dit Édouard. (Il se sentait plus piqué que rassuré.) Si Béatrice me quittait, je serais incapable d'écrire.

— Combien de temps? demanda Jolyet.

Il se releva, vint jusqu'à Édouard et le contempla.

— Vous devez me trouver bien agité ou bien solennel. En fait, je suis agité parce que j'aime bien sentir bouger les muscles de mes jambes. J'étais un grand piéton, ou un vieux marcheur, comme vous préférez... Et puis, après tout, si vous me trouvez solennel, ce n'est pas grave puisque je me moque complètement de votre jugement; malgré toute l'amitié que je vous porte, ajouta-t-il avec un petit sourire.

Et le charme, le fameux charme de Jolyet reparut un instant, éclaira les yeux bleus, rosit la peau et lissa le visage.

— Je vais voir Béatrice, dit Jolyet, elle doit m'attendre. D'ailleurs, comme je me sens de bonne humeur, je vais peut-être me laisser aller, pour lui faire plaisir, à sangloter sur son épaule. Ça lui fera un bon souvenir. Plus tard, elle dira que sous mes dehors désinvoltes, j'étais un homme très humain et que, d'ailleurs, j'ai pleuré contre sa joue exactement un mois ou deux avant que... etc.

Il éclata de rire, tapota l'épaule d'Édouard et rentra dans la maison. Édouard le regarda s'éloigner avec un curieux désespoir. Il aurait donné son bras droit, à cet instant-là, pour que cet homme qu'il avait tant haï vive un an de plus. Il lui semblait que dans cette espèce de cercle, à la fois brillant et écœurant où l'entraînait le succès, Jolyet restait le seul chevalier de l'élégance et d'une certaine passion pour cet « Art » qu'évoquait si complaisamment Tony d'Albret. Il savait qu'il perdait un ami à l'instant même où il le trouvait. Il savait aussi que Jolyet avait raison pour le rôle de Pénélope. Et que s'il ne lui mentait pas, ou plutôt ne mentait plus, c'est qu'il n'en avait plus le temps.

Quand Béatrice revint, une heure après, elle avait les yeux rouges. D'une manière inhabituelle, elle vint s'asseoir sur le bras de son fauteuil et se cacha la tête contre l'épaule d'Édouard. Elle ne lui dit rien et il s'abstint de toute question. Simplement, plus tard dans la nuit, elle lui demanda d'une voix douce et presque suppliante qu'il ne lui connaissait pas, s'il voulait bien venir avec elle passer quelques jours au soleil, dans la villa du Midi, où Jolyet partait se reposer, la semaine suivante.

— Bien sûr..., dit Édouard.

Il embrassait doucement les yeux, la joue, le front de Béatrice comme on embrasse un enfant malheureux.

— ... Bien sûr, nous irons, bien sûr...

Et pour la première fois, il se sentit plus fort qu'elle, plus mûr, pour la première fois, il eut vaguement l'impression qu'elle avait besoin de lui, et un bonheur sans faille, sans réticence et pour une fois, sans crainte, le déborda, lui mit les larmes aux yeux.

— D'ailleurs, continuait la voix de Béatrice à côté de lui, ce ne serait pas mal d'être un peu bronzé...

Quinze jours plus tard, Édouard était appuyé contre une balustrade, un peu au-dessus de la mer. Bien plus loin, un voilier remontait le vent, et sur ce voilier Édouard distinguait, grâce aux puissantes jumelles découvertes dans la villa de Jolyet, le profil de Béatrice et celui d'un très jeune homme qui lui embrassait la bouche. Elle avait croisé les mains sur la nuque bronzée, elle souriait ; son corps était doré, harmonieux, ses cheveux soulevés par le vent, elle était belle. A présent, le jeune homme abandonnait sa bouche, se penchait sur ses seins. Les jumelles glissèrent des mains moites d'Édouard et il les redressa fébrilement. A dix mètres derrière lui, Jolyet, vêtu de coutil blanc, une cigarette éteinte au bout des doigts, le regardait. Il semblait voir, lui aussi, dans ces jumelles, et il souriait tristement. La mer tressautait au bout des jumelles d'Édouard, elle semblait devenir floue et écumeuse, elle semblait vide. Quand brusquement il la retrouva, Béatrice ne souriait plus ; le buste renversé, elle fermait les yeux et la tête du jeune homme avait disparu du plat-bord. Et Édouard vit Béatrice se rejeter tout à coup en arrière, il vit sa bouche s'ouvrir. Dans un dernier et dérisoire réflexe, il se boucha les oreilles. Les jumelles s'écrasèrent sur les rochers, en contrebas. Quand il se retourna, il n'y avait personne derrière lui, rien que des mimosas fanés, un patio prétentieux, désert, mais où il lui semblait voir, déjà dressée pour lui contre un pilier, telle une reine de tragédie vaudevillesque, la grotesque et terrifiante image de la jalousie.

CHAPITRE XII

— Vous ne reprenez pas un peu de soufflé, Édouard ? demanda Jolyet. Édouard ne répondit pas. Béatrice lui jeta un coup d'œil intrigué, puis sourit. Elle s'amusait. « Quelle drôle d'idée d'avoir embarqué seule sur le bateau de ce Gino. » Il y avait longtemps, bien sûr, qu'elle n'avait vu un si bel animal, si hardi et si naturel dans sa hardiesse. Elle avait d'abord protesté, et puis la brûlure du soleil, le balancement de la houle, la fraîcheur de cette bouche, tous ces plaisirs distincts s'étaient tout à coup rejoints et additionnés pour former un total irrésistible et brutal, celui du désir. Et devant cette évidence imprévue, son corps, tel un mathématicien surpris mais honnête, s'était incliné — comme toujours — avec une tranquille obéissance, obéissance dont elle n'éprouvait nulle honte. Au contraire, elle ressentait une sorte d'orgueil à retrouver intacts l'indépendance et les appétits de ce corps indressable. Elle avait toujours eu de sa propre sensualité une image triomphante et tranquille, car elle s'était toujours avoué ses désirs et les avait, presque chaque fois, assouvis. Les goûts sexuels ne lui semblaient condamnables que lorsqu'ils étaient sectaires, et les phantasmes, les secrets, les hontes et les exhibitionnismes qui ravageaient ses malheureux contemporains lui étaient étrangers. Elle trouvait finalement aussi ridicule cette époque qui déclarait le plaisir obligatoire, que celle qui, dix ans plus tôt, l'interdisait. Et ce soir, curieusement rassurée, elle se sentait bien dans sa peau, comme si, par cette trahison, son corps lui eût prouvé qu'il pouvait, vis-à-vis d'Édouard, la protéger d'elle-même.

Rentrée fort tard, elle avait trouvé ses deux hommes sur la terrasse, contemplant la mer sans mot dire, au lieu de discuter théâtre et littérature, comme ils en avaient pris l'habitude depuis une semaine. Béatrice commençait tout juste à s'ennuyer, lorsqu'ils avaient rencontré Gino, accompagné de sa mère, une ex-maîtresse de Jolyet. Et ce n'était pas de la faute de Béatrice si Édouard n'aimait pas la mer, ni si ce total s'était fait d'une manière si éclatante et si discrète « Édouard n'a aucune raison de faire la tête », pensait-elle, et elle sourit à Jolyet qui s'évertuait à soutenir la conversation. Elle lui fit même un coup d'œil complice, qu'à sa grande surprise, il ne lui rendit pas.

— Qu'avez-vous fait tous les deux, cet après-midi ? s'enquit-elle Édouard gardait les yeux baissés. Jolyet toussota.

— Moi, ma chère, j'étais fatigué, je suis resté dans ma chambre et j'ai lu. Édouard en a fait autant, je crois.

— Vous auriez dû venir, dit Béatrice. C'était très beau cette promenade en mer. Le petit Gino nous a emmenés jusqu'au Cap-Martin. Nous sommes même passés devant la maison.

— Qui ça, « nous » ? demanda Édouard.

— Lui et moi, dit Béatrice paisiblement. Finalement sa mère n'a pas voulu venir. C'est un gentil garçon, ajouta-t-elle, très bien élevé.

Jolyet repoussa son assiette et se leva.

— Vous m'excuserez, dit-il, je suis vraiment très fatigué, ce soir ; je vais me coucher.

Depuis huit jours qu'il était là, c'était la première fois qu'il avouait sa lassitude et Béatrice s'en inquiéta. Il avait été si charmant, si gai, si peu concerné apparemment par son état, que cette défaillance subite sonnait comme un rappel.

— Vous ne vous sentez pas bien ? demanda-t-elle.

Mais déjà debout, il la rassurait, lui baisait la main, tapotait l'épaule d'Édouard et se dirigeait vers l'escalier. Elle le suivit des yeux, se tourna vers Édouard qui semblait pétrifié.

— Il m'inquiète, dit-elle. Et toi, qu'as-tu ? ajouta-t-elle avec agacement.

Édouard leva les yeux un instant, puis les baissa. Il avait une difficulté affreuse, presque mécanique, à ouvrir la bouche :

— Jolyet a de belles jumelles de marine, dit-il d'une voix plate. J'ai voulu les essayer, tout à l'heure et je suis tombé sur ton bateau, par hasard...

Il y eut un instant de silence. Il promenait la fourchette sur la nappe, il ne la voyait pas et ses oreilles bourdonnaient.

— Ah, dit Béatrice, d'une voix rêveuse, quel mauvais hasard...

Édouard resta interdit, un instant. Il s'était attendu à tout sauf à ce calme. Depuis trois heures, il attendait cette scène comme on attend l'éclat des cymbales dans une partition, et c'était un basson paisible qui les remplaçait.

— Il fait bien l'amour, ce Gino ? demanda-t-il.

Béatrice alluma une cigarette posément, cinématographiquement, avant de lui répondre :

— Pas mal... Moins bien que toi, mais pas mal.

Elle fixait Édouard qui ne pouvait que fermer les yeux, car cette bouche tranquille, il la voyait encore s'ouvrir sous le plaisir. Il lui semblait que sur ce visage impassible de Béatrice, il verrait toujours se superposer, dans le médaillon des jumelles, un visage comblé. Sur le visage présent, très évidemment, il n'y avait pas l'ombre d'un remords ni d'une crainte. La tension infernale à laquelle il avait été soumis depuis six heures s'effondrait devant cette évidence : il ne lui servirait à rien de la battre, ni de crier, ni de supplier. Il n'avait qu'une seule chose à faire : la quitter ; et de cela il en était incapable, et elle le savait aussi bien que lui.

Béatrice se leva et avant d'arriver à la porte se retourna :

— Tu sais, dit-elle, ce n'est pas si grave — et sa voix était indulgente et tendre, comme si c'était elle qui lui pardonnait — Ne te torture pas trop, Édouard. Enivre-toi et va dormir dans la chambre d'à côté. Tu n'as que ça à faire.

— Mais tu ne comprends pas ! cria Édouard.

Et il se leva à son tour, presque implorant. Absurdement, désespérément, il voulait qu'elle le comprenne voire même qu'elle le console.

— ... Tu ne comprends pas, je vous ai vus, comme je te vois, là ! Et juste au moment où...

Béatrice hocha la tête, comme sincèrement frappée.

— Ça doit être terrible. Vraiment... je suis navrée, Édouard.

Elle semblait évaluer le malheur ou le chagrin d'un ami très proche (et même s'en désoler), mais en aucun cas s'en sentir responsable. Édouard, qui avait mis la main devant ses yeux, s'en rendit enfin compte et s'en indigna :

— Alors pourquoi ?... cria-t-il.

Il s'arrêta net : Béatrice était sortie de la pièce. Elle allait gravir l'escalier, se démaquiller, se déshabiller et s'endormir, le bras sur la nuque, ennuyée et intacte. Mais lui, Édouard, était seul dans le grand salon, et il regardait avec haine les meubles légers, le pick-up où repassait le même disque, et la bouteille d'alcool qu'il vidait sur les conseils de Béatrice Il ne comprenait plus rien à sa douleur. Cela avait été sur le coup, une douleur physique, mais à présent c'était devenu une douleur morale, presque intellectuelle. Dans ce récit minutieux et serré qu'il écrivait dans sa tête, tous les jours — le récit de sa passion pour Béatrice —, ce dernier gros plan, indécent et terrible, lui semblait une sorte d'erreur grossière ; comme si entre deux chapitres intelligents d'un écrivain du XIXe siècle, un éditeur fou furieux eût brusquement décidé d'intercaler trois pages de bandes dessinées.

En plus, ce gros plan, cette image ne lui répugnait pas. Elle rendait même Béatrice plus exotique, plus perverse et plus désirable que jamais, car quoi qu'elle en fasse, son corps était à lui ; « elle lui en avait fait cadeau », et ce cadeau était irrémédiable. Il n'était même pas question qu'on le privât de ce corps familier, tiède et généreux fait pour lui de toute éternité. Il n'y aurait jamais que lui pour le chérir à ce point, et ce corps le savait, même si la tête folle de sa propriétaire plus haut tentait de l'oublier. Quand elle dormait — et peut-être, même en ses rêves, le trompait-elle — il voyait bien, lui qui restait souvent éveillé dans le noir, il voyait bien ce corps, tel un cheval fidèle, se rapprocher du sien. Il voyait ces cuisses qui, le jour, s'ouvraient sans doute devant d'autres, rechercher les siennes. Il voyait cette main alanguie qui, le jour, faisait sans doute signe à des inconnus, il la voyait chercher son front, son torse, machinalement, comme en cachette de la tête noire, aveugle et solitaire, là, sur l'oreiller. Et d'ailleurs, s'il se penchait sur ce visage cruel, s'il posait doucement sa bouche sur cette bouche inerte, il la sentait s'éveiller et accepter la sienne aussitôt, bien avant que Béatrice, consciente, ne l'ait, elle, reconnue. Ce corps, ce corps féminin et nu, ne lui avait pas été prêté, il lui avait été rendu.

Trois heures sonnèrent et bien sûr, il titubait, mais l'alcool n'était pour rien dans l'élan qui le fit monter l'escalier, traverser la chambre de Béatrice et se jeter sur son lit. Dans le noir, à travers la couverture, il reconnaissait cette femme qui était son bien, sa vertu, sa force, son unique amour, et il le lui disait, il l'adulait et il l'insultait, il s'embrouillait. Il s'endormit ainsi, mais Béatrice, qui n'avait pas bronché sous ce délire de mots, eut, elle, bien plus de mal à se rendormir.

Béatrice et Jolyet prenaient leur petit déjeuner en parlant à voix basse inconsciemment. Édouard, en effet, gisait un peu plus loin, les yeux clos, immobile, comme un convalescent.

— C'est étrange, commentait Jolyet, je le voyais de dos, hier, te regarder, et j'avais l'impression de voir en même temps que lui dans ces maudites jumelles. J'aurais été gêné qu'il se retourne. Le pauvre garçon...

— Il n'est pas si à plaindre, dit Béatrice. Vous l'auriez entendu, cette nuit... Il parlait de moi, d'un tel ton de propriétaire, d'une façon si bizarre, comme à mon double ! Cela me faisait peur...

— Tu es forcément double, à ses yeux, dit Jolyet, puisque tu es la femme qu'il aime, actuellement, et que tu es aussi, en puissance, le personnage qu'il décrira un jour.

— Vous voulez dire qu'il se servirait de moi?

Béatrice semblait tout à fait horrifiée.

— Naturellement, dit Jolyet, même s'il ne le sait pas. Depuis cinq ans que tu l'as quitté, les héros de ses pièces sont, presque toujours, des hommes abandonnés. Je me demande ce que seront les prochains... Bafoués? Masochistes?

— Pourquoi pas des hommes heureux? demanda Béatrice d'une voix sévère.

— Parce que les gens heureux n'ont jamais été des bons héros pour un romancier, dit Jolyet. Quoi que tu penses, le bonheur est la dernière chose qu'Édouard recherche avec toi. Enfin, pour le moment, il t'aime, comme on dit, aveuglément.

— J'ai toujours été aimée aveuglément, dit Béatrice, avec amertume mais c'était par de faux aveugles : c'était par des hommes qui n'aimaient que mes défauts.

— C'est une nuance très juste, dit Jolyet. Mais peut-être tes défauts sont-ils plus excitants que tes qualités? Ou peut-être permettent-ils plus de rêver, même à quelqu'un comme Édouard?...

Béatrice prit sa tasse de thé, la porta à ses lèvres puis la reposa brusquement.

— Écoutez André, dit-elle, je vous ai toujours dit la vérité — enfin à peu près. Vous savez très bien que je ne me sens libre de moi-même que sur un plateau de vingt mètres sur dix, et que je ne me sens sincère qu'en disant le texte d'un autre. Et Édouard est comme moi : il n'est sincère que dans la fiction.

— Il y a une grande différence, dit Jolyet, c'est que toi, en jouant, tu cherches à t'oublier. Alors que lui, Édouard, en écrivant, il cherche à se trouver. De plus, toi, de même que les musiciens qui entendent leurs accords ou les peintres qui voient leurs couleurs, tu as des échos, des preuves immédiates de ton talent : les silences de la salle et ses bravos, tu as des plaisirs immédiats et physiques, sensuels même, qu'un écrivain n'a jamais. Sauf parfois, à l'aube, quand il a l'impression de découvrir ce qu'il savait déjà, mais c'est un plaisir abstrait et inconnu des autres. Vois-tu, je n'ai pas peur pour Édouard, j'ai peur pour toi. J'ai peur que tu ne finisses par jouer ses textes à lui.

Et comme elle ébauchait un geste de dénégation, il se mit à rire et enchaîna :

— Dieu merci, ce sont tes défauts qui te protégeront le mieux : ton ambition forcenée, ton goût des hommes, ton goût de tromper. Cramponne-toi bien à ces deux vices, quoi que j'aie pu te conseiller jusqu'ici. Ce sont ou ce peut être des vertus. Les meilleures victimes font les pires bourreaux, ajouta-t-il en désignant du menton Édouard qui se levait et venait vers eux.

Il se sentait physiquement abruti par le soleil et moralement meurtri par ses souvenirs de la veille. Il n'arrivait pas à établir le moindre rapport entre cette soirée de supplice, et la femme brune, le gentleman paisible qui croquaient des biscottes sous un parasol. (Il ne se rappelait même pas le visage de Gino.) Il aurait voulu s'asseoir à leurs pieds, écouter de la musique, le front appuyé sur les genoux de Béatrice, et mourir là, mille ans plus tard, sans que rien d'autre ne se passe. Mais ils allaient revenir à Paris, retrouver la ville, les studios, les plateaux, les autres, et d'autres Gino sans doute. L'été prochain, il n'y aurait plus les yeux pervenche de Jolyet pour dévisager la mer, mais ils seraient là, ensemble, Béatrice et lui, de plus en plus inséparables ; et elle n'y pourrait rien. Sa trahison de la veille lui semblait tout à coup rassurante : elle avait pu le tromper, il avait pu l'accepter, et que cela se résolve ainsi signifiait que ce n'était pas de là que pouvait naître l'irréparable. Il refusait de s'avouer que ce n'était pas de son acceptation, à lui, qu'il avait douté. Non, ce dont il avait douté, c'était qu'elle supportât cette acceptation. Il y a des femmes ainsi qui trompent leurs hommes, gaiement, avec affection, mais qui, dès l'instant où ils le découvrent, ne peuvent plus les supporter, leur respect d'elles-mêmes s'étant réfugié dans le regard de l'autre. Béatrice, Dieu merci, ne se respectait pas assez, ou était assez indifférente à son image pour ne pas exiger dans l'œil d'Édouard, un reflet pur et intact. Néanmoins, en lui avouant l'avoir vue, il avait pris un gros risque. Et seul un orgueil viril et un peu sommaire empêchait Édouard de le reconnaître.

Ils allaient rentrer à Paris et il allait écrire. Ce pays de soleil ne le poussait pas vers sa pièce, mais au contraire, l'en détournait. Il aurait dû se sentir très bien dans cette belle villa déjà déserte ; mais il s'y sentait en fait plutôt accablé. Pour écrire, il lui fallait des ciels brouillés, changeants, des chambres de passage, des après-midi ternes ou des nuits sans sommeil. Pour lui, les mots surgissaient des cendres tièdes et non pas des flammes. Et il attendait avec impatience le moment où il pourrait, décemment, faire semblant d'avoir oublié Gino. Et déjà, sans être sûr de devoir faire semblant.

Un télégramme de Tony d'Albret hâta leur départ, et Jolyet ne fit rien pour les retenir. Malgré sa grande courtoisie, il semblait de plus en plus absent aux autres et à lui-même. Édouard le vit plusieurs fois lancer des galets sur la mer, avec un mélange de rancune et de plaisir ancien. Malgré sa froideur et son courage, Jolyet devait en vouloir à cette mer d'être si bleue, si inaltérablement bleue dans ses caprices, et si indifférente au destin de ses admirateurs. Un soir, la veille de leur départ, ils allèrent dîner à Beaulieu, puis, poussés par Jolyet qui semblait très en forme, allèrent prendre un dernier verre au night-club de l'hôtel. C'est alors qu'ils virent arriver Gino, plus beau que jamais, souriant et visiblement ravi de les retrouver. Il invita Béatrice à danser et comme elle refusait tranquillement, il insista sur un certain ton. Édouard, qui avait pourtant fort peu bu et ne s'était battu, lui semblait-il, depuis le service militaire, se retrouva en train de rouler sur la piste, dans une bagarre à la fois confuse et inefficace. Les maîtres d'hôtel, indignés et ravis, eurent vite fait de les séparer, et Édouard se retrouva dans les vestiaires, en compagnie de Jolyet qui l'aidait à remettre de l'ordre dans ses vêtements. A son grand plaisir, le jeune Gino avait le nez ensanglanté et bête.

— Vous avez été très bien, dit Jolyet. C'est très difficile de se battre à froid ; car vous n'en aviez aucune envie, n'est-ce pas ?

Édouard se mit à rire. Il se sentait bien, détendu, comme après l'amour physique.

— Non, dit-il. Mais j'ai pensé que c'était mieux vis-à-vis de Béatrice. Je n'aime pas les coups, mais je ne crains pas les Gino. Moralement non plus.

— Et vous savez pourquoi ? dit Jolyet. C'est parce qu'il est beau, bizarrement ! Béatrice est belle aussi ; et tous ces gens beaux, ceux qui en font un métier ou une vocation, forment un sexe à part et d'où, pour une fois, l'homosexualité ou l'égalité est bannie.

Ils marchaient sur le perron à présent, attendant Béatrice.

— Pourquoi dites-vous que les gens beaux forment un sexe à part ? répéta Édouard, intrigué.

— Parce qu'ils sont si habitués à être admirés qu'ils ne peuvent se suffire l'un à l'autre dans un lit, répondit Jolyet. J'y ai toujours pensé, quand un couple d'acteurs se séparait, c'est évident : pendant que l'un s'étirait voluptueusement sur l'oreiller, l'autre se penchait gracieusement à la fenêtre, et tous les deux (in petto) en gros plan. Mais il n'y avait pas de public ; et c'est ce qu'il y a de pire pour eux.

Béatrice les rejoignait, et elle félicita Édouard pour la rapidité de son direct.

— Je ne me savais pas acoquinée à un sportif, dit-elle. Ces intellectuels sont pleins de surprises, décidément...

Elle souriait. Bien sûr, la virilité se prouvait plus, pour elle, dans un lit que sur un ring. Néanmoins elle appréciait qu'Édouard, cet homme doux, eût jugé bon de se battre pour elle, et fait le coq. Ce n'était qu'en respectant ces faux-semblants, ces attitudes puériles et convenues que les rapports entre les hommes et les femmes avaient une faible chance de devenir vrais, ou de le rester. Béatrice, en tant que maîtresse et en tant qu'actrice, n'aurait pu longtemps supporter, sans en avoir honte, d'aimer un homme lâche.

CHAPITRE XIII

On en était à l'entracte et la générale de Kurt était déjà une catastrophe. Édouard, qui avait lu la pièce, se demandait où en était passé le charme fragile, un peu déchirant, à la Tchekhov, celui qu'il avait ressenti à la lecture. Pendant le premier acte, on avait vu des robots accomplir des gestes arbitraires, déplacer eux-mêmes des décors nickelés et observer des silences inutiles et pesants. Un jeu savant d'éclairages — savant en ce qu'il consistait à laisser dans le noir la personne qui parlait et à éclairer un objet anodin — n'avait pas suffi à réveiller l'intérêt de la foule, foule pourtant prête, sur la réputation de Kurt, à déclarer superbe et plein de trouvailles ce mauvais exercice. Au foyer, les gens se croisaient en chuchotant et arboraient un air consterné, de mise en ces cas-là, et qui généralement cachait une sournoise satisfaction

Édouard était triste et soucieux du moral de Kurt. Béatrice, elle, avait été admirable pendant cette épreuve Elle avait noué ses mains sous son menton, fixé une fois pour toutes, semblait-il, son regard sur la scène et n'avait pas bougé. Elle ne s'était permis nul étirement, nul bâillement, nulle toux, et pourtant son entourage ne s'en était pas privé. Seuls quelques jeunes gens, partisans du théâtre d'avant-garde, regardaient avec mépris et dérision ce public de générale, ces vieux routiers embourgeoisés, mais leur attitude presque menaçante évoquait plutôt l'Action française. Édouard et Béatrice croisèrent un critique, dans un couloir, qui sursauta en apercevant le beau visage maquillé de Béatrice, et qui se précipita vers eux.

— André Beretti, présenta Béatrice, Édouard Maligrasse.

— Ravi de vous connaître, dit très rapidement le critique. Mon Dieu, Béatrice, que fais-tu là, toi? Peux-tu me dire ce que tu aimes dans ce pathos? Quel ennui!...

— Personnellement, je trouve ça très intéressant, dit Béatrice.

Les deux hommes la dévisagèrent. Elle avait adopté un air loyal, net, un peu triste, qu'elle jugeait visiblement admirable. Elle semblait dire en même temps, à ce Beretti : « Je sais que tu sais ce que je pense, mais j'aime mieux être ridicule que traître. » Cela se sentait tellement et c'était d'ailleurs un rôle tellement nouveau pour elle, elle Béatrice Valmont, qui toujours, en toute circonstance, avait opté pour la brutalité, et toujours ignoré le sens du mot loyauté, que le critique ne put s'empêcher de rire, stupéfait et comme charmé par ce nouveau visage.

— Vraiment, dit-il, Béatrice, tu es merveilleuse.

Il lui baisa la main et, se retournant vers Édouard, il ajouta :

— Mes compliments, monsieur. Je crois, en effet, que Kurt van Erck est un de vos amis.

Édouard avait parfaitement suivi ce petit jeu et il en était exaspéré. Il aurait préféré que Béatrice lui dise : « C'est assommant, c'est odieux, partons » plutôt que d'afficher ainsi une commisération et une fidélité qu'elle ne pouvait pas ressentir. Il ignorait que Béatrice ne jouait cette comédie que pour travestir ses sentiments réels. Haïssant Kurt, et jouissant vraiment de son échec, elle ne s'était réfugiée dans une attitude complètement opposée que pour ne pas achever Édouard. Elle lui envoya donc un sourire doux, attendri, un sourire de femme loyale, et il ne put s'empêcher de se sentir vexé : le croyait-elle si sot !

— Tu trouves vraiment cela intéressant ? dit-il.

Elle le dévisagea et elle vit à son expression, qu'elle avait fait fausse route, que son manège risquait de dérailler. Alors, avec une rapidité stupéfiante et qui n'appartenait qu'à elle — car enfin, il est très difficile de passer à la seconde d'une comédie stylisée à la sincérité la plus complète — elle répondit d'une voix éclatante :

— Je trouve ça infect, oui.

Ce fut au tour d'Édouard d'être déconcerté, d'autant plus que Béatrice répétait : « Infect, infect » d'une voix qui montait, une voix jubilante et forte, et que déjà quelques visages se tournaient vers eux. Il la prit par le bras et l'entraîna vers un balcon moins fréquenté, où ils s'accoudèrent.

— C'est grotesque, dit-elle, tout à coup calmée, c'est grotesque et misérable. Ton ami Kurt est un fasciste, mon bon.

— Un fasciste ?

Édouard protestait, mais déjà, elle avait tendu la main vers lui, l'avait attrapé par sa cravate et le secouait doucement, tout en lui jetant des phrases railleuses mais convaincues.

— Tu viens d'une famille de notaires de province, Édouard, disait-elle, et Kurt d'une famille d'avocats en Allemagne, non ? Moi, je viens d'une famille de petite, très petite condition à Paris, et dont j'ai toujours voulu m'échapper. Je connais mieux « le peuple », comme il dit, que Kurt. Et en plus, quand il fait des pièces pour « le peuple », le peuple y a l'air minable et accablé. Et ça l'agace, le peuple ! Les gens, en général, n'ont que trente années décentes, à vivre. Et ils le savent.

Édouard la regardait, ébahi. La colère allait bien à Béatrice, elle semblait plus rose, plus noire, plus dangereuse encore ; et surtout elle semblait plus vraie que toutes les théories de Kurt. Seulement, un vieux souvenir se plaignait en lui, qui englobait la confiance de Kurt, des années auparavant, son aide, ses conseils, les répétitions et leurs espoirs. Et si les tentatives abstraites de Kurt l'exaspéraient, les recettes concrètes des mondains, elles, le dégoûtaient. Au fond, il ne savait pas qui il était, ni de quel bord. Et pourtant il savait qu'il devrait un jour, au milieu de tous ces tourbillons opaques, ces fausses vérités et ces demi-

mensonges, dessiner de lui-même — à Paris ou ailleurs — une image
précise. La plus sûre, bien entendu, lui serait donnée par son œuvre. Et
encore... elle serait forcément interprétée, incomprise, trahie ou
sublimée. Il serait jugé par des gens qu'il trouvait sans justice, ou admiré
par des gens qu'il n'admirait pas. C'était cela, son destin d'auteur
dramatique, à Paris. Et un jour, tout le monde se réconcilierait sans se le
dire, sur son dos, ou plus exactement, tout le monde se mettrait d'accord
sur une certaine image de lui. C'était une époque qui classait, et il ne
serait jamais que ce qu'il savait être profondément, comme tout créateur,
bon ou pas d'ailleurs : inclassable. Non, c'était évident, le seul jugement
qui lui fasse battre le cœur et s'incliner devant lui, c'était, aussi faux
qu'il puisse être, celui de Béatrice. Il ignorait que c'était parce qu'il était
jeune, un jeune écrivain, et que les battements de son cœur couvraient
encore pour lui les fanfares et les tambours du succès.

Le deuxième acte fut égal au premier, à la différence près que certains
invités, trouvant élégant d'être grossiers, quittèrent bruyamment la salle
avant la fin du deuxième acte. Dans les coulisses, il retrouva Kurt, amer,
sarcastique et furieux, qui lui donna une petite tape lointaine, comme
pour le rejeter avec ces gens, tous ces gens pourris qui n'étaient pas
à même d'apprécier sa mise en scène. Son geste signifiait : « Puisque
tu fais partie de cette troupe, reste avec eux. » Et les balbutiements
chaleureux, maladroits d'Édouard ne purent rien y changer. Il était fort
déprimé, et fut soulagé quand Béatrice lui suggéra de rentrer.

Ce soir-là, Béatrice le prit dans ses bras. Elle l'appelait « Fasciste,
mon petit fasciste » comme certaines mères irresponsables disent « Mon
petit cancre ». Il faisait chaud, et l'odeur du seringa, dehors, semblait
évoquer une amitié passée, une confiance perdue, et un heureux
désastre ; puisque, penchée sur lui et lui clouant les paupières de ses
doigts, Béatrice lui disait de ne pas s'en faire, qu'il avait, lui, du talent,
une voix, et que cette voix, tous les comédiens de Paris, de Londres et
de New York rêvaient, ou rêveraient un jour de la lui emprunter. Elle lui
disait aussi, avec un calme révoltant, que c'étaient ces métiers-là — les
leurs — qui produisaient ces situations-là. Et qu'à l'instant où il avait
commencé à prendre un crayon et un papier, à écrire la première
réplique de sa première pièce, il avait automatiquement souhaité d'être
joué, et donc accepté d'avance les mille trahisons, les mille combines et
les mille écœurements du théâtre. Elle lui disait tendrement, avec une
mélancolie, presque, qu'il ne lui connaissait pas, qu'il ne devrait jamais
compter sur rien : que la comédie était forcément la suivante de la
fiction, comme la prétention celle du talent, et que dans ce domaine, la
pureté, l'intransigeance n'étaient que les masques de l'impuissance et de
l'échec. Et qu'il le savait, puisque chaque phrase qu'il avait écrite était
destinée à faire son effet, et qu'il s'y était attardé avec complaisance. Et
que bien qu'il enviât Shakespeare, Racine, et regrettât de ne pas être

«eux», il était finalement assez content de lui-même, certains soirs ; comme elle-même, lorsqu'elle avait pensé trouver dans un personnage qui lui déplaisait ou qui ne lui ressemblait pas, un accent ou une tonalité qui ressemblât à ce personnage.

C'est ce soir-là, pour la première fois, qu'elle lui fit l'amour d'une façon délibérément altruiste — comme une putain ou comme une infirmière. Elle avait mis «leur disque», et ce fut elle qui, ostensiblement, le conduisit au plaisir, à l'instant précis où il tentait d'habitude de l'y conduire, elle. Édouard, comblé et heureux, voulut lui dire que ce n'était pas la peine, que ses blessures morales n'étaient que de fausses blessures, mais cette nouvelle forme de sensualité ne changeait en rien son statut d'amant, elle faisait simplement de lui, au lieu du prêtre, la proie du sacrifice. De prime abord cela pouvait sembler un changement de rôles, mais dans la mesure où c'était elle qui en décidait, ce changement n'en était plus un. Décidément, il y avait une sorte de mélodie dans leur histoire, et quelle que soit la manière dont on l'orchestrât,quelle qu'en soit la clé, quelles que soient les improvisations inévitables de ses interprètes, Édouard savait qu'il la retrouverait partout, intacte, inoubliable, et toujours juste à son oreille.

CHAPITRE XIV

CONTRAIREMENT à ses prévisions, Édouard avait du mal à écrire sa pièce. Paris devenait vide et Béatrice restait tendre, mais les mots lui échappaient. Il passait des heures dans le jardin à griffonner des notes qu'il déchirait le soir. De temps en temps, Béatrice lui demandait de lui donner la réplique : elle avait accepté finalement de tourner dans le film de Raoul Dantys, en septembre. Par une ironie du sort des plus fréquentes, elle devait y incarner une femme noble et fidèle, torturée par un mari jaloux. Les dialogues, qu'Édouard avait d'abord trouvés ternes et verbeux, lui parurent vite odieux, et quand il eut demandé deux ou trois fois, d'une voix plate, à Béatrice-Laure (c'était le nom de l'héroïne) si oui ou non elle l'avait trompé pour s'entendre répondre avec une fermeté admirable que c'était impossible, il s'énerva et jeta le manuscrit au fond du jardin. D'abord stupéfaite, Béatrice finit par comprendre et éclata de rire.

— Écoute, dit-elle, sois un peu sérieux. Je dois me souvenir de tous ces mots, je travaille, moi... Et j'ai d'autres soucis que des Gino hypothétiques.

Elle était réellement indignée et ce fut la fidèle Cathy qui remplaça Édouard. D'ailleurs Béatrice s'énervait de plus en plus, les jours passant.

Elle déclarait elle-même que ces dialogues étaient ineptes. Elle arpentait sans cesse le petit jardin, selon un périmètre très précis, elle secouait ses cheveux, elle tapait du pied et s'appuyait aux arbres desséchés de l'été comme à des portants imaginaires. Tony d'Albret, inquiète, multipliait ses visites et posait à Édouard des questions insidieuses auxquelles il ne savait que répondre.

Un coup de téléphone sauva la situation. Le Théâtre des Buttes qui avait remis à l'affiche *Après-midi...*, la pièce qui avait lancé Béatrice, était dirigé par Barberini. C'était un vieil homme perpétuellement ruiné bien que toujours soutenu par la critique. Et pour une fois il semblait que cette reprise allait lui assurer un succès durable, lorsque sa principale interprète tomba malade. Cette jeune actrice, qui avait repris le rôle créé par Béatrice, avait donné de Claire, l'héroïne, une interprétation plus intellectuelle, plus intérieure, plus « moderne », selon l'expression fatale, et de nombreux critiques s'étaient empressés de souligner cette différence en termes plus ou moins plaisants pour Béatrice. Aussi est-ce traqué, aux abois, que Barberini appela Béatrice et lui demanda, sans trop y croire, de reprendre, pour un mois, ce rôle qu'elle seule savait par cœur. A la stupeur générale, Béatrice accepta. Elle n'avait rien à gagner dans cette aventure, et le sens de la gratuité n'étant pas son fort, chacun s'extasia donc, et sur la grande solidarité des gens de théâtre et sur la charité subite de l'implacable Béatrice Valmont. Après quelques répétitions, qui se révélèrent superflues, tant Béatrice avait de mémoire — du moins pour ses rôles —, elle remonta sur scène.

Ayant refusé la compagnie d'Édouard et de Tony, elle entra dans sa loge une heure avant les trois coups. En fait, ils l'énervaient l'un et l'autre : Édouard, en croyant qu'elle effectuait cette reprise par bonté pure, et Tony, en croyant, au contraire, que c'était par esprit de revanche. Mais Béatrice, elle-même, sentait bien que ce n'était ni l'un ni l'autre. Elle se maquilla et s'habilla très vite, et elle fut prête une demi-heure à l'avance. Aussi, quand le régisseur passant dans les couloirs, cria de sa voix monotone : « En scène dans une demi-heure ! », elle sursauta et s'étonna de l'afflux de sang qui montait à sa gorge et la faisait rougir. Ce reflet d'elle-même dans la glace, pourtant, n'avait rien à voir avec un autre, presque oublié celui-là, d'il y a cinq ans ! Elle jouait alors sa carrière et sa vie. Tandis que ce soir, elle n'avait rien à perdre.

Et pourtant ses mains tremblaient, et elle les appliqua violemment sur la tablette de sa coiffeuse, comme pour y écraser quelque chose qui était peut-être de la peur et en tout cas de la colère : Béatrice n'aimait pas être surprise par elle-même ; elle n'y était pas habituée. Elle appela l'habilleuse, lui demanda un cognac, puis s'enquit de sa vie, de la bonne marche du théâtre, des mille histoires des coulisses qu'elle dédaignait généralement, bref elle déploya une énergie fébrile à combler le vide de cette demi-heure. Mais quand elle fut enfin sur le plateau, derrière le rideau sombre, elle continuait de trembler et de s'en étonner.

Il y eut le bruit de déchirure habituel ; elle se retrouva en pleine lumière devant ces visages pâles, dans le noir, devant cette masse confuse et anonyme. Elle respira à fond, lança d'une voix claire sa première réplique. Elle abandonna le piano où elle s'appuyait. Elle marcha vers son partenaire. Et alors, elle sut : le bonheur, la liberté, l'invention, la sincérité, la force, tout lui était rendu d'un coup. Son cœur ne battait pas de peur, mais il battait sous une autre pulsion très différente de celle du désir, de la fatigue ou de l'ambition — son cœur battait à un rythme nouveau, profond et régulier. Il battait fort, sa voix sonnait juste et enfin, enfin elle disait sa vérité ! L'impression de mensonge, de rêve éveillé, de sentiments contradictoires, de nostalgie qui composait le fond, le décor de sa vie ordinaire, avait disparu ; en face d'elle, tous ces visages s'étaient fondus en un seul, le seul qu'elle aimât puisqu'elle ne lui devait rien et qu'elle ne le reverrait jamais. Et ce visage exigeait d'elle qu'elle lui mentît, qu'elle le fît rêver, rire ou pleurer, ce visage, bref, exigeait tout d'elle, sauf la « vérité ». Cette vérité banale, arbitraire et sans charme qu'avaient toujours sollicitée d'elle, et toujours en vain, ses parents, ses amis et ses amants. Tout au contraire, cette imposture forcenée et totale qu'était son rôle ne le serait jamais assez pour ces gens lointains et proches : son public. Elle serait toujours en deçà de leur exigence. A travers ces mots écrits par un autre, à travers ces gestes décidés par un autre, et devant ces autres qu'elle ne connaissait pas, elle pouvait enfin être elle-même. Et elle disait « Je t'aime » mille fois plus sincèrement à son partenaire (pédéraste notoire) qu'elle ne l'avait jamais dit à un de ses amants. Et ces meubles faussement anglais, loués au mois et vides vingt-deux heures sur vingt-quatre, lui étaient plus familiers que sa propre maison ; et le ciel peint sur une toile, à travers la fausse fenêtre, reflétait un vrai beau temps. Et quand elle dut, selon le rôle de Claire, partir à reculons en abandonnant ce décor minable, c'est d'une voix réellement déchirée qu'elle s'entendit demander à son partenaire de s'occuper chaque jour à sa place de la plante verte en plastique. N'aimant rien de ce qu'elle voyait, ni ce jeune homme brillantiné, ni ces faux meubles, ni ces objets d'emprunt, elle se sentait néanmoins saisie pour eux et pour leur provisoire, leur factice même, d'un amour sauvage et irremplaçable.

La salle lui fit une ovation que, pour une fois, elle ne chercha pas à prolonger en revenant sur scène, et quand son partenaire, apparemment sincère, lui dit en la rejoignant devant sa loge : « Vous avez été merveilleuse, Béatrice ! J'y ai cru », il s'étonna de ce qu'elle lui répondît sans sourire, avec même une sorte de lassitude et d'exaspération, « J'espère bien. Il n'y a que ça à croire, de toute façon ». Il trouva que c'était là un joli mot d'actrice, quoique un peu sophistiqué, et il s'empressa de le répéter.

De nouveau seule et enfermée dans sa loge, Béatrice se démaquillait activement, rageusement, les mains froides et les larmes aux yeux. Mais lorsqu'elle rejoignit un quart d'heure plus tard Édouard et Tony, admiratifs et émus, qui l'attendaient au foyer, c'est avec un sourire triomphant qu'elle se dirigea vers leurs apparences. Elle bavarda paisiblement durant le dîner offert par le directeur, éperdu de reconnaissance, et si les compliments et les commentaires l'ennuyèrent un peu, elle ne le montra pas. De toute façon, demain, dans quelques heures, lorsqu'elle aurait fait l'effort de passer la nuit, le jour, lorsqu'elle aurait fait l'amour et discuté de projets de films, elle reviendrait derrière le rideau noir, et le mouvement de son sang redeviendrait normal. Ce n'était qu'une question de patience. D'ailleurs, elle but tellement, ce soir-là, pour rejoindre les autres et sa propre existence, et elle se coucha si mal en point que, pour une fois, Béatrice se mentit à elle-même et attribua à l'alcool sa mélancolie.

Appuyé sur son coude, Édouard la regardait dormir. Il avait laissé la porte-fenêtre ouverte, et le vent de temps en temps soulevait les cheveux de cette inconnue, près de lui. Cette inconnue, il l'avait entendue dire «Je t'aime» en scène, il l'avait vue blessée, hésitante, traquée, vulnérable. Il l'avait vue ressembler étrangement à l'idée qu'il avait de lui-même par rapport à elle, et il eût aimé lui dire : «Qui t'a blessée? Quand? Et pourquoi ne t'en es-tu pas remise?» Seulement ce n'était pas cette femme-là qu'il aimait, mais une autre. Une autre qu'il avait vue se moquer de lui, qu'il avait même vue le tromper et ne pas s'émouvoir de sa peine. Alors pourquoi, ce soir, s'était-il inquiété de voir Béatrice regarder anxieusement cette ridicule plante verte? Pourquoi avait-il souffert avec elle lorsqu'elle avait dû quitter ce bellâtre? Et pourquoi avait-il souhaité qu'elle restât derrière ce piano, dès avant sa première réplique, comme derrière une barricade? Béatrice était comédienne; et une bonne comédienne, il le savait déjà. Il n'y avait donc aucune étrangeté à ce qu'elle sût simuler un sentiment qu'elle ne connaissait pas, qu'elle refusait même de connaître. Alors il se demandait, immobile et penché sur ce visage détourné, mystérieux et aveugle, il se demandait d'où lui venait cette angoisse et ce faux remords qui le tenait éveillé, près d'elle, comme un guetteur ou un coupable. Mais coupable de quoi? Depuis qu'il la connaissait, il l'avait toujours aimée et le lui avait toujours dit; il avait toujours souffert par elle et il avait tout accepté. Il savait qu'elle avait plus confiance en lui que dans ceux qui l'avaient précédé. Il savait qu'il était un ami, un amant de meilleur choix que ceux-ci et que dans la vie incertaine, impulsive et vaniteuse de Béatrice, il représentait actuellement la seule certitude, la seule confiance et peut-être, la seule tendresse. Alors? En tout cas il avait bien envie que cette pièce, enfin que cette reprise de pièce soit terminée, que Béatrice ôte ce masque provisoire et qu'elle redevienne, brutale et déconcertante, l'objet de sa passion.

Le petit jour le retrouva assis à la table de la salle à manger ; car, comme s'il avait eu besoin pour cela de sa tristesse et de ses doutes, Frédéric — son héros — était revenu vers lui. Il voyait à nouveau quelque consistance à ce jeune homme indécis et quelque sens à son indécision. La cause de cette renaissance, de cette réapparition lui importait fort peu, encore qu'il la sentît des plus troubles et des plus indéchiffrables : comme Béatrice, douze heures plus tôt, il avait retrouvé sa propre voix. C'est ainsi que l'une dormant et réfugiée dans son sommeil, et l'autre insomniaque et cramponné à son insomnie, ils passèrent les quelques heures de l'aube — sans le savoir bien sûr — à égalité.

Ils eurent alors, quinze jours durant, et grâce à des moments de bonheur parfaitement solitaires, leur plus grande période de bonheur partagé.

CHAPITRE XV

ÉDOUARD était assis dans un pré, sur une petite caisse de bois obligeamment prêtée par un machiniste, et regardait, à vingt mètres, Béatrice, l'air extasiée et les bras tendus, marcher vers un jeune homme blond sur l'épaule duquel elle s'effondra en pleurant.

— Coupez ! cria le metteur en scène.

Et au grand soulagement d'Édouard qui, malgré lui, après trois semaines de tournage, souffrait toujours de jalousie lors de ces scènes d'amour, Béatrice se dégagea des bras de l'acteur. Elle le regarda et il lui fit un petit bravo silencieux, mais elle ne parut pas le voir. C'était bien le terme : elle ne le voyait pas. Bien sûr, c'était la scène finale que l'on tournait et elle devait se concentrer pour jouer ce fameux « bonheur dans les larmes » dont Raoul, le metteur en scène, était si friand ; mais c'était la sixième prise, l'équipe technique s'énervait, et cette sorte de mysticisme et d'étrangeté au reste du monde, où semblait baigner Béatrice à cet instant-là, parut à Édouard un peu excessif. Il frappa donc plus fort dans ses mains et cela fit vraiment un petit bruit de bravo. Béatrice le regarda et détourna les yeux aussitôt comme s'il eût été une borne kilométrique égarée dans le décor. Édouard laissa ses doigts retomber mollement dans la paume de son autre main, puis il mit les mains entre ses deux genoux, puis allongea les jambes et regarda attentivement ses chaussures. Invariablement, depuis qu'il suivait ce tournage, il se retrouvait dans la même position : témoin indésirable le jour et amoureux encombrant la nuit. Le rire de Nicolas derrière lui, le fit sursauter.

— Tu as absolument l'air d'un chien de chasse, dit Nicolas...

Il s'assit par terre, à côté de lui, cueillit une herbe, la mâchonna, l'air enchanté de la vie. Béatrice l'avait fait engager pour un second rôle avec une autorité et un esprit de camaraderie exemplaire qui avait beaucoup plu à Édouard. Ce n'était qu'au bout de ces dix jours qu'il s'était rendu compte que Béatrice, lorsqu'elle commençait un film ou une pièce, avait besoin d'emmener avec elle, telle une romanichelle, quelques membres de sa tribu ; en l'occurrence, sa femme de chambre, Tony d'Albret, Nicolas et lui-même faisaient partie de la caravane. Malheureusement, après une période de morosité, Béatrice, se prenant au jeu, était entrée dans son rôle ; et la roulotte une fois ébranlée, il ne devait y rester que les bohémiens utiles, c'est-à-dire Tony, qui discutait les notes de frais, Nicolas, utile malgré l'exiguïté de son rôle, et la fidèle Cathy qui repassait et cousait tranquillement à l'hôtel.

Édouard, lui, n'avait aucun emploi précis dans ce voyage. Le dernier des machinistes était, il le sentait bien, devenu plus utile que lui-même aux yeux de Béatrice. Quand le soir, tout un chacun, du maquilleur au metteur en scène, discutait des prises de la journée, Édouard, bien qu'il y eût assisté et qu'il en connût les moindres péripéties, se sentait toujours le parasite, l'étranger, l'exclu de la bande.

Il avait bien esquissé quelque va-et-vient entre Paris et la Touraine — où se déroulait le film —, il avait bien essayé de parler de ses rendez-vous à lui, de ses travaux à lui, mais cela n'avait semblé intéresser personne, hormis Tony d'Albret qui finalement avait vendu les droits de sa pièce à un très bon théâtre de Broadway. Et encore, Tony elle-même ne lui parlait de ses contrats et de ses projets qu'en chuchotant, presque en cachette, comme s'il eût été indécent après trois semaines de parler d'autre chose que de : *Ailleurs, peut-être*, titre du film de Raoul. D'ailleurs cette indifférence n'était pas pour déplaire à Édouard qui avait toujours éprouvé une horreur maniaque à parler de ses écrits. Ce qui le troublait davantage, c'était que cette indifférence générale et diurne soit aussi une indifférence privée et nocturne et que même au fond de son lit et même pendant l'amour, Béatrice conservât en elle quelque chose d'étranger, de solitaire, quelque chose qu'elle refusait de partager avec lui et qu'il comprenait mal. Car enfin, elle jouait le rôle, dans le film, d'une femme émouvante mais bête, d'une emmerdeuse, comme elle le disait gaiement elle-même. Elle se moquait cruellement de son personnage mais elle faisait tout pour que les autres y croient. Et le recul initial qu'elle avait eu par rapport à son rôle disparaissait à vue d'œil. C'était une Emma Bovary actuelle qu'elle interprétait, et Édouard, n'étant ni Homais ni Rodolphe, ne pouvait que la déranger.

— Au fond, lui avait-il dit un soir, comme elle refusait pour la troisième nuit de faire l'amour avec lui, au fond tu aimerais mieux faire l'amour avec Cyril (c'était le nom du jeune premier) qu'avec moi.

Béatrice était restée rêveuse un instant.

— C'est vrai, avait-elle admis, et pourtant Dieu sait qu'il ne me plaît pas...

Édouard avait bronché, puis s'était repris :

— Alors pourquoi te gênes-tu ? C'est moi, peut-être ?...

Elle ne l'avait pas laissé finir sa phrase, elle avait éclaté de rire.

— Voyons, Édouard, que tu es sot ! Quand on a envie de quelqu'un, on trouve toujours un endroit et un instant pour ça, même avec soixante-dix techniciens aux alentours... C'est même célèbre la célérité des acteurs dans ces cas-là. Non, ce qui m'ennuie, avait-elle repris, c'est que déjà qu'il ne me plaît pas et que j'ai du mal à faire semblant de l'aimer, si en plus, je sais qu'il n'est bon à rien dans un lit, ça me sera encore plus difficile...

Édouard avait enchaîné d'une voix plate et tranquille car il savait que ce n'était qu'à cette sorte de voix atone que Béatrice pourrait peut-être répondre la vérité :

— Et Raoul ? Il est amoureux de toi, non, ton metteur en scène ?

— Oh ! oui, avait dit Béatrice distraitement, mais ça, c'est très bien ! Lui, je peux te garantir qu'il languira jusqu'à la fin du film. Il y a des cadrages, mon chéri, et des éclairages que seule une femme inconnue au sens biblique du terme, si je peux dire, peut obtenir de son metteur en scène. Ou alors, avait-elle ajouté d'une voix plus gaie, il aurait fallu que j'y passe dès le départ et que je joue l'amoureuse pendant tout le tournage. Auquel cas, tu ne serais pas là, mon petit chéri. Et puis après tout, avait-elle enchaîné en l'attirant contre elle, je suis, moi, amoureuse de toi...

Nicolas, à qui Édouard, indigné, avait répété ces propos cyniques, lui avait confirmé que c'était le b-a-ba des relations classiques sur le plateau d'un film. Finalement, il régnait, autour de cette équipe tout entière absorbée à tourner une histoire teintée d'érotisme, il régnait une singulière atmosphère de chasteté, comme si le fait de simuler l'amour et d'en voir répéter mécaniquement les gestes dix fois par jour eût suffi à en dégoûter tout le monde.

— Je crois qu'il vaudrait mieux que je m'en aille, dit-il à Nicolas qui lui offrait une cigarette d'un air attendri.

— Cela fait dix fois que je te le dis, opina Nicolas.

Il était pour sa part tout à fait à son aise, mollement allongé dans l'herbe et mâchonnant une paille. Les petites collines de la Touraine étaient baignées de la lumière douce, oblique et jaune de septembre, les tuiles viraient au mauve sur les toits, et dans la beauté de tous ces rouges et de tous ces jaunes, peu à peu intercalés dans le vert déjà vaincu de l'été, une sorte de mélancolie se glissait. L'hiver était proche. Et l'hiver faisait peur à Édouard. L'hiver pour lui c'était la ville, les autres, le bruit et la fureur. Il n'avait jamais passé d'hiver avec Béatrice. La première fois qu'il l'avait connue, c'était au printemps, un printemps qui s'était achevé par sa défaite, et il l'avait retrouvée aussi au printemps. Cela faisait presque trois saisons maintenant qu'il partageait avec Béatrice, et il se demandait pourquoi la quatrième lui faisait si peur.

— Pourquoi partirais-je? dit-il. Tu ne sais pas comme je peux m'ennuyer à Paris, maintenant que j'ai fini ma pièce...

— Ça, c'est une bonne chose, dit Nicolas. Surtout que tu sais, elle est superbe.

Il se pencha et posa la main sur l'épaule d'Édouard qu'il secoua affectueusement.

— Tu vois, dit-il, c'est très gentil de me l'avoir donnée à lire. J'étais très touché.

Édouard lui sourit en retour. En effet, et il ignorait pourquoi, Nicolas ce bon à rien, ce rigolo, ce doux ivrogne était le seul à qui il avait pu confier sa pièce. Ce visage trop beau, maquillé de surcroît en cet instant, ces dents trop parfaites, cette fausse juvénilité, cette caricature en somme de la sympathie et de la séduction était devenue pour lui le visage de l'amitié et de la confiance. Curieusement, alors que ce que faisait Nicolas était toujours un peu « à côté » — ses rires, ses plaisanteries, ses gestes et ses déclarations lorsqu'il avait bu —, en revanche, ce qu'il s'abstenait de faire était toujours sensible et intelligent. Nicolas avait une manière de se taire, de détourner la tête, de ne pas rire, justement, qui révélait un cœur pur.

— Sans parler de ma pièce, dit Édouard, tu crois que je dérange vraiment Béatrice, ici?

— Oui, dit Nicolas, vraiment. Tu ne fais pas partie du film, tu es en trop. Tu es toujours dans le champ, tu n'as pas remarqué? S'il y a une ombre, c'est la tienne, s'il y a quelqu'un devant la caméra, c'est toi; et si l'on entend un bruit dans le magnétophone, c'est toi qui as toussé...

— C'est vrai, dit Édouard. Mais que veux-tu, je suis affreusement malheureux sans elle.

Il désignait Béatrice qui, les yeux au ciel, semblait abattre intérieurement l'avion qui y ronronnait. Elle avait le menton en l'air, elle battait du pied, et parmi les techniciens et la petite foule qui attendaient aussi que cet avion inopportun disparaisse, elle semblait la plus impatiente et la plus féroce de tous. Nicolas se mit à rire.

— Cette chipie!... dit-il.

Et Édouard rit avec lui et répéta les mots « Cette chipie » avec le plaisir épouvanté d'un élève chahuteur.

— Qu'est-ce que je peux faire? demanda Édouard. Qu'est-ce que je pourrais bien faire pour me rendre utile ? Je ne peux pas balayer, quand même...

— Non, dit Nicolas, tu n'es pas au syndicat, et en plus tu es trop maladroit. Je ne sais pas mon vieux, cherche... Allons bon, dit-il en se redressant, on repart.

Il alla se remettre devant la caméra. Un silence artificiel s'installa : Béatrice, les yeux brillants de larmes, courut vers le jeune homme blond et s'abattit sur son épaule. C'est alors qu'une idée géniale traversa l'esprit d'Édouard.

Le soir même, dans le bar de l'hôtel, ils étaient tous les quatre assis devant le feu et ils écoutaient la pluie qui pour une fois avait trouvé bon de survenir à la date espérée. Tony d'Albret, revenue de Paris (car elle s'était éclipsée dès qu'elle avait vu Béatrice s'installer dans son personnage), Tony d'Albret semblait au comble du bonheur. Le contrat d'Édouard pour l'Amérique était signé, les photos du tournage déjà parues dans la presse étaient remarquables et tout allait au mieux pour elle dans le meilleur des mondes. En vérité Tony d'Albret était tellement fascinée par la vie privée de ses comédiens, leur carrière et les bénéfices qu'elle pourrait en retirer elle-même, qu'elle en oubliait d'avoir une vie privée. Parfois, se rappelant brusquement — et comme par décence — qu'elle était femme, elle se précipitait sur un jeune débutant étourdi mais prêt à tout, le ramenait dans son lit et le promenait ensuite triomphalement une semaine ou deux, de cocktail en gala, comme un toutou. Puis elle l'oubliait un jour dans un de ces sombres lieux. Mais de temps en temps, plus tard, quand on parlait de Gérard L. ou d'Yves B., elle se rappelait et elle soupirait : « Ah celui-là, si j'avais voulu... » Ce qui sous-entendait que ce pauvre garçon avait non seulement bien voulu, mais bien pu, et que ce n'était que par manque de temps et — par « dévouement à ses poulains » — que Tony n'avait pu assurer la carrière, voire le bonheur du malheureux. (On pouvait même à son intonation penser qu'il gardait de Tony la double image d'une bonne fée Mélusine débordée et d'une folle maîtresse comblée.) La vie sentimentale de Tony apparemment s'arrêtait là — si l'on exceptait une vieille mère fort malade en province, mais dont elle n'invoquait les souffrances que lorsqu'on discutait de ses pourcentages. Béatrice elle-même, qui alliait pourtant une habileté machiavélique à sa férocité native, n'avait jamais pu savoir s'il existait ou non une Mme d'Albret aussi invariablement agonisante que quinquagénaire.

— Il va falloir que je parte demain, déclara Édouard d'une voix triste.

Autour de lui les trois visages arborèrent trois différentes expressions : la contrariété attendrie chez Nicolas, la curiosité chez Tony et le soulagement chez Béatrice.

— Et pourquoi demain ? demanda-t-elle.

Mais sa voix signifiait aussi bien « Et pourquoi pas avant-hier ? »

— Je n'ai pas le choix, j'ai des choses à revoir dans ma pièce, dit Édouard comme en s'excusant. Cela m'ennuie. Surtout avec cette histoire de *Show-Show*...

— Quoi *Show-Show*? s'enquit Tony.

C'était l'hebdomadaire le plus lu en Amérique par les gens du spectacle. Son seul nom faisait frétiller d'aise tous les impresarii et presque tous les comédiens d'Amérique et d'Europe.

— Eh bien... je ne vous l'avais pas dit? dit Édouard nonchalamment : quand ils ont su que ma pièce allait être montée à New York, ils m'ont demandé de faire un papier sur ce que je voulais et je leur ai proposé de parler du tournage de Raoul.

— Et alors?

Tony était haletante.

— Vous ne le saviez peut-être pas, reprit Édouard, mais Raoul est assez connu là-bas depuis son dernier film. Comment s'appelait-il déjà?...

— *Les Fruits de l'aube*, coupa Tony impatiemment.

— C'est ça, dit Édouard, *Les Fruits de l'aube*. Ça a été un gros succès, non?

— Mais oui, dit Tony exaspérée, tout le monde le sait, et alors?

— Eh bien alors, dit Édouard de sa voix paisible, ça les amusait d'avoir un article d'un auteur français sur le tournage d'un metteur en scène français. Voilà tout.

L'expression des trois visages tournés vers lui s'était complètement modifiée : une sorte d'hilarité incrédule se dessinait sur celui de Nicolas, la stupéfaction sur celui de Béatrice et une colère mêlée d'angoisse sur celui de Tony.

— Et alors?

Les deux femmes avaient comme piaillé ensemble. Édouard fit l'étonné.

— Eh bien alors, dit-il, j'ai bien essayé, depuis une semaine qu'ils m'ont télégraphié, de prendre des notes à droite à gauche mais j'ai eu l'impression de déranger tout le monde, tout le temps ; et je n'ai pas osé insister pour mes questions ; par exemple, sur la place de la caméra ou des trucs comme ça, sur les rapports des comédiens avec le texte, etc.

— Mais enfin, gronda Béatrice, mais enfin pourquoi ne m'as-tu rien dit?

Nicolas s'était levé et s'appuyait contre le bar à l'autre bout de la pièce. Ses épaules étaient secouées d'un tressautement nerveux, comme s'il eût sangloté. Édouard dut respirer à fond pour ne pas se mettre à rire, lui aussi.

— Mais Béatrice, dit-il, je ne voulais pas t'ennuyer. C'est déjà assez dur, ton travail, toute la journée, sans, en plus, te poser des questions le soir. Comme Raoul... Comment veux-tu que je parle à Raoul? Et de

quoi ? Je n'y connais rien, moi, au cinéma ! Et je le leur ai bien expliqué
à ces types de *Show-Show* !
— Comment ? dit Tony. (Elle s'était levée, elle était même devenue
pâle et Édouard l'admira presque.) Comment ?... Vous avez refusé ?...
— Oui, et je leur ai écrit, reprit Édouard. Je ne sais même pas si j'ai
déjà envoyé ou non la lettre, d'ailleurs...
Il se leva à son tour et fit semblant de chercher dans ses poches.
Nicolas qui, calmé, revenait vers eux, un verre à la main, le laissa
échapper et se baissa précipitamment sur les débris.
— Tiens non, dit Édouard, non c'est vrai, je ne l'ai pas encore
envoyée. Je le ferai demain de Paris.
Il y eut une seconde de stupeur. Nicolas, toujours penché, émettait un
gémissement continu ; il revint enfin s'asseoir près d'eux, les yeux
pleins de larmes.
— Édouard, dit Tony d'une voix sèche, asseyez-vous, asseyons-nous
tous. Édouard, il faut que vous fassiez cet article. Il le faut, vous
m'entendez, Édouard ? Il le faut, c'est tout.
Édouard se rassit, l'air plus ébahi que jamais. Il tentait désespérément
d'éviter le regard de Nicolas.
— Mais que voulez-vous que j'écrive ? demanda-t-il. Je ne voudrais
pas déranger Raoul et je suis toujours dans le champ, moi...
— Et alors ! cria Tony d'une voix claire. Et alors ? Il y a toujours
quelqu'un dans le champ, d'abord ! Et croyez-moi, ce n'est pas toujours
un journaliste de *Show-Show*, nom d'un chien ! Et Raoul ? Qu'est-ce que
c'est, Raoul ? C'est un metteur en scène, non ? Et son film va bien sortir
en Amérique, non ? Vous allez voir s'il n'a pas le temps d'y répondre, à
vos questions, Raoul ! Vous pouvez le questionner, mon petit Édouard,
vous pouvez questionner tout le monde. Tout le monde vous répondra.
Je m'en charge. Même Béatrice vous répondra !
Édouard tourna les yeux vers Béatrice. Elle le regardait pensivement,
d'un air vaguement admiratif.
— Mais qui t'a demandé ça, à *Show-Show* ?
— Millane, Edward Millane, un nom comme ça... (Il avait passé une
heure à se renseigner par téléphone.) C'est le second de Matthews, qui
est le rédacteur en chef, je crois. C'est drôle, ils payent au mot, ces gens-
là... Un dollar le mot. C'est énorme, non ?
Mais déjà Tony s'était lancée vers lui et l'enlaçait fiévreusement, le
serrait sur son cœur et l'embrassait, l'appelait : « Mon petit génie, ma
colombe, mon cher Édouard ». Puis elle prit un ton théâtral et se retourna
vers Béatrice :
— Ma chérie, dit-elle, pour une fois, bravo ! C'est une mine d'or que
tu nous as trouvée là, reprit-elle en serrant contre son flanc la tête
sournoise d'Édouard, une vraie petite mine d'or !

— Si je reste, dit Édouard à demi caché dans le chandail parfumé de Tony d'Albret, si je reste, tu répondras aussi à mes questions, Béatrice?

— Si elles ne sont pas trop personnelles, dit-elle en riant.

Et se levant, elle vint l'embrasser à son tour tendrement au coin du front, comme une mère heureusement surprise de voir son petit cancre sortir brusquement premier de Polytechnique. Quant à Nicolas, il semblait, lui aussi, heureusement surpris, mais c'était pour d'autres raisons. Il commanda du champagne, on réveilla Raoul et son assistant et Édouard, devenu le grand héros du plateau après en avoir été le plus triste figurant, répétait, enjolivait son rôle avec un mélange de malice et d'épouvante. Un jour, sa supercherie serait découverte et ce jour-là, il ne donnerait pas cher de sa peau. En attendant ils riaient bien, Nicolas et lui.

C'est ainsi qu'à trente-six ans, et bien qu'étant écrivain depuis toujours, Édouard Maligrasse découvrit toutes les délices et toutes les angoisses du mensonge. Et lorsque plus tard dans la nuit, Béatrice lui dit en souriant : « Voulez-vous que je vous montre comment les Françaises font l'amour, monsieur le journaliste ? » il se sentit à la fois le plus coupable et le plus malin de tous les amants.

CHAPITRE XVI

Bien qu'il fût lui-même presque officiellement, un parasite, Nicolas avait les siens et les entretenait. C'était un des rares hommes qui, proclamant que l'argent n'avait pas d'importance et qu'il n'était qu'un moyen, appliquait cette doctrine dans les deux sens : c'est-à-dire qu'il trouvait aussi normal de donner que de recevoir. Il fit donc venir de Paris, aux frais de la production mais aussi aux siens, un Irlandais des plus fauchés qui tiendrait le rôle du photographe de *Show-Show*. Nanti d'un vieux Leica loué à bas prix, Basil Keenan arriva en Touraine un beau matin, et après une brève et complice entrevue avec Édouard, fut présenté à Raoul et aux autres membres du plateau.

Basil Keenan était grand, très brun, avec les yeux clairs, la fameuse gaieté et le fameux charme irlandais. Béatrice et lui se plurent, se comprirent au premier coup d'œil. Ils mirent donc à s'éviter, toute une semaine, une ostentation qui finit par inquiéter un peu tardivement l'imprudent Nicolas. Édouard, lui, grisé par son nouveau rôle, ne se rendait compte de rien. Il se sentait un héros de Machiavel et de Feydeau à la fois et pour lui, ce grand dadais flegmatique de Basil n'était qu'un comparse. Il ne s'en méfia donc pas. Et naturellement, après une savante et délibérée danse du désir, Basil et Béatrice finirent par se retrouver face à face et seuls.

On tournait en plein air cet après-midi et lorsqu'il se mit à pleuvoir subitement et à seaux, chacun courut chercher refuge dans les cafés ou les maisons avoisinantes. C'est dans une grange que, comme par hasard, Basil rejoignit Béatrice. L'odeur des foins blonds et gris, fraîchement coupés — et qui évoquait si tendrement l'été — se mêlait à celle de la terre, envahie de pluie qui, elle, dénonçait avec bonheur l'arrivée de l'automne. Béatrice avait les cheveux plaqués sur les tempes, les cils et la bouche mouillés, l'air sauvage, et Basil s'avança vers elle, sans un mot mais avec un sourire qu'elle lui renvoya. Tandis qu'il l'embrassait et s'allongeait près d'elle paisiblement, Béatrice s'émerveillait de cet instinct, ce miraculeux et infaillible instinct qui faisait chaque fois, partout, se reconnaître comme marqués du même signe, un homme et une femme voués au plaisir — ou plus précisément, reçus dans sa restreinte, secrète et toute-puissante franc-maçonnerie. Basil lui fit l'amour avec une habile violence et pour se taire, Béatrice, emportée, dut lui mordre l'épaule.

Plus tard, adoucie, elle regardait avec une vraie tendresse l'éternel profil de cet éternel passant : un nouvel amant. Déjà l'averse avait cessé, déjà au-dehors on l'appelait, et elle se redressa. Appuyé sur un coude, Basil lui lissait les cheveux de ses grands doigts, en ôtait quelques foins, tandis que de son côté elle reboutonnait sa chemise et renouait sa cravate. Ils avaient les gestes tranquilles, accordés d'un vieux ménage. Ils souriaient. Dans un geste de gratitude, il embrassa la main de Béatrice et avec une lenteur appuyée elle embrassa la sienne avant de sortir.

Nicolas semblait l'attendre devant la caméra et elle lui adressa un sourire d'enfant gâté dont il comprit tout aussitôt la signification. A sa propre surprise, il se mit en colère.

— Tu ne devrais pas faire ça à Édouard, siffla-t-il entre ses dents.

Béatrice, aussi surprise que lui, le regarda et c'est avec une parfaite bonne foi qu'elle répéta :

— Faire quoi à Édouard ?

Nicolas, dérouté, hésita. Après tout, Édouard ne saurait jamais rien et ni lui ni Basil n'étaient des indiscrets. Il passa donc de ce rôle de juge trop nouveau pour lui, à celui plus familier, de conseiller.

— Tu sais, dit-il, Basil, c'est un bon à rien.

— Je ne trouve pas du tout, dit Béatrice.

Et elle éclata d'un rire gai, comblé, évocateur qui finit par gagner Nicolas.

— Tu es vulgaire, dit-il en s'esclaffant, tu es infâme… et vulgaire, en plus.

Cessant de rire, Béatrice releva la tête vers lui :

— Eh oui, admit-elle avec un petit sourire. Mais c'est bien pour ça qu'Édouard m'aime, non?

Il y avait dans sa voix une interrogation triste qui déconcerta Nicolas.

— Tu es bizarre, dit-il.

— Et en quoi? En quoi suis-je bizarre? (Béatrice haussa les épaules); tu sais bien que je n'ai jamais pu résister à un homme aux yeux bleus...

Elle s'appuyait contre lui et le souvenir du passé, la proximité de cette femme qui sortait de l'amour, émut fugitivement Nicolas.

— Non mais tu sais, c'est vraiment un bon à rien, Basil, marmonna-t-il.

— Pourquoi? dit Béatrice, c'est un photographe, après tout. Tu deviens snob?

Elle s'étonnait, et sincèrement, car elle-même était dénuée de tout snobisme vis-à-vis de ses amants. Toute sa vie — qu'ils soient producteurs, coiffeurs, machinistes ou mondains — Béatrice les avait froidement traînés dans les galas, les premières et les dîners en ville. Elle eût aussi bien affiché le plus douteux des gigolos et elle l'admettait volontiers et non sans fierté. C'était même ce qui, cinq ans plus tôt, avait valu sa chance à Édouard, alors petit courtier d'assurances.

— Je n'ai que le corps de snob, avait-elle dit un jour à Tony — qui lui reprochait un petit amant pigiste plus gênant que les autres. Mais moi mes snobismes de peau sont plus implacables que les tiens, crois-moi! Et moins inexplicables.

Ce disant, elle désignait du menton la cohorte révérée par Tony et baptisée Tout-Paris par des journalistes égarés d'ennui et de fatigue.

— Ils se croient tous arrivés, avait-elle ajouté, mais où? Ils ne le savent même pas. Moi au moins, je le sais chaque fois.

Et elle avait rejoint en souriant son trop joli passant.

Nicolas n'insista pas. Après tout, il n'avait pas à se faire plus de souci qu'Édouard.

D'abord gêné, celui-ci s'était pris à son propre piège et était devenu un fanatique du septième art. Le pauvre Raoul était accablé de questions naïves, auxquelles, à la fois content et excédé, il répondait inlassablement. Grâce à leur dialogue, Édouard découvrait que ce lourd, ambitieux et tonitruant metteur en scène avait la passion de son métier et qu'il en devenait par moments presque émouvant (adjectif qui était bien le dernier que l'on appliquât généralement à Raoul Dantys). C'était un homme sanguin, un colosse, comme il le disait lui-même, et il jouait volontiers les Orson Welles, malheureusement sans son génie. Ayant pour coutume de partager le lit de ses interprètes femelles — coutume qu'il suivait réellement par devoir, tel un suzerain flapi mais usant de son droit de cuissage — Raoul avait d'abord été mécontent du refus aimable, mais ferme de Béatrice. Mécontent non pas pour des raisons sentimentales bien sûr, ni pour des raisons sensuelles — car Raoul, comme bien des forces de la nature, en déployait fort peu dans un lit — mais pour des raisons hiérarchiques : autant il était loisible au suzerain d'appliquer ou non la loi, autant il ne l'était pas à la paysanne de regimber. D'autre part l'infidélité, l'indifférence de Béatrice étant depuis longtemps notoire, Édouard n'avait donc représenté pour lui jusqu'alors qu'un simple et bizarre alibi. Tout à coup transformé en envoyé de Show-Show, Édouard changeait de consistance, devenait un pion sur le grand échiquier de la carrière de Raoul auquel il plaisait du même coup. «Ce garçon a du charme», disait-il en le tenant par les épaules et Édouard, gêné, regardait derrière lui ; comme si son propre charme eût été un grand chien fou qu'il n'aurait pas su dresser.

Béatrice, elle, attendait non sans malice qu'Édouard fît son métier de reporter. Elle alla même jusqu'à lui assener des phrases alambiquées et creuses, telles que : «L'art, c'est la vie. Chaque comédien porte en soi un double qui est à la fois son pire et son meilleur», et mille autres incongruités. Mais elle disait ces fadaises avec un si grand sérieux, insistant presque pour qu'il les note, qu'Édouard, atterré et confus, en arrivait parfois à se demander si sa belle maîtresse n'était pas une idiote. Ou si, au contraire, elle n'était pas au courant de sa comédie et ne se moquait pas de lui ; et là un petit vent glacial lui traversait l'esprit et le terrorisait. En vérité il était loin du compte : Béatrice croyait sincèrement en cet article et elle tenait à y faire bonne figure. Elle s'amusait à exagérer délibérément le pompeux et l'insane de ses déclarations, espérant ainsi provoquer chez Édouard une réaction critique qui l'aiderait, elle, à devenir vraie. Mais comme il ne bronchait jamais, elle en vint à penser que ces stupidités ne l'étonnaient pas, émanant d'elle, qu'il la jugeait sans doute faible d'esprit et cela l'exaspéra. Elle était sûre de son amour comme elle était sûre de son désir (et généralement, vis-à-vis de ses hommes, cela lui suffisait). Mais là, tout à coup, elle aurait voulu être sûre de son estime. Seulement c'était bien le dernier sentiment dont se souciât Édouard. (Il s'intéressait tout autant à la valeur morale de Béatrice qu'un grand drogué à la composition moléculaire de la morphine.) Il y eut très vite entre eux, de ce fait, une tension au bord de la brouille qui, loin — selon son plan initial — de sauver Édouard de l'énervement de Béatrice, l'exposa à sa hargne. Le dénouement survint un samedi soir.

Béatrice, ne devant pas tourner le lendemain et ayant donc oublié toute contrainte esthétique, avait beaucoup bu, et comme chaque fois qu'elle avait bu, elle se sentait pour la vérité une attirance aussi irrésistible que néfaste. Ils étaient dans le petit salon de l'hôtel, pour une fois seuls, Nicolas étant parti séduire une nouvelle figurante.

— Tu ne me demandes pas, dit Béatrice tout à coup, tu ne me demandes pas comment j'ai décidé de devenir comédienne ?

Édouard, qui avait complètement oublié son rôle de journaliste, sursauta :

— C'est vrai, en effet, je ne t'ai jamais demandé... comment t'es-tu décidée ?

— Si tu veux vraiment faire cet article, coupa Béatrice, il vaudrait mieux que nous en finissions : pose-moi tes questions, je te réponds et après on n'en parle plus. Depuis dix jours j'ai l'impression de vivre une perpétuelle interview, ça m'épuise.

— Mais tu sais, dit Édouard embarrassé, ce n'est pas vraiment une interview, ce sont des considérations... enfin un résumé de mes impressions personnelles...

— Bref, dit Béatrice, c'est tellement personnel, ton papier, que tout ce que nous pouvons dire ou faire, Raoul, Cyril ou moi n'a aucune importance ?

— Ce n'est pas ça, commença Édouard.

Puis voyant l'expression de Béatrice et la manière dont elle se servait résolument un autre verre de vodka, il jugea bon de faire un effort :

— Eh bien, comment as-tu commencé ? dit-il d'un ton qu'il voulait enjoué.

Béatrice vida son verre.

— J'ai toujours su que j'étais destinée au théâtre dit-elle, emphatique, déjà enfant, à deux ans, je jouais la comédie. Rien ni personne n'aurait pu m'empêcher de suivre cette voie, je le savais...

Elle regardait fixement Édouard en parlant, avec une sorte de défi, et ne sachant que faire, il rougit pour elle.

— Alors ? dit-elle, tu n'écris pas ça ? Ce n'est pas assez solennel, pas assez bête, pas assez ronflant ? Tu voudrais que je te raconte mes années de misère au Conservatoire ? Mes rêveries de jeune fille sur Phèdre ? Les sandwiches mangés à la va-vite afin de pouvoir payer mes cours ?

— Mais, dit Édouard stupéfait, qu'est-ce qu'il te prend ?

— Il me prend que j'en ai assez ! dit Béatrice. La vérité sur moi est bien plus plate : j'ai joué la comédie par hasard, parce que mon mari, mon premier mari, était très ennuyeux, très riche, et qu'un de mes amants était comédien. D'ailleurs je te l'ai dit cent fois. Alors pourquoi me poses-tu des questions idiotes ?

— Mais, dit Édouard, c'est toi qui poses ces questions idiotes. C'est toi qui « te » les poses. Moi, je ne t'ai posé aucune question.

— Alors pourquoi ? dit Béatrice, pourquoi ne me poses-tu pas de questions ?

Et brusquement, elle baissa la tête et éclata en sanglots. « Mon Dieu, pensa-t-elle, je suis ivre, c'est ridicule ; la vodka a toujours eu cet effet-là sur moi. Je suis pourtant de très bonne humeur. » Et effectivement, elle ne se sentait pas triste le moins du monde, elle ignorait l'origine de ses larmes pressées et brûlantes. Édouard, lui, en était bouleversé. Il ne se rappelait pas avoir jamais vu couler les larmes de Béatrice ou alors, il les avait vues furieusement réprimées. Ce soir, il semblait que c'était avec une sorte de délice, d'approbation même, qu'elle s'y abandonnait.

Il se mit à genoux près d'elle, il lui prit les mains :

— Je ne comprends pas, disait-il, je ne comprends pas ce que tu as.

Béatrice pleurait de plus belle. Elle essuya son visage contre la veste d'Édouard et avala une autre gorgée de vodka, comme on s'achève.

— Je ne sais pas non plus, dit-elle d'une voix entrecoupée, je te dis des clichés si imbéciles et tu sembles trouver ça si naturel. Tu me crois donc si bête? demanda-t-elle avec un brusque et vif sentiment de gaieté.

Et se laissant aller contre l'épaule d'Édouard, elle redoubla de pleurs. Édouard, protecteur, les bras autour d'elle, se laissait envahir par les remords. Il savait bien pourtant, depuis cette soirée à Lille, cette fameuse soirée, qu'elle avait des complexes, des doutes sur sa propre intelligence. Et bien sûr, il savait aussi, objectivement, qu'elle était quelqu'un d'intelligent. Il s'était conduit comme un égoïste et un butor. A présent, il fallait qu'il la rassurât. Et l'idée que ce soit à lui — justement lui, Édouard — de rassurer Béatrice le comblait d'aise. Il la berçait, murmurait des mots tendres. Il s'émerveillait de ce que les larmes de cette bête si féroce, si belle, appuyée sur son bras, dépendent de lui. Béatrice, elle, ayant renoncé tout à coup à une explication dont elle ne se rappelait même plus les motifs, se disait en souriant qu'Édouard était un être bien compliqué. Ce n'était pas Basil, par exemple, qui lui demanderait de parler de son art. D'ailleurs ce cher Basil, elle lui accorderait une heure le lendemain, comme il l'en suppliait presque, depuis leur première étreinte. Il était très doué, ce Basil... Mais elle ne s'avouait pas que, plus qu'au souvenir des charmes de Basil, c'était à une rancune aveugle contre Édouard qu'elle obéirait.

Édouard, enchanté, buvait ses larmes, les suivait des lèvres le long de sa joue, et les rattrapait lorsqu'elles atteignaient son cou, juste l'angle du menton, d'un mouvement avide et tendre qui troubla la douce ivresse de Béatrice. «En fait, c'est un vampire, pensa-t-elle, ce jeune homme désarmé cache un Othello, et ce chevreau est un sadique.»

— Au fond, dit-elle, tu es ravi que je pleure, non?

— Si c'est à cause de moi, oui, avoua-t-il.

Pour la première fois elle le regardait avec curiosité, et pour la première fois Édouard se sentait vu par elle et jugé autrement que comme un amant provisoire.

— C'est curieux, dit-elle rêveusement, que cela te fasse plaisir. Moi, je voudrais que tu sois très heureux, plus tard, même sans moi.

La réplique d'Édouard fut immédiate :

— C'est parce que tu ne m'aimes pas.

— Mais si, dit-elle en caressant ses cheveux. Dans vingt ans, je te vois très bien dans un fauteuil de rotin, sur une terrasse, le soir. Tu corriges les épreuves de ta prochaine pièce ; il y a une femme blonde, il y a aussi une lampe de porcelaine, un chien, un tilleul et peut-être un enfant aux yeux marron comme les tiens...

Sans qu'il sût pourquoi, cette image provoqua la colère d'Édouard, une colère teintée d'impuissance, comme si cette image eût été inéluctable.

— Quel doux tableau, dit-il avec ironie. Signé de qui ? De Vuillard ? Béatrice n'y connaissait rien en peinture ni d'ailleurs en littérature et en musique. Plus exactement tous les arts de la terre passaient à travers l'optique implacable de son métier qui transformait tous les personnages en rôles : elle aimait Stendhal à cause de la Sanseverina — rôle qu'elle adorerait jouer un jour ; elle aimait Goya à cause de La Maya desnuda à qui un de ses rares amants cultivés (Jolyet sans doute) l'avait comparée ; elle aimait Dostoïevski à cause de la Philippovna de *L'Idiot* et de la Grouchenka des *Frères Karamazov*. Elle aimait même Proust à cause de l'interprétation sensuelle, bizarre et glacée qu'elle aimerait donner à Oriane de Guermantes ; elle se voyait, elle s'imaginait déjà dire à Swann lui annonçant son agonie prochaine : « Vous exagérez ». Elle apportait d'ailleurs dans ces rôles une imagination réelle et déclenchée par son perpétuel désir de tromper qui fascinait ses metteurs en scène. Et c'est là que vraiment elle travaillait beaucoup. Grâce à ce parti pris, elle avait beaucoup lu et elle se plaisait à jouer le soir pour Édouard, étonné et ravi, tous les personnages qu'il lui demandait. Elle fut même Phèdre une fois pour lui, d'une manière si étonnante qu'Édouard ne put longtemps suivre la sage conduite d'Hippolyte et qu'il la viola presque entre deux alexandrins. En dehors de ça, elle adorait la musique ; mais ce Vuillard inconnu dont lui parlait Édouard l'importunant, elle éluda :

— Et toi, dit-elle, comment me vois-tu ?

— Nue, dit Édouard, nue et sombre, allongée contre un miroir et t'épiant toi-même. Ou écartelée sur une plage au soleil. Mais seule ! Ah oui, en tout cas, seule.

Elle éclata de rire.

— Tu vois comme tu es méchant, dit-elle. Mais penses-y, Édouard, dans dix ans, tu auras tout oublié de nous — et moi aussi. Toute cette passion te paraîtra bien excessive et toi, tu te réfugieras dans la tendresse avec une autre.

Elle parlait sur un ton si serein, elle décrivait si tranquillement cette existence privée de sens pour Édouard, ce désert, cette dérision, qu'il s'éloigna d'elle avec fureur.

— Et toi ? cria-t-il presque, où iras-tu te réfugier ?

— Nulle part, dit-elle. Dans dix ans ou vingt ans, je jouerai encore ; je serai vieille, belle et fardée. Et je vivrai avec quelqu'un qui m'aimera ou qui fera semblant.

— Qui t'aimera comme moi ?

Elle hésita avant de répondre « Non », mais c'était parce que, pour une fois, elle était sûre de ce « non ». Dans le prisme démesuré, vitreux et éclatant de l'alcool, elle le voyait tel qu'il était : fou d'amour, kamikaze, l'amant brûlant et brûlé à la fois. Elle voyait sur elle ce regard liquide et si pur à force de désir, un désir parfaitement intact après huit mois et dont elle s'étonnait de s'étonner... Car après tout elle en avait connu d'autres, de ces hommes épris, de ces fanatiques ; seulement cette fois-ci, ce n'était pas le fanatisme du possédant, du propriétaire qu'elle découvrait chez Édouard, mais le fanatisme du possédé. Elle pouvait tout lui faire, tout lui dire, il n'en aurait jamais assez. Il réclamerait toujours des baisers, des regards, n'importe quoi et même des coups. Non qu'il fût le moins du monde masochiste : car il avait d'inimitables soupirs de bonheur, des longs soupirs d'enfant comblé lorsqu'elle était tendre avec lui, par inadvertance. Elle se rendit compte que ce terme était le bon : « inadvertance » et que c'était délibérément qu'elle se refusait à toute détente, qu'elle lui refusait comme à elle-même toute tranquillité. C'était elle qui menait leur attelage et qui lui infligeait le double mors du désir et de l'inquiétude. Et au fond pourquoi ? Qui donc l'obligeait à ce rôle de dompteuse ? Qui donc la conduirait, demain ou après-demain, dans les bras de ce Basil qui ne lui faisait pas mieux l'amour ? Qui l'empêchait de dire « nous » en parlant d'eux ? (pour l'avenir comme pour le passé). Qui l'empêchait même d'imaginer cet avenir ? Bien sûr, elle avait toujours admis que ses amours seraient provisoires, mais elle n'avait jamais vu en cette pensée autre chose qu'une évidence abstraite, presque plate. Pourquoi à présent tenait-elle à se la rappeler sans cesse ? Pourquoi se fatiguait-elle tant à ressembler à sa propre image et pourquoi ne se sentait-elle rassurée que lorsque cette image primaire et féroce coïncidait avec le reflet que lui renvoyaient les yeux d'Édouard ? Édouard n'était pas le public, quand même ! Il était censé chercher la vérité en elle, voire même la trouver. Mais laquelle ? Après tous ces mensonges et toutes ces vies qu'elle avait eues, qui était-elle ?

Et tout à coup, elle se souvint d'elle-même à douze ans, dans un tablier noir d'écolière, un jour de pluie à Rouen. C'était devant une fenêtre et sa mère criait très fort et criait des mots terribles : « Qui es-tu à la fin ? Je ne sais plus, moi ! Qui es-tu ? » Oui, ces mots l'avaient terrifiée parce qu'elle ignorait la réponse à cette question, qu'elle n'y avait jamais pensé, avant, et qu'il lui semblait justement que c'était sa mère qui détenait, a priori, cette réponse et qu'elle la lui donnerait en temps voulu. Et voilà que sa mère l'ignorait, voilà qu'elle la lui réclamait. Mais alors quel vertige, quelle épouvante ! Qui savait ? Qui pouvait savoir ? Béatrice revit le reflet de la blouse noire dans la vitre, la pluie blonde de soleil giclant sur l'autre face de cette vitre, le visage rose et coléreux de sa mère qui devenait soudain gris et qui disparaissait sans

rien dire, sans même s'excuser d'avoir égaré cet effrayant secret. A
présent ses paupières brûlaient pour de bon. Mais cette fois-ci, sachant
vraiment d'où lui venaient ces larmes, elle les refoulait et les écrasait du
poing comme une vraie écolière. Elle tentait de se moquer d'elle-même :
après tout, que lui importait d'être ceci ou cela et que son existence ait
eu tel ou tel sens ? Elle n'avait jamais prêté attention qu'aux pulsations
de ses désirs, de ses ambitions et de ses plaisirs. Elle ne s'était jamais
aimée ni haïe. Tout au plus avait-elle apprécié sa force dans les coups
durs, son habileté dans les coups faussés et son indifférence dans les
coups sanglants. Elle ne s'intéressait pas. Et si parfois elle s'était plu,
c'était parce qu'elle se faisait rire, d'un rire aussi gai que dégoûté. Elle
savait bien sûr que la gratuité, la bonté, la confiance, la fidélité n'étaient
pas de vains mots pour tout le monde mais elle savait qu'ils l'étaient et
le resteraient pour elle doublement, et par sa nature et par son métier.
Elle ne se mentait pas à ce sujet, elle était lucide et en éprouvait un
certain orgueil, comme d'une force — alors que c'était probablement
son unique faiblesse : elle croyait refuser toute illusion alors que toute
illusion se refusait à elle.

Certaines lucidités sont pires que les pires aveuglements. A l'instant
où l'on accepte son propre reflet comme définitif, il importe peu de
savoir si le miroir, l'œil, est déformant ou pas ; il faut que ce reflet soit
beau ou qu'il tente de l'être ; car s'il ne l'est pas et qu'on s'y résigne, on
en vient à rechercher le pire, on ne tente plus que d'accentuer sa férocité,
tels dans les fêtes foraines ces badauds déjà laids, qui, reconnaissant
soudain dans une glace faussée leur image caricaturale, se plaisent à en
accentuer le grotesque plutôt que de s'enfuir. Car les autres badauds,
alors, se rassemblent et rient ouvertement de cette laideur mise en
majuscule, et dont ils ne pouvaient que sourire en cachette lorsqu'elle
était en minuscule. Enfin, on remarque l'insignifiance ! Et que recherche
le plus insignifiant ou le plus sot sinon d'être vu ? Chacun veut, quand il
marche, que quelqu'un se retourne, ou quand il ne dort pas, que
quelqu'un s'en inquiète, et quand il cède au rire ou aux larmes, que
quelqu'un l'entende. Et s'il est heureux, que quelqu'un l'envie. C'est
peut-être pourquoi toute rupture, tout divorce est si douloureux. Ce n'est
pas l'être aimé, le complément ou la différence, le maître ou l'objet qui
vous manque, c'est « l'autre », le témoin, ce micro et cette caméra
perpétuellement branchés. Celui ou celle qui avec désir ou avec haine
— peu importe — vous voyait vous lever, vous habiller, fumer, sortir,
celui ou celle qui vous entendait siffloter, bâiller ou vous taire (même
s'il ne vous regardait pas et même s'il ne vous écoutait pas). Et tout à
coup, personne ! Pour qui alors — même si vous ne le supportiez
plus —, pour qui écraser la cigarette dans un cendrier et non au milieu
du tapis ? Pour qui — même si vous n'en aviez plus envie — éteindre
votre lampe et vous déshabiller ? Pour qui — même si vous ne

souhaitiez pas le retrouver au matin — fermer les yeux et chercher le sommeil ? Car enfin — et même si vous êtes adulte — pour qui dormir, si Dieu n'existe pas, et pour qui vous réveiller ? Qui pourra témoigner demain que vous vous êtes bien lavé les dents ? Et devant qui ? Si ce n'était pas le style de questions que se posait Béatrice, c'était bien en revanche celui de ces éternelles interrogations, parfois tendres comme des lilas, parfois féroces comme des orchidées qui depuis toujours peuplaient les jardins secrets d'Édouard. C'était d'elles qu'étaient nées ses deux pièces (déjà jouées) son roman (inachevé) et ses poèmes (jetés, égarés). Son œuvre n'était rien d'autre que le récit décousu d'un jardinier débordé par ses fleurs, par les mots, un jardinier devenu fou qui n'arroserait plus que les tuteurs de ses jeunes plants déjà ravagés, d'ailleurs, à force d'avoir été bêchés. Mais c'était aussi souvent un jardinier stupéfait et ébloui de voir, au milieu de ce carnage, se lever, se balancer une rose sablée, fragile et charnue, inconnue de tous, une rose faite de mots et de pétales accolés miraculeusement, bref « une expression heureuse ». Et à travers ces trois mots studieux et plats : « une expression heureuse », Édouard reconnaissait l'incroyable bonheur de s'exprimer et la chance, la folle chance, d'être compris.

CHAPITRE XVII

L'AUTOMNE se précipitait, les jours se rétrécissaient, ainsi que le délai prévu pour le tournage. Il pleuvait sans cesse sur la Touraine et l'équipe s'enlisait dans des prairies boueuses et jaunes. Béatrice, se trouvant par les bizarreries du découpage, obligée de jouer les premières scènes du film, s'exaspérait. Il pleuvait, les prés fumaient après la pluie, les peupliers semblaient guetter l'hiver, ou rêver à autre chose. De la fenêtre de sa chambre, à l'hôtel, Édouard regardait sans le voir ce glissant paysage. Inconsciemment il le rangeait dans un immense album, entrepris depuis toujours, celui de son histoire avec Béatrice. Un album hétéroclite où se mélangeraient un jour, mais où se côtoyaient déjà dans une fausse et cordiale égalité, des souvenirs toujours vifs : une fin d'autoroute, le Magritte, un lit ouvert, des mots, des mots balbutiés et crus, la ligne épurée d'un voilier, une bouche nue dans la nuit, un vieil air d'opéra, la mer. Et déjà il ne cherchait plus à retrouver, dans ce fouillis, le profil de Béatrice cerné par le plaisir et le bord des jumelles, un après-midi d'été. Instinctivement, il ne se rappelait que les moments de bonheur et il se demandait pourquoi sa mémoire était si sélective, si délibérément tournée vers un passé heureux, alors que son imagination, elle, demeurée odieusement défaitiste, ne lui proposait qu'un futur déchirant. Au fond il devait faire partie de ces faux lâches ou de ces faux courageux qui subissent sans broncher les coups les plus durs mais tremblent convulsivement devant les imprévus, même si ceux-ci ne sauraient être pires. Et puis il se savait incapable de rancune : si le souvenir du voilier, par exemple, et de Gino, gardait la vivacité d'une affreuse blessure, il ne savait plus très bien, par contre, qui la lui avait infligée. Et s'il avait dû désigner une coupable, il aurait nommé «la vie»... La vie : oui, mais Béatrice : non. Non, puisque depuis, elle l'avait repris dans ses bras, embrassé, aimé, lui avait donné du plaisir et en avait accepté de lui. Son imprudence seule était en cause. On ne doit pas négliger la nature de l'autre ; et Béatrice étant ce qu'elle était, libre, sensuelle et infidèle, il n'aurait jamais dû la laisser partir seule sur ce bateau, avec un beau jeune homme. Après tout, il faut avoir un mépris horrible, presque mesquin, pour refuser d'accepter celle que l'on aime telle qu'elle est, pour refuser de l'accepter, voire de la protéger. A ses yeux, bien sûr, elle avait fait figure de putain, mais à ses yeux à elle, il avait dû paraître un imbécile. Et si dans cette affaire, c'était le rôle de Béatrice qu'il préférait — comme tous les rêveurs il admirait les gens d'action — il craignait fort qu'elle en fît autant. Et s'il respectait Béatrice pour la souffrance qu'elle lui avait infligée ce jour-là, cela hélas n'incluait pas qu'elle le respectât, lui, de l'avoir ressentie. Et elle avait raison. Profondément raison. Il n'y avait aucune douleur qui vaille un plaisir, aucune mélancolie qui vaille un élan, et aucun regret qui vaille une envie. De cela il était sûr, et ce n'était pas le moindre des charmes de Béatrice, à ses yeux, que de l'amener, chaque jour, à se sentir fou furieux, affamé, comblé, un homme, quoi.

Le lendemain, Béatrice se heurta à Basil dans le couloir de l'hôtel et elle comprit aussitôt que tout entre eux était possible et désirable. Il n'était qu'à deux portes de sa chambre, il lui souriait, elle avait envie de le suivre et elle allait le faire. Elle allait suivre ces épaules larges, ces longues jambes, ce regard et ce désir avoué. Une obéissance trouble, bien connue, la faisait soudain s'incliner devant l'envie de cet homme, la lui faisait considérer comme un ordre, voire une obligation. Oui, c'était bien à une sorte de devoir ancestral et confus, mais dont son sang, ses mains, ses jambes reconnaissaient le bien-fondé, qu'elle allait se livrer. Elle avait appartenu une heure à cet homme, comme lui à elle, ils s'étaient plu, il n'y avait nulle raison de briser ce pacte naturel et tacite au nom d'un inconnu. Car en cet instant même, dans ce couloir sombre, silencieux et vide, Édouard était devenu un inconnu, une idée, presque un souvenir ; en cet instant même, elle n'avait qu'un ami, qu'un proche et qu'un pair : Basil, et elle le savait. D'ailleurs le côté irréversible et presque conformiste de ces rencontres de hasard, purement sensuelles, avait toujours sidéré Béatrice. Sidéré mais comblé. Car c'était bien la seule circonstance où un homme et une femme se retrouvaient à égalité,

puisque soumis à la même délicieuse nécessité : celle de se rejoindre
Elle laissa donc s'appuyer contre elle ce grand corps exigeant, et tel un
mélomane reconnaissant les premiers accords d'un certain andante, elle
battit instinctivement des paupières avec gratitude au contact de sa
chaleur. Bizarrement, il lui semblait que c'était la part la plus honnête et
la plus incorruptible d'elle-même qui se renversait sur ce lit d'hôtel, et
que ce corps décidé et lascif, le sien, livré à ce passant, était la seule
preuve peut-être de sa respectabilité.

Basil fut donc respectueux à souhait dans son irrespect, exaspéré par
une semaine de contretemps. A sa propre surprise, il avait réellement
attendu de retrouver Béatrice, et il se vengea avec délice de cette attente.
Édouard était à Paris pour la journée, et ils eurent donc, après l'amour,
tout le temps de parler. L'apaisement, la fatigue et une mélancolique
douceur aidant — car ils savaient qu'ils ne se reverraient sans doute
jamais seuls — ils en vinrent aux confidences. Dans certaines
circonstances et entre deux personnes qui se connaissent mal, les
confidences ne peuvent être que des indiscrétions. Ne pouvant aller
jusqu'aux rêves, on en revient aux faits, et c'est ainsi que Basil, pourtant
homme discret, raconta à Béatrice la raison de sa présence, le complot
de Nicolas, bref l'imposture d'Édouard. Aussitôt il en éprouva du
remords : bien sûr Béatrice semblait l'écouter avec flegme, voire
amusement, mais Basil savait quels réflexes différents peut avoir une
femme alanguie après l'amour et une femme reposée et debout. Il la
supplia d'oublier son aveu, mais elle lui rit au nez.

— Que crois-tu ? dit-elle. Que je vais me taire et entrer dans cette
comédie ? Édouard est mon amant, que je sache. Il n'est pas question de
tromperie entre nous, ajouta-t-elle avec une parfaite inconscience.

Elle quitta la chambre en chantonnant et Basil partit à la recherche de
Nicolas qu'il ne trouva pas. C'est ainsi qu'Édouard, qui avait eu le
temps d'enjoliver son rôle au volant de sa voiture, revint à l'hôtel en
arborant l'air surmené, blasé et efficace du parfait journaliste.

— Oui, oui, pérorait-il plus tard au coin du feu, oui, ils aiment
beaucoup le début de l'article. J'ai passé une heure avec leur
correspondant, Williams. Ils trouvent les photos très bonnes et *Show-
Show* envisage même de me redemander un article pour la sortie du
film...

Ils étaient réunis dans le petit salon, et Tony d'Albret — qui après
avoir constaté l'absence simultanée de Basil et de Béatrice, s'était livrée
tout l'après-midi à une de ces promenades à la fois hygiéniques et
discrètes dont elle avait le secret —, Tony d'Albret donc exultait.

— Je regrette que vous ne vouliez pas nous montrer cet article, mon
cher Édouard. Ce serait la moindre des choses, après tout.

— J'aime mieux vous en faire la surprise, dit Édouard.

— Je n'aime pas les surprises, dit Béatrice d'une voix plate et dangereuse, et je trouverais même plus... décent?... oui, décent, que tu nous montres cet article avant sa parution.

Cette référence inattendue, presque cocasse, à la décence laissait prévoir un orage : Béatrice, qui dans la bonne humeur était délicieuse de naturel, utilisait volontiers des termes moraux et inconnus d'elle lorsque cette bonne humeur disparaissait. Tony, surprise, haussa les sourcils. En effet, au contraire de bien des femmes, le fait de trahir ses amants ravivait toujours à leur égard la tendresse de Béatrice, voire même sa considération. Ce n'était ni de la condescendance, ni de la pitié, ni bien sûr de la honte — sentiment encore plus éloigné que la décence de l'esprit de Béatrice —, c'était tout bonnement de la gratitude. Cela, même Tony l'ignorait, mais c'était pourtant bien la gratitude qui saisissait Béatrice quand elle voyait rentrer, sifflotant, un homme tranquille qu'elle avait passé tout l'après-midi à oublier dans les bras d'un autre ; la gratitude de ce qu'il soit assez aveugle, confiant ou occupé pour lui laisser le temps d'accomplir sans précipitation comme sans drame, ses fredaines. Pour Tony son irritabilité s'expliquait donc mal, ce soir-là.

— Et toi, Tony, continua Béatrice, tu ne trouves pas ça assez léger, l'attitude d'Édouard ?

Ce dernier avait un air si traqué que Nicolas eut envie de rire et de protester aussi : c'était quand même bien le comble qu'avec tout son talent, son charme et sa sincérité, Édouard se retrouvât non seulement bafoué, houspillé, mais aussi en position de coupable.

— J'attendais que le tournage soit terminé, dit-il faiblement. Après tout, je suis un étranger ici. J'ai un œil différent sur le film et mon article pourrait, même inconsciemment, influencer Raoul.

— Ah non ! dit Béatrice, tu ne vas pas nous parler d'un œil neuf, ni d'une optique différente ni d'autres sottises ! Pas à nous. Quant à Raoul, il n'est en aucun cas influençable, c'est sa seule force et tout le monde le sait.

Ignorant comment prendre cette phrase, Raoul émit un rire triomphant et s'inclina légèrement. Béatrice se tourna vers lui :

— A propos, Raoul, as-tu vérifié les photos qu'a faites ce délicieux Basil ? Sont-elles bonnes ? Sommes-nous les dignes représentants du cinéma français ? Ou avons-nous l'air de pantins démodés ?

— Mais quelle mouche te pique ? s'exclama Tony de plus en plus alarmée. (Elle agitait les bras, geste fréquent chez elle mais qui, vu la brièveté de ces bras, lui donnait immanquablement une allure de pingouin.) Pourquoi t'énerves-tu ? Du moment que les gens de *Show-Show* sont contents...

— Je ne m'énerve pas, j'aimerais lire le début de l'article, c'est tout, dit Béatrice d'une voix sévère.

Elle fixait Édouard qui se vit perdu. Il ne pensa pas un instant à une trahison de la part de Basil, mais il s'était lui-même si habitué à son rôle qu'il se sentit coupable de n'avoir pu en effet écrire cet article. Il avait bien essayé pourtant, pour faire sérieux, pour faire vrai, et il s'était rendu compte alors qu'il n'avait rien d'un grand reporter. Ses souvenirs de tournage étaient uniquement ceux d'un homme amoureux. La première semaine lui avait paru bonne, la deuxième pénible et la troisième épouvantable, mais ses impressions n'étaient que le reflet des humeurs de Béatrice. Quant à la technique de Raoul, il eût pu la résumer en deux phrases : il faisait tourner Béatrice ou il la laissait tranquille. Édouard, lui, aurait été bien incapable d'apprécier le jeu de Béatrice. Elle était partout, toujours, tout le temps en gros plan. Ces deux dernières semaines, comme les précédentes d'ailleurs, n'avaient été, pour lui, qu'une suite incessante, presque morbide de ces gros plans imaginés et tournés par un metteur en scène : obsédé lui-même. Il ne se rappelait aucune anecdote, aucune plaisanterie de plateau. Il ne se rappelait rien de ce qui s'était vraiment passé et il se rendait compte, une fois de plus, que la réalité, la véracité ne voulait rien dire pour lui ; et qu'il n'y avait que dans la fiction ou l'émotion qu'il retrouvait quelque sens à la vie. Seulement les lecteurs de *Show-Show* — si cette farce avait été autre chose qu'une farce — auraient été sans doute fort peu intéressés d'apprendre que Béatrice aimait l'odeur du foin, qu'elle détestait les omelettes et avait la manie de porter des escarpins pointus dans les pires ornières ; qu'elle était d'une familiarité écœurante avec les techniciens et qu'elle offrait à la caméra des regards, des gestes, des demi-pâmoisons qui le rendaient, lui Édouard, fou de jalousie. L'effort ridicule et inutile qu'il faisait depuis dix jours pour commencer ce faux article s'était avéré des plus inutiles. Même les mots, ses fidèles alliés, ses sujets, ses soldats s'étaient révélés n'être qu'une piétaille révoltée et désobéissante. Il avait même dû, pour effacer cette tentative de tricherie et se réconcilier avec ses troupes, s'engager dans un long et délirant poème qu'il n'avait pu encore terminer.

— De toute manière, dit-il, ça ne paraîtra pas avant six mois.

— Si «ça» paraît jamais, dit Béatrice d'un ton doux, si doux que tout le monde s'immobilisa, que Nicolas esquissa un pas vers la porte et que même Tony, pourtant prodigieusement insensible aux atmosphères, reposa son verre sur la table.

— Que veux-tu dire ? demanda-t-elle.

Mais déjà Béatrice avait traversé la pièce, pris le bras d'Édouard pétrifié, et l'entraînait au-dehors.

— Nous avons à parler, dit-elle en se retournant sur le seuil : monsieur Maligrasse et moi-même, nous avons à parler sérieusement.

Et pirouettant, elle effectua une de ces sorties dramatiques qui avaient si souvent assuré son succès, à la scène comme à la ville.

Dehors, il faisait presque nuit, presque froid, et le ciel, dans la cour de l'auberge, était devenu bleu sombre. Béatrice se tourna vers Édouard, le saisit par les revers de sa veste et le contempla. Édouard comprit qu'elle savait, mais l'ampleur de la catastrophe, sa soudaineté lui ôtait tout réflexe. Il la regardait, les bras ballants, il entendait le sang battre à ses propres oreilles. Il ne se rappelait pas avoir jamais éprouvé une telle frayeur depuis le jour où il avait été surpris, fumant un cigare dans la chapelle, par le principal du collège. En même temps, il remarquait que la lèvre inférieure de Béatrice était plus gonflée que d'habitude, et il se demandait confusément qui pouvait bien l'avoir mordue.

— Ainsi tu me mens, dit la voix de Béatrice à des kilomètres de lui. Et comme il ne répondait pas, elle le secoua légèrement. Il hocha alors la tête de bas en haut, docilement. Il recommençait à penser et déjà il se demandait si ce prétexte suffirait à Béatrice pour le quitter.

— Oui, dit-il, je t'ai menti. Et alors?

Elle se rapprocha de lui, mit les bras autour de son cou et appuya la tête sur son épaule avec, pour la première fois, un geste de femme soumise.

— Mon Dieu, dit-elle à voix presque basse, mon Dieu, quel bonheur! Ainsi tu as de l'imagination...

Et relevant la tête, elle l'embrassa passionnément; Édouard, abasourdi, chancelant de bonheur, pensa très vite qu'il ne pourrait jamais, au grand jamais, s'habituer à elle, ni par conséquent se déshabituer de l'aimer.

— Tu ne sais pas ce que c'est, disait la voix de Béatrice à demi étouffée par sa veste, tu ne sais pas ce que c'est, de vivre avec un homme sans imagination. J'aimerais mieux vivre avec un escroc, ou un maquereau. Au moins eux, leur pourcentage, c'est l'argent; tandis qu'avec un homme sans idées, vois-tu, le pourcentage, c'est l'ennui. Il profite de tes inspirations le jour comme la nuit, et il t'en veut à mort si tu ne le distrais pas de sa vie plate. Mais toi, mon cœur, ajouta-t-elle en relevant la tête et en embrassant le cou d'Édouard dans un geste presque respectueux, toi, tu n'as rien d'un maquereau.

Elle se mit à rire. Édouard avait refermé les bras sur elle et contemplait, là-bas, ce ciel bleu nuit qui avait failli être dramatique et qui était à présent empreint de toute la douceur, de toute la quiétude provinciale. Il se joignit donc à son rire, tout en pensant que c'était la première fois qu'elle semblait l'admirer pour de bon et qu'il avait fallu, pour cela, qu'il lui mentît.

Le lendemain, il eut tout loisir d'oublier ses tendres regrets. Béatrice était de très bonne humeur, d'une bonne humeur dangereuse et, à sept heures, après le dernier plan, elle se déchaîna. Les machinistes ramassaient leurs appareils dans la cour de ferme; Raoul, Cyril, son partenaire, Nicolas, Basil et Édouard partageaient une bouteille de vin blanc, assis sur des marches de pierre. Béatrice avait déjà, d'un clin d'œil et d'un sourire, rassuré Basil qui ne se pardonnait pas sa trahison de la veille (Édouard n'ayant pas eu le temps de lui apprendre l'échec de leur complot).

— Finalement, Tony, dit Béatrice enjouée, Édouard s'est décidé à me lire les premières pages de son article. C'est très bien, très très bien... Nicolas et Basil, étonnés, se regardèrent.

— ... Mais, continua Béatrice, je trouve que cet article manque de romantisme. Les Américains adorent les idylles, non ? Surtout les idylles de plateau. Je trouve que Basil devrait faire quelques photos de Cyril et de moi, tendrement enlacés.

— Quelle drôle d'idée..., balbutia Cyril.

Il était partagé entre la tentation de dissiper ainsi la vague aura d'homosexualité qui l'escortait et la terreur de provoquer l'irritation de sa femme ; la brune Margot, en effet, comme toute femme de pédéraste, était vis-à-vis de ses hypothétiques liaisons féminines, d'une jalousie aussi morbide qu'inutile.

— Voyons, Cyril, dit Béatrice, Margot n'est pas là, tu ne risques rien.

En s'asseyant près de lui, elle prit des poses lascives. Basil, goguenard, les photographiait, tandis qu'Édouard, impuissant, ligoté par ses mensonges, rongeait son frein. Il finit par grommeler que tout cela était ridicule, que ce n'était pas un article de ragots qu'il écrivait mais un article de fond.

— Écoute, dit Béatrice, j'ai lu ton article, oui ou non ? Je t'assure qu'il manque de piment — entre autres.

— Les Américains adorent ce genre-là, c'est vrai, commenta Raoul. J'aimerais bien aussi lire ces quelques pages, Édouard, je vous l'avoue.

— Voyons..., marmonnait Cyril en essayant de détacher les bras de Béatrice fermement amarrés à son cou, voyons, quand cet article paraîtra, qu'est-ce que je vais expliquer à Margot, moi ?...

— Vous lui direz que c'était une comédie, dit Raoul, un truc publicitaire.

— Elle se méfie terriblement de moi, dit Cyril d'un air piteux.

Raoul, Nicolas et Tony échangèrent un coup d'œil méchant et polisson.

— Eh bien, dit Béatrice en se levant et s'étirant, puisque je suis la vedette du film, après tout, pourquoi ne pas poser avec moi, Édouard ? En amoureux transi, par exemple ? Basil, préparez vos Leica.

Et elle prit le bras d'Édouard, posa sa tête sur son épaule, l'air alangui. Tony avait l'œil attendri et subitement intéressé :

— C'est une très bonne idée, dit-elle, se rappelant son rôle d'impresario, une très bonne idée pour tous les deux, d'ailleurs : le jeune auteur à succès et la vedette... C'est romantique. Et en plus, ajouta-t-elle d'un air vertueux, ce n'est que la vérité.

Basil, souriant, imperturbable, mitraillait Édouard et Béatrice, et Nicolas avait du mal à ne pas rire. « Il n'y a qu'elle, décidément, pensa-t-il, il n'y a qu'elle pour amener un de ses amants à la photographier, pâmée, dans les bras d'un autre ! »

— Je trouve ça gênant, protesta Édouard à voix basse, gênant et ridicule.

— Édouard trouve ça ridicule ! cria Béatrice à la cantonade. Te ferais-je honte ? Aurais-tu honte de nos relations, cher Édouard ? (Et elle lui posa sur la joue un baiser sonore.) Puisque de toute manière ces photos ne paraîtront pas... et que ça me fait plaisir...

— C'est ce que je trouve déplaisant, justement, répliqua Édouard toujours à voix basse : c'est la première fois que tu affiches tes sentiments pour moi, et il faut que ce soit pour un faux article ! Et puis Basil doit me prendre pour Dieu sait quoi...

Elle se mit à rire, de ce rire qu'Édouard détestait.

— Ça, dit-elle, il te prend sûrement pour Dieu sait quoi... On arrête, Basil, cria-t-elle. Ah non, un instant, je veux faire une photo de vous deux : Édouard et vous. Ça se fait beaucoup, dans un journal, une photo d'équipe !

Gênés, furieux, et trouvant, pour des raisons diverses, cette idée du plus mauvais goût, les deux hommes s'assirent comme deux chenets, les mains pendantes, à un mètre l'un de l'autre. Béatrice braqua l'appareil sur eux.

— Souriez ! dit-elle. Vraiment, c'est les « Deux Nigauds ». Ah non, vous n'êtes pas drôles...

— Toi non plus, dit la voix de Nicolas dans son dos.

Il admirait en silence le petit jeu cynique de Béatrice, et effectivement l'air atterré de ces deux vieux jeunes gens, tous deux convaincus de se duper l'un l'autre, avait quelque chose de réjouissant.

— Va donc poser près d'eux, dit Béatrice entre ses dents.

Il lui jeta un bref coup d'œil : elle avait une mèche sur le front, la peau rose, l'œil sombre et une expression malicieuse et comblée qui le désarma. Après tout elle était assez séduisante pour se permettre ces facéties. Il était dommage plutôt qu'il n'eût pas compris, à l'époque, qu'elle pouvait être si facétieuse.

— Non, dit-il doucement, je n'irai pas. Ce serait une erreur chronologique.

Béatrice éclata de rire, posa l'appareil par terre et se jeta au cou de Nicolas. Ils riaient tous deux, innocemment, enfin avec cette innocence des gens doucement corrompus.

— Il ne tiendrait qu'à toi de réparer cette erreur, dit Béatrice en lui mordant l'oreille.

Mais déjà les deux autres, soulagés, les avaient rejoints ; et escortée par ces trois hommes, tous trois mâles et beaux, disparates, mais à cet instant-là, tous trois pareillement épris d'elle, Béatrice, enchantée d'eux, d'elle-même et de la vie, reprit le chemin de l'hôtel.

CHAPITRE XVIII

LE RIDEAU retomba pour la cinquième et dernière fois. Les applaudissements étaient si maigres que le régisseur fit signe au machiniste d'abandonner. Béatrice outrée, les yeux étincelants, traversa le plateau à grands pas et se dirigea vers les coulisses où Tony et Édouard l'attendaient tristement. Il y avait pourtant quatre jours que l'on pouvait considérer comme acquis et définitif l'échec de cette nouvelle pièce. Mais Béatrice, elle, ne s'y habituait pas ; sa rage était aussi bruyante et démonstrative que son plaisir avait été discret, voire détaché, six mois auparavant, dans ce même théâtre, pour sa reprise triomphante d'*Après-midi*.

— Quels butors ! dit-elle arrivée près d'eux, quels imbéciles !

— C'est la pièce, dit Tony d'une voix plaintive, je t'avais bien dit...

— Tu ne m'avais rien dit du tout, coupa Béatrice, cette pièce est très bonne, très bien mise en scène et très bien jouée, par moi comme par les autres. Ce sont les critiques qui sont des crétins, comme tous ceux qui les lisent !

A présent assise dans sa loge, elle se démaquillait tout en fulminant, et Édouard souriait. Dans cette époque masochiste et veule, la révolte de Béatrice lui semblait des plus rafraîchissantes. Les résignations faussement élégantes, les responsabilités rejetées sur autrui, les mutismes héroïques ou les gaietés grinçantes, tous les masques, bref, dont se parait généralement l'échec, il en avait beaucoup vu, beaucoup trop vu pour ne pas être enchanté de la véhémence, la mauvaise foi résolue et l'exaspération de Béatrice. Exaspération doublement justifiée car en plus, le film de Raoul démarrait mal. Il avait été monté trop vite, lancé à trop grand bruit et Béatrice, qui entre-temps avait accepté un peu à la légère de créer cette pièce, soi-disant brillante, faisait les frais de tout cela. Depuis trois semaines, on la traînait devant les caméras de télévision comme une accusée à son procès et ses interviewers étaient devenus ses juges. Or elle n'était vraiment pas faite pour cette position de défense. Bien sûr, elle aurait dû se taire et laisser passer le temps, seulement Béatrice refusait la défaite, ou plutôt s'obstinait à croire qu'il y avait dans ce domaine des victoires et des défaites, donc des motifs de bataille ; et elle perdait son calme, se débattait et mordait au hasard.

Loin de la déprimer, ce combat incessant, la défection de certaines amitiés et la raréfaction des coups de téléphone lui procuraient une gaieté nouvelle parce qu'inconnue : le succès avec son goût de miel lui avait toujours paru bien naturel mais bien fade. Là, dans l'échec, elle retrouvait au contraire son odeur préférée : celle de la poudre. Ce que voyant, d'ailleurs, les journalistes avaient commencé à baisser le ton. Ils hurlaient, bien sûr, ensemble, comme des chacals, mais attendaient d'être en bande pour le faire. Cette prudence, rare chez eux, avait été provoquée par la mésaventure de Patrice Polivet, journaliste célèbre pour sa hargne, qui avait cru amusant de réserver à Béatrice, dans son émission, un accueil faussement compatissant. Il s'était vite fait rappeler qu'elle n'était pas à plaindre, mais à admirer, et que ce n'était pas son talent ni son courage qui étaient admirables, le cas échéant, mais bien plutôt sa patience : la patience qu'il lui fallait à elle, Béatrice Valmont, pour répondre aux perfidies stupides d'un incapable nommé Patrice Polivet. Cela avait provoqué une belle empoignade et certains confrères de ce Patrice s'étaient vivement réjouis lorsque, devant vingt millions de téléspectateurs, il s'était fait traiter de petit serin par une Béatrice en verve et de surcroît merveilleusement éclairée par trois bons spots. De même, une admiration respectueuse avait envahi à jamais la mémoire de certains de ces personnages — à la fois immuables et interchangeables — qui constituent le « Tout-Paris » des Arts et des Lettres. Enfin Béatrice, qui n'était jusqu'ici « une nature » qu'aux yeux de ses amants, s'était révélée l'être aussi aux yeux du grand public ; et cela avait créé entre elle et cet insaisissable public un lien nouveau, une complicité amusée que n'aurait pu lui apporter aucun triomphe dû à son talent.

Jamais sans doute, elle n'avait été désirée par autant d'hommes — connus ou inconnus — qu'en ce moment même où, coup sur coup, elle subissait deux échecs. Son courrier le lui prouvait abondamment, ainsi que certains regards et même certaines remarques relevées dans les restaurants nocturnes où Édouard et elle avaient pris l'habitude de dîner après la représentation. Mais pour une fois, ce genre d'hommages lui était indifférent. Elle voulait être admirée, non pas désirée. Elle voulait être admirée par les hommes, enviée par leurs femelles, elle voulait comprendre une fois pour toutes ce que voulait ce public aveugle, muet, indispensable. Pour la première fois de sa vie, elle prêta attention à l'opinion des femmes (et pourtant elle ne se sentait en aucun cas appartenir à cette espèce que dans son bel égoïsme, elle jugeait geignarde et revendicatrice ; elle n'éprouvait pas le moindre sentiment de solidarité, ni même de fraternité envers les autres représentantes de son sexe). Mais là, dans son énervement, elle signa deux ou trois pétitions féministes qu'en temps ordinaire elle n'aurait même pas pris le temps de lire. Enfin, aidée par quelques critiques courageux — le courage consistant pour la plupart d'entre eux à être, pendant dix jours, d'un avis opposé à celui de leurs confrères — Béatrice parvint à assurer un vague succès à ses deux entreprises. Mais par moments, elle se sentait lasse : elle travaillait trop, depuis trop longtemps, et souvent à présent, elle buvait trop.

Le succès, en revanche, volait vers Édouard. Sa première pièce se montait déjà à grand bruit à Broadway. Les journalistes d'outre-Atlantique découvraient ou avaient décidé de découvrir en ce jeune auteur français un talent original, et les premiers échos de cette gloire imprécise, rebondissant sur les téléscripteurs, parvenaient jusqu'à Paris.

Tony d'Albret, aux anges, paradait et avec son habituelle et inconsciente grossièreté, se félicitait elle-même et répétait partout qu'il n'y avait qu'elle, à Paris, qui fût capable de vendre ainsi, à l'avance et si cher, du vent. En tout cas Édouard, qui jusque-là avait toujours vécu dans l'ombre, se retrouva soudain piégé dans la lumière des projecteurs. Effrayé, et avec une adresse des plus involontaires, il se refusa à toute interview et même à aller jusqu'à New York arrêter la distribution. Ce détachement fit tant parler que l'on cria à l'habileté. En fait, Édouard était tout sauf habile, et il ne mentait que sur un seul point : l'origine de ce refus. Il invoquait sa nouvelle pièce à peine finie, fragile, mais ce n'était pas elle qui lui prenait tout son temps et l'immobilisait à Paris, comme garrotté, au cœur de l'hiver : c'était son amour pour Béatrice. Cet avion étincelant, cette capitale inconnue et magique — New York — ces plaisirs et ces fracas qui l'y attendaient et que lui décrivaient avec tant de chaleur tous ses amis, et Béatrice elle-même, ne se traduisaient pour lui que par quelques mots : être séparé d'elle. Tous ces gratte-ciel n'empêcheraient pas, peut-être, Béatrice de le tromper dans la chambre bleue, à l'instant même où il les découvrirait ; tous ces producteurs obséquieux ou ces journalistes enthousiastes ne l'empêche-raient pas non plus de regretter, en s'endormant le soir, la masse de ces longs cheveux noirs, cette masse soyeuse et chaude qu'il voulait à jamais interposée entre lui et la vie, comme un écran protecteur, un refuge ou un piège, qu'importe !

Et Édouard qui, à mesure qu'il était absorbé dans ce monde frénétique et moderne, se voyait de plus en plus comme un personnage démodé, 1900, une silhouette à la Vuillard justement, Édouard se disait avec une sorte d'orgueil tranquille que parmi tous ces affamés, ces soi-disant affamés de plaisir et de gloire, ces jouisseurs patentés, il n'y avait que lui, avec ses gants de pécari et son bougeoir imaginaire à la main, qui soit capable de tout abandonner pour passer une nuit avec une femme. Et cela pas seulement de peur que cette nuit, elle la passe avec un autre mais surtout et d'abord pour le plaisir qu'il était sûr de prendre avec le corps de cette femme ; ce corps dont il usait et abusait à son gré depuis plus d'un an à présent, ce corps infidèle et soumis, ce corps perpétuellement désirable, et qui ne lui laissait nul autre loisir que celui de l'aimer.

En tout cas, cet amour si despotique qu'Édouard en était tour à tour ébloui ou terrifié, cet amour dont il ne parlait jamais, était devenu symbolique aux yeux des gens. On parlait de la passion d'Édouard Maligrasse pour Béatrice Valmont avec cette sorte de stupeur envieuse, amusée et un peu rétive que donnent seuls les bonheurs évidents. Ce fut à ce propos d'ailleurs que pour la dernière fois l'on vit rire en public, de son fameux rire moqueur, l'élégant Jolyet à présent mourant : à une femme qui lui demandait, ou plutôt se demandait à voix haute «ce que Béatrice Valmont avait bien pu faire à ce pauvre Édouard», Jolyet répondit : «Tout, elle lui a vraiment tout fait», juste avant d'éclater de rire et de retomber dans son indifférence habituelle.

Son rêve interrompu, Jolyet étendit la main, rencontra la fraîcheur du drap et soupira d'aise un instant. Puis la douleur jaillit dans sa gorge, gagna le thorax, s'étendit en profondeur et en intensité. Il se redressa en geignant et alluma la lampe de chevet. L'interrupteur était toujours posé dans le même coin, tout à côté de lui, car il n'avait pas le temps de tâtonner dans le noir. Il fallait être rapide dans ces cas-là. Clignant des yeux, il ouvrit le tiroir de sa table de nuit — une ravissante table de nuit signée Jacob dont il avait été très fier. Les ampoules y étaient rangées comme au garde-à-vous, étincelantes, minces et glacées, et près d'elles, la grosse seringue neuve semblait endormie. D'un geste précautionneux, il décolla une des ampoules de la boîte et entre le pouce et l'index de l'autre main, il en saisit le haut et la décapita. Puis il attrapa la seringue, l'enfonça dans l'ampoule que tel un trésor il tenait à la main, et en aspira le contenu avec lenteur et minutie. Une douleur plus féroce, presque insultante, le fit se plier en deux ; mais déjà il avait acquis les réflexes nécessaires et ses deux mains précieuses restèrent immobiles et droites, dans le bon sens, tandis que sa tête se tournait et se retournait sur l'oreiller sous l'effet de la douleur. Il aurait mieux valu qu'il attende pour se piquer car la douleur, qu'elle soit physique ou sentimentale, peut vous arracher de faux mouvements, mais il n'en pouvait plus, et sans alcool, sans coton, repliant simplement les genoux sur sa poitrine, il poussa avec obstination l'aiguille dans sa cuisse. Il avait toujours détesté se faire mal, et devoir se piquer, devoir enfoncer ce bout de fer dans sa peau, traverser les nerfs tendus juste au-dessous, lui paraissait un acte contre nature.

Toujours recroquevillé, il attendit. Il souffrait, il avait trop mal, il était incroyable que l'on puisse avoir mal à ce point, que cela ne provoque pas des révolutions, des folies, des guerres ! Il était incroyable que l'on puisse avoir un autre souci ! Il en mordait le drap. Et tout à coup, comme téléguidé, quelque chose se dirigea vers la bête qui lui dévorait le cou et s'y attaqua. Il sentit la douleur reculer et il soupira de bonheur anticipé, un immense bonheur. S'apercevant qu'il tenait toujours la seringue vide à la main, il la jeta dans le panier installé au pied de son lit. C'était la débâcle à présent, la douleur s'enfuyait de partout. Et enfin il put se retourner, il retourna un corps de nouveau souple, vivant et tiède entre les draps, et éteignit la lumière tout en laissant le commutateur bien à sa place : car cela pouvait recommencer aussi brutalement et aussi vite. Maintenant il fallait qu'il dorme, il lui fallait se rendormir, il dormait déjà. Il le fallait non pas pour garder son équilibre — notion des plus risibles pour un moribond — mais pour oublier cette certitude incessante et cruelle, pour oublier cet attirail de pharmacien, pour oublier qu'il allait vers l'oubli. Il pouvait dormir. A présent il avait mille molécules chimiques et mille flics qui veillaient sur lui, sur son corps, sur sa chaleur et son impunité, mille vigiles qui empêcheraient bien d'arriver jusqu'à lui cette nymphomane, cette délirante étrangère qu'est la douleur physique.

Il soupira, il rouvrit les yeux et regarda le réveil lumineux dans le noir. Il était trois heures, mais de quelle nuit, et de quelle saison? Dieu merci, le jour viendrait demain et avec lui Béatrice. Il n'en avait plus pour très longtemps et elle était une des rares personnes dont il aimât la compagnie. Obnubilée par ses échecs, elle lui en parlait gravement et de temps en temps, se souvenant qu'il était mourant, lui disait des choses énormes telles que : « Vous prenez trop de morphine, ça va vous faire mal », bref oubliait scandaleusement sa mort prochaine ; et lorsqu'elle s'en souvenait, elle éclatait de rire avec lui, l'embrassait avec désinvolture, enfin ne lui manifestait aucune compassion. Et c'était bien là tout ce qu'il désirait. Pour le reste, il s'était procuré depuis le début ce qu'il lui faudrait pour se tuer le jour où il trouverait indécent de se survivre.

En attendant, il refusait de supporter la douleur, même un instant, et dès qu'elle s'annonçait, il saisissait sa seringue et déclenchait à sa poursuite la drogue merveilleuse. Il en était parvenu à chronométrer la rapidité de cette Diane nommée morphine, car il savait que le jour où le gibier serait plus résistant ou la chasseresse moins efficace, il devrait en finir tout de suite. Et Béatrice le surprenait souvent, une montre dans une main et une seringue vide dans l'autre, concentré et maniaque. « Il aura fallu la mort, disait-il, pour me transformer en comptable et un comptable tatillon. Il est vrai que la mort transforme parfois, paraît-il, les comptables en héros ; seulement moi, je n'ai jamais été un héros ! » Et il riait.

Dans la journée bien sûr, il souffrait moins, même s'il toussait beaucoup et de toute manière, à ces moments-là, l'idée de ces dix petites ampoules mortelles cachées dans son tiroir, ses dix petites sentinelles à lui, le rassurait. Mais c'était la nuit dont il se méfiait. Car parfois la nuit, dans la solitude de la nuit, il s'affolait, il redevenait un enfant, il aurait voulu revoir sa mère, il aurait voulu, même, être marié ou père. N'importe quoi, mais pas seul. Jolyet n'avait pas d'amis ou d'amies à qui il se sentît le droit d'infliger le spectacle de son corps squelettique, de ses transpirations et de ses paniques. Au retour des vacances — si l'on pouvait appeler «vacances» son bref adieu à la mer — il avait essayé de demander à l'une ou l'autre de ses putains habituelles, car il était un homme à filles, de jouer pour lui le rôle d'infirmière. Il lui payait le maximum pour la nuit et, après l'avoir fait dîner avec sa courtoisie habituelle et lui avoir expliqué son cas d'une voix précise, il s'allongeait près d'elle, sans nul désir bien entendu, mais au chaud. Malheureusement, attristées sans doute de voir leur vieil ami dans cet état, et cette chasteté leur semblant plus indécente que toute lubricité, elles avaient pris l'habitude, les unes et les autres, de boire beaucoup à ces dîners. Plusieurs fois, Jolyet émergea de ses cauchemars pour retrouver près de lui non pas un corps tranquille et fraternel, non pas un souffle égal, mais au contraire l'agitation et les ronflements d'une femme ivre. Cela l'exaspéra et il retourna à sa solitude. Bientôt il n'y eut plus que Béatrice dont il attendît les visites. Elle entrait chez lui, le trouvait sur son lit ou dans le salon, inerte et paisible dans cette hébétude, ce vague que lui donnait la drogue. Elle s'étonnait. Elle s'étonnait de son indifférence, de son apathie ; il lui semblait qu'elle-même, dans ces conditions, eût voulu dévorer la vie par tous les moyens.

— Je l'aurais cru, moi aussi, dit Jolyet un jour qu'elle le questionnait. Après tout, j'adore la musique, la peinture et il y a des livres que je m'étais bien juré de relire avant ma mort. Seulement, contrairement à ce que je pensais de moi, de ma nature, ça ne me sert à rien, aujourd'hui. Aucun livre, aucune musique... Tout cela m'ennuie, me fatigue, tout ce qui me prive de mon temps. D'ailleurs, ajouta-t-il avec une ombre de colère, il n'y a pas de vraie nature en face de la mort. Il n'y a qu'un assemblage de cellules qui refusent obstinément d'être dissociées. Il n'y a que le vide, mon cœur qui bat, et le seul bruit que je supporte, c'est le battement de mon cœur ; la seule chose que j'ai besoin de regarder, c'est cette veine bleue qui se gonfle encore sur ma main, cette main de vieillard. Et le seul contact dont j'ai envie, c'est celui de ma propre peau. Béatrice, il m'arrive à moi qui fus vraiment dans la vie attiré par tout, sauf par l'onanisme, il m'arrive de mettre ma propre main sur ma propre joue, de m'en émerveiller et d'en rester émerveillé... Comme je ne le fus jamais par un autre corps. Quant aux gens, comment ai-je fait pour désirer tous ces corps, ces visages ? Je ne supporte même plus de les voir.

— Et moi ? demanda Béatrice, pourquoi moi alors ?...

Jolyet l'interrompit :

— Parce que tu ne me prends pas plus au sérieux agonisant que vivant. Parce que tu n'as aucun respect pour mon état, ni aucune compassion, contrairement aux autres, et que de ce fait, tu respectes le seul Jolyet que je respecte moi-même : celui qui était gai, rapide et désinvolte. Et que tu es aussi capable qu'il y a vingt ans de me poser un lapin, fût-ce le matin de ma mort. Cela me rassure. De toute manière, ajouta-t-il, je m'arrangerai pour que tu sois là. Je me tuerai l'après-midi, car j'ai trop peur la nuit et je suis trop fatigué le matin. Nous parlerons d'autre chose, tu me verras m'endormir et tu sauras à quoi attribuer mon impolitesse. La première, j'espère...

— Vous me préviendrez, ce jour-là ? demanda Béatrice vivement.

— Je n'en sais rien, avoua Jolyet, que préfères-tu ?

Elle hésita un instant puis tendit la main vers lui et la posa sur sa joue :

— J'aime mieux que vous me le disiez, dit-elle. Au moins, vous saurez que je sais : vous vous sentirez moins seul.

Jolyet la regarda un instant et ses yeux se troublèrent.

— Je te remercie, ma chère Béatrice! dit-il. Tu es en effet la seule personne assez barbare ou assez tendre pour ne pas appeler une ambulance, Police-Secours ou Dieu sait quelle horreur...

A sa propre surprise, Béatrice sortait de ces conversations non pas déprimée mais étrangement revigorée. D'ailleurs la précision, la froideur, l'inéluctable de cette situation ne lui faisait en rien oublier les petites querelles, les vagues tempêtes qu'elle affrontait à ce moment-là. Elle ne se disait jamais que par comparaison, ces agitations étaient ridicules. Là au contraire, là était la vie : dans ces remous mesquins et violents, ces limons de vanité et de basse ambition, et elle était bien sûre que Jolyet regrettait amèrement de ne plus pouvoir s'y agiter. Cette mort si proche ne rendait pas dérisoire sa vie à elle, au contraire elle la colorait. Et le mépris même que lui inspiraient certains agissements, certaines réactions parisiennes devenait plaisant à ressentir. Et enfin, quand Édouard la prenait dans ses bras, quand il l'embrassait ou quand elle le sentait trembler contre elle, la nuit, de fatigue ou de désir, elle pensait parfois au tremblement éperdu et solitaire d'un autre homme à quelques rues de là, cherchant à ne pas renverser une ampoule sur son oreiller. Oui, comme dans les feuilletons, l'amour était bien à l'opposé de la mort. Bien sûr elle aurait un jour, elle-même, à affronter cette plage déserte et incolore qui vous mène à la mort, à la mer, à rien, mais elle ne se faisait aucun souci. Elle le savait depuis toujours : elle mourrait ou en scène, ou tuée par un jaloux, ou écrasée dans une voiture de sport, contre un platane. En attendant, elle ne répondait pas aux questions d'Édouard sur Jolyet, car ce dernier le lui avait défendu. «Édouard est trop sensible, avait-il dit, trop proche de moi peut-être, trop humain; il serait et il me rendrait triste. Je préfère mille fois ta compagnie.» Et Béatrice, souriant, avait pris cela pour ce que c'était d'ailleurs, un compliment.

— Que dois-je faire de lui ? avait-elle demandé un peu plus tard, toujours au sujet d'Édouard.

Jolyet avait soulevé une main fataliste.

— Oh, de toute manière, avait-il dit, il n'est pas à plaindre : il t'aime. Et actuellement, il t'a.

— Il m'est très attaché, dit Béatrice qui, à son grand étonnement, se sentit rougir de cette phrase un peu mièvre.

— Il verra bien, dit Jolyet. Pour te dire la vérité, tout me paraît enviable chez ce jeune homme. Je donnerais même cher pour avoir un affreux chagrin d'amour.

Mais après avoir refusé d'un geste de répondre au coup de téléphone que lui annonçait un maître d'hôtel aussi impavide que lui-même, il s'était retourné vers Béatrice avec curiosité :

— Et toi ? avait-il dit, tu l'aimes enfin ?

La question avait pris Béatrice de court, elle était même restée ébahie un instant, presque indignée.

— Mais enfin, avait repris Jolyet amusé, je ne te dis pas une grossièreté, je te demande si toi aussi tu l'aimes, ton amant.

— Ça va vous paraître extravagant, dit Béatrice, mais je ne me suis jamais posé la question.

— Tant mieux, avait conclu Jolyet. A mon avis, il est déjà très bête de se demander si quelqu'un vous aime, et il est encore plus bête de se demander si nous, nous l'aimons.

Et ils avaient parlé d'autre chose.

Mais en marchant dans la rue, en rentrant chez elle, cette pensée avait continué à troubler l'esprit de Béatrice. Aimait-elle Édouard ? Oui en un sens, elle l'aimait, plus que n'importe quel autre homme qu'elle ait connu. Était-elle amoureuse de lui ? Oui en un sens, la nuit, quand elle lui disait, « Je t'aime », ce n'était pas uniquement son corps qui répondait. Mais serait-elle malheureuse sans lui ? Là résidait la question, la vraie, celle qu'elle ne s'était jamais posée. Édouard partant, Édouard ne l'aimant plus, cela était inimaginable. Mais pourquoi ? Parce qu'elle manquait d'imagination ou parce qu'il avait rendu cet imaginaire-là impossible ? En se livrant ainsi pieds et poings liés, n'avait-il pas jeté sur elle un filet autrement dangereux que celui du doute ou de l'habituelle inquiétude amoureuse ? En acceptant ses trahisons tout en s'en désespérant, ne l'avait-il pas amenée, elle, à trouver sans charme et sans goût ses incartades futures ? Bref en se déclarant à la fois mortellement épris d'elle et mortellement sûr qu'elle le quitterait un jour, n'avait-il pas provoqué chez elle, par un cruel et long défi, la tentation de le garder ? Et de le garder dans cet état, à vif, à cru et terrifié ? Jamais, au grand jamais, un homme n'avait devant elle jeté les armes à ce point, ni si tôt, ni avec autant d'ostentation, ni avec autant de plaisir à se rendre. « Il agit en Machiavel », pensa Béatrice non sans sourire, car l'idée de toute habileté venant d'Édouard vis-à-vis d'elle lui semblait du plus haut comique. Néanmoins une méfiance habitait en elle à présent, quelque chose comme une méfiance... et une crainte, une très inattendue et très exquise crainte.

CHAPITRE XIX

Tony d'Albret était assise sur le grand sofa du salon de Béatrice, avec ce qu'elle pensait être un air prostré : c'est-à-dire qu'elle avait rangé ses bottines l'une contre l'autre, croisé les mains et oublié de se remaquiller. Malheureusement, la vivacité étant son seul charme, elle ressemblait plus à un ruminant fourbu qu'à la fine et lasse conseillère qu'elle espérait paraître. Pour la centième fois peut-être de la journée, elle remâchait sa triste histoire. Walkers, l'homme qui avait acquis les droits théâtraux d'Édouard, avait pris en même temps une option sur les droits cinématographiques. A présent prévoyant un succès, il pressait Tony d'obtenir un accord définitif. Et Tony tentait depuis, en vain, d'intéresser Édouard à ce projet. Mais les offres de Walkers s'étaient précisées dans une période de tension, au début du film de Raoul, et Édouard, préoccupé des humeurs de Béatrice n'avait même pas écouté les mirifiques discours de son impresario. Tony alors, voyant ses dix pour cent encore incertains et se croyant fine psychologue, lui avait laissé entendre que Béatrice serait très sûrement la vedette de cette coproduction franco-américaine. Édouard, qui à ce moment-là se raccrochait à n'importe quoi, avait sauté sur l'argument et déclaré à Tony que dans ces conditions, il était prêt à céder tous les droits qu'elle lui demanderait. «Du moins, s'était-il dit à cette époque, du moins, si elle me quitte maintenant, aurai-je ainsi une occasion, un prétexte pour la revoir et peut-être la reconquérir.»

Walkers, donc, avait renouvelé une offre ferme et des plus généreuses et Tony, enchantée, avait rapporté le contrat entre ses dents, tel un bon chien de chasse, aux pieds d'Édouard. Les choses étaient alors redevenues au mieux entre les deux amants, mais entre-temps Walkers avait définitivement retenu une star américaine. Tony, comptant sur la distraction d'Édouard et devant d'ailleurs, elle-même, renoncer à son prétendu pourcentage sur Béatrice, présenta ce changement de distribution à Édouard comme un double sacrifice. Mais un sacrifice compensé par un nombre impressionnant de dollars. A sa grande stupéfaction, Édouard lui avait jeté le contrat au nez. Il était entré dans une franche colère et il était même allé jusqu'à la menacer de lui faire franchir la porte *manu militari* si elle osait renouveler sa proposition.

— Mais enfin, Édouard, disait Tony, pour une fois effrayée et réfugiée sur le sofa, mais enfin rien ne prouve que la pièce va marcher ! Et si c'était un four ? Les droits de cinéma ne vaudront plus rien... D'ailleurs cette Glenda Johns serait merveilleuse, non, dans le rôle ? Et

Béatrice n'y compte même pas ! Nous ne lui en avons pas parlé, ni l'un ni l'autre...

Il était vrai qu'Édouard, craignant que cela ne ressemble à un chantage, avait interdit à Tony de mentionner ce projet devant Béatrice.

— Et alors ? dit-il abruptement, qu'est-ce que ça change ?

— Ça change qu'elle n'en sera pas blessée, dit Tony. Il faut se mettre à la place de Walkers ! Béatrice vient d'avoir deux flops, l'un après l'autre, et contrairement à ce que vous semblez croire, New York n'est pas si loin : tout se sait.

Édouard eut un geste d'égarement et de colère qui fit se tasser un peu plus la malheureuse Tony.

— Comme vous le pensez bien, reprit-elle d'une voix plaintive, je sais ce qui en est ! Béatrice est mon poulain. Tout cela sera vite oublié. Sa carrière ne dépend pas d'un rôle, même si c'est le meilleur de votre pièce ; surtout, ajouta-t-elle *mezzo vocce*, que ce rôle, je n'y comprends rien et à mon avis, elle non plus. Mais pour vous, Édouard, cet argent, c'est la paix, la sécurité, la possibilité d'écrire d'autres pièces sans être aux crochets de qui que ce soit !

Édouard devint blanc et Tony, une fois de plus, battit des bras convulsivement.

— ... je ne veux pas dire une seconde que vous vivez aux crochets de Béatrice, Édouard, je sais très bien le contraire, mais enfin elle-même vous conseillerait...

Elle s'arrêta car la porte d'entrée venait de claquer et Béatrice arrivait vers eux, souriante et rosie par les premiers froids. Tony d'Albret reprit courage. Béatrice avait des défauts mais elle était une femme pratique, Dieu merci. Après tout, cet argent elle en profiterait largement, tout autant qu'Édouard. Pour cela, Tony pouvait lui faire confiance.

— Béatrice, dit-elle, Walkers offre trois cent mille dollars à Édouard pour les droits cinématographiques d'*Un orage immobile* et il y aurait Glenda Johns dans le principal rôle. Qu'en penses-tu ?

Béatrice fit entendre un petit sifflement d'admiration.

— Mes compliments ! dit-elle, mes compliments, Tony. Trois cent mille dollars ! Et avant la générale ! Ce n'est pas mal. Il faut accepter, Édouard.

Il les regarda l'une après l'autre et articula :

— Je n'accepterai jamais !... — avant de tourner les talons et de quitter la pièce. La porte claqua avec violence et Béatrice, ahurie, éclata de rire avant de s'asseoir.

— Mais que se passe-t-il ? demanda-t-elle.

Tony se lança dans un long et confus discours, de plus en plus long, et le temps passant, de moins en moins confus. Le soir tombait mais Béatrice oubliait d'allumer les lampes : elle écoutait pensivement, un drôle de sourire aux lèvres, et Tony finit par s'énerver.

— Eh bien quoi ? dit-elle. Que tu sois contente de le tenir à ce point-là, je le comprends, mais il est idiot, non ? Tu ne trouves pas ça idiot, toi ?

— Oh si, dit Béatrice pensive, oh si, je trouve ça complètement idiot.

Elle alluma une cigarette, regarda dans le jardin et offrit ainsi à Tony un profil rêveur et tendre, tout à fait inconnu.

— D'autant plus, ajouta-t-elle distraitement, qu'en vérité, ce rôle de Pénélope ne me tente pas le moins du monde...

Tony soupira. Elle avait trouvé une alliée là où précisément elle aurait pu trouver une ennemie. « Décidément, pensa-t-elle en secouant la tête, décidément, ces artistes n'étaient pas des gens comme les autres.»

— Ne t'inquiète pas, dit Béatrice sans la regarder et avec la même intonation distraite, ne t'inquiète pas, je le ferai changer d'avis.

Toujours tournée vers le jardin, elle ajouta :

— Je te laisse partir, Tony, tu connais le chemin.

Et ce n'est qu'une fois dehors que Tony d'Albret se rendit compte que, pour la première fois de sa vie, elle avait été mise à la porte.

Restée seule, Béatrice laissa se consumer entre ses doigts une cigarette, puis une autre. Elle regardait toujours vers le jardin à présent obscurci. Une odeur de froid, de ville, de réséda épuisé arrivait jusqu'à elle. « Il faudra penser à protéger les plantes pour l'hiver», se dit-elle. Et elle appela Cathy pour l'aider à allumer les lampes. Quand Édouard revint les bras chargés de fleurs, pour s'excuser de sa sortie, il se heurta à une Béatrice impénétrable et tranquille : elle ne savait donc rien. Il ne pouvait pas, lui, savoir que les femmes comme Tony, lorsqu'elles sont coincées, prennent toujours les devants. Il ne pouvait pas imaginer que Tony ait osé mettre, elle-même, Béatrice au courant de sa trahison, ni que leur amitié, cette vieille camaraderie féminine, reposait sur une férocité et un mépris mutuels. Il ne s'étonna donc pas lorsque, distraitement, Béatrice lui conseilla de signer ce contrat.

— Tu sais, marmonnait-elle en se déshabillant, cette Glenda Johns, avec ses yeux de chat et son air intellectuel, serait parfaite dans Pénélope. Ce n'est pas un rôle facile....

— Tu trouves ? demanda-t-il.

— Ah oui ! Personnellement en tout cas, je serais incapable de le jouer.

— Mais tu peux tout jouer, dit Édouard surpris.

— Tout ce qui me tente, oui, dit Béatrice. Mais bizarrement mon chéri dans tes pièces, ce sont les rôles d'hommes qui me plaisent.

Édouard resta perplexe. Elle avait raison en effet. Ses héroïnes étaient fades et il s'intéressait plus a ses héros masculins, mais c'était pour une raison bien simple : il pensait qu'un jour l'un deux, dans sa folie, son naturel ou sa bizarrerie serait enfin capable de fasciner Béatrice à sa place. Et c'est ainsi qu'au passage il leur faisait dire tout ce qui lui importait à lui, Édouard, tout ce qu'il n'osait pas ou ne pouvait pas directement dire à Béatrice. Il était donc normal que les personnages féminins, en face de ses messagers, semblent immatériels et presque fades. D'ailleurs ce héros idéal qu'il recréait sans cesse dans sa tête, celui-là même qui était désinvolte, courageux et irrésistible, il n'avait jamais tenté de le confronter à une héroïne comme Béatrice pétrie de chair et de sang. Pour le faire il eût fallu qu'il la connaisse, la cerne, qu'il soit sûr d'elle. Bref des choses irréalisables. Elle avait sûrement raison dans ce domaine. Elle connaissait bien son métier, elle l'aimait et c'était sans se plaindre qu'elle travaillait comme un chien. Il s'en émut, la regarda.

Béatrice, un coude relevé au-dessus de sa tête, lisait allongée sur le lit. Il posa l'air d'opéra sur le pick-up et s'allongea près d'elle. La voix de la chanteuse montait, rejoignait celle du ténor et ils faisaient ainsi appareiller sur la moquette les grands voiliers de l'amour et de la mort. Il les écoutait et Béatrice ayant posé son livre, les écoutait aussi. Mais quand il se retourna vers elle, elle mit la main sur son front et le repoussa d'un geste tendre.

— Non, dit-elle, pas ce soir s'il te plaît, je suis un peu lasse.

Édouard posa la tête sur son épaule, étonné de ne pas se sentir blessé comme d'habitude lorsqu'elle se refusait à lui. Ce soir elle l'avait fait d'une manière si douce, si inhabituelle, ayant presque l'air de s'excuser... Oui, elle semblait tendre et contrite. Mais se rappelant de quels lendemains sauvages étaient généralement suivies ces brèves pauses, Édouard hésitait à s'en féliciter. De plus la scène avec Tony, sa propre colère l'avaient épuisé. Il s'endormit très vite.

A l'aube, dans la blancheur de l'aube, dans la terreur de l'aube, il fut réveillé par quelqu'un qui lui secouait la tête et lui parlait. Il fut terrifié. Quel enfer se préparait pour lui ? Que se passait-il et que lui disait-elle ? La voix de Béatrice était impérieuse et ses mains presque brutales.

— Je t'aime pour de bon, disait cette voix dans le noir — une voix calme — Tu as gagné, je t'aime vraiment à présent, je n'aime que toi.

Stupéfait, il se redressa, balbutia quelque chose mais une main ferme se posa sur ses lèvres.

— Je t'ai réveillé pour t'annoncer cette bonne nouvelle et je tombe de sommeil à présent. Ne dis rien surtout, et rendors-toi.

Et se retournant vers la fenêtre, Béatrice s'endormit d'un coup, foudroyée comme à son habitude. Le cœur battant, Édouard resta longtemps immobile dans le noir. Il y avait cinq ans, non, six ans, qu'il attendait cette phrase dite par cette voix, et elle était enfin arrivée. Cette phrase superbe, inespérée : « Je t'aime », avait été prononcée par son implacable amour. Mais pourquoi avait-elle choisi ce soir ? Pourquoi cette heure ? Et surtout pourquoi n'en était-il pas plus heureux ni plus triomphant ?

CHAPITRE XX

L<small>E LENDEMAIN</small>, bien sûr, Béatrice ne lui parla de rien. Ce fut une journée plate, atone, et il finit par se demander s'il n'avait pas tout bonnement rêvé cette phrase, ou si Béatrice elle-même ne l'avait pas rêvée à voix haute. Cette idée le soulageait et le déchirait à la fois. Ce n'est qu'à minuit, après la représentation et un dîner paisible avec des amis, qu'ils se retrouvèrent seuls. Ils se déshabillèrent en plaisantant, mais lorsque Édouard fut debout près d'elle dans la salle de bains, elle s'immobilisa et le regarda gravement dans le miroir. « J'ai le cheveu hirsute », pensait-il, et leur double reflet lui sembla tout à coup extravagant.

— Quel effet cela fait-il, demanda-t-elle, d'être aimé en retour?

Sans attendre sa réponse, elle passa devant lui et alla s'asseoir au pied du lit. Elle prit une lime et s'attaqua à un de ses ongles de pied. Elle chantonnait. Embarrassé, il la rejoignit, s'assit près d'elle et tenta de prendre le même ton.

— C'est très agréable, dit-il en souriant, mais c'est si difficile à croire...

Il se sentait bête, gêné et en dessous de la situation. En fait — et il aurait pourtant détesté qu'elle le fasse — il s'attendait à ce qu'elle lui éclatât de rire au nez comme après une bonne et funeste plaisanterie.

— Comment as-tu pensé à ça? dit-il. Comment peux-tu croire...?

Il bafouillait. Béatrice abandonna son ongle un instant.

— Que je t'aime? interrompit-elle. (Elle se mit à rire en balançant son pied.) Oh, c'est simple : je me suis posé la question.

— Tu ne l'avais pas encore fait? demanda-t-il.

— Non, dit Béatrice. C'est curieux n'est-ce pas? Je vivais avec toi sans y penser, enfin sans penser que je t'aimais. Mais là, j'ai bien réfléchi, cette fois je t'aime.

Elle avait gardé le même ton badin et de nouveau brandissait sa lime.

— Mais alors qu'est-ce que je vais faire, moi? dit Édouard.

Il s'entendit prononcer cette phrase avec stupeur. Béatrice le regarda, elle aussi stupéfaite, avant de lui sourire.

— Cela ne t'empêche pas de m'aimer aussi, dit-elle. Ce sera ce qu'on appelle un amour réciproque; le bonheur quoi. Oh flûte, Édouard, je déteste parler! Ne prends pas cet air de jeune marié, enlève cette chemise et viole-moi, veux-tu? Viole-moi vite, ajouta-t-elle en posant la main sur la cuisse de son amant, dépêche-toi, j'ai envie de toi, j'en ai eu envie pendant tout le dîner.

Il s'abattit sur elle. Ils se retrouvaient et ils se faisaient délibérément violence l'un à l'autre. Il leur semblait se livrer à une lutte sans merci, une sorte d'exorcisme. Comme s'ils avaient tué quelqu'un ensemble et essayaient de l'oublier. L'épuisement les retrouva sur la moquette, à un mètre l'un de l'autre, essoufflés mais tranquillisés. Béatrice tourna la tête vers Édouard, lui sourit en coin et murmura d'une voix très basse :

— Dis-moi, Édouard, dans ces cas-là qu'est-ce que ça change, petit salaud, que je t'aime ou pas ?

— Je ne sais pas, dit-il sincèrement.

— Moi non plus, conclut Béatrice rêveusement.

Mais là, pour une fois, elle lui mentait et elle se mentait elle-même, et pour une fois c'était par timidité. Avec un sentiment de désespoir, elle se déplaça, roula sur elle-même et se retrouva au-dessus du visage d'Édouard.

Ainsi ce visage si familier, si rassurant, si énervant parfois, c'était le visage de l'amour. Elle battit des paupières puis elle pencha la tête et embrassa les yeux, les tempes, le cou d'Édouard avec une lenteur respectueuse et chaste, très éloignée d'elle-même. Pour la première fois de sa vie, elle embrassait son vainqueur mais en même temps elle sentait sa propre défaite naître de la victoire d'Édouard. Et surtout elle sentait son vainqueur débordé par cette victoire et elle s'en effrayait. Au demeurant, elle n'avait pas l'impression de faire le moins du monde un cadeau à Édouard : c'était à elle-même bien plus qu'à lui qu'elle avait avoué la vérité cette nuit-là. A savoir que sa passion à lui avait battu son indifférence à elle, son dévouement sa morgue et sa tendresse sa férocité. Qu'elle l'aimât à son tour et qu'elle le lui dise n'était que justice. « Seulement, se disait-elle, seulement c'était bien là, maintenant, le bonheur, le moment d'être heureux » et elle s'étonnait que ce bonheur fût plus évident chez elle qui se plongeait dans les périls que chez Édouard, qui lui, émergeait des siens.

Bon, elle aimait Édouard et elle le savait. Ses amis, bien sûr, ne voulaient pas la croire. Nicolas lui rappelait ses innombrables toquades, Cathy semblait dérangée dans ses habitudes et Tony trouvait visiblement indécent, voire stupide et superflu qu'elle se targuât d'amour. Béatrice trouvait tout cela bien normal : la jalousie de ses amis, leur instinctive surveillance, leur sens de la possession s'accommodaient aussi mal de l'importance nouvelle d'Édouard qu'ils s'étaient bien accommodés de son fade rôle précédent. D'un simple point de vue professionnel, Tony s'indignait aussi. Elle avait eu beaucoup de mal à faire admettre, voire apprécier, l'insensibilité, la dureté et la santé de Béatrice à une époque où la solitude, l'incommunicabilité, les complications sexuelles étaient à la mode, et où l'on réclamait l'humanité partout, jusque chez les comédiens. Il était vrai que Béatrice, lorsqu'elle était entourée d'autres vedettes, avait facilement l'air d'un fauve repu égaré au milieu de pauvres brebis affamées ; et que l'absence chez elle de toute gêne s'était souvent montrée gênante. Alors que lui prenait-il, maintenant, d'aller clamer sur les toits cette belle passion — déjà assez tardive aux yeux des Parisiens, même si elle était toute fraîche à ses yeux à elle? C'était ridicule et cela ne lui ressemblait pas. De tout cela Béatrice ne se serait pas souciée s'il n'y avait eu que Tony et ses pairs à se montrer sceptique. Mais il y avait Édouard; il semblait devenir méfiant, presque rancunier comme si elle eût failli à sa parole.

Comme ils étaient dans le jardin un après-midi et comme il la regardait d'un air biais, Béatrice s'exaspéra :

— Au fond, dit-elle, que je t'aime et que je te le dise, cela te paraît pervers ou inutile?

— Pervers? en aucun cas! protesta Édouard.

— Mais sûrement inutile, reprit Béatrice. Tu t'étais habitué à ton rôle; les mauvais traitements ne te gênaient pas...

— Oh si, dit-il, oh si, je souffrais comme un damné. Tu le sais. Je l'ai accepté de toi car c'était toi. Et d'ailleurs, je l'accepterai toujours.

— Mais nom d'un chien, je t'aime maintenant! dit Béatrice excédée.

Et elle cria «Cathy!» d'une voix si puissante que sa camériste apparut aussitôt à la porte de la cuisine, et demanda, visiblement affolée, ce qu'il se passait.

— Il se passe que j'aime Monsieur, dit Béatrice, et que je vous en fais témoin. Cathy, vous me connaissez depuis dix ans, non?

— Douze, Madame, rectifia machinalement Cathy.

— Bien, douze; et vous avez vu passer d'autres hommes ici non?

Cathy se livra alors à une série de mimiques étonnantes et charmantes où se mêlaient : a) l'air navré de ce que ces tristes erreurs aient eu effectivement lieu; b) l'air fataliste mais ferme de la personne décidée à ne pas porter de jugements sur le passé d'autrui; c) l'air absorbé enfin, voire chiffonné de quelqu'un qui se livre tout à coup à un long et imprévu calcul mental. Cette dernière expression, la plus manifeste d'ailleurs, accéléra le discours de Béatrice :

— Eh bien, Cathy, m'avez-vous entendu dire à aucun de ces hommes, en plein jour et à jeun : «Je t'aime»?

Cathy prit un air discret mais à tout hasard résolu :

— Même si Madame l'avait dit, je n'aurais pas entendu, dit-elle avec tout l'éclat de la discrétion.

Puis devant l'air courroucé de Béatrice, elle enchaîna précipitamment :

— ... En tout cas cela m'aurait frappée.

Elle adressa un sourire aimable à Édouard qui, bêtement, le lui rendit.

— Merci Cathy, dit Béatrice.

Et dès que celle-ci eut disparu, elle se retourna exaspérée contre Édouard :

— Te rends-tu compte où j'en suis arrivée, moi? A prendre Cathy comme Œnone ! C'est extravagant quand même... J'ai l'impression que je transporte mon cœur à bout de bras avec «des fruits, des fleurs et des branches» comme dans Verlaine, que personne n'en veut ou qu'il est trop tard !

— Ah ça non, dit Édouard, ça non, il n'est pas trop tard...

Il avait la voix tendre mais Béatrice s'était déjà détournée.

— Ce serait même un peu trop tôt, non? dit-elle. Remarque pour moi, c'est vrai, c'est merveilleux, chacun de mes gestes a un sens : si je me lave les cheveux, c'est pour toi, si tu es en retard, j'ai peur. Et puis j'ai envie de te raconter ce que j'ai fait toute la journée, j'ai envie de te plaire.

— C'est déjà fait, dit Édouard.

— Oui mais là, il me plaît de te plaire et je me plais moi-même en le faisant, tu comprends?

Il hésita puis leva les yeux sur elle

— Et moi, dit-il, je te plais?

— Oh non, dit-elle, toi c'est bien pire, je t'aime ; j'ai envie de t'accrocher aux pieds du lit quand je sors et de te couvrir de santal en rentrant. J'ai à la fois envie que tu sois libre et heureux et que quelque chose se retourne en toi, à cette hauteur-là (elle lui tapota le plexus du doigt) quand tu penses à moi Ça ne te fait rien que je t'aime?

— Moi? Mais, mon Dieu, c'est tout ce que je voulais! dit Édouard avant de retomber dans son fauteuil.

Et c'était vrai. Depuis le début il avait voulu cela. Et vraiment il ne savait pas, il ne savait plus aujourd'hui depuis quand il s'était décidé — ou résigné — à l'aimer plus qu'à en être aimé. En quoi cette réciprocité tellement désirée lui faisait-elle aujourd'hui l'effet d'une trahison ou d'une farce? Parce qu'il ne la croyait pas? Mais si, il la croyait. Il la voyait multiplier les signes d'abandon, de douceur, de défaite. Maintenant dans la nuit, il faisait parfois semblant de dormir et de ne pas la voir, tandis qu'accoudée sur l'oreiller, belle, si belle avec ce nouveau regard, elle veillait sur son sommeil à lui. Il refusait d'ouvrir les yeux, il avait peur. Il se demandait presque ce que lui voulait à la fin cette étrangère trop attentionnée.

On s'arrachait leur présence, d'abord séparément, Édouard était un auteur à succès — car même si ce succès n'était pas entériné à Paris, il était déjà un nom en Amérique, et cela avait beaucoup de prestige — et Béatrice, elle, s'était révélée une nature ; son agressivité qui avait été si longtemps un handicap étant, grâce à la télévision, devenue un charme. Ensuite on les recherchait ensemble puisqu'ils s'aimaient et qu'à Paris, cela excitait toujours la jalousie, la curiosité et bien entendu, l'envie de détruire. Ils allaient de lumières en lumières, comme les phalènes, mais il semblait toujours qu'il y eût entre eux une ampoule mystérieuse, invisible aux autres, et qui les faisait se rapprocher instinctivement quelle que soit la longueur du salon ou la pagaille des galas. La nuit ils se retrouvaient seuls et comme surpris de l'être. Cette approbation générale, cette aura dont ils bénéficiaient en tant que couple, les laissait un peu gênés lorsqu'ils se retrouvaient en face l'un de l'autre, comme s'ils avaient eu à prolonger sans texte une pièce trop applaudie. Tout au moins cela gênait Édouard, habitué à suivre, à être le second, celui que l'on amène et qui n'a qu'une chance sur deux de repartir accompagné ; il trouvait cette sécurité publique et officielle un peu inquiétante. Il se disait avec horreur que c'était par l'habitude du malheur et de l'inquiétude, et qu'il devenait un de ces personnages désespérants et désespérés aux oreilles de qui le bonheur sonne toujours faux.

Béatrice percevait animalement ce désarroi, mais elle l'attribuait à la stupeur, d'autant plus facilement qu'elle partageait cette stupeur. Elle aimait, elle aimait quelqu'un, elle aimait ce grand dadais mélancolique qu'elle avait rejeté cinq ans plus tôt et qu'elle avait failli rejeter à nouveau, dix fois, depuis un an. Et maintenant quand il entrait dans une pièce, quand elle l'entendait rire, quand il la regardait, cet amour s'imposait à elle comme une évidence presque gênante. Depuis le temps qu'elle en parlait, qu'elle en entendait parler, depuis le temps qu'elle provoquait l'amour chez les autres et qu'elle le simulait elle-même, cela lui était arrivé. Elle en éprouvait une fierté incroyable et presque mystique à son propre égard : elle était donc capable d'aimer ; et l'étonnement d'Édouard l'empêchant de faire de cet événement un bonheur glorieux, elle en faisait résolument un bonheur saugrenu. Au lieu de lui dire et de se dire : « C'est merveilleux, je t'aime », elle disait : « C'est extravagant, je t'aime. » Et au lieu de dire : « Je rêvais que cela m'arrive », elle disait en haussant les épaules : « Il fallait bien que cela m'arrive. » Et si son sourire était comblé, c'était presque par égard pour Édouard qu'il demeurait ironique. Elle ne voulait pas le malmener avec cet amour, ni l'inquiéter. Elle voulait qu'il en soit heureux.

En revanche c'est avec une belle absence de réticence et de modestie qu'elle annonçait cet amour aux autres : Tony, Nicolas, etc. Il lui semblait assumer ainsi des tonnes de responsabilités, de périls, voire de respectabilité. Et elle leur disait, « J'aime Édouard » comme une jeune femme aurait pu dire « Je suis enceinte ». Malheureusement, depuis longtemps, ses amis la croyaient stérile, en tout cas sentimentalement ; et tout au plus certains attribuaient-ils au succès d'Édouard cette espèce de grossesse nerveuse qui enflait ridiculement les propos de Béatrice. D'ailleurs, comme elle était une femme entière, elle semblait aussi outrée dans sa passion que dans ses cruautés passées. Elle jetait ses armes avec autant d'éclat et de bruit qu'elle s'en était servi jadis, mais l'abandon de l'amour, sa reddition épatait moins ses amis que sa férocité habituelle. Des femmes amoureuses, mon Dieu, il n'en manquait pas, mais des femmes indépendantes, et féroces, et fières de l'être, c'était beaucoup plus rare. Il leur semblait que Béatrice avait quitté un rôle brillant pour un rôle vulgaire et ils lui en voulaient, même si cela les rassurait. Si la cruauté pouvait être fracassante, la passion se devait d'être discrète, et en affichant la sienne, Béatrice la rendait peu vraisemblable. Car on attend de ces gens-là, de ces bêtes féroces, des Béatrice, qu'ils aiment en secret, contre eux-mêmes, contre leur gré, qu'ils cachent leurs sentiments comme une maladie de peau. Et l'on veut bien, après, les découvrir capables d'amour, mais seulement «après», quand c'est trop tard, que tout a mal fini et qu'ils ont craqué. Alors on dit : « Finalement, elle y tenait à son petit Édouard, finalement, elle lui était beaucoup plus attachée qu'elle ne le disait. Finalement elle s'est bien fait avoir, elle aussi. » Et l'on prend l'air goguenard ou compatissant, pendant que la victime se cache, se moque d'elle-même ou pleure dans les coins.

Mais Béatrice, une fois de plus, ne suivait pas le règlement. Et lorsque Édouard disparaissait dix minutes et qu'elle s'affolait brusquement, devenait pâle, le cherchait des yeux ou questionnait les maîtres d'hôtel, il y avait beaucoup de gens, pourtant bonasses, qui trouvaient cela artificiel, indécent, en tout cas déplacé. Seulement pour une fois, elle ne simulait rien : elle avait imaginé Édouard renversé par un autobus, elle avait cru voir disloqué ce long corps si familier, voilés ces yeux idéalement marron et anéanti cet immense amour qu'il lui vouait. Alors elle tremblait vraiment, et lorsqu'il revenait, elle disait à Édouard : « Mais où étais-tu donc ? J'ai eu si peur » d'une voix si émue qu'il ne pouvait que broncher et s'étonner de ce que l'achat d'un paquet de cigarettes ait pris une telle importance. Dans ces instants-là, il se sentait définitivement incapable de croire à cet amour. Il ne pouvait pas imaginer que, prise au dépourvu par ses propres sentiments, Béatrice en subissait les barbarismes et les illogismes sans nulle retenue. Lui demander de simuler même une légère indifférence eût été parfaitement inutile ; autant demander à un homme mort de soif d'attendre près d'un ruisseau qu'on lui fournisse un verre. C'était par absence de manières qu'elle semblait soudainement maniérée, et lorsque, par exemple, sortant d'une piste de danse, elle cinglait vers Édouard assis, et lui embrassait longuement le front, elle ne le voyait pas fermer les yeux, s'immobiliser, partagé qu'il était entre le goût physique, toujours aussi violent qu'il avait d'elle, et la gêne pure et simple. Il semblait à Béatrice, au contraire, que tous ses élans le comblaient. Combien de fois ne lui avait-il pas mendié un geste de ce genre, une étreinte ou un regard ? A présent elle était heureuse de pouvoir les lui prodiguer instinctivement et rien au monde ne l'en retenait. Au contraire : car la nuit, c'était bien le même jeune homme affamé qu'elle retrouvait près d'elle, le loup et le chien de toujours, celui qui lorsqu'elle lui disait « Je t'aime » le lui faisait mille fois répéter; il disait «Répète, répète-moi que tu m'aimes, jure-le, répète-moi» des nuits entières. Et elle voyait ainsi se lever des aubes beiges de bonheur, de fatigue et de fatalité. Et c'était aussi à une sorte de fatalité que pensait Édouard lorsqu'il évoquait l'aveu de Béatrice, quinze jours plus tôt. Pas une seconde et malgré les quelques insinuations qu'il avait surprises, il n'imaginait que Béatrice l'aimât pour sa nouvelle gloire, sa célébrité naissante. Il estimait Béatrice ; il avait autant confiance en elle, objectivement, qu'il s'en méfiait par rapport à lui-même. Car il restait toujours persuadé qu'il vivait au-dessus d'un volcan et qu'il serait un jour rejeté par elle avec perte et fracas. Simplement ce renvoi, cette rupture, après les mots d'amour qu'elle lui disait à présent, lui sembleraient traîtres, fardés et médiocres, au lieu de survenir comme il les attendait, éclatants et allant de soi : elle faussait le jeu en y mettant enfin sa mise et elle trichait en abattant ses cartes. Ce n'était pas de lui mentir sans doute qu'il lui en voulait finalement, mais de lui dire peut-être la vérité. «Je ne supporte pas plus la vérité que le bonheur», se disait-il, et si cette idée redoublait son mépris pour lui-même, elle redoublait aussi ses douteux regrets. «Où était passé son beau bourreau? D'où lui venait donc cette amoureuse?» Et lorsque Béatrice s'inclinait sur son corps, aussi soucieuse maintenant de sa volupté à lui que de la sienne, Édouard, bien qu'emporté et submergé par son inexorable habileté, se sentait, après, envahi d'une bizarre nostalgie : celle d'une autre femme — la même en fait — mais celle-ci d'un égoïsme aussi impérieux qu'éhonté. Béatrice pouvait être aussi irrésistible dans ses exigences que dans ses soumissions et elle le savait. Mais elle ignorait toutefois à quel point c'était vrai pour Édouard. Et à quel point il l'aimait lorsque souveraine, elle l'appelait dans sa chambre à toute heure et que, sans lui laisser le temps de se dévêtir, sans le toucher elle-même, elle lui donnait d'une voix brève les directives les plus précises, les ordres les plus crus et, pour finir, les insultes les plus comblées. Lorsque l'oubliant, comme s'il avait été un objet ou un hasard, elle rejetait la tête en arrière loin de lui et étouffait ses cris dans l'oreiller. C'était là qu'elle rejoignait le mythe d'Édouard et ses souvenirs. C'était à cette féroce prêtresse qu'il s'était voué. C'était celle-là qui l'avait, dès la première nuit, initié à ce culte brûlant et sacrilège et qui avait fait de lui, jusque-là pratiquant moyen, un fanatique ébloui.

CHAPITRE XXI

Jolyet mourait. Béatrice attendait chaque jour à présent qu'il se décide, mais depuis une semaine il semblait de plus en plus rêveur et comme oublieux de sa propre mort. Son médecin — son ami et complice à la fois — parlait de rémission, avec une sorte d'épouvante, et Béatrice tremblait que Jolyet aussi ne tremble au dernier instant ; et qu'un jour, en arrivant comme d'habitude, elle ne le trouve plus couché sur le dos, les yeux fixés au plafond, quelques seringues vides jonchant la moquette, mais qu'au contraire, le maître d'hôtel lui annonce de sa voix plate que « Monsieur était parti pour l'hôpital ». Là, elle le savait, on le priverait de sa mort. On le laisserait souffrir quelques instants de trop, et elle ne pourrait plus rien pour lui, ni lui-même. Cette idée lui faisait peur. Mais pour qui cette peur ? Était-ce bien là Jolyet, le séduisant Jolyet, le grand piéton et le grand coureur, l'homme épris des trottoirs et des filles de sa ville ? L'homme si évidemment fait pour les avions, les capitales et les lits de hasard ? L'homme aussi à son aise dans les coulisses que dans les loges, dans les succès que dans les échecs ? L'érudit aux insolences sans méchancetés, l'homme à femmes sans amour, le grand chasseur toujours en fuite, était-ce bien lui, cette momie aux yeux bleus fixes, qui pour une fois semblait ne plus pouvoir fuir, s'enfuir, se fuir, en finir ? Que demandait-elle donc, à ce débris saturé de morphine qui ne trouvait pas plus le temps de mourir qu'il n'avait trouvé celui d'aimer ? Un jour, devant elle, par maladresse, il brisa une ampoule, puis deux, et le front de Béatrice se couvrit de sueur, en même temps que celui de Jolyet, avant qu'il ne parvienne à remplir sa seringue. Oui, elle tremblait pour lui. Et si, le jour venu, il ne pouvait plus matériellement accomplir les trois gestes misérables et rituels de la piqûre ? Mais le même après-midi, il lui sourit soudain, de son ancien sourire, et se penchant, ouvrit le second tiroir de sa table de nuit : toute prête, pleine à ras bord, une longue seringue y semblait assoupie. Béatrice la regarda avec une admiration horrifiée comme elle eût regardé un revolver, un poignard, bref comme elle regardait les armes en général ; mais les armes du moins étaient belles. Tandis que là... l'esprit, l'âme, le regard de Jolyet, tout cela allait être anéanti par ce petit liquide incolore dans cette banale seringue de verre... Lorsqu'elle releva les yeux, elle croisa ceux de Jolyet et ils renfermaient le même effarement et le même respect que les siens.

— Bizarre, non ? dit-il en refermant le tiroir.

Il se reprenait, il était à nouveau lui-même. C'était le bon moment, le moment précis où la morphine, ayant traqué et anéanti la douleur, se reposait un instant avant de reprendre sa course et se lancer frénétiquement à la recherche d'une autre proie. Cette autre proie, c'était le cerveau de Jolyet et sa lucidité. Il y avait toujours eu ainsi une trêve entre la souffrance, le manque — déjà — et l'abrutissement inévitable. Mais ces trêves étaient de plus en plus rares et de plus en plus brèves.

— Ne t'inquiète pas, dit Jolyet d'une voix nette, je surveille cette femme de très près...

Il appelait la douleur « cette femme », et il la traitait cavalièrement, il en parlait comme d'une maîtresse qui eût été plus encombrante ou plus sotte que les autres.

— J'ai encore eu des rêves très agréables cette nuit, dit-il. Mais je ne sais plus où me piquer ; mes cuisses sont de vraies passoires... Le combat va donc cesser, non pas faute de combattants, mais faute de champ de bataille. Tu ne te seras pas trop ennuyée ici, tous les après-midi ?

— Non, dit Béatrice, non, vraiment pas. J'ai pris l'habitude de venir tous les jours. J'aime bien ça. Vous me manquerez encore plus, ajouta-t-elle sincèrement.

— C'est l'avantage que j'ai sur toi, dit-il — le seul, remarque —, tu ne me manqueras pas ; rien ne me manquera, j'imagine. Tu crois en quelque chose, toi ?

— Moi ? dit Béatrice.

Elle hésita. Elle se pensait athée mais de temps en temps, lorsque la vie lui semblait injuste à son égard, il lui arrivait d'invoquer le nom de Dieu. Un Dieu qu'elle voyait alors assis, avec une barbe blanche, tantôt comme un juge décidé à se prononcer en sa faveur, tantôt comme un vieillard incapable et sénile. De là à y croire...

— Non, dit-elle, mais pourquoi pas, au fond ?

— Evidemment, dit Jolyet, mais aussi, au fond, pourquoi ? Quand même, prendre un seul billet et pour un aller simple, cela me semble d'une radinerie...

— Il est vrai que cela ne vous ressemble pas, dit Béatrice en riant.

Ils échangèrent un regard affectueux.

— C'est drôle comme une décision est dure à prendre, quand on sait qu'elle est la dernière, dit Jolyet. Bien portant, on n'hésite pas une seconde à faire un enfant ni à tuer un homme à la guerre... Et fichu, on n'arrive pas à se décider à quitter ce paquet d'os inutiles...

Il désignait son corps d'un doigt ironique. Béatrice se sentit rassurée. Elle savait à présent que Jolyet s'en sortirait bien. Elle avait eu peur pour lui, un instant. « Me voilà rassurée, mais pourquoi ? pensa-t-elle. Il va mourir... Je deviens folle ! » Et elle eut envie de rire.

— Demain, dit-il, porte-moi des mimosas, si tu en trouves. J'ai envie de mimosas, j'ai des envies maintenant, comme une femme enceinte. Accouche-t-on de sa propre mort, vraiment ?

Ses yeux se fermaient déjà. Elle se leva et, à la porte, se retourna. Il avait rouvert les yeux et il lui jeta un curieux regard, puis il leva le poing au-dessus de sa tête, à l'espagnole, dans un geste de camaraderie guerrière qui ne lui ressemblait pas. Béatrice revint sur ses pas.

— Non, dit-elle, pas entre nous.

Et elle se pencha et posa sa bouche fraîche sur la bouche tiède de Jolyet en pensant « Adieu ».

Elle ne s'étonna pas le lendemain, en arrivant à son heure habituelle, de trouver Jolyet endormi et déjà inconscient. Elle posa les mimosas sur son oreiller, s'assit dans le fauteuil familier et attendit qu'il meure, ainsi, plus d'une heure. Elle ne pensait à rien. Quand il tourna soudain la tête vers la fenêtre et qu'il rouvrit les yeux, elle ne bougea pas. Il faisait déjà nuit. Et quand un peu plus tard, le maître d'hôtel vint allumer une lampe et qu'elle le vit s'immobiliser brusquement entre le lit et elle, lui cachant Jolyet déjà mort, elle sortit sans un autre regard.

Dehors, elle eut du mal à trouver un taxi, il pleuvait, et cela l'énerva. Ce n'est qu'une heure plus tard, après s'être changée, avoir bavardé avec Cathy et plaisanté avec Édouard et Nicolas dans le salon bleu, ce n'est qu'une heure plus tard, devant le feu, et tandis que les deux garçons s'interrogeaient sur le choix d'un restaurant, qu'elle se rappela soudainement la mort de Jolyet et qu'elle la leur apprit. Ils se levèrent ensemble, comme si elle eût proféré une indécence :

— Jolyet... mort? André? s'exclama Nicolas. André Jolyet? Et tu étais là?....

— Oui, dit Béatrice d'une voix atone, je l'ai vu mourir. C'était convenu ainsi, d'ailleurs.

Les deux hommes la contemplaient sans rien dire. Nicolas s'enquit enfin à voix basse :

— Et pourquoi ne nous l'as-tu pas dit plus tôt? Il y a une heure que...

— J'avais oublié, dit-elle.

Et elle éclata d'un rire nerveux en voyant leur ahurissement.

— C'est vrai, reprit-elle, riant toujours, je vous le jure, j'avais oublié.

— Ça peut arriver, dit Nicolas très vite. Il y a des choses comme ça, on voit, on croit...

Et il fit un geste vague de la main qui sembla rompre l'immobilité d'Édouard et le réveiller. Il s'approcha d'elle et mit la main sur son épaule.

— Tu as du chagrin? demanda-t-il.

Alors Béatrice se surprit à pleurer : des larmes chaudes, amères, des larmes de colère, de chagrin et de peur, des larmes pleines de tendresse et de regrets. Tout à coup, elle se rappela le bleu exact des yeux de Jolyet, le son de sa voix, la veille, et l'odeur des mimosas dans cette chambre vide à présent là-bas, définitivement vide de toute vie, la vie

irremplaçable et chaude de cet homme nommé Jolyet, cet homme qu'il
ne lui restait plus maintenant qu'à oublier.

CHAPITRE XXII

L'ENTERREMENT fut superbe. Tout Paris se dérangea et il fit très beau.
Par dérision, Jolyet s'était commandé des funérailles solennelles, car
sachant que dans ce milieu chacun aimait pleurer, ou faire semblant (ou
les deux ensemble), en public, il n'avait pas voulu refuser ce dernier
plaisir à son entourage.
L'après-midi, Édouard et Béatrice, assis devant le feu, parlèrent
tranquillement de lui. Édouard était fasciné par le récit qu'elle lui avait
fait de cette agonie, de ce suicide, ou plutôt par l'absence de relief
qu'elle donnait à ce récit. A l'entendre, il semblait des plus naturels de
choisir l'heure de sa mort, et de s'y laisser glisser devant une personne
renseignée et discrète. Cela paraissait logique et raisonnable à Béatrice.
— Alors pourquoi, demandait Édouard, pourquoi cela arrivait-il si
rarement, et pourquoi fallait-il qu'il y eût toujours des sanglots, des
mensonges, des cris et des surprises?
— Parce que la morphine coûte cher, répondit Béatrice d'une voix de
femme pratique. Et puis parce que les gens n'ont pas d'amis discrets.
Moi, Jolyet savait que je ne dirais rien.
Et c'était vrai qu'elle n'avait rien dit, même à lui, Édouard.
Instinctivement, elle lui avait caché ces entrevues, aussi instinctivement
que Jolyet, traqué, s'était réfugié auprès d'elle et d'elle seule : il savait
qu'elle était assez animale pour supporter d'attendre la mort avec lui. Il
n'y a que les hommes et de très rares espèces qui s'enfuient devant leurs
mourants. Les animaux, eux, se rassemblent autour des leurs, et leur
tiennent chaud jusqu'au bout. Les animaux et Béatrice. Et Édouard
s'émerveillait de ce mélange inattendu de cruauté et de tendresse qui
avait ramené secrètement, cette femelle tous les après-midi, auprès du
vieux mâle abandonné. Il s'émerveillait de ce que ayant vécu tous deux
parmi les artifices, les ruses et les déguisements de leur époque et de
leur milieu, étant eux-mêmes deux archétypes de ce que l'on appelait la
fausseté du monde théâtral, cet homme et cette femme qui s'étaient liés
par intérêt, un beau jour, se soient retrouvés et aidés par instinct, un jour
moins beau.
— Mais, dit-il, tu savais toi, la veille par exemple, qu'il était décidé?
— Oui, dit-elle, je crois...
Elle étendit les bras devant le feu, s'étira, et eut un petit rire.
— Je l'ai même embrassé avant de partir; il a dû être furieux : Jolyet

a toujours détesté qu'on l'embrasse quand il était couché ou grippé ou endormi. Il disait que c'était la manière qu'avaient les femmes de violer les hommes. Tu m'embrasserais, toi, si je dormais ou si j'avais la fièvre ?

— Non, c'est vrai, dit Édouard, j'en aurais envie, mais je ne le ferais pas.

— Eh bien, dit Béatrice, il paraît que nous, les femmes, on fait toutes ça : on vous embrasse malgré vous — sous prétexte de vous consoler. D'ailleurs, c'est drôle, je n'aime pas ça non plus. Je n'aime pas embrasser un homme qui dort, ou qui est malade. J'ai l'impression de le violer, ou alors j'ai peur d'attraper ses microbes.

Elle riait à présent, elle secouait les cheveux en arrière et Édouard se sentait de plus en plus déconcerté.

— Alors pourquoi as-tu embrassé Jolyet ?

Elle se tourna vers lui et le regarda, le jaugea du regard, puis haussa les épaules, comme résignée d'avance à ce qu'il ne la comprît pas. Mais elle lui répondit quand même.

— C'était pour l'embêter, dit-elle, pour l'embêter et pour lui faire plaisir ; parce qu'il savait que je faisais ça rien que pour l'embêter ; et parce que ça lui faisait plaisir que j'ai encore envie de l'embêter. Tu comprends ? C'était un homme, tu sais, dit-elle fièrement, jusqu'à la fin. Et les hommes adorent qu'on les embête.

Et se penchant, elle lui embrassa le cou, le lui mordilla un peu, comme pour bien lui rappeler qu'il était lui aussi un homme, et qu'elle aimait l'embêter. Il la prit dans ses bras : « C'était là une étrange oraison funèbre, pensa-t-il, en la renversant contre lui, devant le feu, mais peut-être était-ce bien la seule que Jolyet — et d'ailleurs lui-même — pouvait souhaiter.

La sonnerie de la porte, plus tard, les tira de leur engourdissement. Vêtue de beige et de noir, des lunettes de soleil cachant des yeux improbablement rougis par les larmes, Tony d'Albret fit son apparition dans le salon. Elle était parfaite toujours, pendant et après les enterrements. Impresario d'un seul dixième des célébrités vivantes à Paris, elle se sentait l'impresario de toutes les célébrités mortes. Elle s'assit donc tristement sur un fauteuil, jeta un œil réprobateur et puritain sur Béatrice qui se recoiffait sans nulle gêne, et demanda un porto d'une voix oppressée.

— J'étais sûre que tu viendrais, dit Béatrice avec gaieté, je l'aurais juré.

— Je sais que tu l'aimais beaucoup aussi, commença Tony, et que peut-être ma présence…

— Ah non ! dit Béatrice (et sa gaieté fit place à une subite colère), ah non! D'abord d'où viens-tu? Chez qui as-tu été faire la pleureuse, avant?

— Mais voyons, Béatrice, dit Édouard, choqué lui-même, que te prend-il?

— Il me prend que Jolyet ne pouvait pas supporter Tony, qui le lui rendait bien. Alors buvons tous les trois du porto et parlons d'autre chose. Si tu comptes sur moi pour te donner des détails croustillants sur sa mort, ma petite Tony, ce n'est pas la peine.

La première surprise passée, Tony, indignée et vexée, s'ébroua, ôta ses lunettes — révélant ainsi des yeux indemnes — et récupéra sa voix de stentor :

— C'est le comble! dit-elle. C'est vrai que je ne pouvais pas supporter Jolyet, cette espèce de snob. Mais je viens ici pour t'aider, et tu m'accueilles comme ça?...

Béatrice éclata de rire :

— Voilà, dit-elle, je te retrouve. Cela dit, Édouard, ne t'y trompe pas, Tony a vraiment de la peine : avec toute personne connue, elle enterre aussi un pourcentage éventuel. Et cela gâche son sommeil. C'est le seul impresario posthume que je connaisse.

Et elle se leva, fit trois pas vers la porte, apparemment prise entre la colère et la gaieté, puis, haussant les épaules, quitta la pièce. Édouard et Tony se regardèrent.

— Il faut l'excuser, dit rapidement Tony à Édouard, comme si c'était lui qui eût été maltraité. (Et il ne put s'empêcher de sourire; c'était un des réflexes les plus habiles de Tony quand on l'insultait un peu trop précisément : elle généralisait l'insulte et implorait, pour son agresseur personnel, une mansuétude globale, que plus gênés que visés les témoins lui accordaient vite. Cette ruse grossière réussissait très souvent.) Il faut l'excuser, elle est très nerveuse. Jolyet et elle s'aimaient beaucoup, et vous savez, elle lui devait beaucoup : c'est lui qui — au début — lui avait mis le pied à l'étrier... si je peux dire. D'ailleurs, quelle folle je suis, s'interrompit-elle brusquement, je radote, vous étiez là!

Ce rappel de son infortune passée, cette petite méchanceté gratuite amusèrent Édouard. Un an plus tôt, cela l'eût révolté, mais il s'était peu à peu habitué aux manières des familiers de Béatrice, et Tony elle-même ne lui faisait plus peur. C'était là une des bonnes choses que Béatrice, en lui avouant son amour, lui avait données : cette assurance placide envers les intermédiaires. Il n'était pas à l'abri d'une rupture, bien sûr, mais il était à présent à l'abri d'un accident. Lui ayant dit qu'elle l'aimait, Béatrice serait maintenant obligée de lui dire — si cela arrivait — qu'elle ne l'aimait plus. (Édouard ne se rendait pas compte de sa naïveté, d'ailleurs, à cet égard.) En tout cas, il sourit au lieu de se troubler ou de marquer le coup, et ce sourire exaspéra Tony.

— Avez-vous réfléchi, dit-elle, pour ce contrat? Je sais bien que ce

n'est pas le moment de parler de ça, mais justement il le faut, il faut
parler d'autre chose. Je n'ai pas, moi, dit-elle, les yeux tournés vers la
chambre de Béatrice, l'esprit morbide.

Édouard se sentit coincé. Ce fameux contrat de cinéma, qu'il avait
toujours refusé de signer, devenait maintenant un problème, d'autant
plus irritant qu'il n'en était pas un. Béatrice ne voulait pas du rôle, elle
le poussait à signer ce contrat, et Lawrence Herner, le grand metteur en
scène anglais, avait déjà demandé à tourner lui-même le film — quel
que soit le succès de la pièce. Il avait même écrit à ce sujet à Édouard
qui en avait été flatté. Il admirait Herner. Bien sûr cette pièce, il l'avait
écrite cinq ans auparavant, et les héros en étaient devenus pour lui
comme autant de camarades de classe, d'amis d'enfance ou de voyage,
de ces gens qui ont été « tout » pour vous, très proches ou très
nécessaires, et envers qui l'on s'étonne, non sans s'en vouloir, de se
sentir si détaché, si lointain, lorsque le hasard vous les ramène.
L'enthousiasme intelligent de Herner était encore plus gênant que
l'enthousiasme factice de Tony d'Albret. On lui disait : « Ah votre
Jeremy ! Ah votre Pénélope ! » et il lui semblait qu'on le félicitait d'une
parenté solide et terne, d'un cousinage oublié, alors qu'il avait déjà pris
son vol vers une périlleuse, fragile et étincelante passion : sa nouvelle
pièce.

Frédéric, son héros, était vivant, d'autant plus vivant qu'il n'était pas
vraiment achevé, qu'Édouard ne l'imaginait encore ni interprété ni
interprétable, et qu'ainsi ce personnage jouissait de tous les charmes de
l'incertain, du faillible et du désirable. Peut-être cette pièce n'était-elle
pas bonne ? Peut-être à force de vouloir y dire la vérité, était-il devenu
ennuyeux ou confus ? Peut-être avait-il accumulé du vent sur du vent ?
Mais chaque fois qu'il y pensait, il sentait renaître en lui le trouble, la
peur et l'émerveillement. De quel chaos, de quels désordres aussi, cette
œuvre bizarre n'était-elle pas née ? Comment avait-elle fait pour ne pas
devenir secondaire un instant, alors qu'il l'avait commencée avant de
retrouver Béatrice, et que c'était pendant leur liaison et ses bourrasques
qu'il l'avait continuée et terminée ? Depuis un an, tout ce qu'il avait
écrit, il l'avait littéralement arraché de lui-même en même temps que
subi, car tout le temps où il l'avait écrit, tout ce temps avait été soustrait
au temps précieux, sensible, irremplaçable, où il était l'amant de
Béatrice. Il n'avait vraiment pas eu le temps d'écrire pour écrire, ni de
jouer avec les mots ou les idées. Il n'avait même pas eu le temps
d'« hésiter » à l'écrire. Il avait été comme une sorte de ventriloque dans
un cirque, disposant d'une seule marionnette et qui, fou d'amour pour
une écuyère prête à partir, s'oblige néanmoins à remplir son contrat. Et
les vertiges de bonheur ou de détresse qu'il avait éprouvés à écrire sa
pièce lui avaient semblé autant de miracles et de maléfices. Comment

avait-il pu, presque à son insu, et alors qu'il ne pensait réellement qu'à
Béatrice — comment avait-il pu donner une vie, un destin et des projets,
à cet être fantomatique nommé Frédéric ? Comment avait-il pu
notamment, quand il s'était cru abandonné de Béatrice — mort,
quoi ! — écrire ce dialogue que l'on s'accordait à trouver si gai, si vif et
si brillant ? Et surtout, comment avait-il pu l'écrire avec un tel naturel,
une telle acceptation tacite d'un divorce entre son cœur affolé et sa tête
agile ? Et comment avait-il pu, ce soir où Béatrice s'était pour la
première fois montrée tendre envers lui, tranquille, et où devant la porte-
fenêtre ouverte sur l'été, il l'avait sentie désarmée, presque attachée à
lui, comment avait-il pu — deux heures plus tard, il se le rappelait —
amorcer et tracer ce monologue si triste, si désespérément froid et
solitaire de son héros, monologue qui était pour lui le meilleur moment
de la pièce ?

Cela le remplissait d'un étonnement proche de la peur, mais aussi
d'un orgueil puéril. Il l'avait toujours su : le cœur était fait pour
s'aveugler et la mémoire pour se souvenir — ou oublier, qu'importe :
c'était là deux matières spongieuses et folles, irresponsables, qui
retenaient au hasard les impressions de la vie ; mais l'intelligence, elle,
était une chose tranchante, faite pour trier et couper comme une épée.
Cependant il ne pouvait pas dire qu'il n'avait pas mis toute son
intelligence au service de son amour ; il n'avait pas cessé un instant
d'imaginer, d'espérer, de lutter, de parer, de se débattre afin de nourrir,
de combler sa propre famine sentimentale ; et quand parfois
l'intelligence avait rejoint dans un même élan sa sensualité et son cœur,
il avait, là, connu le bonheur : lorsque comblé, il avait su pourquoi il
l'était. A présent son intelligence n'avait plus à l'aider : Béatrice
l'aimait. Cela transformait en liaison son amour malheureux et cette
liaison lui semblait douteuse dans sa logique apparente ; un auteur à
succès, une vedette, quoi de plus banal, de plus conformiste. Il eût
préféré peut-être rester inconnu, falot et fade. En revanche, il n'eût
jamais souhaité le contraire. Soit par bonté d'âme, soit parce que son
imagination érotique le lui demandait, il continuait à souhaiter Béatrice
triomphante, superbe, le pied posé sur lui. Il ne croyait pas à l'égalité en
amour, il n'y avait jamais cru, il n'y croirait jamais. Par conséquent il ne
pouvait croire non plus, ne les ayant pas connus, à ces savoureux ou
atroces revirements, qui font que tout à coup l'adorateur se prend à
bâiller et l'idole à s'en désespérer. Ces sortes de courses-relais brefs, où
l'amant et l'aimée changent de rôles, lui semblaient relever du
vaudeville et non pas de la vie. Il s'était lancé, lui, trop éperdument, trop
sincèrement vers Béatrice pour qu'il ne trouve pas indigne, médiocre,
invraisemblable que leurs rôles soient interchangeables. Leur histoire
était écrite et distribuée aussi précisément que les tragédies de Racine.
Pouvait-on rêver que brusquement Oreste soit aimé d'Hermione ? Et

alors où allait-on ? En attendant, à quoi appliquer son ingéniosité, ses pressentiments, son instinct ? Car si sa pièce était finie, et si Béatrice l'aimait, que lui restait-il d'autre à faire, qu'à être heureux ? Et heureux, lui, qui lui avait appris à l'être, heureux ? Qui lui en avait donné l'occasion ? Cela s'apprenait aussi, le bonheur, sans doute, et sans doute aussi difficilement que le malheur. La seule fois de sa vie où il se rappelait avoir été heureux, c'était grâce à Béatrice, cinq ans plus tôt, et elle lui avait retiré ce bonheur des mains aussitôt, comme un jouet trop luxueux donné à un enfant pauvre, par inadvertance. Et maintenant qu'on lui rendait ce cadeau, que voulait-on qu'il en fasse ? Il n'avait pas eu le temps d'en apprendre le mécanisme. Il ne savait pas comment cela marchait. A qui la faute ? Il aurait fallu lui laisser ce jouet, cinq ans plus tôt, ou alors il n'aurait pas fallu le lui rendre aujourd'hui, car vis-à-vis de lui, il se sentait pour toujours un enfant pauvre et puni. C'était cet enfant pauvre d'ailleurs, qui avait écrit cette première pièce si maladroite — mais si attendrissante, semblait-il, puisque tous ces gens en faisaient leurs délices à présent, qu'ils voulaient même en faire des films, et au passage le couvrir de dollars, comme pour le remercier d'avoir été si sage. C'était aussi cet enfant pauvre qui avait écrit la seconde pièce, déjà plus mûre, plus facile à faire déjà, et plus efficace. Et c'était cet enfant pauvre qui, même après qu'on lui eut rendu son triomphal cadeau, avait continué en secret, en cachette, à écrire son devoir d'écolier et à faire cette pièce dont le héros s'appelait Frédéric et lui ressemblait comme un frère. C'était cet enfant pauvre qui avait passé un an à trembler, à craindre, à souffrir, à se mépriser — tout autant qu'à s'émerveiller et s'éblouir dans les bras de cette femme. Et c'était de lui qu'on attendait maintenant, avec le plus grand sérieux, qu'il fît semblant d'avoir toujours été riche et d'être sûr de le rester toujours ? Eh bien non, il ne pouvait pas, il ne savait pas. Ni Herner, ni Tony d'Albret, ni Béatrice, ni personne au monde ne pourrait plus lui donner pour de bon ce qui lui avait été volé définitivement une fois pour toutes et six ans plus tôt.

Tout cela bien sûr, Édouard ne se le disait pas. Il ne le pensait pas d'ailleurs. Mais tout cela il le ferait dire un jour, bien plus tard (et cela il l'ignorait lui-même), il le ferait dire à quelqu'un sur une scène, dans un théâtre vide ou plein ; il montrerait l'enfant pauvre, vaincu, humilié, et il se demanderait sûrement à lui-même qui avait bien pu lui donner une idée pareille.

— Vous m'entendez, Édouard ? dit la voix impatiente de Tony d'Albret et il sursauta.

Elle le surveillait avec curiosité maintenant, et non plus avec condescendance. La condescendance, elle, était partie avec les chèques d'Amérique, et la curiosité avait suivi très vite : dès l'instant où cette sotte de Béatrice s'était mise à avouer son amour prétendu pour Édouard, et même à le crier sur les toits, Tony l'avait crue perdue, et perdus en même temps les belles promesses, les beaux serments que lui avait tenus Édouard. Elle avait vu assez d'hommes, ainsi, souffrir mille morts et promettre monts et merveilles à de jeunes ou vieilles oies; et elle en avait trop vu, aussi, prendre la fuite ou renier leur parole dès que leur amour s'était avéré partagé. Elle avait même eu peur pour ses pourcentages car, elle le sentait bien, Édouard la méprisait profondément et Béatrice était le seul lien qui les rattachât. (Cela dit, elle se moquait éperdument du mépris d'Édouard, considérant que le succès, le futur, l'avenir de ce dernier ne tenaient qu'à elle, et elle pensait qu'il finirait par s'en rendre compte aussi.) Mais Édouard restait obstinément amoureux de Béatrice et cela sautait aux yeux. Tony en éprouvait un double sentiment : d'abord d'agacement — car elle eût bien aimé pour une fois, en tant que femme, voir Béatrice mordre la poussière — mais aussi de réconfort, en tant qu'impresario (sa pouliche, décidément, quand elle tenait un homme le tenait bien). Et que Béatrice pût jouer ainsi l'amoureuse, après avoir joué plus d'un an la dédaigneuse, n'était qu'une preuve de plus de son grand talent de comédienne. A vrai dire, comme tous les gens dénués de vie privée, Tony d'Albret n'en supposait pas une aux autres. Elle n'imaginait jamais Béatrice dans un lit, sinon sur une scène. Et si elle imaginait Béatrice disant : «Je t'aime», ce ne pouvait être que devant un micro. C'était d'ailleurs, sans doute, cette absence d'imagination qui lui permettait d'adorer son métier et de le faire si bien ; car autrement, tous ces gens beaux et doués, au lieu de les propulser vers le succès et d'en faire des machines à sous, applaudies et aimées, elle n'aurait pu rêver que de les piétiner.

En attendant, Herner s'impatientait, il fallait qu'Édouard signe ce contrat. Il était ridicule à présent qu'il affiche une telle fidélité à un serment que personne ne lui réclamait.

— Je me fais bien du souci pour Béatrice, dit Tony.

— Elle s'en remettra, vous savez, dit Édouard, d'une voix attendrie qui irrita l'ambitieuse Tony.

— Je ne parle pas de ce décès, je parle de choses plus sérieuses... enfin je veux dire, de choses plus actuelles.

Elle s'embrouillait tout à coup, s'enferrait, et Édouard, toujours poli, vint à son secours :

— De quoi voulez-vous parler, Tony ?

— Cela va vous paraître bien matériel, un jour comme aujourd'hui, mais je parle d'impôts. Comme vous le savez, je m'occupe des affaires de Béatrice. Comme vous le savez, elle jette l'argent par les fenêtres. Et comme vous ne le savez pas, d'ailleurs, je ne vais pas pouvoir payer ses impôts.

C'était un demi-mensonge. Béatrice joignait en effet la générosité à son goût du luxe — chose très rare chez une actrice en 1975. Elle n'avait même pas prévu le moindre snack-bar, la moindre laverie automatique où se réfugier en cas de disgrâce publique. Il est vrai qu'elle pensait mourir en scène, et dans la fleur de l'âge. Mais Tony d'Albret ne partageait pas cette charmante superstition et elle voyait, avec un mélange de terreur et de vague admiration, l'argent s'évaporer entre les mains de Béatrice. Au demeurant, Béatrice était capable de faire une scène dans un restaurant pour une note qu'elle jugeait excessive. Mais elle était capable, aussi, de faire un chèque au premier venu, et, si l'état de ses finances n'était pas aussi critique que le disait Tony, il n'en était pas moins vrai que le fisc, tels la foudre ou l'eczéma, s'était abattu sur elle ; et que ses deux échecs consécutifs laissaient prévoir à Tony un proche avenir des plus compliqués.

— Ah c'est vrai, dit Édouard ennuyé, les impôts...

Il était, lui, d'une distraction totale au sujet de l'argent, en ayant eu fort peu quand il était plus jeune, et ignorant encore ses périls et ses charmes. Béatrice, d'ailleurs, lui reprochait volontiers sa générosité et son insouciance dans ce domaine, jugeant qu'un homme se doit de veiller sur ses gains comme sur sa femme.

— Eh oui... les impôts, reprit Tony. Et vous, qui s'occupe des vôtres ?

— Un ami de mon père qui est avoué et chez qui j'ai commencé à travailler en arrivant à Paris, dit Édouard.

— Quand vous serez milliardaire, il faudra prendre un spécialiste, dit Tony d'Albret sentencieuse, gagner de l'argent coûte cher. En attendant, mon cher Édouard, ce n'est pas à moi de vous le suggérer mais je le fais quand même : si vous signez ce contrat de cinéma — en laissant libre ce rôle dont Béatrice ne veut pas, en plus — vous seriez à même de la dépanner.

— Mais..., dit Édouard stupéfait, mais naturellement. Je ne savais pas...

Il était devenu rouge. Il se rendait compte avec horreur qu'il ne s'était jamais préoccupé de ces questions matérielles ni de l'avenir de Béatrice, et qu'il s'était borné à payer leurs factures d'hôtels, de voyages ou de restaurants, tout cela en habitant chez elle. Il s'était conduit sans doute aux yeux des autres comme un gigolo de la plus basse espèce, jouant l'inconscience. Il paraissait si horrifié que Tony s'y trompa.

— Naturellement nous vous rembourserions, mon petit Édouard, très vite même.

— Mais enfin, dit Édouard, il ne s'agit pas de ça. Vous plaisantez ! Tout ce que j'ai est à Béatrice, tout de suite. Je...

Il bafouillait dans sa gêne et c'est alors qu'il vit le petit sourire triomphant et sournois sur les lèvres de Tony d'Albret. «Ah c'est donc ça, se dit-il, elle pensait à son pourcentage, elle m'a bien eu. Mais de toute manière, je me conduisais comme un goujat.» Il regarda Tony et prit une voix froide :

— Vous devriez le savoir, je suis moi-même tout entier à Béatrice. Je signerai ce contrat demain, où vous voudrez, et vous me direz l'argent qu'il vous faut.

Tony hésita. Il y avait eu là un changement de ton, un changement de rythme, qui l'avait un peu désarçonnée. Comme chaque fois qu'elle se trouvait en position instable, elle se rattrapa sur les bons sentiments : c'était finalement les plus sûrs. Il y avait beau temps qu'elle savait que dans ce milieu, il valait toujours mieux avoir l'air d'une sotte que d'une roublarde, et cela avec qui que ce soit, les plus corrompus comme les plus purs.

— Béatrice va être très touchée, dit-elle. Vraiment.

— Je vous interdis de lui en parler, dit Édouard. Vous ne parlez pas d'affaires généralement, avec elle, que je sache. Pourquoi commencer demain ? Pour moi ?

Ils se regardèrent comme deux ennemis. Une sorte de méfiance, de haine semblait prendre forme entre eux, devenir consistante. Enfin ! Après tous ces mois de réticence et de politesse ! Tony sentait son pouls battre plus vite, la colère s'installer chez elle en même temps que le mépris : le mépris du mépris qu'elle inspirait.

— Vous êtes vraiment un preux chevalier, mon petit Édouard, dit-elle d'un ton sarcastique.

— Oui, dit Édouard, je suis un preux chevalier et je compte le rester.

Et tout à coup il sourit, comme ferait un enfant farceur. Une seconde, Tony d'Albret comprit que Béatrice était peut-être vraiment amoureuse de lui. Il avait l'air si vif et si faible à la fois, si implacable et si abandonné, il faisait penser à un oiseau inconnu, mâle et sans craintes.

— Et si je reste chevalier, ma chère Tony, dit-il, ce sera grâce aux contrats royaux que vous saurez me décrocher. Je vous en remercie d'avance.

Il éclata de rire, et se levant, sembla signifier ainsi par son attitude à la fois impatiente et courtoise, que le rendez-vous était fini, l'affaire faite, et qu'en même temps que cet argent, Tony avait gagné le droit de partir, et lui celui de transformer ce droit de partir en un devoir impérieux. Décidément Tony d'Albret n'était plus chez elle dans le salon bleu... C'est en se dirigeant vers la porte que cette pensée lui traversa l'esprit : ce salon bleu qu'elle avait pourtant aidé à meubler, grâce à ses efforts, ses coups de téléphone et ses ruses, grâce à son dévouement, quoi... Et enfin elle partit comme elle aurait dû arriver : les larmes aux yeux.

CHAPITRE XXIII

Béatrice se pencha à la fenêtre, regarda le jardin noirci par l'hiver, puis revint vers sa console et y attrapa la bague. Elle la fit sauter dans sa main et la leva une fois de plus devant la lampe. Oui, c'était bien un blanc bleu — sa perspicacité était sans défaut à ce sujet — et il devait bien être de trente carats. Édouard l'avait rapporté, l'air enchanté de lui-même tel un Roi mage. Mais pour la première fois de sa vie, Béatrice avait dû simuler la joie en ouvrant un écrin. Jusque-là les bijoux lui avaient toujours fait plaisir comme un dû, un impôt par elle prélevé sur chacun de ses amants riches (lesquels d'ailleurs n'avaient pas été les plus nombreux). Édouard, devenu dispendieux grâce à ses contrats américains, ne faisait donc que suivre leur exemple et leur ressembler. Seulement, c'était bien la première fois qu'Édouard ressemblait à un autre, à un des «autres» et elle en restait désemparée, presque triste. Il lui avait offert une chose pour elle seule, une chose qu'elle pourrait conserver après lui — s'il y avait un après-lui — une chose dont elle serait la seule à tirer plaisir. C'était le cadeau d'un homme à une femme, cadeau somptueux, ruineux, plus que gentil, et elle se demandait pourquoi elle eût préféré un week-end à Saint-Germain-en-Laye ou un disque d'opéra, ou même un chandail, n'importe quoi enfin qu'elle aurait pu partager avec lui. Pour une femme nantie d'un passé comme Béatrice, un bijou était une trace et une trace c'était ce qui reste, après, sur des plages vidées par le temps. Et Béatrice n'imaginait plus la vie sans Édouard.

« C'est la mauvaise heure maintenant, pensa-t-elle en reposant la bague, cette heure me déprime.» C'était la fin de l'après-midi et pendant deux mois, presque trois, elle avait été généralement à ce moment-là au chevet de Jolyet. Au milieu de ses rendez-vous multiples, futiles ou professionnels, elle avait toujours préservé ces deux heures et elle continuait machinalement — même maintenant que Jolyet était mort. Édouard était parti assister aux essais de différentes actrices en compagnie de Lawrence Herner, Tony depuis quelques jours, semblait délaisser le salon bleu, Nicolas suivait une lointaine tournée et Cathy cousait dans la cuisine. Elle se sentait seule. Ce soir, elle irait jouer sa pièce manquée devant une salle à demi pleine, puis ils iraient dîner avec Lawrence Herner et ils rentreraient. Alors, avant de se coucher, elle lèverait une fois de plus sa main baguée devant ses yeux — car bien entendu elle la porterait toute la soirée — et elle dirait : «Vraiment Édouard, quelle folie!» d'une voix fausse et enjouée avant de se retourner vers le visage — véridique, lui — de son grand amour.

Comment était-il possible que même là, avec lui, en ce moment où elle avait envie de tout sauf de mentir, en ce moment où les mots d'amour étaient devenus vrais (et où même en scène elle s'ennuyait de lui), comment fallait-il qu'elle dût dire cette phrase stupide : « Vraiment Édouard, quelle folie ! », phrase qu'elle avait dite vingt fois et sur le même ton à d'autres hommes qu'elle n'aimait pas ? Il y avait là quelque chose de faussé, quelque chose de ridicule et de cruel mais elle ignorait qui en était le responsable. Ce n'était pas Édouard bien sûr, puisqu'il l'aimait, qu'il lui avait donné cette bague pour lui faire plaisir. Pas plus que ce n'était sa faute à elle si elle avait eu quelques amants riches avant de connaître Édouard. C'était même parce qu'elle avait eu tous ces amants — fortunés ou pas — qu'Édouard l'avait aimée. Édouard n'aurait jamais aimé une femme sans passé. Mais peut-être les aimait-il aussi sans avenir ? Peut-être ce cadeau qu'il lui avait offert avec un tel élan et un tel bonheur à l'idée du sien n'était-il qu'un prélude à son départ ?

Elle revint vers la fenêtre, appuya son front contre la vitre froide et secoua la tête. Elle devenait folle ! Depuis quand le fait qu'un homme se ruine pour elle, ou manque de le faire, était-il une preuve de désamour ? Pauvre Édouard, s'il avait pu imaginer l'effet de son cadeau... Bien sûr il ne pouvait pas savoir que toutes ces pierres qui lui avaient été si précieuses étaient devenues maintenant pour elle, comme pour lui, autant de cailloux. Bien sûr il ne pouvait pas comprendre qu'elle avait changé et que des mots qui l'avaient toujours fait rire, tels que « constance », « fidélité », « confiance » lui paraissaient maintenant aussi aigus, vifs et chauds que les mots « ambition » ou « égarement ». Il ne pouvait pas savoir qu'à présent elle jouait en majeur l'adagio d'une rhapsodie étrangère, dont elle n'avait jusque-là jamais joué que le contre-chant et même pas suivi la mélodie. Bref elle ne pouvait pas demander à Édouard d'accepter si vite ce qu'il avait toujours désiré : qu'elle l'aimât. Et cette idée la fit rire.

C'était drôle d'ailleurs, à y penser, la réaction d'Édouard quand elle lui avait avoué son amour. Elle avait pensé qu'il serait fou de joie, qu'il s'enivrerait au champagne, qu'il se roulerait par terre et qu'il dirait « Enfin ! », rendant grâce au Seigneur, à la vie et à elle-même. Elle avait pensé le voir transfiguré par le bonheur. Or elle l'avait vu demeurer stupéfait, inerte, comme dérangé. Elle l'avait entendu respirer longtemps dans le noir à côté d'elle, ensuite, d'un souffle inégal, pesant, avec des haltes qui ressemblaient à des soupirs. Bien sûr il n'aimait qu'elle et passait ses nuits à le lui dire et à le lui prouver. Mais quand elle lui donnait sur le même ton, et pour une fois sans mentir, une réponse tout aussi éperdue, il semblait par instants qu'il ne l'entendît pas, et que plus qu'à un dialogue d'amants comblés, ce fût à un monologue d'amant trahi qu'il se livrât. Alors, une autre en elle — une vieille, très vieille amie — se levait et faisait taire cette amoureuse maladroite aux mots trop simples, une autre lui redonnait des gestes savants, des silences ou des cris totalement étrangers à son cœur. Et devant cette femme-là, Édouard se calmait, s'épuisait et s'abandonnait. Cela aussi était normal : même si elle l'avait trompé, le corps de Béatrice avait toujours été fidèle à celui d'Édouard, fidèle dans le plaisir. Et c'était auprès de ce familier tendre qu'Édouard, successivement malmené et sublimé par l'humeur de Béatrice, venait se réfugier, par un instinct qu'après toutes ces années elle ne pouvait vraiment pas lui reprocher...

Elle était revenue près du lit et elle s'y allongea, les yeux fermés, épuisée. Elle n'était pas — loin de là — habituée à l'introspection, n'ayant jamais éprouvé que des sentiments frêles, aussi prompts à s'évanouir qu'à naître — et sans autres commentaires de sa part. Elle s'ennuyait à cette analyse imprévue, elle se déplaisait. Le soir tombait. Elle étendit le bras et alluma la lampe. La lumière la rassura d'un coup et elle se redressa, s'assit sur le bord de son lit et posa les pieds sur la moquette.

— Ce serait bien le diable, dit-elle à voix haute, et avec un élan de gaieté, une ironie acerbe tout à fait indépendante d'elle-même (ironie qu'elle avait toujours eue, mais qu'elle avait toujours refusé d'entendre car elle l'aurait empêchée d'« arriver »), c'est avec une amère gaieté donc, qu'elle ajouta : Ce serait bien le diable que pour une fois que j'aime quelqu'un, cela ne lui fasse pas plaisir !

Édouard rentrait. Il courait vers elle et il n'était plus question de désinvolture : il la serrait dans ses bras, il lui disait qu'il avait vu défiler une série de mannequins inertes sur un écran, que pas une de ces stars n'avait le quart de sa beauté, qu'il avait passé l'après-midi à rêver d'elle. Puis il la fit rire : il racontait ses expériences d'auteur dramatique livré au cinéma avec une dérision à son propre égard des plus déconcertantes. A l'entendre, c'était toujours sa naïveté, sa sottise et son manque d'autorité qui provoquaient les complications ou les désastres ; et Béatrice, habituée à entendre les hommes de son sérail évoquer leurs succès, leur ironie et leur intelligence, trouvait un charme fou à ses récits masochistes. Pourquoi donc avait-elle été si triste tout l'après-midi ? De quoi se plaignait-elle ? Édouard la serrait contre lui, suppliait qu'ils dînent là tout seuls, Édouard l'aimait, le lui disait et lui demandait de faire l'amour avec le même désir et la même fièvre inapaisables.

Plus tard, bien plus tard, allongés l'un près de l'autre, ils échangeaient des mots glissants, doux, soyeux et plats, des mots d'amants comblés, des mots au travers desquels, inconsciemment, ils se remerciaient d'être parvenus ensemble à cette indifférence heureuse et provisoire de leurs corps. Édouard avait mis un disque sur le pick-up au pied du lit et il chantonnait en même temps que Frank Sinatra, la tête enfouie dans les cheveux de Béatrice.

— Et ton vieil air d'opéra ? dit-elle. On ne l'entend plus...

Le vieil air d'opéra, c'était leur musique à eux, l'air par lequel, sans un mot, ils se prévenaient l'un ou l'autre de leur désir naissant, l'air sur lequel ils avaient fait l'amour tout l'été et tout le printemps, l'air qui les avait menés jusqu'au faîte du plaisir et de la musique, grâce à cette chanteuse italienne et à sa voix superbe. L'air qui avait été si longtemps pour eux un signal d'incendie et une récompense.

— Je vais le racheter, si tu veux, dit Édouard à demi assoupi. Le disque est tout rayé.

— Tant mieux, dit Béatrice. On commençait à s'en lasser, non ? Tu ne trouves pas ?

— Si, dit vaguement Édouard — de plus en plus enfoui dans son parfum, sa chaleur et son cou — si, c'est vrai. On l'a beaucoup entendu.

Il s'endormait, il était bien. Il ne pouvait pas savoir que Béatrice, elle, avait brusquement rouvert les yeux, et que la question qu'elle lui posait en était vraiment une.

CHAPITRE XXIV

ÉDOUARD avait passé le bureau des passeports et s'était engagé sur l'escalier mécanique. Béatrice le regardait disparaître peu à peu dans ce couloir de plexiglas, plus inquiétant que romanesque. Il était tourné vers elle, il agitait les mains, il était pâle ; et pour la voir plus longtemps, il plia un peu les genoux et s'accroupit à demi. Dans cette file de voyageurs blasés, habitués de ces lieux, il semblait ainsi, penché vers elle à contre-courant, un enfant égaré qu'on arrache à sa mère. Il mourait d'envie, et cela se voyait, de redescendre à l'envers cette funeste machinerie, de repasser devant les douaniers ébahis et de retomber sauvé dans les bras de Béatrice : sauvé de l'Amérique, de ces voyages, de ces hôtels, sauvé de leur séparation. Béatrice avait adopté un air narquois mais à le regarder partir, elle se sentait l'œil liquide et la gorge serrée. Enfin les chaussures d'Édouard disparurent complètement et Tony d'Albret se mit à rire.

— C'est quand même inouï : un homme de son âge, partir comme ça ! Quand tu penses qu'il ne connaît même pas New York... Tu crois qu'il va faire tout le voyage à reculons ?

Béatrice ne répondit pas. Elles roulaient à présent vers Paris, la maison, la chambre bleue, privée d'Édouard, et un lit trop grand d'avoir été partagé si longtemps. Il était une heure de l'après-midi, il pleuvait et elle savait que vers neuf heures, Édouard éperdu de fatigue, d'ennui et de solitude lui téléphonerait d'un de ses gratte-ciel. En attendant, entouré d'inconnus et ficelé sur son siège, dans cet avion énorme, loin de trembler d'excitation ou d'appréhension à l'idée des flashes, des «Sardis» et des mille mythomanies américaines, il devait trembler au contraire de fatigue et de regret en pensant à la chambre, la porte-fenêtre et le jardin d'hiver. Il était même, sûrement, très malheureux. Et vraiment, il avait fallu la conjugaison de ses efforts et de ceux de Tony et de Nicolas — enfin revenu — pour décider Édouard. «Il était hors de question — lui avaient-ils tous expliqué — que cette pièce s'ouvrît sans lui, qu'il n'eût même pas la politesse d'assister à la première, ni de féliciter ou consoler ses interprètes.» Ils lui avaient tous trois tenu ce discours, mais pour des raisons différentes : Béatrice pour voir s'il s'y rendrait, Tony car c'était son métier et Nicolas parce qu'à la place d'Édouard, il eût mené joyeuse vie en Amérique depuis belle lurette. Tous trois disaient : «Ça te fera du bien, ça te changera» et même si l'un d'eux ne pensait pas ce qu'il disait, cela ne se voyait pas.

Le premier émoi passé, regardant Paris défiler par la vitre, Béatrice se sentit tout à coup assez contente. Son amant, son bel amour volait à présent vers un succès probable, il allait s'ennuyer d'elle et revenir plus épris que jamais. Elle-même, pendant quelques jours, aurait le plaisir jusque-là ignoré, de penser à son amour, de se le rappeler et de l'attendre. Le plaisir de rêver à quelqu'un qui, au même moment, rêvait à elle. Cela la mit de fort bonne humeur, et quand Tony d'Albret lui suggéra d'aller déjeuner avec Nicolas et quelques amis, Béatrice se sentit brusquement très jeune, très libre et très sociable.

Elles arrivèrent très tard au restaurant, où Béatrice fut accueillie par une foule d'anciens amis ou d'anciens amants qui lui firent fête. Elle se rendit compte avec stupeur que depuis six mois, elle n'avait strictement vu personne. «Bien sûr, se disait-elle tandis que Nicolas, enchanté, la tenait aux épaules, bien sûr, aucun de ces hommes n'arrive à la cheville d'Édouard.» Mais ils étaient là, ils étaient gais et certains regards lui rappelaient qu'elle était une femme d'une manière délicieuse — non pas qu'Édouard le lui ait laissé oublier, mais son regard à lui signifiait qu'elle était une femme aimée, et non plus une femme «à aimer». Et, se sachant désirée par cet amant que chaque minute éloignait d'elle, elle se sentait d'autant plus désirable pour tous ces semi-inconnus soudainement si proches. Elle souriait, elle répondait d'une voix claire, elle riait, elle faisait du charme, elle s'énervait un peu, elle redevenait la fantasque, belle et insolente Béatrice Valmont. Nicolas s'apercevait de cette euphorie, et malgré son amitié pour Édouard, y prenait grand plaisir. Car en même temps que son amant exilé, Béatrice oubliait dix ans, vingt ans, et Nicolas se retrouvait indemne et très jeune en même temps qu'elle. Il passait sans doute quelque chose entre eux d'assez tangible bien qu'inconscient, pour que Tony d'Albret s'exclamât :

— Ah revoilà les deux complices! C'est vrai que vous faites un beau couple, tous les deux.

Ils se regardèrent d'abord l'un l'autre, puis dans la glace, et se sourirent avec fatuité. Il était vrai que Nicolas, avec ses cheveux blonds, ses yeux bleus, son air gai, allait bien avec le côté noir, léonin et distant de Béatrice. Ils saluèrent tous deux de la tête l'image que leur renvoyait la glace en un signe d'hommage réciproque, ils se félicitèrent d'être, quinze ans plus tard, aussi beaux, aussi gais et aussi amis qu'ils l'avaient été jadis.

Tony les quitta très vite après le café, courant à un de ses éternels rendez-vous, et ils burent quelques fines à sa santé, tout en parlant d'elle avec leur habituel mélange de mépris, d'affection et de sarcasme. Quand ils quittèrent le restaurant, il était cinq heures de l'après-midi, il faisait déjà noir et ils essayèrent en vain d'entrer dans deux ou trois cinémas du quartier. Les photos des films les rebutaient, comme les files de gens qui attendaient et comme l'idée de rompre entre eux ce charme amical, cette gaieté et cette disponibilité.

— Allons plutôt chez toi, dit finalement Nicolas. On prendra un thé et je te raconterai ma tournée.

La maison était vide. Béatrice avait profité de l'absence d'Édouard pour donner quelques jours de vacances à Cathy. Elle fut soulagée de ce que Nicolas vienne avec elle dans cette maison obscure, l'aide à allumer les lampes, le feu, et à démouler la glace — car bien sûr, après ces cognacs, l'idée d'un thé devenait écœurante. Béatrice passa dans sa chambre, jeta son manteau trempé et mit un pull-over sec et chaud, un pantalon et des ballerines; puis elle alla rejoindre Nicolas qui, assis devant le feu comme un grand chat, semblait y ronronner. C'était un de ses charmes que cette facilité à entrer dans une maison étrangère ou oubliée, et à s'y installer tout de suite, au meilleur endroit, avec une aisance égale à sa gratitude. Car Nicolas était bien chez les autres, il se sentait utile, agréable dans une maison, il était heureux d'y être et heureux de le montrer. Il regardait Béatrice assise à côté de lui, le visage rafraîchi et lavé par la pluie, les yeux brillants grâce à l'alcool chaud qu'ils avaient bu ensemble, et il se disait qu'il aurait volontiers vécu comme un pacha tranquille auprès de cette femme dangereuse, que finalement ils se seraient très bien entendus et qu'il avait été un niais de ne pas le savoir, dix ans plus tôt.

— Alors comment s'est passée ta tournée? demanda-t-elle. Qui as-tu séduit? La petite Beaufour?

— Non, dit Nicolas, enfin si peu... ce serait plutôt la belle Hermione à qui je plaisais.

— Mon Dieu! dit Béatrice. Mais quel âge a-t-elle?

Nicolas se mit à rire:

— Je l'ignorais déjà avant de partager son lit, alors maintenant, tu penses, comment veux-tu que je le sache?... Mais elle est exquise.

— C'est vrai, dit Béatrice. Elle frissonna. J'ai eu froid dehors, ajouta-t-elle. Pauvre Édouard, il va geler à New York. Tu crois qu'il fait très froid là-bas?

— Mais non, dit Nicolas — un peu agacé, sans savoir pourquoi — tu as bien mis un cache-nez dans sa valise, non? Et ses gouttes?

— Vieux salopard! dit-elle. Et si on allait danser ce soir? J'ai envie de danser. Il y a un temps fou que je n'ai pas dansé...

Elle se leva et s'étira.

— Tu n'as pas envie de danser, toi?

Nicolas quitta le feu des yeux et se retourna vers elle. Elle était debout devant lui, la lumière des flammes donnait à son visage un air diabolique et elle avait envie de danser.

— Tu as bien un pick-up? dit-il d'une voix un peu sourde.

Et il se déplia, passa près d'elle et posa un disque sur le pick-up avec un vague sentiment de fatalité. C'était un slow, plutôt dansant, et il murmura : «C'est très joli, ça», avant de se retourner et d'aller s'incliner vers elle dans un geste où il entrait à la fois du défi et un respect cérémonieux. Elle sourit gentiment, avant de se glisser dans ses bras, mais très vite elle changea de sourire. Ils manquèrent quelques pas, comme surpris eux-mêmes de se retrouver l'un contre l'autre, avant de pouvoir danser. Le bras du pick-up était à répétition et remettait le même air indéfiniment. Ils dansèrent une fois, deux fois, sans rien dire. Ils ne pensaient plus à rien de très précis, ils ne se rappelaient même plus très bien ce qu'ils étaient l'un vis-à-vis de l'autre, sinon que lui était un homme qui avait envie d'une femme, et elle une femme que l'envie de cet homme troublait énormément. «Que c'est drôle, pensait Béatrice, les yeux fermés, que c'est drôle, Nicolas... Quelle drôle d'idée! Nicolas...» Mais à la fois elle ressentait un tel bonheur en elle, une telle envie de vivre, un tel plaisir à vivre... Et loin de penser qu'ainsi elle reniait Édouard, le trompait ou l'oubliait, elle devinait confusément que l'élan, l'appétit heureux de son corps pour ce plaisir qu'allait lui donner un autre homme, elle le devait à l'amour si fidèle et si entier d'Édouard. S'il ne l'avait pas tant aimée, si elle avait été moins sûre de son amour, elle aurait été triste, ou inquiète; et tout ce qu'elle aurait alors pu demander à Nicolas, c'eût été une solide épaule, de la compassion, des propos apaisants. Bref des tisanes; des tisanes de sentiments amicaux et fades, au lieu de l'alcool chaleureux du désir qu'elle avait de lui. Ce désir qui à présent lui cassait le corps et faisait battre son sang partout, aux poignets, aux jambes, au cœur au plus précis d'elle-même; et maintenant, à sa bouche, sur laquelle Nicolas, les yeux fermés, appuyait la sienne. Le même disque les retrouva une heure plus tard sur le tapis, devant le feu éteint.

Au moment précis où Nicolas, d'un geste las, tendait la main pour arrêter le pick-up, l'avion géant d'Édouard se posait sur l'aéroport de New York, dans des rafales de vent.

Édouard ahuri, se laissa guider avec le troupeau du Boeing; il eut droit à des formalités, des douanes, des passeports, à un taxi jaune, à la pluie giclante sur la route, à la traversée du pont, et à cette ville fantôme, irréelle et grise dans sa lumière. Puis à l'hôtel, à des voix accueillantes, des valises, des gens, des messages, déjà. Et enfin, fatigué, étourdi mais rescapé de ce voyage, Édouard put décrocher son téléphone et appeler Paris.

Tout de suite il entendit — à l'autre bout de la terre, lui sembla-t-il — la voix basse et tendre de Béatrice et il lui sembla qu'il revivait, et que malgré ce voyage de cauchemar, il était soudain rassuré et capable de voir vraiment, de trouver belle et stupéfiante, la ville debout à ses pieds. Grâce à sa voix et à la chaleur de sa voix, Béatrice lui offrait New York. «Oui, elle s'ennuyait déjà de lui, oui, elle l'aimait, oui, elle l'attendait.» Il s'endormit apaisé, et d'ailleurs il avait parfaitement raison de l'être. Béatrice ne lui mentait pas.

Elle était dans son lit, en proie à une fatigue mêlée d'euphorie, et là, solitaire et ravie de l'être, fumant une cigarette dans le noir, elle songeait amoureusement à lui.

CHAPITRE XXV

ÉDOUARD plut beaucoup aux Américains. Il était bluffé, ébloui par New York et il le montrait avec tant de bonne grâce qu'il enchanta les journalistes comme les gens du spectacle. Quel miracle que cet homme de trente-cinq ans qui déclarait innocemment n'avoir jamais auparavant été en Amérique, ni ailleurs! Quelle nouveauté que ce vieux jeune homme de province qui ne se cachait ni ne se targuait de l'être! Le naturel d'Édouard ne pouvait que séduire les enfants de son âge, et par bonheur New York en regorgeait. Son air ravi, mais non grisé, son anglais chétif mais appliqué firent que, soudain, Édouard devint, avec l'aide du correspondant de Tony, la coqueluche du jour. Des femmes et des hommes se précipitèrent sur lui, et seuls sa politesse et son pauvre anglais lui permirent d'échapper aux étreintes les plus diverses. La principale interprète de sa pièce, qui, s'étant machinalement affichée dans ses bras deux soirs de suite, avait décidé d'y rester, fut sidérée d'apprendre qu'il n'était pas pédéraste mais tout bêtement amoureux et fidèle. De charmant il devint original. L'actrice clama partout son échec et ses causes, et ce nouveau Candide devint l'enjeu de nombreux paris; pari qu'un soir d'ivresse, une ravissante starlette gagna; ou plutôt perdit, puisqu'au réveil, Édouard misérable et furieux, ne pensait qu'à rentrer à l'hôtel et appeler Béatrice. «Mon Dieu, se disait-il en se rhabillant, non sans une migraine affreuse, mais qu'est-ce que j'ai? Cette fille est superbe... Pourquoi me suis-je tellement ennuyé? C'est un miracle que je n'aie pas été impuissant : j'avais l'impression de coucher avec une image... Décidément Béatrice m'a séparé de la race humaine.» Et en vérité, Édouard était comme un maniaque de l'héroïne auquel on eût refilé du haschich. Intoxiqué par Béatrice, le corps d'Édouard se retrouvait subitement sevré, chassé de cette zone de sensualité qui l'entourait depuis un an. Il avait vraiment fallu qu'il eût affreusement bu, ou que son corps ait contracté des habitudes bien impérieuses, pour qu'il ait dans un lit essayé d'oublier son cœur — pour une fois plus clairvoyant. Bien entendu, en vain. Il n'y avait rien à voir entre cette pantomime ridicule à laquelle il venait de se livrer, à ce cinquantième étage, et les souvenirs foudroyants d'autres gestes, dans une chambre bleue ouverte sur un jardin d'hiver.

Entouré, bousculé, choyé et photographié, Édouard ne trouva comme soutien que le veilleur de nuit de l'hôtel, un vieil Italien mélancolique, avec lequel il prit l'habitude de discuter la nuit. La nostalgie, la douceur et surtout le fatalisme de ce vieillard lui permirent de supporter chaque jour l'effrayant dynamisme et la non moins effrayante efficacité de ses partenaires. La générale de la pièce étant retardée, il se mit à visiter New York, et fuyant Manhattan, il découvrit les quartiers sales, étrangers, les faubourgs, le port de New York, et en fut fasciné. Au téléphone, il décrivait à Béatrice des endroits extravagants, des bistrots, des recoins dont, malgré ses fréquentes visites à New York, elle n'avait jamais entendu parler.

Enfin, dans un tohu-bohu infernal, la première répétition publique eut lieu. Certains critiques, le soir même, crièrent au génie, d'autres à l'ésotérisme, mais en rentrant se coucher ce soir-là, à deux heures du matin, Édouard n'était plus inconnu du public américain. Au demeurant, cela lui eût été assez égal (il ne rêvait que de retrouver Béatrice), mais il se sentait assez fier de rentrer non seulement indemne, indépendant — comme un de ces hommes vifs et pressés de Paul Morand — mais en plus, couvert de lauriers. Il savait assez qu'une fois qu'il aurait posé ceux-ci aux pieds de Béatrice, il les oublierait — et que seule Tony veillerait à ce qu'ils ne se fanent pas trop vite. Il éluda diverses propositions gigantesques et floues qui l'auraient mené dans des villes fantomatiques telles Los Angeles ou San Francisco. Malgré la fascination de New York, il n'y avait pour Édouard qu'une seule ville habitée, donc vivante, et c'était Paris. Il téléphona d'une voix triomphante la date de son retour à Béatrice, et passa la veille de son départ avec son vieux portier italien, dans le restaurant de luxe où il l'avait invité.

— Édouard rentre demain, dit Béatrice d'une voix neutre.
Nicolas, assis par terre comme d'habitude, ne bougea d'abord pas ;
puis il se secoua et la regarda.

— Il est content ? demanda-t-il. D'après les échos, cela marche bien.

— Oui, dit Béatrice, il a l'air assez content ; content de rentrer
surtout. Depuis ce slow, par un accord tacite, ils avaient soigneusement évité
tous les deux, d'évoquer Édouard. Nicolas était revenu chez elle dès le
lendemain, avec le plus grand naturel, et ils avaient passé ainsi presque
tous les après-midi ; soit à se caresser, à s'aimer, soit à discuter ensemble
comme deux vieux amis. Ils étaient aussi allés danser, mais avec un tel
entrain que nul n'aurait pu penser un instant qu'il s'agissait, entre eux,
d'autre chose que de camaraderie. On demandait à Béatrice des
nouvelles d'Édouard, ouvertement, comme s'il eût été son mari, elle
répondait de même, et l'air réjoui de Nicolas interdisait toute suggestion
d'un autre ordre.

— Tu penses lui dire quelque chose ? demanda Nicolas.
Béatrice sursauta.

— Mais non, tu es fou ! Pourquoi lui faire de la peine ?
Le regard de Nicolas la quitta et revint sur le feu.

— Tu crois que cela lui ferait vraiment de la peine ? Enfin,
uniquement de la peine ?

— Que veux-tu dire ? dit Béatrice.
Elle était agacée, et tout à coup en colère. De quel droit Nicolas
— fût-il son plus vieil ami, son meilleur ami et son amant actuel — de
quel droit se mêlait-il de ce qui était tout uniment : la base même de sa
vie ? Cependant elle aurait aimé être plus surprise de sa question, ou plus
indignée.

— Il l'a su une fois, dit-elle, et crois-moi, il ne l'a pas bien pris.

— Il ne peut pas prendre ça bien, dit Nicolas : il t'aime. Mais ne
t'aime-t-il pas un peu pour ça ?

— Tu veux dire qu'il est masochiste ? demanda Béatrice.

— Oh non, dit Nicolas, ce serait trop simple. Quand tout va bien, il
est heureux avec toi. Mais je veux dire, quand tout va mal : aussi. Il se
sent vivre quand il a peur de tout perdre...

— Il ne risque pas de tout perdre, dit Béatrice, froidement : je l'aime
et il le sait.

— Oui, dit Nicolas, il le sait ; comme il sait que tu l'as quitté il y a
cinq ans, et trompé il y a six mois... comme il sait que tu peux mentir.
Béatrice, qui était assise près de lui, se leva brusquement et alla
s'asseoir dans un fauteuil, un peu plus loin.

— Ne te mêle pas de ça, Nicolas, dit-elle, ça ne te regarde pas.

— C'est vrai, dit Nicolas en s'étirant, mais si jamais il apprenait, pour toi et moi, que penses-tu qu'il ferait ? Qu'il te quitterait, qu'il te battrait, qu'il te tromperait en retour ? Non, n'est-ce pas ?

Béatrice se sentait acculée à elle ne savait quelle vérité odieuse, un secret sombre, trouble, caché derrière un mur, un secret qui ne l'intéressait pas du tout mais qui existait. Elle éluda instinctivement :

— Je ne vois pas comment il pourrait le savoir, dit-elle.

— Oh, dit Nicolas en souriant, pas par moi, ma jolie, tu le sais bien. Maintenant que je l'ai découvert, ce rôle d'intérim entre tes amants à venir me paraît une chose exquise. Réellement exquise, ajouta-t-il.

Et il se leva, vint vers Béatrice et lui mit le bras autour des épaules. Oubliant sa colère, sa peur, elle s'appuya contre lui, machinalement. Après tout, c'était Nicolas. Il lui caressa les cheveux très vite et recula.

— Je te laisse, dit-il. Je suppose que tu ne veux pas de moi aujourd'hui. Range ton appartement et achète des fleurs en l'honneur d'Édouard. Crois-moi, il les vaut bien...

Il agita la main et sortit rapidement, laissant Béatrice interdite. Mais après un instant, elle se rendit compte, tout à coup, qu'Édouard arrivait, qu'il allait rentrer, qu'elle allait retrouver ses yeux marron, sa voix, son rire, que tout allait redevenir éperdument logique, bref qu'elle allait être heureuse. « Heureuse, moi, se dit-elle, quel terme ! »

Dans sa lucidité native, elle avait toujours eu le plus grand mépris pour ce goût forcené du bonheur — ce quasi-devoir — qu'affichait son époque. Il importait peu d'être heureux, jusque là, pour elle : il importait d'être debout sur une scène et de découper et de combler l'air autour de soi. Seulement, si elle pensait à l'arrivée d'Édouard, elle devait bien admettre que cette impatience écumeuse, ce désir, d'autant plus vif qu'il allait être comblé, s'appelait bien le bonheur. Il était impossible de ratiociner là-dessus et de douter de ce mot, « bonheur » — comme il serait impossible sans doute, si ce mot disparaissait, de s'en remettre. Elle avait dit « Je t'aime » à Édouard sans lui mentir, comme elle lui avait dit « Nous sommes heureux ». Et soudain, grâce à son absence et à l'imminence de son retour, elle découvrait ce lieu commun, cet étincelant bonheur. Et à l'idée de revoir Édouard, de le tenir contre elle, son corps s'énervait et tremblait comme dans les mauvais romans. Et ce n'était pas seulement de désir physique car jamais, jamais elle n'avait attendu Nicolas, la semaine passée, comme elle attendait aujourd'hui Édouard. Ce n'était pas la même attente, même si jusque-là ni sa sensibilité ni sa vie ne l'avaient habituée à ces distinguo. Là, il lui semblait qu'après avoir été parallèle à Nicolas — parallèle dans le sens le plus poussé du terme — elle allait, grâce à cette convention nommée pompeusement l'amour, se retrouver happée, dissoute et emmêlée à Édouard.

Elle se coucha et s'étira dans son lit avec félicité. Demain il y aurait un pied sur le sien, un poids en travers de son corps, un être humain près d'elle toute la nuit qui l'encombrerait autant qu'il la rassurerait, quelqu'un qu'elle ne pourrait pas, ni ne voudrait pas, rejeter de son lit même s'il la dérangeait dans ses forces vitales, celles du sommeil et de l'oubli; quelqu'un dont pour une fois elle supporterait qu'il représente l'inconfort, le doute et les complications et auquel, même, elle les réclamerait.

Son bonheur arriva à Roissy à l'heure prévue. Édouard semblait hâlé, vivifié par le vent de New York comme par le vent de la mer, et il avait sans le savoir cet air d'aisance, de succès (vrai ou faux) que l'Amérique impose toujours à ses passants : New York n'était pas une ville nuancée, où l'on puisse composer avec le triomphe ou l'échec. L'un et l'autre y était rapide, tranché et sans en être toujours conscients, les êtres les plus détachés en sortaient estampillés comme leurs passeports. Ce jeune homme aux yeux marron qui descendait la passerelle dans un costume de tweed et qui courait éperdument vers la porte, ce jeune homme n'avait pas été vaincu, bien au contraire. Et Béatrice, qui avait toujours aimé que ses amants réussissent — car cela confirmait sa réussite à elle —, s'étonna de se sentir déçue par ce voyageur pressé, qui hélait un porteur, retrouvait ses bagages et évitait la douane avec désinvolture. Elle avait été trop habituée à l'efficacité enfantine et vaniteuse d'hommes qu'elle n'aimait pas, pour ne pas la trouver déplacée, criarde chez l'homme qu'elle aimait enfin. Sans se l'avouer, elle s'attendait à voir arriver dans cet aéroport futuriste un émigrant sans valises et sans lauriers, un Édouard blessé, enfantin, à consoler. Elle fut donc déçue, presque attristée, par le jeune auteur triomphant qu'elle crut ramener chez elle. Édouard ouvrit aussitôt ses bagages : il y avait des paquets, et des paquets, pour elle, pour Cathy et pour Nicolas. Le nom de ce dernier, au passage, ne la fit pas broncher, car elle avait déjà à demi oublié — grâce à sa fameuse mémoire sélective — leurs tardives mais délicieuses retrouvailles. Ce fut donc un regard non pas honteux, mais sévère, qu'elle posa sur Édouard ébouriffé, bavard et visiblement fier de lui.

Elle ne pouvait pas savoir que ce dont il était si fier, et si heureux, c'était d'avoir pu résister à tout ce temps passé sans elle, d'avoir survécu à ce cruel et inutile voyage, de l'avoir retrouvée. Elle prit son soulagement pour de la vanité comblée; elle crut qu'il avait été joyeux sans elle et elle en souffrit. «C'était affreux, se disait-elle — avec une scandaleuse bonne foi —, après avoir tant imaginé, craint et souffert pour cet homme, de le retrouver si gai.» Pour elle, Béatrice n'était pas loin de considérer qu'avoir pris Nicolas, l'habituel et discret Nicolas, comme amant, relevait presque de la fidélité : après tout, ce n'était pas la première fois, personne ne le saurait, et cela lui avait assuré, en même temps que son équilibre, un emploi du temps dénué de risques, de fantaisies et, surtout, de rêveries autres que celle d'Édouard. C'était là une des choses que Béatrice avait le mieux retenue, des leçons de son amant : en amour, le grand crime, la grande trahison, c'était d'imaginer, de rêver à quelqu'un d'autre. Elle savait — parce qu'il le lui avait dit — qu'Édouard, lui, n'avait jamais rien rêvé ni imaginé à part elle. Et elle-même avait accordé trop de temps, concrètement, à Nicolas, pour de surcroît, en rêvasser.

A première vue, bien sûr, durant ces quinze jours, Édouard et Béatrice avaient été aussi traîtres l'un que l'autre : si Édouard avait fait l'amour à une nouvelle femme — ce qui laisse toujours la possibilité d'une vraie trahison —, Béatrice, elle, s'était laissée glisser dans les bras d'un vieil ami. Or elle avait plus de trente ans, et la mémoire, l'habitude sensuelle ont à cet âge-là tout autant d'attraits que la nouveauté. Dans l'intention, ils étaient quittes. (Et c'est ce que Jolyet aurait déclaré s'il n'avait pas été depuis deux mois livré à la terre et ne s'était gaiement prêté à nourrir les plantes vertes, les insectes et les éléments mystérieux des cimetières parisiens.) Seulement, si ce fameux bonheur tellement prôné par tous et partout, était vraiment un critère, et si de la réussite d'un acte découlait sa moralité, il fallait bien admettre que cette trahison n'avait été positive que pour Béatrice ; il n'y avait rien à voir, en effet, entre un Édouard furieux, égaré dans les couloirs d'un gratte-ciel surchauffé, et une Béatrice comblée, regardant partir le joyeux Nicolas. C'était injuste, mais personne n'y pouvait rien, comme personne n'avait rien pu faire, lorsque cinq ans plus tôt, Édouard qui était un charmant et sensible garçon, avait été rejeté et supplicié par Béatrice qui était une belle jeune femme, au profit d'André Jolyet qui était alors un charmant quinquagénaire. C'était la vie et son manège brinquebalant.

Tony d'Albret, elle, était rassurée. Tenant pour des raisons publicitaires à ce que les retrouvailles de ses deux poulains soient éclatantes et leur liaison consolidée, elle avait délibérément ignoré la présence permanente de Nicolas dans le salon bleu. Et elle se préparait à donner une fête en l'honneur d'Édouard, lorsqu'un bacille K 672, ignoré des Chinois, craint des Allemands et dédaigné des Espagnols eut le front de s'attaquer à Béatrice. Édouard donc, à peine rentré, se retrouva au chevet de Béatrice.

Elle gisait dans un élégant camaïeu, à base de bleu comme son déshabillé, les murs et les cernes sous ses yeux. Elle se sentait fort mal. Édouard n'ignorait pas que pour Béatrice, toute baisse de tension, toute maladie était un outrage, et il ne voulut pas y confronter sa bonne santé, ni même son bonheur d'être revenu. La comprenant fort bien, enfin croyant la comprendre, il se mit à rôder dans le jardin, la salle à manger, le salon, la cuisine, comme un malfaiteur ou un indésirable. Malheureusement Béatrice ne vit, dans ces ménagements, qu'une forme d'indifférence. « Il y a un an, se disait-elle, il eût été là, à trembler, avec un thermomètre, des fioles, des·médecins, des lectures et des pâtes de fruits. Il ne m'aime plus.»

Le quiproquo devint total : il se voulait discret, elle le croyait ailleurs ; il chuchotait dans la cuisine, elle le croyait dans un bar, clamant ses triomphes.

Dépassée elle-même par le malaise ambiant, Cathy, leur seul trait d'union en ces jours de fièvre, se bornait à faire «Chut-chut-chut» dès que chacun s'enquérait de l'autre. Elle finissait par partager l'inquiétude d'Édouard, et pour se rassurer elle-même autant que Béatrice, elle en arrivait, quand cette dernière l'interrogeait, à le lui décrire insouciant et joyeux. Et Béatrice, toussant de plus belle, s'énervait, se demandait par quelle terrible erreur cet homme si dévoué et si visiblement fait pour être dans un lit avec elle — en tant qu'amant ou en tant qu'infirmier — n'était jamais là. Ils en vinrent inconsciemment, et malgré eux, à des extrémités ridicules : Édouard, lancé dans une chorégraphie stupide, esquissait trois pas dans la chambre, baisait la main de Béatrice, l'assurait de sa passion d'une voix plate et repartait en courant ; tandis que Béatrice, l'imagination faussée par *La Traviata* qu'elle écoutait sans cesse, en arrivait à assimiler Édouard à Armand Duval, et elle à Violetta (au troisième acte). Seuls sa colère, son orgueil, son ambition (ravivée par l'offre d'un nouveau rôle, pour une fois fascinant) l'empêchèrent de feindre l'agonie et prolonger ses toux. Entre eux deux, Tony et Nicolas également désemparés, circulaient sans rien comprendre. Et tel un grand navire égaré, perdu parmi les algues au-dessus de profondeurs intolérables, l'amour de Béatrice et d'Édouard commençait à stagner et à s'incliner à tribord. «Finalement, mon retour la dérange», pensa-t-il au bout de quelques jours. «Finalement, il n'avait pas envie de rentrer», pensa-t-elle. Et cette dernière idée ralentissait le retour de Béatrice, exaspérée, à la convalescence.

Un soir cependant, le vent de la fièvre tomba et Béatrice réclama Édouard. Elle était trop lasse, trop triste, et en même temps que mille poisons chimiques dus à la grippe, l'absence d'Édouard, celle de l'amour tout court, appauvrissait son sang. Il se trouva que le même soir, Édouard, également à bout d'inquiétude et de mélancolie, et craignant de déranger même à travers deux murs, avait jugé bon de sortir. Lorsque Cathy lui eut dit : «Monsieur est sorti», Béatrice fit pour la première fois de sa vie un geste mélodramatique : elle se leva, prit le vieux disque rayé, qu'elle avait au demeurant retrouvé l'avant-veille, le posa sur le pick-up et malgré les ordres du médecin, ajouta de nombreux cognacs à ses antibiotiques. Elle vit son lit se transformer en radeau et elle-même y dériver, fiévreuse, les cheveux plaqués par la transpiration, vers un océan de moquette et de solitude dont elle n'avait jamais soupçonné l'existence. Elle se crut mal aimée et pleura. Pendant ce temps, Édouard au tabac du coin, se demandait comment il pourrait rentrer dans la chambre sans la réveiller, et retrouver ainsi le profil abandonné, attendri par le sommeil de son seul amour. C'est ainsi que finalement il n'osa pas rentrer de la nuit, et qu'elle ne dormit pas.

CHAPITRE XXVI

Installé dans un fauteuil, ses longues jambes respectueusement repliées, Nicolas pensif regardait Béatrice. La maladie, la fièvre lui avaient rendu une minceur adolescente, une fragilité qui surprenait chez cette vamp, d'habitude altière. Du fond de son lit, elle le regardait sans le voir et Nicolas, pour une fois, trouvait difficile de l'égayer.

— C'est drôle, dit-il, je ne t'avais jamais vue ainsi.

— Comment ainsi ? demanda-t-elle.

— Eh bien… désarmée, sans épée et sans cotte de mailles.

Béatrice haussa les épaules.

— Tu m'as pourtant déjà vue nue, dit-elle.

— Tu n'es jamais plus armée que dans ces conditions, rétorqua galamment Nicolas. Ni plus explicite.

— Ce n'est pas vrai, dit Béatrice furieuse. Je suis pudique, moi, tous les gens sensuels sont pudiques. Ils ne s'embrassent pas en public et ils ne pleurent pas non plus.

— Tu peux m'embrasser — ou pleurer —, plaisanta Nicolas, nous sommes seuls.

Elle rit trop fort et baissa la tête. Quand elle la releva, elle avait les yeux pleins de larmes :

— Édouard ne m'aime plus, dit-elle d'une voix brève. Enfin, plus comme avant. Et cela me fait de la peine.

— Ah, dit Nicolas.

Son petit univers basculait d'un coup, et désagréablement. Que Béatrice ait des sentiments, c'était déjà beaucoup ; mais qu'elle en avouât ouvertement l'échec, c'était trop. En même temps il s'étonnait de se sentir inquiet, lui qui aurait volontiers imaginé et qui même, ces derniers temps, aurait souhaité que le règne d'Édouard s'achève et qu'il en soit l'heureux successeur. La reddition subite de Béatrice l'épouvantait d'autant plus qu'il en ignorait les causes. Que lui arrivait-il ? Cette faiblesse inattendue venait-elle de son âge ? Là alors, ce serait franchement atroce. Car si Béatrice vieillissait, il vieillissait aussi ; et bientôt il se retrouverait acculé sans aucun fard ni aucun délai à une image de lui-même inexorable et démodée ; celle que lui renverrait son miroir aussi bien que le regard des autres : celle d'un comédien raté. Il décida donc aussitôt de tout faire pour éviter cet outrage à Béatrice et à lui-même. En dehors de leur attraction mutuelle, ils étaient réunis aussi par des années de luttes, de combines, de paniques et de plaisirs, bref d'amitié.

— Tu te trompes, dit-il fermement. Édouard t'aime. Il t'a toujours aimée depuis six ans, et il ne changera plus. Qu'a-t-il bien pu te dire?

— Rien, dit Béatrice. Justement, il ne m'a rien dit. Depuis qu'il est rentré, il parle de l'Amérique, de Broadway, de ses petites affaires, il se pavane.

— Ah non, dit Nicolas, ce n'est pas juste, il ne s'est jamais pavané. Rappelle-toi qu'il n'a jamais été sûr de toi, sinon au fond d'un lit. Et quand il est rentré, tu étais déjà grippée, non? Tu étais fatiguée et de mauvaise humeur...

Et Béatrice qui en effet aurait trouvé épuisant et déplacé de faire l'amour avec Édouard quand elle était malade, s'écria alors, oubliant sa vie — ou se rappelant un rôle :

— Il n'avait qu'à me violer!

Là-dessus, Nicolas prit un fou rire. Béatrice, se rendant compte qu'elle était allée trop loin, déçue de n'avoir pu maintenir cette sollicitude et cette anxiété chez son confident, éclata en sanglots.

«Cela fait deux fois en quinze jours, se dit-elle, que j'utilise des Kleenex à d'autres fins qu'à me démaquiller. C'est grave...» Nicolas, à qui la simple idée d'Édouard brusquant ou forçant Béatrice semblait des plus cocasses, avait du mal à reprendre son sérieux.

— Qu'en pense Tony? demanda-t-il.

— Tu sais bien que Tony ne pense pas... dit Béatrice. Elle ne voit rien, elle ne comprend rien, son cerveau n'est qu'une machine à calculer. Édouard lui a rapporté «tant», je lui rapporte «tant», c'est-à-dire à nous deux, «beaucoup». Donc nous nous aimons, donc nous sommes heureux... Quelle salope! ajouta-t-elle de sa belle voix, redevenue claire et acerbe. Et elle se moucha.

Nicolas, soulagé, respira. Les femmes malheureuses qu'il avait connues — et Dieu sait s'il y en avait — n'offraient pas une gamme de sentiments très étendue. Elles ne disposaient que de réflexes élémentaires, toujours les mêmes : la désolation, le doute et l'espoir. Sentiments tous peints en couleurs naïves et éclatantes, et auprès desquels la réflexion ou l'ironie faisaient figure de pastels maniérés — quoique éminemment désirables. Béatrice, pour une fois sensible à l'humeur d'autrui, vit la gaieté renaître chez Nicolas et s'en sentit rassérénée :

— Et puis ça suffit, enchaîna-t-elle. Si ce petit crétin m'agace, j'aurais vite fait de le renvoyer dans ses foyers.

C'était une bravade et Nicolas le sentit bien, mais ce n'était pas le moment de le faire remarquer. Il prit donc la défense (parfaitement inutile d'ailleurs) du pauvre Édouard qui à cinq mètres de là, assis dans le salon vide, s'apprêtait à interroger son vieil ami Nicolas sur les sentiments de Béatrice.

— Tu aurais tort, dit Nicolas en levant la main. Moi qui ai lu la pièce d'Édouard, cet été, je peux te dire que c'est la pièce d'un homme sensible, intelligent et tendre... Mais qu'est-ce que tu as ? demanda-t-il d'une voix changée.

Car Béatrice, qui n'avait été jusque-là qu'obscurément vexée de ce que Nicolas lui eût été préféré comme lecteur, avait de nouveau les larmes aux yeux. Elle tenait là la preuve par neuf de son impuissance, la preuve qu'elle n'était rien d'autre pour Édouard qu'une maîtresse excitante, ou un séduisant bourreau. Elle ne pleurait plus à présent sur elle-même. Elle pleurait sur les efforts qu'elle n'avait pas faits, les cruautés qu'elle n'avait pas fuies ; et sur une solitude qu'elle n'avait pas su briser et qui était celle de son amant.

Nicolas était assis dans un autre fauteuil, mais cette fois-ci les jambes dépliées et en face d'Édouard, qui l'avait intercepté au passage. Résigné et légèrement goguenard, il mit son pied gauche sur sa jambe droite — pour changer —, et alluma une cigarette. Il lui fallait vraiment un bon cœur admirable, pensait-il, pour voguer ainsi, telle une sage Œnone ou un gentil Iago, entre ces amants compliqués. Écouter les doléances, tapoter les dos et panser les plaies n'était pas précisément son emploi dans la vie. S'il ne s'était pas rappelé avoir renversé la semaine précédente sur cette moquette — cette même moquette à ses pieds — le corps consentant de Béatrice, il aurait pu être piqué dans sa fatuité de séducteur. Avec une bonhomie fatiguée, il prit le verre que lui tendait Édouard mais, en relevant la tête, il rencontra le regard anxieux de son ami et fut frappé de sa pâleur. Et oubliant le côté vaudevillesque de sa situation, il dut s'avouer tout à coup qu'il aimait énormément ces deux nigauds et qu'ils étaient sans doute ses meilleurs et ses seuls amis.

Les cheveux d'Édouard étaient trop longs, signe infaillible de mélancolie pour l'œil connaisseur de Nicolas ; il arborait même un faux sourire, style « camarade — copain », qui lui allait aussi mal que possible. « Quel nigaud... se dit Nicolas une fois de plus, avec tendresse, quel nigaud, et quelle sotte ! » Comme Édouard arborait toujours ce sourire niais, faussement ouvert sur le visage, il se décida à l'aider :

— Alors ? dit-il. L'Amérique ? Content, non ?

— Oui, oui, dit Édouard en sursautant, oui, oui, ça s'est pas mal passé, tu sais. Enfin je crois que Tony est très contente.

— Eh bien alors... dit Nicolas, si Tony est contente, tout le monde est content, non ?

Après son désarroi — réel — devant les larmes de Béatrice, il éprouvait une réaction nerveuse, une envie de plaisanter qu'il contrôlait à grand-peine. Il continua :

— Et toi? dit-il. Comment vont les filles là-bas? Elles ont été gentilles avec toi?

A sa grande surprise Édouard rougit, ce qui l'enchanta. Nicolas avait été lui-même quelquefois à New York, généralement en suivant une dame, et il se rappelait avoir navigué de plus ou moins bon gré, d'un cocktail à un lit et d'un lit à un cocktail. Ce pauvre Édouard avait dû jouer le «Frenchman», un soir d'ivresse, et il devait à présent s'en mordre les doigts de honte.

— Je ne sais pas, dit Édouard, c'était un bref séjour... Dis-moi, comment trouves-tu Béatrice?

— Mais bien, dit Nicolas, bien, à part sa grippe.

— J'ai l'impression qu'il y a eu quelque chose en mon absence, dit Édouard, quelque chose ou quelqu'un... (Nicolas déplora un instant que tous les rôles dits classiques, qu'ils soient tenus ou non par des personnages délicats, en arrivent toujours à ressembler à des charges grossières)... Elle n'est plus pareille, je l'énerve. Elle ne me supporte plus dans sa chambre. J'ai l'impression d'être revenu trop tôt ou trop tard. Elle ne t'a rien dit?

Il regardait Nicolas anxieusement et celui-ci, tout à coup, s'émerveilla de l'existence de ce jeune homme talentueux, transparent, inaltérable, qui lui mendiait une réponse, à lui, le traître. Il était possible, et même probable, qu'Édouard vieillisse plus mal que lui. Il ne songerait sûrement pas à faire de la gymnastique, ni à prendre ses distances sentimentales, ni à contrer le poids des ans, comme Nicolas le faisait lui-même déjà, et depuis quelques années. Peut-être le mince Édouard serait-il, après cinquante ans, chauve, malhabile ou empâté? Et peut-être son charme physique aurait-il disparu pour faire place au charme si peu payant et si dédaigné de la vertu? Seulement, lorsqu'il regarderait une femme avec amour, cette femme aurait toujours l'impression d'être aimée pour de bon — et inconditionnellement. Peut-être dirait-on de lui : «Vous savez qu'il a beaucoup plu?», alors que l'on dirait de Nicolas : « Vous savez qu'il est toujours plaisant?» Seulement, si Béatrice, «le soir à la chandelle, assise au coin du feu...» parlait de l'amour avec quelqu'un, ce serait le visage d'Édouard qu'elle verrait émerger du passé, et pas le sien.

— A ta place, dit Nicolas, et il se leva en proie à une rancune des plus inattendues, à ta place, je me poserais moins de questions. J'attendrais que Béatrice aille mieux et je lui ferais l'amour. En attendant, porte-lui des fleurs, des bonbons, et ton manuscrit.

La voix d'Édouard l'arrêta à la porte :

— Mais, disait-il, tu crois... tu es sûr qu'elle ne m'a pas trompé?

Et il y avait quelque chose dans son intonation, son attitude, quelque chose qui ressemblait si visiblement à de l'espoir, que Nicolas en resta interdit. Brusquement il eut l'impression qu'il avait à défendre Béatrice contre quelque chose d'inconnu, de périlleux, de presque douteux. Et c'est réellement en tant que protecteur de cette femme féroce, et non pas en ami de ce garçon sensible, qu'il répondit sèchement :

— En tout cas, je n'ai entendu parler de personne d'autre.

Et il sortit précipitamment afin de n'être pas confirmé dans son intuition. Et de ne pas voir tomber sur le visage de cet amoureux transi, les ombres transparentes de la déception.

CHAPITRE XXVII

Ils étaient allongés l'un près de l'autre, Édouard à demi sur le tapis, mais la tête posée sur l'épaule de Béatrice. Il se sentait bien. Il n'y avait qu'une seule lampe d'allumée dans la chambre bleue, et elle formait autour d'elle un gros rond jaune, paisible comme un chien, et qui les réchauffait. Édouard se laissait aller au bonheur. Un an plus tôt, comment aurait-il pu croire qu'il serait là, à cette heure-ci, que Béatrice l'aimerait encore, et que refusant toute autre présence, elle se plairait à rester ainsi contre lui sans dire grand-chose ? « Ils avaient eu une chance folle, pensa-t-il, pour tout », et il embrassa doucement la main de Béatrice.

— Dis-moi, murmura-t-elle, j'aimerais bien lire ta pièce.

Édouard sourit. Nicolas avait dû lui faire la leçon avant de partir et malgré sa fièvre, Béatrice était prête à se plonger dans un texte qui l'ennuyait et que, de son propre aveu, elle ne comprenait pas. Bien qu'il souffrît cruellement, mais sans se le dire, de ce qu'elle fût ainsi fermée à sa littérature, Édouard ne pensait pas à le lui reprocher. Il avait deux passions dans la vie : la littérature et cette femme, et il considérait presque normal, voire même salutaire, qu'elles ne se mélangent pas. Pour lui, cela ne voulait rien dire, ni contre son œuvre ni contre sa maîtresse. C'était deux mondes différents. Il l'avait toujours su dès le début, il n'avait jamais rêvé de communion spirituelle avec Béatrice. C'était une envie d'elle, aveugle, possessive qui l'habitait, une obsession aussi éloignée que possible de tout jugement.

— Tu ne vas pas te fatiguer à lire ça, dit-il. D'abord, ce n'est pas fini, et puis tu sais bien que ça t'ennuierait.

En disant que « ça l'ennuierait », il voulait simplement indiquer qu'il y avait en effet, dans ses textes une obscurité qu'il espérait poétique, mais qui était peut-être malencontreuse pour un esprit rapide et rude comme celui de Béatrice. Il parlait contre lui mais elle le prit, bien entendu, tout autrement. Elle vit de la condescendance dans ses mots et presque du mépris. Néanmoins, cette pièce était devenue si importante pour elle qu'elle insista :

— Nicolas, lui, l'a bien lue pourtant, dit-elle. Il n'est pas meilleur juge que moi, je crois, et il m'a dit que c'était superbe.

En mentionnant le nom de Nicolas, elle parachevait le schéma déjà esquissé dans l'esprit d'Édouard : c'était bien Nicolas qui avait suggéré cette lecture à Béatrice, puisque c'était à Nicolas qu'il venait de se plaindre de son indifférence. Attendri, il la regardait. Il avait eu un après-midi rempli de doute et de tristesse, mais là, près de cette femme allongée dans les douceurs du soir et de la convalescence, il savait qu'il était heureux et que Béatrice n'avait nul reproche à se faire.

— Tiens, c'est vrai, dit-il gaiement — et déjà soucieux de changer de sujet et de lui reparler d'amour — c'est vrai que Nicolas l'a lue, mais c'était par hasard, tu le sais bien. Là, je l'ai donnée à ronéotyper, mais d'ici une semaine ou dix jours, j'en aurai un exemplaire à te donner — si tu y penses encore.

Tous ces mots qui étaient pour lui des preuves de tendresse, semblèrent à Béatrice autant d'échappatoires. Elle souffrait, elle s'étonnait de se sentir attaquée et mordue par les mille piranhas de l'humiliation et de la peine. Il lui semblait que la chambre bleue était devenue grise et que cette heure qu'elle vivait n'était qu'une heure de trêve. Car elle le savait bien : elle ne supporterait pas longtemps d'être méprisée. Et déjà, malgré sa fatigue, elle se laissait aller, dans son indestructible santé, à imaginer quelle serait sa vengeance et quelles formes diaboliques elle lui donnerait. Les hommes étaient des animaux d'habitudes et ils souffraient toujours plus de leurs ruptures. Il était temps qu'elle se rappelât tous ces axiomes, ces lieux communs peut-être, mais qui s'étaient toujours révélés d'une exactitude parfaite. Et s'attendrissant d'avance — puisqu'elle l'aimait — sur les souffrances inévitables de ce garçon aux cheveux si doux, elle tourna la tête vers lui et lui sourit à son tour. Ils se regardèrent longuement, aussi sensibilisés et aussi étrangers l'un à l'autre qu'on puisse l'être.

— Quel charmant spectacle ! Quel délicieux spectacle ! déclara une voix bien timbrée.

Et Tony d'Albret, le sac en bandoulière et le cheveu plaqué, fit irruption dans la pièce.

— Je me suis permise d'entrer car Cathy m'a dit que vous étiez seuls, déclara-t-elle d'emblée, pensant ainsi en finir avec les assomants règlements de la bienséance. Espoir vite déçu, d'ailleurs :

— C'est justement quand les gens sont seuls, dit Béatrice, qu'il ne faut pas entrer.

— Ma pauvre chérie, marmonna Tony, dans ton état et avec ta fièvre... J'espère que vous êtes raisonnables.

Édouard se mit à rire, s'inclina, et la main sur le cœur, répondit :

— Je vous le jure! — avec une gaieté fort déplaisante aux yeux de Béatrice.

Tony se tourna vers Édouard. Lui, du moins, était un gentleman. Oubliant qu'avant son succès il ne lui avait paru que désuet, elle s'enchantait à présent de le trouver raffiné. Béatrice et lui étaient en passe de devenir un de ces couples d'amants terribles, couples devenus très rares depuis la guerre. Déjà — et cela après avoir dit pendant plus d'un an qu'Édouard diminuait Béatrice — déjà elle en était à dire qu'il la complétait.

— Eh oui, Édouard, commença-t-elle d'une voix funèbre, eh oui je la connais, notre Béatrice. Quinze ans?... Douze ans?... Je ne sais plus.

— Six, dit Béatrice d'une voix précise.

— Peut-être, mais pour moi, nous nous connaissons depuis toujours. Je m'en souviens : la première fois que je l'ai vue, c'était chez ce pauvre Jolyet, et je me suis dit : mauvaise tête mais bon cœur...

Édouard, à qui ce discours était visiblement adressé, baissait les yeux, tandis que Béatrice bâillait éperdument.

— Depuis dix ans, dit Tony, je l'ai vue se démener, je l'ai vue agir...

— Dis-moi, coupa Béatrice brutalement, tu n'as pas bu un ou deux portos de trop, toi?

Tony eut un sourire, attendri et las, et revint à Édouard :

— Eh bien, voulez-vous que je vous dise, Édouard?...

— Il ne veut rien que tu lui dises, il veut que tu lui foutes la paix, déclara Béatrice, excédée.

— Eh bien tant pis, je le lui dirai quand même : Béatrice est une femme fidèle.

La phrase à peine lâchée, on eût dû observer le pouls, la tension, les réflexes et les milliards de réactions chimiques, biologiques et mentales qui se déclenchèrent aussitôt chez Édouard et Béatrice. Ils ne savaient pas pourquoi, ni l'un ni l'autre, mais cette phrase avait eu une résonance catastrophique. Dieu merci, Tony enchaînait déjà :

— Je ne parle pas seulement en amitié, ça elle l'a prouvé, je parle en amour. Vous êtes parti quinze jours, Édouard, non? Et avec qui croyez-vous que l'on ait vu Béatrice, uniquement, pendant ces quinze jours? Dînant ou dansant? Avec Nicolas, le bon vieux Nicolas...

Un instant, Béatrice se demanda si elle rêvait, ou si elle avait pu ignorer à ce point-là pendant six ans que Tony d'Albret avait de l'humour. Mais un coup d'œil la rassura : Tony, perdue dans son porto et ses discours, était sincère :

— ... Tous les soirs ils étaient là, comme des enfants, deux vieux enfants, ils riaient ensemble, et quand Béatrice devenait rêveuse — grâce à vous — Nicolas savait se taire. Quel être exquis, celui-là, ajouta-t-elle.

Édouard, pour une fois d'accord avec elle, hocha la tête.

— J'avais un peu peur, dit Tony — ravie d'avoir enfin quelqu'un qui l'approuvât — les gens sont si bêtes et Béatrice si imprudente... Elle aurait pu sortir avec n'importe qui, une horreur, même, comme ce pauvre Cyril, ça aurait fait jaser. Mais Nicolas, le fidèle Nicolas ! Ça a rabattu tous les caquets. Les gens ont beau être vicieux...

— Évidemment, acquiesça Édouard, évidemment...

Il était un peu déconcerté et un peu déçu. Il était parti résigné, non pas à ce que Béatrice le trompe — car cela, il ne pouvait même pas y penser sans avoir envie de se tuer — mais résigné à ce qu'elle profitât de son absence, après tous ces mois de cohabitation, pour vérifier son charme auprès d'autres hommes. Nicolas, lui, ayant subi une fois déjà ce charme et y ayant échappé, était pour lui logiquement, mithridatisé. Dans l'imagination d'Édouard, c'était les «Gino» qui étaient à craindre, les nouveaux. Il ne se rappelait pas à quel point cette jolie et nouvelle jeune femme, à New York, lui avait semblé sans charme à côté de Béatrice. Bien sûr, pendant cinq ans, il avait parfois souffert le martyre dans son lit solitaire, en se souvenant de certains gestes de Béatrice, mais il n'avait jamais pensé que ces souvenirs forcenés et brûlants puissent être les plus durables, ni que leur persistance parfois, obligent à la fidélité les cœurs les plus distraits.

Peu habituée à louer la vertu, Tony commençait à s'ennuyer elle-même et retrouvait peu à peu sa férocité naturelle.

— Finalement, s'esclaffa-t-elle, finalement, le beau Nicolas, ce coureur, commence à se fatiguer... A vingt ans il sautait peut-être dans tous les lits mais maintenant, quand il s'y glisse, c'est pour y dormir.

— Tu crois ça ?

Béatrice avait parlé d'une voix unie, paisible, ce genre de voix qui apporte les orages. En fait, elle ne savait pas très bien pourquoi elle avait prononcé cette phrase. Tout ce qu'elle savait, c'est que cela n'avait rien à voir avec son amour pour Édouard, la jalousie ou le mépris de celui-ci, aussi inévitables que les ragots de Tony. Cela n'avait rien à voir avec elle-même, ni avec sa propre histoire. Il s'agissait de tout autre chose : du fait qu'elle avait couché la semaine précédente avec un garçon nommé Nicolas, qu'elle en avait retiré beaucoup de plaisir, et que cela ne se reniait pas. Et si, à ses yeux, les devoirs d'une femme, d'ailleurs, s'arrêtaient là, elle obéissait cette fois-ci à une loi morale, bizarre pour beaucoup, mais, à ses yeux, fondamentale : la reconnaissance. (Loi qu'observaient encore, par bonheur, de rares mais inflexibles citoyens des deux sexes.) Car vraiment, il n'était pas supportable que l'on évoquât devant elle, comme d'un eunuque ou d'un pantin, le corps solide, les mains douces, la bouche habile de cet homme qui s'était dévoué à son plaisir comme elle s'était dévouée au sien. Même si elle avait eu très longtemps une idée ridicule de l'amour sentimental, elle ne l'avait jamais eue de l'amour physique. Il lui avait toujours semblé qu'il y avait une dette d'honneur entre un homme et une femme, si cette dette avait été contractée au fond d'un lit. Et que les agios de ces dettes se soient traduits le plus souvent pour elle par des cris, des larmes et de sanglants règlements de comptes, n'était pas important. En revanche il aurait été déshonorant de renier tout cela, tous ces instants superbes passés bouche à bouche, toutes ces impérieuses questions et toutes ces évidentes réponses, toutes ces nécessités absolues, ce besoin que l'on avait eu l'un de l'autre. Même si à l'heure présente elle n'avait plus envie de ce regard, de cette bouche ou de ce corps, et même si le fait de les honorer dans sa mémoire, et de se refuser à les renier ou à les travestir, devait entraîner pour elle la plus cruelle des infirmités — c'est-à-dire la perte d'un autre corps, d'une autre bouche et d'un autre regard.

Ce sentiment trop noble lui était en même temps trop peu connu pour qu'elle n'essayât pas aussitôt de le minimiser. Il ne s'agissait pas d'honneur, après tout, il s'agissait d'exactitude. De quel droit ces deux pâles figurants accusaient-ils Nicolas d'impuissance, de candeur ou de loyauté, alors qu'ils l'avaient toujours su coureur, dévergondé et sans scrupules? Elle commençait à se sentir excédée — et par cet amant distrait et intellectuel qu'elle ne pouvait comprendre et par cette impresario avide qui se mettait à bêtifier. De quel droit doutaient-ils de la virilité, de la sensualité de Nicolas et de sa propre perversité? Comment auraient-ils pu savoir que dans cette vie de décors, de truquages et de faux-semblants, c'était souvent les seuls vrais cris et les seuls vrais cadeaux que les comédiens puissent avoir — quand ils étaient dotés de quelque sensualité, bien entendu. Ils n'étaient pas eux-mêmes des comédiens, ils n'étaient donc pas du même sang qu'elle.

Tony, stupéfaite, enchaînait :

— Quoi? Je crois quoi? Que veux-tu dire? Je ne crois rien, moi...

— Si, dit Béatrice patiemment. Tu viens de le dire : tu crois que nous sommes sortis pendant quinze jours, Nicolas et moi, que nous avons échangé de bons souvenirs et qu'il m'a ramenée tous les soirs devant ma porte, c'est ça?

— Mais oui, dit Tony déconcertée et qui se refusait déjà à envisager autre chose, et alors?

— Alors c'était vrai, dit Béatrice. Seulement il a aussi poussé ma porte, tous les soirs, il est entré avec moi et nous avons couché ensemble.

Il y eut une seconde de silence où tout le monde, c'est-à-dire Tony et Édouard, supplia Dieu, le ciel, Béatrice, le tonnerre, ou un défaut de leur ouïe, que ce ne fût pas vrai. Ou plus précisément, dans le cas de Tony, que cette phrase n'eût pas été prononcée : elle savait combien certaines trahisons, qui paraissent fades dans le secret, deviennent vivaces une fois avouées. Elle regardait Édouard : immobile, pétrifié, il tournait vers elle un visage ébahi mais comme amusé qui exaspéra Béatrice. Il devait croire qu'elle se livrait à une de ses farces, il devait même penser qu'elle allait un peu loin. Il ne souffrait pas encore, il n'avait visiblement pas compris. Et la femme qui se leva alors, la femme intraitable et sanguinaire qui exigeait la vérité, toute la vérité et rien qu'elle, la femme que Béatrice n'avait, de toute son existence, jamais ni approchée ni côtoyée, et encore moins estimée, cette femme qui n'était vraiment pas de sa race prit la parole. Béatrice « s'entendit dire » (et cette expression si usée était pour une fois exacte), elle entendit sa propre voix dire :

— C'était le jour de ton départ, Édouard. J'étais triste. Nous avons déjeuné chez Lipp et Nicolas m'a raccompagnée. Comme Cathy n'était pas là — elle était en vacances, tu sais — il m'a aidée à allumer les lampes.

Et parce qu'elle s'adressait à lui, rien qu'à lui, et parce qu'elle avait repris cette voix lointaine, définitive et presque mondaine qu'elle n'avait pas eue depuis si longtemps, Édouard, reconnaissant cette voix, comprit enfin ce qu'elle disait et la crut. Tout aussitôt, il vit leur rue et le temps qui y régnait le jour de son départ, il vit la brasserie familière, lumineuse et affairée. Et dans un raccourci foudroyant, il vit Nicolas, le beau Nicolas allongé nu sur un autre corps nu, prêt à tout, qu'il connaissait trop bien. Ce fut une image si précise que pris de panique, cherchant un secours, il referma sa main sur celle de Béatrice, oubliant qu'elle était elle et qu'il était lui.

— Tu plaisantes, disait très loin la voix plaintive et nasillarde de Tony, c'est de très mauvais goût, tu sais, comme plaisanterie...

Mais Béatrice était immobile, blanche et noire, la chambre n'avait pas bougé et Édouard, après s'être à moitié relevé, se rassit et se plia en deux très lentement comme s'il eût voulu accomplir un mouvement de yoga des plus difficiles. Pour une fois Tony d'Albret se sentit de trop — enfin, pas à sa place. Elle se dressa, ramassa son sac qui sans qu'elle s'en aperçût s'était éparpillé sur la moquette, et elle se releva, rouge, décoiffée et honteuse — Dieu sait pourquoi. Avant de sortir sans bruit, à reculons, elle jeta un regard étincelant et réprobateur ou qu'elle crut tel à Béatrice qui ne le vit pas : elle regardait la courbe du dos, l'omoplate, la nuque et les cheveux si fins de cet homme plié en deux par la douleur, une douleur délibérément provoquée par elle, elle écoutait son cœur battre, s'étonnait de sa lenteur, et elle avait brusquement, affreusement et pour toujours, lui semblait-il, envie d'être seule.

Édouard en était à son dixième bar, ce qui pour un homme relativement sobre faisait beaucoup. L'alcool lui donnait envie de parler, de se plaindre, et s'il avait été élevé autrement, il se serait sans doute confié au barman sympathique qui lui tendait sans barguigner son énième whisky. Il lui aurait parlé de Béatrice, de cette femme qu'il avait tellement aimée, si longtemps, et qu'il aimait encore. Cette femme en qui il avait tellement confiance — et qui, dès qu'il était parti, s'était jetée dans les bras d'un autre, son meilleur ami —, cette femme qui l'après-midi même avait feint de s'intéresser à sa vie, à sa pièce, suivant les hypocrites conseils de son autre amant. Le barman, il le savait, serait de son côté. Tous les hommes seraient de son côté et tous la condamneraient, elle. Elle aurait dû savoir pourtant, comme il l'avait lui-même toujours su, qu'entre un homme et une femme qui s'aiment, la confiance, l'estime et la fidélité étaient aussi obligatoires et nécessaires que le plaisir physique. Il avait cru de bon ton d'oublier tout cela, mais voilà qu'elle l'obligeait à s'en souvenir, et qu'elle lui prouvait définitivement que c'était lui qui avait raison depuis le départ. L'amour consistait à partager la vie, comme on partage le pain, gaiement ou tristement, mais il ne consistait en aucun cas à faire de la vie cette alternance de caresses et de coups de fouet, cette chose à subir ou à infliger. Béatrice avait bien profité de son aveuglement, elle avait soigneusement camouflé ses armes. Elle avait même laissé croire que ces armes étaient mouchetées, sans tranchant, elle lui avait même dit qu'elle l'aimait enfin. Elle avait bien vérifié sa faiblesse avant de passer à l'attaque et de le couper en deux, le déchiqueter même, lui semblait-il, tant il souffrait. Parce qu'il lui avait, dès le départ, avoué qu'il était malade d'elle, elle n'avait eu de cesse de le transformer en moribond.

Comment avait-il pu la croire, croire qu'elle l'aimait, lui, Édouard? Ridicule Édouard... ridicule amant, ridicule auteur à succès, ridicule voyageur, ridicule ami! Il se vit dans la glace, il vit son reflet châtain et longiligne de plus en plus flou, l'alcool aidant : elle avait bien eu raison de lui préférer ce rigolo, ce maquereau et ce brillant partenaire nommé Nicolas. Ils avaient dû bien rire de lui ensemble, tandis qu'il téléphonait éperdu de tristesse de son cinquantième étage. Elle avait dû prendre un vrai plaisir à le coincer dans ce rôle de pantin qu'il avait toujours eu, et qu'il s'était même résigné à avoir vis-à-vis d'elle et de son Tout-Paris (ce ramassis de snobs, d'incultes et de parvenus). Elle avait dû avoir un vrai plaisir, oui, à l'insulter ou à séduire ce Gino. A combien de vilenies s'était-elle livrée sans qu'il le sache? A combien d'égarements protégés par sa présence aveugle et son amour constant à lui Édouard, l'écrivaillon de province, l'imbécile, le mal aimé?

Mais même à cet instant, dans ce bar obtus, épais et lourd de fumée, il ne pensait pas à se venger d'elle ni même à l'oublier ni même à attendre cyniquement qu'elle fût vieille, qu'elle eût peur et qu'elle vînt le chercher. Il pensait à fuir, à retrouver sa Dordogne, le perron, les pigeons bruyants, ses papiers d'enfant, de mauvais poèmes et un lit de jeune homme. Seulement, dès qu'il en était arrivé à cette étape imaginaire, c'était la mémoire immédiate — et non les souvenirs d'enfance — qui lui sautaient à la gorge. Au lieu d'un lit étroit, contenu par deux battants en bois, et d'un volet ouvert à perte de vue, sur des champs odorants, il voyait se dresser un lit trop grand, sans limites, toujours défait, jeté sur une moquette bleue, et que berçait parfois, venu d'un jardin étriqué, un vent incendiaire, citadin, pollué ; et sur ce lit, il voyait une femme aux cheveux dénoués, les yeux fermés, implorant d'une voix basse quelque chose d'indicible. Et de nouveau il entendait la musique usée d'un vieil opéra, et en suivant cette musique, dans son vertige, il revoyait cette femme brusquement comblée, et criant de plaisir, à l'instant même où lui — le châtain, l'inconnu, le fade — avait l'habitude de l'y obliger. Et il y avait les mêmes tableaux au mur, la même moquette, les mêmes rideaux, et c'était Cathy, toujours impassible, qui s'excusait de n'avoir pas pensé à frapper à cette heure-là, et c'était la même salle de bains trop grande, et ce peignoir d'homme dont il n'avait jamais pu savoir le propriétaire, mais qui, semblait-il, était bien plus solidement accroché à sa patère que ses éventuels et passagers occupants ; et Béatrice bâillant, et Béatrice se blottissant pour dormir, et Béatrice disant « toi », nommant, appelant l'amour de son ton impérieux, et Béatrice faisant, disant, mentant, Béatrice n'importe quoi...

Quand il revint à l'aube, mal rasé, et défait dans les vêtements et dans l'âme, il retrouva effectivement Béatrice allongée à plat ventre, la tête sous le bras, en proie à un de ces sommeils implacables et brutaux où il l'avait vue sombrer tant de fois depuis un an. Il regarda son profil, la main qui pendait du lit, les longues paupières, et il s'allongea tout habillé à son côté, sans même penser à la réveiller. Son sort, celui de leur amour, ne lui appartenait plus : c'était sans appel, évident. Aussi évident que le fut, en se réveillant trois heures plus tard, le bonheur de Béatrice.

CHAPITRE XXVIII

ÉDOUARD dormait. Il était rentré pour lui demander des détails, se faire mal, la battre ou l'excuser. En tout cas pour « s'expliquer », selon le terme favori des gens trompés. Mais l'alcool a de ces trahisons et Édouard dormait. Béatrice le regardait ; en dormant, il avait un air qu'il n'avait jamais, éveillé : celui d'un homme heureux. Ce sommeil avait toujours troublé Béatrice ; cet homme compliqué, affamé et sans repos dormait comme un enfant comblé ; ses rêves semblaient heureux et lui-même semblait heureux de s'y enfoncer. A le voir allongé, détendu, la main sur le cœur, elle remarquait l'accord tacite de ce corps et de cet esprit. A le voir chercher à tâtons un autre corps dans son lit et à le voir y renoncer et se replier sur lui-même, toujours souriant, elle croyait assister au résumé, au raccourci symbolique de toute sa vie d'homme. Et dans ses rêves, comme dans la réalité, il semblait aussi éloigné que possible des autres amants de Béatrice, de ces hommes qui se crispent, se plaignent, hurlent sans un son — ne s'accordant parfois qu'une grimace épouvantée. Édouard, lui, dormait comme un cœur pur, qu'il était et qu'elle aimait. Et il l'aimait aussi puisqu'il était revenu. Il avait réfléchi, il avait compris que l'histoire de Nicolas était, sinon fausse, tout au moins montée en épingle, et il lui avait pardonné. Elle le regardait, barbu, hâve, confiant, elle se demandait par quelle perversité elle lui avait parlé de Nicolas la veille, quel besoin elle avait éprouvé de dire la vérité à un homme qui ne la supportait pas et que justement, elle aimait pour ça.

En chantonnant, elle passa dans la chambre à côté, la chambre dite « d'Édouard », celle où il entreposait ses papiers ; et dans laquelle' il dormait depuis qu'elle était malade. « Il faudra changer les rideaux, la moquette et les meubles dans cette chambre », pensa-t-elle, et elle constata avec gaieté que, paradoxalement, c'était toujours à l'instant où l'on avait décidé de garder un homme dans sa chambre et dans son lit, de préférence pour toujours, qu'on se mettait à lui préparer un coin de célibataire, où il serait justement à l'abri de votre amour. En revanche, pour un homme qui ne vous plaisait plus, nulle retraite n'était prévue, et nul repli : il devait refaire dans le même mouvement (le galop) — mais en sens inverse — le bref chemin qui l'avait mené de la porte cochère à votre chambre. Le cahier bleu d'Édouard était sur la table de nuit et en l'ouvrant, Béatrice s'étonna de le trouver si clair, si propre, écrit d'une manière si appliquée. Elle allait en feuilleter le début puis irait se faire du café.

Seulement, deux heures plus tard, elle avait oublié l'existence du café et celle de son amant, et elle attendait le retour de Frédéric, le héros de la pièce. C'était un homme fort ce Frédéric et un faible aussi, un chien, mais il parlait juste, ses femmes lui parlaient juste ; ils se disaient des choses affreuses et drôles, cocasses et douces. Certaines phrases faisaient lever des images superbes et d'autres, dans leur dénuement, vous trouaient le cœur. Et Béatrice se sentait tout à coup alourdie. Elle portait un nouveau poids, léger et lourd, mais qu'elle ne pourrait plus ignorer ni rejeter : celui du talent d'Édouard. Elle savait déjà qu'il existait, ayant lu ses pièces ; mais dans celle-ci, il avait fait d'immenses progrès, tendu les câbles, épuré le dialogue, et y avait glissé du sang et de la tendresse. Bref, il était devenu un grand auteur dramatique. Et tout cela près d'elle, sans elle, puisqu'il ne lui en avait jamais parlé. Mais de cela Béatrice n'avait cure. Aucun égoïsme ne tenait devant le beau, le fini et le flou de ce texte et loin de se sentir tenue à distance, elle se sentait comblée. Car c'était près d'elle que cette pièce avait été écrite, et si ce n'était pas directement grâce à elle, c'était tout au moins grâce à la chaleur de son lit et à la brutalité de ses coups qu'Édouard avait accompli cette œuvre. Elle se sentait fière de lui, fière d'elle et fière d'eux.

Édouard dormait toujours en travers du lit et elle mit la main sur son front. Il ouvrit les yeux et les referma très vite, étonné d'être là et déjà inquiet : il avait peur qu'elle ne lui en veuille.

— Tu es rentré bien tard, dit-elle. Tu veux du café?

Alors il se rappela tout et la même vague, née du même amour et du même désespoir, déferla sur lui. Il avait cru tout perdre : ces murs bleus, cette porte-fenêtre, ces meubles et cette peinture moderne, et surtout cette femme brune, si séduisante dans sa robe de chambre russe. Il les avait tous revus, la veille, dans ce bar, il avait voulu les revoir au passé, comme des souvenirs déchirants, et même à présent, dans la lumière du matin, ils en conservaient comme une obscure et cruelle beauté. Il attrapa Béatrice, mit la tête sur son épaule et lui embrassa le cou. Il avait l'impression d'empester le tabac et le désespoir. Il se rappelait tous ces bars, tous ces inconnus, tous ces regrets, et les yeux lui piquèrent. Mais déjà Cathy apportait le café et disait «Bonjour» de sa voix habituelle, le téléphone sonnait très loin, et tout l'univers s'agitait pour lui prouver qu'il n'avait fait la veille qu'un affreux cauchemar. Cédant au bonheur, il enleva la cafetière des mains de Béatrice, il lui embrassa les bras, les cils, les seins, les joues, redevenu l'éperdu, l'égaré, l'amoureux transi et désarmé, celui enfin qui avait conquis Béatrice.

— Tu sais, dit-elle en lui lissant les cheveux, j'ai lu ta pièce ce matin, pendant que tu dormais...

Édouard eut un mouvement de tête comme s'il s'attendait à un coup, et le sentant, Béatrice ajouta très vite :

— C'est très beau, tu sais, c'est vraiment très beau. Tu es un grand écrivain, Édouard.

Il releva les paupières, rencontra le regard de Béatrice et sut qu'elle disait vrai. Des larmes de triomphe et de fatigue lui giclèrent des yeux. Et alors, en même temps que lui, elle sut que quoi qu'il dise et qu'il se soit dit, son avis à elle, l'instinctive, la féroce, était le seul qui lui importât. Il l'aimait. Ce garçon compliqué, châtain et tendre, ce grand blessé, éclatant sous ses secrets et sous ses dons, cet animal niais, irrésistible et jaloux était à elle. Et se penchant, elle posa la tête sur son front et sentit leurs larmes se mêler, comme dans les romans les plus sots. Ils pleuraient tous deux, sans secousses; et quand le soleil de février, un soleil oublié, incongru et pâle, traversa la chambre et les rejoignit, elle faillit croire en Dieu, au genre humain et à la logique irréfutable de cette terre tournante.

Édouard aussi avait ouvert les yeux et s'abandonnait au parfum de Béatrice, au contact de sa peau et à ce miraculeux éclat de soleil. C'était bien pour elle qu'il avait écrit cette pièce, c'était pour elle qu'il avait dessiné Frédéric, et c'était à Béatrice, et à elle seule, que Frédéric avait été chargé de parler en son nom. Mais secrètement. Dans les différences mêmes qu'il avait établies entre la situation, l'âge, la nature, les ambitions de ses héros — et les leurs —, il avait mis tout son respect pour elle. Il n'y avait rien dans cette pièce qui ressemblât à Béatrice personnellement, rien qui lui permît de s'identifier à l'héroïne. Il avait voulu lui plaire par sa seule force d'écrivain, et sans aucune autre référence que celle de la beauté; et il n'y avait qu'elle seule, peut-être, qui soit à même de mesurer la rigueur de cette décision, à même d'apprécier la maniaquerie sublime et presque folle qu'avait impliquée pour lui cette objectivité. Il avait espéré qu'elle le comprît mais il n'y avait jamais cru. Et là, devant ses larmes, ses yeux et sa voix, il restait comme foudroyé de bonheur : elle l'aimait, elle le comprenait, elle l'admirait, il était sûr de tout, d'elle, de lui, et même de ses Nicolas à venir. Ils étaient liés à présent par ces larmes heureuses, enfin partagées, après les larmes solitaires de Béatrice sur Jolyet, ou les siennes, à lui, tant de fois et tant de nuits... Ils s'étaient fait souffrir, ils en avaient souffert, et ils pouvaient encore, après un an, se dire « Je t'aime » avec la même terreur sacrée. Et quand il le lui dit, elle se borna à répondre « Moi aussi » d'une voix comme apeurée. Au même instant, le soleil inattendu quitta la chambre en griffant la moquette, et ils le virent s'attarder un instant sur le seuil, goguenard, théâtral, comme amusé de sa facétieuse et rapide apparition.

— Il y a Jonas qui peut te jouer ça, dit Béatrice, et puis Zelda qui peut faire la femme, tu ne crois pas?

— C'est drôle, dit Édouard, c'est drôle, depuis le début, je pensais à eux.

— Ils peuvent être superbes, dit Béatrice.

Ils se dévisagèrent. Ils avaient une nouvelle complicité à présent, leur semblait-il, cette passion partagée et enfin reconnue pour le théâtre et tous ses charmes : l'odeur du bois frais, le noir des répétitions, l'orchestration des voix, la grâce inconsidérée d'un regard, la peur, le hasard...

— Mais toi, dit-il, tu jouerais une pièce de moi?

— Si tu m'y vois, oui, dit-elle, bien sûr. Seulement... (Elle s'arrêta tout à coup et se redressa)... Seulement, le jour où tu me démonteras et où tu me montreras en public, comme cette femme, c'est que tu ne m'aimeras plus.

Édouard sourit.

— On n'écrit pas pour les gens qu'on aime?

— Si, dit Béatrice, mais on écrit pour leur plaire. On ne les décrit pas, on se décrit soi-même, face à eux. Par exemple toi, tu es Frédéric...

« C'est ce que disait Jolyet d'ailleurs, pensa Édouard, très vite. Ce n'est jamais l'autre qu'on aime, c'est son propre amour. Au théâtre, bien sûr...» ajouta-t-il mentalement.

Elle se laissa glisser contre lui et embrassa sa barbe rêche.

— Nous devons avoir l'air d'une gravure licencieuse, dit-elle, toi en veston, et moi dans ce déshabillé... Tu as l'air d'un voyou, ajouta-t-elle d'une voix changée, la voix qu'elle prenait pour l'amour. Cette voix rejoignit Édouard et le précipita contre elle. «Il se conduit comme un soudard», pensa Béatrice, égayée et surprise par cette sauvagerie inattendue, après la douceur de leurs propos. Mais elle avait toujours aimé les soudards, et surtout celui-là. Et quand elle cria son nom, «Édouard», avant de se laisser basculer dans le plaisir, elle pensa que c'était ce nom-là et pas un autre qu'elle prononcerait toute sa vie.

Ils reposaient l'un contre l'autre, et les bruits de la ville les envahissaient, envahissaient la chambre, leur rappelaient qu'il était deux heures ou trois heures de l'après-midi, et qu'ils étaient fous et fatigués et heureux de l'être. Ils étaient incapables de se lever, incapables de s'éloigner l'un de l'autre. Béatrice, appuyée sur son coude, dessinait du doigt le visage d'Édouard et semblait rêveuse. Et c'est d'une voix rêveuse qu'elle lui demanda :

— Et si je te disais Édouard, que ce n'était pas vrai pour Nicolas. Si je te disais par exemple que j'ai inventé tout ça pour te réveiller, pour te rendre jaloux? Que je ne t'ai pas trompé, bref... qu'est-ce que tu penserais?

— Je serais déçu, dit Édouard tranquillement.

Béatrice sursauta et eut un léger mouvement de recul qui fit sourire Édouard.

— Je ne serais pas déçu de ce que tu m'aies été fidèle, dit-il, je ne suis pas masochiste — pas encore —; je serais déçu parce que tu aurais fait exprès de me faire souffrir, que j'aurais souffert toute cette nuit pour rien. Toute cette nuit, comme un crétin, dans tous ces bars...

— Oui, bien sûr, ç'aurait été dommage, murmura Béatrice ironiquement, mais si bas qu'il ne l'entendit pas.

— Mais rassure-toi, reprit Édouard, je ne te croirais pas. Ce n'est pas la peine que tu inventes des choses, tu es bien assez cruelle naturellement...

— Mais, dit Béatrice avec effort, mais si je ne te trompais plus, si je n'en avais plus envie... Si je changeais?...

Édouard, sans la regarder, sourit un peu, d'un sourire triste, et posa sur sa cuisse une main rassurante :

— Tu ne changeras jamais, dit-il, crois-moi. Mais ne t'inquiète pas, je t'aime comme tu es : c'est même parce que tu es comme ça que je t'aime, peut-être.

Et Béatrice qui avait failli croire qu'elle devait, qu'elle pouvait changer et voire même, dans sa naïveté, qu'elle «avait» changé,

Béatrice, rassurée et vaincue, posa la tête sur son épaule. Il avait bien raison : ce n'était pas à son âge que, elle, Béatrice Valmont, comédienne, allait soudain « changer ».

Dix jours plus tard néanmoins, Édouard s'étant montré distrait, Béatrice décida de vérifier la vague et cruelle intuition qu'elle avait eue de leurs rapports. Quand Édouard rentra le soir, vers huit heures, il trouva porte close. Béatrice y avait laissé un mot, fixé par une punaise et qui disait : « Ne m'en veux pas, je veux être seule ce soir. A demain. » Édouard passa la nuit dans le café-tabac d'en face, à épier la porte et à téléphoner. Et c'est parce qu'elle l'aimait vraiment que Béatrice ne répondit que vers sept heures du matin à l'exaspérante et grelottante sonnerie du téléphone. Elle marmonna « Quelle heure est-il ? Allô, je m'éveille » et autres balivernes. Elle n'osa pas lui dire qu'elle avait passé la nuit à compter ses coups de téléphone et à l'écouter souffrir.

Édouard fut là un quart d'heure après, les bras chargés de roses, des roses de jardin, jaunes, rouges et pâles qu'il avait eu le bonheur de trouver au coin de la rue. Il les dispersa dans la chambre et sur le lit, autour de Béatrice qui faisait semblant de s'étirer et de s'arracher à ses rêves. « Il n'avait vraiment plus rien de distrait », pensa-t-elle, tandis qu'il se déshabillait en sifflotant, le souffle un peu court, leur vieil air d'opéra.

Et lorsque levant les yeux, elle aperçut son reflet dans la glace, lorsqu'elle vit cette femme brune, si sombre et si fatale, entourée de toutes ces roses matinales et mortes, embuées de rosée, elle ne put s'empêcher de penser que de toute façon, en même temps qu'un bel amour, Édouard lui avait offert un beau rôle.

LE CHIEN COUCHANT

Roman

A Massimo Gargia

Je tiens à remercier ici M. Jean Hougron
pour son concours involontaire. C'est en effet
dans son excellent recueil de nouvelles *Les
Humiliés*, paru chez Stock, que j'ai trouvé le
point de départ de cette histoire : une logeuse,
un humilié, des bijoux volés. Même si par la
suite j'ai totalement transformé et ces
éléments et cette histoire, je voulais au
passage le remercier d'avoir provoqué chez
moi par son talent cette folle du logis :
l'imagination, et lui avoir fait prendre un
chemin pour moi inhabituel.

F. S.

La COMPTABILITÉ avait été reléguée au fond de la dernière cour, dans un petit bâtiment de briques jadis rouges, le seul encore debout de l'ancienne usine Samson. De sa fenêtre, Gueret voyait devant lui, à perte de vue, ce paysage si plat où se hérissaient, comme au hasard, quelques malheureux corons abandonnés ou déjà à demi réabsorbés par la terre, mais plus nombreux quand même que les arbres, les trois arbres piqués droit parmi eux dont la lente et poussiéreuse agonie n'offrait même pas les poses de la crucifixion. Le plus haut des terrils, le plus proche aussi de Gueret, s'interposait chaque soir entre lui et le soleil couchant et contraignait celui-ci à étirer son ombre chaque fois de la terre chauve du champ jusqu'au mur d'enceinte. Chaque soir aussi, il semblait à Gueret que cette ombre allait déborder le mur, atteindre la fenêtre d'où il la regardait, et cette erreur visuelle lui faisait l'effet d'une menace : il fallait que Gueret passe devant ce terril et les deux autres, pour rentrer chez lui, et il aimait bien, malgré leur tristesse, les mois d'hiver qui le dispensaient de marcher dans ces ombres-là.

— Vous avez fini les comptes pour l'expédition de Touraine ?... Non ?... Ah pardon... c'est vrai qu'il est six heures moins dix : Monsieur Gueret est pressé de partir...

Mauchant était entré sur la pointe des pieds, comme d'habitude, et s'était mis à aboyer tout de suite, faisant, comme d'habitude aussi, sursauter Gueret. Ce n'était pas dans ses conséquences pratiques que la haine de Mauchant inquiétait Gueret : il se savait assez plat, assez consciencieux, assez obscur dans cette usine pour que l'idée même de son renvoi soit inimaginable. C'était plutôt l'absolue gratuité de cette haine qui le troublait. Ce n'était pas l'agacement condescendant d'un chef comptable pour son subordonné. C'était autre chose. Et personne, ni Gueret, ni sans doute lui-même, Mauchant, ne savait pourquoi ni comment cette haine était devenue si évidente et, d'une certaine façon, si inexcusable.

— Mais je les ai finis, monsieur, dit Gueret en se levant et en fouillant machinalement dans ses papiers, pourtant rangés en petits tas méticuleux devant lui.

Et les mains devenues moites, le rouge au front, il cherchait avec désespoir ces papiers prêts depuis trois heures, mais en les retrouvant, en les tendant à Mauchant, il s'en voulut de son soulagement.

— Voilà... bafouilla-t-il, d'une voix trop forte, voilà... Justement c'est ici que...

Mais Mauchant était déjà parti et Gueret resta immobile, ses papiers à la main, avant de hausser les épaules. La sirène retentissait dans la cour, déjà, et donc Mauchant avait menti : il n'était pas six heures moins dix mais six heures moins deux quand il avait commencé à hurler. Gueret enfila son imperméable, non sans mal, car la doublure de sa manche était décousue ; cela faisait une semaine à présent qu'il se promettait de la recoudre.

Dehors, et malgré la douceur de l'air, Gueret releva son col, fit quelques pas jusqu'au café du coin, «Les Trois Navires» à l'inexplicable enseigne, et colla son œil à la vitre. A l'intérieur, il y avait les mêmes que la veille, que l'avant-veille, que demain : les quatre employés de Samson qui commençaient leur belote, les deux jeunots au flipper, le concierge ivrogne au zinc, les deux amoureux dans leur coin, et Jean-Pierre, le patron morose, qui surveillait sans indulgence la nouvelle serveuse un peu louchonne.

Nicole aussi était là, avec Muriel, son inévitable amie Muriel, et elles regardaient vers la porte, toutes les deux. Gueret hésita. Il lui semblait qu'elles le voyaient et malgré lui il recula d'un pas. Avec un vague signe de dénégation — adressé on ne savait à qui —, il repartit, faussement pressé, vers les terrils.

Il avait plu dans l'après-midi, et c'était un soleil mouillé qui faisait luire les aciers et les briques du paysage tandis qu'il marchait d'un pas rapide, le pas d'un «homme efficace» pensait-il. A vrai dire, marcher vite lui ôtait la possibilité de choisir ses gestes, de placer ses mains ; marcher vite lui supprimait toutes les libertés effrayantes du flâneur, le déchargeait de lui-même, de son grand corps malencontreux — qu'il ressentait comme tel en tout cas depuis sa puberté.

Le chien sortit de la maison au même instant que les autres jours et se mit à le suivre, adoptant son allure aussitôt. Tous les soirs, sans que Gueret sût pourquoi, ce chien l'accompagnait cinq cents mètres : il ne venait pas à sa rencontre, mais il s'arrangeait pour que son chemin croisât celui de Gueret, et à ce moment-là il partait sur ses talons pour s'arrêter un peu avant la pension ; là, il le regardait entrer, disparaître à l'intérieur avant de repartir chez lui dans son petit trot inégal de chien pensif.

Gueret était sorti de l'ombre du premier terril, et il s'arrêta pour allumer une cigarette. Le vent, un vent du soir qui pour la première fois avait une odeur d'herbe et de campagne, éteignit une, puis deux, puis trois allumettes. La quatrième lui brûla les doigts et, d'énervement, il jeta la pochette avant d'en chercher une autre. La première allumette flambait, naturellement, après coup, par terre, là où il l'avait jetée ; Gueret lui lança un coup d'œil machinal : quelque chose luisait dans les charbons noirs et il fit un pas vers cet éclat insolite : ce quelque chose émergeait des boulets, quelque chose comme une chaîne y étincelait, et, en se penchant, il s'aperçut qu'elle était reliée à une montre ouvragée, elle-même emmêlée à une autre chaîne. Gueret s'accroupit, écarta deux cailloux et vit alors, sous les boulets, une pochette de cuir beige, à présent noire de poussière. Elle était bosselée, pesante, et il l'ouvrit, les mains tremblantes d'excitation, comme s'il avait su, avant de les voir, qu'elle renfermerait ces rubis étincelants, ces bagues, ces colliers, ces montures anciennes, ces superbes bijoux bref, qu'instinctivement il devinait vrais. Il en était si sûr qu'il rabattit aussitôt quelques pierres dessus pour les cacher et qu'il se retourna, jeta un regard honteux derrière lui, à droite, à gauche, un regard de coupable. Mais derrière lui il n'y avait que le chien pour le regarder, le chien qui s'était rapproché, qui gémissait d'excitation, qui remuait la queue devant sa découverte.

— Va-t'en ! dit Gueret à voix basse, va-t'en !

Un instant, il avait eu l'impression que le chien voulait lui prendre ce qui était déjà son bien. La peur, le plaisir, sa colère rentrée et sa crainte de Mauchant, tout cela lui fit lever une main menaçante, et le chien recula, les oreilles basses. Gueret repoussa les cailloux et mit l'objet dans sa poche. Il se releva, le cœur battant, s'essuya le front. Il était trempé, trempé de sueur, il tremblait ; mais en regardant la petite ville écrasée là-bas, immobile, la petite ville qui ignorait tout de sa découverte et de sa propre existence, il eut un sentiment de triomphe, un élan de plaisir qui le souleva et le fit s'étirer au soleil dans un geste qui lui allait aussi mal que possible. Il était riche ! Il était, lui, Gueret, un homme riche ! Pris d'un remords tardif, il appela le chien, tendit la main vers lui pour la première fois, tenta de lui caresser la tête. Mais le chien avait eu peur, il avait les yeux pleins de reproches et il recula avant de s'enfuir vers chez lui, la queue entre les jambes. Un instant, cela parut mauvais signe à Gueret ; mais, quand il repartit à grands pas, son allure avait changé ; il avait la tête droite, les mains dans les poches, et sa vieille cravate volait au vent.

Sa pension de famille s'appelait «La Glycine», sans doute à cause de la glycine accrochée autour de la porte et qui, loin d'être étouffée par la suie comme le reste de la maison, brillait au contraire au soleil, luisante et verte, ce que remarqua Gueret pour la première fois. Pourtant il n'arrivait pas à imaginer un instant sa logeuse, Mme Biron, en train de l'épousseter. C'était même la dernière chose à supposer de sa part. Il poussa la porte, s'essuya les pieds et, au lieu d'accrocher son imperméable à la patère de bois, dans le couloir triste, il le referma étroitement autour de lui. La porte de la cuisine était ouverte comme d'habitude, il s'arrêta un instant sur le seuil et dit « Bonsoir » d'une voix neutre. C'était une pièce grande, propre, qui aurait même été accueillante si la femme qui y trônait n'eût pas présenté ce dos hostile : le dos d'une femme mince, vigoureuse, aux cheveux noirs et brillants, et qui, quand elle se retourna vers la porte, montra un visage tout à fait inexpressif, inanimé, qui avait dû voir bien des choses en cinquante ou soixante ans et qui en avait été souvent dégoûté, un visage fermé où détonnaient des yeux intelligents, avides, des yeux qui détonnaient aussi avec le tablier noir, les grosses chaussures et l'aspect primaire qu'elle s'était visiblement imposé. Et, comme il avait vu le vert de la glycine pour la première fois, pour la première fois Gueret vit qu'il y avait quelque chose de maquillé chez cette femme si ostensiblement asexuée.

Elle lui jeta un coup d'œil méprisant, las, et lui renvoya son « Bonsoir » d'une voix brève. Il monta les marches sur la pointe des pieds et entra dans sa chambre. C'était une chambre étroite et longue avec une commode, un lit, une chaise de bois peint ; un napperon en crochet sur la table, du même point que le couvre-lit, et une statuette de la Vierge sous verre sur la cheminée en étaient les seuls superflus. La fenêtre donnait elle aussi sur le terril et Gueret l'ouvrit, s'accouda à la croisée, regarda son terril avec une sorte de complicité. Dans le soleil, le terril entier lui semblait en or mais, quand il baissa les yeux, ce fut pour voir en dessous de lui, entourés d'un grillage, les salades, les pommes de terre et les trois géraniums qui formaient le jardin de Mme Biron. Gueret ferma la fenêtre, donna un tour à la serrure de sa chambre, ôta son imperméable et ouvrit le sac sur son lit. Déplacés et somptueux, les bijoux étincelaient sur la couverture de crochet. Gueret, assis au pied du lit, les regardait comme il eût regardé une femme inaccessible ; et d'ailleurs, après un instant, il se pencha et posa la joue sur les pierres froides. Le soleil, à présent rose dans le ciel nettoyé, traversait la fenêtre et doublait l'éclat des bijoux.

Le lendemain, un tramway brinquebalant amena Gueret au centre de la ville ; un Gueret vêtu en samedi, c'est-à-dire d'un complet de velours côtelé qui étriquait son grand corps ; et le bijoutier chez qui il entra jeta vers lui un regard sans enthousiasme. Mais, quand il vit la pierre — la plus petite des pierres — que Gueret avait apportée et lui montrait, l'air désinvolte, son expression changea :

— C'est le seul bijou de ma mère, dit Gueret très vite, d'un air gêné,
et comme on a des ennuis d'argent...

— Vous pourriez en tirer dix millions, dit l'homme, dix millions au
bas mot. C'est une très belle pierre, très pure...

Sa voix était interrogative et Gueret, malgré lui, commença à
s'expliquer :

— Nous l'avions depuis cent ans... Ma grand-mère...
Il bafouillait encore en fermant la porte.

Il traversa la place et s'arrêta devant un magasin d'appareils photo,
puis plus loin devant un magasin de bagages, puis un peu plus loin
devant une agence de voyages aux affiches multicolores. Son visage
exprimait une attention passionnée mais teintée de surprise plus que de
convoitise.

Dans les bottes de caoutchouc où, en revenant, il enfonça aussitôt les
mains, les bijoux enveloppés de Kleenex dormaient toujours. Gueret les
laissa là et vint s'allonger sur son lit. Il tira la pierre étincelante de sa
poche et la fit tourner dans sa paume un long moment avant d'ouvrir le
dépliant qu'il avait pris à l'agence de voyages et de se pencher sur des
photos de plages, de palmiers et d'hôtels ensoleillés.

Il dînait dans une petite pièce au rez-de-chaussée, près de la cuisine, à
la même table que M. Dutilleux, employé à la SNCF, veuf et taciturne,
et dont il fit remarquer l'absence à Mme Biron comme elle posait le
potage devant lui. Elle lui rappela que M. Dutilleux allait voir sa
fille tous les premiers samedis du mois, à Béthune. Rassuré, Gueret
ouvrit le journal et commença à manger sa soupe. Comme d'habitude,
Mme Biron faisait son service sans un mot. Aussi ne leva-t-il pas la tête
quand, une demi-heure plus tard, elle posa le dessert devant lui. C'était
une compote de pommes, constata-t-il tout d'abord en repliant son
journal, mais elle était flanquée d'une bouteille de champagne.

Gueret devint rouge, puis se leva à demi et appela «Madame Biron»
d'une voix enrouée. Elle vint à la porte, toujours tranquille ; il ne lut rien
dans ses yeux. Elle lui paraissait soudain terrifiante.

— Qu'est-ce que c'est? Pourquoi ce champagne? demanda-t-il avec
une colère subite.

Il était prêt à s'emporter, à l'accuser d'avoir fouillé dans sa chambre,
à s'exaspérer, mais elle lui envoya un sourire charmant, un sourire qu'il
ne lui connaissait pas — elle ne lui avait en fait jamais souri — et elle
dit :

— J'ai reçu une bonne nouvelle aujourd'hui, monsieur Gueret.
J'aimerais que vous buviez cette bouteille avec moi.

Il se rassit, les mains tremblantes, et c'est elle qui dut ouvrir la
bouteille. Elle le regardait en souriant, «l'air supérieur», trouvait-il, et
ils burent la bouteille sans dire grand-chose, tout seuls dans la salle à

manger étriquée, sans qu'il sache à quoi s'en tenir. Il balbutia «Merci, bonsoir» avant de rentrer dans sa chambre, et là il tira les bijoux de ses bottes, jeta autour de lui un coup d'œil circulaire et affolé — car toutes les cachettes qu'il trouvait lui semblaient minables. Il finit par s'endormir en chien de fusil, la pochette de cuir sous son oreiller.

Le dimanche passa comme les autres dimanches. Il regarda les sports à la télévision, alla au cinéma avec Nicole, puis dîner chez elle après le cinéma. Elle ne comprit pas pourquoi il ne restait pas lui faire l'amour comme les autres dimanches, mais elle en fut plus intriguée qu'humiliée. Dans ce domaine aussi, Gueret était très consciencieux.

Il FAISAIT très beau ce lundi, et Gueret, de bonne humeur, jetait de temps en temps des coups d'œil gais vers son terril si longtemps méjugé. A six heures moins une, soudain brûlant de retrouver ses bijoux, il se levait lorsque Mauchant fit une de ses irruptions tonitruantes :

— Alors, Gueret, bien reposé ce week-end? Pas trop fatigué? En forme, hein?... Hein?

Gueret ne le regardait pas, mais, comme il passait derrière lui pour attraper sa veste, Mauchant recula d'un pas et le bouscula légèrement.

— Vous pourriez faire attention!... hurla-t-il, mais il s'arrêta net.

Gueret s'était retourné vers lui, l'air féroce, et lui jetait entre ses dents, les mâchoires bloquées par la colère :

— Vous allez me foutre, la paix, Mauchant! Vous allez me foutre la paix maintenant! sur un ton si peu interrogatif que Mauchant, terrifié, recula et dégagea la porte.

Et c'est par la fenêtre que, stupéfait, il vit Gueret marcher à grandes enjambées sur le chemin du terril. L'expression de Mauchant était affreuse à voir à force de fureur et de honte, mais le petit aide-comptable qui avait assisté à la scène souriait de bonheur tout en baissant les yeux sur ses comptes. Mauchant sortit en claquant la porte.

Gueret jouait avec le chien près du terril. Il envoyait un bout de bois que l'animal lui rapportait, et Gueret, gambadant lui aussi, avait subitement l'air du jeune homme qu'il était. Il riait, il appelait le chien «Pluto» ou «Milou»; il avait même apporté une boîte de biscuits, qu'assis près du terril ils partagèrent.

Il rentra en sifflotant, s'arrêta à la porte de la cuisine, dit «Bonsoir» d'une voix gaie, mais la cuisine était vide, ce qui le dépita sans raison. Il entra dans sa chambre et s'immobilisa : les murs tristes étaient couverts des affiches multicolores de l'agence de voyages, et des baigneuses en bikini veillaient sur les napperons de crochet. La chambre en était complètement changée. Après quelques instants, mais sûr de ce qu'il allait trouver, il ouvrit le poêle et en retira l'arrière-fond : les bijoux y étaient et, comme découragé, il les remit dans leur cachette. Il s'assit sur le lit et soudain se releva, descendit en courant : la cuisine était toujours vide.

Il courut tout le long du chemin et entra essoufflé dans le café des « Trois Navires ». Nicole y était avec Muriel, et sur leur table le journal étalait son gros titre : « MEURTRE À CARVIN. LE COURTIER ASSASSINÉ », mais sur le coup cela ne rappela rien à Gueret — sans doute à cause du mot « courtier » qui rendait un son sportif à ses oreilles. Seul le nom « Carvin » lui fit continuer sa lecture, distraitement : « La victime, le nommé Gruder, habitait la Belgique... activités assez louches... repéré aux frontières... » Et soudain le mot « bijoux » lui sauta aux yeux : « La veille, la victime avait montré un lot de bijoux à un créancier pour le faire patienter... D'une valeur énorme, environ huit millions de nouveaux francs d'après le créancier... » Il se tourna vers Nicole qui gloussait avec Muriel et demanda :

— Vous avez vu ça ?

Il leur montrait le journal et elles poussèrent des cris d'horreur de bonne femme. Figé, il les écoutait piailler.

— Dix-sept coups de couteau... C'est horrible quand même... disait Muriel. Le pauvre type n'était même pas mort quand l'autre l'a jeté dans l'eau.

— Quel autre ? demanda-t-il machinalement.

— Le meurtrier. On ne sait même pas qui c'est. Il a embarqué les bijoux en tout cas, c'est sûr.

— Pas fou, non ? dit Muriel. Huit cents briques...

Oui, Muriel était plus cynique, plus excitante donc que Nicole. Celle-ci s'indignait et l'autre la raillait :

— Eh bien, quoi... ça ne te plairait pas qu'on te les offre, ces bijoux ? Imagine qu'il t'en donne un, ton amoureux...

Elle désignait Gueret du menton, mais Nicole, gênée, rougissait, disait à sa compagne : « Je ne lui demande rien », d'un air digne qui exaspéra subitement Gueret :

— Si, dit-il. Tu me demandes de passer toute ma vie ici, chez Samson : toi à la maison avec les gosses et les allocations familiales, et moi au bureau avec Mauchant sur le dos. C'est ça que tu me demandes !...

Sa voix tremblait, il se sentait la gorge serrée, comme victime d'une injustice. Les deux filles, ébahies, le regardèrent se lever et disparaître vers le grand terril.

Quand il arriva à la pension, il se réjouit, puis s'étonna de voir Mme Biron sur le seuil. Elle semblait regarder vers lui et il se retourna deux fois en marchant, mais il n'y avait personne derrière lui. C'était la première fois qu'il la voyait à la porte. Il s'arrêta devant elle et dit «Bonsoir» d'une voix interrogative, mais elle le regardait sans rien dire, le visage bizarrement épanoui. Elle lui barrait le passage. Et elle mit une bonne minute à s'effacer tout en disant : «Bonsoir, monsieur Gueret» d'une voix déférente dont il ne comprit pas la raison, même en voyant le journal ouvert sur la table de la cuisine.

Dutilleux, le veuf, était rentré de son week-end chez sa fille. Il avait étalé des photos de son petit-fils sur sa table, dans la salle à manger. Il tourna vers Gueret un visage congestionné et hilare.

— Regardez, monsieur Gueret, c'est mon petit-fils. Il a huit jours. C'est pas beau, ça ?

— Mais si, dit Gueret gêné. Et là, c'est votre fille ?

— C'est la maman, oui. Pas mal, hein, la fille du vieux Dutilleux ?

Le vieux avait bu un verre de trop. Il reniflait et riait aux anges alternativement, et, des yeux, Mme Biron indiqua la bouteille de Byrrh à Gueret. Elle souriait d'un air complice et Gueret se surprit à lui rendre son sourire.

— Prenez donc un Byrrh, monsieur Gueret, dit-elle. M. Dutilleux arrose ce soir.

— Oui, oui... Le grand-père paie à boire, disait l'autre en bégayant. Ah, vous verrez, monsieur Gueret, ce que c'est mignon les tout-petits, quand vous en aurez à vous... Vous serez gâteux, je parie. Hein, madame Biron ? Il sera bien en papa, M. Gueret ?

Et comme elle ne répondait pas, le dos tourné, il insista :

— Il ne sera pas bien en papa, M. Gueret ?

— Non, dit la femme toujours de dos. Il n'a pas une tête de papa, M. Gueret. Il n'a pas non plus une tête de criminel, vous me direz ! il a même une tête de brave homme !...

— Alors, vous voyez bien, jeune homme... conclut le vieux en se penchant sur son potage.

Gueret resta pétrifié, comprenant tout à coup : cette femme le croyait coupable de meurtre. Bien sûr, elle le croyait coupable, puisqu'il avait les bijoux ! Alors, pourquoi n'avait-elle pas appelé la police ? Pourquoi était-elle sur le pas de la porte avec cette expression maternelle ? Il la regardait fixement tandis qu'elle venait vers lui avec la soupière. Elle la posa devant lui et le regarda à son tour bien en face. Alors, désemparé et rougissant, se montrant du doigt d'abord, puis le journal, et secouant l'index ensuite, il lui fit silencieusement toute une pantomime de dénégation. Mais elle ne broncha pas, ne parut ni comprendre ses mimiques ni d'ailleurs s'en étonner. Peut-être avait-elle peur de lui à présent ? Peut-être voulait-elle lui faire croire qu'elle ne savait rien ? Peut-être attendait-elle qu'il dorme pour appeler les flics ? Il fallait qu'il lui parle absolument tout à l'heure, dès que le vieux schnock serait couché... Mais le grand-père éméché ne les lâchait pas :

— Vous avez lu cette histoire à Carvin ? demandait-il en secouant le journal. Ah ! quelle époque ! Tuer un homme pour des cailloux...

— De jolis cailloux, dit Mme Biron. Trop jolis peut-être...

— Pourquoi trop jolis ? demanda Dutilleux.

— Ces bijoux-là sont reconnaissables, dit-elle. Le type se fera piquer en essayant de les revendre. A qui voulez-vous qu'il les fourgue, d'abord ? Il faudrait qu'il connaisse des gens du milieu qui lui prennent le lot.

Elle s'inquiétait aussi pour les bijoux, nota Gueret. Elle devait penser qu'il les promenait en ville, elle l'avertissait : donc elle n'allait pas le donner. Il se sentait à la fois soulagé et vaguement déçu : Mme Biron n'avait rien de mystérieux, finalement, elle voulait une part du fric, c'était tout. Il eut envie de la défier.

— Alors, il faudrait qu'il partage avec les autres, dit-il. Ce n'est peut-être pas son idée.

— Il n'a pas le choix, dit la femme, péremptoire. Avec les flics sur le dos, un meurtre pareil...

— Ça, dites donc, dit le vieux plongé dans l'article. Ce type, quel sadique ! Dix-sept coups de couteau... C'est un anormal.

— Allez savoir... Un homme costaud, en colère, ça peut faire n'importe quoi...

Mme Biron avait la voix lointaine et, Gueret n'en croyait pas ses oreilles, admirative. Elle le trouvait costaud... Il l'était d'ailleurs. Il étira son bras, serra le poing, vit le muscle gonfler sous le tissu mince de sa chemise, et tout à coup en tira un plaisir inconnu. En relevant les yeux, il croisa ceux de la femme, il rougit. Elle le regardait, elle regardait son bras gonflé, son poing serré, avec une sorte de respect sensuel. Il desserra sa main, son bras, lentement. Il se sentait sans force tout à coup, vidé. Il n'avait plus envie de lui parler, de la persuader, mais en même temps il savait qu'il préférait qu'elle le regarde avec cette admiration atroce qu'avec son dédain habituel.

— Je vais me coucher, disait le grand-père en se levant, titubant.

— Donnez-lui un coup de main, monsieur Gueret, dit la femme avec brusquerie. Il va tomber.

Elle avait repris son ton « d'avant », et Gueret qui s'était aussitôt levé sur son ordre, comme à la voix de Mauchant, ne supporta plus cette intonation et se rassit délibérément, l'air buté.

— Ne vous dérangez pas, monsieur Gueret, je trouverai bien mon lit quand même..

Le vieux faisait le fier mais il trébucha sur une chaise, battit des bras, et Gueret, debout d'un bond, le rattrapa au vol, honteux de lui-même.

— Laissez-moi faire, dit-il, je vais vous mettre au lit.

Il hissa Dutilleux dans l'escalier, l'assit sur son lit et commençait à lui enlever ses bottines difficilement, en souriant vaguement aux sornettes du vieux, quand il entendit le déclic du téléphone en bas. Il s'arrêta pile, repoussa le pied du pauvre homme qui repartit en arrière sur le lit, et se précipita dans l'escalier. Penché sur la rampe, il voyait l'ombre agrandie de sa logeuse sur le linoléum. Elle était debout près du téléphone, elle sifflotait un air de jazz insouciant qui semblait déplacé dans cet endroit. Gueret, courbé en deux, descendit l'escalier sans un bruit. Elle lui tournait le dos mais il l'entendit dire : « J'attends... Oui, j'attends, mademoiselle...» d'une voix paisible. «Oui, Biron... 25, route des Plaines... Oui, c'est urgent...» Elle allait faire venir les flics et il serait condamné pour rien, exécuté peut-être... Il fit encore un pas vers elle, l'attrapa par l'épaule, d'un geste suppliant ; elle se retourna et le regarda, debout si près d'elle, avec surprise mais sans la moindre gêne apparente. Elle parlait avec autorité :

— Non... B-I-R-O-N... Ah, bonjour... Vous avez oublié ma commande de graines ou quoi ? Je vais les planter quand, mes capucines, moi ?... Jeudi, c'est sûr ?... Bon, alors je compte sur vous ?... Au revoir.

Elle raccrocha doucement. Elle n'avait pas quitté Gueret des yeux, Gueret qui, appuyé au mur, reprenait son souffle. Elle le regardait avec une sorte de perplexité amusée.

— Je croyais... je croyais..., dit-il.

— C'est le marchand de graines de Béthune, expliqua-t-elle. Il aurait dû me livrer il y a dix jours...

— Je croyais que vous appeliez les... (Il n'arrivait pas à dire « flics» malgré ses efforts.) Vous savez, dit-il soudain très vite, vous savez, ce n'est pas moi... ce n'est pas moi, le type qui... qui...

De la main droite placée à la hauteur du flanc, il mimait des coups de poignard, machinalement, et elle regardait cette main avec attention en baissant les yeux. Et, quand il suivit son regard, il se rendit compte avec horreur qu'il avait gardé entre ses doigts la corne à chaussures du vieux Dutilleux. Il la laissa tomber par terre comme un objet brûlant.

— Ça ne me regarde pas tout ça, dit-elle très vite d'un ton rassurant. Ça ne m'intéresse pas, moi, le cirque des journaux.

Il la regardait, abasourdi, mais de nouveau affreusement flatté du ton déférent et respectueux qu'elle avait pris.

— Mais alors, dit-il, qu'est-ce que vous voulez ?

Elle haussa les épaules.

— Moi ? Je ne « veux » rien, dit-elle. Ce que je ne « veux pas », c'est finir dans ce gourbi. (Et elle montrait le couloir étroit, la cuisine sombre et l'escalier au papier pisseux, mal éclairé.) Moi, je voudrais mourir dans un bel endroit, continua-t-elle, un endroit qui me plaise. Et d'abord y vivre un peu. Vous comprenez ?

Ses yeux brillaient comme ceux d'un chat. Elle avait l'air exigeant, dangereux, et Gueret recula d'un pas. Il avait peur d'elle... C'était lui qui avait peur d'elle, c'était bien le comble !

— Vous comprenez ça, monsieur Gueret ? reprit-elle. Pour vous, ce n'est pas pareil ?

— Ah si, dit-il, si ! Moi, je voudrais vivre au soleil, sous le grand soleil avec la mer partout autour... Et, en disant ces mots, il voyait des cocotiers, des plages bordées d'écume, et lui, Gueret, marchant sur la plage, seul. Toujours seul...

— Moi, le soleil, je m'en fous, dit la femme entre ses dents. Le soleil, ça ne s'achète pas, c'est aussi bien aux autres, le soleil, non ? Je veux quelque chose qui me plaise et qui soit à moi, rien qu'à moi. A moi seule. Alors, après, qu'il pleuve ou qu'il fasse beau... hein ?...

— Mais, dit Gueret indigné, vous resteriez là à Carvin si votre bel endroit y était ? Vous resteriez avec tout ça autour ?

Et il désigna tout ce décor qu'on ne voyait plus déjà dans la nuit tombée, ce décor sinistre et qu'il haïssait — à présent qu'il pouvait le quitter — comme une insulte personnelle.

— Quand on est riche, on ferme ses fenêtres et ses portes, dit-elle avec sévérité. On ne voit que le bout de ses orteils, si l'on veut. Et même le bout de ses orteils, on peut aussi se le faire masser des heures, pour se distraire, par des ploucs qu'on paie pour ça... (Elle changea de voix et releva vers lui un visage rajeuni.) Et, le reste du temps, on soigne ses fleurs. Venez voir...

Elle entraînait Gueret dans le noir, elle lui faisait pousser la porte et il trébuchait dans les arceaux du petit jardin. La masse sombre du terril veillait là-bas, contre un ciel de nuit clair, trop clair, absurde...

— Regardez, dit la femme en se penchant. Allumez ce briquet. Vous voyez ces pivoines, là... Il y a six ans que je les ai plantées. Elles étaient presque grises en poussant, la première fois. Il a fallu six ans pour qu'elles soient rouges. Elles sont belles, non, à présent ?...

On ne voyait pas la couleur des fleurs, bien sûr, mais elle enchaînait :

— Il leur faudrait une serre, d'abord. Une serre immense avec des jets d'eau et un chauffage régulier. Il n'y a pas que les orchidées qui...

Elle s'arrêta. Elle était immobile près de lui, le profil tourné vers la plaine et le terril, l'air rêveur pour la première fois. Dans le petit vent de la nuit, Gueret en manches de chemise frissonna et, comme réveillée, elle se tourna vers lui et le regarda :

— Allons bon ! dit-elle avec une voix rauque, gaie, furieuse. Tu ne vas pas attraper froid maintenant, non ?

Et avant qu'il ait pu réagir, ni au tutoiement ni au geste, elle avait enlevé son châle et le lui nouait sur les épaules, avec un petit rire condescendant, semblait-il ; et il eut un mouvement de révolte : « Elle le croyait coupable ou pas ? Les criminels s'enrhument vite, comme ça ? » Il jeta le châle par terre.

— Je ne veux pas de votre châle !... Et si je n'en voulais pas, moi, de

votre serre, hein? Ça vaut des fortunes à construire, ces idioties-là!
Pourquoi ne prenez-vous pas tout, tant que vous y êtes?...

— Pourquoi pas? dit-elle avec un rire bref.

Elle ramassa le châle par terre avec lenteur et le brossa de la main. Il
était noir de boue et Gueret eut envie de s'excuser, de demander pardon
comme un enfant coléreux. Trop tard!

— Enfin, si vous voulez la guerre, dit-elle en lui tournant le dos, vous
l'aurez...

Et avant de rentrer dans la maison, elle se retourna. Sa voix était
dure :

— Ne faites pas le mariolle, hein, Gueret? S'il m'arrive malheur, j'ai
des copains qui sauront pourquoi...

Il mit quelques secondes à se remettre et à éclater d'un rire mâle et
dédaigneux. Mais, même s'il se forçait, il ressentait encore ce nouveau
plaisir, enfin découvert, celui de la révolte.

Il monta l'escalier à grands pas pesants et claqua la porte. Devant la
glace de sa chambre, il se regarda d'un air dur une bonne minute avant
d'enfoncer la main dans la poche de sa veste. Il y braquait avec le pouce
un pistolet imaginaire, et que, tout en chuchotant avec conviction des
injures et des ordres, il leva vers son propre reflet : un reflet qui, lassé,
reprit vite son air de défaite et de gêne habituel, mêlé d'incrédulité
devant ce gangster si peu inquiétant.

Alors, Gueret se rapprocha de la glace, se regarda avec intérêt, sans
plus de grimaces. De la main gauche, il coiffa ses cheveux, les aplatit
sur son front, prit l'air grave. Et il faillit se trouver beau soudain, pour la
première fois depuis... « depuis toujours », pensa-t-il.

Eт c'est le célèbre gangster Gueret qui franchit le lendemain les portes
de l'entreprise Samson, sous le même soleil précoce. Comme prévenus
mystérieusement, les employés regardaient passer Gueret et se
retournaient sur lui. Il avait ouvert le premier bouton de sa chemise,
desserré sa cravate, son grand corps bougeait avec décision, sans trace
de lourdeur ni de maladresse. Et pour la première fois aussi, Gueret
semblait beau aux femmes de l'usine.

Il poussa la porte de son bureau et s'installa derrière sa table sans
répondre aux « Bonjour » mornes de ses collègues, se bornant à un geste
de la main, « le geste des chanteurs pop à la télévision », remarqua le
petit Jonas, l'aide-comptable. Gueret recula d'abord son fauteuil de sa
table, le sourcil levé, comme s'il remarquait avec surprise l'exiguïté de
sa place, puis repoussa son bureau fermement d'un mètre en avant,
empiétant ainsi sur le territoire de Promeur, le deuxième comptable.

Plongé dans ses calculs, ce dernier sursauta sous le choc et jeta un regard incrédule, puis indigné, vers Gueret.

— Dites donc, monsieur Gueret, vous savez où vous êtes ?

Les deux sous-fifres relevaient la tête, enchantés de cette diversion, mais, toujours sans répondre, Gueret calait les pieds de son bureau sur le terrain conquis. Il alla à la fenêtre et l'ouvrit à grands battants, faisant s'engouffrer ainsi dans la pièce un jet de soleil, et un coup de vent qui souleva tous les papiers.

— Mais il est fou ! criait Promeur courant après ses feuilles. M. Mauchant sera averti, je peux vous le dire...

Mais même le nom de Mauchant ne semblait plus troubler l'insensé Gueret qui riait à présent de voir ses compagnons à quatre pattes ; et qui, lui, assis sur le coin de sa table, « comme Humphrey Bogart », remarqua encore le jeune sous-fifre, allumait une cigarette, l'œil gauche fermé. L'ordre une fois rétabli, mais la fenêtre toujours ouverte, le silence pendant une heure ne fut coupé que par les soupirs et les grognements indignés du vieux Promeur qui attendait visiblement main-forte.

Mauchant entra à l'heure prévue, son coup de coude ébranlant la porte. Il s'arrêta devant la fenêtre ouverte et devint un peu plus congestionné encore qu'il ne l'était.

— Qu'est-ce que c'est que ça ?... bégaya-t-il.

Il jetait un coup d'œil furieux vers Gueret, impassible, mais s'adressait ostensiblement à Promeur, le chef et responsable, attendant une dénonciation qui ne tarda pas :

— C'est lui ! piailla Promeur.

Il tendait un doigt vengeur vers Gueret qui souriait placidement, au lieu de s'affoler.

— Qu'est-ce que c'est que ça ? hurla Mauchant, fort de son bon droit et de la culpabilité de Gueret. Qu'est-ce que c'est ?

Il se tournait, les dents dehors, vers le coupable. Mais ce dernier se calait dans son fauteuil, allongeait les jambes devant lui, et répondait d'une voix forte, aussi forte que celle de Mauchant :

— Ça, c'est de l'air, monsieur Mauchant ! De l'oxygène ! La loi interdit d'étouffer les employés, la loi interdit la pollution, monsieur Mauchant. La pollution et les engueulades ! Vous ne saviez pas ?

Et comme Mauchant, tourné au violet, faisait un pas vers lui, on vit (oh ! scandale !) le timide Gueret se lever et d'une main sûre conduire jusqu'à la porte, par le bras, le sous-chef Mauchant qu'il dominait d'ailleurs d'une bonne tête.

Et de même à midi, aux « Trois Navires », on vit le timide Gueret, sous prétexte d'un tiercé heureux, payer à boire à tout le café. On le vit rire aux éclats, et Nicole le vit même pincer Muriel à la taille avec un air fanfaron qu'elle ne lui connaissait pas. Toute la journée ensuite, on vit le timide Gueret arpenter l'usine à grands pas, sifflotant, dans sa vieille veste de laine beige, la cravate desserrée et l'air «libre». Et effectivement, Gueret se sentait libre, jeune et triomphant. Il ne s'avouait pas que, plus que l'admiration des sous-fifres et la revanche de ses humiliations, plus que le regard nouveau de quelques femmes, ce qui lui avait fait le plus grand plaisir dans cette journée mémorable, ç'avait été l'expression de terreur, le désir éperdu de fuite qu'il avait surpris dans l'œil de Mauchant dès qu'il s'était levé pour le reconduire vers la porte.

Il retrouva le chien près du terril, qui sortit en aboyant à sa rencontre, remuant la queue, fou de joie, et qui n'eut pas le moindre recul, pour la première fois, quand Gueret l'attrapa par le collier et le caressa. Ce chien semblait sentir, pensa Gueret, que lui-même, Gueret, n'avait plus peur. Peut-être était-ce cette peur reniflée sur lui qui avait fait fuir ce chien, ces jours derniers, devant sa main. Il partagea un sandwich avec lui, assis à l'ombre d'un des arbres rabougris, miraculeusement sortis du sol cendreux. Et plus tard, ce fut cette image bête qui devait revenir à Gueret comme celle de son bonheur le plus profond et le plus réel : le chien, l'ombre noire du terril découpée sur la surface ensoleillée du champ, l'odeur du pain et de la moutarde ; et ce soleil aveuglant et amical qui lui donnait pour la première fois des idées de bronzage, comme dans les magazines de Nicole ou les affiches de l'agence. C'est un homme heureux que le chien quitta à l'endroit prévu, et un homme heureux qui rentra chez sa logeuse.

Mais Mme Biron, elle, était en guerre. Grisé par ses succès et oublieux de cette guerre, Gueret, en vérité, ne s'était attardé si aisément dans le café et dans le champ que parce qu'il savait retrouver, après, dans la minable pension de famille, ce regard où était né justement la veille le nouveau Gueret. Ce regard était la base même, la source de son nouveau personnage, et inconsciemment, il venait y chercher confirmation de cette existence et y reprendre des forces. Mais il n'y avait plus rien dans les yeux de Mme Biron, il n'y avait plus de gangster dangereux, il n'y avait même plus de locataire minable : elle ne le regardait plus, elle le voyait à peine.

Sur sa table attendaient un potage froid, du jambon et des pommes de terre en salade, le tiers d'un gâteau de riz que, de son côté, finissait le vieux Dutilleux, visiblement accablé d'une cruelle gueule de bois. Le silence régnait. Un grognement avait répondu au «Bonsoir» claironnant du retardataire, et Gueret avait plaisanté sur ce retard, commencé un récit de bistros, de tournées, de rigolades avant de s'apercevoir que personne ne l'écoutait. Il en avait été vexé, puis furieux, comme si, rapportant de bonnes notes et un certificat exemplaire, il fût tombé sur des parents indifférents.

— J'ai envoyé paître ce gros porc de Mauchant, avait-il dit quand même avec orgueil.

Mais dans le regard que lui avait jeté la femme, il avait lu un mépris total, ironique, qui l'avait dégrisé d'un coup. La belle gloire, avait-il pensé aussitôt, d'avoir mouché ce gros adjudant d'un mètre soixante... Il aurait dû le faire depuis dix ans, et surtout il n'aurait pas dû s'en féliciter comme d'un exploit. Bel exploit, oui, pour un type qui était censé avoir lardé de dix-sept coups de couteau, la nuit, un courtier belge et l'avoir jeté vivant dans un canal... Et c'est là que Gueret avait senti se refermer le piège sur lui pour la première fois.

Il avait peur tout à coup qu'elle soupçonnât son imposture. Il se rendait compte que, plus que tout — et surtout en ce moment, après cette journée de gloire —, plus peut-être qu'une arrestation éventuelle, il craignait qu'elle ne le crût plus coupable ; il craignait que disparût de ce regard clair et léonin l'image impitoyable de lui-même criminel, l'image qui lui avait permis de vivre comme un homme toute la journée. Et si on découvrait le meurtrier ? Le vrai ?... Si elle se rendait compte que ce n'était pas lui qui avait fait le coup ? Si elle devinait que c'était le hasard — et non pas la colère d'un « homme cruel et costaud », comme elle disait — qui lui avait mis ces bijoux en main ?...

Confusément, il savait que ça changerait tout, que cet argent, dont elle avait envie si évidemment, perdrait les trois quarts de sa valeur pour elle. Que ces billets, s'ils n'étaient pas maculés du sang épais d'un homme assassiné, deviendraient « sales » aux yeux de cette femme. Immobilisé par cette intuition, il resta une seconde, la fourchette levée, la tête baissée, tout à coup privé d'appétit et de pensées. Le vieux Dutilleux n'ouvrait pas la bouche. Elle le servait sans un bruit, sans un de ces commentaires brefs et rares qu'elle leur accordait parfois, dans le temps. Et peu à peu, Gueret se décomposait ; peu à peu, il reboutonnait sa chemise, resserrait sa cravate, laissait échapper sa fourchette, se troublait. Il avait l'impression de mâcher avec bruit, et sa main, son bras, les muscles de son bras lui semblaient comme morts... des trompe-l'œil dérisoires.

Aussi, quand Dutilleux sortit après un lugubre « Bonne nuit », il eut envie de le rappeler, de lui proposer une belote, voire de le brancher sur la guerre de 40 et sa captivité, son sujet favori et pourtant si ennuyeux. Mais Dutilleux, nauséeux, n'était pas d'humeur à s'attarder, et bientôt Gueret fut seul à table, les mains de chaque côté de son assiette, pesant et tendu, à mi-chemin entre la honte, la détresse, et l'envie de crier à l'aide ; mais vers qui ?... Cette femme impassible lui semblait un mur. A présent, il se rappelait comme un rêve extravagant les quelques moments où elle avait ri, parlé d'orchidées, de soleil, de son gros orteil massé par les ploucs ; ces moments où il avait vu sur elle, toujours vivants, les reflets d'un charme, d'une jeunesse et d'une beauté stupéfiante.

« Elle m'a plu », se disait-il avec stupeur, mais une stupeur inférieure à son regret de n'être plus séduit. Et pourtant cette silhouette sans forme apparente — ces cheveux tirés, ce tablier noir, ce visage fermé et marqué par le temps et par l'amertume, était désormais, lui semblait-il, l'image même de son destin. Dans un vertige, il songea à des gestes fous : courir là-haut, prendre le sac de cuir et jeter sur la table cirée de la cuisine tous les bijoux emmêlés, les lui donner, la supplier, même, de les reprendre. Follement, bizarrement, il rêva de s'agenouiller aux pieds de cette ménagère triste et féroce, il rêva de lui offrir sa vie, son sang, ses bijoux, n'importe quoi pour qu'elle le regarde à nouveau, une fois encore, avec cet air mystérieux de respect et de désir... Il ne s'agissait pas qu'elle l'aime, bien sûr, pensait-il — essayait-il de penser —, il s'agissait qu'elle le voie à nouveau, qu'elle l'admire et qu'il lui plaise comme mâle et comme héros. Héros et mâle inconnus, car cette image de lui-même, qu'elle lui refusait aujourd'hui, n'avait rien à voir avec celle que Nicole lui renvoyait : cette dernière était une image trop simple, trop privée de charme et d'ambiguïté.

La femme faisait la vaisselle avec des gestes mesurés, tranquilles ; et soudain il n'y tint plus, tapa du poing sur la table si violemment que son assiette rebondit et se cassa sur le carrelage. Elle était de dos, debout, mais elle ne sursauta pas, se retourna à peine.

— Bon Dieu! dit Gueret, bon Dieu! vous ne pouvez pas me dire un mot? Qu'est-ce que j'ai fait?... je m'excuse, pour le châle, je n'ai pas fait exprès, quoi...

Elle ne répondit pas et, se penchant péniblement, ramassa les morceaux avec la pelle et un balai, «en exagérant un peu son effort», pensa-t-il. Délibérément, elle se faisait plus vieille, plus fatiguée qu'elle ne l'était. Elle ne voulait plus lui plaire, elle le rejetait. Mais qu'est-ce que ça pouvait lui faire à lui, bon Dieu! tenta-t-il de réagir. Qu'est-ce que ça pouvait lui faire que cette bonne femme toquée, brutale et avide lui batte froid? Il lui donnerait une part du butin, un tiers, la moitié, si elle voulait, et avec le reste il se tirerait au Sénégal, ou ailleurs, et il serait tranquille. Alors? Que voulait-elle de plus? se répétait-il avec incohérence — comme si elle eût dû savoir qu'il abandonnait déjà la bataille et la rançon.

— C'est trois francs cinquante l'assiette cassée, monsieur Gueret, dit-elle. Je le mettrai sur votre note.

— Je me fous des trois francs cinquante! dit-il en redonnant un coup de poing plus violent pour appuyer ses mots, souhaitant que la table s'effondre, que tout gicle par terre et se casse, que l'irréparable entraîne enfin un réflexe d'intérêt dans cet œil morne.

Mais rien ne bougea, et il se fit mal à la paume de la main. Il la porta à ses lèvres, sans se rendre compte de la puérilité de son geste.

— Je me suis fait mal, dit-il avec rancune et faiblesse, comme s'il eût pu attendre quelque pitié de sa part.

Mais elle accrochait le torchon maintenant à sa place, elle dispersait la cendre du poêle, elle enlevait son tablier et le pliait, sans le regarder, comme s'il n'eût pas été là. Elle allait monter se coucher, le laisser là, vainqueur définitivement vaincu d'un champ de bataille carrelé et lamentable. Il n'osa pas néanmoins bouger quand elle sortit de la pièce et il resta cinq bonnes minutes après son départ, immobile à sa table, les mains toujours à plat sur la nappe, à écouter le tic-tac de la pendule, impuissant et désespéré. En rentrant dans sa chambre, il ne la ferma pas à clé, alla vers le poêle, tendit la main vers le sac mais il ne le prit même pas. Il se coucha sur son lit tout habillé, et fuma cigarette sur cigarette jusqu'à l'aube, tandis que dans la lumière électrique que ridiculisait petit à petit et affadissait la première lueur du jour, les photos en couleurs des plages méditerranéennes et de leurs pin-up alléchantes, sur le mur, devenaient grotesques et terrifiantes.

Le lendemain, il pleuvait, et il plut aussi le surlendemain. L'entreprise Samson retrouva un aide-comptable discret et silencieux, et le chien recommença de fuir : le troisième jour, comme Gueret ramassait un caillou pour chasser un merle trop gai, en haut de l'arbre, le chien prit ça pour une menace et s'enfuit vers son logis, la queue entre les jambes et hurlant à la mort. Alors Gueret, redevenu seul, se mit à courir vers la maison, prêt à tout et à rien. Il entra comme un fou, cria : « Madame Biron ! Madame Biron ! », d'une voix de détresse et de panique, parcourut au pas de charge la cuisine et le petit bureau également déserts, entra sans frapper chez Dutilleux, dont la chambre vide annonçait le départ hebdomadaire, rentra dans sa propre chambre, sans même jeter un coup d'œil au poêle et à ses trésors, et, du même mouvement, il franchit le seuil de sa chambre, à elle.

Elle était en peignoir, dans le réduit qui lui servait de salle de bains. Elle avait l'épaule nue, les cheveux épars, l'air vaguement désarmé d'une femme à sa toilette, et il ne vit pas le regard de triomphe et le sourire amusé qu'elle eut vers elle-même dans son miroir, tandis qu'il se précipitait sur elle et la prenait dans ses bras d'un geste de soudard et d'adolescent, enfouissant son visage contre sa nuque et contre l'épaule toujours ronde — et pour lui incroyablement charnelle et désirable — qu'elle lui offrait de dos, comme sa seule, sa dernière chance.

À l'aube, il était assis sur son lit à elle, le torse nu, regardant par les volets ouverts le jour gris, hagard, la terre blême, là-bas, où la pluie résonnait déjà et encore, avec un bruit pacifié, presque doux.

Dans son dos, elle était allongée, le drap jusqu'au menton, à demi cachée par l'oreiller et, d'une main possessive et belle surgie mystérieusement dans la nuit, elle lui caressait le dos rêveusement, comme on caresse le flanc d'un cheval, avec la même expression paisible. Comme il ne bronchait pas, elle lui pinça la peau du dos cruellement, mais il ne se retourna pas, inclina simplement la tête un peu de son côté avec un petit sourire confus et satisfait. Il ne la voyait pas dans l'ombre du lit mais il entendait sa voix — familière et chaude —, une voix de femme contente de son mâle. « Un beau type, disait cette voix, tu es un beau type, oui... » Elle lui tapotait les côtes de la même main de maquignon, et il souriait, l'air content et flatté. Il alluma une cigarette avec des gestes tout à coup simples et, comme elle lui frappait impérieusement le dos, il la lui tendit avant de s'en allumer une autre.

— C'est gentil d'allumer les cigarettes de ta vieille maman, dit la voix railleuse derrière lui. Tu sais que je pourrais être ta vieille maman?... Hein, mon petit salopard?...

Il broncha un peu, son visage se contracta, mais la voix reprenait, apaisante et féroce :

— Un bon jeune homme qui allume les cigarettes de sa vieille maman, sa vieille peau de maîtresse... Un bon jeune homme qui est poli avec M. Mauchant, le chef comptable... Un bon jeune homme qui file dix-sept coups de couteau à un pauvre type dans le noir... Tu es un drôle de coco, tu sais...

Et elle se mit à rire. Il avait juste battu des paupières, et il regardait toujours par la fenêtre en tirant sur sa cigarette. Il se sentait parfaitement insouciant. Il était arrivé quelque part, à un endroit précis et sûr, à un abri que lui délimitait la voix ironique, un peu canaille, de cette femme derrière lui, et cela sans qu'elle le sût. Il sourit même, furtivement, comme à une cachotterie, à une farce qu'il lui faisait, mais il s'immobilisa quand la voix, devenue basse, pressante, se mit à chuchoter :

— Comment as-tu fait, hein?... Les trois premiers coups, je comprends, mais après? Comment as-tu pu? Raconte.

— Non, dit-il. Pas ça.

Et il lança sa cigarette par la fenêtre et se retourna vers la femme invisible, dans le haut du lit. Il se jeta sur elle avec une fureur angoissée qui ressemblait beaucoup à celle du désir amoureux.

— Quelle brute... Quelle sale brute... dit la voix de la femme encore, et elle se tut.

L<small>E DIMANCHE</small> d'après, la cloche sonnait à l'église de Carvin. Il faisait beau, et la logeuse Biron arrosait ses fleurs dans son habituelle tenue noire, tandis que son locataire, Gueret, en maillot de corps et pantalon, les pieds nus, assis sur le pas de la porte, la regardait faire, un bol de café près de lui et le chien volage d'un voisin allongé à ses pieds.

« C'est l'image du bonheur conjugal », pensaient les voisines médisantes, vêtues en dimanche, et qui accéléraient le pas en passant devant ce numéro de la route des Plaines, soit pour répondre à l'appel de la cloche, soit pour fuir ce paisible et indécent spectacle.

— Tu ne crois pas que tes fleurs ont eu assez de flotte? demanda le garçon. Ça fait dix jours qu'il pleut... Depuis qu'on a vu l'aube se lever, ajouta-t-il d'un air équivoque.

Mais la femme, occupée par ses fleurs, haussa les épaules.

— C'est vrai, quoi, reprit Gueret. Il n'a pas arrêté de pleuvoir ce soir-là. Toute la nuit, il a plu. Toute la nuit, on a entendu la pluie, tu te rappelles?

La femme lui jeta un coup d'œil un peu dégoûté, mais sourit.

— Tu ne penses qu'à ça, hein, toi? dit-elle avec une sorte de curiosité. C'est marrant les hommes : ou ils ne pensent à rien, ou ils ne pensent qu'à ça.

— Toi, tu n'y penses pas assez, dit-il d'un air de reproche affectueux.

— Moi, mon petit ami, j'ai trop fait ça avec trop de types, et trop souvent. Je n'ai pas ton âge, comme tu sais.

Il bredouilla quelque chose, prit l'air résigné :

— Tu crois qu'on aura la lettre demain?

Elle avait fait le tour du jardin minuscule, et vint poser son arrosoir devant lui. Elle était debout, elle le dominait, elle le regardait avec une satisfaction possessive et détachée. Il lui souriait d'en bas, avec malice.

— Peut-être pas demain, dit-elle en s'essuyant les mains à son tablier.

Et il lui prit la main machinalement, qu'elle lui laissa un instant, comme un objet, tout en tournant la tête vers la plaine, le terril et l'arrivée d'un éventuel facteur, avant de reprendre :

— Mais après-demain, sûrement. Gilbert va vite dans ces cas-là. Il faut qu'il contacte les gens de Marseille, c'est tout. Ils vont vite, là-bas.

— Ça te manque, Marseille, hein? dit Gueret.

— Ouais (son visage s'était fermé). Sans cette lopette, je n'aurais jamais quitté Marseille. Il faisait beau, là-bas, tu sais. Il y a des couleurs à Marseille, et puis les gens ont quelque chose dans le sang. C'est une ville, Marseille.

— Pourquoi tu n'y es pas retournée?

Gueret considérait avec attention la main inerte qu'il tenait entre les siennes. Leurs mains avaient à peu près le même âge, pensa-t-il, et il appuya son front contre les jambes fermes de sa maîtresse.

— Parce que je suis brûlée, là-bas, dit-elle brièvement. Qu'est-ce que tu as à t'appuyer sur moi comme un môme? Tu te crois en nourrice, Al Capone?

Il haussa les épaules sans bouger.

— Je suis au chaud, dit-il d'une voix étouffée par le tablier noir. Je suis bien...

— Tu ne vas pas me raconter que ta maman t'a abandonné au

berceau, toi! dit-elle sans rire. Moi, les enfances malheureuses des macs ou des tueurs, ça me tue...

Elle fit un geste éloquent de la main.

— Ma mère était une brave femme, dit-il avec paresse, Sur le tard, elle est devenue radin et méchante comme une vieille pie, mais je n'étais pas malheureux.

— Eh bien, tant mieux, dit-elle.

Elle secoua les hanches comme pour faire tomber quelque chose, et la tête de Gueret ballotta en arrière.

— Tu as trouvé ton île? dit-elle en se dirigeant vers la porte. Ou, finalement, tu aimes mieux Dakar?

— Non, dit-il, non, finalement on ira au Congo. Il y a de l'or, là-bas, à ramasser, des trucs à faire... Il n'y a pas que des types faciles, mais je me débrouillerai.

Et il sourit d'un air assuré qui s'effaça dès qu'elle fut entrée dans la maison. Il jeta un coup d'œil furtif derrière lui et, comme la radio déclenchée indiquait qu'elle était dans la cuisine, il se pencha, prit la tête du chien contre lui, entoura le cou de la bête de ses deux bras et embrassa longuement, doucement, avec une tendresse éperdue, les poils noirs et crasseux, la truffe brillante du bâtard qui, béat, se laissait faire.

— Tu veux des tomates ou des concombres? cria la voix dans la maison.

Gueret repoussa fermement mais sans brutalité la tête du chien avant de répondre : «Je m'en fous», et d'allumer une cigarette, avec l'œil plissé d'Humphrey Bogart.

Une semaine plus tard, Gueret déambulait chez «Aronda», le grand magasin de sport de la ville où les vendeurs le bousculaient au passage, comme un client sans intérêt, sans qu'il s'en aperçoive. Mme Biron, Maria à présent pour lui, apparut dans la glace à ses côtés, avec son manteau noir au col de loutre qui avait dû avoir de beaux jours. L'air excité de Gueret la faisait sourire, et elle non plus ne remarqua pas d'abord les airs dégoûtés du petit vendeur aux cheveux luisant de brillantine.

— Alors, dit-elle, tu as trouvé ton bonheur? Il faut une occasion, hein?

— Oui, oui, oui, dit vaguement Gueret, mais avant, regarde-moi ce monstre...

Il désignait une Yamaha énorme, étincelante, d'un geste qui déclencha l'ironie du jeune vendeur, pressé peut-être de partir, car il était presque midi.

— Ah non, dit-il d'une voix de stentor, ça n'est pas le rayon de monsieur. Si j'ai bien compris... le rayon de monsieur, insista-t-il avec une malveillante allégresse, ce serait plutôt la motobécane...

Il souriait de sa finesse, et déjà les autres clients commençaient à sourire devant ce couple bizarre, empesé dans ses vêtements du dimanche. La femme le sentit une minute avant Gueret et, lâchant celui-ci, se retourna d'un coup, le visage blanc de colère : le vendeur recula instinctivement devant ses yeux, mais il était trop tard.

— Le rayon de monsieur est peut-être la motobécane, dit-elle en articulant d'une voix haute et claire, mais mon rayon à moi, c'est les vendeurs polis. Je dirais même, les vendeurs aimables. Cela doit bien exister ailleurs.

Elle tirait Gueret, déconcerté, par le bras, et le vendeur bafouillait car les clients, influençables, le toisaient à leur tour. Gueret suivit Maria sur le trottoir où elle s'arrêta tout à coup. Elle était pâle et parlait sans le regarder, entre ses dents :

— Ce jean-foutre, sifflait-elle, ce petit minable... Tu vas rentrer et acheter cette moto-là tout de suite. La grosse, la japonaise.

— Mais avec quoi?...

Gueret était stupéfait de cette colère qu'il ne comprenait pas. Il était tellement habitué, lui, à ces bousculades et ces sempiternelles vexations... Et soudain il s'en voulut de l'être, redressa le menton, murmura : «Je lui ferai son compte, va», tout en résistant à la poussée qu'elle exerçait sur lui.

— Avec quel argent, d'abord? dit-il. Et puis tu me vois là-dessus, arrivant à l'usine? Non, mais tu rêves... Et d'abord, trois briques, tu les as, toi, trois briques?

Elle sembla se réveiller d'un coup, le regarda, tenta de sourire :

— Oh, dit-elle, pas tout à fait. Mais j'ai un peu d'argent à la banque quand même... Excuse-moi, enchaîna-t-elle, je ne sais pas ce qui m'a pris. Tu peux supporter ça, toi, le ton de ce type? Tu l'as entendu?

Gueret, là, eut du sang-froid. Il prit un visage de pierre et secoua la tête négativement, avec lenteur, attitude qu'il se rappelait vaguement avoir vue chez Edward G. Robinson, dans un vieux film.

— Non, dit-il sobrement, je ne l'ai pas vu. Je ne *vois* pas ce genre de types.

Mais déjà, elle repartait à grands pas. Elle marchait vite, et malgré sa taille, il avait du mal à la suivre ; et c'est haletant qu'il s'assit à côté d'elle, dans un café voisin.

— Un cognac, dit Maria d'une voix péremptoire.

Et comme dans le magasin, son autorité fit miracle ; le garçon reparut aussitôt, le verre à la main, et elle l'avala d'un trait sans le regarder, pendant que Gueret en commandait un deuxième pour lui-même, à contrecœur — car il ne buvait pas le matin. La respiration de Maria s'était apaisée, elle reprenait des couleurs, et elle vida le fond de son verre, le reposa et dit : «Ça fait du bien» avant de lui jeter un regard qu'il ne lui connaissait pas, un regard hésitant, voire penaud.

— Je ne sais pas ce qui m'a pris, répéta-t-elle. Il ne faut pas m'en vouloir, c'est le... (elle fit un geste vague de la main) c'est le « fond » qui remonte comme ça... le fond du caractère. Tu comprends ? Ce n'est pas de veine, reprit-elle d'une voix plus assurée ; toute ma vie il a fallu que j'aie de l'orgueil... (Et sa voix, en prononçant le mot, en résonnait encore.) Je suis orgueilleuse et coléreuse, ajouta-t-elle en lui jetant un regard de défi.

Mais Gueret souriait, béat, à ses côtés. Il était enchanté de l'incident, après coup ; enchanté aussi de la facilité de la victoire, de la vigueur de sa maîtresse. Il ne voyait pas le regard curieux, incertain et équivoque des gens autour, posé sur leur couple hétéroclite. Il regardait Maria avec admiration et elle surprit ce regard, fut flattée, se rengorgea et redressa le cou aussitôt après.

— Il faut dire... regarde-nous, dit-elle avec bonne humeur : nippés comme on est, faut pas s'étonner qu'ils nous croient mythomanes, ces sbires, dans leurs échoppes... On a l'air de ploucs, toi et moi. On sent l'odeur de la campagne, enfin, du charbon, de la fauche, de la merde quoi...

Elle s'arrêta un instant et commanda un cognac d'un seul regard vers le garçon.

— Je voulais qu'on déjeune aux « Trois Épis », dit-elle en retrouvant sa fureur. C'est le meilleur bistro de la ville, paraît-il ; à cause des quenelles, surtout... Mais tu nous vois manger leurs quenelles avec nos beaux habits ? Tu nous vois toisés par les maîtres d'hôtel ? Moi, Maria de Marseille, et toi, l'inconnu de Carvin...

Elle avait baissé la voix mais Gueret jeta un œil soucieux aux alentours.

— Allons, dit-elle en posant un billet de dix francs sur la table, viens, mon vieux, je vais t'habiller.

Ils allèrent chez Hesder, aux Galeries, au Printemps, et Maria décidait, tranchait, semblait savoir exactement ce qu'elle voulait. Gueret se renfrognait. Bien sûr, il lui rembourserait ce fric. Il n'avait pas à s'énerver puisque le moindre de ses bijoux achèterait le magasin entier. Mais ça le gênait d'être si ouvertement dirigé par une femme.

Dans le dernier magasin, néanmoins, il toucha à l'exaspération quand une jeune vendeuse dit à Maria, d'un air admiratif, comme il passait un costume bleu : « Le bleu lui va drôlement bien à votre fils » ; d'autant que Maria, les yeux brillants de malice, entra aussitôt dans le jeu :

— Oh mais, c'est qu'il est costaud, mon petit garçon, dit-elle à la vendeuse. Et il me fait des tours... Figurez-vous qu'à près de trente ans il grandit encore. Depuis qu'il a sept ans, je n'arrête pas de défaire ses ourlets...

Et, comme la jeune fille s'extasiait poliment, elle ajouta :

— Et encore, ce n'est rien; si vous aviez connu son père, mademoiselle... Ça, c'était un bel homme !

Et elle pouffait tandis que Gueret regardait la glace au néon qui lui renvoyait l'image ridicule d'un vieux premier communiant. Ridicule, oui. Mais le rire le gagna : et il y avait longtemps que Gueret n'avait pas ri de la sorte ! En fait, il ne se rappelait pas dans toute sa vie, même au régiment, avoir jamais ri autant avec qui que ce soit.

Ils se retrouvèrent aux « Trois Épis » vers une heure pour déjeuner vêtus de neuf, et effectivement les maîtres d'hôtel furent déférents, attentionnés, plus impressionnés sans doute par leur gaieté que par leur élégance. Ils avaient un air de triomphe sur le visage, et cet air de triomphe, à tous les niveaux, fait plier les échines. Maria commanda des côtes d'agneau bien grillées, pour son fils, demanda un doigt de vin, pour son fils, et devant le maître d'hôtel indifférent lui rappela des souvenirs d'enfance tout à fait grotesques, presque cruels à force d'inintérêt, mais qui amenaient sur le visage habituellement méfiant de Gueret les grimaces d'une joie irrépressible. Ils mangèrent voracement et au café seulement, repue, les joues roses, l'œil vif, elle lui jeta un regard un peu plus possessif et un peu moins maternel.

— Pourquoi est-ce que ça te fait rire comme ça, demanda-t-elle, l'idée que je sois ta mère ?

— Tu l'aurais connue, ma mère ! dit-il en pouffant à nouveau, elle était toute petite, toute maigre, une vieille souris...

Et il rit à nouveau tout en attrapant et en avalant machinalement, bien qu'il n'ait plus faim, le petit pain doré au coin de son assiette.

— Laisse ça, dit-elle en lui tapant sur les doigts, tu vas grossir.

Elle reprit du même ton :

— Si tu y penses, tu aurais aimé m'avoir pour mère ?

— Tu parles ! dit Gueret, l'air salace. Je ne t'aurais pas quittée d'un millimètre.

Et il rit encore, d'un rire un peu ivre de fin de repas qui énerva Maria.

— Je te parle sérieusement, dit-elle. Oh, et puis... En tout cas, qu'est-ce que je t'aurais filé comme fessées...

— Pourquoi ? dit Gueret subitement intéressé. Pour quoi faire, des fessées ? Pour me punir de quoi ? De vouloir être un gangster, ou un type à études, un crack ? Je ne sais pas, un polytechnicien, par exemple ? Qu'est-ce que tu aurais voulu que je sois ?

Elle réfléchit un instant. Le restaurant était désert à présent. Ils étaient seuls, et de loin, leurs vêtements neufs et foncés luisaient de tout leur éclat devant le blanc ouaté des nappes vides. Elle était plus rouge que lui. Ses cheveux gris ressortaient sur ce rouge, et ils se regardaient, penchés l'un vers l'autre, chuchoteurs et complices, mi-hostiles, mi-séduits tour à tour. Ce qui dérangeait chez eux, ce n'était pas leur différence d'âge, mais plutôt leur similitude d'espèce. Et dans ce restaurant gastronomique de province, s'ils n'avaient pas l'air de la mère et du fils, ils avaient quand même l'air étrangers aux autres et parents entre eux.

— Bah... dit-elle en s'étirant sans grâce (et elle jura sourdement car la manche de son chemisier neuf craqua au passage). Bah, les putains deviennent toujours morales quand elles ont des gosses, tu n'as pas remarqué ? Et plus elles sont putes, plus elles veulent en faire des curés. C'est immanquable, ça... Non, moi, je t'aurais fait riche, tu vois.

— Riche comment ? dit-il. Riche avec des études, ou pas ?

Elle éclata de rire.

— Tu as déjà vu des nababs, quand ils ressortent leur enfance misérable, t'expliquer que c'est grâce à leurs études qu'ils ont fait leur fric ? Tu rêves... Les gosses pauvres, on ne leur donne pas de leçons pour devenir riches ; il n'y en a pas. On leur montre juste qu'il faut le devenir pour échapper à cette gadoue. Mais il n'y a pas de recette ; il faut qu'ils improvisent.

Il la regardait avec attention. Il se disait que cette femme était intelligente, peut-être plus que lui, et il s'étonnait de l'admettre aussi facilement. Il se sentait bien, à l'aise dans ce restaurant pourtant trop vernissé et trop chaud où, en temps ordinaire, il eût été uniquement pressé de partir. De temps en temps, l'idée qu'on l'ait prise pour sa mère lui redonnait envie de rire.

— Alors moi, qu'est-ce que j'aurais fait ? dit-il vaguement pour prolonger cet instant de paix profonde.

Mais il dut se composer un air dur quand elle déclara à voix basse en le regardant dans les yeux, toute gaieté disparue :

— Toi, tu as trouvé tout seul, hein... ? Comment improviser...

Et elle retournait le couteau sur la nappe, d'un geste lent qui horrifia Gueret.

Tous les soirs, le vieux Dutilleux enfin couché — départ qu'ils accéléraient tous les deux à force de bâillements et de fausses sorties —, ils se retrouvaient au coin du feu avec le café, le marc, et c'était lui qui montait dans sa chambre et redescendait le trésor. Ils ouvraient ensemble la bourse sale, ils étalaient les brillants et leurs montures raffinées sur la toile cirée. De temps en temps, distraitement, Maria s'accrochait une boucle d'oreille, l'oubliait, et c'était lui qui la lui enlevait en souriant. La lumière du poêle éclairait leurs deux visages, également pieux devant ces bijoux volés, et elle se laissait aller comme lui à une contemplation un peu maladive.

A la fin de la semaine, elle déclara avec humeur qu'il n'était plus

possible de loger leurs vêtements neufs dans ses placards, qu'ils allaient
prendre les mites et que ça lui bloquait une chambre.
— Qu'est-ce que ça peut faire ? dit-il avec insouciance.
Mais elle le rabroua. Gilbert n'avait pas encore trouvé de receleur à la
hauteur. Cela pouvait prendre du temps, et il serait peut-être content, lui
comme elle, de trouver un troisième pensionnaire. A moins que Gilbert
n'arrive à vendre le petit solitaire qu'elle lui avait fait porter à titre
d'essai, et alors là...
— Alors là, j'ai une idée, dit-elle. Là, mon vieux, si on touche ce fric
avant la fin de l'hiver, je te garantis qu'on va s'amuser un peu...
Mais elle refusa de répondre à ses questions.
Et désormais juché sur une motobécane tressautante, Gueret, tous les
matins, reprenait le chemin de l'usine. Mais ce n'était plus le manant
fatigué et vaincu qui allait plier les genoux devant l'infâme Mauchant,
c'était un chevalier caracolant sur son destrier mécanique et dont il
valait mieux ne pas relever le gant. Ce fut pourtant la timide Nicole qui
s'y risqua la première.
Ce soir-là, il faisait fort beau et, rentrant sifflotant sur son engin,
Gueret s'était amusé à faire du motocross sur ce terrain vague autrefois
si triste, mais où le chien à présent suivait en aboyant de plaisir ses
évolutions. Gueret respirait à fond cet air dit si pollué et regardant la
plaine étendue devant lui, cette plaine qui l'avait tant déprimé, il lui
trouvait, maintenant qu'il allait la quitter, un certain charme. Ce n'était
pas les bijoux, ni sa fortune à venir, ce n'était pas la nouvelle attitude
des femmes envers lui, ni la subite considération des hommes qui le
rendaient heureux, non, mais il l'était. Il embellissait d'ailleurs, et de
temps en temps, croisant son reflet dans la glace, il s'étonnait de se voir
hâlé, le visage ouvert, les épaules droites, et il se disait qu'après tout
Maria avait plutôt de la chance.
Ce soir-là, donc, il était content de lui ; ce soir-là, il se sentait un peu
comme un cadeau vis-à-vis de quelqu'un. Il rentra à la pension des
Glycines avec des idées amoureuses bien précises, d'autant plus que l'on
était vendredi soir et que le grand-père gâteux était reparti voir son
nourrisson.
Maria n'était pas dans la cuisine, et il mit trois minutes avant de la
trouver dans le jardin, vêtue de son tablier noir, et coiffée de son turban,
qui regardait d'un œil dur ses minables plates-bandes. Gueret la
contempla un instant avant de l'appeler, étonné et un peu soucieux
d'avoir envie de cette femme si visiblement éloignée des choses de
l'amour. Il vint vers elle à pas de loup et lui mit brusquement le bras
autour des épaules. Elle sursauta, se tourna vers lui à une vitesse
incroyable, sa main droite crispée sur la serpette. Elle la laissa brandie
un instant avant de le reconnaître, et Gueret recula, effrayé et confus.

— Ne fais pas ça, dit-elle, ne fais plus jamais ça. Je déteste qu'on me fasse peur.

— Mais c'est moi... dit-il, piteux, tu n'as pas peur de moi, quand même?

Elle se mit à rire :

— Comment pourrais-je avoir peur de toi ? Un bon jeune homme qui ne s'attaque qu'aux vieux bijoutiers...

Gueret se renfrogna. Par moments, il avait envie de lui dire, de lui avouer que ce n'était pas lui. A présent qu'ils avaient partagé un lit, des projets, à présent qu'ils avaient ri ensemble et affronté ensemble les vendeurs insolents et les maîtres d'hôtel gourmés, il avait l'impression — non, il n'avait pas l'impression, il jugeait — qu'ils étaient liés par des liens plus intéressants et plus chauds qu'une complicité criminelle. Et puis, logiquement enfin, elle devrait être rassurée par l'aveu de Gueret : une fois les bijoux écoulés, ils seraient riches, séparément ou ensemble ; elle ne risquerait plus de le voir arrêté à l'aube par des flics ; et même si elle ne l'aimait pas pour de bon, et elle le lui disait volontiers, elle devait quand même avoir pour lui une vague affection.

Gueret avait été élevé moralement et quelque chose en lui trouvait absurde, faux, qu'on l'aimât pour une mauvaise action. Néanmoins, chaque fois qu'il se décidait à tout lui avouer, il reculait, retenu par un pressentiment. Il valait mieux lui parler plus tard, quand ils seraient au Sénégal ou ailleurs, et qu'isolés dans un pays nouveau, la solitude les obligerait à être solidaires. De toute manière, son destin à lui, à présent, il ne l'imaginait plus que lié à son destin à elle. C'était une des raisons de son désir pour elle : il voulait physiquement aussi l'apprivoiser. L'autre raison était plus élémentaire : habitué aux employées de Samson, ou aux prostituées, pendant son service militaire, Gueret n'avait jamais connu l'amour — l'amour physique — ni découvert sa propre sensualité avant de coucher avec cette femme plus âgée, fatiguée du plaisir, mais qui avait dans les gestes une expérience et une licence qui donnaient vraiment à Gueret l'impression d'avoir été puceau avant elle. Il la prit dans ses bras mais elle le repoussa de ses deux mains maculées de terre.

— Qu'est-ce qui te prend? dit-elle, tu es bien excité... On lit des journaux pornos, à la comptabilité?

Il se rebiffa. Il se répétait qu'il était plutôt bel homme, qu'elle n'était plus ce qu'on appelle «une jolie femme», et que les exigences amoureuses devaient être plus frustrées chez elle que chez lui. Après tout, son désir à lui était plutôt flatteur, pensait-il bêtement, se refusant à croire ce qu'elle lui disait obstinément depuis le début, c'est-à-dire que l'amour ne l'intéressait plus. Cette indifférence ne cadrait pas avec ses initiatives nocturnes, et Gueret était trop novice en amour pour penser que l'expérience toute seule pouvait lui donner cette habileté et ces soupirs de femme comblée.

— Alors... dit-il. Tu viens? Tu ne veux pas?

Elle le regardait attentivement, avec une expression d'exaspération, mêlée de vanité satisfaite malgré tout.

— Dites-moi, Gueret, dit-elle d'une voix gouailleuse, vous ne seriez pas un peu vicieux sur les bords? Vous me trouvez sexy, comme ça?... (Et elle désignait ses mains, son visage plissé, sa silhouette informe, ses cheveux gris.) Vous ne pensez pas que vous devriez chercher des jeunes femmes de votre âge, un peu plus fraîches?... Tu es myope, ou quoi?

— Tu me plais comme tu es, dit-il, appuyant sur le tutoiement, et l'attrapant d'une main décidée, virile, comme il savait que ça marchait avec les femmes, en tout cas dans les films.

Mais elle ne plaisantait pas et elle l'écarta d'un geste avant de rentrer dans la maison.

— Enfin quoi... dit-il en la suivant. Enfin quoi, je suis ton amant, non? J'ai bien le droit de...

— Tu n'as le droit de rien, dit-elle. Et moi, je t'ai déjà dit que tout ça ne m'intéressait plus. J'aime bien dormir seule dans mon lit, allongée en travers, avec toute la place. Les types qui ronflent à côté, ou les types qui s'évertuent à vous montrer qu'ils sont des types, c'est fini pour moi. D'ailleurs, dit-elle, tu te forces à ça.

— Moi?... dit Gueret ébahi. Pas du tout. Pourquoi dis-tu ça?

— Les hommes ont la manie de mettre leur virilité quelque part, dit-elle, soit dans leurs bureaux, soit avec les femmes, soit avec des canassons ou au football. Il faut toujours qu'ils la prouvent quelque part. Mais toi, ce n'est pas avec les femmes que tu le feras...

— Et avec quoi, alors? demanda-t-il, mécontent mais intéressé malgré lui car c'était de lui qu'elle parlait, de son caractère, et c'était bien la première fois que quelqu'un s'intéressait à lui, en tant que lui, Gueret, et non pas en tant que lui, comptable, ni en tant que lui, mari éventuel. Elle s'intéressait à ce qu'il était plus qu'à ce qu'il faisait, et, pour Gueret, c'était fascinant.

— Ta virilité, tu l'as prouvée autrement, par la force et par le crime. Le reste sera toujours secondaire pour toi. Les vrais caïds — et j'en ai connu quelques-uns à Marseille — s'occupaient peu des femmes, et de toute manière après, après le reste.

— Mais je ne suis pas un caïd, dit-il agacé, je suis un type de vingt-sept ans qui a envie de coucher avec une femme : toi.

— Eh bien, moi, je ne veux pas.

Elle lui tournait le dos, elle allumait la cuisinière et il n'y avait dans sa voix aucune note de provocation. Elle n'avait réellement pas envie de lui, et son reflet de joli garçon, aperçu dans la glace le matin même, lui apparut soudain ridicule et faux.

— Alors, dit-il, c'est fini, toi et moi?

Et, à son étonnement, il sentit sa voix trembler comme les jeunes premiers gâteux de la télévision.

— C'est pas fini, dit-elle du même ton lassé, ça n'a pas commencé, c'est tout. De temps en temps, oui, si tu veux vraiment, mais pas ce soir, en tout cas. Peut-être que c'est moi qui te supplierai l'année prochaine, ajouta-t-elle devant son air déconfit.

Et, comme il ne souriait pas, elle se mit tout à coup en colère.

— Va voir ton amie Nicole et fiche-moi la paix ce soir ! Je n'ai pas seulement envie de dormir seule, j'ai envie de dîner seule, d'être seule dans cette baraque, pour une fois, tu comprends?

Oui, il avait compris. Il avait compris qu'il ne fallait jamais rien demander, il fallait tout prendre ou se tirer. Eh bien, il allait se tirer, elle allait voir...

— D'accord, je vais retrouver Nicole, dit-il avec un entrain simulé. Le soir, elle ne fait pas de jardinage, elle au moins, elle me trouve pas mal, Nicole, figure-toi. Et la secrétaire du patron aussi me trouve pas mal. Alors, si tu ne veux pas, hein, tant pis, ou tant mieux.

Et, relevant le col de sa veste, il repartit sur sa moto, poursuivi par le rire moqueur que sa dernière phrase avait déclenché chez elle.

Un peu plus tard, dans la nuit, il était dans la chambre de Nicole, dans le lit en désordre de Nicole; et elle, dans le cabinet de toilette à côté, chantonnait un air à la mode, aux paroles niaises, qui achevait de déprimer Gueret. Elle revint dans la chambre, s'allongea sur le lit, « dans un peignoir d'un rose bonbon fatigant », pensa-t-il, et le regarda en souriant.

— Il y a longtemps, tu sais, dit-elle. Je croyais que tu m'avais oubliée. Quinze jours, tu te rends compte?

Il hocha la tête gravement tout en la contemplant. Elle était rose et fraîche, elle avait un joli corps souple et doux, le corps d'une jeune femme moderne, elle aimait bien faire ça, elle avait poussé des cris d'égorgée tout à l'heure, et il se demandait pourquoi cette heure passée lui avait paru si fade. Elle prit un miroir sur la table de chevet, le mit devant leurs deux visages, et se regarda à côté de lui. Rêveuse, elle appuyait sa tête contre la sienne.

— Hein, on est rudement mignons? dit-elle. Tu ne trouves pas?...

— Si, approuva-t-il, si, si, on est très mignons. On fait un joli couple, même, dit-il avec dérision tout en découvrant, lui semblait-il, la cretonne fleurie des rideaux, la grande photo de Robert Redford sur la fausse cheminée, la petite coiffeuse en vrai ou en faux acajou et le fauteuil pouf en tissu éponge devant la coiffeuse. C'était une chambre recherchée, songeait Gueret, et même drôlement raffinée pour une employée aussi mal payée qu'elle. Une chambre étincelante de propreté en plus. Bref, un joli cadre pour Nicole, à part la poupée en robe longue qui avait l'air si bête, assise de travers sur le fauteuil. Et tout à coup il revit la chambre froide et sombre de Maria, les murs gris, un peu sales, la table de guingois où il jetait ses vêtements en vrac, là ou sur le fauteuil de jardin d'osier effrangé qui — déjà vétuste à voir dehors, l'été — détonnait complètement dans cette pièce soumise à un éternel hiver. Cette chambre... cette remise à outils plutôt, avec les râteaux en pagaille, les sécateurs, les paquets de graines abandonnés dans un coin... Cette chambre laide et désolée, à l'air si peu habité, cette chambre, Gueret l'avait vue s'ouvrir, tourner, devenir minuscule ou énorme pendant des nuits. Il l'avait vue devenir son seul refuge et aussi son seul lieu de perdition lorsque les silences mortels de Maria ou les calmes chuchotements de sa voix rauque y introduisaient la luxure et l'érotisme à leur comble. Son visage dut refléter sa nostalgie car Nicole se tourna vers lui, les sourcils froncés.

— Qu'est-ce qu'il y a? Ça ne te plaît pas ici, ou alors ça ne te plaît plus?

— Mais si, dit-il mollement, mais si, bien sûr, ça me plaît... puisque j'y suis... Il va falloir que je m'en aille, ajouta-t-il sans se rendre compte du côté malencontreux de son enchaînement, et il posa les pieds par terre avec énergie.

Il avait envie de partir très vite tout à coup. Il n'en pouvait plus de cette jeune femme et de sa chambre gaie, de sa poupée grotesque, de ses mots d'amour ridicules. Depuis deux heures, il n'en pouvait plus de ses agaceries de petite fille. Elle avait vingt-deux ans après tout, pas douze; d'un coup, d'ailleurs, elle faisait plus. Elle se redressa sur le lit, les traits tendus, durcis par la colère pour une fois, remarqua-t-il avec une curiosité si distraite, si ténue qu'elle le gêna vis-à-vis d'elle.

— Où vas-tu? dit-elle. Tu t'embêtes, hein? Ou tu as quelqu'un d'autre à voir?

— Moi?... dit Gueret, faisant un essai de rire méprisant. Moi? Tu crois que j'ai le temps de courir les filles?

— Non, dit Nicole, tout à coup écarlate. Non, je ne crois pas ça : tu n'as pas le temps de courir les filles.

Étonné, il la regarda : finalement, cela lui allait bien, la colère... Son peignoir ouvert montrait un sein petit, une peau claire, rose... Comment pouvait-il préférer Maria à cette belle fille jeune? Maria avait raison : il devait être pervers, au fond. Une seconde, il eut honte de lui-même, mais cette honte, elle aussi, était si mince, si lointaine... Il lui fallait presque se forcer pour avoir honte.

— Que veux-tu dire? demanda-t-il en nouant péniblement les lacets de sa chaussure dix fois cassés et reliés par des nœuds qui ne passaient plus dans les trous. (Il fallait qu'il pense à s'en acheter quand même... Ce n'était vraiment pas la peine d'avoir deux femmes. Vraiment! De toute manière, si l'une des deux pensait à lui en acheter, ce serait Nicole. Il n'y avait pas de doute là-dessus, parce que l'autre...)

Gueret se leva : il allait rentrer sur sa bécane, l'arrêter avant la maison de l'autre pour ne pas faire de bruit, monter à pas de loup jusqu'à chez l'autre, et là, une fois couché sur l'autre, elle aurait du mal à se débarrasser de lui. Elle n'en aurait peut-être même pas envie, l'autre... Que disait Nicole?

— Je veux dire que ce n'est pas spécialement les jeunes filles qui t'intéressent à présent, à ce qu'il paraît. Tu les aimes même drôlement âgées, il paraît aussi.

— Qu'est-ce que tu veux dire?

Il le savait déjà, bien sûr. Il aurait dû prendre des airs indignés, nier, s'énerver, mais, au lieu de ça, il s'habillait en vitesse, anxieux de filer avant qu'elle ne lui pose une question trop directe, avant qu'elle ne lui dise des trucs trop horribles sur Maria. Mais elle le battait à la course, tranquillement assise au fond de son lit, les bras croisés, comme un juge.

— Ta logeuse, Mme Biron, c'est vrai que c'est le grand boum entre vous? Je n'arrive pas à y croire.

— Quoi? Mais qui t'a dit ça? demanda-t-il d'un ton stupéfait qui sonnait faux déjà à ses propres oreilles. Mais c'est dingue...

— Oui, c'est dingue, mais tout le monde le dit et tout le monde n'est pas dingue. Moi, je n'y croyais pas au début : l'idée de toi avec une salope de cet âge, ça me paraissait un peu fort quand même. Je le disais même à Muriel... Je lui disais : il ne va quand même pas se taper ça, non? Une ex-putain de Marseille, une vieille pocharde...

C'est le terme «pocharde» plus que «vieille» qui choqua Gueret. Vieille, Maria disait assez qu'elle l'était, prenait assez volontiers en public, par dérision, des mines attendries et maternelles; mais, pour Gueret, cette différence d'âge n'avait aucune importance — surtout pas dans le domaine érotique. Non, ce qui le choquait, c'était que Nicole parlât de Maria, l'autoritaire et lucide Maria, comme d'une poivrote égarée dans les ruelles d'un port, comme d'une épave. Seulement l'indignation de Nicole, sa sincérité étaient telles qu'il ne pouvait défendre sa maîtresse autrement qu'en avouant tout. Et là, sur ce point, Maria avait été formelle : il devait désavouer leurs relations, refuser les provocations, rire aux plaisanteries indiscrètes, il devait la renier, bref. Sur le coup, il avait trouvé noble, voire héroïque, venant d'elle, cette exigence. Mais maintenant il se demandait si, après tout, c'était bien sa réputation à lui qu'elle voulait ainsi défendre et non pas la sienne propre. Après tout, peut-être était-ce elle qui avait honte de lui... Sûrement d'ailleurs : puisqu'elle lui refusait son lit, son corps, cela voulait dire qu'elle n'était pas fière de leurs relations. Bien sûr, il était beaucoup plus jeune, et du même coup mieux physiquement; mais ce privilège, cette supériorité n'existaient plus nulle part dès l'instant qu'ils n'existaient pas aux yeux de Maria. «Pourtant, se disait Gueret, pourtant, bon Dieu, ça compte dans la vie, le physique et l'âge.» Nicole était autrement jolie quand même, et ce n'était pas parce qu'il s'emmerdait avec elle, ni parce que maintenant elle ne lui disait plus rien, que tout le monde avait tort : tout le monde, c'est-à-dire tous les journaux, tous les films, tous les sondages, tous les conseils, tout, quoi. Tout le monde le disait assez que c'étaient les hommes et les femmes, les gens quoi, jeunes et beaux, et marrants, et bronzés, et pleins aux as qui amusaient, qui plaisaient, qui gagnaient, qu'on aimait dans cette société. Cette société, c'était eux qui en étaient la crème ; et ce n'était pas en tout cas cette femme mal fagotée de cinquante ans passés, taciturne et dure. Seulement, pensa Gueret, et cette nouvelle évidence le frappa comme la foudre, seulement il n'en avait rien à faire, lui, des sondages. Après tout, ce n'était pas l'approbation générale qui changeait les choses. Ce n'était pas les statistiques qui empêcheraient que c'était elle, Maria, qui le faisait rire, elle, Maria, qui l'excitait.

— Tu lui reproches quoi, à Mme Biron ? demanda-t-il d'une voix pâteuse.

Il était venu à bout de ses chaussures et à présent il se glissait vers sa veste et vers la porte. Nicole triompha.

— Ta Mme Biron, elle était là avant toi, à Carvin, je te signale. Et il y avait pas mal de types de l'usine ou d'ailleurs qui la connaissaient, ta Mme Biron, et qui ne l'appelaient pas Madame. Elle n'était pas toute neuve, tu sais... Seulement, maintenant, les mêmes types sont devenus plus difficiles : la Maria, ils lui préfèrent des filles plus jeunes. Je te parle des types normaux, bien sûr...

Il y eut un silence dans lequel la voix de Gueret claqua tout à coup, chargée d'une rage incompréhensible.

— Mais, bon Dieu, qu'est-ce que c'est que cette histoire de jeunesse ?

Il avait hurlé et Nicole le regardait, ébahie, presque effrayée. Il était blanc de colère, l'air exaspéré. Exaspéré, en effet, il l'était. Il sentait trop bien que, s'il était sorti comblé du lit de Maria, il aurait pu jouer le désinvolte, en dire du mal, la renier, quoi. Mais là, repoussé par elle, il s'en sentait complètement solidaire.

— Ça veut dire quoi, la jeunesse ? reprit-il plus bas, tout en boutonnant sa veste, les doigts tremblants. Qu'est-ce que tu veux que ça me fasse, moi, que tu sois jeune ? Ça ne m'excite pas, moi. Il n'y a que les vieillards que ça excite, la chair fraîche ! tu ne savais pas ?

Elle le regardait, la bouche toujours ouverte, et sa ressemblance avec une volaille passa tout à coup à travers l'esprit de Gueret sans qu'il s'y arrêtât. Déjà, il ne la voyait plus, il ne la voyait pas. Il fallait qu'il aille voir là-bas. Il fallait qu'il aille vérifier si cette idée extravagante qu'il venait d'avoir sur Maria, sur lui-même et sur le monde en général, était fondée. Il fallait qu'il aille voir si elle était vraiment à ce point différente, insensible à tout ce qui était la morale de son temps, la mode de son temps, les critères de son temps, les conventions de son temps, les règlements, quoi, de son temps... Ah oui, il fallait qu'il aille voir si vraiment elle s'en foutait à ce point. Il se décida d'un coup, se leva, attrapa Nicole par le poignet et la poussa vers ses vêtements.

— Tu vas voir, dit-il, si elle me gêne, Mme Biron. Cette nuit, on va dormir « chez moi » pour changer. Et demain, dimanche, je dirai à ma vieille maîtresse de nous apporter le petit déjeuner au lit, hein? Ça suffira comme preuve?

Il dégringolait déjà l'escalier, et Nicole s'habillait d'abord en hâte, mais peu à peu ses mouvements se ralentissaient malgré elle. Il enfourcha sa moto d'un air vainqueur, et elle s'accrocha à son dos, courbée en avant dans une posture suppliante et effrayée qui était comme le symbole de sa nature profonde mais que Gueret, devant, ne vit pas. La nuit était claire et ils zigzaguaient sous la lune, entre les terrils, comme en plein soleil. Un peu avant la pension, Gueret se surprit à réduire les gaz et il relança le moteur brutalement, ce qui faillit vider Nicole. La poussant devant lui vers l'escalier, il pérorait, très fort, après avoir claqué la porte :

— C'est tout droit, criait-il d'une voix enjouée, la première porte à droite. Ça te plaît, ma jolie? continuait-il d'une voix égrillarde à présent, mais qui ne sonnait pas de vérité car, entrée dans la chambre, Nicole restait immobile, debout, les pieds en dedans, et visiblement au comble de la gêne. Elle regardait les photos des Caraïbes accrochées au mur, et c'est d'une voix sage qu'elle chuchota :

— Qu'est-ce que c'est que ça? Tu veux partir là-bas?

— J'aimerais bien, chuchota à son tour Gueret. Ça oui, j'aimerais bien, reprit-il d'une voix violente et fausse, une voix de mauvais acteur dans un film de cape et d'épée. Et si tu veux, je t'emmène avec moi. On vivra au soleil...

Nicole souriait, sa peur envolée, et elle se prenait au jeu.

— Quelle bonne idée, mon chéri! disait-elle, criait-elle presque d'un ton pointu de starlette. Ce qu'on serait bien, là-bas... Qu'est-ce qu'on ferait... à part l'amour? dit-elle en clignant de l'œil dans la direction du mur et en prenant une voix qu'elle trouvait peut-être voluptueuse, mais qui sembla grotesque à Gueret. Grotesque parce que Nicole était debout sur la pointe des pieds et qu'elle parlait sans le regarder, la tête tournée vers ce mur qui le mettait de mauvaise humeur, inquiet et mal à l'aise.

— Alors, on va au lit? reprit-il de cette même voix stupide. Viens ici.

Elle obéit machinalement et se retrouva assise sur le lit, à côté de Gueret qui tout à coup en la regardant ne savait plus que faire. Comment pourrait-il prendre cette petite chipie assommante dans ses bras? Comment oserait-il la faire gémir alors qu'à deux mètres, derrière cette cloison si proche Maria écoutait peut-être?... Non, elle n'écoutait pas, bien sûr, mais elle entendait sûrement, et ça, c'était effrayant à penser.

Nicole, de son côté, le regardait avec une docilité, une humilité

effrayées. Il devenait ridicule, pensa-t-il rageusement. Voilà que cette garce de Maria le rendait impuissant à présent ! C'était complet...
— Je me mets toute nue ? demanda Nicole. Et malgré lui, Gueret la regarda comme si elle eût proféré une obscénité, et Nicole rougit. Il se révolta :
— Oui, dit-il, oh oui ! j'adore te voir à poil, articula-t-il dans un dernier effort. Embrasse-moi...

Le ton était tellement faux que Nicole ne bougea pas ; mais, toujours comme dans un mauvais film, elle marqua un temps et poussa un gémissement ridicule.
— Ah toi... mon chéri... commença-t-elle sans entrain... mais... mais...

Mais la porte s'était ouverte en grand, allait battre le mur, et sur le seuil, immense dans sa robe de chambre fripée, leur sembla-t-il, Maria, décoiffée, son œil sombre devenu mat, les contemplait.
— Alors ?... dit-elle.

Nicole, machinalement, se dressait sur le lit, inclinait la tête, murmurait un «Bonjour, madame» mielleux et saugrenu tout en reculant devant elle. Mais Maria ne lui laissa pas le temps de faire des amabilités.
— Vous vous croyez dans un bordel, ici ? demanda-t-elle à Gueret d'une voix plate. Pour vos récréations, il faut aller dans le terrain vague en face, mes petits. Vous aurez de la place et moi, je pourrai dormir. Allez, dehors !
— Mais... dit Gueret bégayant, mais c'est ma chambre, ici...
— Ah non, dit Maria vivement, tapant du talon sur le plancher pour bien désigner celui-ci. Non, ici, c'est ma chambre à moi ! C'est une chambre que je loue — pas cher, d'ailleurs — à des clients, uniquement des célibataires. En revanche, dehors c'est gratuit — complètement gratuit. Aussi je vous laisse trois minutes pour y aller et me ficher le camp d'ici. J'ai sommeil, moi !

Et elle referma la porte derrière elle sans même la faire claquer, ce qui acheva d'humilier Gueret.
— Non... non, mais elle se prend pour quoi ?... Elle se prend pour quoi ?... répétait-il debout, pâle et titubant comme s'il eût reçu des coups.

Mais déjà Nicole le tirait par la manche et disait : «Viens, on s'en va» d'une voix plaintive. Ils remontèrent sur la motobécane, repartirent dans l'autre sens sous une lune impavide mais devenue translucide, au bord de l'évanouissement. Une fois devant chez elle, Nicole n'écouta même pas Gueret et ses justifications embrouillées. Elle grelottait de froid, et peut-être d'une terreur rétrospective. Elle avait la tête rentrée dans les épaules et, comme elle se tournait vers la porte, Gueret vit son dos : son dos qui exprimait quelque chose que le dos de Maria n'exprimerait jamais, mais que son dos à lui, Gueret, avait exprimé plus d'une fois et qui était l'humiliation.

— Alors, tu as vu, hein? dit-il. Quand même, tu as vu?

— Oui, dit-elle, j'ai vu.

— Tu crois toujours que c'est ma maîtresse? cria-t-il dans son dos pendant qu'elle s'éloignait.

Mais elle ne répondit pas, elle ne se retourna même pas. Et Gueret repartit une fois de plus à toute vitesse vers Maria, seul cette fois. Il allait l'insulter, la battre, peut-être la violer. Elle allait voir, cette bonne femme, à force, ce que c'est qu'un homme en colère... Il fit quelques kilomètres de toute la vitesse de son engin pour nourrir son élan des vrombissements et des accélérations du moteur.

Seulement quand il rentra, le jour s'était levé, et Maria aussi puisque la maison était vide. Et Gueret, une demi-seconde ravi à l'idée, folle, qu'elle fût jalouse, se retrouva vite en proie à l'horrible inquiétude qu'elle ne lui revînt pas.

Elle resta absente trois jours et, pendant ces trois jours, Gueret redevint un pauvre homme : il ralentit son pas, il laissa tomber sa tête et son ton, resserra sa cravate et ne dit plus bonjour au chien. Nicole le saluait à peine, Mauchant, rassuré, était encore pire que d'habitude, Gueret marchait de biais.

Ce n'est que le deuxième jour qu'il pensa à vérifier la présence des bijoux : ils étaient là, et il rit nerveusement de voir à quel point cela lui était égal.

Moralement, il se cramponna à des remèdes de pauvre homme : il arrosa les plantes et les légumes à la place de Maria, avec beaucoup d'application, mais il dormit mal. Et physiquement, il se laissa aller : pendant trois jours, mis à part la cravate resserrée presque à l'étrangler, il ne changea pas de vêtements, remettant la même chemise, le même pantalon et la même veste de plus en plus fripée.

Et ce dernier jour, vers quatre heures, Mauchant, donc au faîte de la revanche, lui faisait remarquer sa mise négligée pendant que Gueret, accablé, muet, laissait son regard flotter sur les terrils.

— Dites-moi, disait Mauchant lui aussi, après Maria, dites-moi, Gueret, vous vous croyez dans un bordel? (Décidément, pensa Gueret, lui qui n'y avait été qu'une fois dans sa vie, on le traitait à présent comme un grand pensionnaire.) Vous ne pourriez pas vous soigner un peu? Ce n'est pas une porcherie, ici. Mais vous n'avez peut-être pas d'autre veste, après tout, monsieur Gueret. Votre vestiaire...

Mauchant s'arrêta. Quelque chose dans la position de Gueret l'alertait. Ce paltoquet s'était redressé, raidi, et son visage figé semblait fasciné par les terrils. Mauchant y jeta un coup d'œil, machinalement, mais il n'y vit rien, à part une petite fumée blanche qui surgissait d'un toit, au fond à gauche. Aussi ne comprit-il pas lorsque Gueret se mit debout, l'air épanoui et autoritaire soudain, et lorsqu'il le repoussa violemment de la main, comme un objet, pour se jeter vers la porte.

— Gueret! hurla Mauchant, Gueret, revenez ici!

— Foutez-moi la paix, hein! dit Gueret, sans même se retourner vers son bourreau à nouveau impuissant.

Et quand Mauchant, se pencha à la fenêtre, pour l'insulter, la moto de Gueret volait déjà en direction de la fumée blanche.

Maria s'était· fait coiffer, elle avait un manteau neuf, et elle était légèrement maquillée, mais cela Gueret ne le vit qu'après : à peine arrivé et laissant tomber sa précieuse machine, il avait en deux pas traversé la cuisine et pris Maria dans ses bras, sans la regarder, avec une telle décision qu'elle s'était laissé faire. Il avait la joue sur ses cheveux, il ne bougeait pas, il écoutait son cœur battre à grands coups contre celui de cette salope, cette salope qui l'avait empêché de dormir, qui l'avait obsédé trois jours et trois nuits. Il n'était pas question de l'engueuler ni de la battre, il n'était même plus question de lui poser des questions : elle était rentrée, elle ne se débattait pas contre lui, tout allait bien. Son cœur se calmait à présent, et il eut un petit soupir de soulagement.

— Ce que j'ai eu peur, dit-il.

Elle s'agita un peu contre lui sans relever la tête, inerte mais docile.

— Peur de quoi?

Sa voix était étouffée par la veste de Gueret; il la tenait si serrée qu'elle ne pouvait pas le voir. Aussi put-il dire sa phrase, et elle l'entendre, sans se mettre à rire ni l'un ni l'autre.

— Eh bien, tiens : j'ai eu peur que tu me livres aux flics, dit-il en souriant.

LE SAMEDI suivant, ils prirent le car pour Lille et, pendant tout le trajet, Maria refusa de répondre aux questions de Gueret. Calée dans son siège, les deux mains croisées sur son sac, dans son manteau noir usé, elle avait vraiment l'air d'une campagnarde roulant vers la ville avec son grand fils. A peine descendue du car, elle héla un taxi — luxe nouveau — d'un geste naturel qui épata Gueret.

— Rue des Hongrois, 23, dit-elle en se laissant tomber sur la banquette.

— Qu'est-ce qu'on va fiche rue des Hongrois? chuchota Gueret.

— Tu vas voir.

Elle referma les yeux d'un air excédé, mais elle souriait malgré elle.

Le 23, rue des Hongrois était une vieille maison de pierre sise dans un quartier huppé de Lille, avec un porche solennel, un blason au fronton, et une grande cour pavée sur laquelle s'ouvrait une petite porte. Maria l'ouvrit, alluma en entrant, et aussitôt alla ouvrir la fenêtre au fond de la pièce. Gueret se trouvait dans un living-room cossu, meublé avec un mauvais goût tapageur, moitié Arts déco, moitié colonial : un canapé en cuir noir, des lampes en acier modernes — ou qui l'avaient été —, des glaces oblongues et deux poufs de style marocain ; le tout très prétentieux et très laid mais qui sembla aussi luxueux à Gueret qu'il l'avait semblé à Maria. Elle s'était retournée, et son regard d'abord anxieux devint très vite triomphant lorsqu'elle vit l'air béat, ébloui de Gueret.

— Alors, qu'est-ce que tu en penses ? Nous voilà locataires, mon petit.

Elle brandissait une clé.

— Ah, dis donc, c'est un peu chic, cet endroit... dit Gueret, toujours immobilisé sur la moquette bordeaux.

— Eh bien, assieds-toi. C'est du cuir de Russie, mais c'est fait pour s'asseoir quand même, dit-elle en désignant le canapé.

Gueret s'assit avec précaution, étira ses jambes et tout à coup posa ses pieds sur le cuir de Russie, et la cigarette au bec, l'air désabusé, jeta un coup d'œil canaille vers Maria. Il l'interpella d'une voix de tête :

— C'est pas mal chez vous, ma petite poulette, dit-il, vous n'auriez pas un doigt de porto en plus, avec des chips ?

Maria était généralement peu sensible aux plaisanteries de Gueret, mais là elle enchaîna naturellement, et avec une révérence :

— Que Monsieur ne se dérange pas, dit-elle. Surtout pas.

Et elle sortit de la pièce, fit claquer des portes, revint vers Gueret, un verre à la main.

— Tiens, dit-elle, c'est du Martini, je n'ai pas pensé au porto, mais tu en auras samedi prochain.

— Samedi prochain ? Tu as loué pour longtemps ?

— Six mois, le temps que Gilbert liquide le reste. Mais tu n'as pas tout vu... Viens.

Gueret la suivit jusqu'à un minuscule jardinet fraîchement retourné, puis vers une chambre déjà faite. Il y avait un lit immense, avec un dessus-de-lit en satin noir incrusté de fils dorés, deux lampes de bureau orientables sur les tables de chevet en bois de rose, et une coiffeuse en chrome où se reflétait la salle de bains, elle aussi étincelante. Épaté, Gueret jetait autour de lui des coups d'œil stupéfaits.

— Tu verras l'autre chambre après, dit-elle, mais d'abord essaye ça.

Elle ouvrit un placard et sortit une chose sombre qu'elle lui jeta dans les bras.

— C'est un smoking, dit-elle. J'ai aussi acheté une robe pour moi. On avait bien parlé de faire la nouba, non ? Alors, ce soir, on la fait ;

après, on rentre coucher dans notre pied-à-terre, chez nous; demain matin, on dort; et puis, le soir, on repart pour les Glycines. Ça te va?
Elle parlait d'une voix basse, mesurée, mais ses yeux brillaient de plaisir et d'orgueil. Elle avait quelque chose d'enfantin tout à coup.
— Tu parles, ça me va! dit Gueret enthousiaste. Tu parles...
Il tenait le smoking devant lui et il se regardait dans le miroir en haussant le menton et en bombant le torse.
— Tu parles si ça me va!... Toute la semaine, il pourra bien brailler, Mauchant, moi je penserai à la rue des Hongrois.
Maria broncha. Le match Mauchant-Gueret l'exaspérait: elle s'étonnait, chaque fois, que Gueret ne l'eût pas encore assassiné dans un coin sombre de l'usine. Gueret, pour changer de sujet, enleva sa veste, mit celle du smoking.
— A nous deux, la nouba! dit-il. Ça va valser ce soir à Lille...

Quelques heures plus tard, ça valsait, en effet, à Lille, dans une boîte du même style que leur pied-à-terre. Maria, décoiffée, chantait *Mélancolie*, un air des années quarante, tandis que Gueret, légèrement ivre, hilare, se raccrochait à une entraîneuse. Des bravos légèrement rigolards, ou légèrement attendris, saluèrent l'exploit de Maria. Gueret, ayant applaudi à tout rompre, tenta de la traîner sur la piste mais elle refusa; elle s'était mise copine avec le pianiste chef d'orchestre, ils parlaient ensemble des succès de l'après-guerre, ils évoquaient des airs nommés *Gypsy*, *Sentimental Journey*, *Star Dust* inconnus de Gueret qui se retrouva une fois de plus en train de danser avec l'entraîneuse.
— C'est ta mère ou quoi, la chanteuse? demanda la fille.
— Ma tante, dit-il entre ses dents.
C'était sa variante à la consigne de Maria. Le mot « tante » gardait un vague romanesque pour lui par rapport au mot « mère ».
— On sort avec sa tante, à ton âge?...
Gueret haussa les épaules.
— Elle a de bons côtés...
— Tu peux me dire lesquels? C'est convenable, au moins?
La fille était ironique et agressive; elle avait trop bu, elle ricanait, et Gueret se sentit agacé.
— Alors, qu'est-ce que tu lui trouves à ta tante, hein? Ta tante comment d'abord?
— Maria, dit-il machinalement. Enfin, Marianne, reprit-il.
Ils avaient décidé aussi de porter des faux noms, sans grande nécessité : dans leur vie étroite, qui aurait pu les reconnaître dans cette ville refermée sur ses notables? Qui aurait pu les reconnaître dans ce bistro style Pigalle? Mais Maria avait voulu qu'il s'appelle Raoul — nom qu'il trouvait rastaquouère. Il aurait préféré quelque chose genre

« François-Xavier », ou « Sébastien », un nom romanesque, quoi. Mais Maria avait refusé sous prétexte d'initiales, et il s'appelait Raoul à présent, au lieu de Roger. D'ailleurs, il y avait bien vingt ans, depuis la mort de sa mère, qu'on ne l'appelait plus Roger. Tout le monde l'appelait Gueret — à part Nicole qui l'appelait mon chou, mon chéri, mon minet et autres sottises, et Maria qui ne l'appelait pas du tout.

— Et alors?... (La fille s'était arrêtée de danser, elle empestait l'alcool, vraiment...) Alors, tu accouches? Qu'est-ce qu'elle a, tante Marianne, de marrant? C'est quoi, ses bons côtés? Tu veux que je lui demande?

— Non, dit-il, vaguement inquiet. Non, je te l'ai dit, elle est marrante, elle me fait drôlement rigoler, quoi, c'est tout.

La fille le dévisagea, incrédule. Elle se mit à sourire tout d'un coup et ouvrit la bouche sur un flot d'insanités, de plus en plus véhémentes, et qui arrêta les danseurs autour d'eux

— Elle te fait marrer? Alors ça! Avec ses chansons mélancoliques, ses mélos et ses taffetas, elle te fait marrer, ta tante Marianne?... Dis donc, tu serais pas plutôt son gig, à la belle Marianne? Hein?

Pour comble de malheur, la musique s'arrêta et Gueret se retrouva au centre de la piste, entouré de danseurs sarcastiques. Il chercha Maria des yeux, ne la vit pas. Il commençait à paniquer; il essayait vaguement de mettre ses mains dans ses poches pour avoir l'air plus dégagé, mais elles ne rentraient pas dans son smoking trop étroit, et il finit par les mettre dans son dos. La fille était en pleine hystérie :

— Vous savez qu'il est drôlement marrant, le nouveau minet! criait-elle. Vous savez qu'il trimballe toutes les nuits tante Marianne, la chanteuse de mélancolies. Ça se passe comme ça, à la campagne : même après trente ans, on emmène tantine faire la nouba. C'est pas au poil, ça?

Gueret était rouge. Il fit un signe vers Maria, enfin retrouvée, mais la fille le vit :

— Ça y est!... commença-t-elle. Voilà le paysan qui pique un fard... C'est délicat, c'est sensible tout ça. Alors, où elle est, tantine?

— Je suis là, dit la voix paisible de Maria, et écartant d'un geste les couples goguenards, elle vint vers la fille qui recula imperceptiblement.

— Je vous disais bien qu'elle était là, la tantine...

— Et alors, ça te dérange?

Maria avait parlé à voix basse, mais d'une voix sifflante, dangereuse, qui un instant arrêta la fille. Et elle se serait peut-être arrêtée pour de bon si un type un peu bronzé, aux lunettes noires, suivi d'un balèze couvert de carreaux vert pomme n'était arrivé derrière eux.

— Alors, dit l'homme aux lunettes, on t'embête, ma jolie?

Il avait pris la fille par le cou et il affectait de ne pas regarder Gueret qui, sortant de son mutisme, essaya d'arranger les choses :

— C'est une erreur, dit-il, mademoiselle voulait plaisanter, on avait mal compris. Ce n'est pas grave.

Il s'efforçait de sourire, mais il se sentait inquiet : ces deux mecs lui faisaient un sale effet, c'était des mecs à histoires ; la soirée tournait mal, il avait trop bu pour savoir que faire ; c'était différent, ici, du café des « Trois Navires ».

— Allez, viens, on se tire, dit-il à Maria. Il est tard, non ?

Elle ne répondit pas ; elle regardait le type à lunettes.

— Faudrait faire des excuses avant de partir, dit celui-ci.

Et il souffla la fumée de sa cigarette dans l'œil de Gueret qui recula la tête. Quelqu'un se mit à rire derrière eux, et Maria fit un pas en avant vers le mariolle qui, lui aussi, recula involontairement. La foule s'était arrêtée de rire soudain ; et c'était la curiosité qui régnait et non plus la raillerie.

— Dis donc, le gangster de province, dit Maria de la même voix mate que tout à l'heure, tu vas nous foutre la paix ? Les gangsters d'opérette, ça ne m'amuse pas, moi. Je vais te dire : les durs, j'en ai connu des vrais, moi, à Marseille, des sérieux... D'abord ils foutent la paix aux clients, deuxio, ils sont polis avec les femmes, tertio, ils n'ont jamais de chemise sale, ni les ongles crasseux, ni des rouflaquettes de tante... Tu me suis ? Alors, pousse-toi, hein ? On viendra voir si tu as fait des progrès, mon neveu et moi, dans quelques années... Mais trotte-toi, hein ? Tu n'as pas quinze ans, mon petit vieux...

Le type avait essayé de la couper, en vain, et il était blanc à présent. Les rires avaient changé de camp autour d'eux, et il s'effaça machinalement devant Maria et son œil d'aigle ; mais, dès qu'elle eut tourné le dos, il se rejeta vers Gueret qui lui avait emboîté le pas un peu tard.

— Alors, dit-il, ça te fait rigoler tout ça, hein ?

Dans le même temps, il lui lança un coup de pied dans le genou et un direct à l'estomac. Gueret, stupéfait, se plia en deux, reçut un autre coup de pied dans les côtes et roula à terre. Le type était déchaîné. Il lui filait coup sur coup en le poussant vers la porte, et Gueret, aveuglé, le nez en sang, se bornait à des gestes défensifs et maladroits. Il atterrit dans l'entrée, y roula, et le demi-sel, avec l'aide du portier, le jeta dehors et referma la porte sur lui. Gueret se retrouva aux pieds de Maria.

Elle était debout dans l'aube, sur le pavé violet, elle le regardait de haut et elle semblait inclinée vers tout autre chose que la compassion. Il avait mal aux côtes et il saignait du nez, il avait mal au cœur aussi. Il s'appuya du dos contre la porte, tenta de se redresser.

— Alors ? dit-elle.

Gueret se laissa retomber, mit la main devant son visage, regardant le sang sur ses doigts, et essuya sa main sur son pantalon. Puis il rejeta la

tête en arrière, respira longuement, les yeux clos. On entendait un tango
sortir de la boîte.

— Ça sent bon... dit-il tout à coup, ça sent la campagne.

— Ça ne te gêne pas d'avoir été rossé?

Maria était toujours debout, immobile comme un juge. Gueret se
sentait très loin d'elle, très loin de ces bagarres, très loin de tout.

— Non, dit-il tranquillement, non, ce n'est pas important...

— Qu'est-ce qui est important?

La voix de Maria était brutale, à peine intriguée.

— L'important, dit Gueret, c'est qu'on est bien, à cette heure-ci. La
musique est bonne... C'est beau, cette rue déserte... On va rentrer dans
notre jolie maison, on va dormir ensemble, c'est ça qui est important.

Il parlait doucement, d'une voix virile, très assurée, et la femme en
face de lui s'agenouilla presque pour le regarder de près : sa colère était
devenue une interrogation passionnée.

— Je n'y peux rien, dit-elle. Moi, un type, il faut que je le respecte.
Je veux un type libre et qui dise merde : merde aux affreux, merde aux
braves gens, merde aux gangsters, un type qu'on respecte, tu
comprends?

— Tu te sentirais mieux si je l'avais tué, demanda Gueret d'une voix
douce. Tu es vexée, non?

— Oui, dit-elle. J'ai honte.

Il avait laissé tomber sa tête sur le côté, il ne la regardait pas, une
mèche de ses cheveux lui tombait sur l'œil, il avait l'air blessé et
indifférent. « Il est beau », pensa-t-elle pour la première fois.

— Je ne suis pas un type que l'on respecte, dit-il avec lenteur; je ne
l'ai jamais été, « respecté »; ni à l'école, ni chez moi, ni à l'usine. Les
gens me traitaient mal et ils continuent.

Maria s'était penchée sur lui. Elle l'avait pris par le menton et elle
essayait de ramener son visage en face du sien et de voir ses yeux, mais
il refusait; il parlait sans la regarder.

— Oui, mais toi, dit-elle, un soir, tu t'es révolté, non? Tu as dit
merde aux autres, à l'usine, aux terrils, à la loi : tu as tué... Tu as fait ça
une fois au moins...

— Tu crois?

Il avait l'air songeur, soudain, et elle se releva essoufflée, fatiguée. Il
lui semblait qu'ils s'étaient dit quelque chose qu'ils n'auraient pas dû se
dire, et elle avait l'impression de n'avoir pas eu le dernier mot. Elle était
passée du mépris et de la colère contre lui, de la rage aussi, à un
sentiment ambigu qui ne ressemblait à rien d'éprouvé jusque-là.

— Tu viens? dit-elle durement pour se rassurer.

Gueret s'était relevé et il époussetait sa manche soigneusement.

— J'ai une tache, dit-il, quelle barbe !

Il semblait plus soucieux de ce smoking taché que de s'être fait rosser devant sa maîtresse, et un coup de colère la secoua à nouveau.

— Alors, tu viens ? Tu feras le joli cœur ailleurs !

Il la regarda et sourit avant de dire :

— Mais non, voyons, il faut que j'en finisse avec ces zèbres...

Et il se tourna vers la porte, l'ouvrit et disparut dans la boîte avant qu'elle ait pu réagir.

Maria resta seule à la porte, résistant à la vague idée de rentrer à son tour, de le suivre, puis elle s'appuya au porche noir qui devenait gris avec l'aube. Elle respira à fond pour calmer quelque chose en elle qui s'énervait, et s'étonna de remarquer qu'effectivement le vent sentait bon dehors...

Gueret s'était immobilisé un instant, dans la pénombre, loin du bar, les jambes molles. On ne l'avait pas vu entrer et il entendait les voix coléreuses de ses adversaires, accoudés au bar. Le costaud à carreaux avait une voix ironique, et le faux dur sadique s'énervait.

— C'était pas la peine de le bourrer de coups de pied, disait le malabar. T'as bien vu qu'il ne savait pas se battre... Tu es un peu salaud, mon joli, quand tu es vexé.

— Pourquoi je serais vexé, hein ?

La voix de celui que Gueret appelait le gangster d'opérette, désormais, était haut perchée. Elle avait peut-être raison après tout, Maria, en parlant de ses rouflaquettes de tante... « Elle a de bonnes expressions quand même », pensa Gueret, et un rire silencieux le secoua. Il avait envie de rire d'ailleurs, de tout. Car c'était drôle à force...

Qu'est-ce qu'il fichait là avec ce sang séché qui lui bouchait le nez, et ses côtes qui lui faisaient mal, et ces pauvres types qui parlaient de lui, au bar, comme s'ils n'avaient que ça à faire, à cette heure-là ? Il était devenu le centre d'intérêt, se dit-il avec dérision ; et un sentiment de supériorité, tout à fait déplacé chez un type qui venait d'être rossé de la sorte, l'envahit. Il allait se faire de nouveau casser la gueule, et il rentra l'estomac à cette idée, là où ça faisait encore mal. Pour une fois il ne se demandait pas ce qu'il allait faire, ni pourquoi il allait le faire, ni ce que les gens en diraient ; simplement, il allait faire ce qu'il avait envie et besoin de faire. Il se sentait libre, éprouvait un sentiment vif et grisant, une sorte d'exaltation tranquille, qui était le sentiment de la liberté, et qu'il reconnaissait comme tel, bien que ne l'ayant jamais ressenti. Il était marrant que sa liberté consistât à se faire bourrer de coups de pied..., pensa-t-il en s'avançant dans la lumière.

La fille, la teigneuse, le vit la première et elle poussa un glapissement qui fit se retourner les autres. Les gens dans la salle ne les voyaient pas. Au bar, sur les tabourets, étaient assis le videur, le malabar et le sadique, plus la fille, c'était tout ; et Gueret en fut soulagé. Tout le temps de cette bagarre ridicule, il avait eu plus peur des visages anonymes et effrayés des clients que de ceux, plus précis, de ses trois adversaires.

— Alors ça... dit le portier, il en reveut...?

Il descendit de son siège en disant cela, et le faux dur aussi; le malabar, lui, assis à son bar, avait tourné la tête et le regardait, avec sympathie, sembla-t-il à Gueret.

— Qu'est-ce que tu fais là, mon pote, dit-il, hein? Tu devrais aller te coucher, amoché comme tu es...

Gueret s'était arrêté à un mètre d'eux, et il les regardait avec ce qu'ils durent prendre pour de l'indécision, car le sadique, un instant déconcerté, reprit du mordant:

— Mais non, dit-il, laisse-le. S'il est maso, je vais l'aider, moi. Tu permets? Je tiens à mes costumes, moi...

Il enleva sa veste et la jeta d'un geste nerveux à la fille qui, distraite ou fascinée par Gueret, la laissa tomber. Il ouvrit la bouche pour l'insulter mais, jugeant qu'il n'avait pas le temps, il se mit en position de· boxeur, le poing gauche en avant, le poing droit devant le visage, «comme dans un film», pensa Gueret qui se balançait légèrement sur ses pieds, les bras le long du corps. Il se sentait à mille lieues de là, et paresseux, tellement paresseux...

— Tu feras ta petite démonstration sans moi, dit le malabar. Je te préviens, Stéphane, tu te démerdes sans moi, ce coup-ci.

— Et sans moi, dit le portier.

Ils avaient l'air un peu distants, un peu dégoûtés, et le nommé Stéphane leur jeta un coup d'œil incrédule d'abord, puis furieux.

— Je n'ai pas besoin de vous, dit-il. Alors tu viens, le cul-terreux, oui? Tu te décides?

— Voilà, dit Gueret docilement.

Et il fit deux pas, reçut le poing droit de l'autre sur le flanc droit, le poing gauche à l'angle de la joue, mais cela ne l'arrêta pas et il attrapa l'autre à la gorge. Il tenait entre ses mains quelque chose qui gigotait, quelque chose entouré d'un tissu soyeux... «une chemise sale», se rappela-t-il confusément en fermant les yeux, tandis qu'il recevait une grêle de coups partout sur le corps, dont il s'étonnait de ne pas souffrir. Il sentait l'impact mais pas la douleur; d'ailleurs il était si près de son adversaire, et si cramponné à lui que ces coups devenaient mous, incertains, de plus en plus faibles. Il serrait sans conviction, lentement, juste pour que cette chose trop agitée et un peu répugnante dans son agitation ne lui échappe pas. C'était long de se battre... ça n'en finissait pas. Il s'ennuyait presque à présent que les coups avaient complètement cessé, qu'il entendait des voix perçantes autour de lui, que les autres, malgré leurs promesses, s'en mêlaient, qu'on le tirait en arrière, qu'on essayait de lui arracher son adversaire, que la fille hurlait, qu'on le secouait avec furie et que la manche à carreaux du malabar passait devant ses yeux et qu'une main grossière se cramponnait à ses propres doigts, les levait un par un, les retournait, et les arrachait de la chemise sale.

Il résistait, et il aurait pu résister plus longtemps si la chose qu'il tenait si fermement n'était devenue molle, lourde, aussi répugnante dans son abandon qu'elle l'avait été dans sa frénésie. Tout ce temps-là, il avait eu le visage enfoui dans une chose noire, luisante et qui empestait la brillantine : le crâne du faux dur. Et, lorsque celui-ci tomba, Gueret se retrouva à la lumière, les yeux clignotants, entendant enfin la rumeur et les clameurs qui gonflaient le bar et qui lui parurent ridicules et mélodramatiques. Quelqu'un l'avait poussé, et il était appuyé au bar, son nez saignait de nouveau ; il regardait des gens s'agiter au-dessus de quelque chose par terre, quelque chose qu'il reconnut être le faux dur à ses chaussures pointues et trop brillantes — chaussures qui l'avaient frappé plusieurs fois, tout à l'heure, quand il était par terre devant la porte. Le malabar ne lui en voulait plus, semblait-il, bien qu'il lui eût sauvagement retourné les doigts, et il tirait Gueret vers la porte. Ils durent s'effacer pour laisser passer deux types inconnus, affolés, qui transportaient par les pieds et par les bras son adversaire, la tête en arrière, inerte. Et, au passage, Gueret vit sa gorge, et l'empreinte rouge et vilaine qui la barrait. «Je l'ai peut-être tué», pensa-t-il distraitement et sans la moindre gêne.

La porte ouverte, ils sortirent, et l'air du matin apparut à Gueret comme faisant partie d'un rêve aussi improbable que sa soirée tout entière.

Il entendit aussi la voix de Maria qui demandait : «Il est mort?», sans aucune intonation de crainte, ni de plaisir. Il entendit la voix du malabar dire : «Tire-toi, maintenant», et il se massa les doigts une seconde, s'étonnant de les trouver si gourds. Il avait eu raison, tout à l'heure : ça sentait vraiment la campagne... Et il ne put s'empêcher de le faire remarquer à Maria qu'il distinguait très bien, maintenant : le visage fatigué, le front lisse et l'air un peu boudeur dans le matin — Maria qui, pour une fois, reconnut qu'il avait eu raison et qui, comme il insistait, avoua même que ça sentait le foin coupé...

Il s'était endormi, à peine couché, sur le lit de damas brodé ; il n'avait même pas senti Maria lui desserrer ses chaussures ni lui ôter son smoking. Il se réveilla vers onze heures, la bouche sèche, et se demanda d'abord où il était. Le jour passait par les stores métalliques 1930, et ce qu'il vit tout d'abord, accroché à l'espagnolette sur un cintre, ce fut son smoking qui tournait lentement sur lui-même comme un être humain.

La robe de Maria, elle, gisait par terre et il y avait des taches de sang en relief brunâtre sur le tissu sombre. Torse nu, les yeux ouverts sur ces murs inconnus, Gueret avait croisé les mains derrière sa nuque et il promenait un regard intrigué, amusé, sur ces vêtements épars et maculés, les débris de leur soirée. Une soirée dont il ne se rappelait plus grand-chose d'ailleurs, et il se tourna vers la masse sombre à l'autre bout du grand lit pour lui poser des questions; mais ce qu'il avait pris pour Maria dormant n'était qu'un amas de couvertures crochetées, en paquet dans ce coin sombre. Gueret, inquiet, se redressa, écouta, et finit par entendre la radio jouer à côté, en sourdine. Rassuré, il se leva un peu trop vite, et poussa un gémissement : on lui avait rompu les os, décidément, la veille. Il se vit alors dans la glace, le grand miroir plat de l'armoire et eut un haut-le-cœur : Maria lui avait laissé son caleçon long pour dormir, mais son torse, ses cuisses étaient couverts de bleus virant au noir, et, de profil, son nez était rouge et enflé à droite, ainsi que sa lèvre supérieure.

Ç'avait été une drôle de bagarre, pensa-t-il, et il eut un petit sourire satisfait. Avant de passer dans le salon, il y jeta un coup d'œil et s'arrêta. Maria était assise sur le sofa de cuir de Russie, tournée vers la porte-fenêtre ouverte sur ce jardin inoccupé, et elle fumait, la main posée sur le poste de radio, immobile, les yeux rétrécis. Il était rare que Gueret la voie ainsi sans qu'elle le voie, rare qu'il la surprenne au naturel, bien qu'elle ne soit jamais affectée. C'était rare et, sembla-t-il à Gueret, probablement secret car seule elle n'avait pas la même expression qu'avec lui. Elle avait l'air plus triste et plus pensif; plus vague... Gueret ramassa sa chemise de smoking sur le lit et se la mit sur le dos; Maria riait souvent de ses pudeurs idiotes.

Après avoir crachoté, la radio jouait maintenant une musique solennelle et sentimentale à la fois, jugea-t-il, une musique de dimanche, une musique qui rendait son entrée, pieds nus, ridicule; et il vit en effet Maria sursauter et mettre ses pieds sur le plancher, se dresser comme surprise en l'apercevant.

Ils se regardèrent un instant, puis se sourirent poliment. Lui était gêné sans savoir pourquoi et pour une fois elle aussi, semblait-il. Mais gênée de quoi ?...

— Tu ne dors plus ? dit-elle. Dis donc, tu t'es bien arrangé... Viens ici, viens voir...

Gueret se tenait debout devant elle, comme à l'inspection. Elle lui avait écarté sa chemise et elle lui tâtait les côtes, les muscles des jambes, l'omoplate d'une main experte et neutre. Par moments, elle sifflotait devant un bleu plus bleu que les autres et disait : « Tu as mal, là ? et là ?... » Il se laissait faire, béat. Il adorait qu'elle s'occupe de lui comme ça. Il n'arrivait pas à décider si c'était des gestes de mère ou de maquignon, en tout cas c'était des gestes d'une femme soignant son mâle après la bagarre. Et lorsqu'elle le congédia, lui tapotant le flanc d'une manière très cavalière cette fois, il soupira.

— Le café est sur le feu, dit-elle. Tu m'apportes une tasse en même temps ?

Dans le réduit nickelé qui s'appelait cuisine, Gueret versa deux tasses, les doigts tremblants. Il avait les jointures gonflées, remarqua-t-il, et il suça ses doigts comme un écolier avant de se rappeler le pourquoi de ces enflures. Alors, ses deux mains se mirent à trembler si fort qu'il dut reposer les tasses en vitesse. Il s'appuyait au mur, terrifié. Il ouvrait et refermait ses larges mains et ses doigts inconnus sans parvenir à se rappeler si oui ou non il avait serré quelqu'un à la gorge la veille, jusqu'à le tuer. On lui avait arraché ce type, il l'avait vu passer, porté par deux hommes, les bras et les jambes épars, la gorge barrée de noir... Était-il mort ? Il ne se rappelait pas. Il ne se rappelait rien de précis ; il n'y avait qu'à Maria qu'il pût s'adresser et il n'osait pas. Quand on larde de dix-sept coups de couteau, pour du fric, un homme qui ne vous a rien fait, on ne s'affole pas d'avoir à demi ou complètement étranglé un malfrat qui vous cherchait des crosses. Ça n'allait pas dans la théorie, ça n'allait pas... Et il rentra, les jambes molles, dans le salon, posa sa tasse devant Maria et, pour échapper à son regard, alla se pencher sur le jardin, c'est-à-dire sur le bout de terre qui en tenait lieu. Cette terre fraîchement retournée devait couvrir trois mètres sur deux. «Les dimensions exactes d'une tombe», se dit-il aussitôt dans un réflexe morbide, et il se mit à parler haut et fort vers Maria.

— Tu veux faire des plantations, là aussi ? Qu'est-ce que tu mettras ? Des pois de senteur ? J'aime bien les pois de senteur...

Elle répondait de loin, expliquant l'exposition de cette terre, parlant d'humus, d'engrais, de pousses, et, caché par les stores, Gueret regardait ses mains, regardait sa chemise, ses bras comme si, quelque part, un signe quelconque eût pu lui confirmer son crime. La voix de Maria lui parvint enfin par-dessus la musique, tout à coup très claire. -

— J'ai écouté Radio-Lille ce matin, tu m'entends ? Les bonnes gens ont bien dormi à Lille, figure-toi. A part une pharmacie cambriolée et un incendie chez l'épicier, la nuit a été calme pour les Lillois. Tu m'entends ? Réponds...

Gueret avait fermé les yeux de soulagement, et il mit un instant à répondre d'une voix distraite : «Oui, oui, je t'entends, tout va bien à Lille», avant d'ajouter avec conviction en rentrant dans la pièce :

— Décidément, je crois que ce serait très joli, les pois de senteur...

Elle le regarda traverser la pièce et déclarer d'un ton joyeux :

— Je vais tremper mes bleus dans la baignoire rose, tout en riant de sa plaisanterie d'un rire qu'elle ne méritait pas.

Elle le suivit des yeux, l'air toujours vaguement soucieux.

Le fils de l'usine Samson, Francis, celui qui roulait en décapotable et qui mettait des foulards dans ses chemises pour aller travailler, avait été sommé par son père de s'occuper davantage de l'usine et moins des boîtes de nuit parisiennes. Ce jour-là, le jeune dandy avait traversé la cour à midi et, voyant Gueret, il avait adressé un : « Alors, ça va Gueret ? » des plus amicaux et des plus inattendus. Maurice, le petit sous-fifre de la comptabilité, celui que les coups de colère de Gueret réjouissaient tant, avait ri en voyant son expression ahurie.

— Vous savez pourquoi il vous a à la bonne, monsieur Gueret, Samson le jeune ? A cause de Mauchant...

— A cause de Mauchant ?

Gueret n'y comprenait plus rien. Malgré la vie bizarre qu'il menait depuis quelques semaines, l'usine restait à ses yeux souveraine, indestructible ; c'était l'État.

— Oui, à cause de Mauchant. Il s'est plaint de vous, forcément, mais à Samson le jeune ; et il a parlé de... (le petit commis rougissait, baissait la tête) de votre logeuse... finit-il par dire à voix basse. Il lui a dit que cette femme était plus vieille que vous... et que vous n'étiez pas normal. Alors, comme Samson le jeune a une maîtresse de quarante-cinq piges, vous parlez... il s'est fait recevoir, Mauchant. Lui qui voulait le poste de Le Hideux qui va avoir droit à la retraite, c'est pas cuit...

Gueret, quoique amusé, ne songea pas un instant à raconter ces péripéties à Maria. Tout ce qui était l'usine l'ennuyait. En revanche, son jardin...

Il devait revenir au galop tous les soirs pour l'aider à bêcher la terre, mais ce même jour, elle était déjà au travail quand il arriva. Elle lui fit un vague salut de la main quand elle le vit, suivi du chien, et il comprit en lui jetant un regard furtif qu'il valait mieux se tenir tranquille. Il bêchait depuis dix minutes quand elle le héla.

— Dis donc, je ne t'ai pas dit, j'ai une lettre de Gilbert. Dans un mois, le type de Marseille sera là avec le fric.

— Ça alors... dit Gueret en se redressant et en se massant le dos, dans un mois ? Eh bien, dis donc, ajouta-t-il avec un rire, tu n'en profiteras pas longtemps de tes fleurs... (Il désignait les pousses devant lui, éparpillées dans la terre.) Tu les verras une semaine, pas plus !

Elle ne répondit pas, semblait distraite.

— Alors, on laisse tomber ? dit-il, encouragé par ce silence. Ça ne sert à rien tout ça. On ne va pas les emmener avec nous, ces fleurs...

— Eh bien, moi, justement, je n'aime que ça, dit-elle sèchement, ce qui ne sert à rien. Et, si ça t'emmerde, personne ne t'y oblige.

Elle replanta sa bêche, et Gueret, après un haussement d'épaules, allait l'imiter lorsqu'elle se tourna vers lui :

— D'ailleurs, tu n'as pas tort : les fleurs, c'est passionnel. Elles le comprennent si on ne les aime pas. Tu pourrais les faire crever. Va plutôt chercher du vin chez Gerrier avec ta bécane. J'ai oublié d'en prendre.

Gueret, soulagé, posa sa bêche tout en protestant vaguement, pour la forme.

— Je ne vois pas pourquoi je les ferais crever, tes fleurs. Elles m'ont plutôt à la bonne.

— Tiens et pourquoi ? demanda-t-elle d'une voix sarcastique.

Mais déjà, il avait enfourché sa moto et se précipitait sur le chemin. Dans le virage il faillit renverser un autre engin, celui de Mme Rousseau, la seule voisine à qui Maria daignait sourire et dire bonjour. La malheureuse poussa un piaillement aigu, freina et dérapa jusqu'à Maria en klaxonnant comme une perdue, tandis que Gueret s'éloignait.

— Eh bien, dites donc... dit-elle en mettant le pied par terre, ce qu'il m'a fait peur, votre locataire ! J'ai les jambes toutes molles...

— C'est un sauvage, dit Maria d'un ton bref.

S'étant essuyé le front, la grosse Mme Rousseau se remettait courageusement en selle.

— C'est un sauvage, mais un bon garçon, rectifia-t-elle. Quand même, il s'est bien occupé de vos fleurs, matin et soir, quand vous étiez partie, il y a quinze jours. Je le voyais les arroser de chez moi. Ce n'est pas un mauvais locataire, on peut pas dire. Allez, à bientôt...

Et elle partit, laissant Maria stupéfaite, sa bêche à la main. Elle regardait alternativement le chemin où était partie l'une et où allait revenir l'autre, elle regardait l'imperméable de Gueret accroché au portail, et les fleurs. Elle enleva lentement ses pieds des lourds sabots de jardinage, son fichu noir de sa tête et rentra dans la maison.

Détachant son tablier au passage et l'accrochant au coin de la cheminée, elle ouvrit un placard, tira un verre et une bouteille de Martini blanc sec, son apéritif favori, s'en versa une rasade, puis une autre, rêveuse. Le verre à la main, elle s'approcha de la cuisinière et remua une cuillère de bois dans la casserole, comme à regret, sans la voir. Ses yeux remontèrent le long du mur jusqu'à une glace de Prisunic accrochée par un clou, et elle y croisa son propre regard. Elle resta figée en face d'elle-même, les traits immobiles, avec une expression un peu hostile, froide. Sa main abandonna la cuillère, remonta jusqu'à son menton, puis ses cheveux qu'elle souleva et fit bouffer un peu d'un geste léger mais sans application, sans intérêt visible. En face d'elle, le visage restait inerte, lointain, c'était le visage de l'ennui et de l'indifférence mêmes. Aussi les yeux clairs et fixes sous les paupières orgueilleuses eurent-ils une expression de surprise plus que de souffrance lorsque des larmes pressées, trop rondes, pesantes à voir en jaillirent l'une après l'autre sans effort, sans que le visage bougeât. Elle les regardait encore couler quand le bruit de la moto se fit entendre.

Gueret en entrant son cageot dans les bras et le chien sur les talons, vit comme d'habitude le dos de Maria penchée sur la cuisinière et en posant le cageot par terre, il rappela le chien. Celui-ci en effet interdit de cuisine y avait déjà avancé trois pattes et restait au bord de cet espace si tentant, les oreilles dressées vers Maria.

— Reste ici, le chien, dit Gueret.

Le chien regardait Maria, attendant qu'elle crie : « Dehors ! » et qu'elle fasse ce geste qui obligerait l'homme alors à le saisir par le collier et à l'expulser du paradis. Mais Maria ne disait rien, ne faisait pas les bruits habituels, ne s'était pas retournée et incapable de résister le chien avança une patte puis l'autre à demi rampant, traversa la cuisine et vint se coucher aux pieds de Maria, les oreilles en arrière, battant la queue à tout hasard. Toujours de dos, Maria parla au chien — pour la première fois, pensa Gueret ravi :

— Eh bien, dit-elle, ça va, toi !... Il y a un mois, tu étais dans la rue ; il y a une semaine, tu étais dans le jardin ; l'autre jour dans le couloir ; et aujourd'hui dans la cuisine ! Tu n'es pas dégonflé !...

Le chien gémissait et remuait la queue de bonheur. Maria se pencha et lui tapota la tête. Puis elle s'accroupit et le chien lui lécha la figure.

— En attendant, tu as grossi, continua-t-elle, tu as un bon poil, tu as l'air content. Ça te réussit — toi — d'avoir trouvé un maître...

— A moi aussi, ça me réussit... dit Gueret en hésitant.

Mais Maria ne releva pas la phrase.

Un peu plus tard ils étaient autour de la table, avec la lampe nue et oscillante au bout d'un fil, et Gueret disait, en mettant son doigt sur un point de la carte d'Afrique étalée devant eux :

— Tu vois là, avec dix types gonflés je monte la plus belle usine de bois qu'on puisse rêver. Je fais tomber les prix d'abord et hop...

— Et moi, je monte un énorme bordel, disait Maria d'une voix amusée — avec devant plein de filles blanches et derrière une énorme serre avec plein de fleurs exotiques...

— Et moi le soir je viendrai avec mes hommes voir les fleurs et les femmes, dit Gueret, en souriant. Enfin moi, je n'en verrai qu'une...

Ils regardaient la carte sans bouger, avec un air d'entente pour une fois complète et le chien, sensible à cette atmosphère, avait posé la tête sur les genoux de Maria et ne bougeait plus. La fenêtre était fermée sur le petit jardin miteux. Dehors cela sentait l'été, malgré les terrils. Gueret était en bras de chemise et en les regardant par la vitre, on eût cru voir un couple heureux et bourgeois, rêvant du Club Méditerranée.

Une semaine idyllique passa ainsi. Le week-end suivant Gueret était au milieu du salon rue des Hongrois dans son smoking, de nouveau pimpant, mais aux manches toujours un peu courtes. Il se balançait sur un pied et boutonnait, non sans douleur, son col empesé en attendant Maria qui pour une fois s'éternisait dans la salle de bains — comme une de ces femmes à chichis qu'elle était si peu. Gueret se mit devant la glace, resserra son nœud papillon, et ne se trouva pas mal. Mais peu à peu son entrain tomba et il réprimait de justesse un bâillement quand la porte s'ouvrit.

— Dis donc, dit Maria en entrant dans le salon, son soulier gauche à la main, ça me rase, moi, ces soirées. Ces godasses m'empêchent de vivre chaque fois... Tu permets...

Elle s'asseyait, enlevait la deuxième chaussure, massait ses pieds avec vigueur, l'air gaie tout à coup dans sa robe de taffetas noir.

— Va faire la fête, mon petit, dit-elle. Vas-y tout seul, moi je ne peux pas. Je reste là avec la télé ou la *Petite Illustration*. (Il y avait un tas de revues d'avant-guerre dans la bibliothèque de faux acajou.) Prends de l'argent et va faire le jeune homme. Ça te fera du bien.

— Ah dis donc, quel pot !... s'écria Gueret en arrachant littéralement son nœud papillon et le bouton de sa chemise. Ah ! la ! la ! ce que ça m'assommait de sortir ce soir...

— Bien sûr, dit Maria sardonique et sentencieuse ; la fête le samedi soir, c'est comme l'usine le lundi matin : du moment que c'est prévu, c'est emmerdant. Non mais, tu te rends compte ! ajouta-t-elle indignée, on allait partir s'empoisonner dans des boîtes sous prétexte qu'on l'avait fait samedi dernier, le samedi d'avant et qu'on allait le faire samedi prochain... Pourquoi ne disais-tu rien si tu n'avais pas envie de sortir ?

— Je pensais que ça t'amusait dit Gueret l'air vague et gêné.

— Et alors ? reprit Maria si ça t'ennuyait, tu n'avais qu'à le dire. J'y serais allée seule. Je te l'ai bien dit — moi — que ça me rasait...

Elle s'énervait, elle se mettait en colère, elle butait contre quelque chose de mou, de dangereux, d'inconnu.

— Oui, mais toi c'est toi, dit Gueret d'une voix lasse. Tu es plus maligne, toi...

Elle accepta cette idée avec une bonne foi monstrueuse et elle dit « Heureusement... » en allongeant les jambes sur le fauteuil d'en face, soulagée d'avoir échappé à la vérité, à la seule explication sensible et vraisemblable : c'est-à-dire que Gueret, lui, se serait obligé à sortir avec elle pour lui faire plaisir — effort dont elle était, dont elle avait toujours été incapable.

Un peu plus tard, dans leur nid d'amour moderno-mauresque, ils étaient tous les deux penchés mais cette fois en robe de chambre sur leurs papiers habituels ; de grandes fleurs bizarres et vénéneuses dessinées par Maria avec une grâce inattendue dans leur maladresse, jonchaient la moquette havane ; elles y rejoignaient les calculs compliqués de Gueret sur les bois tropicaux et leurs prix de transport (calculs qu'il faisait avec trois crayons, un rouge, un jaune, un bleu, une règle, du papier quadrillé), calculs impeccables de comptable attentif, superbes à voir mais inquiétants à évaluer d'après les sourcils froncés de Maria quand elle les détaillait. Mais enfin, pour la première fois ils étaient « ensemble », ils semblaient amis, égaux. Maria à la fin le faisait rire en dessinant une maison carrée d'écolière, avec des putes aux fenêtres, une rivière, des palmiers. Et, sous la lampe 1930, aux pieds de laiton et de chrome, posée sur la table Lévitan ces deux amants si disparates et si laborieux se perdaient jusqu'à l'aube dans des plans infinis de luxe et de triomphe.

C'ÉTAIT le premier jour de l'été. « Décidément, tout arrive à la fois », pensa Gueret en traversant le jardin et en voyant les fleurs de Maria brusquement écloses en une seule matinée ; sentiment conforté par le spectacle qui l'attendait dans sa propre chambre : Maria allongée sur son lit à lui, Gueret, avec le chien près d'elle.

— Il est enfin arrivé à ses fins, ce clebs, dit Gueret en riant avant de brandir triomphalement devant Maria une bouteille de champagne achetée fort cher aux « Trois Navires ».

— Qu'est-ce que c'est que ça ? dit-elle sans bouger.

— Je suis nommé chef comptable, dit Gueret avec lenteur pour mieux jouir de son effet. C'est Mauchant qui devait succéder à Le Hideux, tu sais ? Eh bien, il a frappé un type et il a été viré ! Et dans le mouvement, hop, on m'a nommé — moi Gueret — chef de toute la comptabilité !... A vingt-sept ans !

Maria était à contre-jour. Il ne distinguait pas son visage et il ne se douta de rien lorsqu'elle lui dit d'une voix tranquille :

— Eh bien dis donc ! En effet... ça s'arrose. Descends, veux-tu, j'arrive.

Le chien sauta du lit et le suivit aussitôt et avec Gueret attendit en bas, exultant, que Maria descendît. Elle y mit du temps, leur sembla-t-il. Et en effet, Maria, après leur départ de la chambre, s'était levée et avait regardé, l'air incrédule, les affiches de plage, de cocotiers, des tropiques sur les murs, et même, instinctivement le poêle où logeaient les bijoux volés. Mais elle avait le visage calme en descendant et en s'installant en face du verre de champagne préparé par Gueret.

— Tu te rends compte ? reprit celui-ci aussitôt, tu te rends compte que je monte deux échelons d'un coup... Je passe de 3 500 à 4 300 dès le mois prochain. Je...

— Si je comprends bien, tu as accepté, dit Maria, la voix toujours atone.

Gueret resta stupéfait. A quoi pensait-elle donc?

— Naturellement j'ai accepté! tu plaisantes...? Ça fait quatre ans que je suis chez Samson, quatre ans que j'attends un avancement... Naturellement j'ai accepté, tu plaisantes! répéta-t-il littéralement scandalisé.

— Mais, continua Maria toujours rêveuse, est-ce que tu leur as dit que tu ne serais chef comptable que quelques semaines, que tu allais partir monter une affaire au Sénégal? Il faut les prévenir, non?

Gueret resta la bouche ouverte, la regarda et eut la phrase qu'il ne fallait pas:

— C'est marrant, dit-il, je n'y ai pas pensé...

Il n'y avait effectivement pas «pensé», comprit Maria en le regardant, et cette simple idée déclencha sa colère:

— Et tu n'as pas pensé non plus à leur dire, siffla-t-elle, que leur nouveau chef comptable — Guerct — avait tué un vieillard de quinze coups de couteau le mois dernier... «dix-sept», pardon Monsieur le Chef Comptable! Tu n'as pas pensé à leur dire qu'avec l'argent du meurtre tu allais t'acheter une usine de bois aux colonies? Tu n'as pas pensé à leur dire que le chef comptable de la maison Samson était un voleur et un assassin? Mais tu as pensé à quoi, mon garçon?

Elle le regardait avec haine, dédain, elle le regardait comme le jour où elle lui avait déclaré la guerre. Elle n'était plus la Maria de la rue des Hongrois, elle n'était plus sa complice, elle était son ennemie et son juge. Elle le méprisait si visiblement qu'il se leva comme pour parer un coup.

— Je ne sais pas... ce que j'ai eu, dit-il en bafouillant, un blanc, un trou... Bien sûr, que je vais leur dire... Remarque, deux mois chef comptable, ça pourrait m'apprendre des choses pour l'usine à bois... des trucs que je ne sais pas encore; ça pourrait...

Il perdait pied et elle le regardait perdre pied avec quelque chose qui ressemblait à du soulagement. Le côté louche, dangereux de Gueret, celui de l'assassin et du bagarreur — celui qu'elle admirait, celui qu'elle aimait presque — avait disparu et le côté bon citoyen et bon comptable, avec ses quatre ans d'ancienneté et ses ambitions minables lui prouvait, si elle avait eu besoin de se le prouver, l'inanité et la folie de cet amour entr'aperçu.

— Je leur dirai demain, reprit Gueret avec ardeur. Je leur dirai que je ne peux pas, que je m'en vais. C'est vrai ça, je ne peux pas... Et demain en plus, s'affola-t-il, il va y avoir un vin d'honneur pour fêter ça...

— Un vin d'honneur! dit Maria, et elle se mit à rire. Un vin d'honneur... Eh bien, je vais t'en offrir un — moi — de vin d'honneur, à Lille! Je vais t'offrir du champagne, on va faire la fête un jour de semaine pour une fois...

Elle allait vers le téléphone, décrochait, disait: «Monsieur Bonnet?...

Mme Biron, votre voisine… Il faut que j'aille à Lille tout de suite, vous faites toujours le taxi ?… Eh bien, je vous attends. » Elle raccrochait, se tournait vers Gueret et lui disait : « Va prendre l'argent là-haut, dans mon armoire. Prends tout, ça risque de te coûter chaud, cette soirée… » Et elle appuyait sur le « te ».

Quand le taxi arriva, le chauffeur n'osa pas demander à sa voisine, d'habitude modeste, le motif de ses folles dépenses. Elle avait juste dit : « Monte devant, tu es malade », en poussant Gueret sur le siège avant, et en ajoutant : « Moi, je fume trop, j'aime mieux être seule. » Elle s'était installée sur la banquette arrière dans son costume de jardinière, encore moins sortable que Gueret avec son petit costume fripé et quotidien de comptable. De temps en temps, Gueret tournait la tête, jetait un coup d'œil inquiet vers l'arrière mais il ne voyait que le profil de Maria, un profil dur, tendu vers la vitre et les peupliers de la route par la lunette arrière qui fuyaient et se renversaient derrière elle, comme effrayés de ce qu'elle les eût vus au passage.

Elle se fit déposer à cent mètres de « chez eux », laissant Gueret payer avec des explications embrouillées et il ne la revit qu'une heure après dans le salon debout dans sa robe noire. Gueret transpirait dans son smoking malgré la fraîcheur de la pièce.

— Appelle un taxi, dit-elle. Il est dix heures. On sort, on va au Bataclan.

Le Bataclan était la boîte de leur première soirée, la soirée qui avait mal tourné. Ils n'y étaient pas revenus depuis et Gueret tiqua.

— Pourquoi le Bataclan ? dit-il. Tu ne te rappelles pas ?

Elle le coupa :

— C'est encore là que je me suis le plus amusée, dit-elle avec sauvagerie. Ils vont être bien contents d'apprendre la bonne nouvelle.

— Tu ne préférerais pas essayer un nouvel endroit ? hasarda Gueret.

Et, comme elle ne répondait même pas, il se lança :

— D'ailleurs, je ne vois pas ce qu'on fait là. Je n'ai pas voulu te le dire devant le taxi : mais puisque je renonce… puisque j'ai promis que je ne serais pas chef comptable, ce n'est pas la peine, tout ça… Je n'y vais pas moi, au Bataclan.

— Je veux qu'on fête ton avancement. Et tous les deux, dit Maria en souriant. Écoute-moi bien, Gueret. (Et, comme chaque fois qu'elle l'appelait par son nom de famille, il se figea sachant que c'était grave.) Écoute-moi bien : si tu ne viens pas avec moi tout de suite, je ne te vois plus, je ne te laisserai plus mettre un pied ni ici ni chez moi ; plus jamais, tu m'entends ? Plus jamais !

Il hocha la tête sans répondre.

Il y avait peu de monde, Dieu merci, à cette heure-là ; il était trop tôt : l'orchestre, bien sûr, deux amoureux, un couple plus âgé, deux entraîneuses — mais pas «la sienne» — plus le copain du faux dur, celui qui avait voulu épargner Gueret la deuxième fois. Celui aussi qui lui avait ôté les doigts de la gorge de l'autre. C'est celui-là qui les reconnut le premier.

— Ça alors... dit-il, vous revoilà tous les deux?...

Il était stupéfait mais pas hostile, et les filles et les trois clients s'étaient retournés et les regardaient avec une déférence un peu inquiète. Maria fit trois pas majestueux et posa son grand sac noir sur le bar.

— Ton copain le teigneux n'est pas là? dit-elle. C'est dommage pour lui. Décidément, Al Capone, il n'a pas de veine... : on paie à boire, ce soir. «Je» paie à boire! Du champagne pour tout le monde, dit-elle au barman en ouvrant son sac et en posant deux billets de cinq cents francs sur le bar. Mon grand fils est nommé chef comptable à l'usine Samson.

Il y eut un instant de flottement tandis qu'elle s'installait à une table suivie de Gueret rouge vif. Une fille ricana, une autre la poussa du coude pour qu'elle se taise et à demi gêné, à demi souriant — après tout, le champagne avait l'air décidé à couler à flots —, chacun se mit à boire avec des petits toasts de remerciement pour Maria. Elle levait son verre en réponse, buvait, le remplissait, le vidait, tout ça sans un mot, et Gueret figé la regardait faire. Elle but pendant plus d'une heure ainsi, se bornant à indiquer d'un geste du menton au barman leur seau vide ou celui d'une autre table.

L'orchestre s'était mis à jouer bien sûr les airs qu'elle aimait : des airs démodés, des airs qu'on n'avait pas entendus depuis la guerre et les quelques clients survenus après coup, mis au courant par le barman et aussitôt invités du regard et de la tête par Maria, tout en se félicitant de ce champagne inattendu, jetaient des regards curieux à leur couple. Ils ne se parlaient pas. Petit à petit des fêtards également fascinés par Maria s'étaient assis à la table : le pianiste d'abord, puis l'ami du teigneux, puis enfin Lola, une entraîneuse émaciée au visage douloureux, une de ces entraîneuses sans succès et larmoyantes comme en renferment toutes les boîtes.

Ce petit monde, comme ensorcelé, contemplait Maria et Maria buvait sans rien voir. Elle aurait pu peut-être s'assommer ainsi et la soirée s'achever sans catastrophe, si la fille du premier soir, la mauvaise tête, la petite entraîneuse saoule qui avait tout déclenché n'était arrivée vers minuit; et après quelques chuchotements du portier, n'avait cinglé vers leur table.

— Bonjour, vous revoilà enfin, avait-elle minaudé vers Maria qui ne l'avait ni regardée ni même vue et vers Gueret qui essayait, lui, de ne pas la voir.

Mais elle s'était approchée et le tirait par la manche à présent :

— Eh bien, tu ne veux plus danser, mon gros loup? T'as pas l'air gai ce soir... Allez, viens danser!

Gueret s'était levé pour la faire taire ; et maintenant il la promenait gauchement sur la piste tandis qu'elle l'accablait de questions qu'il n'entendait pas, uniquement préoccupé du regard de Maria, lointain, brumeux qui glissait parfois sur eux sans se poser ; et ils allaient se rasseoir quand soudain sa voix éclata, brutale, à la fin d'un disque :

— Alors, la pétroleuse, disait Maria (le silence se fit dans la salle), on l'a retrouvé, son péquenot ? On est contente ? Ah si t'avais su, hein ?

La fille et Gueret revenus à la table voulaient s'asseoir mais Maria, d'un geste de la main, les arrêta :

— Restez debout, que je vous voie ! Joli couple, ma foi... Mais un chef comptable, ça n'épouse pas une pute... Dommage pour toi, ma pauvre petite...

La fille aurait voulu protester mais quelque chose dans le ton de Maria indiquait trop qu'il n'y avait pas l'ombre d'une insulte pour elle dans ce terme de « pute » et elle se tut.

— On ne te l'a pas dit ? Tu ne le sais pas ? reprit Maria devant l'air étonné de la fille. Mon grand garçon que voilà, mon Gueret, après quatre ans chez Samson... l'usine Samson, tu sais, à Carvin... Eh bien, il est nommé chef comptable... Comme je te le dis...! Ça t'épate, hein ? dit-elle à la fille qui sentant le public ivre de champagne et de gratitude envers Maria, n'osait riposter : elle se dandinait d'un pied sur l'autre, en se tournant vers son cavalier Gueret, immobile et blanc.

— Tu ne m'avais pas dit que madame était ta mère, dit-elle avec reproche. Tu m'avais dit que c'était ta tante !

Elle avait une voix perçante et Gueret se retrouva le point de mire de dix paires d'yeux indignés ; d'autant que Maria, la voix indulgente, enchaînait :

— Eh oui... Mon garçon a honte de sa mère ! Depuis toujours, remarquez, dit-elle à l'entraîneuse triste qui lui prit aussitôt la main d'un geste compatissant. Et maintenant qu'il va passer de 3 500 à 4 300 ou de 3 300 à 4 500 — allez savoir — ajouta-t-elle avec un rire sardonique, ça va être encore pire : je ne le verrai plus...

— Mais si, voyons...

Le copain costaud, que le champagne gratuit rendait sentimental, regardait Gueret d'un air à nouveau féroce :

— Bien sûr qu'il ira la voir, sa mère, hein ? On l'aidera à y penser, à sa mère, assura-t-il fermement aux fêtards éplorés.

— De toute façon, ça ne fait pas un paquet, hé ! ho ! 4 500 francs ! fit remarquer la fille avec conviction ; mais sa voix fut couverte par le brouhaha attendri qui montait des tables alentour : « Ça, les enfants qui n'aiment pas leur mère... c'est bon pour la fosse commune... », prévoyait le chef d'orchestre à voix haute. « Moi, j'aurai tout fait dans ma garce de vie, mais je n'aurais pas renié maman... » lui jurait l'entraîneuse triste ; et même le barman hochait la tête, sa tête de petite frappe. Aussi quand Maria reprit la parole, tout le monde se tut aussitôt : Et si dans son discours de *mater dolorosa*, Maria laissa bien échapper quelques inflexions sarcastiques, personne — sauf Gueret, semblait-il — n'était plus en état de les entendre :

— Il aura sa femme, ses gosses, sa télé, sa retraite à soixante ans ; et si ça tombe, il fera assez d'économies pour s'acheter une résidence secondaire... disait-elle d'un ton admiratif. Et moi, je serai un peu seule... Mais bien heureuse pour lui ! Ça, j'ai tout fait pour lui apprendre la vie, l'honnêteté, les bons principes, quoi... Mais l'affection, ça ne s'apprend pas... C'est normal, ajouta-t-elle, couvrant les gémissements éméchés qui s'élevaient autour d'elle, c'est normal, il faut que les garçons volent de leurs propres ailes... Et ça, il a volé haut, mon garçon, faut dire... (Et elle braquait sur Gueret, penaud, un regard tout à coup vif, amusé et féroce.)

Comme la première fois, Gueret était la tête de Turc du Bataclan. Comme la première fois, il était entouré d'hostilité, de sarcasme, mais cette fois-ci, ce n'était pas un petit gangster bronzé aux ultraviolets qui l'accablait, c'était Maria elle-même qui s'amusait à le crucifier devant tout le monde.

— Arrête, dit-il en se penchant sur la table. Arrête tout ça. Allons-nous-en, ça suffit...

Mais Maria, en ignoble comédienne, levait le bras devant son visage comme si elle craignait un coup ; il y eut un grand murmure autour d'eux, le costaud se leva de sa chaise, se mit devant Maria dans une posture héroïque digne des images d'Épinal — et de la sentimentalité des « milieux » de province et d'ailleurs ! « Il n'est pas méchant mais c'est qu'il est si violent... » dit la voix de Maria, une voix douce et plaintive mais que Gueret savait follement amusée. Alors soudain, il tourna les talons, passa d'un bond entre les clients stupéfaits, escalada les marches et sortit en claquant la porte. Il s'y appuya ensuite et respira longuement, difficilement. Il avait mal à la tête ; il lui semblait entendre encore le tam-tam de l'orchestre et la voix de Maria, implacable et méprisante. Il marchait en parlant haut et en jurant à chaque pas mais il finit quand même par se retrouver rue des Hongrois, à la porte comme un crétin puisque seule Maria avait la clé. Il se réfugia tristement au café du coin, miraculeusement ouvert à cette heure-là : il allait l'attendre. Il allait l'attendre car il n'avait strictement rien d'autre à faire qu'à l'attendre ; et il priait le ciel qu'elle lui pardonnât la soirée affreuse qu'elle venait de lui faire passer.

Gueret attendit longtemps dans ce café miteux, tenu ouvert sans raison apparente jusqu'à l'aube par un Nord-Africain somnolent. Gueret finit par s'assoupir un peu lui aussi, pas longtemps mais suffisamment pour que le taxi qui ramenait Maria ait le temps de la déposer devant le porche, et elle le temps de s'y engouffrer avant que Gueret ait pu payer son verre et la rejoindre. Elle avait refermé la porte et il tapa doucement une fois ou deux, à cause des voisins, avant de s'énerver et de taper plus violemment. En vain.

Maria était assise dans le salon, ses chaussures posées à côté d'elle sur le canapé, une bouteille de whisky à la main, immobile, ivre morte et lucide. Elle entendait Gueret taper à la porte, elle l'entendait appeler «Maria! Maria!» sans que son visage ne bougeât. Elle ne broncha pas plus quand ayant escaladé le petit mur et piétiné le jardinet toujours inculte devant la fenêtre, Gueret se fut accroupi jusqu'au store à demi fermé. Et là, ne la voyant pas mais la devinant assise à quelques mètres de lui, il chuchotait, il chuchotait frénétiquement : «Ouvre-moi, Maria, ouvre-moi, c'est moi. Maria... Il faut que je te parle... Je ne serai pas chef comptable... On ira au Congo quand tu veux, bien sûr, mais parle-moi, Maria... Ouvre.»

Elle restait immobile sous le lustre rond en verre biseauté, à la lumière blafarde et crue. Seule sa main bougeait pour remplir son verre; elle ne sembla même pas, juste avant l'aube, entendre Gueret lui dire encore d'une voix à présent suppliante et jeune, une voix enfantine : «Maria, ouvre-moi... Ne me laisse pas là!... Je ne sais plus ce que je ferai si on ne peut plus se voir... Qui me parlera? Qui m'écoutera? Maria, je t'en prie, Maria, je ne veux plus être seul : Ouvre...» Jusqu'au matin.

Et ce matin-là quand le soleil se fut levé sur Lille il dut lutter avec la lumière toujours allumée dans le salon 1930. La bouteille était vide, Maria avait les yeux clos et Gueret, allongé sur la terre devant la fenêtre toujours fermée, dormait.

Glissant à travers les stores, jaune et jaloux, le soleil vint frapper le visage ravagé de Maria, toucha ses paupières. Elle ouvrit les yeux, jeta un coup d'œil autour d'elle, fixa son regard sur la porte-fenêtre. Elle referma les yeux une minute puis se leva pesamment et les pieds nus alla jusqu'à la porte où s'appuyait le corps de Gueret. Elle la tira d'un coup et Gueret heurta le chambranle de la tête, ouvrit les yeux et la vit. Ils se regardèrent, pâles, défaits, solitaires. Maria se pencha vers l'homme à l'œil inerte qui la contemplait et lui dit :

— Mais enfin, je n'ai pas rêvé...? Tu lui as filé dix-sept coups de couteau dans le ventre à ce type, non? Dix-sept!

Il ne répondit pas.

— Alors, tu te pousses, l'objecteur?

Gueret recula, pour la troisième fois consécutive, afin de laisser la place à un de ses collègues. C'était devenu un jeu chez Samson de passer la porte devant lui, de la rabattre sur son nez, de siffler sans répondre quand il posait une question. «L'objecteur» faisait sans doute allusion aux objecteurs de conscience : personne ne savait d'où ce terme était sorti, mais il avait son succès. L'objecteur, c'était Gueret qui refusait de faire la guerre aux patrons avec tout le monde, qui refusait de se battre pour la patrie, le peuple et le pain quotidien, Gueret qui pour des raisons inconnues — en tout cas honteuses et irrecevables pour ses pairs — avait «refusé un avancement». Cela faisait dix jours que cela durait, et il en venait à regretter Mauchant, et sa haine, et ses injustices. Rien n'était pire que le mépris railleur de ses collègues toute la journée — si ce n'était le mépris sombre de Maria, le soir.

Elle le voyait à peine, elle ne lui parlait pas. Il n'avait pas osé ressortir les plans et les cartes, et il restait, le soir assis à la table, le cœur battant, essayant de se décider à se lever et les sortir du tiroir ; mais toujours, à l'instant où il allait le faire, Maria avait un geste ou un regard empli d'une telle indifférence à son égard qu'il le clouait sur place.

Le chien lui-même n'allait plus l'attendre à l'usine, ne le fêtait plus à son arrivée : il restait tapi dans les pieds de Maria, dédaigneux lui aussi, semblait-il, préférant apparemment quelques coups de balai d'elle à ses caresses à lui. Gueret avait lu quelque part que la peur avait une odeur : peut-être était-ce vrai, et peut-être le chien la flairait-il sur lui ? Le soir, en se déshabillant, seul dans sa chambre triste, Gueret respirait ses bras, ses épaules d'un air soupçonneux. Mais ce n'était pas la peur qu'il reconnaissait sur sa peau, c'était la honte : honte toute la journée d'avoir refusé ce maudit poste, honte toute la soirée d'avoir voulu l'accepter. D'ailleurs, même imperceptible à l'odorat, cette honte devait se voir à l'œil nu, puisque Nicole elle-même lorsqu'il lui adressa la parole un jour, l'envoya au diable :

— Tiens, Monsieur Gueret veut bien parler aux employés…, s'étonna-t-elle en ricanant. Monsieur Gueret doit être riche, il attend un héritage, à ce qu'on dit…

Elle le regardait avec haine, et Gueret stupéfait cherchait dans cette volaille hérissée d'une rogne stupide la jeune fille gauche — et douce après tout — qu'il avait cru connaître.

Il faisait beau, en plus. Épouvantablement beau. Et lorsqu'une semaine après la «fête», Maria le quitta pour deux jours, l'air mystérieux, Gueret se sentit soulagé pour une fois : l'idée de se retrouver à Lille, sous cette chaleur et dans cet appartement qu'il s'était pris à haïr, l'épouvantait. Il passa le samedi et le dimanche aux «Glycines» sur une chaise de paille, devant la porte, à se bronzer. Il s'était installé, en maillot de corps, et de temps en temps, lâchant L'Équipe ou un de ces livres sur le Sénégal qu'il avait achetés avant la catastrophe, Gueret sifflait le chien, disparu lui aussi. Tout le monde était parti à la mer, ce week-end-là, semblait-il ; il ne restait que lui dans cette banlieue, assis sur sa chaise comme un plouc qu'il était, à laisser le soleil dessiner des bronzages disgracieux sur son torse et à siffler un chien qui ne venait pas. Et Gueret trouvait un certain soulagement, un certain plaisir même, à s'enfoncer dans son malheur.

Seulement, le dimanche fut plus difficile. Vers huit heures du soir il commença à attendre Maria. Il regardait la télévision, l'éteignait, la rallumait selon qu'il croyait entendre ou non des pas sur le chemin. A une heure, les programmes étant clos et craignant qu'elle ne s'énerve à le trouver là, il alla se coucher en laissant ses volets ouverts. Il resta éveillé jusqu'à l'aube. Car c'est à l'aube qu'elle rentra en voiture avec un type à l'accent bizarre. Gueret n'osa pas se mettre à la fenêtre, elle aurait pu le voir et ainsi découvrir sa surveillance ou plutôt ce qu'il devait appeler honteusement : sa jalousie.

Il zigzaguait le lendemain matin, sur son engin à vapeur, quand il croisa le chien sur la route, l'air gai, un bout de ficelle coupée au collier. Gueret voulut s'arrêter — comme pour dire bonjour à un ami retrouvé — mais il buta sur une pierre et partit en vol plané. Il se retrouva dans la poussière, avec sa manche prise dans la roue voilée et ce chien stupide gambadant autour de lui. Il l'injuria et reprit son chemin à pied, laissant la moto là. Personne n'irait la lui faucher dans cet état. Et dire que c'était son seul jouet !...

Le chien fit d'abord fête à Maria avant de chercher son assiette, mais l'ayant trouvée vide, il regarda Maria fixement jusqu'à ce qu'elle comprenne. Il aimait Maria pour son calme et sa sévérité. En ce moment même, elle lui disait : « Alors, voyou, qu'est-ce que tu bouffes... Où as-tu été ces jours-ci ? Tu as gardé le grand comptable ou tu as été te balader comme moi, hein ? »

Il l'écoutait en remuant la queue, attentif, car il savait que ce discours serait sans doute le dernier de la journée : elle ne lui parlait qu'une fois par jour, se rappelait-il dans sa mémoire de chien. Et effectivement, elle l'avait oublié quatre heures plus tard quand Féreol tapa à la porte.

Féreol — Dominique de son prénom — était l'un des derniers fermiers du coin qui s'obstinât à garder sa ferme en marche. Il avait cinquante ans ou soixante-dix — impossibles à compter sur son visage défait par l'alcool, visage demeuré sec, mais creusé de sillons amers. Maria le regardait avec mépris et animosité. Elle se rappelait, dix ans plus tôt, à peine arrivée de Marseille, avoir passé la nuit avec lui pour quelques francs qui lui étaient alors indispensables. Elle en avait gardé, malgré sa propre dureté, un souvenir pénible : « plus que pénible », pensa-t-elle en le regardant sourire, l'œil sale et mauvais.

— Qu'est-ce que tu veux ? dit-elle d'une voix plate et tranquille qui calma une seconde Féreol.

Il avait cru lui faire peur, ça ne marchait pas, et il faillit battre en retraite avant de se rappeler, dans sa mémoire obscurcie, le motif de sa visite.

— Je veux «Pacha», dit-il, en montrant le chien du menton.

Le chien s'était retiré littéralement sous la cuisinière; il tremblait, il montrait les dents sans émettre aucun son et sa peur effraya presque Maria par son intensité, la troubla. Féreol le sentit :

— Parce que ce chien-là, cette saloperie de chien, il est à moi, ma belle... enfin, «ma belle»... (et il se mit à ricaner), «ma belle», je parle du temps passé... je peux te dire «ma vieille» plutôt, maintenant, comme moi.

— Tu ne peux rien me dire du tout, dit Maria. Pourquoi est-ce qu'il ne reste pas chez toi, ton chien?

— Parce qu'il est vicieux, dit Féreol, et les chiens vicieux, ça veut des maîtres vicieux, c'est pour ça.

Il ricanait de plus belle lorsqu'il vit la main de Maria avancer lentement vers lui, une main refermée sur un couteau de cuisine et comme indépendante de sa volonté — car elle continuait à le regarder dans les yeux, sans bouger. La main était très lente mais très précise; elle allait droit vers le cou de Féreol qui recula d'un pas.

— Qu'est-ce... qu'est-ce que tu?... (il bafouillait).

— Qu'est-ce que tu disais, salaud? Continue.

Féreol reculait pas à pas dans le jardin : .

— Je parlais de ton locataire, bien sûr, dit-il très vite. Le grand schnock, l'objecteur, tu sais...? Je ne parlais pas de toi. Tu n'aimes que les types plus malins, toi, les vrais, pas les vicieux, hein?...

Il reprenait courage à trois mètres; il se dandinait et elle le regardait avec dégoût.

— Tu diras à ton type... se mit-il tout à coup à hurler, tu diras à ton locataire à la noix qu'il ramène mon chien, à six heures. S'il n'est pas là au quart, moi je vais le chercher, mon chien, avec mon fusil... Et s'il ne vient pas, eh bien, il restera chez vous pour de bon et je te l'offrirai comme descente de lit, dit-il en riant de bon cœur tandis qu'elle refermait la porte à son nez et mettait le verrou malgré elle.

Elle regardait le chien toujours terré sous la cuisinière et à la fin, elle lui dit: «Ne t'inquiète pas, mon vieux, ça va s'arranger.» C'était la seconde fois de la journée qu'elle lui parlait, remarqua le chien malgré sa terreur. Il y en eut même la troisième quand elle ajouta une demi-heure plus tard : «Décidément, tu es bien tombé, toi...», en tapotant d'un doigt distant l'espace entre ses deux oreilles.

Gueret restait hébété, ne semblait pas comprendre ce qu'elle lui disait. «Il est bête! Voilà ce qu'il a : il est bête, pensa-t-elle soudain. Il en a vraiment l'air en ce moment. Il est minable et bête...» Cela lui fit hausser le ton de fureur :

— Je répète, dit-elle de sa voix froide : le nommé Féreol est venu chercher Pacha, son clebs, son chien... enfin, ton chien. Alors, comme il l'a demandé poliment, en hurlant qu'il allait venir avec son fusil au quart de six heures, tu vas prendre cette ficelle, mettre le chien au bout et ramener tout ça bien gentiment au propriétaire. Tu lui demanderas s'il ne veut pas un peu d'argent pour tous les services qu'a rendus son chien dans la maison, tu lui diras : « Merci beaucoup, monsieur Féreol », et tu partiras en lui laissant son chien. Tu as compris, Gueret ?

Il ne semblait pas du tout avoir compris. Il regardait le chien, Maria, le chien de nouveau avec des yeux vides, ensommeillés presque, dont elle s'étonna.

— Tu dors...? commença-t-elle.

Mais déjà Gueret s'était retourné, avait passé la porte et d'un pas rapide, décidé, très différent de son pas habituel cinglait à travers le terrain vague vers la ligne de peupliers qui à cinq cents mètres dissimulait la légère combe et la ferme de Féreol. Maria le suivit des yeux une bonne minute avant de crier trop tard : « Gueret !... Le chien !... Tu as oublié le chien !...» Mais il était trop loin pour l'entendre.

Ce n'était pas la décision qui scandait le pas de Gueret à cette heure-là sur la route poussiéreuse ; il ne savait absolument pas ce qu'il allait dire ; à qui ; ni qui était ce Féreol sinistre. Seulement il était tout à coup soulevé par un sentiment de révolte, d'injustice bien plus violent que ne l'aurait été toute colère. Après tout il s'appelait Gueret, il était bon bougre, bon comptable, bon type ; et en l'espace d'une semaine, il venait de perdre ses copains, sa femme, sa moto ; et maintenant on voulait lui piquer son chien...? Ça faisait trop !

Il ne savait pas à qui le dire, mais il lui semblait qu'une justice abstraite attendait quelque part qu'il vienne se plaindre. Et qu'elle en conviendrait avec lui : « Tu as raison. En effet, c'est trop. » Faute d'autre juge, il volait droit chez Féreol, ignorant encore s'il allait lui casser — ou se faire casser — la gueule, ou si effectivement, comme disait Maria, il allait s'excuser et lui offrir de l'argent pour acheter son chien. Ce n'était pas que « Pacha » soit si beau ni si marrant ni même si tendre (il lui préférait visiblement Maria à lui qui pourtant l'avait introduit chez elle). Ce chien n'était pas beau, il ne savait pas chasser, il n'avait aucun intérêt pour un homme comme Gueret. « Mais, après tout, c'est mon chien, songeait-il confusément, et si, même mon chien...! »

Il avait fini le bout du chemin qui rejoignait la route et il s'arrêta un instant sur le versant ensoleillé, un peu en surplomb de la ferme. Elle était curieusement disposée en L, à cent mètres en dessous de lui, et il fut du coup le premier à voir le corps étendu par terre, près de la grange à gauche, un corps d'homme qui se tortillait sur le sol « d'une manière obscène », pensa-t-il une seconde avant qu'une voix de femme à droite ne hurle. Jaillie de la cuisine, la fermière se précipitait dans la cour, suivie tout à coup de trois, quatre personnes mystérieusement averties en même temps qu'elle; elle tombait à genoux aux pieds de la forme bizarre, et c'est seulement alors que Gueret réalisa que c'était sur une fourche que se contorsionnait cette silhouette frénétique. Le type avait dû tomber de l'appentis plein de foin frais qu'il voyait à présent en se penchant; et il était mal tombé.

Les gens restèrent assemblés autour de lui des heures, sembla-t-il à Gueret, avant que l'un d'eux ne se décide à sauter sur son solex et à foncer vers le prochain téléphone. Le motocycliste passa près de Gueret immobile. C'était un type roux, aux yeux exorbités, que Gueret n'avait jamais vu. «Il faut aller appeler l'ambulance!» lui cria-t-il bêtement, comme s'il avait été, lui, à pied, et Gueret en moto. «Féreol s'est filé une fourche dans le cou et l'autre dans le caisson! Ça saigne...» Ayant rempli son devoir de héraut public, il disparut au coin de la route, visiblement ravi de sa mission. Gueret le vit obliquer vers le centre et se rappela que les Ambulances municipales n'étaient pas loin. Il se sentait décontenancé, désemparé par ce spectacle cruel. Il ne savait plus que faire de lui-même, toute révolte tombée. En tout cas, pensa-t-il, Féreol ne viendrait pas prendre son chien ce soir-là, ni les autres. Il en aurait pour un bout de temps à l'hôpital, à en juger par ces affreux soubresauts qui s'espaçaient déjà là-bas près de la porte... Et soudain dégoûté, imaginant ce que devait être le froid de cette fourche dans sa propre chair, Gueret s'assit sur le talus et alluma une cigarette. «Les ambulances valent mieux que leur réputation...», songea-t-il à sa dernière bouffée, lorsque l'ambulance, toutes sirènes dehors, passa devant lui. Il vit les infirmiers descendre mais ne voulut pas voir ce qu'ils allaient faire de cet homme empalé sur son outil.

Il revint à pas lents, sensible tout à coup à la douceur du soir, au mouvement des blés sous la brise et à l'éclat mat et brillant des terrils hérissés de mica. Il se sentait bien, pour la première fois depuis dix jours. Il avait l'impression stupide mais forte, qu'on l'avait «entendu» quelque part, et que justice lui avait été rendue — cruellement, bien sûr, mais rendue. En fait, s'il réfléchissait, le hasard l'avait juste délivré d'un emmerdement... Mais quelqu'un en lui se redressait et roulait des épaules, comme si le destin s'était enfin prononcé pour lui.

Maria, de sa fenêtre, vit cette démarche et s'immobilisa. Gueret la vit à cette fenêtre mais ne s'arrêta pas. Il ralentit à peine le pas pour prendre une cigarette dans sa poche, l'allumer et jeter l'allumette derrière son épaule, «comme Humphrey Bogart», se rappela-t-il. Il ne ralentit pas plus quand le chien, sautant par la fenêtre, courut à sa rencontre et jappa en mordillant ses mains et son pantalon par excès de bonheur. Il le repoussa doucement et aspira une grande bouffée de fumée (que pour la

première fois il rejeta sans encombre par le nez) avant d'arriver devant
la femme immobile.

— Tu prends le frais? dit-il. C'est joli à cette heure-ci, non?... Tu
veux une cigarette?...

Il lui tendait son paquet de cigarettes serré dans sa main, au lieu de lui
en sortir une, comme d'habitude; et elle dut l'extraire, non sans mal,
avec ses ongles. Il mit dix secondes à la lui allumer d'un geste un peu
las. Il ne parlait pas, il regardait les champs l'air en effet admiratif.
Maria mit les pouces la première :

— Et pour le chien, dit-elle, qu'est-ce que t'a dit Féreol? Tu l'as vu,
Féreol?

— Oui, je l'ai vu, dit Gueret en bâillant un peu. Il n'a rien dit... Et je
ne crois pas qu'il dise grand-chose avant un moment, ajouta-t-il sans
mentir.

L'ambulance repartait à présent, et le hurlement de sa sirène semblait
voler sur les blés et venir rebondir exprès contre la vitre de Maria. Elle
se figea un peu plus et tendit vers le profil de Gueret un regard agrandi
et curieusement doux.

— Qu'est-ce que c'est que ça? dit-elle. Tu entends?

«Elle a une voix de jeune fille», remarqua Gueret avant de répondre,
tout en lui tournant le dos pour grimper l'escalier :

— Ça, c'est Féreol qui va à l'hôpital.

Gueret était allongé dans le noir, les yeux ouverts, et par le carré
sombre de la fenêtre, le vent du soir, le vent de l'été passait et séchait les
fines gouttes de sueur sur son front et sur son cou. Maria dormait. Elle
lui avait parlé longuement cette nuit-là et, pour la première fois peut-
être, comme à un égal. Gueret, oubliant que cette égalité nouvelle était
due à sa cruauté supposée, s'était senti plus qu'intéressé : révolté par le
récit pourtant ironique qu'elle lui avait fait de sa vie. Elle avait aimé un
type, à Marseille, un dur, enfin un type qui jouait au dur, un riche mac
qui l'avait promenée à son bras des années durant comme sa femme
légitime, et qui, à l'occasion d'un casse manqué, s'était allongé devant
les flics, avait livré les autres et accablé Maria. On l'avait interdite de
séjour à Marseille à ce moment-là. Gilbert, l'homme qui s'occupait des
bijoux, avait été l'un des lieutenants de René, ce René qu'elle lui avait
cité parfois — il se le rappelait à présent — comme un exemple. Pour
mentir au sujet de cet homme, il avait fallu que Maria en souffre
drôlement, pensait Gueret attendri, il fallait qu'il l'ait drôlement dupée,
se répétait-il, oubliant que c'était grâce à une duperie que lui aussi était
là. Ce dernier point mis à part, il n'avait rien à voir avec René. Maria
avait plus de cinquante ans, il ne pouvait déjà pas se passer d'elle. S'il
l'avait connue à trente ans, elle ne l'aurait pas regardé, ou elle l'aurait
fait souffrir de mille morts. Contrairement à ce que croyait Maria, c'était

bien le moindre des regrets de Gueret que de l'avoir connue à cet âge. Au moins elle n'avait que lui, tout comme il n'avait qu'elle. Après son récit, mi-dégoûté, mi-amusé, Maria avait dit : « Il est tard, il faut dormir, mon vieux. Bonne nuit.» Et elle s'était tournée vers le mur. Ce n'est que cinq minutes plus tard que Gueret, le cœur battant, avait osé s'avancer vers ce corps inerte dans le lit, un corps qui serait, il le savait, agacé par le sien. Mais ça lui était égal ; ce corps chaud, ce visage détourné, presque choqué, cette voix brève, excédée, et à la fin impérative, cette voix qui lui ordonnait de se dépêcher et d'en finir, cette voix, pour lui, mettait un terme, en effet, à des années de solitude, de gêne et de méfiance. En ce moment précis, allongé près de cette étrangère endormie, Gueret se sentait déchargé de sa solitude. Il se sentait justifié, et il lui faudrait faire encore bien des choses pour garder cette femme, l'installer au Sénégal et lui assurer une vieillesse heureuse. Il s'en sentait parfaitement responsable, à présent qu'elle l'avait laissé revenir dans son lit. Et même le souvenir des férocités de ces quinze derniers jours, le souvenir de ses mépris écrasants le faisait sourire dans l'ombre comme autant d'enfantillages pardonnables chez une jeune femme gâtée.

Il dormit peu et partit d'un pas gaillard vers l'usine Samson. Par la fenêtre, son admirateur le petit stagiaire, que les derniers événements avaient atterré, vit Gueret arriver de son nouveau pas. Les yeux brillants d'excitation, il se replongea sur ses copies, attendant la suite. Il était huit heures et dix minutes bien sonnées quand Gueret entra dans le bureau de la comptabilité et Mayeux, qui avait pris son fameux poste, n'eut pas le temps d'établir un parallèle entre la pendule et l'arrivée de Gueret. « Foutez-moi la paix, hein ? Il fait beau», articula Gueret d'une voix claire que l'on croyait perdue depuis quinze jours. Et à midi, Louviers et Faucheux qui avaient voulu recommencer leurs gags de priorité à la porte de la cantine se virent refoulés d'un bras souverain : Gueret passa le premier. Le vent tourna, et au lieu d'attribuer sa conduite à une médiocrité infamante, on commença à l'attribuer à des mystères mirifiques. En rentrant, Gueret porta sa moto à réparer : c'est ainsi qu'il se retrouva à nouveau, et d'un jour à l'autre, à la tête d'une femme, d'un chien, d'amis, de compagnons de travail, d'un engin de transport. Et surtout de sa propre considération.

L'été alors éclata pour de bon, et Gueret y connut les plus beaux jours de sa vie. Il rentrait le soir, les yeux brillants, il disait à Maria : « Tu en étais restée au jour où Albert a voulu liquider le gang des Corses, et toi, tu étais à Théoule...» Maria souriait, indécise, disait : « Toi alors... Ça t'intéresse cette histoire ?... Tu ferais mieux de...» Elle s'arrêtait, elle n'insistait plus pour qu'il aille voir les filles de son âge, elle n'insistait plus pour qu'il retrouve ses copains au café, elle semblait résignée à l'avoir à demeure, dépendant d'elle, affectueux et soumis, au même titre que le chien. Alors elle enchaînait, elle dévidait l'écheveau de sa mémoire, elle mimait involontairement certaines scènes, elle riait en y pensant, elle avait l'air d'avoir vingt ans, trente ans... et le port de Marseille à ses pieds ; Gueret, fasciné, l'écoutait et la regardait. Ils dînaient fort tard, à la nuit tombée, et autour d'eux, dans la campagne plate, toutes les lumières étaient déjà éteintes quand le bras nu de Gueret allait en tâtonnant vers l'interrupteur de la chambre aux râteaux.

C'ÉTAIT dans le journal qui entourait la salade — un journal de la veille ; Maria fut d'abord frappée par le mot « Carvin », puis, presque aussitôt, le mot « bijoux » lui sauta aux yeux. Elle défroissa lentement le papier, le lissa plusieurs fois de la main avant de commencer la lecture de l'article. Quand elle l'eut fini, son visage ne bougeait pas, ne reflétait aucune surprise, et même le chien, pourtant extraordinairement sensible à ses humeurs ne sentit pas que c'était à la fin d'une histoire qu'il assistait : à la fin de leur histoire à eux trois : Maria, Gueret et lui le chien.

« Le meurtrier du bijoutier poignardé à Carvin continue à nier le vol. On n'a retrouvé nulle trace jusqu'ici des bijoux, etc., etc. » L'article expédiait rapidement cette histoire banale (qui, après deux mois, n'intéressait plus personne) et tentait d'y adapter un scénario bien embrouillé : Le nommé Baudoint, personnage louche — et l'acheteur, en ce cas — se serait violemment disputé avec le courtier dans sa voiture ; à tel point que ce dernier effrayé avait pris la fuite à travers champs vers un canal dont le sinistre Baudoint ne se rappelait même plus l'emplacement ; il avouait l'avoir rejoint là et assassiné, mais par colère et non par cupidité. On ne retrouvait pas d'ailleurs la moindre trace de son butin. Enfin, le corps du courtier avait été traîné pendant dix kilomètres par une ancre de péniche jusqu'au village de Carvin. Bien entendu, le coupable, toujours interrogé, niait et refusait d'indiquer sa cachette.

Sans cette laitue, Maria aurait fort bien pu ne pas lire ces articles, ignorer tout, continuer à vivre ainsi ; et elle s'aperçut en même temps et de cette possibilité, et du déchirement qu'en lui traversant l'esprit elle lui causait. C'est plus par conformisme que par stupeur qu'elle s'assit pesamment près de la table de la cuisine, et plus par souci des rites et du cérémonial que par émotion, qu'elle avala deux verres de Martini Bianco. Elle l'avait toujours su..., se disait-elle, avec une gaieté amère, elle avait toujours su que ce Gueret n'avait rien dans le ventre. Comme à contrecœur, elle monta dans la chambre vérifier l'existence de ces beaux bijoux. Ils étaient resplendissants mais soudain déplacés dans sa maison minable ; ces pierres orgueilleuses, privées de leurs éclats de sang, semblaient fades, en toc, d'une certaine façon, bien qu'indéniablement vraies. Et Maria qui les maniait jusqu'à présent avec un respect instinctif, se surprit à les faire sauter dans sa main, de plus en plus haut, de plus en plus vite, souriant de leur légèreté, puis riant, plus fort encore, plus haut, jusqu'à ce qu'enfin, les ayant jetées au plafond, elle se retourne et refranchisse la porte sans les rattraper. Et le bruit sec de quelque chose qui rebondissait et ne se cassait pas sur le plancher derrière elle, ne parut pas l'intéresser.

Elle resta un long moment sur le pas de la porte, prenant en plein visage les derniers rayons du soleil — des rayons obliques, brûlants, inutiles et sous lesquels les douze fleurs épuisées et sales arrachées à ce sol dur par ses soins et ceux de Gueret semblaient tendre la tête, dans un plaisir aussi médiocre que vivace.

Gueret reparut à son heure habituelle, avec son sifflement habituel, sa tête habituelle. Maria lui tournait le dos quand il entra, elle remuait quelque chose dans une casserole et il s'exclama : « Ça sent bon ! » de sa voix gaie habituelle avant de s'asseoir et d'allonger les jambes sous sa chaise habituelle. Maria n'avait pas répondu à ce coup de clairon ; et, songeur, il regardait ce dos familier et rassurant, cette mèche encore fauve près de la nuque, ces mains précises. Le chien, les yeux mi-clos, les contemplait l'un après l'autre avec approbation.

— Alors ? dit Gueret après quelques instants de silence, alors, qu'est-ce qui s'est passé aujourd'hui ? Et qu'est-ce qu'on mange, d'abord ?

— Je fais un potage de cresson, dit Maria en se retournant vers lui et en lui offrant un visage paisible, comme assoupi.

« Son visage de poisson-chat », comme il lui disait en plaisantant. Ce nom évoquait pour lui à la fois un visage fermé (le visage absent, muet, d'un animal sous-marin, un animal appartenant à un autre élément), et le visage fendu et comme masqué de ce regard vigilant et mystérieux des chats, ce mystère qui rendait plus clairs les yeux de Maria. Elle ressemblait follement alors, à une gravure illustrant un livre du jeune « Gueret, Georges », alors en huitième à Arras, un livre sur les espèces animales.

Il aimait et craignait à la fois ce visage chez Maria : c'était un visage qui précédait des choses inattendues. Et tout événement, toute nouveauté susceptible de détruire ce qui était maintenant pour lui le bonheur, lui faisait horreur. Aussi répéta-t-il : « Qu'est-ce qui s'est passé aujourd'hui ? » d'une voix plus brutale, qui sembla réveiller Maria, la sortir d'un rêve dont visiblement il ne faisait pas partie. Elle ouvrit la bouche, quitta sa tête d'énigme, parut sur le point de crier tout à coup, de se mettre à pleurer ou de le mordre. Elle se maîtrisa avec, vers lui, une expression si féroce et suppliante à la fois que Gueret recula sa chaise et se leva. Il fit un pas vers elle et mit la main sur ses épaules, d'un air protecteur tout à fait nouveau entre eux.

— Quelqu'un t'a fait du mal ? demanda-t-il à voix basse. Est-ce que quelqu'un t'a manqué ?

Et elle secoua la tête négativement deux fois, sans répondre, avant de lui échapper et de partir vers l'escalier. Il restait dans la cuisine, les bras ballants, décontenancé... Ce n'est qu'arrivée en haut qu'elle lui cria : « Tout va bien ! J'ai eu comme un vertige tout à l'heure : c'est la chaleur... »

Et Gueret fut rassuré aussitôt ; tant il voulait l'être, tant il s'acharnait à l'être, obstinément, depuis neuf longues semaines, celles qui avaient succédé à la découverte du trésor au pied du terril.

D'ailleurs, Maria redescendit en pleine forme cinq minutes plus tard, bien peignée, rose et pour la première fois il remarqua le léger maquillage — dont elle usait pourtant depuis dix jours. Un peu plus tôt, il avait eu peur d'elle un instant, et il se le reprochait ; cette femme était son alliée à présent, son amie, sa « bonne amie », tout autant que sa complice. Ce n'était plus par hasard, par énervement ou par nécessité qu'ils vivaient ensemble, c'était par goût à présent : un goût qui devenait lentement ce que Gueret aimait plus que tout au monde : c'est-à-dire une habitude. Et Maria, de fait, le regardait manger, couper sa viande, boire, avec une sorte de satisfaction évidente, comme si elle l'eût élevé dès sa naissance et fût satisfaite de ses bonnes manières à table. « Elle a un vrai regard de mère », songeait-il, un peu agacé néanmoins ; car les remous de certains souvenirs nocturnes ne le lâchaient pas si facilement...

C'est d'ailleurs de son enfance qu'il lui parla au dessert, pour la première fois, sur sa demande à elle. Jusque-là, elle n'avait semblé considérer son existence passée, à lui Gueret, que comme les enchaînements d'une vie médiocre ; elle avait semblé être déjà au courant — et déjà fatiguée de l'être — de tout ce qu'avait été la brève et lente vie de Gueret : des parents énervés ou accablés, la gêne, les études moyennes, le BEPC, les ambitions déçues, la mort de ces dits parents, le service militaire, les putains, le premier amour, l'école de comptabilité, le stage chez Samson, etc. Et Gueret avait admis fort bien, et très vite, que sa vie à lui n'avait été que ce défilé terne et confus, ce magma sans aucun charme — surtout si on lui comparait la valse amoureuse et aventureuse, de son passé à elle. A vrai dire, bien que le meurtre, ce fût lui, il était complètement persuadé que l'aventure, c'était elle.

Et voilà qu'aujourd'hui Maria, pensive, lui demandait : « Tu étais comment, toi, quand tu étais môme ?... Vers quinze ans, je veux dire ? Tu étais le genre bon fils ou voyou ? Raconte un peu ! » Et le premier étonnement passé, Gueret se surprenait à raconter, avec délices, les plats débuts de sa vie plate ; et il la surprenait, elle, à l'écouter passionnément.

Et il surprenait l'horloge à tourner à toute vitesse, et minuit à sonner au moment précis où il terminait l'éducation de « Pinpin » ; « Pinpin », minuscule lapin orphelin, qu'il avait nourri au biberon pendant des semaines et victorieusement mené à l'âge adulte : Pinpin avait été le premier triomphe de Gueret à treize ans sur un environnement hostile, sur des parents indifférents et sur des camarades de classe moqueurs ou cruels... Ce Pinpin avait le poil beige et doux des lapereaux de Walt Disney... Les yeux de Gueret brillaient en racontant l'étonnant, le miraculeux sauvetage de Pinpin et il sursauta quand dans son enthousiasme il fit tomber les couverts qu'elle n'avait pas encore ôtés — tant elle suivait son récit ! En se penchant pour les ramasser, Gueret heurta de l'index la lame du couteau et cette fugitive brûlure le réveilla, le ramena à la réalité, c'est-à-dire au mensonge. Il releva, de sous la table un visage amusé, et surpris à la fois...

— C'est marrant, dit-il en reposant soigneusement fourchette et couteau sur la table — enfin c'est bizarre comme mélange non, les gens ? Quand tu penses que je n'ai pas hésité, avec le courtier : « clac-clac-clac », fit-il énergiquement, et qu'à treize ans je pleurnichais sur un lapin... C'est marrant, non ?

— Oui, dit-elle, sans paraître ni avoir même remarqué ce changement de ton ni cette désinvolture, cruelle après tout ce flot sentimental. Oui, acquiesça-t-elle, c'est marrant.

Elle avait les yeux baissés et il la regardait, un peu honteux de s'être livré à l'évocation de Pinpin, assez content d'avoir ramené à temps le courtier, indécis sur la marche à suivre pour l'intéresser encore : il n'avait jamais obtenu d'elle une attention aussi longue ni aussi soutenue. C'était à elle maintenant, de donner le la à leur conversation. Maria dut le sentir car elle souleva les paupières, très vite, et lui décocha un regard souriant, affable avant de les baisser à nouveau. Elle prit une cigarette du paquet de Gueret et pour une fois attendit avec une passivité très féminine qu'il lui tende son briquet — au lieu de chercher autour d'elle une allumette d'une main exaspérée.

— Et pour ton poste de chef comptable ?... dit-elle tout à coup.

Gueret sursauta, puis se tassa sur sa chaise. Maria insistait :

— Qu'est-ce que tu leur as dit aux types, chez Samson ?... Au directeur, je veux dire ?... Tu as refusé, en disant quoi ?

— J'ai dit que je ne m'en sentais pas capable, avoua Gueret, rougissant à ce souvenir, d'un coup. Car c'était une des hontes les plus vives qu'il eût subies dans sa vie, une honte bien plus grande que celle d'être maltraité par un vendeur de mobylettes ou rossé par des caïds de province : la honte de se déclarer, lui-même, incapable de faire son métier. Mais cela, il n'était pas question d'en parler à Maria : puisque pour elle la honte consistait, justement, à être capable de le faire. Aussi s'arrêta-t-il là.

— Je vois... dit-elle (sans rien voir du tout, pensa Gueret). Je vois...

Ça n'a pas dû plaire !... Tu avais tellement la trouille que j'aille tout leur dire ? Tu pensais vraiment que j'allais venir leur parlicoter de ton meurtre ? Tu avais peur d'être pendu ? ou guillotiné ?

— Eh bien... dit-il, ouvrant les mains et en haussant les épaules, l'air niais et capon, eh bien, mets-toi à ma place... Je ne dis pas que tu l'aurais fait mais tu étais tellement en colère !

Elle lui décocha de nouveau ce regard trop rapide, écrasa sa cigarette à peine commencée et soupira profondément, comme accablée. L'idée qu'elle puisse avoir quelque remords de lui avoir fait si peur traversa l'esprit de Gueret ; et cette idée lui parut en même temps si saugrenue qu'il se mit à rire.

— Pourquoi ris-tu ? demanda-t-elle sans paraître attendre une réponse.

Et elle se leva, alla jusqu'à la fenêtre ouverte, poussa les volets brusquement. La nuit était sombre dehors — fraîche mais sombre — et Maria semblait la respirer avec soulagement. Il n'y avait pas, pourtant, tant de fumée dans la cuisine... « Elle doit s'ennuyer à nouveau, pensa-t-il. Cette histoire de lapin, d'enfance, quand on a eu un passé comme elle en a eu, c'est comme une tisane après du gin... »

— Si tu n'avais pas trouvé ces bijoux, reprit-elle tournée vers la nuit dehors, tu aurais été chef comptable, finalement ? Tu aurais épousé Nicole, non ?

— Tu plaisantes... commença-t-il.

Mais elle le coupa sans méchanceté :

— Et tu aurais vécu ici ou à Carvin, avec les gosses et la voiture et le pavillon... Tu n'aurais pas été malheureux, au fond...

— Pourquoi ? Pourquoi dis-tu ça ?

Là, elle lui semblait redevenue lointaine, étrangère et féroce. Comment pouvait-elle envisager, même, qu'il puisse vivre heureux avec Nicole à Carvin maintenant ! maintenant que l'aventure et les sentiments lui avaient été révélés d'un seul coup... ! Maintenant qu'il avait « vécu » tout court avec quelqu'un, elle en l'occurrence ! Et même s'il ne l'avait pas rencontrée, comment pouvait-elle penser que cette vie-là — avec Nicole, Samson et la retraite au bout — aurait pu rendre heureux un homme comme lui ? Elle le connaissait, quand même, à présent ! elle savait qu'il était exigeant pour la compagnie ! qu'il ne parlait pas à n'importe qui, qu'il fallait l'apprivoiser, lui plaire, l'étonner... qu'il fallait, bref, faire tout ce qu'elle avait fait envers lui, pour qu'il se sente vivre et soit heureux ! Aussi est-ce d'une voix indignée qu'il dit : « Non, tu sais bien que non ! C'est fini, tout ça ! », sans savoir très bien lui-même ce que désignait ce « tout ça ». Et elle-même ne devait pas le savoir non plus (ou alors ils ne parlaient pas de la même chose) quand elle répéta après lui, mais d'une voix beaucoup plus triste qu'indignée : « Eh oui, c'est fini tout ça... » avant de refermer les volets d'abord puis la fenêtre sur la nuit. « Et sur la conversation », pensa Gueret penaud en entendant le bruit de l'espagnolette dans son dos.

— Je t'ai emmerdée avec mes histoires ! dit-il sans se retourner. Mes histoires de lapin, ce n'est pas bien passionnant, hein ?

Il crut d'abord qu'elle ne lui répondrait pas et il y était déjà résigné quand elle vint s'appuyer au dos de sa chaise. Et alors Gueret, stupéfait, sentit la main de Maria descendre du sommet de sa tête jusqu'à son épaule en ralentissant légèrement sur sa nuque, dans un geste aussi près que possible de la caresse : geste impensable de la part de Maria, geste inespéré pour Gueret. Il sentit son cœur s'arrêter puis repartir à grand bruit, tandis que la voix familière, un peu lasse et mélancolique, disait : « Non, tu ne m'as pas emmerdée... Il y a même des jours où tu m'as fait rire... », ajouta-t-elle, avec douceur.

Sous le choc de cette douceur, il mit une minute à la suivre. Dans le couloir, dans le petit escalier noir à la vague odeur de moisi, mille violons l'accompagnèrent jusqu'à la chambre de Maria.

Les Marseillais lisent le journal du jour, mais il fallut quand même quarante-huit heures à Gilbert Romeut, malfrat de son état, pour débarquer à Carvin. Il y arriva remonté à bloc, enchanté et plein d'une joie secrète. Sans le connaître, il détestait Gueret ; il en avait même été jaloux, dernière séquelle de sa malheureuse passion pour Maria datée au demeurant de plus de vingt-trois ans. Il jubilait. Il jubilait parce que sa part serait plus grande et parce que Maria s'était amourachée d'un petit comptable. Car il connaissait bien Maria, mieux qu'elle ne se connaissait, peut-être. Il avait deviné qu'entre ce garçon et elle l'intérêt n'était pas le seul lien.

Il fut un peu déçu de ce que Maria fût au courant, et encore plus déçu de ce qu'elle fût si calme. Pourtant, autrefois, elle n'aimait pas être dupée par qui que ce soit. L'apéritif traditionnel avalé, Gilbert prit la main de Maria assise en face de lui ; il ouvrait la bouche pour annoncer ses plans, mais elle retira sa main d'un geste effarouché, déconcertant chez elle. Les intentions de Gilbert étaient pures, oh combien..., et il se dit que Gueret, à défaut de courage, avait du tempérament pour avoir su redonner une sensualité, et les pudeurs qui l'accompagnent, à une femme aussi fatiguée de l'amour que l'était devenue Maria.

— Tu as vu ce que j'ai vu ? dit-il d'une voix forte.

Mais Maria l'arrêta tout de suite :

— J'ai vu, Gilbert, j'ai vu. C'est ça qui t'a fait venir ?

Gilbert rougit malgré lui. Il avait l'impression d'être indiscret. Jouant le cynisme, il secoua la tête négativement :

— Non, ma belle, c'est pour une histoire de fric. Tu ne comptes pas partager avec lui, si ? Nous étions trois, nous sommes deux, c'est plus agréable comme ça, à tous les points de vue...

Et, avec autorité cette fois, il reprit la main de Maria et la baisa. Gilbert avait toujours été le dandy du gang, et il était le dernier à regretter les chaussures bicolores.

— J'ai vu, dit Maria toujours avec ce même calme. Que suggères-tu, pour le partage ? Je t'ai mal compris.

— Voyons, dit Gilbert, brusquement vertueux, tu ne vas quand même pas donner cent briques à ce garçon qui ne les mérite même pas ?

— C'est lui qui les a trouvées, objecta Maria.

— Oui, mais ce n'est pas lui qui ira à l'échafaud pour ça... (Gilbert s'énervait comme si elle eût mis en doute un code de valeur irréfutable.) S'il avait risqué sa peau, on lui donnerait l'argent, enfin un tiers, mais là : rien ! Il n'a fait que mentir pour t'épater... On ne va quand même pas lui filer tout cet argent pour sa figuration, si ?

Maria haussa les épaules mais elle semblait résignée et prête à le suivre.

— Parce que « avant » quand on croyait que... dit-elle avec mépris, on lui aurait donné sa part ? Le règlement du milieu ! Tu ne penses pas que c'était plus par trouille que par justice que tu allais la lui donner ? Un homme qui tue, c'est très dangereux, non ? En revanche, un homme qui vole — qui vole même pas : qui trouve —, on peut le laisser tomber, c'est ça ?

— C'est exactement ça, dit Gilbert qui commençait à trouver Maria bizarre. Enfin tu fais ta valise ou pas ? Tu rentres avec moi à Paris ce soir ou tu restes là quelque temps ?

— Pour quoi faire ? dit Maria durement. Que veux-tu que je fasse ici ? Tu as vu ce palais, ce parc..., cette atmosphère... ? (Elle soulignait ses phrases de gestes de la main.) Tu m'imagines restant ici par goût, vieillissant ici, seule avec peut-être un client grognon... et ce chien ! continua-t-elle en désignant Pacha. Et ce chien qui vieillirait et mourrait avant moi ! Est-ce que tu plaisantes, Gilbert ? Je m'en vais, je file, je fuis.

— Qu'est-ce que tu pourrais fuir ? dit Gilbert, vicieusement. L'affaire est classée...

Elle lui tourna le dos et se dirigea vers le petit miroir de la cheminée. A présent, elle se recoiffait, se repoudrait et se mettait du rouge à lèvres. C'était nouveau, ça, c'était inquiétant...

— On peut laisser un petit pourboire à ton zèbre, dit-il, si ça te fait plaisir. Je lui ferai même du un pour cent, si tu veux. Mais le reste, hein, ma petite, nous allons nous en servir et avoir une belle vie, je te le garantis... Personnellement j'aime mieux la Riviera que les mines de charbon ; et toi ?

Elle ne répondit pas, haussa les épaules et sortit de la pièce pour faire sa valise. Gilbert seul dans la cuisine-salle à manger regardait autour de lui avec curiosité. C'était bien la même vieille pagaille de Maria, le même abandon mais aussi pensa-t-il tout à coup, le même «charme». Les chaises étaient en paille, la nappe en crochet blanc, les casseroles en fonte; il n'y avait en tout cas ni formica ni matière plastique ni percolateur ou grille-pain ultra-moderne. «Que va-t-elle faire de son fric? se demanda-t-il un instant. Elle n'aime pas s'habiller, elle n'aime pas les voyages... Je la vois mal se payant un minet, avec son orgueil...» Mais déjà Maria redescendait, une seule valise à la main. Gilbert la regarda, étonné :

— C'est tout ce que tu emportes? ou tu veux qu'on revienne?

— C'est tout ce que j'ai, dit-elle. Nous passerons aussi à la banque de Lille où j'avais trois francs pour attendre la suite. Et je vais effectivement laisser un pourboire à Gueret. Il a été bien brave, ajouta-t-elle avec un air amusé, bien brave et bien courageux, par moments...

— Il n'empêche, dit Gilbert, il n'y a qu'un cave pour vouloir se faire passer pour un gangster! Quel minable!...

— Assieds-toi, dit Maria d'un geste large en lui indiquant une chaise de paille. On a le temps, il ne sort qu'à six heures de sa comptabilité. Et je veux lui dire au revoir.

Les yeux de Gilbert s'agrandirent.

— Tu es folle?... Ou alors c'est du sadisme... Tu veux à la fois le serrer sur ton cœur et lui piquer ses bijoux?

— Non, dit-elle mais enfin c'est plus poli. Tu ne le sais pas mais il a refusé d'être chef comptable à cause de moi... à cause des bijoux, rectifia-t-elle. On peut lui dire au revoir, quand même...

Gilbert résigné se reposa sur sa chaise, alluma une cigarette et demanda d'une voix distraite :

— Comment il est, ce type? Genre nerveux ou genre mou?

— Pourquoi? dit Maria. Tu as peur de lui? Puisqu'il n'a pas tué!...

— C'est par curiosité, maugréa Gilbert, furieux d'être accusé de frousse. Qu'est-ce que tu veux qu'il me fasse? Regarde...

Il retira de sa poche un de ces fameux couteaux à cran d'arrêt, seul jouet qu'il ait gardé des belles années. Et le chien, soit que le couteau l'effrayât, soit qu'il entendît autre chose, dressa la tête et regarda vers la fenêtre.

— Mais il a peur, ce chien? demanda Gilbert se levant malgré lui. Et il fallut que Maria, rassurante, le fît rasseoir. «Il est moins fringant qu'à vingt-cinq ans, ce pauvre Gilbert, songeait-elle. Il n'aime plus les bagarres. Ce n'est pas lui qui aurait délibérément été se faire rosser par les videurs d'une boîte...» Mais elle arrêta net ses réflexions. Depuis la veille, elle voyait défiler devant elle toutes les circonstances, tous les épisodes où Gueret avait joué le dur pour l'épater. Elle revoyait, dans cette nouvelle lumière, toutes ses comédies ridicules et bien qu'elle se battît les flancs pour parvenir à la colère, elle n'arrivait hélas qu'à une sorte d'amusement, pas loin de l'attendrissement. Il n'avait pas été dégonflé du tout, ce petit Gueret... pensait-elle en se rappelant la boîte de nuit. Elle revoyait aussi son retour triomphant de l'usine et comment il avait si vite cédé à son chantage qui ne le concernait pourtant pas. Pourquoi alors avait-il refusé ce poste?... Rien ne l'empêchait de lui dire merde et de la laisser raconter ses sottises à la gendarmerie nationale. Pourquoi avait-il arrosé les fleurs quand elle n'était pas là? Pourquoi avait-il dormi en travers de sa porte? Et pourquoi voulait-il absolument chaque nuit lui prouver qu'il était un homme et qu'elle lui plaisait? Quel jeu jouait-il finalement, en dehors du fait qu'il n'était pas un assassin?

En tout cas ce jeu-là était fini, lui aussi. Qu'il ait tué ou qu'il n'ait pas tué, qu'il l'aime ou qu'il ne l'aime pas, cela ne menait Maria à rien. Il n'avait pas trente ans, elle en avait beaucoup plus et s'arrangeait pour faire encore plus. Elle avait toujours su qu'elle ne partirait pas pour le Sénégal, au fond... Elle avait toujours pensé qu'elle ne supporterait pas de voir Gueret lui échapper un beau jour pour une femme jeune et jolie, tandis qu'elle-même serait rejetée d'une manière plus dure à sa solitude. Les quelques clichés imaginaires qu'ils avaient vécus ensemble — cliché où l'on voyait sur un fond de bananiers Maria rajeunie, appuyée au bras de Gueret grimpant dans une pirogue ou le cliché où on les voyait lui et elle dans un bar climatisé, se félicitant d'affaires également fructueuses, ou encore le cliché où elle montrait à Gueret ébloui une orchidée jamais vue —, tous ces clichés devaient aller droit à la corbeille et y rejoindre d'autres clichés également extraits de sa vie privée et dont Dieu merci, elle avait maintenant oublié la couleur...

— Tu n'en pinces pas pour lui, quand même?

La voix de Gilbert la tira de sa mélancolie.

— Moi?... dit-elle en riant. Moi, amoureuse d'un jeunot, mythomane en plus?... Mon pauvre Gilbert!... Tu crois que j'ai encore l'âge d'aimer quelqu'un? L'âge ou l'envie...

— Mais il n'y a pas d'âge... commença l'autre (en bombant le torse et en cherchant de l'index une moustache disparue, faute de poils) quand le chien se mit à aboyer furieusement et se dressa sur ses pattes avant de bondir vers la porte. En même temps une sirène s'élevait, envahissait l'air autour d'eux et Maria jeta à Gilbert : «C'est un accident de la mine. Ne t'inquiète pas, on ne va pas nous bombarder.» Et une fois de plus Gilbert allait se vexer de ce qu'elle lui prêtât de la peur; mais la porte déjà s'ouvrait sur Gueret décoiffé, les yeux brillants d'excitation.

«Pas mal... pensa Maria brusquement, pas déshonorant du tout.» Et elle vit la même appréciation dans l'œil de Gilbert, doublée d'une légère crainte. Elle souhaita très vite que Gueret flanque une raclée à son vieux complice; elle souhaita malgré elle qu'il prenne les rênes de cette affaire, remonte jusqu'au receleur, se débrouille, soit plus malin, gagne...! Cet espoir extravagant dura trois secondes, exactement le temps qu'il fallut à Gueret pour poser sa veste soigneusement à la patère, et dire «Bonjour monsieur», d'un ton emprunté.

— Je m'excuse, commença-t-il, d'arriver comme ça, mais il y a eu un accident. On est libre jusqu'à dimanche et je n'ai pas pu te prévenir... ajouta-t-il vers Maria. Enfin, vous prévenir.

Et ce «vous» fit éclater de rire Gilbert rassuré.

— On ne se tutoie pas ici? dit-il. Bon! enfin, moi c'est Gilbert et vous c'est... Garot? Guerin...? C'est ça?

— Gueret, dit machinalement le lamentable soupirant de Maria.

Et de fait Gueret était affolé au lieu d'être ravi. Cet homme devait porter l'argent sur lui, il était le messager de la fortune mais Gueret ne lui avait pas imaginé cette attitude moqueuse et hostile. Après tout ils lui en laissaient un tiers... Il aurait dû être plus aimable.

— Vous êtes venu en train? commença-t-il. C'est long, non?...

— Il est venu en voiture et ne t'en fais pas pour lui.

Maria intervenait d'une voix méprisante. Elle ne l'avait pas regardé depuis qu'il était entré et s'il n'avait pas la veille senti sa main sur sa tête et sur son épaule, il aurait pu penser qu'elle le haïssait — ou qu'elle le méprisait — comme avant. Gilbert jetait des coups d'œil intrigués autour de lui, vers Gueret et vers Maria. Quelque chose ne marchait pas comme il avait pensé... C'était une question de ton, peut-être... Il décida d'aller vite :

— Quel effet ça fait de poignarder un type quinze fois de suite? s'enquit-il.

— Dix-sept, rectifia machinalement Gueret.

— Oh, pardon! dix-sept. Ça vous a plu? C'est amusant?... C'est pas trop difficile de tuer un gros type comme ça?

Gueret rougissait, perdait pied.

Maria intervint :

— Arrête, Gilbert, ce n'est pas la peine. Tu as lu le journal? continua-t-elle en tendant la page fatale à Gueret qui, haussant les sourcils, le prit et s'assit lui aussi près de la table en face de Gilbert.

Ce n'est qu'à ce moment-là qu'il aperçut la valise près de la cheminée et il releva la tête vers Maria qui, d'un geste impérieux du menton, lui ordonna de lire. Et Gueret lut l'article, reposa le journal sur la table sans rien dire. Il avait les yeux baissés, il sentait sur lui le poids des deux regards. Le silence dura quarante secondes; ce fut Gilbert qui s'impatienta le premier :

— Alors, Jack l'Éventreur?... Qu'est-ce que tu en penses?

Gueret ne semblait pas le voir ni l'entendre. Il releva lentement les yeux vers Maria et péniblement articula :

— Je m'excuse, hein... je m'excuse...

— Tu t'excuses de quoi ? dit-elle. De ne pas avoir tué ce type ?

— Non, dit Gueret, toujours d'une voix presque inaudible. Je m'excuse de t'avoir dit que je l'avais fait.

— Tu ne m'as rien dit, répondit Maria, précise. C'est moi qui l'ai cru, c'est moi qui le voulais. J'aurais dû comprendre à ta tête et à ton air en général que tu n'aurais pas pu. Ça m'apprendra...

— Tu ne m'en veux pas trop ?...

Gueret semblait à nouveau revivre :

— Le nombre de fois où j'ai eu envie de te le dire... tu ne sais pas... dit-il. Je suis presque soulagé... c'est marrant, ajouta-t-il en souriant timidement.

— Pour être soulagé, tu vas l'être...

Gilbert intervenait :

— Mon vieux, on te laissait la part du travailleur dans l'affaire, mais maintenant... tu comprends qu'il n'en est pas question. Si Maria veut te laisser quelque chose, je le lui ai dit, je partage le pourboire. Mais pas lourd... une brique, ou deux, quoi... Tu as bien une petite amie quelque part... Enfin, un parent ou un copain, reprit-il précipitamment, se rendant compte qu'il « gaffait », d'une manière tout à fait inattendue au regard que lui jeta Gueret.

— Ça ne fait rien, marmonna ce dernier, ça ne fait rien... Ça m'est égal. Je n'ai pas besoin de pourboire : je ne bois pas... dit-il avec un petit rire misérable.

— Bon, eh bien (Gilbert regardait à droite, à gauche, il lui semblait que ça n'en finissait plus, qu'il fallait agir). Alors on y va, Maria ? Tu viens ?... La voiture est à cent mètres, j'ai dû la laisser tellement ça glisse. Cette saloperie de pays, quand il pleut...

— Je t'ai laissé une enveloppe dans la chambre, dit Maria sans regarder Gueret. Tu pourras t'acheter plusieurs motos avec..., des grosses.

Et elle se dirigea vers la porte que Gilbert venait d'ouvrir.

— Ah mais non ! dit Gueret debout tout à coup, d'une voix blanche qui arrêta net Gilbert. Ah mais non, ça ne va pas se passer comme ça... Où vas-tu ?

— Dis donc, le mythomane... (Gilbert s'était retourné, enfin à son affaire puisque le cave s'énervait.) Dis donc, tu ne vas pas nous casser les pieds... Elle t'a laissé quelque chose...! bienheureux. Mais maintenant elle file, elle va au soleil, Maria.

— Ah mais non... dit Gueret en secouant la tête. Ah mais non, ça ne peut pas se passer comme ça...

— Tu ne penses quand même pas qu'elle va rester dans ce pays sinistre à te faire cuire des petits gâteaux, non ?... Tu rêves ! Elle va avoir la belle vie, Maria, maintenant. Puis, entre nous, mon vieux, tu la fatigues un peu. Les dégonflés, c'est pas son style, tu sais, à Maria...

— Mais ce n'est pas ça... commença Gueret, ce n'est pas ça du tout...

Gilbert crut comprendre, et son ton devint brutal :

— Si c'est pour le fric, tu peux te brosser, vieux. Maria et moi, on fait fifty-fifty. Tire-toi de là, on est pressés tout à coup. J'aime pas être dans la même pièce que les jobards, moi. Tire-toi... bon Dieu !... ajouta-t-il en élevant la voix, car Gueret s'était mis en travers de la porte, les bras en croix, l'air comme ivre.

— Pousse-toi, Gueret, dit Maria à son tour. Pousse-toi, c'est cuit tout ça...

— C'est son fric qu'il veut... dit Gilbert. Qu'est-ce que tu crois ? Regarde-moi cet abruti : il veut son fric, c'est tout... Mais il ne l'aura pas, poursuivit-il en tirant de sa poche son fameux couteau. Allez... continua-t-il en faisant une arabesque de la lame autour du visage de Gueret, allez, pousse-toi.

— Vous partez si vous voulez, et le fric avec, je m'en fous, dit Gueret d'une voix blanche. Mais pas Maria. Maria, elle reste avec moi. Elle me l'a dit d'ailleurs. On doit aller au Sénégal... je sais même l'horaire des bateaux... ça fait trois mois qu'on en parle, hein Maria ?... Alors allez-vous-en !

— Tu veux que je parte avec le fric et en te laissant Maria ?

Gilbert avait pris une voix scandalisée, bien que cette idée lui parût assez géniale dans le fond. Si Maria était d'accord, ce serait un joli coup... Mais elle avait froncé les sourcils et respirait à petits coups pressés, signe qu'elle s'énervait, qu'il fallait brusquer les choses :

— Tu vas te pousser ? C'est la dernière fois... Je m'en vais, et Maria aussi. Tu as compris, corniaud ?

Maria fit à son tour un pas vers la porte. Et peut-être Gueret l'aurait-il laissée passer dans son trouble, si Gilbert n'avait eu la galanterie malencontreuse de vouloir lui ouvrir cette porte, c'est-à-dire de toucher Gueret et de le repousser vers le mur. Gueret, d'un mouvement convulsif, se jeta sur lui, l'attrapa par le col et se mit à le secouer sur place, brusquement hors de lui.

— Tu ne vas pas emmener Maria ! disait-il, tandis que Gilbert gigotait au bout de ses poings. Maria va rester avec moi, avec ou sans fric, on s'en fout ! Elle est avec nous : avec le chien et moi... Parce que le chien et moi, on y tient. Vous comprenez ?... Moi je l'aime, Maria, dit-il avec fureur, et je n'ai rien à en foutre du Sénégal ou de Béthune... C'est Maria que je veux, Maria et le chien c'est tout.

— Tu vas me lâcher...

Gilbert étouffait à demi. Il devenait pâle comme le type de la boîte de nuit. Et comme dans la boîte de nuit Gueret ne le voyait pas.

— Lâche-le ! dit Maria brusquement. Lâche-le, Gueret !

— Et Maria aussi nous aime... continuait-il en envoyant la tête de Gilbert taper contre le mur. Elle non plus ne peut plus vivre sans nous... Tu comprends ?...

Mais Gilbert n'avait pas compris ça du tout : il avait compris qu'il allait mourir si ce grand imbécile ne le lâchait pas ; et à tâtons, il récupérait son couteau ; et d'un geste lent mais adroit, l'enfonça dans le ventre de Gueret qui pendant un instant ne sembla pas s'en apercevoir.

— Mais tu vas le lâcher, bon Dieu ! dit Maria qui n'avait rien vu.

Et elle se crut simplement obéie quand Gilbert délivré recula de trois pas vers elle. Alors, elle vit la tache sur le pantalon de Gueret ; elle vit son air étonné et elle le vit tomber en travers de la porte. Le chien vint vers lui en reniflant, l'air éperdu.

— Merde !... dit tout bas Gilbert. Ah, merde ! il m'a fait peur... !

— Appelle l'ambulance, dit Maria simplement.

Mais elle avait vu d'où venait le sang et déjà elle savait la vérité.

L'ambulance vint très vite. Presque trop vite au gré de Gueret qui ne souffrait pas encore et que la vue du sang coulant par saccades étonnait plus qu'elle ne l'effrayait. Maria lui avait mis son manteau sous sa tête — signe qu'elle ne partait pas — et c'était bien le principal. Il se sentait soulagé. Il avait eu chaud, bien sûr, mais maintenant elle savait tout, elle resterait avec lui et argent ou pas ils auraient une vie drôlement agréable. Aussi fut-il amène avec le jeune interne et les ambulanciers et aussi prétendit-il sans effort que c'était un accident. « C'est la rate... », avait dit l'interne en devenant un peu pâle et en accélérant le rythme de ses gestes.

Gueret était à demi étendu dans l'ambulance ; il voyait encore le ciel, les champs, le haut du terril ; et surtout au premier plan le visage de Maria, ses yeux posés sur lui avec une expression bizarre mais tendre.

— Tu seras là quand je rentrerai ? dit-il. Hein ?...

Il se sentait le souffle court, il se sentait pâlir, il avait froid. Quelle idiotie, quand même, cette bagarre... Il avait toujours su que c'était bête de se bagarrer.

— Oui, dit-elle, je serai là.

A présent il était tout entier installé dans l'ambulance. L'interne était près de lui, prenait son pouls, jetait un regard vers Maria qui haussait les sourcils d'un air interrogatif. Gueret, sans rien comprendre, vit l'interne secouer la tête les yeux baissés, de gauche à droite. Le pauvre Gilbert avait perdu tout son entrain, semblait-il. Il fuyait même dans la direction de sa voiture. L'un des ambulanciers commençait à fermer les portes de l'ambulance ; et le ciel se rétrécissait à vue d'œil pour Gueret entre ces deux plaques de zinc peintes en blanc. Il leva la main pour l'arrêter et l'ambulancier obéit par pure gentillesse puisqu'ils étaient si pressés...

— Tu m'attendras... c'est sûr?... dit-il enroué sans savoir pourquoi. Tu m'attendras... tu jures, Maria?

Maria se pencha un peu plus dans la légère pénombre de l'ambulance. Il voyait son visage en très gros plan, irréel, «un visage toujours si prompt au mépris, se disait-il, et si tendre parfois quand elle ne fait pas attention...». Il commençait à avoir mal au côté.

— Je t'attendrai toute ma vie, pauvre con... dit-elle d'une voix sans timbre.

Et l'ambulancier refermant la porte, il ne vit plus que ce mur blanc qui le séparait d'elle.

L'ambulance partit comme une flèche, toutes sirènes hurlantes bien que ce fût inutile. Le chien courut un peu après puis s'arrêta au bout de deux cents mètres quand il se rendit compte de l'inutilité de ses efforts. Il resta au milieu de la route, la tête dans la direction de la ville puis il la tourna vers Maria : elle était immobile au même endroit où Gueret l'avait vue un jour, l'attendant dans sa robe noire. Elle ne bougeait pas.

Le chien hésita, regarda de nouveau la route, de nouveau vers elle, et tout à coup se mit à trotter dans une troisième direction.

LA FEMME FARDÉE

Roman

A Jean-Jacques Pauvert,
grâce à qui l'histoire de ce livre
est une histoire heureuse,

SON AMIE.

« Quelle importance pourrions-nous attacher
aux choses de ce monde? L'amitié? elle
disparaît quand celui qui est aimé tombe dans
le malheur, ou quand celui qui aime devient
puissant. L'amour? il est trompé, fugitif ou
coupable. La renommée? vous la partagez
avec la médiocrité ou le crime. La fortune?
pourrait-on compter comme un bien cette
frivolité? Restent ces jours dits heureux qui
coulent ignorés dans l'obscurité des soins
domestiques, et qui ne laissent à l'homme ni
l'envie de perdre ni de recommencer la vie. »

CHATEAUBRIAND, *Vie de Rancé.*

C'ÉTAIENT les derniers jours de l'été, un été qui avait été jaune et cru, violent, un de ces étés qui rappellent la guerre ou l'enfance ; mais c'était à présent un soleil poli et pâle qui s'allongeait sur les flots bleus et plats du port de Cannes. C'était la fin d'un après-midi d'été, le début d'un soir d'automne, et quelque chose dans l'air était languissant, doré, superbe, et surtout : périssable ; comme si cette beauté eût été condamnée à mort par ses excès mêmes.

Sur le quai du *Narcissus*, orgueil des compagnies Pottin, qui s'apprêtait à lever l'ancre pour sa célèbre croisière musicale d'automne, le capitaine Ellédocq et son commissaire de bord, Charley Bollinger, campés comme au garde-à-vous au bout de la passerelle, semblaient néanmoins peu sensibles au charme de l'heure. Ils recevaient les heureux et privilégiés passagers d'un paquebot assez luxueux pour justifier le prix exorbitant de cette croisière. La notice placardée dans toutes les agences du monde, tous les ans depuis trois lustres à présent, était des plus prometteuses : son slogan, écrit en lettres anglaises sur fond d'azur, cernait une harpe éolienne d'époque incertaine, de ces cinq mots : «*In mare te musica sperat*», ce qui pour un latiniste pas trop pointilleux pouvait se traduire par : «La musique vous attend sur la mer.»

En effet, pendant dix jours, si l'on en avait le goût et les moyens de ses goûts, on pouvait faire un petit tour du Bassin méditerranéen dans des conditions de confort raffinées, et en compagnie d'un ou de deux des plus grands interprètes de l'heure et du monde musical.

Dans l'organisation des Pottin, ou plutôt dans son idéal, l'escale déterminait l'œuvre musicale, et l'œuvre musicale déterminait le menu. Ces correspondances délicates, au début hésitantes, s'étaient peu à peu transformées en rites immuables, même s'il arrivait parfois que la décomposition subite d'un tournedos obligeât à remplacer Rossini par Mahler et ce tournedos par une potée bavaroise. Souvent prévenus au dernier moment par l'intendance des caprices du congélateur de bord ou des marchés méditerranéens, les interprètes étaient quelquefois la proie de légères crises de nerfs qui ajoutaient du piment à une existence par ailleurs assez monotone, si l'on en oubliait le prix. Le coût de la croisière, en effet, était de quatre-vingt-dix-huit mille francs en classe de luxe, et, en première classe, de soixante-deux mille francs, les deuxièmes classes ayant été bannies à jamais du *Narcissus* afin d'épargner les susceptibilités des privilégiés moins privilégiés que les autres. N'importe ! Le *Narcissus* partait toujours comble : on se battait deux ans à l'avance pour y avoir une cabine et l'on s'y retrouvait sur les rocking-chairs du pont supérieur comme d'autres sur les gradins de Bayreuth ou de Salzbourg : entre mélomanes et entre gens riches, la vue, l'ouïe, l'odorat et le palais délicieusement et quotidiennement comblés. Seuls les plaisirs du cinquième sens restaient facultatifs, ce qui, vu l'âge moyen des passagers, était au demeurant préférable.

A dix-sept heures, heure limite, le capitaine Ellédocq poussa un grognement sinistre, sortit sa montre de son gousset et la promena devant ses yeux d'un air incrédule avant de la brandir sous les yeux patients et moins surpris de Charley Bollinger. Les deux hommes naviguaient ensemble depuis dix ans et en avaient acquis des habitudes quasi maritales, qui, eu égard à leur physique, avaient quelque chose de tout à fait saugrenu.

— Pariez la Bautet-Lebrêche pas là avant sept heures ?

— C'est probable, répondit d'une voix amène et flûtée Charley Bollinger, qui s'était, à force, habitué au morse du commandant.

Ellédocq ressemblait tellement à l'idée qu'on se fait d'un vieux loup de mer, avec sa stature de colosse, sa barbe, ses sourcils et sa démarche chaloupée, qu'il s'était peu à peu imposé à la compagnie Pottin, en dépit d'une rare inaptitude à la navigation. Après quelques naufrages et de nombreuses avaries, on l'avait retiré de tout océan aventureux pour lui confier ces circuits sans périls, ces cabotages d'un port à l'autre où, de la dunette d'un ·paquebot solide et bien équipé, aidé par un second relativement au courant de la navigation et de ses règles, il ne pouvait strictement rien lui arriver de fâcheux. La prétention proche de la paranoïa que développait Ellédocq depuis son plus jeune âge pour des causes incompréhensibles lui avait fait attribuer automatiquement à la confiance de ses employeurs l'absence d'initiative que comportait son poste ; mais il ruminait des désirs d'aventures à la Conrad, des nostalgies de capitaines courageux et kiplinguesques. Et l'impossibilité où il était de transmettre d'une voix blanche mais ferme des appels romantiques ou des SOS déchirants n'avait cessé de lui peser cruellement. Il rêvait la nuit de lancer dans un micro crépitant, au cœur d'un cyclone : « Longitude tant, latitude tant, tenons bon... Passagers en sûreté... Reste à bord... » Hélas ! le matin, il ne trouvait à envoyer que des messages tels que : « Poissons avariés, prière changer fournisseur », ou : « Prévoir chaise roulante pour passager estropié », dans le meilleur des cas. L'emploi du morse, chez lui, était devenu si naturel que l'usage de la moindre préposition « de », « à », « pour », etc., provoquait la panique chez ses subordonnés, et surtout chez le craintif, le blond Charley Bollinger. La vie de Charley, né dans une famille bourgeoise de Gand, homosexuel et protestant, avait été une suite d'avanies supportées avec grâce, plus qu'avec bonheur, et bizarrement il avait trouvé dans la présence rogue du capitaine Ellédocq, dans cette virilité intolérante et obtuse, dans cette prétention bougonne, une stabilité et une relation qui, toute platonique qu'elle fût (et Dieu sait qu'elle l'était), le rassurait obscurément. Quant à Ellédocq, qui haïssait dans l'ordre les communistes, les métèques et les pédérastes, c'était un miracle, pensait Charley, que depuis quelque temps il ménageait un peu ces derniers.

— Notre chère Edma, dit Charley avec entrain, sera un petit peu en retard, bien sûr, mais je vous signale que notre grand Kreuze lui-même n'est pas arrivé. Quant à attendre, nous en avons l'habitude, hélas ! mon cher commandant.

Et il lança une sorte de bourrade (ou qui se voulait telle) vers son compagnon qui le toisa férocement. Le capitaine Ellédocq détestait ce « nous » que lui imposait perpétuellement Bollinger. Il n'y avait que trois ans qu'il connaissait les mœurs du pauvre Charley. Descendu pour une fois à Capri chercher un paquet de tabac (car il ne quittait jamais son bord, principe sacré), il y avait découvert son commissaire de bord, habillé en vahiné, dansant le cha-cha-cha avec un Capriote musclé, sur la Piazzetta. Bizarrement, cloué d'abord par l'horreur, il n'en avait jamais rien dit par la suite au coupable ; mais il le tenait depuis dans une sorte de mépris horrifié et parfois craintif. Il s'était même arrêté totalement de fumer ce jour-là, par un curieux réflexe qu'il ne s'était jamais expliqué.

— Quoi, déjà, ce Kreuze ? dit-il d'un ton soupçonneux.

— Mais, mon capitaine, Kreuze, Hans-Helmut Kreuze... Voyons, capitaine, je sais bien que vous n'êtes pas spécialement mélomane... (Charley ne put retenir un rire à cette idée, un petit rire perlé qui assombrit encore le front du capitaine.) Mais quand même, Kreuze est actuellement le plus grand chef d'orchestre au monde ! Et le plus grand pianiste, dit-on... La semaine dernière... Enfin, vous lisez *Paris-Match*, quand même ?

— Non, pas le temps. *Match* ou pas, Kreuze en retard ! Lui peut-être chef d'orchestre ; mais pas chef de mon bateau, votre Kreuze ! Vous savez combien on le paye, hein, Charley, votre Kreuze, pour démolir piano ici dix jours? Soixante mille dollars! Pile! Recta! Trente briques! Vous dit rien, Charley? Et lui voulu embarquer *son* piano, puisque Pleyel du bord pas assez bon pour lui...! Vais vous le dresser, moi, votre Kreuze.

Et d'un air mâle, le capitaine Ellédocq chiqua, et envoya dans la direction de ses pieds un long jet de salive brunâtre qu'un vent malicieux projeta sur le pantalon immaculé du commissaire de bord. «Ah! mon Dieu!» commença Charley, consterné. Mais interrompant ses plaintes, une voix joyeuse l'interpella des profondeurs d'une Cadillac de louage; et son visage virant en un instant du dépit à l'allégresse, Charley se précipita vers l'arrivante, Mme Edma Bautet-Lebrêche, elle-même, tandis qu'Ellédocq, lui, restait sur place, immuable et comme sourd à cette voix pourtant connue de toute la jet society, de tous les opéras et de tous les salons un peu huppés de l'Europe et des Etats-Unis (que, par ailleurs, elle nommait «les States»).

Edma Bautet-Lebrêche, donc, suivie de son mari, Armand Bautet-Lebrêche (des sucres Bautet-Lebrêche, entre autres), descendait de voiture en jetant de sa voix de soprano des «Bonjour, capitaine! Bonjour, Charley! Bonjour, *Narcissus*! Bonjour, la mer!» en femme «volubile et charmante, étourdissante», comme elle aimait à le dire d'elle-même. En un instant l'activité du port se trouva suspendue par cette voix aiguë mais puissante : les marins s'immobilisèrent à leur poste, les passagers au bastingage, les mouettes dans leur vol ; seul le capitaine Ellédocq, qui en avait entendu d'autres dans ses cyclones intérieurs, y demeura sourd.

Bien qu'Edma Bautet-Lebrêche avouât avoir passé la cinquantaine (ce qui était vrai depuis douze ans), elle était juvénilement vêtue d'un tailleur coq de roche et d'un turban blanc, ensemble qui soulignait son extrême minceur, son visage légèrement chevalin aux yeux en amande un peu exorbités, et tout ce qu'elle laissait désigner comme sa «dégaine princière». La dégaine de son époux, en revanche, était celle d'un comptable affairé. On ne se souvenait jamais d'Armand Bautet-Lebrêche — sauf si on avait eu affaire avec lui, et là on ne l'oubliait plus. Il était l'une des plus grosses fortunes de France, et même d'Europe. Perpétuellement plongé dans une rêverie qui touchait à la distraction et le faisait trébucher partout, on pouvait le croire poète, si l'on ne savait pas que c'étaient des chiffres et des pourcentages qui hantaient cette tête ovoïde et chauve. Mais s'il était maître de sa fortune et de son empire, «A.B.L.» était aussi l'esclave d'une IBM forcenée, qui cliquetait sans cesse dans son cerveau froid, depuis sa prime enfance, et faisait de lui un des mille martyrs bénéficiaires de l'arithmétique moderne. Sa limousine personnelle s'étant égarée sur l'autoroute, il était en train de régler le chauffeur de la Cadillac de louage, et lui donnait, sans même y réfléchir, douze pour cent de pourboire, au centime près. Charley Bollinger sortait de la malle arrière une pile invraisemblable de valises en cuir noir, marquées B.L. indistinctement, mais dont il savait que les neuf dixièmes étaient la propriété d'Edma, et non d'Armand. Deux marins musclés dévalaient la passerelle et s'en emparaient déjà.

— C'est toujours la 104, s'enquérait Edma d'un ton affirmatif plus qu'interrogatif.

La 104 était sa cabine, en effet, qui avait à ses yeux le privilège (et aux yeux du capitaine la malédiction) de toucher à celles des interprètes.

— Charley, dites-moi tout de suite : je dors près de la Diva, ou de Kreuze ? Je ne sais vraiment pas ce que je préfère entendre au matin, en prenant mon petit déjeuner : les trilles de la Doria, ou les arpèges de Kreuze... Quelles délices, mais quelles délices ! Je suis ravie, commandant, je suis trop heureuse. Il faut que je vous embrasse... Puis-je ?

Sans attendre la réponse, Edma avait déjà sauté comme une grande araignée au cou du capitaine secrètement indigné, et dispensait son rouge à lèvres géranium sur sa barbe noire. Elle avait toujours été d'un naturel malicieux qui ravissait apparemment Charley Bollinger autant qu'il agaçait son époux. Ce qu'A.B.L. appelait les «agaceries» de sa femme — agaceries qui lui avaient paru suffisamment charmantes quarante ans plus tôt pour qu'il l'épousât —, étaient une des rarissimes choses susceptibles de l'arracher à ses chiffres au point de lui faire parfois manquer quelques opérations mentales. Là, la victime étant ce ridicule et grossier Ellédocq, Armand Bautet-Lebrêche apprécia, et son regard croisa un instant, avec l'exacte reproduction d'un sourire complice, celui de Charley Bollinger.

— Et moi ? s'écria ce dernier. Et moi, milady ? N'aurai-je pas droit aussi à un petit baiser de retrouvailles ?

— Mais si, bien sûr que si, mon cher Charley... C'est que vous m'avez manqué, vous savez.

Rouge de fureur, Ellédocq s'était reculé d'un pas, et jetait un regard sarcastique sur ce couple tendrement enlacé. «Un pédé et une dingue, pensait-il sombrement. Charley Bollinger embrassant la femme du sucrier. J'aurai tout vu dans ma garce de vie...»

— Vous n'êtes pas jaloux, monsieur Bautet-Lebrêche ? demanda-t-il d'une voix ironique, virile, une voix d'homme à homme — car après tout ce sucrier, même s'il avait l'air d'un morceau de veau mal cuit, était néanmoins un mâle.

Mais il ne reçut en retour aucun signe de reconnaissance :

— Jaloux ? Non, non, marmonnait ce mari complaisant. Montons, voulez-vous, Edma? Je suis un peu fatigué. Mais ce n'est rien, non, rien, je vous dis... continua-t-il précipitamment.

Car Edma, virevoltante au vent de l'inquiétude, s'était retournée vers lui, lui tapotait les joues et lui desserrait la cravate, bref le tripotait comme à chaque fois qu'elle se rappelait son existence. Dépassant Armand Bautet-Lebrêche de cinq bons centimètres lors de leurs fiançailles, Edma le dépassait de dix à présent. Encore émerveillée d'avoir épousé une immense fortune (ambition de toute sa jeunesse), elle aimait de temps en temps réaffirmer aux autres comme à elle-même sa propriété et ses droits sur son époux, sur ce petit homme taciturne qui n'était qu'à elle seule, et à qui seul étaient tout ce sucre, toutes ces usines, tout cet argent. Cela en le manipulant et en le tripotant d'un air écœuré comme l'eût fait toute petite fille d'un poupon chauve. Armand Bautet-Lebrêche, que la vivacité et la voix perçante de sa femme avaient très rapidement réduit à l'impuissance, attribuait à l'instinct — par lui frustré — de la maternité le comportement frénétique qui agitait parfois l'altière Edma ; et il n'osait pas trop se débattre. Dieu merci, au fil des ans, elle oubliait son existence de plus en plus souvent, mais les instants où elle en reprenait conscience en étaient d'autant plus démonstratifs. C'était peut-être à ce désir de se faire oublier par sa femme qu'Armand Bautet-Lebrêche devait de l'être si aisément par n'importe qui.

Sa phrase imprudente ayant donc déclenché dans le cerveau d'Edma toute une mémoire conjugale, Armand prit la fuite vers sa cabine, sachant qu'une fois allongé sur sa couchette il échapperait à sa sollicitude. En effet, Edma, qui avait vite été exaspérée par les étreintes de son mari et croyait avoir à les craindre encore, malgré leur éloignement quasi historique, s'imaginait donc «tentante» pour lui. Et se refusant de jouer avec le feu, elle n'approchait Armand que si ce dernier était assis ou debout, la volupté étant pour elle liée à la station couchée — ce que Bautet-Lebrêche, ce tas de cendres vivant, savait utiliser sans vergogne, s'allongeant pour un rien sur le premier divan en vue. C'est ainsi que depuis des années, sans même s'en rendre compte, le couple Bautet-Lebrêche jouait à «chat couché».

L'empereur du Sucre parvint le premier à la cabine 104 et se jeta tout haletant sur la première couchette, suivi à un demi-foulard par Edma, elle-même précédant le dévoué Charley Bollinger.

— Alors, alors... chuchota Edma (dont les essoufflements distingués firent soudain aboyer furieusement un chien inconnu dans la cabine voisine), alors, quelles sont les nouvelles, Charley? Asseyez-vous, je vous en prie.

Elle-même s'était laissée choir dans un fauteuil et promenait un regard satisfait sur ce luxueux décor si laid et si familier. C'était une cabine de bateau décorée comme une cabine de bateau par un décorateur parisien fort connu ; c'est-à-dire avec force teck, cuivre et objets dits anglais ou marins.

— Alors, dites-moi tout ! Primo, y a-t-il des nouveaux ?... Mais quelle est donc cette bête ? reprit-elle d'une voix haute, nasale et agacée, car le chien hurlait de plus belle.

— C'est le *bull-dog* de Hans-Helmut Kreuze, dit Charley non sans fierté (« une fierté bête », nota Edma). Il est arrivé avant-hier, avant son maître. Il a déjà voulu mordre deux stewards !...

— Il paraît que Kreuze aussi aboie énormément, dit Edma qui, à la suite de quelque fâcheux et mystérieux incident à Bayreuth, était devenue germanophobe.

— Il faudrait que son maître muselle ce chien, reprit-elle plus fort pour couvrir le vacarme. Ou qu'on le jette à la mer, ajouta-t-elle une demi-octave plus haut. Quels sont les nouveaux ? Le vieux Stanistasky est mort, non, ce printemps, à Munich ? Qui a hérité du 101 ?

— Les Lethuillier, dit Charley (le chien se tut immédiatement). Vous savez, Éric Lethuillier ? *Le Forum,* ce journal gauchisant. Enfin, à tendances quasi communistes ? Cet Éric Lethuillier qui a épousé l'héritière des Aciéries Baron... Eh bien, cet homme de gauche va voyager avec nous, chère amie ! La musique rassemble tout le monde, finalement... Et Dieu merci, ajouta-t-il avec sentimentalité.

— Mais c'est extravagant ! Ça alors, vous m'avouerez ! s'exclama Edma. Mais qu'a donc cette bête ? (Edma tapait du pied à présent.) Serait-ce par hasard ma voix qui l'énerve ? Eh bien, Armand, dites quelque chose !

— Que voulez-vous que je dise ? dit Armand d'une voix atone qui, magiquement, apaisa elle aussi le chien.

— Si ce sont les voix de femmes qui l'énervent, la Doria va s'amuser de l'autre côté. Ha, ha, ha ! Je ris d'avance, rit Edma. Avec le caractère de la Doria, ça va être un joli tapage... A propos, comment avez-vous fait pour l'avoir à bord ? chuchota-t-elle, vaincue par son ennemi canin qui, de l'autre côté de la cloison, respirait fiévreusement dans un bruit de soupape tout à fait démoralisant.

— On l'a payée une fortune, je crois, souffla Charley, pris par la contagion.

— Son dernier gigolo devait être plus cher que les autres, dit Edma (avec méchanceté et un léger soupçon d'envie, car la vie sentimentale de la Doriacci était connue pour la multiplicité — comme la brièveté — de ses conquêtes).

— Je ne crois pas qu'elle doive payer pour cela, dit Charley (amoureux fou, malgré tout, comme les neuf dixièmes des mélomanes, de Doria Doriacci). Elle est encore superbe, vous savez, pour ses cinquante et quelques, conclut-il, rougissant tout à coup, ce qui, pour si peu, ne démonta pas Edma.

— Oh! mais c'est qu'elle les a passés, elle aussi! dit-elle d'une voix triomphante qui redéclencha les aboiements à côté.

— En tout cas, reprit Charley, l'orage une fois apaisé, elle embarque seule. Mais elle aura, je crois, l'occasion de redescendre accompagnée... Nous avons deux hôtes nouveaux cette année. Deux hommes jeunes, et dont l'un n'est pas mal, d'ailleurs! Un commissaire-priseur de Sydney (Australie): un nommé Peyrat. Et un inconnu de vingt-cinq printemps, que je n'ai pas encore vu; profession, néant, et lui aussi solitaire. Cela fera à notre Doria deux proies idéales... S'ils ne succombent pas d'abord à vos charmes! ajouta-t-il avec une intonation coquine qui fit refermer hermétiquement les paupières d'Armand, là-bas, sur sa couchette.

— Flatteur! s'exclama en riant l'imprudente Edma, réveillant encore la colère du chien.

Mais on ne le provoqua pas davantage: il avait gagné. Et c'est à voix basse qu'ils se dirent au revoir.

Charley alla rejoindre son poste auprès d'Ellédocq qui justement accueillait le grand, le célèbre Hans-Helmut Kreuze lui-même. C'est de loin d'abord que Charley assista à l'affrontement de ces deux blocs, ces deux hommes qui symbolisaient et maîtrisaient, croyaient-ils, deux vieilles et superbes alliées: la musique et la mer; mais qui, n'en étant que les vassaux, interprète et navigateur, pouvaient donc se retrouver ennemis.

Hans-Helmut Kreuze était un Bavarois, de taille moyenne, bâti en force, les cheveux ras et drus oscillant entre le jaune et le gris, les traits lourds, semblable en tout point aux caricatures germanophobes de la guerre de 14. On l'imaginait très bien avec un casque à pointe, sectionnant les poignets d'un enfant dans ses langes. Seulement il jouait Debussy comme personne au monde. Et le savait.

Habitué à voir cinquante instruments à vent, cinquante instruments à corde, un triangle et des chœurs entiers plier sous son regard, l'attitude marmoréenne du capitaine Ellédocq commença par le stupéfier — avant de le mettre en colère. Descendant d'une Mercedes neuve — tellement neuve qu'elle en était incolore — , il marcha droit sur le vieux loup de mer et claqua des talons devant lui, le menton légèrement levé et les yeux fixés, derrière ses lunettes, sur les épaulettes d'Ellédocq.

— Vous êtes assurément le pilote de ce vaisseau, monsieur! dit-il en hachant ses mots.

— Le capitaine, monsieur. Je suis le capitaine Ellédocq, commandant le *Narcissus*. A qui ai-je l'honneur?

L'idée que l'on puisse ne pas le reconnaître était si inconcevable pour Hans-Helmut Kreuze qu'il y vit une insolence. Sans un mot, il sortit son billet de la poche droite de son manteau de drap noir, trop chaud pour la saison, et le secoua grossièrement sous le nez d'Ellédocq, lequel resta impassible, les deux mains derrière le dos. Les deux hommes s'affrontèrent du regard un instant, pendant lequel Charley, épouvanté, tenta de se glisser entre les belligérants.

— Maître, maître, dit-il, quel honneur! Maître Kreuze! Quelle joie de vous avoir à bord! Puis-je vous présenter le capitaine Ellédocq? Commandant, c'est maître Hans-Helmut Kreuze que nous attendions tous à bord avec tant d'impatience... Vous savez bien... Je vous disais... Nous étions si fiévreux...

Charley se perdait dans des bafouillages désespérés mais déjà, passant sous le nez d'Ellédocq toujours immobile, Kreuze s'engageait d'un pied ferme sur la passerelle.

— Ma cabine, s'il vous plaît, dit-il à Charley. Mon chien aussi est là? J'espère qu'il a eu des mets appétissants, ajouta-t-il d'une voix menaçante et dans le français baroque mi-littéraire, mi-touristique qu'il utilisait depuis trente ans quand il condescendait à ne pas user de sa langue natale. J'espère que nous levons l'ancre très vite, jeta-t-il au pauvre Charley qui trottinait derrière lui en s'épongeant le front. J'ai l'état nauséeux dans le port.

Il entra au 103 et, accueilli par le sourd grognement de haine de sa bête, claqua la porte au nez de Charley Bollinger.

Majestueusement, le capitaine Ellédocq, quittant le quai et la terre ferme, remonta à pas lents la passerelle, aussitôt relevée. Et lorsque, trois minutes plus tard, sa sirène plaintive couvrant les aboiements du chien et les glapissements d'Edma Bautet-Lebrêche (qui s'était cassé un ongle sur un cintre), le *Narcissus* s'éloigna lentement du port de Cannes sur une eau lisse et nacrée comme un rêve, Charley Bollinger dut essuyer ses yeux embués de toute cette beauté : car le soleil était devenu rouge en une demi-heure. Son hémorragie attiédissait, en même temps qu'elle l'ensanglantait, l'eau du port... vite, trop vite, malgré l'ouate des nuages pommelés, d'un blanc aussitôt empourpré, qui se pressaient contre lui, mais au milieu desquels, renversant la tête en arrière, ce même soleil semblait résigné à achever d'un coup sa lente, son éternelle chute immobile.

— JE VAIS aller fouiner un peu, vous ne venez pas? Armand, secouez-vous... Le crépuscule va être admirable, je le sens... Comment? Vous dormez déjà? C'est dommage! Vraiment trop dommage! Enfin reposez-vous; vous l'avez bien mérité, mon pauvre chou... conclut Edma en se glissant avec un luxe de tendres précautions, que rendait navrante l'absence de tout public, dans l'entrebâillement de la porte, restreint à l'extrême par sa propre main.

Cela étant, si Edma Bautet-Lebrêche jouait parfois sans public, on ne pouvait pas dire non plus qu'elle jouât vraiment pour elle-même. (C'était plus compliqué, pensait-elle.) Sur sa lancée, elle se glissa à pas de loup dans la coursive, mais c'est presque malgré elle pour une fois qu'elle fut indiscrète. Une voix de femme, au 101, s'essayait à chantonner l'ouverture du dernier acte du *Capriccio* de Strauss, et cela d'une voix si nue que l'intrépide Edma se sentit tout à coup la chair de poule. «C'est la voix d'un enfant, ou d'une femme à l'extrême bord du désespoir», pensa-t-elle tout à coup. Et, chose rare, sans vouloir en savoir davantage, elle s'enfuit sur le pont.

Ce n'est que bien plus tard, au cours d'une représentation du *Capriccio* à Vienne, qu'Edma Bautet-Lebrêche se rappellerait ce moment-là, cette voix-là, et croirait comprendre tout, enfin, sur cette croisière. En attendant, ayant englouti cet instant avec quelques autres souvenirs, plus banals, dans le fourre-tout de sa mémoire, elle arriva sur le pont dans un fourreau de surah banane que dérangeait délicieusement un foulard bleu marine lové à son cou maigre, et elle jeta sur les deux ponts, la cheminée, la passerelle, la foule et les chaises de rotin son coup d'œil, ce coup d'œil «pénétrant» célèbre dans son petit milieu — coup d'œil qui était celui du propriétaire, mais d'un propriétaire sarcastique. Comme mystérieusement alertés par ce qu'elle appelait elle-même «son aura» (car Edma en avait vraiment acquis une à force de désirer vraiment sonner l'alerte par sa seule présence), quelques visages se tournèrent vers elle, «gracieuse et élancée silhouette, si élégamment vêtue... et si libérée de tout âge dans ce contre-jour vaporeux», se décrivit-elle mentalement. Et souriant à son bon peuple enthousiaste, la bonne reine Edma Bautet-Lebrêche descendit les marches du deck.

Le premier sujet à lui baiser la main était un garçon en blue-jean, exquisement beau, un peu trop peut-être. Et, bien sûr, ce fut Charley Bollinger, visiblement tombé amoureux fou dans les dernières dix minutes, qui le lui présenta.

— Madame Edma Bautet-Lebrêche, puis-je vous présenter

M. Fayard?... Andréas Fayard... Andréas!... termina-t-il, franchissant ainsi ouvertement, éperdument et d'un seul coup toutes les barrières cruellement installées par la société entre lui et ce jeune homme inconnu. Je ne crois pas vous avoir parlé de lui, ajouta-t-il avec une fierté nuancée d'excuse.

Et, en effet, Charley Bollinger s'excusait de n'avoir pu prévoir sa passion subite pour ce jeune homme, et de n'en avoir pu prévenir la belle Edma, comme c'était l'un de ses devoirs envers elle. Elle esquissa un sourire de paix, il la remercia d'un regard, tous deux parfaitement lucides et parfaitement inconscients.

— Oui, dit-elle en hochant la tête, avec amabilité (mais une certaine hauteur qui signifiait : « D'accord, Charley, il est à vous. Gardez-le donc, on n'y touchera pas. Vous l'avez trouvé le premier »). Oui ! c'est donc Andréas Fayard de... de Nevers ? C'est ça ? Mon cher Charley, vous ne direz pas que je perds la mémoire, acheva-t-elle avec un grand rire nerveux devant l'étonnement du jeune homme.

« Ce gaillard-là, avec son nez grec, ses yeux fendus et ses dents de jeune chien, ne devait plus, depuis longtemps, s'étonner de ce que les inconnus le reconnussent... songeait Edma. Pourvu que Charley ne soit pas tombé une fois de plus sur un faiseur plus faiseur que les autres. »

C'était là l'agaçant avec ces jeunes gens, tous ces jeunes gens que le vent du soir ramenait chaque année dans la tribu affamée mais inexorablement unie des grandes fortunes. Oui, c'était là le plus agaçant de tout : on ne pouvait pas leur faire savoir que si l'on savait ce qu'ils faisaient, de même l'on pensait ce qu'ils pensaient. On était en somme largement aussi cynique qu'eux sur tous les termes du marché. Finalement, c'étaient les profiteurs, les maquereaux, qui exigeaient des fioritures sentimentales bien plus que leurs victimes, pourtant censées les exiger. Ces petits rapaces avaient tort, d'ailleurs, cela faisait perdre du temps à tout le monde et donc un peu du leur, si bref, à ces jeunes chasseurs-chassés — bien plus que cela ne faisait perdre de larmes, ou de bribes d'or à leurs vieilles proies avides.

— Vous connaissez Nevers ? demandait justement le chasseur. Est-ce que vous connaissez la route de Vierzon, quand on va vers la Loire et que...

Il s'arrêta, et l'expression un peu hagarde, joyeuse, qui le rajeunissait un peu plus encore disparut de son visage.

— J'en arrive... bégaya-t-il comme pour excuser cet air de bonheur, inattendu dans sa profession (car enfin tous ces jeunes gens, quand ils parlaient de leur province, ce n'était jamais que pour se féliciter d'en être partis).

— Mais c'est très bien, dit-elle en souriant, d'aimer son pays natal.
Moi, je suis née à Neuilly, bêtement, dans une clinique qui n'existe
même plus. Je ne me rappelle pas le moindre bocage... Ce qui est très
frustrant et très triste, continua-t-elle en riant aux éclats. Si, si, si...
insista-t-elle (car Charley et le jeune homme riaient aussi, Charley par
nervosité, et le jeune homme par bonne volonté). Si, si, si, ça m'a même
beaucoup gênée pour lire Proust.

Elle balaya d'un regard déjà résigné le visage appréciateur mais vide
de Charley — qui n'avait quand même pas poussé la conscience
professionnelle jusqu'à la lecture du *Temps perdu* — et celui du jeune
homme qui, ô surprise! au lieu de prendre l'air vague et renseigné,
avoua :

— Je n'ai pas lu Proust, d'un air de regret.

« Un bon point », pensa Edma. Et elle se détourna de ce nouveau
couple, cherchant une proie moins difficile, non sans un certain regret
hâtif qui lui leva le cœur un instant. Car quoi que ses proches amies
puissent en dire, et quoi qu'elle en dise elle-même, Edma Bautet-
Lebrêche avait beaucoup aimé certains hommes; et bien qu'elle se
félicitât à tue-tête, depuis déjà cinq ans, d'avoir renoncé à « la chair, à ses
œuvres et à ses pompes » pour des raisons d'esthétique et de ridicule, elle
ne pouvait se défendre parfois contre certains regrets, féroces jusqu'à la
nausée, devant certains souvenirs d'autant plus redoutables qu'ils étaient
sans visage et sans nom, et qu'ils ne recouvraient dans sa mémoire, si
elle voulait les cerner, qu'un lit vide aux draps bleus de soleil.

Dieu merci, le capitaine Ellédocq arrivait vers elle, roulant des
épaules comme aux pires heures du *Titanic,* et lui ôtant, d'un coup, toute
nostalgie de la gent masculine.

— Vous, faire connaissance jeune recrue? dit-il en tapotant
vigoureusement l'épaule du jeune Andréas, qui vacilla mais ne plia
point.

« Il devait être costaud sous son blazer de premier communiant »,
songeait Edma. Car ces bourrades étaient l'un des jeux favoris de la
brute débile qui commandait le *Narcissus.* Le pauvre Armand, la
première fois, avait manqué s'envoler sous cette poigne tel un petit
paquet de son fameux sucre en poudre. A la décharge du capitaine
Ellédocq, il avait confondu M. Bautet-Lebrêche avec un cinéaste
d'Europe centrale, ce qui excusait ce grave manquement au protocole.

— Alors, le 104? Il va toujours? s'enquit-il aimablement, tourné
vers Edma qui recula d'un pas en baissant le menton et en faisant battre
les ailes de son nez, comme s'il eût empesté l'ail et le tabac.

L'une des cruautés favorites d'Edma, depuis trois ans, était de
remarquer, chez le malheureux capitaine, tous les stigmates d'un fumeur

invétéré. (Qu'il n'était plus depuis le fameux incident de Capri.) Elle découvrait des blagues à tabac dans un transat et les lui rapportait comme un chien de chasse, lui offrait des allumettes d'un air complice quand il suçait une paille, et lui demandait du feu dix fois par jour avec l'assurance d'une héroïnomane cherchant une seringue dans la poche d'un autre héroïnomane. Aux dénégations furieuses et exaspérées du non-fumeur formel qu'était devenu Ellédocq, elle répondait par des exclamations délibérément outrées qui achevaient de le mettre hors de lui : « Mais c'est vrai ! Mon Dieu, comment puis-je l'oublier chaque fois ?... On n'est pas plus bête ! Ce n'est pas possible d'avoir aussi peu de mémoire... Ça ne m'arrive qu'avec vous, c'est curieux quand même...», achevant son travail de sape. Et quelquefois Ellédocq refermait les dents sauvagement sur un tuyau de pipe imaginaire qu'il eût brisé aussi sec jadis, avant la miraculeuse vision de Capri. Elle prit donc une cigarette dans son sac et Ellédocq fronça le sourcil à l'avance. Mais perverse comme elle pouvait l'être, Edma se penchait vers le jeune homme :

— Avez-vous du feu, monsieur ? Depuis que le capitaine Ellédocq ne fume plus, je cherche partout une allumette secourable. Pendant toute la croisière je vais vous ennuyer, je vous préviens, dit-elle en prenant la belle main blonde qui tenait un briquet et en l'attirant d'un geste lent vers sa bouche — où sa cigarette un instant parut un accessoire inutile —, d'un geste un peu trop lent même, qui fit pâlir Charley et ciller le jeune homme.

« En voilà un qu'elle se ferait bien, cette chèvre ! » songea Ellédocq, fin psychologue.

Il émit un grognement de mépris devant ces chatteries. Les femmes étaient pour lui ou bien des garces à chatteries, ou bien des mères et des épouses. Il avait un arsenal de pensées et aussi d'expressions, parfaitement démodées depuis deux générations, ce qui rendait les premières d'autant plus percutantes.

Le pont se peuplait autour d'eux. Reposés et frais, brunis par le soleil de l'été mais prêts à repartir vers les lumières de la ville, s'ennuyant déjà mais encore capables de supporter leurs loisirs, les passagers du *Narcissus* affleuraient de partout, émergeaient des coursives, se reconnaissaient, se saluaient, s'embrassaient, traversaient le pont au rythme des rencontres, se formaient en petits groupes qui se disloquaient, s'éparpillaient dans tous les sens, telle une étrange légion d'insectes sortis, dorés, d'un monde souterrain et légèrement répugnant.

« C'était le reflet de l'or qui leur donnait cette mine-là », pensait Julien Peyrat, appuyé à la rambarde, tournant le dos à la mer et les regardant, faisant front déjà à ceux qu'il comptait bien piller. C'était un vieux et grand jeune homme de quarante-cinq ans, au visage maigre, avec une sorte de charme cynique ou enfantin qui lui donnait, suivant le point de vue, l'air d'un de ces jeunes sénateurs américains bourrés de vitalité dont parlent les journaux, ou d'un de ces hommes de la Mafia, à la beauté mâle synonyme de violence et de corruption. Edma Bautet-Lebrêche, qui haïssait ce genre d'homme depuis toujours, fut surprise de le trouver, en somme, rassurant. Il avait l'air gai, avec son chandail de laine bleue un peu désinvolte pour l'heure et l'occasion, mais pas désinvolte au sens «play-boy». En tout cas, il avait l'air plus vrai que les autres passagers, et quand il souriait ou prenait une mine perplexe comme en ce moment-là, cela lui donnait l'air tendre, remarqua-t-elle en se tournant malgré elle vers ce qui attirait le regard de cet homme, et semblait même le fasciner.

A leur tour sortis des entrailles du bateau, un homme et une femme s'avançaient vers l'espèce de *check-point* qu'étaient le capitaine Ellédocq et Charley Bollinger, un couple qu'elle identifia après réflexion comme les Lethuillier, et qui la laissa figée un instant, comme les autres passagers, devant Éric Lethuillier, que son profil parfait, sa hauteur de taille — et de ton — , ses cheveux blonds, son intransigeance et sa violence de bon aloi faisaient nommer «le Viking» dans la presse. L'incorruptible Éric Lethuillier dont l'hebdomadaire *Le Forum*, depuis bientôt huit ans, frappait sans concession ni peur les mêmes cibles : les iniquités aussi variées que nombreuses du pouvoir en place, les injustices criantes de la société et l'égoïsme de la grande bourgeoisie (dont faisaient pourtant partie, cette fois, et à la quasi-unanimité, ses compagnons de voyage), le bel Éric Lethuillier qui venait vers eux d'un pas ferme, tenant à son bras la plus belle prise de sa vie, l'héritière des Aciéries Baron, sa femme ; la mystérieuse Clarisse, qui avait créé la stupeur par sa seule apparence : longue, mince, évasive de corps comme, disait-on, d'esprit, ses cheveux d'un blond fauve, brillants et longs, tentant de cacher définitivement son visage, par ailleurs couvert d'un maquillage épais, rutilant et grotesque. Cette grande bourgeoise timide se fardait comme une putain et, disait la chronique, buvait comme un Polonais, se droguait comme un Chinois, bref, se détruisait systématiquement en même temps que son bonheur conjugal. Ses retraites dans les cliniques spécialisées, ses fuites et les péripéties de son naufrage nerveux étaient de notoriété publique, au même titre que l'immensité de sa fortune familiale et la patience, le dévouement de son époux. De notoriété publique, bien sûr, mais pas au point que les stewards du *Narcissus* en aient tous eu l'écho.

C'est ainsi qu'un de ces malheureux, après avoir présenté à Clarisse un dry qu'elle avait bu d'un trait, jugea bon de revenir vers elle, son plateau garni à la main, et aux lèvres le sourire heureux de qui a trouvé une bonne cliente. Et déjà Clarisse tendait la main vers un verre lorsque le bras d'Éric, passant devant elle et ce plateau, le balaya brutalement : les verres éclatèrent sur le pont où le garçon ébahi s'agenouilla, tandis que tout le monde se retournait vers ce vacarme. Mais Éric Lethuillier ne parut pas s'en rendre compte : blanc de rage et d'inquiétude, il regardait sa femme, l'air si blessé, si coléreux, si découragé, qu'en oubliant sans doute tous ces témoins, il lui dit à voix haute et distincte :

— Clarisse, je vous en prie, non ! Vous m'avez promis pour ce voyage de vous conduire comme un être humain. Je vous en supplie...

Et il s'arrêta, mais trop tard. Autour d'eux, chacun restait transi de gêne, jusqu'à ce que Clarisse, pivotant sur elle-même et sans un mot, se mette à fuir vers les coursives ; à courir sur le pont au milieu duquel, trébuchant sur ses talons trop hauts, elle serait même tombée en chemin, achevant de consterner les spectateurs forcés de cette scène, si elle n'avait pas trouvé le bras de Julien Peyrat, le commissaire-priseur d'Australie, pour l'en empêcher. Edma surprit alors dans le regard d'Éric Lethuillier plus d'agacement que de gratitude ; une gratitude naturelle pourtant pour celui qui, après tout, avait évité à sa femme une chute déshonorante : moins déshonorante d'ailleurs, à bien y penser, que la sortie qu'il venait de lui faire lui-même en public, et dont le ton, sinon les termes, n'évoquaient que de très loin la tendresse ou l'inquiétude conjugales.

Edma regarda donc s'enfuir Clarisse avec une expression de commisération indulgente peu fréquente chez elle. Et quand, retournant d'un coup son corps élégant et sec, elle surprit le regard du sénateur mafioso dirigé sur la nuque impeccable du beau Lethuillier, elle ne s'étonna pas d'y voir une sorte de mépris. Elle s'arrangea pour croiser le chemin de Julien qui s'était mis en marche, et après que Charley Bollinger le lui eut présenté comme «le fameux commissaire-priseur de Sydney», elle le retint par la manche. Douée d'une certaine sagacité, Edma Bautet-Lebrêche n'en possédait cependant pas assez pour s'abstenir d'en faire la preuve (et elle s'étonnait encore, passé soixante ans, que les autres en fussent agacés). Tout en gardant familièrement la main sur le bras de Julien, elle marmonna quelque chose d'inaudible et il se pencha poliment.

— Que dites-vous ?

— Je disais qu'un homme est toujours responsable de sa femme, chuchota-t-elle avec fermeté avant d'abandonner la manche de son interlocuteur.

Il eut une légère secousse des épaules en arrière qui lui permit de voir qu'elle était tombée juste, et elle s'éloigna, sûre de le laisser pantelant de tant de clairvoyance.

Mais elle ne le laissait qu'agacé. C'était ce type de femme pourtant qu'il était censé courtiser; il avait assez potassé le *Who's Who* et les chroniques mondaines avant de partir pour le savoir. Il revoyait encore une photo d'Edma Bautet-Lebrêche, au bras de l'ambassadeur américain, ou de l'URSS, au-dessous de laquelle «l'œil de *Vogue*» la désignait comme l'une des femmes les mieux habillées de l'année. Qu'elle fût aussi l'une des plus riches n'aurait pas dû échapper à Julien Peyrat, commissaire-priseur. Il aurait même dû au contraire hanter ses salons — sa cabine, le cas échéant. En attendant, cette femme-là était vraiment redoutable. Il la regardait caqueter, perchée au bras du malheureux commissaire de bord, il voyait, il écoutait ses yeux brillants, ses mains agitées, sa voix incisive qui prouvait qu'à force de fouiller dans les affaires des autres, on pouvait acquérir une sorte de perspicacité à défaut d'une vraie intelligence, une perspicacité qui pouvait fort bien, au cours de cette croisière, se révéler désastreuse pour lui. «Cela dit, le corps avait dû être superbe, et les jambes l'étaient encore», constatait malgré lui l'éternel amoureux enfoui chez Julien.

Une foule à présent se pressait à l'arrière du bateau et poussait des cris d'excitation... Quelque chose se passait là-bas, quelque chose qui, quelle qu'en soit sa nature, ne devait pas échapper à Edma, et elle partit au petit trot de chasse vers la plage arrière.

Bondissant sur la mer en laissant derrière lui une écume rose et indécente, un hors-bord arrivait sur le *Narcissus*. A l'arrière luisait un amoncellement de bagages de cuir beige, «un beige un peu vulgaire, en plus de salissant», songea Edma. «Des retardataires!» s'écriait quelqu'un d'une voix gaie, légèrement scandalisée — car enfin il était rare qu'on embarquât sur ce bateau Régence autrement qu'à l'heure dite et au quai dit. Il fallait être vraiment débordé — et tout-puissant — pour se permettre de rejoindre le *Narcissus* en mer. Edma se pencha à son tour sur le bastingage, et entre le sillage d'écume transparente et la silhouette noire du marin qui conduisait, elle découvrit deux personnages totalement inconnus d'elle. «Mais qu'est-ce que c'est?» jeta-t-elle d'une voix pointue à Charley Bollinger qui criait des ordres et s'affairait d'un air important. Il lui rendit un regard excité et bravache qui l'agaça.

— C'est Simon Béjard, dit-il, le producteur, vous savez? Il nous rejoint de Monte-Carlo. Et la jeune Olga Lamouroux, vous voyez?

— Oh oui!... oh oui!... je vois! soupira à tue-tête Edma Bautet-Lebrêche par-dessus la masse des passagers. Il n'y a que les gens de cinéma pour faire ce genre d'arrivée. Mais qui est-ce, exactement?

«Allons bon, elle va me jouer l'ignorance», pensait Charley en la rejoignant. Edma affectait en effet d'ignorer tout du cinéma, de la télévision et des sports, distractions trop vulgaires à son gré. Elle eût même volontiers demandé qui était Charlie Chaplin, si cela avait été possible sans ridicule. Charley prit une voix neutre :

— Simon Béjard, un parfait inconnu, en effet, jusqu'au mois de mai. Mais c'est lui le producteur de *Feu et Fumée*; le film qui a eu le grand prix du Festival de Cannes, cette année. Vous le savez quand même, chère amie ? Et Olga Lamouroux est la star qui monte.

— Eh bien, non !... Hélas... j'étais à New York en mai, dit Edma d'un ton humble, plein de faux regrets, qui exaspéra discrètement Charley.

Il trouvait merveilleux pour sa part d'avoir enfin des gens de cinéma à bord. Car même s'ils étaient vulgaires, ils étaient célèbres, et Charley aimait la célébrité presque autant que la jeunesse. Il le fallait, d'ailleurs, pour admirer l'embarquement des nouveaux venus, visiblement privés de ce qu'on appelle « le pied marin ».

— Je suis désolé, redisait Simon Béjard en se tordant la cheville et en trébuchant, les bras battant l'air sur ce pont qu'il trouvait trop stable tout à coup... Je suis désolé, je n'ai pas pu arriver à l'heure. J'espère qu'on ne vous retarde pas ? s'enquit-il auprès du capitaine Ellédocq qui le fixait avec une sombre horreur — horreur que Simon lui inspirait en tant que producteur reconnu, en tant que métèque probable, et en tant que retardataire évident.

— Nous avons mis moins d'une demi-heure à vous rejoindre en tout cas... Ce que ça gaze, ces engins ! continuait Simon Béjard en jetant un œil admiratif vers le hors-bord qui disparaissait déjà vers l'horizon de Monte-Carlo. Ce n'est pas rien : « 90 chevaux ! » m'a dit le vieux pirate en me faisant les poches... Ce que ça gaze !

Son admiration ne trouvait nul écho, mais le petit homme roux ne semblait pas s'en apercevoir. Son bermuda bariolé, ses lunettes d'écaille et ses babouches de Cerruti faisaient de lui une caricature du metteur en scène hollywoodien, que n'atténuaient ni sa pétulance ni son côté bon enfant. En revanche, à son côté, la jeune personne habillée très Chanel, les cheveux tirés en arrière, de grandes lunettes noires sur le bout du nez — une jeune personne qui visiblement ne tenait pas à jouer la starlette et même pas du tout — prit un air revêche qui la rendit déplaisante, malgré sa beauté, et redoubla d'avance la fâcheuse tendance d'Edma à la cruauté. Quoi qu'il en soit, c'est en promettant de revenir aussitôt que Simon Béjard, poussant bagages et compagne, s'engouffra dans une coursive à la suite de Charley. Derrière, les commentaires ironiques allèrent bon train quelques minutes, puis se turent tout à coup quand quelqu'un se rendit compte que Doria Doriacci, la Diva des Divas, avait profité de cette agitation pour faire une entrée discrète, et s'était tranquillement assise sur un rocking-chair, derrière Ellédocq.

«La Doriacci», comme le disaient les directeurs d'opéras, «la Doria», comme disait la foule, et «Dorinina», comme prétendaient l'appeler cinq mille snobs, avait passé cinquante ans — d'après tous les renseignements pour une fois concordants à son sujet; et elle pouvait d'ailleurs aussi bien en paraître soixante-dix que trente. C'était une femme de taille moyenne, avec cette vitalité, cette robustesse qu'ont certaines femmes du peuple latin, et un corps rond que l'on ne pouvait dire empâté, vraiment : c'était plutôt un corps dont la chair était comprimée par une peau fine, rose et mate, une superbe peau de jeune femme; un corps qui aurait pu renier son âge, s'il n'avait porté ce que l'on appelait «la gueule» de la Doriacci : un visage rond entre des méplats et une mâchoire également soulignés, des cheveux noir corbeau, des yeux immenses et étincelants, un nez parfaitement droit, un visage tragique, bref, où surprenait une bouche enfantine, trop rouge et trop ronde : une bouche « 1900», mais qui n'arrivait pas à enlever à ce visage son côté assiégé — et prêt d'ailleurs à assiéger aussi — et comme balayé par une violence imprécise : un visage comme une menace et comme une tentation permanente. Tout ce qui faisait qu'à la fin on ne voyait plus ni les traits tirés, ni les pattes d'oie, ni les plis de la bouche, tous ces «irréparables outrages» qu'un éclat de rire ou une envie brutale de la Doriacci pouvaient réparer d'un seul coup. En ce moment elle fixait sur la tête d'Ellédocq un regard froid, d'une fixité intimidante et sous lequel, se retournant après l'exclamation de Charley, le capitaine frémit comme une monture ombrageuse retrouvant son dompteur. Toute la nature profondément hiérarchique d'Ellédocq trembla sous ce regard; il se mit au garde-à-vous, se plia en deux et claqua des talons d'une manière plus militaire que touristique.

— Mon Dieu! se lamentait Charley qui s'était emparé de la main baguée de la Doriacci, et y avait posé deux fois les lèvres dans son admiration. Mon Dieu! Quand je pense que vous étiez là, parmi nous... Comment aurais-je pu savoir?... Vous m'aviez dit... vous vouliez rester dans votre chambre... vous...

— J'ai dû quitter ma cabine, dit la Doriacci en souriant et en dégageant sa main dont elle essuya le dos tranquillement sur sa robe, sans aucune méchanceté et sans aucune gêne, mais, néanmoins, au grand dam de Charley. Le chien de ce pauvre Kreuze ne s'est pas arrangé avec l'âge — comme son papa, d'ailleurs... Il hurle! Avez-vous des muselières sur le bateau? Vous devriez pourtant — avec ou sans chien, ajouta-t-elle d'un air sombre et en jetant autour d'elle un regard effrayé «à la Tosca».

Car en effet, ne pouvant par-dessus l'assistance s'adresser directement à elle, Edma Bautet-Lebrêche venait d'entamer son éloge à tue-tête et dans la direction de Julien Peyrat, surpris :

— Nous l'avons entendue, mon mari et moi, au Palais Garnier cet hiver, lui disait-elle en fermant les yeux de délice. Elle a été divine... Et encore, « divine » n'est pas le mot suffisant... Elle a été in-humaine... Mieux, enfin... ou pire... qu'humaine... J'étais glacée, j'avais chaud, je ne savais plus ce que je disais, acheva-t-elle dans le silence qui s'était fait.

Elle feignit alors d'apercevoir subitement la Diva, et se précipitant vers elle, lui saisit avidement la main entre les siennes.

— Madame, dit-elle, je rêvais de vous connaître. Je n'avais pas espéré, même un instant, que ce rêve se concrétiserait ! Et puis, vous voilà ! Et me voilà ! A vos pieds, comme il se doit. Puis-je vous dire que c'est un des plus beaux jours de ma vie ?

— Mais pourquoi cette surprise ? dit la Doriacci presque affectueusement. Vous n'aviez pas lu le programme de la croisière avant d'embarquer ? Je suis pourtant dessus en grosses lettres !... En très grosses lettres même ! Ou alors mon imprésario est viré. Commandant, dit-elle brusquement, retirant sa main encore une fois et la reposant comme un objet, cette fois sans nettoyage préalable, sur l'accoudoir... Commandant, écoutez-moi bien : je tiens à la vie, figurez-vous, et je déteste la mer. C'est pourquoi je voudrais bien vous regarder, avant de me confier à vous : dites-moi, tenez-vous aussi à la vie, commandant ? Et pour quelles raisons ?

— Mais je... je suis responsable de la vie des... des passagers... commença à bafouiller Ellédocq, et je...

— ... et vous ferez de votre mieux, c'est ça ? Que voilà une phrase horrible ! Quand un chef d'orchestre me dit qu'il « fera de son mieux » pour m'accompagner, je le fais mettre à la porte. Mais la mer n'est pas une scène de théâtre, n'est-ce pas ?... Laissons-nous aller, donc...

Là-dessus, elle tira d'un immense cabas une cigarette solitaire, un briquet, et alluma l'une avec l'autre si rapidement que personne ne put l'y aider.

Charley Bollinger était fasciné. Il y avait en elle quelque chose qui lui donnait confiance et qui en même temps l'effrayait. Il sentait que même sans quille, sans gouvernail et sans moteur, le *Narcissus,* dès l'instant qu'elle était à bord, reviendrait au port sain et sauf. Il était presque aussi sûr que l'autorité suprême à leur retour aurait changé de mains, et que la Dioracci disposerait à Cannes d'une casquette bleu marine et d'un porte-voix — dans son cas inutile — pendant que le capitaine Ellédocq croupirait dans la cale, les fers aux pieds et étroitement bâillonné. Tout au moins cette vision apocalyptique traversa-t-elle l'esprit du sémillant Charley, partagé entre l'épouvante et le ravissement. Depuis dix ans qu'ils naviguaient ensemble, personne n'avait jamais ni maltraité ni méprisé aussi ouvertement Ellédocq, le tyran barbu qu'un destin fatal lui avait donné pour compagnon. Il fit une nouvelle tentative pour s'emparer de la main de l'héroïque Diva, et cette fois y parvint, posa ses lèvres entre deux bagues énormes mais dont l'une lui écorcha le nez aussitôt ; car la Doriacci, estimant les présentations faites depuis longtemps et surprise par cette galanterie tardive, venait de lui retirer sa main avec la brusquerie d'une citadine aux champs léchée à l'improviste par quelque chèvre affectueuse. Le nez de Charley saigna aussitôt sous le choc.

— Oh ! pardon ! Pardon, mon garçon !... s'écria la Diva navrée avec sincérité. Je suis désolée mais vous m'avez fait peur ! Je croyais tous ces baisemains, toutes ces cérémonies réglés ! Disons que c'est fini, maintenant ! Avant que votre nez ne reçoive trop de coups... (Tout en parlant, très vite, elle lui tapotait le nez avec un mouchoir de batiste ancienne miraculeusement extrait, lui aussi, de son cabas, en lui faisant finalement aussi mal qu'elle lui avait fait peur.) Cela saigne toujours, venez dans ma cabine. Je vous mettrai de la teinture d'iode. Vous savez que rien n'infecte une peau humaine comme les pierres précieuses... Mais si, venez, insista-t-elle comme Charley protestait faiblement. Venez m'installer... M'installer, c'est tout ; rassurez-vous, commandant Haddock, dit-elle, comme s'il eût montré quelque signe de jalousie. Je voyage seule, et quelquefois j'arrive moins seule. Mais pas cette fois-ci : je suis absolument épuisée... Nous avons donné *Don Carlos* un mois au Met, et je n'ai qu'une envie : dormir, dormir, dormir ! Je chanterai naturellement dix minutes entre deux siestes, conclut-elle d'un air rassurant. Et désignant Charley du menton, elle termina : A ma cabine, par pitié, monsieur Taittinger ! Et au grand galop, de grâce.

Et sans jeter un autre regard au capitaine, de même qu'elle n'avait prêté aucune attention aux misérables et sombres « Ellédocq, Ellédocq » quand elle l'avait appelé Haddock, elle se leva et fendit la foule.

LA CABINE était vaste et luxueuse, mais lui semblait épouvantablement exiguë, et Clarisse attendait. Éric sifflait à côté dans la salle de bains. Il sifflait toujours dans son bain comme un homme insouciant, mais il y avait quelque chose de concentré, d'essoufflé, de presque furieux, dans sa manière de siffler qui évoquait tout pour Clarisse sauf l'insouciance. A sa décharge, il fallait bien dire que c'est l'un des états les plus difficiles — parce que légers — à simuler et qu'Éric était très mauvais acteur dans la comédie légère. L'insouciance suppose, par définition, un certain oubli ; et se rappeler d'oublier était sûrement en soi un effort paradoxal et pénible. Par moments, quand Clarisse oubliait qu'il ne l'aimait plus, quand elle oubliait qu'il ne la désirait plus, qu'il la méprisait et qu'il lui faisait peur, elle aurait presque pu le trouver comique. Mais ce n'étaient que de rares instants ; le reste du temps, elle haïssait trop en elle-même cette fadeur implacable et définitive qu'il lui reprochait sans un mot mais sans cesse, et avec raison, cette fadeur qu'il n'avait pas vue avant de l'épouser grâce à la myopie de l'amour, cette fadeur insurmontable qu'elle ne parvenait plus à dissimuler même sous les fards les plus épais, et qu'elle était juste arrivée à rendre tapageuse.

Elle attendait. Elle s'était assise sur un des deux lits de la cabine, au hasard puisque Éric n'avait pas encore choisi le sien. Plus exactement, il n'avait pas encore choisi celui de Clarisse, car, bien sûr, il n'allait pas dire : «Je prends le lit de gauche près du hublot car la vue est plus jolie», mais plutôt : «Prenez celui de droite près de la salle de bains, ce sera plus confortable.» Au demeurant, c'était bien celui-là qu'elle voulait, celui de droite ; non pas pour des raisons de confort ou d'esthétique, mais simplement parce que ce lit était plus près de la porte. Et partout, au théâtre, dans un salon, dans un train, c'était toujours la passerelle, la porte, l'issue, bref, qui lui faisait choisir sa place dans tout endroit, dès l'instant qu'elle devait le partager avec Éric. Il ne s'en était pas encore rendu compte car elle s'arrangeait toujours pour paraître contrariée de sa décision finale, sachant trop que sa satisfaction à lui était au prix de son désagrément à elle. Elle s'était donc assise sur la couchette de gauche loin de la porte et elle attendait, les mains croisées comme une enfant attardée.

— Vous rêvez ? Vous vous ennuyez déjà ?

Éric était sorti de la salle de bains. Il boutonnait sa chemise devant la glace avec des gestes sobres et précis d'homme indifférent à son reflet, mais Clarisse voyait le narcissisme poindre de tous ses regards vers lui-même.

— Vous seriez mieux sur la couchette de droite, dit-il, vous serez plus près de la salle de bains. Vous ne croyez pas ?

Comme à regret, Clarisse ramassa son sac et alla s'allonger sur sa couchette près de la porte. Mais Éric la vit sourire dans la glace, et une bouffée de rage froide l'envahit aussitôt. De quoi souriait-elle ? De quel droit osait-elle sourire sans qu'il sût pourquoi ? Il savait que ce voyage en tête à tête, offert par lui comme un cadeau somptueux et conjugal, allait être, était déjà pour elle un supplice. Il savait que, très vite, elle s'engagerait dans un système tortueux d'alcoolique, dans d'humiliantes combines avec les barmen, il savait que ce beau visage endormi par la résignation et la culpabilité, ce beau visage d'enfant gâtée et punie cachait une femme tremblante, exténuée, à bout de nerfs. Elle était à sa

merci, elle était aux antipodes du bonheur, elle n'avait plus de goût à
rien ; mais quelque chose en elle lui résistait inlassablement, quelque
chose se refusait à sombrer avec le reste, et dans sa fureur et sa jalousie,
Éric pensait que ce quelque chose lui venait de son argent. Cet argent
dont il lui avait fait un tort et dont il n'arrivait pas à ne pas penser que
c'était une vertu, un charme, cet argent qu'elle avait eu dès l'enfance et
qui lui avait manqué, à lui, toute sa jeunesse.

Elle souriait à nouveau, la tête inclinée de côté, et il mit quelques
instants à comprendre que ce n'était pas lui qui provoquait, cette fois-ci,
son habituel sourire effrayé, mais la voix d'un inconnu qui chantonnait
un air de valse à côté. Et que cette fois-ci ce n'était pas, ce ne pouvait
être l'effroi qui éclairait ainsi le visage de Clarisse — mais le plaisir,
dans un sourire des plus inattendus et des plus insupportables.

Julien Peyrat, ayant sorti le tableau de sa valise avec mille soins, se
retrouva une fois de plus séduit, plein d'admiration devant le talent du
faussaire. Le charme de Marquet était bien là : ces toits gris éteints par
le froid, cette neige jaune sous les roues cagneuses des fiacres, et la
vapeur frémissante aux naseaux des chevaux... La vapeur, ça il
l'inventait, bien sûr ; mais, un instant, il s'était retrouvé, lui, Julien
Peyrat, au cœur de Paris, l'hiver, en 1900, un instant il avait respiré
l'odeur de cuir et de cheval fumant, l'odeur du bois humide de la
calèche noire, arrêtée au milieu de la toile sous ses yeux comme il avait
suivi des yeux, plein de nostalgie et de désir déçu, la femme fardée,
vêtue de renard, qui, tournant le coin de la rue, à droite, s'apprêtait à
sortir du tableau sans même se retourner vers lui. Un instant il avait
respiré, il avait retrouvé l'odeur des premiers froids à Paris, cette odeur
immobile de fumée, de feu de bois éteint, de pluie froide, cette odeur où
se mêlait le goût piquant de l'ozone suspendu avec la neige au-dessus
des réverbères, cette odeur tiède et complice pour les Parisiens, toujours
la même, malgré les cris, les gémissements de ceux qui vouaient la
capitale à la laideur d'abord, et à la destruction ensuite, peut-être par
jalousie, du simple fait de leur propre mort à venir. Paris était une ville
éternelle pour Julien, aux charmes éternels... mais coûteux, hélas ! Il
sourit en pensant aux passagers mâles du *Narcissus*. L'ennui les
amènerait vite au bridge, au gin-rummy, en tout cas aux cartes, donc au
poker. Julien prit son paquet et s'exerça à quelques donnes qui lui
laissèrent, chaque fois, un carré de rois.

Il avait un air de valse dans la tête, qu'il fredonnait sans cesse, sans en
trouver le titre, et qui l'exaspérait, par moments.

L<small>E SOLEIL</small> tombait à présent sur une mer grise, à peine tendue de bleu, une mer crémeuse et qu'un blanc de lait envahissait déjà à l'est. Chacun se préparait, à chaque pont et devant chaque miroir, pour la première soirée à bord, mais Edma, qui avait déjà passé une heure dans sa chambre, piaffait avec une impatience que décuplait l'inertie totale de son Armand d'époux, immergé, lui, dans la Bourse. Edma, donc, sortit avant lui, arriva au bar en chantonnant, faux, un air de Rossini, et en craignant de s'y retrouver seule. Dieu merci, le destin avait assis à l'extrémité du bar un bloc de granit gris fer en qui elle reconnut le maestro Hans-Helmut Kreuze. Lequel maestro sirotait une bière et remâchait, en même temps que ses chips, ses griefs contre ce butor de commandant. Il se croyait tranquille même, lorsque la voix d'Edma Bautet-Lebrêche, tel le tocsin, retentit dans l'air du soir. Quelques mouettes, dehors, s'envolèrent. Mais Hans-Helmut Kreuze, ne pouvant les suivre, dut se retourner et faire face. Non sans un certain contentement d'ailleurs!

Car si Hans-Helmut Kreuze trouvait paranoïaque qu'un mélomane ou un plouc s'imaginât acquérir contre de sordides billets de banque le droit d'entendre «la Musique» (et surtout la Musique jouée par lui, Kreuze), le fait qu'il demandât des cachets gigantesques et qu'il eût pour l'argent en cash, dès qu'il l'avait en main, une dévotion farouche, ne lui semblait pas contradictoire. Mais, drôlement, ce mépris cessant d'un coup devant les grosses fortunes, il accueillit avec sympathie la femme de l'empereur du Sucre, voire avec déférence. Il descendit même de son tabouret, dans ce qu'il aurait voulu être un geste galant, c'est-à-dire qu'il en chut lourdement, sur ses deux pieds vernis, avec un «han» de bûcheron. Et le pont en trembla tandis que, se pliant en deux, les hanches et l'échine à 45° comme un compas ouvert, il claquait les talons et se penchait sur la main baguée de l'impérieuse Edma.

— Maître, dit-elle, je n'aurais jamais espéré ça! Cette rencontre! Vous! Seul! Et dans cet endroit solitaire! A cette heure solitaire! Je crois rêver... Et si j'osais, si vous me le demandiez, plus exactement... dit-elle en se hissant *illico* et gracieusement sur le tabouret voisin, je me permettrais de vous tenir compagnie quelques minutes. Mais uniquement si vous insistez, ajouta-t-elle en jetant vers le barman un index et «un gin-fizz, please!» identiquement décidés.

Hans-Helmut Kreuze allait en gentilhomme user de la supplication et de l'insistance requises, quand il se rendit compte qu'Edma, bien installée, une olive entre les dents, balançait déjà sa jambe sans trop de complexes; et il renonça à ses salamalecs. En réalité l'autorité d'Edma ne lui déplaisait pas. Il avait, comme bien des gens de sa corporation, bien des virtuoses et bien des célébrités en général, un goût sans limite pour les ordres, le sans-gêne et le fait accompli. Ils parlèrent musique un moment, et Edma faisant montre de sa réelle culture musicale — qui émergeait quand même de son snobisme —, Hans-Helmut redoubla de respect, voire d'obséquiosité, car ses relations avec les êtres humains ne comportaient que deux clés, au contraire de ses partitions : il ne jouait que dans la clé du mépris ou dans la clé de l'obéissance. Ils en arrivèrent à un point d'intimité, au bout de dix minutes, qu'Edma n'eût jamais imaginé — ni même d'ailleurs désiré — et qui, les bières aidant, poussa Kreuze aux confidences.

— J'ai un souci ici, marmonna-t-il, un gros vilain souci... (Edma tiqua : elle n'arrivait pas malgré tout à se faire à son sabir.) Vous savez, généralement, les femelles avec moi... (il eut un rire gras) les femelles généralement regardent vers moi...

« Allons bon ! En dehors de son pupitre, ce gros sanglier ! songea Edma tout à coup. Ces chefs d'orchestre, décidément, tous paranoïaques ! »

— Bien sûr, bien sûr, c'est normal, dit-elle entre ses dents, surtout avec votre notoriété.

Le Don Juan hocha la tête avec approbation et enchaîna, après une goulée de bière interminable :

— Et même certaines femelles très connues... très, très connues... chuchota-t-il, le doigt en travers de sa bouche. (« Grotesque, pensa Edma, le voilà qui minaude maintenant ! ») Mais, chère madame, ne me faites pas dire de noms. Pas un nom. Pas un ! Pensons à l'honneur des dames... Je dis non ! Non, non, continua-t-il, ayant ôté l'index de ses lèvres et le secouant à présent, sous le nez d'Edma, qui prit soudain la mouche :

— Mais, mon cher, dit-elle, relevant la tête et le toisant, mais, mon cher, qui, du diable, vous demande un nom ? Le nom de qui ou de quoi, d'abord ? Ce n'est pas moi qui vous harcèle de questions, si ?

— Justement pas, dit Kreuze, l'air fin et les yeux plissés. Vous ne me demandez pas le nom de la dame sur ce bateau même qui, un soir, avec Hans-Helmut Kreuze... (et le même rire épais le secoua).

Edma était partagée entre sa curiosité, vraiment épouvantable, et un dégoût qui faillit « presque » prendre le dessus, mais comme toujours, « presque » seulement.

— Tiens, tiens... songea-t-elle tout haut, mais qui donc sur ce bateau ?

— Vous me promettez silence... ? Chut, chut et rechut ? Promis ?

— Promis, juré, chut, chut et rechut, tout ce que vous voulez, chantonna Edma, les yeux au ciel moralement.

Le virtuose prit un air grave et, se penchant vers elle au point qu'elle distinguait les vis sur les branches de ses lunettes, il souffla brusquement à son oreille et dans son cou : « La Loupa », avant de se reculer comme pour mieux juger de l'effet produit. Edma, après avoir sursauté sous cette brise de bière, s'exclama :

— Quoi? Quoi? La Loupa? La Loupa? Ah! «Loupa» : la Louve... La Louve?... Je veux bien, je comprends le latin, Dieu merci! La Louve, mais laquelle? Nous sommes nombreuses sous le ciel, nous les Louves...! (Et elle lâcha un hennissement malicieux qui fit lâcher son shaker au jeune barman.)

— La Loupa : Doria Doriacci, chuchota Kreuze avec force. A l'époque 53/54, la Doriacci était la Loupa, pas plus. La Loupa, c'était facile comme femelle, à Vienne. Belle femme déjà... Et moi, pauvre Kreuze, loin de la famille, longue tournée, moi être esseulé... Et la Loupa qui me regarde tout le temps comme ça...

Et le maestro écarquillant les boutons de bottine qui lui servaient d'iris, derrière ses lunettes, passa sur ses lèvres une langue rose qui dégoûta légèrement Edma Bautet-Lebrêche.

— Et alors? dit-elle. Vous avez cédé? Résisté? Mais c'est une histoire... charmante que vous me racontez là...

Elle se sentait devenir féministe à vue d'œil. Cette pauvre Doria avait dû avoir faim, vraiment, pour supporter ce goujat dans son lit...

— Oui, mais... continuait l'autre, imperturbable, oui, mais la fin est mauvaise. Vous, les femelles françaises, vous dire bonjour, après, si? La Loupa, non! Depuis trente ans, la Loupa ne fait même pas bonjour, même pas signe, même pas petit sourire du coin — comme vous feriez, chère petite madame, hein?

— Qui? Moi? Non, non, sûrement pas! dit Edma tout à coup décidée au pire.

— Mais si, mais si... (Kreuze était rassurant.) Mais si, mais si, petites femelles françaises, après, faire toutes pareil : comme ça.

Et sous le regard indigné d'Edma, il lui fit un horrible clin d'œil derrière ses verres — tout en retroussant sa lèvre supérieure sur son unique dent en or, jusque-là invisible, en haut et à droite de la mâchoire, mais sur laquelle ce sourire malicieux tombait pile. D'abord figée par l'horreur, Edma se ressaisit vite. Son visage s'apaisa, prit cette expression d'éloignement, de lassitude, expression follement dangereuse, mais, hélas! expression que ni Hans-Helmut Kreuze, au faîte de son imagination, ni Armand Bautet-Lebrêche, qui venait d'arriver et s'était installé paisiblement dans un fauteuil, à l'autre bout du bar, ne furent à même de remarquer, ni de reconnaître.

— Vous trouvez ça bien, demandait Kreuze, tenace, que la Loupa, à qui j'ai payé, moi, un dîner chez Sacher à Vienne le soir même, me traite, moi, trente ans après, moi, Kreuze, comme un plouc, hein? Alors?

— Alors justement! dit Edma, se laissant aller à cette langueur délicieuse et invincible, très proche du plaisir physique, qui l'envahissait avec la colère, la certitude de la proximité du drame, de l'éclat, de la catastrophe : alors justement *vous êtes* un plouc !

Et pour bien le persuader de la force de sa conviction comme du sujet de cette conviction, elle lui tapota le sternum d'un index horizontal et insistant. Mais, ô stupeur ! Kreuze ne broncha pas. Sa mémoire gorgée de souvenirs, de témoignages d'admiration, sa mémoire bondée de bravos frénétiques, ou débordante de souvenirs familiaux d'une totale soumission, ne pouvait, malgré sa clarté, admettre l'anathème, le sacrilège d'Edma. Tout en lui, que ce soient sa mémoire, sa vanité, son assurance primitive ou même ses artères coronaires, tout son être refusait et rejetait ce que tentaient de lui transmettre quand même ses yeux et ses oreilles : ce « justement, vous êtes un plouc ! ». Il prit donc la main de cette charmante impudente, laquelle se laissa faire une seconde, hautaine mais terrifiée tant elle pensait qu'il allait la battre ou la jeter en bas de son tabouret :

— Charmante petite madame, dit-il, vous pas devoir parler argot. C'est pas des mots pour jolie femme élégante, ces mots-là...

Et il lui baisa le bout des doigts, avec indulgence, à la grande indignation de sa protégée.

— Mille pardons, maître ! Mais je sais parfaitement le sens du mot « plouc », dit-elle, la voix froide, glacée même par ce qu'elle croyait être une lâcheté hypocrite. Je vous en donne ma parole ! Et je vous le répète une fois encore : vous êtes indiscret, grossier, vulgaire, avare, vous êtes le plouc type, quoi ! Le plouc étalon même, précisa-t-elle, mais à un fantôme.

Car Kreuze avait filé vers la sortie en riant, d'un rire aigu et mécanique, en toussant, en agitant sa main de gauche à droite frénétiquement, comme s'il ne voulait pas entendre les inconcevables termes d'Edma, les niait et, de ce fait d'ailleurs, ne les entendait pas.

Vaguement dépitée par cette sortie salvatrice pour Hans-Helmut Kreuze mais qui la laissait, elle, sur sa faim féroce, Edma s'en fut en caracolant, le talon ferme, les yeux étincelants — on eût pu dire, « les naseaux fumants » — conter ses exploits à son époux. Lequel époux, toujours enfoui dans son fauteuil club et les yeux mi-clos, semblait rêver, ou presque, s'étonna Edma.

— *Hello ! old man*, lança-t-elle, vous allez entendre une extravagante histoire.

Mais si, à cette voix, Armand ouvrit les yeux, ce fut au prix d'un effort surhumain. Edma s'était assise près de lui, mais il entendait à peine, comme de très loin, le son de sa voix.

— J'ai traité le maestro Hans-Helmut Kreuze, directeur du Konzertgebaum de Berlin, de gros plouc ! dit-elle d'une voix exagérément tranquille (mais sa voix de tête chercheuse quand même) qui fit tressaillir, dans le fond de la mémoire d'Armand Bautet-Lebrêche, le jeune homme qu'il avait été trente ans plus tôt, debout, en jaquette, devant l'autel de Saint-Honoré-d'Eylau. Mais ce jeune homme disparut aussitôt, le laissant en proie à son mal.

Il arrive que les gros bateaux, à une certaine vitesse et sur une certaine mer, acquièrent une sorte de balancement régulier, comme un roulis léger, dont l'effet peut parfois se révéler irrésistiblement soporifique sur l'être humain. Interpellé par sa femme, M. Bautet-Lebrêche, inquiet, avait d'abord essayé de prendre l'air fin du mari psychologue et d'observer sa femme, les yeux mi-clos, en souriant vaguement. Mais relever si peu que ce soit ses paupières lui demandait un effort aussi rude que pour lever les rideaux de fer dans certains parkings. Aux abois, Armand Bautet-Lebrêche avait tenté alors d'extirper, aux bribes encore conscientes de son esprit tourmenté, quelque comparaison, quelque image propre à faire comprendre et admettre à Edma cette somnolence inopinée : car Edma n'était pas femme à supporter un être humain endormi à sa table, fût-il son époux. Comment lui expliquer...? C'était comme s'il eût été bercé par une nurse, en fait... une nurse musclée, bien sûr, mais cependant très très molle... Comme si cette nurse eût, au préalable, imbibé son corsage de chloroforme... Voilà, c'est exactement ça... Mais pourquoi du chloroforme...? Pourquoi une nurse aurait-elle mis du chloroforme...? Non... C'était plutôt comme si on lui avait donné un coup de maillet, cinq minutes plus tôt... Mais étant donné le prix du *Narcissus,* on n'assommait sûrement pas les passagers avec des maillets... A moins que le capitaine... cette brute... mouillait... chloroforme... Il sombra vers l'épaule d'Edma dont il sentait encore vaguement le parfum.

Dieu merci, quelqu'un répondit quand même, de sa propre voix subitement douce et lointaine, mais sa voix à lui, Armand Bautet-Lebrêche : «Vous avez bien fait, ma chérie», posément, avant qu'il ne s'abatte, terrassé, sur l'épaule de sa femme qui, de surprise et de peur, hurla, se dressa, laissant choir l'empereur du Sucre, le nez dans sa soucoupe. Les garçons accoururent pour le soutenir, mais grâce aux ronflements sonores qui s'élevaient du fauteuil club, Edma avait déjà compris la nature du malaise de son époux.

«Ce voyage commençait bien, décidément, songeait-elle en prenant, de guerre lasse, un second dry. Un dialogue imbécile avec un paranoïaque obscène, et les ronflements inélégants de son propre mari, à sa propre table, tout cela laissait augurer, en effet, une croisière peu semblable aux autres.» Mais Edma se demandait brusquement si c'était bien préférable.

Le plus grand retardataire au dîner, ce soir-là, fut Andréas Fayard. Il était retombé dans son sommeil du jour, et il fut réveillé en sursaut par le même cauchemar. Il avait dormi en jean et il se déshabilla vite, se doucha, mais avant de se revêtir il se campa devant la grande glace de la salle de bains et jeta sur lui-même, sur son corps et sur son visage, un regard glacé de maquignon. Il fallait qu'il surveille le tour de taille, qu'il prenne du calcium, qu'il fasse redresser une incisive, qu'il fasse un shampooing léger à ces cheveux blonds, toujours fragiles. Il fallait tout cela pour qu'une femme lui achetât une Rolls Royce en remerciement de ses qualités amoureuses, de sa douceur et de sa *furia*. « Et il le fallait vite », se disait Andréas, assis sur sa couchette du *Narcissus* — car cette croisière entreprise en solitaire achevait de ruiner le maigre héritage que ses deux tantes, libraires à Nevers, ses éducatrices, lui avaient péniblement gagné avant de mourir, l'an dernier, à deux mois d'intervalle. Oui, il s'occuperait rapidement de cette incisive, de ces cheveux blonds, de tout, mais, malgré lui, Andréas se sentit prêt à pleurer à l'idée que personne ne lui demanderait de se laver les oreilles, peut-être avant des années, peut-être même jusqu'à sa mort.

ALORS que sur le pont des «Premières» on servait un dîner placé et somptueux, par petites tables présidées par les officiers du navire, second en tête, à l'étage des «De luxe», et dans un ordre provisoire — ou supposé tel — , la trentaine de passagers se répartissait entre deux tables : celle du commandant et celle de Charley ; celle-ci, trois fois plus gaie, était en général assiégée par les habitués du *Narcissus*, mais cette année, la présence de la Doria à la droite d'Ellédocq en faisait hésiter quelques-uns. Beaucoup même, sauf Edma qui avait, elle, ce sens de la fidélité de la «bande», qu'on ne retrouve que dans certaines hordes de chacals ou de loups, animaux assez féroces pour achever leurs traînards et chasser leurs faibles. Ce qui les faisait ressembler aux hordes mondaines, elles aussi fidèles aux mêmes tanières et chaque année lancées dans les mêmes migrations ; mais dont les membres — toujours au bord d'une brouille mortelle, semblait-il — s'avéraient avec les années assez peu susceptibles ou suffisamment plats pour se retrouver, vingt ans après, amis pour toujours, et pour toujours pelés, éreintés, dépourvus de vraie gaieté, de bonté et de la moindre confiance en l'espèce humaine.

Edma, donc, s'assit près de Charley, suivie de quelques habitués que son élégance et sa voix de tête terrorisaient jusqu'au servage. C'était Edma, par exemple, qui depuis toujours donnait pour eux le signal des applaudissements après les concerts, c'était Edma qui décidait si les œufs étaient frais ou le temps clément, aussi fermement qu'elle décidait si quelqu'un était fréquentable. Mais la vedette, cette année-là, c'était bien évidemment la Doriacci, déjà assise à la droite du capitaine quand les passagers étaient entrés, la Doria qui, avec ses épaules couvertes d'un châle, son visage au maquillage presque inexistant, et son expression d'une amabilité de commande, ressemblait furieusement à la dame bourgeoise en voyage qu'elle n'était pas. Tous ses admirateurs s'en sentirent un peu troublés, voire déçus, au premier abord.

C'est que la Doriacci était une star! Une vraie star comme on n'en faisait plus, une femme qui devant les flashes brandissait son fume-cigarette mais jamais la queue d'une poêle, une femme qui n'était pas seulement célèbre pour sa voix admirable, ni pour l'art avec lequel elle en usait : la Doriacci était célèbre aussi pour ses scandales, son goût des hommes, son mépris du «qu'en-dira-t-on», ses excès, ses colères, son luxe, ses folies et son charme. Et le soir — il y avait de cela vingt-cinq ans et plus — où elle avait remplacé «au pied levé», selon l'expression, dans *La Traviata,* la célèbre Roncani, subitement malade, l'inconnue qu'avait applaudie à tout rompre, pendant plus d'une heure, la salle la plus blasée du monde, cette inconnue ne l'était plus pour aucun des membres de la Scala. Du dernier machiniste au premier administrateur, chacun était passé entre ses bras et chacun se le rappelait. Depuis, quand elle arrivait dans une ville, la Doriacci, comme certains envahisseurs mongols, rançonnait les notables, ridiculisait leurs femmes, prenait leurs jeunes gens, avec un naturel et une vigueur qui semblaient croître avec l'âge. Comme elle le disait elle-même aux journalistes, ses principaux admirateurs, «j'ai toujours aimé les hommes plus jeunes que moi et j'ai de la chance : plus j'avance dans la vie, plus j'en trouve!». Bref, la «Grande Doriacci» ne ressemblait en rien à la dame paisible au chignon tiré, assise, ce soir-là, près d'Ellédocq.

Ellédocq hérita donc, à sa table, de la Diva, puis de la «femme-clown endormie», c'est ainsi qu'il appelait Clarisse, de son «communiste trop peigné», Éric Lethuillier, de deux couples fort âgés et abonnés à vie au *Narcissus,* du «sale boche», Kreuze, et du «commissaire aux croûtes» nommé Julien Peyrat. Il avait simplement exigé de Charley qu'il prît Béjard et Olga à la sienne avec quelques mélomanes octogénaires. «Veux pas de saltimbanques à ma table!» avait-il d'abord déclaré avec mauvaise humeur, puis avec colère, devant les protestations de Charley, débordé, puis dans une de ses formules d'un laconisme «enflammé» : «Emmenez-moi ça Stop Vous avez deux minutes Stop Message terminé Stop Rogers.» C'est ainsi qu'il était arrivé à ses fins en même temps qu'à la plus fine fleur de la langue morse. Le vent de cette fureur, s'il avait emporté au loin, à la table voisine, donc, «les saltimbanques», en avait bizarrement ramené le «gigolpince de Nevers». Il l'avait même ramené à la droite de la Doria, elle-même à la droite du commandant.

Pris par surprise, Ellédocq n'avait pu réagir, mais il avait eu la consolation de voir Charley, pour une fois sérieux et consciencieux, lancer vers leur table des regards navrés.

Dès le début du repas, Ellédocq s'était, selon son pénible devoir, répandu en borborygmes elliptiques équitablement jetés en pâture à la Doria et au « clown ». La Doria, d'abord distraite, avait fini par l'écouter attentivement, les sourcils froncés, suivant ses lèvres des yeux comme dans la fable *Les Fils du bûcheron*, lorsque, essoufflé par l'agonie, leur père tente de leur indiquer où est caché son trésor. Jusqu'aux salades, tout alla bien ; mais alors qu'il s'enfonçait dans des prévisions de plus en plus sombres sur l'avenir de la marine française et la moralité du personnel navigant, la Doriacci posa soudain sa fourchette et son couteau, brutalement, sur son assiette — si brutalement que l'autre table, jusque-là assez animée, se retourna d'un bloc dans leur direction.

— Mais enfin, demanda-t-elle de sa voix grave, où voulez-vous, d'abord, que je planque mes bijoux ? Et ensuite pourquoi ? C'est un repaire de brigands, ici, ou quoi ?

Ellédocq, pris de court, rougit sous son hâle. Il resta sans répondre, les yeux fixés sur le coin de la nappe, les oreilles bourdonnantes. Les convives, à sa table, le regardaient d'un air railleur.

— Cela peut aussi devenir amusant comme un film policier, reprit la Doria de sa voix de gorge. Nous nous inspecterions tous, nous serions tués les uns après les autres, je devrais chanter le *Requiem* de Verdi à toutes les escales...

Ils éclatèrent de rire, soulagés, sauf Ellédocq qui fut un peu plus long à comprendre. « Le clown triste » avait de fort jolies dents, remarqua Julien distraitement.

— Parce que vous, vous ne mourrez pas, bien sûr ? demanda Éric Lethuillier en souriant un peu.

Il n'avait pas ri, d'ailleurs, l'instant d'avant, remarqua Julien. Il s'était laissé aller à sourire un peu plus ouvertement que d'habitude comme pour bien indiquer qu'il voulait bien s'amuser avec les autres, mais qu'il était conscient de la futilité de cet amusement... En tout cas, il suggérait, ou tentait de le faire, que cette relâche n'était que provisoire et que la classe allait reprendre. C'était du moins exactement l'effet qu'il faisait à Julien Peyrat. Avec lui, la classe était incessante et sans doute aussi faisait-il le même effet à sa femme, cette pauvre créature défigurée ce soir par un vert aux paupières étincelant et mis de travers ; car elle cessa de rire brusquement comme prise en faute et se réattaqua à son homard, les yeux baissés. A côté d'elle, Julien admirait la beauté de ses mains. Des mains longues, à l'extrémité des doigts renflée bizarrement comme ont les sculpteurs, comme des pattes de chat. Assis à ses côtés, c'était pratiquement tout ce qu'il voyait d'elle : ses mains. Il n'osait la regarder en face de peur qu'elle ne s'effrayât. D'ailleurs, qu'aurait-il pu voir de plus sous cette couche épaisse et rosâtre de fond de teint, sans doute passé à la truelle tous les petits matins ? Elle était ridicule vraiment, et cela vexait Julien comme une insulte personnelle, comme une insulte à la totalité des femmes. Il l'eût préférée obscène que ridicule. Le scandale au moins ne tuait pas le désir... Sa place à lui, Julien, était la meilleure, finalement, puisque sans la voir de face, il regardait ses mains, entendait son souffle, sentait sa chaleur, son parfum, de Dior d'abord, et dessous, celui de son corps, le parfum de sa peau qui malgré ses bariolages de Sioux était le parfum d'un corps de femme. Elle avait des gestes pour prendre son pain, le rompre, porter son verre à sa bouche — mais là, le regard de Julien la quittait — qui le ravissaient. C'étaient des mains nonchalantes et assurées, des mains qui pouvaient être expertes et autoritaires comme tendres et consolatrices. L'alliance qui ornait son doigt — seule bague qu'elle portait — semblait trop brillante, trop grosse, faisait pièce rapportée. Elle avait posé sa main gauche à plat sur la nappe puis, s'ennuyant, cette main était allée vers un fil détendu et saillant. Elle l'avait tiré sournoisement, ce qui en avait entraîné d'autres, et un long travail de sape, de destruction, avait alors commencé, accompli par ces ongles incarnats, presque violets, d'une couleur atroce. Lassée de ce jeu de vandale, qui commençait à se voir, la main droite avait attrapé une salière et avait couvert ces déprédations, symboliquement, comme si la main droite fût habituée à réparer les dégâts de la main gauche. Ramenée à la raison, celle-ci s'était posée à l'envers, la paume ouverte vers l'extérieur, avait pris l'air d'un chien au soleil, lorsqu'ils se mettent sur le dos et présentent leur gorge à la chaleur ou aux possibles crocs d'un ennemi mortel. La main s'était retirée, refermée, rouverte plusieurs fois, et le regard de Julien avait cherché en vain à comprendre quelque chose à ces lignes de vie et de cœur enchevêtrées. Il s'était penché alors pour lui donner du feu et les cheveux fauves et brillants étaient entrés un instant dans son champ de vision, dégageant une bouffée de parfum. Et Julien, étonné, s'était rendu compte qu'il la désirait.

Cela s'était passé au dessert, et il attendait depuis impatiemment que l'on se lève, et qu'il puisse se moquer de lui-même une bonne fois en voyant de face ce visage qu'il savait grotesque. C'est alors que l'incident avait éclaté, le second de la croisière, nota Charley.

— Vous n'allez pas me dire, capitaine Bradock... Ellédocq, pardon, disait la Doria, que cette Desdémone n'est pas une sotte. On peut convaincre les hommes de son innocence, même quand on est coupable. Alors quand on ne l'est pas...

— Les femelles innocentes sont peu en nombre, mais beaucoup sont des femelles capables de tout... avait dit la voix de Kreuze — jusqu'ici muet — et que l'on avait oublié sans trop de remords tant il s'empiffrait solennellement. Il y a des femelles qui font croire aux hommes que les moulins sont des fermes.

— Ce n'est pas bien grave jusque-là, si? dit Julien souriant et prêt à s'amuser malgré la longueur du dîner.

Il ne pouvait s'empêcher, où qu'il soit et quelles que soient les circonstances, de garder toujours intact ce fol espoir de s'amuser. Eh oui... même sur ce bateau d'octogénaires, de snobs et de prétendus esthètes. Il espérait, lui, Julien Peyrat, qui avait passé la quarantaine, il espérait encore s'amuser. Par moments, il s'en voulait à mort de n'être pas plus pessimiste ou lucide sur l'existence...

— *Ja!* Si!

La voix de Hans-Helmut Kreuze était péremptoire et ce «si» tonna comme un glas dans la salle à manger d'acajou verni. Le serveur, qui en ce moment même proposait pour la deuxième fois du sorbet à Julien, se mit à trembler convulsivement. La cuillère tinta sur le plat de sorbet et cela fit un bruit de castagnettes qui détourna un instant l'attention générale de Kreuze au profit du sorbet. Julien, obligeant, se resservit et garda la cuillère.

— Si, il y a des femelles qui se comportent comme des animals! Sauf que les animals, eux, ne sont pas des ingrats.

Il y eut aux deux tables un léger flottement mi-surpris, mi-amusé, que tenta de dissiper Edma l'incendiaire, à la surprise générale.

— Si nous levions le camp, capitaine, cria-t-elle de sa table, il fait chaud, ici, non?

Et peut-être eût-on suivi son injonction si Simon Béjard, le mal élevé, n'avait pas clamé sa curiosité.

— Et de qui donc parlez-vous, maestro? (Il appelait Kreuze «maestro» sur un ton tragi-comique, comme pour souligner le côté opérette de ce titre, ce qui horripilait visiblement le musicien.)

— Je parlais des femelles ingrates, dit avec vigueur, afin d'être compris de sa place, Hans-Helmut Kreuze. Je parlais en l'air, si vous préférez considérer le chemin de cette trajectoire...

Chacun regarda son voisin, les sourcils levés, et Hans-Helmut, l'air résigné et satisfait à la fois, après s'être essuyé vigoureusement une moustache qu'il n'avait plus depuis deux ans, posait sa serviette sur la nappe d'un geste définitif, quand la Doria ouvrit le feu à son tour.

— Oh! mon Dieu!... dit-elle (et elle éclata de rire tout à coup, comme frappée par l'évidence). Mon Dieu!... Et moi qui cherchais... Figurez-vous, dit-elle avec entrain, que je crois bien savoir de qui parle le maestro... Est-ce que je me trompe, maestro?...

Le visage de l'interpellé exprimait tour à tour le doute et la fureur. Les yeux d'Edma luisaient sous ses cils d'excitation et de ravissement, ce qui inquiéta Armand Bautet-Lebrêche, soudain réveillé de sa trop longue sieste.

— Non, je ne me trompe pas, reprit la Diva. Figurez-vous que nous nous sommes connus, le célèbre maître Hans-Helmut Kreuze et moi-même, à Vienne... ou à Berlin... ou à Stuttgart, je ne sais plus, dans les années cinquante ou soixante... Non, pas soixante ! là, j'étais célèbre et j'avais le choix. Je parle d'une époque où je n'avais pas le choix et où l'illustre Kreuze daigna remarquer la Loupa — c'est le nom qu'on me donnait, j'avais l'air d'une jeune louve à l'époque, et je l'étais d'ailleurs. Hélas ! il y a longtemps... Je jouais la soubrette numéro trois de la Comtesse dans *Le Chevalier*. Je ne chantais qu'avec les autres. Je n'avais pas de rôle, mais de jolies jambes que j'essayais de montrer dans les coulisses et sur la scène, à tout hasard... Nous étions très très mal payés à Vienne. Le maestro Kreuze, qui était déjà célèbre, comme maintenant, daigna voir mes jambes et daigna désirer en voir plus. Il me le fit savoir par son secrétaire, en parfait gentleman ; et pour achever ma conquête et me combler, il m'offrit une choucroute et un sorbet au Sacher. C'était bien une choucroute et un sorbet, Hans-Helmut, non ?

— Je... Je ne sais plus... dit le virtuose.

Il était écarlate. Personne n'osait bouger, ni le regarder, ni regarder la Doriacci. Personne, sauf Clarisse à qui elle s'adressait à présent.

— Enfin ! reprit la Doriacci de plus en plus gaiement, tout ça était bien lourd, mais l'honneur que l'on me faisait fit passer ça avec le reste... Ne croyez pas que j'avais oublié, cher maître, dit la Doriacci dans un silence consterné, penchée en avant sur la table (et, subitement, éclatante de beauté et de jeunesse, remarqua Julien). Je n'avais pas oublié, mais j'avais peur que cela vous gêne, ou que Gertrude... Mme Kreuze s'appelle bien Gertrude, non ?... que Gertrude ne l'apprenne. J'avais peur aussi que vous ayez honte, trente ans après, de vous être abaissé à coucher avec une soubrette, monsieur le directeur du Konzertgebaum de Berlin.

Ellédocq, qui avait suivi tout cela en jetant des yeux de plus en plus exorbités sur les deux protagonistes, s'était, à tout hasard, et ne comprenant goutte à la situation, renfermé dans un silence hautain. Le visage impassible, drapé dans son blazer comme dans un péplum, il se sentait sûrement à cent coudées au-dessus de cette histoire de sexe. En tout cas, il semblait aussi peu décidé que possible à se lever et quitter la table ; la seule chose à faire pourtant, pensait Charley en le fixant désespérément. En vain...

Aussi, pour la première fois de leur vie commune et maritime, ce fut Charley qui tout à coup poussa sa chaise et se leva, suivi précipitamment par les autres.

— Quel délicieux dîner... marmonnait Edma. C'est un nouveau

chef? Armand, vous ne trouvez pas?... Armand! cria-t-elle à son époux qui était retombé dans sa léthargie maladive, l'orage à peine éloigné.

— Ça, je dois dire, comme nourriture de bateau, on ne fait pas mieux, commenta Simon. Tu ne trouves pas, mon trésor? Et il tenta d'enlacer la taille d'Olga qui se déroba. Éric Lethuillier avait fait le tour de la table et pris Clarisse par le coude, «comme pour éviter qu'elle ne tombe, mais tout à fait inutilement», pensa Julien qui ne l'avait vue boire que deux verres de vin. Mais elle se laissait faire et il en fut agacé : malgré son maquillage grotesque à nouveau visible, il se souvenait de son trouble et il lui en gardait une sorte d'admiration rétrospective et étonnée. «Le corps aussi était beau», songea-t-il tandis qu'elle s'éloignait dans le joyeux tohu-bohu qui suit toujours les algarades publiques.

La Doriacci se levait lentement, seule en face de Kreuze toujours assis et les yeux baissés. Elle le regardait en ramassant sur la nappe son rouge à lèvres, ses cigarettes, son briquet, sa boîte à pilules, son poudrier, tout le fourbi qu'elle déballait autour d'elle, comme une gitane, à chaque repas.

— Alors, dit-elle à voix basse, alors, mon gros-vilain Helmut, on est content?

Elle avait parlé d'une voix inaudible pour tout autre que lui, mais il ne répondit pas, garda les yeux baissés, et elle sortit en souriant et en faisant claquer ses doigts sur un rythme de rumba.

— Sacrée femme, hein? commenta le capitaine revenu à la porte et qui attendait Kreuze. Sacrée femelle, comme vous le diriez, maestro.

Mais le maestro ne répondant toujours pas, le capitaine, de son pas chaloupé, rejoignit ses hôtes.

— Pas marrant, ce Teuton, pas d'humour, confia-t-il, en spécialiste, à Charley Bollinger.

— Si ça tombe, ça va être marrant, cette croisière, disait Simon Béjard à Éric et Clarisse Lethuillier. Ça commence plutôt bien!... En fait de musique, il va y avoir un drôle de barouf sur leur «concert flottant», comme ils disent. Il y aura même de drôles de fausses notes...

«Il faisait ses jeux de mots stupides et il en riait aux larmes, et il était content de lui», pensait Olga en le regardant avec haine. Par quelle aberration l'avait-elle emmené chez ces gens élégants, chics, de bon ton?... Comment avait-elle pu s'exposer à ces coups, ces avanies incessantes que provoquaient la vulgarité, la bonne humeur bête de cet inculte?... Et tout ça, naturellement, devant Éric Lethuillier, ce type impeccable, bourré de classe jusqu'au bout des ongles... cet aristocrate de la pensée... ce révolutionnaire qui aurait pu être marquis... Elle était folle de ce type, enfin de cet homme, avec son beau profil de Viking... Non, pas de Viking, ça faisait trop cliché. Elle leur dirait : « Son beau profil d'aryen.» Voilà ! Ce « leur » représentait son public le plus appréciateur, les deux copines de classe — domestiquées dès la troisième —, soigneusement conservées ensuite dans le culte d'Olga et pour lesquelles Olga Lamouroux, où qu'elle soit, mitonnait dans sa tête le récit palpitant de son existence quotidienne. Elle s'entendait déjà... Elle ferma les yeux une seconde pour oublier la présence trop distrayante — trop absorbante (déjà !...) d'Éric Lethuillier. « Tu sais, Fernande, tu me connais... Tu sais que sous mes airs bravaches, je suis comme écorchée vive, parfois ?... Alors, quand je trouve, quand je sens sur la même longueur d'onde, un type sensible aux mêmes choses que moi, je revis... Eh bien, là, je revivais, dans ce salon, somptueux dans son austérité, dans ce décor de marine, viril mais de bon goût. Aussi, lorsque j'ai entendu tout à coup Simon débiter ses conneries... (non : Simon sortir ses vulgarités), en présence de cet aryen au profil de Viking... Non, de cet homme superbe au profil d'aryen... Quand j'ai vu ce dernier à peine... à peine froncer les sourcils, puis détourner les yeux afin que je ne surprenne pas son dégoût instinctif... Quand je l'ai vu, un peu plus tard, ramener vers moi ses yeux pers... (il faudrait qu'elle regarde le dictionnaire au mot « pers »); quand je l'ai vu ramener vers moi ses yeux glauques, non... couleur de mer... Alors, là, Micheline !... (non, c'était à Fernande que je racontais), alors là, Fernande !... Veux-tu que je te dise : j'ai eu honte... Honte de mon compagnon ! Et ça, c'est une chose terrible pour une femme... Car tu le sais, tu es si fine pour ces choses... (c'était machinal, dans ses récits, ce compliment qui fouette l'attention, mais là, ce n'était pas urgent, Fernande, la pauvre, était à Tarbes, chez sa belle-mère, avec les gosses). Bon, tu le sais... J'avais honte de cette honte. Tu le sais, j'ai toujours voulu porter Simon à bout de bras, faire semblant de ne pas m'apercevoir du fossé entre nous, du... etc., etc., acheva-t-elle in petto, car l'aryen avait pris la parole « Et sa voix de bronze, sa voix d'airain, son timbre chaud... » (elle verrait plus tard) retentissait :

— Personnellement, disait Éric Lethuillier, je dois avouer que je déteste ce genre de scène. Il y a toujours dans ces éclats un côté exhibitionniste qui me glace. Non ? Pas vous ? Vous ne trouvez pas, Clarisse ?

— J'ai trouvé ça plutôt amusant, dit Clarisse. Très amusant, même. Et elle sourit dans le vague, ce qui humanisa son masque une seconde et agaça visiblement Éric.

— Clarisse, dit-il, hélas ! ne lit dans les journaux que les rubriques de potins : la vie privée des autres l'a toujours amusée... Parfois même plus que la sienne, je le crains, dit-il plus bas, mais de façon distincte, à la cantonade.

Clarisse ne broncha pas, mais Simon, lui, fut choqué.

— A propos d'exhibitionnisme, dit-il, vous savez, vous aussi...

— Je sais quoi?

La voix d'Éric Lethuillier était tranchante. Il avait l'air enragé à froid tout à coup, et Simon Béjard recula d'un pas. «Il n'allait pas se colleter avec ce grand protestant revêche, parce qu'il était odieux avec sa femme... Après tout, cela ne le regardait pas. Déjà qu'Olga commençait à lui faire la tête!...» Il se tut. Il n'empêchait que ce voyage s'annonçait plus rigolo qu'il ne l'espérait. La femme des sucres arrivait vers eux, toutes voiles dehors, et les yeux encore plus saillants que d'habitude. «En voilà une à qui cela ne devrait pas déplaire, tous ces drames», pensa Simon, faisant montre pour une fois de quelque psychologie.

— Ah! mes enfants! dit-elle en tendant ouvertement un whisky secourable à Clarisse Lethuillier qui s'en empara d'une main ferme, sous l'œil glacé d'Éric. Ce dîner! Ah! mes enfants, quelle séance!... Je ne savais pas où me mettre... Ah! la Doriacci l'a bien mouché, ce rustaud! Je trouve notre Diva tout à fait superbe... Elle m'a complètement retournée, elle m'a bluffée, quoi, je l'avoue! J'ai été bluffée! Pas vous?

— Pas précisément... Éric prenait une voix railleuse, mais elle le coupa :

— Ça, ça ne m'étonne pas : pour vous bluffer, vous, monsieur Lethuillier, il faut Trotski ou Staline, j'imagine? Au moins!... Mais vous, monsieur Béjard? Et vous, mademoiselle... euh.. Lamoureux? Et vous, chère Clarisse?... Ne me dites pas que vous vous êtes ennuyée!

— R-o-u-x, roux, Lamou*roux*, rectifia Olga avec un sourire froid (car cela faisait la troisième fois qu'Edma estropiait son nom).

— Mais j'ai bien dit «Lamouroux», non? — Edma était souriante. En tout cas, excusez-moi. Olga Lamouroux, voyons... Comment pourrais-je me tromper? Alors que je vous ai vue dans... Ah mais! comment s'appelle ce film charmant qui se passait à Paris, dans le Quartier latin... enfin à côté, avec cet acteur un peu intellectuel, mais si, si merveilleux... George quelque chose... Voyons, aidez-moi, dit-elle à Simon qui, ébahi par sa témérité, la fixait, la bouche ouverte, et se réveillant, se précipita :

— Vous devez parler de *La Nuit noire de l'homme blanc,* un film de Maxime Duqueret. Un très très beau film, très intéressant... Un peu étrange, un peu triste, mais très intéressant. Si, si, si, insista-t-il comme pour se convaincre lui-même (et en jetant un regard craintif vers Olga qui semblait perdue, ailleurs, très loin). Je crois bien, oui... c'est ça... oui.

— Et voilà! dit Edma, satisfaite. *La Nuit blanche de quelque chose.*

C'était très très bien. C'est là que j'ai compris que Mlle Lamoureux, Olga, ferait une carrière.

— Olga Lamou*roux*, Lamou*roux*, chère madame.

C'était Éric qui avait pris le relais, et Edma lui jeta un regard songeur tout à fait insultant.

— Comme vous êtes gentil de m'aider. Voyons : Lamouroux, Lamouroux, Lamouroux, Lamouroux. Je vais m'entraîner, je vous le promets, dit-elle gravement à Olga dont la lèvre avait disparu sous ses dents supérieures. J'espère que je ne vais pas faire comme notre Diva avec son « Bradock », « Ducrock », « Capock », comme elle n'arrête pas de nommer notre sot, notre vaillant capitaine... Où est Charley ? Lui qui est si diplomate... Il doit être aux cent coups ! En tout cas, une chose est sûre : il va falloir changer l'ordonnance de cette table dès demain matin. Il fallait, il faut toujours, de toute façon, séparer les couples, musicaux ou pas.

— Vous supporteriez d'être séparée de M. Bautet-Lebrèche ? siffla Olga sans la regarder.

— Mais je l'ai déjà fait ! (Edma semblait aux anges.) Je l'ai déjà fait, mais jamais très longtemps. Avec sa fortune, mon cher Armand est une proie rêvée pour les intrigantes, je le sais trop bien.

Et caracolante, piaffante, elle repartit vers un autre groupe, peut-être une autre proie. Il y eut un instant de silence.

— Quelle garce ! dit Olga Lamouroux qui était toute blanche (du teint et de la voix).

— Cette pauvre femme, c'est le prototype même de son milieu, dit Éric d'une voix ennuyée.

Mais il posa sa main sur l'épaule d'Olga en signe de compréhension et elle battit des paupières une douzaine de fois sous l'émotion. Simon se tenait coi, mais quand il croisa par hasard le regard de la femme-clown, il s'aperçut avec stupeur que cette morte vivante avait bel et bien les yeux dilatés du fou rire.

Julien Peyrat était appuyé au bar en compagnie d'Andréas, et tous deux riaient à gorge déployée en se rappelant les détails de l'algarade. Ils avaient l'air de deux collégiens cachottiers et ricanants, le sentaient, et cela ajoutait à leur hilarité. Charley les surveillait d'un air réprobateur et jaloux.

— Vous avez vu comme elle devenait belle ? dit Andréas en reprenant son sérieux. Vous avez vu ces yeux, cette voix ?... Ah là là ! quelle femme ! Brusquement elle avait vingt ans, vous avez vu ça ?...

— Mais dites-moi, mon vieux, vous tombez amoureux... dit Julien sans penser à mal. Auriez-vous des vues sur notre Diva nationale... internationale, pardon ? Vous savez que c'est une conquête qui n'est pas impossible, d'après les rumeurs.

— Comment cela?

Andréas ne riait plus du tout. Julien, surpris, le dévisagea. Il n'arrivait pas à se faire une idée exacte de ce garçon. Il l'avait pris pour un pédéraste d'abord, à cause de Charley, mais il ne l'était pas, visiblement ; il l'avait pris pour un gigolo, mais cela ne semblait pas non plus absolument évident. D'autre part, Julien répugnait à lui poser la question classique : « Que faites-vous dans la vie ? » C'était une question qui l'avait fait souffrir toute sa vie lui-même, jusqu'à ce qu'il se découvre ce métier épatant et vague de commissaire-priseur.

— Je voulais dire, reprit-il, que la vie sentimentale de la Doriacci est tumultueuse, notoirement tumultueuse, et que je l'ai vue mille fois sur des photos en compagnie de croquants autrement moins bien que vous physiquement. C'est tout ce que je voulais dire, mon vieux...

— On dit n'importe quoi sur les vedettes, dit Andréas avec feu. Je crois, moi, que cette femme a le goût de l'absolu. Je ne crois pas du tout, monsieur Peyrat, que la Doriacci soit une femme facile.

— Ça aussi, c'est notoire, dit Julien avec gaieté et rompant les chiens. Elle est aussi notoirement très, très difficile à vivre. Demandez donc au maestro Kreuze ce qu'il en pense. Cette choucroute va peser lourdement sur sa croisière.

— Ah! la choucroute du Sacher, dit Andréas, et ils repartirent à rire.

Mais Julien restait intrigué.

Le bateau ralentissait et déjà les lumières de Portofino devenaient distinctes. C'était la première escale prévue, et Hans-Helmut Kreuze devait ouvrir le feu avec du Debussy. Trois marins vêtus de blanc vinrent pousser le grand Steinway sur le pont, ce Steinway jusque-là garé dans le bar sous trois housses et une nappe blanche. On n'en finissait plus de le déshabiller et de lui mettre des chaînes aux pieds afin de l'arrimer. On voyait luire le bois sombre du piano dans l'obscurité et l'on devinait sa masse, mais il y eut quand même un instant de silence respectueux dans la foule quand, les marins ayant disparu avec les housses, quelqu'un essaya les lumières. C'étaient quatre projecteurs très blancs qui tombaient d'en haut, qui dessinaient une piste carrée et livide, une sorte de ring théâtral au milieu duquel l'instrument avec ses chaînes devenait une allégorie : trapu comme un taureau et luisant comme un squale, l'animal attendait visiblement son dompteur, son torero, son musicien ou son meurtrier, et l'attendait avec haine. Et toutes ses dents étincelantes et blanches semblaient prêtes à happer la main de l'homme, à l'attirer hurlant au fond de son corps vide où ses cris retentiraient longtemps avant de s'éteindre. Ce piano avait quelque chose de romantique, tragique et brutal dans ces lumières, qui n'allait pas avec la Méditerranée. Celle-ci offrait un romantisme excédé et sensuel, une douceur sans faille et sans pitié. Elle étreignait le *Narcissus* aux hanches, le flattait et l'agressait à force de vagues molles et chaudes, insistantes et incessantes au point de le faire gîter d'un millimètre, de faire geindre de plaisir ses vingt mille tonneaux. Le bateau fit grincer l'ancre à peine jetée, déjà accrochée au plancher marin, là-dessous, et il détesta cette entrave de fer qui l'empêchait de s'allonger, de se disperser, de se rendre à la merci de toute cette eau voluptueuse et nocturne, cette eau faussement frileuse et écumante au bord de la terre, mais, plus loin, impénétrable et insondable, où le *Narcissus,* immobilisé au bout de sa laisse, renonçait difficilement à se perdre.

L̲ES « PREMIÈRES » étaient montées sur le pont «De luxe», et la première chose que faisaient les arrivants en retrouvant, comme les autres années, les mêmes privilégiés sur le même pont, était de leur expliquer comment, une fois de plus, ils s'étaient fait piéger par le temps et n'avaient pu changer de statut comme ils l'auraient voulu. C'était le seul moment humiliant au demeurant pour ces mélomanes heureux, qui toute l'année au contraire ensuite se flatteraient de cette croisière. Julien, entrepris de la sorte par un couple volubile qui croyait le reconnaître, prit la fuite. Il enjamba les câbles, remonta la travée ménagée entre les chaises et les fauteuils autour du piano et sortit de la zone lumineuse. Seul le chemin qui menait aux coursives était éclairé et, en l'évitant, Julien se cogna à la porte du bar lui-même éteint, mais qu'il trouva ouverte. Il mit quelques secondes avant de voir luire dans le noir la cigarette de Clarisse Lethuillier, assise à une table du fond, seule.

— Je vous demande pardon, dit-il en avançant d'un pas dans la pénombre, je ne vous avais pas vue et je cherchais un refuge, une aire de repos, comme sur les autoroutes. C'est la pagaille dehors : le concert va commencer... Voulez-vous que je vous laisse?

Il parlait d'une manière décousue et se sentait curieusement intimidé. Dans le noir, Clarisse Lethuillier cessait d'être un clown et devenait une femme, la proie du chasseur. Elle finit par ouvrir la bouche :

— Asseyez-vous, dit-elle, où vous voulez. Le bar est interdit, de toute manière.

A cause de l'obscurité peut-être, elle avait une voix sans défense, une voix ni avertie, ni naïve, ni précise, ni brisée, ni jeune, ni féminine, ni rien. Elle avait une voix sans prétention, sans gêne, une voix dénudée comme un fil électrique, et peut-être aussi dangereuse à approcher. Julien s'assit à tâtons.

— Vous n'allez pas au concert?

— Si, mais plus tard.

Ils chuchotaient sans aucune raison valable. En fait, ce bar était un autre monde, tout y était effrayant et plaisant à la fois : la masse des fauteuils, la découpure des tables, et là-bas au loin, cette foule éclairée et agitée qui, longtemps à l'avance, s'apprêtait à applaudir Kreuze.

— Vous aimez Debussy?

— Oui, comme ça, dit la même voix, effrayée cette fois-ci.

Et Julien pensa qu'elle avait peur qu'on les surprenne, seuls, dans cet endroit « interdit » comme elle avait dit. Mais contrairement à sa nature débonnaire, il n'avait pas envie de partir. Il aurait au contraire voulu, aimé qu'Éric Lethuillier arrive, les surprenne à ne rien faire et soit suffisamment odieux — un peu aurait suffi — pour qu'il puisse, lui, Julien, lui casser la figure. Il détestait ce type et, il s'en rendait compte avec étonnement, il ne pouvait pas le supporter. Il ne pourrait pas passer huit jours sur ce bateau en sa compagnie sans lui flanquer une correction, ou en recevoir une de lui, peu importe, mais sans au moins une fois frapper ce visage arrogant dans sa bonne conscience. Cette envie de frapper était si précise qu'il se sentit assoiffé tout à coup, assoiffé et tremblant.

— Il n'y a pas une bouteille dans ce bar? dit-il à voix haute. Je meurs de soif, pas vous?

— Non, dit la voix désolée de Clarisse. Non, tout est fermé à clé. J'ai bien essayé, vous pensez...

Ce « vous pensez » signifiait : « Vous pensez bien, moi, Clarisse, l'alcoolique!... vous êtes au courant? J'ai naturellement essayé de trouver à boire, voyons... »

Mais Julien ne s'y arrêta pas.

— Il ferait beau voir qu'une serrure me résiste, dit-il en trébuchant dans les meubles.

Et il passa derrière le comptoir où il faisait carrément nuit noire.

— Vous avez un briquet? demanda-t-il.

Et instantanément elle fut sur le tabouret le plus proche, son briquet à la main. Les serrures étaient des serrures d'enfant de chœur, et Julien avec son petit canif de boy-scout en eut vite raison. Il ouvrit un placard au hasard et se retourna vers Clarisse. A la lumière de son briquet, elle avait quelque chose de grand-guignolesque avec ses fards. Il eut envie de lui dire d'enlever son masque une seconde, mais se retint à temps :

— Qu'est-ce que vous voulez? Il y a de tout, je crois : porto, whisky, gin? Pour moi, ce sera du whisky.

— Moi aussi, dit-elle.

Sa voix s'était raffermie. Peut-être à la perspective de ce whisky inattendu, pensa Julien avec gaieté. Décidément, il était le démon malfaisant sur ce *Narcissus*. Il allait ruiner aux cartes un mélomane, abuser un amateur de peinture et enivrer une alcoolique. Comme chaque fois qu'il se trouvait assumer un rôle d'affreux Jojo, Julien se sentit gai. Quelque chose en lui était si profondément débonnaire que tous ces rôles cyniques qu'il finissait par tenir effectivement ne lui semblaient jamais réels. Ils faisaient partie d'une grande fiction, une série de nouvelles écrites par un humoriste anglo-saxon, et dont le titre était *La Vie et les Aventures de Julien Peyrat*. Il remplit deux verres à demi, en tendit un à Clarisse qui avait rejoint sa table, et s'assit délibérément à côté d'elle. Ils trinquèrent et burent solennellement. L'alcool était âcre et violent dans sa gorge. Il toussa un peu et remarqua que Clarisse n'avait pas bronché. La chaleur, l'aisance subite qui l'envahirent aussitôt après le rassurèrent définitivement sur le bien-fondé de son effraction.

— Ça va mieux, non? dit-il. J'étais tendu, mal à l'aise, je me sens revivre, pas vous?

— Oh si! dit-elle dans un souffle. Moi... je me sens vraiment revivre... Ou plutôt, je me sens vivre tout bonnement. Simplement vivre.

— Ça ne vous arrive pas à jeun? Jamais?

— Jamais, dit-elle. Plus jamais. Vous avez gardé la bouteille?

— Bien sûr, dit-il.

Et il se pencha, lui versa un autre verre. Il vit sa main blanche le prendre et le lever vers son visage, il se rappela l'effet que lui avait fait cette main pendant le dîner, et s'en voulut aussitôt. Les circonstances étaient un peu trop propices, lui semblait-il. Il se reversa à boire lui-même. A ce train, ils seraient ivres morts avant le début du concert. Il s'imagina arrivant, Clarisse à son bras, tous deux trébuchant pendant les arpèges de Kreuze, et se mit à rire.

— Pourquoi riez-vous?

— Je pensais à notre arrivée ivres morts au milieu du concert, dit-il. Je ris de peu. Ce n'est pas le cas de votre mari, n'est-ce pas? Il n'a pas le rire facile, j'ai l'impression.

— La vie est une chose sérieuse pour Éric, dit-elle sans aucune inflexion, comme elle eût énoncé un fait. Mais je vois très bien comment on peut la prendre sérieusement d'ailleurs — en admettant qu'on ait la force de la prendre d'une manière ou d'une autre... En ce moment, je l'ai. Je respire à nouveau. Je sens mon cœur battre. Je me sens habitée à l'intérieur de mon corps, les choses deviennent réelles... Je sens même l'odeur de la mer, comme je sens le froid de ce verre sous mes doigts. Vous comprenez ça?

— Mais oui, dit Julien.

Il ne fallait pas l'interrompre surtout, pensait-il. Il fallait qu'elle parle, à lui ou à quelqu'un d'autre. Il avait une grande pitié pour cette femme, presque autant que de haine pour son époux. Mais qu'avait-il à faire de ce couple Lethuillier?...

— Toute la journée j'ai eu l'impression d'errer dans le désert, avec des obstacles que je ne voyais pas au dernier moment. J'avais l'impression de parler faux, et que cela se remarquait et que j'étais ridicule. J'ai eu l'impression de ne penser que des platitudes. J'ai eu l'impression que j'allais laisser tomber ma fourchette, que j'allais tomber moi-même de mon siège, que j'allais encore une fois faire honte à Éric, gêner ou faire rire les autres... J'ai eu l'impression que j'allais mourir asphyxiée dans cette cabine. J'ai eu l'impression que ce bateau était trop grand ou trop petit, et qu'en tout cas je n'avais rien à y faire... J'ai eu l'impression que ces neuf jours n'en finiraient jamais et qu'ils étaient pourtant ma dernière chance. Mais ma dernière chance pour quoi?... J'étais en proie au désordre, à la confusion, à l'ennui... A un doute de moi qui me martyrisait... Martyrisait, répéta-t-elle à voix haute. J'ai passé des heures martyrisée. Et maintenant, grâce à ça... (et elle fit tinter son ongle sur le verre) je suis en paix avec Clarisse Lethuillier, née Baron, trente-deux ans, visage fade. Clarisse Lethuillier, alcoolique. Et même pas honteuse de l'être!...

— C'est que vous n'êtes pas alcoolique à proprement parler. Quant à ce visage fade, il faut vous croire sur parole!... Vous avez la fadeur si fardée... madame Lethuillier! En tout cas, «Clarisse Lethuillier: solitaire»... là, je vous croirais.

— La riche héritière solitaire... Ça doit vous rappeler des hebdomadaires à gros tirages, monsieur Peyrat... De toute façon, je ne vous serai jamais assez reconnaissante pour avoir forcé cette serrure... Si je pouvais compter sur vous, de surcroît, pour cacher quelques bouteilles dans votre cabine, et si vous aviez la bonté de m'en indiquer le numéro, ma reconnaissance vous serait définitivement acquise: vous n'êtes pas homme à fermer vos portes à clé, j'imagine?

Elle avait une voix précipitée mais claire, nette, presque arrogante, sa voix de fille Baron sans doute. Mais déjà il la préférait odieuse que malheureuse.

— Mais bien sûr, dit Julien, je vais m'approvisionner dès demain! Et je suis au 109.

Il y eut un silence, et la voix de tout à l'heure, d'avant le scotch, demanda:

— Vous n'aurez pas de remords? Ou alors... Demanderez-vous une contrepartie?

— Je n'ai jamais de remords, dit Julien, et je ne demande jamais de contrepartie aux femmes. (Et là, il disait la vérité.)

Il devina plutôt qu'il ne vit Clarisse tendre son verre vers lui, et il le lui remplit sans commentaire. Elle le vida, se leva, partit d'un pas ferme, lui sembla-t-il, vers les lumières. Il resta un moment immobile, avant de finir le sien, et la suivit.

CLARISSE eut à peine le temps de s'asseoir auprès d'Éric et celui-ci de déployer sa coutumière courtoisie exagérée, Hans-Helmut Kreuze arrivait déjà sous les applaudissements. Son smoking faisait ressortir encore son côté prussien, son col dur semblait racler sa nuque tandis qu'il s'inclinait. Mais dès qu'il fut assis et qu'il commença de jouer, le musicien fit disparaître le personnage. Il joua Debussy avec la légèreté, le tact, la douceur qu'il n'avait pas. Il le fit couler comme un liquide, comme de la pluie sur le pont, et Clarisse, les yeux ouverts, recevait cette eau fraîche, se sentait rajeunir, intacte, invulnérable, lavée de tout. Elle était dans les bois, dans les prés de son enfance. Elle ne savait rien de l'amour, de l'argent, des hommes. Elle avait huit ans, douze ans, ou elle en avait soixante, et tout était d'une limpidité parfaite. Le sens de la vie était là, dans cette innocence inaltérable de l'être humain, dans la fuite précipitée et acceptée de la vie, dans la miséricorde de la mort inévitable, dans quelque chose d'autre qui n'était pas Dieu pour elle, mais dont en ce moment précis, elle était sûre, comme certains l'étaient, semblait-il, de l'existence de ce Dieu. Elle ne s'étonna même pas que Kreuze jouât ainsi aux antipodes de lui-même, de son apparence. Elle s'étonna juste, quand il eut fini, que l'étranger blond à son côté lui poussât le coude et lui dise d'applaudir. Éric hochait la tête avec gravité et une certaine tristesse, comme chaque fois qu'il se trouvait devant un talent incontestable. « On ne peut pas nier qu'il ait du génie », disait-il, comme si son premier réflexe eût été, en effet, de nier ce génie et comme si l'impossibilité de continuer lui eût coûté. Mais elle se moquait bien d'Éric tout à coup. Il lui apparaissait même de la plus grande futilité, de la plus grande sottise de l'avoir aimé si longtemps et d'avoir tant souffert par lui. Bien sûr, quelqu'un en elle lui soufflait que cette liberté et cette désinvolture allaient être éliminées de son esprit en même temps que l'alcool de son sang, mais quelqu'un aussi lui disait que la vérité était là, dans cet instant même, dans cette perception-là, pourtant supposée trompeuse, faussée et dénaturée par l'alcool. Ce même quelqu'un qui lui disait qu'elle avait raison quand elle était heureuse et tort quand elle ne l'était pas, ce quelqu'un était le seul, depuis son enfance, parmi les innombrables « quelqu'un » dont elle était composée, qui n'eût jamais changé d'avis. Elle applaudit un peu plus longtemps que les autres, on la regarda et Éric se rembrunit, mais cela lui était parfaitement égal. De l'autre côté du piano, debout, Julien Peyrat, son complice, lui souriait et elle lui rendit son sourire ouvertement. Ce sauveur était aussi un bel homme, constata-t-elle avec un amusement, une sorte de satisfaction anticipée qu'elle n'avait pas eus depuis des années, des siècles, lui semblait-il. Peu d'hommes résistaient aux critères d'Éric Lethuillier, il est vrai.

Simon Béjard, qui s'était assis sur son siège et sur son pantalon de smoking neuf avec la même impression de péril et d'ennui, se retrouvait les larmes aux yeux. Tout cela, grâce à ce gros balourd de Kreuze qu'il trouvait infumable, et grâce à Debussy qu'il avait toujours pensé inécoutable. En fait, c'était la première fois qu'il lui arrivait de ressentir un plaisir gratuit, la première fois depuis des années. Des années où, quand il voyait un film, c'était pour y trier des acteurs, pour voir le «boulot» de quelqu'un d'autre, de même qu'il ne lisait des romans que pour y découvrir des scénarios — sauf ceux que leur succès, l'adhésion folle du public, débarrassait de cette obligation funeste d'être palpitants, mais dans ce cas-là Simon ne pouvait acheter le titre.

Sa première séance de cinéma avait eu lieu pour ses six ans. Et de même que depuis quarante ans, pour Simon, tous les paysages n'étaient que des décors, tous les êtres humains étaient des personnages et toutes les musiques n'étaient que de fond.

— C'était formidable, non? dit-il dans son enthousiasme. Ça, chapeau, Helmut! Ça m'a fait le même effet que du Chopin.

Il avait beaucoup pleuré à quatorze ans aux accents d'une «polonaise» dans un super-navet en couleurs, venu d'Amérique, et où l'on voyait Chopin, cow-boy brun, musclé et bouclé, cracher du sang sur les touches blanches d'un clavier, tandis que George Sand promenait une minceur égale à celle de ses fume-cigarette dans des décors dignes des Borgia et des Folies-Bergère réunis. Il en avait conclu que Chopin était un musicien capable d'émouvoir, peut-être même susceptible de fournir un support musical à ses futurs chefs-d'œuvre, à lui, Simon; mais sa culture musicale en était restée là. Et voilà qu'avec Debussy, à présent qu'il était riche, un monde nouveau s'ouvrait à Simon. Il se sentait tout à coup un grand appétit et une grande humilité envers ces immenses steppes de l'Art, ces monuments vivants, ces trésors fabuleux qu'il n'avait pas eu le temps ni l'occasion de découvrir. Il se sentait affamé de littérature, de peinture et de musique. Tout, enfin, lui semblait désirable à l'infini, car ce n'était que dans la mesure où il pouvait les concrétiser que Simon s'abandonnait à ses désirs. Il lui fallait «pouvoir» posséder, c'était tout. En effet, il aurait pu, demain, s'acheter les meilleures chaînes de haute fidélité japonaises, acquérir un ou peut-être deux tableaux impressionnistes, plus ou moins certifiés, et, pourquoi pas, une édition originale de Fontenelle (qu'il ne connaissait pas, d'ailleurs). Toutes ces folies étant à présent accessibles, il allait être en droit de s'offrir des livres de luxe, des minicassettes et la visite des musées. Comme s'il y avait eu, pour pénétrer dans les domaines inconnus de l'Art, une porte de service et un grand escalier, la première n'étant supportable que si on la préférait délibérément au second. Pour Simon, le Panthéon et ses morts illustres rejoignaient enfin, en prestige, la société de production United Artists et ses sbires anonymes. En tout cas, la preuve était faite qu'il était devenu sensible aux choses de l'Art, et c'est avec une sorte d'admiration pour ses propres pleurs qu'il tourna vers Olga ses gros yeux humides ; mais elle ne sembla pas partager cette admiration ; elle semblait même devenue, au contraire, ironique :

— Voyons, Simon, ne dites pas de sottises, dit-elle à mi-voix.

Olga avait jeté un coup d'œil furtif à Éric Lethuillier assis devant eux et, de biais, Simon avait vu le sourire lassé, indulgent, de celui-ci.

— Ce n'était pas ce qu'il fallait dire ? demanda-t-il très haut.

Il se sentait blessé dans quelque bonne foi, quelque bonne volonté. Après tout, cette émotion qu'elle semblait trouver ridicule, c'était bien elle qui la lui avait réclamée, hier encore, et c'était bien elle qui semblait craindre qu'il n'en fût incapable.

— Mais non ! dit Olga. Chopin !... Debussy ! mon pauvre Simon, il ne faut quand même pas mélanger les torchons et les serviettes.

— C'est Chopin le torchon, et c'est Debussy la serviette ? Ou c'est le contraire ? dit Simon.

Après l'émotion artistique, il était en proie à présent à la fureur, et c'étaient deux sentiments violents, bizarres, qui lui étaient restés jusque-là étrangers. Olga s'étonna de cette colère subite.

— Mais enfin ! dit-elle, il ne s'agit pas de cela. Disons que c'est un petit peu trop tôt pour vous lancer dans les comparaisons.

Elle hésitait, jetait des coups d'œil vers Lethuillier qui ne se retournait pas.

— Enfin, dit Simon, vous craignez depuis trois mois qu'il soit trop tard pour moi ! Et aujourd'hui, c'est trop tôt ? Il faudrait accorder vos pianos, dit-il, plaisantant malgré lui, ce qui permit à Olga de rire très fort et de feindre d'ignorer sa colère.

— Alors, dit Simon, vous m'expliquez ?

— Mais enfin, Simon... (elle avait pris sa voix de tête, exaspérée), mais enfin, Simon, disons que ce n'est pas un sujet pour vous.

— Si ce n'est pas un sujet pour moi, ce n'est pas non plus une croisière pour moi, dit-il.

Il la regarda en face, furieux, et elle jetait des coups d'œil désespérés vers Lethuillier. Mais il semblait à présent que celui-ci ait la nuque plantée sur les épaules et que ses oreilles fussent installées de part et d'autre de son crâne uniquement à titre décoratif. Olga s'affola, Simon allait devenir grossier. De façon inattendue, ce fut la femme-clown qui sauva la situation : elle se tourna vers eux, sourit à Simon avec une si évidente gentillesse qu'il s'apaisa d'un coup. Brusquement, cette

Clarisse Lethuillier était la chaleur, l'aisance même ; elle était surtout, malgré les bariolages, inimitablement amicale.

— C'est drôle; ce que vous dites là, monsieur Béjard, dit-elle, c'est exactement l'impression que j'ai eue ! J'ai trouvé aussi que Kreuze jouait Debussy d'une manière si... tendre... si triste... si liquide, comme du Chopin... Mais je n'osais pas le dire ; nous sommes entourés de tels connaisseurs, ici ! Je ne suis pas de force, moi non plus.

— Voyons, vous connaissez très bien la musique, Clarisse ! dit Éric en se retournant. Ne vous dépréciez pas tout le temps de cette façon systématique, on n'y croit pas.

— Me déprécier ? Mais comment voulez-vous que je me déprécie, Éric ? Il faudrait pour ça que j'aie une valeur quelconque, voyons ! Or je n'ai toujours pas fait mes preuves, non ? En musique non plus.

Sa voix était insolente et gaie, et Simon Béjard se mit à rire du même rire, et d'autant plus gaiement que le bel Éric semblait furieux. Il toisait Clarisse, et ses yeux bleus avaient le bleu chloré et froid de la piscine du bord.

— A mes yeux, si, dit-il, vous avez fait vos preuves ! Ça ne vous suffit pas ?

— Si, mais le cas échéant, je préférerais que ce soit à vos oreilles...

Clarisse riait, l'air tout à coup échappée à ses mélancolies ; elle provoquait son maître :

— J'aurais aimé pourtant vous jouer du clavecin, Éric, du... Haendel, tous les soirs, au coin du feu, pendant que vous corrigiez les épreuves du journal...

— Du Haendel, devant un bon vieil armagnac, je suppose ?

— Pourquoi pas ? Si vous préférez, vous, arroser vos épreuves de sirop d'orgeat !...

Simon avait été oublié dans la bagarre, mais il restait transporté de l'avoir provoquée. Il leva le poing droit de Clarisse et prit une voix de basse marseillaise :

— Clarisse Lethuillier, vainqueur par K.-O. technique, dit-il en souriant, mais le regard d'Éric qu'il croisa était vitreux d'hostilité.

Simon laissa retomber la main de Clarisse. Il ébaucha un geste d'excuse, de regret vers elle, mais elle lui sourit sans la moindre expression de crainte ou de gêne.

— Si nous prenions un verre au bar ? dit Simon. Après tout, deux mélomanes et deux incultes, vous pourriez nous donner des leçons...

— Personnellement, je ne donne de leçon à personne, dit Éric d'un ton qui démentait totalement sa phrase. De plus, je crois que la Doriacci va commencer incessamment.

Clarisse et Simon, qui se levaient déjà, se rassirent docilement. Car, en effet, les quatre projecteurs s'allumaient et tout aussitôt s'éteignaient, se rallumaient, etc., signes que le programme commençait. Olga se pencha sur son siège et murmura à l'oreille d'Éric : «Pardon... pardon pour lui», d'une voix suppliante et un peu théâtrale — elle le sentit elle-même. Mais c'est qu'elle était vraiment horrifiée! Comment Simon pouvait-il proposer de l'alcool à cette Clarisse Lethuillier qu'il savait une alcoolique invétérée? invété...? notoire, quoi! Comment osait-il parler sur ce ton à ce superbe Viking, cet homme de classe? et qui reniait les castes! Car enfin, il n'était pas nécessaire d'être hypersensible pour le voir : Éric Lethuillier était un homme écorché jusqu'au cœur... non, jusqu'à l'os... non, non, non... jusqu'à l'âme, voilà! Non! Ce qui devenait dingue, c'était, pour elle, de rester. «De rester près d'un type que je n'estimais plus : "Je n'assumais plus Béjard" (version Micheline) ou : "Je ne supportais plus Simon" (version Fernande).»

— A quoi penses-tu? disait aigrement le futur excommunié. Tu n'as pas l'air bien, c'est le dîner qui ne passe pas?

— Mais si, mais si! Tout va très bien, je t'assure, dit-elle très vite, horrifiée.

Comment pouvait-on être si vulgaire, si trivial? Olga, qui s'apprêtait à expliquer sa méditation par une comparaison poétique et musicale, s'arrêta net. «Les bras m'en tombent», pensa-t-elle. «Voilà : les bras, Micheline, m'en tombèrent et...» Mais la dernière fois qu'elle avait utilisé cette expression, Simon s'était mis à quatre pattes et avait fait semblant de chercher ses bras sur la moquette en riant aux éclats — car tel était le genre de chose qui le faisait rire. Il y avait une race d'hommes ainsi que ces choses-là faisaient rire, ces grosses blagues. Il y en avait même beaucoup. Sur ce bateau, par exemple, il y en aurait au moins trois, elle le savait, qui étaient venus pour rire et applaudir la fière (et fausse, elle allait le lui prouver) devise de Simon Béjard au sujet de l'amour : «Je me marre ou je me détache.» Il y aurait Julien Peyrat, ce séduisant mais si peu sérieux individu, de toute façon inattrapable à l'évidence; il y aurait eu aussi ce pommadé de Charley, malgré ses mœurs, qui aurait bien ri avec les hommes; et sans doute ce gigolo blond nommé Andréas.

Olga détestait déjà Andréas pour une excellente raison qui était sa jeunesse. Elle avait pensé être la seule personne dans les vingt ans sur ce bateau, elle avait pensé représenter à elle seule la jeunesse et sa fougue, et son charme, et voilà que ce petit blondin avec son air naïf semblait presque aussi jeune qu'elle et peut-être même plus, si elle se référait à ce... à ce crétin de Simon.

— Oh! ce gamin, lui avait-il dit quand elle lui en avait parlé, on lui tordrait le nez, il en sortirait du lait.

Simon croyait la rassurer, mais il l'avait exaspérée.

— Je n'ai pas cet air-là, j'imagine, avait-elle dit.

— Ça non ! Vous pouvez être tranquille, vous n'avez rien à voir avec ce petit galopin.

— Sinon l'âge, avait-elle rectifié.

— On n'y pense même pas, avait achevé le butor, le goujat, le maladroit Simon.

Et le soir même, Olga avait pour le dîner tiré ses cheveux en queue de cheval. Ses sombres pensées furent arrêtées par l'arrivée de la Diva. Doria Doriacci entra en scène sous les applaudissements, et aussitôt le ring dessiné sur le pont par les projecteurs, les spectateurs, le bateau tout entier prirent un air théâtral. Où qu'elle aille d'ailleurs, son air furieux, ses fards, ses strass créaient une atmosphère dramatique et délicieuse à éprouver. La Doriacci avait, par un de ses caprices habituels, négligé le programme et décidé de chanter, ce soir-là, un des grands airs du *Don Carlos* de Verdi.

Elle s'installa derrière le micro, posément, dans sa longue robe noire et brillante, fixa un point imaginaire vers Portofino, au-dessus de leurs têtes, et se mit à chanter d'une voix basse et continue.

Julien en face d'elle, d'abord perplexe, gêné par la proximité physique de cette voix, avait à peine eu le temps d'être tranquillisé par sa retenue, quand soudain il retint son souffle entre ses dents et se crispa sur son siège. Du buste imposant et corseté de noir de la Doriacci, une voix inattendue avait jailli, la voix brutale et éperdue de quelqu'un au comble de la rage et de la peur. Et la peau de Julien se hérissa malgré lui. Puis cette voix se détendit, s'allongea sur une note, devenant rauque, beaucoup trop rauque, d'une lyrique indécence. C'était un feulement amoureux qui faisait maintenant saillir les cordes de ce cou, pourtant cerclé d'un rang de perles sages, et Julien discerna sous ces traits réguliers, sous cette aspiration maîtrisée et cette coiffure bourgeoise, l'expression emportée et aveugle d'une sensualité sans frein. Il eut brusquement envie de cette femme, une envie parfaitement physique, et il détourna la tête. C'est alors qu'il vit Andréas, et l'expression de celui-ci le renseigna sur la sienne et l'apaisa : de chasseur, le jeune Andréas était devenu chassé, la ferveur déjà se mêlait à la convoitise, et Julien le plaignit.

Andréas, en effet, avait oublié ses plans ambitieux et, les yeux fixés sur la Doriacci, se répétait comme un leitmotiv qu'il la lui fallait à tout prix. Cette femme était brusquement devenue le romantisme, la folie, le noir, l'or, la foudre et la paix, et d'un seul coup il n'y avait plus sur terre que l'opéra, ses pompes et ses œuvres et ses fastes qui lui avaient toujours paru sans vérité et sans vie. En écoutant chanter la Doriacci, il se dit qu'il lui arracherait ce cri un jour, d'une autre manière, et qu'il ferait atteindre à cette voix basse une note basse jamais atteinte. Il se dit même, dans son égarement, que s'il le fallait il travaillerait pour elle et que si elle ne voulait pas le nourrir, lui la nourrirait : il écrirait dans un journal sous un faux nom. Il serait critique musical, il serait féroce, craint, haï même pour sa sévérité, son exigence, sa morgue, sa jeunesse et sa beauté apparemment inutilisées et qui feraient jaser... Oui, tout Paris jaserait, s'interrogerait en vain jusqu'au jour où, de retour d'une tournée, la Doriacci se produirait à Paris, et là, l'article le plus fou et le plus passionné ferait éclater la vérité en plein jour. Dès le lendemain, il sortirait au bras et des bras de la Doriacci, l'œil las, heureux, et Paris comprendrait.

La Doriacci n'avait même pas fait de sortie malgré l'ovation d'une foule délirante d'enthousiasme. Et vraiment délirante, cette fois, même si l'on admettait que, pour chaque passager, ne pas être délirant d'enthousiasme chaque soir signifiait qu'il avait été roulé et roulé par lui-même tout autant que par la compagnie Pottin frères. Ils avaient donc crié « Bis, Bis... » à la Diva qui souriait et refusait de la tête, en descendant de son socle, parmi eux, pauvres mortels. C'était une de ses manœuvres habituelles qui avaient le mérite d'empêcher d'autres rappels. La Doria savait par expérience que personne, parmi ce public élégant et si gracieux par ailleurs, personne n'aurait le cœur et le cran de lui crier « Bis » en pleine figure et à moins d'un mètre. Parfois, elle regrettait de ne pouvoir descendre ainsi à la Scala de Milan et se promener dans le public telle Marlène Dietrich parmi les spahis de Gary Cooper, mais cela ne se faisait pas. Il y avait une notion de solennité indestructible dans ce personnage de Diva, nuance qu'elle avait cru pouvoir oublier à vingt-cinq ans et qu'elle se félicitait à cinquante et quelques d'avoir acceptée. Pourtant, Dieu savait qu'elle n'était pas hypocrite, mais ses triviales chasses nocturnes parfois auraient sans doute manqué de saveur si le rideau de fer de la célébrité ne s'était abattu chaque fois sur les basques de son dernier amant, le clouant au sol, tandis qu'elle repartait vers d'autres lustres et d'autres amants. En fait, elle avait faim, elle avait envie de manger du canard à l'orange et du gâteau glacé, le tout arrosé de bouzy rouge et fruité. Elle avait envie aussi de ce beau jeune homme blond qui la regardait en souriant de loin, et qui passait d'un pied sur l'autre sans oser l'attaquer. La Doriacci s'apprêtait à demander son aide à la femme-clown assise près d'elle. Elle ouvrait la bouche pour le faire quand Clarisse, dans un effort suprême, parvint à lui parler. Elle avait une jolie voix, et sans ces fonds de palette plaqués sur son visage elle serait sûrement même très bien. Et puis à présent qu'elle lui parlait de musique, sujet qu'entre tous craignait Doria Doriacci, à mesure qu'elle lui racontait le bonheur qu'elle avait pris à l'entendre, d'une voix un peu brisée et le regard dilué encore par ce bonheur, à mesure qu'elle la remerciait, la Diva comprenait qu'elle n'était plus si seule sur le bateau puisque quelqu'un d'autre, cette femme ridicule, avait éprouvé elle aussi le Grand Bonheur, ce que Doria Doriacci nommait le Grand Bonheur : celui qu'elle éprouvait et que certains privilégiés éprouvaient, et là ce n'était pas un privilège de caste ni d'éducation, c'était le privilège presque chromosomique qui faisait que l'on éprouvait le Grand Bonheur devant la musique lorsque celle-ci était par hasard au rendez-vous. Ce hasard vous la gravait dans la mémoire, sous l'étiquette et dans le tiroir toujours à moitié vide des Grands Bonheurs ou des Bonheurs parfaits, souvenirs de plus en plus vagues sur la naissance de ce Bonheur, mais souvenirs aussi de plus en plus précis sur sa réalité !

Cette jeune femme comprenait la musique, et c'était bien, mais l'agneau blond un peu plus loin tremblait déjà sur ses belles jambes dans l'attente inconsciente du sacrifice. Un sacrifice qui ne saurait tarder car, caracolant à la porte du bar, ses boucles de cheveux trop rouges et ses boucles d'oreilles vieil or s'emmêlant les unes aux autres, frappant le plancher de son escarpin à petits coups secs comme le font, semble-t-il, ses congénères avant de charger la chèvre de monsieur Seguin, Mme Bautet-Lebrêche, s'apprêtait à la rejoindre. En effet, Edma les avait vues et c'était au petit galop de chasse qu'elle filait vers leur table. Clarisse, éberluée, vit avec stupeur la massive, l'importante et la carrée Doriacci s'escamoter littéralement entre deux tables qui n'auraient pas laissé passer une sylphide, ayant dans un geste de pickpocket raflé son sac, son fume-cigarette, son rouge à lèvres, son briquet et son éventail sur la table, et elle cinglait déjà vers la porte du bar, tout cela sans avoir un instant abandonné sa hauteur tragique.

Clarisse ne savait pas, en effet, que la Doriacci, lorsqu'elle avait choisi un homme, qu'elle s'apprêtait à l'immoler sur le grand autel de son lit à baldaquin, imprimait à toute sa personne quelque chose de funèbre et pompeux, une sorte de douleur silencieuse et tragique que l'on prêterait plus à Médée qu'à la Veuve joyeuse. Glacé, effrayé, Andréas vit aussi, lui, avec déchirement, sa bien-aimée fuir majestueusement la petite foule, et il s'apprêtait déjà à la voir disparaître sans un mot et sans un regard, dans les profondeurs et les méandres des coursives, quand son regard braqué vers elle la vit tout à coup tourner légèrement la tête dans sa direction. Et, tel un grand trois-mâts entraîné par le vent dans sa course, et incapable maintenant de freiner celle-ci pour épargner un petit voilier qui va danser sur ses remous et sans doute y couler, tel donc ce bateau orgueilleux mais pitoyable, lâchant derrière lui quelques barques de sauvetage pour repêcher ses victimes, la

Doriacci, de l'œil, attira sur son flanc le regard d'Andréas : au long de ce flanc pendait sa main aux ongles recourbés et pourpres. Et l'un de ces doigts pliés, ramené vers l'intérieur de la main, lui indiqua deux ou trois fois, de la manière la plus triviale et la plus éloquente, que son malheur était loin d'être complet.

SIMON BÉJARD rentra le premier dans la cabine, oubliant ses bonnes manières, ou ce qu'il en avait, nota Olga Lamouroux, vaguement inquiète. Il s'assit sur la couchette et commença à enlever ses souliers vernis tout neufs en même temps que sa cravate, la main gauche tirant sur le nœud papillon, la main droite sur les lacets, dans une posture vaguement simiesque. Des pieds et un tour de cou également rouges émergèrent de ces instruments de torture, et c'est seulement alors que Simon la regarda. Un regard orageux. Olga fit quelques pas dans la chambre en se cambrant et en lissant ses cheveux de ses deux mains levées très haut, les yeux clos. « Allégorie du désir », se dit-elle. Encore qu'elle ne fût pas sûre qu'allégorie fût le bon terme. Ç'aurait dû être Simon, l'allégorie du désir. Mais son air grognon et sa posture d'équilibriste ne le suggéraient pas. Olga se renversa un peu plus en arrière.

Bien sûr, Olga vivait de son talent et non pas de son corps, comme elle se plaisait volontiers à le rappeler, et comme elle en était d'ailleurs presque persuadée. Cela ne l'empêchait pas de recourir aux charmes de ce corps quand les charmes de l'esprit se révélaient funestes pour sa carrière.

— Voyons, Simon, dit-elle gentiment, affectueusement même, avec un petit rire tendre dans la voix du plus gracieux effet — et qu'apparemment ce butor ne remarqua même pas — voyons, Simon, ne soyez pas fâché par ma remarque... Ce n'est pas votre faute si vous n'avez pas de culture musicale. Vous n'allez pas bouder toute la soirée votre oiseau de paradis...

— Mon oiseau de paradis... Mon oiseau de paradis... il faut dire ma bécasse, oui, mon aigre bécasse, grommela Simon un instant avant de regarder ce jeune corps, droit comme une épée, le jeune corps de sa maîtresse, et d'admirer avec une sorte de déchirure bizarre le long cou lisse, au duvet imperceptible et blond.

Et la vague colère de Simon se transforma en une vague de tendresse en une seconde ; une tendresse si aiguë, si triste, qu'il se sentit les larmes aux yeux et s'acharna sur ses lacets avec sauvagerie, la tête baissée.

— Vous avez tellement d'autres cultures... Vous m'êtes tellement supérieur, voyons. Le septième art, par exemple...

Simon Béjard se sentait mal. Il lui en voulait d'avoir contrarié en lui
le nouvel homme prêt à aimer passionnément, pieusement et
gratuitement tout cet univers qui, sous le nom d'Art, lui avait été
d'abord étranger, puis ensuite inaccessible et finalement hostile tant il
était invoqué à ses dépens par les critiques de films.

Cet Art réservé à
une classe sociale qu'il méprisait et à la fois rêvait de conquérir; tous
ces tableaux, tous ces livres, toutes ces musiques étaient avant tout, il le
savait, fragiles papiers, ou fragiles toiles, les explications fraternelles, les
tentatives d'explication d'une existence absurde où s'étaient enchaînés,
et brisés le plus souvent, des frères inconnus. Et dont Simon se sentait à
la fois l'héritier compréhensif et ému depuis une heure. Il ne tenait qu'à
lui maintenant d'accéder à ce monde. Il n'avait plus besoin de la
pédagogie condescendante de tous ces gens, ni des explications confuses
et ennuyeuses d'Olga. Quelque chose comme une solidarité secrète,
mais sûre, le reliait à présent à Debussy comme s'ils avaient fait
ensemble leur service militaire ou ensemble connu leur premier chagrin
d'amour. Il ne permettrait plus à personne de se mettre entre eux.

— Le septième art, parlons-en... dit-il, arraché à sa fureur par cette
certitude nouvelle. Ah! le septième art! Savez-vous quel film j'ai
préféré dans toute ma jeunesse? J'en ai vu, puisque, comme je vous l'ai
dit, je crois, mon père était projectionniste à l'Éden, à Bagnolet, pendant
toute la guerre, et après. Ce que j'ai préféré... Vous ne devinerez jamais
lequel...

— Non, dit Olga sans entrain. (Elle détestait qu'il parlât de sa famille
avec cette désinvolture. Un père projectionniste, une mère petite main!
Il n'y avait pas de quoi se vanter. Ni se cacher, bien sûr, bien sûr... Mais
elle aurait préféré qu'il s'en cachât.)

Après tout, Olga elle-même avait eu le goût, pour ne gêner personne,
de transformer la mercerie de sa mère en une usine de tissage et leur
pavillon en manoir, lequel, quoi qu'il en dise, avait épaté Simon Béjard:
elle se demandait si ce n'était pas la grande bourgeoise qu'il appréciait
en elle. Sans en rire.

— Eh bien, c'est *Pontcarral,* dit Simon en souriant enfin. J'ai été fou
amoureux de la petite blonde, Suzy Carrier, qui piquait Pierre-Richard
Willm à Annie Ducaux, sa sœur. C'était l'époque où les petites vierges
blondes et chastes gagnaient sur les vamps, dit-il, d'abord distraitement,
puis il s'arrêta net.

«Peut-être était-ce là la raison de tout, se dit-il. Ma propension à
m'amouracher de jeunes filles en fleur et qui me battent froid, et mon
mépris pour les femmes de mon âge, avec qui je me sens bien, qui
pourraient m'aimer. Cela vient peut-être de *Pontcarral?* Ce serait trop
bête... Une vie tout entière orientée par *Pontcarral...* Ça n'arrive qu'à
moi!» se dit-il amèrement, ignorant à quel point peu de gens sont fiers
de leurs goûts, et combien peu sont vraiment attirés par leur idéal.

Ignorant à quel point ce divorce entre l'idée de soi-même et les plaisirs de ce soi-même faisait d'affreux ravages depuis des siècles et parfois aussi de la bonne littérature.

— Mais... mais... mais j'ai entendu parler de Pierre-Richard Willm... bégaya Olga joyeusement, comme chaque fois que des souvenirs de Simon, ou d'un de ses amants, recoupaient quelques souvenirs de son enfance à elle. (Car elle ne tenait pas aux jeunes gens de son âge, auprès de qui sa jeunesse, à elle, n'aurait pas eu le même succès.)

— Bien sûr, dit-elle, Pierre-Richard Willm... Maman était folle de lui...

— Quand elle était toute petite fille, alors... dit Simon en haussant les épaules.

Et Olga se mordit les lèvres pour de bon, cette fois-ci. Elle devait faire attention. Elle était arrivée à soustraire Simon à ses vacances tropéziennes où elle aurait dû le disputer à dix starlettes. Elle était arrivée à l'amener là, sur ce bateau bourré de septuagénaires, elle devait faire attention maintenant, dans la griserie de son succès, à ne pas l'exaspérer définitivement. Simon était bon garçon, balourd, parfois naïf, mais il était un homme, comme il s'obstinait à le prouver chaque nuit au grand ennui d'Olga. Car à force de simuler le plaisir, Olga ne savait plus si elle l'avait jamais éprouvé. Mais sa frigidité ne l'inquiétait qu'en fonction de ces jeunes gens superbes, ou réputés doués pour les choses de l'amour. C'était peut-être pourquoi, depuis dix ans, elle ne couchait plus qu'avec des hommes dont le manque d'attraits physiques ou le grand attrait matériel lui permettaient de croire à l'absence de cette frigidité, à l'existence chez elle d'une grande amoureuse frustrée par le destin. Enfin, pour ce soir, l'abandon auquel elle se contraignait lui paraissait à l'avance moins pénible que d'habitude puisque, dans la mesure où il réconcilierait définitivement Simon avec elle, il perdait ce côté inutile, gratuit, bref, qu'elle avait toujours détesté dans ses liaisons.

Mais pour une fois, cet abandon n'arrangeait pas tout puisque Simon, sans plus dire un mot, ayant enfilé son blue-jean qui le serrait trop, et un chandail, avait fermé la porte de la cabine derrière lui, sans même la claquer.

Andréas avait été stupéfait d'abord par la mimique pourtant sans équivoque de la Doriacci, lorsqu'elle avait quitté la salle, l'index impérieux, et une légère réprobation s'était mêlée à sa joie. En réalité, depuis le début de ce qu'il appelait « son histoire d'amour », Andréas se sentait mal à l'aise. Il se sentait de plus en plus épris de la Doriacci et coupable de l'être : coupable d'éprouver un désir que de toute façon il était *a priori* décidé à déclarer et à prouver. Dans ses imaginaires naïfs et cyniques les plus poussés, Andréas se voyait généralement en train de compter les bagages dans le hall d'un palace, il se voyait poser un vison sur des épaules endiamantées, il se voyait danser des slow-fox sur la piste célèbre d'une boîte de nuit avec sa bienfaitrice. Il ne se voyait jamais au lit, nu, contre une femme nue et usée, il ne se voyait jamais lancé dans les gestes de l'amour, malgré ses expériences, récentes mais nombreuses. Ses rêveries étaient sur ce point aussi chastes que celles qu'on prête aux jeunes filles du xixe siècle. Et surtout, en aucun cas, il ne pouvait imaginer même une dérobade de son propre corps : son corps, comme l'intendance, suivrait. Il en était totalement sûr, grâce à quelques exploits dans ce style, accomplis à froid et contre tous ses goûts sensuels. Il faut dire qu'à Nevers, et pendant son service militaire, Andréas avait eu plus souvent à refouler ses désirs érotiques qu'à les stimuler.

L'émoi, donc, que lui causait la Dioracci l'inquiétait... Elle suscitait chez lui des doutes, des questions sur sa virilité — questions qu'une complète indifférence sentimentale ne lui avait jusque-là, bizarrement, jamais posées. Mais là, tout à coup, il trouvait la Dioracci superbe... Superbe avec ses épaules, ses bras, sa voix, ses yeux... Bien sûr, elle devait peser un joli poids, mais Dieu merci, elle était bien plus petite, debout dans cette cabine, que lorsqu'elle chantait sur la scène. Quant à ses yeux, ses yeux immenses et admirables, ils lui faisaient penser d'une manière tout à fait incongrue à ceux de tante Jeanne (en un peu plus maquillés, bien sûr...). Il chassa ces souvenirs périlleux, sachant que s'il s'y laissait aller, il se retrouverait blotti sur cette épaule, à demander d'une voix câline des soldats de plomb, alors qu'il lui fallait des montres, un cabriolet, un pied-à-terre et des cravates. Ce n'était pas plaint qu'il devait être, ni cajolé, mais désiré. Désiré à mort par cette femme sublime, sa première femme célèbre... Une femme qui, en plus, voyageait sans cesse et l'emmènerait dans ses bagages...! Une femme qui était réelle, vivante, quoiqu'un peu trop libre dans ses propos parfois, une femme admirée en tout cas, et qui ne provoquerait pas chez les maîtres d'hôtel cet œil vitreux et impassible dont il avait déjà eu l'occasion de souffrir, grâce à quelques sexagénaires dévergondées de la Haute-Loire. Là, non ! il allait être envié, au lieu d'être méprisé. Et cela importait à Andréas que tenait un grand souci de respectabilité, hérité de son père, de son grand-père, et de tous ses honnêtes aïeux. Ah ! si seulement les femmes de son enfance, son vrai public, son seul public, avaient pu le voir en ce moment, à l'apogée de sa carrière et de leurs ambitions...

Toutes ces idées bourdonnaient dans la tête d'Andréas pendant qu'il regardait le décolleté fastueux de la Diva qui, elle aussi, le détaillait, mais beaucoup plus professionnellement. Elle avait le regard exercé, cru, d'un maquignon, mais Andréas se savait irréprochable : son poids, ses dents (à part l'incisive), sa peau, ses cheveux, tout était impeccable, il y veillait assez. Et elle avait dû s'en rendre compte aussi puisqu'elle l'avait fait entrer avec une révérence ironique dans sa cabine et en avait refermé la porte derrière lui.

— Assieds-toi, dit-elle. Qu'est-ce que tu bois ?

— Un Coca-Cola, dit-il. Mais ne vous dérangez pas, je vais le chercher. Vous avez un petit bar aussi, bien sûr, dans votre cabine ?

Ce petit bar privé avait enchanté Andréas, finalement peu habitué au luxe ; mais il ne semblait pas avoir provoqué le même enthousiasme chez la Doriacci.

— Dans ma chambre ! dit-elle en se laissant aller sur la méridienne de faux acajou. Pour moi, je prendrai un verre de vodka, s'il te plaît.

Andréas vola dans la chambre à coucher, jeta un coup d'œil enchanté au grand lit avant de se servir dans le petit bar : il régnait un grand désordre dans cette cabine, mais un désordre séduisant, fait de vêtements, de journaux, d'éventails, de partitions, de livres même, plutôt littéraires, à ce qu'il lui sembla, et très évidemment lus.

Il rapporta un verre de vodka à la Doriacci et avala une grande rasade de Coca-Cola. Son cœur battait, il mourait de soif et de timidité. Il ne pensait même pas du tout au désir.

— Tu ne prends pas un cordial pour te mettre en forme ? demanda-t-elle. Tu peux faire ça à froid, à jeun, comme ça ?

Sa voix était sarcastique bien qu'affectueuse, et Andréas rougit devant ce « ça » si dénué de romanesque. Il éluda précipitamment :

— Ce que c'était beau, ce que vous avez chanté ! dit-il. Qu'est-ce que c'était ?

— Un des grands airs du *Don Carlos* de Verdi. Tu as aimé ?

— Ah oui... C'était superbe, dit Andréas, les yeux brillants. On avait l'impression, au début, que c'était une très jeune fille qui chantait. Puis après, une vraie femme, salement féroce... Enfin, je n'y connais rien, en musique, mais j'aime ça, c'est fou... Vous pourriez peut-être m'aider à la connaître ? J'ai peur que mon inculture ne vous exaspère, à force...

— Pas dans ce domaine, au contraire, dit-elle en souriant, mais dans d'autres, oui ! Je n'ai aucun goût pour l'enseignement. Quel âge as-tu ?

— Vingt-sept ans, dit Andréas, se vieillissant machinalement de trois ans.

— C'est jeune. Tu sais quel âge j'ai, moi ? Un peu plus du double...

— Non ! dit Andréas, stupéfait. J'aurais dit... j'aurais cru...

Il était assis au bord de sa chaise, dans son smoking neuf et rutilant, ses cheveux blonds hérissés d'épis ; elle se promenait autour de lui, l'air amusé mais attentif.

— Tu n'as pas d'autres activités dans la vie, à part mélomane ? demanda-t-elle.

— Non. Et encore, mélomane, c'est beaucoup dire... ajouta-t-il ingénument.

Elle éclata de rire.

— Tu n'es pas dans la publicité ou dans la presse? Tu n'as pas la moindre couverture quelque part, à Paris ou ailleurs?

— Je suis de Nevers, dit-il piteusement. Il n'y a pas de journal à Nevers, ni de publicité. Il n'y a rien à Nevers, vous savez.

— Et tu préférais quoi, à Nevers? demanda-t-elle abruptement. Les hommes ou les femmes?

— Mais, les femmes, dit Andréas avec naturel.

Il n'imaginait pas un seul instant que cette préférence avouée pût avouer aussi des références.

— Ils disent tous ça, marmonna la Doriacci pour elle-même, mystérieusement agacée.

Et elle se dirigea vers la chambre avec le même geste trop engageant qui avait déjà fait honte à Andréas. Elle jeta ses escarpins, s'allongea sur le lit, tout habillée, les bras derrière la tête, le regardant ironiquement; et le regardant de haut, bien qu'il fût debout et mesurât un mètre quatre-vingts...

— Mais assieds-toi, dit-elle. Ici...

Il s'assit près d'elle et elle replia l'index une fois de plus, mais plus lentement, dans sa direction, et Andréas se pencha, l'embrassa, s'étonna de cette bouche fraîche qui sentait la menthe, bien plus que la vodka. Elle se laissait embrasser, passive, inerte en apparence, aussi fut-il doublement surpris quand elle avança une main précise et prompte vers lui et qu'elle se mit à rire.

— *Fanfarone*, dit-elle.

Andréas était abasourdi de stupeur plus que de honte; et elle dut le voir car elle cessa de rire et le regarda avec sérieux.

— Ça ne t'est jamais arrivé?

— Mais non... Et, en plus, vous me plaisez, vous!... dit-il avec une fureur presque candide.

Et elle se remit à rire, passa un bras autour de son cou, l'attira contre elle. Andréas se laissa aller, enfouit sa tête dans l'épaule parfumée et s'y noya aussitôt de bien-être. Une main habile, divinement inspirée, défit le col de sa chemise, lui permettant de mieux respirer, et se posa sur sa nuque. Il tendit à son tour une main supposée experte mais tremblante vers ce corps confortable et chaud contre le sien, chercha un sein, une cuisse, une zone dite érogène, mais à tâtons, comme dans un exercice mnémonique, et une tape sévère l'arrêta; en même temps qu'un grondement s'élevait dans la gorge, sous son oreille:

— *Sta tranquile*, dit-elle sévèrement.

Mais inutilement car, de lui-même, le corps d'Andréas restait plongé dans une léthargie béate et même déshonorante mais qui lui semblait plus béate que déshonorante. « Il était perdu, fichu, renvoyé... », tentait-il de se dire, « la grande chance de sa vie, la vie dorée du beau gigolo Andréas était en train de disparaître ». Mais le petit Andréas de Nevers était si satisfait et si au chaud qu'il renonça à tout cet avenir rêvé, à la gloire, au dandysme et au luxe, à tout, pour ce quart d'heure de câlin, pour cette main paisible sur ses cheveux, pour ce sommeil innocent qui pourtant l'abandonnait, vaincu au seuil même de la réussite, sur cette épaule trop provisoirement compréhensive. Andréas Fayard, de Nevers, amoureux et impuissant, déshonoré et ravi, s'endormit aussitôt.

Quant à la Doriacci, elle resta un moment dans le noir, les yeux ouverts, fumant sa cigarette par petits coups rapides, les sourcils froncés, avec par instants une petite secousse dans le pied droit qui finit par disparaître en même temps que le froncement de sourcils. Elle était seule, comme d'habitude. Seule en scène, seule dans sa loge, seule dans les avions, ou seule plus souvent avec ces gigolos dans le même lit, seule dans la vie depuis toujours — si l'on peut se dire seule quand on traîne la musique avec soi, ou que la musique vous aime. Quelle chance avait-elle eue ! Quelle chance avait-elle encore de posséder cette chose-là : cette voix infernale de puissance cette voix qu'elle avait dressée à lui obéir comme on dresse un chien méchant, cette voix qu'elle avait jugulée à grand-peine avec l'aide de Yousepov, le baryton russe ; Yousepov qui, comme elle au début, avait eu peur de cette voix animale, et qui parfois le soir, après leurs exercices, regardait sa gorge avec une admirative frayeur, presque comique, à y penser, mais qui la faisait rougir comme si elle eût été enceinte, habitée plus bas que le thorax par le fœtus déjà intouchable d'un voyou ou d'un criminel... Grâce à qui elle avait commencé à travailler à sa réussite, grâce à qui elle avait travaillé jusqu'à l'arrivée. Une arrivée qui sentait le patchouli, la fourrure, une arrivée dans cette carrière où elle n'avait ni le temps d'aimer ni le temps d'écouter de la musique, et dont elle aurait, un jour, à peine le temps de sortir, mourante et le sachant, vers une coulisse probablement sale...

— IL PARAÎT que les Américains maintenant font un cognac meilleur que le nôtre, disait Simon Béjard avec un air de doute qui lui permit d'attraper la bouteille d'un air sévère, comme si son seul souci eût été de vérifier ces racontars.

Il en avala une bonne gorgée et devint encore plus ferme quant à la supériorité française en matière de spiritueux.

— Oui... Ça m'étonnerait. Sincèrement, vous ne buvez pas, Peyrat ?
« Il sera bientôt ivre comme un Polonais », songea Julien avec ennui.
Il y avait une heure à présent qu'ils jouaient aux cartes, au gin-rummy,
et Julien détestait plumer les ivrognes. Cela enlevait tout sport aux
choses. Et ce Béjard lui était sympathique, ne serait-ce qu'à cause de la
pécore grognon — « et aux très jolis seins d'ailleurs », avait remarqué
consciencieusement Julien — qui l'accompagnait. Ce gin-rummy était
un jeu de femmelettes en plus : c'était d'un long... En deux heures, il ne
prendrait que quinze mille francs à ce malheureux. Julien s'était arrangé
pour que ce soit Simon qui veuille jouer, et il avait lui-même refusé à
demi devant des témoins, pour plus de sécurité. Il n'allait pas, pour
quelques minables parties de cartes, démolir son projet Marquet,
autrement plus important pour ses ressources. Mais Simon s'était
cramponné à lui et à ce projet d'une petite partie entre hommes. Il n'y
avait plus qu'eux sur le pont de luxe ; eux et l'infatigable Charley qui
arpentait la dunette avec un grand pull blanc jeté sur ses épaules, l'air
plus pédéraste qu'un setter irlandais.

— Vous avez une de ces veines... commentait Simon en se faisant
faire « blitz » pour la deuxième fois. Si vous n'étiez pas si loin de
l'Australie, je vous dirais que j'ai des soupçons sur votre femme ou
votre petite amie. Mais ce ne serait pas chic, vous ne pourriez pas
vérifier... D'ailleurs ce proverbe est idiot, vous ne trouvez pas, Peyrat ?
« Malheureux au jeu, heureux en amour. » J'ai l'air heureux en amour,
moi, par exemple ?... Vous trouvez que j'ai la tête d'un type heureux en
amour, moi, sans blague ?...

« Allons bon ! Il avait l'alcool plaintif », pensait Julien avec affliction.
Il détestait instinctivement les récits d'homme à homme, qu'ils soient
crus ou sentimentaux. Julien pensait la parole et les mots réservés aux
femmes dans les histoires d'amour et de sexe, et il le dit tout uniment à
Simon Béjard qui ne se fâcha pas, mais au contraire opina avec
enthousiasme.

— Vous avez parfaitement raison, mon vieux. D'ailleurs même les
femmes, je trouve qu'il y a des moments où elles devraient la boucler...
Par exemple, je ne veux pas être indiscret, mais puisque c'est elle qui est
là... Je parle d'elle, s'excusa-t-il auprès de Julien stupéfait de cette
nouvelle règle de discrétion instaurée par Simon Béjard. Eh bien, Olga,
par exemple, fille saine, bonne famille bourgeoise, bien élevée et tout...
(pas du tout une petite sauteuse, mais alors pas du tout...). Eh bien, au
lit, elle parle... elle parle comme un moulin. Moi, ça me tue, pas vous ?

Julien était contracté et dégoûté comme un chat, partagé entre le rire
et le scandale.

— Évidemment, marmonna-t-il, ça peut handicaper...

Il était rouge, il le sentait, et se jugeait ridicule.

— D'abord, faire du texte, pour une femme, ça fait pute de province, professionnellement, insistait Béjard. Les femmes comme il faut et les grandes putes la bouclent, paraît-il. Je suis toujours tombé sur des bavardes, moi... des pies, des pies et des bécasses. Ah! c'est pas marrant d'être producteur, mon vieux! Ces femelles qui vous courent après...

— C'est curieux, commenta Julien comme pour lui-même, ce bateau chic où toutes les femmes sont traitées de femelles.

— Ça vous intrigue, monsieur Peyrat?

Quelque chose dans la voix de Simon Béjard réveilla l'attention engourdie de Julien. L'autre le regardait en souriant, et ses yeux bleus n'étaient plus aussi nigauds que tout à l'heure.

— Vous êtes commissaire-priseur, où, déjà... à Sydney...

«Allons bon, ils se connaissaient...» Julien avait cru reconnaître Simon à son arrivée triomphale, puis il l'avait oublié. Mais l'autre le connaissait et, pire, le reconnaissait.

— Vous vous demandez, hein?... (Simon Béjard exultait.) Vous vous demandez où et quand? Hélas! j'ai trop de mémoire pour vous, vous ne trouverez jamais, je le crains. En tout cas ce n'est pas à Sydney, je peux vous le dire...

Il lâcha son air finaud et, se penchant en travers de la table, tapa l'avant-bras de Julien immobile.

— Rassurez-vous, mon vieux. Je suis un type discret.

— Pour me rassurer complètement, vous devriez éclairer ma mémoire, dit Julien entre ses dents.

«Il va falloir surtout que je descende à la prochaine escale, pensait-il, à cause de ce crétin... Et je n'ai plus un sou à la banque... Adieu Marquet, adieu les courses à Longchamp, adieu le prix de l'Arc de triomphe, et l'odeur de Paris à l'automne...»

— Vous étiez à bord d'un bateau, moins gros que celui-ci, en Floride. Et c'était le bateau d'un type de la Metro Goldwyn. Il vous avait invité pour que vous lui placiez une assurance sur la vie... Vous travailliez pour Herpert & Crook... Alors, ça y est? dit-il en voyant le visage de Julien s'éclaircir tout d'un coup, s'épanouir même, alors que Simon l'aurait plutôt cru vexé de ce souvenir pas trop prestigieux.

— Ah oui... c'était une période pénible, dit Julien en battant les cartes d'une main énergique. Vous m'avez fait peur, mon vieux.

— Pourquoi peur?

Simon Béjard avait des cartes infectes, mais il s'en fichait: ce nouveau compagnon était sympathique en diable. Il n'était pas bêcheur, ni snob comme le reste de ces fichus péquenots — la Doriacci mise à part.

— Peur de quoi? répéta-t-il machinalement.

— J'ai aussi été laveur de vaisselle, dit Julien en riant. Et cireur de chaussures à Broadway... C'était encore moins brillant, non?

— Farceur, va... dit Simon Béjard.

Et il recommença à perdre avec application. On lui avait dit quelque chose sur ce beau courtier d'assurance, mais il n'arrivait pas à se rappeler quoi. En tout cas, c'était un type à cultiver, un type sans prétention, mais pas sans envergure.

— Vous savez pourquoi vous me plaisez, Peyrat, hein? Je vais vous le dire, moi, pourquoi vous me plaisez, Peyrat.

— Allons-y, dit Julien. Gin, à propos.

— Flûte, dit Simon en abattant cinquante points. Eh bien, je vais vous dire pourquoi, moi : depuis deux heures qu'on joue, vous ne m'avez pas encore proposé une histoire, ni un sujet, ni même un livre qui pourrait faire un film épatant... Et pourtant ça n'arrête pas! Depuis que j'ai du fric et que ça se sait, les gens n'arrêtent pas de ressortir des histoires pour que je les tourne : leur vie, celle de leur maîtresse, tous! Ils ont des idées, des idées géniales que personne n'a jamais eues avant eux et qui feraient un film épatant... Je vais vous dire, Peyrat, à part le fisc et les tapeurs, c'est ce qu'il y a de pire dans mon job, quand on a du succès, je veux dire. Tout le monde vous jette ses idées à la tête, comme on jette des os à un chien. Seulement, le chien, ils ne s'attendent pas à ce qu'il leur revienne avec un lingot d'or entre les babines... Moi, si.

— C'est la rançon du succès, dit Julien paisiblement. Les scénarios à la pelle et les petites copines intellectuelles, ça fait partie du standing, non?

— Eh oui... (Simon avait l'œil injecté et rêveur.) Quand je pense que j'ai rêvé de ça, que toute ma vie j'ai rêvé de ça... (d'une main vague, il désignait le bateau et la mer luisante et noire autour). Et j'y suis. J'ai eu le grand prix de Cannes, je suis le producteur le plus en vue de France, je suis sur un bateau avec des gens chics et j'ai une petite amie bien fichue qui, en plus, a du plomb dans la tête. Il y a des zéros sur mon carnet de chèques, et je m'appelle Simon Béjard, producteur. Je devrais être heureux, non, avec tout ça, puisque je le voulais?

Il avait pris une voix pathétique qui agaça Julien. Il leva les yeux :

— Et alors, dit-il paisiblement, vous ne l'êtes pas?

— Mais si, pas mal, finalement, dit Simon Béjard après un instant de silence où il sembla s'ausculter. Mais si, je suis plutôt... assez heureux, oui.

Il avait l'air si intrigué que Julien éclata de rire et arrêta là la partie. Demain il laisserait encore perdre Simon Béjard. Mais ce soir, il le trouvait un peu trop sympathique pour continuer.

CLARISSE était dans sa baignoire, les yeux clos sous deux voluptés, celle de l'eau chaude et celle de la solitude. Elle rêvait... Elle rêvait qu'elle était seule sur une île, qu'un palmier et un chien l'attendaient dehors pour jouer avec elle, et rien d'autre. On l'appela. Elle se raidit, les yeux braqués dans la direction de cette voix, ramenée à la triste réalité. Éric Lethuillier attendait qu'elle en ait fini avec la salle de bains pour pouvoir se laver les dents à son tour. Elle jeta un coup d'œil à sa montre : huit minutes... Il y avait huit minutes qu'elle était là, huit malheureuses minutes... Elle se leva, enfila son peignoir ouaté, malgré son sigle ridicule, du *Narcissus,* qui ressemblait au sigle napoléonien, et se lava les dents à la hâte. Elle ne s'était pas démaquillée avant de prendre son bain, et la vapeur de l'eau chaude avait dilué les fards, tracé des rigoles sur son visage, « l'avait rendue encore plus grotesque que d'habitude », remarqua-t-elle avec cette amère délectation qu'elle éprouvait de plus en plus souvent à se voir dans les yeux des autres, comme dans son miroir.

— Clarisse... ! je sais bien, vous n'êtes pas prête, mais moi, je suis fatigué, ma chère amie... Ce sont mes premières vacances depuis deux ans, je voudrais me baigner et dormir, si ce n'est pas trop vous demander.

— J'arrive, dit-elle.

Et sans toucher à ce gâchis de maquillage, elle sortit de la salle de bains pour retrouver Éric dans la position même où elle l'avait quitté : ses deux mains appuyées aux accoudoirs du fauteuil, sa belle tête rejetée en arrière, les yeux clos, et arborant une expression de lassitude et de tolérance absolue.

— Éric, dit-elle, je vous avais supplié de prendre votre bain avant moi... Pourquoi ne l'avez-vous pas fait ?

— Question de courtoisie, ma chère. Les règles élémentaires de la politesse...

— Mais, Éric, coupa-t-elle brusquement, les règles de la politesse ne vous obligent pas à transformer mon bain du soir en course poursuite. J'adore être allongée dans une baignoire, c'est tout le luxe de la vie, me semble-t-il, chaque fois...

— Du moment que vous êtes allongée, vous êtes contente, de toute façon. Je me demande si ce voyage vous fait vraiment plaisir ; et si je ne me suis pas évertué à faire cette croisière avec quelqu'un que ça n'amusait pas... Vous avez l'air triste, vous avez l'air de vous ennuyer... Tout le monde le voit ; et tout le monde, d'ailleurs, en est gêné. Enfin n'aimez-vous plus la mer, ni la musique ? Je croyais que la musique, en tout cas, était votre grande passion... La dernière qui vous reste, même.

— Mais vous avez sûrement raison, dit Clarisse d'une voix éteinte. Ne soyez pas si impatient.

Et s'asseyant sur son lit, elle ramena ses jambes vers elle pour éviter qu'Éric ne s'y cogne en marchant de long en large, tout en se déshabillant. Il était à droite, à gauche, derrière elle, devant elle, il était partout... Elle était partout à la merci de ce regard dépréciateur et malveillant. Il lui donnait le tournis, en plus :

— Éric, dit-elle, je vous en prie, cessez de marcher. Dites-moi, Éric, pourquoi êtes-vous si « contre » moi ?

— Contre vous ? Moi ?... Vous êtes incroyable !

Il éclatait de rire. Il riait, il était enchanté : elle avait relancé l'amer sujet de leurs relations affectives, un sujet qu'il adorait qu'elle abordât, car c'était celui où il pouvait lui assener le plus de coups, finalement. Sujet qu'elle fuyait donc systématiquement et qu'elle n'entamait que lorsqu'elle était au bord de la dernière panique, privée d'amis, de position de repli, d'espace à elle. Elle ne tiendrait jamais le coup dix jours, avec cet étranger hostile !... Il fallait qu'il lui promette de l'épargner, pendant cette croisière, qu'il n'affiche pas en tout cas si ouvertement à son égard ce mépris sans faille, ce mépris si sincère qu'elle avait fini par le partager...

— Contre vous ? Moi ?... c'est le comble ! disait-il. Je vous offre cette exquise croisière — car c'est moi, Éric, votre mari, et non la famille Baron, je vous le signale, qui finance cette expédition. Je vous envoie sur un bateau écouter vos deux interprètes préférés, non ? si j'ai bonne mémoire... Je m'arrange même à la fin pour pouvoir vous accompagner, pour vous éviter d'être trop seule ou de faire des sottises et pour partager enfin quelque chose avec vous — quelque chose d'autre que l'argent et les objets qu'il peut acheter. Et vous me trouvez malveillant ?...

Elle l'écoutait parler avec une sorte de fascination. Ils étaient seuls, pourtant. Ils étaient seuls, il n'y avait personne à qui démontrer une fois de plus sa parfaite conduite à lui, et son ingratitude à elle. Mais Éric ne vivait plus un seul instant de sa vie sans un public et des commentaires : il était perpétuellement en représentation. Il serait bientôt incapable de lui dire : « Passez-moi du pain », sans lui demander, en même temps, le prix de la baguette... Pourquoi était-il incapable de lui dire enfin ce qu'il avait à lui dire ? De lui dire, enfin, qu'il la détestait ? Et s'il la détestait, pourquoi était-il venu au dernier moment la rejoindre ? Est-ce que la simple certitude que sa compagnie, à lui, lui gâcherait son voyage à elle — cela, il le sentait quand même — , est-ce que ce triste état de fait avait suffi à le décider ? A lui faire abandonner son journal, ses collaborateurs, ses compagnons politiques, sa cour, cet aréopage béat dont il ne pouvait pratiquement plus se passer, depuis quelques années maintenant ?

— Pourquoi êtes-vous venu, Éric ? Dites-le-moi.

— Je suis venu parce que j'adore la musique. Vous n'avez pas l'exclusivité de ces plaisirs-là... Beethoven, Mozart sont des musiciens populaires. Ma mère, elle-même, dans son inculture totale, aimait avant tout écouter Mozart, et le distinguait, mieux que moi-même, de Beethoven.

— J'aurais beaucoup aimé connaître votre mère, dit Clarisse faiblement. Ce sera un de mes remords. Vous me direz qu'il me suffit de l'ajouter aux autres pour qu'il soit noyé dans la foule !

— Mais vous n'avez pas de remords à avoir !...

Vêtu de son seul slip, Éric déambulait dans la chambre, y prenait ses cigarettes, son briquet, son journal, se préparait à la délicieuse demi-heure dans l'eau chaude, cette eau chaude dont il l'avait arrachée sous des prétextes de courtoisie... Il n'y avait aucune raison pour qu'il ait ce bonheur plus longtemps qu'elle. A cette idée, une colère, un incendie de colère coulait dans ses veines, et elle s'y laissa aller avec une complaisance et une peur également fortes. C'était maintenant la petite fille de dix ans, le chouchou de la maîtresse, l'écolière, l'enfant gâtée, bref, chez elle, qui s'opposait à Éric. C'était elle qui réclamait son bain, son goûter et son confort avec assez d'âpreté pour résister au fatalisme et à la soumission résignée de Clarisse, l'adulte. Et qui y résistait avec énergie et mauvaise foi, les seules défenses, finalement, que la loyauté insoupçonnable, l'esprit de justice et le sens de la décence affichés par Éric du matin au soir ne pouvaient vaincre, ni persuader, ni encore moins culpabiliser. Ce n'était plus la femme amoureuse qui se débattait dans un amour cruel, ce n'était plus la jeune fille qui refusait les leçons de son Pygmalion devenu sadique et sans pitié, c'était une sale gosse égoïste et volontaire, qu'elle ne se rappelait même pas avoir été, et qui se rebellait.

— Vous n'avez pas de remords à avoir, réprimandait Éric. Ce serait plutôt moi. J'ai été assez bête pour croire que l'on pouvait changer de classe, que l'on pouvait, par amour, renoncer à certains privilèges et en choisir d'autres plus précieux à mes yeux. Je me suis trompé. Vous n'y êtes pour rien.

— Mais en quoi vous êtes-vous trompé ? Pourquoi vous ai-je déçu, Éric ? Soyez clair, là-dessus.

— Clair ? La suffisance, la lâcheté et la brutalité des grands bourgeois français, que vous avez héritées de vos grands-parents, ne sont pas conscientes chez vous, elles sont instinctives. Par exemple, vous me demandez d'amener ma mère dans votre famille. Or, je vous l'ai déjà dit : ma mère a été bonne, femme de ménage, si vous préférez, chez des petits-bourgeois de Bordeaux toute sa vie et toute mon adolescence, pour me faire manger, pour manger elle-même. Et vous voulez que je l'amène chez vous, où le moindre de vos tableaux aurait suffi à nous faire vivre cent ans?... Ma mère est la seule femme que j'estime profondément. Je ne veux pas l'humilier par vos fastes.

— A ce propos, Éric, pourquoi toujours dire de votre mère qu'elle était bonne à Bordeaux? Elle travaillait aux PTT, m'a-t-on dit.

Clarisse avait posé la question ingénument, mais Éric encaissa le coup, pâlit et tourna vers elle un visage convulsé par la fureur. «Il pouvait être laid par moments», songeait-elle. Et elle-même pouvait le trouver laid. Ce qui était un progrès immense d'une certaine façon!...

— Ah oui? Et puis-je savoir qui vous a dit ça? Votre oncle? Quelqu'un chez vous qui aura trouvé ça quand même plus chic qu'être femme de ménage? Quelqu'un qui connaît mieux ma vie et mon enfance que moi-même? C'est étonnant, vraiment, Clarisse.

— Mais c'est votre rédacteur en chef lui-même, c'est Pradine qui l'a dit l'autre jour, à table. Vous n'avez pas entendu? Je l'avais envoyé à Libourne remettre notre cadeau de Noël à votre mère, puisque vous ne vouliez pas l'inviter. Il passait par là, et il l'a trouvée à la poste de Meyllat... un nom comme ça, où elle semblait d'ailleurs tout diriger de main de maître. Il l'a même trouvée charmante.

— C'est une calomnie! dit Éric en tapant du poing sur la table, à la stupeur de Clarisse. Je vais le foutre dehors. Je ne supporte pas qu'on tente de rabaisser ma mère.

— Mais je ne vois pas en quoi... dit Clarisse, il serait infamant de travailler à la poste, ni pourquoi il serait plus honorable de faire des ménages... Je ne vous comprends pas du tout, Éric, par moments.

Elle cherchait ses yeux, mais il fuyait son regard pour la première fois depuis longtemps. En général il braquait ses yeux durs sur elle, regardait son visage attentivement, semblait y relever des traces de corruption ou de bêtise, en nombre assez impressionnant pour qu'elle se détourne très vite, humiliée, sans même qu'il ait ouvert la bouche. Une veine saillait sur sa tempe droite, mettait en relief un grain de beauté marron et plat, seul défaut, sur le plan esthétique, d'Éric Lethuillier. Il s'était ressaisi:

— Je ne vais pas essayer une fois de plus de vous inculquer mon sens des valeurs, Clarisse. Sachez du moins qu'il est à l'opposé du vôtre. Et ne vous occupez plus de ma famille, s'il vous plaît, de même que je ne m'occupe pas de la vôtre.

— Éric... (Clarisse se sentait lasse tout à coup, épuisée, et au fond d'une tristesse mortelle dans son lit étroit aux draps tirés.) Éric... Vous passez une partie de votre vie avec mes oncles... Et si ce n'est pas avec eux, c'est avec leurs hommes d'affaires. Et vous êtes si parfaitement poli avec eux... si agréable, paraît-il, malgré vos déclarations de principe, si coulant, même...

— Coulant? moi, coulant? C'est vraiment le dernier adjectif que je me serais attribué! Que qui que ce soit, d'ailleurs, m'aurait prêté, à Paris ou ailleurs.

— Oh ! je sais bien... dit Clarisse en fermant les yeux, je connais bien votre intransigeance, Éric, et je sais bien aussi que c'est pour me faire plaisir que vous avez payé cette croisière et que vous m'y accompagnez. Je sais tout cela... Vous avez toujours raison, et je le pense sincèrement. Il y a des moments où il m'est complètement égal d'avoir tort, c'est tout.

— C'est là le privilège de la fortune, ma petite Clarisse. Riche, on peut se permettre d'avoir tort, et même de l'avouer. Comment ai-je pu croire que vous échapperiez à tous ces privilèges ?

— Comment avez-vous pu croire que je changerais de classe ? C'est ça ? Vous ignoriez alors que « l'on ne change jamais de classe ».

Elle l'imitait. Elle imitait sa voix et elle riait presque :

— Mais alors, vous-même, Éric, comment avez-vous fait, pour en changer ?

Il claqua la porte derrière lui.

Il avait une réponse cinglante à lui rendre en sortant de son bain, une demi-heure plus tard, mais Clarisse dormait, le visage débarrassé de tous ses fards, abandonné, tourné sur sa droite, en direction de la porte, l'air enfantin, subitement, et pacifié. Elle souriait presque en dormant. Il y avait quelque chose en elle qu'il n'arrivait pas à détruire. Par moments, comme celui-ci, il pressentait qu'il ne parviendrait jamais à détruire quelque chose qu'elle avait acquis en naissant, quelque chose qu'il essayait désespérément de relier à sa fortune mais qui, il le sentait bien, n'avait rien à voir avec ça, quelque chose qui ressemblait étrangement à la vertu... Elle se défendait avec elle, elle luttait. Et pourtant, elle n'avait pas d'arrière-garde, elle n'avait rien. Il l'avait dépossédée de tout, de ses amis, de ses amants, de sa famille, de son enfance et de son passé. Il l'avait dépossédée de tout, même d'elle-même. Et pourtant, de temps en temps, elle souriait mystérieusement, comme pour la première fois, à un inconnu invisible pour lui.

LE SOLEIL était gris pour ce troisième jour de croisière, voilé par des nuages d'un blanc ferreux et étouffant. Julien ayant décidé la veille, à Porto-Vecchio, dans un grand élan sportif, de parcourir la piscine, s'y retrouva vers deux heures, seul, en maillot de bain, blanchâtre et frileux. Et d'autant plus déprimé qu'il se sentait inspecté et sans doute ridiculisé par le groupe des Bautet-Lebrêche et de leur suite, habillés, eux, et installés sur des rocking-chairs au-dessus de lui, au bar de la piscine. Il était perplexe : entrer dans l'eau par le petit bain était impossible à son orgueil, et y entrer par le grand bain également impossible à son corps frileux. Il restait donc assis au bord, les pieds et les mollets trempant dans cette belle eau chloreuse et bleue, perdu dans la contemplation de ses propres pieds. Ils lui semblaient inconnus et lamentables, comme rajoutés à ses chevilles, avec leur position pendante et la réfraction de l'eau. Pour se rassurer, Julien essaya d'agiter ses orteils l'un après l'autre et dut se rendre compte qu'il n'y parvenait pas : le petit orteil restait immobile malgré ses exhortations muettes tandis que le pouce se démenait à sa place et, même, se dandinait (comme si Julien eût pu être dupe de cette manœuvre de diversion) ; il lutta un moment contre cette anarchie et s'y résigna : après tout, il était normal que ces malheureux doigts de pied, tout l'hiver enfermés dans ses chaussures, tout l'hiver ligotés dans le noir de ses chaussettes, ces doigts de pied qu'il ne regardait jamais, qu'il ne tirait de leurs geôles que pour les rejeter dans l'obscurité des draps, qu'il ne prenait en considération que lorsqu'il les comparait à ceux d'une nouvelle conquête et toujours plus ou moins à leur détriment, il était normal que ces esclaves, à force de vivre en groupe sous le seul nom de «pied», une fois étalés au soleil, en deviennent incapables de toute initiative individuelle. Ce n'était pas là une méditation bien brillante, se disait Julien, mais elle était largement à la hauteur de la conversation qui se déroulait au-dessus de sa tête et qui pourtant allait bon train.

Mme Edma Bautet-Lebrêche, habillée comme la môme Moineau des années trente, et plus rousse au soleil qu'aux lustres, menait le débat avec sa vivacité coutumière. Éric Lethuillier, très élégant dans un vieux cachemire et un pantalon beige, Olga Lamouroux exhibant sous des soieries indiennes un bronzage appétissant, et Simon Béjard tentant en vain d'affadir par un pull-over cramoisi le rouge de ses cheveux et de son nez, lui faisaient front. L'arrivée du pianiste et chef d'orchestre, Hans-Helmut Kreuze, en blazer blanc sport à boutons dorés, sa casquette sur la tête et une sorte de boxer horrible au bout d'une laisse, venait de parachever l'élégant éclectisme de cette assemblée.

— Je vous trouve affreusement pessimiste, était en train de dire Edma, l'air meurtri, à Éric Lethuillier.

Ce dernier venait de dépeindre l'exode vietnamien et le massacre des réfugiés en termes spécialement atroces.

— Il a raison, hélas ! dit Olga Lamouroux en secouant tristement ses beaux cheveux au soleil. Je crains même qu'il ne soit en dessous de la vérité.

— Peuh, peuh, marmonna Simon Béjard qui, deux dry aidant, se sentait porté à l'optimisme. Peuh, peuh, tout cela se passe loin : nous sommes en France. Et en France, quand les affaires marchent, tout marche, conclut-il avec bonhomie.

Mais c'est un silence désapprobateur qui suivit cette information, pourtant rassurante, et Olga laissa flotter sur l'horizon un regard désolé. Elle n'avait pas jeté vers Éric Lethuillier, malgré son fervent désir, ce sourire atterré, ou ce clin d'œil imperceptible qui lui aurait fait comprendre son indignation, elle avait au contraire fui son regard ; le rôle de la femme loyale et stoïque devait paraître plus « fair-play » à Éric que celui de la renégate. Au demeurant, ce n'était pas la peine, Éric suivant sans effort le cheminement de ses pensées. « Cette petite crétine a vraiment envie que je m'occupe d'elle », pensait-il en regardant vers l'est fumer les débris de l'Indochine, telle qu'il l'avait décrite.

— Je n'ai pas encore vu la Doriacci au soleil, dit Edma qui classait depuis beau temps les diverses atrocités perpétrées dans ce bas monde sous l'étiquette « sujets politiques » et que lesdits sujets politiques ennuyaient à périr. J'avoue que cela m'intrigue ! Quand on a vu la Doriacci dans Verdi, dans la *Tosca*, ou même comme hier soir, dans *Electra*, on ne l'imagine plus que livide et flamboyante dans le noir, comme une torche, avec ses bijoux, ses cris, ses éclats, etc. Pas une seconde on ne l'imagine sur un rocking-chair, en peignoir de bain et bronzant au soleil.

— La Doriacci a une très jolie peau, dit distraitement Hans-Helmut Kreuze.

Mais aussitôt percé de quelques regards ironiques, il rougit et balbutia :

— Une peau très jeune, enfin, pour l'âge que l'on sait d'elle.

Edma réagit aussitôt :

— Eh bien, voyez-vous, cher maître, dit-elle, moi je crois, je suis même sûre — oui, sûre, ajouta-t-elle, non sans une visible surprise de se découvrir sûre de quelque chose — que lorsqu'on aime passionnément son art, par exemple, si on a la chance d'en pratiquer un, ou lorsqu'on aime quelqu'un de bien, ou, même lorsqu'on aime tout bêtement la vie, avec un grand « V », on ne peut pas vieillir : on ne vieillit jamais. Sinon physiquement ! Et ça...

— Là, vous avez raison, enchaîna Simon, tandis que cette fois-ci Éric et Olga échangeaient un regard. Moi, le cinéma m'a toujours fait cet effet-là : quand je vois un beau film, je me sens rajeuni de trente ans. Et puis ici, en plus, je ne sais pas si c'est l'air de la mer ou l'atmosphère du *Narcissus*... mais ce matin, par exemple, je n'ai même pas lu les journaux... On est coupé de tout, quoi, c'est tellement agréable !

— Oui, mais la Terre tourne quand même, dit Éric Lethuillier d'une voix froide. Ce bateau est des plus ouatés, mais il y en a d'autres, par milliers, beaucoup moins confortables et beaucoup plus peuplés, qui coulent dans la mer de Chine, en cet instant même.

Sa voix était si plate, si atone, à force de pudeur, qu'Olga émit un petit sifflement de tristesse et d'horreur. Hans-Helmut Kreuze et Simon Béjard regardèrent leurs chaussures, mais Edma, après avoir hésité un

instant, décida de se rebeller. Bien sûr, ce Lethuillier avait un journal de
gauche ; mais il n'avait jamais eu ni froid, ni faim, ni soif… Il venait
d'embarquer sur un bateau de luxe, il n'allait pas leur jeter les horreurs
de la guerre à la tête tous les matins de cette croisière… Après tout,
Armand Bautet-Lebrêche, lui aussi, travaillait dur, toute l'année, et il
était là pour se reposer… Aussi de deux doigts se boucha-t-elle les
oreilles d'un geste ostentatoire avant de fixer sur Éric un œil sévère :
— Ah non ! dit-elle, non, cher ami, je vous en prie ! Vous allez me
taxer d'égoïsme, de cruauté, mais tant pis : nous sommes tous là pour
nous reposer et oublier ces horreurs. Nous ne pouvons rien faire, n'est-
ce pas ? Non, nous sommes là pour apprécier tout ça… et de la main elle
décrivait une large parabole vers le large. Et aussi tout ça… et elle
acheva sa parabole de l'index droit ôté de son tympan et qu'elle pointa
sur la poitrine de Hans-Helmut Kreuze, lequel, surpris dans sa myopie et
sa raideur, trébucha un peu.
— Vous avez raison, absolument raison…
C'était Éric qui, d'une manière tout à fait inattendue, cédait aux
injonctions d'Edma et qui, lui-même, fixait un point délibérément nord-
ouest, comme pour bien laisser le champ libre, eût-on dit, à toutes les
formes de divertissement occidental futiles et inconscientes. Olga lui
jeta un regard étonné et s'inquiéta de sa pâleur. Éric Lethuillier avait les
mâchoires serrées, une légère transpiration sur la lèvre supérieure, et une
fois de plus Olga en éprouva de l'admiration : cet homme avait une telle
emprise sur lui-même, une telle courtoisie, qu'il en arrivait à bâillonner
ce cri intérieur, cette révolte devant l'égoïsme des grands bourgeois.
Olga eût été moins admirative si elle avait, elle aussi, comme Éric
l'instant auparavant, senti l'haleine brûlante du *bull-dog* sur ses
chevilles. L'animal, en effet, jusque-là paisiblement assis aux pieds de
son maître, reposant ses vieux muscles après une petite trotte,
commençait à s'ennuyer. Il avait donc décidé de faire le tour de ces
individus indésirables et avait commencé son inspection par Éric. Il était
là, soufflant, les yeux mi-clos, les muscles visibles sous sa peau déjà
mitée par endroits, la bave aux lèvres, l'air féroce par hérédité, par
dressage et par goût. Et il ronflotait doucement avec, entre deux
grognements, un petit sifflement menaçant, tel celui qui précédait
pendant les bombardements l'arrivée d'une bombe définitive.
— Je suis bien contente que nous soyons d'accord là-dessus, dit
Edma Bautet-Lebrêche à la fois tranquillisée et déçue par cette absence
de résistance. Nous n'allons parler que de musique, si vous voulez bien,
chers amis, oui, nous allons profiter de nos artistes (et elle passa son bras
d'un geste câlin sous celui de Hans-Helmut qui, surpris, en lâcha la
laisse du chien).
Simon pâlit à son tour. C'est que l'horrible bête de Kreuze tirait
doucement sur son pantalon ; et que ses quelques crocs, bien que jaunis

par l'âge, étaient encore énormes. «C'est sûrement un chien drogué, en plus, se dit-il. Ces Allemands sont décidément incorrigibles! Ce salopard de chien va esquinter mon pantalon neuf.» Tout en conservant une immobilité stoïque, il jetait un regard suppliant vers Kreuze.

— Votre chien, maestro... dit-il. Votre chien...

— Mon chien? C'est un *bull-dog* de Poméranie orientale. Il a gagné quinze coupettes et trois médaillons avec de l'or à Stuttgart et à Dortmund! Ce sont des bêtes très obéissantes, très bons gardes du corps. Est-ce vrai, monsieur Béjard, que vous avez comparé Chopin à Debussy, hier au soir?

— Moi? Mais... Oh! pas du tout! Mais alors pas du tout! déclara Simon. Non, mais là, je crois que votre chien (il indiquait du menton le monstre accroché de plus en plus solidement à sa jambe) s'intéresse trop à mes tibias, sans blague...

Il chuchotait malgré lui, sans parvenir à intéresser Kreuze.

— Savez-vous qu'il y autant de différence entre Chopin et Debussy qu'entre un film de... voyons, voyons... Ah! je ne trouve pas le nom que je cherche... Aidez-moi... Euh... Becker... Euh, un metteur en scène français très léger, très diaphane, vous voyez?

— Becker! souffla Simon aux abois. Becker! Feyder! René Clair!... Votre chien va me déchirer mon pantalon, en attendant!

Il avait murmuré plus que proféré sa dernière phrase, car le chien s'était mis à gronder sourdement devant la résistance de cette jambe à se laisser emporter et déchiqueter, et il tirait maintenant avec une incroyable vigueur.

— Mais non, ce n'est pas ça, le nom... dit Kreuze, l'air mécontent.

Et l'autre qui insistait, maintenant, avec ses idées de légèreté — la chose la plus loin de lui, naturellement. Simon ramena, dans une violente secousse, sa jambe droite à la hauteur de sa jambe gauche, et le chien poussa un glapissement sinistre de dépit avant de repartir à l'assaut. Mais cet animal, heureusement pour Simon, était au bord de la cécité, et il opta au hasard pour le pantalon le plus proche qui était à présent celui d'Edma Bautet-Lebrêche; pantalon de gabardine blanche, de coupe parfaite, auquel elle tenait beaucoup. Edma n'ayant pas le stoïcisme masculin poussa un cri perçant.

— Sale chien! cria-t-elle, vas-tu me laisser! Quelle horreur!

Mais il refermait définitivement, semblait-il, ses crocs sur le précieux tissu blanc, manquant de peu le mollet étique de la belle Edma. Edma qui n'était plus au centre d'un petit groupe à sa dévotion mais une paria parmi quelques étrangers décidés à sauver leurs mollets. Simon, se voyant hors de danger, se laissa même aller à rire.

— Mais faites quelque chose! cria Edma, hors d'elle. Faites quelque chose, ce chien va me mordre, il m'a mordue, d'ailleurs. Charley? Où est Charley? Enfin, monsieur Kreuze, tenez votre bête!

Le grondement de la bête était devenu infernal. Il faisait autant de bruit qu'un aspirateur survolté, et Kreuze lui-même avait une expression d'impuissance en le regardant.

— Monsieur Béjard, faites quelque chose, supplia Edma qui sentait très bien qu'elle n'avait rien à attendre de Lethuillier ni de son mari. Appelez à l'aide !

— Je trouve que c'est au gros plouc d'agir, protesta Simon.

— Fuchsia ! tonna le « gros plouc » cramoisi, et tapant du pied sur le pont mais sans succès. Fuchsia ! *Komm schnell heraus !*

La colère reprenait le pas sur la peur chez Edma Bautet-Lebrêche, et elle eût fini sans doute par serrer la gorge de l'impuissant Kreuze dans ses mains blanches — même avec Fuchsia toujours pendu à son pantalon — si Julien n'était parvenu sur les lieux du drame, en peignoir de bain et l'air enchanté. Il avait suivi toutes les péripéties de l'incident et, n'ayant peur de rien, par inconscience plus que par courage, il attrapa Fuchsia par la peau du cou. Et, déployant cette vigueur nerveuse propre aux turfistes, il l'expédia à cinq pas, ronflant d'indignation et de stupeur. Fuchsia n'en croyait pas ses sens ! Habitué au respect le plus plat ou à la crainte la plus servile — y compris de la part de son maître si autoritaire par ailleurs — , il ne pouvait comprendre ce qui lui était arrivé. De même que l'idée d'être traité de « gros plouc » sérieusement dépassait l'entendement de Kreuze, l'idée d'être maltraité par un bipède dépassait celui de Fuchsia. Il resta béant un court instant, ses crocs laissant dépasser un petit bout de gabardine blanche signée Ungaro, et s'endormit aussitôt. Edma, elle, était aux antipodes de la somnolence : ses cheveux roux hérissés autour de sa tête, sa voix franchit les limites de l'aigu ; à cent mètres de là, sur la dunette, l'homme de vigie s'immobilisa et regarda au-dessus de sa tête passer une mouette avec une stupeur mêlée de respect. Armand, intervenu trop tard comme d'habitude, cramponné de toute sa petite taille aux bras agités de son épouse, tentait de la calmer en infligeant à intervalles réguliers une légère mais obstinée traction aux avant-bras d'Edma rendus musclés par la fureur. « Il avait pris un peu la même posture que Fuchsia, un peu plus tôt », remarquait Julien malgré lui. Mais il n'était pas question de lui faire subir la même trajectoire !... Quoique !... Julien avait une répugnance instinctive pour les grands financiers, pour les grandes réussites, surtout quand elles étaient le fruit d'obstination et d'intelligence pratique. Il supportait mieux les fortunes de hasard ou d'opportunisme. A ce propos, et très curieusement d'ailleurs pour un tricheur professionnel, Julien avait un grand respect et une grande attirance pour la chance pure. Chaque année, après l'avoir forcée pendant d'innombrables soirées, il allait régulièrement se soumettre, de la roulette au chemin de fer, à tous ses caprices, traitant brusquement en grande dame celle qu'il avait traitée toute l'année en fille de joie. Il lui semblait confusément lui rendre ainsi ses devoirs, payer ses dettes, soulager sa conscience, en acceptant de miser d'un coup, selon ses vœux, des sommes laborieusement gagnées contre cette aveugle déesse (mais il arrivait aussi que sa mise fût doublée, tant elle était peu rancunière).

Sa bravoure le changea soudain en un Robin des Bois, un Bayard, aux yeux des femmes de l'assistance, mais aussi en un rouleur de mécaniques pour les mâles qui le jugèrent imprudent ou prétentieux, selon le cas, mis à part Simon qui, dans sa naïveté première, fut épaté : ce Peyrat était quelqu'un !... Dommage qu'il fût un si mauvais perdant ! Julien ayant commencé le premier soir, à Portofino, par gagner quelque quinze mille francs à Simon, avait cru au miracle, se disait Simon, mais le lendemain, à Porto-Vecchio, avait perdu sec, près de vingt-huit mille francs ! Et visiblement il le prenait mal. Il avait fallu que Simon le suppliât — aujourd'hui — pour qu'il envisageât, même, ce fameux poker à cinq qui était devenu l'objectif numéro un, entre deux crescendos et deux pizzicatti, de Simon Béjard, producteur. Bref, ce Peyrat était dégonflé au jeu, mais pas dans la vie courante — si on pouvait appeler vie courante cet *Helzapoppin* en musique que devenait la croisière aux yeux de Simon. Ça, il ne pensait pas en embarquant qu'il y aurait droit, à tous ces gags ! Avec tous ces croulants mélomanes !... Il ne pensait pas non plus qu'Olga serait si teigne, si sotte parfois, ni qu'elle le croirait si bête lui-même. C'était dommage, car vraiment il aimait énormément son port de tête, sa peau serrée et sa manière de dormir, repliée sur elle-même comme un petit chat. Quand il la voyait à l'aube, étendue sur cette couchette austère, ce lit de pensionnaire (à neuf briques les huit jours), qu'il la voyait si pure, si innocente et si douce petite fille, il avait du mal à ne pas oublier la starlette ronflante et pétaradante, ambitieuse et bornée, dure, au fond, qu'il connaissait aussi. Il aimait Olga ; d'une certaine manière, il était coincé et il avait horreur de se le dire. Il y avait longtemps que l'urgence de l'argent quotidien ou hebdomadaire avait empêché tout dialogue un peu suivi entre Simon et lui-même. Depuis des années il ne s'adressait plus que des injonctions de *manager* à son boxeur épuisé, style : « Vas-y ! Te dégonfle pas ! Maintenant tu l'as ! Prudence ! », etc. Se découvrir à la fois amoureux et mélomane (et perspicace aussi) lui semblait un peu au-dessus de ses forces et en tout cas bien au-dessus de ses prévisions. Il se secoua et attrapa Julien par le coude, le tira à l'écart.

— Alors, et ce poke ? dit-il d'une voix pressante et basse, on y va, mon vieux ? On se prend le sucrier, le gig, l'intellectuel, et on leur pique une brique chacun, vous et moi, hein ? Vous, la technique, la patience, et moi l'intuition, le pot, quoi. Après le coup, on fait *fifty-fifty*. Ça marche ?

— Je suis désolé, mais je ne fais pas de coups à deux comme ça, au poker ni ailleurs, dit Julien, l'air gêné ; pas sévère, mais gêné, et un peu confus d'avouer cette morale bourgeoise.

Décidément, c'était un gentleman, lui aussi, pensa Simon avec un mépris condescendant et théâtral. Il se mit à rire trop fort en secouant les épaules frénétiquement, « ce qui ne l'embellit pas », pensa Julien.

— Quand je dis partie à deux, je m'entends... Je plaisante, je voulais dire qu'on se tenait, quoi, qu'on amortissait les chocs. Je ne parlais pas de coups fourrés, bien sûr, monsieur Peyrat, dit Simon avec un grand rire. Non, mais on se distrait, quoi... Tout le monde a les moyens sur ce bateau... Sauf le gig, peut-être ? Mais la Diva lui arrangera ça, non ?

— Je crois plutôt qu'il paierait pour la Diva, dit Julien en souriant, l'air attendri et les sourcils relevés...

« Il est bel homme, ce type, pensa Simon tout à coup, il serait même peut-être pas mal pour un rôle : genre mec de quarante ans un peu revenu de tout, bon zigue, dur, et doux avec les femmes... Ça marche bien ces temps-ci à l'écran. Sauf qu'il a un physique d'Américain... Il ressemble à Stuart Whitman... C'est ça ! »

— Vous savez que vous ressemblez à Stuart Whitman ? dit Simon.

— Stuart Whitman ? Quel rapport avec le poker ?

Julien s'étonnait.

— Ah ! Vous voyez que vous ne pensez qu'à ça, vous aussi. Et les trois autres qui bayent aux corneilles pendant qu'on leur joue des adagios... Ils seraient rudement contents, je peux vous le dire, de se retrouver un peu entre hommes, sans leurs ladies. En tout cas, il y a une lady qui serait rudement contente de se retrouver sans son homme, c'est Clarisse...

Il avait hésité sur « Clarisse ». Il avait hésité en fait entre « la Lethuillier », « la clownesque », « l'alcoolique », mais avait finalement opté pour ce « Clarisse » prononcé malgré lui comme un mot d'amour. Il le sentit et rougit.

— Allez, bon, on y va, à votre poke, dit Julien, tout à coup affectueux.

Et il lui décocha à son tour une bourrade un peu sèche qui le secoua jusqu'à ses mocassins de Gucci trop étroits du bout.

Ils commencèrent la partie à quinze heures, s'arrêtèrent à dix-neuf heures ; et à ce moment-là, Andréas, qui gagnait six millions à un peu tout le monde, concentrait sur lui toute la haine et la suspicion des autres, mis à part Julien. Ils s'arrêtèrent pour boire un coup, reprirent à dix-neuf heures trente pour un dernier tour de pot, et en trois coups, Julien, avec un carré de sept pour finir, rafla ses six millions à Andréas qui avait un full aux as par les rois, le tout donné par Julien avec une maestria impeccable. A huit heures, tout était fini. Les pigeons n'avaient pas eu le temps de changer d'objectif pour remâcher leur mécontentement, et bien que perdant lui-même cinq mille francs, c'était Andréas qui recueillait leur rancune, tandis que Julien faisait figure d'abruti heureux. « De toute façon, il ne rejouerait plus avec eux de la semaine », songea-t-il. Ils n'étaient pas de sang-froid, aucun d'eux : Andréas jouait pour gagner de l'argent, pour vivre ; Simon jouait pour se prouver qu'il était Simon Béjard, producteur, rôle trop récent pour qu'il ne demandât pas de temps en temps des attestations supplémentaires à la fortune ; Armand Bautet-Lebrêche jouait pour vérifier que l'on pouvait « jouer » avec l'argent, mais trouvait tout cela anormal et cauchemardesque ; quant à Éric Lethuillier, il jouait pour gagner et pour se prouver à lui-même et aux autres qu'il était le vainqueur, là aussi, et sa colère et sa fureur étaient les plus pesantes des quatre joueurs. Étant plus intelligent et plus vif que les autres, il opéra dans l'instant son report d'agressivité d'Andréas à Julien, et c'est en se sachant haï de lui, méprisé, et voué à une revanche, quelle qu'elle soit, que Julien le regarda partir avec son air froid, vers sa cabine.

Pendant que les hommes se battaient astucieusement aux cartes, ou du moins le croyaient, les femmes, accompagnées de Charley Bollinger, semblaient avoir subi l'influence de l'alcoolique Clarisse Lethuillier. Edma Bautet-Lebrêche et Charley, plongés dans un scrabble, faisaient retentir le bar de leurs éclats de rire de jeunes filles dont les cascades faisaient froncer les sourcils du commandant Ellédocq. Ceux aussi d'Olga Lamouroux, ennemie jurée de tout alcool, amphétamine, tranquillisant ou autres drogues susceptibles de modifier toute personnalité, donc la sienne. Elle venait à l'instant de s'asseoir près de la Diva qui, toujours altière et suçant ses réglisses d'un noir de jais, ne laissait absolument pas voir qu'elle avait bu une bouteille entière de vodka au piment Virobova. Elle apparut même aux yeux d'Olga, qui sortait de sa cabine et d'une lecture particulièrement austère sur la condition des comédiennes à travers les âges, elle apparut donc à Olga comme la seule personne sobre, le seul esprit clair de ce salon où les hommes, enivrés par le jeu, et les femmes, par l'alcool, formaient un vilain spectacle.

— Je ne prendrai qu'un citron pressé, merci, dit Olga au barman blond qui s'empressait, et elle jeta un coup d'œil indulgent — ostensiblement indulgent — en direction de Clarisse et d'Edma qui pouffaient devant le mot, apparemment irrésistible, que Charley, hilare, venait de composer.

— Je crains de ne pas être à la hauteur, ajouta Olga avec une feinte tristesse en direction de la Doriacci.

— Je le crains aussi, dit celle-ci sans broncher.

Elle était un petit peu plus rose que d'habitude et tenait pour une fois ses paupières modestement closes sur ses grands yeux féroces. Olga, abusée par ce calme, s'enhardit :

— Je ne crois pas que vous et moi-même soyons capables au fond d'autres ivresses que celles des planches, dit-elle en souriant. Bien sûr, je ne compare pas, madame, mais enfin, vous et moi, nous devons entrer parfois dans un espace éclairé, où on nous regarde et où on attend que nous fassions semblant... C'est le seul point précis de cette comparaison, bien sûr.

Elle bégayait un peu sous la modestie de sa jeunesse, sous sa dévotion. Elle se sentait les joues empourprées, le blanc de l'œil presque bleu à force d'admiration naïve... La Diva ne bronchait pas, mais, Olga le savait, elle écoutait. Elle écoutait avidement cette jeune voix sincère lui dire des choses touchantes, et son impassibilité était plus révélatrice que toute réponse. Révélatrice du caractère de la Doriacci : ce silence était celui de l'émotion, cette émotion était celle d'une grande dame. Olga se sentait au mieux d'elle-même : elle avait la gorge serrée par son humilité, d'autant plus serrée que, après tout, elle avait quand même eu le premier rôle dans trois petits films l'année passée, et des critiques dithyrambiques pour la pièce de Klouc qu'elle avait créée et qui avait été la révélation du café-théâtre 79...

— Quand j'étais petite fille, se lança-t-elle, que je vous entendais chanter à la radio et sur le vieux pick-up de mon père — papa était fou d'opéra et ma mère était presque jalouse de vous — , quand je vous entendais chanter, je me disais que j'aurais donné ma vie pour mourir comme vous mouriez dans La Bohème... Cette manière de dire la dernière phrase... Ah là, là !... Qu'est-ce que c'était déjà ?...

— Je ne sais pas, dit la Doriacci d'une voix rauque, je n'ai jamais chanté La Bohème.

— Ah ! mais que je suis bête... Bien sûr, c'est La Traviata dont je parlais, bien sûr...

« Ouf ! Elle s'en était bien tirée... Mais quelle malchance ! Toutes les chanteuses avaient chanté La Bohème, sauf la Doriacci, bien entendu. Quelle chance d'autre part que la Doriacci soit de si bonne humeur et si calme... En d'autres circonstances, elle l'aurait foudroyée pour cette gaffe. Mais là, elle semblait littéralement envoûtée par les compliments habiles d'Olga. Après tout, c'était une bonne femme comme les autres : une théâtreuse... » Agitant les mains au-dessus de sa tête comme pour chasser les mouches brouillonnes de sa mauvaise mémoire, Olga repartit :

— La Traviata, naturellement... Mon Dieu ! La Traviata... Je

pleurais comme un veau en écoutant... et un grand veau de huit ans
déjà... Quand vous lui disiez «*Adio, Adio*»...
— Un grand veau de vingt-huit ans alors, tonna brusquement la Diva.
Je n'ai enregistré *La Traviata* que l'année dernière.

Et se rejetant en arrière, elle éclata d'un rire tonitruant et
apparemment irrésistible puisqu'il saisit aussitôt, bien qu'ils n'en
connussent pas l'origine, les trois complices du scrabble.

En proie à un fou rire incontrôlé, la Diva avait sorti son mouchoir de
batiste et tantôt s'en essuyait les yeux, tantôt l'agitait comme pour
appeler à l'aide, tantôt en désignait Olga, pétrifiée. Elle gémissait plus
qu'elle n'articulait des phrases indistinctes : «C'est la petite... ha, ha,
ha! son père, fou de moi... Puccini, Verdi, tutti quanti... et la petite sur
son disque, ha, ha, ha! un grand veau de vingt-huit ans, hi, hi, hi!...» Et
quand elle eut redit pour la troisième fois de sa voix éclatante : «Un
grand veau de vingt-huit ans», ce fut pour finir d'une voix éteinte :
«C'est elle-même qui l'a dit...» Olga avait ri nerveusement au début,
mais au fur et à mesure de cette horrible explication, elle avait reniflé
l'âpre odeur de la vodka, elle avait vu enfin les grands yeux sombres
éclaircis par l'alcool, elle avait compris le piège qu'elle s'était elle-
même fabriqué. Elle avait tenté de faire front, mais lorsque les trois
zombis dégénérés, là-bas, s'étaient effondrés sur leur table, hagards et
hoquetants, les lettres de bois roulant à terre et leurs têtes à eux roulant
sur le dossier de leur fauteuil ; lorsqu'à la dernière phrase de cette
poissarde, «Elle l'a dit elle-même», Edma s'était redressée sur son
fauteuil comme sous l'effet d'un courant électrique ; lorsque la femme
alcoolique de ce pauvre Éric Lethuillier s'était caché le visage dans les
mains en balbutiant «Pas ça... Pas ça..» d'une voix suppliante, lorsque
ce vieux pédéraste à galon s'était encerclé, étreint le corps de ses deux
bras en trépignant sur place, Olga Lamouroux s'était levée simplement,
dignement, et, sans un mot, avait quitté la table. Elle s'était arrêtée un
instant à la porte et elle avait jeté sur ces égarés, ces pantins ivres, un
seul regard, un regard de pitié mais qui avait redoublé leurs transports.
Aussi tremblait-elle de rage en rentrant dans sa cabine. Mais ce fut pour
y retrouver Simon, vautré sur son lit, en chaussettes, et qui avait, disait-
il, «perdu trois briques au poke et bien rigolé».

Éric avait trouvé la cabine vide en revenant de ce sinistre poker. Il
avait envoyé un steward à la recherche de Clarisse. «Vous direz à
Mme Lethuillier que son mari l'attend dans sa cabine», avait-il lancé
sans autre explication, et le steward avait eu l'air légèrement scandalisé
de ce ton impératif, mais Éric s'en moquait bien. Cela faisait plusieurs
fois à présent qu'il sentait, qu'il croyait voir Clarisse lui échapper,
physiquement et moralement. Physiquement en tout cas! Elle

disparaissait sans cesse, lui semblait-il, sous prétexte d'aller prendre
l'air, ou de regarder la mer, et comme Éric avait obtenu d'Ellédocq, ravi
dans son âme d'adjudant, la surveillance du bar où la présence de
Clarisse devait lui être signalée aussitôt, il aurait pu croire qu'elle avait
un amant. D'autant plus qu'elle revenait chaque fois de ces promenades
le teint vif, l'air gai, et, sur toute sa personne, cette impression
d'insouciance qu'il avait mis des années à lui faire perdre. Ou plus
exactement, à dégrader jusqu'à l'angoisse et la culpabilité.

A cet instant précis, elle rentrait d'ailleurs, décoiffée, démaquillée par
des larmes de rire dont ses joues rosies par la gaieté ne témoignaient que
trop. Elle se tenait droite et souple dans la porte, les yeux étirés et les
dents brillantes dans son visage hâlé malgré les fards. Elle était belle,
pensa tout à coup Éric avec fureur. Il y avait longtemps, très longtemps,
qu'il ne l'avait pas vue belle ainsi... La dernière fois, c'était à cause de
lui... Qui donc sur ce bateau pouvait lui rendre confiance en elle (si ce
n'était plus Johnny Haig)? Serait-ce ce Julien Peyrat pourtant si vulgaire
dans sa virilité? Si Éric n'avait constaté lui-même que les escapades de
Clarisse coïncidaient avec la présence de Julien sur le court de tennis ou
dans la piscine, ou au bar, il l'aurait cru. Ces «types à femmes» sont
très habiles. Ou alors, c'était ce petit gigolo à trois francs, cet Andréas
quelque chose... Mais il avait beau mépriser Clarisse et nourrir sans
cesse son mépris, il la savait peu portée sur la chair fraîche, surtout
quand elle était aussi évidemment accessible que celle-là. Elle le
regardait :

— Vous me cherchiez?

— Vous vous êtes bien amusée avec vos petites copines? demanda-
t-il sans répondre. On vous entendait rire du salon!

— J'espère que nous n'avons pas dérangé votre poker, dit-elle l'air
trop soucieux.

Il lui jeta un coup d'œil rapide, mais elle lui offrait un visage lisse,
policé, son visage de fille Baron, ce visage qu'il avait eu aussi bien du
mal à décomposer, ce visage lisse, impeccable, indifférent à tout ce qui
n'était pas son confort, ses us, un visage qui était celui de la bourgeoisie
triomphante et sans pitié, qu'il lui avait peu à peu appris, croyait-il, à
haïr jusque chez les siens.

— Non, dit-il, vous ne nous avez pas dérangés, ou plutôt vous n'avez
pas dérangé la manœuvre de notre petit couple de tricheurs...

— Quel petit couple?

— Je parlais du cow-boy avantageux et du blond gigolo qui
l'accompagne... Ils doivent faire le tour des bateaux à deux!...
Pourquoi riez-vous?

— Je ne sais pas, dit-elle, tentant de s'empêcher de rire. L'idée de ces
deux hommes en couple est comique.:.

— Je ne vous dis pas qu'ils couchent ensemble (Éric s'énervait), je vous dis qu'ils trichent ensemble, et même qu'ils ont mis au point une technique imparable.

— Mais ils ne se connaissent même pas! dit Clarisse. Je les ai entendus parler de leurs lycées respectifs, et même se découvrir une province commune, hier au soir à Porto-Vecchio.

Le rire d'Éric était excédé.

— Naturellement, parce que vous étiez là! N'est-ce pas? Clarisse rougit tout à coup. C'était comme si elle avait eu honte pour eux. Pour Julien, surtout, se dit-elle. Etait-ce pour pouvoir plumer Éric plus facilement que Julien Peyrat lui laissait sa cabine et ses bouteilles à discrétion à elle? Cela lui faisait une impression désagréable, une gêne, presque physique, en même temps qu'un regret informe...

Elle était assise sur son lit et se recoiffait machinalement devant la glace de l'armoire, ouverte devant elle. Elle arrangeait les mèches de ses cheveux, elle se détaillait sans plaisir apparent, mais sans gêne non plus. Et Éric eut tout à coup envie de la frapper ou de la faire descendre de force à la prochaine escale. Oui, elle lui échappait! Elle lui échappait, mais dans le vide. Et c'était ça le danger. Il aurait vite fait, s'il s'était agi d'un autre homme, de le démolir à ses yeux. Mais il ne voyait vraiment pas qui, sur ce bateau, aurait pu réveiller la femme chez cette Clarisse endormie et terrorisée... A moins que cet Andréas... Cela paraissait impossible, mais tout était possible chez une névrosée. Il essaya:

— Vous savez que vous n'avez aucune chance, ma chère, avec ce type. Ne vous fatiguez pas à lui faire toutes vos invites, modestes bien sûr, mais ridicules. Elles seraient inutiles de toute manière: il est occupé par d'autres projets, plus rémunérateurs ou plus tentants à ses yeux.

— Mais de qui parlez-vous?

Éric se mit à rire. Il avait déjà simulé ainsi des mépris et des jalousies dégoûtées. Il avait parfois même feint, pour l'humilier davantage, de la croire éprise de personnages si minables que leur prêter attention eût déjà paru déshonorant. Et chaque fois, Clarisse s'était affolée, débattue. Elle avait nié avec indignation et désespoir à l'époque. Elle n'avait pas eu cette voix paisible et un peu fatiguée pour répondre, comme aujourd'hui: «Je ne vois pas de qui vous parlez.» Néanmoins, elle avait pâli. Elle avait remonté la main vers sa gorge, de son geste habituel. Elle le regardait, incertaine, déjà résignée, prête à un nouveau coup, mais sans en comprendre la raison. Non, il se trompait, décidément. Elle n'avait rien à voir avec ce gigolo (c'était encore heureux). Rassuré, il lui lança un petit sourire également rassurant.

— Tant mieux, dit-il, après tout, il a presque dix ans de moins que vous? C'est beaucoup, enchaîna-t-il avant de se plonger dans son journal, pas tellement fier de cette dernière phrase.

Mais il eût été encore moins satisfait s'il avait vu l'expression de soulagement sur le visage de sa femme-clown et le rose qui revenait sous la peau avec l'oxygène, le sang, l'espoir.

Dix minutes plus tard, dans la salle de bains, Clarisse inondait son visage d'eau froide d'une main violente; elle essayait d'oublier cette seconde de bonheur, ou de l'appeler autrement; elle essayait de nier qu'elle eût été d'une certaine façon au désespoir de ce que Julien Peyrat eût été tenté par une autre femme; et cela, quelles que soient ses raisons; et cela, même s'il levait à peine les yeux sur elle quand ils étaient face à face. Le matin même, il y avait une rose rouge dans le verre qui l'attendait, près de la bouteille de Haig, dans la cabine 109, et elle s'étonnait à présent (grâce à Éric!) d'avoir trouvé cela simplement charmant.

O̲N̲ ALLAIT arriver à Capri où, d'après le programme, les passagers étaient attendus par des vol-au-vent Curnonsky, deux sonates de Mozart et des *lieder* de Schumann, et le soir même, pour les plus aventureux, par une tournée dans l'île. C'était, en général, une règle d'or sur le *Narcissus* de ne pas descendre aux escales. Chacun était censé déjà connaître tous ces célèbres ports et, à la limite, les avoir déjà vus d'un yacht privé. C'était ce qu'expliquait justement Edma Bautet-Lebrêche à Simon Béjard, encore assez nouveau pour feindre quelque enthousiasme envers ces villes superbes. Il espérait que son intérêt pour la culture — tout au moins pour les choses culturelles — le ferait bien voir, alors que cet intérêt, au contraire, aurait dû le discréditer parce qu'il laissait supposer l'inculture délibérée de la pauvreté. Mais curieusement, ce mécanisme était si usé et avait été tellement systématique sur ce bateau que Simon apparut à Edma comme naïf, original et bon garçon.

— Vous ne connaissez pas du tout le Bassin méditerranéen, monsieur Béjard? s'enquérait Edma Bautet-Lebrêche avec une sollicitude étonnée (comme s'il avait déclaré n'avoir jamais subi l'appendicite). Mais alors, vous allez découvrir tout ça d'un coup! enchaîna-t-elle avec un ton d'envie qui avait un son de pitié. Vous savez que la Méditerranée, c'est AdmirAble... assura-t-elle (en ouvrant les « A » au maximum et en riant en même temps pour bien montrer qu'elle les ouvrait tout à fait consciemment). Tout à fait admirable, reprit-elle plus doucement d'une voix presque tendre.

— Mais j'en suis sûr, dit Simon (toujours optimiste sur tout). Et puis, il faudrait, hein? si les Croisières Pottin ont mis cette croisière à ce prix-là... ce n'est pas pour nous montrer des usines à gaz abandonnées, hein?...

— Évidemment pas, admit Edma, un peu désolée quand même par

cet épais bon sens, évidemment pas... Dites-moi, cher ami, puis-je vous appeler Simon?... Dites-moi, cher Simon, reprit l'impatiente Edma, vous-même, quel bénéfice pensiez-vous tirer de cette croisière? En d'autres termes, pourquoi l'avez-vous entreprise? Cela m'intrigue...

— Moi aussi, dit Simon, pensif tout à coup, je ne sais vraiment pas ce que je fais là... Au départ, c'était pour... pour... enfin, Olga n'aimait pas Éden Roc ni Saint-Tropez, alors... Et puis après tout, c'est curieux, je ne croyais pas aimer cette croisière, et finalement... euh... Ce n'est pas mal, hein? pas mal ce qu'on nous joue tous les soirs... C'est même pas mal du tout...

« J'étais à la fois atterrée et amusée, devrait plus tard relater Edma dans son salon de la rue Vaneau, mais j'étais aussi vaguement attendrie, je l'avoue... si, si, si, si... (Il arrivait souvent à Edma de contrer des objections inexistantes.) Si, si... J'étais attendrie. Car enfin, voilà un homme simple, finalement, un petit arriviste vivant pour l'argent, par l'argent, avec l'argent, un plouc, quoi, lui aussi... Et par un hasard extravagant, ou plutôt grâce au snobisme de la starlette qui l'exploite, le voilà découvrant la musique... La "grande musique", et le voilà qui s'émeut obscurément, le voilà qui entrevoit une sorte de terre inconnue... une escale qu'il ne prévoyait pas...» (Et là, la voix d'Edma baisserait jusqu'au chuchotement, et ses yeux se perdraient dans les flammes de la cheminée — s'il y en avait une, bien sûr.)

Mais sur le moment, ce n'était pas uniquement la compréhension qui guidait Edma, c'était aussi une ironie dont elle regrettait qu'elle n'eût pas plus de spectateurs.

— Vous auriez préféré Saint-Tropez, au départ, cher Simon? Vous devez vous ennuyer un peu quand même sur ce bateau, après tout, sans votre faune habituelle... Et il n'y a rien de péjoratif dans ce mot «faune», croyez-moi. Chacun de nous a la sienne...

— Ça, j'imagine... Vous ne devez pas être gâtée non plus, dit Simon avec une conviction excessive au gré d'Edma.

— C'est votre petite Olga qui aime la grande musique, donc, si je comprends bien?... Moi, à son âge, j'avais aussi des avidités, des envies de tout, celles de toutes les jeunesses, mais je ne m'en défendais pas. J'avais même un certain orgueil de mes désirs, de mes folies... Et Dieu sait...

Et elle agita une main épuisée par quarante années de fiesta et de débauches. Elle ne put donc renâcler ni se fâcher quand Simon, avec la même conviction soulignée cette fois d'un petit sifflement, au sens équivoque, s'exclama:

— Ah, eh bien là!... Là aussi, je vous crois... ce qui laissa Edma ébahie, soupçonneuse, mais vaguement flattée.

D'ailleurs Charley arrivait toutes voiles dehors, c'est-à-dire toute

chemise de soie dehors. Car il s'alanguissait au fil des longitudes, sa
nature s'épanouissait avec la chaleur, et, parti en bleu marine et en col
dur, il arrivait généralement à Palma, dernière escale, en chemise
bariolée et espadrilles, voire même, une unique boucle d'oreille à
l'oreille gauche, pour faire pirate.

Mais là, ce n'était que la troisième escale, et son extravagance se
bornait à une veste de surah blanc cassé, à la place de son blazer bleu. Il
exultait visiblement.

— Et nous voici à Capri! dit-il. Monsieur Béjard, vous descendez
aussi? Je crois que pratiquement tout le bateau va aller danser un peu,
pour une fois... Après le récital, bien entendu, ajouta-t-il, l'air pieux.

En effet, parmi ces escales à terre, généralement boudées par les
passagers, Capri seule bénéficiait d'une sorte de permis de s'encanailler
dont on profitait en douce, mais à grands cris, chacun feignant d'aller,
pour rire, chercher un corps-sœur, un corps-frère, ou un corps-cousin,
comme si l'aveu de cette chasse l'eût rendue vaine au départ, et comme
si chacun — s'il était encore en âge de le faire — ne rêvait pas, avant les
dangereux Arabes et les farouches Espagnols, d'une aventure italienne.
Capri était le dernier lieu de la civilisation dans le sens «débauche» et
de la débauche dans le sens «bon enfant». Aussi n'était-il pas rare à
Capri que le bateau se retrouvât vide, la nuit, ou presque, mis à part
quelques vieillards bien gardés par leurs nurses ou quelques matelots
consignés. Ils devaient les uns et les autres rester sur le pont, tels des
enfants punis, à regarder là-bas briller les lumières de la ville et de ses
plaisirs. Ils devaient aussi supporter le pas du commandant Ellédocq qui,
pendant toute l'escale, arpentait le pont avec rage et inquiétude, dévasté
qu'il était par un souvenir lointain, mais bien en tête : tel le fantôme
d'Hamlet, il était sûr d'y retrouver chaque fois, s'il mettait le pied sur la
Piazzetta, l'image de Charley ; Charley en jupe gitane, l'œillet aux lèvres,
cambré dans les bras d'un rude Capriote !

— Bien sûr, j'y vais, dit Simon Béjard avec d'autant plus de fermeté
qu'Olga l'exhortait à n'en rien faire, depuis deux jours. Bien sûr, j'y
vais, je ne connais pas Capri ! Mais avant de faire la fête, je vais me
nourrir, ajouta-t-il en donnant une claque amicale au lieu présumé de
son estomac, ce qui fit détourner les yeux à l'élégante Edma Bautet-
Lebrêche et au sensible Charley Bollinger... D'autant plus que ça risque
d'être rigolo, ce soir... ajouta-t-il en se levant.

Et dans le soleil couchant, les roses de sa chemise et ceux de son
visage, attisés par ces dernières journées de soleil, formaient un camaïeu
saisissant, au bord du tragique.

— Pourquoi spécialement rigolo? s'enquit Edma dont la curiosité
était toujours supérieure au mépris et qui s'en voulait toujours, après, de

ses propres questions triviales... Mais moins qu'elle ne s'en fût voulu de n'y avoir pas obtenu de réponse.

— Ça peut être « farce », expliqua Simon, jovial, parce que dans presque chacun de nos couples il y en a un qui veut aller à terre et l'autre qui veut rester là... Comme, en plus, on va être tous à la même table ce soir, ça risque de faire du bruit...

Et en effet, depuis le premier soir, les invités s'étaient machinalement assis à peu près dans le même ordre, mais, cette fois, autour de la table du commandant, rallongée, le prestige de la table d'Ellédocq étant devenu tout d'un coup supérieur à celui de la table de Charley, grâce à l'algarade Doriacci/ Kreuze.

— Mais, dit Edma, vous vous trompez... Armand Bau..., mon mari est tout à fait ravi de revoir Capri une fois de plus.

— Votre mari, c'est une chose, dit Simon avec une révérence comique, votre mari ne vous quitte pas des yeux, il est fou de vous... C'est Othello, cet homme-là... Et on le comprend, hein, mon vieux ? ajouta-t-il en jetant une claque magistrale dans le dos de Charley douloureusement ébranlé, sans qu'Edma Bautet-Lebrêche non plus semblât apprécier ce compliment à sa juste valeur. Mais à part vous, l'intellectuel de gauche veut y aller, par exemple, et ça ennuie Clarisse ! Moi, j'y vais, et Olga ne veut pas ! La Doriacci est partante et le minou blond a l'air d'hésiter. Ellédocq n'y va pas et Charley y va droit, alors !...

Il n'avait pas remarqué la petite grimace de souffrance, réelle cette fois-ci, qui avait déformé la lèvre supérieure de Charley à l'énoncé de l'un de ces couples, mais Edma, elle, fine mouche et brave mouche, pour cette fois, s'empressa de réparer la gaffe, car elle voyait Charley Bollinger bien mal parti pour cette croisière. Le beau gigolo, le bel Andréas — de plus en plus beau d'ailleurs au fil des jours — était littéralement fasciné par la Diva, ses pompes et ses fastes. Il trottait derrière elle comme un matou dompté, portait ses cabas, ses éventails, ses châles, mais sans qu'elle semblât même le remarquer. En tant que gigolo, sa carrière semblait mal partie, tout autant que celle de Charley en tant qu'amant comblé.

— Voyons, dit-elle, ne vous faites pas plus naïf que vous ne l'êtes, monsieur Béjard... Cher Simon, pardon. Vous savez bien que le cœur du bel Andréas a des motifs professionnels, et vous n'allez quand même pas parler de cette bête féroce d'Ellédocq et de notre délicieux Charley comme d'un couple, si ?...

— Mais je ne disais pas ça... dit Simon en se tournant vers Charley d'un air embêté. Je n'ai jamais voulu dire ça ! reprit-il avec chaleur. Vous le savez bien, mon vieux... Toutes les femmes du bord sont folles de vous, alors c'est pas la peine que je me défende... Ah ! vous avez de la chance d'être commissaire de bord sur ce bateau plein de femmes désœuvrées! J'ignore quel est votre score, mon vieux, mais il doit être plutôt brillant, hein? Je me trompe? Sacré farceur! ajouta-t-il avec une autre claque vigoureuse.

Et il partit en riant « pour se changer », annonça-t-il avec importance, laissant ses interlocuteurs perplexes.

— Décidément, je n'aime les spaghetti qu'*al dente*. Et vous, cher ami?

— Moi aussi, dit tristement Armand Bautet-Lebrêche qui n'eut que le temps de rajuster discrètement son dentier avant de répondre à la Doriacci.

Elle le regardait manger depuis cinq minutes avec une fixité alarmante; ou qui l'eût été pour quelqu'un d'autre, quelqu'un qui n'aurait pas été plongé, comme l'était Armand, dans une évaluation comparée des variations en Bourse de la *Engine Corporation* et de la *Steel Mechanics Industry*, et ce depuis trois heures.

— *Al dente*, ça veut dire pas cuit, ou quoi? s'enquit Simon Béjard d'une voix triomphante.

Il avait, par le miracle de quelque lotion capillaire, aplati ses cheveux rétifs et roux impeccablement sur son crâne rose; il arborait un smoking en toile écossaise bleu sombre et vert d'eau, du plus gracieux effet, et il sentait un after-shave de Lanvin à dix pas. La discrète Clarisse elle-même, sa voisine, en semblait incommodée. Le triomphe de Simon, très personnel et très prisé, il faut bien le dire, avait cela de bon qu'il l'empêchait de voir les regards échangés à table par Éric Lethuillier et sa belle Olga. Ils s'étaient retrouvés tous les deux à la porte du bar, une heure plus tôt, et Éric était apparu irrésistible dans sa veste de lin beige, sa chemise et son pantalon du bleu pâle des jeans, son beau visage bruni par le soleil et ses yeux d'un bleu prussien, amusés et autoritaires. « Je vous retrouve ce soir à terre », avait-il dit entre ses dents en la prenant par un coude, et il avait serré son bras entre ses doigts durs, si virilement qu'il lui avait fait mal. « Le désir le rendait maladroit... », avait immédiatement enclenché Olga. « Il souriait, mais il tremblait, il avait cette maladresse si touchante et si troublante à la fois que donne la fougue mal retenue aux hommes mûrs. »

Cette dernière phrase l'avait tellement emballée qu'elle était descendue précipitamment dans sa cabine la transcrire sur son cahier, le gros cahier à cadenas qu'elle cachait dans sa valise et qu'elle croyait, à tort, l'objet de mille recherches de la part de Simon. Aussi était-elle arrivée en retard à table, mais un peu décoiffée, haletante, bien hâlée, avec une légère expression de culpabilité qui lui donnait enfin l'air d'être jeune. Et les convives, à l'unanimité, l'avaient regardée avec admiration, une admiration plus ou moins nuancée, bien sûr, mais réelle.

« Un beau brin de fille, cette pute », avait marmonné Ellédocq entre ses dents, mais néanmoins assez fort pour que la Doriacci l'entende et lui demande à tue-tête de répéter, dans le seul but de l'embêter. Il avait rougi et sa mauvaise humeur s'était encore accrue lorsque Edma Bautet-Lebrêche lui avait demandé du feu d'un air câlin et complice. « Je ne fume pas ! » avait-il tonné dans un silence malencontreux, et il s'était attiré de sévères regards ironiques. Il avait dû supporter la réplique gracieuse d'Edma, ostensiblement choquée, mais souriante : « Que cela ne vous empêche pas de m'offrir du feu ! » avait-elle susurré d'une voix désarmée. Et il avait fait figure de mufle une fois de plus, tandis que Julien Peyrat, ce matamore, tendait son briquet à la pauvre victime ! Là-dessus, la conversation s'était égarée dans de fort divers domaines, incompréhensibles au commandant. On avait abordé l'intelligence des dauphins, les arcanes de la politique, la mauvaise foi des Russes et les scandales du budget de la Culture. Tout cela fort brillamment jusqu'au dessert où chacun, prétextant n'importe quoi, était descendu dans sa cabine se donner un dernier coup de peigne afin de pouvoir filer directement après le concert, jusqu'à cet îlot-lupanar nommé Capri. A la grande surprise d'Ellédocq, il n'y avait eu qu'un homme pour rester à sa table et paraître même décidé à ne pas rejoindre ce troupeau lubrique, et ç'avait été Julien Peyrat. Il avait posé au capitaine quelques questions fort pertinentes sur la navigation, le *Narcissus,* l'intérêt des escales, etc., et était singulièrement remonté dans l'estime du maître à bord. Naturellement, il avait fallu que cette conversation virile, pour une fois un peu intéressante et dénuée d'hypocrisie ou de fadaise, fût interrompue par le concert... Mais l'allusion à peine voilée du capitaine sur le côté « corvée » de ce récital était restée sans écho. Ou bien ce type sympathique et normal, apparemment, aimait vraiment la musique — et alors il cessait d'être normal aux yeux d'Ellédocq — , ou alors il jouait un drôle de jeu. Mi-séduit, mi-méfiant, Ellédocq le suivit lourdement jusqu'au lieu du sacrifice.

La Doriacci commença le concert d'un air pressé, chanta à toute vitesse deux ou trois airs incroyables de technique et de vivacité, s'arrêta pile au milieu d'un lied et enchaîna sur un autre, sans même s'excuser, mais avec un petit sourire de connivence qui lui valut plus d'applaudissements que toute la démonstration précédente, pourtant éblouissante, de son art vocal. Kreuze lui succéda, mais avec une œuvre interminable, semblait-il, de Scarlatti, impeccablement jouée, mais avec une telle absence d'effet (absence pourtant méritoire) qu'Ellédocq, indigné paradoxalement, put voir s'esquiver les uns après les autres jusqu'à ses passagers de première classe. Tous les autres mélomanes convaincus avaient déserté ce haut lieu de la musique. Salué par de maigres applaudissements, Kreuze s'inclina comme s'il y eût foule, avec sa morgue pour une fois justifiée, et disparut vers sa cabine, suivi rapidement d'Armand Bautet-Lebrêche qui semblait tout joyeux de son abandon. Quand Ellédocq à son tour quitta les lieux, il n'y avait plus autour du ring lumineux que deux silhouettes pensives, séparées par quelques rangs de chaises, et qui étaient celles de Julien Peyrat et de Clarisse Lethuillier.

JULIEN était immobile dans son fauteuil et, la tête renversée, il regardait les étoiles dans le ciel, leur clignotement et de temps en temps leur brusque et belle dégringolade filante, absurde et subite comme certains suicides. Il la vit sans la voir se lever quand le barman eut éteint les quatre spots lumineux. Il la suivit des yeux tandis qu'elle se dirigeait vers le bar. Il ne bougea pas, mais il attendait. Sans qu'il eût rien prémédité, il lui semblait que leur double présence solitaire à cette heure-ci, sur le pont, était convenue de longue date, qu'il y avait quelque chose de fatal dans la solitude de ce pont et dans leur double silence. Ils allaient ensemble quelque part, et il était sûr que, pas plus que lui, elle ne savait où. Peut-être vers une aventure brève et manquée, entrecoupée de sanglots nerveux et de protestations, peut-être vers un acte bestial et honteux, peut-être vers des larmes silencieuses sur son épaule. En tout cas, ils avaient rendez-vous obscurément, depuis qu'ils s'étaient vus sur ce même pont, lors du cocktail d'arrivée, depuis qu'il l'avait vue surtout, chancelante et ridicule, grotesque sous ses fards multicolores, appuyée sans confiance au bras de son trop bel époux. Elle avait peur, il le savait. Mais il savait aussi qu'elle allait revenir s'asseoir près de lui, sans qu'il entrât la moindre arrogance dans son assurance. Ce n'était même pas le besoin de lui, Julien, qui la ramènerait à son côté, c'était le besoin de quelqu'un, n'importe qui d'autre que cette brute policée qu'elle avait épousée. Il respirait lentement et profondément, comme avant de s'asseoir à une table de chemin de fer, ou de commencer un poker truqué et dangereux, comme avant de conduire trop vite délibérément, ou comme avant de se présenter sous un faux nom à des gens qui risquaient de le reconnaître et de le confondre. «Il respirait comme avant un danger», songea-t-il, et cela le fit rire. La conquête d'une femme ne lui était jusque-là jamais apparue comme un danger, même si elle s'était révélée, plus tard, en avoir été un.

Il fallut une demi-heure à Clarisse pour arriver près de lui, une demi-heure qu'elle passa à boire, muette et les yeux fixes, devant un garçon intimidé par elle, et étonné de l'être — car Clarisse Lethuillier faisait généralement sourire les barmen d'un sourire ironique ou pitoyable selon le cas, et l'heure, et le nombre des consommations qu'ils lui avaient servies. Elle fumait aussi, à grandes bouffées violentes qu'elle rejetait aussitôt en longs jets puérils, comme si elle eût appris à fumer le matin même. Mais elle éteignait ses cigarettes d'un air dépité après trois ou quatre de ces quasi-inhalations. Elle avait bu trois whiskies doubles et écrasé vingt cigarettes quand elle quitta le bar, laissant un pourboire exagéré au garçon incompréhensiblement inquiet pour elle. Il aimait bien Clarisse, comme les autres membres du personnel d'ailleurs, sur ce bateau. Elle leur semblait, comme eux-mêmes, en état d'infériorité officielle vis-à-vis des autres passagers. Elle trébucha un peu contre une chaise dans la demi-obscurité lorsqu'elle arriva à Julien, et il se leva instinctivement, plus par souci de la retenir que par courtoisie. Elle se laissa tomber sur un siège voisin du sien et, le regardant en face, se mit à rire tout à coup. Elle était décoiffée, elle était même un peu ivre, songea-t-il avec une tristesse moralisatrice qu'il ne se connaissait pas.

— Vous n'êtes pas allée avec les autres à Capri? Ça ne vous amuse pas? demanda-t-il doucement, tout en l'aidant à ramasser son sac et les différents objets accumulés en vrac à l'intérieur et qui luisaient sur le sol, à leurs pieds : un poudrier en or qui devait valoir une fortune, trop lourd pour elle, avec ses initiales en petits brillants incrustées sur le boîtier, un tube de rouge à lèvres identique, des clés d'on ne sait où, quelques billets de banque froissés, la photo d'un château inconnu sur une carte postale, des cigarettes carrées, une boîte éventrée de Kleenex, et l'inévitable boîte de pastilles à la menthe, le seul de ces objets qu'elle tentât de lui cacher.

— Merci, dit-elle en se redressant très vite, mais pas assez pour qu'il ne sente en même temps que son parfum — un parfum vert et têtu — pour qu'il ne sente pas en même temps l'odeur de son corps, chauffé par le soleil de la journée, et comme épicé par la très légère odeur de la peur — odeur que Julien reconnaissait entre toutes, odeur familière aux joueurs.

— Non, dit-elle, Capri ne m'amuse pas... enfin ne m'amuse plus. Pourtant, je m'y suis bien amusée dans le temps...

Elle regardait devant elle, et elle avait croisé les mains sur ses genoux, sagement, comme s'il l'avait conviée à une conférence et qu'elle soit installée pour quelques heures.

— Je n'étais jamais venu, dit Julien. Mais c'était un de mes rêves familiers quand j'avais dix-huit, dix-neuf ans. Je voulais être décadent... C'est drôle, non, pour un garçon de dix-huit ans? Je voulais vivre comme Oscar Wilde, avec des lévriers afghans, des De Dion-Bouton interminables, et faire courir des chevaux italiens sur l'hippodrome de Capri...

Clarisse se mit à rire en même temps que lui et, encouragé, il continua :

— J'ignorais bien entendu que Capri était un pain de sucre sans la moindre surface plane, et j'ignorais aussi qu'Oscar Wilde n'aimait pas les femmes... Je crois que c'est cette double déception qui m'a empêché jusque-là d'arriver ici, et peut-être ce souvenir qui m'empêche de descendre à terre aujourd'hui.

— Moi, ce sont des souvenirs, dit-elle. J'ai eu beaucoup de succès ici, à dix-neuf, vingt ans. Même en Italie, la fortune des Baron était connue et l'on me faisait une cour assidue. A l'époque, il n'était pas honteux d'être l'héritière des Baron...

— Maintenant non plus, j'espère, dit Julien d'un ton léger. Il n'est pas plus honteux de naître riche que pauvre, que je sache.

— Je crois que si, dit-elle sérieusement. Par exemple, dit-elle avec volubilité tout à coup, vous qui êtes commissaire-priseur, vous devez aimer la peinture, non ? Cela ne vous brise pas le cœur de vendre des chefs-d'œuvre à des bourgeois déjà riches qui ne rêvent que de s'enrichir encore grâce à ces toiles ?... Et qui vont les enfermer dans un coffre-fort dès qu'ils seront rentrés chez eux sans même les regarder ?

— Ils ne font pas tous ça... dit Julien.

Mais elle le coupa sans l'entendre :

— Mon grand-père Pasquier, par exemple, avait une superbe collection d'impressionnistes. Il avait acheté tout ça pour une bouchée de pain, naturellement : des Utrillo, des Monet, des Vuillard, des Pissarro... tout ça pour trois francs, disait-il. Les grands bourgeois font toujours des affaires, vous avez remarqué ?... Ils arrivent presque à acheter leur pain moins cher que leur concierge. Et en plus, ils en sont fiers...

Elle se mit à rire, mais Julien garda le silence, et elle se tourna carrément vers lui, comme irritée.

— Vous ne me croyez pas ?

— Je ne crois pas aux généralités, dit Julien. J'ai connu des bourgeois charmants et des bourgeois infâmes.

— Eh bien, vous avez eu de la chance, dit-elle brutalement d'une voix coléreuse.

Et elle se leva, se dirigea vers la rambarde, un peu trop droite comme pour pallier son déséquilibre éthylique. Julien la suivit machinalement, s'appuya à la rambarde à côté d'elle et, quand il tourna la tête vers elle, s'aperçut qu'elle pleurait sans retenue de grosses larmes, qui filaient sur ses joues sans qu'elle parût même le remarquer, des larmes qu'il devinait chaudes, curieusement à leur seule forme : des larmes étirées, filées, oblongues, des larmes de colère semblables à la fumée de ses cigarettes, des larmes qui n'avaient pas cette rondeur parfaite, ce côté plein et presque serein qu'ont les ronds de fumée bien étudiés et les pleurs des enfants quand on les a déçus.

— Pourquoi pleurez-vous ? dit-il.

Mais elle se laissa aller contre lui, la tête sur son épaule, comme elle se fût appuyée à un arbre, ou à un réverbère, au hasard.

A part la lumière qui venait du bar et qui éclairait le pont où ils étaient la seconde d'avant, lumière qui leur arrivait de côté, lumière floue, furtive, lumière équivoque, ils étaient dans le noir. Et seul le phare de l'île coupait parfois ce noir, se posait sur leurs visages deux ou trois secondes avant de repartir dans son cercle maniaque. Mais il ne montrait à Julien, chaque fois, que le haut de la tête de Clarisse tant elle gardait celle-ci obstinément baissée, comme une chèvre têtue, contre son épaule, ses épaules à elle étant secouées de petits spasmes réguliers, presque tranquilles dans leur régularité. C'était un chagrin éperdu et paisible à la fois, un chagrin qui venait du fond des temps, et aussi un chagrin pour rien. C'était un chagrin inutile et inextinguible, une folie et une résignation. Et à sa propre surprise, Julien se sentait peu à peu envahi par la tranquille impudeur de ce chagrin, par le silence qu'elle gardait sur ses causes tout en sanglotant sur l'épaule de cet inconnu qu'il était, silence pire finalement que toutes les explications, silence uniquement rompu par ses reniflements et le bruit des Kleenex qu'elle déchirait pour éponger ses larmes, avec des gestes rudes d'adolescent.

— Voyons, dit-il, troublé, et en se penchant vers cette tête accablée, voyons, il ne faut pas pleurer comme ça... C'est idiot, vous allez vous faire du mal, ajouta-t-il bêtement. Pourquoi pleurez-vous ainsi ? insista-t-il en chuchotant.

— C'est... c'est inepte... dit-elle en renversant son visage vers lui. Inepte... Mais je suis inepte...

Le phare passa alors sur son visage et Julien resta pétrifié. Le maquillage avait cédé sous les larmes et les Kleenex, et, comme les remparts d'une ville, s'était effondré, dilué, enfui. De ce maquillage épais et baroque, presque obscène, surgissait un nouveau visage, un visage inconnu et superbe que la lumière floue, venue de biais, étirait et soulignait, d'une manière implacable et tragique à laquelle peu de visages auraient résisté : mais là, c'était un visage d'Eurasienne, avec une ossature parfaite, des yeux très longs, très droits, étirés du nez aux tempes malgré l'absence de tout mascara, des yeux d'un bleu pâle de paquet de gauloises, sous lesquels il distinguait une bouche marquée, arquée en haut, avide et triste en bas, une bouche encore humide de ses larmes. Julien se retrouva en train d'embrasser cette bouche, penché sur elle, le nez dans les cheveux de cette femme folle et ivre, mais dont la folie tout à coup lui indifférait complètement tant il était préoccupé par le contact de cette bouche, si résolument complice de la sienne, si définitivement amicale, complaisante, généreuse, exigeante, sournoise. Une vraie bouche, se disait-il dans le noir, « une bouche comme celles d'il y avait vingt-cinq ans, quand j'avais vingt ans moi-même et que j'embrassais les filles par les portières des voitures, et que je savais que nous en resterions là et que ces baisers étaient le comble du plaisir accessible pour moi ; et qu'en effet ces baisers me laissaient plus tard aussi comblé de bonheur que malade de regret ! ».

Depuis vingt ans il y avait eu beaucoup de bouches et beaucoup de baisers, prometteurs ou apaisés, des baisers d'avant et des baisers d'après, mais tous avaient été des baisers situés chronologiquement. Il n'y avait plus eu, plus jamais en effet, de ces baisers inutiles, gratuits, finals en soi, ces baisers hors du temps, hors de la vie, presque hors du sexe et du cœur, ces baisers nés de la pure envie d'une bouche pour une autre. « Les verts, étroits, gloutons baisers de la jeunesse » dont la description l'avait ému chez Montaigne, et dont il retrouvait le goût, là, ce soir, sur la bouche d'une mondaine éméchée. C'était risible, mais en même temps il ne pouvait se détacher de cette bouche. Il inclinait le visage à droite, à gauche, selon les mouvements de son cou à elle, et il n'avait plus qu'une idée, qu'un but : ne plus jamais se séparer de cette bouche — malgré sa situation absurde, penchée, la crampe de son dos — cette bouche que dans sa tête il couvrait de qualificatifs, qu'il félicitait, qu'il déclarait fraternelle, maternelle, corruptrice, confiante et dessinée pour lui depuis toujours.

— Attends, dit-elle enfin.

Elle s'arracha à lui et rejeta la tête en arrière, appuyée à la rambarde mais le visage tourné vers lui et les yeux ouverts. Il ne pouvait pas s'éloigner, la quitter des yeux ni sortir de cette ombre car il briserait alors quelque chose, quelque chose d'éminemment cassable et qui aurait dû être incassable. Sinon elle allait se ressaisir, oublier d'être belle, ou bien il oublierait, lui, d'en avoir si envie. Quelque chose tremblait entre eux dans cet éclairage livide, quelque chose qui s'évanouirait s'ils quittaient des yeux un seul instant.

— Bouge un peu, dit-il. Appuie-toi là.

Et il la guidait vers la cloison du bar, l'y appuyait, la calait dans ses bras, bref l'installait à l'ombre de lui-même. Il se sentait essoufflé, son cœur ralentissait, il pensait vaguement qu'il ne retrouverait son souffle que sur la bouche de Clarisse ; mais il ne pouvait pas bouger, et elle non plus sans doute puisqu'elle pouvait voir dans le noir Julien, comme un aveugle ou un enfant, tendre vers elle son visage impatient et triomphant et qu'elle ne bougeait pas. Il regardait la tache blanche de ce visage si loin et si près, à présent indistinct, flou et si récemment mis à découvert, ce visage si menaçant et si désirable dans sa proximité, ce visage qui était déjà un souvenir de ce visage, dont il possédait déjà une image à jamais classée dans sa mémoire, telle qu'il l'avait vue tout à l'heure, contre la rambarde, lorsqu'il se penchait vers lui ; un visage vu dans cet angle précis, dans cet éclairage précis, visage qu'il ne reverrait plus jamais pour de vrai et que déjà, furtivement, insolemment, il se permettait de regretter — voire même de préférer aux mille autres visages qui l'attendaient dans cette tache blanche, floue, là, cette tache indécise qui aurait pu n'être rien. Qui n'aurait été rien s'il n'y avait eu cette bouche sous la sienne, et la caméra du désir immédiatement déclenchée. Et c'était la vie, en fait, qui respirait en face de Julien, c'était la vie sensible, la possibilité donnée à cette vie d'être qualifiée d'heureuse ou malheureuse ; le risque aussi de ne plus rien valoir en tant que tel, de n'être estimé ou supporté qu'en fonction d'un autre œil : l'œil de Clarisse. Cet œil indépendant, étranger à Julien, à son enfance, cet œil indifférent, ignorant des secrets encore posés entre Julien et lui-même pendant de longues années, encore accumulés et soigneusement dissimulés ; et non pas forcément par lâcheté mais souvent par décence, ou par gentillesse ; toutes ces barrières, ces voiles, ces accommodements que Julien avait interposés entre sa vie et sa propre vision de sa vie ; masques et grimaces qui étaient devenus instinctifs, plus vrais peut-être dans leur refus de vérité et plus profonds dans leur goût du mensonge que bien d'autres instincts venus de l'enfance et prétendus naturels. Ces masques, déjà, il se refusait à les renier, les déchirer, même avec l'aide d'une autre. Il se refusait à effacer toute trace de cette cohabitation honteuse et coupable avec lui-même sous prétexte de partage, de sincérité. A moins que, et cela serait le pire et le plus souhaitable, peut-être, cette liaison inavouable entre lui et lui-même restât inavouée. Ces masques de carton seraient embrassés à pleine bouche et ces faux cheveux lissés par des mains chaudes. Alors là, il le savait, à l'abri de ces comédies, il s'ennuierait, il n'aimerait pas, il serait sauvé.

Et déjà rallié à cette dernière hypothèse, atroce mais si probable, Julien respirait de soulagement, regrettait presque le temps heureux où il aurait pu brûler tous ses vaisseaux, livrer son cœur et laisser quelqu'un donner un sens à sa vie, c'est-à-dire un ton. Et Julien, s'imaginant aussitôt avoir manqué l'amour, Julien désolé de son impossibilité à aimer, infirmité presque glorieuse puisque ramassée sur des champs de bataille, Julien tendit dans le noir, les yeux fermés, un visage impatient et triomphant. Mais le temps que le visage de Clarisse se rapproche du sien, Julien eut le temps de regretter l'amour. S'il aimait, son futur se peuplait, les rues, les plages, les soleils, les villes redevenaient réels, souhaitables même, puisqu'à montrer, à partager. La Terre acceptée comme ronde redevenait plate, ouverte comme la paume d'une main à parcourir, des concerts se répétaient, des musées se rouvraient, des avions retrouvaient leurs horaires. Et s'il aimait, il lui serait aussi possible de partager tous ces trésors que de les oublier délibérément, les dédaigner pour une chambre d'hôtel, un lit, un visage. S'il aimait, son passé, cette histoire un peu démodée mais récente, inracontable, son passé mort avec sa mère, la seule qui ait eu envie jusqu'au bout de lui raconter cette enfance, de la tirer de sa banalité pour en faire une suite d'événements originaux, son passé lui-même devrait ressusciter et se présenter impétueux, intransigeant, tel l'adolescent qu'il s'efforcerait de décrire et d'enfanter, toute mémoire faussée et tout souvenir trafiqué. Mais en définitive, Julien ne serait plus jamais sincère que dans ces mensonges-là puisque, cherchant à séduire Clarisse, ce qu'il dévoilait en profondeur par ses mensonges dans leur déformation même, c'est ce qui était séduisant à ses yeux à lui, Julien. Ce qu'il dessinait ainsi à travers un adolescent exemplairement faux, c'est l'adulte qu'il était devenu, et d'autant plus sûrement que c'étaient ses rêves qu'il mettait ainsi à jour, ses rêves et ses regrets, seuls révélateurs irréfutables d'un homme. Repères bien plus fiables que les réalités, réalités qui comme toujours iraient s'échouer comme de douteux trophées sur les plages plates d'un calendrier où elles seraient datées, certifiées, reconnues par les bureaucrates gâteux de la mémoire ou du jugement moral. A travers ces faux récits et ces fausses anecdotes, ce serait la vraie vie sensible de Julien qu'il pourrait enfin raconter, vie qu'il dessinerait enfin logique, pleine, estimable et enfin heureuse ; car pour Julien, ce n'était pas la moindre des forces de l'amour que celle qui l'obligerait chaque fois à présenter à l'être aimé le reflet d'un homme heureux. Il se voulait heureux, gai, libre, fort. Qu'on l'aimât pour ses malheurs lui eût semblé une insulte à sa virilité puisque Julien, tout autant que ses plaisirs, aimait les devoirs de l'amour. C'est donc en regardant cette image de lui-même, cette image généreuse et sentimentale, que Julien reçut sur ses lèvres le baiser à peine appuyé de Clarisse. Seulement lorsque Clarisse se redressa, la Terre bascula et tout redevint à la fois possible et infernal, puisqu'en courant vers la lumière Clarisse, déjà enfuie, lui disait la première : « Il ne faudra pas recommencer. »

L_A TERRE tanguait un peu sous le pied des passagers après trois jours seulement de croisière. « Ce sera du joli au retour... » fit remarquer Simon Béjard. Edma Bautet-Lebrêche, quoique toujours un peu rebutée par la forme de ses propos, ne laissait pas d'être vaguement approbatrice quant à leur fond. Ce rude bon sens, après les commentaires lointains, futiles et distants de ses amis mondains, cette appréhension brutale de la réalité traduite en termes joviaux et crus lui semblaient finalement des plus réconfortants. Et même des plus tolérants, les sarcasmes brutaux de

Simon n'ayant pas la moindre once de méchanceté ; en somme, Simon Béjard n'était pas loin de représenter le « peuple » pour Edma Bautet-Lebrêche. Ce peuple qu'elle ne connaissait pas et dont l'avait séparée, tout autant, sinon plus, que son mariage luxueux, une enfance laborieusement bourgeoise. De plus, l'admiration de Simon Béjard était contagieuse tant elle était naïve. Elle était même attendrissante par instants.

— Ça alors... disait-il dans la calèche qui les amenait au petit trot à la Piazetta, Charley, Edma et lui (Olga et Éric avaient préféré, disaient-ils, s'y rendre en taxi), ça alors, c'est un coin superbe ! Je vais venir tourner ici, moi ! marmonna-t-il dans un sursaut de professionnalisme mais sans grande conviction, car pour une fois Simon ne pensait pas en termes d'utilité mais en termes de gratuité.

— N'est-ce pas que c'est beau ? dit Edma Bautet-Lebrêche, flattée, qui s'était approprié aussitôt Capri et ses charmes par un réflexe universel. C'est assez renversant, non ? ajouta-t-elle, selon le pli propre aux mondains — et à certains intellectuels — d'ajouter un petit adverbe restrictif à un adjectif flamboyant.

Elle trouvait ainsi Hitler « plutôt abominable » et Shakespeare « assez génial », etc. Son « assez renversant » parut faible à Simon en tout cas.

— Je n'avais jamais vu une mer pareille... dit-il. Quelle belle garce !

Edma broncha ; mais en effet la mer était étalée dans tous ses draps, du bleu nuit au bleu délavé, des pourpres flamboyants aux roses impudiques, du noir au gris d'acier, comme une courtisane, et elle s'alanguissait dans ces couleurs mêlées avec narcissisme, et sans doute des plaisirs solitaires dont la surface crémeuse et lisse, argentée, ne reflétait rien.

— Comment trouvez-vous la Piazetta, Simon ?

— Je ne vois rien, grommela celui-ci.

Car la Piazetta illuminée était bourrée de shorts, de kodaks, de sacs à dos parmi lesquels il ne trouvait ni Olga ni Éric.

— Ils doivent être au *Quisisana*, c'est le seul bar tranquille : celui de l'hôtel. Allons-y. Vous venez, Simon ?

Mais ils n'étaient ni au *Quisisana*, ni au *Number 2*, ni à la *Paziella*, ni « nulle part », constata Simon avec une irritabilité croissante, peu à peu transformée en déception, puis en chagrin. Il avait rêvé de voir Capri avec Olga, de mêler les rêves de son enfance à la réalité de son âge mûr. Il était d'autant plus triste qu'Edma et Charley, d'abord optimistes et rassurants, adoptaient peu à peu un ton apitoyé, lui parlaient affectueusement, riaient de plus en plus fort à ses plaisanteries, de plus en plus rares, sinon de plus en plus légères.

— Ils ont dû rentrer à bord, dit Edma en ressortant de la sixième boîte de nuit et en s'installant sur un petit mur bas, les jambes lourdes.

Je suis claquée... dit-elle. Nous devrions rentrer aussi. Ils doivent nous attendre.

— Les pauvres...! Ils sont même peut-être furieux! dit Simon amèrement. Il faudra nous excuser, peut-être! Moi aussi, je suis claqué, avoua-t-il en s'asseyant près d'Edma.

— Je vais vous chercher à boire en face, proposa Charley, que consoler le chagrin d'autrui ne consolait pas du sien, car il n'avait pas trouvé trace d'Andréas malgré ses questions indiscrètes. Et pourtant, avec la beauté de celui-ci et au bras de la Doriacci, ils n'avaient pu passer inaperçus... Il allait profiter de sa mission pour questionner Pablo, le barman du *Number 2*, toujours au courant de tout à Capri.

Charley partit donc de son pas dansant, un peu trop juvénile, mais son port de tête ne correspondait pas à sa démarche, n'indiquait aucune gaieté, et Edma savait pourquoi. « Ah! c'était drôle, la fête à Capri, entre ces deux cœurs brisés!... » Elle se félicitait pour une fois de sa chasteté volontaire... Enfin, volontaire, tout au moins délibérée.

Éric avait payé le taxi et Olga et lui s'étaient enfoncés dans les ruelles de Capri sans même se concerter. Il y avait un fort bel endroit, dont se souvenait Éric, qui donnait sur la mer et qui était à deux pas du *Quisisana*. Il s'arrêta à ce dernier un instant, palabra avec le concierge, puis revint vers Olga d'un air distrait. Malgré sa goujaterie permanente, Éric pensait qu'un petit préambule sentimental était nécessaire, qu'il ne pouvait décemment pas, sans le moindre baratin, traîner la jeune actrice dans un lit. La jeune actrice qui n'en pensait pas moins : « C'était si émouvant, Fernande, de voir cet homme, après tout si sûr de lui et sûr de ses succès féminins, de le voir prendre tant de détours pour m'avouer cette chose si simple : son désir... C'est que c'est un homme qui fait partie de cette génération délicieuse (et finalement plus virile qu'aucune autre) où on ne considérait pas comme acquis le corps d'une femme à l'instant qu'elle vous plaisait. Nous sommes restés dix minutes à échanger des banalités sur une terrasse avant qu'il ne se décide... Tu te rends compte? J'étais émue aux larmes... »

En vérité, Olga, habituée à des mœurs plus expéditives, surtout dans ce milieu cinématographique où les hétérosexuels convaincus s'arrachaient comme des raretés, avait d'abord craint qu'Éric ne fût impuissant. Puis, quand il lui avait dit d'une voix faussement insouciante : « J'ai envie de vous », d'une voix qu'elle avait cru sentir vibrer de désir sous sa maîtrise, elle s'était dit malgré elle, un peu ironiquement : « Voilà dix minutes de fichues. » Une heure plus tard, elle eût été en droit de considérer que c'était aussi une heure de fichue, tant Éric s'était révélé expéditif, brutal et agacé, en tout cas aussi peu soucieux que possible de son plaisir à elle. S'il n'avait pas été directeur du *Forum*, elle l'eût même insulté fort trivialement, mais cette auréole fit qu'elle le trouva admirable de vigueur et d'une hâte touchante. Éric, lui, se rhabilla en deux minutes, content de ce succès pourtant facile, et se demandant déjà comment Clarisse pourrait en être avisée. Mais, sur le pas de la porte, Olga l'arrêta d'une main posée sur son épaule. Il se retourna, étonné.

— Qu'y a-t-il?

Elle battit des paupières, baissa les yeux pour murmurer :

— Ce fut divin, Éric... Vraiment divin...

— Il faudra recommencer, déclara-t-il poliment et sans la moindre conviction.

Ils avaient fait l'amour dans le noir et il eût été incapable de dire comment elle était faite. Olga dut insister pour qu'il lui offre une bouteille de chianti sur la terrasse de l'hôtel.

ANDRÉAS s'imaginait dansant, d'ailleurs avec enthousiasme, le tango ou le jerk dans des boîtes de nuit, mais il se retrouva dans une crique totalement déserte au pied de laquelle clapotait une mer tiède et transparente dans le noir. «On va se baigner», avait dit la Doriacci, et il la vit avec stupeur enlever ses chaussures, sa robe et ses peignes. Il vit son corps dodu et indistinct passer comme une tache blanche devant lui et aller s'ébrouer dans la mer avec des cris joyeux. Il n'imaginait pas un instant quelle force intérieure il avait fallu à cette femme pour s'exposer, nue, même dans l'obscurité, à un regard qu'elle pensait critique. Or ce regard ne l'était plus : eût-elle pesé deux fois son poids, eût-elle peut-être même été laide, Andréas ne l'aurait pas vu. Il était pénétré depuis trois jours d'un sentiment qui ressemblait beaucoup à la dévotion et qui, il s'en rendait bien compte, ne l'aiderait pas à faire la preuve de sa virilité. Les fards, les drapés, le port de tête de la Doriacci l'avaient' rempli jusque-là d'une terreur respectueuse; aussi, quand il la vit s'ébattre dans l'eau avec des gestes patauds, quand ce visage marmoréen fut recouvert de cheveux mouillés et que la voix sonore fut réduite à quelques petits cris haut perchés occasionnés par le froid, la terreur chez Andréas céda devant l'instinct de protection. Andréas se déshabilla, courut dans la mer et rejoignit la Doriacci, l'attira dans ses bras et la ramena sur la plage avec décision, comme le soudard qu'il n'avait pu être pendant vingt-quatre heures. Ils restèrent longtemps allongés sur le sable, parfaitement bien malgré le contact désagréable et froid du sable, et malgré un petit grelottement intermittent qui les faisait se serrer l'un contre l'autre comme des écoliers.

— Tu as fait exprès? dit-il à voix basse.

— Exprès de quoi ?

Elle était tournée vers lui et souriait, et il voyait l'éclat de ses dents et la masse de ses épaules et de sa tête sur le ciel clair.

— Exprès d'enlever tes peignes, dit-il.

Elle secoua la tête de droite à gauche.

— Je ne fais jamais rien exprès, dit-elle, sauf quand je chante : je n'ai jamais accepté de faire exprès quoi que ce soit d'autre.

— Moi si, dit-il naïvement. Tu ne sais pas ce que j'ai pu avoir honte...

— Vous êtes bien bêtes, vous les hommes, déclara-t-elle en allumant une cigarette et en la lui mettant dans la bouche. Vous avez des notions sur l'amour... Est-ce que tu sais ce que c'est, un bon amant, seulement, pour nous autres femmes ?

— Non, dit Andréas, intrigué.

— C'est un homme qui nous trouve bonnes maîtresses, c'est tout. Et qui est de la même humeur que nous en faisant l'amour : triste si l'on est triste, gai si l'on est gai, et pas le contraire. Les techniciens, c'est de la légende, dit-elle avec fermeté. Qui t'a donc appris quoi que ce soit sur les femmes ?

— Ma mère et mes tantes, dit Andréas.

Et elle commença par éclater de rire, puis l'écouta avec attention et une sorte d'affection maternelle, enfin, pendant qu'il racontait sa bizarre enfance. Mais elle se refusa, malgré ses prières, à lui parler de la sienne. « Elle aimait qu'on se livre mais elle ne se livrait pas », pensa Andréas avec mélancolie, mais une mélancolie pas assez grande pour atténuer son bonheur et le sentiment de triomphe qui l'habitait.

Ils se heurtèrent à Olga et Éric en arrivant à la passerelle. L'aube n'était pas loin dans le ciel, ni l'ivresse sur le pont où les attendaient Edma, Simon et Charley.

Ils avancèrent tous les quatre vers les rocking-chairs, la Doriacci et Andréas visiblement satisfaits l'un de l'autre — bien qu'elle ait dégagé sa main de celle du jeune homme — mais avec cet air d'innocence que donne le plaisir, ce qui faisait ressortir curieusement, par opposition, la culpabilité des deux autres. L'air guindé et froid d'Éric ne pouvait contrebalancer cette rectitude soumise et virginale posée comme un voile sur le visage d'Olga ; cet air si délibérément angélique qui était un aveu au bord de l'insulte. Tout au moins, c'est ce que pensèrent Charley et Edma, et ils baissèrent les yeux précipitamment comme si Simon eût pu y voir le reflet de cette certitude et être obligé de réagir. Mais Simon avait trop bu, était trop ivre, et, bien que clair, l'aveu lui parut involontaire. Ce serait une chose qu'il réglerait en tête à tête, et encore n'était-il pas sûr d'en avoir le courage. Il se sentait coupable, d'ores et déjà, de « savoir ». Olga s'assit près de lui avec un petit sourire faux, et Éric, à contrecœur, s'assit à côté d'Edma qui ne le regardait pas.

A sa grande surprise, Edma — qui avait l'habitude, pourtant, de ces chassés-croisés — éprouvait une sorte de mépris, en tout cas d'aversion à l'égard de Lethuillier. Et Charley devait avoir les mêmes sentiments puisque lui non plus ne sembla pas même remarquer la présence du beau Viking à ses côtés.

— Si nous prenions encore un verre, non? dit Charley à la Doriacci visiblement hésitante.

La tension qui régnait à cette petite table nocturne était presque palpable. Mais Andréas, qui s'en moquait et ne rêvait que de réitérer ses exploits amoureux, piaffa en maugréant qu'il était trop tard, ce qui décida la Doriacci : elle s'assit, étendit les jambes et demanda une limonade à son chevalier servant d'une voix impérieuse. Edma et Charley respirèrent. La présence de ces tiers — encore plus tiers qu'ils ne l'étaient eux-mêmes — éloignait le drame. (Il était rare qu'Edma cherchât à éviter un drame.)

— Nous vous avons cherchés partout, dit-elle d'une voix de tête qu'elle voulait pour une fois délibérément mondaine, espérant ainsi banaliser leur course et leur quête inutile à Capri.

— Ouais, ouais... Où étiez-vous donc? dit Simon d'un air goguenard et faussement sévère — un air bonasse en fait — et qui, lui aussi, tentait de dédramatiser les choses.

— Nous avons erré au hasard, dit Olga d'une voix atone, impersonnelle, d'une indifférence poussée à un tel point qu'Edma ressentit une violente envie de gifler tout à coup, et une fois de plus, cette féroce pimbêche.

Et en détournant les yeux, elle croisa le regard de la Doriacci, y lut le même désir, également refréné, et se sentit tout à coup une bouffée d'affection pour la Diva. Au moins celle-là se tenait bien : elle avait envie de chair fraîche, elle la prenait, sans faire de bruit ni de grimaces ; et là, allongée sur son fauteuil, l'air repu et content de l'être, le visage épanoui, amène, elle semblait dix fois plus jeune et naïve, dans ses cinquante-cinq ans, que la petite Olga avec ses vingt-six ans dont elle était fière et dont, comme d'une vertu, elle accablait le malheureux Simon.

— Julien Peyrat n'est pas avec vous? dit tout à coup Éric d'un ton soupçonneux, très inattendu, trouva Edma. Je ne l'ai pas vu à Capri, je croyais qu'il vous escortait? demanda-t-il impérativement à Edma qui ne lui répondit pas, les yeux toujours fixés devant elle. Je croyais qu'il

vous escortait? reprit-il avec véhémence cette fois, et Charley
s'interposa, tout à coup inquiet.

— Mais non, dit-il, Edma avait Simon et moi-même comme
chevaliers servants... Edma... Mme Bautet-Lebrêche, veux-je dire,
reprit-il précipitamment.

— Appelez-moi donc Edma, dit celle-ci d'un ton las, tout au moins
quand M. Bautet-Lebrêche n'est pas là, ajouta-t-elle avec dérision.

Et elle se mit à rire. Charley hennit derrière elle, mais leurs rires
n'eurent pas d'écho.

— Peyrat est resté sur le bateau, donc, marmonna Éric.

— Il a dû tenir la jambe à Kreuze, dit Charley obligeamment.

— Ah, çà! il n'a pas dû s'ennuyer, dit Edma.

Et pour la première fois elle jeta à Éric un regard aigu, bien en face,
un regard qui jubilait. Cet imbécile de Lethuillier était jaloux de sa
femme, en plus! Maintenant qu'elle y pensait, il se passait sûrement des
choses entre ce charmant Peyrat et cette charmante Clarisse. A force
qu'il n'y ait rien de visible entre eux, il finissait par y avoir quelque
chose d'évident... Elle s'étonnait de ne pas y avoir pensé plus tôt! Éric
soutint son regard un instant avec un sentiment qui ressemblait à de la
haine dans les yeux, puis il battit des paupières et se leva brusquement.

— Je reviens, dit-il, à l'intention d'on ne savait trop qui.

Et il partit à grands pas, s'éloignant du cercle. Et très vite on ne vit
plus que la tache claire de son chandail qui disparaissait sur le pont...

Simon Béjard avait renversé la tête en arrière. Il semblait flotter vers
d'autres rivages et effectivement il flottait entre deux vodkas, d'une part,
et deux attitudes, d'autre part. Un, se lever, prendre l'air énergique et
tirer Olga par le bras jusqu'à la cabine, qui était la solution numéro un,
celle des films de metteurs en scène dits virils; deux, prendre l'air
indifférent, proposer un gin-rummy (pourquoi pas?) et parler d'autre
chose, qui était la solution numéro deux, celle des films de metteurs en
scène dits modernes. Sa solution à lui, Simon, dans son cinéma
personnel, et sans succès, était de rester dans ce fauteuil à l'abri. A l'abri
d'Edma et de Charley, à l'abri de sa bouteille de vodka qui n'était pas
encore vide, et de s'enivrer jusqu'au petit matin, jusqu'au soleil de midi
même. Il ne voulait pas, il ne pouvait pas affronter Olga seul à seule,
dans cette pièce étroite, nantie d'un hublot, cette petite cabine luxueuse
où il se sentait si mal finalement, depuis le départ. Car cela voudrait dire
affronter une scène et s'entendre dire des choses cruelles (qu'il devinait
cruelles), ou bien ne pas poser de questions, ne rien demander, et
affronter un mépris silencieux, grandissant et injuste, qui, il le savait,
constituerait une sorte de dette de sa part. C'était bien le comble que
d'être trompé et de pratiquement devoir s'en excuser... C'était pourtant
là où il en était arrivé, il s'en rendit compte tout à coup avec terreur. Car

les deux autres solutions, les solutions «normales» qui consistaient à flanquer une raclée à cette garce, à en exiger des excuses et des promesses, ou plus simplement à la débarquer ou descendre lui-même à la prochaine escale, sans autre forme de procès, ces deux autres solutions-là, les seules «convenables» aussi pour un homme, lui étaient déjà interdites. Il ne supportait pas l'idée de cette croisière sans Olga; ni même des jours à venir sans la queue de cheval d'Olga, son corps mince et hâlé, ses gestes brusques, sa voix étudiée, sa tension, et ce visage enfantin qu'elle lui montrait en dormant, ce visage qui était, en somme, la seule chose qu'il puisse aimer vraiment chez elle et la seule chose dont elle ne fût pas responsable. Simon Béjard eut l'impression que le pont s'ouvrait sous ses pieds, comme dans un livre, une sorte de nausée lui emplit la gorge, mit de la sueur à son front; et il admit enfin qu'il était amoureux pour de bon de cette petite garce qui ne l'aimait pas. Il ferma les yeux et eut une seconde un visage douloureux, terrorisé, qui lui donna l'air beaucoup plus jeune et beaucoup plus digne que d'habitude. Et une fois de plus, il n'y eut qu'Edma pour surprendre ce visage et pour s'en étonner. Instinctivement elle tendit la main dans le demi-jour et tapota le bras du fauteuil de Simon à côté de son bras, suffisamment près pour qu'il le sentît. Et il tourna la tête vers elle avec le regard d'un noyé, un noyé rouquin et écarlate, un rouquin ridiculement cramoisi et malheureux qui s'attacha définitivement ce qui restait de cœur à l'élégante Edma Bautet-Lebrêche.

Clarisse dormait. Éric était entré silencieusement dans la chambre, le visage dur, pris d'une colère aveugle contre il ne savait quoi, une rage sans aucun rapport avec l'ennuyeux mais bref intermède qu'avait été sa soirée avec Olga. Tout au moins aurait-il dû éprouver un plaisir d'orgueil de cette soirée, mais il ne lui restait rien qu'un sentiment obscur d'avoir été blousé. Mais par qui? Il aurait aimé que ce fût par cette femme endormie, qu'il en eût la preuve flagrante en rentrant dans cette cabine: il aurait aimé la trouver dans les bras de ce Peyrat et avoir ainsi un prétexte pour la frapper, l'insulter, lui faire payer ces trois heures assommantes et triviales, pour lui faire payer la promiscuité de ce taxi avec cette fille en chasse, pour lui faire payer la foule vulgaire sur cette Piazzetta, le sourire entendu du concierge de l'hôtel et son obséquiosité complaisante, pour lui faire payer le contact de ce corps étranger contre le sien, les petits cris et les petits soubresauts simulés de cette débile dans ses bras, pour lui faire payer ce chianti sirupeux et interminable qu'il avait dû boire, après, pour fêter ça. A la fois il aurait aimé la trouver dans les bras de ce Peyrat en effet, et à la fois il ne l'aurait pas supporté. Éric restait immobile devant la couchette et devant le corps endormi de Clarisse. Il ne voyait que ses cheveux fauves sur l'oreiller. Il ne verrait jamais d'elle autre chose que ça: des cheveux sur un oreiller qui cachait un visage qu'il ne verrait plus jamais. Elle lui avait échappé. Elle lui avait échappé, et il ne savait pas pourquoi ni comment il en était sûr. En même temps, il refoulait cette idée, il la rejetait comme un fantasme, comme un non-sens, comme une impossibilité totale. C'était sa femme, Clarisse, qu'il avait depuis longtemps réduite à sa merci, et cela ne changerait pas tant qu'il serait vivant.

Il tourna les talons brusquement et sortit en claquant la porte. Ainsi, quand il rentrerait, elle serait réveillée et à même de constater sur son visage toutes les traces de ses délices amoureuses avec Olga. Il lui semblait n'être resté qu'une minute au chevet de Clarisse, mais quand il remonta sur le pont, ce dernier était vide. Il ne vit qu'Ellédocq, sanglé dans son blazer bleu marine, et qui remettait d'un air solennel la chaîne de la passerelle. Le capitaine tourna vers lui un visage satisfait.

— Tout le monde est rentré à bord, dit-il. Nous repartons.

Et il jeta un coup d'œil meurtrier vers Capri et ses feux, vers ce lieu de perdition, un coup d'œil qui en d'autres circonstances aurait peut-être fait sourire Éric.

ARMAND BAUTET-LEBRÊCHE était encore réveillé, hélas! quand Edma regagna la cabine conjugale. Il ne s'endormait pas avant cinq heures du matin et se réveillait à neuf heures, aussi frais que puisse être un jeune vieillard plus très jeune. Il jeta un coup d'œil froid vers Edma, décoiffée et un peu ivre, sembla-t-il à Armand qui détestait cet état chez les femmes en général, et plus spécialement chez la sienne. Or, ce n'est pas son air réprobateur qui attira l'attention d'Edma mais, bizarrement, son torse. Armand Bautet-Lebrêche portait un pyjama de soie rayée acheté chez Charvet, au col russe un peu large, et qui lui donnait l'air plus que jamais d'un oiseau déplumé. Les quelques poils follets et gris oubliés sur sa poitrine par la nature semblèrent tout à coup obscènes, littéralement, à Edma, et machinalement elle marcha vers lui. Et bien qu'il fût couché, c'est-à-dire, d'après leur règlement, intouchable, elle lui ferma son col autour du cou et lui tapota l'épaule. Armand lui jeta un regard indigné.

— Pardon... dit-elle entre ses dents (ne sachant pas trop de quoi elle s'excusait d'ailleurs, mais vaguement coupable quand même). Vous ne dormiez pas? reprit-elle.

— Non. Ai-je l'air de dormir?

«A question idiote, réponse idiote», pensa méchamment Armand. Lui-même ne savait pas pourquoi le geste d'Edma l'avait tellement agacé. En réalité, on eût tout à fait surpris l'un et l'autre en leur disant que l'origine de cette colère et de ce remords également confus était une infraction aux règles millénaires du chat couché. En attendant, Armand était de mauvaise humeur, et il ne manquait plus que ça, songea Edma en s'asseyant sur sa couchette, les bras ballants. Cette soirée avait été infernale.

— Quelle soirée! dit-elle dans la direction d'Armand de nouveau enfoui dans ses blocs-notes et ses journaux financiers qui recouvraient le lit, et peu à peu la cabine entière. Quelle soirée... répéta-t-elle plus lentement et sans entrain.

Elle répugnait à se déshabiller, à se démaquiller surtout. Elle avait peur de se trouver vieille dans cette glace cruelle, surchargée d'acajou. En fait, elle avait joué le second rôle toute la soirée et ne pouvait s'empêcher d'y penser. Bien sûr, elle était le noyau de ses petits groupes, comme on le lui disait, mais elle n'en était plus la pulpe. De surcroît, ce soir, elle avait joué les confidentes, les dames d'œuvres, la figuration, quoi : elle en était arrivée là...! Et de fait, comparés à ses rôles habituels de boutefeu ou de chroniqueuse féroce, les nouveaux rôles que lui suggérait sa nouvelle bonté lui apparaissaient bien plats.

— Figurez-vous... dit-elle de sa voix claironnante (qui provoqua un jappement caverneux chez l'exquis Fuchsia, de l'autre côté de la cloison), figurez-vous, reprit-elle beaucoup plus bas, que ce pauvre Simon, et ce pauvre Charley aussi, d'ailleurs...

— Écoutez, dit Armand Bautet-Lebrêche, soyez gentille, ma chérie, épargnez-moi les misérables dépravations de vos... enfin de *nos* compagnons de voyage... Déjà toute la journée, c'est un petit peu trop, non? ajouta-t-il avec un sourire gêné, car Edma, immobile, le regardait d'un drôle d'air.

«Qu'avait-il pu dire de si épouvantable?» Après un petit silence, Edma se leva, se dirigea vers la salle de bains en passant devant lui. «Elle était d'une maigreur tout à fait exagérée», remarqua paisiblement Armand qui, au demeurant, ayant le même médecin que son épouse, savait qu'elle se portait fort bien.

— Finalement... dit la voix d'Edma dans la salle de bains, finalement, à part vos calculs et vos petits comptes, vous ne vous intéressez à personne, n'est-ce pas, Armand?

— Mais si, ma chère, mais si : à vous et à tous nos vrais amis d'ailleurs, bien sûr...

Il n'eut pas de réponse à la sienne, et d'ailleurs il n'en attendait pas. «Questions idiotes, réponses idiotes», songea-t-il encore. Quelle idée avait cette pauvre Edma! Bien entendu, il s'intéressait à autrui! Bien entendu...

Enfin, «c'était étrange à quel point les actions de la Saxer stagnaient depuis quelques semaines...». Il replongea dans ses chiffres, sensés, eux. De toute manière, il n'eût rien compris aux larmes qui hésitaient, tout intriguées d'être là, au coin des yeux d'Edma, de l'autre côté des pattes d'oie.

Il y avait près de quarante ans maintenant qu'Armand tenait ce rôle de vieillard, précoce au début, d'homme qui n'avait jamais été jeune — rôle qui lui avait plu au départ car il l'avait dispensé de tout entrain, de toute agitation frénétique, tout ce qu'il abhorrait; son rôle consistait, semblait-il, uniquement à payer les notes de restaurant ou d'hôtel oubliées par les joyeux drilles. Tâche ingrate, mais dont il s'occupait sans ennui, les moyens de dépenser l'argent ayant toujours paru aussi peu intéressants à Armand qu'étaient palpitants, au contraire, les moyens de le gagner. Ce rôle avait donc duré quelques lustres pour le bonheur de tous, mais il semblait à présent qu'on supportât moins les signes de la vieillesse sur les «déjà vieux», comme lui, que sur les «jamais âgés». Ceux-ci, devenus de vieux fêtards, pouvaient arborer des graisses, des rougeurs, des ballonnements, des débraillés qui ne suscitaient chez sa femme qu'un commentaire attendri du style : «Ah! il paie ses bonnes années... il n'a pas volé ses rides, lui.» En revanche, le moindre gramme en plus chez Armand, ou le moindre tremblement, était interprété comme une déchéance. Il vieillissait, oui, disait-elle, et pourtant ce n'est pas faute d'avoir fait attention... C'est ainsi que cruellement pourchassé toute sa vie par des gens qui le rasaient et qu'il devait entretenir, Armand se retrouvait, quarante années plus tard, comme méprisé des mêmes pour l'avoir fait. Il semblait qu'aucun souvenir joyeux ne fût évoqué par son nom ; à part peut-être quelques enfants fous de sucreries, personne ne souriait à l'énoncé de son patronyme. En revanche, si l'on parlait de Gérard Lepalet ou de Henri Vetzel, ceux qui avaient «brûlé la chandelle par les deux bouts», les fronts se détendaient et une sorte de sympathie reconnaissante tremblait dans la voix de ces dames. Or Armand se demandait, après tout, et après quelques expériences, si les exploits sexuels de ces beaux lions avaient été supérieurs aux siens. Ce genre d'hommes couchaient avec les femmes de leurs amis, tandis que lui couchait avec leurs secrétaires. Ces hommes-là rendaient leurs femmes malheureuses un temps, et lui rendait ces autres jeunes femmes plutôt à l'aise et confortables un autre temps. Il se demandait finalement quel était le mérite qui l'emportait, du premier ou du second. Ce qui choquait Armand, dans ces liaisons mondaines, c'était que la passion y fût mêlée, que ces gamineries provoquaient parfois un divorce chez des couples aux intérêts concordants, que bref, chez ces gens pourtant bien élevés, il faille parler d'amour, là aussi. Bien sûr, la pauvre Edma vieillissait et trouvait moins d'amants, mais c'était là chose classique ; Armand Bautet-Lebrêche ne s'était jamais dit que si Edma se sentait seule au point de le tromper, c'était peut-être parce qu'elle l'était et qu'il n'était pas le dernier artisan de cette solitude.

Dix minutes plus tard, tout le monde dormait sur le *Narcissus*.

JULIEN PEYRAT sortait généralement du sommeil comme d'un naufrage, abasourdi et apeuré, mais cette fois-là il eut l'impression que c'était une jeune et vigoureuse vague qui venait de le déposer, nu, dans ces draps froissés, au soleil éclatant de sa cabine, un soleil qui entrait à flots par le hublot, qui lui léchait les yeux en les lui ouvrant et qui, avant même de lui dire où il était, ni qui il était, lui déclarait, avant toute autre information, qu'il était heureux. «Heureux... je suis heureux», se répétait-il les yeux fermés, encore ignorant des raisons de ce bonheur mais déjà prêt à s'y abandonner. Et il se refusait à les rouvrir à présent, comme si ce beau bonheur involontaire eût été captif de ses paupières, et prêt à s'en enfuir. Il avait bien le temps : «On ferme les yeux des morts avec douceur, et c'est aussi avec douceur qu'il faut ouvrir les yeux des vivants.» D'où cela venait-il...? Ah oui! c'était une phrase de Cocteau découverte dans un livre, vingt ans plus tôt, un livre lui-même découvert dans un train vide... Et Julien crut encore sentir l'odeur grise de ce train, et il crut même revoir la photo plate du grand pic neigeux qui lui faisait face dans ce wagon désert, et il crut revoir la phrase de Cocteau et ces signes noirs sur la page blanche. Encore aujourd'hui, de belles phrases ronronnantes, et qu'il croyait oubliées depuis longtemps, surgissaient ainsi à l'improviste dans sa mémoire. Et Julien, peu sûr de sa dernière adresse, trouvait quelque chose de miraculeux à se découvrir propriétaire sans le savoir : propriétaire de longues tirades raciniennes faussement paisibles dans leur délié musical, propriétaire de formules étincelantes d'esprit, de sentences involontairement concises de fond grâce à la concision — voulue, celle-ci — de leur forme, propriétaire de mille poèmes mélangés. Dans le bric-à-brac débordé et résigné de sa mémoire, il s'était entassé une provision de paysages immobiles dans leur banalité, de musiques militaires, de refrains entraînants et vulgaires, d'odeurs presque toutes dérobées à l'enfance, de plans de vie figée, comme ceux d'un film. C'était un kaléidoscope ingouvernable qui défilait sous ses paupières à présent, et Julien, patient avec sa propre mémoire, attendait sans bouger que le visage de Clarisse, revenu dans sa mémoire sensible, voulût bien aussi revenir dans sa mémoire visuelle.

Les visages des deux autres femmes surgirent d'abord. Et c'étaient des visages pâles, méfiants, comme informés de leur disgrâce toute récente. Puis ce fut Andréas, échevelé, de profil sur le ciel, qui s'incrusta sans raison et qui fut suivi d'un chien jaune, allongé sur le port, au départ de Cannes. Enfin vinrent deux pianos, tête-bêche, irreconnaissables ceux-là, et dont Julien ne chercha pas à retrouver l'origine. .Il savait bien qu'il y avait en fait quelques faux aussi, parmi ses souvenirs, et que de fausses images étaient mêlées aux vraies. Il ne cherchait plus depuis longtemps à reconnaître cette rivière de Chine, où il n'avait jamais été, ni cette vieille dame rieuse qu'il n'avait jamais vue, ni même ce calme port nordique, pourtant si familiers et si entêtés tous les trois dans leurs apparitions. Non, il ne reconnaissait ni cette rivière ni cette femme... Et non, il n'avait jamais mis les pieds dans ce port dont il pouvait pourtant sentir l'odeur, et même la décrire avec des adjectifs précis. Ces souvenirs-là, ces flashes-là, mêlés comme des chiens sans collier avec ses vrais souvenirs, les vécus, avaient dû appartenir un jour à quelqu'un d'autre, à quelqu'un qui était mort... Et jetées hors de leur coquille naturelle, hors de cette chose pourrissante à présent, et fondue dans la terre, ces pauvres images cherchaient un maître, une mémoire et un refuge. Pas toutes, d'ailleurs. Parfois certaines d'entre elles volaient, à peine entrevues, sans doute vers une autre mémoire plus accueillante, et il ne les revoyait pas. Mais le plus souvent, lui semblait-il, elles s'incrustaient désespérément, revenaient des années entières, tentaient de se confondre avec les souvenirs réels, les légaux : en vain. Ce port inconnu mais brûlant de se faire reconnaître finirait sans doute par lâcher prise un jour... Il repartirait dans le noir se heurter à d'autres consciences éclairées — et closes, puisque vivantes —, il essaierait en vain de se glisser sous d'autres paupières. Il repartirait une fois de plus assaillir quelqu'un de son charme, de sa nostalgie... A moins que Julien, bon prince, ne décidât un jour, par la grâce de son imagination, de caser son pauvre port arbitrairement dans un vieux film de son enfance, ou dans un livre de classe, et ne se persuadât ainsi de l'authenticité de cet usurpateur.

Enfin le visage de Clarisse surgit devant lui, souriant dans le noir, et, tout à coup extrêmement précis, s'immobilisa devant lui, longtemps. Assez longtemps pour qu'il puisse détailler les yeux clairs et allongés, des yeux effrayés et voluptueux, l'arête droite du nez et la pommette saillante dans la lumière du bar, et le dessin de la bouche dessous, rouge sous son fard, puis rose, presque beige, après leur baiser. Et Julien sentit tout à coup le contact exact de cette bouche sous la sienne, si précisément qu'il sursauta et rouvrit les yeux. Le visage de Clarisse disparut, bousculé par l'apparition d'une cabine d'acajou, d'un drap blanc et de cuivres étincelants au soleil : un soleil très haut, très arrogant, et dont un hublot laissé ouvert la veille, épuisé, battant au vent du matin, tentait encore vainement d'intercepter l'éclat. Un soleil qui ramenait Julien au jour, au jeu et au cynisme : comme pour compenser les effets de cette sentimentalité débordante qu'il ne se connaissait pas, ou plus,

Julien Peyrat ouvrit son armoire, en tira le faux Marquet qu'il accrocha sur la cloison à la place de la goélette *Drake's Dream* qui la décorait jusque-là. Il était temps de fourguer son chef-d'œuvre à un gogo et d'être un petit peu retors, même si inconsciemment il en dépensait déjà le prix en cadeaux pour Clarisse.

Après quelques instants de contemplation, il le décrocha et le remit soigneusement entre deux chemises, enveloppé de papier journal.

Clarisse, elle, se réveilla épouvantée, honteuse et décidée à tout oublier de la soirée de la veille.

DANS la petite aube bleu pâle de Capri, un ciel d'un bleu tellement pâle que les premiers, les prudents rayons du soleil semblaient jaune vif, Simon n'avait pas eu trop de mal à simuler l'ivresse la plus totale pour regagner sa cabine, comme il comptait d'ailleurs simuler la migraine la plus forte en s'éveillant. La première partie de son plan se passa fort bien : il fut mis au lit par Charley, Edma, Olga. Il fut même bordé et voué par eux aux plus doux rêves. Olga par la suite tenta bien de le réveiller, mais en vain. Simon avait poussé des ronflements si brutaux, si tonitruants, qu'elle y avait renoncé. Mais là, au réveil de midi, il aurait du mal, il le sentait bien, à échapper à cette grande scène des aveux que lui mijotait Olga depuis l'escale. Et ce serait une catastrophe que cette explication ! Une catastrophe pour lui, bien qu'il fût le défendeur, le plaignant, l'homme trompé. Car ou bien Olga, debout, prendrait l'air vertueux, douloureux et digne, nierait toute trahison, ce qui lui permettrait les cris de paon de la dignité colérique ; ou bien plutôt, assise, elle aurait en main sa tasse de café et lui raconterait avec tous les détails, d'une voix monocorde, les charmes de sa nuit adultère. Elle emploierait des mots très simples, délibérément, des mots «crus et naturels», des sortes de borborygmes coupés d'hésitations «adolescentes», genre «Euh... euh... Ben... Oh! là là...», qui étaient alors censées être le reflet de la jeunesse et son langage, censés être la vérité de l'époque, et qui étaient effectivement devenus un langage commun à beaucoup de cinéastes, de comédiens, de journalistes, et même d'écrivains, tous plutôt mûrs d'ailleurs. Simon voulait éviter ça ; il ne voulait pas savoir officiellement ce qu'il savait déjà, sensiblement. Ce n'était pas, comme le croyait Olga, un refus de sa vanité, de sa susceptibilité virile : c'était tout bonnement pour ne pas souffrir, pour ne pas avoir à imaginer, placer, voir Olga dans les bras d'un autre homme. Mais ces raisons-là pour refuser ces aveux si doux au cœur d'Olga, semblait-il, il ne fallait pas qu'elle les sache. Car si elle le savait épris d'elle, elle le piétinerait avec un bonheur sans mélange. Et déjà c'était assez extravagant pour Simon, la manière dont il souffrait sur cette couchette dure, aux draps trop tirés, et sur laquelle il gisait à plat ventre, la tête dans l'oreiller comme quand il avait douze ans. Il avait l'impression que son cœur s'alourdissait de sang malgré les espèces de ponctions qu'y faisaient certaines images, certains désirs, là aussi à propos d'une femme qui était alors une petite fille de son âge avec des tresses. Il s'était bien cru à l'abri de ça depuis vingt ans; sa vie sentimentale avait été tellement subordonnée à sa vie matérielle... Il ne lui restait rien à perdre, même pour un fol amour, avait-il cru imprudemment, ni les femmes vampires, ni les femmes envahissantes, ni les autobus qu'on attend sous la pluie, ni les chaussures trop petites que l'on doit amortir. Il s'était cru sauvé de tout cela en même temps que des regards condescendants des garçons du *Fouquet's* par son triomphe à Cannes, par son succès. Mais cette servitude-là, allait-il la changer pour une autre dont il n'imaginait même pas en ce moment qu'elle pût être pire?

Tout lui était venu par le succès d'ailleurs. Il avait rencontré Olga à Cannes parce qu'elle y était en tant que comédienne, en tant que valeur montante, et elle l'avait suivi en tant qu'ambitieuse. Elle avait donc un cœur plutôt armé, assez armé en tout cas pour que l'absence de toute sentimentalité chez Simon ne lui soit pas cruelle. Il avait choisi Olga parce qu'elle ressemblait à ses critères esthétiques et parce qu'elle était physiquement trois rangs au-dessus vraiment de toutes celles qui l'avaient précédée. Et après tout, Olga avait été un hasard, un hasard qui était une nécessité, et une de ces nécessités implacables que produisent les passions. Malheureusement pour Simon, c'était dans la peine, la jalousie et la déception que commençait son premier amour, comme il le croyait, oubliant que, depuis vingt ans, il avait offert le mariage à une demi-douzaine de tendres ou odieuses personnes. Toutes ces femmes, il se le rappelait fort bien maintenant, avaient été touchées par ses propositions conjugales et avaient gardé à Simon une sorte d'affection de même style. Mais Olga, il le savait, lui rirait au nez et raconterait cette folie au Tout-Paris du cinéma. Il devait être logique et lucide : Olga ne l'aimait pas. «Pas vraiment, pas encore...», cria une petite voix affolée dans la mécanique bien rodée de l'esprit de Simon. Une petite voix qui se refusait au malheur et qui, à travers tous les échecs, les faillites et les catastrophes matérielles de sa vie aventureuse, lui avait rebattu les oreilles toujours de cette petite phrase imbécile : «Ça va s'arranger.» Et d'ailleurs, souvent, cela s'était arrangé pour lui, presque malgré lui. «La vie décidait tout pour nous», se répétait Simon, les yeux clos, ne sachant pas que c'était lui qui à force d'ambition, de courage et d'enthousiasme avait arrangé les choses. De toute manière, cette fois-ci, ce n'étaient pas le courage, l'enthousiasme ni l'entêtement de Simon qui étaient requis, c'étaient ceux d'Olga.

Cette dernière n'était pas dans son lit quand Simon releva la tête de l'abri du traversin, et il eut un moment d'espoir. Elle avait dû se réveiller avant lui pour une fois, et afin de le laisser dormir était allée prendre son petit déjeuner dans la grande salle. C'était vraiment gentil de sa part, surtout quand on savait, comme Simon, quelles difficultés Olga éprouvait à se lever sans son petit déjeuner. Elle avait du courage, cette fille... c'était vrai. Et de bons sentiments au fond puisqu'ils lui inspiraient la protection de son repos à lui, Simon. Il se réconfortait, se réchauffait à cette idée après ses premières réflexions cruelles. Car le pantalon de toile, le tee-shirt brodé, le minuscule slip et la lourde ceinture aztèque jetés en vrac sur le fauteuil club de la cabine lui avaient fait imaginer les mains d'Éric posées sur ces vêtements, les mains d'Éric les jetant ailleurs avant de se poser sur la peau nue d'Olga. Simon à cette idée avait refermé les yeux et s'était retiré sous ses draps, comme Clarisse dans la cabine voisine. Le fracas d'un verre à dents dégringolant à côté acheva de le réveiller, suivi d'un «Merde!» convaincu. Mais hélas! ce dernier fut suivi d'un «Remerde!» aussi haut mais qui se savait écouté et qui chantait sur la dernière syllabe.

— Simon, dit la voix d'Olga, tu dors?

Il referma les yeux, mais elle répétait «Simon... Simon...» d'une voix de plus en plus claironnante, et elle passa dans la chambre, se pencha sur son lit.

— Simon, dit-elle, réveille-toi... Réveillez-vous, corrigea-t-elle (car elle trouvait très élégant ce vouvoiement entre amants, dont le premier exemple lui avait été donné dans un film de série B qui retraçait les amours de lady Hamilton avec l'amiral Nelson, et Simon, pour lui plaire, s'y essayait aussi). Il faut que je vous parle, dit-elle plus fort et en le secouant un peu d'une main délicate (trop délicate visiblement pour se poser sur le front ou les cheveux de Simon, trop délicate pour supporter' d'autre contact que celui du pyjama).

Ces impressions, ces intuitions féroces à son propre égard glissaient comme des poissons à la surface de l'eau, glissaient dans la conscience de Simon, ne s'y attardaient pas, filaient aussitôt emportées par le grand torrent encore puissant qui était l'optimisme de Simon Béjard.

— Du thé... dit-il d'une voix misérable. Du thé, du thé... j'ai soif... J'ai une migraine... Quelle migraine... dit-il. Mon Dieu...

Il reposa sa tête dans l'oreiller avec une plainte à peine exagérée et où il entrait beaucoup de terreur: Olga s'apprêtait vraiment à lui faire des aveux, une confession complète... Olga devait être grisée. Peut-être même l'avait-elle écrite, cette confession, pendant la nuit... Simon avait retrouvé, deux ou trois fois ainsi, griffonnés sur un cahier, comme des brouillons de leur conversation à venir, brouillons dont il avait d'ailleurs à peine troublé le déroulement, prévu et voulu par Olga ; brouillons où il avait retrouvé aussi dans leur presque intégralité les quelques formules lapidaires et compliquées, bien que plus ou moins simplistes, qu'il avait entendues auparavant de vive voix. Comment ferait-il pour échapper à Olga pendant les sept derniers jours, les seuls jours où la proximité de sa faute en rendait encore l'aveu possible ? Aveu qui plus tard ne s'appliquerait à rien de vil, sinon à un accident banal et vaguement honteux, ou alors à une liaison définitivement engagée et plus difficile, donc, à avouer, à raconter lyriquement. En attendant, elle demandait du thé au téléphone, d'une voix mondaine et sucrée, une nouvelle voix qu'elle étrennait avec le personnel du bateau, remarqua Simon pour la deuxième fois. Elle en faisait trop. Mais il préférait qu'elle en fasse trop que pas assez. Il préférait cet empressement démagogique au détachement « souverain ou agacé » dont à ses yeux elle usait jusque-là avec le personnel — ne regardant même pas en face les garçons ni les maîtres d'hôtel.

— Je vous trouve beaucoup plus aimable avec la valetaille, dit-il quand elle eut raccroché, est-ce que je rêve ?

— Je n'ai jamais été désagréable avec un employé, dit Olga. Bien plus ! je vous le signale, certain ton d'autorité est celui que tout bon domestique reconnaît et apprécie.

— Eh bien, moi, je trouve ça bizarre pour une femme de gauche, dit Simon d'un air distrait. Je trouve ça bizarre de le prendre de haut avec les domestiques, comme vous dites.

Il se sentait héroïque, d'un héroïsme dangereux, mais qui lui éviterait peut-être, grâce à une nouvelle scène, celle des aveux. Olga le regardait en face, l'œil glacé. Puis elle lui sourit lentement, pensivement, la lèvre supérieure un peu relevée comme chaque fois qu'elle était vexée par quelqu'un, et prête à faire du mal à ce quelqu'un, délibérément, même si cet affront avait été involontaire.

— Vous ne comprenez pas, parce que vous n'avez pas été élevé avec du personnel autour de vous, dit-elle de cette voix calme (qu'il connaissait comme étant celle chez Olga de la colère aveugle). Ça ne s'apprend pas, bizarrement, l'aisance avec la domesticité. C'est trop tard, Simon...

Elle lui sourit un peu plus et continua :

— Enfin, pour vous expliquer un peu, ce n'est pas l'homme, l'être humain, que je snobe, c'est sa spécificité de maître d'hôtel, son costume, son attitude obséquieuse ; c'est ça qui me fait honte pour lui, parce qu'il est un homme dessous et un homme qui me vaut sans doute. C'est au seul uniforme que j'adresse mes sarcasmes, vous comprenez ? Pas à l'être humain.

— Moi, oui, dit Simon, je comprends, mais lui ne sait peut-être pas tout ça... Tiens, d'ailleurs voici le thé, dit-il avec entrain (car le steward entrait, et portait sur le lit des corbeilles de croissants, de fruits, des plus agréables à voir). Je meurs de faim, dit Simon joyeusement.

— Moi aussi, je n'ai pas vraiment dîné hier soir. Je n'avais pas faim, il faut dire.

La voix d'Olga pour dire ça était solennelle, d'une solennité disproportionnée à ce jeûne. Le garçon qui les servait avait ouvert les rideaux du hublot et s'apprêtait à disparaître quand Simon, épouvanté, claqua des doigts dans sa direction et rougit aussitôt.

— Oh! pardon... dit-il. Excusez-moi (et il refit le geste en souriant), c'est machinal...

Olga avait détourné la tête d'un air écœuré, peiné, mais le petit steward souriait à Simon.

— Pourriez-vous me rapporter, quand vous en aurez le temps, un grape-fruit pressé? Un grape-fruit frais, si vous en avez.

— Il me faudra peut-être dix minutes, dit le steward avant de sortir. Tout le monde sonne en même temps à cette heure-ci.

— Ça ne fait rien, dit Simon qui se tourna vers Olga et s'étonna ostensiblement de son air courroucé.

— Qu'y a-t-il? Vous en vouliez un aussi? Vous prendrez le mien.

— Non, merci, non, je ne peux pas vous parler devant un steward sans m'interrompre. Je ne peux pas parler devant eux, c'est une habitude d'enfance, et absolue! Mon père ne supportait pas qu'on révélât rien de notre intimité à des inconnus, même familiers.

Simon sentit sa gorge se serrer sous l'emprise d'une pitié nerveuse et inopportune, « cette pauvre Olga dans son peignoir de soie chinoise brodé de petites fleurs et d'oiseaux cramoisis, cette pauvre Olga avec son peignoir de pute parlant comme dans les mauvais romans de gare... ».

— Dix minutes, c'est long de toute façon, dit Simon. Que vouliez-vous me dire?... J'espère que vous n'avez pas de reproches à me faire pour hier soir, enchaîna-t-il rapidement. J'étais tellement ivre que je ne me rappelle rien, mais alors rien de la soirée. Je vous écoute.

Mais il savait bien qu'il fallait du temps à Olga pour sa grande scène du Deux, et qu'elle ne supporterait pas la moindre interruption. Dix minutes... dix malheureuses minutes pour son rôle, c'eût été du gâchis. Simon sifflait comme un merle en se rasant dans la salle de bains, puis laissa la place à Olga qui s'installa devant la glace, et, avec la même technique qu'une vieille maquilleuse de studio, commença à se faire une tête de femme qui avoue. A tout hasard, elle renforça le rouge de la honte à ses pommettes par un fard un peu vif, creusa ses joues, fit retomber ses paupières, se transforma en femme de trente ans, et en femme coupable, en l'espace de vingt minutes. Elle se jeta un dernier coup d'œil dans la glace avant de rentrer dans la chambre, l'air solennel, et de se rendre compte que la chambre était vide et l'homme trompé envolé.

L'homme trompé qui était parti, son chandail sous le bras et ses chaussures à la main, essayait vainement de chausser celles-ci dans la coursive — vainement car le bateau bougeait sous un début de houle. Un mouvement brutal, par une vague plus forte, fit entrer Simon Béjard, à petits pas pressés, les chaussures à la main, titubant et tête baissée, dans la cabine d'Edma et Armand Bautet-Lebrêche, où il fit une entrée fort remarquée, surtout à la fin de sa trajectoire qui l'amena buter sur le lit d'Edma, allongée et stupéfaite, Edma sur laquelle il bascula comme un soudard frénétique, et sous les yeux impuissants d'Armand Bautet-Lebrêche que la même vague efficace avait jeté et coincé sur le porte-valise, replié par le choc autour de ses hanches. Sa stupéfaction fut de courte durée car, du même mouvement souple et déraisonnable, la vague arracha Simon du lit d'Edma Bautet-Lebrêche et l'en éloigna, toujours à petits pas éperdus mais cette fois à reculons. Cela, jusqu'à la coursive où elle le fit accoster de dos, brutalement, tandis qu'elle refermait la porte des Bautet-Lebrêche sur leur intimité maritale un instant dévoilée, avec la même vigueur qu'elle avait mise à la forcer. C'était une vague d'équinoxe, indubitablement, songea confusément Simon.

— C'est votre flirt, naturellement? demanda Armand Bautet-Lebrêche, l'air agacé, à son épouse, la spirituelle Edma Bautet-Lebrêche qui, pour une fois dans sa vie, en resta coite.

Après avoir essayé en vain tous les éléments de son trousseau, c'est-à-dire deux vestes et deux pantalons qui allaient ensemble, plus un complet gris-bleu, Julien, qui se trouvait affreux dans tous (il les avait achetés à la va-vite à Cannes, ne pouvant savoir qu'il allait tomber amoureux pendant le voyage), Julien, donc, désemparé, fit appeler Charley, Charley Bollinger, l'arbitre des élégances — tout au moins sur le *Narcissus*.

— Comment me trouvez-vous, Charley? demanda-t-il avec anxiété, à la vive surprise de Charley dont l'esprit romanesque s'éveilla aussitôt:

— Mais très-très sympathique! dit-il avec chaleur et curiosité — d'un seul coup toutes voiles et toutes antennes dehors —, ravi de recevoir des confidences comme de donner des conseils, oreille ou oracle, prêt à toute scène qui lui laissait un rôle, même périlleux.

Il s'imaginait le soir jouant au gin-rummy avec Éric Lethuillier, stoïque, sans même un battement de cils malgré le bruit léger, le

clapotement du canot de sauvetage s'éloignant dans la nuit à force de
rames, menant au bonheur Clarisse Lethuillier et Julien Peyrat. Il
abrégea donc ces compliments inutiles :
— Très-très charmant, très sympathique, cher... cher monsieur !...
— Cher Julien, dit celui-ci. Non, je voulais dire : comment me
trouvez-vous physiquement ?

Là, Charley resta pantois un instant et fut saisi, un instant aussi, d'un
espoir extravagant : puisque Andréas ne le regardait même pas, puisqu'il
ignorait l'existence même de son amour, peut-être était-il possible de
voir Charley consolé par Julien Peyrat... Non, impensable. Ce Julien
Peyrat était un vrai cinglé, mais un vrai mâle... Cela dit, c'était
dommage... très dommage. Il rougit un peu en répondant :
— Vous voulez dire, aux yeux d'un homme, ou d'une femme ?
— D'une femme, bien sûr, dit Julien innocemment. (Et le fantôme de
l'espoir chez Charley disparut complètement.) Croyez-vous qu'une
femme puisse s'éprendre d'un type habillé à la fois sport et triste comme
moi ? J'ai l'air d'un demi-sel de Bruges.
— Ça, dit Charley, vous êtes très, très «mixed» au point de vue
vestimentaire, mon cher Julien. Voyons, quel gâchis !... Avec ce
physique de reître, de reître aimable en plus !... Voyons un peu cette
garde-robe... Si, si... mettez-moi tout ça, je veux tout voir sur vous...

Julien passa ses trois tenues en maugréant contre lui-même et ses
coquetteries ridicules. Il revint après le troisième tableau en peignoir de
bain, et regarda Charley qui était resté impassible pendant ce défilé.
— Alors ?
— Alors, c'est ce maillot de bain qui vous va le mieux ! Vous êtes
plus naturel, ha, ha, ha... (il avait un rire pointu, un rire de ferraille qui
donna brusquement envie à Julien de lui mettre la tête en bas comme
une tirelire). C'est rigolo, Julien, continua-t-il, vous ne vous en rendez
pas compte sûrement, mais vous changez de tête selon votre vestiaire :
vous prenez l'air snob avec le complet gris, l'air voyou avec le polo
— un voyou sportif et bien élevé, bien pieux, c'est vrai. Avec votre
pantalon de velours et votre malheureuse, votre agonisante veste de
tweed, en revanche, vous prenez l'air arrogant, calme, très-très anglais
titré ! Il ne vous manque qu'une pipe et un chien de chasse... C'est
inconscient ?
— Tout à fait, dit Julien, vexé.

Et c'est à peine s'il remercia Charley avant de cingler vers la piscine.
Un bain froid, espérait-il, le réveillerait un peu de sa bêtise et de ses
rêveries de collégien.

Il crawla trois minutes — son maximum — mais il était dans le petit
bain, avec de l'eau à mi-mollets et un peu grelottant, quand Clarisse
arriva. Il se sentait minable, hérissé de chair de poule, les pieds dans

l'eau. Quand elle vint vers lui en pataugeant à son tour et qu'elle lui tendit la main, les yeux détournés, l'air digne, mais elle aussi dans l'eau à mi-mollets, Julien se sentit mieux, plus à égalité. Il lui lança un sourire furtif et rassuré quand même, car Clarisse, démaquillée pour la piscine, était bien la même femme que la veille.

— Quand puis-je vous voir ? dit Julien à voix basse (car les Bautet-Lebrêche venaient d'arriver au bord de la piscine et déployaient des kilomètres de tissu éponge, des litres d'huile solaire, des livres, des cigarettes, des petits oreillers, des écrans argentés, des revues, des citronnades, tout un fourbi extravagant sous lequel pliait le pauvre Armand, d'autant plus injustement que pour sa part il ne profitait du soleil que sous un parasol et à l'abri du bar). Edma leur fit un signe de la main et un petit sourire complice qui paracheva la terreur de Clarisse.

— Il ne faut plus nous revoir, dit-elle très vite. Il ne faut pas. Il ne faut plus nous revoir, Julien, je vous assure...

Comme si lui, Julien, pouvait à présent passer près d'elle et ne plus l'embrasser. Ou se réveiller sans son image sur la table de nuit ! Comme s'il allait la laisser aux mains de ce butor qui la faisait souffrir, comme s'il était vraiment un bon à rien, un jean-foutre, un incapable... Ah ! il était temps qu'il vende ce Marquet pour qu'il puisse prendre la fuite avec elle... Il imaginait très, très bien Clarisse aux courses, et même Clarisse avec ses copains des courses. Il l'imaginait partout où il avait coutume de se rendre... Il n'imaginait même plus ces endroits sans elle...

— Mais, dit-il avec une gaieté qui ne portait pas à le croire, mais je vous aime, Clarisse.

Et comme s'il se rendait compte de ce divorce entre ses paroles et sa voix, il lui prit le poignet dans ses doigts, le tint fermement, mais de l'autre main lui lissa les cheveux d'un geste paternel.

— Je dis ça en riant, ajouta-t-il à voix basse, parce que je suis heureux... ça me rend heureux. C'est fou, je vous aime : cette idée me rend heureux... Pas vous ?

Il avait son regard de cocker et la main de la même température que celle de Clarisse. Il avait le même contact et la même texture de peau, aussi elle eut bien du mal à lui répondre que non, elle n'aimait pas l'idée d'aimer. Que non, elle ne voulait pas l'aimer. Que non, aimer la rendait malheureuse...

— Vous n'avez jamais été heureuse et amoureuse à la fois ? dit Julien, indigné. Mais justement, il faut que ça vous arrive...

Mais Clarisse n'eut pas à répondre. La voix d'Edma s'élevait comme une sirène au-dessus de leurs têtes :

— Si nous dansions un peu ce soir à Syracuse ? disait-elle. Après le récital, un peu de danse nous dégourdirait les jambes... Il doit bien y avoir de vieux disques charmants sur ce bateau, non ? (Elle respira à fond.) CHARLEY! hurla-t-elle (ce qui remit tous les nageurs à la verticale et tous les journaux à l'horizontale), CHARLEY! HOU-HOU!... reprit-elle d'une voix suraiguë avant d'expliquer à Julien et Clarisse encore saisis : Charley n'est jamais bien loin...

Et, en effet, en même temps que les deux barmen arrachés à leur sieste s'ébrouaient, Charley arriva en courant, de son petit galop dansant sur la pointe des pieds, les deux coudes éloignés du corps comme un balancier, le souffle court.

— Mais qu'y a-t-il? dit-il, freinant à mort sur le bord glissant de la piscine et s'arrêtant par miracle aux pieds d'Edma.

— Nous adorerions danser ce soir, mon Charley joli, pour nous dégourdir les jambes après le récital!... N'est-ce pas? ajouta-t-elle vers Julien et Clarisse qui machinalement hochèrent la tête en signe d'approbation. Mon petit Charley, où sont les disques et le pick-up?

Elle avait l'habitude décidément bien ancrée de s'approprier le bateau comme un hôtel ou un train, et d'utiliser le «nous» même en dehors de chez elle.

— J'y vais, dit Charley. Quelle chance, ces danses. Nous avions ouvert le bal au début de la Croisière, mais pendant quelques années la moyenne d'âge était si élevée que...

— Oui, oui! mais cette année, elle a sensiblement diminué, dit Edma avec entrain. Vous ne le nierez pas : Armand et moi sommes parmi les plus vieux... Alors qui pourrait être vexé? A part le Yéti du bord, bien entendu... Qu'en pensez-vous mes enfants?... lança-t-elle de nouveau vers Clarisse et Julien. oubliant qu'elle avait déjà utilisé leur approbation.

— Mais c'est une très bonne idée, dit Julien que la possibilité de tenir Clarisse dans ses bras cinq minutes où que ce soit enthousiasmait.

— Ma chère Clarisse, dit Edma en agitant sa revue, savez-vous que quatre-vingts pour cent des femmes actuelles, vous et moi, sont pour la sexualité matinale de préférence à la vespérale?... C'est inouï ce qu'on lit dans les journaux...

— Oui, mais, dit Julien, vous connaissez quelqu'un qui ait déjà été sondé, vous? Moi pas. Nulle part.

— Tiens, c'est vrai, dit Edma, interloquée et le montrant en jetant des yeux angoissés mais résolus sur ses voisins. Qui sont donc ces sondés?... On dirait un air de cha-cha-cha, ajouta-t-elle en chantonnant «Qui sont donc ces sondés?».

— A mon avis, dit Julien, ce sont de pauvres gens. Ils vivent dans les grottes de Fontainebleau, comme des troglodytes. On les a parqués là pour qu'ils aient, eux au moins, le temps de lire tous les journaux. Ils ont des peaux de bêtes, des massues, et de temps en temps on leur demande leur avis : s'ils (les hommes) préfèrent l'élection européenne au suffrage universel, ou si elles (les femmes) savent si elles ont déjà eu lieu?

Edma et Clarisse se mirent à rire.

— A moins que ce ne soit une charge héréditaire, dit Clarisse. On naît sondé de père en fils peut-être comme on naît notaire !

Elle était debout dans le petit bassin et s'accoudait au rebord de la piscine, la tête sur la paume de la main comme dans un salon. Elle était belle, cocasse et désarmée, pensa Julien dans un grand mouvement de tendresse — qui dut se voir sur son visage car Clarisse se troubla, rougit avant de lui rendre son sourire malgré elle. C'est le moment que Simon Béjard, toujours facétieux, jugea propice à son arrivée, et il apparut subitement derrière les cabines, courut et plongea, sans trop de grâce, dans la piscine sous le nez d'Edma, plus éclaboussée qu'éblouie. Quelques gouttes vinrent même jusqu'à *La Vie financière* qu'Armand Bautet-Lebrêche dut abaisser pour la troisième fois. Sans un mot, il se leva et alla se réfugier au troisième rang de transats, à l'abri du ballet nautique de Simon Béjard qui, inconscient, resurgit triomphalement aux pieds de Clarisse. C'est alors qu'il la vit vraiment, la vit démaquillée, et il la regarda un instant avec incrédulité, avant de regarder Julien, puis à nouveau Clarisse, du même air hébété. Il ouvrait la bouche pour exprimer sa stupeur lorsqu'une quinte de toux le secoua, crachant, toussant, hoquetant. Ce pauvre Simon payait cher son hardi plongeon, pensa Julien en lui tapotant le dos avec force.

— Doucement... Doucement, bon Dieu, doucement... dit Simon, redressant son torse vif et maigrichon, malgré un début d'estomac. Dites-moi, Clarisse, vous, il faut rester comme ça, hein ? dit-il en étreignant Clarisse impétueusement. Ça, il le faut ! Je vous engage quand vous voulez, moi. Et comme premier rôle, à tous les coups ! Hein, qu'en dites-vous ?

— C'est très flatteur, mais Olga... disait Clarisse, souriante.

— Je peux produire deux films en même temps, non ? dit Simon.

— Et ma famille ? dit Clarisse.

— Votre mari tient bien une feuille de... euh... enfin un journal, non ? Vous pouvez donc bien être une star, hein ?

— Mais je n'ai rien pour ça, dit Clarisse en riant. Je ne sais pas jouer, je...

— Au théâtre, c'est autre chose, peut-être, mais au cinéma, c'est vite appris. Écoutez, Clarisse, moi, avec votre tête, je me retourne *L'Éternel Retour* ! Hein ?... Hein, Julien ? Qu'en pensez-vous ? Mais pourquoi notre Clarisse se fait-elle cette tête-là, avec ses maquillages ?... C'est criminel !

— Ça, Simon a raison : c'est criminel, dit Edma, s'approchant de la piscine et penchant sur Clarisse un face-à-main imaginaire. Quand on a de si beaux traits et de si beaux yeux...

— Vous voyez ? dit Julien, triomphant. Vous voyez ?

Il s'arrêta net. Il y eut un instant de silence que, pour une fois, Simon

Béjard ne souligna pas de quelques commentaires pesants. Au contraire, il dégagea :

— Je maintiens ma position, dit-il simplement. Je vais vous faire une carrière époustouflante... Enfin !... Ouf ! Une comédienne belle, avec de la branche, c'est exactement ce qui manque au cinéma français ! Parole d'honneur, hein !

— Et Mlle Lamoureux ?... r-o-u-x, pardon, dit Edma. Vous ne lui trouveriez pas de branche, par hasard ?

— Mais je parlais de femmes de trente ans, dit Simon en jetant autour de lui un coup d'œil furtif.

— Mais Mlle Lamouroux, o-u-x, n'a plus huit ans, si ? continuait l'impitoyable Edma. Elle doit approcher de très près la trentaine, elle aussi...

— Elle est bien plus jeune que moi, en tout cas, et bien plus jolie, dit Clarisse sincèrement. Vous n'allez pas nous comparer.

Petit à petit, pour échapper à ces trois regards admiratifs — ou qui faisaient mine de l'être, comme le pensait Clarisse —, elle s'était réfugiée dans le grand bain d'où ne surgissaient plus que sa tête et ses yeux inquiets.

— Oh non ! non... dit Julien avec la même voix tendre, non, nous n'allons pas vous comparer à qui que ce soit. Voyons, faisons un peu la course, non ? Nageons un peu... Simon, en attendant *L'Éternel Retour*, *vous* faites quelques allers-retours avec moi. Je vous défie...

— Allons-y, dit Simon, l'air dégagé — d'autant plus dégagé qu'il ne voyait apparaître nulle part le short plus que court et le buste audacieux de Mlle Lamouroux, Olga.

Au reste, il ne risquait pas le moins du monde d'être entendu de celle-ci. La belle Olga avait fait porter un mot à Éric, qui l'avait retrouvée peu après sur le pont, à la proue, peu fréquentée à cause du vent (ce qui n'arrangeait pas Éric). Leur aventure avait été trop discrète pour qu'il en reste là. Il resta donc accoudé au bastingage et il entendait sans l'écouter le babillage d'Olga qui, comme à son habitude, pérorait avec des changements de tonalité dans la voix des plus subtils.

— Voyez-vous, Éric, j'ai compris grâce à vous que je m'avilissais au contact de Simon... Il pensait m'acheter avec des rôles, de grands rôles, de beaux rôles d'ailleurs, mais grâce à vous, j'ai compris que la vie m'offrait un vrai rôle — elle — bien plus profond... un rôle supérieur à tout et qui exigeait une sincérité totale, lui... Qu'en pensez-vous, Éric ?... Ces questions m'obsèdent depuis hier, dit-elle très lentement, la voix en *fa* dièse et la gravité en *ré* majeur (elle lui cassait les pieds, décidément...).

— Je ne pense rien du tout à ce sujet, dit Éric avec froideur. Je ne connais qu'un métier : le mien. Et là, mon rôle, comme vous dites, consiste justement à dire la vérité — quoi qu'il puisse m'arriver.

— Répondez-moi, *please*, même si votre réponse est dure... (Olga vaticinait à son côté, et sa voix avait sauté une gamme entière dans la vivacité de son interrogation. Le mot «piailler» fut visible dans les yeux d'Éric.) Vous pourriez, vous, vivre en porte-à-faux entre vos ambitions et vos sentiments

— Encore une fois, les deux sont confondus pour moi, dit-il, l'air patient. Mais il me semble que j'en voudrais beaucoup à quelqu'un qui m'empêcherait de concrétiser mes ambitions, mes efforts.

— Même si ce quelqu'un l'exigeait? dit Olga en souriant dans le vide. Et même si vous teniez assez à ce quelqu'un pour lui obéir en tout?...

Ces niaiseries commençaient à exaspérer sérieusement Éric. Qui était ce quelqu'un, d'abord? Lui? Eh bien, elle se trompait rudement, la pauvre Olga... Et Béjard avait dû être trop bon pour elle. Et l'était encore.

— Ça voudrait dire que ce quelqu'un ne vous aime pas vraiment, dit-il sévèrement.

— Ou trop?...

— C'est pareil, dit Éric pour abréger.

Il l'entendit respirer profondément et, après un instant, les yeux baissés, lui dire à voix basse :

— Vous avez des mots, des formules effrayantes de cynisme, Éric... Si on ne vous connaissait pas, on vous croirait terrifiant... Embrassez-moi, Éric, pour vous faire pardonner.

Elle se lova contre lui et il regarda avec dégoût ce visage ravissant, doré, cette peau de pêche, cette bouche bien dessinée. Et il se pencha vers tout cela avec une contraction de tout le corps. Ses lèvres heurtèrent celles d'Olga, qui s'ouvrirent et le happèrent, tandis que, contre lui, un petit gémissement montait de ce corps qui lui était si indifférent. «Mais que faisait-il là?... Et sans le moindre témoin en plus.»

— Venez, dit-il en se rejetant en arrière, venez... On finirait par nous surprendre.

— Alors embrassez-moi encore une fois... dit-elle, levant son visage vers lui, un visage éperdu.

Mais incapable d'un effort supplémentaire, Éric allait refuser lorsque, dans le dos d'Olga, il vit apparaître, drapée dans des volutes de cachemire multicolores, décoiffée et superbe dans le vent, la Doriacci elle-même, suivie de son bel Andréas. Il donna donc à Olga un long baiser, bien plus passionné que le premier, et trouva tout à fait opportun cette fois-ci qu'elle se cramponnât à lui de ses dix bras et de ses dix jambes, et qu'elle miaulât d'extase, d'un miaulement à faire fuir les mouettes.

Il prolongea ce baiser dix secondes de plus pour être sûr d'avoir été bien vu. En effet, quand il releva la tête, la Doriacci à dix pas les regardait fixement. Tandis que, plus discret, son compagnon détournait la tête vers le large.

— Pardon... dit Éric à la Doriacci en repoussant doucement Olga, qui suivit son regard et se détourna vers les nouveaux venus, mais prit, elle, un air de défi. (Depuis l'histoire du « grand veau de vingt-huit ans », elle ne regardait plus la Doriacci en face.) Excusez-nous, dit Éric encore, très droit, nous pensions être seuls.

— Ce n'est pas moi que cela va déranger, dit la Doriacci. Ne vous excusez pas. En tout cas pas auprès de moi.

— Ne croyez pas... commença Olga avec courage et hauteur (du moins le pensait-elle), mais la Doriacci la coupa net.

— Je suis affreusement myope, dit-elle, sur certains sujets. Et Andréas aussi, ajouta-t-elle en regardant le garçon qui hocha la tête, les yeux baissés comme si c'eût été lui le coupable. Je ne vous ai pas vue, mademoiselle Lamouroux, o-u-x, répéta-t-elle, toujours regardant Éric.

— Nous ne vous avons pas vus non plus, dit Olga avec un sifflement hostile.

— Alors ça, c'est vraiment laissé à votre discrétion... dit la Doriacci en riant, de son gros rire de hussard. Vous n'auriez pas une cigarette, Andréas ?

Et elle passa devant eux, docilement suivie par son ombre.

— Mon Dieu, Éric... dit Olga, elle va tout dire, c'est affreux !

Elle prenait l'air au désespoir mais elle était ravie profondément, sans doute plus qu'Éric qui avait l'air furieux et qui gardait les yeux baissés et suivait du regard le couple qui s'éloignait.

— Non, dit-il entre ses dents, elle ne dira rien.

Il était blanc tout à coup, de fureur rentrée.

— La Doriacci est de cette espèce qui ne dit rien. Elle fait partie de ces gens qui sont fiers de ne pas dire, de ne pas faire, de ces gens qui sont orgueilleux de ce qu'ils ne font pas, ne disent pas, etc. Ces gens tolérants, vous savez ? Convenables, discrets : tout le charme perdu de la bourgeoisie libérale... Ce sont eux les plus dangereux d'ailleurs. On pourrait les croire de notre côté.

— Et si on les défie ? demanda Olga.

— Si on les défie, ils restent tolérants quand même, Dieu merci, coupa Éric, et une expression diabolique enlaidit un instant son beau visage.

« C'est en cet instant, chère Fernande, que j'ai deviné la bête sous l'ange... le diable sous le dieu, la faille... Que dis-je ?... Le précipice sous le lac... Est-ce qu'on peut dire un précipice sous un lac?... Et pourquoi pas, d'ailleurs?...»

— Alors, vous venez? dit Éric rudement.

— Tout ça c'est de ma faute, dit Olga, levant vers lui une fois de plus son visage, cette fois-ci bouleversé. (Depuis dix minutes elle jouait en gros plan, *in petto*.) Ce dernier baiser, c'est moi qui l'ai mendié, mais finalement c'est vous qui me l'avez donné.

— Eh oui... Bien, et après...? dit Éric, gêné.

— Voyez-vous, Éric... (La voix d'Olga avait atteint des profondeurs insoupçonnées dans ce frêle corps.) Voyez-vous, je veux bien être insultée, méprisée par la terre tout entière pour ces baisers-là, Éric...

Et elle rouvrit les yeux que sa ferveur avait clos, avec un brave, un beau sourire ému qui disparut aussitôt quand elle vit Éric s'éloigner à grands pas.

— Ils doivent être très embêtés, dit Andréas, les pauvres... Ils doivent avoir une de ces peurs...

— Penses-tu! dit la Doriacci. Ils n'ont qu'une peur : c'est qu'on n'en parle pas, au contraire. Ce Lethuillier ne pense qu'à emmerder sa femme, et la petite qu'à faire souffrir son pauvre nabab.

— Vous croyez ça? dit Andréas, surpris.

Car il n'avait pas, depuis le départ, eu le temps de réfléchir sur qui que ce soit excepté la Doriacci. Il voyait tous les événements au premier degré. Et surpris, il s'arrêta de marcher, mais elle continua, elle, sans paraître y faire attention. Il dut courir, penaud, pour la rattraper. Elle ne faisait absolument pas attention à lui en dehors du lit, et cela humiliait Andréas presque autant que cela le faisait souffrir.

Dans le dos de sa maîtresse, Andréas trébucha avec ostentation et, se tenant le pied d'une main, se raccrocha de l'autre à un extincteur, le visage tendu par la souffrance. Mais la Doriacci ne sembla s'en rendre compte que lorsqu'il poussa un hurlement pour l'alerter, «un véritable cri de loup, même!» pensa-t-elle en se retournant vers ce galopin hypernerveux. Il était sur un pied, il oscillait et se tenait l'autre jambe en faisant des «ouh-ouh», avec tout son beau visage rendu comique par cet excès de souffrance mélodramatique. Le vent lui rabattait les cheveux sur le visage, ses cheveux dorés qui semblaient comme coulés dans un métal très clair et hors de prix, un métal sculpté, mèche par mèche, autour de sa tête si bien dessinée, la tête symbolique d'une race inconnue et dangereuse, la tête indifféremment d'un enfant, d'un petit voyou ou d'un chanteur grégorien. Le corps... Le corps était d'un homme de plaisir, ça c'était vrai. Sur ce point, les pieuses dames de Nevers avaient fort bien compris les vraies charmes d'un jeune homme pour une femme mûre et de bon goût : Andréas était né longiligne et l'était resté ; il n'avait pas acquis ces muscles rebondis de boules dures, ces reliefs de lutteur de foire inévitables au bord des piscines. Dieu merci, il était mince ! Et s'il faisait pour cela un régime, il le faisait en cachette ou en tout cas en avait honte. C'était déjà ça. La Doriacci ne pouvait se rappeler sans un mélange d'hilarité et d'exaspération un certain week-end passé à Oslo — Oslo bloqué par la neige en novembre après *Les Noces siciliennes*. Son compagnon d'un soir, faute de concurrence dans cet hôtel devenu blockhaus, était resté le même tout le séjour : un beau, un très beau petit jeune homme, agile et brun, très délié même pour un garçon de dix-neuf ans, mais insupportable, scandaleux, répugnant par les soins compliqués, les absences d'excès, les prudences, les pudeurs, les abstinences dont il faisait le tissu de sa vie : une vie de régime ; une vie qui, quelle que soit la sécurité qu'il finirait par obtenir définitivement d'un homme ou d'une femme et qui serait peut-être conclue sous le signe écarlate de la débauche, de l'orgie et du meurtre rituel, resterait pour lui, à jamais, une vie d'ascèse et de petites privations ; une vie qui, même s'il se tuait en Bugatti du Washington Bridge, ne l'aurait pas empêché de compter ses poireaux vinaigrette la veille à midi ou d'exiger des maîtres d'hôtel un sucre sans glucose... La Doriacci se secoua devant l'horreur de ces souvenirs, leur atrocité bouffonne, et se mit à rire à haute voix.

— Quand je pense... dit-elle tout haut, j'aurais vraiment pu le tuer !... Quel *cretino*... Quel rat... Mon Dieu, trois jours avec ce voyou qui sentait le lait Nestlé et l'embrocation...

— Mais de qui parlez-vous ?... dit Andréas. Quel lait ?... Mais vous parlez de qui ?... Qu'est-ce qui vous fait rire ?

Et comme elle continuait à rire sans lui répondre, sans méchanceté, mais sans amabilité, Andréas se troubla, se pencha un peu plus dans sa position de martyr, en fit trop, l'énerva, lui inspira même une vague condescendance physique, comme s'il avait eu peur devant elle et ne le lui eût pas caché, comme si elle avait relevé chez lui une trace de féminité un peu écœurante, comme si le côté double qu'elle prêtait à Andréas se fût révélé plus fort.

Elle fit demi-tour carrément vers lui, resté là-bas, appuyé à sa cheminée comme un échassier, et le contempla d'un œil lointain, nouveau, « un œil d'entomologiste », songea Andréas, un œil qui lui aurait fait peur si, tout à coup, rejetant ses foulards en arrière, dégageant ses bras, sa gorge, ses cheveux en même temps que sa chaleur et sa vigoureuse affection, la Doriacci n'avait couru vers lui comme une grosse petite fille maquillée par erreur et ne s'était jetée dans ses bras au risque de tomber — ce qui n'aurait pas manqué de survenir si Andréas s'était vraiment blessé un peu plus tôt.

Plus tard, pensait Andréas, ce serait sûrement cette image-là, cette sensation-là, de cet instant précis qu'il se repasserait obstinément, comme un disque abîmé et parfois tout neuf, mais toujours déchirant par la seule force de sa mémoire. Il se verrait, lui, sur ce grand pont vide, avec les blancs et les gris de ces planches et de cette mer, de cette rambarde et de ce ciel vide à l'ouest, sans soleil quelques secondes ; ce serait cette immensité plate, glissant de l'anthracite au gris perle, glissant d'une nuance à l'autre par touches délicates, alors qu'un vent violent, barbare et trivial faisait claquer les cordes, les lanières de leurs vêtements et de leurs cheveux d'une manière outrée et presque cinématographique : c'était une heure sans lumière, sans ombres ; Andréas avait le visage contre celui de la Doriacci, il mettait son nez froid, son front dans le décolleté chaud, parfumé d'ambre et de tubéreuse, cette peau couverte de soies irréelles et friables sous son visage... Il semblerait toujours à Andréas qu'il avait atteint là une sorte de vision allégorique de sa vie. Lui debout sur un pont battu par le vent, lui terrifié, transi en tant qu'homme, en tant que personnage social, mais aussi comblé en tant qu'enfant tendre et pervers, cramponné et enfoui dans ce refuge, cette chaleur à jamais secourable et familière des femmes, dans le refuge de leurs exigences et de leurs tendresses, le seul qui restait encore possible pour lui, dans cette société et cette éducation.

— Tu es un nigaud, dit soudain la Doriacci en prononçant « nigô », mais avec une douceur qui réconforta aussitôt le nigaud en question.

Il fallait peu de chose pour désorienter et peiner Andréas, mais il en fallait peu aussi pour le consoler.

— Êtes-vous heureuse avec moi ? demanda-t-il avec gravité, assez de gravité en tout cas pour que la Doriacci ne lui rie pas au nez, ce qui aurait été, en vérité, son premier réflexe.

L A PISCINE était redevenue tranquille, soudain, Simon Béjard s'étant rappelé juste à temps ses obligations professionnelles et s'étant précipité, le torse et les pieds nus, vers la malheureuse dame commise à l'office téléphonique sur le *Narcissus*.

Armand Bautet-Lebrêche retrouva donc le silence, Edma son *Vogue*, et Julien retrouva Clarisse, tout au moins physiquement. Car elle ne le regardait pas, restait comme acculée dans le coin de la piscine le plus proche d'Edma, ce qui obligeait Julien, sinon à se taire, du moins à chuchoter et d'un air désinvolte, alors qu'il était en proie à une colère désarmée, presque tendre, une tristesse exaspérée, un sentiment d'impuissance, d'échec, qu'il ne supportait pas, qu'il n'avait jamais supporté. Jusque-là, Julien avait pu changer l'objet de ses passions bien avant d'en changer le ton : il n'avait jamais aimé que des femmes qu'il pouvait rendre heureuses ou qui, en tout cas, le croyaient et qu'il tentait alors de combler. Il avait toujours fui certaines femmes avant qu'elles ne soient obligées elles-mêmes de le faire souffrir, et cela avait été pour lui parfois difficile, mais il l'avait toujours fait à temps. Or là, il savait que Clarisse ne le convaincrait pas de s'enfuir parce que c'était elle qui se trompait réellement sur eux deux comme elle se trompait réellement sur elle-même. Et c'était bien la première fois qu'il considérait comme évident que l'autre ait tort.

— Vous ne pouvez pas dire ça, disait-il, en essayant de sourire du côté d'Edma, mais sentant un rictus des plus affreux retrousser sa lèvre sur ses dents, un rictus à peu près aussi naturel que celui d'un cheval tripoté par un maquignon.

— Je dois vous le dire. Promettez-moi d'oublier. (La voix de Clarisse était essoufflée et suppliante, elle lui demandait grâce, elle avait peur de lui, et Julien n'arrivait pas à comprendre pourquoi elle ne l'envoyait pas au diable tout simplement, pourquoi elle n'arrêtait pas elle-même cette idylle au lieu d'exiger que ce soit lui qui le fasse.)

— Alors pourquoi ne me dites-vous pas de ficher le camp? demandat-il. Dites-moi que je suis odieux, que vous ne me supportez pas, tout ce que vous voulez. Pourquoi voulez-vous que je m'engage, moi, à renoncer à vous? Pourquoi voulez-vous que je consente à être malheureux? et que je vous jure de le rester? C'est idiot!

— Mais c'est parce qu'il le faut, dit Clarisse (elle était pâle, elle était blanche même sous le soleil, elle gardait les yeux baissés, elle souriait mais d'un sourire si artificiel qu'il était plus révélateur qu'une crise de larmes, tout au moins aux yeux d'Edma planquée derrière ses lunettes de soleil et sa revue, et qui les observait tous les deux d'un œil plus attentif, un œil à présent intéressé. Depuis qu'elle connaissait le vrai visage de Clarisse, son regard et son sourire, elle comprenait tout à fait les sentiments de Julien : elle les comprenait même s'ils ne la réjouissaient pas. Bah! elle avait passé l'âge, mais l'âge n'empêchait pas les sentiments. Elle fit de loin à Julien un sourire tendre et complice qu'il ne comprit que plus tard et qui, sur le coup, le fit détourner les yeux avec gêne.

— Clarisse! dit Julien, dites-moi alors que vous ne m'aimez pas du tout, que vous étiez ivre morte, hier soir, que je ne vous plais pas, et que vous vous en voulez de votre erreur; dites-moi que vous avez eu un moment d'égarement, hier, point final. Dites-le-moi et je vous laisserai tranquille.

Elle le regarda une seconde, secoua la tête dans un signe de dénégation, et Julien se sentit un peu honteux. Il l'avait devancée dans sa manœuvre : elle ne pouvait plus à présent se réfugier dans l'alibi de l'ivresse, elle ne pouvait plus utiliser cette échappatoire misérable; elle ne pouvait plus que lui dire qu'il ne lui plaisait pas.

— Ce n'est pas ça, dit-elle, mais je ne suis pas quelqu'un à aimer, je vous assure, vous seriez malheureux aussi. Personne ne m'aime et je n'aime personne, et je le veux ainsi.

— Ça, ça ne vous regarde pas.

Julien se retourna carrément vers elle et se mit à parler très vite, très bas :

— Voyons, Clarisse, vous ne pouvez pas vivre seule ainsi, avec quelqu'un qui ne vous aime pas ! Il vous faut quelqu'un, comme tout le monde, quelqu'un qui soit votre ami, votre enfant, votre mère, votre amant et votre mari, il vous faut quelqu'un qui réponde de vous... quelqu'un qui pense à vous au même moment que vous, et vous, il faut l'aimer et savoir que quelqu'un serait désespéré de votre mort... Mais qu'avez-vous pu faire, continuait-il, pour qu'il vous en veuille à ce point, l'avez-vous tellement trompé ou tellement fait souffrir ? Que s'est-il passé entre vous ? De quoi peut-il vous en vouloir ?... D'être riche ? dit-il tout à coup, et il s'arrêta net, stupéfait de sa propre intuition, puis il se mit à rire.

Il la regarda et d'un air de triomphe et de pitié qui la fit se détourner de lui avec un petit gémissement d'exaspération et de chagrin ; Julien fit un pas vers elle : ils se regardèrent immobiles un instant, pétrifiés de nostalgie, une nostalgie vieille d'un soir, d'une nuit, nostalgie de la main de l'autre, du souffle de l'autre, de sa peau ; tous deux tout à coup coupés de cette piscine bleu-vert, des silhouettes d'Edma, d'Armand et des autres, des mouettes voletant autour d'eux, tous deux incapables de se soustraire à cette faim qui rebondissait de l'un à l'autre et redoublait de force à chaque fois. Il fallait que cette main inutile, près de cette hanche, s'approche de l'autre corps, le tire contre soi, que l'os de la hanche heurte le flanc de l'autre, que le poids naturel d'un corps s'appuie à un autre corps, que cette chose ouverte et déployée dans la gorge de chacun soit comblée, que l'un et l'autre soient conduits à l'extrémité de tout cela, que chacun se porte au secours de l'autre et de son attrait insupportable, que leur présence devienne électrique et irrattrapable, que leur sang épaissi d'ennui devienne anémié comme de l'eau, et qu'ils succombent enfin à la même syncope rouge, fatale, concrète et lyrique, acceptée, voulue, rejetée, attendue, sans ordre. Elle était à un mètre de lui, comme la veille, comme la veille près du bar là-haut, sur ce pont aujourd'hui éclairé et net et froid, et comme hier elle se rappela la main de Julien sur son épaule, et lui la main de Clarisse sur sa nuque, et elle détourna les yeux et Julien se jeta dans l'eau, et nagea vers l'autre bord comme s'il était attaqué par des squales, juste avant que Clarisse ne se retourne face au mur de la piscine et ne s'y plaque, avant de s'y laisser couler, dans une eau si peu profonde qu'elle se retrouva agenouillée et le front appuyé à la margelle, inerte. Et Edma, qui dans son rocking-chair les regardait ne pas faire l'amour, en resta troublée.

— Vous pensez manger ici, dans l'eau ?

Éric s'était accroupi au bord de la piscine et regardait Clarisse d'un air indulgent. Il n'avait pas parlé haut, mais tout le monde les regardait, remarqua-t-il en levant la tête. Tout le monde, c'est-à-dire Edma, Armand, Ellédocq, la Doriacci, Andréas, qui posaient tous sur lui et Clarisse le même regard trop indifférent, un regard qu'il imagina chargé de compassion envers Clarisse, déjà. Allons, son idylle avec Olga n'était pas passée inaperçue. Il fallait à présent qu'il paraisse bon époux, que son adultère paraisse même inévitable, qu'on le plaigne tout autant que Clarisse. Il attrapa une serviette-éponge et la tendit vers Clarisse d'un air protecteur.

— Pourquoi nous privez-vous d'un si charmant spectacle, monsieur Lethuillier ? cria la voix aiguë d'Edma Bautet-Lebrêche.

— Non, non, je sors, dit Clarisse et, en émergeant de l'eau, elle se retourna vers lui et il la vit pour la première fois depuis des années ; il vit son corps demi-nu dans son maillot de bain pourtant chaste, et, surtout, il vit ce visage lavé, complètement dénudé, lui, dépouillé de tous ses fards habituels, ce visage aussi beau qu'indécent, lui semblait-il, et il rougit de fureur et de honte, une honte inexplicable.

— Comment pouvez-vous ? balbutia-t-il d'une voix basse ; et lui posant la serviette sur les épaules, il la frictionna énergiquement, rudement même, puisqu'elle trébucha et murmura : « Voyons, Éric », d'une voix surprise, avant de demander : «Comment puis-je quoi ?», tandis qu'il la lâchait et reculait à grand-peine, les oreilles brûlantes et bourdonnantes dans un air devenu assourdissant et criard à force de mouettes, sans doute affamées.

— Comment pouvez-vous vous baigner par ce vent ? dit-il entre ses dents et en cherchant une cigarette d'une main raide dans son paquet, l'air absorbé par sa tâche, mais trop conscient de la stupidité de sa phrase.

Clarisse, de toute manière, ne pouvait le comprendre, car ce qu'il lui reprochait, c'était de montrer aux autres et à lui-même le visage d'une femme sensée et désirable, une femme enviable, une femme qu'aucun des hommes présents ne pouvait s'abstenir de regarder, et, cette fois, de regarder avec plaisir et non plus avec compassion.

Clarisse restait interdite devant lui, interdite et mortifiée ; les autres, là-bas, s'étaient arrêtés de parler et ils regardaient, sans doute surpris, eux aussi, de la violence de ses gestes. Éric eut alors une idée ; laissant là Clarisse avec un geste fataliste, et incompréhensible pour elle, il se dirigea vers le bar, passa sa commande d'une voix claire, revint vers elle, non sans enregistrer au passage, et sans l'interpréter d'ailleurs, l'expression attentive et presque mal élevée de Julien Peyrat.

— Tenez, dit-il en s'inclinant devant Clarisse, très bas — comme pour bien montrer qu'il était à son service et que son geste répondait à un ordre — en lui tendant le double dry qu'elle n'avait pas commandé.

— Mais je ne vous ai rien demandé, dit-elle, surprise, à voix basse.

Surprise, mais suffisamment tentée pour tendre la main aussitôt vers ce verre, le saisir, et d'un même geste le porter à ses lèvres, en hâte, de crainte qu'Éric ne se ravisât, se repentant de cette dérogation à ses règles, avec une hâte assez évidente, en tout cas, pour choquer les spectateurs, qui se retournèrent et repartirent dans leur discussion, comme Éric put le voir, en tournant vers eux un visage impassible et contraint.

Quand il revint à Clarisse, elle avait absorbé le contenu de son verre, mais elle le regardait à travers son prisme, l'œil calme et inexpressif. Un œil qui, pour une fois, mit quelques secondes à se détourner du sien, avant qu'elle ne reparte drapée dans sa serviette, vers les cabines.

— Vous devriez interdire à votre épouse cet affreux maquillage, dit Edma Bautet-Lebrêche, tandis qu'Éric rejoignait leur groupe et s'installait à son tour dans le carré des transats.

— Je le lui ai dit cent fois, dit-il en souriant.

D'un sourire destiné à cacher sa gêne, pensa Julien qui s'était séché et habillé en trois minutes, et qui n'avait pu s'empêcher de flairer, une fois de plus, la littérature (et une mauvaise littérature) dans le comportement d'Éric : comme si ce dernier eût chaque fois illustré une bande dessinée trop simpliste, ou joué dans un film dit à retournement, le rôle du bon mari. Les attitudes de Lethuillier lui avaient jusque-là paru scolaires et bizarres dans leur côté appliqué, leur banalité psychologique. Mais à présent qu'il connaissait ou pensait en connaître les motifs, Julien se sentait comme atteint, contaminé, par leur côté déplaisant, cruel et faux bon sens. Et il se débattait contre lui-même, contre cette théorie éculée, cette notion primaire d'un argent maléfique, d'un argent toujours coupable, archétype des grandes familles inexorables jusque dans l'hérédité, ce grossier lieu commun d'où était né le fantasme d'Éric — qui avait été aussi un peu le sien. «Les gens riches n'étaient pas comme les autres», avait dit Fitzgerald, et c'était vrai. Lui-même, Julien, n'avait jamais pu avoir d'amis, parmi ces gens richissimes qu'il avait fréquentés et, parfois, dupés jusqu'au vol, ces vingt dernières années. Mais peut-être était-ce le refus d'un remords prématuré qui le prévenait d'avance contre ses victimes et l'empêchait de voir leurs charmes ou leurs vertus.

De toute manière, Éric Lethuillier n'avait pas dupé Clarisse sur le plan financier : de notoriété publique, le succès de son journal lui permettait de verser de gros dividendes à la famille Baron, lui permettait même de faire vivre sa femme dans le luxe qu'elle avait toujours connu. Non, Éric n'avait pas dupé Clarisse sur ce point, il l'avait dupée sur un autre, «un autre beaucoup plus grave», pensait surtout Julien. Il lui avait promis de l'aimer, de la rendre heureuse, et il l'avait méprisée et rendue plus que malheureuse : honteuse d'elle-même. Là était le vol, le préjudice, le crime, l'attentat à la personne humaine, attentat dirigé non contre ses biens, mais contre « son bien ». Le bien qu'elle pensait d'elle-même et qu'il lui avait arraché, la laissant dans le désert, la misère terrible du mépris de soi.

Julien, sans même y penser, s'était levé. Il lui fallait voir Clarisse, tout de suite, la prendre dans ses bras, la convaincre qu'elle pouvait s'aimer elle-même à nouveau, qu'il...

— Où allez-vous, mon petit Julien? s'enquit Edma.

— Je reviens, dit Julien, je vais voir...

— ... qui vous voulez, coupa Edma brutalement, et Julien se rendit compte qu'il avait failli prononcer le nom de Clarisse et qu'Edma l'avait senti.

Il s'inclina bien bas devant elle et, dans la foulée, lui baisa la main, à la surprise générale, avant de s'élancer sur le pont, avec l'agilité et l'adresse du parfait turfiste toujours soucieux d'arriver à temps au pesage, au champ, aux guichets, et soucieux d'éviter les autres turfistes. Julien dévala les coursives, croisa deux stewards à plateau, sauta par-dessus un marin agenouillé sur le pont, en plein nettoyage, doubla Armand Bautet-Lebrêche qui faisait retraite, recru sans doute de soleil et de bavardage, s'effaça devant Olga interloquée et entra sans frapper dans la cabine de Clarisse qu'il prit dans ses bras à l'instant où elle se retournait vers la porte... Porte restée suffisamment ouverte pour qu'Olga, revenue sur ses pas, et immobile, les entendît distinctement.

— Mon chéri, disait Julien, mon pauvre chéri...

— Vous êtes fou, dit la voix de Clarisse, une voix étonnée, craintive, mais bien plus tendre qu'indignée, nota Olga avec intérêt.

Olga partagée entre les joies de l'indiscrétion et un léger agacement devant la semi-absence de victimes à son idylle — du côté d'Éric tout au moins. Eh bien, Simon devrait payer pour deux, pensa-t-elle avec logique. Évidemment, cela compromettait un peu le côté dramatique de son récit à venir, cela supprimait des déchirements à Éric, donc du prix à sa conquête. En revanche, cela lui évitait les réflexions morales et inévitables de Fernande, des reproches qui au fil des « Aventures extraordinaires d'Olga Lamouroux » s'étaient acérés, qui mettaient même en doute à présent sa sensibilité à elle, Olga, et qui la supposaient presque coupable vis-à-vis du troupeau grandissant et douloureux des « autres femmes ». Plusieurs fois, Olga avait senti le risque de passer aux yeux de Fernande du statut enviable de femme fatale à celui, moins reluisant, de petite garce, un peu trop répandu, celui-là. La tendresse contenue dans la voix de Clarisse l'arrangeait finalement fort bien.

— Mon Dieu, Clarisse, disait Julien d'une voix claire et imprudente, je vous aime : vous êtes belle, Clarisse, intelligente et sensible, et douce, vous ne le savez pas? Il faut que vous le sachiez, mon chéri, vous êtes merveilleuse... D'ailleurs, tout le monde le pense sur ce bateau, tous les hommes sont épris de vous... Même ce nigaud d'Andréas, quand il décolle suffisamment sa tête du sein de la Doriacci pour vous voir, prend des yeux de merlan frit, lui aussi... Et même la cruelle Edma des Sucres Cassés... et même la Doriacci qui n'aime que ses bémols vous trouve exquise...

La voix de Clarisse s'éleva et retomba sans qu'Olga puisse distinguer ses paroles.

— Aimez-vous, Clarisse, le monde est à vous! Vous comprenez? Je ne veux plus que vous soyez triste, c'est tout, conclut Julien en relâchant son étreinte et en écartant Clarisse de lui, pour mieux voir l'effet de ses paroles.

Et Clarisse, étourdie mais vaguement réchauffée par la chaleur des mots de Julien, du corps de Julien, et par celle des Dry Martini, Clarisse, nullement convaincue, mais attendrie, releva sa tête, mais, lorsqu'elle rencontra les yeux marron et jaune de son chevalier, ses yeux insouciants et fidèles de chien de chasse, elle vit qu'ils étaient embués, couverts d'une taie liquide qui en multipliait et noyait l'éclat, ce dont il se rendit compte en même temps qu'elle, puisqu'il la reprit contre lui, avec un grognement de colère et quelques explications inintelligibles marmonnées dans ses cheveux odorants et doux, furieux contre lui-même, prêt à s'excuser de cet incident sans réelle signification, ce qu'il croyait à moitié d'ailleurs, dans sa vanité masculine. Il eût très bien compris en ce moment que Clarisse se mette à rire et le plaisanter sur cette sentimentalité ridicule, il eût même trouvé ça très normal, plus que justifié par son ridicule avoué...

— Julien, murmura Clarisse. Oh! Julien, cher Julien...

Et ses lèvres formèrent le nom de Julien sur son cou cinq ou six fois, avant de venir se poser à l'aveuglette sur son visage qu'elles parcoururent du menton aux tempes, qu'elles inondèrent de baisers avides et lents, une pluie de baisers affamés et silencieux, une averse intarissable et tendre sous laquelle Julien sentait son visage s'ouvrir, devenir une terre fertile et bénie, devenir un visage doux et beau, lavé de tout, précieux et périssable, un visage chéri à jamais.

Dans son couloir, Olga n'entendait plus rien, ni l'écho d'un mot ni celui d'un geste, et elle s'en alla dépitée et vaguement jalouse, sans savoir exactement de quoi.

ÉRIC prenait son café et fumait son cigare en compagnie d'Armand Bautet-Lebrêche pourtant réfugié comme d'habitude derrière une petite table inconfortable, son dernier refuge et qu'il avait cru jusque-là inviolable. Assiégé et vaincu, l'empereur du Sucre jetait des regards hostiles à ce bel homme si visiblement de sa classe, ce Lethuillier qui avait quand même le front de s'avouer communiste. Il n'y avait pas le moindre distinguo, la moindre finesse dans les opinions politiques, le choix d'Armand Bautet-Lebrêche, en dépit de toutes les subtilités qu'il pouvait admettre et inventer dans ses affaires financières. En effet, il avait adopté toutes les nouvelles méthodes de lancement de fabrication, de destination, il était même par rapport aux quelques industriels de sa puissance et de son âge reconnu comme le plus audacieux et, comme on disait, l'un des plus ouverts à son temps. Mais cela ne l'aidait pas à connaître en politique d'autres catégories que celles-ci : il y avait les communistes d'un côté, et les gens bien de l'autre.

Bautet-Lebrêche avait d'ailleurs recours à ces simplifications aberrantes dans d'autres domaines, dans tous ceux, en fait, qui avaient résisté aux circuits simplifiés de son cerveau, à cette IBM portative et perfectionnée, installée provisoirement (mais quand même depuis soixante-deux ans et sans doute encore pour quinze ou vingt) sous sa calotte crânienne. Par exemple, dès ses seize ans, comme pour Ellédocq, la gent féminine s'était partagée pour lui, elle aussi, en deux branches : les putains et les femmes bien. Et de même qu'il refusait d'admettre qu'un de ces hommes « bien » puisse aussi être socialiste ou centre gauche, de même refusait-il d'admettre qu'une femme « bien » puisse être aussi tout simplement sensuelle. Ce classement était appliqué partout, à l'exception des femmes de sa famille, bien sûr, vis-à-vis desquelles Armand Bautet-Lebrêche se sentait le devoir, l'obligation la plus sacrée, de se conduire en aveugle, sourd et muet. Il était, par exemple, impossible qu'Armand Bautet-Lebrêche n'ait rien su des écarts adultérins de sa femme, mais il eût été encore plus impossible qu'il y fît la moindre allusion ou qu'il la laissât faire devant lui.

Cette impunité totale avait tout d'abord enchanté, puis, naturellement, agacé, et enfin mortifié Edma. Elle lui avait attribué des causes diverses et extravagantes avant de se rabattre sur une seule, la seule plaisante, l'absence de temps ! Ce pauvre Armand Bautet-Lebrêche avait des horaires si magistralement établis qu'ils lui laissaient le temps d'être indifférent, largement le temps d'être heureux, à la rigueur, mais le temps d'être jaloux, donc malheureux, en aucune façon. Pour en finir avec la classification forcenée d'Armand Bautet-Lebrêche, il avait bien évidemment rangé Edma, quand il l'avait connue, dans le rayon des femmes « bien »; il lui eût fallu une démonstration invraisemblable du contraire pour que, par égoïsme, comme par fierté de sa méthode, il envisageât de la remettre en question : il eût fallu au moins qu'Edma, devant lui, se roulât avec quelques-uns de ses subordonnés sur la moquette de son bureau, avec des cris d'extase ou des obscénités (qu'au demeurant elle évitait d'elle-même systématiquement), pour qu'elle dégringolât de sa place honorable à ce rebut infamant des femmes ordinaires.

Cette opacité, cette sottise même des cloisonnements d'Armand Bautet-Lebrêche pouvaient d'ailleurs avoir les conséquences les plus cruelles : car non content de se cantonner à ces jugements primaires, Armand Bautet-Lebrêche les appliquait avec toutes leurs conséquences. Il avait renvoyé des hommes honnêtes, humilié des femmes charmantes, brisé d'aimables destins simplement parce que, ne pouvant les mettre d'emblée dans ses rayonnages supérieurs, il les avait jetés délibérément dans les inférieurs, dans ses oubliettes, dehors. Le nombre de ses victimes, celles de ses injustices, augmentait avec son âge ; et d'une manière assez évidente pour en effrayer même Edma, pourtant peu portée à s'occuper des rapports humains de son mari avec ses employés, et déjà épuisée de devoir lui en extorquer, même la caricature, avec leurs amis mondains.

Éric Lethuillier ne pouvait donc qu'exaspérer cet homme. Se donner ces attitudes de grand bourgeois et se traîner aux ordres de Moscou, surtout après un mariage avec les aciers Baron, représentait une trahison envers sa classe, et s'il n'en était pas, une trahison envers la classe d'Armand. De toute façon, Éric mordait la main qui l'avait nourri ; ayant lancé son *Forum,* l'ayant créé grâce à la bourgeoisie, il était de la dernière inconvenance qu'à présent il l'y vilipendât (cela dit, il était arrivé mille fois à Armand Bautet-Lebrêche d'utiliser les armes ou les finances d'un groupe adverse pour le ruiner délibérément et, à mi-chemin, de racheter pour rien ces armes qui lui auraient autrement coûté plus cher. Mais cela n'avait rien à voir, c'étaient les affaires). Il trouvait extrêmement inconvenant que ce communiste en cachemire — même et surtout en cachemire — voyageât sur le même bateau que lui, écoutât, ne fût-ce que d'une oreille, la même musique que lui, et ne regardât, ne fût-ce qu'une seconde, le même paysage que lui, en respirant de gré ou de force les mêmes mimosas. Et encore, l'intrusion d'Éric dans tous ces domaines paraissait-elle peu grave à l'empereur du Sucre : il ne pouvait s'intéresser ni à un panorama, ni à une musique, ni à un parfum, ni à l'atmosphère, puisque tout cela était inachetable. Armand Bautet-Lebrêche ne pouvait estimer, au sens moral, que ce qu'il pouvait estimer au sens matériel. L'estime chez lui ne venait qu'après l'estimation.

En revanche, tout sur le *Narcissus* était chiffrable, ses billets l'étaient, comme l'étaient son confort et son luxe. Les choses matérielles, et réelles enfin, n'étaient pas aux yeux d'Armand partageables avec un communiste, et de toute façon devaient rester trop chères, ou à ses yeux, ou à sa bourse ; le contraire n'était pas normal. Et Armand Bautet-Lebrêche, si fin et si roué en affaires qu'il en était devenu célèbre sur les cinq continents, pouvait défendre jusqu'au bout ce raisonnement primaire (et tant rabâché pourtant par d'honnêtes personnages dans tous les pays du monde), raisonnement selon lequel on ne pouvait avoir le cœur à gauche et le portefeuille à droite, et qu'il y avait là une hypocrisie déplacée, raisonnement selon lequel il aurait été plus estimable d'avoir le portefeuille à droite et le cœur dur ; et que, finalement, avoir beaucoup d'argent n'était gênant que si l'on tenait à ce que d'autres en aient aussi. Et c'était bien, finalement, tout ce qui séparait les gens de gauche des gens de droite, et ce pour lequel les seconds accusaient les premiers de mauvaise foi depuis le premier siècle après Jésus-Christ.

De toute manière, le gauchisme d'Éric Lethuillier était devenu peu à peu corrompu : il ne souhaitait plus que les gens pauvres aient une voiture, il souhaitait simplement que les gens riches n'en aient plus ; et, pour cela, peu lui importait la situation des pauvres. C'était ce qu'avait flairé Julien, ce qui commençait à transpirer de toutes les pages de ce *Forum* et qui le rendait peu à peu suspect. Armand Bautet-Lebrêche avait longtemps hésité à lui parler de ce *Forum*, de cette traîtrise qu'il lui reprochait, mais petit à petit, à force de s'ennuyer à mort sur ce bateau, privé de son staff, de ses trois secrétaires, de ses lignes directes avec New York et Singapour, privé du téléphone de sa voiture, de ses machines à dicter et de son jet personnel... privé de toute cette étincelante panoplie de l'efficacité qui, plus que cette efficacité elle-même, faisait le bonheur des hommes d'affaires — grâce à la prolifération et aux progrès incessants de l'électronique — privé, bref, de ses jouets en métal noir ou gris acier, avec leurs bandes parlantes, leurs petits voyants lumineux, leurs déclics et tous leurs pouvoirs singuliers, Armand s'était tellement ennuyé sur le *Narcissus* depuis trois jours qu'il en était devenu délibérément et visiblement méchant au lieu de rester simplement efficace. Il balançait donc, au-dessous du pli impeccable de son pantalon de flanelle grise, un mocassin en cuir souple acheté par l'une de ses secrétaires en Italie (chez le fabricant, car comme toutes les grosses fortunes, Armand avait la manie ou la passion de faire «des affaires» jusque dans les domaines les plus mesquins), et il le balançait, ce pied, avec de plus en plus de nervosité. Éric Lethuillier, en face de lui, donnait au contraire une impression de calme et de mansuétude infinie : Armand Bautet-Lebrêche et ses trusts et son empire étant tout ce qu'il détestait au monde, cette haine étant en tout cas ce qu'il proclamait le plus vivement et le plus souvent dans sa gazette, il éprouvait, à entamer une conversation avec cet homme objet typique de sa haine, encore plus que d'habitude, le sentiment de sa profonde tolérance, et aussi de son immense intelligence, illimitée puisque capable de surmonter ses passions ; le sentiment aussi de sa curiosité pour les êtres assez généreux pour laisser quelque crédit à ce petit nabot dictatorial.

Éric avait la tête rejetée en arrière, ses beaux cheveux blonds soigneusement lissés, un cigare hors de prix et délicieux entre deux doigts qu'il portait de temps en temps négligemment à la bouche, d'un air aussi lassé et appréciateur que s'il fût, comme son interlocuteur, lui aussi né avec. En fait, il lui plaisait assez de montrer à un des plus grands bourgeois de son époque qu'un révolté, né et élevé dans la misère matérielle, un homme qui s'était fait lui-même à partir de rien, pouvait couper sa viande et fumer son cigare avec la même désinvolture qu'un capitaliste de vieille souche. Et ainsi, Armand et Éric se trouvaient à armes égales dans un même conflit, puisque c'était son cigare Monte-Cristo à quarante-cinq francs l'unité que reprochait Armand à Éric, et que c'était justement ce cigare dont s'enorgueillissait Éric, à l'instant même.

Et la discussion, donc, sans en avoir l'air, entra précisément dans le vif du sujet :

— Vous préférez les «numéro un» ou les «numéro deux»? demanda Éric, en fronçant un peu les sourcils de cet air compassé, presque pieux mais arrogant, qu'arborent généralement les fumeurs de havanes quand ils en parlent.

— Les «numéro un», dit Armand d'une voix décidée, jamais les autres... Les autres sont trop gros pour moi, ajouta-t-il doucement, comme pour bien faire comprendre à Éric que si lui-même, Armand Bautet-Lebrêche, propriétaire des plus grandes raffineries du Pas-de-Calais, trouvait trop gros un cigare dont il eût pu acheter dix fois les plantations entières, il serait indécent et ridicule, jusqu'au grotesque, qu'Éric Lethuillier, venu des bas-fonds de la même patrie, les déclare, lui, autre chose qu'étouffants.

Par bonheur, Éric, tout à fait inconscient de ces arrière-pensées, trouvait depuis toujours un peu rude cette taille «numéro deux» :

— Je suis bien de votre avis, dit-il distraitement.

. L'expression «C'est encore heureux» se refléta un instant dans les lunettes d'Armand Bautet-Lebrêche avant qu'il n'enchaîne :

— D'ailleurs, je trouve tout excessif sur ce bateau : ce caviar, ces vins millésimés, ces pots de fleurs, ces eaux de toilette dans tous les vestiaires, tout cela me paraît de très mauvais goût, non?

— Oui... admit Éric avec une indulgence toute nouvelle chez lui mais qui prenait place dans ce contexte de tolérance où tout était possible, y compris sa conversation à lui, Eric, avec ce capitaliste couvert symboliquement du sang de ses ouvriers.

— Cela ne vous gêne pas...? Bien sûr! dit tout à coup Armand Bautet-Lebrêche déclenchant les hostilités à un moment saugrenu, et intervertissant ainsi complètement les rôles : c'était le capitaliste qui demandait des comptes à l'homme de gauche, c'était le justicier qui devenait le coupable.

L'un et l'autre durent sentir la bizarrerie de la chose, puisqu'ils s'arrêtèrent ensemble et remâchèrent leurs cigares et leur perplexité d'une dent molle.

— D'ailleurs, je trouve tous ces gens infumables, céda brusquement Bautet-Lebrêche d'une voix pointue, haut perchée même, une voix de petit garçon geignard, triste même, qui acheva de désorienter le directeur du *Forum*.

— Vous parlez de qui, précisément ? demanda-t-il.

— Je parle de... je parle de n'importe qui... pas de ma femme, bien entendu, balbutia Armand avec incohérence. Je parlais de... je ne sais pas, moi... ce type-là, ce type de cinéma, ce vendeur de films, achevat-il d'un ton dégoûté, comme il eût dit « marchand de tapis ».

Mais l'allusion à Simon, grâce au mépris qu'il suscitait également chez l'un et chez l'autre, les tira d'affaire ; en un instant, ils se retrouvèrent alliés contre les marchands de tapis, les marchands de cinéma, les combinards et les métèques — cette dernière formule n'étant pas encore formulée clairement dans l'esprit d'Éric. Il enchaîna donc :

— Je suis bien d'accord avec vous.

La voix d'Éric était convaincue et la fureur craintive d'Armand faiblit et laissa place à une camaraderie de classe. Brusquement, c'était comme si l'un et l'autre avaient été adolescents à Eton pendant que Simon l'était à la Goutte-d'Or. Rassuré, Armand, renonçant provisoirement à tout bellicisme, se chercha désormais des antipathies partagées avec « son communiste ».

— La petite grue qui l'accompagne est d'une vulgarité étonnante, continua-t-il avec entrain.

Et il termina sa phrase d'un rire sec, inquiétant, le même type de rire qu'on attendait des féroces hommes d'affaires, dans les films noirs série B ; Éric, qui avait tiqué au terme « grue », bien démodé quand même, fut réconforté par le rire féroce. Il renchérit :

— Oui... dans le style starlette intellectuelle... enfin... ayant des prétentions intellectuelles, c'est l'une des petites putes les plus ennuyeuses que j'aie rencontrées jusqu'ici ! Elle me ferait même prendre en pitié ce malheureux cinéaste enrichi... Elle aura vite fait de le ruiner ! Pauvre Béjard... !

Et les deux hommes, dans une subite et virile compassion, hochèrent la tête, tout attristés par les malheurs de Simon Béjard.

Ni l'un ni l'autre n'avait entendu arriver Olga derrière eux. Elle leur apportait, dans sa main blanche, une pierre noire et translucide que lui avait confiée un barman et sur laquelle elle s'apprêtait à demander à ces deux esprits forts leur opinion : si c'était bien une météorite, une étoile

vitrifiée, tombée par miracle sur ce paquebot, une étoile tombée d'une
autre planète et peut-être jetée dans le vide par un autre être vivant, lui-
même peut-être seul, ou se croyant seul au monde... etc., etc.
Olga, bref, était venue les retrouver telle une adolescente naïve et
enthousiaste, sur la pointe des pieds, la main en avant et l'air extasié.
Elle repartit aussi sur la pointe des pieds, mais le poing serré et l'air
d'une femme mûre, d'une femme féroce, ivre de haine et d'humiliation,
rôle que pour une fois elle n'avait pas la moindre peine à jouer. Appuyée
sur la rambarde du bateau, hors de vue, Olga Lamouroux pleura, pour la
première fois depuis longtemps, enfin pour la première fois sans témoin
depuis longtemps.

Un peu plus tard, elle se calma, chassa cette petite phrase lancinante
et foudroyante de sa tête — cette petite phrase qui zigzaguait d'un coin
à l'autre de son cerveau et s'y cognait partout pour en sortir, telle une
mouche sous un verre — cette petite phrase prononcée par Éric : « Dans
le style prétentieux et intellectuel, c'est une des petites putes les plus
ennuyeuses... etc. » Ce n'était pas le terme « pute » qui la blessait au vif
— loin de là —, c'était avant tout les trois autres, et qu'ils soient dits par
Éric Lethuillier lui-même, directeur du *Forum*. Ces trois mots, en dehors
de toute considération sentimentale (qui ne l'effleurait même pas
d'ailleurs), la jetaient dans un désespoir humilié, un de ces désespoirs
qui — à en lire Stendhal, Dostoïevski, Proust, et bien d'autres —
peuvent être les plus douloureux. Au demeurant, Olga Lamouroux
n'avait jamais lu Stendhal, ni Dostoïevski, ni Proust, ni grand monde,
quoi qu'elle en dise ; elle n'avait lu que ce que l'on disait d'eux, et cela
plutôt dans *Paris-Match* ou *Jours de France*, à l'occasion d'un
cinquantenaire, que dans *Les Nouvelles littéraires*. A ces renseignements
précieux, elle ajoutait une petite note personnelle, fournie par Micheline,
son amie intellectuelle, mais en fait elle n'avait rien lu. Aussi c'est sans
l'appui d'aucune référence qu'Olga Lamouroux — plus exactement
Marceline Favrot, née à Salon-de-Provence (d'une mère tendre et
mercière, le second terme ayant empêché sa fille d'apprécier le
premier) — qu'Olga, donc, se tordit réellement les mains, mais en vain,
pendant plus d'une heure pour échapper aux délires et aux cris de son
orgueil blessé. Olga n'avait aucun recul sur elle-même ; elle n'avait
d'elle-même qu'une vision stylisée et fausse, mais c'était une version
triomphante qu'elle était arrivée à se construire avec un certain courage
contre toutes les preuves du contraire que lui assenait la vie. Aussi, en
même temps que sa vanité, c'était peut-être ce qu'il y avait de mieux en
elle : ce courage, donc cet entêtement, cette naïveté de l'enfance éblouie
par des leurres, ce refus d'une existence terne (ou tout au moins qui lui
semblait telle). C'étaient peut-être aussi ses efforts, ses nuits de veille
pour acquérir « même » les apparences d'une culture plus étendue que

celle du lycée de Salon, c'était sa confiance dans sa vie, dans sa jeunesse, dans sa beauté et dans sa chance qu'Éric venait de foudroyer ou de mettre à mal. Et ainsi cette décision implacable, ce désir de recourir à la vengeance correspondait-il aussi bien à ses qualités qu'à ses manques. La rapidité qu'elle mit, délaissant sa souffrance, à chercher des armes, un moyen de la faire payer à Éric, était d'une certaine façon tout à fait estimable. Cela était au demeurant déjà traduit dans une version délibérément mensongère, à l'intention de ses deux confidentes, Micheline ou Fernande, par la formule suivante : « Je décidai aussitôt que ça allait coûter cher à Éric Lethuillier. Il allait voir ce que ça représentait de s'attaquer, devant Olga Lamouroux, la future star, à une jeune femme désarmée, fût-elle la sienne, la jeune et riche Clarisse Baron, des Aciéries. »

En attendant la vengeance, elle refoulait ses larmes, les rattrapait au bas de sa joue et s'étonnait vaguement de leur absence de sel. Elle se laissait quand même secouer les épaules par les sanglots mais par abandon plus que par docilité envers son gros chagrin (une docilité teintée d'admiration, car depuis dix ans elle ne se croyait plus, à force de les simuler, capable de larmes réelles). Pourtant, en cet instant, c'étaient des larmes vraies qui se pressaient, jaillissaient de ses paupières, tandis que ses épaules se courbaient sous des spasmes incontrôlés : c'était une femme, ou plutôt une enfant au désespoir — qu'elle ne connaissait pas, ou plus — qui pleurait à sa place, une « autre ». Étonnée donc, mais assez épatée de cette capacité de l'autre à la souffrance, Olga, machinalement, tentait d'en rehausser les causes. Peu à peu, elle se mit à pleurer sur la médiocrité des êtres, sur la dureté de certains hommes qui auraient dû être le contraire, ces hommes sur qui le peuple généreux et confiant, le peuple au grand cœur, comptait en ce moment pour le sortir des ornières. Elle pleurait sur la naïveté des pauvres lecteurs du *Forum*. Elle oubliait que c'étaient des intellectuels de gauche (ou de droite), que c'étaient des grands ou petits bourgeois, en tout cas des nantis qui pouvaient l'acheter et se pencher avec lui sur ce fameux peuple : ce peuple dont personne, à part ses bateleurs officiels, évidemment, ne croyait ou ne voulait faire partie finalement, « ce peuple » dont la seule marque distinctive était peut-être qu'il n'usait jamais de ce vocable.

Quoi qu'il en soit, lorsque Julien, qui faisait le tour du pont à grands pas — les grands pas, les enjambées, les escalades quatre à quatre, les embardées du bonheur en amour — lorsque Julien trébucha sur elle, c'étaient des pleurs altruistes qu'elle répandait dans les flots bleus, et qu'en s'accrochant à lui elle déversa sur son veston. « Pourquoi donc n'avait-elle pas jeté son dévolu sur celui-là ? se disait-elle. Bien sûr, il ne faisait pas du tout sérieux, bien sûr, il ne représentait rien, et bien sûr, jusque-là, il ne s'était pas intéressé à la seule chose intéressante sur ce bateau, c'est-à-dire à elle-même, Olga... Mais lui, au moins, lui susurrait Marceline Favrot dans son naïf désespoir, lui, au moins, avait une bonne tête ! Bien sûr... il était amoureux de Clarisse... la belle Clarisse... l'ex-grotesque Clarisse... et cette rivalité inattendue n'arrangeait pas non plus ses petites affaires», pensait-elle en même temps qu'elle se rendait compte que, grâce à Julien, son désespoir et sa destinée se réduisaient dans sa propre tête au terme de «petites affaires». C'était peut-être le visage de cet homme qui provoquait ça, avec ses sourcils broussailleux, ses dents blanches, sa bouche pleine sous ses beaux yeux marron et son grand nez de biais. Il avait des cils longs comme ceux d'une femme, remarqua-t-elle pour la première fois, des cils inattendus chez un homme si masculin et si évidemment ravi de l'être... On pouvait être jaloux de ce Julien Peyrat, après tout... et le bel Éric aurait bien dû penser à être le premier à l'être si elle évoquait la scène surprise cet après-midi même... Car maintenant qu'elle n'aimait plus Éric — ou plutôt qu'elle ne se disait plus qu'elle l'aimait, ce qui était bien possible, au demeurant — il lui semblait beaucoup moins séduisant. Et à y penser, cette escapade à Capri avait été singulièrement dépourvue d'intérêt sur un certain plan, plan sur lequel Julien Peyrat, au contraire, lui aurait sans doute laissé de meilleurs souvenirs...

Olga était frigide et changeait ce triste adjectif en un autre plus séduisant : elle se disait «froide» afin qu'on ne l'accuse pas de l'être, et qu'on espère ainsi la changer. Éric jaloux de Peyrat... Mais pourquoi pas ? Ses larmes dont le flot tarissait, à ce que croyait Julien, redoublèrent, mais cette fois à son injonction. Les pleurs marchaient dans n'importe quelle stratégie auprès de ces hommes-là, lui rappelait son expérience.

Julien avait d'abord été désagréablement frappé par ces larmes. Il semblait sur ce bateau qu'il fût destiné, songeait-il sans joie, à un rôle de consolateur dont il n'avait pas l'habitude. Tout aussitôt, cette pensée lui sembla blasphématoire ! Il savait après tout que les larmes de Clarisse n'étaient pas comparables à celles d'Olga ! Ni par leur motif, ni par les yeux dont elles s'échappaient ; ni, plus prosaïquement, par leur fluidité. Olga reniflait beaucoup en pleurant et la manche de Julien luisait de reflets plutôt inquiétants... Julien passa un bras protecteur autour des épaules d'Olga et d'un geste enveloppant la serra contre lui un instant. Quand il la lâcha et qu'elle recula, il fut ravi de voir qu'il lui avait rendu ce vilain cadeau. Satisfait, Julien reporta son attention sur les fortes paroles de l'affligée.

— J'ai entendu une conversation, disait-elle à voix basse, qui m'a indignée... Indignée jusqu'à me mettre dans cet état ! Je suis trop candide, sans doute...

Elle eut un petit geste éperdu et futile de la main qui en signifiait long sur les folles conséquences de sa naïve jeunesse.

— Et qu'est-ce qui a bien pu frapper cette candeur ? demanda Julien sans broncher, l'air grave même.

Il pensait au récit qu'il ferait à Clarisse, au rire qu'ils auraient ensemble, et il se rendit compte avec terreur que déjà, déjà, il ne lui arrivait rien qu'aussitôt il ne rêvât de lui raconter. Était-ce pour lui de l'amour ? pensa-t-il : l'envie de tout dire à la même personne, et que tout ce qui vous arrive vous semble ainsi drôle ou passionnant. En même temps qu'amoureux, il était devenu cruel, remarqua-t-il : après tout, cette jeune Olga, malgré tous ses ridicules, pouvait fort bien être malheureuse... Éric Lethuillier avait sûrement, dans sa morgue, de quoi blesser profondément deux femmes.

— Que s'est-il passé ? répéta-t-il avec de la chaleur dans la voix soudain, et un instant Olga faillit le lui dire.

Non, pas Olga, d'ailleurs, mais cette Marceline Favrot à jamais provinciale, à jamais confiante et aussi à jamais sentimentale sur laquelle, Dieu merci, Olga Lamouroux veillait. Et ce fut Olga qui répondit :

— Rien. Rien de particulier, mais les propos de ce M. Bautet-Lebrêche m'ont anéantie. Il devrait y avoir des limites à l'ignoble, non ? demanda-t-elle dans son envolée.

— Il devrait y en avoir, oui, marmonna vaguement Julien qui, ayant fait un effort sincère, brûlait maintenant de reprendre sa promenade dans le vent. Si vous avez un jour besoin de moi... dit-il poliment (espérant marquer par là que ce besoin, pour lui, était prévu pour le futur).

Olga ayant souri, hoché la tête avec gratitude, déjà il repartait au galop. Olga le regarda disparaître derrière une cheminée ; et un instant elle se demanda pourquoi elle n'avait jamais pu tomber amoureuse de ce genre d'homme qu'elle eût rendu si heureux (ignorant que ce « genre d'homme », un peu plus loin, se demandait aussi pourquoi il n'avait jamais pu aimer ce genre de femme). Elle revint vite à son propos : comment punir Éric ? Par sa femme, par la belle Clarisse, bien sûr... C'était là la seule faille qu'elle lui vît. Encore qu'elle n'en connût ni l'origine ni l'importance.

Clarisse, chez qui la vie revenait au fur et à mesure qu'elle commettait des imprudences, dont le bonheur redoublait avec les remords, était arrivée au bar avant Éric, l'air distrait, mais sournois. Elle avait profité de la douche d'Éric pour s'habiller en hâte, tandis qu'il sifflotait à côté, et s'éclipser sans bruit et sans refermer la porte. Il allait s'exaspérer de cette fuite et arriver très vite, mais dix minutes, cinq minutes, ou trois minutes avec Julien, avec l'homme qui lui avait rendu le goût d'elle-même, de l'apparence et de la vie profonde de son corps (sinon le goût, tout au moins l'acceptation), ces dix minutes valaient bien des scènes. Elle avait mille choses à lui dire, qu'elle avait retrouvées, et lui, de son côté, avait pour elle mille réponses et mille questions, mais cela n'empêcha pas qu'ils restassent d'abord immobiles et muets sur leurs tabourets de cuir, avant de commencer à parler, ensemble, et de s'arrêter, ensemble, avec les mêmes excuses, comme dans les pires comédies américaines. Ils perdirent trente secondes de plus à s'offrir mutuellement la parole et à la décliner, et finalement ce fut Julien qui se lança à bride abattue dans un monologue exalté :

— Qu'allons-nous faire, Clarisse?... Vous n'allez pas repartir avec cet homme une fois arrivée à Cannes? Vous n'allez pas me quitter? C'est ridicule... Vous savez, il vaudrait mieux le lui dire tout de suite!... Voulez-vous que je le lui dise moi-même? Je m'en charge, moi, de le lui dire, si vous ne pouvez pas... Si tu ne peux pas, reprit-il avec ce regard tendre dont elle n'éprouvait déjà que trop le pouvoir.

En fait, Julien avait le sourire d'un homme réellement tendre, d'un homme réellement bon ; c'était la première fois que Clarisse subissait la séduction de cette plate vertu dénommée «bonté», et qui lui donnait exactement ce que lui refusait le regard d'Éric : l'assurance, déjà, grâce à ce semi-étranger, son amant, d'être inconditionnellement acceptée, aimée, et non pas jugée par un être supérieur. Après tout, peut-être Éric, simplement, ne l'aimait-il pas, peut-être lui en voulait-il de ne rien faire qui lui permît de divorcer... Peut-être serait-il enchanté au contraire que Julien lui demandât sa main et malgré l'extravagance de la chose?... Mais Clarisse savait bien que ce n'était pas simple ; et plus le regard de Julien, et son désir, la persuadaient de sa beauté (une beauté sans fadeur), et de son droit à la liberté comme au bonheur, plus elle se rendait compte de ce qu'avait d'incompréhensible le comportement d'Éric. Elle comprenait, sans colère, qu'elle avait été littéralement chambrée et enfermée dans une vision négative d'elle-même, dans son regard, non seulement sans indulgence, mais sans doute même agressif. «Et qu'avait-elle pu lui faire, sinon être riche?» comme le disait Julien. Mais là, elle ne poursuivait pas son enquête, elle s'arrêtait au bord des histoires d'argent comme devant des marais infectés où elle s'enliserait si elle y cherchait la trace des pas d'Éric. Elle savait, elle était sûre que si Julien parlait à Éric, ou si Éric savait par d'autres ce qui leur arrivait, les conséquences en seraient terrifiantes... pour Julien comme pour elle. Et autant l'œil tendre de Julien la rassurait, comblait sa famine sentimentale, autant il l'inquiétait quand elle lui voyait opposées ces manœuvres subtiles et glacées d'Éric, qu'elle connaissait trop bien.

— Ne dis rien, dit-elle. Je t'en supplie, ne dis rien maintenant. Attends... attends la fin de la croisière... Sur ce bateau, tous ensemble et tous avertis, ce serait affreux, épuisant... Je ne pourrais pas fuir Éric. Je ne pourrais le fuir que sur la terre ferme, et encore je ne suis pas sûre qu'il ne me récupérerait pas par la force, d'une manière ou d'une autre... continua-t-elle avec un sourire très gai, et même un léger rire qui laissèrent Julien un instant ahuri avant que la main d'Edma Bautet-Lebrêche, passant derrière lui pour attraper une noisette sur le bar, le renseignât sur les raisons de ce rire inopportun.

— Ma chère Clarisse, dit Edma, puis-je vous remplacer auprès de M. Peyrat? Votre mari nous arrive à grands pas, tel Othello... Il serait déjà là, même, si Charley ne l'avait happé au passage avec une histoire de télex.

Et laissant Clarisse sur son tabouret, à la droite de Julien, Edma prit le tabouret à la gauche de ce dernier et se mit à lui parler avec verve, lui faisant ainsi tourner le dos à Clarisse qui se retrouva devant la Doriacci, souriante et complice.

— Savez-vous, monsieur Peyrat, dit Edma, «avec un sourire charmant», pensa-t-il pour une fois, savez-vous que, depuis le départ de cette croisière, je m'évertue à vous plaire?... Je vous fais des clins d'œil, je vous regarde, je parle à votre intention, je ris avec vous, que sais-je... Je me rends ridicule et sans le moindre écho... J'en suis fort humiliée et fort triste, monsieur Peyrat...

Julien, l'esprit embrouillé par les derniers mots de Clarisse, fit un effort surhumain pour comprendre ce qu'on lui disait et, quand il l'eut fait, cet effort ne put que redoubler sa gêne. Il avait remarqué les manœuvres dont parlait Edma, et cru préférable, pour elle comme pour lui, de ne pas le montrer. Qu'elle lui en parlât si ouvertement lui parut terrifiant (il était terrifié, en fait, depuis toujours, à l'idée d'humilier qui que ce soit, et surtout une femme).

— Mais, dit-il, je ne pensais pas... je ne pensais pas que c'était moi... Enfin, que vous, vous pensiez...

— Ne bafouillez pas, dit Edma, toujours souriante, ne bafouillez pas et ne mentez pas. En effet, je vous ai fait la cour, monsieur Peyrat, mais je vous l'ai faite à l'imparfait. Je voulais simplement que vous compreniez que si j'avais été sur ce bateau, avec vous, il y a vingt ans, ou dix d'ailleurs, c'était vous que j'aurais choisi, avec votre accord, pour tromper M. Bautet-Lebrêche. Cela vous semblera peut-être douteux, mais même dans son milieu j'ai trouvé des hommes assez charmants pour que je les aime... Et j'ai gardé envers votre espèce masculine une amitié qui ne s'est pas démentie et qui ne se démentira plus maintenant d'ailleurs — faute d'occasions de se démentir... C'est une admiration toute platonique, croyez-moi, une affection pleine de regrets, mais faite de souvenirs heureux que je vous proposais...

Elle avait la voix un peu triste, soudain, et Julien eut honte de lui, honte de ses arrière-pensées et de ses réticences. Il prit la main d'Edma, la baisa. Et en relevant les yeux, se retournant, il tomba sur le regard ironique, méprisant, presque ouvertement insultant d'Éric Lethuillier assis de l'autre côté de Clarisse. Ils se fixèrent et Julien se pencha vers Éric, effleurant Clarisse qui regardait devant elle.

— Vous me parliez ? dit-il à Éric.

— Mais jamais de la vie ! répondit Éric Lethuillier, l'air étonné, comme si cette éventualité lui eût paru déshonorante.

— Je l'ai pourtant cru, dit Julien d'une voix neutre.

Et il y eut entre eux, comme entre deux chiens méchants, une sorte de vide lourd. Un arrêt du temps, une immobilité sifflante qui était celle de la haine. Charley sauva la mise comme à son habitude, en tapant des mains et criant « Hello, people ! » de sa voix un peu nasillarde. Tout le monde se retourna vers lui, les deux hommes restèrent un instant de plus accrochés l'un à l'autre du regard, jusqu'à ce qu'Edma mette pratiquement la main sur les yeux de Julien en faisant « chut », comme s'il parlait, pour qu'il se retournât vers Charley.

— Est-ce que tout le monde est là ? cria Charley. Ah ! il manque Simon Béjard et Mlle Lamouroux... Et aussi M. Bautet-Lebrêche. Enfin, vous leur transmettrez, s'il vous plaît, le nouvel ordre du bord. Voulez-vous que nous nous arrêtions demain, avant Carthage, aux îles Zembra pour prendre le dernier bain avant l'hiver ?... Nous pouvons mouiller près d'une petite île où il y a du fond et de grandes plages. J'ai pensé que cela ferait plaisir à tout le monde...

Il y eut quelques exclamations approbatrices, mais moins que de silences — les passagers du *Narcissus* n'ayant en général pas intérêt à se dénuder, vu leur âge. Seuls Andréas, que cette mer bleue grisait, et Julien qui n'aimait pas trop la nage, ni le tennis, ni aucun sport qui ne soit les courses de chevaux, mais que toute échappatoire à ce bateau, toute occasion de revoir Clarisse enthousiasmait, applaudirent bruyamment, tandis qu'Éric faisait un signe approbateur de la tête. La Doriacci, Edma et Clarisse ne bronchèrent pas, mais pour des raisons différentes. Les deux premières pour des soucis esthétiques, Clarisse parce que depuis qu'Éric était assis près d'elle avait peur à nouveau de tout : d'un bain dans la Méditerranée, comme d'un verre au bar avec Julien, comme de provoquer des sourires complices des autres passagers. Clarisse avait de nouveau peur d'aimer Julien, ou qui que ce soit. Elle se découvrit une migraine instantanée et partit se réfugier dans sa cabine.

Tout y dénonçait la présence d'Éric : ses vestes, ses papiers, ses journaux, ses calepins, ses chaussures, et rien ne lui rappelait Julien dont elle connaissait déjà les chemises froissées et les chaussures mal cirées, avec à ce moment-là une nostalgie aussi violente de ces vêtements mâles et froissés que de son corps. Elle aurait dû descendre à Syracuse et arrêter là la croisière et oublier Julien. Mais si elle était capable des deux premiers projets, elle n'était pas sûre du troisième. Elle savait bien qu'en renonçant à cette fuite, à l'instant qu'elle l'imaginait, ce n'étaient pas la colère ou les reproches d'Éric sur sa versatilité qu'elle craignait le plus. Elle ne ressortit ni pour le dîner ni pour le concert, et passa la nuit entre ces deux hypothèses : descendre à Syracuse ou aimer Julien, optant pour l'une ou l'autre toutes les heures, pour s'endormir à sept heures du matin, épuisée, mais heureuse de penser que cet épuisement, en tout cas, lui éviterait de faire ce choix, et par conséquent ses valises.

JULIEN ne s'était pas trompé sur l'agressivité d'Éric Lethuillier : celui-ci le haïssait en effet, déjà, d'une haine instinctive, supérieure à celle qu'il portait à Andréas, et surtout à Simon Béjard. Bien sûr, Éric avait quelques idées sur les femmes, tout à fait démodées et primaires — si l'on pensait à la liberté que Le Forum réclamait pour les mêmes femmes. Le mauvais goût ou le bon n'étaient peut-être pas des critères quand il s'agissait des goûts sexuels d'une femme. (Encore qu'il crût, à force, Clarisse devenue tout à fait froide en amour — presque frigide — bien qu'il l'eût connue tout autrement.) Mais il ne lui paraissait quand même pas possible que ce fût à Simon Béjard qu'eût fait allusion Olga, dans l'après-midi même.

Elle lui avait donné rendez-vous au bar des premières classes, où leur arrivée avait été accueillie de mauvaise grâce, comme si une différence de trente mille francs pouvait créer une sorte de Harlem et les transformer, Olga et lui, en Blancs indésirables. Mais Olga n'avait pas paru se soucier un instant des autres passagers. Elle l'avait accueilli avec des démonstrations si évidentes de sa passion qu'il s'était finalement réjoui de s'être caché là : les mimiques d'Olga auraient sûrement paru forcées aux yeux perspicaces de Charley ou des autres, tout aussi forcées que leur acceptation par lui, Éric Lethuillier. Il la laissa déployer ses batteries et jouer de tous ses charmes avec une indifférence qui dépassait le mépris et tendait à l'exaspération, quand elle lui glissa en souriant, comme par hasard, la petite phrase qui devait gâcher sa journée. Cette petite phrase, elle apparut au détour d'un monologue d'Olga où elle s'inquiétait tout à coup des sentiments de Clarisse. Elle prétendait même ne pas vouloir être la cause du chagrin de celle-ci («un peu tard», semblait-il à Éric), et insista tant là-dessus que quand elle lui demanda si Clarisse n'était en rien jalouse de lui et de ses écarts amoureux, il lui répondit aussitôt, pour éliminer ce sujet, «que Clarisse et lui ne s'aimaient plus depuis longtemps, qu'elle ne l'avait sans doute jamais aimé — contrairement à lui —, Clarisse étant indifférente, presque au stade schizophrénique, à autrui, y compris lui-même, Éric». Après quelques mots de consolation tout à fait éclairés, Olga lui dit alors, avec un petit rire intimidé :

— Eh bien, heureusement, mon cher Éric... Je suis bien soulagée pour vous, comme pour elle...

— Pourquoi pour moi ? demanda Éric machinalement, s'attendant à ce qu'elle évoque ses remords éventuels.

Mais Olga refusa de s'expliquer avec des airs nobles qui achevèrent l'exaspération et la rancune même d'Éric à son égard.

— Ma chère Olga, dit-il, après dix minutes de discussion sur les droits qu'il avait de savoir ce qu'elle savait, ma chère Olga, je croyais vous avoir fait comprendre que j'étais quelqu'un de clair. Pas plus que je ne vous cacherais rien sur les éventuels égarements de Simon Béjard, vous n'avez à me cacher quelque chose qui me touche, même indirectement. Si vous pensez le contraire, il vaudrait mieux nous en tenir là.

Et de grosses larmes montèrent aussitôt aux yeux d'Olga, tandis que son visage se contractait, que son tourment se manifestait par mille battements de cils, et finalement elle en livra la cause à son amoureux, de moins en moins transi.

— C'est parce que je l'ai vue flirter un petit peu tout à l'heure, dit-elle en souriant. Et je ne vous dirai pas dans les bras de qui parce que je ne me le rappelle pas. Et même si cela était, je ne vous le dirais pas.

— Qu'appelez-vous flirter ? demanda Éric d'une voix nette, mais pâle, subitement, sous son hâle (ce qui fit bondir de joie le petit cœur d'Olga Lamouroux : elle tenait l'arme...).

— Flirter... flirter... comment le définissez-vous vous-même, Éric ?

— Je ne le définis pas, dit celui-ci sèchement et repoussant d'un geste du bras toute définition de cette activité futile, je ne flirte jamais : je fais l'amour avec quelqu'un ou je ne le fais pas du tout. Car je déteste les allumeuses.

— Voilà un défaut que vous ne pourrez pas me reprocher, dit Olga en minaudant et en s'accrochant à son bras. Je ne vous ai pas vraiment résisté longtemps. Peut-être pas assez...

Éric dut se retenir pour ne pas la frapper. Il avait honte à l'idée qu'il avait dû se coucher dans le même lit que cette minable starlette débordante de ragots et de bêtise. Et dans sa colère, il avait même oublié ce qu'il voulait savoir. Olga le vit et murmura :

— Eh bien, disons qu'ils s'embrassaient sur la bouche, et passionnément. J'ai dû attendre trois minutes à ma montre pour pouvoir entrer dans ma cabine, plus loin que la vôtre... Quand ils se sont séparés, j'étais prête à retourner au bar tant ces ébats semblaient devoir durer longtemps...

— Et qui était-ce ? dit la voix d'Éric.

— Remarquez... dit Olga sans paraître entendre sa question, remarquez, quand vous parlez des allumeuses, je suis bien d'accord avec vous. Et d'ailleurs, je serais plutôt fière de vous avoir dit oui tout de suite, à vous, Éric, mon grand homme... ajouta-t-elle avec naïveté. Mais rien ne me dit que votre femme soit une allumeuse, et il est bien possible qu'elle ait éteint elle-même le feu qu'elle avait déclenché...

— Que voulez-vous dire ? demanda Éric, avec toujours cet air d'aveugle derrière lequel il se débattait horriblement (comme le devinait Olga qui jubilait pour la première fois depuis vingt-quatre heures).

— Je veux dire par là que Clarisse, comme vous, a peut-être des amants, et qu'elle se conduit comme une femme honnête. En tout cas, celui-là, elle ne se bornera pas à l'allumer... Si ce n'avait été quatre heures de l'après-midi, et que vous ayez pu revenir par hasard dans votre cabine, ils s'y seraient volontiers enfermés l'un et l'autre... Je les voyais trembler de ma place ; à dix mètres.

— Mais qui ? répéta Éric avec force. (Et les gens autour d'eux le regardèrent.)

— Tenez, payons et partons, dit Olga aussitôt. Je vous dirai tout ça dès que nous serons sortis d'ici.

Mais quand Éric, ayant payé, voulut la rejoindre, elle ne l'avait pas attendu et s'était réfugiée dans sa cabine dont elle n'était pas encore sortie maintenant, à l'heure du bar. Et de ce fait, Éric ne savait pas lequel de ces trois hommes avait embrassé sa femme, Clarisse, et auquel elle avait rendu ses baisers. Andréas semblait occupé, Julien Peyrat était un tricheur, un aventurier, donc incapable de cet absolu dans l'amour qui était la seule exigence de Clarisse ; quant à Simon Béjard, Olga n'aurait pas pu résister à lui dire son nom. Peut-être était-ce Andréas après tout, auquel la Doriacci donnait une liberté parfaite... « Mais il aurait fallu qu'il soit bien vaillant en amour », se répétait Éric en dévisageant Julien, pour y découvrir l'homme attirant, peut-être, vu par Clarisse. C'est à ce moment-là que Julien avait relevé les yeux, qu'ils s'étaient affrontés comme deux rivaux, et qu'Éric avait su le nom de l'ennemi. En s'asseyant près de Clarisse, dès son arrivée, il se sentait bouillir de fureur et de quelque chose d'autre qu'il se refusait totalement à nommer désespoir. Il garda assez de sang-froid pour passer la soirée sans tout

casser et tout dire. Plus que tout l'humiliait l'idée de ses coquetteries
avec Olga, de ses manœuvres si intelligentes et si fines de psychologie,
alors que Clarisse, elle, avait fait monter son amant sur ce bateau — à
moins qu'il ne le soit devenu en trois jours, ce qu'Éric ne pouvait ni ne
voulait croire, car cela lui eût prouvé que Clarisse était encore capable
de ces coups de foudre, de ces éclats passionnels dont il avait bénéficié
une fois, et qu'il avait tout fait pour ne pas voir réapparaître sur le visage
de sa femme.

LE DÎNER, malgré ce début prometteur, se passa en bonne intelligence,
et bien que ce terme, si on tenait compte du rire de gorge d'Edma et du
regard d'Éric, fût un tant soit peu optimiste.

Ce dîner, en tout cas, permit à Julien Peyrat, qui commençait déjà à
construire des châteaux en Espagne, c'est-à-dire sa vie d'homme marié
avec Clarisse ex-Lethuillier redevenue Clarisse Baron ou plutôt Clarisse
ex-Baron, femme Peyrat, Julien d'ores et déjà, refusant tous centimes ou
tous milliards de sa riche famille, refusant toute équivoque susceptible
de faire douter Clarisse, sa « femme », de son amour fou, Julien Peyrat
qui du fait de ce refus se relançait mentalement dans des combinaisons
et des machinations exténuantes, grâce à ce dîner calme, bref Julien put
confier son Marquet aux soins de Charley Bollinger, impresario idéal
pour ce genre de tractation ; impresario d'autant plus parfait que Julien,
tout en lui chuchotant le prix incroyablement bas de ce tableau, les
raisons de ce prix et les circonstances de son achat, exceptionnellement
compliquées et dans lesquelles il finissait lui-même par ne pas plus se
retrouver que le pauvre Charley, Julien, tout en lui laissant entendre sa
passion pour ce tableau et quand même et aussi la douloureuse mais
possible éventualité qu'il s'en séparât, Julien au dessert s'était laissé
emmener par Charley quasiment de force jusqu'à sa cabine : et là,
ouvrant sa valise, il en avait tiré son tableau entouré de papier journal
allongé entre deux chemises, bloqué par deux paires de chaussettes,
comme seuls peuvent se le permettre les grands, les vrais tableaux ; et il
avait ainsi irréversiblement convaincu Charley qu'un des plus beaux
Marquet du monde se trouvait à bord du Narcissus et que n'importe
lequel de ses passagers, pour peu qu'il disposât des vingt-cinq
malheureux millions d'anciens francs, pouvait les échanger contre ce
tableau qui en valait mille en soi, mais deux cents à la vente... comme
l'attestaient une demi-douzaine de papiers, signés des grands experts
aux noms à la fois inconnus mais familiers à l'oreille. En le quittant,
Julien était tout à fait sûr de la propagation foudroyante de cette
conviction parmi les heureux et riches pigeons ramassés sur ce bateau,

d'autant plus qu'il avait presque fait jurer à Charley de n'en toucher mot à personne.

Ce n'est qu'allongé sur sa couchette, vers deux heures du matin, qu'Éric commença à échafauder un plan de sabotage.

Finalement ce ne fut pas lui qui souffrit le plus de cette révélation, du moins cette nuit-là, ce fut Simon Béjard qui n'y était pour rien.

En rentrant dans sa cabine, Olga, toutes larmes séchées depuis des heures, avait néanmoins hésité un instant après avoir ouvert la porte. Elle avait découvert dans son lit aux draps bien tirés, les cheveux bien peignés, plus bronzé que rouge à présent, dans un pyjama de soie bleue, Simon Béjard qui l'attendait, une bouteille de champagne non débouchée entre leurs deux couchettes, et qui avait levé vers elle ses vilains yeux malins, mais naïfs, brillants de plaisir à la voir; Simon Béjard pour lequel elle avait eu pour la première fois une sorte de gratitude. Lui, au moins, ne la prenait pas pour « une pute faussement intellectuelle ». En un instant elle faillit tout lui dire de son humiliation; elle faillit lui confier ses blessures à lécher et son orgueil à venger — comme la suppliait de le faire sa jeune jumelle effondrée, Marceline Favrot. Et sans doute, si celle-ci avait gagné, les relations d'Olga et de Simon auraient-elles pu être tout autres que ce qu'elles étaient depuis le départ. Mais Olga gagna, et son humiliation l'étouffait moins que son désir de vengeance. Elle relevait l'échine sous le coup, brûlait de frapper à son tour, et peut-être fut-ce le meilleur d'elle-même qui la poussa à raconter en détail, et avec férocité, non pas le déroulement de cette journée, mais le déroulement de la soirée de Capri dont elle ne lui cacha rien, sauf, bien sûr, l'ennui et l'absence de romanesque. Simon Béjard resta longtemps silencieux après cette avalanche d'horreurs, lui semblait-il, et incapable de la regarder tandis qu'elle se déshabillait avec des gestes brutaux, peut-être gênée confusément par ce qu'elle venait de faire et par l'inutilité de cette confidence. Et, en effet, Simon Béjard était moins blessé de ce qu'elle eût couché avec ce salopard de Lethuillier que de ce qu'elle le lui ait dit sans nécessité, de ce qu'elle lui ait infligé une vérité qu'il ne lui demandait pas et qu'elle savait douloureuse pour lui. Ce n'était pas l'infidélité d'Olga, mais son indifférence envers lui, envers son bonheur ou son malheur éventuel — indifférence prouvée par ce récit cruel — qu'il trouvait le plus atroce dans tout ça. Et quand elle lui dit sans se retourner, et pour rompre ce silence qu'il gardait depuis la fin du récit : « Je te respecte trop pour te mentir, Simon », d'une voix pieuse, il ne put s'empêcher de répondre : « Mais tu ne m'aimes pas assez pour éviter de me faire de la peine », d'une voix amère et acerbe sous laquelle Olga réagit, et se transforma d'humble pécheresse en fière et susceptible Olga Lamouroux, née en Touraine d'une famille de grands bourgeois qui, malgré leurs vices, veillaient sur leur honneur, semblait-il.

— Tu aurais préféré peut-être ne rien savoir?... demanda-t-elle : être trompé et que les gens rient dans ton dos? Ou alors l'apprendre par cette concierge de Charley?... Et dans ce cas, tu aurais fermé les yeux, n'est-ce pas? La complaisance est une chose courante, je crois, dans les milieux cinématographiques...

— Je te signale que tu y es depuis huit ans, dans ce milieu, dit Simon Béjard malgré lui, car il avait envie de tout, sauf d'une scène en cet instant.

— Sept ans, rectifia Olga. Sept ans qui, figure-toi, n'ont pas entamé mon horreur des ménages à trois, de l'hypocrisie et des partouzes. Si tu aimes ça, fais-le sans moi, veux-tu...

Mais Simon s'était levé malgré lui, blanc de colère, et Olga recula d'un pas devant ce visage inconnu et furieux.

— Si nous couchions à trois, dit Simon, ce ne serait pas ma faute, si? Ce n'est pas moi qui aurais amené le troisième, si? Tu ne crois pas que...

Il bégayait de fureur et Olga, coincée, se dégagea avec des cris qui calmèrent aussitôt Simon, allergique au scandale depuis toujours. Elle lui renvoya sa question sans daigner répondre à la sienne.

— Tu n'as pas répondu, Simon : serais-tu un homme complaisant ou non?

— Sûrement non, dit-il. Ou tu arrêtes cette histoire, ou je te descends à Syracuse.

Et il l'aurait fait en cet instant, tant il était humilié de souffrir pour cette petite femme menteuse et mesquine. Olga le comprit et soudain se vit seule sur un aéroport sicilien, sa valise à la main; avant de pousser plus loin son imagination et de se voir préférer une autre jeune actrice dans la prochaine production de Simon Béjard. « Mais je suis folle... se dit-elle : j'ai deux contrats avec lui, même pas signés, je m'amuse avec un infect goujat et je le lui dis... Ressaisissons-nous... » Et elle se ressaisit en effet en s'effondrant dans les bras de Simon, en l'arrosant de larmes limpides, celles-ci, et en secouant ses épaules de sanglots, mais avec assez de vérité pour que Simon, trop heureux de cette conclusion, la prît dans ses bras et la consolât, le cœur serré par les mensonges mélodramatiques qu'elle bégayait contre sa joue, pas longtemps, car ce fut vite ses lèvres qu'il écouta, et son corps qu'il questionna de son propre corps sans en retirer une autre réponse que ces mêmes cris extasiés qui ne lui apprenaient rien.

Mais tandis qu'il fumait lentement, après, allongé sur le dos, les yeux fixés sur le hublot plus clair, dans le noir, Olga, endormie, bougea, mit sa main sur la hanche de Simon avec un grognement de satisfaction qu'il prit pour du bonheur, et qui le fit se pencher en aveugle sur le visage de cette enfant docile dont il avait plus que le désir d'être aimé. Il tenta alors de s'endormir, n'y parvint pas, ralluma, prit un livre, le referma, éteignit. Rien n'y fit. Deux heures plus tard, il lui fallut se rendre à l'évidence.

Simon Béjard, allongé sur sa couchette, les genoux repliés et la tête penchée dans une position dite fœtale, Simon Béjard, en ce moment le producteur le plus envié de France et peut-être d'Europe, se payait un chagrin d'amour. Et au lieu de profiter de sa chance, il se terrait dans un lit loué neuf jours pour une fortune à la compagnie Pottin, un lit qui n'était pas le sien, ne le serait jamais, un lit peut-être différent de ses prédécesseurs par son luxe mais non par sa solitude qui y paraissait même plus éclatante ; un lit semblable à tous ceux où il avait vécu pendant trente ans, dont il savait en les quittant au matin qu'il ne les reverrait pas. Et Simon Béjard, qui n'avait donc jamais eu un lit à lui et dont le seul toit était en ce moment celui du *Plazza,* avenue Montaigne, Simon se sentit tout à coup désespérément attiré par tout ce qu'il avait fui et méprisé toute sa vie : Simon souhaitait avoir son toit, son lit, et pouvoir y mourir — mais à condition que ce lit et cette vie, Olga Lamouroux les partageât. Il avait suffi pour qu'il en arrivât là, après trente ans de dèche et de solitude, qu'il soit brusquement livré à l'oisiveté, au luxe et à la compagnie durable d'une femme. Ces trois mois avaient suffi pour qu'il tombe amoureux d'une starlette et qu'il pleurniche sur sa couchette quand elle le trompait au lieu de la jeter dehors et de l'oublier en trois jours, comme il l'eût fait à Paris. Au travers de toutes ces pensées, en fond sonore, il entendait un bruit caressant et fuyant, celui du bateau qui fendait des eaux placides et sombres avec un doux bruit d'eau libre, d'eau salée, d'eau marine, très distinct du bruit des rivières, remarqua-t-il, rêveur, tout à coup, loin d'Olga, revenu à ses années d'enfance, dans cette province plate aux teintes si vertes et si jaunes, où se glissaient, en reflétant le ciel, des rivières transparentes ; tandis qu'un enfant, les yeux fixés sur un bouchon rouge au bout d'une ligne, un enfant passionné et maladroit déjà, lui-même, transpirait au soleil. Mais qu'est-ce que ces souvenirs venaient faire dans sa tête et dans ces circonstances inopportunes ?... Il ne se rappelait jamais son enfance, il l'avait oubliée depuis belle lurette, du moins le croyait-il. Son enfance était reléguée, avec quelques scénarios trop plaintifs ou trop plats, dans les placards aux archives d'où ils ne devaient plus sortir, ni les uns ni les autres.

Simon se leva dans l'obscurité, alla jusqu'à la salle de bains et y avala deux verres d'eau, coup sur coup, avec une emphase et des gestes de tragédie, puis alluma et se jeta un regard de biais dans la glace. Il se rapprocha de sa figure lugubre et plutôt laide, avec ses traits mous et ses yeux bleus à fleur de tête, ce teint cadavérique qu'il conservait même sous le bronzage, et cette bouche dont la sensualité avait été quelquefois appréciée ; mais vingt ans plus tôt, alors que la sensualité l'intéressait à peine, plutôt moins que le football, et en tout cas bien moins que le cinéma ! Ce visage à qui il n'eût confié, dans une de ses productions, qu'un troisième rôle (et encore, un rôle d'homme trompé par sa femme, méprisé par son patron, un rôle de gaffeur ou de goujat). Par quelle folie, quelle inconscience voulait-il qu'Olga l'aimât, ce visage ? Comment pouvait-elle même supporter qu'il l'appuyât au sien ? Et comment pouvait-elle passer les mains dans ses cheveux devenus rarissimes ? Comment pouvait-elle supporter, contre son corps mince et souple et musclé de jeune femme à la page, son corps à lui, Simon, gonflé d'alcool et de sandwiches avalés à la hâte, son corps où les muscles se relâchaient sans avoir jamais été tendus, et dont l'estomac s'alourdissait à force de voiture ? (Le fait qu'une Mercedes remplaçait sa vieille Simca ne changeant rien à la chose, comme il l'avait cru pourtant.) Ah ! il n'était pas aussi beau que les autres hommes de ce bateau : le charmant Julien et le superbe Andréas et le bel Éric... Ce fumier, ce salopard, ce bel Éric.

Simon attrapa un tube de somnifères, en prit un, l'avala, fit sauter les autres dans sa main, faisant semblant d'hésiter pour s'éblouir. Mais il savait fort bien qu'il était incapable de cette solution. Et tout compte fait, il n'éprouvait aucune honte de cette certitude-là : au contraire.

On arriverait au soir à Carthage, mais à l'aube il pleuvait. Le *Narcissus* sortit de la nuit sur un ciel gris ferreux, trop penché sur une mer du même ton et dont l'eau semblait poisseuse, lourde. Il semblait que le monde s'arrêtait là, dans ce gris, et que le *Narcissus* n'en sortirait plus jamais. Les passagers seraient lugubres aujourd'hui, pensa Charley en arpentant pour la première fois de la journée les coursives de luxe et en rajustant sa cravate dans son blazer d'un brun mordoré (ravissant, certes, mais sévère, quand il pensait à l'ensemble de shantung beige qu'il avait prévu la veille). Aussi fut-il stupéfait quand il entendit le rire gigantesque et sonore de la Doriacci, un peu éraillé par l'insomnie, rire puissant qui aurait sûrement réveillé les passagers de ce pont, sans la protection involontaire que représentaient Hans-Helmut Kreuze et sa grande cabine. «Comment ce malheureux pouvait-il dormir ?» se demandait Charley en ralentissant le pas. Et d'ailleurs, dormait-il ?... Peut-être vivait-il des nuits blanches et excédées dont seule la terreur l'empêchait de se plaindre. Depuis l'incident du premier jour, Hans-Helmut, le maestro, filait doux devant la Doriacci. Quant à Fuchsia, le vétérinaire consulté à Porto-Vecchio avait dû comprendre son cas puisque grâce à ses pilules le chien dormait sans discontinuer depuis deux jours. Un deuxième éclat de rire freina Charley définitivement, et il jeta autour de lui un coup d'œil furtif : Ellédocq était à son poste de commandement depuis une heure, surveillant une trajectoire immuable et évitant des obstacles inexistants ; il avait donc le temps et la possibilité... Il se retrouva penché, l'oreille sur la porte de l'appartement de la Doriacci, honteux et frétillant à la fois.

— ... Alors ? alors ?... La meunière n'a pas voulu payer l'hôtel finalement ?... C'est incroyable !... disait la Doriacci.

Le bruit d'une claque sonore fit sursauter Charley qui ne comprit pas tout de suite et souhaita que ce fût la cuisse de la Diva et non la joue du pauvre Andréas qui l'eût subie.

— Ce n'était pas exactement ça, dit la voix d'Andréas. (« Une voix jeune, si jeune ! Quel dommage... » pensa Charley avec fièvre et désespoir.) Elle prétendait qu'on lui avait donné d'office un appartement, alors qu'elle n'avait demandé qu'une chambre, etc. Le patron disait que si. Elle m'a pris à témoin... Tout le monde était là, tout l'hôtel : les clients, le personnel... J'étais rouge comme une écrevisse...

— Mon Dieu ! Mais où vas-tu pêcher ces femmes ? dit la Doriacci d'une voix tonnante et enchantée.

Elle avait l'habitude depuis des années, dans les bras de ses jeunes amants, d'entendre parler toujours des mêmes rivales. C'étaient les mêmes femmes de soixante ans ou plus qui se partageaient le marché des jeunes gens dorés, à Paris, Rome, New York et ailleurs. Et encore, ce marché était-il restreint par la concurrence croissante des pédérastes, moins fatigants et plus généreux généralement que les vicomtesses et les ladies encore en chasse. C'étaient toujours la comtesse Pignoli, Mrs. Galliver et Mme de Bras dont la Doriacci recueillait les restes, ou à qui elle les laissait. Et voici que ce jeune homme si poli, et sans doute le plus beau qu'elle ait vu depuis longtemps, ce jeune homme qui allait faire fureur sur le marché dès qu'elle l'y aurait introduit, lui parlait de Nevers comme de la Super-Babylone, du train Corail Paris-Saint-Étienne comme d'un jet privé, et de Mme Farigueux et de Mme Bonson — respectivement épouse du minotier et veuve du notaire — comme de Barbara Hutton... Et voilà qu'il lui racontait ses aventures de gigolo non seulement sans cacher le rôle précis qu'il y tenait, mais en plus avec des anecdotes dont il sortait très souvent ridicule ou floué. C'était vraiment un jeune homme étrange que cet Andréas de Nevers... Et la Doriacci s'avouait que si elle avait eu trente ans de moins, vingt, même, elle se le serait volontiers attaché un peu plus longtemps que d'habitude, c'est-à-dire un peu plus de trois mois. Ce que d'ailleurs il réclamait déjà avec

une insistance qui eût été odieuse chez presque tous les garçons de son
genre, mais qui, chez lui, ne semblait qu'enfantine. Andréas avait de
surcroît des réflexes inattendus chez un professionnel, car s'il ne cachait
pas vivre de son corps depuis cinq ans, et uniquement de son corps, il
rougissait quand elle glissait un pourboire au steward, à se demander
comment il faisait sur la terre ferme où le nombre des pourboires se
multipliait par cent.

— Alors, qu'as-tu fait? dit-elle.

Et elle avançait la main vers Andréas, un Andréas en pyjama blanc de
madapolam comme elle n'en avait pas vu depuis 1950. Il était blond et
décoiffé, il avait l'air heureux, il riait de la bouche et des yeux, il était
charmant. Et elle le décoiffa et recoiffa plusieurs fois avec un plaisir
sans mélange. Elle cessa quand les yeux d'Andréas, oubliant de sourire,
se firent implorants, tendres, trop tendres, et elle cassa net par une
question brutale.

— Pourquoi ne voulait-elle pas payer, ta meunière... ta minotière,
pardon? Le service n'était pas parfait?... le tien, je veux dire.

Il secoua la tête, le visage fermé, comme chaque fois qu'elle abordait
ces questions pourtant simples, et continua :

— Elle m'a pris à témoin, et quand j'ai dit que je ne me rappelais
pas, elle a dit que cela ne l'étonnait pas, que «Monsieur était au-dessus
de ça... (Monsieur, c'était moi), que Monsieur planait, que, etc.» Alors
la femme de l'hôtelier s'est mise à rire d'une manière horrible, et elle a
dit...

Andréas s'arrêta et prit l'air soucieux.

— Qu'est-ce qu'elle a dit? dit la Doriacci en riant d'avance. Qu'est-
ce qu'elle a dit?... Raconte-moi tout, Andréas. On s'amuse mille fois
plus à Nevers qu'à Acapulco, décidément... Et pourquoi n'y a-t-il pas
un opéra-comique à Moulins et à Bourges?

— Il y en a, mais vous seriez payée trois sous, dit Andréas tristement.
Alors elle a dit que Huguette... enfin la minotière, elle, n'avait pas à se
plaindre, puisqu'elle l'avait entendue brailler (c'était son terme) une
partie de la nuit...

Il avait l'air si empêtré qu'un fou rire cette fois se déclencha chez la
Doriacci qui avait de surcroît toujours eu le fou rire facile.

— Et toi, qu'as-tu fait?

— J'ai été chercher la voiture, dit Andréas, j'ai cherché les bagages,
et la femme de l'hôtelier m'a demandé à moi de payer la note, et j'avais
pas un sou, pendant que l'hôtelier lui demandait à elle, et que les
garçons du restaurant se tenaient les côtes. Ah! j'ai souffert... J'ai
vraiment souffert... Et vous savez comment s'appelait ce motel? *Le
Motel des Délices,* acheva-t-il. *Des Délices du Bourbonnais...* Je l'ai
laissée à la première gare et je suis rentré à Nevers. Tante Jeanne était

bien déçue, mais c'était elle qui m'avait mis sur le coup de la minotière...

— Mon Dieu... mon Dieu... sanglota la Doriacci dans ses draps et dans ses oreillers qu'elle serrait contre elle avec transport. Mon Dieu, arrête tes histoires... Arrête tes histoires stupides et ouvre la porte : il y a quelqu'un qui nous écoute, continua-t-elle sur le même ton.

Si bien que Charley faillit tomber quand la porte fut ouverte par le superbe Andréas (vêtu de probité candide et de lin blanc) et il pénétra la tête la première dans la chambre. Dans son lit, les épaules nues, le visage rouge d'avoir ri et les yeux étincelants d'autorité, la Doriacci le fixait sans colère et sans indulgence.

— Monsieur Bollinger, dit-elle, déjà debout à cette heure ? Voulez-vous prendre votre petit déjeuner avec nous ?... Si ce désordre ne vous effraie pas.

Et de son beau bras encore lisse elle désignait la chambre. « Une chambre d'amants », remarqua Charley tristement, avec les vêtements, les cigarettes et les livres, le verre d'eau et les coussins dispersés dans ce désordre inimitable du plaisir. Balbutiant, il s'assit au coin du lit, la tête baissée et les mains sur ses genoux comme un communiant. Sans commenter autrement sa conduite infamante, la Doriacci commanda du thé pour trois personnes, des toasts, des confitures et des jus de fruits. Ce petit déjeuner, visiblement, suivait de près un champagne nocturne à en juger par la bouteille encore fraîche et le visage du steward, complètement défraîchi, lui.

— Le pauvre Emilio n'a pas dormi par ma faute, dit la Diva en le désignant à Charley. Je le recommande à votre indulgence, dit-elle en tirant d'un de ses sacs une dizaine de billets qu'elle posa sans pudeur et sans ostentation sur le plateau du malheureux Emilio qui redevint rose à cette vue. Alors, Charley, cette visite, en quel honneur ? De nouveaux drames aujourd'hui, déjà ? Il se passe tous les jours quelque chose sur ce bateau, et pas des plus simples.

— Que voulez-vous dire ? demanda Charley (la curiosité l'asseyant un peu plus carrément sur le lit dont il avait déjà manqué glisser trois fois, la honte l'ayant posé à son extrême bord).

Andréas était venu se rasseoir sur le lit, mais les pieds sur le sol, un peu de biais, « avec une discrétion aussi inutile que touchante », aux yeux de Charley.

— Bien sûr qu'il se passe des choses... dit la Doriacci. Un : votre Clarisse nationale est devenue belle ; deux : le beau Julien l'aime ; trois : elle le lui rend presque ; quatre : Olga et M. Lethuillier, après leurs amours contrariées, s'ennuient déjà ensemble. Le producteur rouquin et l'altière Edma vont bientôt flirter. Quant à Andréas... dit-elle en tapotant le nez du garçon comme s'il eût été un caniche, il est fou amoureux de moi. N'est-ce pas, Andréas ? dit-elle avec cruauté.

— Cela vous semble outrecuidant de ma part, n'est-ce pas ? dit Andréas à Charley. Mes sentiments vous paraissent faux ou intéressés ?

Il ne s'amusait plus du tout, visiblement, et Charley se demanda une fois de plus pourquoi lui-même, Charley, cédait toujours à ses curiosités — alors qu'il en était chaque fois puni, dans un délai plus ou moins long. Cette fois-ci, c'était rapide et il changea de sujet pour échapper à la punition de cette scène — qu'il eût par ailleurs gaiement commentée, mais qu'il souffrait de voir éclater devant lui :

— Savez-vous aussi que nous avons sur ce bateau un trésor artistique ? dit-il de sa voix mystérieuse.

Et la Doriacci se redressa sur ses oreillers, déjà passionnée, mais Andréas garda les yeux baissés.

— Qu'est-ce que c'est ? dit-elle. Et d'abord, comment le savez-vous ? Je me méfie de vos indicateurs, mon beau Charley, je me méfie de vos sources : et pourtant vous savez tout sur ce bateau, même si l'on ne sait pas comment, dit-elle avec perfidie.

Mais Charley n'était pas en mesure de relever, et il enchaîna :

— Julien Peyrat a acheté à Sydney, il y a deux mois, pour une bouchée de pain, une vue de Paris sous la neige signée Marquet, une peinture admirable, près des impressionnistes, dont certaines toiles sont des splendeurs...

— Je connais et j'adore Marquet, dit la Doriacci, merci !

— Et il est prêt à le revendre cinquante mille dollars, dit lentement Charley (il n'aurait pas eu l'air plus tragique s'il avait jeté une bombe sur la courtepointe), c'est-à-dire vingt-cinq millions d'anciens francs ! Pour rien, quoi !

— J'achète, dit la Doriacci en tapotant de la main sur son drap, comme si Charley eût été commissaire-priseur. Non, reprit-elle, je n'achète pas. Où est-ce que je mettrais ce Marquet ? Je n'arrête pas de voyager... Un tableau doit être vu, regardé tout le temps avec des yeux amoureux, et cette année je n'arrêterai pas de voyager. Savez-vous, monsieur Bollinger, qu'en descendant de ce bateau je prends aussitôt l'avion pour les USA où je chante le lendemain soir, au Lincoln Center de New York, où Monsieur veut que je l'emmène, poursuivit-elle en tendant, sans le regarder, une main caressante vers Andréas qui se recula, qu'elle ne toucha donc pas, mais qu'elle chercha vaguement dans l'air, mais de la main seulement, et auquel elle renonça avec la même expression bonasse, «avec toujours cet air de s'adresser à un caniche», songea à nouveau Charley.

Et il se leva malgré lui. Il souffrait pour Andréas, et il s'en étonnait, son intérêt évident étant que la Doriacci le lui rende. ou tout au moins lui laisse une chance de le capturer. «Décidément, il avait un trop bon cœur», se dit-il en se retournant à la porte et en leur faisant de la main un petit au revoir minaudier. Un grondement féroce venant de la cabine adjacente fit qu'il prit la coursive au grand trot et ne s'arrêta qu'aux pieds d'Ellédocq et de son collier de barbe rassurant.

Derrière lui, dans la chambre en désordre, la Doriacci ne riait plus. Elle regardait Andréas et les beaux cheveux blonds coupés trop court sur sa nuque.

— Je n'aime pas que tu me fasses la tête, dit-elle, même devant Charley.

— Pourquoi, même devant Charley? demanda Andréas, l'air parfaitement innocent et intrigué, ce qui étonnait encore la Diva, cet art de mentir chez un garçon si limpide.

— Mais parce que ça ne peut que lui faire plaisir, voyons, dit-elle en souriant pour qu'il ne la croie pas dupe.

— Pourquoi?

Cet air incompréhensif exaspéra d'un coup la Doriacci. L'insomnie déjà attaquait ses nerfs, et elle le sentait, mais elle ne pouvait se priver de ses nuits blanches, les seuls moments où elle s'amusât un peu — parfois beaucoup — mais avec une gaieté qui ne dépendait pas du tout de ses partenaires puisque c'était dans les accès de ses propres fous rires, de ses propres pitreries qu'elle se laissait glisser, bonne enfant ou sarcastique, dans ses propres délires, ses propres projets ou ses propres souvenirs, tous dérisoires, extravagants, et qui laissaient ces pauvres jeunes gens plus épouvantés qu'amusés. Andréas avait du moins pour lui l'avantage de rire de ses rires et aussi de la faire rire avec ses propres anecdotes, et sans pour autant négliger ses devoirs d'amant qu'il accomplissait avec une ferveur devenue introuvable ces temps-ci, chez les jeunes comme chez les vieux garçons de cette époque qui ne parlaient du sexe qu'avec crudité et avidité et impolitesse, le tout baptisé liberté. Il ne fallait pas qu'Andréas, au demeurant tout à fait franc sur ses moyens de vivre, soit hypocrite sur ses mœurs.

— Parce que Charley est amoureux de toi, au cas où tu l'ignores vraiment. Et que je suis l'obstacle entre lui et toi sur ce bateau. Si nous nous séparons, il pourra te consoler.

— Comment?... dit Andréas, qui devint tout rouge; vous pensez que je me ferais consoler par Charley?

— Et pourquoi pas? dit-elle.

Et elle se mit à rire, car il ne l'amusait pas bizarrement pour une fois de faire mentir Andréas comme elle avait fait mentir les autres, ses brillants prédécesseurs, que cette question-là embarrassait quelquefois jusqu'au mensonge.

— En tout cas, ne me fais plus la tête, veux-tu? Devant personne. Je t'emmènerai peut-être à New York, mais en aucun cas si tu boudes.

Andréas ne répondit pas. Il fermait les yeux, allongé sur le lit. Elle aurait pu croire qu'il dormait sans ce froncement de sourcils, cette mélancolie de la bouche qui dénonçait un homme éveillé, et triste de l'être. La Doriacci siffla *in petto* : il était temps de mettre les choses au clair avec ce faux nigaud venu de Nevers, sans quoi elle se retrouverait peut-être dans les pires ennuis... Bien que ce souvenir ne la frappât plus, bien qu'elle n'y pensât jamais sans prétexte, le suicide pour elle d'un jeune régisseur à Rome, dix ans plus tôt, ne l'avait pas encore abandonnée totalement.

LE CAPITAINE ELLÉDOCQ dans le poste de pilotage, fixait la mer étale devant lui, une mer plate comme la main, ce qui ne l'empêchait pas de poser sur elle un regard méfiant et agressif. Ellédocq, songea Charley, semblait sur le point de se frotter les mains et de dire : «A nous deux, ma belle», comme s'il partait sur un ketch vers les *roaring forties*. L'héroïsme étouffé, en tout cas non utilisé, d'Ellédocq expliquait, aux yeux du compréhensif Charley, sa hargne perpétuelle et sa solitude, lesquelles ne semblaient pour autant assombrir sa femme que Charley avait vue avec Ellédocq à Saint-Malo, fort gaie, il y avait de cela près de deux ans. Ils n'avaient pas d'enfants, Dieu merci, songea Charley qui voyait devant lui se lever des nourrissons barbus. Charley leva la tête et cria : «Capitaine ! Holà, capitaine !» d'une voix légèrement enrouée.

Le maître à bord inclina un visage impérieux et grave vers Charley ; il le toisa, remarqua avec tristesse le blazer de velours brun avant de gronder : «Quoi? Qu'est-ce qu'y a?»

— Bonjour, mon capitaine, dit Charley, sémillant de par sa nature et qui, malgré toute son expérience, essayait encore de plaire à son supérieur. Le chien de maître Kreuze s'est réveillé... Je l'ai entendu gronder au passage et ce n'était vraiment pas rassurant !... Emilio, le premier steward, avait menacé de descendre à Syracuse si on n'attachait pas ce chien. Et nous n'avons plus de somnifères pour lui...

Ellédocq, en proie à ses tempêtes imaginaires, et porté qu'il était donc à défier la Méditerranée, laissa tomber un regard méprisant sur Charley et ses préoccupations ménagères.

— Cassez les pieds... histoire de chien... foutre à l'eau... pas mon job... démerdez-vous...

— C'est déjà fait, objecta Charley, montrant son tibia. Si cette bête mord Mme Bautet-Lebrêche, par exemple, ou l'empereur du Sucre, nous aurons procès sur procès !... Je vous rappelle, mon capitaine, que vous êtes le seul responsable de ce navire et de ce qui s'y passe !...

Et pour accentuer cette responsabilité, Charley claqua des talons, arrivant même à mettre une certaine grâce dans ce mouvement militaire.

— Vous... peur? demanda Ellédocq, railleur. Ha, ha, ha !

Il se tut et Charley, se retournant, vit l'affreux spectacle : lancé sur ses quatre pattes quasi mécaniques, et à une vitesse croissante, le chien en question arrivait sur eux. «Il semblait plus gros que nature», pensait Charley tandis que ses jambes l'emmenaient à une vitesse inconnue jusque-là et le cachaient derrière une table, pendant que l'animal, fou furieux, grimpait les marches royales en haut desquelles siégeait Ellédocq.

— Où est ce clebs, Charley?... Où est-il, ce bon Dieu de chien?... clamait celui-ci d'une voix interrogative et impérieuse, déjà furieuse d'attendre une réponse qui, hélas! vint aussitôt.

Quelque chose l'attrapa au gras du mollet, transperça son solide costume de marin, ses chaussettes de laine, et ayant atteint sa peau, s'y cramponna. La voix tonnante fut remplacée par un couinement aigu, un cri de détresse qui étonna l'homme de barre et le fit lever les yeux, une fois de plus, vers des mouettes innocentes.

— Enlevez ça, bon Dieu!... ordonnait Ellédocq à personne, essayant de donner des coups de son pied libre au chien déchaîné, coups de pied manqués qui le firent trébucher et tomber à quatre pattes devant son bourreau. Ellédocq tenta encore de récupérer sa voix mâle et son courage, mais il cria : «Charley!... Charley!...» d'une voix de vierge livrée aux fauves.

Charley, ayant monté les escaliers plus que lentement, releva sa tête au niveau du plancher sans y oser monter, et considéra ce qui s'y passait avec un visage qui respirait la compréhension d'un mordu à un autre mordu, mais aussi la lâcheté d'un homme d'expérience.

— Et alors? Vous ne pouvez rien faire?... cria Ellédocq avec autant de haine que de désespoir. Je vous ferai vider, saquer à Cannes, monsieur Bollinger! dit-il, retrouvant, comme à chacune de ses émotions, la pratique du sujet, du verbe et de l'objet. Appelez M. Peyrat, au moins, alors... gémit-il (car le courage de celui-ci lui avait été vanté dix fois et dans dix versions différentes, mais concordantes).

Pendant qu'il continuait à glapir et gémir de sa voix d'eunuque, Charley dévala l'escalier, essayant de cacher sur son visage sa profonde satisfaction. «Le capitaine Ellédocq terrorisé par un bouledogue.» Il n'avait pas fini d'en rire! Mais il ne fit pas rire Julien, qui avait au plus dormi trois heures cette nuit-là, et qui arriva en robe de chambre, le visage creusé et l'air ahuri sur les lieux du supplice. «Mais pourquoi moi?» avait-il marmonné avec tristesse pendant le trajet relativement long de sa cabine à la dunette. «Pourquoi est-ce toujours sur moi que tout ça retombe? Je vous ai déjà arraché à ce chien, et avec plaisir, mon cher Charley, mais je ne me sens pas le même héroïsme pour Ellédocq. Vous me comprendrez...»

— Il va m'en vouloir à mort, rétorqua Charley, si on ne le dégage pas

illico. Il va être furieux et humilié, et ça pèsera sur toute la croisière...
Et puis d'ailleurs, qui d'autre vous est tombé dessus, comme vous dites ?
— Depuis le départ, dit Julien avec vigueur, c'est sur moi que
tombent les femmes en pleurs et les chiens enragés ! J'étais venu ici pour
me reposer, voyez-vous, monsieur Bollinger, disait-il quand il atteignit
la porte pour voir le lion terrassé par le rat.
Tous deux étaient emmêlés sur le plancher. Julien se lança, attrapa la
bête par la peau du cou et de l'arrière-train, mais pas assez vite pour ne
pas être mordu à son tour — et cruellement. Il finit par jeter l'animal
dehors et referma la porte, mais son poignet et le mollet d'Ellédocq
ruisselaient de sang, pourpre chez Julien et plus violacé chez Ellédocq,
nota Charley qui mettait l'esthétique partout. Tandis qu'ils échangeaient
des mouchoirs, la porte retentissait des coups de griffe et des aboiements
du chien privé de sa proie. Ils virent enfin apparaître sur le pont, sans
doute réveillé par le cri du sang, Hans-Helmut Kreuze en robe de
chambre de lainage marron et noir, gansé de grenat avec des
brandebourgs beiges du plus vilain effet, songèrent pour une fois
ensemble les trois prisonniers. Hans-Helmut rattrapa le chien comme il
put, et tout cela finit à l'infirmerie.

C'EST donc à l'infirmerie que se retrouva Julien. Et après une bonne
demi-heure d'un reprisage affreux à son poignet, il s'y endormit,
renonçant à l'escale et au concert. Et c'est donc là que le soir il vit
arriver Clarisse qui avait été précédée dans l'après-midi par Olga,
Charley, Edma et Simon Béjard, celui-ci par amitié, les deux femmes
pour bien souligner leur féminité et leur compassion naturelle. Julien
était, vis-à-vis de Clarisse, bien décidé à profiter de cette féminité, mais
sans pour cela rechercher sa compassion, et malgré l'inimitable platitude
du décor autour d'eux.
L'infirmerie était une très grande pièce, plus grande que les suites des
interprètes royaux, une grande pièce blanche où l'on pouvait aussi bien
opérer quelqu'un et où se dressaient en tout et pour tout deux lits vides,
en plus de celui de Julien, et une table roulante couverte de matériel
médical que Julien supplia tout d'abord Clarisse d'ôter de sa vue.
— C'est avec ces ciseaux qu'ils m'ont torturé toute la matinée, dit-il.
— Vous souffrez ? demanda Clarisse qui était habillée de couleurs
vives sous son nouveau visage devenu pâle, lui, ce qui faisait d'elle le
négatif de la femme qui était montée à bord, cinq jours plus tôt, avec son
visage bariolé, écarlate, et son strict ensemble gris-noir.
Julien fut frappé de sa beauté une fois encore ; avec lui, Clarisse
s'habillerait tous les jours comme ça, de cette manière voyante,

puisqu'elle était superbe à voir et qu'au lieu de redouter qu'on la regarde, elle ferait désormais tout pour ça.

— Cette robe est très, très jolie, dit-il avec conviction et en lui jetant un coup d'œil appréciateur de maître qui déplut une seconde à Clarisse avant qu'elle ne s'en amusât. Avez-vous réfléchi à vous, à moi, à nous enfin? continua Julien qui en oubliait la douleur aiguë de son bras, tant il était gêné des battements hésitants de son propre cœur, qui tantôt martelaient ses côtes, tantôt disparaissaient complètement, près de la syncope.

— Que voulez-vous que je pense?... dit Clarisse, l'air résigné. Que vous ayez un faible pour moi, c'est possible, Julien — encore que ça me paraisse aberrant. Et même que j'en éprouve un pour vous, ajouta-t-elle avec cette franchise qui déconcertait Julien à chaque fois, cela ne change rien. Je n'ai aucune raison de quitter Éric qui ne m'a rien fait. Et quel prétexte pourrais-je inventer?... Son flirt avec la petite actrice? Il sait bien que ça m'est égal... Ou en tout cas, il doit le savoir.

— Eh bien, alors, dit Julien en se redressant sur le lit, si la fidélité n'est pas exigible dans votre «couple» (et il appuya sur le mot «couple» avec dérision), prenez-moi comme amant, comme flirt, comme vous dites... J'arriverai bien un jour à légaliser tout ça. Qui vous empêche en ce moment précis, dans cette pièce où nous sommes seuls, de m'embrasser, par exemple?...

— Rien, dit Clarisse d'un ton distrait et bizarre.

Puis, comme cédant à quelque chose où sa volonté et sa décision n'intervenaient pas, elle se pencha vers Julien, l'embrassa longuement, et, quand elle se redressa, ce fut pour aller tourner la clé dans la serrure et, ayant éteint, revenir se déshabiller près de lui, dans le noir.

Une heure plus tard, il se retrouvait au bar, la main bandée, en compagnie d'Edma et de la Doriacci qui s'attendrirent sur son sort avec une compassion bien féminine qu'il subissait avec un plaisir bien masculin. Clarisse, près de lui, ne disait rien.

— C'est quand même dommage que vous n'ayez pas vu Carthage!... dit Edma Bautet-Lebrêche. Enfin, vous verrez Alicante.

— Je ne crois pas qu'il y ait pour moi de plus belle ville que Carthage, dit Julien en souriant, et avec cette voix de convalescent un peu plaintif qu'il avait prise en voyant son prestige grandir avec sa bande Velpeau.

Clarisse, la tête penchée et les cheveux brillants sous la lampe, semblait regretter son masque, cet affreux maquillage qui eût, en tout cas, empêché sa rougeur. La Doriacci regardait cette rougeur avec un intérêt qui la redoubla.

— Va bene, va bene... dit la Doriacci en souriant.

Et tendant ses grosses petites mains charnues par-dessus son rocking-

chair, elle en tapota celles de Clarisse, subjuguée. La Diva lui faisait
peur, ou tout au moins l'impressionnait si visiblement que Julien eut
envie de la serrer sur son cœur pour cette admiration naïve et éhontée.
Encore une fois, peut-être la dixième fois cette soirée, il ne put que
refréner cette envie et y renoncer. « Ils avaient été fous de coucher
ensemble », pensait-il. Et maladroit autant que malheureux, il se plaignit
à Clarisse avec qui il se retrouvait enfin, après deux heures d'ennui et de
souvenirs délicieux.

— ... Quand je ne pouvais qu'imaginer votre corps et vous,
murmura-t-il avec reproche, il n'y avait que mon imagination qui
marchait ; et qui hurlait à la lune, le soir, dans ma cabine. Maintenant il
y a ma mémoire qui s'en mêle, et ça, c'est vraiment atroce !...

Clarisse, pâle, le regardait sans répondre, l'œil humide et brillant, et
Julien s'en voulut aussitôt à mort de sa brutalité.

— Pardon... dit-il. Je vous demande pardon. Vous me manquez
horriblement... Je vais passer mon temps à vous suivre sur ce bateau, à
vous voir, et à ne pas pouvoir vous toucher... Je m'ennuie de vous,
Clarisse, depuis deux heures comme depuis deux mois.

— Moi aussi, dit-elle, mais j'aurai du mal à vous retrouver.

JULIEN regrettait à présent d'avoir laissé vendre son Marquet par
Charley Bollinger : il craignait que celui-ci, à force d'habiles simagrées,
n'en soit encore au même point en arrivant à Cannes. Or c'était à
Cannes que lui, Julien, devrait se précipiter à la banque la plus proche et
y déposer les vingt-cinq millions du tableau dont, hélas, une moitié
serait à virer à son Texan, mais l'autre, Dieu merci, à son propre compte,
afin de pouvoir filer avec Clarisse vers des cieux plus cléments. « Mais
il ne lui resterait jamais assez de temps ni assez d'escales, pensait-il,
pour persuader Clarisse de le suivre, tâche aussi ardue que de trouver les
moyens de le faire. »

Pourtant, il le savait d'expérience, le coup du Marquet devait
surexciter a priori les passagers du *Narcissus*. Chez les gens riches, cette
passion des bonnes affaires était aussi vive qu'inutile. Mais cela rendait
infini le champ de leurs opérations, puisqu'une réduction sur une paire
de gants, chez une mercière, les intéressait tout autant qu'une réduction
sur des zibelines, rue de la Paix, la situation financière de la mercière ne
leur donnant pas plus d'inquiétude que celle du grand fourreur.

L'acquisition d'un tableau était donc l'une des « affaires » les plus
passionnantes dans ce petit milieu doré sur tranche, étant donné les
différences énormes qui pouvaient y jouer et auxquelles ils parvenaient
en terrorisant le peintre ou en snobant les galeries. Il était bien sûr

élégant, profitant de l'ignorance ou de la hâte d'un malheureux vendeur acculé, de lui payer sa toile la moitié de son prix, et il était tout aussi élégant de payer cette même toile dix fois ce prix, chez Sotheby's, par exemple, à l'instant qu'un armateur ou un musée la désirait aussi. Dans les deux cas, c'était la vanité ou la rapacité que l'on comblait ; mais dans le premier cas seulement, l'affaire était bonne pour ces Midas. Car s'ils avaient réfléchi, ils se seraient rendu compte que cette affaire ne pouvait être bonne puisqu'ils ne revendraient probablement jamais ce tableau (ni au double ni au triple de son prix d'achat) étant donné qu'ils n'en auraient pas besoin. Ils ne se rendaient pas compte, donc, qu'ils ne faisaient finalement que bloquer leur bel argent sur des toiles qu'ils n'aimaient pas, ou ne comprenaient pas. C'était grâce à l'existence des cambrioleurs, Dieu merci, qu'ils pouvaient les oublier dans leurs coffres-forts dont ils ne les sortaient parfois que pour les confier à quelque musée... Bien sûr, les amateurs de peinture, en consultant le catalogue, verraient écrit en petites lettres noires : « Collection privée de M. et Mme Bautet-Lebrêche », par exemple (encore que « Collection privée » tout court soit chic aussi). Mais ce que le public admirerait alors, en regardant ce tableau qu'eux-mêmes ne regardaient jamais, ce serait le flair artistique des propriétaires — dont in petto ils n'étaient pas si convaincus — au lieu d'admirer un sens des affaires qu'ils étaient, là, sûrs d'avoir.

C'était du moins la théorie que se tenait Julien, ce matin-là, appuyé au bastingage et regardant une mer gris-bleu au bout de laquelle les attendait le port de Bejaia. Éparpillés par hasard dans un désordre très cinématographique, les autres passagers montraient, de chaise longue en chaise longue, des mines alanguies, des yeux cernés par quelque insomnie plus ou moins plaisante, semblait-il, car les yeux rougis de Simon Béjard, les traits tirés de Clarisse et les joues creuses de Julien, lui-même, n'évoquaient pas cette sérénité promise par les frères Pottin. Seule Olga, un peu plus loin, et qui faisait semblant de lire, l'air grave, les Mémoires posthumes d'un homme politique (qui avait été, déjà, de son présent, fort ennuyeux), montrait une bonne mine, des joues roses de jeune fille. Assis près d'elle, Andréas, l'air sombre et romantiquement beau dans son chandail noir, faisait plus que jamais enfant du siècle (du XIXᵉ, bien sûr). Quant à la Doriacci, la tête renversée en arrière, émettant parfois des grognements rauques et inattendus — qui évoquaient plutôt l'affreux Fuchsia que les roulades d'une *coloratura* —, elle fumait cigarette sur cigarette, avant de les jeter, sans méchanceté comme sans complexe, aux pieds d'Armand Bautet-Lebrêche : celui-ci devait alors, chaque fois, se soulever de sa chaise longue, étirer sa jambe hors de la chaise et les éteindre de son soulier verni... Une menace planait quelque part sur ce bateau, parmi ses passagers civilisés ; et pourtant il faisait beau et l'air était parfumé de cette odeur de raisins secs, de terre chauffée à blanc, de café tiède et de sel qui annonçait l'Afrique.

Edma elle-même, bien que riant aux propos de Julien et lançant parfois vers Clarisse des regards affectueux de belle-mère, Edma elle-même sentait tressauter sous sa peau, sans son accord, ses petits muscles du cou et de la mâchoire, signes qu'elle savait annonciateurs de quelque séisme. De temps en temps elle y portait la main comme pour les mater de son doigt.

Armand Bautet-Lebrêche, bien que d'esprit parfaitement scientifique, avait été trop soumis à l'empirisme, roi de son époque, pour ne pas se rappeler et craindre, lui aussi, l'avenir proche annoncé par ces frémissements au cou d'Edma. C'est sans doute cette appréhension qui lui faisait éteindre distraitement et sans rechigner, les uns après les autres, les longs mégots de la Diva. Quant à Lethuillier, qui jouait comme tous les matins son numéro muet de journaliste polyglotte, il relevait parfois la tête de ses gazettes espagnoles, italiennes, anglaises ou bulgares, pour jeter vers la mer parfaitement bleue et parfaitement plate un regard soupçonneux, comme s'il se fût attendu à en voir surgir, comme dans le récit de Théramène, l'horrible animal fatal à Hippolyte. Simon Béjard, lui, n'arrivait pas à distraire, dans un « 421 » où il jouait contre lui-même, une mélancolie qui semblait plutôt rebondir en même temps que les dés sur la piste verte, avec un bruit monotone et exaspérant. L'arrivée de Charley redonna quelque espoir au groupe, mais il était sans entrain et sombra très vite dans la morosité générale.

Celle-ci était montée à un tel point qu'en voyant le capitaine Ellédocq accompagné de Kreuze, à l'autre bout du bateau, cingler vers eux en martelant le pont d'un pas pesant, les passagers du *Narcissus* eurent un moment d'espoir, voire de plaisir. Hélas ! les deux hommes, pas plus que les autres, ne purent ranimer l'atmosphère, et l'espoir de jours meilleurs s'effilocha vers des paquebots plus allègres. Charley, dans un dernier effort, fit venir le barman, mais ce dernier ne recueillant comme commandes que des jus de fruits et de l'eau minérale, le plateau qu'il rapporta était tellement déprimant que même le double dry de Simon y passa inaperçu. A présent ce n'était plus un ange qui passait dans le silence, c'était une cohorte, une légion vibrante de toutes ses harpes.

C'est alors que la Doriacci referma son sac avec un claquement sonore, si sonore qu'il lui attira aussitôt l'attention des plus distraits : la Doriacci, enlevant ses lunettes de soleil aux branches incrustées de strass, montra à tous des yeux étincelants et une bouche mince, mordue qu'elle était sans ménagement par ses propres dents blanches (cette blancheur nacrée que l'on n'obtenait que chez le docteur Thompson, à Beverly Hills, Californie).

— Ce bateau est vraiment confortable, c'est vrai, mais le public y est lamentable, dit-elle d'une voix ferme. Maître Hans-Helmut Kreuze et moi-même vivons depuis six jours entourés de sourds, et des sourds ignorants et prétentieux! Peut-être maître Kreuze est-il surnommé le «gros plouc», mais mieux vaut être un gros plouc qu'un de ces minables petits ploucs qui pullulent ici et là, sur ce pont ou sur l'autre. Le silence autour d'elle était parfait: on entendait voler les mouettes.

— Je descendrai à Bejaia, reprit-elle. Monsieur Bollinger, auriez-vous l'obligeance de me louer un avion là-bas, privé ou pas, qui me ramènera à New York, enfin d'abord à Cannes?

Simon Béjard, frappé de stupeur, laissa rouler ses dés sur le pont, et leur fracas fit l'effet d'un juron.

— Mais voyons... dit Edma Bautet-Lebrêche. (Et courageusement, car les yeux de la Doriacci la foudroyèrent au premier mot.) Mais pourquoi, ma chère amie?... Pourquoi?...

— Pourquoi? Ha, ha, ha... Ha, ha, ha!

La Doriacci était plus que sarcastique, et elle reprit ces «Ha, ha, ha!» méprisants deux ou trois fois, tout en commençant, debout, à enfourner dans son cabas, avec une colère méthodique, tout le fourbi accumulé sur la table à côté d'elle: le rouge à lèvres, le peigne, la tabatière, la boîte à pilules, le poudrier, le briquet en or, les cartes, l'éventail, le livre, etc. Tous ces objets, ayant pris l'air du large, rentrèrent donc dans leur geôle habituelle. Elle se tourna vers Edma:

— Savez-vous, madame, ce que l'on a joué hier soir? jeta-t-elle, refermant son cabas si violemment que la serrure faillit en sauter. Savez-vous ce que nous avons joué, hier?

— Mais... mais bien sûr, dit Edma d'une voix faible, une lueur de panique naissante dans son regard généralement si assuré. Bien sûr... Vous avez joué du Bach... enfin, maître Kreuze a joué Bach, et vous-même avez chanté les *lieder* de Schubert, non?... Non?... demanda-t-elle en se tournant vers les autres, l'œil de plus en plus anxieux au fur et à mesure que ces lâches détournaient le leur. Non, Armand?... finit-elle par lancer vers son époux, espérant sinon une pleine confirmation, tout au moins un acquiescement muet de la tête.

Mais pour une fois, Armand, l'œil fixe derrière ses lunettes — mais d'une fixité égarée — ne répondit pas, ne la regarda même pas.

— Eh bien, je vais vous le dire, ce que nous avons joué!...

Et la Doriacci, mettant son cabas sous son aisselle et refermant son bras dessus comme si elle eût craint qu'on le lui arrachât, reprit:

— ... Nous avons joué *Au clair de la lune*, Hans-Helmut Kreuze et moi-même: lui au piano, avec des accompagnements variés! Et moi dans toutes les langues de la terre. «*A Claro di Luna*», fredonna-t-elle

très vite. Et personne n'a bronché!... Personne n'a rien remarqué, si?...
Qu'il le dise alors! ajouta-t-elle, défiant chacun du regard et de la voix
(et chacun se tassa dans son fauteuil et regarda ses pieds). Il n'y a qu'un
malheureux notaire de Clermont-Ferrand qui m'a fait une vague
remarque, et encore, timidement.
— Mais c'est insensé!... dit Edma d'une voix de fausset, dont la
tonalité la surprit au point de lui faire suspendre sa phrase.
— Ça oui, c'est insensé!... dit Olga, héroïque aussi. C'est
incroyable... Vous êtes sûre? demanda-t-elle bêtement, et le regard de
la Doriacci la fit se recroqueviller dans son chandail et comme
disparaître physiquement du pont.
Un silence épais stagnait à présent sur le pont, un silence que de rares
borborygmes ne purent briser et qui semblait devenir définitif, lorsque
Ellédocq, debout, toussa deux fois pour s'éclaircir la voix, son visage
exprimant la gravité et la fermeté de l'ambassadeur plénipotentiaire ;
cette attitude, venant de lui, provoqua dans l'assistance, de par ce simple
raclement de gorge, une sorte de terreur prémonitoire.
— Je m'excuse beaucoup... dit-il (marquant par l'addition du «Je»,
du «m'» et de l'adverbe «beaucoup» à son verbe, la gravité des
circonstances)... Je m'excuse beaucoup, mais le programme est formel.
— Pardon?
La Doriacci cherchait visiblement de l'œil un animal visqueux, un
serpent ou un bœuf dans sa direction, et ne trouvait rien qu'elle puisse
écouter, mais cela n'arrêta pas Ellédocq. Il rejeta la tête en arrière,
montrant ainsi sous sa gorge une bande de peau dépourvue de poils
située entre sa glotte et son col, une bande de peau vierge qui, à peine
entrevue, fit à tout le monde l'effet d'une obscénité ; il commença à
réciter de sa belle voix grave les chapitres de son énumération pointés
sur ses doigts épais, et cambrés dans leur rôle de preuves :
— Portofino : timbale de fruits de mer, osso bucco, glace, Scarlatti,
Verdi. Capri : soufflé brandebourgeois, tournedos Rossini, pièce montée,
Strauss, Schumann... (Après le nom de chaque musicien qu'il citait, il
tendait sur les virtuoses concernés un index inquisiteur)... Carthage :
caviar gris, scallopine...
— Ah! taisez-vous, bon Dieu! cria Edma, hors d'elle. Mais taisez-
vous, commandant!... On n'a pas idée d'être aussi bête, ni aussi... ni
aussi...
Elle battait des ailes, des paupières, des épaules, des mains, elle battait
l'air, et elle était prête à battre le capitaine, lorsque celui-ci posa une
main péremptoire sur son épaule maigre, sous la poussée de laquelle elle
s'effondra littéralement dans son rocking-chair avec un cri de révolte.
Les hommes du groupe se levèrent, Simon Béjard était le plus furieux,
Armand Bautet-Lebrêche le moins. Mais cela n'arrêta pas l'ombre d'un
instant la mémoire admirable du capitaine.

— ... Carthage : caviar, scallopine à l'italienne, bombe glacée, Bach et Schubert, conclut-il triomphalement.

Toujours indifférent aux yeux furieux des mâles et aux yeux écarquillés des femmes, il continua derechef :

— Respect du règlement obligatoire. *Clair de lune* pas inscrit sur fiche technique de Carthage, devait y avoir Bach, Schubert, point, conclut-il. Non-exécution du contrat égale...

Et il s'arrêta net, car Fuchsia lui-même, pourtant enfermé dans la soute avec son lit d'osier, ses os de caoutchouc et ses triples pâtées journalières, venait de s'en échapper par un de ces miracles qui font douter de Dieu, et ayant traversé le pont sans que, grâce aux clameurs des participants, on n'entende son sinistre halètement, il finissait de franchir le barrage des trois ou quatre paires de jambes négligemment allongées sur le pont, promenant le regard de ses yeux aveugles sur chacun des passagers terrorisés, tel le jugement dernier, avant de repartir inexplicablement au petit galop vers la porte du bar où il s'engouffra.

Une vague de soulagement déferla sur les malheureux survivants, mais ce soulagement n'égalait pas leur honte ; et la Doriacci, debout, et bien que plus petite que ces quatre hommes, la leur rappela :

— Quand on est incapable de faire l'amour et d'écouter la musique à la fois, on ne part pas dans une croisière musicale de ce genre, dit-elle. Ou on monte à deux sur un bateau ordinaire et moins coûteux, ou alors, on part seul et on emporte ses somnifères !... Quand on est incapable de faire les deux, bien sûr, dit-elle avec un air de triomphe et de mépris.

Et, suivant les traces de Fuchsia, elle partit de sa démarche majestueuse et outragée qu'Andréas n'essaya même pas de suivre.

— I̶NSENSÉ ! Décision insensée ! Inutile s'inquiéter. Va avoir blâme sur artistes emmerdeurs. Compagnie Pottin très ferme. Vingt-sept années croisière. Dix croisières musicales. Jamais vu ça, etc.

Le capitaine Ellédocq, hors de lui, zigzaguait d'un passager à l'autre. «On dirait une locomotive surchauffée, dit Julien à Clarisse, qui laisse échapper des vapeurs de bêtise.» «C'est vrai qu'on dirait un train», dit Clarisse en riant, car Ellédocq, cessant soudain de rassurer ses brebis, s'était arrêté devant Edma qui lui tendait son paquet de cigarettes, l'œil racoleur.

— Allez... Allez, cher commandant, c'est le seul moyen de vous détendre...

Et, se tournant vers Clarisse avec un clin d'œil, elle ajouta :

— C'est le seul vice du commandant, comme vous savez : il ne boit pas, il ne court pas après les femmes, il fume, c'est tout... C'est le seul défaut qu'il ait et ça le mène droit à la mort. Je le lui ai dit et redit depuis cinq ans... Je me tue à lui répéter de faire attention...

— Bon Dieu de bon Dieu de bon Dieu ! Je ne fume plus depuis trois ans ! hurla Ellédocq, cramoisi. Demandez à Charley, aux femmes de chambre, aux maîtres d'hôtel, aux cuisiniers de ce bateau... Je ne fume plus !

— Je n'interroge jamais le personnel sur les habitudes de mes amis, dit Edma avec quelque hauteur avant de tourner le dos et de rejoindre l'autre groupe qui parlait musique avec animation.

— C'est une histoire de fous, disait Olga. Vraiment incompréhensible...

— Vous êtes vexée ? demanda Edma.

— Je n'ai pas à l'être, je crois, dit Olga, tout épanouie à l'avance de son fiel. Après tout, il n'y a que peu d'années que je suis en mesure de m'intéresser à la musique...

— En mesure d'avoir de la mémoire musicale, vous voulez dire. C'est autre chose, répondit Edma.

— Mais que voulez-vous dire ? demanda Olga.

— Que l'on peut avoir quatre-vingts ou cent ans et n'être toujours pas en mesure d'entendre de la musique. Je ne dis pas « écouter », je dis « entendre ».

— C'est plutôt une histoire de sourds qu'une histoire de fous, intervint Charley, trop souriant. Maintenant que j'y pense, c'est bien *Au clair de la lune* qu'elle nous a chanté hier en allemand.

— Je savais bien que ça me rappelait quelque chose, dit Simon ingénument.

— *Au clair de la lune*, bien sûr ! Vous avez reconnu ! Vous avez dû être tout content... dit Éric Lethuillier tout à coup. Quel dommage qu'ils vous aient prévenu !

Cet excès de sauvagerie provoqua un silence consterné, et Simon, la bouche ouverte, mit du temps à se lever, l'air mal à l'aise, si hésitant qu'Edma, déçue mais apitoyée, lui tendit une cigarette de réconfort, tout allumée, en vain.

— Dites donc, espèce de pisse-froid-m'as-tu-vu, vous me cherchez ou quoi ? dit Simon à voix basse « mais très audible », remarqua Edma qui, enchantée, sentait la poudre.

Mais alentour, la surprise était forte. Comme au tennis, les mélomanes se redressaient sur ces mêmes pliants où ils étaient si paisiblement assoupis une demi-heure auparavant, et, fascinés, commençaient à suivre le match de la tête comme des métronomes. Quand, à leur grand dam, Olga s'en mêla :

— Non, non... Ne vous battez pas ! Je ne le supporterai pas, c'est trop bête !... cria-t-elle d'une voix, déjà, de jeune veuve.

Et, les bras en croix, elle se jeta entre les deux hommes (sans difficulté puisqu'ils se regardaient à deux bons mètres, empoisonnés par leurs propres insultes et incapables d'aller se heurter l'un contre l'autre, de s'empoigner avec ce minimum de conviction nécessaire à une bagarre). Ils reculèrent en se défiant du regard et en grondant comme le cher Fuchsia, mais sans le millième de son agressivité. Charley et Julien leur mirent la main sur l'épaule et feignirent de les retenir selon toutes les règles de la bienséance. La scène, malgré ses conclusions piteuses, avait quand même ranimé l'atmosphère. Chacun s'allongea sur sa chaise longue avec, selon, un sentiment de déception, de fierté ou d'excitation.

SEUL, une demi-heure plus tard, Andréas de Nevers, au lieu d'être étendu, était debout, appuyé du front contre une porte, la porte de l'appartement numéro 102, réservé à la Doriacci. Il attendait; et de temps en temps, il tapait tranquillement du poing sur ce bois dur et froid, il tapait sans faiblesse et sans humeur, il tapait comme s'il arrivait à l'instant à cette porte et comme s'il s'attendait à ce qu'on la lui ouvre, les bras ouverts — alors qu'une heure déjà s'était passée depuis qu'on la lui avait fermée au nez. La Doriacci, qui depuis tout ce temps n'avait même pas répondu à ses appels, fit un effort et elle lui cria de sa grosse voix :

— Je veux être seule, mon cher Andréas !

— Mais moi, je veux être avec vous, déclara-t-il à la porte.

Et, debout, la Doriacci, tournée vers sa voix à lui, recula comme s'il pouvait la voir au travers du battant de bois.

— Mais puisque mon bonheur est d'être seule ! cria-t-elle. Ne préfères-tu pas mon bonheur au tien ?

La sirène hurlait, les portes battaient, et elle avait l'impression de répéter un opéra d'Alban Berg sur un livret de Henry Bordeaux.

— Non, cria-t-il à son tour, non ! Parce que ma présence ne serait qu'un petit désagrément pour vous, et ce n'est même pas sûr, alors que moi... je serai très malheureux sans vous. Il n'y a pas de commune mesure, acheva-t-il. Je vous aime plus que je ne vous ennuie, alors !...

Elle avait ri quand il avait tapé à la porte une nouvelle fois, elle s'était mise en colère artificiellement. Elle ne lui adresserait plus la parole désormais. Elle ferait semblant de dormir et, même, s'allongerait, fermerait les yeux comme s'il eût pu la voir. Elle s'en rendit compte et prit un livre. Elle tentait de le lire, mais entendait de temps en temps ces légers coups sur sa porte qui l'empêchaient de s'y intéresser.

Elle entendit alors une voix d'homme dans le couloir, une voix qui était celle d'Éric Lethuillier, et elle se redressa sur les oreillers. La Doriacci eut un instant la tentation d'ouvrir la porte et de sauter au cou de ce galopin de province, ce garçon si peu orgueilleux — ou qui l'était au contraire au point de se moquer du ridicule et des railleries d'autrui... Elle se retrouva debout quand elle entendit, derrière sa porte, la voix posée d'Éric.

— Ça va bien, cher ami ? Que faites-vous donc à cette porte depuis deux heures ?

« D'abord, il y a moins d'une heure », répondit la Doriacci *in petto.* Mais Andréas ne s'affolait pas.

— J'attends la Doriacci, disait-il avec tranquillité.

— Vous attendez qu'on vous ouvre ? reprit Éric. Mais si c'est bien la porte de notre Diva, elle est sûrement sortie, voyons !... Voulez-vous que je demande à Charley où elle est ?

— Non, merci, non, dit la voix calme d'Andréas. (Et la Doriacci se rassit, déçue mais contente de la morgue de son petit amant.) Non, elle est là, répéta Andréas : elle ne veut pas m'ouvrir en ce moment, c'est tout.

Il y eut un instant de silence.

— Ah bon ! dit Éric — après un instant de stupeur ostentatoire. Si vous prenez ça bien, après tout...

Son rire était contrarié. Il sonnait faux à l'oreille exercée de la Doriacci. Elle s'en voulait un peu : pourquoi ne faisait-elle pas entrer ce jeune dadais qu'elle avait envie de féliciter, et qui, en plus, était son amant ? Ce serait tellement plus simple !

— Bon, eh bien, bonne chance, disait Éric. A propos, Andréas, vous partez pour New York finalement, ou non ? Méfiez-vous : là-bas, dans un couloir d'hôtel, tout le monde vous aurait déjà bousculé dix fois... Faut pas traîner, aux *States* ; la nonchalance y est mal vue...

« Ce grand salopard me le paiera ! » se dit la Doriacci. Ou plus exactement, elle le dit à son reflet courroucé dans la glace qui lui fit peur aussitôt, et elle se calma : quand quelqu'un l'avait amenée à ce point de colère, une sorte de déclic se faisait dans sa tête, et elle savait que la fiche avait été enregistrée dans le tiroir-caisse dit « Règlement de compte ». Elle en ressortirait toute seule, quand ce dernier serait ouvert, un jour ou l'autre, par le destin, si elle-même ne s'en souvenait pas. Quelles que soient d'ailleurs les raisons de sa colère contre eux, la Doriacci savait ses adversaires punis d'avance, et elle s'en félicitait. En attendant, qu'allait donc faire Andréas ? Elle se surprit à apprécier qu'il ne soit pas lâche — défaut qui était presque rédhibitoire aux yeux de la Diva (à moins d'une très grande virilité sur un autre plan).

— Alors, vous ne m'avez pas répondu ?... reprit la voix d'Éric à la porte (une voix irritée comme si le silence d'Andréas avait été accompagné d'un geste désinvolte).

Mais ce n'était pas son style, comme le savait la Doriacci. Andréas avait dû prendre l'air distrait et souriant. Elle se rapprocha de la porte sur la pointe des pieds en maudissant le faible champ qu'offrait à sa vue l'imposte trop haute : elle n'y voyait rien, elle clignait du mauvais œil et elle jura à voix basse.

— Vous êtes cependant son sigisbée, dit Éric à Andréas. Vous devriez pouvoir rentrer... Ce n'est pas gai d'être seul ici, dans ce couloir, comme un bambin...

— Si. (La voix d'Andréas était assoupie et d'une tonalité un peu plus haute.) Si, ce couloir est très agréable quand on y est seul.

— Bon, eh bien, je vous laisse, dit Éric. Vous avez raison d'ailleurs de garder cette porte : la Doriacci doit être en train de téléphoner à votre remplaçant.

La voix d'Andréas, redevenue rauque, laissa échapper un son incompréhensible, et la Doriacci n'entendit plus qu'un glissement d'étoffe, le bruit d'un coup de pied dans une porte, le bruit d'un bagage qu'on traîne, le bruit de deux essoufflements conjugués. Elle tapa du pied et prit une chaise pour tenter de mieux voir la bagarre.

«On ne voyait rien, *per Dio !*» Mais le temps qu'elle monte sur cette chaise, un pas s'éloignait de devant sa porte, traînard, boiteux, mais un seul pas, et la Doriacci, qui pendant trois mois avait chanté Verdi, crut qu'Andréas était mort.

— Andréas?... souffla-t-elle à travers la porte.

— Oui, dit la voix du garçon, si près qu'elle recula.

Elle crut sentir le souffle chaud du garçon sur ses épaules, sur son cou, elle sentait son front trempé de la chaude sueur des bagarres, pas la même que celle de l'amour : cette sueur presque froide et salée. Elle attendait qu'il lui demande d'ouvrir, mais il ne le faisait pas, cet imbécile, et continuait à respirer avec des à-coups profonds. Elle devinait cette belle bouche relevée au-dessus de sa lèvre supérieure, et elle revit le petit trou blanc laissé sur la tempe d'Andréas grâce à une chute de vélo à douze ans et il y avait douze ans, et elle l'appela malgré elle la première. «Andréas...», chuchota-t-elle. Et soudainement elle crut se voir, comme le verrait un œil étranger, elle, à demi nue dans son peignoir, pressée contre la porte de l'autre côté de laquelle se pressait un trop beau jeune homme en sang. Un jeune homme qui n'était, en effet, pas absolument comme les autres, pensa-t-elle avec résignation pendant que son autre main tournait la clé dans la porte et que cette porte laissait enfin entrer Andréas qui s'abattit sur son épaule avec un œil déjà bleu-noir, des phalanges écorchées et qui, comble de tout, saignait sur sa moquette... Un jeune homme dont, malgré elle, elle embrassait l'épaule et les cheveux, un jeune homme qui ronronnait et saccageait sa chambre et sa solitude en espérant pouvoir un jour saccager sa vie.

Depuis six jours à peine, Andréas avait tantôt l'impression d'être un poids lourd, une pierre dans une comédie légère, et spirituelle, et volatile. Et parfois, au contraire, il avait l'impression d'être le seul à survoler la matière, le seul libre de juger comme un poète romantique, de pouvoir juger ces robots puissants, dorés sur tranche, dont la seule liberté était finalement de faire avec leur argent encore un peu plus d'argent. Bref, il se sentait tantôt un provincial chez des Parisiens, tantôt un Français chez les Suisses. La Doriacci et Julien Peyrat échappaient seuls à cette contagion : la Doriacci était libre de nature et elle le serait jusqu'à la fin de sa vie, le seul endroit où elle fût vraiment libre étant ces scènes noires où, devant des gens sans visages, elle chantait, aveuglée par les spots. Andréas rêvait de la voir chanter. Il rêvait d'être dans une loge, seul en smoking, entouré d'hommes en uniforme et de femmes décolletées ; et entendant les gens dans la loge voisine dire : « Elle est charmante... Quel talent, quelle merveilleuse intelligence du texte, etc. », et il se rengorgeait silencieusement. A moins qu'un fâcheux, à côté d'eux, dise ne pas comprendre ce qu'on lui trouvait, à cette Doriacci, en dise du mal. Mais Andréas ne bougeait pas : car le rideau se levait et la Doriacci entrait en scène sous les bravos, des bravos parmi lesquels elle reconnaissait ceux d'Andréas. Et elle se mettait à chanter. Et à l'entracte, un peu plus tard, le type si critique, tourné vers ses amis, les yeux pleins de larmes, dirait : « Quelle beauté ! Quel merveilleux visage ! Quel corps superbe ! », et sur cette dernière phrase Andréas passait un peu vite, un peu coupable, mais de quoi ? Et l'autre imbécile demandait comment rencontrer la Doriacci, si l'on pouvait coucher avec elle, etc., parlait à tort et à travers jusqu'à ce que son voisin lui montre Andréas du doigt en chuchotant, ce qui amenait le fâcheux devenu rouge vif à faire des saluts appuyés vers Andréas qui lui souriait avec toute l'indulgence du bonheur.

Et un bonheur, mais ça, il ne le savait pas encore, un bonheur qui eût été sans mélange. Car, non contente de correspondre aux mythes d'Andréas, la Doriacci correspondait à sa nature et, bizarrement, à son âge.

L E MÉTIER de producteur en tout cas avait appris quelque chose à Simon Béjard : le courage. Il avait appris à perdre tout espoir dans un film, à midi, et à offrir, dès treize heures, au bar du *Fouquet's* et aux vieux hiboux perchés là (et prêts à rire du malheur d'autrui) un visage souriant et une anecdote sinon amusante, du moins gaie. Bref, Simon avait appris à bien se conduire en cas d'échec, et à Paris c'était un comportement devenu assez rare pour que trois femmes sur ce bateau l'appréciassent. Il était amusant de penser d'ailleurs que c'était grâce à son métier — si décrié et si vulgaire de réputation — que Simon Béjard se conduisait en gentleman, aux yeux d'Edma et de la Doriacci. Quand Simon se taisait un peu plus de trois minutes — sa limite de silence —, elles s'alarmaient, se relayaient et, après l'avoir cajolé, l'avoir fait rire, après que chacune lui ait fait comprendre qu'elle seule le comprenait, elles laissaient Simon vaguement réconforté. Seule Clarisse ne lui parlait de rien. Elle lui souriait parfois du bout des cils, lui versait une citronnade ou un scotch, faisait des mots croisés avec lui — mots croisés qui symbolisaient si bien, aux yeux de Simon, leurs existences sentimentales —, mais ses allusions se heurtaient toujours à une Clarisse incompréhensive et légère, l'air si peu malheureux qu'elle agaçait Simon : il lui déplaisait, surtout sur le plan du stoïcisme, d'être battu par une femme.

En arrivant à Bejaia, et profitant de ce qu'Olga et Éric étaient descendus à quai mettre leur courrier à la poste, il attaqua Clarisse. Le sentiment d'avoir peu de temps pour lui parler lui inspira bien entendu des phrases laborieuses, des temps morts entre ces phrases, des silences. Et comme il pataugeait de plus belle après quelques minutes, affolé tout à coup à l'idée qu'elle ne sût pas la vérité (et là, Simon serait mort de honte de la lui apprendre), Clarisse dut, contre son gré, pour le rassurer, aborder le sujet.

— Non, mon cher Simon, nous ne nous aimons plus, mon mari et moi. De mon côté, ça n'a aucune importance.

— Vous avez de la veine, dit Simon, assis à sa petite table sur le pont (une table où trônait bien sûr une bouteille de scotch, mais moins vide que d'habitude, et qui semblait moins primordiale que d'habitude aux yeux de Clarisse). Je peux rester là ? demanda-t-il. Je ne vous dérange pas trop ?

— Mais pas du tout... commença Clarisse, mais ses protestations furent arrêtées par le gros rire de Simon :

— Ça, ce serait du joli si on ne se parlait plus, vous et moi !... Et qu'on se dérange l'un l'autre autrement que par personne interposée ! On a un drôle de point commun, vous et moi, quand même, sur ce bateau : nous sommes les deux grands coc...

— Chut... Simon, chut, dit Clarisse. Vous n'allez pas vous faire de la peine pour cette histoire ridicule, une histoire de deux jours !... Cela va s'arrêter là, pour Olga comme pour Éric. Ce n'est pas grand-chose. un petit coup de foudre physique : s'ils ne nous l'avaient pas dit, on ne l'aurait jamais su !

— C'est bien ça, justement, qui m'attriste chez Olga, dit Simon, baissant les yeux : c'est qu'elle n'a pas cherché à m'épargner ; elle m'a tout raconté, en se fichant totalement de me faire du chagrin. D'ailleurs votre charmant mari aussi vous l'a dit, non ?

— « Dit », non ; pas une fois !... mais « fait comprendre », oui, plus de quinze...

— C'est un beau fumier, hein, votre mari aussi?... Je parle objectivement, ma petite Clarisse, je vous jure.

— Je ne me sens pas les mêmes droits à cette objectivité, dit Clarisse. Éric est mon mari, et après tout il y a un contrat de respect mutuel entre nous...

La voix de Clarisse était ferme, ce qui exaspéra Simon :

— Mais justement, puisque lui ne respecte pas ce contrat...

— Il m'a toujours été difficile de mépriser quelqu'un... commença Clarisse, mais elle fut interrompue par Charley qui piaffait littéralement devant eux et roulait des yeux mystérieux.

— Je vais vous montrer quelque chose... dit-il en mettant un doigt sur la bouche. Quelque chose de superbe.

Il les entraîna dans la cabine de Julien, qui jouait au tennis avec Andréas, et leur montra le Marquet avec mille commentaires dithyrambiques et pédagogiques lassants, mais ni l'un ni l'autre ne songeait à partir : Simon parce qu'il regardait ce tableau, et le voyait, l'appréciait avec les yeux neufs que lui avait donnés la musique, qui le regardait avec plaisir, même ; et Clarisse, elle, parce qu'elle regardait la pagaille autour d'elle, le polo bleu, les espadrilles, les journaux froissés, les cigarettes écrasées dans le cendrier, les boutons de manchette par terre, tout un désordre plus de collégien que d'homme mûr, qui lui semblait le reflet même de Julien et qui la troublait d'une façon excessive, trouvait-elle, mais délicieuse. Pour la première fois elle éprouvait un sentiment de protection vis-à-vis de Julien, au lieu du contraire. Et cela, se rendit-elle compte, parce qu'elle savait mieux plier les chemises que lui, et mettre de l'ordre dans une chambre. Elle eut une pensée reconnaissante et complice vers les trois bouteilles de scotch planquées dans la salle de bains, elle admira le Marquet avec Simon, et de bonne foi, car il était beau, mais pratiquement sans même le voir, sans même pouvoir lui donner l'ombre d'une estimation comme le lui demandait Charley. Elle ne retint qu'une chose de ce tableau : c'était cette femme qui tournait le coin de la rue et dont, par une correspondance d'esprit qu'ils ne sauraient peut-être jamais, ni elle ni Julien, elle se sentait vaguement jalouse un instant. En sortant de la cabine, Simon, mélancoliquement, pensait que, trois jours auparavant, il aurait eu envie de l'acheter, ce tableau, pour Olga qui ne l'aimait pas, sans s'avouer qu'à l'instant même il se demandait si ce cadeau ne lui ramènerait pas son amour.

Ils se réinstallèrent sur le pont, en compagnie d'Edma. L'après-midi se terminait. La conversation vint sur Proust, et Edma démonta à voix haute le mécanisme de la croisière.

— C'est drôle, dit-elle, comme tout le monde parle de sujets généraux maintenant... C'est comme si l'on avait voulu tout savoir les uns des autres au départ, où chacun de nous parlait de sa vie privée, et qu'étant renseigné, chacun de nous voudrait oublier ça au plus vite... faire le gros dos, quoi, et se réfugier dans l'impersonnel...

— Peut-être ces vérités se sont-elles révélées explosives... dit Clarisse sans malice (comme si elle eût été elle-même à l'abri de ces indiscrétions passées).

Simon s'enhardit :

— Parce que vous ne vous sentez pas concernée par toutes ces folles intuitions?... Passez-moi l'expression, ma chère Clarisse, mais si vous êtes la Sainte Vierge, votre époux Joseph, me semble-t-il, n'est ni très conciliant ni très compréhensif...

Clarisse éclata de rire, un grand rire ravi qui laissa Simon enchanté de l'avoir déclenché, mais furieux de ne pouvoir le partager. Il se borna donc à la laisser rire, mais peu à peu il céda à sa contagion et sa voix éraillée, essoufflée, de P.-D.G. moins que de représentant de commerce se joignit au rire de Clarisse.

— Mon Dieu... dit celle-ci en s'essuyant les yeux (et cette fois, grâce à la sobriété de son maquillage, sans être sillonnée de traînées noirâtres). Mon Dieu! dit-elle, quelle idée vous avez, Simon : Joseph... Éric... c'est tellement peu... Ha, ha, ha, dit-elle en repartant dans son rire.

Ce rire la rendait rose et lui faisait briller les yeux, lui donnait sept ans de moins, lui rendait cette jeunesse gaie et délicieuse qui, dans le cas de Clarisse, avait chevauché deux générations, donc deux conceptions de l'amour : les filles étaient passées de l'âge des fous rires avec les garçons de la classe, des amours interdites, à l'âge des baisers avec ces mêmes garçons, dans le noir des voitures, de l'amour obligatoire. Filles embrassées par un amant qui, l'après-midi même, leur avait volé un caramel au cours de maths.

— Vous me rappelez ma jeunesse, dit Simon d'un air tendre. C'est le comble, d'ailleurs, j'ai vingt ans de plus que vous...

— Vous plaisantez, dit Clarisse, j'ai trente-deux ans...

— Et moi presque cinquante. Vous voyez?... dit Simon dont l'interrogation «vous voyez?» voulait moins dire «j'avais raison, je pourrais être votre père» que «on ne pourrait pas l'imaginer, n'est-ce pas?».

— Vous auriez dû être élève dans la même classe que Julien, ajouta-t-il.

Il regardait Clarisse de son regard pensif et si limpide (dans la mesure où ce regard était limpide quand la situation l'était, trouble quand elle le devenait, et calculateur quand elle l'exigeait).

— Je ne vous suis pas très bien, dit Clarisse dont le regard, lui, était franchement troublé.

— C'est que vous êtes de la même espèce, dit Simon.

Et il se renversa sur son fauteuil, la tête levée vers les cieux, ce qu'il faisait volontiers quand il se disait en pleine réflexion. «Vous êtes faits pour la rigolade.»

Clarisse eut l'air si étonné que Charley enchaîna :

— Il a raison. Ça ne paraît pas évident, mais c'est vrai. Vous êtes tous les deux prêts à aller bras dessus, bras dessous avec la vie. Ni vous ni Julien n'avez une idée de vous-même vis-à-vis d'autrui, alors... Et à mon avis, il a fallu que votre Éric soit bien fort pour arriver à vous en donner une... Et encore plus pour qu'elle soit à ce point désastreuse ! Julien, c'est pareil : il ne joue ni au type à femmes, ni au joueur, ni au grand connaisseur en peinture, ni au casse-cou, et pourtant il est tout ça.

— Mais en quoi Olga et Éric, par exemple, seraient-ils différents ?

— Eh bien, parce qu'ils cherchent à paraître ce qu'ils ne sont pas, dit Charley, un peu grisé par l'intérêt que provoquait le fruit de ses méditations. Les autres essayent de faire croire à ce qu'ils voudraient être : mais ce n'est jamais si faux ; Edma veut être l'élégante qu'elle est d'ailleurs ; vous, Simon, le producteur avisé que vous vouliez être (et que vous êtes devenu d'ailleurs aussi); Armand Bautet-Lebrêche joue les P.-D.G. qu'il aime être, Andréas le sentimental qu'il est resté, et même Ellédocq joue les commandants bourrus qu'il veut être aussi malgré la bêtise de ce rôle. Moi-même, je joue le gentil Charley que j'ai envie d'être. Mais du côté d'Éric et d'Olga, c'est autre chose : Olga veut nous faire croire à son désintéressement, son goût artistique et sa classe, qu'elle n'a pas, pardon, Simon ! mais encore qu'elle voudrait avoir ! Éric, lui, veut faire croire à sa hauteur morale, son sens de l'humain, sa tolérance, qualités qu'il n'a pas, mais que, lui, il ne tient pas à avoir, qu'il simule. Le seul personnage cynique de ce bateau, c'est Éric Lethuillier, votre époux, chère madame... dit Charley arrivé triomphalement au terme de son discours.

Se redressant tout à coup sur sa chaise, il fixa derrière Clarisse et Simon quelque chose vers quoi ils se retournèrent. C'était Éric, revenu après une heure d'une expédition qui en requérait trois. Éric arrivait à grands pas et remorquait Olga, essoufflée, les yeux brillants, dissimulant mal une jubilation mystérieuse.

— Mais que s'est-il passé ? demanda Simon, debout (car l'expression d'Éric, blanc de colère, pouvait tout signifier), Simon qui fit un pas vers Olga, «toujours chevaleresque», comme le fit remarquer Clarisse à voix basse à Charley.

— Il est bien, Simon, dit-elle : il a pris Olga sous sa protection et elle y restera quoi qu'elle puisse faire. Et Éric aurait affaire à lui s'il la maltraitait... Simon finalement, même s'il en souffre, aime assez Olga pour vouloir son bien.

— Que s'est-il passé ? répéta Simon, et Éric le toisa du regard.

— Demandez à Olga, dit-il. Et il s'éloigna à grands pas vers la cabine.

Olga prit son temps pour s'asseoir, défit son foulard de soie grège, étira ses jambes et, attrapant le verre de Simon et cette prétendue citronnade pleine de gin, en but la moitié sans respirer. Clarisse la regardait faire avec une sorte de sympathie apitoyée, remarqua Charley, et bien qu'il fût peu sensible aux femmes, il ne put s'empêcher d'admirer les incroyables améliorations esthétiques que lui apportait le fait de se savoir aimée ou désirée, fût-ce par un tricheur professionnel. Car Charley, dont c'était le job au demeurant sur ce bateau, le job et le goût d'ailleurs, avait câblé à un vieil amant australien dont la réponse ne corroborait pas les dires de Julien. En revanche, ce même ami connaissait un nommé Peyrat, grand gagneur aux différents jeux de cartes d'Europe et d'Amérique.

C'était une des raisons principales pour lesquelles Charley, pas du tout infatué de ses connaissances picturales, et encore moins soucieux de rendre service à des passagers qu'il méprisait pour leur snobisme tout autant que ceux-là le méprisaient, lui — mais moins discrètement —, pour ses mœurs, s'était chargé de vendre le tableau de Julien. Charley n'avait accepté cette mission que pour s'amuser à pigeonner indirectement un de ces robustes mélomanes si indifférents à autre chose qu'à leur confort. De plus, si jamais quelque chose s'ébruitait sur Julien, que depuis leur tête-à-tête il tenait en affection, Charley pouvait intercepter et détourner certains renseignements éventuels. En attendant, ce regard de pitié de Clarisse que, même malheureuse, pas une femme trompée n'aurait eu pour la maîtresse de son mari, cette pitié voulait bien dire qu'Éric Lethuillier n'était vraiment pas un cadeau qu'une femme puisse faire, même involontairement, à une autre.

Il revint sur terre pour entendre l'explication savamment retardée par la belle Olga :

— Il s'est passé une chose ahurissante... dit celle-ci. Si extravagante, quand on pense à Bejaia, à la situation de Bejaia, à la saison où nous sommes, il n'y avait vraiment rien en ville qui justifiât ces photographes...

— Quels photographes ? demanda Simon d'une voix doucereuse — car l'air étonné d'Olga lui inspirait une vive méfiance.

Elle enchaîna sans répondre :

— J'ai beau avoir une grosse tête... dit-elle en riant un peu trop — comme si son absence de mégalomanie fût assez flagrante pour que son évocation fasse rire les personnes présentes (mais apparemment elle ne l'était pas puisque personne ne broncha) —, j'ai beau avoir une grosse tête... reprit-elle en riant plus fort, décidée à entraîner l'adhésion, je ne pouvais quand même pas penser qu'on enverrait un photographe de Paris me photographier à Bejaia au bras de M. Lethuillier... Ou alors, c'était pour lui. Qu'en pensez-vous, Clarisse ? dit-elle en se tournant ouvertement vers celle-ci qui la regarda un instant dans les yeux et sourit lentement, comme tout à l'heure (et Simon et Charley se demandèrent un instant pourquoi, avant que la dernière nouvelle d'Olga ne tombe sur le pont).

— Des journalistes de *Jours de France* et de *Minute*, ajouta Olga en appuyant ses deux mains sur les bras de son fauteuil de bois et en les caressant avec délice comme si c'eût été l'ivoire le plus lisse.

Simon, d'abord interloqué, le front plissé comme s'il cherchait à résoudre un problème purement mathématique, éclata de rire une seconde avant que Charley — bien que ne se voulant en aucun cas ouvertement sensible à leur ridicule ou à celui de leurs échecs — craque et se tienne les côtes à son tour. Les yeux d'Edma brillaient. Olga tenta bien de prendre des airs ingénus et surpris, mais la douceur de sa vengeance était trop proche pour qu'elle puisse ne pas profiter de son triomphe.

— Mais où vous ont-ils trouvés ? dit Simon quand il se fut calmé.

Il parlait avec enthousiasme et admiration. Il était au comble du bonheur parce que sa maîtresse avait mouché l'homme qui l'avait trompé, lui, Simon, avec elle, et il jubilait puisque cette méchanceté d'Olga signifiait qu'Éric ne lui était plus rien, et donc qu'elle était à lui. Et comme si c'eût été un récit de leur réconciliation, un récit lyrique et plein de bons sentiments, il lui fit répéter trois fois l'histoire de sa petite vengeance perfide et privée dont il n'avait été pourtant d'aucune manière le motif.

— Eh bien voilà, dit Olga, nous étions un peu séparés du groupe, Éric et moi, car il voulait, je crois, rapporter des chaussures pour Clarisse... Des nu-pieds... marmonna-t-elle vaguement, prenant l'air plus gêné qu'il n'était nécessaire de la faiblesse de cet argument à leur fugue. Nous étions entrés dans une espèce de souk, et il y avait une petite place charmante, vide, où j'ai voulu essayer les chaussures... celles que j'avais achetées moi-même... Ravissantes chaussures, même... vous verrez, Clarisse... A moins qu'Éric ne les ait oubliées dans sa fureur... dit-elle, l'air soudain préoccupé. C'est idiot, ça... J'aurais dû y penser...

— Laisse, laisse, dit Simon ; Clarisse se préoccupe de ses nu-pieds comme moi de mes propres godasses.

— Alors bref, je me penchais pour les passer et je m'accrochais au bras d'Éric pour ne pas tomber, un pied en l'air, et là : plof-plof... plein de flashes comme à une première d'Opéra... J'ai eu peur tout à coup : ces flashes électriques après toute cette lumière si pure de la mer, du ciel... c'était affreux, comme un retour à l'hiver... Ça m'a fichu le bourdon, ça m'a fait peur... Je ne sais pas, je me suis cramponnée à Éric qui, lui, bien plus vite que moi, bien plus intelligent que moi, bien sûr, avait tout de suite compris les idées de ces types, de ces photographes...

(Et encore : il ne savait même pas pour qui ils travaillaient... Ça l'aurait achevé!...) Pendant qu'Éric, lui, essayait de se dégager de mon «étreinte» forcée... ajouta-t-elle en riant à cette simple idée «d'étreinte», les zèbres ont filé, mais je les avais reconnus, et Éric est fou de rage... Il y a de quoi : je crois que si ses petits copains voient sa photo enlacé avec une starlette qui essaye des chaussures dans un petit port romanesque, ça va lui faire une drôle de pub... Il est furieux, complètement, absolument furieux... Vous auriez ri si vous l'aviez vu, Clarisse!... continua-t-elle en introduisant dans sa voix une complicité délibérée qui sembla réveiller Clarisse d'un coup et lui ôta ce sourire lointain et vaguement amusé qu'elle avait arboré jusque-là.

Et, se levant, elle dit à l'intention de Simon et de Charley, manifestement plus qu'à l'intention d'Olga :

— Excusez-moi, je vais voir ce que fait mon mari.

Son départ fut apprécié par les deux hommes et par Edma (sinon par Olga) comme un bel exemple de dignité conjugale ; mais évidemment ils furent soulagés de se retrouver tous les quatre et caquetèrent et jubilèrent plus d'une heure au cours de laquelle Olga eut l'occasion de leur faire un récit plus précis et plus commenté. Ils fêtèrent ça au champagne. Ce n'est qu'au sixième verre qu'Olga Lamouroux avoua à ses deux compagnons que c'était elle qui avait envoyé, l'avant-veille, un télégramme à des copains journalistes — aveu dont elle aurait pu se dispenser, la surprise produite étant visiblement plus que mince.

Mais, à Bejaia, la Doriacci ne mit pas sa menace à exécution et resta sur le *Narcissus*. Voici comment.

Hans-Helmut Kreuze, loin de partager la colère de la Diva, s'en disait révolté et, après quelques réflexions, avait demandé rendez-vous au capitaine Ellédocq dans son bureau. C'était là qu'Ellédocq tenait son livre de bord qui, pris au hasard, donnait généralement :

— Acheté 50 kg de tomates.
— Réparé embrasses des rideaux grand salon.
— Intervenu dans discussion des convives.
— Jeté 40 kg tournedos avariés.
— Pris 100 tonnes mazout.
— Fait arranger chauffage.
— Rencontré troupeau de dauphins.

Ce qui, à part la dernière phrase, était le quotidien d'un hôtelier. N'importe, Ellédocq y trouvait une majesté olympienne.

Sa casquette, pour une fois loin de son crâne, pendait à une patère. Derrière lui, des rayonnages portaient quelques livres aux titres effrayants : *Comment survivre dans la mer de Glace, Droit du passager de refuser l'amputation en cas d'accident, Transport de cadavres d'un port international à un port national, Comment éviter la propagation du typhus*, etc., autant d'ouvrages sinistres dont les frères Pottin avaient interdit qu'ils traînassent dans les salons ou les chambres des passagers.

Ils avaient même ôté du mur d'Ellédocq une illustration pleine de vérité, où un malheureux passager nu et bleu marine tirait une langue violacée pendant qu'un robuste marin le piétinait avec un bon sourire (ou qu'on ne pouvait qu'espérer tel). Cette affiche avait été jugée démoralisante par les frères Pottin & Pottin, et le capitaine Ellédocq n'avait donc, pour lui rappeler la gravité de sa tâche, que ces livres interdits de jour, mais qu'il pouvait consulter le soir dans sa bibliothèque. Et c'est de même pour bien montrer son autorité et la gravité propre à son poste qu'il montra d'un geste impérieux un fauteuil en face du sien au maestro, sans quitter des yeux les papiers posés sur son bureau (lesquels vantaient les supériorités des hameçons «X» sur les hameçons «Y»). Un coup de poing sur ce même bureau lui fit lever la tête : Hans-Helmut Kreuze était devenu violacé, car, autant il était sensible à la hiérarchie, autant celle d'Ellédocq lui semblait faussée : le capitaine d'un rafiot assis devant le maître du clavier Kreuze debout. Ellédocq se leva machinalement. Ils se regardèrent dans des yeux injectés de sang et de cholestérol, regard qui pouvait aussi bien préluder à un infarctus, mais que leur absence de dialogue rendait indéniablement comique.

— Vous vouloir quoi? aboya Ellédocq que ce coup de poing exaspérait.

— Je voudrais vous signaler une sortie pour l'impasse de la Doriacci, dit Kreuze.

Et, devant l'air incompréhensif — jusqu'à la pire débilité, à son sens — de son vis-à-vis, Kreuze précisa :

— Je connais deux personnes admirables à l'ouïe, deux élèves suisses de mon école à Dortmund, et qui passent leur repos à Bejaia. Deux personnes qui peuvent remplacer la Doriacci d'un moment à l'autre, si elle lève le pied.

— En chantant quoi? dit le capitaine égaré, consultant son Livre de la loi, sa Bible : le programme musical déjà bafoué par la Diva et qui s'arrêtait là, à la fin de ce programme.

— Mais ces personnes ne chantent rien : c'est flûte et contrebasse et violon en deux personnes. Nous jouerons des trios, du Beethoven, dit Kreuze (exalté à l'idée de la vengeance qu'il mijotait depuis six jours contre la Doriacci : il l'imaginait remplacée par lui et deux inconnus, le soir même). Ce sera très jouissif... dit-il à Ellédocq penché sur son programme, les sourcils froncés comme devant un casse-tête (mais qui, entendant le mot «jouissif», reprit sa méfiance). Ouf... enfin de la musique dans la chambre, dit Kreuze (confirmant les craintes d'Ellédocq bien qu'il commençât quand même à se réjouir d'être délivré de la Diva).

Cependant, on la lui avait confiée... Il pouvait lui arriver n'importe quoi dans ce pays perdu, et, peut-être, la laisser partir correspondait-il à une démission et à un déshonneur?...

— Bien embêtant... dit-il. Contrat Diva payé très, très cher. Je sais. Frères Pottin furieux, passagers furieux : passagers n'avoir pas profité de ses chansonnettes.

— Si vous profitiez en l'écoutant chanter *Au clair de la lune*, alors, quelle différence?... dit Kreuze, hautain. *Au clair de la lune...* chantonna-t-il en haussant les épaules.

— Quoi? Quoi? dit Ellédocq. Qu'est-ce qu'il a, ce refrain? *Clair de lune* connu partout, la preuve... Jolie musique, jolies paroles, chanson française...

— Nous vous le jouerons, dit Kreuze avec son rire épais. Voilà, je suis ravi d'avoir arrangé les choses sur ce bateau, capitaine.

Ils se serrèrent la main et Ellédocq, qui avait l'habitude de broyer les phalanges de ses relations, remarqua que la main de Kreuze résistait à la sienne sans aucun effort — grâce, sans doute, à ses exercices de doigté ; et même, il lui arracha un gémissement. Kreuze sortit et le capitaine resta seul, avec sur son programme : «Potage à la George Sand, croquettes de volaille Prokofiev et sorbet à la Rachmaninov», plus un foie gras inhabituel du Lot après lequel la Doriacci devait chanter l'acte I du *Trouvère* — ligne qu'Ellédocq raya du programme et remplaça par le trio de Beethoven joué par Kreuze.

Pendant ce temps, la Doriacci faisait ses bagages. La Doriacci allait chanter ailleurs, pour d'autres béotiens, peut-être pires que ces béotiens si riches et si incultes. Mais avant, elle allait s'accorder huit jours de vacances. L'excellence de toutes ces raisons lui faisait oublier la seule, la vraie : la Doriacci fuyait Andréas de Nevers.

En ce moment même, il était assis au pied du lit, et il regardait les draps de ce lit, et le visage fermé de sa maîtresse en train d'entasser avec sa femme de chambre ses robes longues dans ses valises. Andréas posait parfois la main sur le drap ouvert, comme on touche le sable d'une plage que l'on va quitter et que l'on ne reverra plus, sans doute, comme on respire à la campagne, au coucher d'un soleil hâtif de novembre, l'odeur désespérante et tiède, d'une douceur sans recours, des vendanges finissantes.

Andréas était abandonné, et il souffrait sans rien dire, sans que la Diva semblât croire à ce désespoir qui l'envahissait tout entier.

Quant à Clarisse, elle tremblait sans pouvoir s'arrêter un instant, malgré ses efforts, depuis qu'Éric était sorti de la salle de bains en peignoir, impeccable et parfumé, et lui avait dit d'une voix tranquille : « Tu es en beauté, ce soir. Quelle jolie robe ! », car ce tutoiement annonçait l'exécution du devoir conjugal pour le soir même. Devoir que le corps de Clarisse avait accepté et reçu bien après que son esprit, lui, se fut détaché d'Éric, avant d'en arriver à cet état d'indifférence agacée et de froideur à l'idée de l'amour. Mais maintenant, il y avait Julien, et Julien, elle ne voulait pas le tromper, elle ne le pouvait pas, même s'ils avaient mal fait l'amour ensemble, cette première fois : parce qu'elle savait qu'ils se retrouveraient un jour, et que Julien le savait aussi. L'idée de la nuit à venir lui était déjà un supplice. Sa peur d'Éric était encore trop grande pour qu'elle lui refusât ce corps qu'il disait si froid, ce visage qu'il disait si fade. Et en effet, depuis quelques années, il semblait, à chaque fois qu'il la rejoignait dans son lit, que ce fût un cadeau que lui faisait Éric, cadeau provoqué par la compassion et non par le désir.

Mais en même temps que l'amour de Julien et l'aveu qu'il lui faisait de son envie d'elle, le regard des autres hommes sur ce bateau, leur désir muet, tout cela avait redonné à Clarisse, en même temps que la confiance en son charme, la conscience de son propre corps (mais comme une propriété bien à elle, dont les désirs et les refus — jusque-là considérés comme outrecuidants — lui semblaient maintenant parfaitement licites). Elle avait pu livrer à Éric, des années durant, un objet mal aimé qui était son corps, mais elle ne pouvait pas lui confier l'objet de la possession vivante et irremplaçable de Julien. En couchant avec Éric, elle trompait Julien, elle prostituait son corps, elle se reniait elle-même. Julien était son mari, son amant et son protecteur, elle s'en rendait compte tout à coup, grâce à la répulsion que lui inspirait, pour le soir même, la beauté blonde d'Eric.

Elle était donc blanche en arrivant à la salle à manger en robe du soir, avec Éric en smoking. Elle fit malgré sa pâleur une entrée remarquée, et Julien, qui avait dû emprunter son nœud papillon à un des barmen, qui se sentait gauche et mal habillé, et triste de n'avoir pu voir Clarisse seul à seule, Julien qui, pour une fois, ne se plaisait pas, ou plutôt, pour une fois, pensait à lui-même et à son aspect extérieur, Julien fut émerveillé et stupéfait que cette femme-là fût à lui, et l'aimât, lui, Julien Peyrat, le tricheur aux cartes, le faussaire, le minable, que dix personnes pouvaient reconnaître et faire mettre en taule, lui qui n'avait jamais rien fait de ses dix doigts sinon les poser sur des femmes, des cartes ou des billets pour les rejeter tous à la fin. Il était aimé par cette femme qui était belle, loyale et intelligente et qui avait été si malheureuse sans pour autant devenir méchante ou cynique, cette femme qui avait des qualités et de la qualité. Et la vanité, la folie de vouloir l'emmener avec lui, où qu'il aille, lui parut si évidente qu'il sortit un instant du bar où tout le monde

était regroupé, et alla jusqu'à la rambarde où il s'appuya, le vent battant
son visage et le décoiffant, défaisant même son nœud de cravate mal
noué et lui donnant cet air de voyou, de mafioso, de clochard qu'il
finirait par devenir. Julien se détesta un long moment, sur cette mer bleu
marine, presque noire, en face des lumières de Bejaia. Et il y avait bien
plus de vingt ans qu'il ne pensait pas à lui de cette manière-là, vingt ans
qu'il ne pensait plus du tout à lui, sauf quand il était heureux et qu'il se
félicitait de sa chance. Il fallait qu'il arrête les frais de cette histoire
impossible, il fallait qu'il vende, ou non, le Marquet, c'était sans
importance à présent. Il fallait qu'il descende à Bejaia en même temps
que la Doriacci et qu'il oublie tout ça.

Le capitaine réfléchissait, Charley étant parti veiller sur les emplettes
de la belle Edma et ne pouvant donc remplir à sa place cet office si
douloureux. Ellédocq avait tenté dix fois de joindre l'un des frères
Pottin, mais ils étaient tous en vacances. Ils ne restaient bien sûr pas là,
le cœur battant devant leurs bureaux, à attendre que le *Narcissus* rentre
intact de sa dix-septième croisière. Ellédocq n'avait trouvé à parler
qu'au vice-président, un nommé Magnard, qu'Ellédocq jugeait peu franc
sans savoir pourquoi. Et il hochait chaque fois la tête en l'évoquant d'un
air qui en disait long, bien qu'il n'en pensât rien.

— Ici Ellédocq, avait-il hurlé (car il hurlait toujours au téléphone).
Ellédocq du *Narcissus* !...

— *Yes, yes...* avait dit la voix de Magnard (il prenait le genre anglais,
cet imbécile !), ça va bien ?... Vous avez beau temps ?...

— Non ! hurla Ellédocq, exaspéré. (Comme s'il l'appelait au
téléphone pour lui parler du temps. Ces bureaucrates, vraiment !)

— Parce que ici, il fait un temps superbe... continuait Magnard (qui
devait s'ennuyer ferme tout seul au bureau). C'est bien dommage pour
vos passagers...

— Tout va bien, hurla Ellédocq. Temps superbe, mais pépin majeur :
la Doriacci veut ficher le camp ! Prussien propose deux copains pour
remplacement. Qu'en dites-vous, Magnard ?...

— Quoi ? Quoi ?... disait ce dernier, apparemment épouvanté par
cette nouvelle. Quoi ?... Mais quand ?... Comment cela se fait-il ?... La
Doriacci est à bord quand même ?...

— Oui, mais pas pour longtemps...

— Que s'est-il passé, capitaine Ellédocq ?... (Magnard lui rappelait
son rang, signe que la situation était plus grave que ne l'avait imaginé
Ellédocq, tout à sa joie d'échapper aux lazzi et aux pizzicati de la Diva.)
Capitaine Ellédocq, vous êtes responsable de cette femme admirable...
Que s'est-il passé ?...

Un gros soupir souleva le torse bombé d'Ellédocq puis se résigna :
— Elle a chanté *Clair de la lune*... dit-il d'une voix lugubre.

— Quel *Clair de lune*? La sonate? Mais c'est du piano... De quelle «Lune» parlez-vous? Et le public n'a pas aimé, ou quoi?...

— *Clair de lune*... chanson... dit Ellédocq que les prétentions musicales de Magnard remplissaient de mépris. *Clair de lune* qu'on chante, quoi, à l'école...

Il y eut un silence incrédule.

— C'est pas vrai, hein?... reprit Magnard. Ellédocq, soyez gentil, chantez-moi ce truc dont vous parlez... que je comprenne au moins un peu... Après, je téléphonerai à la Doriacci, mais il faut que je sache de quoi il s'agit... Alors, j'écoute...

— Mais... mais... je ne peux pas... balbutia Ellédocq. Impossible... d'ailleurs, je chante faux! J'ai du boulot, moi...

Magnard avait pris sa voix de directeur adjoint.

— Chantez! hurla-t-il. Chantez, Ellédocq, je le veux!

Le capitaine était debout dans la cabine, l'appareil à la main, et il jetait vers la porte restée ouverte des regards quasi virginaux tant il était angoissé... Il entama :

> *Au clair de la lu-ne*
> *Mon ami Pierrot...*

— J'entends rien! hurla Magnard. Plus fort!...

Après une petite toux, Ellédocq continua d'une voix suppliante et rauque :

> *Prête-moi ta plume...*

Il n'arriverait pas à fermer cette porte sans lâcher le téléphone, c'était impossible... il s'essuya le front de la main.

— Je n'entends rien! disait Magnard d'un ton jovial. Plus fort!

Le capitaine prit son souffle et se lança. Il avait une voix enrouée et fausse, mais qu'il entendait juste et harmonieuse; il prit un certain plaisir brusquement à hurler vers la fenêtre en écartant même un peu le récepteur de son menton :

> *Prête-moi ta plu-me*
> *Pour écrire un mot...*

Il s'arrêta net : la voix d'Edma, dans son dos, retentissait, et il raccrocha au nez du vice-président des croisières Pottin et Pottin.

— Mon Dieu, mais que se passe-t-il, ici? On tue le cochon à l'automne aussi, en Algérie?... Mon Dieu, commandant, mon bon ami, vous êtes là?... Vous ne vous êtes pas fait mal, au moins? enchaînat-elle. Vous avez entendu ces cris, vous aussi? C'était affreux... Charley?... Où êtes-vous, Charley?... Non, cessons de plaisanter. Savez-vous que vous avez un très beau timbre, commandant? dit Edma Bautet-Lebrêche. N'est-ce pas, Charley?... ajouta-t-elle, «vers ce crétin», songea Ellédocq, «qui revenait justement, sanglé dans son blazer qu'il prétendait lie-de-vin, mais qui était rose bonbon».

Ellédocq, pour une fois, était épuisé : dans la même journée, il avait dû refaire les programmes, les menus et les concerts, chanter *Au clair de la lune* au directeur adjoint de la compagnie, et maintenant, voilà qu'il avait un beau timbre...

— Ça, c'est sûr, je finirai timbré... grommela-t-il. Et, se tournant vers Charley, il ajouta : J'ai passé une journée épouvantablement fatigante, mon pauvre vieux... (Il oubliait son morse, décidément signe, chez lui, d'une débandade grave dans ce petit tas gris, sûrement peu riche en circonvolutions, qui constituait son cerveau.)

Et, suivi du regard par Charley et Edma, il alla vers la porte, le dos voûté, mais il se retourna, livide :

— Bon Dieu ! Et les zigotos du Prussien !...

— Quels zigotos ? dit Charley qui commençait machinalement à poser ses emplettes un peu lourdes sur le bureau sacro-saint du capitaine.

Celui-ci, trop las pour réagir, posa sur ces paquets sacrilèges un œil lourd où une mémoire hébétée se demandait à elle-même ce qui clochait dans ce spectacle : un tee-shirt brodé de strass, une immense bouteille réclame de démaquillant gras pour le corps et des babouches à semelles compensées, le tout sur le buvard, l'encrier et les carnets de bord du capitaine Ellédocq. Charley et Ellédocq se regardèrent, Charley tout à coup horrifié, mais Ellédocq amorphe. Et ce fut plutôt parce qu'il s'en sentait le devoir que parce qu'il en avait envie qu'Ellédocq, de son bras droit, fit gicler tout cela sur la moquette où, bien entendu, un sac de bigoudis s'ouvrit, laissant échapper de pauvres bagatelles roses et vertes qui roulèrent gaiement sur le sol, sous l'œil terni d'Ellédocq. Il leva les yeux :

— Charley, dit-il, allez dire à Goering qu'il ramène ses deux petites tapettes avec leurs pipeaux et leurs calebasses dans une demi-heure. On les écoutera avec Mme Bautet-Lebrêche. Mais qu'ils ne se fassent pas de mamours entre eux, nom de Dieu ! ajouta-t-il.

Et il sortit en claquant la porte, laissant les deux spectateurs aussi surpris qu'ils pouvaient encore l'être, après quarante ou cinquante années de découvertes psychologiques pourtant variées.

C'EST Edma Bautet-Lebrêche qui, sa stupeur passée, se trouva requise pour écouter les deux natifs de Montreux retrouvés par Kreuze et porter un jugement à leur sujet. Fort amusée par la requête d'Ellédocq et la solennité qu'il y portait — d'autant plus amusée qu'elle l'avait entendu chanter *Ma chandelle est morte* un quart d'heure plus tôt —, elle se rendit avec lui dans le grand salon où sur l'estrade, au centre, les attendaient les deux protégés et leur protecteur : deux quinquagénaires, ou presque, « affreux à voir », jugea Edma du premier coup d'œil, avec leurs shorts trop longs, leurs jambes velues qui en dépassaient, terminées par des chaussettes de laine sous les lanières de leurs sandales. Mais ils promirent d'être chacun en possession d'un smoking.

Kreuze et Ellédocq étaient déjà assis sur la banquette quand Edma arriva, et elle voulut se faufiler près de l'un ou de l'autre sans les déranger, mais Ellédocq d'un bond se leva et d'une main de fer la fit glisser et s'asseoir entre lui et Kreuze. Avant tout jugement d'ordre musical, Edma se pencha vers Ellédocq.

— Ils sont bien vilains, dit-elle, vous ne trouvez pas, commandant ?

— C'est son affaire, dit Ellédocq en désignant Kreuze du menton, et avec un ricanement peu clair pour Edma.

— Pourquoi ? demanda-t-elle (mais du bout des lèvres, car les deux élèves, sur un ordre aboyé par Kreuze, commencèrent à jouer). Pourquoi ?... répéta-t-elle à voix basse en se tournant vers Ellédocq.

— Vous le lui demanderez vous-même, dit ce dernier.

Elle écouta donc jouer un trio de Haydn, fortement, techniquement impeccable, et félicita le maître triomphant, avec grâce, quoiqu'elle fût à nouveau surprise du ton que prit Ellédocq pour le féliciter.

— Vous pensez eux remplacer Diva ? lui demanda-t-il, alors qu'ils sortaient ensemble, presque bras dessus, bras dessous, sur le pont.

— Vous rêvez ! dit-elle. C'est pour elle que tout le monde est là. Moi, personnellement, j'avoue qu'à la rigueur je m'en passerais cette année, bien qu'elle soit divine... J'ai d'autres souvenirs du *Narcissus*, mais les autres... Vous devriez lui parler, commandant. Ou plutôt, vous devriez lui dire qu'elle est déjà remplacée, qu'elle ne se fasse pas de soucis, surtout, ni de remords : la Doriacci partira volontiers si cela cause une catastrophe, mais pas si son départ est un simple incident.

— Vous croyez ?... demanda Ellédocq, qui éprouvait avec le temps une confiance souvent périlleuse mais instinctive pour les ukases psychologiques d'Edma Bautet-Lebrêche.

— Je ne crois pas, je sais, dit celle-ci d'un ton impérieux. Je sais parce que je suis pareille : si je ne manque pas, je ne pars pas.

Ellédocq hésitait un peu néanmoins à se replonger, après cette journée harassante, dans une discussion épineuse avec la Doriacci. Edma lui prit le bras avec gentillesse.

— Allez, dit-elle, allons-y. Je viens avec vous, c'est plus sûr. Vous irez fumer une bonne pipe après, ajouta-t-elle, presque malgré elle, tant Ellédocq semblait déconfit, d'autant plus qu'il ne broncha pas.

Mais quand ils arrivèrent à la cabine de la Doriacci, leur tactique se révéla superflue. N'obtenant pas de réponse, et Ellédocq ayant son passe sur lui, comme toujours, ils poussèrent la porte, croyant trouver la chambre vide, tous bagages enlevés, mais après un pas ils virent dans la pénombre la Doriacci, endormie tout habillée, et près d'elle un jeune homme demi-nu, le buste doré et superbe, avec ses courtes mèches un peu cuivrées, étendu en travers du lit, mais le corps perpendiculaire et la tête appuyée sur les chevilles de sa maîtresse. Ses longues jambes dépassant du drap reposaient sur le plancher.

Ellédocq prit son rouge rosé de la pudeur blessée, et quand Edma lui dit : «Que c'est beau, n'est-ce pas ?», d'une voix pleine de respect, il s'indigna confusément, il laissa échapper un petit rire tout en regrettant, *in petto*, de ne pas inspirer le même respect à Edma. Ce petit rire méprisant lui attira aussitôt la requête suppliante d'une cigarette. Il secoua la tête négativement sans se fâcher, au grand dam d'Edma.

— Ça va vous faire trois musiciens et une *coloratura*... se vengeat-elle en passant devant lui, le doublant et le laissant sur place sans qu'il ne réagisse. La compagnie Pottin va être ravie de ces attractions supplémentaires... Nous allons voir de quelle manière on joue *Au clair de la lune* à la flûte et au violoncelle.

ANDRÉAS se réveilla un peu plus tard, trempé d'une sueur maigre, le cœur battant violemment avant qu'il ne réalisât la cause : la Doriacci le quittait, elle l'avait quitté, il était perdu. Il faisait noir déjà dans la cabine, et il l'imagina sur le quai d'une gare à l'instant même, l'attendant ; et après un moment le souffle lui manqua, quelque chose se referma sur son cœur, lui causa un léger vertige avant qu'il ne se précipite vers ce quai et hors du lit. Ce lit noir et bien-aimé, ce lit perdu mais où il heurta du bras, en s'élançant, le flanc dodu de la Doriacci. Il hésita un instant à admettre sa présence. Pour la première fois de sa vie, le jeune Andréas hésita devant un bonheur si vite rendu. Il eut peur de mourir cardiaque, il eut peur de mourir, bref, pour la première fois. Et pourtant, que risquait-il à mourir dès l'instant qu'elle allait n'être plus là ? Dès l'instant que la Doriacci le quittait, sa vie à lui devenait vide et plate, et sa mort en subissant l'exemple : la mort devenait vide aussi, et ennuyée, et ennuyeuse pour Andréas de Nevers. Mais maintenant, maintenant, il avait la Doriacci que ses baisers essayaient d'atteindre à travers les draps qu'elle avait tirés sur sa tête comme un abri, lui refusant la moindre surface de peau nue où poser ses lèvres. Et elle riait, et il s'agaçait, ne la touchant pas de ses deux mains, mais attrapant un drap entre ses dents et le secouant comme un petit chien, le tirant de sur le lit pendant que la Doriacci redoublait de rire et se mettait même à aboyer de sa belle voix grave.

— Qui vais-je trouver, dit-elle, derrière ce drap : un carlin ou un

doberman ?... Ouah-ouah ?... dit-elle d'une voix profonde, ou hou-
hou ?... Qui es-tu, ce soir ?

— Je n'ai pas envie de jouer, dit Andréas qui se rappela tout à coup
ce qu'il avait été toute la journée, qui se rappela le jeune homme
désespéré, marchant dans ces coursives interminables de solitude, le
jeune homme pâle et affolé dont il revécut si précisément la souffrance
qu'il s'effondra sur l'épaule compatissante de cette femme qui la lui
avait infligée.

— Pousse-toi, dit-elle nonchalamment. Il faut que j'aille m'habiller
pour le concert.

C'est ainsi qu'il apprit avant tout le monde qu'elle ne partait plus.

C'est dans ces circonstances que Julien et Clarisse reçurent, chacun de
son côté, la musique jouée par les deux alpinistes suisses qui, délivrés de
leurs cocons de lainage et leur ensemble de cuir, jouaient comme des
musiciens inspirés, menés par Kreuze au piano, prodigieux de sensibilité
et de tact.

Le *Trio n° 6* de Beethoven, pour piano, violoncelle et violon, après
une entrée bruyante mais très rapide, part tout de suite sur une petite
phrase qu'il lance et dessine au violoncelle. Petite phrase de sept notes
que lui arracheront l'un après l'autre, que lui rendront aussi, le piano et
le violon. Petite phrase qui part avec arrogance, comme une affirmation
de bonheur, une sorte de défi, et qui, petit à petit, les obsède, les déborde
et les désespère — bien qu'ils tentent tout le temps de l'oublier, bien que
chacun d'eux vole au secours des deux autres quand l'un semble céder à
sa loi et à son charme, bien que chacun d'eux coure parfois devant cette
même phrase ou, pour fuir, devant l'instrument qui la joue comme s'il
était contagieux, bien que ces trois instruments angoissés tremblent sans
cesse d'être rejoints par cette petite phrase si cruelle, se réunissent
parfois entre eux et tentent bruyamment de parler d'autre chose
— comme trois hommes épris de la même femme, morte ou enlevée par
un quatrième, et qui, de toute façon, les aurait tous fait souffrir autant.
Ces efforts ne servent à rien. Car à peine ont-ils commencé à se soutenir
les uns les autres, à faire preuve de vigueur, de gaieté et d'oubli — un
oubli bruyant —, à peine ont-ils tenté de partager cet oubli entre eux,
que l'un d'eux, déjà, comme sans faire attention, la fredonne entre ses
dents à nouveau, cette phrase interdite, au grand désespoir des deux
autres qui se voient contraints d'y revenir par la faiblesse du premier.
Tout le temps, tous ces efforts pour parler d'autre chose, et tout le temps
ces sept notes féroces dans leur grâce et dans leur douceur même.

Et Julien qui n'aimait pas beaucoup la musique, et dont la culture à ce
sujet s'était arrêtée à Tchaïkovski, ou à l'ouverture de *Tannhäuser*,

comme Simon — enfin, un peu mieux, mais à peine —, Julien eut
l'impression que c'était leur histoire que quelqu'un lui racontait : son
histoire à lui et à Clarisse, cette histoire qui allait être manquée comme
semblait le souligner toute cette musique, comme si elle eût été, en
même temps que celle des souvenirs qu'il n'avait pas eus, celle de
l'échec, celle d'un chagrin prémonitoire. Et quand elle revint pour la
dixième fois, soufflée par le violon, jusqu'au piano interdit, ravi et las de
l'accueillir, quand ces longues notes revinrent vers Julien, il dut
détourner la tête vers la mer sous la pression brûlante et folle, oubliée
depuis très longtemps, des larmes sous ses paupières. De même qu'il
avait rêvé de façon poétique et irréelle son futur avec Clarisse, sa vie
amoureuse et sentimentale avec Clarisse, sa vie d'amant, bref, et qu'il
l'avait rêvée avec tous ses charmes, de même il lui semblait maintenant
en recevoir à l'avance tous les coups et toutes les égratignures ; mais
cela dans sa chair même, dans la réalité concrète, si terriblement
concrète, que prend le chagrin dans les choses de l'amour, rendant tout
si précis, si désert, si terre à terre et si définitif.

Et le reste du concert se passa pour Julien, la tête de côté, le visage
tourné vers la mer, comme s'il était absolument insensible justement à
cette musique qui le désespérait. Et déjà, aussi confiant dans la nature de
Clarisse qu'il l'était peu dans leurs destinées, Julien savait que, de son
côté, assise près d'Éric et ne le regardant pas, Clarisse aussi assimilait ce
thème à celui de leur rencontre et de leur séparation.
Le troisième mouvement du trio, après cet andante insupportable, en
ramasse les morceaux dans un scherzo faussement gai, une sorte de
parodie mondaine semblable à celle qui, après des applaudissements
interminables, succéda au concert. Les deux nouveaux artistes furent
félicités avec chaleur, une chaleur d'autant plus grande qu'ils étaient
nouveaux sur ce bateau, qu'ils semblaient comme envoyés à la rescousse
de ce vaisseau spatial nommé *Narcissus* par notre bonne vieille planète
Terre. A tel point qu'en leur serrant la main, on leur tapotait l'épaule, on
leur prenait le bras comme pour bien s'assurer de leur réalité et donc de
la déductible certitude d'une terre ferme. Julien et Clarisse, sans même
se voir, étaient restés assis quelques minutes sur leurs chaises, après que
tout le monde se fut levé dans un brouhaha qu'ils n'entendaient ni l'un
ni l'autre. Et ce n'est qu'à ce moment-là qu'ils se regardèrent vraiment,
ne se rendant pas compte des regards d'Éric et d'Edma posés sur eux.
Ou plutôt ne l'imaginant même pas tant Éric était devenu un tiers et un
fâcheux plus qu'un obstacle. Ils ne le virent pas blêmir et faire trois pas
à la rencontre de Julien qui venait vers Clarisse, s'asseyait près d'elle à
l'instant même où, ayant repoussé le piano, les marins éteignaient les
lumières de la piste. C'est dans la demi-obscurité et trébuchant un peu
que Julien vint s'asseoir près d'elle. Et ils ne virent l'un de l'autre tout

d'abord que le blanc de leurs yeux affolés et agrandis par cette panique. « Clarisse... », dit Julien à voix basse, en se penchant vers elle, et elle répondit : « Julien... », mettant la main sur la sienne et lui serrant les doigts, « comme font les enfants », pensa-t-il très vite, quand ils ont peur dans les chemins creux, la nuit. Mais Clarisse n'était plus une enfant pour lui, c'était une femme dont il avait envie, et qu'il aimait déjà suffisamment pour souffrir, ne pouvant l'embrasser sur-le-champ, et d'une souffrance aiguë, et pourtant éloignée, croyait-il, du désir simplement physique.

— Que va-t-on faire ? dit Clarisse d'une voix blanche, basse, une voix séduisante qui fit ciller Julien.

— On va partir, dit-il en se forçant à l'assurance, mais en baissant les yeux avant elle, prêt à entendre ce « Non » et tous les arguments pour ce « Non » tomber de la bouche de Clarisse, tomber comme une affreuse averse, comme une pluie odieuse, et non pas comme la foudre qui tomba à ses pieds quand elle répondit :

— Bien sûr, on va partir ensemble, mais ce soir... ce soir, que vais-je faire ?...

Et là Clarisse s'arrêta, car Julien avait compris et avait reculé son buste en arrière, cherchant une obscurité plus obscure, un éloignement plus éloigné encore de l'image qui venait de passer sous ses yeux, et qui était celle d'Éric allongé sur Clarisse. Et pas un instant il ne songea même à lui demander « Pourquoi ce soir ? », « Pourquoi à présent ? », « Pourquoi est-ce subitement différent des autres fois ? », « Comment savait-elle et comment connaissait-elle les prétentions d'Éric ? » Il le savait trop bien, Clarisse ne lui ferait jamais rien pour lui faire du mal, Clarisse ne lui disait pas ces vérités mauvaises à entendre que vous distribuent généralement vos meilleurs amis ou les êtres qui vous sont les plus chers. Clarisse l'avait d'ores et déjà pris sous la haute protection de son amour pour lui. Et le premier réflexe de Julien fut de marmonner entre ses dents, mais assez haut pour qu'elle l'entendît : « Je vais le tuer, je vais le tuer ! Il n'y a que ça à faire ! » cherchant Éric des yeux, l'ayant trouvé et le regardant comme un étranger total, jamais vu mais à abattre. La main de Clarisse sur son bras l'arracha à ce mouvement de haine et il tourna vers elle un visage égaré et vaguement rancunier. Il reprit son souffle, jeta un dernier regard vers Éric, assis maintenant là-bas, comme un chien en jette à un autre chien lorsqu'ils ont menacé de se battre et qu'on les sépare de force.

— Calme-toi, dit Clarisse, tendrement.

— Je passe ma vie à me calmer, dit-il.

Et *in petto* Julien se répétait « Calme-toi, calme-toi », avec ce ton légèrement agacé qu'il prenait pour s'adresser la parole au jeu, avec les femmes ou devant un tableau. « Calme-toi, calme-toi », un ton supérieur mais fermé d'ailleurs, comme un cheval emballé : « Calme-toi... Cette

carte n'est pas la bonne carte. Cette femme ne t'aime pas. Ce tableau est
un faux.» Et il enviait soudainement tous ces gens, ces quatre-vingt-dix-
neuf pour cent d'amis ou de relations qu'il avait eus, ou qu'il avait
encore, qui, eux, semblaient toujours s'exhorter au contraire au danger,
au désir ou à la confusion comme des chevaux trop calmes ou privés
d'avoine. Mais ses exhortations ne marchaient pas. Il se rendait compte
que, plus que de livrer Clarisse à un autre, l'idée que cet autre fût Éric,
c'est-à-dire un homme qui ne l'aimait pas et qui tenterait de la blesser en
tout cas, cette idée le révoltait. Julien songeait avec stupeur qu'il aurait
presque préféré que Clarisse aimât un peu l'homme qui la voulait : pour
son bien à elle, et donc à ses dépens à lui. C'était la première fois que
Julien préférait son malheur à celui d'une autre.

— Ah! mais, je t'aime... dit-il ingénument.

Et il se sentit aussitôt rassuré par la gravité de son amour, par la
tendresse éperdue qu'elle lui inspirait, comme si la vertu de cet amour
lui en assurait la réciprocité et la continuité. Pauvre fou qu'il était... En
tout cas quelqu'un d'autre s'était présenté chez lui, quelqu'un qui, à
l'intérieur de Julien, refusait un partage qu'il avait toujours admis
auparavant — tant qu'il avait le rôle d'amant, bien sûr — Julien à qui il
suffisait d'être le préféré et qui trouvait barbare qu'on voulût être le seul,
surtout en arrivant le dernier. Il chercha ce Julien-là un instant, se
formula même : «Bon, eh bien, elle ne va pas en mourir... Ça doit bien
leur arriver de temps en temps, comme à tous les couples... Et puisqu'il
lui répugne...» Mais encore une fois, c'était cette dernière phrase qui le
faisait broncher : il imaginait Clarisse, grelottante, effrayée, subissant le
poids, les gestes triviaux, le souffle de ce type. Il entendit à peine la voix
de Clarisse près de lui, dans le noir, qui répétait : «Qu'est-ce qu'on va
faire? Qu'est-ce qu'on va faire?» de la même voix puérile. Et soudain
Julien eut une idée.

— Regarde-moi, dit-il avec douceur et à voix basse.

Une voix si basse qu'elle tourna vers lui un visage étonné sur lequel
Julien pencha le sien, dont il embrassa aussitôt la bouche, d'abord
affolée, puis soudain cédant à la sienne, à la lenteur, et aux douceurs, et
au provisoire de ce baiser furtif devant cent personnes incrédules, puis
atterrées.

Edma les vit la première de son œil d'aigle, écarquilla les yeux
(c'était une journée décidément pleine de surprises, même pour une
femme blasée) et, se précipitant vers Éric, elle l'hypnotisa littéralement
en lui lançant au hasard : «Combien de lecteurs avez-vous, cher ami?...
Deux cent mille, je crois? Est-ce qu'il y a plus de lecteurs l'hiver que
l'été?... Sûrement, non?» et autres faridondaines dénuées de tout sens.
Elle s'en rendait bien compte, mais son esprit s'égarait de plus en plus
tandis qu'elle voyait sans les regarder, comme du profil de sa prunelle,

ces deux ombres enlacées là-bas, sur le ciel bleu nuit, le bleu d'une nuit claire, en proie à la même démence. Elle en était arrivée à reprocher à Éric, abasourdi, l'absence de toute rubrique «Tricot» dans son gravissime *Forum*, lorsqu'un barman, par ses yeux écarquillés, la bouteille immobilisée au-dessus de leurs verres sans qu'il y chût une goutte — des yeux qui ne voyaient même pas les sourcils froncés d'Éric — le fit se retourner vers ce spectacle captivant. Et Edma, qui n'avait pourtant pas froid aux yeux, n'osa pas le regarder en train de les voir.

L A MINUTE avait suffi à la Doriacci, qui s'apprêtait à monter sur l'estrade avec son flegme habituel, pour qu'elle vît tout, comprît tout et réagît aussitôt avec le même admirable sang-froid d'Edma ce sang-froid des anciens combattants que seule donne l'expérience, et que nulle jeunesse, quoi qu'elle croie, ne pourrait remplacer. Elle avait, du regard, réuni les musiciens, de deux enjambées, atteint sa place, et, du menton, électrisé Kreuze. Aussi est-ce sur la première scène de l'acte III du *Trouvère* de Verdi (que légèrement troublée quand même, elle prit au milieu, ce qui acheva de déconcerter le malheureux violoncelliste qui tremblait derrière) qu'Éric se précipita vers le couple. Le reste des événements fut donc accompagné tout au long par la belle voix parfaitement calme de la Doriacci, dont on avait oublié de brancher le micro et qui s'en passa fort bien, sans même y faire attention. D'ailleurs autant il fallait une belle voix pour couvrir le bruit autour d'elle, autant il n'était pas nécessaire qu'elle se méfiât des *pizzicati ou* des quelques pièges traînant dans cette aria, car nul ne s'intéressait tellement au livret de cet opéra-là. C'est donc sur «*Morro ma queste viscere, Consolino i suoi basi*», dont la traduction fort inopportune était : «Je mourrai, mais tes baisers consoleront mon cadavre», coïncidence qui ne frappa personne d'autre qu'elle — les trois règles du théâtre étant complètement négligées dans ce nouveau spectacle — qu'Éric s'élança. C'est sur le vers suivant qu'il traversa le podium, blanc de colère, le visage comme éclairé par sa fureur, et c'est sur : «*Dell'ore mie fugaci*» *(«*Les heures brèves de ma vie») qu'il se jeta sur Julien. Il s'ensuivit une bagarre confuse, rendue d'autant plus confuse que les passagers de première classe, alertés par la voix de la Doriacci, et que l'on n'avait pas rameutés à temps, oubliés, croyaient-ils, arrivaient en boudant, guignant leurs places de l'œil, et qu'ils se retrouvaient soudain devant des travées vides, deux hommes décoiffés et furieux qui se battaient comme au Far West, pour une fois, c'est-à-dire s'envoyaient des coups de pied dont quelques-uns atteignaient leur but, contrairement aux classiques bagarres parisiennes. Ces passagers-là, déjà séparés des «De luxe» par un étage, une différence de trente mille francs dans le billet, et une somme de solides mépris de part et d'autre, se virent aussi séparés par ces deux énergumènes, obstacle plus infranchissable encore que les précédents, eût-on dit. Andréas et Simon, essayant de retenir les combattants, reçurent chacun, l'un un solide coup de pied, l'autre un uppercut, qui les firent renoncer aussitôt à ces ambitions pacifiques. Et bref, « ce fut une boucherie bestiale », comme l'écrivit Olga à Fernande, et « une confrontation symbolique mais flagrante », version Micheline. « Un pugilat de corps de garde », dit Edma qui embrouillait facilement les images, et « un regrettable incident », comme dut le signaler Ellédocq aux frères Pottin. Enfin, on finit par les séparer, grâce à quelques stewards rassemblés par Charley — un Charley mis au comble de l'excitation, de l'effroi et du plaisir de voir ces deux mâles s'étreindre et se faire mal. Tous deux, à présent, en piteux état d'ailleurs, tous deux se demandaient depuis le début par quel malheureux hasard ils étaient tombés sur un adversaire qui connaissait aussi la boxe française. « Si j'avais su... », pensait très secrètement Éric en massant son aine rendue violette dès le début du combat, par un coup de pied de Julien, phrase que Julien, en se tâtant les côtes, se disait aussi. On emmena Éric Lethuillier, qui souffrait visiblement, dormir à l'infirmerie. Mais Clarisse n'alla pas partager ses souffrances comme elle avait partagé celles de Julien, et comme pourtant toute femme honnête aurait dû le faire... lui fit remarquer Edma Bautet-Lebrêche, les cheveux encore hérissés par l'excitation et l'air carrément canaille, tout en la poussant par l'épaule, lui faisant tourner le dos à sa cabine et l'amenant droit à celle de Julien... Il arriva sur ses talons après avoir suborné l'infirmière et assuré ainsi à son adversaire un sommeil réparateur.

Clarisse était assise au bord extrême du lit. Elle avait les yeux baissés et les mains sur les genoux. Elle était l'image même du désarroi, pensa Julien en refermant la porte derrière lui.

— Je vais vous appeler Clarisse Désarroi, dit-il, comme le village.

— Il y a un village qui... ?

— Non, dit Julien en se jetant sur le fauteuil le plus éloigné de son lit, et l'air décontracté. Non, il n'y a pas de village de ce nom, mais on dirait, non ?

Il avait l'impression d'être en face d'un fauve ou d'un criminel un peu nerveux, de sang trop pur et trop effrayé : un animal qui pouvait lui faire du mal sans même le faire exprès. Il regardait Clarisse d'un air froid, et le lit avec une tendresse si visible que Clarisse se mit à rire subitement.

— Vous avez l'air du chat avec les marrons, vous vous rappelez ?... La fable ?... Il y a bien une fable comme ça, non ? Mais qu'avez-vous au cou ? Vous saignez ? Vous saignez !...

Julien jeta un coup d'œil dégoûté, désinvolte, en vrai mâle, vers la glace pour y voir un filet de sang qui suintait derrière son oreille, et tâta l'entaille avec la même expression dédaigneuse. Seulement ce dédain se transforma en reconnaissance quand il vit Clarisse quitter son refuge, venir vers lui, les yeux pleins d'appréhension et de compassion, quand il la vit prendre sa tête entre ses mains avec un flot de paroles rassurantes, comme si c'eût été lui qu'il fallait rassurer physiquement. Il était blessé : elle l'avait donc à sa portée, à sa merci. Julien redevenait l'enfant que l'on peut soigner et qu'on peut, en tout cas, toucher. D'un geste à un autre geste, ce fut un adulte que Clarisse retrouva dans ses bras, mais un adulte tendre et doux qui, en plus de leur plaisir, voulait son bien.

Au milieu de la nuit, Clarisse avait brisé une solitude vieille de dix ans. Elle avait envie de quelqu'un et que ce quelqu'un l'aime comme il l'aimait, et comme déjà elle se sentait prête à l'aimer aussi.

— C'est drôle, dit-elle un peu plus tard, c'est drôle, je pensais que tu étais un gangster, la première fois que je t'ai vu... Et puis après, un Américain.

— Mais pas les deux ensemble, dit Julien, j'espère ?

— Non, séparément, dit Clarisse. Quel rôle préfères-tu ?

— Je voudrais être un flic anglais, dit Julien en détournant la tête (car il redoutait l'instant où, sachant la vérité sur lui, elle prendrait pour d'odieux mensonges délibérés ses plates réserves, ses discrétions excessives).

Saurait-elle alors que, d'une certaine manière, ces mensonges, c'était vrai ? Pourvu qu'elle n'oublie pas, alors, que tout cela, tous ces plans bien établis l'auraient été par amour pour elle, et dans le seul espoir qu'une fois réuni à elle, nuit et jour, et confiant l'un à l'autre le souci de leurs existences, Clarisse Lethuillier fût assez bien avec lui pour ne pouvoir le quitter, voleur ou pas.

— Tu as l'air soucieux, dit-elle à voix basse. Est-ce le fameux dégoût qui suit l'étreinte ? dit-elle subitement.

Et Julien la regarda un instant, abasourdi par ses propos qu'il ne la croyait pas libre d'avoir.

— Ta question est stupide, dit-il en souriant.

Et penchés l'un vers l'autre, et simplement joue à joue, ils avaient chacun cet air satisfait et attendri, légèrement mégalomane qu'ont les amants après leur première nuit d'amour, lorsque cette nuit-là a été blanche par plaisir et non par regret.

— Il faut que je rentre chez moi, dit-elle. Éric va se réveiller. Comment cela va-t-il se passer à présent ?... Qu'allons-nous faire ?

— Qui, nous ? demanda Julien, l'air étonné et suppliant. Qui est ce « nous » ?

— Toi et moi, bien sûr. Éric va te suivre à la trace, ou moi. Cela va être odieux... Il faut que je descende à Alicante et que nous nous revoyions à Paris... Je ne pourrai pas t'attendre tout ce temps, dit-elle aussitôt après. Tu pourrais te faire écraser par un autobus, ou te tromper de chemin et partir pour Sydney... Il y a trop de choses possibles pour que je te laisse partir.

— Je n'ai aucunement l'intention de te laisser filer, dit Julien.

Il était assis dans le lit, dans les draps froissés, les cheveux hérissés sur la tête. Il avait l'air d'un adolescent marqué plus que d'un quadragénaire, remarqua Clarisse avec ravissement — bien qu'elle sût que ce ravissement aurait été le même si Julien avait été chauve ou boiteux, dès l'instant qu'il était, lui, Julien, et qu'il l'aimait, elle, telle qu'elle était.

— De toute manière, dit-il en se rallongeant, de toute manière, après hier soir, contrairement à ce que tu crois, Éric va être tout à fait rassuré pour le reste du voyage. Il pense, non sans raison, que des amants se méfient quand leur histoire est grave. Et généralement c'est vrai. Crois-moi, le fait que je t'ai embrassée sur la bouche devant cent personnes va nous faire paraître à cent lieues l'un de l'autre. Je t'ai embrassée de force, c'est un geste de voyou et j'ai dû utiliser la violence : donc je te déplaisais, donc tu étais fâchée, donc tu étais innocente. Tu vois ?

— Oui, je vois, dit Clarisse en battant des cils et avant de se retourner sur le ventre et de mettre sa tête sous le bras de Julien en fermant les yeux, et en disant : Non, je ne vois rien... Je ne vois strictement plus rien... Je ne veux strictement plus rien y voir. Je veux rester dans ce noir-là, toute ma vie.

Un peu plus tard encore elle s'endormit. Mais Julien, réveillé comme les premières fois qu'il faisait l'amour avec une femme qui lui plaisait, Julien la regarda longuement dormir. De beaux seins, une belle chute de reins, attaches fines, peau douce. Il essayait de coller toutes ces estimations de maquignon au corps de Clarisse mais n'y parvenait pas. Bien sûr, ce corps était beau, mais il avait l'impression pour la première fois de sa vie que même s'il eût été disgracieux, la voix, les yeux et les mains de cette femme lui auraient suffi pour être aussi amoureux qu'il l'était. Elle se réveilla toute seule, une heure plus tard, au grand soulagement de Julien qui se sentait incapable de lui dire lui-même qu'il fallait qu'elle rentre chez elle. Julien retomba après dans ces mêmes draps. Il chercha l'odeur, le parfum de Clarisse, les trouva, et s'endormit brisé, tandis que des images de gros plan de l'épaule de Clarisse, de sa hanche, des images confuses et sensuelles défilaient sous ses yeux, mais avec cette fois-ci le même personnage qu'il connaissait très bien. C'était déjà ses souvenirs à lui que Julien voyait défiler sous ses paupières.

LE NARCISSUS, sur un ciel et une mer d'un gris fer, semblait émerger des profondeurs, fumant d'eau et de nuages, son étrave fendant comme un couteau cette mer de soie molle et glissante qui se laissait faire, dans le bruit délicieusement alarmant d'une longue déchirure. Il était six heures du matin, et Julien se rendait sur le pont supérieur d'un pas furtif.

Il lui arrivait parfois à cette heure-là, où qu'il fût, dans une ville étrangère ou à la campagne, de sortir une heure pendant laquelle il avait l'impression de promener comme un grand chien assoupi et peu sage son propre corps ensommeillé. Ensommeillé, mais qui, déjà libéré des entraves du rêve, piaffait au bord des boulevards ou des champs à traverser. Un corps qu'il allait ramener se coucher dans une heure, même contre son gré, parce qu'il lui fallait du sommeil, un sommeil qui empêcherait ses mains de trembler en donnant les cartes, un corps dont, après Clarisse, il avait l'impression d'avoir assouvi docilement les instincts avec des dizaines de femmes, sans que lui-même, Julien, en ait eu vraiment envie. C'était peut-être la principale force de Julien, au demeurant peu armé pour la vie — si on prenait celle-ci comme une bataille — que cette capacité de rester toujours le même, de se croire le premier en tort, de n'accorder aucune considération au Julien qu'il était encore la veille et d'admettre qu'il pût se tromper sur tout. Et les hommes, comme les femmes d'ailleurs, l'aimaient pour cela. Ses amis parlaient de sa bonne foi, entre eux, peut-être pour ne pas parler de son orgueil. Simplement cet orgueil, Julien n'en donnait pas les petits signes aigres-doux de la vanité quotidienne. C'est ainsi qu'il parcourait des distances, bras dessus, bras dessous avec son personnage social, ses bluffs et ses rêveries lyriques sans jamais songer, quand ça allait mal, à mettre en cause l'un de ces trois défauts. Comme le dit plus tard Edma Bautet-Lebrêche en récapitulant les incidents de cette croisière : « Julien Peyrat ne s'aimait pas, mais ne se regardait pas non plus : il n'avait aucune idée de lui-même, et, ajoutait-elle finement, il était probablement le seul, à une époque intoxiquée d'un freudisme de poche, et donc déformé, il était le seul à n'envisager la morale que par rapport à ses actes et non pas à les juger par rapport aux mobiles qui les inspiraient. »

Ce matin-là Julien, réveillé, incapable de rester dans ce lit peuplé, se retrouva sur le pont supérieur, face à une immense carte postale grise et bleue et qui représentait la Méditerranée à l'aube, en septembre. Julien était fatigué, heureux, et il tremblait un petit peu des doigts, ce qui l'agaça et l'attendrit aussi. Dès l'instant qu'il était aimé d'une femme, ou de la chance, Julien, arraché à son indifférence bienveillante en général, vis-à-vis de lui-même et des autres, trouvait son corps aimable, solide et valeureux, autant de qualités et d'atouts maîtres, justement,

pour la conquête des femmes aussi; atouts que Julien pourtant ne
protégeait pas. Il avait hérité, Dieu merci, de ce que sa mère avait
longtemps appelé «son équilibre», même tandis qu'il sortait en
trébuchant des salles de jeux les plus mal famées de Paris. Il referma ses
doigts vers sa paume et les couvrit de son pouce d'un geste un peu
cinématographique, et il s'en rendit compte, après, en voyant l'air
interloqué d'Edma Bautet-Lebrêche, en robe d'intérieur lilas, les
cheveux défaits et une cafetière à la main qu'elle venait de dérober aux
cuisines. Mais curieusement sa robe de chambre de cachemire et de soie
était serrée d'une sorte de cordelière à laquelle pendait une clé bizarre,
ou qui en tout cas parut plus bizarre encore à Julien que la présence
d'Edma sur ce pont, à cette heure : coïncidence quand même imprévue
et qui ne semblait pourtant éveiller la moindre curiosité chez elle.

— C'est une chose de forestier, dit Edma à la question muette de
Julien. Ne me demandez pas à quoi elle servait, vous aussi, ou je vous
fais une réponse aussi odieuse que celle que j'ai faite au pauvre Kreuze.

— Que lui avez-vous dit? demanda Julien. Je suis tout ouïe, ajouta-
t-il sans mentir.

Car les récits d'Edma Bautet-Lebrêche, vivante chronique des potins
du bord, lui plaisaient énormément, d'abord par l'humour, et aussi par
une sorte de redressement moral, un raffermissement ostensible des
valeurs bourgeoises dont, comme beaucoup de ses contemporains,
Edma, après les avoir piétinées et méprisées, se réclamait parfois avec
fermeté. Sans doute, comme elle le disait, ces valeurs étaient-elles
indispensables, et Julien se demandait si ce n'était pas pour éviter que sa
vieillesse ne soit trop surprise ou, au contraire, si c'était pour montrer les
voies de la douceur de vivre à une jeunesse brutale et désespérée,
comme elle la croyait être. Elle avait posé sa cafetière, et ils étaient assis
dans des fauteuils de rotin. Elle regardait Julien de biais, derrière la
fumée de sa cigarette, «dans une pose très 1930», constata Julien avec
nostalgie. Il rêvait depuis sa naissance d'un monde guidé par les
femmes; ces femmes douces et belles, ou tendres, ou mythomanes, en
tout cas des femmes qui l'auraient protégé et que lui, Julien, jugeait
avoir un bien plus vif bon sens que les hommes (en tout cas que Julien),
un monde où les hommes resteraient aux pieds des femmes et à leur
disposition, ce qui voulait dire pour·lui : au pied du lit et à leur
disposition amoureuse. Il était bien entendu spécifié que ces deux
occupations seraient remises à plus tard, si nécessaire, en cas de
victoires à Longchamp ou de bancos à Divonne...

— De quoi parlions-nous? dit Edma de sa voix la plus haute. Edma
qui ne posait cette question au pluriel que pour y répondre au singulier.
Ah oui! mon ceinturon... Eh bien, j'ai dit à Kreuze que c'était pour
accrocher mes pianos... Faible, d'accord... plus que faible, je vous
l'accorde.

— Mais je ne veux pas de cet accord, dit Julien. J'aime bien les réponses un peu lourdes comme ça... ça change l'air. On se sent revenu à un âge plus facile à contenter...

— Plaisanterie d'enfant débile, reprit Edma, si je me vois bien dans votre miroir. Non, voyez-vous, ce ceinturon servait à accrocher, semble-t-il, une petite hachette avec laquelle les forestiers fendaient leurs petites bûches, pour la chaleur et pour la cuisine... Pourquoi prenez-vous cet air dubitatif, monsieur Peyrat, s'il vous plaît?

— Parce que cette hachette devait être d'une longueur interminable pour que vos forestiers puissent se pencher sans se blesser le flanc affreusement, ou se meurtrir sur... sur...

— Sur l'aine, dit Edma avec bienveillance. Oui, c'est possible... De toute façon, je ne trimbale jamais de hachette dans la vie mondaine... On pourrait pourtant, on devrait même, très souvent...

— Mais vous pratiquez ce sport de loin, non? dit Julien, si mes souvenirs sont bons. On envoie la hache après avoir quitté le wigwam, ou avant, dans le monde?...

— Ah! mais détrompez-vous. J'ai vu des combats superbes à la hachette! dit Edma, enthousiasmée par un souvenir guerrier qui donnait à ses yeux une expression farouche et sarcastique à la fois. Je me rappelle qu'un jour, chez cette vieille folle de Thoune, par exemple... Voyons, vous n'ignorez pas qui est Mme de Thoune?... La plus belle collection de Poliakoff et de De Chirico au monde, avec les Thoune de New York...

— Ah oui! je vois très bien, dit Julien entre ses dents. Alors?

— Alors cette vieille de Thoune avait été plaquée par un beau Suédois, Jarven Yuks... le beau Jarven qui se partageait entre elle et la petite Darfeuil... Mais d'ailleurs Jarven, vous avez dû le voir aussi à New York? Il dirigeait les ventes chez Sotheby's... Un grand type blond, genre Viking... un peu comme notre homme fort de Montceau-les-Mines, dit Edma (n'hésitant pas à recaser le lamentable jeu de mots de Simon Béjard sur le nom de Lethuillier et de son *Forum*). Bon, eh bien, ce pauvre garçon n'était pas invité à dîner, un soir de septembre, où ses deux femmes étaient conviées par hasard. Mme de Thoune, donc, et la Darfeuil, qui avait alors sensiblement mon âge... dit-elle d'un air tout d'abord satisfait, ce «sensiblement» ayant remplacé avantageuse-ment les «à-peu-près» dans son langage et celui de ses amies. (Mais là, à peine fut-il lancé, elle s'interrogea sur l'opportunité du mot «sensiblement» à propos d'une chose si sensible à tous, et qu'elle disait lui être, à elle, si peu sensible : l'âge, son âge, dont en effet elle s'était fort peu souciée toute sa vie mais qui, à force de le dire, devenait menaçant...) La voilà donc à table avec la de Thoune qui parle, qui parle, qui parle, cette dernière, c'est effroyable... Des pluies de mots sur le moindre petit terrain dans la conversation... Comment vous dire, cher

Julien ? Si elle vous avait parlé de chevaux ou de bancos, vous auriez pris en horreur les chevaux et les bancos, vous auriez abandonné le jeu ! Vous seriez devenu un homme épousable...

— Mais, dit Julien, pris entre le rire et l'effroi devant ce mot «mariage», à présent qu'il y pensait (et la folie de son cœur l'accabla un instant), mais quelle drôle d'idée... !

— Ça ne va pas ? dit Edma. Vous avez l'air tout secoué d'un coup... C'est le mot «mariage», c'est vrai ! Vous n'êtes jamais passé par là.

— Je suis donc si transparent ? dit Julien un peu vexé quand même, mais riant malgré lui.

— Complètement, pour une femme comme moi. Complètement transparent. Pour les autres, non, rassurez-vous... Ils se demandent tous ce que vous faites vraiment, mais aucun ne se demande en revanche ce que vous êtes profondément.

— C'est encore heureux, dit Julien. Je ne vois vraiment pas non plus en quoi mes faits et gestes pourraient intéresser qui que ce soit...

Il avait pris l'air humble en disant ça, un air qui provoqua le hennissement de la joie incrédule chez Edma Bautet-Lebrêche.

— Nous disions que j'étais transparent, je crois, insista Julien d'une voix plate.

— Vous devez me croire tout à fait gâteuse, non ? dit Edma Bautet-Lebrêche.

Elle avait pris pour cette phrase une voix insouciante, trop haute, qui lui fit émettre un «couac» puis une toux de la même voix fausse, le visage détourné.

— Alors, Julien, vous répondez ? Que pensez-vous de notre dialogue actuel ? N'est-il pas navrant ?

— Je trouve le début de cette conversation bizarre, oui, dit Julien, mais pas votre manière de l'interrompre... (Il souriait.) Dans la vie, vous avez dû interrompre bien des choses comme ça, à l'improviste. Par exemple, je n'ai pas entendu la fin de l'histoire de votre Mme de Tanc...

— De Thoune, rectifia Edma machinalement. C'est vrai. Bon, eh bien... (elle avait repris sa désinvolture et s'en voulait déjà de l'avoir perdue un instant), voilà : Mme de Thoune, donc, rencontre cette jeune femme à un dîner où les deux étaient réunies par hasard, et où on ne les présenta pas, toujours par hasard, et où, par conséquent, aucune d'elles ne savait que l'autre était cette «autre» qui lui prenait un peu de son beau Jarven. L'une et l'autre, bref, se mirent à parler des hommes, de l'amour, de la lâcheté des mâles, etc., et pour une fois, la Thoune, la pie assommante, prêta un peu le micro à quelqu'un d'autre qu'elle-même. Elles s'entendirent si bien à propos de cet amant répugnant qu'elles évoquaient ensemble sans pouvoir imaginer que ce fût le même, qu'elles se montèrent la tête et décidèrent le même soir de rompre, l'une et l'autre, avec lui. Et le lendemain matin, c'est ce qu'elles firent. Et quand, longtemps après, elles surent leur identité respective, cela les fit rire aux éclats, et d'un rire soulagé. Et voilà comment ce pauvre Gérard se retrouva tout seul... Il s'appelait Gérard au fait, pas Jarven ni Yuks, conclut-elle distraitement.

— Il est mort? demanda Julien, l'air attristé.

— Mais pas du tout... Mais pourquoi voulez-vous qu'il soit mort?... Il va très bien...

— Alors il ne s'appelle plus Gérard? insista Julien.

— Mais si, bien entendu! Pourquoi voulez-vous?...

— Comme ça... dit Julien qui, se voyant mal parti, abandonna. Voulez-vous un café chaud, votre cafetière a dû refroidir?... et que nous le prenions au bar? Il fait frais.

— Je voudrais simplement que vous me montriez votre Marquet, dit Edma en se redressant dans son fauteuil avant de se lever avec grâce — elle le sentait — et de prendre le bras de Julien.

— Je crains qu'il ne soit pas tout à fait digne de vous, dit Julien, immobile devant elle, toujours souriant.

Il ne se sentait pas très bien tout à coup : il était de nouveau sur un terrain miné, on pouvait le confondre. Il aimait une femme qui ne devait pas aimer que l'on confondît son amant, et qui ne devait avoir nulle tendresse pour la grivèlerie ou l'abus de confiance. Cette menace, à présent précisée par Edma, cette menace qui planait depuis le départ — sans trop le gêner — d'une manière jusque-là plus que discrète, prenait à présent une tonalité aiguë et introduisait dans sa vie une sorte de désaccord inéluctable dans l'équilibre fragile, quoi qu'il ait pu penser, entre le gai Julien et le Julien amoureux. Ce timbre aigu risquait de paraître singulièrement criard et odieux aux oreilles de Clarisse.

— Ce Marquet n'est pas absolument vrai, reprit-il en s'inclinant devant Edma. Je crains qu'il ne dépare votre grand salon, qui a l'air plutôt superbe d'après *Geographical Review...*

— Tiens, cette revue est ici?... Comme c'est amusant, pépia Edma en prenant la revue qu'il lui tendait, et dont elle avait elle-même déposé quelques numéros dans les coins de lecture du bateau (et où l'on voyait, en effet, en long et en large les photos, prises sous des angles flatteurs, du somptueux appartement parisien des Bautet-Lebrêche). C'est une erreur, reprit-elle froidement. Un Marquet, signé ou pas, est exactement ce qui manque à mon salon, mon cher Julien.

— Oh! mais ça, il est signé, dit Julien. Mais je serais ennuyé de devoir vous jurer qu'il est authentique.

Il la mettait devant un choix clair, remarqua-t-elle : ou elle devenait complice, ou elle le dénonçait. Elle opta *illico* pour la première hypothèse, mais pas un instant, la morale bourgeoise d'Edma ne se sentit concernée ; Julien lui plaisait un peu trop pour que le moindre rouage de cet appareillage compliqué qui lui tenait lieu de morale ne réagisse.

— De toute manière, dit-elle, à l'instant que mon cher Armand est persuadé — et cela grâce à mes serments à moi — quelle importance... D'ailleurs, lança-t-elle en s'ébranlant en direction des coursives, un peu rosie par cette dernière émotion, d'ailleurs, si ça tombe, il est tout à fait vrai, ce tableau... Je vous trouve bien pessimiste.

Et Julien, qui avait vu ce tableau terminé et signé avec ferveur par un de ses amis aussi doué qu'indélicat, trouva cette dernière phrase admirable. Non, il ne pouvait pas vendre ce Marquet à Edma, décidément. Ce ne serait plus de l'escroquerie, ce serait de la mendicité. Cette pensée le cloua sur place, et en se retournant, Edma dut le comprendre car elle resta, elle aussi, figée un instant, avant de hausser les épaules et de dire : « Allons quand même le voir », d'une voix attendrie.

Éric était revenu de très bonne humeur de l'infirmerie. D'une bonne humeur intempestive aux yeux de Clarisse, après la dernière nuit, une bonne humeur qui le rendait ridicule et donc méprisable, fort injustement, à ses yeux. C'était pourtant une bonne humeur très sincère, chez Éric : la possibilité d'un adultère, après ce scandale de la veille au soir, lui paraissait nulle ; il n'avait quand même pas été trompé, là, à dix mètres de l'endroit où il dormait. C'était une hypothèse si grossière et si odieuse pour son orgueil qu'il la rejeta aussitôt comme non avenue. D'ailleurs, le baiser volé à Clarisse devant la foule montrait assez qu'il n'était pas donné de bon cœur. Cette pauvre Clarisse, songea Éric, qui avait repoussé Julien d'abord et appelé au secours ensuite... (car tel était le souvenir d'Éric), cette pauvre Clarisse n'était décidément pas transportable. Il y avait pourtant eu un temps où elle se serait débrouillée pour ne pas être importunée par un homme, sinon pour lui résister sans éclat. Il y avait eu une femme habile et dédaigneuse, une grande dame un peu vamp chez Clarisse, qui avait longtemps snobé, exaspéré, et finalement excité Éric. Que sa vertu de la veille soit le fruit d'une timidité masochiste plus que d'une fidélité sentimentale était bien moins plaisant aux yeux d'Éric. Mais enfin, après tout, il était amusant de constater que c'était elle, Clarisse, qui alimentait les cancans à bord, c'était même comique.

— Clarisse, vierge et martyre, dit-il en la regardant dans la glace, assise sur sa couchette, les yeux fixés sur la mer, les mains tremblantes, le visage lisse et défait. (Belle en ce moment... Belle de plus en plus souvent, Clarisse.) Avez-vous vu mon camarade de combat, ce matin ?

— Non, dit Clarisse sans se retourner. Je n'ai vu personne ce matin.

Elle parlait distraitement, du bout des lèvres, et c'était une chose qu'Éric ne pouvait supporter chez personne, et encore moins chez Clarisse.

— Je ne vous dérange pas, Clarisse ? demanda-t-il en se tournant vers elle. Est-ce que vous pensez à des choses passionnantes ? Ou bien des choses trop intimes pour m'en faire part ?... (Et là Éric souriait ouvertement à l'invraisemblance évidente pour quiconque, Clarisse comprise, de ces deux hypothèses, et surtout à celle que Clarisse puisse avoir des pensées passionnantes.)

— Oui, oui, dit-elle, bien sûr...

Elle ne l'écoutait pas, elle ne l'entendait même pas, et il se leva si brusquement qu'elle poussa un cri de frayeur et devint pâle.

Ils se regardèrent un instant dans les yeux : Clarisse, étonnée, retrouvait la couleur de ces iris, cette couleur connue et si étrangère à présent, ces yeux pâles synonymes de froideur, de sévérité... Ce regard qu'il lui découvrait lui reprochait quelque chose de nouveau en ce moment même, elle le sentait. Et, les yeux toujours fixés sur lui, elle détaillait ce visage, ce beau visage repoussant. A l'instant où elle formula ces deux adjectifs, elle rougit violemment, elle rougit de ce que cette impression fût assez forte pour se formuler d'elle-même, et en termes si crus. Elle fit un effort pour se répéter : « Beau et repoussant, beau, je le trouve beau. Repoussant aussi. Voilà. Il y avait comme une chose vicieuse, abjecte et arrogante dans cette mâchoire refermée, crispée dans une horreur que l'on sentait quelconque, refermée sur des mots horribles... » Cette belle bouche spirituelle et dédaigneuse, au repos, cette bouche si précisément dessinée qu'on ne l'imaginait pas une seconde chez le petit garçon qu'Éric avait dû être quand même un jour ou l'autre.

— Alors, pas de réponse ? Savez-vous que vous devenez très grossière, Clarisse, à présent ?

La voix cinglante d'Éric la secoua un instant et, une fois encore, elle regarda cette bouche aux dents étincelantes, arrangées par le dentiste de la famille Baron, le meilleur dentiste d'Europe et d'Amérique, et dont les honoraires exorbitants n'avaient pas déchaîné, pour une fois, les foudres démocratiques d'Éric. D'ailleurs, pour ce qui était à ses yeux des choses importantes : sa santé, ses placements, et ses plaisirs, Éric avait très volontiers recours aux fournisseurs des Baron, aussi naturellement qu'il leur reprochait leurs gâchis quand il n'était pas concerné. Elle fit un effort de politesse vers cet homme étranger, exaspéré, qui lui criait presque : « A quoi pensez-vous ? »

— Je pensais à vous, petit garçon... Votre mère doit être triste de ne jamais vous voir. Vous devriez peut-être...

Elle s'arrêta. « Qu'est-ce qu'il me prend ? » pensa-t-elle avant de se rendre compte que c'était son désir de bonté, tout machinal, de ne pas abandonner Éric à la solitude qui l'avait fait parler ainsi. Mais en même temps, elle savait que personne n'aimait Éric suffisamment pour ne pas rire de le voir abandonné par elle... Il serait fou de rage, bien sûr, avant d'être triste.

— Je vais prendre le petit déjeuner sur le pont, dit Éric, l'air excédé. Et il disparut.

Restée seule, Clarisse respira à fond, se vit dans la glace, décoiffée, l'air innocent, et ne put s'empêcher de sourire à la femme qu'aimait Julien Peyrat, la femme qu'il trouvait belle, dont il ne se lassait pas, semblait-il, d'éprouver le contact, la chaleur, la luxure, la femme à lui, abandonnée... Elle porta la main à ses joues, tourna la tête vers l'odeur, le parfum de ses doigts pas encore débarrassés de la nuit. Elle se leva et se dirigea vers la porte, vers le pont, vers Julien qui, elle le savait, prenait toujours son petit déjeuner sur le pont, lui aussi.

Il était assis à l'une des tables dans cette salle à manger redondante de soleil et de porcelaine, et il ne semblait pas voir derrière lui les silhouettes assises d'Éric, d'Armand Bautet-Lebrêche et de Simon Béjard qui, eux, jetèrent à Clarisse un coup d'œil mélangé de surprise et de vague reproche, car, à cette heure-là, c'étaient les hommes qui disposaient généralement de cette salle à manger (comme du petit salon, les Anglais de bonne famille). Mais Clarisse ne les vit pas : elle regardait Julien occupé à allonger sur sa tartine le beurre trop dur. La mine contrariée et les sourcils froncés, tout son visage maigre et bruni concentré sur la chose, son gros nez bonasse, son cou droit, si viril et si adolescent dans sa chemise de coton, ses grandes mains si maladroites à les voir, et si adroites pourtant... Clarisse ferma les yeux sur un souvenir précis : elle aima le physique de Julien à cet instant-là, plus qu'elle n'avait jamais aimé le physique de personne. Elle aima ses joues creuses et bleutées de barbe, l'arête du nez, la bouche longue et charnue, les yeux si mobiles dans leur bizarre couleur acajou, les cheveux un peu trop longs, comme les cils, en grandes mèches désordonnées, allongées sur sa tête aux os si durs et aux mouvements si tendres, ses airs de poulain... Elle aurait voulu le prendre dans ses bras, le couvrir de baisers. Il était tout à coup de son sang, de son espèce, de son monde, de ses amis. Et il était son semblable, son correspondant exact. Il avait sûrement les mêmes souvenirs et sûrement la même enfance. Elle fit un pas vers la table de Julien, il redressa la tête, la vit et se leva, les yeux délayés de plaisir, souriant malgré lui à la violence de son désir.

— Madame, dit-il d'une voix rauque, je m'excuse de ne pas vous avoir gardée de force ce matin... Je vous aime et j'ai envie de vous, continua-t-il, son visage guindé et repentant destiné aux témoins, là-bas.

— Moi aussi, j'ai envie de vous et je vous aime, dit-elle, la tête droite (hautaine à voir de loin, mais outrageusement amoureuse de près).

— Je vous attendrai toute la journée dans ma chambre, dit-il, toujours en chuchotant.

Et il s'inclina tandis qu'elle repartait vers Éric. Éric dont le visage, quand elle arriva près de lui, affichait une indulgence pleine de mépris.

— Alors?... Votre soupirant s'est-il excusé? Expliqué? Il était soûl ou quoi?

— On peut faire du gringue à votre femme sans être soûl, mon bon, dit Simon Béjard de sa table.

— Mais pas l'embrasser devant moi, si?

La voix d'Éric était cassante, mais elle ne sembla pas gêner Simon Béjard le moins du monde.

— Alors là, je suis d'accord, dit-il. Embrasser la femme d'un autre devant lui, c'est de très mauvais goût. Dans son dos, c'est plus convenable.

Éric s'arrêta. Il était mal placé évidemment pour faire de la morale à ce vulgaire fabricant de films, dont la maîtresse s'appelait Olga, de surcroît.

— Bien sûr, bien sûr, dit-il. (Et il se tourna vers Clarisse, sans trop d'agressivité.) Alors, le beau mac s'est excusé?

— Oui, dit-elle.

— Auprès de vous : c'est déjà quelque chose. Il ne vous a pas donné d'excuses à me transmettre, dans l'élan?

— Oh! si, bien sûr... dit Clarisse.

Elle lui sourit du fond des yeux. Elle jeta vers lui un regard, ce regard auto-éclaircissant de l'amour; Éric en resta figé, un instant, avant de la voir projeter ce même regard sur Simon Béjard et sur Armand Bautet-Lebrêche — qui en restèrent, eux aussi, ébahis, comme par un éclair de chaleur. Mais leur stupéfaction n'était rien auprès de celle d'Éric. Interdit, lui, Éric, frappé quelque part dans sa mémoire, dans quelque souvenir dont il n'arrivait pas à situer le cadre : le sourire de Clarisse au soleil, tournée vers lui, avec ce même regard... Clarisse entourée de feuilles, de fleurs, d'arbres, de vent, peut-être à la terrasse d'un restaurant? Ou chez elle, à Versailles?... Non, il n'arrivait pas à situer cet instant, ni à formuler ce qui avait été capital dans ce regard. Ni ce qu'il voulait dire, revenu aujourd'hui dans les yeux de Clarisse. Était-ce simplement son cœur, sa mémoire de collégien qui lui rappelait Clarisse amoureuse de lui? Clarisse à vingt-cinq ans, les yeux liquides de tendresse, quand elle le regardait... avec toute cette jungle autour d'elle chargée de bourgeons bleus comme autant de promesses... Mon Dieu! Mon Dieu! Où allait-il? Quel était ce langage grotesque? Oui, Clarisse avait cru l'aimer. Oui, il avait été assez malin, surtout, pour le lui faire croire. Oui, elle s'était payé un jeune époux de gauche — et à celui-ci un journal de la même tendance — espérant bien les ramener sur ses rives à elle, parmi les siens, garrottés par le luxe et le confort... Oui, elle avait fait semblant de s'intéresser au *Forum*, et semblant de duper avec lui ses oncles réactionnaires, mais elle n'était pas parvenue à ses fins. *Le Forum* existait, et leur amour était mort. Il ne la tenait plus que par la peur, il le savait maintenant; puisqu'elle avait pu poser sur lui ce regard amoureux suscité par un autre, c'était la meilleure preuve, la plus évidente, que tout était fini entre eux et qu'elle ne l'aimait plus le moins du monde. Et c'était fort bien ainsi. Il l'avait fait assez souffrir, cette pauvre Clarisse... Seulement... Seulement...

Il se leva d'un bond, arriva juste à temps. Il s'étonna confusément, devant ces toilettes en bois de teck, de ne pas y cracher, en même temps que ses œufs au plat et ses toasts, des morceaux de poumon, des bribes de cœur, un flot de sang bus par erreur en même temps que le sourire sur la bouche de Clarisse.

Quand il revint dans la salle à manger, elle était vide, et les voix gaies de sa femme et du producteur à la gomme s'éloignaient sur le pont. Il resta immobile, écoutant les voix décroître. C'est Olga qui l'arracha de sa torpeur.

— Vous êtes tout pâle, mon chou, dit-elle en lui glissant un mouchoir sur les tempes, l'air soucieux. Vous avez eu un accident?

Il se tourna avec effort.

— En quelque sorte, dit-il. J'ai avalé un œuf pas frais. Quand je pense au prix des œufs sur ce bateau, cria-t-il tout à coup, c'est un comble! Trouvez-moi un maître d'hôtel, lança-t-il à Olga, stupéfaite, avant de se précipiter aux cuisines.

Là, vraiment, il n'avait rien d'un homme de gauche, pensa Olga, tandis qu'il insultait le cuisinier et ses marmitons d'une façon qui aurait paru excessive sans doute même aux oncles Baron. Olga le regardait maltraiter le personnel consterné avec une jubilation méprisante qu'elle dissimula en hochant la tête, approbatrice, quand il la prit à témoin.

— Venez, dit-elle à la fin. Ces pauvres gens n'y sont pour rien si vous avez payé ce voyage aussi cher...

— Je n'aime pas qu'on se foute de moi, dit Éric. Pas du tout. C'est tout.

Il était blanc de colère, de nausées, se sentait vidé, pâteux et outré. Il se posait même des questions sur le bien-fondé de sa sortie. Oh! et puis après tout, il ne s'agissait pas de socialisme, sur ce bateau de luxe. Ces larbins snobs n'avaient qu'à faire leur boulot convenablement. Ils étaient payés pour ça, comme les grouillots du *Forum* pour leurs courses, comme lui-même était payé pour diriger ce journal et comme... Il n'y avait que Clarisse qui fût payée pour ne rien faire.

— Je suis désolée, vous savez, mon cher Éric, dit Olga, une fois assise dans le petit bar triste situé dans l'escalier entre les «De luxe» et les «Premières classes».

Cette situation, dite «de conciliation», avait fait en effet de ce bar un no man's land où personne ne se risquait : les «De luxe» par dédain des «Premières classes», et les «Premières classes» par dédain de ce dédain. Un vieux barman des «Années folles» s'y préparait des cocktails imbuvables qu'il buvait tout seul (ou parfois avec un ivrogne du premier étage que sa femme n'avait pas encore songé à traquer jusque-là). Il s'y enivrait, et déjà mis par le destin, ainsi, entre deux classes, entre deux étages, entre deux ports et entre deux siècles, se retrouvait de plus entre deux vins. Il esquissa un geste d'accueil plein d'enthousiasme vers les deux nouveaux venus et, malgré les injonctions d'Olga qui soignait déjà son foie, et l'indifférence totale d'Éric, il décida de leur faire tester une de ses spécialités les plus attrayantes : Olga, qui le surveillait du coin de l'œil, le vit avec une incrédulité grandissante jeter du cognac, du kirsch, du gin et de la menthe verte, des fruits confits, de l'angustura dans son shaker. Elle décida que c'était forcément de fausses bouteilles et, rassurée (bien à tort), se retourna vers Éric qui la questionnait d'une voix lasse.

— Vous êtes désolée pour quoi?

— Désolée d'avoir été trop bien renseignée pour votre femme.

— Ça n'a aucune importance...

— Quand même, ce Peyrat, quel goujat! J'ai eu honte pour vous... Ah! Éric, quand je vous ai vu vous jeter sur cette brute, j'ai eu bien peur... Et non sans raison, malheureusement.

— Pourquoi «non sans raison»? Il a pris une belle correction, lui aussi, non?

Éric était furieux, et furieux de l'être : furieux de ne pas vouloir être le vaincu dans cette rixe imbécile... Comme si elle avait eu un vainqueur et un vaincu! Il se gonflait de colère, «malgré» lui mais aussi «pour» lui : car il lui semblait que n'importe quel prétexte à n'importe quel sentiment violent le soulagerait d'un sentiment bien moins violent, mais, bien pire, lui éviterait de repenser à ce regard de Clarisse, si prometteur pour un autre, si oublieux de lui. «Clarisse va forcément me manquer, comme toute victime à son bourreau», essayait-il de se dire, de prétendre à l'homme foudroyé tout à l'heure devant ce sourire égaré ; cet homme qui recevait, de temps en temps, à travers le cliquetis des verres, les phrases tristes d'Olga, gaies du barman; cet homme qui recevait encore le «Oui, bien sûr» de Clarisse, tout à l'heure, d'une oreille indifférente, mais qui le recevait à présent comme un mauvais coup. Cet homme, lui-même, Éric Lethuillier. Ah! elle allait voir, elle allait comprendre ce qu'était cet homme qu'elle croyait aimer... Elle allait en apprendre de belles, et par d'autres que lui, d'ailleurs. Il avait envoyé son télex la veille, il devait y avoir une réponse à présent.

— Venez, dit-il à Olga, interrompant ainsi une dissertation pertinente sur la versatilité et l'inconscience des femmes du monde, théorie qui entraînait déjà l'adhésion complète du barman, prêt visiblement à l'étayer d'expériences personnelles.

Mais, lui abandonnant un pourboire royal — peu habituel de sa part — et la moitié de leurs cocktails, Éric entraînait Olga dans la cabine radio : le télex était là, en effet, et dépassait toutes ses espérances — ou plutôt toutes ses prévisions. C'était bien lui, Éric Lethuillier, qui avait dirigé de loin l'enquête de ses limiers vers la Brigade mondaine, à la section des jeux, — car ce n'était pas par hasard si ce même Éric Lethuillier était arrivé à gagner son pari : monter et garder *Le Forum du peuple*. Pari difficile à tenir pourtant, dans la France des années 70/80 où la liberté de la presse paraissait aussi tristement drôle à évoquer que l'exercice de la démocratie. Il lui avait fallu, pour arriver à ses fins et en dehors de la fortune de Clarisse, un entêtement, une ambition, une mauvaise foi infaillible ; de celles qui font les bons directeurs de journaux — et auxquels se joignait chez lui un instinct des autres exceptionnel. Plus précisément l'instinct de leurs tares. Éric Lethuillier flairait dès le premier abord la perversité, la lâcheté, la cupidité, l'alcoolisme ou les vices chez autrui, aussi infailliblement qu'il passait à côté des qualités de cet autrui, généralement aussi évidentes pourtant. Ce flair, qui en aurait fait un merveilleux préfet de police, lui avait fait trouver *illico* la faille chez Julien : le jeu. Le télex, venu de la préfecture, confirmait une fois de plus cette intuition pessimiste. On lui signalait l'existence, dans les fichiers du Quai des Orfèvres, d'un nommé Peyrat, Julien, célibataire, ni alcoolique, ni morphinomane, mœurs normales dans une vie agitée, mais qu'on avait soupçonné de tricher plusieurs fois au jeu sans en avoir la preuve, en même temps que d'escroquerie et de faux en peinture (là, il y avait eu une plainte à Montréal deux ans plus tôt). La mention « non dangereux » finissait ce rapport. Et jusqu'à ces termes secs et brutaux, Éric sentait flotter dans le style même du flic qui l'avait rédigé, comme une faiblesse pour ce bon vieux Julien Peyrat, si français, si bon type...

« Si médiocre, oui... », martela-t-il sauvagement pour lui-même, et sans qu'il l'eût voulu, pour Olga, assise de nouveau en face de lui dans le grand bar : si sauvagement, même, qu'elle en éprouva un vague sentiment de pitié ou d'effroi pour Julien Peyrat.

Olga attendait paisiblement qu'Éric finisse sa lecture devant elle. Elle, Olga Lamouroux, l'espoir du cinéma français, elle, insensible à la grossièreté de cet homme en face, elle, tapotant dans sa poche une autre enveloppe, à elle adressée, et venue des *Échos de la ville*, le journal à potins où travaillait son ancien flirt, le journal scandaleux et bien renseigné sur les mœurs et manies des têtes chevelues ou chenues du Tout-Paris. Enfin, Éric releva les yeux, sembla s'apercevoir de sa présence, et, sans un mot d'excuse, replia les feuillets et les mit dans sa poche.

— Vous ne buvez rien! demanda-t-il, moins comme une question que comme une affirmation. Et il enchaîna : Bon, eh bien, alors, à tout à l'heure.

Il se leva et il aurait disparu sans plus de manifestation sentimentale si Edma, arrivant brusquement au seuil du bar, ne l'avait pas fait se pencher, tout à coup câlin, sur le visage d'Olga, impavide et souriante de haine. Olga qui le regarda s'éloigner avant d'ouvrir à son tour l'enveloppe bleue dont elle tira avec lenteur et une sorte de plaisir acide les échos de son petit ami. «Lethuillier, Éric, boursier, origine petit-bourgeois, mère veuve, receveuse en chef des postes à Meyllat. Réformé pour troubles nerveux, diplômé ENA, époux de Clarisse Baron. Ni homme, ni femme, ni vice particulier. A part l'ENA.» Elle le tourna et retourna entre ses mains, déçue et intriguée. C'était bien la première fois que les *Échos de la ville* ne trouvaient pas une belle horreur dans la vie de quelqu'un. Elle chercha quand même dans sa mémoire ce qui n'allait pas, sans arriver à le déterminer.

JULIEN avait été obligé d'emmener Simon Béjard voir de nouveau son Marquet et Clarisse les avait suivis :

— Qu'il est beau, décidément! Pourquoi ne l'avez-vous pas accroché plus tôt, dès le départ de Cannes? Voilà une compagnie idéale, non? disait-elle devant la cloison où le Marquet remplaçait définitivement le brigantin d'usage...

Elle s'arrêta, rougit, et Simon, avec sa pesanteur habituelle et vigoureuse, redoubla cette rougeur.

— Et alors, Clarisse! il y était peut-être, depuis le départ? Comment le sauriez-vous, hein?

Et il éclata d'un rire sardonique qui fit jeter à Clarisse un regard éperdu vers Julien.

— Dites donc, mon vieux, commença celui-ci d'une belle voix grave. Dites donc, mon vieux... répéta-t-il d'un air niais et digne, ce qui redoubla l'hilarité de Simon.

— Dites donc quoi? Je n'ai rien dit, moi... sinon que Mme Lethuillier ne pouvait pas avoir vu ce tableau. C'est tout, quoi...

Il se pencha vers le supposé Marquet en plissant les yeux, les talons joints, ce qui fit ressortir sa poupe et sa proue de façon disgracieuse.
— Mais dites-moi... Mais dites-moi... marmonna-t-il, mais vous savez qu'il est très beau, ce Marquet... Savez-vous que c'est une très bonne affaire, un Marquet de cette époque pour cinquante mille dollars... Pffuitt, chapeau, monsieur Peyrat : trimbaler ça entre deux chemises, une brosse à dents et un smoking, ça fait autrement chic que de trimbaler dix complets en popeline à ressorts comme moi... Vous aviez peur que le paysage ne suffise pas à vos appétits artistiques, mon vieux ?
— Il m'est tombé dans les bras le dernier jour, dit Julien distrait. Et soucieux.

La liste de ses acheteurs éventuels se réduisait de plus en plus... Non, il ne pouvait pas faire ça à Simon. Edma, c'était fichu ; il lui restait encore un notaire, Mme Bromberger, l'Américain, la Diva, ou Kreuze... Mais celui-ci avait visiblement les poches cousues à petits points. Il fallait pourtant bien qu'il le vende, son beau faux... ne serait-ce que pour emmener Clarisse dix jours dans quelque endroit confortable, dix jours au bout desquels, ou le confort lui serait indifférent à jamais ou, au contraire, il ne leur servirait plus à rien.
— Comment le trouvez-vous, Clarisse ? demanda Simon d'une voix de tête.
Et Clarisse sourit à Julien avant de répondre :
— Pas mal du tout.
Il se pencha vers elle, demanda : « Alors ? » à voix basse tandis que Simon, la main en cornet devant les yeux, s'approchait et se reculait du tableau avec une mimique de fin connaisseur sûrement tirée d'un mauvais film. Il hochait la tête avec conviction, comme approuvant ses propres pensées — au demeurant secrètes — et c'est avec le sourire résigné et un peu las de l'amateur comblé dans son esthétisme qu'il se retourna vers Julien.
— Eh oui, dit-il, c'est la bonne époque, et c'est pas cher pour cette époque-là. Je peux vous dire que ce n'est pas un navet, cette pâte... ce n'est pas de la gouache...
L'expression de Julien dut paraître irrésistible à Clarisse puisqu'elle tourna les talons et se dirigea vers la salle de bains, sans autre explication. Elle referma la porte derrière elle. Les deux hommes restèrent seuls et, abandonnant la peinture, Simon Béjard promena son regard de Julien à la porte de la salle de bains, de la porte de la salle de bains au lit et du lit à Julien avec la même expression d'approbation admirative que tout à l'heure, teintée d'une note de salacité. Julien resta de marbre devant cette complicité masculine. Mais le marbre n'avait jamais fait reculer Simon Béjard.

— Mes compliments, mon vieux... chuchota-t-il avec une force qui le fit entendre à travers trois cloisons. Mes compliments... Clarisse, ffuuii... surtout débarbouillée... Un joli lot, mon vieux, comme le Marquet. Vous tenez là deux jolis lots, monsieur Julien Peyrat, et pas des faux, hein?...

Et Julien, qui l'eût bousculé ou battu en d'autres temps, acquiesça malgré lui à l'assertion «pas des faux», ce dont il s'en voulut aussitôt.

— Et comment ça va avec Olga? dit-il brièvement, mais en le regrettant aussitôt quand il vit la salacité et l'entrain s'enfuir du visage de Simon, à présent rouge brique.

— Ça va, dit-il entre ses dents. Puis se relançant : Je ne peux pas vous prendre Clarisse, mon vieux, hélas, mais le tableau, je le prends. Ça au moins, c'est du solide. Si j'ai un coup dur — et au cinéma, hein?... ça arrive — ça me fera une poire pour la soif. Et les soifs du *Fouquet's*, ça coûte chaud... Qu'est-ce qu'il y a, mon vieux? A quoi pensez-vous?

— J'aimerais attendre le certificat du vendeur australien, dit Julien en balbutiant et en se détestant de sa faiblesse. Moi, je sais qu'il est bon, mais il faudrait voir les papiers... Au pire je les aurai à Cannes, en arrivant. Mais vous aurez la priorité, je vous le jure, conclut-il, tout à coup pressé, en poussant Simon Béjard vers la porte.

Celui-ci protestait, parlait de cocktails, mais se rappelant soudain les amours coupables de Julien, se confondit en excuses et fila avec une fausse hâte bien plus gênante que son enracinement. Julien s'appuya à la porte après son départ et tira le verrou. Il n'entendait aucun bruit dans la salle de bains. Clarisse n'avait même pas allumé en s'y réfugiant, et il hésita un peu sur le seuil, devant ce noir mystérieux. Seule la tache blanche du corps de Clarisse y luisait faiblement, et c'est vers elle qu'il se dirigea, les mains en avant avec un geste d'autoprotection et de supplication à la fois.

SIMON BÉJARD, bêtement attendri, jugeait-il, par ces amoureux, rentra d'humeur sentimentale dans sa cabine, et y trouva Olga allongée, le regard au plafond et lovée dans une des positions gracieuses qu'elle affectionnait, une de ses mains — un peu fortes et un peu rouges au demeurant — posée sur son cœur, l'autre pendant du lit, au ras de la moquette. Dans son élan, Simon traversa la cabine, s'inclina, prit cette main abandonnée et la baisa avec la souplesse d'un page, pensa-t-il en se relevant, le visage rougi par l'effort.

— Tu vas achever de craquer ton bermuda, dit Olga froidement, je te signale.

— Tu m'en as fait acheter deux douzaines, dit Simon avec aigreur.

Et il s'allongea à son tour, les deux mains derrière la tête, bien décidé à garder le silence, lui aussi. Mais au bout de trois minutes, il craqua, incapable de rancune comme il l'était et incapable de résister à son envie, la plus tenace qu'il ait eue depuis longtemps, et qui était celle de faire partager ses projets à cette jeune personne qu'ils n'intéressaient pas, cette jeune personne qu'il pouvait dire sienne sans rire et sans faire rire devant n'importe quel groupe d'individus.

— J'ai pensé à ton rôle, tu sais, dit-il, sachant que tout au moins avec ce sujet-là, il pourrait extraire d'Olga autre chose que des borborygmes ou des soupirs lassés.

— Ah oui ? dit-elle en effet, la voix vive et la main bien au-dessus de la moquette, la main déjà sous son menton et les yeux fixés sur lui avec une expression d'avidité et d'intérêt qui, il s'en rendait bien compte, ne lui venait que de ce label de producteur, étincelant au-dessus de sa tête depuis Cannes et son festival.

Il eut envie de dire tout à coup « J'y renonce », ou « Ça ne va plus », de dire quelque chose qui arracherait enfin des flots de larmes de désespoir à cette jeune fille sans cœur, cette jeune fille qui ne bafouillait pas comme Clarisse Lethuillier, pourtant plus âgée qu'elle, cette jeune fille qui ne rougissait pas, ne gaffait pas, ne promenait pas sur les hommes qu'elle ne connaissait pas un regard amoureux destiné à un autre, cette jeune fille qui n'avait ni peur ni envie d'autre chose que de l'échec ou de la réussite de sa carrière. Une carrière d'alouette, d'oiseau sans tête, une carrière de reflets, de simagrées et d'attitudes dont la plus fausse finalement serait la bonne, à laquelle elle se cramponnerait sans savoir pourquoi, dont elle ferait sa légende et sa maxime, derrière laquelle elle se nourrirait, s'enrichirait, se désespérerait et vieillirait dans le désespoir et la solitude, peut-être, et dans l'ivresse, de plus en plus rare avec les jours, de savoir qu'elle était connue d'inconnus multiples ; ces inconnus multiples et abstraits auxquels elle prêtait, comme beaucoup de gens de sa profession, des goûts ou des dégoûts, des fidélités et des excès qui eussent fait de ce public — si ces suppositions avaient été vraies — un monstre infirme, débile d'esprit et sanguinaire. Le public était leur dieu, à elle et à d'autres, un dieu barbare qu'ils adoraient, à l'instar des sauvages les plus primitifs d'Afrique, un dieu dont elle vénérait les caprices, haïssait les disgrâces et méprisait les individus pris un par un, lorsqu'ils demandaient des autographes, tout autant qu'elle disait l'adorer quand il était tapi dans le noir, invisible et tout-puissant, décidé à les applaudir.

La pauvre Olga n'aimerait jamais personne, n'aimerait jamais les êtres humains, un homme, une femme ou un enfant, avec l'ardeur, la sombre ardeur, pas loin parfois de la grandeur, de l'amour qu'elle portait à ce troupeau d'inconnus. Et lui, Simon, n'était qu'un intermédiaire entre elle et cet amant à mille têtes, un intermédiaire qui serait haï

comme un ambassadeur maladroit s'il lui rapportait une réponse
négative, et adoré jusqu'à l'affectation de l'amour s'il lui rapportait au
contraire les bravos de ce même amant monstrueux. D'ailleurs, Olga
aurait raison de le haïr ou de l'aimer, car c'était de lui seul, Simon
Béjard, que dépendrait finalement cet échec ou cette réussite : ça
dépendrait du choix qu'il ferait pour elle : pour elle, Olga Lamouroux,
qu'il avait entendu dire avec la même conviction : « Je préfère tourner
avec "X" qui a du talent et qui ne fait pas un fauteuil, parce que ça, c'est
du cinéma», tout aussi bien que : «Je préfère tourner avec "Y" qui plaît
au public, parce que le public, finalement, il n'y a que ça de vrai.» Olga
qui croyait dur comme fer à ces deux théories opposées et qui, de toute
façon, ne rêvait que d'une chose : c'est de mettre son nom sur la petite
place blanche que lui indiquerait l'index de Simon sur le papier rempli
de signes mystérieux qui s'appelait «contrat» pour les producteurs, et
«la vie» pour les comédiennes de son âge et les autres. Et jusqu'à la fin
de son existence, que Simon lui ait donné ou non à jouer des navets
triomphants ou des chefs-d'œuvre dédaignés, il resterait quand même à
ses yeux l'homme avec l'index braqué sur ce premier contrat important.
Et cet homme-là aurait été plus important pour elle que son premier
amant ou son premier amour.

— Alors ?... dit Olga, tu penses quoi pour ce rôle ?...

Il y avait dans sa voix une nuance d'incrédulité comme si «penser»
eût été un verbe un peu prétentieux par rapport à Simon Béjard. Il le
sentit, hésita à se vexer, mais haussa les épaules et se mit à rire de bon
cœur. Il pensait à Clarisse et à Julien, comme il les avait laissés dans
cette grande cabine ventée par l'air du large venu du hublot ouvert,
comme il l'avait laissé, lui, Julien, debout, l'air incrédule et souriant,
rajeuni par cette expression de doute, le visage tourné vers sa salle de
bains obscure où l'attendait cette femme charmante et effrayée, cette
Clarisse dont il avait sans doute rêvé sans le savoir, toute sa vie, et dont
il n'aurait jamais la moindre copie. Il pensait à ce qui avait attiré Julien
vers Clarisse, et ce qui les avait rejoints, à l'instant où il y pensait, dans
le noir, la frayeur et le vent de cette salle de bains semblable à la sienne,
il les imaginait se cognant l'un à l'autre dans le noir avec la maladresse
des grands désirs, et il imaginait à côté cette cabine ouverte au soleil, la
mer bleu métallisé cognant au hublot, les reflets de bois poli et le
Marquet séchant sa neige à ce soleil imprévu. Et déjà la caméra suivait
Simon dans sa rêverie, traversait la cabine dans un travelling lent et
paisible suivi d'une musique aussi paisible que lente ; la caméra
s'arrêtait devant la salle de bains, à la porte entrebâillée, la caméra
traversait une zone noire et s'immobilisait sur le visage renversé de
Clarisse, les cheveux collés au front, les yeux fermés et la bouche
entrouverte sur des mots sans suite...

— Mais à quoi penses-tu ? dit Olga. Tu as un air... C'est à un rôle pour moi que tu penses, ou quoi ?

— Non, dit Simon, distraitement, non, pas pour toi...

Et il mit vingt minutes à réparer les dégâts de cette petite phrase. Mais cela n'avait pas d'importance. Déjà il savait en tout cas qui il n'allait pas prendre pour tourner cette scène. Ce ne serait pas Olga, et hélas, ce ne serait pas Clarisse. Mais il finirait bien par trouver une femme qui ressemblât à cette image.

Pour la première fois depuis le départ de Cannes, Charley se trouvait en tête à tête avec Andréas. Il avait fait ses classes en pédérastie avec des maîtres fort renseignés et dont l'unique et définitive devise était ce « On ne sait jamais » qui avait déjà fait ses preuves, disait-on. Cette obstination, cette fixité dans le désir, cette croyance aveugle qu'il suffisait d'un rien pour que chaque individu de chaque sexe puisse oublier une heure que la normalité lui interdisait d'aimer le sien, avait été la bible et le réconfort de notre malheureux commissaire de bord. Là, il tenait Andréas seul, à sa portée, Andréas appuyé au bastingage, ses beaux cheveux flottant dans le vent, le visage reposé par le bonheur, ou l'assurance retrouvée que ce bonheur était possible. Et il le regardait avec le désespoir exquis que vous procure l'inaccessibilité, même réfutée. Ce n'était pas possible, pensait-il en détaillant tout ce qui, dans la beauté du pauvre Andréas, coïncidait avec les normes esthétiques et sexuelles des gens de son bord : le cou doré, les yeux vulnérables, la bouche fraîche, le torse mince et fort à la fois, les belles mains, le côté si fini, si soigné, si entretenu — comme le trésor qu'il était, par son propriétaire —, tout cela devait logiquement, immanquablement lui amener Andréas, et le lui amener dans son lit. Un garçon de vingt-cinq ans n'avait pas les ongles si bien faits, ni une coupe de cheveux si raffinée, ni des briquets, des boutons de manchettes, des stylos si harmonieusement assemblés, ni ce foulard noué sur le côté avec désinvolture, ni cette façon sévère et placide de se regarder dans une glace et d'accueillir, comme allant de soi, tous les regards admiratifs que cette beauté provoquait — chez les hommes et chez les femmes —, avec ce calme et cette assurance là-dessus totalement féminine. Charley voyait Andréas narcissique, Charley savait que le narcissisme menait à l'homosexualité, Charley ne comprenait pas qu'Andréas soit aux pieds de la Diva au lieu que lui, Charley soit aux siens.

— C'est idiot, on ne se voit jamais, dit-il en souriant, d'un sourire forcé (car brusquement Andréas seul avec lui, Andréas accessible peut-être, cela devenait aussi inquiétant que délicieux...). Et vous ne me direz pas que c'est de ma faute, ajouta-t-il en minaudant malgré lui, d'une manière trop caricaturale, mais qui amena une simple expression de surprise sur le beau visage impavide en face.

— Pourquoi cela serait-il de votre faute ou de la mienne? dit Andréas en riant. Et quelle faute d'ailleurs?

— Ça, je ne le sais pas encore, dit Charley avec un petit rire perlé.

Car Charley, à l'inverse de son tact et de sa finesse dans la vie de tous les jours, Charley, aussi compréhensif et intuitif même en tant que commissaire de bord et amuseur de blasés fortunés, Charley devenait la sottise même, la lourdeur, la disgrâce quand il se laissait aller à son penchant, et s'efféminait pour plaire. Il était charmant en blazer, insupportable en djellaba. Enfin, il semblait aussi naturel en simulant la virilité, qu'outré en se laissant aller à son naturel. Bref, Charley, lorsqu'il reprenait son poste au combat, le dur, incessant et douloureux combat de la pédérastie, avait l'air de s'en moquer et de la tourner en dérision. Cette contradiction, qui avait été pesante dans bien des cas, lui avait aussi évité dans bien d'autres de se faire casser la figure, personne ne pouvant croire qu'un individu adulte, puisse zozoter et tourner les poignets dans ses manchettes de cette façon autrement que par dérision. Andréas et lui se regardèrent donc un instant en chiens de faïence, Charley, le cœur battant se disant : «Cette fois-ci, il m'a compris», et Andréas se demandant ce qui agitait ainsi ce charmant type, et à qui il semblait faire allusion par toute sa pantomime.

— Je ne vois pas... dit-il en souriant. Excusez-moi, mais je ne vois pas.

— Vous ne voyez pas quoi, mon cher? dit Charley battant des cils. Vous ne pouvez pas ou vous ne voulez pas voir?

Et il s'approcha d'un pas, un sourire forcé bien arrêté sur ses lèvres, le cœur dans la gorge, brandissant ce sourire devant lui comme un drapeau blanc qu'il pourrait lever tout à coup en signe de bon vouloir si les choses se gâtaient. Et c'était un visage de martyr qu'il offrait ainsi aux yeux d'Andréas stupéfait, un visage obséquieux, faussement gai, affolé, un visage qu'il se forçait à avancer, tendu du front à la mâchoire jusqu'au tremblement devant le coup qui allait peut-être le frapper. Andréas recula d'un pas et Charley, épuisé, soulagé de sa défaite provisoire, faillit renoncer à poursuivre la bataille. Il lui fallut rappeler toute sa discipline pour repartir à l'assaut. Mais cette fois, ce fut avec le visage grave et triste du reproche et du chagrin, supposé remplacer le visage gai et complice de l'aventure et du plaisir. Curieusement, ce visage triste rassura Andréas qui, s'il ne pouvait pas partager cette gaieté incompréhensible, était prêt à partager un chagrin toujours accessible, celui-là.

— Savez-vous que vous me faites de la peine, gémit tendrement Charley, venant s'accouder près de lui, et jetant sur la mer calme des yeux agités, la parcourant de droite à gauche et de gauche à droite, comme à la suite d'un requin cascadeur.

— Moi?... Je vous ai fait de la peine? dit Andréas. Mais quand? Pourquoi?

— Mais parce que vous semblez ne remarquer que cette créature de rêve : notre Diva nationale... Que vous semblez oublier tous vos vieux amis sur ce bateau... Voyons, ne me dites pas, poursuivit-il devant les yeux écarquillés de son bel amour (qu'il finirait d'ailleurs par croire imbécile tant il piétinait sur place) qu'un jeune homme comme vous ne peut mener de front plusieurs amours. Vous n'avez pas le physique d'un homme fidèle, mon cher petit... Ce serait trop injuste pour d'autres, et qui vous aiment autant que notre Diva...

Les yeux d'Andréas, ces yeux, bleu clair et naïfs comme ceux de certains soldats sur les médaillons de la guerre de 14, s'arrêtèrent un peu au-dessus de son épaule, les sourcils se froncèrent et Charley crut voir cliqueter derrière ses persiennes ouvertes une machinerie de diapositives un peu rouillée et qui présentait à Andréas, dans l'ordre, tous les visages susceptibles de l'aimer «autant» sur ce bateau. Il vit passer Clarisse, Edma, Olga, vit la machine s'arrêter, puis repasser, marche arrière, Olga, Edma, Clarisse, plus lentement, les relancer au galop une dernière fois avant de s'arrêter pile, dans un bruit de catastrophe et de ferraille, sur lui, Charley Bollinger, qui était effectivement celui qui l'aimait tout autant. Le visage d'Andréas se figea, une sorte de spasme remonta dans sa gorge et il murmura : «Oh non! s'il vous plaît!» d'une voix suppliante, et qui eût fait rire Charley aux larmes venant de çe gaillard, s'il n'eût été déjà au bord d'autres larmes. Il le sentit à temps et, avec un grognement incompréhensible, se retourna et s'élança vers sa cabine et vers le seul homme stable de son existence : le capitaine Ellédocq.

Andréas le regarda partir avec une expression désolée et coupable, puis, comme se réveillant, courut tout dire à sa maîtresse.

L E NARCISSUS, d'après son programme, devait se rendre à Alicante avant de rallier Palma. Alicante où ils boiraient du xérès en écoutant du de Falla, joué par Kreuze, et le grand air de *Carmen* chanté par la Doriacci — si elle abandonnait *Au clair de la lune*, bien entendu. Ces climats espagnols laissaient prévoir quelques paroxysmes passionnels. Mais le sirocco s'éleva d'un coup — souverain des cœurs, et surtout des corps, et cloua sur leurs couchettes presque tous les héros de cette croisière. Cramponné à ses draps et à ses nausées, chacun renia ses sentiments ou ne les éprouva plus qu'amoindris. Les éléments triomphèrent de la plupart des passagers «De luxe», à l'exception d'Armand Bautet-Lebrêche, qui passa la journée à justifier sa fortune en arpentant d'un.pas distrait les coursives inclinées du *Narcissus*. Il détestait pourtant la solitude au sens physique du terme, étant depuis l'enfance à la fois voué et résigné à la solitude morale.

Le *Narcissus* se réfugia donc en fin de journée derrière l'île d'Ibiza, brûlant dans une interminable et terne soirée une de ses esclaves favorites.

A PALMA, le *Narcissus* était à peine à quai que les passagers descendirent précipitamment. Chacun s'extasiait sur le bon air de cette île brûlante, comme si le *Narcissus* eût été un cargo plombé, ou comme si l'on eût, dès Cannes, jeté à fond de cale les passagers des «De luxe». A vrai dire, une brise marine balayait bien chaque recoin du *Narcissus*, mais quelque chose s'était définitivement gâté dans l'atmosphère. Une sorte de stagnation menaçante semblait peser sur le pont, et, mis à part la Doriacci et Kreuze, qui avaient gardé leur coup de fourchette vigoureux, les plats du déjeuner étaient repartis pleins vers les cuisines. Les jeux étaient faits, d'une certaine manière. Chacun le sentait, qu'il soit ou non directement concerné, et cela donnait un ton sinistre à chaque phrase. Même Edma Bautet-Lebrêche, pourtant rompue à ces situations, pourtant habituée à transformer des événements marquants en circonstances futiles, même la belle Edma avait du mal à manœuvrer son petit monde ; les joueurs étaient devenus trop nerveux, tous : même Julien Peyrat qui montrait un visage tendu, sourcilleux, loin de sa nonchalance habituelle. La seule à qui profitât, apparemment, cette tension générale, était, par une bizarrerie du sort, Clarisse Lethuillier. Elle se maquillait à nouveau, mais avec habileté à présent : ses joues étaient moins creuses, ses yeux plus clairs et son regard plus précis, et sa beauté s'affirmait, éclatante. On la regardait, du capitaine Ellédocq au soutier. On la regardait passer, au bras invisible de son fol amour. Le bonheur avait pris si facilement le pas sur son désarroi qu'elle attendrissait par moments jusqu'à Olga. Enfin, elle ne buvait trop que le soir, et commandait ses verres elle-même.

A Palma, tous les journaux français arrivés de la veille furent razziés par les soins d'Olga, à la barbe d'Éric Lethuillier, pourtant descendu quasiment à son bras dans une indifférence générale, le feuilleton sentimental du bateau étant visiblement assuré par Julien et Clarisse dont l'idylle avait pris le pas d'un seul coup sur celles d'Olga et de la

Doriacci. Cela ne laissait pas d'agacer Olga : tout en se félicitant de l'affront fait à Éric, elle eût aimé quand même que les échos et les chuchotements lui soient réservés à elle, et non à cette pauvre Clarisse. Elle continuait à l'appeler «pauvre Clarisse» pour pouvoir continuer à la plaindre et ainsi éviter de l'envier. Car dans un retournement total, c'était à présent l'envie que suscitait Clarisse, et par conséquent Julien.

Olga remonta la première à bord, ses journaux serrés sous son bras avec un soin excessif, aurait-on pu dire. Elle fut suivie de près par Éric Lethuillier, l'air bien content de lui-même, et un peu plus tard par Julien Peyrat qui avait passé l'après-midi à téléphoner. Enfin, à huit heures du soir, tout le monde était réuni au complet dans le bar sur le pont, et tout le monde souriait comme si cette promenade à terre eût éclairci toutes les humeurs. Il n'y avait qu'Andréas qui fît grise mine, mais c'était parce que la Diva n'était pas là, parce qu'elle était partie tout l'après-midi, qu'elle n'était pas encore rentrée, à deux heures de son concert. Ainsi que le remarquait le capitaine Ellédocq qui vidait à grand bruit chope de bière sur chope de bière, sous l'œil réprobateur du barman habitué à les lui servir dans sa cabine où tous ses bruits d'aspiration dérangeaient moins l'atmosphère.

A sa décharge, il faut dire que le capitaine Ellédocq avait été excessivement frappé par la bagarre de l'avant-veille. Contrairement à ce qu'on aurait pu croire, vu sa corpulence et son gabarit, vu aussi son air dictatorial, le capitaine Ellédocq n'était pas un homme belliqueux. Ce n'était pas un de ces solides marins aux poings rapides qui, dans les romans de Jack London, s'abattent comme des chênes les uns sur les autres après cent uppercuts et vingt bouteilles : au contraire ! Le capitaine Ellédocq n'avait pris part qu'à deux rixes dans sa longue, sinon mouvementée carrière, et encore, cela avait-il été à son corps défendant ; quand, traité d'abruti, de matelas, de cocu et de couard, il avait dû protester et s'avancer vers son insulteur pour ne pas vexer son équipage. D'ailleurs, il avait été littéralement mis en pièces les deux fois par des hommes plus petits que lui : un quartier-maître irlandais et un cuisinier chinois. Lesquels, en deux temps trois mouvements, avaient expédié Ellédocq, sa casquette et son autorité par-dessus le piano et les tabourets de ces lieux de péché. Aussi, la rapidité et la violence de la bagarre «Julien-Éric» l'avait-elle rempli d'une admiration sans bornes pour l'un comme pour l'autre de ces deux passagers auxquels, jusque-là, il avait réservé un solide mépris (teinté d'indulgence vis-à-vis de Julien, dresseur de chiens et de mondains), mais non vis-à-vis d'Éric (journaleux pour communistes). Mais cette admiration s'accompagnait de terreur pour les conséquences de ce grave incident. Le séjour de l'un à l'infirmerie et les bruits qui couraient sur la bonne fortune de l'autre redoublèrent sa panique. Il se voyait déjà accueillant sur le pont taché de sang les quatre frères Pottin et le commissaire de police de Cannes, voire le ministre de l'Intérieur à qui il avouait en pleurant n'avoir pas fait régner l'ordre à bord, selon la consigne. Le capitaine avait donc promené un visage soucieux toute la matinée et tout l'après-midi, ce qu'avait fini par remarquer Charley qui, mis au courant, s'était révélé de bon conseil pour une fois. Il fallait qu'Ellédocq lui-même, un rameau d'olivier entre les dents, telle la colombe, aille voir les combattants pour leur arracher une promesse de paix. Le capitaine avait commencé par Julien Peyrat dont le Marquet, puisque tout le monde en parlait à bord, donnait un prétexte à sa visite.

— Beau boulot... Joli... marmonna Ellédocq en guise de commentaire, lorsqu'il se fut retrouvé dans la cabine de Julien et devant le paysage de neige.

— Vous aimez? demanda Julien Peyrat, l'œil oblique, mais souriant d'un air aimable.

Et Ellédocq avait de nouveau marmonné : « Beau boulot... Beau boulot », avec humeur cette fois-ci. Il hésitait à se lancer. Une sorte de pudeur virile l'empêchait de demander à cet adulte en face de lui, cet homme qui avait au maximum quinze ans de moins que lui, la promesse de ne plus taper sur un type du même âge (comme s'ils avaient été deux petits copains dans la même école où il était, lui, le pion principal). Ellédocq se moucha donc soigneusement et, ayant inspecté son mouchoir, le replia et le remit dans sa poche au grand soulagement de Julien.

— Vous et le type du *Forum*, là... commença Ellédocq, ça bardait, hein?... Bing, bang... ajouta le capitaine en tapant son poing sur sa main avec vigueur pour illustrer et éclaircir ses propos.

— Oui, dit Julien intrigué, oui, en effet. Je suis désolé, commandant.

— Vous recommencerez bientôt? s'enquit Ellédocq d'un ton rogue.

Julien se mit à rire.

— Je n'ai pas fait de plans à l'avance, dit-il. Je ne peux rien vous garantir... Ça vous a plu à ce point-là? C'est pas mal, la vraie bagarre, hein? reprit-il l'air content de lui tout à coup, les yeux brillants.

Et Ellédocq se demanda s'il n'aurait pas mieux fait de l'éviter, ce sujet, visiblement sujet de délice pour celui-ci.

— Bagarre interdite sur ce bateau, avait-il repris avec sévérité. Vous et l'autre aux arrêts, prochaine fois.

— Aux arrêts!... (Julien avait éclaté de rire.) Aux arrêts?... A ce prix-là?... Commandant, vous n'allez pas mettre aux arrêts des gens qui ont dépensé neuf millions pour une croisière de huit jours en plein air... Ou alors, mettez-y aussi Hans-Helmut Kreuze et son piano! Notre bon Hans-Helmut Kreuze, avec ses partitions, si vous ne voulez pas que nous vous fassions rembourser... Ce serait agréable d'ailleurs, la musique, enchaînés, etc.

Le capitaine avait dû se retirer sans obtenir d'autre assurance de la part de cet hurluberlu ! Mais il eut beaucoup plus de succès près de l'autre foutriquet qui se trouva tout à fait d'accord avec lui, à la grande surprise d'Ellédocq. Éric Lethuillier se montra plus que prêt à faire la paix, prêt à en sceller la promesse par une poignée de main d'homme à homme avec son ancien challenger. Sans s'attarder sur l'expression de stupeur, même de crainte, arborée par l'ex-femme-clown témoin de leur entrevue, Ellédocq rapporta donc cette offre au premier des combattants qui, surpris lui aussi, sembla-t-il, n'eut qu'à le suivre jusqu'à la cabine de paix et s'exécuta. Ellédocq les quitta là-dessus, enchanté de lui-même. Il fut fort étonné en finissant le récit de ses négociations à Charley et Edma Bautet-Lebrêche.— en plein papotage — de ne pas recueillir la curiosité ni l'enthousiasme qu'il méritait. A la vérité, cette paix laissait derrière elle bien des soupçons et bien des craintes.

En même temps que des fruits frais, de la nourriture fraîche, des fleurs pour les vases et le courrier, la peste s'était introduite sur le *Narcissus* sous la forme de journaux. D'un journal surtout. Le même que celui qu'Olga cachait dans son sac et qu'au siège des Croisières Pottin quelqu'un avait trouvé amusant de joindre aux journaux du jour. Ce fut Armand, bien entendu, celui que cela intéressait le moins, qui tomba sur ce journal et le conserva longuement avec ses feuilles financières. Il ne comprit pas au demeurant, ne comprit jamais, même plus tard, l'insistance de cette petite Olga à le suivre partout en minaudant et en lui demandant des conseils boursiers. Finalement il l'ouvrit. Il poussa quelques «Oh-oh, Ah-ah, Euh-euh» en voyant la photo fatale, et après avoir jeté derrière ses bésicles des regards furtifs à la jeune femme, et desserré de l'index sa cravate à damier, il dit :

— Vous êtes très bien sur cette photo, vous êtes très photogénique, vraiment.

— Oui, avait dit Olga en haussant les épaules. M. Lethuillier n'est pas mal non plus, avait-elle ajouté sur le même ton distrait avant de dire : «Vous permettez» et de mettre enfin la main sur le journal et de s'enfuir avec.

Elle entra dans sa cabine, ferma le verrou derrière elle et s'assit sur son lit, haletante. Il lui semblait tenir une bombe entre ses mains. Elle hésitait encore, partagée entre la crainte de ce que pourrait faire ce beau salopard une fois fixé, et l'irrésistible envie de voir son visage devant cet article. Devant la photo comme devant le texte, dont elle se répétait la légende, gravée dans sa mémoire à la première lecture. Ne pouvant se décider, elle alla chercher conseil. Mais c'était déjà une décision qu'elle prenait parce que, au lieu d'aller consulter Edma qui, avec ses réflexes de femme du monde hostile à tout scandale, lui conseillerait le silence, comme la première fois, elle alla trouver la Doriacci dont tout le comportement pendant cette croisière indiquait sans nul doute une petite passion pour les éclats. Mais à son grand désappointement, cette bagarre-ci ne faisait pas vibrer apparemment l'instinct guerrier de la Diva. Ses prunelles s'étaient allumées une fois au début, comme des phares, mais s'étaient mises en code aussitôt après, et semblaient s'y maintenir.

— Il ne faut pas faire ça, dit-elle à Olga en remuant le journal replié sur lui-même et en le brandissant un peu comme une matraque, songea Olga impressionnée. Il ne faut pas parce que, déjà c'est difficile, tout ça... Elle a peur, il est méchant, l'autre. Il ne s'agit pas de l'exaspérer, vous comprenez? dit la Doriacci dont le visage changea un instant et devint celui d'une bonne femme italienne, brave et compatissante. Vous savez, ils s'aiment vraiment.

— Qui, ils? demanda Olga avec agacement en reprenant le journal. Ah oui! Julien et Clarisse... Je sais, oui, je sais, ajouta-t-elle avec un petit sourire ironique qui, *illico*, déclencha la rage de la Diva.

— Vous savez!... Vous savez quoi? Comment ça, vous savez? Vous ne pouvez pas savoir. Vous pouvez jouer l'amour à la rigueur, et c'est tout. Et encore, ce que je vous dis, c'est à l'extrême rigueur... Vous ignorez tout de la gratuité, ma pauvre petite, et des grands sentiments. Vous vous croyez déjà une vedette et vous penserez toute votre vie que ça veut dire quelque chose, c'est tout. Et je garde ce journal! cria-t-elle en arrachant grossièrement la matraque des mains d'Olga qui en resta bouche bée, indignée.

— Mais... mais... balbutia-t-elle, devenue rouge, mais...

— Mais rien! dit la Doriacci en refermant la porte sur elle et en se tapant les deux mains l'une contre l'autre, style «une bonne chose de faite».

Elle eût été moins flambante si elle avait su qu'Olga avait quinze numéros semblables dans sa chambre.

— Voyons, ma petite fille, vous n'allez pas me cacher ce que je sais, si? Alors?...

Edma avait pris un air doux et excédé pour s'adresser à Olga, l'air d'un professeur qui admet qu'un élève arrive pendant son cours mais pas qu'il lui cache la date de la bataille de Marignan. Elle regardait fixement cette petite starlette ambitieuse avec un sourire renseigné, très renseigné, suffisamment renseigné pour que la résistance d'Olga faiblisse et cède. La question était : « Pourquoi n'y avait-il plus un journal français à Palma et pourquoi Olga, elle-même, en avait-elle rapporté un tombereau sur le bateau, qu'elle avait dissimulé Dieu sait où ?

— Vous avez deviné ?... commença Olga faiblement dans un dernier effort pour échapper à « Agatha Christie-Bautet-Lebrêche ».

— Oh ! mais, c'est que je n'ai rien « deviné », tuff, non : j'ai tout *compris*, ce n'est pas pareil. Je n'ai pas vu les faits mais j'ai vu la *cause* des faits : un sourire faux, une attention en moins, une goujaterie en trop, et brusquement une femme ne supporte plus un homme...

C'était bien entendu de Clarisse que parlait Edma, mais ses paroles s'appliquaient tout à fait à Olga. Et celle-ci, ne songeant jamais qu'on parlât de quelqu'un d'autre que d'elle-même, prit cela pour elle et s'émerveilla de la lucidité d'Edma Bautet-Lebrêche. « Ce cœur sec ne l'était pas, au fond, puisque l'hypersensibilité, l'hypersnobisme d'Edma Bautet-Lebrêche la rendaient presque humaine, en faisaient presque une vraie femme, par moments », conclut Olga à sa propre intention. Proust se serait régalé sur ce bateau (si elle avait bien lu les deux pages de *L'Anthologie des grands écrivains français* à l'usage des classes terminales, anthologie qui avait rendu bien des services à l'intellectuelle débordée par la vie qu'était Olga à ses propres yeux).

L'amitié d'Edma parut tout à coup primordiale à Olga Lamouroux, « o-u-x » et non pas « e-u-x » (cette grossièreté délibérée devenue une erreur amusante). Olga se voyait fort bien adoptée par ce couple richissime et mondain. Elle se voyait fêtée, avenue Foch, par des sexagénaires richissimes et austères, éblouis par sa jeunesse, son audace, sa « classe » aussi, sa façon de redonner ses lettres de noblesse au cinéma français (et au milieu du cinéma). Ces tout-puissants industriels qui se rappelleraient grâce à Olga que Louis XIV recevait Racine à sa table, et la Champmeslé... (« Était-ce bien la Champmeslé ?... A vérifier ») et qui oublieraient, grâce à Olga, les seins et les fesses des malheureux boudins sans chic qu'on avait bombardés stars pendant cette dernière décennie. En attendant d'arriver avenue Foch et de confier son vison sauvage très sport au vieux maître d'hôtel qui l'adorait déjà, et à qui elle parlerait gentiment de ses rhumatismes, Olga, encore sur le *Narcissus*, montra à sa grande amie, sa seconde mère, l'enveloppe cachée dans son sac, s'assit près d'elle dans un coin vaguement éclairé, et se pencha avec elle sur l'hebdomadaire de son petit ami : la photo était nette. L'on y voyait Éric Lethuillier, l'air emporté par la passion, qui blottissait contre lui une Olga Lamouroux étonnée et un peu craintive. Bien sûr, c'était avec l'autorité d'un homme qui voit tomber une femme qu'Éric, ce jour-là, avait saisi la taille d'Olga, et sans doute

était-ce aussi la peur de tomber qui avait donné cet air contrarié à Olga.
«Mais la photo ne suggérait pas une chute accidentelle et physique»,
comme le remarqua Edma entre ses dents, avec un sifflement
appréciateur mais effrayé. Elle se tourna vers Olga, les sourcils froncés :
— Eh bien, ma petite Olga... je comprends votre effroi. Ce
Lethuillier va être dans un état !...
— Ne vous faites pas de souci pour moi, dit la courageuse Olga,
toujours dans son rôle de fille adoptive. Il ne verra ça qu'à Cannes, et je
serai loin.
— Mais je ne me fais pas de souci pour vous !... répliqua Edma, qui
trouvait cette idée baroque. Ce serait plutôt pour Clarisse que je
m'inquiéterais. Ce genre d'hommes fait toujours payer quelqu'un
d'autre pour compenser ses désagréments, même venus d'ailleurs...
Mon Dieu, quelle photo !...
— Et vous avez lu le texte ? dit Olga en soupirant de plaisir.
Edma se repencha sur le journal : «N'est-ce pas le bel Éric
Lethuillier, directeur de l'austère *Forum*, que l'on voit tenter d'oublier
ici la politique et ses soucis humanitaires ? On le comprend en voyant
que le nouveau drapeau qu'il étreint n'est autre que notre starlette n° 1,
la belle Olga Lamouroux qui, elle, semble moins d'accord — peut-être
en pensant au producteur Simon Béjard (absent sur notre photo), dont le
film *Feu et Fumée* triomphe toujours à Paris. Enfin ! peut-être la
découverte des charmes du capitalisme — qu'il aurait dû pourtant faire
déjà avec son épouse, Clarisse Lethuillier, née Baron, des Aciéries
(absente aussi sur notre photo) rendra M. Lethuillier plus indulgent au
luxe des bourgeois.»
— Oh ! là, là ! dit Edma en riant nerveusement, ça commence bien...
— Et vous n'avez pas fini... (Olga riait, mais peu rassurée.)
Regardez :
«Est-ce pour dénoncer ses compagnons de croisière ou les
comprendre, qu'Éric Lethuillier, "l'ami du peuple", passe ses vacances à
bord du *Narcissus* dont la croisière musicale coûte le prix coquet de
quatre-vingt-dix mille francs ? Nos lecteurs apprécieront.»
— Ça, c'est infect ! dit Edma. Mon Dieu... dit-elle en reprenant le
journal des mains d'Olga, que disent-ils ? Quatre-vingt-dix mille francs ?
Mais c'est de la folie furieuse ! Ça, je vais attraper mon secrétaire !
— Vous ne le saviez pas ?
Olga était snobée pour de bon. Elle ignorait que le snobisme, chez les
gens riches, était aussi de trouver tout trop cher. Certains allaient même
jusqu'à voyager en seconde, ce qui avait l'avantage de leur faire faire
des économies — dont étaient toujours friandes les plus grosses fortunes
— et de prétendre ainsi «garder le contact» avec le bon peuple français.
— Que pensez-vous qu'Éric va faire ? dit Olga, ses escarpins trottant

sur le pont obscur dans le sillage d'Edma, dont l'indignation accélérait le pas.

— Je ne sais pas, mais ça va faire du bruit! Est-il, dites-moi, très amoureux de vous?... Non, bien sûr, enchaîna Edma après le silence d'Olga, il n'est amoureux que de lui-même. Et vous, ma petite Olga? C'est ennuyeux pour vous, tout ça, tous ces échos?

— Vis-à-vis de Simon, oui, dit Olga d'une voix pénétrée (une voix qui d'un seul coup réveilla l'antipathie d'Edma envers elle).

— Ah non! Ne me dites pas que vous vous préoccupez en quoi que ce soit de ce pauvre Simon Béjard! On l'aurait vu!... Pauvre Simon... Vous savez qu'il est très très sympathique, cet homme-là : il est vif, il a des côtés si sensibles, c'est étonnant... très étonnant, reprit-elle, l'air pensif, telle une ethnologue devant une variété animale inclassable.

« Simon est un chou, le pauvre, mais... », commençait Olga. Mais elle barra le mot « chou » avant de le prononcer.

— Simon est un drôle d'animal, dit-elle.

— Que voulez-vous dire, ma petite Olga, hein?... Asseyons-nous là un instant, dit Edma en s'engouffrant dans le vestiaire des dames, et en s'asseyant, comme épuisée, sur un tabouret devant la glace.

— Je veux dire qu'il est exquis comme ami, mais plus difficile en tant que petit ami, dit Olga avec un rire confus — qu'elle trouva elle-même tout à fait délicieux — mais qui fit grincer des dents l'équitable Edma. Simon a tellement peur que je ne l'aime pas pour lui-même qu'il m'avait pratiquement caché qu'il était producteur! Vous savez?... Ce n'est qu'à Cannes que j'ai appris en même temps qu'il était producteur, et qu'il avait gagné le grand prix. Il y a un an, il était pratiquement inconnu; et je dois dire que nous n'étions pas nombreux à parier sur la réussite de Simon Béjard dans le cinéma, dit Olga avec un petit rire de fierté qui saluait son désintéressement et son flair.

La malheureuse ignorait que Simon avait raconté déjà à Edma comment, le soir du palmarès, quatre starlettes s'étaient jetées à son cou; et que parmi ces quatre starlettes, se trouvait Olga Lamouroux, o-u-x, elle-même. Edma Bautet-Lebrêche adressa mentalement un « bravo... mille bravos » sarcastique vers Olga.

— Seulement, maintenant qu'il est sûr de moi, continuait celle-ci, plongée dans ses rêveries idylliques, sûr de moi et de ma fidélité — sur un certain plan... Car attention, hein? reprit-elle vivement (comme Edma revenue à un stade animal à force de colère rentrée, encensait de la tête et grinçait des dents sur un mors absent), attention : je parle de la vraie fidélité, celle qui dure... pas de celle qui est à la merci d'un « cinq-à-sept », ou d'un de ces coups de sang, un de ces coups de grisou d'un soir, comme nous en avons de temps en temps, nous les jeunes... nous, les femmes! se reprit-elle de justesse.

Tout au moins le crut-elle, mais c'était un peu trop juste : Edma l'avait entendue et comprise, et elle penchait la tête de plus en plus furieusement contre sa brosse à cheveux qu'en revanche elle bougeait à peine.

Ce fut la première chose que remarqua la Doriacci en entrant à son tour dans l'oasis du vestiaire. Elle avait l'œil charbonneux, furieux, mais quand même observateur, puisqu'elle s'arrêta devant le manège d'Edma et l'observa d'abord avec perplexité, puis avec comme une joie dans le regard, suivie aussitôt d'un rire bas et tonitruant tout à fait irrésistible.

— Mais qu'avez-vous donc ? dit Edma Bautet-Lebrêche (vaguement vexée d'avoir provoqué ce rire mais prête à y participer), la tête arrêtée tout à coup dans son mouvement perpétuel.

— C'est pour ça, dit la Doriacci en l'imitant dans la glace : vous remuez la tête, mais pas la brosse — comme les Belges avec une boîte d'allumettes, vous savez ?... Pour savoir s'il y en a une à l'intérieur, ils remuent la tête et pas la boîte, répéta-t-elle encore d'une voix avant de retomber dans le rire et dans ses « ha, ha, ha... » cascadeurs et incoercibles, entraînants pour Edma autant qu'agaçants pour Olga, à qui ce rire rappelait chaque fois l'incident du jeune veau.

— Nous nous inquiétons, dit-elle, pointue, à la Doriacci qui s'était assise et se poudrait les joues avec une immense houppette d'un rose vif.

« Curieux comme tous ses accessoires sont démesurés », pensa Edma brièvement. Il lui faudrait une théorie bien saugrenue ou bien freudienne pour commenter cette disproportion à Paris. Olga, l'inquiète, insistait :

— Mais que peut-on faire à Palma tout un après-midi ?

— C'est très joli, dit la Doriacci dont les yeux riaient. On peut y voir des coins charmants ou des vieux amis selon l'humeur. Il ne s'est rien passé sur le bateau fantôme en mon absence ?

— Andréas a failli trouer le pont à force d'y faire les cent pas, mais c'est tout ce qui s'est passé, je crois, dit Edma.

— Tiens, nous voici les trois « A » : Doria, Edma, Olga... C'est amusant, dit Olga Lamouroux d'une voix de flûte. Nous avons la même terminaison, répéta-t-elle devant l'air atone des deux autres.

— Tant que nous n'avons pas la même famille, ce n'est pas grave, dit Edma Bautet-Lebrêche avec force.

Et, se levant, fort mal maquillée d'ailleurs, elle ajouta :

— Ma petite Olga, soyez gentille et gardez ce papier pour vous, n'est-ce pas ? Nous en reparlerons... en même temps que de vos problèmes psychologiques, ajouta-t-elle d'une voix un peu excédée.

Restées seules, la Diva et Olga Lamouroux ne se regardèrent pas tout d'abord, et ce fut avec méfiance et sans le vouloir que leurs yeux se trouvèrent dans le miroir central : la Doriacci avec son regard à autographe, Olga avec son sourire pincé.

— Comment va M. Lethuillier ? dit la Doriacci d'une voix aimable et méprisante en recourbant ses cils noirs sur une brosse inondée de mascara, le tout avec un grand air froid.

— Il faut demander ça à Clarisse Lethuillier, dit Olga l'air lointain et qui aurait volontiers filé de là si l'idée du regard critique de la Doriacci sur son dos ne lui avait inspiré une sorte d'horreur (et pourtant, des deux, qui aurait dû avoir les bourrelets du remords ?), une horreur telle qu'elle se décida à revernir ses ongles de pied avec le flacon qui, Dieu merci, ne la quittait pas. La Doriacci referma son cabas géant :

— Si je demandais quelque chose à la belle Clarisse, ce serait des nouvelles du beau Julien. Vous êtes bien mal renseignée, mon enfant : sur ce bateau, les couples ne sont pas toujours légaux...

L'ironie était trop évidente, et Olga, pâle de rage, en jeta quelques gouttes écarlates sur son jean neuf. Elle cherchait désespérément une réponse adéquate, mais son cerveau affolé sonnait creux malgré ses appels.

— Vous devriez vous teindre les cheveux, acheva la Doriacci tout en marchant vers la porte de son pas souverain. Vous auriez plus de caractère en roux vénitien... Ça fait un peu pauvre, ce faux blond !

Et elle disparut, laissant Olga dans une fureur au bord des larmes. Elle monta prendre l'air à nouveau. Elle écumait et elle ne fut réconfortée que par la vue d'Andréas sur le pont, Andréas ravagé par le chagrin. Après quelques hésitations, Olga finit par en avertir Julien Peyrat.

— Vous faites du footing par ce temps ? Quelle bonne idée...

Julien marchait au pas d'Andréas qu'il avait rejoint, et il s'inquiétait, en effet, de la pâleur du visage qu'Andréas lui dérobait pourtant, et qu'en se penchant il voyait rajeuni mais défait par la tristesse, le visage d'un très jeune homme prêt à tout. Comment ce superbe type pouvait-il se mettre dans de tels états pour une femme de soixante ans dont il était le centième amant et dont il ne serait pas le dernier ? C'était le monde à l'envers, quand même... Et malgré l'affection instinctive qu'il ressentait pour la Doriacci, Julien était furieux contre elle. Ce gigolo n'avait pas la froideur calculée d'un gigolo, elle n'avait pas à le faire payer si cruellement, et la justification que lui trouvait Clarisse l'inquiétait, venant d'elle, comme une trahison.

— Vous ne vous rendez pas compte, avait dit Clarisse : déjà se décider à aimer quelqu'un de son âge, c'est affolant, alors pour la Doriacci, à soixante ans, se laisser attendrir par un Andréas, c'est la fin de sa vie qui pourrait être affreuse. Et si elle l'aimait, que se passerait-il dans un an, ou dans cinq ?... Pouvez-vous me le dire ?

— Bah, plus tard, plus tard... dit Julien qui prônait instinctivement le provisoire.

Il n'avait rien pu dire sur lui-même à Clarisse, mais ce n'était pas tant la peur de perdre Clarisse qui l'empêchait de parler, c'était surtout la peur de ce qu'elle soit blessée et déçue, une fois de plus, dans sa confiance envers les hommes, en général. C'était ce qui l'agaçait un peu et le séduisait le plus chez Clarisse : de se découvrir plus anxieux d'elle que de lui-même. C'était ce choix qu'il avait longtemps cru réservé aux masochistes ou aux gens très sentimentaux, se plaisant au malheur, s'absorbant dans leur chagrin et qu'il détestait instinctivement pour ce qu'il croyait être leur absence de naturel. Que l'on aime quelqu'un pour son bien lui paraissait normal, mais que l'on préférât le bien de ce quelqu'un à son propre bien lui paraissait bibliothèque rose, presque malsain. Et cependant, à l'imaginer, ce qui lui faisait le plus horreur, c'était sa tendre et belle Clarisse emmenée en voiture par Éric dès la descente du bateau, une Clarisse définitivement résignée à sa solitude et le détestant, lui, Julien, de lui avoir fait croire qu'elle pouvait être rompue. Il imaginait une Clarisse dans une maison de verre, moderne, s'appuyant du front à des vitres ruisselantes de pluie et d'ennui tandis que, derrière elle, dans un décor beige, luxueux et désolé, Éric Lethuillier et ses collaborateurs ricanaient en attendant qu'elle boive. Et qu'elle boive trop. A cette image naïve, mais dont le côté luxueux et glacé lui cachait un peu la naïveté, Julien se tordait parfois de chagrin sur son lit. Il y avait dans les baisers furtifs qu'il donnait à Clarisse au hasard de la journée, une compassion et une colère tendre qui la ravissaient, elle. Elle regardait les lèvres longues et pleines de son amant avec tendresse et gratitude quand elle ne se surveillait pas — presque indépendantes de son amour pour lui —, cette bouche chaude et fraîche lui semblait d'une douceur et d'un souffle inépuisables et seuls capables de lui rendre les milliers de baisers dont elle avait été privée, volée toutes ces dernières années. Elle aimait le corps maigre et musclé de Julien, un corps net, enfantin, avec des coins de peau doux et virils aussi, avec des coins de peau semés d'un duvet dur plus clair que ses cheveux. Elle aimait l'enfance de Julien, la façon dont ses yeux s'éclairaient quand on parlait de jeu, de chevaux ou de peinture devant lui. Elle chérissait cet enfant, elle rêvait à ces moments-là de pouvoir bientôt lui offrir ces chevaux ou ces toiles, ses jouets, bref. Et elle aimait l'homme, quand il la regardait et que ses yeux devenaient profonds et mats, malheureux à force de gestes contenus, quand elle voyait ses mâchoires refermées sur des mots d'amour, ces mots rassurants, elle aimait sa voix basse usurpée, elle aussi, lui semblait-il... Cette voix du Julien viril et décidé qui dissimulait aux yeux des autres le Julien si sensible et si gai ; elle aimait qu'il se croie lui-même fort pour la protéger et qu'il soit capable de le faire s'il le fallait. Elle l'aimait de ce qu'il veuille tout décider, tout partager avec elle, sauf cette décision, dont il devait être le seul responsable pour la prendre, comme pour la garder ; elle aimait qu'il la tienne dans l'ignorance de toutes ses peurs d'homme libre, ses réticences à s'engager pour longtemps ; elle aimait qu'il ne lui ait jamais demandé s'ils avaient raison ou tort, ou s'il fallait réfléchir, si elle-même était bien sûre de son choix, ou si elle-même voulait qu'il lui laisse quelque temps pour se décider. Bref, Julien ne lui avait jamais laissé penser que c'était à elle de choisir — même s'il le pensait — et en lui refusant ce choix, il lui évitait un effort supplémentaire et cruel, il lui évitait ce rôle de responsable dont elle avait si peur, en l'assumant lui-même et tout seul, bien que ce rôle, il n'en ait jamais eu l'habitude ni le goût. Mais pour le reste, il partageait tout avec elle déjà ; déjà, Clarisse devait lui dire la veille comment s'habiller le lendemain, quelle chemise, quelle cravate et quel chandail allaient ensemble, et qu'il fallait qu'il prenne du thé avant sa première cigarette matinale. Elle était plus entrée dans sa vie en une semaine que dans celle d'Éric en dix ans, elle s'y savait déjà indispensable, et, ô stupeur ! cette idée la ranimait plus qu'elle ne s'en horrifiait.

Elle arrivait sur le pont et voyait au moment même Julien et Andréas arpentant ce pont à sa rencontre, et elle voyait Julien lever les yeux et sourire, courir en l'apercevant. Elle hâtait le pas aussi pour se voir plus vite reflétée, comme avec l'image du bonheur, dans ces yeux marron clair.

— Andréas est malheureux, disait-il en poussant le garçon vers Clarisse, et la regardant d'un air rassuré, comme si elle y pouvait quelque chose.

Julien la croyait visiblement toute-puissante, responsable du bonheur de tous comme du sien, et il commençait à lui rabattre les chiens perdus ou blessés, avec, lui-même, l'entrain d'un bon chien de chasse. Elle le regardait en souriant, consciente de ce que Julien toute sa vie — si elle la partageait — lui ramènerait de ses virées à Longchamp, aux casinos ou ailleurs (de ses terrains de jeux à lui seul) une série de clochards, de névrosés ou de ruffians qu'il déposerait triomphalement devant elle pour qu'elle panse leurs plaies ou élucide leurs problèmes. Andréas n'était que le premier d'une longue lignée, et résignée, elle lui prit le bras et repartit avec lui faire le tour du pont, tandis que Julien, paresseux et content de lui, s'accoudait à la rambarde et les regardait s'éloigner de l'air satisfait du devoir accompli.

« Qu'avait-il donc pu opposer au chagrin de ce petit garçon trop grand et trop beau ? »

— Julien m'a dit que je devais me conduire en homme, lui répondait Andréas, sans qu'elle eût formulé sa question. Mais je ne sais pas ce que ça veut dire, « se conduire en homme », finalement...

— Julien non plus, dit Clarisse en souriant, et d'ailleurs, moi non plus ! C'était une phrase... Il faut surtout que vous vous conduisiez comme un homme qui plairait à la Doriacci, c'est tout, non ?

— Exactement, dit Andréas (cette précision lui semblait indispensable, à lui aussi). Comment voulez-vous que je sache quel homme?... Où a-t-elle été aujourd'hui?... dit-il soudain à voix basse, comme honteux à sa place. Elle a l'air d'avoir un amant dans chaque port!

— Ou un ami, dit Clarisse paisiblement.

— Je n'y ai pas pensé... balbutia Andréas, comme frappé par la foudre à cette idée simple.

— Bien sûr, dit Clarisse, les hommes ne croient jamais que la femme qu'ils désirent puisse ne pas être désirée par tout le monde. Ils ne croient pas que nous puissions provoquer l'intérêt, l'affection, au lieu de la concupiscence!... C'est presque vexant pour nous, non?

Elle s'étonnait, elle se stupéfiait à s'entendre discourir, à s'entendre réconforter quelqu'un, elle qui était l'angoisse incarnée trois jours plus tôt...

— Mais pourquoi me fait-elle du mal puisque je l'aime? disait Andréas.

Et Clarisse songeait qu'il fallait qu'il soit bien beau, ou bien innocent, pour ne pas être ridicule avec ce genre de phrases.

— Parce que si la Doria vous aime, elle en souffrira beaucoup, dit-elle. Dans quelque temps, en tout cas. En fait, c'est par estime qu'elle est si cruelle envers vous : c'est parce qu'elle pourrait vous aimer. Et cela lui fait peur, avec raison.

— Peur de quoi? Je la suivrai partout, toute ma vie! criait Andréas en s'arrêtant net. Ce n'est pas uniquement physique ce que j'éprouve pour elle, vous savez? (il chuchotait). J'aime son caractère, son courage, son humour, son cynisme... Même si elle ne veut plus coucher avec moi, j'attendrai que ça lui revienne! Après tout, acheva-t-il avec une sincérité désarmante, ce n'est pas le principal, le lit, si?

— Bien sûr que non, dit-elle avec conviction, mais déconcertée malgré tout. (Car depuis Cannes, et malgré les intuitions de Julien, elle avait tenu quelque temps Andréas pour un gigolo professionnel et froid.)

Une fois de plus, c'était dans son optimisme que Julien avait raison. «Quand même, pensa-t-elle avec un rire nerveux, me voilà en train de consoler un superbe jeune homme de vingt-cinq ans de l'infidélité supposée d'une femme de près de soixante... Décidément, tout est possible, à tout âge.» Et cela la réconfortait dans sa trentaine à elle, cet âge «ingrat» puisque situé après les charmes de la jeunesse et avant ceux de la maturité — dixit Éric; âge «faste» puisque situé après les prétentions de la jeunesse et avant ceux de la maturité — dixit Julien. «C'est Jean qui grogne et Jean qui rit», pensa-t-elle un instant...

— Si elle part sans moi à New York, soliloquait l'amoureux... Je me tuerai, dit-il d'une voix si dépourvue d'inflexion qu'elle inquiéta tout à coup Clarisse. Je serai trop seul, cette fois-ci, vous comprenez? acheva-t-il d'un ton aimable.

— Mais pourquoi seul? Vous devez avoir des amis ou une famille quelque part, non?

Et sa propre voix était inquiète. Une Clarisse amoureuse, une Clarisse sensible à autrui, s'inquiétait pour cet homme triste. Il reprit sans lever les yeux, sur un ton d'excuse :

— Ma dernière tante est morte l'an dernier, je n'ai plus personne, ni à Nevers ni ailleurs. Et si la Diva ne m'emmène pas, je ne pourrai même pas la suivre, la croisière m'a coûté exactement ce que j'avais. Et même en vendant mes vêtements et mes raquettes de tennis, je ne pourrai pas aller à New York... répéta-t-il d'une voix désespérée.

— Écoutez, dit Clarisse, si elle ne vous emmène pas à New York, je vous paierai le voyage. Prenez ce chèque tout de suite. Et si vous ne vous en servez pas, vous le déchirez.

Elle s'était arrêtée à une table et fouillait son sac afin d'y retrouver un chéquier fatigué mais intact après six mois! Cela voulait dire qu'elle n'avait eu envie de rien pendant ces six mois et que personne non plus n'avait fait appel à elle! Et Clarisse se demanda laquelle des deux hypothèses était la plus honteuse et la plus triste.

— Mais je ne peux pas, dit Andréas tout pâle, l'air révolté. Je ne peux accepter de l'argent d'une femme avec qui... que je ne connais pas.

— Eh bien, ça vous fera un changement dans vos règlements, dit Clarisse tirant un stylo de son sac et commençant à remplir ce chèque. «Mais de combien?...»

Elle ne savait plus le prix de rien! Éric payait toutes les notes et achetait tout lui-même, sa garde-robe exceptée, et une garde-robe qu'elle n'avait pas changée depuis deux ans. Mais elle allait se précipiter, dès son retour, dans les maisons de couture, elle allait se couvrir de renards gris-bleu, puisque Julien lui avait dit adorer ça. Bien sûr, elle n'avait pas plus l'idée du prix d'un renard gris-bleu que du prix d'un billet pour New York... Elle écrivit cinq mille francs en chiffres, puis ajouta un « 1 » devant le « 5 » à tout hasard.

— Tenez, dit-elle impérativement à Andréas qui le prit, le retourna et en regarda le montant sans la moindre fausse pudeur. Il siffla entre ses dents.

— Ouh, là, là!... (ses yeux brillaient de bonheur). Mais c'est beaucoup d'argent!... Ça fait moins de trois mille francs maintenant, Paris-New York... Et puis, comment vous le rendrai-je?...

— Ce n'est pas urgent, dit Clarisse, ravie de son ravissement. Les usines Baron vont fort bien, vous savez.

Andréas la prit contre lui et l'embrassa comme un enfant d'abord, comme une femme ensuite et Clarisse, d'abord stupéfaite, comprit la faiblesse de la Doriacci et des autres dames, en province, pour ce jeune homme. Ils avaient les joues rouges en se séparant et ils rirent tous deux de l'air étonné de l'autre. «Les charmes des hommes aussi me sont restitués», pensa Clarisse exultante. Et pour faire taire Andréas qui s'excusait, elle l'embrassa comme d'elle-même, légèrement, sur le coin des lèvres.

Olga se sentait un peu moins de haine pour Eric Lethuillier depuis qu'elle le savait ridicule, qu'elle en avait la preuve dans son sac à main. Elle lui trouvait même un certain charme physique, à nouveau, malgré sa goujaterie et sa méchanceté. Elle avait voulu croire la théorie du journal ; elle avait même commencé, in petto, un récit du même style : «Que j'ai eu de mal à m'en débarrasser!... Que ce bateau pouvait être petit avec ce type qui ne me lâchait pas d'un pied, d'une part, et ne me quittait pas des yeux, d'autre part!... etc.» Et elle avait failli y parvenir tant Olga, comme bien des gens de sa génération, en était arrivée à croire plus facilement les journaux ou la télévision que ses propres sens. Bref, elle croyait presque que c'était Éric Lethuillier qui l'avait pourchassée de ses assiduités, que c'était son refus à elle, Olga, de lui donner son corps une seconde fois qui avait provoqué chez lui les propos féroces tenus à Armand Bautet-Lebrêche... Et elle se fouettait l'esprit de cette vision avec entrain et vanité, quand sa mémoire, cette bête sauvage, pas encore domestiquée, lui avait refait entendre, à l'improviste, la voix d'Éric, la voix d'Éric disant : «Cette petite pute intellectuelle...» et elle se sentit soudain envahie de la même honte, de la même haine que trois jours plus tôt... Elle tourna la tête vers le directeur du Forum. Il la regardait à présent «avec son beau visage régulier de salopard», songea-t-elle tout à coup dans une bouffée de rage qui l'illumina et la rendit presque désirable à Éric qui lui reposait sa question avec patience.

— Je veux bien acheter ce tableau, répondait-elle, mais avec quel argent? Bien sûr, le vôtre, mais Julien Peyrat n'est pas un imbécile. Il va trouver bizarre que j'aie vingt-cinq millions, et bizarre surtout que je les consacre à un tableau.

— Dites-lui que vous l'achetez pour moi, alors, dit Éric brutalement. Qu'allez-vous chercher? De toute façon, il a besoin de le vendre.

— Comment le savez-vous?

Cette fille l'exaspérait à présent. Éric prit un ton patient :

— Parce que ça se voit, ma petite fille.

Olga le regardait en face, les paupières battantes, la voix ingénue :

— Je ne trouve pas qu'il ait l'air d'être un homme aux abois : il a

l'air d'un homme très heureux de ce qu'il a. Il n'a pas l'air d'avoir
d'autre désir que...
     Elle s'arrêta avec une gêne calculée. Le regard d'Éric, cette fois, était
froid et Olga eut peur d'être allée trop loin.
     — Oh! pardon, Éric... Vous pensez bien que je ne voulais pas dire
ça... Mon Dieu, que je suis étourdie, c'est affreux...
     — Vous vous occupez de ce tableau, dit Éric d'une voix plate, même
pas interrogative.
     Olga hocha la tête en signe d'assentiment, son mouchoir roulé en
boule pressé sur sa bouche gaffeuse. Elle avait vu Éric pâlir à cette
évidence : le bonheur de Julien. Elle l'avait vu s'arrêter de respirer et
elle jubilait tandis qu'il s'éloignait de son pas pressé, un peu trop scandé
peut-être, cette fois-ci.

     Dans le bar enfumé de fumée bleu clair et transparente, qui lui donnait
l'air d'un décor de film, les passagers, en majorité assis ou debout près
du piano, écoutaient Simon Béjard qui jouait le «thème du *Narcissus*»
qu'il disait tiré du folklore bohémien. Il n'y avait qu'Armand,
cramponné à son guéridon refuge, et Clarisse et Julien, appuyés au bar,
qui semblaient ne pas écouter ce récital supplémentaire, ces deux
derniers riant tous les deux, avec l'insouciance et la complaisance dans
le rire des gens qui s'aiment depuis peu, lorsqu'Éric parut sur le seuil de
la porte.
     Le visage d'Éric Lethuillier était fermé et il appela Clarisse d'une
voix basse mais péremptoire qui fit régner sur le bar, pendant cinq
secondes écrasantes, un silence et une gêne inconsidérés, rompus par
Edma, habituée à ces tensions vaudevillesques, et qui plaqua la main de
Simon sur le clavier comme elle eût fait d'un enfant rétif au solfège.
Cela fit un «couac» qui relança la conversation, et, seul, crispé, Julien,
qui s'était levé en même temps que Clarisse, indiquait par son attitude
tout autre chose que la gaieté. La Doriacci qui arrivait, comprit tout en
voyant l'expression de Julien, et tenta d'y remédier.
     — Vous n'allez pas me laisser boire seule, monsieur Lethuillier, dit-
elle. Je voulais justement vous consulter pour mon programme de ce
soir. Vous et vos amis, bien sûr. Les *Lieder* de Mahler... Qu'en pensez-
vous?
     — Nous vous faisons confiance, dit Éric d'une voix exagérément
courtoise. Nous nous excusons un moment.
     Et il poussa Clarisse devant lui. La Doriacci se retourna alors vers
Julien et, levant les mains à la hauteur de sa tête et les retournant,
paumes en l'air d'un geste d'impuissance, elle jeta un «*Ma que!*»
expressif, sinon discret.
     — Vous êtes pâle, dit Andréas à Julien en lui tapotant le bras d'une
main protectrice. (Il avait changé de rôle.) Buvez un verre, mon vieux,

dit-il en le lui remplissant de whisky pur que Julien but sans même le regarder..

— S'il la touche, marmonna-t-il, la voix étranglée, s'il la touche, je... je...

— Mais voyons! «Je rien», cher Julien. Rien du tout. Vous êtes fou...

C'était Edma qui, traversant le bar à toute vapeur, s'asseyait à leur table, l'air raisonnable et maternel.

— Ce Lethuillier est bien trop snob, voyons, trop mou, finalement. Il ne va pas battre sa femme comme dans les livres de Zola. Il est trop conscient de ses origines, semble-t-il. Il doit bien savoir que seuls les aristocrates peuvent donner un coup à leur femme sans que cela soit vulgaire... Et encore, les aristocrates, je ne parle pas de la noblesse d'Empire... D'ailleurs ce pauvre garçon n'a aucun sens du snobisme actuel. Il aurait dû comprendre qu'être femme de ménage ou postière, à notre époque, c'est kif-kif. Bien sûr, femme de ménage fait plus exotique, mais postière, ça fait Queneau, ça a son charme...

— De quoi parlez-vous? dit Andréas. En tout cas, je trouve votre théorie très, très juste, dit-il en hochant la tête vers Edma qui lui jeta le coup d'œil et le faux sourire réservés aux flatteurs maladroits.

Mais le visage du jeune homme était un démenti à cette hypothèse. Il était incroyablement naturel, ce blondinet sentimental, ce renégat de la grande tribu des gigolos, songeait Edma.

— Je vous assure, Julien, ne vous énervez pas. De toute façon, nous allons dîner dans dix minutes.

— Et si Lethuillier ne ramène pas sa femme à table, j'irai la chercher moi-même, dit Simon Béjard.

Et il tapotait l'épaule de son poulain lorsque Charley vint se joindre à eux, l'air lui aussi apitoyé. Seuls restaient à leur table, cramponnés à leur guéridon comme à un radeau, quelques vieillards amorphes ou indifférents, et Olga Lamouroux à qui Kreuze, docte et étranger à tout cela, racontait son enfance studieuse et inspirée.

— Je me demande comment ce pauvre Lethuillier a pu se rendre si unanimement antipathique... enfin presque unanimement, dit Edma avec un regard en coin vers Olga et une pression affectueuse sur la main de Simon.

Elle avait dit cela en riant, mais il détourna la tête.

— Dix pennies pour vos pensées, monsieur Peyrat, poursuivit-elle sans se troubler. Non, plutôt une olive, finalement, enchaîna-t-elle en piquant dans le verre de Julien l'olive noire qu'elle convoitait depuis son arrivée. Comment est-ce que Clarisse, qui est belle, riche, et si... sensible (Edma Bautet-Lebrêche ne parlait jamais de l'intelligence d'une femme, à moins que celle-ci ne fût repoussante), comment Clarisse a-t-elle pu épouser ce Savonarole?... (Elle baissa la voix en fin de phrase, incertaine qu'elle était, et de la carrière de Savonarole, et de la place du «o» dans l'orthographe du nom. De toute façon, c'était un fanatique, cela, elle en était presque sûr... Et d'ailleurs, personne ne tiqua puisque personne ne tiquait jamais.)

— Pauvre petite Clarisse, dit la Doriacci souriante (quoiqu'un peu contrariée de ce qu'Edma Bautet-Lebrêche ait piqué avant elle cette olive qu'elle convoitait aussi). En tout cas, elle est devenue ravissante depuis deux jours! C'est le malheur qui enlaidit toujours, dit-elle en tapotant le menton d'Andréas qui, lui aussi, détourna les yeux. Ah! mais, les hommes ne sont pas gais sur ce bateau... continua-t-elle avec superbe... Andréas, Charley, Simon, Éric... Ce n'est pas une croisière délicieuse pour les mâles, semble-t-il! En revanche, pour les femmes, c'est exquis! dit-elle en renversant sa belle gorge en arrière avec un rire au son cristallin, ingénu, qui détonnait affreusement avec les causes de ce rire.

La table en resta bouche bée un instant et la Doriacci jeta autour d'elle des yeux de défi, de gaieté, de colère qui, d'évidence, dénonçaient une âme irréductible au jugement d'autrui. Personne ne broncha sauf Julien qui, malgré sa tristesse, ne put s'empêcher d'envoyer à ce symbole de la liberté un sourire admiratif.

— De quoi voulez-vous me parler? dit Clarisse, assise depuis de longues minutes sur son lit.

Éric déambulait devant elle et se changeait sans un mot, mais il sifflotait, ce qui était mauvais signe. Pourtant Clarisse le regardait sans antipathie: il l'avait arrachée cinq-dix minutes à ce temps troublé, sensible, confus, exigeant, qu'est le temps passé en face de qui l'on aime, sans bien le connaître, ce temps avide et perpétuellement affamé. Et à présent, dans cette cabine tranquille, Clarisse pouvait se rappeler qu'elle aimait Julien qui l'aimait, et laisser se gonfler ses artères, sa cage thoracique, son cœur en y pensant. Elle avait oublié Éric et elle sursauta presque quand il s'installa en face d'elle, en manches de chemise et occupé apparemment par la pose de ses boutons de manchettes. Il s'était assis au pied du lit et Clarisse instinctivement remonta ses genoux jusqu'à son menton de peur qu'il ne la touche, même au pied, geste dont elle se rendit compte aussitôt et qui la fit rougir et jeter un regard craintif vers Éric. Mais il n'avait rien vu.

— Je vais vous demander quelque chose, dit-il, étant parvenu à ses fins, et il mit ses deux mains derrière sa tête et s'appuya au mur l'air désinvolte. Je vous demanderai même de répondre par oui ou par non à des questions plutôt brutales.

— Alors c'est non, dit Clarisse instinctivement, et elle le vit pâlir de fureur, peu habitué à ce qu'elle l'interrompe dans ses mises en scène.

— Quoi non? Vous ne voulez pas me répondre?

— Si, dit Clarisse paisiblement. Je ne veux pas répondre à des questions. brutales. Il n'y a aucune raison que vous me parliez brutalement. .

Il y eut un silence, et la voix d'Éric était plate quand il reprit :

— Eh bien, je vais être brutal quand même. Tout ce bateau semble prétendre que vous couchez avec Julien Peyrat. Puis-je savoir, moi, si c'est vrai ? Cela me paraît aussi impensable que possible, mais il faut que je puisse répondre si l'on m'en parle, sans avoir l'air ridicule ou hypocrite.

Il avait lancé cette phrase d'un ton sarcastique et un peu dégoûté, mais se rendait compte tout à coup qu'elle risquait d'y répondre, et que cette réponse pouvait être épouvantablement franche, en effet, et tout aussi épouvantablement affirmative. Tout à coup, il aurait donné n'importe quoi pour s'être tu et pour n'avoir pas abordé le sujet avec cette imprudence. Quelle folie avait-il faite ? Quel vertige l'avait saisi ? Non, ce n'était pas possible. Il fallait se calmer ; Clarisse n'avait pas fait ça, là, sur ce bateau, cet espace clos, où il était lui-même, où il aurait pu la surprendre et la tuer... Pourquoi la tuer ? Éric dut s'avouer qu'il n'y avait pas d'autre choix à l'homme qu'il aurait forcément été, s'il était entré par hasard dans une cabine pour y trouver Julien et Clarisse, nus et enlacés.

— Alors, vous me répondez ou non ? Ma chère Clarisse, je veux bien vous laisser le temps du dîner pour réfléchir et entendre votre réponse au dessert, mais ma patience s'arrête là. Nous sommes d'accord ?

Il avait parlé très vite afin qu'elle n'ait pas le temps justement de lui répondre, et il n'arrivait pas à savoir exactement pourquoi il retardait cette cérémonie de deux heures. Il n'arrivait pas à croire que c'était le répit qu'il se donnait à lui, plus qu'à elle. Et Clarisse, en disant : « Comme vous voulez » d'une voix lasse, semblait moins soulagée que lui, et plus apitoyée.

LE DÎNER avait été odieux au début pour Julien. Il était assis près de Clarisse, comme au premier jour, et, sans les regarder, il voyait à nouveau cette main et ce coin de cheveux qui l'avaient excité physiquement ce premier soir, cette main, ce visage qui maintenant étaient devenus les siens, les objets permanents de son désir, ce qu'il voulait aimer et défendre contre ce prédateur légal à l'œil froid : Éric Lethuillier. Cette main, ce visage qu'il n'était pas sûr de garder, ni de garder intacts. Il haïssait maintenant Éric, et lui qui avait ignoré jusque-là les miasmes, les suffocations de la haine, il s'en sentait infecté, gangrené, dans une partie de lui-même souterraine et qu'il n'aimait pas.

Il méprisait un peu ce Julien haineux, ce caissier jaloux et effrayé qui, en
fait, surveillait Clarisse tout autant qu'Éric. Et lorsqu'il avança sa jambe
sous la table vers celle de Clarisse, c'était contre lui-même; contre elle
aussi qui réprouverait cette preuve vulgaire de leur entente. Elle raidirait
sa jambe et lui jetterait un regard, sinon méprisant — car elle ignorait le
mépris — du moins blessé. Et dans ce cas, lui, que ferait-il? Il ne
pourrait ni retirer sa jambe ni poursuivre ensuite Clarisse. Mais il
l'avança quand même, et c'était la première fois de sa vie que Julien
faisait quelque chose contre lui, contre le bonheur, contre la réussite, la
première fois qu'il agissait contre son éthique et ses désirs à lui. Il se
raidissait à l'avance contre le regard surpris de Clarisse. Il tournait déjà
vers elle un visage têtu et incompréhensif quand, leurs genoux s'étant
heurtés, il sentit le pied de Clarisse glisser sous le sien, et cette jambe se
presser autour de sa jambe à lui avec élan, tandis que Clarisse tournait
vers lui un visage souriant et troublé; un visage reconnaissant...! qui
immobilisa Julien, lui bascula le cœur en arrière et le laissa interdit dans
le feu d'une tendresse outrée, bien sûr, mais dont il se sut, aussi,
prisonnier à jamais, dans un de ces éclairs de lucidité si souvent jumelés
aux bonheurs dits aveugles. «Alors on fait du pied aux dames, et on se
fait rougir», lui disait dans le vide une petite voix cruelle qui, elle-même
attendrie, ne se livrait à ces commentaires de sape que par acquit de
conscience.

L'ESCALE de Palma où ils étaient maintenant dans une brume violette,
prévoyait un concerto de Chostakovitch dont Hans-Helmut devait jouer
la partie piano, et les deux boy-scouts faire l'appoint concertant. La
Doriacci, elle, devait chanter du Mahler, ce qui laissait prévoir qu'elle
chanterait autre chose. C'était l'avant-dernier récital — le dernier aurait
lieu le lendemain à Cannes que l'on rejoindrait en fin de journée.
Brusquement la croisière touchait à sa fin, et brusquement cela se
sentait. C'est avec un sentiment de regret que les passagers des deux
classes reprirent leurs places habituelles et leurs poses habituelles. Hans-
Helmut avait l'air encore plus solennel en s'asseyant au piano, comme si
sa carapace pachydermique fût assez perméable pour enregistrer ce
changement d'atmosphère. Quand il posa la main sur le clavier, Julien
était en face de Clarisse, de l'autre côté du ring, comme le premier jour.
Et Simon et Olga, comme au premier jour aussi, étaient assis derrière les
Lethuillier. Andréas, seul sur une chaise, la chaise la plus proche, bien
entendu, du micro où devait s'appuyer tout à l'heure la Doriacci, et les
Bautet-Lebrèche sur le côté, au premier rang, afin qu'Edma puisse
surveiller de près le clavier d'Hans-Helmut et l'archet de ses

compagnons. Il n'y avait que huit jours que, dans ce même ordre, ces figurants avaient pris le départ ; il leur semblait déjà que cela faisait une petite éternité. .Ce sentiment de devoir se quitter dans vingt-quatre heures, après s'être connus si peu en somme, si accidentellement ; la certitude de ne rien connaître tout à coup de ses voisins, alors qu'on avait cru les disséquer si parfaitement, impression qui paraissait tout à coup folle et présomptueuse. On se retrouvait en face d'étrangers. Le hasard redevenait tout-puissant, et une sorte de timidité rétrospective faisait se lancer des regards furtifs et curieux, étonnés, aux cœurs les plus indifférents, comme aux esprits les plus psychologues, dans une ultime tentative de compréhension, une ultime curiosité dont on savait juste à présent, et à l'inverse du départ, qu'elle ne serait jamais comblée. Cela donnait du piquant à tout le monde ; une sorte d'auréole mélancolique, celle des occasions manquées, flottait sur les têtes les plus ennuyeuses et les plus ingrates avec tout l'optimisme du regret.

Les premières notes qu'Hans-Helmut Kreuze arracha de son piano vinrent appuyer encore cette mélancolie nouvelle. Après deux minutes, chacun avait baissé les yeux au moins une fois sur une chose secrète, en lui-même, une chose que cette musique lui dévoilait tout à coup et qu'il fallait cacher à tout prix au regard des autres.

Le romantisme échevelé du paysage, son côté grandiose était pourtant à l'opposite de ce concerto dont Kreuze, soutenu par ses deux instrumentistes, rappelait et martelait sans cesse avec douceur les quatre ou cinq notes délicieuses et fatales, ces quatre notes qui évoquaient l'enfance, des pluies sur des pelouses d'été, des villes désertes en août, une photo retrouvée dans un tiroir ou ces lettres d'amour dont on avait ri par jeunesse ; tout ce que disait ce piano était en dièse, en nuances, en demi-saison, à l'imparfait en tout cas ; et il le disait paisiblement, comme un aveu ou une réminiscence heureuse, devenue douce à force de tristesse, et d'irrémédiable.

Chacun chavirait dans son passé, mais avec plus ou moins de bonheur, car ce n'était plus ce bon gros passé adapté au présent qu'on avait l'habitude de revoir ces derniers temps, lorsque l'âge était venu de modifier son écho, de l'adapter à l'idée qu'on avait prise de soi-même. De ces souvenirs dont il savait juste qu'ils étaient heureux et innocents, Julien, par exemple, ne ressortait pas une nuit de jeu ou un corps de femme, ou plus brillamment un tableau découvert adolescent, dans un musée. Il revoyait une plage où il avait plu sur la côte basque, un été de ses dix-neuf ans, une plage grise bordée d'une écume presque aussi grise et où, dans son chandail plein de sable, avec ses mains aux ongles rongés, le sentiment de n'être que l'hôte provisoire de son corps, si vivant et si périssable, avait tout à coup envahi Julien d'une joie

enivrante et sans cause plus précise. Et ce n'était pas du Festival de
Cannes et des bravos de la salle, ni des spots braqués sur lui, ni des
flashes, ni même du petit garçon traînant dans les salles obscures du
matin au soir que se souvenait Simon Béjard, c'était d'une femme un
peu forte qui s'appelait Simone, qui était plus âgée que lui, qui l'aimait
à la folie, disait-elle, sans rien lui demander d'autre que d'être lui-même,
Simon, et qui l'embrassait sur le quai d'une gare avant de monter à
Paris. Une femme que, déjà du haut de ses dix-huit ans et des marches
de son wagon, il avait trouvée un peu provinciale, et dont il avait un peu
honte.

Cette musique était doucement ravageuse. Elle renvoyait chacun à sa
fragilité et à ses besoins de tendresse (non sans le reflux d'amertume
qu'aurait dû pourtant provoquer cette série d'échecs et cette famine
qu'était la vie de chacun). Quand Kreuze s'arrêta et se leva de son
tabouret, avec son salut brutal, cassé en avant, dont il se relevait
rougeaud, le sang à la tête en un instant, il dut attendre plusieurs
secondes avant les bravos habituels; et encore, ceux-ci furent-ils
maigres, incertains et comme rancuniers, bien qu'interminablement
prolongés. La Doriacci, qui devait enchaîner presque aussitôt, ne rentra
dans le carré de lumière qu'une heure plus tard, et, curieusement, il
s'écoula une bonne demi-heure sans que nul ne proteste, nul ne
s'impatiente.

CHARLEY était venu trois fois taper à la porte de la Doriacci pendant cet
entracte imprévu, et les trois fois il avait dû se retenir pour ne pas mettre
son oreille à la porte, selon son habitude. Car ce n'étaient pas à
proprement parler des éclats de voix qu'il entendait, mais plutôt des
sortes de psaumes récités sans perdre haleine par la voix décidément très
jeune d'Andréas, un Andréas qui parlait sans passion, comme sans
ponctuation semblait-il, un Andréas dont la tonalité du discours n'en
donnait pas le sens, curieusement. Bien qu'il ait attendu chaque fois trois
minutes devant la porte après son «C'est à vous» entraînant, Charley
n'entendit qu'une fois la Doriacci répondre, et c'était une voix brève,
exceptionnellement basse, lui semblait-il, malgré l'étendue de la voix de
la coloratura. Il était reparti, hochant la tête, et chagriné malgré lui par le
sort d'Andréas. Il se reprochait d'être inquiet pour une liaison dont
l'issue fatale était la seule qui ne le fût pas pour lui. «Je suis trop bon»,
marmonnait-il douloureusement et en riant de lui-même avec dérision,
pour une fois à tort car Charley Bollinger était effectivement un homme

au grand cœur et il eût été bien plus accablé encore s'il avait entendu distinctement ce que disaient ces voix éteintes.

— Il vous faut une mère, avait dit la Doriacci dès le début de cette explication si longtemps repoussée. Il vous faut une mère et je n'ai plus l'âge de jouer les mères. C'est trop vraisemblable. Il n'y a que les petites jeunes filles jusqu'à vingt-cinq ans, non inclus, qui peuvent jouer les mères avec les hommes de tout âge ; moi plus. Je ne peux provoquer ma sentimentalité, ni adapter mon comportement à une situation par ailleurs inéluctable. On ne fait pas de rêveries autour d'une fatalité, une fatalité déplaisante surtout. Me comprenez-vous ? Je chercherais plutôt un protecteur, maintenant, mon cher Andréas. J'ai cinquante-deux ans et je chercherai un père parce que je n'en ai pas eu peut-être, ou parce que j'en ai eu trop par la suite, je n'en sais rien et cela m'est égal. Je ne crois pas que vous fassiez le poids en tant que père, pas plus que les autres gentlemen que je fréquente depuis dix ans. Je me suis donc rabattue, faute de père, sur des gigolos, des jouets, et là non plus, vous ne faites pas le poids, mon chéri : vous êtes trop sentimental pour un jouet. Ce n'est pas avec des boutons de manchettes que je remonterais votre mécanique, ni votre moral. Et je n'ai qu'un trousseau à vous offrir.

Elle avait dit tout cela d'un trait, d'une voix aimable et élégante, et s'était ensuite réfugiée longtemps dans un silence que la voix d'Andréas dérangeait à peine.

— Ça m'est égal ce que vous pouvez et ce que vous ne pouvez pas, dit Andréas, la voix blanche. Ça ne me regarde pas, ça ne vous regarde pas non plus, à la limite. La question est : M'aimez-vous ? et non pas : Pouvez-vous m'aimer ? Ce n'est pas un choix que je vous demande de faire, c'est à un abandon que je vous demande de vous laisser aller. Qu'est-ce que ça peut vous faire d'être heureuse « contre vous » à l'instant où vous l'êtes ?

— Ça ne me ferait rien, mais hélas ! je ne peux plus, lui avait répondu encore une fois la Doriacci (superbe ce soir-là, dans une robe décolletée noire qui l'amincissait et faisait ressortir le blanc éclatant de ses épaules, lui donnait une sorte d'irréalité malgré le poids et la vitalité de sa personne entière). Je suis à un âge où l'on ne peut pas se laisser aller à quoi que ce soit puisque le quoi que ce soit n'a plus de voix. Les sentiments se plient à nos volontés immédiatement, et généralement sans retour. C'est ça la vieillesse, Andréas, figurez-vous : c'est n'aimer que ce que l'on peut aimer et n'avoir envie que de ce que l'on peut avoir. Ça s'appelle la sagesse. Et j'avoue avec vous que c'est bien dégoûtant, mais c'est ainsi. Je suis lucide, donc cynique. Vous êtes lucide, donc enthousiaste. Vous pouvez vous payer de superbes passions, même des malheureuses, parce que vous avez le temps de vous en payer d'autres ensuite et de délicieuses. Mais moi pas. Admettons que je vous aime : vous me quitterez — ou moi. Mais moi, je n'aurai jamais le temps d'aimer quelqu'un d'autre après·vous, et je ne veux pas mourir avec un mauvais goût dans la bouche. Mon dernier amant était fou de moi, et c'est moi qui l'ai quitté il y a dix ans.

Andréas écoutait bouche bée ces phrases qui l'accablaient, bouche bée d'admiration et de gratitude curieusement, car c'était la première fois qu'elle lui tenait des propos aussi longs et aussi conséquents, et reliés les uns aux autres. En d'autres temps, elle se bornait à penser tout haut par moments, c'est-à-dire à commenter brièvement les sauts et les changements perpétuels d'une pensée décousue et drôle. Elle faisait un effort, ce jour-là, et il fallait que ce soit pour lui expliquer qu'elle ne l'aimait pas, qu'elle ne pouvait pas l'aimer.

— Mais si vous ne pouvez pas m'aimer, finit-il par dire avec force et ingénuité, ne m'aimez pas ! Après tout je pourrai toujours espérer et je ne vous quitterai pas. Vous n'aurez.pas à me lécher parce que je ne serai pas dangereux. Traitez-moi comme un gigolo minable, si vous préférez, ça m'est bien égal, moi, d'être respectable... Je m'en fiche d'être respectable si ça m'empêche de vous voir... D'ailleurs j'ai trouvé de l'argent et je vous suivrai à New York, ajouta-t-il d'un air fat tout à coup, fat et effrayé quand même.

— Que je vive avec vous sans vous aimer?... L'idée est bonne. Mais vous êtes trop modeste, mon cher Andréas ; le danger serait là, quand même.

— Vous voulez dire que vous pourriez m'aimer à la longue? dit Andréas, le visage rayonnant et donnant tous les signes de la fierté et de la surprise.

La Doriacci resta un instant pensive devant ce visage, presque troublée semblait-il.

— Oui, je le pourrais sûrement. Aussi vais-je vous donner une très bonne adresse, cher Andréas, à Paris, pour éviter ce drame, car c'en serait un pour moi. La comtesse Maria della Marea vit à Paris depuis deux ans. Elle est charmante, plus riche et plus jeune que moi, et elle est folle des hommes blonds et bleus comme vous l'êtes. Elle vient de jeter dehors un amant suédois un petit peu trop intéressé... enfin, qui le montrait trop. Elle est gaie, elle a plein d'amies, votre carrière à Paris est faite... Ne prenez pas cet air douloureux et choqué, je vous prie ; c'est vous-même qui m'avez raconté votre éducation et vos ambitions...

C'est alors qu'elle vit Andréas, le visage fermé et devenu presque laid par un sentiment de fureur, sentiment qui faute d'avoir ses plis, ses creux et ses rides dans un visage qui jusque-là les ignorait, le marquait au hasard, contractait la bouche, contredisait la douceur de la mâchoire, bref le défigurait. Et il sortit avec ce nouveau visage dont, un instant, la Doriacci se prit à souhaiter profondément qu'il ne soit pas le dernier qu'elle garderait en mémoire. Elle s'en voulait un peu, s'avoua-t-elle dans la glace, en contemplant son reflet à trois mètres. Mais elle s'en voulait beaucoup moins, une fois contre la glace, où mille rides, mille ombres et quelques poches lui jetèrent au visage avec des cris aigus, la confirmation définitive et totale de ses dires.

ENFIN les passagers, d'abord surpris, étaient devenus pincés, et de pincés, exaspérés, et d'exaspérés, furibonds. Tout cela sans effet apparent sur la porte close de la Doriacci, fermée au verrou sur ses problèmes sentimentaux, plutôt sur ceux d'Andréas. Et malgré la tendresse qu'il portait au jeune homme, Charley ne fut pas fâché de le voir sortir de la cabine funeste, le visage enlaidi par la rage, puis la tête basse et l'air abasourdi de chagrin, laissant la porte entrouverte. Charley le laissa passer et, à son tour, vint frapper plus discrètement qu'il ne l'eût voulu. Cela faisait cinq fois après tout qu'il revenait buter sur cette porte en vain, et il frappait toujours aussi faiblement malgré les exhortations et les ordres venus du pont. Charley savait très bien ce qui allait se passer : la Doriacci allait arriver sur scène en minaudant et en jetant quelques sourires éclatants et reconnaissants aux passagers pour leur patience. Elle chanterait sans complexe et c'est lui, Charley, qui se ferait honnir d'avoir pu déranger cinq fois de suite le repos réparateur de cette merveilleuse Doriacci. Il attendit donc dans l'embrasure de la porte — fort longtemps d'ailleurs. Et finalement, la Doriacci parut sur le seuil ; son visage reflétait la colère, voire la fureur. Elle passa devant lui sans un mot, sans un regard (sans une excuse a fortiori), et marcha vers la scène comme on marche au combat. Ce n'est qu'à l'instant d'y entrer que, sans se retourner vers Charley, la tête simplement rejetée en arrière et les pieds marchant en avant, comme dans une figure de tango, elle lança à Charley : « Vous tenez vraiment à ce que je chante devant ces crétins ? » (elle utilisa un autre terme plus fort) et entra en scène sans attendre de réponse.

Le public, quand elle entra, était arrivé à un stade d'exaspération inquiétant. Il murmurait même. Olga Lamouroux, l'air offusqué, avait fait applaudir déjà ironiquement quelques têtes impatientes en leur donnant l'exemple, un exemple que Simon, lui, avait refusé de suivre. Il le lui paierait plus tard, pensa-t-elle en bâillant ostensiblement et en regardant sa montre une énième fois. Mais elle reprit l'air attentif en voyant arriver « en estafette », pensa-t-elle, le sbire de la retardataire, Andréas, un Andréas plus pâle que tout à l'heure encore, livide même, et qui se laissa tomber sur une chaise près des Lethuillier ; plus près de Clarisse, plutôt. Olga vit celle-ci se tourner vers lui, se pencher l'air inquiet, lui dire un mot et lui prendre la main entre les siennes.

— Décidément, dit Olga vers Simon, je croyais que c'était Julien Peyrat qui avait le cœur de votre amie Clarisse...

— Mais c'est Julien Peyrat, dit Simon en suivant son regard. Ah! dit-il, Andréas a simplement besoin d'être consolé, c'est tout... Je dois dire que je trouve Clarisse très réconfortante pour un homme.

— Pas pour tous, dit Olga avec un rire bref qui souleva une protestation craintive de Simon.

— Que voulez-vous dire par là?

— Que son époux n'a pas l'air de chercher des consolations... Pas auprès d'elle en tout cas.

Il y eut un silence que Simon rompit avec difficulté d'une voix presque inaudible :

— Je ne sais pas quel plaisir vous trouvez à être si odieuse, si épouvantable avec moi... Mais que me reprochez-vous, à part vos propres méchancetés?

— Vous vous servez de moi, dit-elle d'une voix dure. Vous ne pensez qu'à votre plaisir et vous vous fichez de ma carrière, avouez-le.

— Mais... dit Simon (qui se laissait entraîner malgré lui dans une conversation dont la conclusion serait toujours à ses dépens, il le savait). Mais je vais vous confier le principal rôle de ma prochaine production, vous le savez...

— Parce que vous espérez me garder ainsi en me faisant aller d'un rôle à l'autre, en essayant égoïstement de remplacer ma vie privée par ma vie professionnelle. C'est tout.

— Bref, vous me reprochez de ne pas vous donner de rôle ou de vous en donner trop? Tout cela est contradictoire.

— Oui, dit-elle avec un calme méprisant. Oui, tout cela est contradictoire, et ça m'est égal. Ça vous dérange, vous?

Il aurait dû se lever et partir, ne plus jamais la voir. Mais il resta cloué à sa chaise. Il regardait la main d'Olga, le poignet d'Olga, si fragile, si doux au toucher, si enfantin dans sa minceur. Et il ne pouvait pas, il ne pouvait plus s'en aller. Il était à la merci de cette starlette arriviste qui pouvait être si tendre quelquefois, et si naïve, qui avait tant besoin de sa protection, quoi qu'elle en dise.

— Vous avez raison, dit-il. Ça n'a pas d'importance, mais je voudrais...

— Chut... dit Olga, chut... La Doriacci arrive. Elle n'a pas l'air commode, ajouta-t-elle à mi-voix et en rentrant instinctivement la tête dans les épaules.

Et en effet la Doriacci était arrivée. Elle rentra dans la lumière, le front bas, le visage marqué par les fards et la colère, les coins de la bouche baissés, la mâchoire brutale. Il y eut un silence de stupeur et d'inquiétude à la vue de cette furie, pendant lequel les spectateurs ne

surent pas si c'était à eux qu'était logiquement réservée cette colère. Ils
tremblèrent sur leurs chaises de rotin, et même Edma Bautet-Lebrêche
qui ouvrait la bouche la referma lentement. Clarisse serrait
machinalement entre ses mains celle d'Andréas qui semblait ne plus
respirer, et dont l'immobilité même lui semblait inquiétante. Il regardait
la Doriacci de l'œil poli et rond qu'ont les lapins nocturnes une fois pris
dans les phares.

Le plus frappé de cette apparition était encore Hans-Helmut Kreuze
qui, assis à son piano, jusque-là, l'air offensé dans sa dignité de star de
la musique d'avoir dû attendre qui que ce soit, s'était levé comme un
martyr à l'arrivée de la Diva, croyant sentir sur lui le poids de
l'admiration et de la compassion générales. Mais les regards de la foule
étaient portés ailleurs, sur cette folle furieuse à demi nue, et Hans-
Helmut tapota le bras de la Diva de sa partition pour lui rappeler ses
devoirs, sans qu'elle le sentît apparemment. Elle avait attrapé un micro
d'un geste circulaire et brutal, un geste de chanteuse de bastringue. Elle
balaya la foule de ses yeux noirs éclatants et fixes avant de les arrêter
sur lui définitivement.

— Le Trouvère, dit-elle d'une voix rauque et froide.

— Mais... chuchota Hans-Helmut, tapotant sa brochure contre son
pupitre, ce sont les Guerre Lieder, ce soir...

— Le IIIᵉ acte, scène IV, précisa-t-elle sans l'entendre ni l'écouter.
Allons-y.

Il y avait une note si impérative dans sa brièveté que Kreuze, au lieu
de protester, se rassit et attaqua les premières mesures de la scène IV.
Une toux craintive derrière lui rappela l'existence de ses deux élèves
quinquagénaires, et il se retourna d'un coup vers eux qui l'attendaient,
leurs instruments à la main comme des fourchettes, ce qui l'exaspéra. Et
il aboya : «Le Trouvère, acte III, scène IV!» sans même les regarder. Ils
enchaînèrent précipitamment. Les premières mesures à peine évanouies,
la voix de la Doriacci s'éleva comme un cri, et Hans-Helmut, enchanté
soudain, comprit qu'il allait entendre de la belle musique. Il oublia tout.
Il oublia qu'il détestait cette femme. Il se précipita au contraire à son
service, à son aide, à son soutien. Il se plia totalement à ses pulsions, ses
caprices, ses directions. Il ne fut plus que le plus servile, le plus discret
et le plus enthousiaste de ses admirateurs. Et la Doriacci le sentit
aussitôt, l'appela de la voix, le fit passer devant elle, réclama le
violoncelle, fit une fleur au violon, les devança à nouveau s'attarda, joua
avec eux en toute confiance. Elle oublia leurs chaussettes, leur calvitie et
leur balourdise; ils oublièrent ses caprices, sa fureur et ses
dévergondages. Et pendant dix minutes, ces quatre personnes s'aimèrent
et furent heureuses ensemble, comme elles ne l'avaient jamais été de
leur vie avec qui que ce soit.

Clarisse sentait la main d'Andréas se tendre entre les siennes : elle accentuait son étreinte, elle aussi, quand la Diva chantait trop bien, les larmes ou l'envie de faire l'amour lui montaient ensemble à la gorge. Mais pour Andréas c'était comme s'il eût été atteint par chaque détail de cette beauté musicale, toute cette beauté qu'il allait perdre, c'était évident et c'était sûrement atroce puisqu'elle-même, Clarisse, avait envie de la Doriacci, envie de la toucher, de la tenir contre elle, envie de poser sa tête sur cette gorge gonflée, orgueilleuse, et l'oreille sur ce cœur et cette épaule, d'entendre naître, monter et éclater cette voix toute-puissante avec le même respect voluptueux que lui donnait le plaisir d'un homme.

Enfin, la Doriacci lança son avant-dernière note et la tint à bout de voix, fluide et forte, comme brandie au-dessus des passagers, comme une menace ou un cri sauvage. Interminablement. Si interminablement, qu'Edma Bautet-Lebrêche se leva de son siège inconsciemment, comme soulevée par l'extravagante perfection de ce cri ; tandis qu'Hans-Helmut se détournait de son piano, la regardait de tous ses lorgnons ; tandis que les deux nigauds restaient l'archet en l'air, le violon sous le menton, le violoncelle au bout du bras, apeurés et stupéfaits ; tandis que le bateau semblait immobilisé sur l'eau, sans moteur, et les passagers sans vie. La note plana ainsi non une demi-minute, mais une heure, une vie, que la Doriacci arrêta brutalement pour lancer d'une voix dure la dernière note, excédée d'avoir dû attendre si longtemps son tour. Le bateau repartit et les passagers éclatèrent en applaudissements frénétiques. Debout, ils hurlaient « Bravo ! Bravo ! Bravo ! », le visage plein d'une fierté imméritée et d'une reconnaissance excessive, jugea le capitaine Ellédocq qui, devant ce bruit, n'avait pu s'empêcher de jeter un coup d'œil sur la mer, et un coup d'œil inquiet : l'idée que d'un autre navire on puisse voir ses passagers hystériques réunis en troupeau autour d'un piano et hurlant en pleine nuit lui faisait honte d'avance. Dieu merci, il n'y avait pas la moindre barque dans les parages et Ellédocq s'épongea le front, applaudit à son tour cette femelle piaillante et d'ailleurs grossière puisqu'elle partit sans même saluer ses fanatiques, les pauvres masochistes qui pourtant l'avaient attendue une heure, et qui maintenant tapaient des mains à s'en faire péter les jointures. Enfin, ils payaient pour ça, reconnut Ellédocq avant de se demander ce que faisait sa casquette par terre, et ce qu'il faisait, lui-même, en train d'applaudir.

Clarisse avait les larmes aux yeux, remarqua Éric avec humeur quand la Doriacci fut partie. Il se sentait mieux, bien plus sûr de lui. Il ne comprenait plus cette panique grotesque avant le dîner, ni surtout sa peur de la réponse de Clarisse. Évidemment elle allait lui répondre ! Et lui répondre rien ! Elle allait nier, se débattre, et en cela lui dirait la vérité. Car il ne s'était rien passé, il s'en rendait compte à présent. Clarisse était incapable de faire quoi que ce soit en bien ou en mal : elle avait peur de son ombre, peur d'elle-même et du dédain pour son corps — pourtant beau, il fallait bien le dire. On pouvait dire aussi que l'idée de ce corps si dédaigné sous ce visage si défiguré, tout cela par complexe d'infériorité... Tout cela n'était pas dénué de comique. Comment Clarisse aurait-elle pu le tromper ? Cette pauvre Clarisse qui ne s'aimait même pas suffisamment pour supporter qu'on la voie remettre son rouge à lèvres ; cette Clarisse à qui, pour fortifier cette modestie, il faisait toujours l'amour dans le noir, Clarisse dont il s'écartait après, comme gêné (et comme d'ailleurs il s'écartait toujours des femmes, après ces pantomimes bouffonnes, mais nécessaires, où la moitié des êtres humains, pensait-il, s'ennuyaient affreusement sans jamais oser le dire, en tout cas les hommes). Et c'était bien compréhensible... Ces molles créatures qui flirtaient avec l'intelligence et passaient leur temps derrière des boucliers d'organes fragiles, de nerfs malades, de sentimentalité abjecte, de sensiblerie portée aux nues et de dévouement de pieuvres ; ces molles créatures qui à présent prétendaient faire du sport (et ça, elles le payaient cher : elles devenaient imbaisables !). Ces choses molles et pépiantes, qu'elles soient comme dans ce milieu, alcooliques et névrosées, telle Clarisse, ou bien pérorantes et insupportables comme Edma, ou encore ogresses d'opéra comme la Doriacci, toutes ces femelles l'excédaient depuis toujours et cette malheureuse Olga finalement lui paraissait la moins pesante, puisqu'elle avait au moins le bon goût de l'humilité.

Olga était humble, mais Clarisse n'était pas humble : elle était fière, non pas de sa fortune, hélas ! elle était fière en fait de ce qu'elle lui cachait, de ce qu'il n'arrivait pas à mettre à jour et jeter bas en même temps ; un sentiment, ou une faculté, ou une éthique, ou un fantasme, quelque chose en tout cas qu'elle avait tenu hors de sa portée et que, faute d'en savoir le nom et la nature, Éric ne pouvait pas exiger qu'elle détruise ; cette certitude d'une résistance, sourde et déterminée, cachée quelque part dans le maquis personnel de Clarisse, avait d'abord amusé Éric comme une lutte à la fois ouverte et silencieuse, puis l'avait agacé — quand il s'était rendu compte de son incapacité à la dévoiler —, enfin, lui avait été indifférente quand il avait cru Clarisse suffisamment vaincue sur tant d'autres terrains. Il avait même cru cette résistance abandonnée quelque part, comme un vieil étendard, jusqu'à cette croisière où, non seulement Clarisse avait démontré l'existence de son drapeau, mais de temps en temps même l'avait un peu levé comme pour lui en rappeler la couleur.

C'était à partir de là qu'il comptait commencer mais il en fut empêché par une musique bruyante tout à coup sortie des haut-parleurs. Un vieux slow des années quarante-cinq tiré d'un film que tout le monde avait vu à l'époque, *As time goes by.*

— Mon Dieu, dit Edma, mon Dieu... vous vous souvenez? Et elle chercha de l'œil quelqu'un qui aurait été à même de se souvenir avec elle. Mais elle n'était pas dans son cercle d'amis. Le seul compagnon de ces années-là était Armand, et si elle le questionnait sur cette date, elle lui rappellerait la fusion de ses usines avec Dieu sait quelle autre usine, un point c'est tout. Au demeurant, elle ne pouvait reprocher à Armand de ne pas se rappeler précisément le visage et le corps de Harry Mendel, qui avait été son amant à l'époque; et avec qui elle s'amusait à jouer les scènes de ce film en s'appropriant les mimiques et l'intonation des deux acteurs, leurs idoles. Son regard se posa, par un hasard un peu dirigé, sur Julien Peyrat, silencieux dans son coin et à qui Edma trouvait que l'amour ne réussissait pas. D'ailleurs, l'amour n'avait jamais profité aux hommes qu'elle connaissait, par une sorte de malchance.

— Ça ne vous rappelle rien, mon cher Julien, cette mélodie exquise et mélancolique?... chevrota-t-elle sur le dernier mot, plissant les yeux sur une douleur secrète et lointaine qui, dans l'état où il était, parvint à émouvoir Julien au lieu de le faire rire.

Edma s'en rendit compte et poussa son avantage. Qu'allaient-ils faire, tous les deux, lui, ce séduisant nigaud, et elle, cette charmante et riche pauvre femme? Même elle, Edma, pour une fois n'en savait rien. Elle savait simplement qu'à la place de Clarisse, elle eût filé avec Julien Peyrat dès sa première invitation! Mais les femmes de cette autre génération, la sienne, étaient des femmes encore femmes, Dieu merci... Elles ne se croyaient pas les égales des hommes, elles se croyaient beaucoup plus malignes. Et si elles avaient voté (les femmes de son âge et elle-même) elles l'auraient fait en faveur du plus séduisant candidat, au lieu de s'entortiller dans des discussions politiques qui finissaient toujours vulgairement par des ukases ou des veto incompréhensibles au demeurant.

— Si, dit Julien, comment s'appelait déjà ce film superbe? Bien sûr, ça me rappelle *Casablanca*!

— Vous avez pleuré, vous aussi, j'espère?... Mais vous allez me dire que non, bien sûr... Les hommes ont honte d'avouer qu'ils sont sensibles, et sont même fiers de prouver qu'ils ne le sont pas. Quel manque d'instinct...

— De quoi voudriez-vous que nous nous vantions? dit Julien d'une voix tendue qu'elle ne lui connaissait pas. De pouvoir souffrir? Aimez-vous les hommes qui se plaignent?

— J'aime les hommes qui plaisent, dit Edma, mon cher Julien! Et vous plaisez suffisamment, je trouve, pour ne pas faire cette tête-là.

Savez-vous pourquoi j'ai fait passer ce disque? Vous qui êtes sensible, vous savez pourquoi?

— Non, dit Julien, souriant malgré lui à ce perpétuel jet de charme et de compliments que lui envoyait Edma.

— Eh bien, je l'ai acheté pour pouvoir être dans vos bras sans que vous vous affoliez... N'est-ce pas délicieux? N'est-ce pas une déchirante humilité?...

Elle riait en disant cela et en le fixant de ses yeux brillants, de ses yeux d'oiseau. Et toute la peau de son visage reflétait la jeunesse du désir et du flirt, malgré ses rides.

— Je ne vous crois pas, dit Julien en la prenant dans ses bras. Mais vous danserez quand même avec moi.

Avec un hennissement triomphant et tapant du talon sur le plancher, Edma se précipita à droite, pendant que Julien esquissait, lui aussi, un pas à droite, et tous deux s'excusant, ils volèrent l'un vers l'autre, vers la gauche dans un double repentir qui les projeta à nouveau, front contre front. Ils s'arrêtèrent, se regardèrent, riant aux éclats et se tenant la tête.

— Maintenant c'est moi qui commande, dit Julien d'une voix douce.

Et Edma, docile, les yeux fermés, le suivit dans des évolutions au demeurant prudentes.

Le regard d'Éric eût freiné chez qui que ce fût ces plaisirs grotesques, mais il fut enlevé par Olga qui le tira vers la piste. Il lui opposait des refus à peine polis auxquels elle mit fin par un bref et bas : « Pas de slow, pas de tableau. » Pendant ce temps, Clarisse lançait ce qu'elle pensait être le plus près d'une œillade à Simon Béjard, mais il lui envoya en réponse un petit sourire d'excuse, un petit sourire confus et malheureux qui fit de la peine à Clarisse un instant. Charley l'entraîna dans les flonflons.

— Ce n'est pas que vous dansiez mal, dit Edma en se dégageant (comme beaucoup d'hommes qui ne savent pas danser, Julien Peyrat l'avait serrée étroitement sur son cœur et sur son épaule, lui cachant ainsi la vue de la piste, comme si cet aveuglement provisoire pouvait lui laisser croire à ses talents de danseur; comme si en ne voyant pas où elle mettait les pieds, Edma ne sentait pas qu'ils n'étaient pas à leur place), vous ne dansez pas ! Vous vous promenez avec une femme ! Une femme qui, au lieu d'être à votre bras pour marcher, est en face. C'est une promenade freinée que nous faisons actuellement, non ? Je vous rends votre liberté.

— Ma liberté, eh bien... euh... justement, c'est Clarisse, maintenant, voyez-vous? Si elle n'est pas là, je me sens comme garrotté... par son absence.

— A ce point?

Edma oscillait entre la vanité de ce que Julien lui dise ses sentiments, et un léger dépit de n'être pas celle dont il parlait avec tant de mélancolie et de fièvre. Se dégageant des bras de Julien, elle attrapa Charley par l'épaule, l'arrêtant net dans ses évolutions.

— Mon cher Charley, dit-elle, vous qui êtes un fin danseur, délivrez-moi de ce grand flandrin et de ses enfantillages ! Pardon, Clarisse, mais je finis par avoir les pieds en sang à force de les retirer de dessous de ceux de votre soupirant...

Et elle se fondit contre Charley, laissant Clarisse et Julien face à face. Elle ne voulut pas se retourner — surtout pas — pour les voir lentement se rejoindre et lentement commencer à danser, non sans une nette raideur, cette indifférence excessive si révélatrice des amants heureux en amour. Julien et Clarisse tournaient lentement et précautionneusement, comme si chacun d'eux eût étreint un partenaire de porcelaine, mais les yeux dans les yeux. Olga ne put s'empêcher de le faire remarquer à Éric, tout en s'alanguissant contre lui avec une sensualité prometteuse :

— Ne soyez pas si distrait, mon chéri. Prenez l'air un peu plus concentré quand vous me serrez dans vos bras... Regardez Julien Peyrat comme il semble prendre à cœur ce qu'il fait avec votre épouse. Il est bien heureux que vous ne soyez pas jaloux...

— Avez-vous parlé de mon tableau ? dit Éric après un instant de silence où il évita de voir le spectacle annoncé.

— Je n'ai pas encore parlé à Julien. Mais je pensais le faire demain matin, à la piscine ; nous serons seuls et je rougirai moins ! Lui raconter que je veux, moi, offrir ce tableau à Simon !... Je vous assure que ce sera dur à passer.

— Vous êtes comédienne, non ? que je sache !

— Oui, mais je ne suis pas sûre que Julien, lui, le sache, dit-elle avec une vague humeur, remarqua Éric inconsciemment.

Mais il se tut et la serra au contraire plus fort contre lui car en tournant, il avait aperçu le profil de Julien et celui de Clarisse.

Elle dansait contre Julien et avait l'impression de s'appuyer contre un fil à haute tension. Le même court-circuit allait les foudroyer bientôt, tout pouvait lui arriver à nouveau d'heureux, de malheureux, de différent. La vie était tout, sauf monotone, et ce temps qui lui restait à vivre — et qu'elle jugeait interminable une semaine plus tôt — lui paraissait odieusement court maintenant qu'elle devait le partager avec un homme qui la désirait. Il fallait qu'elle montre à Julien tous les paysages, tous les tableaux, qu'elle lui fasse écouter toutes les musiques, qu'elle lui raconte toutes les histoires emmagasinées chez elle dans les greniers et caves de sa mémoire, de son enfance, de sa culture, de sa vie amoureuse, de sa vie solitaire. Et il lui semblait qu'elle n'aurait jamais le temps de tout raconter de cette vie pourtant plate, qu'elle avait jugée désespérément plate jusque-là et qui, grâce à l'œil de Julien, son désir de la comprendre, de la prendre et de s'en souvenir, était devenue une vie, une vie débordante d'anecdotes, de drôleries et de tristesses par le seul fait qu'elle avait envie de les raconter à un autre. Cet homme qui frémissait contre elle d'un plaisir anticipé, dont il avait un peu honte, cet homme lui avait non seulement rendu le présent, non seulement promis le futur, mais il lui rendait un passé éclatant, vivant, et dont elle n'avait plus à avoir honte. Elle se serra contre lui impulsivement, et il gémit un peu contre son oreille, marmonna « Non, je t'en prie » avant de reculer d'un pas, et elle rit à haute voix de son air penaud.

Le temps passait. Edma en était arrivée au *paso doble* avec Charley. Le capitaine Ellédocq semblait hésiter lui-même à faire quelques pas de plantigrade sur la piste, encouragé qu'il était par les supplications d'Edma. Les couples s'étaient faits et défaits sans que jamais l'un d'eux fût ordonné, comme à l'arrivée sur ce bateau, lorsque la voix d'Olga, qui avait disparu depuis dix minutes, retentit soudain comme la musique s'arrêtait.

— Je voudrais savoir, dit-elle, d'une voix claironnante, qui est allé fouiller dans mon armoire ! Dans mes affaires !

Il y eut un silence atterré, des « Comment ? Pourquoi dites-vous ça ? C'est insensé ! » qui fusaient de tous les coins, tandis que les danseurs se regardaient avec des yeux méfiants.

— Tout le monde a disparu un instant ou un autre, ma chère Olga, dit Edma prenant les événements une fois de plus sous sa houlette, sauf moi. Quand je danse, je danse jusqu'au jour. Que voulez-vous dire ? Vous a-t-on pris quelque chose ? De l'argent ? Des bijoux ? Ça me paraît bien improbable... N'est-ce pas, capitaine ? Voyons, Olga ! Que vous a-t-on pris, ma chère Olga ? On ne fait pas un esclandre pour un paquet de cigarettes...

— On ne m'a rien pris, dit Olga blanche d'une colère qui la rendait laide, remarqua une fois de plus Edma. Mais on a voulu me prendre quelque chose. On s'est livré à une enquête dans mes affaires. Et je trouve cela insupportable... Je ne supporterai pas cette infamie...

Sa voix montait, allait au glapissement. Et Edma agacée la fit asseoir d'une poussée sur un fauteuil avant de lui tendre un cognac comme à une rescapée.

— Mais que cherchait-on ? dit-elle avec un brin d'humeur. Avez-vous la plus petite idée de ce qu'on pouvait chercher chez vous ?

— Oui, dit Olga les yeux baissés... Et qui était ce quelqu'un aussi... ajouta-t-elle en relevant la tête et en regardant Simon.

Il avait son visage boudeur et grognon. Il haussait les épaules en détournant les yeux.

— Mais, hésitait Edma, n'est-ce pas là une affaire privée ?... Si vous pensez que c'est Simon, vous pourriez peut-être nous éviter ces scènes de ménage, ma petite Olga... Simon aurait-il repris son contrat ? L'avez-vous retrouvé en miettes au fond du lavabo ? Ne seriez-vous plus l'héroïne de son prochain film ?

— Ce quelqu'un cherchait des preuves sordides pour m'accabler, dit Olga d'une voix de tête qui, à la surprise générale provoqua le rire d'Armand Bautet-Lebrêche.

Cela commença par un petit cri qui fit sursauter l'assemblée, puis se poursuivit par des petits hennissements semblables, en minuscules, à ceux de sa femme, attendrissants dans leur modestie. Olga continua sans paraître entendre cette diversion inopportune :

— Ce quelqu'un, naturellement, est trop lâche pour se dénoncer, mais j'aimerais bien qu'il le fasse en public. Il faudrait bien que chacun sache ce que c'est que la distinction et l'élégance de cette personne. Cela me ferait plaisir, sincèrement...

— Mais la preuve de quoi ? cria Edma Bautet-Lebrêche excédée tout à coup par le vague de cette accusation tout autant que par le fou rire imbécile de son époux, qui semblait gagner Charley, en plus.

— Des preuves de mon infidélité ! cria Olga. Voilà ce qu'on cherchait, et qu'on n'a pas trouvé d'ailleurs. J'ai dû arriver avant, trop tôt pour que l'on puisse ranger tout ça... Et je trouve ça répugnant... répugnant ! répéta-t-elle en criant à nouveau — ce qui fit monter d'un octave les spasmes de l'empereur du Sucre.

Clarisse, appuyée à la table derrière laquelle trônait Olga comme une statue de la justice, regardait Simon depuis le début de leur altercation, et brusquement elle le trouvait maigri, vieilli, égaré et trop sautillant. Elle le trouvait à vif, et qu'il lui ressemblait à elle, Clarisse, montant sur ce bateau huit jours plus tôt ; elle, Clarisse, qui allait en redescendre triomphalement comme lui, Simon, y était monté, aimant quelqu'un et se croyant aimé par quelqu'un. Il semblait à Clarisse qu'elle avait volé à Simon cette assurance bienheureuse, qu'elle lui devait remboursement de cette perte affreuse. Elle voyait jusqu'où Olga allait aller pour l'humilier, mais elle ne voyait pas les raisons de cet affront ou de cette cruauté. Et quelque chose en elle, qu'elle avait toujours eu depuis l'enfance pour les chiens boiteux, les vieilles dames sur les bancs, les enfants tristes et les humiliés en général, la poussa en avant, et elle s'entendit prononcer, presque à sa propre surprise, la seule phrase qui puisse écarter cette punition de la tête de Simon.

— C'est moi, dit-elle d'une petite voix basse qui fit l'effet d'une bombe.

— Vous ?... dit Olga.

Et elle se leva, les cheveux hérissés, « l'air d'une méduse », songea Clarisse avec un mouvement de retrait comme si Olga allait la frapper.

— Oui, moi, dit-elle très vite. J'étais jalouse, je cherchais une lettre d'Éric.

Dans le brouhaha qui suivit, un brouhaha incrédule et diversement agité, Clarisse traversa les témoins du scandale, pressa au passage la main de Julien qui lui souriait de tout le visage, et cingla vers sa cabine. Là, elle se laissa tomber sur sa couchette et ferma les yeux sur un curieux sentiment de triomphe. Elle essaya deux ou trois fois d'imiter le rire saugrenu d'Armand Bautet-Lebrêche, et après deux ou trois essais disgracieux, à ses propres oreilles, elle s'endormit comme une pierre jusqu'à l'arrivée d'Éric.

Le départ de Clarisse fut suivi d'un brouhaha de salle d'audience. On entendait fuser des bouts de phrases bien incongrus après ce Verdi et ce Chostakovitch.

— Que serait-elle venue faire dans ma chambre?... disait Olga avec la fureur douloureuse que l'on éprouve à se voir débouter d'une cause juste, devant des êtres chers, par une ruse guerrière.

La voix d'Edma répondait à sa voix tremblante, une voix mondaine, un peu sèche, un peu ironique, qui sembla tout à coup à Julien le comble de l'aménité et de l'élégance de cœur.

— Je ne veux pas qu'on se foute de moi! cria la voix d'Olga. Que voulez-vous que Clarisse vienne faire dans ma chambre? Elle n'aime pas Éric. Elle ne l'aime plus, et c'est Julien Peyrat, ici même, qu'elle veut avoir, et pas ce beau salaud de M. Lethuillier... Et je la comprends, et je souhaite bien du bonheur à M. Peyrat, et je...

— Olga!

La voix d'Edma n'avait plus rien de nonchalant. C'était une voix de femme d'ordre, la voix d'une femme qui avait commandé avec égoïsme et fermeté des années durant les différents assemblages de ses domestiques sans que jamais l'un d'eux puisse l'envoyer au diable aisément. C'était le ton d'une femme qui dans sa journée utilisait dix fois plus souvent les verbes au mode impératif qu'à tout autre, et ordonnait à sa femme de chambre, à son cuisinier, au maître d'hôtel, au chauffeur, au taxi éventuel, au vendeur, au mannequin, au salon de thé, dans les magasins, et rentrait chez elle et continuait avec les obéissances du matin. Le mode interrogatif et le présent indicatif étaient fort rares dans ce milieu doré. Le point d'exclamation suffisait à bien des questions. Il n'y avait plus que des futurs ou des imparfaits un peu partout, que l'on parlât de voyages ou d'amants. Et le présent, semblait-il, n'était plus recommandé que pour aborder le sujet maladies et troubles fonctionnels. Donc sa voix frappa juste une note en majeur qui suspendit les borborygmes d'Olga dans ce petit silence qu'Edma ne laissa pas passer.

— Que voulez-vous donc, ma petite Olga, s'il vous plaît? Que nous reprochions tous à Simon une indiscrétion qu'il n'a pas commise? Que nous accusions de parjure Clarisse Lethuillier? Ce genre d'aveu ne doit être plaisant à faire pour personne, vous l'imaginez bien. Alors, que voulez-vous dire ? Que Simon est menteur et Clarisse masochiste ? Vous devriez aller vous coucher.

— C'est ridicule, tout cela. Ridicule et de mauvais goût !

L'exclamation d'Éric n'avait pas été entendue. Après tout, il semblait que la vie ou la présence du responsable initial de toute cette comédie fût peu souhaitée. Éric le sentait bien. Que cet événement ait été déclenché par lui, pour lui, que ce soit pour le garder, lui, Éric, ou pour s'en garder, il était l'objet d'un conflit, et il s'en sentait le dernier pion. Il jeta un coup d'œil furieux vers Simon qui, pâle au lieu de rouge, semblait cloué à son fauteuil, les mains pendantes, tandis que Julien lui servait à boire comme à un blessé récent.

— Ce n'est pas Clarisse, dit Simon en rendant son verre à Julien comme à un barman, pensa Éric, ou plutôt comme à un entraîneur, pensa Julien.

Il avait une immense pitié pour Simon Béjard, parti joyeux pour sa première croisière d'homme riche, tout heureux de son succès à Cannes, de sa charmante maîtresse, de son avenir, Simon Béjard qui allait descendre dimanche à Cannes blessé, délesté de quelques millions et sans plus aucune confiance dans le cœur des jeunes filles. Simon qui · tentait malgré son chagrin de le rassurer, lui, Julien, sur la jalousie de Clarisse. Julien eut un coup d'affection vers Simon, qu'il ne se rappelait pas avoir eu pour un homme depuis la classe de troisième. Julien en effet avait des copains partout, mais point d'amis, soit que ses copains soient récoltés dans les milieux de truands dont la gloriole, la couardise l'exaspéraient, soit chez des types convenables auxquels il n'aurait pu expliquer le fin mot de ses revenus. Simon Béjard ferait un bon ami. D'ailleurs, Clarisse l'aimait beaucoup.

— Je sais bien qu'elle n'y a pas été, je ne l'ai pas quittée des yeux, dit-il en souriant à Simon.

— Mais pourquoi croyez-vous qu'elle ait fait ça ?

Simon avait l'air éperdu, soudain.

— Pourquoi ? Vous voulez dire pour qui ? Pour vous, je crois. Vous alliez en pleine catastrophe.

— Elle s'est couverte de ridicule pour moi ?... Vous vous rendez compte ? dit Simon d'une voix tremblante. Ça, c'est une femme. Elle m'en apprend !

— Tiens, et quoi donc ? dit Julien en lui tendant son deuxième verre, toujours comme un médicament que Simon prit et but d'un trait comme s'il était imbuvable.

— Je veux dire qu'elle m'a appris que le ridicule, ça ne faisait rien.

Et il releva vers Julien des yeux embués qui l'effrayèrent. Il ne supportait pas, déjà, de voir pleurer les femmes. Il les prenait chaque fois contre sa veste pour ne pas les voir. Il avait d'ailleurs envie de les attirer contre lui et de les consoler de la main et de la voix, comme les chevaux. Mais un homme en larmes lui faisait exactement l'effet contraire, le rendait plein de honte à sa place, le faisait fuir. Aussi fut-il stupéfait, en se retournant, dans ce silence qui servait de réponse à Simon, apparemment, de retrouver dans son rocking-chair, Simon Béjard, l'air à nouveau bronzé et souriant, et sans effort visible. Simon avait l'œil du même bleu qu'au départ.

— Je ne sais pas quoi ajouter, mon vieux, parce que je n'arrive pas à le croire, mais c'est fini, je suis débarrassé de cette Olga, dit-il en donnant une tape affectueuse sur le bras de Julien.

— C'est fini vraiment?

— Oui.

Les deux hommes se regardèrent en riant, le sourire de Simon provoquant celui de Julien.

— Sans blague?... dit Julien, sans blagues? Ça t'a passé d'un coup?

— J'en ai l'impression, du moins. C'est comme une épine en moins, quoi... Ça t'est déjà arrivé? demanda-t-il aimablement à Julien avec un soulagement dans la voix, peut-être prémédité, mais c'était trop bon à prendre.

Il lui semblait qu'Olga était allée trop loin, beaucoup trop loin, et qu'elle aurait peut-être gagné cette manche sans la vitesse de Clarisse; «cette Clarisse qui, en essayant de sauver mon honneur m'a rappelé que j'en avais un, dit-il. Tu comprends, mon vieux?... Je ne vais quand même pas me faire massacrer par une starlette, bon Dieu!»

— Bon Dieu, tu as raison! dit Julien. Tu es sûr que ce n'est pas l'orgueil qui vous détache de tout amour à cette vitesse?

— Tu verras demain.

CLARISSE était appuyée à son oreiller, dans une chemise de nuit vert d'eau qui lui allait fort bien, et elle lisait à la lumière d'une veilleuse. Elle relisait plutôt *Les Frères Karamazov*, et ses yeux brillaient d'une sorte de ferveur russe qu'elle n'avait pas à jouer : le sang des Baron étant à demi russe par les femmes. Éric ferma la porte, mit le verrou et s'adossa à cette porte avec un sourire énigmatique — ou qu'il voulait tel — et qui parut simplement copié d'un mauvais film américain à sa femme. Depuis Julien, il y avait une femme nouvelle chez Clarisse, une femme à l'esprit excessivement critique quand il s'agissait d'Éric, et excessivement indulgente quand il s'agissait de Julien ou même des autres passagers. Elle n'arrêtait pas de voir l'affectation, l'arrière-pensée chez Éric. Elle s'en voulait un peu de cette sévérité qu'elle jugeait douteuse puisqu'elle datait du même jour que son sentiment pour Julien dont l'élan et la subsistance avaient *a priori* besoin de cette sévérité.

— Alors?... dit-il, les mains dans les poches, élégant et blond.

— Alors quoi? demanda-t-elle en déposant son livre ouvert devant elle, comme pour bien marquer qu'elle était occupée.

Éric tiqua une fois de plus. Il détestait qu'on lise devant lui. Il résista un instant à l'envie furieuse de lui arracher le livre des mains et de le jeter par le hublot pour lui apprendre à vivre. Il se maîtrisa de justesse.

— Alors, vous êtes contente de votre petite sortie? Ça vous amuse d'égarer la pauvre Olga dans ses soupçons? Le ridicule de cette fouille ne vous apparaît pas suffisamment?... Il faut que vous me mêliez à vos scènes grotesques. J'aimerais que vous soyez un peu claire, là-dessus, ma chère Clarisse.

— Je ne vous comprends pas, dit-elle (et cette fois-ci en fermant son livre et en le mettant sur sa couchette à portée de la main, «prêt à être ouvert dès que cet importun la laisserait tranquille», sembla-t-il cette fois encore à Éric). Je ne vous comprends pas. Tout cela est très flatteur pour vous, non? Que j'aille chercher des traces de mon malheur jusque dans les tiroirs d'une rivale me paraît autant de lauriers pour votre tête...

— Il y a des succès vulgaires qui ne vous font aucun plaisir, dit Éric.

Et une expression de dégoût, de sévérité passa sur son beau visage, l'enlaidit. Et elle se rappela tout à coup le nombre de fois où cette expression dégoûtée l'avait humiliée jusqu'au cœur, sans qu'elle y résiste puisqu'il n'était pas question de mettre en doute l'intelligence, la sensibilité et l'absolu d'Éric Lethuillier. «Calme-toi... Calme-toi», se dit-elle à elle-même. Et elle réalisa tout à coup que c'était la première fois depuis des années qu'elle se parlait à mi-voix comme à quelqu'un de désirable et désiré, quelqu'un à qui on pouvait faire confiance.

— De toute façon, c'est bien secondaire; quand même, pourquoi avez-vous fait ça?

— Mais pour lui, dit Clarisse en secouant la tête comme devant l'absurdité de cette question. Pour Simon Béjard... Cette petite garce allait le mettre en pièces...

Le terme de «garce» dans la bouche de Clarisse dérouta un peu plus Éric. Depuis des années, les adjectifs péjoratifs, par un accord tacite, étaient réservés à son usage personnel.

— Vous vous intéressez toujours autant aux affaires d'autrui? dit-il avec mauvaise foi (et se rendant compte de son erreur, il se mordit les lèvres, mais trop tard).

— Quand autrui est mon mari, oui. En façade. Vous savez bien que je ne m'intéresse pas aux histoires des autres... Je m'intéresse à peine à la mienne, dit-elle mélancoliquement en baissant ses longues paupières sur ses yeux bleus.

— Êtes-vous arrivée au moins...

Il hésita un instant. Il avait l'impression de faire une sottise. Toujours ce même sentiment d'effroi et de risque dont il n'arrivait pas d'ailleurs à imaginer les résultats éventuels. Et c'est l'orgueil ; et l'orgueil seul vis-à-vis de lui-même qui le fit finir sa phrase.

— Êtes-vous arrivée au moins à vous intéresser à celle de Julien, ma chère Clarisse ? Vous me devez une réponse toujours... Et ne me demandez pas à quelle question, ce serait désobligeant.

Il la regardait sévèrement, et elle leva les yeux et les rabaissa aussitôt après avoir croisé son regard.

— Cela vous intéresse-t-il vraiment ? demanda-t-elle d'une voix hésitante.

— Eh oui, ça m'intéresse. Il n'y a même que ça qui m'intéresse, dit-il en souriant presque.

Et avec ce sourire, sans se l'avouer, Éric voulait maintenir Clarisse dans cette atmosphère bon enfant pour qu'elle se sente responsable de tout changement dans cette nouvelle entente. Ce sourire voulait dire chez Éric, et toujours sans qu'il en prît conscience : « Voyez-vous, je souris... Je suis accommodant. Pourquoi ne pas continuer sans se créer des difficultés ? » etc. C'était en effet un sourire accommodant, un sourire de paix, mais ce sourire était si inconnu de Clarisse qu'elle l'attribua à son origine habituelle : le mépris, la condescendance, l'incrédulité. Et dans un mouvement de colère, elle se redressa sur l'oreiller, jeta un coup d'œil sévère à Éric, un coup d'œil d'alarme, comme pour le prévenir de se mettre en garde, et elle articula d'une voix froide :

— Vous m'avez demandé si j'étais la maîtresse de Julien Peyrat, c'est ça ? Eh bien, oui, je le suis depuis quelques jours.

Et ce n'est qu'après cette phrase qu'elle entendit son cœur battre à coups redoublés et violents ; comme si lui-même craignait un réflexe d'Éric à cette phrase ; comme si son cœur l'avertissait, mais trop tard. Elle vit Éric blanchir à la porte, elle vit la haine dans ses yeux, la haine et aussi un sentiment de soulagement qu'elle connaissait bien, et qui était celui qu'il éprouvait à la prendre en faute chaque fois, à l'humilier de ses reproches. Puis la couleur revint aux joues d'Éric. Il fit trois pas vers elle et l'attrapa par les poignets. Il avait un genou sur le lit, il lui serrait les mains jusqu'à lui faire mal, et il parlait à dix centimètres de son visage d'une voix hachée, essoufflée, qu'elle comprenait à peine tant elle avait peur de lui. Et en même temps elle regardait un point noir, généralement invisible sur le visage d'Éric, un point noir que seul expliquait l'absence de miroir grossissant sur ce bateau. « Je dois avoir de l'alcool à 90, pensa-t-elle absurdement. Ce n'est vraiment pas joli, là, sous le nez... Il faut qu'il fasse quelque chose... Que disait-il ? »

— Vous mentez ! Vous ne savez faire que ça, mentir ! Vous voulez m'énerver, me gâcher cette croisière ? Vous êtes d'un égoïsme forcené... Tout le monde le sait... Vous vous conduisez comme une sauvage avec vos amis et vos proches, sous prétexte de distraction, vous ne prêtez attention à personne, ma chère Clarisse. C'est là, votre faiblesse : vous n'aimez pas les gens ! Vous n'aimez pas votre propre mère : vous n'alliez jamais la voir... même votre mère ! disait-il avec rage quand elle le coupa.

— De toute façon, dit-elle calmement, ça n'a pas d'importance...

— Alors ?... dit-il, ça n'a pas d'importance tout ça ? Vos ébats supposés avec ce faussaire, ce mac minable... Ça n'a pas d'importance, tout ça, hein ?

Mais sa colère était bizarrement tombée, et quand elle répondit : « Si, peut-être », d'une voix plate, il entra dans la salle de bains comme s'il n'avait pas attendu la réponse et comme si, effectivement, elle n'avait plus d'importance.

OLGA s'était couchée bien avant Simon, ce soir-là resté au bar pour s'enivrer sans y parvenir et qui, lorsqu'il rentra dans la cabine, se vit lancer le nouveau regard mis au point par sa douce maîtresse. C'était un regard étranger et poli, quand il arrivait après elle, et un regard indigné, voire choqué, quand, au contraire, arrivant après lui, elle le trouvait couché dans la cabine. Ces deux regards étant supposés aider Simon Béjard à prendre conscience de son insignifiance et de l'oubli de sa personne qu'elle entraînait immanquablement. Quel était donc cet air de chien battu qu'il avait adopté ces derniers temps, son cher producteur ? Sans que personne sache pourquoi ? Olga imaginait si peu que quelqu'un puisse avoir des sentiments, en dehors d'elle, qu'elle faisait souffrir Simon moins délibérément que naturellement. Malheureusement sa nature était sans merci. Elle regardait cet homme que le destin lui avait donné comme producteur d'abord, et comme amant ensuite, qui voulait en plus de tout être aimé d'elle, et qu'elle le lui prouve. « Elle lui prouvait bien tout ce qu'il voulait, non ? pensa-t-elle, en se livrant tous les soirs à ses exigences. » Et même quand elle reculait, quasiment par honnêteté, il devait bien savoir que ça rase les femmes, tout ça, à force. Ou alors il eût fallu qu'il ait un autre physique. Bien sûr le tempérament de Simon Béjard était déjà connu dans les milieux du cinéma, mais c'était toujours comme ça. Les hommes comme Simon étaient obsédés sexuels, et ceux comme Éric, ou Andréas d'ailleurs, étaient demi-frigides. A moins que devenus comédiens et cédant au narcissisme de ce métier, leur goût pour les femmes ne devienne exceptionnel.

En attendant, elle jeta donc à Simon le coup d'œil étranger qu'on réserve à un inconnu, et n'eut pas de mal à le maintenir car les agissements de Simon l'étonnaient pour de bon. Il s'était assis sur sa couchette à lui, et il avait les deux mains occupées, l'une à enlever sa chaussure, l'autre à allumer une cigarette. Et quand elle lui parla, elle eut l'impression de le déranger pour la première fois depuis le début de la croisière.

— Où étiez-vous passé, après la crise d'hystérie d'Edma? demanda-t-elle.

Il fronça les sourcils sans répondre, signe qu'elle le dérangeait. En fait oui, c'était la première fois depuis longtemps que Simon n'avait pas l'air absolument disponible aux caprices d'Olga. La première fois que ses deux mains étaient occupées, en même temps que ses yeux et ses pensées, à autre chose qu'à sa contemplation anxieuse et suppliante. Et Olga le sentit aussitôt grâce au radar perpétuellement en marche et ultraperfectionné qui lui rendait compte de toutes les humeurs ambiantes, et qui lui indiquait les feux de croisement sans malheureusement lui indiquer s'ils étaient verts ou rouges. Là, par exemple, elle les crut verts et elle fonça vers une collision que ce radar, s'il avait été intelligent lui aurait évitée. Mais, il n'était qu'instinctif, même pas sensible. Et le feu s'allumait, s'éteignait, sans rien lui signaler.

— Vous ne me répondez pas?

Simon la regarda, et elle s'étonna du bleu de ses yeux. Il y avait longtemps qu'elle n'avait pas remarqué à quel point ses yeux étaient bleus. Il y avait longtemps aussi qu'elle n'avait pas remarqué que Simon avait un regard.

— Quelle histoire? dit-il en soupirant. Je n'ai pas vu d'hystérie chez Edma Bautet-Lebrêche.

— Ah bon? Vous n'avez pas entendu ses cris, peut-être?

— J'ai surtout entendu les vôtres, dit Simon Béjard de la même voix lasse.

— Moi? J'ai crié?... dit Olga. Moi?

Et elle hochait la tête avec le visage de l'innocence abasourdie — allégorie qui était peu faite pour elle, ce que lui indiquait le regard de Simon. Et pour la première fois aussi depuis quelques jours, elle se troubla. Pas plus que de sa couleur, elle ne se souvenait de l'acuité du regard de Simon.

— Que voulez-vous dire? Que j'ai menti, peut-être?

— Non, dit Simon de cette même voix lente qui agaçait Olga, et commençait à lui faire peur. Non, vous n'avez pas menti, vous avez dit la vérité, mais devant vingt personnes.

— Et alors?

— Et alors, ça fait vingt personnes de trop, dit-il en se levant et en ôtant sa veste lentement, fatigué, vieux, las, mais aussi las d'elle, Olga

Lamouroux, starlette de deuxième classe qui n'aurait rien à faire à la rentrée si Simon Béjard changeait d'avis.

Olga Lamouroux qui appela Simon «mon chéri» d'une voix tendre et puérile, et qui se mit à bouder, trop tard, dans le noir, en attendant en vain qu'il la consolât de sa propre méchanceté. Au premier changement de couchette qu'elle entreprit, Simon Béjard se leva, remit son chandail et son pantalon d'un air vague, et ressortit.

Dans le bar désert, il vit dans la glace, derrière son verre, un homme roux et un peu empâté, mais dont on n'avait pas envie de plaisanter. Dont on ne remarquait en fait ni la chevelure ni l'embonpoint, tant son regard était froid. «Enfin, se dit-il, c'en était fini de la grande musique et des grands sentiments pour Simon Béjard.» Et il se dit cela avec amertume en détournant la tête de son reflet, de ce qu'il allait devenir.

Tout en marmonnant des mots grognons, Armand avait enjambé la baignoire — gigantesque et ridicule pour un bateau, trouvait-il — et cramponné de la main droite à la poignée de sécurité, il y avait progressivement immergé son corps fluet et blanc, corps dépourvu à un tel point de muscles, qu'il en prenait, nu, des airs d'odalisque. Calé au fond de la baignoire, Armand avait vivement remué ses doigts de pieds, faisant des éclaboussures et poussant des cris joyeux, et était même parvenu ma foi à faire claquer ses doigts de pieds comme ceux de ses mains — exploit auquel il s'appliquait depuis des années et jusqu'à ce jour sans y avoir même «pensé» une seule fois. «Edma le traiterait d'enfant débile si elle le surprenait.» Aussi remonta-t-il les genoux jusqu'au menton d'un geste brusque, et il commençait à se savonner vigoureusement (comme font les garçons au collège devant les pions) lorsqu'il entendit la porte de la cabine s'ouvrir brusquement. Un parfum de femme — qu'il ne reconnut pas tout de suite — se glissa jusqu'à la baignoire, luxueux et musqué comme un renard, un renard bleu, bien entendu. «Mais, et le verrou?...» pensait-il distraitement avec désolation, résigné à se lever, à s'arracher à cette douceur de l'eau tiède et au spectacle donné par ses pieds, là-bas, quand il réalisa que la réponse avait précédé sa question. Il n'entendait pas le moindre dialogue à côté. Edma était seule, indubitablement, et elle sifflait en plus, elle sifflait même une chanson gaillarde, sembla-t-il à Armand qui n'avait dû en entendre que trois dans sa vie : comme militaire, comme cousin d'un jeune interne des hôpitaux, et comme collégien, encore plus tôt. Elle ne l'appelait pas, et pourtant son complet était accroché à son cintre près du hublot, et elle ne pouvait pas ne pas l'avoir vu. Il commençait à avoir froid en attendant, dans cette eau tiède, et il étreignait ses genoux entre ses deux bras, ramassé au fond de la baignoire, le menton soutenant son crâne coincé entre ses genoux.

— Edma ?.... bêla-t-il lamentablement, sans qu'il sût pourquoi. Et comme elle ne répondait pas, il cria « Edma ! » d'une voix plus aiguë, et autant que faire se pouvait plus autoritaire.

— Voilà... voilà... On arrive, dit une voix violente qui n'était pas celle d'Edma, comprit-il tout à coup, mais qui était celle de la Doriacci, comme elle le lui démontrait en s'encadrant dans la porte.

La Doriacci était en robe du soir froissée, les fards excessifs étalés de travers, les cheveux noirs dans l'œil, l'air excité et gai comme après une paillardise. Bref la Doriacci. Et lui, l'empereur du Sucre, Armand Bautet-Lebrêche, était nu comme un ver, sans ses lunettes et sans sa dignité, sans une serviette-éponge pour se draper en face d'elle. Ils se regardèrent une seconde en chiens de faïence, et Armand s'entendit supplier : « Sortez... Sortez, je vous prie... » d'une voix rauque et méconnaissable, et qui parut réveiller la Doriacci d'un coup.

— Mon Dieu, dit-elle, mais que faites-vous là ?

— C'est ma chambre... commença Armand Bautet-Lebrêche, relevant le menton comme il le faisait dans ses conseils d'administration, mais la voix toujours trop haute.

— Mais oui, c'est votre chambre, bien sûr... Figurez-vous que j'avais rendez-vous avec Edma ici, dans le petit salon plus exactement. Et j'y étais en plus, ajouta-t-elle gaiement avant d'aller s'asseoir froidement sur le bord de la baignoire, au-dessus d'Armand qui rabattit ses deux mains sur sa virilité, au demeurant peu frappante.

— Mais vous devez partir... Vous n'allez pas rester là... dit-il.

Et il tourna vers la Doriacci un visage suppliant, plein d'une ferveur immense qui le fit ressembler à l'un des milliers de fans de la Diva, tels qu'elle les voyait au pied de l'escalier de service dans les opéras du monde entier, guettant un autographe et tendant vers elle, sa notoriété, son mythe, ses faux cils et son art, ce même visage affamé et idolâtre. Et l'illusion était si parfaite que, prise d'un élan de bonté, la Doriacci se pencha sur la baignoire, attrapa Armand par son cou glissant de savon, et mit avec violence sa bouche fraîche sur la sienne avant de le repousser, comme si le malheureux se fût poussé lui-même d'un demi-millimètre. Et le laissant, déséquilibré, glisser au fond de la baignoire en cherchant sa poignée de sécurité, elle sortit triomphalement.

C'est avec un profond sentiment de soulagement, le sentiment d'avoir eu, de justesse, la vie sauve, qu'Armand Bautet-Lebrêche, pour une fois oublieux de ses sucres, s'allongea dans le grand lit double de sa cabine, et commença à installer sur sa table de nuit les dix objets indispensables à cette autre traversée qu'était le sommeil : il y disposa donc des comprimés pour dormir, des comprimés pour se relaxer, certains pour faire fonctionner les reins, d'autres pour empêcher la nicotine d'aller jusqu'aux poumons, etc. Plus (mais eux, prévus pour le matin) les médicaments qui produisaient l'effet inverse : pour se réveiller, pour augmenter la tension, pour décupler sa vigilance, etc. Le tout rangé sur une table de nuit relativement exiguë, en carré, comme Napoléon rangeait ses grognards en Autriche. Cela lui prenait une petite demi-heure tous les soirs. Et c'était d'ailleurs, ici, toujours ça de gagné, cette mise en place maniaque, sur neuf jours d'ennui mortel ! Il faut ajouter qu'Armand Bautet-Lebrêche n'éprouvait aucune révolte, ni aucune accoutumance d'ailleurs, à l'ennui total où le jetait l'inactivité. Il s'ennuyait, pensait-il, parce qu'il était ennuyeux, peut-être, ou peut-être parce que les autres l'étaient. De toute façon, s'ennuyer n'était pas bien grave en soi ; c'était moins grave, en tout cas, qu'une chute d'actions imprévue ou un embargo sur les sucres. Toute sa vie d'ailleurs, Armand Bautet-Lebrêche s'était ennuyé à mourir : chez ses parents, chez ses copains, chez ses beaux-parents, et chez sa femme enfin ; mais là, il devait dire honnêtement que sa vie pendant quarante ans avait été beaucoup moins ennuyeuse, grâce à Edma. Edma avait toujours été, dans le genre épouse, « une emmerdeuse et pas une emmerdante », comme disait cet auteur dont il ne se rappelait plus le nom. « Mais que faisait-elle, celle-ci ? » Il constatait à chaque occasion et non sans surprise, que sa femme, Edma, à laquelle il ne pensait jamais dans ses journées à Paris, occupait le centre de ses pensées dès lors qu'ils étaient en vacances. Elle s'occupait de tout, elle veillait à ce qu'il ne se soucie ni des billets, ni des bagages, ni des factures ; elle le prenait sous le bras et l'emportait. Et où qu'ils aillent, elle veillait à ce qu'il soit bien coiffé, et bien nourri, bien pourvu de revues financières diverses et des journaux de Bourse. Moyennant quoi, Armand Bautet-Lebrêche passait d'excellentes vacances — encore que lorsqu'Edma disparaissait plus de cinq minutes, il se sentait parfaitement égaré, voire désespéré. Et quand Edma revenait ainsi de ses équipées à dos de chameau dans le désert, ses équipées dans les ports de plaisir, dans les bras d'un jeune homme, elle trouvait toujours, quand elle rentrait, trois heures plus tard, Armand réveillé, assis dans son lit, et qui, chaque fois, la regardait entrer avec une expression de bonheur, de plaisir, de soulagement aussi, telle, qu'elle en finissait parfois par se demander si, au fond, ils n'avaient pas toujours été follement amoureux l'un de l'autre — en tout cas, lui d'elle. Cela ferait un très bon sujet de film, avait-elle pensé une fois, et elle l'avait confié à Simon Béjard : un homme et une femme vivent en bonne intelligence depuis des années. Petit à petit, grâce à des détails, la femme s'aperçoit que son mari l'adore. Enfin convaincue, elle le quitte juste à temps avant qu'il ne lui dise son amour, aidée en cela par un ami d'enfance de son mari qui, lui, est resté normal.

Simon s'était mis à rire pendant qu'elle lui racontait (mais sans indiquer les origines du sujet). Et elle en riait encore. La tête que ferait Armand, si elle lui disait : «Armand, je vous aime», comme ça, de but en blanc, après le thé... Il tomberait de son lit, pauvre cher petit homme. De temps en temps, Edma Bautet-Lebrêche s'attendrissait ainsi quelques minutes sur le sort de cette petite fourmi travailleuse et discrète nommée Armand Bautet-Lebrêche, son époux. Parfois plus de trois minutes même, avant de se rappeler qu'il avait ruiné des amis à lui, qu'il piétinait les faibles, et que le mot «cœur», quand il l'utilisait, représentait celui d'une usine ou d'une machination. Elle l'avait vu se conduire comme un marchand d'esclaves deux ou trois fois, et son éducation bourgeoise, révolue et piétinée, lui avait fait comprendre définitivement les différences d'éthiques existant entre la petite bourgeoisie et les grandes fortunes, différences que Scott Fitzgerald n'aurait jamais trop soulignées. Tous ces souvenirs lui faisaient même froid dans le dos des années après.

On frappa à la porte. Armand était incapable, dans son habitude de la normalité, d'imaginer que ce fût quelqu'un d'autre que le steward qui venait à cette heure tardive dans sa cabine. Il cria «Entrez» d'une voix agacée, la voix de commandement qu'il avait reprise, et dont il aimait se servir tout à coup, deux tons plus haut, comme si, avec l'air qu'il avalait et recrachait brutalement entre ses lèvres, il expulsait aussi le souvenir de la Doriacci, de sa bouche qui sentait l'œillet ou la rose (Armand ne savait vraiment plus qui sentait quoi, parmi les fleurs), le souvenir de la gêne qui l'avait terrassé au risque de se noyer. Mais quand il vit la porte rester entrebâillée, qu'il n'entendit pas une voix zélée répondre à son «Garçon?», il se crut perdu une deuxième fois : la Doriacci était seulement partie se mettre une toilette de nuit, une tenue arachnéenne quelconque ; et puisque les jeunes gens l'ennuyaient et qu'elle les trouvait fades, comme il semblait ressortir des conversations, elle avait jeté son dévolu sur lui, Armand, à cause de son âge peut-être, mais surtout de sa fortune. La Doriacci, malgré les milliards de ses cachets, en voulait aussi à la fortune des Lebrêche (Bautet n'étant que le nom de jeune fille de sa mère que la famille avait accolé à celui de son père, comme elle le désirait, et cela non sans générosité et modestie puisque le capital des filatures Bautet représentait à peine le tiers de celui des Lebrêche). «Eh bien, Doriacci ou pas Doriacci, se répétait fébrilement Armand, la fortune sucrière faite par mes parents, mes grands-parents et mes arrière-grands-parents, ne changera pas de propriétaire !» Il allait expliquer ça tout de suite à la Doriacci, peut-être aurait-elle peur... Et dans son innocence, Armand esquissa une grimace qu'il pensait inquiétante, mais qui était plutôt comique, puisque Éric Lethuillier, dans la porte, en éclata de rire Que faisait-il là, celui-ci, maintenant? Armand Bautet-Lebrêche battit des paupières du fond de son lit et murmura « Sortez ! Sortez ! » désespérément, comme avait dû le dire le pape Alexandre aux petits Borgia qui le regardaient mourir. « Sortez ! » répéta-t-il faiblement en tournant la tête à gauche et à droite « comme les mourants dans les films américains », pensa-t-il brusquement. Et il rougit du jugement probable du regard bleu, pensif et raisonné, de cet homme. Il se redressa d'un coup sur son lit, sourit, toussa pour s'éclaircir la voix, et dit en tendant une main petite mais virile qui n'allait pas avec son pyjama : « Comment allez-vous ? Excusez-moi, je rêvais. »

— Vous rêviez même que je ressorte, dit Éric en souriant encore de son beau sourire froid qui lui avait attiré, de requin à requin, une certaine considération de la part d'Armand. Et je vais exaucer votre rêve très vite, mais d'abord, j'ai un service à vous demander, cher monsieur. Voilà de quoi il s'agit : ma femme, Clarisse, aura trente-trois ans demain, ou après-demain plutôt, en arrivant à Cannes. Je voudrais lui offrir le Marquet de notre ami Peyrat dont elle rêve, mais j'ai peur que cette stupide bagarre ne le braque et ne l'empêche de me le vendre. Pourriez-vous faire cet achat pour moi ? Voici un chèque pour vous rembourser.

— Mais... Mais... balbutia Armand, Peyrat va être furieux.

— Non. (Éric eut un petit sourire un peu complice, qui gêna vaguement Armand.) Non, si ce tableau va à Clarisse, il ne peut décemment pas s'énerver. Et une fois le tableau vendu, ce sera fini. En plus, je crois que notre ami Peyrat sera bien content de vendre ce tableau, de toute manière.

Il avait une intonation dans ce « Bien content » qui réveilla *illico* l'homme d'argent à l'affût légèrement anesthésié chez Armand par cette croisière.

— Que voulez-vous dire par content ? Vous êtes sûr que ce tableau est vrai ? Qui vous le confirme ? Deux cent cinquante mille francs, c'est deux cent cinquante mille francs, dit-il avec mauvaise foi. (Car malgré son avarice, le nombre des zéros sur un chèque ne représentait plus rien pour lui. Plus rien en tout cas qui s'achète ou qui fasse plaisir. Deux cent cinquante mille francs, ce n'était rien, en effet, pour Armand, puisque ce n'était même pas une masse qu'on puisse manœuvrer avec efficacité à la Bourse.)

— C'est Peyrat lui-même qui a tous les certificats et c'est lui-même qui me les garantit, dit Éric, l'air dégagé. Et puis, vous savez, si Clarisse aime ce tableau, elle l'aime parce qu'il est beau, et non par snobisme. Ma femme est tout sauf snob, comme vous avez pu le remarquer, ajouta-t-il en penchant un peu la tête avec ce même sourire (qui cette fois-ci, il en était sûr, répugnait vraiment à Armand Bautet-Lebrêche).

— C'est entendu, dit-il plus sèchement qu'il ne le voulait. Demain matin à la première heure, je le trouverai à la piscine et je lui fais un chèque.

— Voici le mien, dit Éric en faisant un pas vers lui et en tendant un papier bleu clair, ce papier idyllique et pastel des banques françaises. Et comme Armand ne tendait pas la main pour le prendre, Éric resta une seconde sur un pied et se troubla, pour finir par dire : « Qu'est-ce que j'en fais ? » d'une voix hostile à laquelle sur le même ton, Armand Bautet-Lebrêche répondit : « Mettez-le n'importe où », comme si ce papier eût été laid à voir.

Les deux hommes se regardèrent, et Armand était attentif pour une fois : Éric lui envoya son merveilleux sourire, s'inclina même avec grâce, et lui dit « Merci », de cette belle voix chaude qui à la télévision exaspérait Armand, se rappela-t-il.

Éric partit.

Armand Bautet-Lebrêche se laissa couler derechef dans son lit, éteignit la lumière et resta immobile dans le noir, trois minutes, avant de se relever, d'allumer fiévreusement et de se glisser dans la gorge deux somnifères de plus qui, s'il le fallait, résisteraient aux entreprises voluptueuses de la Doriacci.

LE NARCISSUS mettait dix-huit heures de Palma à Cannes, qu'il ralliait par la haute mer et sans escale, l'arrivée y étant prévue au soir, pour dîner, avant les adieux. Il faisait un temps admirable. Le soleil pâle était métissé de rouge, et l'air était plus frais, tendu semblait-il, mais d'une tension différente de celle qui régnait sur le bateau. C'était au contraire les picotements d'une vivacité et d'une vitalité un peu frileuses qu'on sentait, par cette journée triomphante, à marcher sur le pont de ce bateau qui vous ramenait à l'hiver et à la ville. Si on faisait le compte, pensait Charley, il y aurait sûrement plus de passagers terrifiés par l'hiver approchant, que ravis ; parmi ceux pour qui Paris sonnait comme une promesse, il n'y avait guère que Clarisse et Julien pour qui Paris représentait dix mille chambres tranquilles et introuvables, et Edma pour qui le bonheur allait être de raconter à Paris les facéties du voyage, Edma qui rentrait pleine d'amour pour cette foule huppée qui l'attendait, où elle n'aimait personne séparément, mais dont la rapidité, l'acrimonie et les snobismes lui réchaufferaient le cœur, bizarrement mais sûrement. « C'était peut-être finalement une des passions les plus saines, quand on n'avait plus l'âge d'en avoir d'autres, que le snobisme », philosophait Charley en regardant Edma qui jetait du pain aux dauphins comme à des mouettes, du même geste qu'elle présentait les toasts au caviar ou le foie gras chez elle, probablement. Depuis quatre ans qu'Edma faisait cette croisière, Charley, d'abord épouvanté, avait fini par s'y attacher, surtout cette année, où elle avait été exquise et n'avait que quatre fois renvoyé son petit déjeuner aux cuisines. Elle n'avait même pas menacé de descendre au « prochain arrêt », comme elle disait, ce qui était un gros progrès. Mais Charley se demandait si ce progrès n'était pas dû aux distractions vraiment nombreuses cette année sur le *Narcissus*, qui n'avaient pas laissé le temps à Edma de s'attarder trop longuement sur le degré de cuisson de ses tartines ou le repassage de ses chemisiers. Elle était ravie visiblement, et en jetant son pain en l'air, et en riant de son grand rire mondain et tonitruant, elle avait l'air d'une grande écolière. Elle avait l'air en plein âge ingrat, en fait, se dit Charley, tout en pressentant qu'elle n'en sortirait jamais, pas plus qu'Andréas de l'enfance, Julien de l'adolescence, et Armand Bautet-Lebrêche de la vieillesse.

— Mais qu'est-ce qu'ils ont, Charley? Ces bêtes ne mangent pas de pain?...

Charley rejoignit en courant l'élégante Mme Bautet-Lebrêche, vêtue d'un caban bleu cru et d'une jupe plissée en toile pain bis serrée à la taille sur un polo de soie imprimée bleu et blanc, et coiffée d'un chapeau cloche du même bleu que le caban. Elle avait l'air d'une photo de mode. Elle était l'élégance même, comme il le lui annonça en se penchant sur sa main gantée et en la renseignant sur les mœurs des cétacés. Mais elle le coupa :

— C'est le dernier jour, Charley. J'en suis bien triste, cette année.

— Nous avions convenu hier de ne pas en parler jusqu'à Cannes, dit-il en souriant.

Mais son cœur saignait, comme il eût voulu l'avouer à Edma. En effet c'est à Cannes qu'Andréas disparaîtrait de sa vie, de celle de la Diva et de celle des autres passagers. Andréas n'était pas de leur monde, ni de leur milieu, ni de leur ville, ni de leur bande. Andréas, comme un prince égaré parmi la plèbe ignorante, venait de son royaume de Nevers, et il allait y retourner très vite mener une existence paisible et travailleuse, au bras d'une femme qui en serait jalouse toute sa vie. C'est bien ce qui le guettait, tout au moins Charley le pensait-il, et il ne put s'empêcher de faire part à Edma de ses intuitions.

— Ah!... Vous le voyez casé à Nantes, ou à Nevers, dans une vie bourgeoise? C'est drôle, moi pas, dit Edma les yeux plissés sur l'horizon derrière Charley comme si elle y voyait écrit l'avenir d'Andréas.

Elle tapotait sa lèvre de son index et semblait avoir du mal à formuler sa vision à elle.

— Que pensez-vous d'autre? demanda Charley.

— Moi, je le vois mal parti, dit-elle rêveusement. Je le vois plutôt ne partant jamais... ne partant pas même de ce bateau. Je vois mal ce qu'il va faire maintenant, à quai, sans argent et sans famille... Ah ! vraiment, mon petit Charley, Dieu sait que je n'ai jamais regretté jusqu'ici qu'un bel homme soit viril, eh bien je crois que pour Andréas, j'aurais préféré le savoir dans vos bras qu'arraché à ceux de la Doriacci.

— J'aurais préféré aussi, dit Charley en essayant de sourire.

Mais sa gorge lui faisait mal et il s'effrayait qu'Edma, comme lui, ait des craintes pour Andréas ; elle, Edma Bautet-Lebrêche, qui n'avait jamais peur de rien pour qui que ce soit, ou sinon que ce qui que ce soit ne fût pas invité à un bal où elle se rendait.

— Clarisse aussi est inquiète, dit-il à voix basse.

Et Edma le regarda, vit sa figure, lui tapota la main comme attendrie.

— Ç'aura été une dure croisière pour vous aussi, mon cher Charley...

— J'étais justement en train de compter les gagnants, dit-il. Voyons...

— Tiens, quelle bonne idée...

Edma s'accouda près de lui ; en une seconde, ils avaient tous les deux les yeux brillants, l'air excité à l'idée des méchancetés ou des plaisanteries stupides à se dire sur leurs prochains. Ils en étaient si amusés d'avance, qu'ils oublièrent, deux heures, le destin d'Andréas.

« Venez avec moi», avait dit la Doriacci à Simon Béjard qu'elle trouvait singulièrement ragaillardi ce matin, et presque élégant dans son jean et son chandail trop large. On voyait bien que la petite Olga, ce matin, n'avait pas veillé à son vestiaire ; et qu'elle n'avait pas eu le temps, non plus, d'assener dès l'aube à ce pauvre garçon une ou deux phrases désagréables, phrases dont il tentait toute la journée, après, de se débarrasser, et y parvenait d'ailleurs, mais non sans un effort visible qui faisait peine à voir. La Doriacci avait même envisagé la nuit dernière de suborner le brave Simon, et de lui confier dans son plan le rôle principal, et non pas, comme maintenant, celui de témoin. Mais cela était trop compliqué et surtout cela n'aurait pas paru vraisemblable à Andréas. Elle cingla donc vers le bar et s'assit tranquillement au comptoir où elle s'accouda et se refit une beauté sans lésiner sur le rouge à lèvres ni le mascara. Elle avait l'œil cerné, ce qui lui donnait un côté fragile inattendu, «presque désirable», songea Simon Béjard, oubliant un instant son goût des jeunes filles en herbe.

— Vous voulez m'entraîner à boire si tôt ? dit-il en s'asseyant près d'elle.

— Tout à fait, dit la Doriacci. Gilbert, donnez-nous deux dry, s'il vous plaît, dit-elle en adressant un sourire éclatant et une œillade un peu appuyée au barman blond qui en frissonna d'aise, œillade qui lui fut confirmée quand il posa le verre devant elle, et que la Doriacci mit une seconde sa main baguée sur la sienne tout en l'appelant « mon ange ».

— Je voulais vous demander quelque chose, monsieur Béjard, à part de vous enivrer horriblement avec moi, le soleil à peine levé. Pourquoi ne faites-vous pas faire du cinéma à mon protégé ? Il a un physique pour ça, non ?

— Mais j'y ai pensé... dit Simon, se frottant les mains, l'air finaud, mais j'y ai pensé, figurez-vous. Dès que nous serons à Paris, je compte lui faire faire un essai. Il nous manque en France des jeunes premiers de cette classe qui n'aient pas l'air de garçons coiffeurs ni de gangsters hystériques, je suis bien de votre avis... Je suis tout à fait de votre avis, insista-t-il sans prêter attention à sa phrase, ce qui fit rire la Doriacci.

— Quel avis ? dit-elle en avalant d'un trait son cocktail, « pourtant diablement fort », pensa Simon. Quel est mon avis, d'après vous ?

— Eh bien... dit Simon rougissant tout à coup, eh bien, je voulais dire qu'il serait très bien « aussi », pour le cinéma.

— Pourquoi « aussi » ? répéta-t-elle, l'air sérieux.

— Pour le cinéma aussi.

— Mais quoi « aussi » ?

— Ah ! je m'embrouille... dit Simon. Enfin, chère Doria, ne me tourmentez pas, je vous dis que je ferai ce que vous voudrez pour ce garçon.

— C'est sûr ? dit-elle, abandonnant son ton ironique. Je peux compter sur vous, monsieur Béjard ? Ou vous me dites ça pour réparer votre gaffe ?

— Je vous dis ça sérieusement, dit Simon. Je m'occuperai de lui et de sa subsistance.

— Et de son moral aussi ? demanda-t-elle. Je crois ce garçon assez jeune pour avoir des chagrins d'amour. Vous me promettez de ne pas en rire ? Rappelez-vous comme c'est pénible, un chagrin d'amour.

— Je n'aurai pas à faire de grands efforts pour ça, dit Simon en souriant. Je me le rappelle très bien.

Il leva les yeux, et croisant le regard minéral et charbonneux en face de lui, le vit tendrement posé sur lui et s'en émut.

— Vous savez... commença-t-il.

Mais elle lui mit la main sur la bouche vigoureusement ce qui le fit se mordre la langue et le dégrisa.

— Oui, je sais, dit-elle, j'y ai même pensé aussi, figurez-vous.

— Mais alors ? Qu'à cela ne tienne ! dit Simon avec légèreté.

— Stop ! dit la Doriacci nerveusement. J'avais pensé à vous, oui, pour convaincre Andréas de mon infidélité, voire de ma perversité dans les choses de l'amour. Et puis j'ai pensé que ça ne marcherait pas : il ne le croirait jamais.

— A cause de moi ou de vous? demanda Simon.

— De moi, bien sûr. J'aime la chair fraîche, très fraîche, vous savez? Vous lisez bien.les journaux?

— Je les lis, mais je n'y crois pas, sauf quand ça m'arrange, dit-il.

— Eh bien, pour une fois, ils ont raison. Non, je pense que Gilbert sera plus vraisemblable.

— Et comment voulez-vous le faire croire à Andréas? Et pourquoi d'ailleurs?

— L'ordre de vos questions est mauvais, dit-elle sévèrement, je veux qu'il le croie pour qu'il ne rêve pas à moi pendant des semaines, et ne se convainque pas que je l'attends à New York. Je veux qu'il le croie pour qu'il soit tranquille, et moi aussi. Et pour une fois, peut-être, pour lui plus que pour moi. Quant à savoir comment je veux lui faire croire, il n'y a qu'un moyen, mon cher Simon, pour prouver un adultère, il faut le faire devant lui. C'est pourquoi je vous serais reconnaissante, si vous êtes d'accord avec moi de la nécessité de ce vaudeville, de m'envoyer Andréas vers trois heures, sous un prétexte futile, jusqu'à ma cabine où je serai, mais où je ne serai pas seule.

— Mais... dit Simon embêté, je ne voudrais pas que ça passe par moi...

— Réfléchissez, dit la Doriacci, l'air las tout à coup, et buvez un autre dry, ou deux, ou trois, à ma santé. Je n'aurai pas le temps, hélas! de les boire avec vous : j'ai à faire ici, termina-t-elle en tapotant avec sa bague le rebord nickelé du bar.

Et Simon, avec une révérence et une phrase embrouillée, tourna les talons, laissant la Doriacci en tête à tête avec Gilbert et ses cheveux blonds.

Il voyait par la porte du bar Edma Bautet-Lebrêche joliment habillée de bleu et de blanc, et qui jetait quelque chose par-dessus la rambarde, avec le fervent geste large du semeur inattendu chez elle... Simon était intrigué : les mouettes ne volaient quand même pas si bas... Mais le barman blond mit fin à sa perplexité en le renseignant sur l'existence des dauphins et de la compagnie qu'ils leur faisaient. En temps plus ordinaire, Simon se fût levé et eût couru à la rambarde, il eût imaginé aussitôt un film où les dauphins auraient un rôle et Olga un autre. Mais maintenant qu'il avait réussi son coup, il ne pouvait plus se permettre cet amateurisme. Il n'avait plus d'excuse à perdre : puisqu'il avait gagné déjà. Et sa nature de producteur se réveillant malgré tout, il songea avec une certaine satisfaction que cette brouille et cette fatigue qu'il ressentait vis-à-vis d'Olga allaient lui permettre de prendre pour son film, à la rentrée, la petite Melchior qui était ravissante et qui, sans leur parler d'Einstein ni de Wagner, séduisait quand même les mâles de tout âge en France, et même les femmes qu'elle attendrissait — sentiment que n'avait jamais provoqué Olga, il fallait bien le dire, chez les êtres d'aucun sexe. S'il ne prenait plus Olga, il pourrait prendre Constantin auquel il avait renoncé pour ne pas déplaire à Olga qui le haïssait. Il s'assurerait ainsi une affiche brillante pour les distributeurs, et susceptible même de plaire à New York. Pas un instant il ne se demanda comment l'annoncer à Olga : il l'avait trop aimée pendant ces quelques jours, trop cruellement pour garder dans leur rupture la moindre mansuétude. Ce n'était pas qu'il se vengeât délibérément, c'était que son propre cœur, épuisé par ces contrecoups, ne pouvait plus imaginer un chagrin extérieur à lui-même. Un chagrin autre que le sien.

Il sortit de la salle à manger, et alluma une cigarette sur le pont, au soleil, les mains dans les poches de son vieux pantalon avec un sentiment d'autonomie et de bien-être qu'il n'avait pas ressenti depuis belle lurette. Ce bateau était charmant, décidément, et il fallait reconnaître qu'Olga, sans le savoir, avait fait un bon choix. Il aimait bien Edma : Edma allait lui manquer comme une camarade de classe, comme le copain qu'il n'avait pas pu avoir ces dernières années. Elle nourrissait ses dauphins, là-bas, ou tentait de le faire avec ses grands gestes saugrenus, sa voix perçante et autoritaire qu'il trouvait à présent désarmante. En arrivant près d'elle, il lui mit la main sur les épaules affectueusement, et, après un léger sursaut, Edma Bautet-Lebrêche sembla s'en trouver bien, s'appuya même contre cette épaule en riant et en lui montrant les dauphins, comme s'ils eussent été sa propriété personnelle. Elle s'appropriait tout d'ailleurs instinctivement : les gens, les bateaux, les paysages, les musiques, remarqua Simon, et maintenant, c'étaient les dauphins.

— Vous allez me manquer, dit-il d'une voix bourrue. Je vais m'ennuyer de vous, je crois, belle Edma... Et puis on ne pourra jamais se revoir à Paris. Il doit y avoir une grande muraille de Chine en sucre d'orge autour de chez vous, non, à Paris ?

— Mais pas du tout ! dit Edma en se tortillant (un peu surprise de ce changement de personnalité chez Simon : il était passé du rôle de victime, donc asexué, à celui de mâle solitaire et chasseur « qui lui allait beaucoup mieux, bien sûr ! » songea-t-elle en regardant cet œil bleu et paisible, cette stature confortable et cette peau un peu rouge sous des cheveux encore drus, sains, quoique toujours roux à un point extrême). Mais bien sûr que si... reprit-elle, nous allons nous voir cet hiver. C'est vous qui serez débordé, cher Simon, avec votre film et les agaceries probables de Mlle Lamouroux, o-u-x, sur le plateau.

— Je ne crois pas pouvoir utiliser, finalement les services de Mlle Lamouroux, o-u-x, dit Simon d'une voix calme mais qui interdisait tout commentaire désagréable. De toute façon, je vis seul, vous savez, à Paris et ailleurs.

— Ah bon... C'étaient vos vacances alors sur ce bateau, dit-elle en riant (comme si ce mot de « vacances » eût été ridicule dans ce cas, et effectivement il l'était, autant qu'on puisse appeler «vacances» dix jours de souffrances sentimentales).

Simon courbait la tête sous un souvenir pénible : celui d'Olga, sur sa couchette, lui racontant sa nuit de Capri en détail. Il se secoua et sentit le parfum d'Edma, un parfum sophistiqué et délicieux qui allait lui manquer, lui aussi, se rendit-il compte. Ce parfum avait, semblait-il bercé tout leur voyage tant Edma s'en servait généreusement et tant elle se propulsait partout sur ce bateau, sans cesse de la soute au dernier pont, laissant ses effluves derrière elle, dans son sillage, comme des drapeaux. Simon resserra son étreinte. Edma, surprise, leva les yeux vers lui et, à sa grande stupeur, le producteur vulgaire et ignorant de l'existence de Darius Milhaud lui embrassa la bouche brièvement, mais avec entrain.

— Mais que faites-vous?... Vous perdez la tête... s'entendit-elle gémir comme une jeune fille.

Et ils restèrent tous deux ahuris une seconde, à se regarder, avant d'éclater de rire l'un et l'autre et de reprendre du même pas, en riant encore, la promenade classique autour du pont, bras dessus, bras dessous. «Oui, songeait Edma, en allongeant ses enjambées, oui, elle le verrait en cachette... Oui, ils auraient une liaison, platonique ou pas, qu'importait. Comme il l'avait dit, elle allait lui manquer, elle allait manquer à ce petit homme qu'elle avait trouvé si vilain et si vulgaire, et qu'elle trouvait maintenant si charmant, et qui avait besoin d'elle, comme il le lui disait en ce moment même, l'air gouailleur, mais tendre.»

— Je pourrais peut-être arriver à apprendre les bonnes manières, si vous me donnez des cours toutes les semaines à Paris... Vous ne croyez pas? Ça me ferait bien... bien... plaisir, si vous aviez le temps de m'instruire...

Et Edma, les yeux brillants d'une joie idiote, acquiesça vigoureusement de la tête.

C'est donc de bonne humeur que Simon rentra dans sa cabine, vers onze heures du matin, pensant la trouver vide comme d'habitude, Olga partie jouer au tennis ou au jacquet avec Éric Lethuillier. Il fut plus déçu que surpris en la trouvant sur le lit, dans un peignoir de bain trop court, pelotonnée, les jambes repliées sous elle, gracieusement alanguie sur son oreiller, un livre à la main et les yeux faits. «Tiens! elle pense enfin à son film, songea une personne cynique qui faisait la loi chez Simon depuis la veille et qui pensait à sa place. J'ai tout intérêt à ne lui apprendre les choses qu'après Cannes. Une série de scènes dans cette cabine serait infernale.» Et quand Olga lui sourit, d'un sourire légèrement anxieux semble-t-il, Simon se força à lui rendre ce sourire avec beaucoup d'aménité. Et cette amabilité nouvelle, évidemment forcée, acheva d'affoler Olga. Depuis neuf heures, ce matin, où elle s'était réveillée seule, à côté d'un lit même pas défait, elle se répétait les derniers événements, s'affolait de ses nombreux excès de langage et de gestes, de ce qu'elle-même avait du mal à qualifier d'incartades. Qu'est-ce qui avait bien pu la pousser au pire ainsi? Et pour une fois, au lieu d'entamer un récit lyrique à l'intention de ses fidèles camarades, sur ses romanesques foucades, Olga garda ses discours pour elle-même. Il s'agissait bien de Fernande ou Micheline... ou plus exactement, ce serait un récit moins plaisant si elle n'avait que ça à faire de toute la journée. Et ce récit lui-même manquerait de piquant, elle le sentait, auprès de son auditoire, s'il était celui d'une starlette au chômage. Il fallait reconquérir Simon, et elle pensait, Dieu merci, en être tout à fait capable. D'un coup, ce qu'elle appelait les répugnants appétits de Simon devenaient les bienvenus puisque, par eux peut-être, elle retrouverait sa place auprès de lui, et son pouvoir. Quant à la gentillesse servile du même Simon qu'elle avait tant déploré, elle n'était pas mécontente aujourd'hui de son existence qui empêcherait Simon, pensa-t-elle, de la jeter dehors comme une vieille valise. Aussi quand il fut entré remonta-t-elle discrètement son peignoir jusqu'à sa cuisse, d'un geste rapide, et qu'il vit dans la glace en se retournant, et qui lui souffla une réplique grossière qu'il retint avec peine.

— Où étais-tu donc passé? dit-elle. J'ai eu peur en me réveillant... Je me suis vue perdue sur ce bateau, toute seule avec ces étrangers, dehors avec ces gens qui m'agacent finalement... Oh! mon vieux Simon, la prochaine fois, nous partirons tous les deux seuls; non? On louera un petit bateau avec juste un type pour le conduire, on s'arrêtera dans les bistrots au hasard, sans musique classique et sans panorama, juste un petit bistrot comme tu les aimes...

— C'est une très bonne idée, dit Simon d'une voix mesurée. (Il cherchait de quoi se changer avec hâte.) Mais personnellement, j'ai beaucoup aimé cette croisière, tu sais.

— C'est vrai? Tu ne t'es pas trop ennuyé avec ces snobs?

— Je les ai trouvés charmants, dit Simon, la tête déjà passée dans une chemise propre. Très gentils, même.

— Quand même... tu es un peu indulgent, toi!... Non, crois-moi, pour quelqu'un d'extérieur, te voir toi, Simon, si authentique, en compagnie de ces pantins grimaçants... je peux t'assurer qu'ils ne faisaient pas le poids... C'était même amusant à voir, à ce point-là! ajouta-t-elle avec un petit rire qui en était encore amusé mais qui eut une résonance lugubre.

Ce rire ne sonnait faux que par hasard, et elle aurait pu enchaîner. Mais il grinça d'une manière si évidente qu'elle arrêta sa phrase et que Simon s'enfouit dans sa chemise avec énergie, sachant l'un et l'autre que ce décalage entre le rire et les mots qui le précédaient ne pouvait pas leur échapper, honnêtement, sachant tous deux que ce rire venait de casser la frêle chance qu'ils avaient de descendre bons amis la passerelle du *Narcissus*, et en tout cas apparemment semblables à ceux qu'ils étaient en y montant. Olga ramena lentement le peignoir sur ses jambes et les cacha, son instinct lui disant que ce n'était plus là l'argument valable, et Simon laissa sa chemise pendre sur son pantalon, sachant que la fuite à l'intérieur de cette chemise n'était plus possible. Ils s'assirent chacun sur une couchette, les yeux baissés, sans oser se regarder. Et quand Simon déclara d'une voix morne : « Et si nous buvions quelque chose ? » Olga hocha la tête en signe d'approbation, elle qui, à cause de son teint et de sa lucidité, ne buvait jamais d'alcool avant huit heures du soir.

LA SONNERIE de son réveil était d'une faiblesse surprenante, et d'ailleurs s'arrêta, essoufflée, quand il ouvrit les yeux. « Il devait y avoir un moment qu'elle sonnait », songeait Armand Bautet-Lebrêche qui fut surpris de ne l'avoir pas entendue plus tôt, et qui se demanda vaguement pourquoi jusqu'au moment où un steward lui posa son thé sur les genoux et se plaignit d'avoir frappé trois fois sans réponse. Tout au moins c'est ce que crut Armand dans le chuchotement incompréhensible qui lui parvint. Il était sourd. Une fois de plus un léger rhume et la contrariété aidant, Armand Bautet-Lebrêche était frappé de surdité, ce qui lui arrivait tous les cinq ans à peu près. Il se moucha énergiquement, pencha la tête à droite et à gauche sans parvenir à déboucher ses tympans aussi traumatisés que lui-même, semblait-il, par ces incidents irracontables de la veille. Il aurait pu croire à un mauvais rêve si le chèque de Lethuillier, sur sa table de nuit, ne lui avait prouvé le contraire. Edma dormait à poings fermés, ou était déjà ressortie, ce qu'il alla vérifier avant de se rappeler qu'elle lui avait parlé la veille, comme d'une fête, de son désir de passer la journée entière au soleil. Le dernier soleil de l'année comme elle disait plaintivement, et comme si elle n'allait pas se retrouver avec des pédérastes en Floride ou aux Bahamas, dès novembre, tous les ans.

Il s'habilla avec ses petits gestes méthodiques et précis, se rasa avec un rasoir électrique et, ayant regardé par le hublot si le bateau avançait encore, soupçon que lui donnait le silence total des machines, il partit sur le pont faire sa promenade matinale sans répondre aux différents « Bonjour » qu'on lui adressait. Ayant fait son périple sur une mer sans voix, il repartit prendre son chéquier et alla frapper chez Julien Peyrat. Il frappa même plusieurs fois, oubliant que Julien Peyrat, lui, entendait ses coups de poing. Ce dernier lui ouvrit et lui déclara quelque chose de totalement incompréhensible mais qui semblait être des paroles de bienvenue auxquelles Armand Bautet-Lebrêche répondit par un salut sec de la tête.

— Quelle bonne surprise! dit Julien Peyrat. Vous êtes bien la seule personne qui n'ait pas visité ma cabine et mon chef-d'œuvre. C'est une curiosité tardive qui vous amène?

— Non, non, pas du tout... En fait, je ne tiens pas à jouer au tennis ce matin, dit Armand Bautet-Lebrêche au hasard, mais nous pourrons jouer cet après-midi, continua-t-il d'un air bienveillant.

Julien Peyrat avait un air inquiet, déçu même. Peut-être ce Lethuillier avait-il raison et peut-être ce garçon, faussaire ou pas, avait-il envie de vendre ce tableau à un pigeon. Mais Éric Lethuillier semblait bien averti pour ce rôle... Armand Bautet-Lebrêche haussa les épaules.

— Je crois que vous vendez ce tableau? dit-il en désignant la chose accrochée au mur de la cabine. Mais combien? Je voudrais l'acheter, conclut-il sèchement.

— Votre femme est au courant? dit Julien qui avait une figure perplexe et moins réjouie que ne l'avait supposé Éric Lethuillier.

« Après tout, si ce tableau était bon, pensait Armand, il valait bien plus de deux cent cinquante mille francs.»

— Je suis persuadé qu'il vaut deux fois le prix que vous demandez, dit-il en guise de réponse. Mais puisque vous le vendez, pourquoi pas moi? Hein? ajouta-t-il en émettant un petit rire satisfait.

— Votre femme est-elle d'accord?

Julien vociférait maintenant. Il était rouge et ébouriffé. «Il n'avait rien d'un gentleman», pensait Armand en reculant d'un pas devant ces dents blanches qui frôlaient son oreille.

— Quoi? dit-il par politesse et avec un geste d'impuissance vers son oreille qui fit hurler une dernière fois Julien: «Votre femme! Votre femme!» avant de renoncer définitivement à être honnête.

Après tout, Armand avait l'air de s'en ficher pas mal, et Armand Bautet-Lebrêche n'avait pas besoin de vendre ce tableau pour vivre un jour, quoi qu'il arrive. Il sortit donc de sa valise en maugréant les quelques certificats faux, à l'exclusion d'un dernier qui correspondait d'ailleurs à un autre Marquet, par Julien précieusement conservé, vrai celui-là. Il les mit dans la main d'Armand qui les fourra dans sa poche sans y jeter un coup d'œil, avec une désinvolture surprenante chez cet homme d'argent, songea Julien. Edma avait dû lui faire une scène pour qu'il achète, par gentillesse pour lui, Julien, et Armand n'avait qu'une hâte, c'était d'en finir avec cette affaire.

— Combien? demanda-t-il de sa voix posée, ses lunettes étincelant au soleil.

Et il avait une expression dans la mâchoire en libellant le chèque qui fit frissonner Julien. Son arme à la main: son chéquier, Armand Bautet-

Lebrêche avait l'air féroce et brutal, dangereux même, sentiment qu'il n'inspirait pas pendant les vacances. Le seul danger qu'il représentait était un ennui putride.

— Deux cent cinquante mille francs ! cria-t-il une fois ou deux (et le chien, pourtant situé à deux cabines et qu'il croyait mort ou muselé, se mit à hurler avec lui).

Julien écrivit le chiffre sur le papier et le tendit à Armand, et, avec un bref merci, ce dernier repartit dans la coursive, le tableau sous le bras. Cela avait été si vite fait, et d'une manière si inattendue, que Julien n'avait pas eu le temps de dire « Au revoir » à ce fiacre, à cette femme, à cette neige. Et cela valait peut-être mieux, pensa-t-il, une larme à l'œil droit mais l'œil gauche enchanté puisque, grâce à ce petit papier vert laissé par Armand, il allait pouvoir emmener Clarisse passer des journées au soleil et des nuits dans ses bras dès le lendemain. Ils iraient dans le Var, ou ils iraient à Tahiti, ou ils iraient en Suède, en Laponie, n'importe où, tout ce qu'elle voudrait et qu'il était maintenant à même de lui donner. L'argent ne faisait pas le bonheur, bien sûr, mais il faisait la liberté, constata Julien une fois de plus.

Armand Bautet-Lebrêche, toujours du même pas pressé — toujours sans l'entendre résonner — traversa cette coursive ouatée, frappa à la porte de Lethuillier, entra dans sa chambre sans attendre un « Entrez » qu'il n'entendrait pas, il le savait, et regarda Éric lui dire quelque chose, plusieurs choses même, son beau visage animé de plaisir et sans prêter attention au jeu de ses lèvres et à ses mains agitées, il posa le tableau sur la couchette vide de Clarisse et ressortit sans avoir dit un mot et sans en avoir entendu un. Armand Bautet-Lebrêche rentra dans sa chambre où le silence lui parut d'une qualité encore supérieure. Le *Financial Times* était arrivé dans la boîte aux lettres. Il s'installa sur le lit, tout habillé, et l'ouvrit à la page où il attendait un article passionnant sur l'escompte, notamment des actions pétrolières hollandaises. Cette petite Clarisse n'avait pas à se plaindre de son époux, songea-t-il néanmoins... Edma ne savait pas ce qu'elle disait : il n'y avait pas la moindre discorde chez les Lethuillier.

À présent, Julien brûlait d'impatience de retrouver Clarisse et de lui annoncer la nouvelle. Il ne devait pas avoir l'air trop enthousiaste non plus. Il avait assez fait le faraud, il s'était assez pavané devant Clarisse pour maintenant afficher comme un triomphe et parler de ses vingt-cinq millions autrement que comme une bagatelle. C'est d'un air détaché qu'il alluma sa cigarette de son briquet en bakélite, qui fichait tout par terre, trouva-t-il avec soudain une envie de rire.

— Vous savez, je crois avoir finalement arrangé notre voyage à l'envers...

Ce voyage à l'envers était le titre choisi pour leur escapade, un voyage qui leur ferait sans doute retraverser la Méditerranée et repartir au soleil d'octobre de quelque lointain pays ; comme si la croisière musicale n'eût été qu'un entraînement, « comme si, pensait-il, ce bateau, ces barmen blonds, ces mondains, ces gens riches, comme si toute cette musique divine, toutes ces notes phosphorescentes jetées du pont, la nuit, dans cette mer où elles semblaient flotter un instant avant de disparaître, comme si ces paysages, ces odeurs, ces baisers dérobés, cette crainte de perdre ce qu'ils n'avaient pas encore gagné, comme si tout ce voyage avait été conçu et exécuté pour Julien comme le décor personnalisé de leur rencontre. Et Julien, qui détestait Richard Strauss, chantonnait à présent sans pouvoir s'arrêter les cinq notes du *Burlesque,* cinq notes triomphantes et tendres, comme il avait l'impression de l'être devenu à présent, tout au moins lorsque Clarisse le regardait. « Tu es fou... pensait-il, s'interpellant fiévreusement, tu es fou de t'être lancé là-dedans ! Quand tu n'auras plus un sou, tu iras sans doute tricher quelque part laissant Clarisse t'attendre, seule, dans la chambre d'un palace ou d'une auberge locale ; selon tes pertes précédentes.» Elle ne le supporterait pas, même s'il était heureux avec elle et le lui montrait. Car instinctivement il savait bien que, plus que d'être heureuse elle-même, Clarisse rêvait que quelqu'un fût heureux par elle et que ce quelqu'un le lui dise sans cesse et sans nuances.

— Comment avez-vous fait ? demanda Clarisse assise à côté de lui sur un transat imbibé de soleil (dont la toile rouge cru avant l'été était devenue, à force d'écume, de soleil et de maillots de bain trempés, d'un rose aquarelle, un peu kitch, qui détonnait dans ce grand air). Comment avez-vous fait ? reprit-elle. Julien, racontez-moi tout. J'adore que vous me racontiez vos histoires professionnelles avec cet air de souffrir encore à certains souvenirs... avec cet air de mélancolie, de miraculé du travail : Julien Peyrat, après avoir travaillé comme un fou pendant dix-huit mois, s'en remettant à peine, dix ans plus tard...

Et elle se mit à rire, malgré elle, devant l'air indigné de son amant.

— Sérieusement, reprit-elle avec vivacité et en haussant les épaules, comme si elle rejetait d'elle-même sa phrase amusée dans le panier des fadaises, sérieusement, c'est fréquent chez vous ces arrivées subites de millions ?

Julien bombait le torse, ou le tentait, ce qui était difficile, assis sur un transat, remarqua-t-il avec agacement.

— Je ne vois pas en quoi ça vous étonnerait, en quoi ça pourrait vous paraître équivoque, dit-il, grognon.

— Mais non, dit Clarisse reprenant son sérieux tout d'un coup.

Et si Julien se fâchait, s'il lui en voulait, s'il ne la prenait plus dans ses bras avec des mots d'amour... Elle regardait son visage courroucé et fermé, elle regardait son espoir d'une vie heureuse avec lui s'amenuiser

à toute vitesse. Et son visage refléta une telle désolation, un tel désarroi
que Julien, instinctivement, la prit contre lui et couvrit ses cheveux de
baisers interminables et presque brutaux dans sa colère contre lui-même.
— Et ce tableau?... reprit-elle un peu plus tard, quand la peur qu'il
ne l'aimât plus ne lui serrait plus la gorge. Qu'allez-vous en faire?
ajouta-t-elle en relevant le visage et en lui couvrant à son tour, de lents
et dévots baisers, les tempes, le coin des lèvres, la peau piquante sur la
joue, l'angle de la mâchoire qu'elle avait vue serrée une minute. De
temps en temps, abandonnant ce profil-là, elle se dégageait, les yeux
toujours clos, et d'un mouvement de la tête doux et caressant,
précautionneux, elle faisait passer ses cheveux sous le menton de Julien,
lui cachant et lui rendant le soleil, avec son pelage soyeux et blond
comme des stores, et rejetait son ancre de l'autre côté du visage, sous la
joue droite délaissée jusque-là, qu'elle consolait de sa douceur avide.
— Tu me rends malade, dit Julien d'une voix rauque, menaçante
presque, et il se dégagea de ses bras d'un geste suppliant.
Armand Bautet-Lebrêche, qui ne les avait pas entendus parler bien
sûr, fit un crochet ou demi-tour en les voyant absorbés l'un par l'autre
sur ce ciel clair, dans une superbe image. Il pénétra d'un pas ferme dans
le cercle doré qui flottait autour d'eux et, leur jetant un regard au
passage, aussi peu surpris que possible, semblait-il, de les voir dans les
bras l'un de l'autre, leur cria : « Merci beaucoup ! Je ne risque rien : j'ai
ma casquette », avant de disparaître dans la coursive des matelots.
— Tu es sûr que tu n'as pas vendu ce tableau? demanda Clarisse un
peu plus tard (quand leur rire et leurs conjectures sur le comportement
d'Armand leur eurent rendu leur souffle). Tu es sûr que tu l'as encore?
— Mais puisque je te dis... commença Julien, puisque je dis que je
l'ai vendu, tiens, ajouta-t-il tout d'un coup en lui offrant un visage rieur,
penaud, conquérant, un visage si parfaitement masculin, si parfaitement
enfantin aussi, qu'au lieu d'entendre sa phrase, elle se borna à l'appeler
« Menteur » et à le regarder des pieds à la tête, de la tête aux pieds,
comme un maquignon regardant les chevaux qu'il a achetés, à la fois
sérieux et éperdu de ravissement.
— Embrasse-moi encore une fois... demanda Julien d'une voix
plaintive, le dos à la rambarde et les yeux mi-clos sous le soleil,
parfaitement béat de bien-être, et de soulagement surtout ; un
soulagement dont il ne savait pas l'origine, mais un soulagement en tout
cas qui fit de ce matin-là un souvenir comme une borne dans sa mémoire
sentimentale, un de ces moments pareils à ceux où le soleil, la main de
Clarisse sur son cou, la lumière brûlante sous ses paupières en taches
rouges, le léger tremblement de son corps exténué de plaisir inassouvi
depuis vingt-quatre heures, mais qui frémissait encore au souvenir, plus
lointain mais plus violent aussi, des plaisirs accomplis se marquaient à
jamais dans sa mémoire. Ce moment-là, Julien le pressentait en se le

disant, ce moment-là, il se le rappellerait toute sa vie comme un de ces instants, rares au demeurant, où en Julien, l'être humain, le mortel, avait aimé et accepté l'idée de sa mort concluant sa vie soudain sublime. Il y eut un moment où il trouva le destin des hommes, et le sien, mieux qu'acceptable : parfaitement désirable. Il battit des paupières, engourdi comme un chat, et en levant les yeux, il vit le regard de Clarisse posé sur lui, sur son visage, sur ses yeux, avec une lumière, une tendresse insupportables presque : un regard livré, bleu pâle, un regard éclaté et liquide qui le reflétait tout entier et ne rêvait que de le refléter encore et encore, jusqu'à la fin des plus longues croisières.

LA CÔTE française apparut au lointain vers le milieu de l'après-midi, provoquant un rassemblement général au bastingage que n'avaient suscité ni les statues, ni les temples, ni les sites du voyage tout entier. Bien que sensiblement pareille à la côte espagnole, à la côte italienne, tout au moins à cette distance, sa vue fut saluée par un silence admiratif et recueilli des plus chauvins chez les passagers français tout au moins. Pour Clarisse et pour Julien, cette côte était l'endroit où ils pourraient, sinon s'aimer, surtout s'embrasser sans se cacher dans les coins — le désir inassouvi rendant puériles et primaires apparemment leurs aspirations les plus essentielles. Edma, elle, voulait ses copines du Ritz et ses cocktails, Armand ses chiffres, la Diva et Hans-Helmut, des scènes, des orchestres, des acclamations, et Éric, son staff; Simon Béjard, le travail et le respect de ses pairs du Fouquet's, Olga, son public, et Andréas, on ne savait quoi. Charley, lui, allait retrouver les «garçons» auxquels il conterait Andréas, peut-être en allant un peu plus loin que la réalité ne se l'était permise; et Ellédocq, le capitaine Ellédocq, retrouverait Mme Ellédocq qu'il avait prévenue déjà deux fois de son arrivée (ayant eu le regret, les rares fois où il n'y avait pas pensé, de trouver le postier ou le boulanger dans le lit conjugal, tous deux solides gaillards qui lui avaient vite fait reconnaître que sa seule amante était la mer).

— Nous dînons en vue de Cannes ce soir, je crois, n'est-ce pas?... Mélancolique à souhait... dit Edma Bautet-Lebrêche. Le départ est libre, que ce soit ce soir après le concert, demain dans la journée... Que pensez-vous faire, Julien?

— Je ne sais pas, dit Julien, haussant les épaules. Ça dépendra de... du temps, ajouta-t-il après avoir lancé un regard vers Clarisse, immobile là-bas, dans son fauteuil, la tête en arrière, laissant voir son beau cou et ses yeux mi-clos, sa belle bouche soudain triste.

Et l'idée que c'était lui, Julien, qui était aimé, désiré, et qui allait être le possesseur pour des nuits, et des jours, de tout cela, le propriétaire sentimentalement parlant de cette chevelure fauve, ce visage accroché à ces pommettes, un visage si beau et si triste, lui aussi, et ces grands yeux bleu-gris posés sur lui avec l'expression de l'amour, il n'arrivait pas à y croire. C'était trop de chance, trop de plaisir, trop de bonheur, trop d'ingénuité de part et d'autre. Le regard qu'il portait à Clarisse réveilla des nostalgies chez Edma Bautet-Lebrêche. « Qui donc l'avait regardée ainsi ces dernières années ? Et depuis quand n'avait-elle plus suscité ce regard ? Le visage émerveillé et jaloux de l'amour ?... Sûrement pas récemment. Ah ! si... » Edma Bautet-Lebrêche rougit en se rappelant soudain que c'était le regard de Simon que lui rappelait le regard de Julien. « Quelle folie, se dit-elle en souriant malgré elle, quelle folie... Moi et ce producteur rastaquouère et rouquin de surcroît. Il avait fallu quand même le regard de Julien pour réaliser ce que contenait celui-ci. » Edma lança tout à coup de sa voix basse en direction du *Financial Times* ouvert à côté d'elle : « Armand, sommes-nous vieux ? » Il fallut deux ou trois appels désespérés de ce genre pour amener la chute du journal et la chute aussi des lorgnons d'Armand Bautet-Lebrêche, ces ingrats qui abandonnaient le nez qui les portait, qui lâchaient prise, peut-être à force de l'ennui et de la monotonie de ce qu'on leur donnait à voir : des chiffres et encore des chiffres

— Qu'allez-vous faire de tout cet argent ? dit-elle avec une ironie nouvelle et avant même qu'Armand ait pu répondre à sa question : C'est ridicule... Qu'allez-vous faire de tous ces dollars quand nous serons morts ?

Armand Bautet-Lebrêche à peu près guéri de sa surdité provisoire la contempla avec méfiance autant qu'indignation. Ce n'était vraiment pas le style d'Edma de se moquer de l'argent et d'en parler avec cette désinvolture. Elle avait gardé longtemps de son enfance gênée un respect instinctif et admiratif de l'argent sous toutes ses formes. Armand non plus n'aimait pas beaucoup les sarcasmes à ce sujet.

— Pouvez-vous me répéter la première question ? demanda-t-il sèchement. La seconde me paraît un peu inintéressante... Alors ?

— La première question ? dit Edma comme égarée, et riant de l'air digne de son époux. Ah ! oui, oui : je demandais si nous étions encore jeunes.

— Sûrement pas, dit Armand posément, sûrement pas. Et je m'en félicite quand je vois les galopins voleurs et incompétents qui sont supposés nous remplacer à la tête de nos affaires ou du gouvernement, je me dis qu'ils n'iront pas loin.

— Répondez à ma question, dit-elle d'une voix lasse à présent, sommes-nous vieux, vous et moi ? Avons-nous vieilli depuis ce jour de pluie à Saint-Honoré d'Eylau où nous nous sommes unis pour le meilleur et pour le pire ?...

Armand lui jeta un regard brusquement réveillé, toussa, et sa question partit malgré lui, semblait-il.

— Vous le regrettez?

— Moi? dit Edma en éclatant de rire, moi? Mais non, Armand, mon Army, mon Lebrêche, moi, regretter la vie délicieuse que vous m'avez faite... Il faudrait que je sois folle ou névrosée pour ne pas y avoir pris goût... Non, ce fut charmant, tout à fait charmant, je vous assure. De quoi aurais-je pu manquer auprès de vous?

— Je n'étais pas souvent là, dit Armand en toussotant encore, les yeux baissés.

— Mais justement! C'est ce mode de vie qui était génial, dit Edma sans la moindre hypocrisie. C'est leur cohabitation forcenée qui rend les ménages si fragiles. En se voyant peu ou pas beaucoup, on peut rester mariés des années : la preuve...

— Vous ne vous sentez pas seule de temps en temps, dit Armand d'une voix presque inquiète et qui, du coup, jeta Edma dans l'angoisse.

Armand devait être malade, gravement malade, pour s'intéresser à autre chose qu'à lui-même, réfléchissait-elle, mais sans la moindre animosité : elle se pencha vers lui.

— Vous vous sentez bien, Armand? Vous n'avez pas pris trop de soleil? Ou trop bu de cet excellent porto? Il faudra que je demande à Charley d'où il vient, ce porto. Non seulement il est bon, mais il grise à une vitesse fantastique... Mais que me demandiez-vous déjà, mon cher époux? Je ne me rappelle plus.

— Moi non plus, dit Armand Bautet-Lebrêche, relevant son étendard à la hauteur de ses yeux et se disant avec soulagement qu'il l'avait échappé belle.

Hans-Helmut Kreuze, debout au centre de sa cabine, vêtu de son habit noir de grande cérémonie au lieu de son smoking habituel, se regardait dans la glace avec une satisfaction mêlée d'un léger doute. Il n'arrivait pas à comprendre que la Doriacci ne lui fût pas tombée dans les bras, ne lui ait pas assuré ainsi une croisière encore plus agréable que celle-ci. Car enfin, à part la hargne du capitaine contre le pauvre Fuchsia, ce voyage avait été délicieux. Mais jamais, au grand jamais, il ne rejouerait plus dans les mêmes concerts que la Doriacci... Il s'en était plaint amèrement à ses élèves, il avait avoué entre hommes son adultère à Berlin, et ils avaient eu l'air aussi scandalisés que lui du comportement de la Doriacci. Ils avaient même suggéré respectueusement, enfin du moins était-ce ainsi que Hans-Helmut Kreuze entendait le terme «suggestion» quand il s'adressait à lui, qu'il devait peut-être dénoncer son caractère odieux aux directeurs des salles d'Europe et d'Amérique. Certes, il pouvait lancer mille fumées comme ça dans le ciel bleu et triomphant qu'était la carrière de la Doriacci, mais il craignait que, si par hasard elle en découvrait l'odeur et l'origine, elle n'hésite pas à révéler au monde de la musique cette nuit de débauche, voire même le motif de ses propos amers. Ce soir, il devait jouer du Fauré et elle, chanter du Brahms et du Bellini, mais Dieu sait ce qu'elle allait encore choisir à la place... Oui, reconnaissait-il faiblement, oui, il aurait volontiers repris pied dans le lit de la Doriacci. Bien sûr, l'expérience d'Hans-Helmut Kreuze était très courte, et sa maîtresse la plus patiente avait été sa femme. Mais il lui semblait, dans les ténèbres de sa mémoire, voir passer l'éclair blanc d'une épaule dans la nuit, un rire rouge et blanc sous la naturelle blancheur de jeunes dents brillantes, des prunelles noires sous des cheveux noirs, et surtout une voix rauque disant en italien des choses scabreuses et intraduisibles, sinon incompréhensibles. Bien qu'il eût honte, à y penser, quelqu'un, un mauvais ange ou un provocateur, lui laissait la conviction très intime et très secrète, à peine avouable à lui-même, à travers ces jours et ces nuits grises, d'un gris qui couvrait même à présent les plus folles acclamations, à travers ces années de travail, de récitals, de triomphes, ces années grises, que seule la nuit de Berlin, trente ans auparavant, avait l'air en couleurs, bien qu'elle se soit passée, elle, dans le noir d'une chambre d'hôtel.

— Ne vous laissez jamais agripper par les sensations ni la débauche, dit-il doctement en se retournant vers ses deux vieux élèves, plantés dans son salon, et qui, avec leurs shorts, leurs chaussettes et leurs sandales semblaient tombés d'une planète interdite à ces tentations, rendaient même inutiles, à vue de nez, les recommandations de leur bon maître. «Allons, se dit Kreuze, il restera toujours des cœurs purs pour jouer de la bonne musique.»

La Doriacci, dans un étonnant désordre qu'elle foulait aux pieds, regardait fermer ses valises par deux stewards épuisés. Ils étaient parvenus, l'un et l'autre, plusieurs fois à empaqueter, sans avoir l'air le moins du monde étonnés, des chaussettes d'homme, un caleçon d'homme, deux faux cols, un nœud papillon. Et tous deux se félicitaient *in petto* de prouver encore une fois leur discrétion proverbiale d'ailleurs, mais à chaque fois la Doriacci leur avait arraché des mains ces attributs masculins et les avait mis de côté sur son lit, disant avec l'indignation la plus naturelle et sans la moindre vergogne : «Laissez ça, voyons, vous voyez bien que ce n'est pas à moi!», révoltée semblait-il de ce qu'ils veuillent piller, même à son profit, la garde-robe pas trop flambante de son jeune amant. Elle avait donc convoqué Andréas, lui avait restitué ses biens sans paraître remarquer l'indifférence totale du jeune homme à cette restitution. Il était pâle, il n'avait même pas bronzé un peu plus pendant cette croisière, et il était malheureux de toute évidence. La Doriacci se sentait pleine de tendresse et de pitié pour lui! Mais d'amour, pas, et c'était ce qu'il lui fallait, hélas!

— Mon chéri, disait-elle autour de lui, enjambant des robes, des éventails, des partitions, et finalement l'emmenant dans sa chambre à côté, aussi encombrée d'ailleurs mais dont elle referma la porte sur les deux stewards. Mon chéri, il ne faut pas faire cette tête-là, voyons... Tu es beau, très beau, tu es intelligent, tu es sensible, mais ça, ça te passera, tu es bon et tu vas faire une carrière triomphale, je te le dis. Sincèrement, mon cœur, ajouta-t-elle avec un peu plus de vivacité (car il restait immobile, les bras ballants et la regardait à peine, le visage fermé et inexpressif comme s'il était au summum de l'ennui). Mon chéri, continua-t-elle quand même, je t'assure que si j'avais pu aimer quelqu'un depuis dix ans, ç'aurait été toi. Je t'enverrai des cartes postales de partout, et quand je viendrai à Paris, nous déjeunerons ensemble et nous tromperons ta maîtresse dans une chambre d'hôtel l'après-midi. Ce qui est toujours délicieux à faire à Paris, sans que personne le sache surtout... Tu ne me crois pas? avait-elle demandé d'une voix un peu agacée, à peine agacée, et il avait sursauté craintivement presque.

— Si, si, je vous crois, dit-il précipitamment avec feu, même un peu trop de feu. Puis il avait balbutié des excuses inutiles tandis qu'elle l'embrassait sur la bouche et le serrait contre elle dans un mouvement irrépressible de tendresse avant de le pousser vers la porte et de le mettre dehors, sans qu'il fît mine de protester.

«J'espère que je n'ai pas été trop dure», se disait-elle avec un vague remords. Et quand Charley vint lui demander si elle avait vu Andréas descendre du bateau avec les premiers partants sur le gros hors-bord envoyé de Cannes, elle aurait été incapable de lui répondre. Et elle en était à peu près sûre, Andréas n'avait pas pu supporter cette dernière soirée et s'était enfui vers la terre ferme poursuivre sa carrière. Et qu'il ait laissé ses bagages provisoirement indiquait bien que c'était un coup de tête qui lui avait fait quitter le *Narcissus*, à bord duquel un autre coup de tête le ramènerait sans doute dans la matinée du lendemain. Elle préférait d'ailleurs qu'il en soit ainsi car chanter devant lui était devenu un supplice, ou tout au moins une gêne. Car tous les mots d'amour en italien (et que Dieu merci, il ne comprenait peut-être pas), ces mots qu'elle lançait par ordre de ses partitions à des amants tragiques, lui paraissaient autant de cadeaux qu'elle ne lui avait pas faits, et dont il pourrait donc se désespérer à l'instant même qu'il les entendait. Elle ouvrit son agenda un peu au hasard et siffla entre ses dents de la manière la plus triviale et la plus inattendue chez la diva des divas. «Dans trois jours, elle serait à New York, dans dix, à Los Angeles, dans quinze à Rome et dans vingt-cinq en Australie, dans ce Sydney dont ne venait pas le charmant Julien Peyrat, elle en était sûre. Ah! New York! Qui l'attendait donc à New York?... Ah, oui, le petit Roy... qui devait déjà bouillir d'impatience et organiser à l'avance des nuées de mensonges qui lui permettraient d'échapper à Dick, son protecteur, celui qui était si riche et si vieux et si ennuyeux. Le visage lointain, rusé et froid le plus souvent, mais parfois déchaîné dans le rire, du jeune Roy lui apparut tout à coup, et elle se mit à rire aussi, de confiance, et à l'avance.

Simon Béjard regardait sans désir la croupe — si l'on pouvait dire croupe pour ce corps si mince — la croupe d'Olga penchée sur sa valise à lui, Simon, qu'elle faisait avant la sienne dans une crise de servilité qu'il eût préféré moins tardive. Il regardait cette petite bouche pincée sur des dents déjà pourvues de jaquettes, il l'entendait proférer des lieux communs pompeux ou des badinages lourds, ou des sentimentalités indécentes. Il se demandait quel homme absurde avait pu se substituer à lui pendant plusieurs semaines au point de le persuader qu'il aimait ça : cette prétention, cet égoïsme, cette dureté, cette sottise ambitieuse qu'elle respirait par tous ses pores. Il se donnait un mal fou par instants pour lui répondre aimablement, et même pour lui répondre tout court. Ah! il avait voulu des jeunes filles en fleur! Ah! il avait rêvé d'être le père, l'amant, le frère, le guide de cette jeune oie intellectuelle à demi frigide et complètement artificielle! Eh bien, c'était une bonne chose de faite. En rentrant, il irait voir Margot, qui avait son âge, une croupe, elle, de gros seins, un gros rire. Margot qui le trouvait génial et qui était plus intelligente que bien d'autres femmes soi-disant raffinées. C'était même une chance pour lui d'avoir vu Olga ailleurs que dans ce cercle de cinéma si fermé et au niveau si peu brillant parfois, qu'elle avait pu lui sembler supérieure aux autres peut-être parce qu'elle l'était en effet. Il avait eu de la chance de la confronter à deux femmes vraiment raffinées de sentiments ou de vocabulaires, en tout cas de manières : Clarisse et Edma, l'une imbattable dans l'élégance du cœur et l'autre dans l'élégance vestimentaire et sociale. La Doriacci elle-même avait une autre classe que cette pauvre Olga. Et Simon se demandait encore ce qu'Éric avait pu lui trouver de particulier, à part une possibilité de faire souffrir sa femme, ce que Simon, dans sa bravoure naturelle, ne trouvait pas un motif suffisant. C'était pour lui, Simon, sa première croisière, et sans doute la dernière, tout au moins pendant quelques années. « Il regretterait Edma quand même », se disait-il, le cœur un peu serré à sa grande surprise. Il aurait pu être heureux avec Edma si elle n'avait pas été si chic et s'il n'avait pas été si sûr de lui faire honte devant ses copains de l'avenue Foch, chaque fois qu'elle aurait eu à le présenter. Quand même il oserait peut-être la voir en cachette, en douce, seuls, pour qu'ils puissent rigoler ensemble, se moquer des mêmes choses et sauter d'un sujet à l'autre en se tenant les côtes, comme ils l'avaient fait pendant dix jours. Ils riaient exactement des mêmes choses, tous les deux, si opposés que soient leur éducation, leur existence; et ce rire d'écolier, Simon le savait à présent, était un meilleur atout pour une union, quelle qu'elle soit, entre un homme et une femme, que toutes ces ententes érotico-sentimentalo-psychologiques dont les comblaient les journaux.

Mû par une impulsion subite, et oubliant Olga enfouie dans sa valise, Simon décrocha le téléphone, demanda la cabine des Bautet-Lebrêche, et tomba bien entendu sur Edma. Il ne l'avait jamais eue au téléphone, et cette voix haut perchée lui fit d'abord mauvaise impression.

— Edma... dit-il, c'est moi. Je voulais... (il hésita).

— Oui, c'est moi, Edma, disait-elle à tue-tête. Oui, c'est moi... Qu'y a-t-il? Que puis-je pour vous?

Puis sa voix diminua, se tut, et ils restaient pendus, l'un et l'autre, à chaque bout du téléphone, un peu essoufflés et vaguement inquiets.

— Vous disiez? dit la voix d'Edma, basse comme si elle chuchotait.

— Je me disais... je me disais qu'on pourrait peut-être se voir dès mardi... si vous avez le temps, dit Simon en chuchotant lui aussi.

Son front était couvert de sueur sans qu'il sût pourquoi. Il y eut un silence pendant lequel il faillit raccrocher.

— Mais oui, bien sûr, dit enfin la voix d'Edma qui semblait venir de l'au-delà. Oui, bien sûr. J'ai même mis mon numéro de téléphone et mon adresse dans votre casier, tout à l'heure...

— Non... dit Simon, non...

Et il éclata de rire, de son rire tonitruant qui fit émerger Olga de sa valise, courroucée mais impuissante. Le rire d'Edma en retour faillit lui faire arracher le récepteur à Simon.

— Non, dit-il, non... ça, c'est drôle... Et il ajouta : C'est marrant, j'aurais jamais pu vous donner rendez-vous sans le téléphone...

— C'est marrant, approuva Edma, utilisant l'adjectif marrant pour la première fois de sa vie. C'est marrant les grands timides, ajouta-t-elle en riant plus fort.

Et ils raccrochèrent ensemble, hilares et triomphants.

Andréas était allongé sur un pont désert, à l'autre bout du navire, là où le linge sèche et où, donc, on ne pouvait le voir du côté des passagers. Il n'y avait guère eu qu'un malheureux cuisinier arabe qui l'avait vu passer, et encore! Comme s'il eût vu apparaître un Martien. C'était étrange, à y penser, tous ces individus sur ce bateau, qui ne se connaissaient pas, qui ne se connaîtraient jamais et qui peut-être, grâce à une mine égarée, mourraient tous ensemble et de la même mort. Andréas était allongé sur le bois dur, son pantalon de flanelle blanche serait foutu... et il gisait ainsi sur le dos, le visage au soleil, la tête sur un paquet de cordages qui l'attendait. Il fumait cigarette sur cigarette dont le goût lui semblait de plus en plus âpre pour sa gorge assoiffée, et la fumée de plus en plus pâle, sur ce ciel si bleu qui sentait si bon. Il avait un grand vide dans l'esprit ; enfin, plus précisément, son activité cérébrale se bornait à un air de musique découvert la veille, au bar, un disque de Fat's Waller, dont les notes semblaient jaillir du piano, tomber de ses touches blanches et lisses, comme aussi s'extirper à grand-peine de la clarinette, de ses profondeurs abyssales. Un air heureux, quoi. Un air qu'il ne se rappelait pas, qu'il n'avait jamais entendu mais dont il reconnaissait quand même chaque note ; un air qui ne pouvait venir ni de son enfance sans pick-up, ni de son adolescence consacrée au rock, ni du régiment bien entendu, ni de ses folles maîtresses quand il avait commencé à travailler avec elles : celles-ci, des quinqua- ou sexagénaires, ne rêvaient que de jerk, de se dandiner en face de lui, le chignon défait, en levant les mains très haut — laissant voir, du même coup, des aisselles poussiéreuses, sous le lamé. Il se rappela ces quelques « mécènes ». Il les vit défiler devant lui, les unes et les autres, en rangs peu serrés, se demandant sans amertume ni remords comment il avait fait pour les supporter à une table ou dans leurs lits. C'est qu'il ne se rendait pas compte à l'époque de ce que voulait dire partager un lit. Dans ce domaine il n'avait jamais partagé quoi que ce fût : il avait donné, offert des gestes et un corps superbe à des personnes qui s'en étaient servies pour obtenir un plaisir qu'il ne partageait pas et dont il regardait l'éclosion et la montée avec une objectivité totale, parfois même un peu teintée de gêne. Mais même dans le cas contraire, quand c'était lui qui était arrivé à ses fins, abandonnant l'autre à ses fantasmes personnels, il n'avait jamais eu l'impression de partager quoi que ce fût. Au contraire : maintes fois au cours de ses liaisons qui, lorsqu'il avait vingt ans, auraient dû lui suggérer le contraire, Andréas avait eu l'impression que l'acte de l'amour l'éloignait à jamais de celle avec qui il le faisait.

Mais de toute façon, ces visages qu'il tentait de rejeter allaient revenir vers lui, ceux-là ou d'autres semblables, à Nevers ou ailleurs. Mais à Nevers d'abord, puisqu'il n'avait plus d'argent et qu'il devrait attendre au café de la gare pratiquement que soient vendus les trois lopins de terre qui avaient été acquis en trois générations par les hommes de sa famille, ceux-là mêmes qui étaient morts au travail sans avoir connu les joies de la ville, ceux-là mêmes qu'Andréas se surprenait à envier maintenant... Car ils avaient travaillé, et peut-être étaient-ils morts à la tâche, mais au moins étaient-ils morts entourés, pleurés, choyés. Et peut-être le travail leur avait-il paru supportable dès l'instant que ce travail faisait vivre les femmes ou les enfants qui étaient les leurs. Lui, il le savait, de sa carrière il ne récolterait que des bijoux, des bijoux

d'homme dont il ne se déferait jamais, qu'il ne pourrait même pas
donner à quelqu'un à cause des initiales gravées sur or... Il allait revenir
en province où il circulerait de salon en salon, de lit en lit, avec des
femmes sans allure et sans entrain, des femmes oisives comme lui-
même, qui n'auraient ni le rire tonitruant, ni les mauvaises manières, ni
le vocabulaire ordurier, ni la peau douce et les yeux rieurs, ni la voix,
bien sûr, de la Doriacci. Ah non ! il n'avait vraiment pas envie de rentrer
à Nevers et de repasser en voiture devant cette maison vide qu'il
connaissait bien, et dont ni les palaces ni les relais d'autoroute n'avaient
encore pu desserrer la prise de sa mémoire. Et maintenant, en plus, à ces
souvenirs-là, à tous ces pastels bleus et tendres de l'enfance, il lui
faudrait en ajouter d'autres, aux couleurs plus crues et plus violentes,
dont le parfum, la racine, étaient aussi ceux du bonheur.

Andréas releva la tête malgré lui, de souffrance et de révolte. Il se
secoua, tenta de s'asseoir pour échapper à ces cruels ennemis, mais
glissa et se laissa retomber en arrière, les bras en croix, livré aux
attaques conjuguées de son imagination et de sa mémoire. « Mais je suis
seul, bon Dieu... », gémit-il indistinctement pour lui-même, et pour le
soleil en face qui bronzait sa peau déjà dorée, cette même peau qui
devait assurer sa subsistance et délimiter sa vie.

Une mouette tournait dans le ciel avec des allures de vautour ou
d'oiseau de proie. Elle ne volait pas, elle se laissait tomber, les ailes
ouvertes, d'un coup, du ciel à la mer. Elle remontait d'un trait à la
verticale sans avoir rien vu ni trouvé. Andréas suivait des yeux avec
sympathie et camaraderie cette allégorie de sa propre vie. Dans quelques
jours, il allait devoir plonger, une fois de plus, sur des poissons plus
fermes et plus rapaces que ceux de la mer... « Que vais-je faire ?... dit-
il brusquement à voix haute, en se relevant à demi, les coudes en arrière
appuyés au paquet de cordes, que vais-je faire ? » Il allait rendre son
chèque à Clarisse, puisque la Doriacci ne voulait pas qu'il le suive et
que la suivre tout de même ne servirait à rien : non seulement elle était
décidée à ne pas l'aimer, mais en plus elle ne l'aimait pas. Il devrait
peut-être partir pour Paris ; mais c'était pareil : avec quel argent ? Là-
bas, il devrait se laisser présenter à l'amie de la Doriacci et rentrer dans
le cheptel de ses dames, et il ne s'en sentait pas le courage. Plus
précisément il pensait que s'il rencontrait la Doriacci, un an plus tard,
avec au bras une de ces cantinières de luxe qu'elle lui avait désignée
elle-même, il mourrait de honte et de regret. Il ne lui restait plus que
Nevers décidément. Nevers où ses aventures avaient déjà fait rire toutes
leurs misérables relations, et dont cette fois le rire, ses trois femmes
disparues, ne serait plus mêlé d'aucune tendresse : puisque les
propriétaires du mot « tendresse » étaient mortes sans lui révéler où
étaient cachés leurs trésors, sans lui dire où elles avaient enfoui

l'inépuisable tendresse dont elles l'avaient entouré toute sa vie, sans même le prévenir qu'elles l'emporteraient avec elles et sans l'avertir qu'il aurait à vivre sans. Et sans même prévoir (comme les animaux sauvages qu'on a apprivoisés) qu'il serait attaqué et mangé cru par ses congénères dès sa première sortie. C'étaient les deux voies qui s'offraient à Andréas : une Nevers moqueuse ou un Paris amer (à part la Légion étrangère, mais il détestait la violence). Et appuyé à ses cordages, sous le ciel bleu de ce matin-là, il entendait les moteurs du *Narcissus* poursuivant implacablement sa route vers une terre où il n'était plus attendu par qui que ce soit. Quand il eut bien remâché cette dernière évidence, il alluma une cigarette de plus, se leva, et s'approcha du bastingage, là où une porte de fer, plus basse, permettait de se pencher un peu plus vers la mer, la mer où il jeta sa cigarette.

Le mégot flotta avec insouciance sur les flots bleus, puis, happé dans un long tourbillon, disparut de la vue d'Andréas, vers le fond, là où l'eau devenait noire. C'était peut-être cette même vague, pensait-il absurdement, qu'ils regardaient l'autre jour ensemble avec la Doriacci, l'autre jour où il était heureux, si heureux sans le savoir. Elle était près de lui, elle riait en lui caressant le poignet de ses doigts chauds glissés sous la manche de sa veste, et elle lui murmurait des mots italiens érotiques, et même obscènes, lui assurait-elle en riant. Il aurait dû être léger, spirituel, fougueux, séduisant. Il l'aurait peut-être gardée si... Si quoi ? Il avait tenté d'être tout cela : il avait été aussi léger, spirituel et séduisant qu'il pouvait l'être... Ça n'avait pas suffi. Ça ne suffirait jamais. Il pouvait être tout ce que l'on voulait dans la vie, en insistant, en s'appliquant, en se forçant, tout, sauf léger. Et elle le savait puisque ce n'était pas la colère ou le mépris que ses carences avaient provoqué, mais l'indifférence. Et cette même mer, dans sa douceur absente, lui semblait l'exemple, le symbole de ce qui l'attendait. Des hommes avaient dû se plaindre sur ses bords pendant tous ces siècles, et avaient dû l'ennuyer. Elle représentait ce monde extérieur à lui, elle représentait les autres, elle était belle, froide, indifférente.

Et sa solitude passée et à venir, l'inutilité de sa vie, son absence de force, de résistance et de réalisme, son besoin éperdu et puéril d'être aimé, tout cela lui parut tout à coup trop dur, trop lourd. Tout cela le poussa à passer sa jambe droite par-dessus la porte et à s'y hisser. Il resta un instant dans un équilibre précaire, le temps que le soleil s'appuie sur sa nuque et que sa peau s'en réjouisse, le temps qu'il éprouve un sentiment de gâchis à faire passer par-dessus bord cette mécanique si bien rodée, ce corps de luxe, et il se laissa tomber. Le *Narcissus* était plus haut, bien plus haut qu'il ne le pensait, et bien plus rapide. Quelque chose de froid, de mince, le cingla, s'enroula autour de son torse avant d'encercler son cou. Quelque chose comme un filin auquel, pensa-t-il pendant un millième de seconde, il allait pouvoir s'accrocher. Et Andréas mourut en se croyant sauvé.

P OUR une fois enchanté de l'absence de Clarisse, Éric avait donné deux ou trois coups de téléphone à Cannes, vérifié que les rets de son piège étaient bien tendus. Dans quelques heures, le tricheur, le voleur, le suborneur serait sous les verrous.

Mais il était temps... Éric se retenait pour ne pas insulter et battre à coups de pied ce voleur minable, ce valet de cœur, « ce vieux valet », pensait-il, oubliant leur âge commun et le souci qu'il avait lui-même de son esthétique. Éric avait toujours.été fier de son physique. Il cachait soigneusement mais cultivait en lui l'idée que sa mâle beauté, cette beauté superflue presque, devait entraîner chez les autres, chez les femmes surtout, une sorte de gratitude... une gratitude normale envers un homme qui, non seulement était juste, profond, net, humain, mais qui en plus rendait séduisantes ces vertus généralement liées à un physique ingrat. D'ailleurs, s'il était lucide, ce n'était plus seulement son argent qu'il reprochait maintenant à Clarisse, mais c'était sa beauté ; cet air de jeunesse, de défi, et cet air aussi de vulnérabilité qu'elle avait déjà quand ils s'étaient connus, et dont il eût aimé ne voir que les traces, aujourd'hui, dont il avait même cru qu'il ne restait que des traces sous ce maquillage barbare. Mais à présent, il l'avait vue en plein jour, sur le pont de ce bateau, il l'avait vue au soleil, vue aux lumières, démaquillée, et surtout, surtout, éclairée par le désir d'un autre. Il devait bien s'avouer en même temps que la vulnérabilité avait toujours été accompagnée de cet air de jeunesse, cette odeur de jeunesse qu'il sentait encore dans ses cheveux, dans cette voix, ce rire, cette démarche. Elle finirait comme une vieille petite fille, pensait-il parfois en se forçant au mépris. Mais quelquefois, quand il lui avait imposé ses devoirs conjugaux et nocturnes et que, recroquevillée dans la position du fœtus, chère aux psychiatres, elle dormait près de lui en lui tournant le dos, il s'était surpris, deux, trois fois à regarder avec une avidité mêlée de déférence, ce dos, et cette nuque fragile et indomptable. Et même, par moments, avait laissé s'élever comme une mélopée funèbre un air oublié et désolé, le souvenir de ce que ce corps de Clarisse avait été pour le sien, au début de leur histoire. Bien sûr, le souvenir de tout ce qu'il n'était plus pour elle à force d'y mettre des noms grossiers, sonnait faux pour lui aussi. Mais il y avait une bonne chance que ce visage heureux s'effondre demain matin et laisse la place à autre chose. Il imaginait le visage de Clarisse, quand la nature et la vie de son bel amour lui seraient dévoilés. Il voyait déjà ce visage pâlir encore, il voyait ses yeux incrédules, cette expression de honte, ce désir de fuite qui le recouvrirait peu à peu. Il fallait qu'il fasse attention, ensuite, à ne pas dire trop souvent : « Je te l'avais bien dit ! », ramenant ce sale coup à un agacement, gâchant ainsi son triomphe. Oui, il était temps, quand même, que ce matin-là arrive. Il laissait du champ à Clarisse, lui laissait les rênes longues afin qu'elle ne se doute de rien, qu'elle le croie indifférent à sa toquade, et que l'un et l'autre arrivent, désarmés par l'inconscience et l'amour contrarié, devant le commissaire et les huissiers de Cannes. Il se repassait dans l'esprit inlassablement cette scène digne d'une image d'Épinal : le mari soutenu par la justice, la femme coupable, le méchant confondu et rejeté aux oubliettes.

En attendant, il avait sorti le Marquet de sous sa couchette et l'avait posé sur l'oreiller de Clarisse avec trois mots : « Bon anniversaire, Éric » qui, savait-il, enlèveraient les trois quarts de son charme au tableau. Mais que pouvait faire Clarisse à cette heure-ci ? Dans quel endroit du bateau parlait-elle en rougissant à son amant devant les gens, les importuns qui remarqueraient eux-mêmes, sans qu'elle le sache, ce halètement, cette tension, ce désir insupportable étiré entre elle et Julien ? Enfin où était-elle ? Quelque part sur ce bateau, sur ce pont, en train de rire aux éclats des sottises qu'elle trouvait si « cocasses » de son amoureux, riant, riant comme elle n'avait jamais ri avec lui. Il fallait dire qu'Éric lui-même avait, dès le début de leur rencontre, instauré entre eux un ton solennel et tendu — qu'il·disait celui de la passion — et qui excluait le rire. D'ailleurs il n'aimait pas rire, comme il méprisait le fou rire de qui que ce soit, qui le hérissait comme toute perte de volonté. Quand même, il eût bien aimé lui offrir ce tableau devant Julien Peyrat... Mais c'était impossible. Et de toute façon, il fallait attendre que le dernier hors-bord pour Cannes ait disparu dans la nuit tombante, Julien Peyrat coincé à bord, et incapable de s'évader du piège.

— Comment allons-nous faire ? disait Clarisse, assise au bar, en effet, et évitant aussi, en effet, de regarder trop longuement Julien — ou trop précisément.
Par moments, en faisant un grand effort, la respiration bloquée, elle arrivait à le voir quelques secondes en dehors de son statut d'amant ; elle arrivait à le voir comme un homme, en face d'elle, aux yeux et aux cheveux châtains, elle arrivait à lui parler posément en oubliant le contact, la chaleur et le parfum de ces cheveux et de cette bouche amusée. Mais elle ne résistait que quelques secondes, et son regard se troublait, sa parole ralentissait avant qu'elle ne tourne brusquement la tête vers le côté, incapable de supporter plus longtemps le trouble délicieux, la faim et le besoin de cet homme en face d'elle. Julien en était réduit aux mêmes expédients et aux mêmes distractions forcées,

encore plus brèves chez lui si bien qu'à l'instant qu'il la regardait, elle était livrée à Julien, avide, obsédée, impatiente, et qu'il se disait : « Je vais l'embrasser, là... Je vais faire ceci... Je vais la caresser là, me serrer contre elle et l'étreindre comme ça », formant ainsi autant d'images voluptueuses et brûlantes que la proximité de cette femme, même pas nue, rendait indécente et cruelle.

— Comment vais-je faire ? demanda-t-elle en faisant tourner son verre entre ses longs doigts. Comment veux-tu que je fasse ?

— Oh ! simplement, dit Julien avec l'air rassuré qu'il arborait contre lui-même. Tu fais tes valises demain matin, tu lui dis que tu veux repartir et être seule pour une autre croisière... Non, enfin que tu veux faire sans lui une autre croisière ; et tu montes dans la voiture où je t'attends...

— Sous son nez ?... (Clarisse était pâle d'appréhension.)

— Eh oui, sous son nez aquilin même !... dit Julien avec une gaieté qu'il n'éprouvait pas. Il ne va pas se jeter sur toi et te traîner de force dans sa voiture, enfin... il ne va pas même essayer !

— Je n'en sais rien, dit Clarisse. Il est capable de tout...

— Il ne t'emmènera pas, moi vivant ! dit Julien en roulant les épaules comme un portefaix. Mais si tu as trop peur de lui, je peux être là, quand tu lui annonceras... Je peux même lui dire moi-même, tout seul. Je te l'ai déjà dit...

— Oh ça ! ce serait merveilleux !... dit Clarisse étourdiment avant de s'avouer que cela ne se faisait pas.

Elle était tourmentée, bien sûr, mais Julien, lui, était en proie à d'autres problèmes. Tout compte fait, il louerait une voiture sur le port même, et il emmènerait Clarisse chez lui ; mais même en téléphonant de Cannes, la maison serait-elle suffisamment chauffée pour qu'ils y dorment le soir même ? Bien sûr, il y avait l'hôtel, mais ils ne devaient pas commencer ensemble une vie errante. Il fallait, au contraire, qu'en rompant ses amarres, la goélette Clarisse retrouve au plus vite un port stable, même une petite anse pour les pêcheurs, un endroit stable qui serait le leur et le resterait : cela voulait dire la baraque de Julien dans les Causses, la seule chose qui lui appartînt en propre après vingt ans de poker, de casino et de courses, et qui d'ailleurs était un legs de sa famille. Clarisse qui le regardait du coin de l'œil pour se rassurer eût été stupéfaite de voir que son suborneur cherchait dans sa tête et dans des placards lointains des couvertures pour la nuit prochaine, et des oreillers.

Le dîner commença fort bien au demeurant. Pour cette dernière soirée, le capitaine Ellédocq, l'air important et grave comme s'il s'apprêtait à quitter un navire en perdition, jetait autour de lui des regards bienveillants — ou qu'il voulait tels, mais qui terrorisaient toujours les jeunes barmen et les maîtres d'hôtel. A peine assis d'ailleurs à la grande table avec ses hôtes, il fut appelé au téléphone et dut s'excuser.

— Allons bon ! Qui va mener la conversation maintenant ? demanda Edma d'une voix flûtée qui fit rire tout le monde. C'est vous, mon cher Lethuillier ? Vous devriez signaler ça dans votre *Forum* : ce phénomène d'anthropologie, car enfin, réfléchissons. Nous avons été trente, trente êtres humains sur ce bateau, complètement dirigés et menés au pas pendant neuf jours et sans broncher sous les ordres d'un orang-outan à casquette... Une bête qui ne comprenait pas un traître mot de ce que nous lui disions et qui s'adressait à nous en termes gutturaux... Pas sot d'ailleurs, cet animal... Par exemple, il avait bien compris que la sonnette voulait dire « Manger », « Nourriture », et il se précipitait le premier vers la salle à manger à l'instant même, et sans marquer la moindre hésitation... N'est-ce pas étonnant ? demanda-t-elle dans le rire de ses voisins et l'appui du rire de la Doriacci qui, à lui seul, eût entraîné toute une salle.

— Quel dommage que nous n'y ayons pas pensé plus tôt... dit Julien en s'essuyant les yeux. King-Kong, on l'aurait appelé King-Kong...

— Ça ne lui aurait fait ni chaud ni froid, dit Simon. De toute manière, son rêve était qu'on tremble devant lui, et que les hommes au moins lui parlent au garde-à-vous...

— Chut... dit Edma, le voilà. Mais sans Charley. Mais où est donc passé Charley ? s'enquit-elle en remarquant sa chaise vide à côté, et la chaise vide aussi d'Andréas.

— Il n'est quand même pas allé traîner à Cannes dans ces boîtes de pervers... marmonnait Ellédocq pour lui seul. Pas le dernier soir... A moins qu'il l'ait fait exprès pour m'ennuyer...

Le capitaine eût été fort surpris si on lui avait dit que, sur ce plan-là uniquement, il présentait le même intérêt que Marcel Proust. Quant à Charley, il ne revint pas de la soirée, au grand mécontentement de ces dames. Et pour cause : assis dans sa cabine, sur le bord du lit, la tête au-dessus de la cuvette émaillée et ses deux mains serrant les robinets d'eau chaude et d'eau froide, il vomissait, il pleurait en même temps sur ce qu'il avait vu sur la couchette des cuistots près d'un dortoir d'équipage. Et qui était un chandail de cachemire beige et bleu, du même bleu que les yeux de son propriétaire, mais qui portait encore, à l'endroit où l'hameçon du mécanicien pêcheur l'avait accroché, une déchirure bordée d'une trace brunâtre et tenace, une trace de sang que toute l'eau de la Méditerranée ne pourrait pas enlever...

Il fallait, bien entendu, qu'il se taise jusqu'à ce que les passagers soient partis, soient loin même, et que rien de fâcheux ne rejaillisse sur les derniers délices artistiques de la croisière musicale. Charley pleura tout le temps cette nuit-là, et si sincèrement, et sur des souvenirs si faux et si tendres, sur les espoirs que lui avait laissés Andréas, sur tout cet amour qui eût peut-être empêché ce geste fatal ! Charley pleura sur ce qui n'était qu'un récit tendancieux d'un drame de la solitude et qui serait remplacé dans quelques années, il le savait déjà, par le récit d'une passion brûlante et désespérée dont l'abandon, par lui, Charley, avait provoqué la mort du seul homme qu'il eût aimé.

L'aube le retrouva à la même place, le visage gonflé, vieilli de dix ans. Et c'est vraiment par bonté de cœur, grâce à sa nature profondément gentille, qu'il se retint dix fois dans la nuit d'aller pleurer avec la Doriacci.

C'est ainsi que Charley Bollinger, pour la première et la dernière fois, manqua le dîner d'adieu du *Narcissus*. Il manqua même, triomphalement annoncée une heure plus tard, par la suppression des lumières, les premières mesures de *Happy Birthday* jouées au piano par Hans-Helmut Kreuze lui-même, et l'apparition du chef, en toque blanche, émergeant des entrailles du bateau après neuf jours d'anonymat ; lequel chef portait à bout de bras la consécration de ses talents : un énorme gâteau décoré d'un « Bon anniversaire, Clarisse » en sucre blanc. Tout le monde tourna des yeux souriants et excités vers Clarisse qui semblait pétrifiée. Elle porta la main à sa bouche.

— Mon Dieu, dit-elle. Mon anniversaire... J'avais oublié...

A côté d'elle, Julien, surpris et enchanté comme il l'était par toute fête, lui souriait, un peu moqueur et assez faraud de lui avoir fait oublier sa propre naissance.

— Vous ne vous le rappeliez vraiment pas ? dit Éric (et son sourire était dépourvu de toute chaleur, bien qu'il s'étendît jusqu'aux oreilles).

— Comment avez-vous fait, chère Clarisse, pour oublier votre anniversaire ? claironna Edma. Pour ma part, hélas ! je m'en souviens chaque fois, et je me dis : « Et un de plus... un de plus... un de plus. » Vous, vous n'avez pas encore ces sombres réflexions, c'est vrai !

— Comment, comment, « un an de plus » ? dit Simon Béjard allègre : la plus jeune des femmes qui se plaint à présent !

Il en faisait un petit peu trop au gré d'Edma, depuis leur coup de téléphone sentimental. Il regardait Edma de biais, de face, lui souriait sans cesse, lui clignait de l'œil, bref se livrait à une pantomime d'amant heureux qui, même en l'absence de son mari, eût été excessive d'abord, et de mauvais goût ensuite. Edma était à la fois agacée, amusée et confusément flattée de voir les regards surpris des autres devant cette connivence saugrenue. « Quel drôle de type, quel drôle de type... », se répétait-elle avec une réticence mêlée de plaisir. Et elle souriait à Béjard, ou lui faisait les gros yeux selon ses pensées, c'est-à-dire qu'elle changeait d'attitude toutes les trois minutes.

— Mais, ma chère Edma... continuait justement Simon par-dessus le brouhaha du gâteau, mais, ma chère amie, vous, les années, vous les décomptez, n'est-ce pas? Vous êtes et vous serez une femme éternellement jeune, vous le savez bien. Une taille de jeune fille, une taille de guêpe, même... Je vous assure, de dos, on vous donnerait quinze ans! ajouta-t-il avec moins de bonheur.

Edma d'ailleurs avait détourné la tête juste à temps pour ne pas l'entendre, et comme chaque fois qu'il avait gaffé, et remarqué sa gaffe, Simon Béjard s'essuya les lèvres soigneusement, trois fois, avec sa serviette. Edma enchaîna avec un sourire bienveillant dans sa direction:

— Mais combien de bougies?... Combien? cria-t-elle de sa voix de tête, qui avait tant agacé son soupirant rouquin et qui l'attendrissait presque, à présent. Alors, Clarisse, vous avouez? Combien?

— Ça ne se dit pas, dit Éric. Ça ne se dit même pas pour une jeune fille.

— Non, mais ça se dit pour les vieilles dames, dit Edma avec bravoure — et une expression de sacrifice passa sur son visage comme des nuages sur un ciel bleu. Moi, par exemple, moi, la vieille dame, ici, je vous le dis tout de go, mon cher Éric : j'ai cinquante-sept ans.

Armand Bautet-Lebrêche leva les yeux au ciel, et après un vague calcul, rajouta (*in petto*) cinq années à cet aveu. Un léger silence suivit, un silence à peine poli, songea Edma ulcérée, mais déjà son damoiseau relevait le gant avec son élégance habituelle.

— Eh bien quoi?... Et alors?... Cinquante-sept, cinquante-huit, cinquante-neuf, soixante, qu'est-ce que ça peut faire du moment que vous êtes déchaînée comme à vingt? Je vois mal qui pourrait dire quoi?

— Vous pourriez lui dire «chut», par exemple, suggéra gravement Julien à Edma.

— Voici un bon conseil, dit Edma d'un air digne que son sourire démentait.

— Eh bien quoi? repartait Simon. Qu'est-ce que j'ai dit de mal?... C'est vrai, c'est un âge épatant, soixante ans, pour une femme à notre époque...

«Du point de vue gaffes, Béjard avait perdu le rythme, pendant ce voyage, songea Julien, il semblait avoir perdu son pistolet à répétition et ne les tirait plus qu'une à une. Ce soir-là, il semblait que cette tendance soit revenue, et c'était bon signe, après tout.» Il jeta un coup d'œil vers la jeune Olga qui paraissait bien moins jeune, ce soir-là, qui avait l'âge du mécontentement et de la crainte, ce qui lui rajoutait bien dix ans. Une Olga très décolletée par des soieries exotiques qui la rendaient trop bronzée, un peu trop «nature» dans cette robe sophistiquée. Elle buvait les paroles de Simon, riait aux éclats quand il demandait du pain et s'obstinait à lui ôter de sa veste, avec des gestes maternels et voluptueux, des miettes invisibles à tout autre qu'elle. Elle minaudait, pensa Julien. C'était exactement le terme, elle minaudait.

«Mais pourquoi diable Clarisse lui avait-elle caché son anniversaire? L'avait-elle vraiment oublié? Et il n'avait rien à lui donner.» Il se pencha vers elle pour s'en plaindre, mais à son air perplexe, il vit qu'en effet elle avait oublié. Et comme si elle eût surpris ses pensées, Clarisse se tourna vers lui et dit simplement: «Oui, oui, oui... c'est grâce à toi» en souriant devant son insistance muette.

— Vous savez que c'est très désagréable... dit Edma pendant qu'on installait le gâteau devant Clarisse et qu'on lui tendait un couteau pour le découper. On ne nous a même pas mis au courant. Je n'ai rien pour Clarisse, sinon des vêtements qui ne lui iraient pas, et des bijoux dont elle ne voudrait pas. Je suis vexée, cher monsieur, dit-elle à Éric qui s'inclina avec contrition.

— Moi non plus, moi non plus, moi non plus... dirent les convives en montrant tous des signes de désolation.

Ellédocq lui-même poussa un grognement nostalgique comme s'il s'imaginait déjà sur le pont principal, entouré de tout l'équipage au garde-à-vous, remettant la médaille de la bonne conduite du *Narcissus* offerte en cadeau d'anniversaire par la compagnie Pottin: A Mme Éric Lethuillier.

— Ne vous fâchez pas, dit Éric en riant. Je savais que chacun de vous voudrait faire plaisir à Clarisse. Aussi lui ai-je acheté un cadeau pour nous tous, de votre part et de la mienne.

Et il se leva d'un air mystérieux, passa dans le vestiaire et en revint avec un paquet rectangulaire entouré de papier kraft dont tout le monde sut, avant même qu'on le posât sur une chaise en bout de table, que c'était le Marquet pour certains, et le faux Marquet pour d'autres. Après un instant de surprise, tout le monde éclata en bravos et en compliments sur cette générosité, ce pardon des péchés offert par un bon mari compréhensif; quoique adultère lui-même. Seuls Julien et Clarisse échangèrent un regard, effrayé chez Clarisse, consterné chez Julien.

— Qu'en pensez-vous? disait Éric en le regardant dans les yeux. J'aurais dû vous l'acheter directement, monsieur Peyrat, ou puis-je vous appeler Julien? J'aurais dû vous l'acheter directement, Julien, donc, mais j'avais peur que vous ne gardiez un mauvais souvenir de notre match de boxe et que vous me le refusiez.

— C'est moi qui l'ai acheté officiellement, dit Armand Bautet-Lebrêche tout agité et tout content finalement d'avoir un rôle quelconque dans cet orchestre où, au bout de neuf jours, il n'avait toujours que le rôle succinct du triangle.

— C'est vous? demanda Edma, les sourcils froncés.

— Eh oui, dit Armand enchanté et fier de cette petite ruse, lui qui en ourdissait de mille fois plus difficiles et mille fois plus pernicieuses toute la journée à son bureau. Pas bête, hein? dit-il en souriant. C'est marrant, non?... ajouta-t-il comme jetant devant lui sur la nappe un caillou, ce marrant» qui fit l'effet d'un caillou, d'ailleurs.

— Marrant... marrant... qu'est-ce qui est marrant? grommela Edma sévère (dont pourtant il tenait ce terme).

— Alors, Clarisse? dit Éric, n'est-ce pas une beauté, ce tableau? Vous avez l'air toute chose...

— C'est la surprise, dit-elle bravement. Une belle surprise d'ailleurs. J'adore ce tableau.

— Eh bien, profitez-en, dit Éric avec un sourire glacé. Je vais l'accrocher dans votre chambre et vous pourrez le voir toute la nuit. Ce sera déjà ça, ajouta-t-il confusément, sans qu'on l'entendît.

Et s'excusant, il se leva de table et repartit vers la coursive, laissant les passagers interloqués un instant avant que la turbulente Edma, rougissante, eût-on pu croire, se vît invitée par Simon Béjard et littéralement emballée commençât à valser avec lui, entraînant peu à peu les autres convives sur la piste. Clarisse se cachait contre l'épaule de Julien.

— Qu'en pensez-vous? dit-elle enfin. Je trouve ça étrange, ce cadeau.

— Pourquoi? dit Julien d'une voix froide et presque agacée, subitement. Pourquoi? Tu n'as pas l'habitude qu'on te fasse des cadeaux pour ton anniversaire? Tu penses que j'aurais dû te l'offrir moi-même et que c'eût été plus naturel de ma part que d'Éric?

— Tu es fou, dit Clarisse, frottant un instant son crâne contre le menton de Julien. Tu es fou, j'aurais été furieuse... Nous avons besoin de cet argent, non, pour nos vacances à l'envers? Non, ce qui m'inquiète venant d'Éric, c'est un cadeau pour moi seule. Éric ne m'a jamais donné que des objets pour nous deux : il m'a offert des voyages à deux, des voitures qu'il conduisait lui-même, et des objets pour la maison dont il profitait aussi. Là, il semble bien qu'il ait dit : «Votre tableau.» Dieu sait que j'en étais couverte toute mon enfance, de cadeaux rien qu'à moi, mais depuis dix ans, je n'ai eu que des «cadeaux partagés», comme dit Éric. Les seuls honorables, dit-il. Mais je vais te paraître affreusement égoïste, j'adorerais avoir des cadeaux pour moi toute seule...

— Tu peux m'avouer tout ce que tu voudras, dit Julien dans un élan, je trouverai tout délicieux. Si je peux, je te ferai les plus beaux cadeaux pour toi toute seule.

Et il la serra contre lui avec une douceur qui était celle de la détresse, mais dont Clarisse n'imagina pas un instant la nature. Simon Béjard s'inclinait devant eux dans un grand geste spectaculaire, comme s'il eût balayé le sol des plumes de son chapeau et entraînait «la gente dame» comme il disait, dans un tango spécialement vieillot. Julien, seul à la place où elle l'avait quitté, semblait le visage même du désarroi, se dit

Edma en passant devant lui dans les bras d'un vieil Américain; et non sans raison, se dit-elle aussi en se laissant guider docilement par ce robot aux pieds plats. Malgré l'absence des deux danseurs les plus doués et les plus allègres du bateau, Andréas et Charley — dont on aurait pu espérer au départ de cette croisière, qu'elle serait agréable pour les deux garçons, et dont à présent on pouvait juste espérer qu'elle serait de quelque soutien à l'un d'eux, mais sans le moindre érotisme — il y eut quelques instants quand même d'excitation et d'amusement, par exemple quand Edma voulut entraîner Ellédocq sur la piste en lui jurant qu'il pourrait fumer, après, toutes les pipes qu'il voulait. Il y eut un instant moins drôle, ou plus excitant, quand Olga, en larmes, criant à Simon qu'elle ne l'aimait plus, quitta le pont au galop en donnant tous les signes du désespoir, c'est-à-dire sans son rouge à lèvres. Mais aucun de ces incidents ne fut capable de dissiper la tristesse, la douceur, le charme de cette soirée qui en rappelait tant d'autres si lointaines déjà, si lointaines dans le temps et dans l'espace, ces soirées parfumées de jasmin ou de beignets frits, ces soirées qui ne reviendraient pas et que l'hiver, veillant déjà au port, leur ferait vite oublier. La Doriacci chanta des mélodies de Debussy d'une voix douce et sentimentale, une voix dont la tristesse excluait la sensualité, une voix très mûre et très jeune, un peu suppliante, mais réservée quand même, une voix secrète et qui rendait absurdes et inutiles tous les petits secrets dévoilés ou non dévoilés de cette croisière. Tout le monde alla se coucher de bonne heure, certains, les larmes aux yeux sans savoir pourquoi, et plus nombreux qu'on ne l'aurait supposé.

Ayant, à force d'énergie, rongé complètement les liens qui l'attachaient dans son réduit, Fuchsia, enfin libre, resta couché quelques instants, relâchant ainsi sa mâchoire, douloureuse à force d'efforts, puis repartit pour la chasse à l'homme.

C'EST donc ce chien sanguinaire, et lui seul, que rencontra Julien Peyrat dans sa promenade nocturne, plus longue que d'habitude, ce matin-là. Il se promenait seul sur le pont, et par dessus le froufroutant et soyeux bruit de l'étrave fendant l'eau, il avait l'impression que ses pas faisaient vibrer le pont, que les planches frémissaient sous son poids, craquaient, et que ce craquement se répercutait jusque dans les cabines, jusqu'à l'oreille de Clarisse qui, elle, ne les entendait pas; Clarisse devait dormir tranquille sous le faux Marquet. Clarisse délivrée de sa vie et de ses actions en même temps que de sa solitude, Clarisse qui avait confié sa vie à un bateau-pilote, lui, Julien Peyrat, qui allait peut-être se saborder sous ses yeux. Ce n'était pas pour rien qu'Éric avait acheté ce tableau, Julien le savait. Et il se demandait quand et où il devrait lui en rendre compte. A l'abri de ses malversations, dans l'ignorance des escroqueries qui étaient les moyens de vie de son amant, Clarisse dormait et le voyait peut-être passer dans ses rêves. Clarisse allait s'éveiller heureuse probablement, et sans se douter de la brièveté de son bonheur. Et une fois de plus, Julien tremblait pour elle, craignait pour elle la déception bien plus qu'il ne craignait pour lui les geôles (pourtant peu gaies, lui avait-on dit) de la République française. Il l'aimait, quoi, et il puisait une sorte de plaisir masochiste à se dire que le premier amour absolu qu'il eût éprouvé dans sa vie allait être fini avant même d'avoir commencé... et que pour une fois qu'il aimait «bien», ce bien allait le conduire en prison. Pourvu que ce ne soit pas tout de suite, pourvu qu'il puisse encore tenir contre lui le corps tremblant, sentir le parfum de Clarisse... Pourvu qu'il puisse encore mettre sa joue dans ses cheveux, lui parler comme à un enfant ou à un animal... Pourvu qu'il voie la gaieté la plus folle animer ce visage si beau, si noble dans son innocence : ce visage auquel il ne pouvait s'empêcher de penser tantôt comme à celui d'une héroïne de Delly, tantôt comme à celui d'une héroïne de Laclos. Que le destin lui laisse ça encore une fois, ce visage, ces épaules, ce cou sous sa bouche et les mains tendres de Clarisse dans ses cheveux, cette douceur extravagante qui irradiait de cette femme et qui avait fait d'un joueur cynique un soupirant transi. «Clarisse», dit-il trois ou quatre fois dans l'air de la fin de nuit, un air blanc et ouaté, un air sans soleil encore. La lumière sur ce pont, à cette heure-ci, était grise, beige, ferreuse et triste. «On aurait pu se croire se dit Julien, sur un bateau abandonné, sur une épave dans quelque océan Indien aux grands fonds équivoques.»

Un animal, qui ne sortait visiblement pas, lui, de l'océan Indien, s'inscrivit soudain dans la prunelle de Julien et s'y immobilisa une seconde : le temps que tous les relais, les circuits, les pistes, les renseignements de la mémoire se concertent et se mettent d'accord pour apprendre à Julien, dans un message des plus brefs, que c'était Fuchsia, le chien mordeur, qui avançait vers lui, dans ce petit matin, son poil hérissé de rage ; c'était bien lui qui avançait vers sa proie, goguenard et implacable. Julien n'eut que le temps de bondir sur une échelle de service. Et dans sa hâte, il eut quand même la joie d'ouïr les grognements furieux et déçus de ce monstre. Puis aussitôt après, le plaisir indéniable de lui cracher dessus d'une hauteur de deux mètres que l'absence de vent rendait idéale, question tir. Julien n'était pas trop mal, là-haut, sur ces échelons raides, et il mit une seconde à comprendre l'expression d'ahurissement sur le visage de la Doriacci, quand elle émergea des coursives. Drapée dans un mélange de burnous et de djellaba en soie noire et rouge qui détonnait mais égayait complètement tous ces gris autour d'elle, la Doriacci lui jeta un regard inquisiteur et de la main lui fit signe de ne plus jouer au marin, jusqu'à ce qu'elle aperçoive la cause de tout ça :

— Tiens, dit-elle de sa grosse voix d'orage, tiens, voici mon ami Fuchsia...

L'interpellé tourna la tête vers elle et Julien, avec un soupir de résignation, se préparait à lui sauter dessus comme sur un ballon de rugby pour sauver la Diva, quand l'animal, à son grand ébahissement, vint en ronronnant presque vers la Doriacci dont il lécha les pieds avec énergie, sans qu'elle en paraisse étonnée.

— Bonjour, petit Fuchsia... marmonnait-elle au contraire. Bonjour, petit chien gentil... Ça reconnaît la main qui l'a nourri ! Ça oui, c'était moi, le bon chocolat, oui, c'était moi, l'os du poulet... Oui, c'était moi, la crème anglaise... Petit chien, petit chien affreux et méchant, dis bonjour à tante Doria... Qu'est-ce que le petit Fuchsia veut pour son petit déjeuner ce matin ? Le vilain Ellédocq ?

— Ah non ! c'est M. Peyrat que Fuchsia veut ce matin, dit-elle en relevant les yeux vers Julien, sur lequel ils se fixèrent avec une note d'ironie, pensa Julien. Mais qu'avez-vous, monsieur Peyrat ? dit la Diva. Ne vous penchez pas de la sorte... On se demande si vous allez tomber vous-même ou si ce sont vos yeux qui vont vous tomber des joues...

— J'ai les yeux exorbités, sûrement, dit Julien en posant un pied prudent sur le sol, mais je vous avouerai que depuis sainte Blandine et les lions, je n'avais jamais vu ça...

— Je suis une dompteuse, figurez-vous, monsieur Peyrat, dit la Doriacci avec un sourire de dérision. Et je me demande où est passé mon dernier lionceau... Je m'inquiète même pour lui, ce qui est très mauvais signe... Fuchsia, ne bouge pas d'ici et laisse M. Peyrat tranquille, dit-elle sur le même ton.

— Pas pour lui, dit Julien au pied du mât à présent, mais l'œil fixé sur Fuchsia. Ce n'est pas mauvais signe pour lui, je veux dire.

— Oh si ! dit la Doriacci avec conviction. Oh si ! il ne manquerait plus que ça, pauvre Andréas, que je l'aime...

— Je trouve que vous êtes bien dure avec lui ! N'est-il pas un bon amant en plus d'un charmant type ?

— Un bon amant ? Voyons, monsieur Peyrat ! Un bon amant est celui qui dit à ses maîtresses que ce sont de merveilleuses maîtresses.

Elle redisait cela avec une sombre satisfaction tout en ramenant les pans de son foulard sur ses épaules.

— Vous allez prendre froid, dit Julien ôtant son chandail pour le lui mettre sur les épaules, et le parfum de la Doriacci l'immobilisa un instant.

C'était le parfum d'une femme qu'il avait beaucoup aimée, enfin qu'il avait cru aimer beaucoup avant de rencontrer Clarisse. Ils s'étaient même beaucoup plu, se souvint Julien en revoyant la terrasse du chalet dans la neige et en ressentant encore le picotement du froid sur ses joues, et la chaleur d'un ventre nu contre le sien. C'était en sortant d'un casino en Autriche, où sa manière de jouer un peu folle lui avait attiré sexuellement des propositions de tous côtés. Il faut dire qu'il avait sorti le « 0 » trois fois de suite, le « 8 » quatre fois et...

— Vous pensez à un casino, monsieur Peyrat, ou je me trompe? dit la Doriacci toujours de dos, comme si elle attendait qu'après lui avoir posé son chandail, il le lui arrange ou le lui referme.

— Ça c'est drôle... dit Julien ingénument et en tapotant vaguement le chandail. Comment avez-vous deviné?

— Quand on accuse un joueur de penser au jeu, on peut tomber parfois trop tard ou trop tôt, mais jamais à côté.

Et elle se retourna vers lui, projetant en même temps une bouffée de parfum. Elle le regardait avec une telle invite sur tout le visage que Julien, hypnotisé et incapable de reculer sans écraser Fuchsia qui l'encerclait, se pencha et embrassa la Doriacci sans savoir pourquoi, et probablement sans qu'elle le sût non plus, tout simplement parce que c'était la seule chose à faire en cet instant précis.

Il y avait un canot de sauvetage humide de rosée à deux pas, et un peu plus tard, Julien en émergea en riant de l'horrible plaisanterie de la Doriacci concernant les exploits amoureux d'Olga Lamouroux. Il se sentait stupéfait de ce demi-viol sur lui perpétré, mais pas du tout honteux, curieusement. C'était le type même de l'accident, songeait-il; dix minutes brutales avec une femme qu'il n'avait jamais désirée vraiment et qui ne lui était rien, mais qui cherchait un lionceau au petit matin, tandis que lui-même rôdait sous les hublots d'une femme mariée. La Doriacci se rhabillait joyeusement, le visage un peu gonflé par ce plaisir volé, mais plissé déjà de rire comme si elle eût fait une bonne blague à quelqu'un.

— Chaque fois que j'entendrai un disque de vous, dit Julien Peyrat galamment, ou chaque fois que j'irai à un concert, j'aurai un mal fou à ne pas raconter...

— Raconte, raconte, dit la Doriacci. Ce n'est pas honteux, un récit. Ce qui est honteux, c'est les gens qui les font, souvent... J'aimerais mieux que tu parles de mes perversités que d'entendre Kreuze parler de ma voix... Bon, je vais dormir maintenant. Tout ça donne sommeil, dit-elle sans le moindre romantisme.

Et, ayant embrassé Julien sur la joue et repris une certaine hauteur dans le regard et le port de tête, elle disparut, le laissant ébaubi.

L ES POLICIERS arrivèrent à midi précis sur le *Narcissus,* et les passagers de la classe «De luxe» qui étaient restés à bord du bateau le dernier soir, c'est-à-dire tout le monde sauf Andréas, assis au bord de la piscine, ou y barbotant, sourirent devant cette arrivée. Parmi ces corps dévêtus et bronzés, ou habillés comme de luxueux vacanciers, trois hommes vêtus de sombre et chaussés de gros souliers dont ils martelaient le pont, avaient quelque chose d'irréel. Ils disparurent un quart d'heure avec Ellédocq. Un quart d'heure pendant lequel on les oublia, les croyant occupés par des histoires de fret ou d'administration. Seul Julien les avait suivis d'un œil mauvais quelques minutes avant de les oublier à son tour. Mais quand Éric surgit sur le pont flanqué des quatre autres, Julien comprit que le danger était là et se leva instinctivement, comme tentant d'échapper à Clarisse et aux autres, tentant de s'expliquer (s'il y avait quoi que ce soit à expliquer) dans un endroit discret, mais Éric ne l'entendait pas de cette oreille. En le regardant, Clarisse eut peur de lui. Il avait pâli, il riait trop fort et, bref, il jubilait. Et Clarisse savait d'expérience que la jubilation d'Éric reposait toujours sur les ennuis ou le malheur de quelqu'un. Elle se leva à son tour et retint Julien par son poignet. Le plus âgé des trois sbires fit deux pas et Julien, comme un enfant inconscient, pria le ciel qu'il tombe avec sa gabardine et sa serviette au fond de l'eau.

— Monsieur Peyrat, je crois? dit le sbire en montrant les dents. Je suis le commissaire Rivel, de la municipalité de Cannes. Voici ma carte. Je suis ici sur plainte de M. Éric Lethuillier.

Il y eut un silence total, soudain, autour de la piscine. Edma avait fermé les yeux, pour une fois, et disait à Armand d'une voix altérée :

— Ça y est, ce coup-ci, ça y est... Qu'est-ce qui vous a pris de vous mêler de ça?

— Mais de quoi? dit Armand à voix basse. Qu'est-ce que j'ai fait?

— Rien, dit Edma, rien. Et elle referma les yeux.

Julien avait pris malgré lui l'attitude goguenarde, le visage amusé qu'il opposait toujours aux coups du sort. Il sentait Clarisse un peu en retrait de lui, il la sentait vibrer dans l'air chaud, dans le soleil, à côté de lui, et il la sentait vibrer de peur, cette fois. Il n'essayait plus de s'éloigner discrètement, il valait mieux qu'elle sache tout brutalement et directement. «Pauvre Clarisse... Pauvre chérie...», se disait-il, et une houle de compassion et de tendresse lui faisait déraper le cœur entre les côtes.

— Nous sommes ici sur une plainte de M. Lethuillier donc, dit le commissaire Rivel. Vous êtes accusé d'avoir procuré à M. Lethuillier, Éric, pour la somme de deux cent cinquante mille francs, un tableau dont vos qualités professionnelles vous empêchent de ne pas connaître l'origine. Nous venons de voir ce Marquet, avec M. Plessis, expert auprès des tribunaux, qui est formel : ce tableau est un faux. Et le certificat qui l'accompagne en est un aussi.

Julien l'écoutait parler et s'ennuyait.

Il était atteint d'une léthargie, presque d'un sommeil, qu'il souhaitait plus que tout et qui l'arracherait à ces individus pompeux, leurs propos désagréables et la masse de paperasserie que tout cela allait déclencher.

— La loi est formelle, continuait le nommé Rivel, je vais être obligé de vous emmener avec moi jusqu'au commissariat où nous prendrons votre déposition.

— Tout cela est grotesque et ridicule, et inintéressant au possible, dit la Doriacci, les yeux étincelants, dans son rocking-chair. Monsieur le commissaire, je suis étonnée de voir qu'en France...

— Laissez, laissez, dit Julien, tout cela est inutile.

Il regardait ses pieds avec attention, et le pli de son pantalon ; son seul souci était d'éviter le regard de Clarisse. Depuis que cet imbécile en face discourait, Julien attendait, tous les muscles du corps contractés, que Clarisse s'enfuie dans sa cabine en courant. Elle allait faire ses bagages, rentrer à Versailles, se faire maltraiter, être malheureuse, ce à quoi elle s'attendait déjà en montant sur ce bateau ; mais il avait eu la cruauté, lui, par attirance, de lui faire croire que c'était fini. Elle pleurerait un peu, elle lui enverrait une lettre charmante pour lui dire qu'elle ne lui en voulait pas, et ils ne se reverraient jamais ; ou par hasard... et elle détournerait les yeux avec compassion et mélancolie, avec soulagement même peut-être, de ce que son époux l'ait arrachée à ce tricheur.

— Vous reconnaissez les faits, j'imagine ? demanda le chef des sbires.

Julien voyait en face de lui le beau visage de Lethuillier convulsé par une joie amère qui lui tordait la bouche et lui donnait l'air d'un poisson. Il entendit la voix de Clarisse s'élever derrière lui, mais il ne comprit les mots qu'une seconde plus tard, après en avoir vu l'impact sur le visage d'Éric. Un Éric dont la joie avait disparu d'un coup pour faire place à la stupeur.

— Mais c'est complètement ridicule... disait Clarisse d'une voix gaie, avec un petit rire même. Commissaire, on vous a dérangé pour rien, mais vous auriez pu m'en parler, Éric, avant de déranger ces messieurs...

— Vous parler de quoi ? dit Éric d'une voix froide.

— Monsieur le commissaire, dit Clarisse sans le regarder, monsieur le commissaire, je suis désolée : nous avions projeté avec M. Peyrat et Mme Bautet-Lebrêche, de faire une farce à mon époux, dont nous trouvions la prétention en matière de peinture un peu agaçante, il y a quelques jours... M. Peyrat transportait ce faux qu'il gardait comme une curiosité ; par amusement, nous avons pensé le faire acheter par mon mari, quitte, bien sûr, à lui apprendre la vérité une fois à Cannes. Nous devions lui éclairer les yeux à déjeuner, tout à l'heure...

Il y eut un petit silence que remplit Edma Bautet-Lebrêche.

— Je dois reconnaître, dit-elle aux pauvres sbires, que tout cela est rigoureusement vrai. Je suis désolée, Éric, de cette farce qui est peut-être de mauvais goût.

— Vous êtes Mme Bautet-Lebrêche, dites-vous ? dit le commissaire à présent furieux, semblait-il, et dont le ton s'adressant à Edma manquait du respect et de la déférence que celle-ci entendait susciter partout où elle passait.

Julien vit avec plaisir se gonfler le buste de la nommée Edma et s'aiguiser ses yeux et sa voix.

— Je suis Mme Bautet-Lebrêche, en effet. Voici mon mari, Armand Bautet-Lebrêche, qui est commandeur de la Légion d'honneur et président de la Chambre de commerce de Paris et conseiller à la Cour des comptes.

Armand ponctuait ces titres de petites secousses affirmatives de la tête qui, en d'autres temps, eussent fait rire Julien jusqu'à la mort.

— Parfaitement, disait-il, l'air indigné lui aussi, sans que l'on sût pourquoi, et le brouhaha devint général.

Julien sentit la main de Clarisse sur son bras. Il se retourna comme à regret. Elle le regardait, les yeux dilatés par le soulagement et une larme arrêtée entre les cils de chaque œil.

— Mon Dieu... dit-elle à voix basse, que j'ai eu peur, Julien... J'ai cru qu'on t'arrêtait pour bigamie !

Et sans paraître le moins du monde gênée par cette démonstration, elle lui mit les bras autour du cou et l'embrassa entre la racine de ses cheveux et le col de son polo noir.

Un peu plus tard, les trois sbires, abreuvés de champagne, de plaisanteries et de rires, descendaient la passerelle à reculons en agitant les bras, et Clarisse, radieuse, appuyée à la rambarde avec les autres passagers, murmurait à Julien :

— Mon petit faussaire à moi, mon bel amour, que veux-tu que ça nous fasse, tout ça... Et elle riait encore de soulagement.

CLARISSE ne voulait pas descendre dans sa cabine. Elle ne voulait même pas revoir Éric. Elle freinait de chaque centimètre de son corps, et Julien était mi-surpris, mi-amusé, mi-agacé de cette résistance, ou plutôt de cette lâcheté.

— ... Tu ne peux quand même pas partir sans un mot... Tu es restée dix ans avec cet homme.

— Oui, disait Clarisse, en détournant ses yeux, oui, c'était dix ans de trop déjà. Je ne peux pas lui dire en face que je le quitte... Je suis trop lâche, j'ai peur...

— Mais peur de quoi? disait Julien. Je serai à deux pas. S'il est odieux, tu m'appelles, j'arriverai tout de suite et on recommencera une petite bagarre de western, pour tes beaux yeux!

Il riait, il essayait de dédramatiser la situation; il voyait Clarisse rougir, pâlir, accrocher ses longues mains à son bras convulsivement, il voyait ses yeux obscurcis par des larmes de colère, de peur.

— J'ai eu trop d'émotions pour aujourd'hui, disait-elle d'une voix haletante. J'ai cru que tu n'étais plus pour moi, que tu étais en prison, que tout était cassé, fini... J'ai cru que tout était fichu, le bonheur, quoi...

— Moi aussi, dit Julien arrêtant ses conseils moraux; moi aussi, tu parles... Et ça aurait bien pu l'être, acheva-t-il après un instant de silence.

— Que veux-tu dire?

Clarisse avait l'air étonné. Son naturel semblait trop parfait à Julien. Il ignorait que cette honnêteté scrupuleuse et ce respect de la propriété d'autrui étaient des notions réservées à une certaine bourgeoisie à mi-pente et qu'ils n'étaient pratiqués que rarement au sommet, et même qu'après un certain stade, le manque de scrupules augmentait avec la fortune.

— Tu sais, dit-il, quand tu as compris que j'étais un voleur de bas chemin, un tricheur et un faussaire, ça aurait pu te dégoûter de moi, non?

— Ne dis pas de gros mots, dit Clarisse en souriant (comme s'il se fût accablé à tort), ça n'a pas d'importance tout ce que tu as fait. Et d'ailleurs, conclut-elle avec une petit rire qu'il trouva cynique, tu n'auras plus besoin de tout ça, maintenant.

«Mais qu'est-ce qu'elle croit? Mais que veut-elle dire? Mais que pense-t-elle de moi?» Les hypothèses les plus saugrenues se croisaient dans sa tête.

— Que veux-tu dire? demanda-t-il d'une voix presque suppliante.

Et il la suppliait, en effet, de ne pas le prendre pour un gigolo, que voleur suffisait. Il la suppliait de ne pas le mésestimer, ce qui un jour l'obligerait à la fuir, il s'en rendait compte, puisqu'il l'aimait.

— Je veux dire que tu pourras être commissaire-priseur sans faire tout ça. On ira acheter des tableaux ensemble partout, on les revendra et on partagera les bénéfices, une fois que tu auras remboursé ma banque, pour que tu sois de bonne humeur. Tu prends des airs tellement moraux pour un faussaire, dit-elle tendrement.

Et Julien laissa là définitivement sa tentative de comprendre ce qu'elle entendait par «moraux». Il la poussa doucement dans l'escalier, fermement quand même, et la regarda entrer dans sa cabine pendant que lui-même s'appuyait à la cloison dans le couloir, partagé entre le désir de se colleter avec cet indicateur, et celui de retrouver Clarisse pas trop effondrée, pas trop blessée ni coupable.

Éric faisait ses valises, ou plutôt les refaisait car le steward les avait remplies en ignorant que le directeur du *Forum* répartissait ses bagages, les mettait en place avec autant de soin que les articles de son journal. Elle referma la porte et s'y adossa, le cœur battant fortement, sourdement. Elle croyait l'entendre dans la pièce, résonner et ralentir. Ce cœur s'alanguissait par moments, il traînait et il était sur le point de s'arrêter tout à fait quand Éric se retourna d'un coup, pâle mais décidé, et affable, semblait-il. Il y avait un air de résolution sur son visage, et de hâte dans ses gestes et sa voix, qui confirmèrent Clarisse dans ses suppositions. Il n'allait pas marquer le coup, il n'allait parler de rien, il allait faire comme si de rien n'était comme chaque fois que quelque chose le gênait.

— Je suis désolé, dit-il avec un petit rictus, désolé d'avoir suspecté ce bon Julien Peyrat. J'aurais dû supposer une plaisanterie, en effet. Vous avez mon chèque, j'imagine?

— Oui, dit Clarisse.

Elle lui tendit le beau chèque d'Armand, endossé par Julien à l'ordre de M. Lethuillier.

— Bon. J'enverrai un mot plus tard à M. Peyrat, si vous avez son adresse bien sûr. Vous êtes prête? Nous avons le temps de filer à l'aéroport à Nice et j'arriverai à temps pour le bouclage du journal.

Et sans paraître remarquer son immobilité et sa désobéissance, il passa dans la salle de bains, raflant les brosses et les peignes et les tubes divers, en en faisant même tomber avec fracas dans la baignoire, seul point qui révélât sa tension. Éric ne laissait jamais rien tomber, ne cassait rien, ne se cognait pas aux meubles, pas plus qu'il ne se brûlait avec des pommes de terre chaudes. Pas plus qu'il ne faisait jaillir le champagne en l'ouvrant. Pas plus que... Clarisse essayait de stopper dans sa tête ce défilé de vertus, ou plutôt d'absence de défauts. C'était vrai qu'Éric avait quelque chose de négatif, que tout ce qu'il faisait se faisait contre quelqu'un, ou par refus de quelqu'un. Il avait bousculé la coiffeuse au passage et Clarisse se vit dans le miroir comme elle était : debout, pâle, laide, trouva-t-elle, et un tic imbécile qui faisait trembler sa bouche à droite, qu'elle ne pouvait arrêter Cette femme blanche dans cette glace était absolument incapable de dire la vérité, ou de fuir, d'échapper à ce bel homme bruni et décidé qui passait et repassait en hâte devant cette même glace où son reflet parfois symboliquement cachait le sien.

— Éric... dit pourtant la femme du miroir d'une voix chevrotante, Éric, je m'en vais... Je ne pars plus avec vous, je ne rentre pas à Paris... Je crois que nous nous quittons... je vous quitte. C'est... c'est très ennuyeux, dit-elle dans son égarement, mais on ne peut pas faire autrement.

Éric était devant elle et elle le vit s'arrêter à sa première phrase et rester ainsi sans bouger, campé sur ses deux jambes dans une position sportive, mais qui n'allait pas avec le sens de ses phrases. Elle pouvait le voir sans le regarder du coin de l'œil ; elle voyait, ou devinait, ou se rappelait un visage attentif, fermé, drogué par l'action qu'il allait entreprendre, dopé définitivement par l'idée qu'il avait de lui-même, l'assurance formelle que cette action serait la seule à faire dès l'instant qu'il l'avait choisie. Elle le voyait, les mains le long du corps, le buste en avant, légèrement fléchi, le regard fixé sur elle. Il avait l'air de jouer au tennis d'une certaine façon. Mais il semblait aussi que ces balles qu'elle lui envoyait depuis une minute étaient toutes des «aces» irrattrapables. Sa voix était quand même calme quand il lui répondit :

— Vous voulez dire que vous allez partir avec ce petit voleur de quincaillerie, ce demi-sel, ce vieil écolier renvoyé de la classe? Vous voulez dire que vous vous intéressez à ça : ses petits pokers, ses mauvais tableaux et ses champs de course? Ce primaire, vous, Clarisse?

— Moi, Clarisse, répéta-t-elle derrière lui rêveusement. Moi, Clarisse. Vous savez bien que je suis alcoolique, gâtée, indifférente et sotte... Et fade, ajouta-t-elle avec une sorte de plaisir orgueilleux et profond, avec une tonalité dans la voix qui était celle de la délivrance, une tonalité que reconnut aussitôt Éric.

C'était la même qui traînait dans la bouche de son chauffeur quand il l'avait renvoyé, trois mois plus tôt, et celle de ce grand philosophe, ce grand écrivain, naguère collaborateur du *Forum*, qui lui avait retiré à jamais sa signature avant les vacances en réponse à une simple remarque d'Éric sur ses articles. Chez ces trois personnes, primaires ou pas, cultivées ou pas, et auxquelles il était lié par des sentiments ou des hiérarchies si différentes, il avait entendu sonner ce dièse, ce son, cette gaieté presque, en lui disant adieu. Oui, c'était bien de la gaieté, et ce coup-ci, c'était pareil. Mais ce qu'il voulait entendre, lui, c'était la honte. Et l'idée qu'il n'arriverait pas plus à la provoquer, à l'arracher, de Clarisse que des deux autres, l'accabla tout à coup comme une telle évidence qu'il chancela et rougit de honte, mais lui, de son impuissance.

— Vous pensez bien que je ne vais pas vous retenir, dit-il d'une manière saccadée qui renforçait la brutalité de ses termes. Je ne vais pas vous accrocher à la porte de la maison de Versailles, ni vous faire surveiller par des gorilles, ni vous enfermer chez vous.

Et à mesure qu'il énumérait ces vilenies, que justement il ne ferait pas, qu'il s'engageait à ne pas faire, elles lui apparaissaient, au contraire, les seules solutions, les seules issues normales, et très vite, il se dit à lui-même que si ce coup-ci il s'en tirait encore, et avec elle, si cette fois-ci, il arrivait encore à la ramener à Versailles, il aurait vite fait de renier ces élégances stupides et arrachées par la peur. Et Clarisse dut le sentir aussi, puisqu'elle voulut reculer et se heurta à la porte dont elle saisit le bouton derrière elle.

— Je ne veux pas vous tuer, dit-il avec amertume. Sans vouloir être blessant, chère Clarisse, je ne vais pas passer les quelques jours que vous prendra la découverte de M. Peyrat dans le désespoir et les pleurs.

— Je n'y comptais pas, dit Clarisse d'une voix sourde. Et je comptais même sur *Le Forum* pour vous absorber et vous distraire les premiers temps.

— Vous pensez peut-être reprendre *Le Forum*? dit-il.

Et aussitôt, l'absurdité de cette phrase le gêna malgré tout. Elle savait très bien que le journal lui appartenait, à lui, malgré les capitaux des Baron, et lui savait que Clarisse ne le lui aurait pas repris.

— Non, oubliez ça, dit-il brutalement.

Et elle cligna les yeux comme si elle ne l'avait, en effet, pas entendu. Elle avait l'air tranquille malgré ses mains et sa lèvre inférieure qui tremblaient ensemble. Elle avait même l'air serein. Elle avait sans doute retrouvé cette chose invisible en elle, cette arme secrète grâce à laquelle elle lui avait toujours échappé et qu'il n'était pas arrivé à nommer, et qu'il n'arriverait sans doute jamais à nommer. Et ce «jamais» enfin prononcé dans sa tête lui fit l'effet d'un coup bas. Elle ne reviendrait jamais, il en était sûr à présent. Et même si c'était sa faute à elle, même s'il n'y était pour rien au contraire, c'était quand même là une chose définitive et qui lui échappait, qui échappait à son contrôle, à sa volonté, qui échappait à son pouvoir. Et c'est d'une voix furieuse, dans un dernier sursaut, qu'il lança à Clarisse :

— Si vous croyez que je vais m'ennuyer de vous, ou vous regretter un instant, un seul instant, ma pauvre Clarisse, vraiment, vraiment, vous vous trompez lourdement.

Et il la regarda fixement sans la voir, sans même l'entendre, et sa réponse ne parvint à son entendement que cinq minutes après son départ :

— Je sais bien, dit-elle. C'est aussi pour ça que je m'en vais.

— Naturellement, je n'étais pas là, geignait Simon Béjard en jetant des regards de reproche à Olga dont la lenteur à faire ses valises était la cause de ce retard, semblait-il. Ça, je leur aurais rivé leur clou ! Je ne sais pas pourquoi, mais je ne peux pas blairer les flics, moi... Comme si Éric ne savait pas qu'il était faux, ce tableau. Éric avait même dit que Julien n'aurait pas voulu le lui vendre, alors, hein ?... Il tourne carré, votre mari, on dirait. Je ne veux pas vous faire de peine, mais c'est un enquiquineur. Il est de la race prêchi-prêcha, lui aussi...

Ces diverses considérations, entrecoupées de l'absorption de saumon fumé et de tartines de caviar, s'échappaient à la file et sans lien apparent de la bouche de Simon Béjard, qui les accompagnait parfois d'un regard vers la personne intéressée directement par ces allusions ou qui eût dû l'être. Olga déjeunait, les yeux baissés, sans maquillage, avec un petit chemisier pied-de-poule, une salopette bleue supposée la rajeunir mais qui, par la juxtaposition de cette fraîcheur dans la tenue, et de la mélancolie sur le visage, ne servait qu'à lui donner l'air ambigu d'une vieille petite fille grognon. Elle aussi avait manqué la scène, mais elle s'en fichait complètement à présent. Les Lethuillier, les Bautet-Lebrêche, les Peyrat et consorts pouvaient bien tous s'entre-tuer ou se faire jeter en prison ; tant qu'elle n'aurait pas signé le contrat de son film avec Simon, Olga ne s'intéresserait strictement à rien. Le monde pouvait sauter et les grandes puissances s'atomiser l'une l'autre, Olga était persuadée que les retombées atomiques ne toucheraient pas les Studios de Boulogne, et que les présidents des États-Unis ou de l'URSS attendraient au moins qu'elle ait signé son contrat et qu'on ait mis la dernière image dans la boîte, selon l'expression, avant de lancer leurs bombardiers. En attendant, elle suivait Simon Béjard comme un chiot, jappait gaiement quand il riait, grognait quand il était mécontent, emplissait sa gamelle s'il avait faim et accompagnait tous ses discours d'abois enthousiastes. Simon la regardait parfois d'un œil qu'elle croyait attendri, mais qui n'était que dégoûté. Il lui parlait durement, et déjà Clarisse s'était interposée avec douceur.

Clarisse était en haut de table, près d'Ellédocq sombre, et de Julien, étourdi et béat. Elle pérorait, elle riait, elle semblait au comble du bonheur. Et Julien la buvait des yeux. Simon les regarda un moment et se sentit très vieux tout à coup, et très pompeux. Elle allait continuer à boire, peut-être, et Julien continuer à jouer, mais elle ne s'enivrerait pas et il ne tricherait plus n'ayant vraiment plus de raisons de le faire ni l'un ni l'autre. Elle apporterait un trousseau de femme riche, il apporterait son trousseau d'homme heureux, et l'apport de Clarisse était sûrement le moindre. Ils avaient l'air de deux enfants tout à coup, se dit Simon Béjard avec nostalgie, de deux irresponsables dont Clarisse semblait la plus réfléchie sans doute, même si cette réflexion n'avait été que le fruit du malheur. Et Simon sentait, en voyant cette femme rire et envoyer des regards brûlants à son voisin, qu'elle pourrait très bien se livrer au bonheur et s'arrêter de réfléchir. Et leur bonheur avait des chances de durer puisqu'ils étaient tous les deux prêts aux concessions, prêts à l'indulgence et qu'ils haïssaient le malheur tous deux. Elle par expérience, lui, par instinct.

— Bonne chance! dit Simon tout à coup en levant son verre.

Et tout le monde se leva, heurta son verre à celui du voisin, l'air ému, comme pour dire un adieu à une vie antérieure, comme si chacun eût vu un bout de son existence disparaître avec ces neuf jours si vite passés. Et tout le monde souriait de sa propre émotion, sauf Éric qui était maintenant descendu, et sauf Charley, trop sentimental sans doute, et qui depuis la veille avait les larmes aux yeux. Il était si émotif, ce pauvre Charley, songeait Edma Bautet-Lebrêche en heurtant son verre à son tour. Il devait pleurer ce pauvre Andréas qu'il n'avait même pas eu pourtant, et qui était parti sévir à Nantes ou à Nevers...

— Buvons à Andréas, dit-elle, même s'il n'est pas là. Je bois à sa carrière.

— Et moi, je bois à son bonheur, dit la Doriacci avec élan.

— Et moi, dit Simon, je bois à Andréas acteur.

«Et moi aussi», dirent-ils les uns après les autres, tous jusqu'à Armand Bautet-Lebrêche dont le toast fut stoppé net par la sortie précipitée et en larmes de Charley Bollinger qui en renversa sa chaise. «Mais qu'est-ce qu'il a? Mais que fait donc ce bon Charley? Quelle mouche l'a piqué?» etc. Les différentes hypothèses émises çà et là furent balayées par Ellédocq, toujours au courant de tout ce qui intéressait son personnel.

— Charley Bollinger, malade du foie, dit-il avec un air de souci tout à fait conjugal. Hier midi, trois assiettes œufs à la neige. Vais emmener voir toubib à Cannes.

— C'est très bien, ça, dit Edma. Vous devez vous occuper de Charley, commandant. Après tout, vous êtes à la fois son père et son... (elle s'arrêta net) et son alter ego.

— Ça veut dire quoi? gronda Ellédocq toujours susceptible sur le chapitre de leurs relations, à Charley et lui.

— Alter ego, ça veut dire un autre nous-même. Charley vous complète, commandant. Il a la féminité, la douceur, la délicatesse que votre virilité grondante ne vous permet pas. Quant à sa maladie de foie, je sais ce que c'est : si l'atmosphère autour de ce pauvre Charley n'était pas perpétuellement polluée par des fumées de cigares ou de pipe, il respirerait mieux, et il aurait un plus joli teint... Ah non, commandant, ne faites pas les gros yeux, je ne parlais pas de vous forcément : vous n'êtes pas le seul qui ait jeté des nuages de fumée sur ce bateau... Oui,

oui, je sais, nous savons tout, continua-t-elle d'une voix excédée tandis qu'Ellédocq, rouge vif et tapant du poing sur la table, s'exclamait : «Mais je ne fume pas, bon Dieu! Je ne fume plus depuis trois ans!» sans que qui que ce soit l'écoutât, sauf Kreuze qui, tout en le méprisant, trouvait Ellédocq très bien dans son rôle et son souci de la hiérarchie.

— Je trouve le capitaine Ellédocq très courageux, au contraire, dit-il de sa voix hachée. Pour pas donner mauvais exemple, il fume sans doute seul dans sa cabine. C'est très estimable car nicotine très dure à enlever comme habitude, non? demanda-t-il à Ellédocq qui de rouge était devenu cramoisi.

— Non! hurla le capitaine. NON! Je n'ai pas fumé une fois, pas une fois! Je n'ai pas fumé depuis trois ans. Vous ne m'avez pas vu, monsieur Kreuze, même deux fois, même une fois, personne ne m'a vu fumer, personne! hoqueta-t-il avec désespoir, tandis qu'Edma et la Doriacci, comme deux écolières, cachaient leurs visages dans leurs petites serviettes de table.

Ellédocq se leva et ayant repris son morse, grâce à un énorme effort de sang-froid, il s'inclina devant la table, les doigts à la casquette, héroïque et scrupuleux jusqu'au bout.

— J'attends départ, tout le monde à la passerelle, dit-il.

Et il se réinclina et sortit. Il ne resta plus à table que les Bautet-Lebrêche, la Doriacci, Béjard et Olga, Julien et Clarisse.

— Il est très tard, dit Edma en consultant sa montre Cartier (mise au coffre du *Narcissus* pour le voyage avec trois ou quatre babioles du même prix). Nous avons déjeuné à deux heures, d'ailleurs, grâce à vous, Armand. Qu'êtes-vous allé faire sur ce quai, à cette heure, si ce n'est pas indiscret?

— J'ai été chercher quelques journaux financiers, ma chère, dit Armand sans lever les yeux de son assiette.

— Et vous avez rapporté naturellement *Les Échos de la Bourse, Le Journal financier*, etc. Je ne sais même pas si les collections de couture ont commencé à Paris...

— Je vous ai rapporté *Le Regard* pour vous montrer la photo de Mlle Lamouroux et de M. Lethuillier, dit Armand, se défendant courageusement, mais M. Lethuillier me l'a carrément enlevé des mains au passage. D'ailleurs, je crois que c'est à ce moment qu'il a décidé de déjeuner en ville. Il semblait détester cette photo et pourtant il n'était pas mal...

— Mon Dieu... dit Edma, mon Dieu, j'ai manqué ça! Quand je pense que j'ai failli manquer aussi votre arrestation, mon cher Julien... J'en aurais été malade.

— Ça, dit Julien avec bonne humeur, je vous aurai bien distraite. J'ai failli vendre un faux au directeur du *Forum*, je me suis battu avec lui à coups de poing, etc., conclut-il rapidement, mais pas assez pour éviter les commentaires raffinés de Simon Béjard.

— Et vous lui avez piqué sa femme, et vous l'avez couvert de ridicule, et d'ailleurs il vous adore, dit Simon hilare.

Et il éclata de rire, suivi du petit rire aigrelet et soumis d'Olga, et de celui beaucoup plus convaincant de la Doriacci que cette journée et cette nuit de solitude semblaient avoir mise de très bonne humeur. Elle se leva, se dirigea vers la porte de son pas royal et avec son châle rouge vif. Ce faisant, elle alla vers Clarisse qu'elle embrassa sur les deux joues avant Edma et Olga, puis Simon et Armand, qui devinrent rouges, avant de finir par Julien qu'elle embrassa un peu plus longuement que les autres.

— Adios, dit-elle à la porte. Je pars de ce pas. Si je chante quelque part où vous êtes, venez me voir; et sans billet. Je dois des lieder de Mahler, quatre airs de Mozart et une chanson de Reynaldo Hahn aux passagers du Narcissus. Soyez heureux, dit-elle en franchissant la porte.

Les autres se regardèrent, se levèrent en s'ébrouant et se rendirent à la passerelle échanger leurs adieux, devant et avec Ellédocq et Charley.

Clarisse tenait la main de Julien et jetait des coups d'œil vers la ville, des coups d'œil inquiets, mais Julien avait mis un quart d'heure à peine pour louer une voiture et y embarquer la moitié de ses bagages.

— Et les autres, comment les récupérerai-je? dit-elle en montant dans la vieille voiture de location.

Et Julien lui répondit : «Jamais peut-être» en l'embrassant. Il fit marche arrière, demi-tour sur le quai pour prendre la route de l'ouest, et s'arrêta un instant face au Narcissus.

Le Narcissus qui s'étalait dans le port, ronronnant et fumant encore, avec l'air confortable, satisfait du devoir accompli, le Narcissus, où sous un soleil égal à celui du départ, régnait un silence assourdissant, privé qu'il était des voix des passagers et du bruit des machines. Un silence que Charley, en remontant la coupée, trouva atroce, mais Ellédocq reposant.

LA LAISSE

Roman

A Nicole Wisniak Grumbach

CHAPITRE PREMIER

Je rentrai à pas de loup dans l'obscurité de notre chambre. C'était une pièce très féminine, tendue de tissu indien, où le parfum de Laurence, exquis et lourd, flottait comme à l'accoutumée et, comme à l'accoutumée, me laisserait sans doute quelque migraine, d'autant qu'après deux ou trois cutis positives dans son adolescence la mère de ma femme l'avait persuadée de dormir volets et fenêtres clos.

Mais je venais de passer cinq minutes à respirer l'air violent, frais, l'air de campagne de Paris à l'aube, toutes fenêtres ouvertes dans ma salle de bains, et je me sentais parfaitement bien en me penchant sur ma belle Laurence endormie. Plaqués sur l'ossature classique de son visage, ses longs cheveux noirs lui donnaient cet air de vierge romane que j'avais dès l'abord remarqué chez elle. Elle soupira. Je m'inclinai davantage, posai les lèvres sur son cou. Elle était, malgré son obsession de minceur, très plaisante, ainsi épanouie, la peau rose et les cils noirs. Je tirai le drap pour la dénuder un peu plus mais elle le rabattit sur ses épaules comme choquée.

— Ah je t'en prie ! Non ! Ces lubies... dès l'aube ! Vraiment ! Reste tranquille !

Elle avait, comme bien des femmes, le travers de dire d'une voix écœurée : « Mais tu ne penses donc qu'à ça ! » lorsqu'on songeait au plaisir avant elle, ou « Tu ne m'aimes donc plus ? » d'une voix désincarnée lorsque c'était le contraire. Ardente au déduit — pour citer les classiques — Laurence parlait néanmoins de l'amour comme n'en parlent pas les putains, mais seulement les femmes du monde, de manière puérile et crue. D'ailleurs, quelle femme parle décemment de l'amour ? Les hommes ne font pas mieux, à ce que j'en sais.

— C'est vrai, dis-je, nous sommes fâchés.

— Je ne suis pas fâchée, je suis attristée.

— Attristée ? Mais de quoi ? Qu'ai-je fait ? demandai-je, déjà résigné à ce que la faute m'incombât.

Et en effet il semblait que j'avais échangé la veille, à un dîner, des phrases à double sens avec la jeune femme d'un banquier : alors que je me rappelais avoir eu du mal à trouver même un embryon de sens à notre conversation.

Il s'avérait surtout que ce mari banquier était un intime de mon beau-père — personnage odieux avec lequel nous étions brouillés depuis sept ans, depuis qu'il avait décrété que je n'étais qu'un pâle voyou et que je me mariais dans le seul but de piller son unique, son innocente et richissime enfant. Comme la sourde méfiance n'était pas son style mais plutôt la bruyante accusation, Laurence en avait été bouleversée. Qu'on allât à présent lui raconter que non content de dépouiller sa fille, je la ridiculisais de surcroît, déplaisait beaucoup à Laurence, qu'après sept années l'opprobre et l'éloignement paternels accablaient encore.

Nous nous étions rencontrés elle et moi deux ou trois ans après la fin de mes études de piano au Conservatoire et mariés presque aussitôt, malgré les doutes qu'entretenait son père sur ma carrière de virtuose. Et des doutes, sept ans plus tard, il aurait été en droit d'en entretenir de plus en plus (ou de moins en moins) si par hasard on ne m'avait demandé d'écrire la musique d'un film ; lequel film avait été un vrai succès et ma musique un véritable triomphe : elle avait été, elle était interprétée depuis par tous les chanteurs, les orchestres, tous les interprètes d'Europe et à présent des USA. J'allais donc toucher quelque argent et me trouver à même de rendre à Laurence un peu de ce que je lui devais. Or, curieusement, celle-ci qui avait fort bien pris mes années d'oisiveté et d'échec se révélait effrayée par cette superbe aubaine et même s'en désolait au point que je lui en voulais de ne pas partager ma chance et ma satisfaction.

Le succès de cette mélodie avait été assez exceptionnel, par exemple, pour que l'on en recherchât l'auteur. Affolée, Laurence m'avait entraîné illico dans les îles de la Baltique pour fuir les « si vulgaires médias », comme elle le disait avec mépris. Ils s'étaient rabattus en mon absence sur le metteur en scène et sur les acteurs du film et notre retour avait eu lieu dans un Paris parfaitement indifférent à ma personne. Mais il n'empêchait que Laurence gardait sa fureur et son agacement — et sa méfiance — intacts, comme si j'y étais pour quelque chose.

D'autre part, autant je lui reprochais le déplaisir que lui donnait mon succès, autant je ne pouvais m'empêcher de le comprendre. Laurence avait épousé ou voulu épouser un pianiste célèbre, un virtuose, que je n'étais pas devenu (mais qu'elle ne m'avait jamais reproché de ne pas devenir). En revanche, elle n'avait pas épousé un compositeur de variétés ; elle n'avait pas, pour un faiseur de « tubes », quitté sa famille, défié son père et ses menaces de la déshériter ; ni imposé sept ans, en tant que mari et en tant que musicien, à des amis snobs et mélomanes, un homme qu'ils disaient son gigolo, non sans mauvaise foi d'ailleurs, puisque Laurence avait mon âge, une grande beauté et la passion de la musique.

Elle avait proclamé en tout cas en m'épousant que l'art importait plus que l'argent, principe absurde pour son cercle familial (mais dont j'espérais lui avoir apporté quelques preuves, par des moyens dérivés et, d'après elle, agréables). Elle avait dû lutter pour me faire admettre dans ce milieu qui était snob, fourbe et amoral comme les autres et avec l'approbation duquel il était normal que mon beau-père me méprisât. Le malheureux avait dû se résigner déjà à ce que sa propre femme nous léguât en mourant toute sa fortune (car la mère de Laurence était la seule personne sympathique de cette famille. Elle était même attachante et je dois dire que, s'il n'avait été aussi providentiel, son décès m'aurait beaucoup attristé). Enfin, pour en revenir au présent, je voyais bien qu'il fallait réconforter Laurence.

— Ma chérie, je ne te trompe pas et tu le sais! Si, si, décidai-je, tu le sais! Par choix, *mon* choix personnel. Le fait que tu m'offres la nourriture, le gîte, l'habillement, l'argent de poche, les cigarettes, l'automobile, les assurances...

— Tais-toi! cria-t-elle.

Laurence ne supportait pas l'énumération de ses bienfaits à mon égard, ou plus exactement elle ne supportait pas que ce soit moi qui la fasse; elle voyait là un masochisme inquiétant, comme si tout au contraire le rappel de sa générosité, des misères qu'elle m'épargnait, n'était pas pour moi une raison supplémentaire de l'aimer.

— Arrête! cria-t-elle en se penchant en avant, arrête! cria-t-elle en jetant ses mains autour de mon cou, arrête! dit-elle en posant sa joue sur la mienne.

— Voyons, dis-je en la berçant, voyons. Tu as bien vu, quand même, cette pauvre femme, tout en os, avec ses cheveux paille et son nez en l'air. Non?

— Peut-être. Oui, enfin...

— Tu ne vas pas me dire que c'est mon genre de beauté? lui demandai-je en riant moi-même de cette insanité. Regarde-toi, s'il te plaît.

Et elle hocha la tête, murmura «oui, évidemment» (comme si l'alternance n'avait pas de charme... Mais les femmes n'ont pas la logique que de leur bonheur). En attendant, la prochaine fois, je resterai à dix mètres de cette personne.

Je me levai :

— Bon! Eh bien, je vais dévaliser «Pas un sou»! déclarai-je abruptement, riant aussi fort que possible d'une plaisanterie usée mais dont j'espérais que Laurence rirait aussi et que j'aurais le temps, ainsi, de traverser la pièce et de prendre la porte avant que son visage ne passe de l'amusement au reproche, comme le mien de l'amusement à la culpabilité ; car mes absences, même si Laurence ne me le disait pas, lui étaient toujours insupportables, nerveusement ou caractériellement, je l'ignore. En tout cas c'était une réaction remarquable, me semblait-il, après sept ans de mariage, et qui devait être portée à l'actif de ce dernier.

J'eus le temps de passer la porte et de m'engager dans l'escalier vers « Pas un sou ». Le « Pas un sou » que je venais d'évoquer était le producteur de ma maison d'édition — celle de ma musique *Averses* — intitulée « Delta Blues Productions ». Malgré tous ces américanismes et ses voyages incessants à New York, le nom de Palassous, tout autant que ses costumes cintrés et ses chaussures bicolores, trahissait son origine méridionale. Ferdinand Palassous avait une réputation exécrable de producteur sans scrupule, cupide, mais capable aussi de rétribuer ses poulains s'ils lui rapportaient quelque argent — ce que j'avais fait — et s'ils le lui réclamaient assez violemment — ce que j'allais faire — avec l'aide de mon meilleur ami, Coriolan Latelot.

Coriolan avait mon âge et mon passé. Nous étions nés la même année dans la même rue du même arrondissement. Nous avions fait nos études dans le même lycée, notre service militaire dans la même caserne, partagé les mêmes filles et la même dèche jusqu'à l'arrivée de Laurence. Ils ne se supportaient pas l'un l'autre, par une antipathie du premier jour dont je me serais accommodé s'ils n'avaient tenu à se la manifester en toute occasion, elle lui reprochant de n'être pas un voyou mais de les jouer, et lui, lui reprochant d'être une bourgeoise qui, en plus, forçait son rôle : raillerie devenue grief avec le temps.

Nous avions rendez-vous, Coriolan et moi, devant le *Lion de Belfort,* notre café et quartier général habituel. Coriolan travaillait au bout de la rue Daguerre, dans son atelier de garagiste, et son siège de bookmaker était à l'autre bout de la rue Froidevaux, à deux minutes réelles de notre appartement.

Laurence et moi avions choisi entre tous les biens immobiliers de sa mère ce cinquième étage d'un immeuble dans les hauteurs du boulevard Raspail, juste après le boulevard Montparnasse ; cela me mettait à trois cents mètres non seulement de Coriolan, mais aussi du quartier de mon enfance (ce que j'avais soigneusement dissimulé à Laurence). Renseignée plus tôt, elle aurait, je le savais, sûrement choisi parmi l'éventail immobilier de sa famille un appartement plus éloigné de ce quartier que je connaissais par cœur. Laurence aurait aimé me dépayser vraiment et m'offrir, en plus d'une nouvelle vie, d'un nouvel amour et d'un nouveau confort, un nouvel arrondissement. L'enlèvement de son musicien n'était pas aussi complet qu'elle l'aurait voulu, mais les quelques tentatives qu'elle avait faites par la suite pour déménager étaient tombées sur un homme de bois. Bien sûr, bien sûr, je n'aurais pour rien au monde tenté de m'opposer à ses décisions ou contrarié un bonheur qui était aussi le mien, après tout, bien sûr, tout en moi me retenait de lui tenir tête. Mais en même temps la contrariété m'avait toujours coûté des migraines quasiment féminines, des silences épais, des prostrations interminables qui l'avaient, elle aussi, découragée de me contrer trop assidûment... bref, nous en étions restés là — c'est-à-dire boulevard Raspail.

Je partis donc retrouver mon Coriolan et malgré la proximité de notre rendez-vous je pris ma voiture, un superbe coupé offert par Laurence à l'occasion de mon anniversaire trois ans plus tôt ; c'était un animal noir, beau, précis, puissant, souple comme une musique de Ravel et luisant aussi ce matin-là dans les rayons d'un soleil provisoire. Je fis un crochet par le boulevard Raspail et le boulevard Montparnasse, puis l'avenue de l'Observatoire, afin de profiter de ma voiture et de son ronronnement ; car Paris était vide. Les piétons, fatigués de remettre et d'enlever leur imperméable pour suivre les éclaircies et les ondées, s'étaient définitivement mis à l'abri ; et les rues désertes et mouillées s'allongeaient luisantes et lisses, comme d'immenses otaries, sous le capot de ma voiture. La lumière tremblait et j'avais l'impression de glisser ainsi sans aucun mal et sans un bruit à l'intérieur d'une de ces bulles, mi-soleil mi-pluie, mi-air mi-liquide, mi-nuage mi-vent, un de ces ravissants instants — indescriptibles pour la météorologie — que nous offrent parfois et par hasard les hésitations du ciel. En revanche, la tornade de la nuit d'avant ne s'était pas interrogée, elle, sur le sort de ces feuilles qu'elle avait furieusement décrochées des arbres, quel que fût leur âge : des plus rousses jusqu'aux plus vertes, pousses ingénues et candides, de la découpe du bord à la ligne blanche de l'arête centrale. Et dont je vis mes essuie-glace, lorsque je les déclenchai machinalement, ramener des paquets à la surface de ma vitre, les mêler aux sinueux filets de pluie. Tandis que ces engins zélés les partageaient en deux troupeaux avant de les rejeter au caniveau, leur dernière prairie, je les vis, ces feuilles, je les vis se plaquer contre le verre froid et me supplier, face à face, de faire pour elles je ne sais quoi — que mes yeux froids de citadin ne comprirent pas.

Cet accès de sensiblerie (chez un individu aussi équilibré que je l'étais, de l'avis général) ne devrait pas étonner. Les hommes ne connaissent rien dans certains domaines ; et supposer, imaginer des nerfs, des souffrances, des cris, des hurlements à tout ce que nous pouvons toucher, à tout ce que nous pouvons abîmer, à tout ce que, moi, je devinais vulnérable et silencieux — horriblement silencieux — me déprimait par moments. Musicien, je savais que nos chiens sont plus réceptifs que nous-mêmes, que l'oreille humaine ne capte pas le centième des sons émis autour d'elle. Je savais aussi que l'herbe écrasée fait un bruit inimitable par le plus sophistiqué des synthétiseurs.

— Enfin!.

La portière s'ouvrait et la tête de Coriolan s'y présenta. C'était une tête d'Espagnol ulcéré quoiqu'elle fût, en cet instant-là, hilare. Certains divorces entre un physique et un caractère peuvent être troublants, mais il effrayait carrément dans le cas de Coriolan. Cet homme était l'allégorie même d'un noble espagnol frappé par le déshonneur, au point que ses meilleurs amis le préféraient triste bien qu'ils l'aimassent tendrement. Quant aux femmes, très peu supportaient, après avoir cédé à un hidalgo, de se réveiller avec un joyeux drille; cela obligeait souvent Coriolan à garder, pendant des soirées qu'il eût préférées amusantes, une mélancolie qui, s'il y avait manqué, lui aurait fait manquer aussi les faveurs de sa compagne. Quand il était sérieux, il impressionnait et plaisait, autant que peut plaire et séduire un hidalgo; quand il riait, il gênait et déplaisait autant que peut déplaire et gêner un simulateur qui a voulu se faire une tête d'hidalgo. L'injustice de son sort en aurait accablé plus d'un. Mais pas lui, car il avait la fierté, le courage et l'orgueil que promettait son visage même si son quasi-dénuement incitait les gens à qualifier ces vertus d'inconscience, d'entêtement et d'arrogance. En tout cas c'était mon ami, mon meilleur ami et à présent, depuis mon mariage, mon seul ami — Laurence n'ayant pas en amitié les mêmes goûts que les miens.

— Où va-t-on? demanda-t-il en installant ses longs membres sur le siège avant, l'air réjoui comme chaque fois qu'il me voyait, et j'eus un élan de reconnaissance vers lui. C'était l'homme le plus fidèle, le plus attentif que l'on puisse rêver; je lui jetai un coup d'œil : ses vêtements indiquaient un état financier désastreux, mais il n'accepterait pas un sou venant de Laurence; et moi, depuis sept ans, je n'avais que ça.

— Il faut absolument que j'arrache de l'argent à «Pas un sou», dis-je avec d'autant plus de conviction. On joue *Averses* partout mais il prétend que la SACEM ne l'a pas payé.

— Quel foutu voleur! dit placidement Coriolan. On n'entend que ça! Chaque fois que tu touches... disons : dix francs, ce type empoche un franc cinquante; uniquement parce qu'on lui envoie la facture et qu'il fait le calcul, tu te rends compte? Et il ne veut pas te payer, c'est le comble! Comment est-il?

— Oh, répondis-je, oh, il est niçois, ou de Toulon, je ne sais pas. Il a une bonne tête, mais il veut se faire passer pour un New-Yorkais bon teint. Tu verras.

— Je me charge de lui, déclara Coriolan en se frottant les mains.

Puis il se mit à chanter à tue-tête un quatuor de Schubert qui ne le lâchait pas, comme il disait, depuis un mois. Car ce garagiste-bookmaker était un des experts musicaux les plus écoutés par les grandes revues européennes, constamment sollicité par les plus grands musiciens du monde tant sa mémoire, sa culture musicale et ses intuitions sur toutes les musiques étaient stupéfiantes ; mais il se refusait à en faire un métier, par je ne sais quel romantisme ou quelle nostalgie.

Coriolan avait interrompu son quatuor et se tournait vers moi :

— Et ta femme ? Elle commence à s'habituer à l'idée de ton succès ?

Il avait été mis au courant de nos démêlés par je ne sais qui. Je lui répondis, un peu agacé et un peu sèchement :

— Oui et non... Tu sais bien qu'elle préférerait que je sois un grand pianiste...

Coriolan éclata de rire :

— Allons, allons, allons ! Elle ne peut pas y croire une seconde, voyons. Même pas elle ! Il y a bien trois ans que tu ne travailles plus... Qu'est-ce que tu fais dans ton fameux studio ? Tu lis des romans policiers, non ? Tu ne pourrais pas jouer du Czerny à l'heure actuelle ; elle n'est quand même pas si sotte ! Un virtuose, toi, maintenant ? Il faut s'exercer, mon vieux, pour ça, tu le sais bien !

— Alors d'après toi, que veut-elle de moi ? Et qu'est-ce qu'elle voulait de moi au départ ?

— Ce qu'elle voulait de toi ? Ce qu'elle veut de toi ? Mais rien, mon vieux, rien. Enfin, si : tout ! Elle veut que tu sois là et que tu ne fasses rien. Tu n'as pas encore compris ? Elle te veut « toi », point final ! C'est la seule chose que ce vampire ait de romanesque.

Là-dessus le téléphone sonna et Coriolan, subjugué, se tut : c'était l'objet qui le fascinait le plus dans cette voiture. Je décrochai et naturellement n'entendis rien : il n'y avait personne. Seule Laurence connaissait mon numéro et elle ne m'aurait jamais dérangé sans motif. Encore une erreur du standard. Mais nous arrivions devant l'immeuble de mon producteur.

Les locaux de Palassou étaient une caricature du genre bureaux des Champs-Elysées. Après un escalier plutôt minable, on arrivait au deuxième étage devant une porte un peu sale où était toutefois placardé « Delta Blues » en lettres d'argent sur fond de marbre noir.

— Pourquoi « Delta Blues » ? ricana Coriolan. Pourquoi pas « Cafard niçois » ? suggéra-t-il même, en me suivant sur la moquette trop épaisse du hall. Une secrétaire-starlette nous apprit que le producteur conférait au téléphone avec un autre nabab ; ce qu'il faisait effectivement, l'air passionné. Mais il se crut obligé en nous voyant de prendre un ton pressé et un visage excédé, sans pour cela d'ailleurs interrompre sa conversation ; pas plus qu'il ne se crut obligé ensuite de s'excuser quand il posa son téléphone. Personnellement, j'étais habitué à la grossièreté des hommes d'affaires : les amis de Laurence avaient tous des occupations ou des postes qui leur permettaient de dédaigner — même s'ils me l'enviaient secrètement — mon oisiveté forcée et de me marquer ce dédain. Seulement, venant d'un Palassous que je nourrissais somptueusement — me disait-on — depuis quelque temps, je trouvais cette attitude un peu exagérée.

— Et comment va votre charmante épouse? s'enquérait-il l'air mondain — enfin, aussi mondain qu'il lui était possible de le paraître.

— Elle va bien, elle va bien. Vous connaissez Coriolan?

— Ah, bonjour monsieur! Vous êtes venu avec un ami espagnol, mon cher Vincent, c'est ça? Vous ne vous déplacez jamais seul?

Et en plus, il plaisantait. Je m'énervai :

— Coriolan est mon imprésario! Il est venu, à ma demande, pour s'expliquer avec vous sur vos retards de paiement.

— Allons, voyons, allons! dit Coriolan avec un bon rire, mais mon regard l'arrêta.

« Pas un sou » semblait consterné.

— Imprésario? Mais enfin, vous savez que c'est un métier... mon cher ami, je m'excuse, je ne connais pas votre nom... et c'est un milieu où nous nous connaissons tous entre nous... il faut de l'expérience, de toute manière, de la ténacité, de la jugeote en plus et...

— Ai-je l'air de manquer de jugeote? demanda Coriolan de sa voix d'inquisiteur châtré et je me détournai, tout à fait tranquille sur la suite de mes perspectives financières.

En revanche, sur un autre point, je m'arrachais les cheveux mentalement : qu'avais-je fait? Bien évidemment, prendre Coriolan comme imprésario était une idée géniale pour assurer sa subsistance, mais qu'allait en penser Laurence? Je venais de choisir pour agent un homme dont elle me dénonçait depuis sept ans la totale irresponsabilité ; à ses yeux, ce serait un affront délibéré, la preuve qu'une fois de plus je dédaignais complètement ses jugements. Elle ne croirait jamais que j'avais fait cela dans l'élan, par distraction, par énervement contre « Pas un sou » comme par gentillesse envers Coriolan. Elle ne croirait jamais à une étourderie de ma part. (Au demeurant, les gens sont tous comme ça : l'oubli, l'oubli pur et simple de leurs maudits conseils ne leur paraît jamais une raison suffisante pour qu'on ne les suive pas.) Derrière la vitre, entre les marronniers frémissants des Champs-Elysées et moi-même, s'interposa soudain le visage indigné, douloureux, de la pauvre Laurence. Je détournai les yeux vers « Pas un sou » qui, enfoui dans son fauteuil, les yeux agrandis, écoutait le récit de Coriolan.

— ... Il y a eu un client comme vous au PMU de Neuilly : il ne voulait pas payer ses dettes, tout simplement. Sympathique à part ça, un bureau superbe avenue de l'Opéra, un compte en banque respectable, tout. Il devait quand même cinq cent mille francs nouveaux. J'ai été obligé de me déranger, d'aller le voir avenue de l'Opéra, comme aujourd'hui je viens aux Champs-Elysées. Or je n'aime que le XIVe. Il va donc falloir que vous donniez illico à Vincent ce que vous lui devez.

Autrement... (et il se pencha et baissa la voix). Je tendis l'oreille en vain.

— Mais voyons..., balbutiait « Pas un sou », mais voyons, cher Coriolan, vous n'ignorez pas les délais de la SACEM? dit-il à voix haute.

Coriolan se pencha de nouveau, balaya la SACEM d'un geste de la main et reprit à voix basse son discours initial. Petit à petit, les interruptions de « Pas un sou » baissaient de ton et c'est en chuchotant qu'il ouvrit son bureau et en sortit des paperasses. Coriolan me lança un regard triomphant et je lui renvoyai un sourire enthousiaste. Quoi qu'il arrivât, c'était dans ce genre de moments que l'on redevenait le plus sensible aux vertus de ses amis.

Bref, j'étais enchanté, Coriolan était enchanté et curieusement « Pas un sou » semblait soulagé. Nous allâmes déjeuner tous les trois en compagnie d'un groupe rock et d'une célèbre chanteuse, clients eux aussi de « Delta Blues ». Je fis téléphoner à Laurence que je ne rentrerais pas déjeuner, mes scrupules ayant été vaincus par les encouragements et les arguments des deux sbires. Ils ne me menaçaient pas de ridicule car il y avait longtemps que le ridicule ne m'importait plus, mais m'accusaient de mesquinerie : c'était à moi de payer le déjeuner, disaient-ils avec conviction. De toute manière, j'allais déjà vers de telles querelles conjugales avec cette invention de Coriolan-imprésario que je n'en étais plus à deux heures près. Je chargeai simplement la dame des vestiaires de me décommander elle-même : car je savais que Laurence, si je lui annonçais ma défection pour le déjeuner, m'excuserait avec une de ses remarques indulgentes plus envenimée qu'une injure ; et j'étais de bonne humeur, de trop bonne humeur, rien qu'à regarder les yeux gais, brillants et soulagés de Coriolan, pour supporter une ombre à mon bonheur. Moi aussi je pouvais être égoïste de temps en temps...

CHAPITRE II

Deux heures plus tard je laissai Coriolan, effrayé mais arrogant, dans ses nouvelles fonctions, en tête à tête avec le comptable des « Delta Blues Productions », qu'il s'obstinait à appeler « Cafard niçois ». Après tout, son propre irrespect de l'argent ferait peut-être de lui un agent merveilleux pour autrui. Et puis, je ne comptais pas annoncer sa promotion à Laurence dès mon retour ; je préférais attendre qu'un chèque mirobolant tombe dans notre escarcelle.

Il était près de quatre heures lorsque je poussai silencieusement la porte de notre appartement. Un flot mélodieux, un merveilleux envol m'assaillirent : c'était le concerto de Schumann qui venait de la chambre de Laurence comme pour m'agresser. Je songeai un instant à gagner le studio qui m'était échu pour mes pianotages, au fond de l'appartement, mais il me fallait pour cela ou traverser la chambre conjugale, notre chambre, ou alors passer devant Odile, ma secrétaire.

Odile était une amie de classe de ma femme, une de ses nombreuses admiratrices à qui Laurence avait confié mes courriers et mes coups de téléphone, plus fréquents depuis ma notoriété subite. Bon enfant, athlétique et le visage plat, Odile était une de ces femmes qui s'enferrent dans leur âge ingrat et jouent ensuite, toute leur vie, avec un mélange d'espoir et de maladresse, les rôles de la jeune fille, puis de la jeune femme, puis de la femme épanouie, etc., etc., sans jamais arriver à convaincre ni elle-même ni personne de la véracité de leurs rôles. Odile arrivait tôt, partait tard, répondait à ma place à un courrier plutôt maigre composé généralement de demandes d'argent.

C'était là le courrier classique d'un compositeur de «tubes», disait Laurence. Bien entendu, une réussite de virtuose m'aurait procuré un courrier plus raffiné et, à elle, une existence plus honorifique. Quand on s'est imaginée dînant à Bayreuth ou à Salzbourg avec Solti et la Caballé après le récital de son mari et qu'on se retrouve à Monte-Carlo pour le festival de l'Eurovision, on peut être déçue. Quand on a imaginé ce même mari en habit, à l'avant de la scène, devant une salle enthousiaste et qu'on le retrouve encourageant, dans les coulisses, quelque voix fluette ou châtrée qui fera vendre ses disques par milliers, on peut l'être encore plus. Cela dit, depuis sept ans, ces images d'Epinal à propos de ma carrière auraient dû se délaver quelque peu. Et qui, après tout, qui lui disait que moi-même je n'étais pas sensible aux charmes de ce romantisme ? Qu'elle eût voulu être Marie d'Agoult n'excluait pas que j'eusse aimé être Franz Liszt. Je savais quand même ce qui différenciait Beethoven de Vincent Scotto ; ça n'était pas en m'envoyant des flots de Schumann aux oreilles du matin au soir, comme des reproches incessants, qu'elle ferait preuve de charité ni d'intelligence. Je lui expliquerais tout cela un jour, un beau jour — un autre jour — car ce déjeuner inopiné avec «Pas un sou» devait d'ores et déjà l'ulcérer. Et, je le répète, je détestais faire de la peine à Laurence.

Aussi passai-je discrètement par le couloir de la cuisine et donc par le secrétariat d'Odile pour rejoindre mon studio. Mon refuge. Mon abri. «Mais quel refuge?» s'était exclamé Coriolan en le voyant. «Quel refuge puisque tu dois affronter tes deux sentinelles pour t'y cacher?» Il exagérait, comme d'habitude. J'étais sûr qu'Odile m'aimait bien et était prête à fermer les yeux sur mes sottises, si j'en faisais ; j'ignorais si elle me jugeait même un bon à rien : cette réputation de «bon à rien», très répandue au début de mon mariage parmi les amies de Laurence (en général richement mariées, elles) j'avais eu à cœur de leur en prouver rapidement l'injustice en même temps que je leur fournissais quelques-unes des raisons qu'avait eues Laurence de m'épouser. Tout cela, bien sûr, s'était fait dans la plus grande discrétion, quoiqu'il y ait peu d'hommes dans son milieu — comme dans tous les milieux, malheureusement — peu d'hommes qui prennent le soin élémentaire de cacher leurs écarts, Laurence n'avait jamais eu que des craintes par rapport à ma fidélité, mais pas la moindre preuve de leur bien-fondé. Je détestais ces couples qui mettent un point d'honneur à s'instruire de leurs tromperies sous prétexte d'une sincérité bien entachée à mes yeux de sadisme ou de vanité.

— Vincent? Tiens! s'écria Odile d'un ton surpris, comme si des douzaines d'hommes défilaient dans son bureau sur la pointe des pieds au milieu de l'après-midi. Vincent! Vous avez vu Laurence?

— Non, dis-je. Pourquoi croyez-vous que je sois passé par ici?

— Mais... Mais... — La malheureuse restait interdite car les récits de Laurence, comme toutes ses attitudes, lui dépeignaient en nous un couple parfait. — Mais elle vous attend... Elle vous attend! — Et ses yeux, ses mains, sa voix, tout son corps tentaient de m'orienter vers la chambre de Laurence, vers Schumann — vers le bonheur conjugal et la grande musique, pour être plus précis.

— Je ne veux pas la déranger, répliquai-je, et j'entrai dans mon studio un peu vite.

J'avais désobéi à l'ordre moral de cette demeure, j'en serais puni mais je n'allais quand même pas rester là debout avec cet air de coupable que je me voyais dans la glace. Je retirai mon imperméable et le jetai sur mon lit avant de ressortir d'un pas ferme.

— Ah, vous, alors...! dit Odile, et si elle n'ajouta pas «quel plaisantin!» ce fut uniquement par manque de conviction.

Je lui fis un clin d'œil et elle rougit. Pauvre Odile! Ç'aurait été une bonne action de lui faire l'amour, mais j'étais trop égoïste pour ça. Je souris quand même en pensant que Laurence m'avait vraiment choisi comme secrétaire la plus vilaine de toutes ses meilleures amies.

Je rentrai dans la chambre — dans notre chambre — en sifflotant, du Schumann, bien entendu. Laurence, en déshabillé devant la cheminée et son grand feu, m'attendait. Et je me rappelai un soir d'automne, cinq ans plus tôt, où, étant allé passer une audition salle Pleyel, j'en étais revenu humilié et battu, avec, pour la première fois de ma vie, l'impression d'être un raté. Pour la première fois je ne me voyais plus comme un jeune homme qui pouvait ou qui pourrait, mais comme un homme qui n'avait pas pu. Et cette idée ce soir-là me terrifiait, me courbait les épaules, me mettait les larmes aux yeux. Dans mon accablement, j'aurais voulu éviter Laurence, mais elle m'avait hélé dès mon entrée dans l'appartement; et j'étais entré dans cette pièce sombre, comme maintenant, avec le reflet du feu sur les murs, comme maintenant.

— Viens, Vincent !, avait-elle répété, et je m'étais assis près d'elle dans le noir, avili et courbatu, détournant la tête de peur qu'elle ne m'interrogeât sur cette séance à Pleyel.

Mais elle n'avait pas eu la moindre question ; elle m'avait enlevé ma veste, ma cravate, elle avait séché mes cheveux avec son foulard, tout cela en m'embrassant très doucement, sans dire un seul mot, sinon « Mon chéri ! Mon pauvre chéri ! » de la même voix basse et tendre, maternelle, la voix même qu'il me fallait. Ah oui, elle m'avait aimé ! Oui, elle m'aimait, Laurence ! Et c'était pour des souvenirs comme celui-là que je lui passais ses petites exigences d'enfant gâtée.

Cet après-midi-là non plus, elle ne fit pas tout de suite allusion à mon déjeuner. Elle semblait très gaie au contraire, elle avait les yeux brillants. Aussi, quand elle me parla de surprise, mon cœur fit un bond : attendait-elle un enfant ? Elle n'en désirait pourtant pas, je le savais. Avait-elle été imprudente ? Mais il ne s'agissait pas d'enfant, seulement de parent.

— Devine qui m'a téléphoné tout à l'heure ? Mon père !

— Que lui arrive-t-il ?

— Il a eu une crise cardiaque et il trouve notre dispute grotesque. Il ne veut pas prendre le risque de mourir sans m'avoir revue. Il se rend compte du ridicule de sa... enfin, de notre brouille.

— Bref, il m'accepte !

J'étais sur le point de rire. Quelle journée ! Un imprésario à midi, un beau-père à cinq heures ! La vie me tombait dans les bras, avec toutes ses fleurs.

— Qu'en penses-tu ?

Je la regardai. Autant que je puisse lire sur ses traits, elle était émue.

— Eh bien je pense que tu en es heureuse. Et c'est normal, c'est ton père.

Elle me jeta un regard curieux :

— Et si j'étais horrifiée ?

— Ce serait normal aussi, ton père n'a pas changé.

Mes réponses me paraissaient assez subtiles mais Laurence ne les appréciait pas, ce qui me conduisit à les commenter :

— Il est normal que tu te réjouisses du retour de ton géniteur ; mais comme ton géniteur a le caractère de ton père, il est normal que...

— Oh, arrête, dit-elle, je t'en prie ! Tes plaisanteries perpétuelles ! A propos, tu t'es bien amusé, à midi, avec tes artistes, tes musiciens : les musiciens de monsieur Ferdinand Palassous ? Tes nouveaux amis te plaisent-ils toujours autant ?

Sa voix débordait de mépris mais pour une fois je m'insurgeai. Depuis l'irruption de cette musique, de ce succès dans mon existence, je me sentais plus sûr de moi ; j'avais le sentiment assez plaisant de n'être pas tout à fait un incapable ; ou plutôt, la certitude de mon incapacité jusqu'ici à gagner ma vie avait vacillé avec le succès d'*Averses*. Bien sûr, ce succès, je l'ai déjà dit, pouvait n'être qu'un accident ; mais après tout rien ne le prouvait. Certains musiciens croyaient plutôt le contraire, me voyaient même comme un compositeur d'avenir. Aussi répondis-je d'un air fort digne :

— Mais ma chérie, ce sont mes confrères ! Je ne me suis donc pas ennuyé du tout.

Elle me regarda et éclata en sanglots. Je la pris dans mes bras, stupéfait. D'abord, parce que je n'avais pas souvent vu Laurence en larmes, ensuite parce que ce n'était jamais moi qui les avais alors provoquées — ce dont je n'étais pas peu fier. Aussi la serrai-je doucement contre moi, en m'excusant et en murmurant « Ma chérie ! Ma grande chérie ! Je t'en prie, ne pleure pas ! Tu m'as manqué pendant tout le repas », etc. etc. Puis, comme elle continuait à sangloter, je la serrai de plus en plus fort jusqu'à ce que la douleur physique finisse par la calmer. Elle se débattit et se dégagea enfin, haletante :

— Tu ne comprends pas, dit-elle, les mains sur les seins, c'est un milieu tellement horrible ! Tu m'as même fait téléphoner par la dame du vestiaire, comme le font tous ces types, par lâcheté, pour ne pas avoir l'air d'être attendus chez eux, vis-à-vis des copains. Cette fausse liberté, cette demi-grossièreté ! Ah, non ! Toute la médiocrité de ces gens ! Comment peux-tu ?

Et elle pleurait à petits coups, elle suffoquait et je reconnaissais qu'elle n'avait pas tort ; et puis la tiédeur de ses larmes, leur trajet contre mes propres joues, la petite fièvre de sa peau, ses cheveux collés à son front, le tremblement de son corps, tout cela me fendait le cœur. Je débordais de compassion, d'une humaine et tendre compassion. Aussi fus-je tout surpris quand elle glissa sa main sous ma chemise, prit ma propre main et m'entraîna vers le lit : surpris et déconcerté. Après tout, elle débordait de reproches dix minutes plus tôt, de larmes trois minutes avant, et peut-être bien de mépris dans l'après-midi. Comment pouvait-elle me désirer à présent si vite ? Malheureusement pour moi, ma nature était d'une simplicité ridicule ; mon cœur et mon corps avaient toujours navigué de concert et, chez moi, le désir succédait à l'intimité, à l'entente, aussi naturellement que la fuite succédait au désaccord. Personne n'était plus loin que moi du viol et je n'avais jamais connu ces divorces entre les sentiments et les sensations qui pimentent tellement de récits et provoquent tant de littérature. Bref, pour être clair, les scènes ou les bouderies de Laurence m'avaient toujours émasculé. Je me savais bien primaire ou bien arriéré dans ce domaine et je m'en voulais comme d'une balourdise, mais je n'y pouvais rien.

Toujours est-il que cet après-midi-là, Laurence se donna à moi comme elle ne l'avait pas fait depuis longtemps, très longtemps ; au point que certains de ses cris, certains de ses gestes, me semblèrent non seulement un peu forcés mais adressés à un autre que moi, à un Vincent plus lyrique et plus ardent que je me reprochais de ne pas être, que je craignis même un instant de trahir et que seule la vanité me permit d'incarner honorablement.

Je prenais le thé un peu plus tard dans le salon, sous l'œil ironique de Laurence. Je m'étais rhabillé de pied en cap, en effet, alors qu'elle-même, dans un déshabillé crémeux, les yeux battus, ne laissait rien ignorer de nos activités précédentes. Elle m'accusait, d'une voix amusée, d'être prude, et je l'accusais, moi, d'une voix inaudible, d'être ordinaire. Ce devoir que se font de plus en plus de couples de nos jours à informer autrui de leurs étreintes, celles-ci à peine terminées ; la vanité joviale que semble leur inspirer une activité à laquelle se livre pourtant avec tout autant d'entrain et de vigueur n'importe quel mammifère, tout cela me paraissait grotesque et déplacé... Encore l'amour repu n'était-il rien auprès de l'amour imminent !... Ceux qui, tant par leur agitation que par la multiplicité de leurs attouchements réciproques veulent nous faire partager ou deviner la joie très proche de leur partenaire et la leur, ceux-là, je l'avais cent fois constaté et entendu, s'en tiennent souvent à ces joyeuses promesses. Fort logiquement, trouvais-je, car l'impuissance seule explique ces délais délibérés et douloureux infligés à leur ardeur.

Pour en terminer avec ces considérations générales, le spectacle de Laurence épanouie et langoureuse se faisant servir le thé par la droite et frustrée Odile me déplaisait.

— Mais, dit-elle, ce n'est qu'Odile ! Il n'y a qu'Odile ! Tu ne...

Sur quoi, celle-ci arriva et s'assit en minaudant.

— Tiens, dis-je, à propos, une jeune fille aux cheveux verts m'a demandé aujourd'hui, aux «Delta Blues Productions», si j'avais reçu sa lettre. Elle me réclamait un autographe le mois dernier sur une photo, la pauvre malheureuse ! Ça ne vous dit rien, Odile ?

A ma grande surprise, celle-ci rougit énormément et c'est Laurence qui répondit avec vivacité :

— Tu sais bien qu'Odile trie ton courrier ! Elle est obligée pour cela de tout lire, avant de nous répercuter les lettres les plus... disons, les moins médiocres. J'avoue que je n'ai pas eu le temps d'en prendre connaissance, ces temps-ci. Ce retard est de ma faute.

Je restai ébahi d'abord, puis sourcilleux. Bien sûr je n'imaginais pas que des inconnus puissent m'écrire, mais ils l'avaient fait. J'avais donc reçu des lettres, Odile et ma femme les avaient capturées et lues par curiosité pour négliger en fin de compte de me les remettre. D'où cet air coupable que je leur voyais et que je savourais à mon tour. Non pas que leur procédé me parût si choquant ; bien entendu, si j'avais attendu des lettres d'amour, je l'aurais trouvé infâme et j'aurais hurlé, mais ce n'était pas le cas et je ne les accusais que de sans-gêne. L'immoralité d'une action ne m'apparaît jamais qu'à travers ses conséquences ; et je ne pensais pas à brandir à bout de bras et à longueur d'année certains principes, abstraits et racornis, sur lesquels s'appuyaient Laurence et ses amis pour me faire leurs reproches. J'avais pourtant là une fameuse occasion de m'insurger, d'invoquer le secret et de soupirer après la discrétion d'antan. Mais j'étais, je l'ai déjà dit, incapable de mélancolie et d'amertume et même, plus grave, de me contraindre à les afficher. En fait, m'ériger en juge de Laurence me paraissait aussi futile que l'inverse.

Car, coupable, je l'étais apparemment. Aux yeux de mon beau-père, par exemple, j'avais toujours été un bon à rien ; mais je l'étais à mes yeux à moi aussi. Et en cela, il aurait dû penser que cette résignation, chez moi, à l'anonymat, cette renonciation justement à être quelqu'un et à gagner ma vie, je les devais avant tout à ma nature artistique. Lancé dans le marketing ou dans le commerce, j'aurais pu nous leurrer sur moi-même beaucoup plus longtemps que dans la musique ; la médiocrité est moins évidente, bien sûr, dans une épicerie que dans une salle de concert : c'était par honnêteté que je ne m'étais pas acharné pendant des années à taper sur un piano ou à donner des leçons de solfège qui n'eussent rien arrangé. Aussi cruelle qu'elle eût été, cette prise de conscience m'avait fait gagner du temps ; sans pour cela me laisser la moindre amertume : j'avais gardé un grand goût de la vie. Et je me demandais parfois si je devais ma fermeté aux ressources de mon esprit (qui avait su rendre cet échec moralement supportable) ou aux ressources de Laurence (qui avait su le rendre matériellement supportable). Sans doute aux deux d'ailleurs.

Odile étant partie chercher quelques petits fours, Laurence, que visiblement mon courrier n'amusait pas en tant que sujet de conversation, décida d'en changer.

— Ce costume te va divinement bien ! dit-elle en promenant son regard sur mon corps, de mes racines de cheveux à mes pointes de pied. On a eu raison de prendre ce gris-bleu plutôt que ce gris-vert, tu ne trouves pas ? Avec tes yeux, c'est plus joli !

Je hochai la tête avec gravité. J'aimais beaucoup quand elle utilisait le « on » à propos de mes essayages. « On » avait choisi ce tissu, « on » avait décidé de la coupe, « on » avait pris les chemises idoines, « on » avait (dans le temps) acheté des boutons de manchettes qui allaient avec toutes les chemises, « on » avait déjà des mocassins italiens qui marchaient avec tout, « on » allait se fendre d'une cravate à fond bleu pour soutenir cette rayure. Et ma foi, si après tout ça « on » n'était pas content, ce serait à désespérer !... tous les « on » représentant Laurence, sauf le dernier qui était moi-même. J'étais arrivé, cela dit, depuis sept ans à reprendre la direction de quelques-unes de mes activités masculines : je choisissais par exemple mes cigarettes, mes coiffeurs, mes clubs sportifs, etc. etc. et différents gadgets masculins ; mais sur les vêtements, inutile d'essayer. Il semblait que Laurence, en même temps qu'un jeune et ardent mari, avait acquis un grand poupon à habiller. Sur ce plan-là, sur ce droit-là, elle ne céderait jamais, je m'étais assez débattu pour le savoir. Alors bon an, mal an, tous les automnes et parfois au printemps, nous nous rendions chez «son» tailleur, où elle me remettait à la dernière mode, m'affublait du dernier cri sous les yeux, jadis sarcastiques mais aujourd'hui blasés, du même tailleur et de la même retoucheuse... les seuls parmi ses fournisseurs, généralement rogues, dont la disparition m'eût véritablement atterré.

— Pourquoi t'es-tu rhabillé des pieds à la tête ? demanda-t-elle. A cause d'Odile ? Tu crois que ça lui donnerait des soupçons ?

— Non, dis-je, non, disons... peut-être de la nostalgie...

Laurence éclata de rire :

— De la nostalgie ! Je te trouve bien prétentieux !

— Ce n'est pas moi qu'elle envierait, répliquai-je bêtement. Je veux dire par là... enfin... c'est nous... c'est notre image que...

Mais le mal était fait et quand Odile revint le sujet de ces lettres disparues était depuis longtemps éclipsé. Je passai dix bonnes minutes à me lamenter sur les traîtrises de la langue française. Odile partie, nous restâmes seuls, Laurence et moi, comme si souvent le soir pendant ces dernières années. Je n'avais plus que Coriolan pour ami ; quant à ceux de Laurence, ils étaient devenus si ennuyeux qu'elle s'en rendait compte et s'en lassait elle même, ce qui ne laissait pas de m'inquiéter car je la savais peu faite pour la solitude, surtout en ce moment. Ce moment où je regardais par la fenêtre le boulevard Raspail, brillant sous la pluie, et où ce mot de nostalgie, évoqué au sujet d'Odile, me semblait maintenant battre à toutes les portes cochères, à toutes les enseignes au néon de Montparnasse avec une vigueur et un éclat renouvelés.

Pendant ce temps, Laurence avait arrangé notre nid d'amour audiovisuel : elle avait pris l'habitude de confectionner sur le tapis, en face de notre poste de télévision, ce qu'elle appelait notre «forteresse», c'est-à-dire un quadrilatère cerné par les coussins du divan. Là, moi à son flanc, elle réglait telle une fée à l'aide de sa manette magique le cours de nos rêveries ; courant d'une chaîne à l'autre, d'un conte de fées à une émission-vérité, elle dirigeait son petit monde ; et la télévision étant ce qu'elle est, je m'endormais rapidement, sitôt terminé le plateau repas du dernier traiteur convoqué (elle en changeait toutes les semaines, et toujours tragiquement).

Ce soir-là je ne tenais plus en place ; les phrases que j'entendais sortir de notre poste me paraissaient encore plus insupportables que d'habitude et mes bras et mes jambes jaillissaient malgré moi de leur château de velours. D'autant que Laurence se lovait de plus en plus contre moi ; elle était de ces femmes qui vous font des avances pour vous rappeler qu'on doit leur faire l'amour, avant, et qui vous font aussi des avances pour vous rappeler qu'on le leur a fait, après ; ce qui laisse peu de temps pour réfléchir à un homme et, surtout, l'empêche de savoir à quel stade il en est. A tout hasard, je pris Laurence dans mes bras et l'embrassai :

— Ah non ! me dit-elle. Quel obsédé tu fais ! Est-ce que tu as réfléchi à mon père ? Que décides-tu ?

— Ce que tu as décidé toi-même. — Et elle me posa sur la joue un baiser reconnaissant.

— Tu n'es pas rancunier, n'est-ce pas ?

— Non. J'ai toujours trouvé la rancune terriblement mesquine. La colère, oui ! Mais après, tant pis ! C'est mieux, n'est-ce pas ?

J'espérais bien qu'elle retiendrait cette leçon comme un principe absolu, voire qu'elle la suivrait.

— Comme tu as raison ! dit-elle. Mon père voudrait nous voir après-demain à son bureau ; nous voir tous les deux mais te parler, seul, un moment ; il a, paraît-il, des excuses à te faire et devant moi... ça le gênerait.

— C'est bien dommage. — Je souriais mais j'étais assez content : il me serait plus facile de l'asticoter et de le ridiculiser à l'aide de sous-entendus tout seul que devant Laurence qui commençait à me connaître.

— Et puis tu sais, ajouta-t-elle, c'est un merveilleux homme d'affaires. Quoi que tu puisses retirer de ton... de tes... de ta chanson, ça te fera un peu d'argent de poche... — et là elle s'arrêta net car «argent de poche» était devenu entre nous une expression interdite, en tout cas délicate, depuis un dîner chez son notaire. L'épouse de celui-ci, après le récit des mille vilenies commises par son fils, avait conclu par : «Et pourtant, je lui donne "tant" par mois d'argent de poche !» — un «tant» qui correspondait précisément à ce que m'allouait Laurence tous les mois. J'avais aussitôt disparu sous la nappe pour récupérer soi-disant ma serviette — en fait mon sang-froid — mais dès mon retour à la surface, Laurence avait pu voir les traces du fou rire sur mes traits défaits. Le mois d'après, sans avoir dit un mot là-dessus, elle avait exactement doublé mes subsides, je ne sais pourquoi... Peut-être parce que le garçon avait seize ans et moi trente-deux... En tout cas, j'avais longtemps béni ce délicieux et impécunieux jeune homme.

Ce soir-là, un peu excédé par Laurence, comme écœuré par le spectacle que me proposait la télévision, étouffé par le velours des coussins, je subis pour la première fois depuis bien longtemps une attaque de claustrophobie. Il me suffisait généralement de penser à la soupente, voire à l'asile pour jeunes gens inadaptés, que j'aurais dû normalement habiter pour me calmer ; mais ce soir je n'y parvenais pas. Grisé par la fermeté de Coriolan et l'obséquiosité subite de «Pas un sou», je m'imaginai tout à coup rentrant dans un appartement par moi payé et où m'attendrait une femme dont je partagerais l'existence, au lieu qu'elle s'attribuât totalement la mienne en me jetant par moments, comme des os, des petits bouts de la sienne. D'un autre côté, l'idée de me séparer de Laurence, dès l'instant que j'en avais les moyens, me semblait bien la plus basse de la terre. En admettant même que j'en eusse vraiment l'envie et vraiment les possibilités, il me fallait bien penser au dégoût qui m'entourerait ensuite, dégoût de moi-même que j'éprouverais sans aucun doute autant que l'opinion publique, quoique peut-être moins longuement.

CHAPITRE III

Les reves d'autrui étant justement réputés le comble de l'ennui, je me bornerai à dire que je rêvai délicieusement toute la nuit, de neige, de piano et de châtaignes, mais que je me réveillai plus suffoquant encore que d'habitude. La chambre sentait le parfum et l'amour et, malgré leur double fascination sur ma personne, je me sentis dès l'aube comme intoxiqué. Laurence heureusement était déjà partie et j'ouvris la fenêtre, respirai longuement l'air de Paris, cet air prétendu pollué d'essence et de poussière, qui m'avait toujours paru le plus frais et le plus sain de la planète. Puis je passai à la cuisine et me fis un Nescafé tiède, Laurence ne supportant pas dans la maison les services d'une étrangère avant trois heures de l'après-midi. J'en profitai pour me promener pieds nus sur le carrelage et la moquette, enfreignant ainsi les règlements du lieu et profitant tranquillement de l'appartement. Quoique grand, il ne l'était pas assez pour un homme oisif, je l'avais vite découvert ; je m'y cognais sans cesse à des femmes affairées et je finissais toujours par me réfugier dans mon studio — où, parfois, je me sentais bien seul ; j'aurais préféré participer au train-train de la maison, y déambuler en robe de chambre et y proférer des sottises plutôt que de rester seul devant mon piano, ce poussif et caverneux reproche de chez Pleyel. Dieu merci il sommeillait à côté d'un divan où je finissais toujours par m'allonger, un livre à la main (j'avais sans doute plus lu en sept ans que pendant toute mon adolescence pourtant ivre de littérature).

Depuis la veille, j'avais rendez-vous pour déjeuner avec Xavier Bonnat, le metteur en scène d'*Averses,* et son producteur. Ce rendez-vous, il me l'avait donné dans son restaurant favori du temps de ses échecs, un endroit qu'il nommait son «home», et qui était le plus infâme qui soit. Malgré sa récente mais certaine célébrité, Xavier tenait toujours à y prendre ses repas ; ce qui montrait, disait Laurence, que le succès ne lui avait pas tourné la tête. Ce qui me montrait, à moi, qu'il l'avait définitivement perdue car nul carnivore ne pouvait se nourrir dans cette gargote sinon par le concours de la famine et du crédit ajoutés.

Le «home» était une salle grande, voûtée, éclairée du matin au soir par des bougies fumantes et où résonnait sans cesse une musique moyenâgeuse truffée de pipeaux débilitants pour tout le système nerveux. Xavier Bonnat et J.P.S., son producteur, m'attendaient à une petite table et je constatai que le succès n'avait pas non plus tourné la tête de Xavier quant à son vestiaire : il arborait toujours le même dufflecoat beigeasse ouvert sur un chandail ras-le-cou d'un noir grisâtre. J.P.S., en revanche, portait un costume trois pièces tout neuf qui lui donnait enfin l'air d'un véritable producteur. Xavier Bonnat ayant horreur de ces simulacres sociaux, je m'assis sans lui tendre la main, et sans le regarder. D'après Laurence qui l'avait connu à seize ans et dont il avait été longtemps amoureux, Xavier Bonnat était un homme «bourré de classe». Bourré de tics aussi, long, grand, avec un visage fin, auquel les gens donnaient trente ans, ou cinquante, sans qu'il consentît à les départager ; finalement il en comptait quarante, signalaient les gazettes depuis qu'il était célèbre. J.P.S. avait le même âge mais un visage, un corps, un caractère et apparemment un esprit beaucoup plus arrondis. Et il me fit un grand sourire qui m'étonna.

En fait j'étais intrigué par cette invitation. J.P.S., intellectuellement fasciné depuis le lycée par Bonnat, avait depuis produit chacun de ses films, s'assurant ainsi une série d'échecs plutôt coûteux. Cette fois-ci, il n'avait pu mener la production jusqu'au bout et s'était fait relayer, en cours de route, par des producteurs professionnels qui lui en avaient pris les trois quarts. C'étaient ces nouveaux venus qui, entre autres modifications, avaient nettement refusé à Bonnat que la musique de son film soit à l'exclusion de toute autre tirée d'un morceau spécialement hermétique d'Alban Berg. C'était Laurence ensuite qui, lorsqu'il était venu s'en plaindre, lui avait suggéré mon nom et mon aide, sur laquelle il s'était jeté supposant que, sorti du Conservatoire, j'allais forcément lui livrer de la musique sérielle (dès les premières notes de ma partition, plus ou moins mélodique, il avait quitté froidement la salle de montage). Et la suite de cette histoire ne me semblait pas de nature à nous réconcilier : si son film avait fait un succès, et s'était attiré des critiques délirantes, il s'en était attiré d'autres, aussi, dont celles de ses deux bibles, c'est-à-dire L'Observateur et Les Cahiers du cinéma. Coriolan, qui détestait le cinéma de Bonnat, me les avait montrées, à mon retour de la Baltique : le premier disait que sans ses deux jeunes acteurs et surtout sans sa musique, les images de Xavier Bonnat auraient paru plus que décousues dans leur prétention. Quant au second, il se demandait pourquoi on avait choisi pour illustrer une si merveilleuse musique des images si lamentables. Mais enfin, apparemment, cela n'avait pas beaucoup ennuyé ni monté Bonnat contre moi et c'était tant mieux.

— Alors, me demanda-t-il, alors, ce succès, qu'est-ce que tu en penses?

Il avait un ton plein de fatigue et de mépris.

— Eh bien, tu sais, répondis-je gaiement, Laurence a eu envie de voir les îles de la Baltique; on est partis en plein succès et on est revenus quand il était calmé, tout à fait calmé. Enfin, ton film marche toujours à fond, je crois, dis-je avec précipitation. C'est drôlement bien pour vous, ajoutai-je à l'adresse de J.P.S.

— J.P. serait content bien entendu s'il n'avait pas vendu les trois quarts de la production à mi-chemin à des ploucs! dit Xavier. Des ploucs qui, en plus, auraient pu foutre le film en l'air — si l'on avait suivi tous leurs diktats!

Comptant, moi aussi, parmi ces diktats, je baissai le nez et m'adressai à J.P.S.

— Enfin, pour Xavier c'est merveilleux, c'est formidable, ces critiques! Non?

— Ça, répliqua celui-ci de la même voix sardonique, ça, pour une fois que ces pisse-froid daignent ouvrir les yeux pendant la projection d'un de mes films, ils n'y ont pas été de main morte. Incroyable! Tu veux que... attends... que je me rappelle! Ecoute un peu ça! Euh... voyons... «Entre Lubitsch et Sternberg...» «la fusion, enfin, entre la grâce et la gravité...» euh... «un sujet très mince auquel il fallait pour faire un film si grand un immense cinéaste»... non, ça n'est pas fini, écoute, écoute... «Bonnat a pris tous les risques et remporté toutes les victoires, on en est atterré de bonheur.» J'en passe, et des meilleures!

— Attends! Attends! (Là, c'était J.P.S.) Attends, il y en a un que j'adore : «Ses confrères, sans rasoir, tu sais, les... nuages!»

— Ne mélange pas tout, coupa sévèrement Xavier : «C'est que, contrairement à ses confrères, Bonnat ne nous amène ni vers la boue ni vers les nuages : sur le fil d'un rasoir.»

— C'est ça, c'est ça, «sur le fil d'un rasoir»! Je trouve ça formidable! C'est vrai, en plus, drôlement vrai!

— Tu te rends compte? reprit Bonnat. Et encore, je ne te cite pas tout...

Il avait toujours ce ricanement, mais dans ses yeux et dans sa voix passait une nuance plus proche du bonheur que de la dérision; j'imaginais mal qu'on puisse retenir par dégoût autant de phrases sur soi-même.

— Remarquez, dit J.P.S., la musique a vraiment contribué au succès du film, c'est indéniable!

— Tu veux dire que c'est in-dis-cu-ta-ble! appuya Xavier avec force.

— Oh, dis-je, n'exagérons pas! La musique... bien sûr... mais enfin, ce n'est pas...

Malheureusement, je ne me rappelais pas la moindre critique aussi précisément que Xavier. Je pris donc un air modeste qui après tout me semblait le plus seyant dans ces circonstances.

— Je suis bien content que ça soit tombé sur vous! déclara J.P.S.

— Moi aussi, dit Xavier sur un ton qui me fit attendre par réflexe un « finalement » — mais il s'arrêta là : Je le répétais à Laurence, d'ailleurs, hier encore.

— Tu as vu Laurence, hier?

— J'ai pris le café avec elle. Elle m'a parlé de tes difficultés avec ton producteur à toi, là... ce crétin de « Pas un sou ». Faut t'agiter, mon vieux!

— Deux millions, ça ne se laisse pas dans un bureau! commenta J.P.S.

— Deux millions? Je le regardai : Je comptais à peu près... Deux millions? Nouveaux?

— Deux millions de dollars. Je ne parle d'argent qu'en dollars, précisa J.P.S. avec hauteur en tirant sur le gilet neuf qui faisait partie de son trois-pièces neuf.

— Vous voulez dire... D'après mes calculs, « Pas un sou » me devait à peu près six cents... enfin... soixante millions, anciens, à ce que j'ai compris...

— Il vous doit actuellement un million de dollars, soit six cents millions anciens; en attendant la même chose d'Amérique! Je ne plaisante pas, dit J.P.S., je ne plaisante pas! J'ai fait faire une étude de vos droits chez Vlamink, qui vaut autre chose comme imprésario, à propos.

Je le contemplais, ahuri, non pas tant de ces chiffres (à partir de quelques zéros, l'arrivée d'un autre ne changeait plus grand-chose à mes yeux), mais de ces prévenances.

— Vous avez fait faire une étude de mes droits chez Vlamink? C'est très gentil...

J.P.S. était devenu ponceau. Xavier lui jeta un regard glacial mais tout à coup se mit à rire. Il avait un rire ouvert, amical, contagieux, dont il ne se servait pas assez.

— Bon, Vincent, dit-il, parlons sérieusement! Je ne t'ai pas invité à déjeuner pour que nous nous jetions à la tête les louanges des critiques.

Je faillis préciser que c'étaient ses critiques à lui qui avaient été jetées à ma tête, et pas le contraire. C'était ma faute, après tout, je n'avais qu'à les apprendre aussi.

— Je ne t'ai pas invité non plus pour te mettre au courant de tes possibilités financières, encore que... Voilà ce qui se passe : tu as donc lu les critiques? eh bien celui qu'ils appellent le Sternberg ou le Lubitsch de cette époque ne trouve pas de producteur pour son prochain film.

— Non?

— Attention, attention! Il ne trouve pas de producteur pour «Les Guêpes», rectifia J.P.S.

Mais Xavier l'interrompit :

— J'ai l'intention de tourner, depuis très longtemps, «Les Guêpes» d'Aristophane. Laurence prétend que tu lis beaucoup : mais j'imagine que tu n'as quand même pas lu «Les Guêpes»?

— C'est une pierre dans mon jardin...

— C'est une pierre dans le jardin de beaucoup, concéda Xavier avec indulgence.

— A ce moment-là, il n'y aurait plus de jardin à Paris du tout! rectifia encore le pauvre J.P.S. Personne ne les a lues, tes «Guêpes», tu comprends?

— C'est une pièce admirable sur la justice et l'argent, déclara Xavier sans l'écouter. Mais je veux la tourner avec des inconnus, dans un seul décor, et en noir et blanc. Et pour cela, je ne trouve pas d'argent.

— Ça t'étonne? dis-je dans un accès de bon sens. Ça ne devrait pas t'étonner, repris-je précipitamment. Avec les producteurs! Imagine : des inconnus, un seul décor, le noir et blanc! Ce serait parlant?

Ils échangèrent un même regard, mi-méfiant, mi-dédaigneux.

— Encore heureux! gémit J.P.S. Déjà, «Les Guêpes»! Vous imaginez «Les Guêpes» en muet, en plus?

— Vous voulez dire sans les bzzzz, bzzzz? demandai-je avec infiniment d'esprit, mais j'eus droit au même regard.

Soudain très grave, Xavier se pencha sur la table :

— Il n'est pas question que je ne tourne pas ces «Guêpes»! C'est vital pour moi! Il s'agit peut-être d'orgueil, de ma propre estime, mais il faut que je tourne ces «Guêpes», surtout après mon succès!

— Je ne vois pas pourquoi, s'écria J.P.S., mais il se tut avant d'avoir pu achever sa pensée qui devait être «je ne vois pas pourquoi tu veux absolument faire un bide après un succès».

Xavier l'arrêta :

— Moi, je le vois, tu comprends! Bien! J.P. n'a pas les moyens, tu t'en doutes. Le quart des recettes! J.P. n'a gardé que le quart des recettes, qu'en plus il partage avec moi. Or, un huitième d'*Averses* ne peut pas payer la production des «Guêpes». Aussi j'ai pensé à toi : unissons-nous! Réunissons mes idées, l'expérience de J.P., tes ressources, et faisons «Les Guêpes», librement, et sans ces gens-là! Les gains, nous les partagerons en trois, s'il y en a, comme nous partagerons en trois aussi, si ça arrive, les critiques et les fureurs et la haine. Et quand je dis «la haine», c'est la haine : car le sujet est fort et il est actuel.

Je les regardais étonné; c'était la première fois de ma vie, n'en ayant jamais eu, que quelqu'un me demandait de l'argent. Cela me paraissait une drôle d'idée.

— C'est un projet audacieux, un projet fou, c'est vrai, convint Xavier, mais je crois que ça vaut le coup. Et je peux te dire que Laurence est de mon avis ! Je lui en ai parlé hier.

— C'est que, justement, j'aimerais beaucoup rendre un peu à Laurence de ce que je lui dois... Je voulais...

— Tu ne pourras jamais ! JA-MAIS ! martela Xavier avec une grande fermeté sous un sourire résigné ; car ce que tu dois à Laurence n'est pas décomptable ni remboursable, tu le sais fort bien.

— Et puis d'ailleurs, lança J.P.S. plus prosaïquement, d'ailleurs un million de dollars, ça pourrait peut-être suffire, pour le film. Il vous en resterait à peu près autant, hein, pour gâter votre Laurence. Ou qui vous voulez ! ajouta-t-il avec une jovialité indulgente.

Le regard de Xavier le foudroya à nouveau et il baissa les yeux.

— Je ne crois pas que Vincent ait le cœur à... et Xavier s'arrêta là, devant des vulgarités imaginaires et obscènes. — Non, parlons sérieusement, Vincent ! Tu sais bien que Laurence ne veut pas de cet argent d'*Averses* ? Elle n'en veut pas, elle me l'a dit elle-même.

— Je ne vois vraiment pas pourquoi... commençai-je — j'étais furieux, soudain ; il me coupa :

— Laurence est un être tellement délicat !

— Ça, pour la délicatesse, votre femme !... renchérit J.P.S. levant les yeux au ciel, et il hocha la tête plusieurs fois, comme s'il avait pu être un arbitre ès-délicatesse.

Depuis mon arrivée j'étais resté tassé sur ma chaise, attentif et un peu avachi ; je me redressai tout à coup, mis les mains dans mes poches et pris une voix virile :

— Voyons, dis-je, résumons-nous : premièrement, si je comprends bien, je vais avoir deux ou trois millions de dollars ; deuxièmement, Laurence, qui est trop délicate pour eux, n'en veut pas ; troisièmement, en revanche elle est d'accord pour que mes dollars financent votre prochain film, d'après « Les Guêpes » d'Aristophane, c'est bien ça ?

Les deux gaillards se regardèrent avec une sorte de doute, assez réjouissant à voir, mais qui se dissipait peu à peu devant l'évidence ; ce qui leur fit répondre ensemble, pour une fois, comme des duettistes :

— C'est à peu près ça, oui ! — d'une voix éteinte.

— Seulement moi, je ne suis pas d'accord ! repris-je. Je ne suis pas trop délicat pour cet argent. Je vais donc le dépenser rapidement, et sans le secours de vos « Guêpes ». Vous savez ce qui m'effraie dans votre projet ? C'est que vous n'investissiez ni l'un ni l'autre votre huitième d'*Averses* dans vos « Guêpes » ! Pourquoi donc ? Pas folles, les guêpes ? Messieurs, salut !

Et je sortis ; mais j'eus le temps d'entendre la voix de J.P.S., une voix qui portait d'autant plus qu'il chuchotait, une voix à la fois consternée mais victorieuse, qui disait à Xavier Bonnat : « Tu vois, je te l'avais bien

dit ! Ça n'existe pas... Ça ne peut pas exister un débile comme ça, ça serait trop beau ! Et puis ça se saurait... Je te l'avais bien dit...» etc. etc.
Sur le trottoir je me mis à rire tout seul pendant deux bonnes minutes. Les gens que je croisais me souriaient aussi. Contrairement à ce qu'on disait, j'avais toujours su les Parisiens prêts à profiter de la première distraction venue.

Moi, en tout cas, je me sentais extrêmement remonté. D'abord par les chiffres que m'avait donnés J.P.S. et qui étaient forcément vrais : on ne pouvait compter sur ce J.P.S. en rien, sauf dans le domaine des chiffres ; ceux-là, en plus, il s'y était sérieusement appliqué puisqu'il avait espéré me les prendre ; il avait dû calculer au plus ras, à un sou près. Deux ou trois millions de dollars ! J'étais absolument grisé. Il fallait fêter ça et, puisque Laurence était trop délicate, j'attendrais aisément un moment, le temps pour elle de trouver mon argent convenable — ce qui, comme je la connaissais, ne prendrait pas des années.

Je me précipitai chez un tailleur. Depuis sept ans maintenant que Laurence m'habillait, tantôt en musicien de l'époque romantique, tantôt en diplomate des années trente, j'avais sérieusement envie d'un costume en velours côtelé, un peu trop grand et un peu débridé — que je trouvai aussitôt ; et puis il m'allait bien : «La même couleur que vos cheveux et que vos yeux, monsieur !» s'écria un vendeur qui n'était plus du tout équivoque. J'achetai une chemise américaine à col boutonné, une cravate en laine tricotée pour aller avec, et payai le tout avec un chèque, un chèque sur le compte que m'avait ouvert Laurence dans sa propre banque. C'était sur ce compte qu'elle déposait un chèque correspondant à mon argent de poche tous les premiers du mois ; elle trouvait cela plus gracieux que de me donner du liquide. C'était sur ce compte aussi que je réglais les additions de restaurants, d'hôtels ou de boîtes de nuit, de tous les endroits enfin où ce qu'elle appelait ma fierté, mais qui était en réalité la sienne, aurait pu être heurtée en public. (Je dois dire qu'elle me remboursait dès le lendemain ces frais imprévus.) Bien sûr on était à la fin du mois et mon compte était vide mais Coriolan, ivre d'orgueil, m'avait annoncé qu'il était arrivé à extorquer la veille à «Pas un sou» un chèque substantiel que nous irions ensemble remettre dans ladite banque. J'imaginais déjà l'expression du directeur, au demeurant un fort brave homme, qui m'avait serré la main comme si j'avais fait une affaire retentissante lorsque mon argent de poche avait doublé (à la suite des circonstances que l'on sait). Depuis sept ans qu'il me voyait donc dépenser invariablement une petite somme, dont les trois quarts pour quelques repas gastronomiques illico remboursés, l'arrivée de ces millions allait lui donner le vertige, peut-être même le décevoir ; il ne devait pas avoir beaucoup de clients aussi modestes et aussi gourmets. Dans mon élan j'ajoutai, au moment de partir, un imperméable ; et prenant sous le bras le sac qui contenait mon ex-livrée (dont je ne savais déjà plus si elle était un pied-de-poule anthracite et brun ou un fil-à-fil écossais), je partis à grands pas vers le boulevard Raspail ; il me semblait que les femmes me regardaient, j'en redressai le menton, ôtai ma cravate et en accélérai le pas. Je me sentais assez bêtement le maître de la ville, si ce n'était de moi-même.

Le boulevard Raspail, quand on le prend au boulevard Saint-Germain et qu'on le remonte jusqu'au *Lion de Belfort*, est une longue et constante pente qui escalade finalement la colline du Montparnasse sur près d'un kilomètre, sans trop de mauvais passages pour un piéton. Néanmoins j'arrivai essoufflé devant notre immeuble. A partir de la rue de Rennes j'avais vu mon reflet se voûter dans les innombrables glaces des commerçants, tandis que mon costume devenait un peu trop jeune ou un peu trop vieux, saugrenu en tout cas. J'étais moins sûr de moi et moins fringant en entrant dans l'appartement ; mais je reconnus à une certaine qualité de silence que Laurence n'y était pas. Soulagé, je me dirigeai vers mon studio, presque prêt à me changer lâchement. Le cri que poussa Odile quand je rentrai dans son bureau me fit aussi peur qu'à elle-même ; debout derrière sa table, elle roulait vers moi des yeux exorbités :

— Qui est-ce ? Qui est-ce ? Mon Dieu, c'est vous, Vincent ! Je ne vous ai pas reconnu tout de suite.

— A cause de mon costume. Je me suis acheté ça boulevard Saint-Germain — et tendant les bras à l'horizontale je pivotai sur mes talons pour mesurer l'effet produit. Mais je ne surpris dans son regard que l'ahurissement.

— Je ne vous avais jamais vu sans cravate, dit-elle. C'est l'habitude, sans doute, je ne...

— Mais vous m'aviez déjà vu en robe de chambre, non ?

— Ce n'est pas pareil ! Je ne vous avais jamais vu sans cravate, ce n'est pas la même chose... avec un costume, veux-je dire... Sur le coup, j'ai cru que c'était... un étranger !

— Vous voulez dire que la peau de mon cou vous a soudain caché mon visage ?

— Non... c'est que... vous étiez différent, vous êtes... différent... différent d'aspect. Vous avez l'air plus... plus... euh... plus sportif.

Je me mis à rire :

— Plus sportif, moi ? C'est un reproche ?

Sa rougeur m'amusa et m'agaça en même temps. Je voulais d'elle un jugement qualitatif, un jugement féminin ; frustrée ou vierge, elle devait me le donner :

— Alors, voyons, Odile, quoi ? Vous trouvez que ça me va mieux que mes trois-pièces fil-à-fil, ou chiné ? Vous me préférez avec une cravate large de deux doigts, et de trois tons différents, sous un col anglais, hein ?

— Je ne sais pas, je ne sais pas ! Ce n'est pas facile à décider, murmura la malheureuse qui devait craindre, si elle opinait dans mon sens, de trahir sa chère et infaillible Laurence. Comment voulez-vous que je décide tout ça en une minute ? gémit-elle.

— Je veux bien vous laisser une heure de réflexion pour juger mes vêtements, mais ça me paraît un peu prétentieux. Alors, choisissez ! Enfin, quoi, vous me trouvez plus « sexy » comme ça ?

— Sexy ? Plus sexy ? — elle criait presque — Plus sexy ? — elle avait pris une voix pointue et indignée qui me fit rire, comme si l'adjectif « sexy » appliqué à ma personne était une sorte de blasphème.

— Eh bien oui, plus sexy ! insistai-je. Plus attirant sur le plan charnel, veux-je dire.

— Je le sais parfaitement, mais je trouve ce mot déplacé entre nous, c'est tout, Vincent, déclara-t-elle avec noblesse.

Elle avait pris une voix méprisante, ôté ses lunettes d'un revers de main, et, comme elle était ramassée derrière son bureau, debout, plaquée contre le mur, les mains cramponnées à sa chaise, cette volonté de dédain passait très mal. Ses beaux yeux vagues privés de ses lunettes erraient sur moi sans me voir et cela m'exaspéra tout à coup, me fit faire deux pas et l'embrasser violemment sur la bouche. Odile sentait la violette, comme toute femme qui suce des réglisses à la violette du matin au soir, et ce n'était pas désagréable du tout.

— Mon Dieu ! dit-elle quand je la relâchai, mon Dieu ! et elle trébucha contre moi.

Je la remis d'aplomb, comme une enfant, lui lissai les cheveux, tout attendri par ce parfum de violette qui me rappelait quelqu'un, mais qui ? Ma grand-mère, je le craignais bien. Ce n'était pas le moment de penser à ma grand-mère.

— Préféreriez-vous que je vous embrasse quand j'ai mon col Claudine ? m'enquis-je, obstiné.

— Mais... mais... — elle chuchotait, je ne sais pourquoi — mais, acheva-t-elle enfin d'un air égaré, ce n'est pas du tout ce que vous croyez, un col Claudine. C'est pour les femmes, les cols Claudine !

Je me penchai et continuai à l'embrasser tranquillement, sur le nez, sur la bouche, sur le front, sur les cheveux, tout en parlant. Elle sentait bon, elle sentait le savon marqué « Santal » dans les parfumeries à trois francs, et elle sentait surtout la violette.

— Ainsi, dis-je, les hommes ne portent pas de col Claudine ! Eh bien, me voilà débarrassé d'un préjugé qui me coûtait cher. C'est délicieux, cette violette. J'ai l'impression d'être avec ma grand-mère. Ça y est, j'en suis sûr !

— Votre grand-mère ? répéta-t-elle d'une voix horrifiée tout en commençant à me rendre mes baisers.

— Elle suçait aussi des bonbons à la violette, précisai-je pour la rassurer. Je ne faisais rien de mal avec ma grand-mère, vous plaisantez?

— Mais nous, nous faisons quelque chose de mal! dit-elle d'une voix enfantine et un peu niaise. Vous vous rendez compte, Vincent? Vous vous rendez compte? Laurence est ma meilleure amie!

Je l'embrassai une dernière fois et me redressai, assez attendri et assez enchanté. J'avais décidément bien étrenné ce costume marron. Même si cette pauvre Odile n'était pas jolie du tout, elle avait un air doux, quand on l'embrassait, un air abandonné, qui valait six ravissantes petites garces.

— Il faut me promettre de ne pas recommencer, dit-elle en baissant les yeux.

— Ça, je ne peux pas vous le promettre! répliquai-je avec toute la politesse du monde. Mais j'essaierai, je vous promets que j'essaierai. Voyons, vous savez bien, Odile, que j'aime Laurence, que c'est ma femme, que c'est mon épouse, vous savez bien quels liens nous unissent!

J'étais passé dans mon studio et j'essayais de me débarrasser du rouge à lèvres absolument indélébile qu'elle m'avait mis sur la bouche. En me regardant je me sentis non plus de la sympathie mais de la compassion pour ce personnage châtain et noir — «vos couleurs, monsieur!» — pour cet étranger qui m'était si lointain et si proche, avec qui je dormais beaucoup et vivais si peu, avec qui je m'amusais souvent mais à qui je ne parlais jamais. J'entendis à peine la réponse d'Odile :

— Vous avez raison, Vincent, Laurence est quelqu'un de merveilleux et...

J'allai vers le piano et scandai chacune de mes phrases d'un accord en *la* dièse, *fa* et *ré* mineur que je venais de trouver et qui était superbe.

— Croyez bien que je respecte ma femme, Odile! (Un accord.) Et que je respecte son toit! (Un autre accord.) Et que je l'admire, Odile! (Un accord.) Que je la vénère, que je lui suis follement attaché, Odile! (Un accord.) Je lui ai toujours été attaché, vous le savez, Odile! dis-je en plaquant encore deux accords et je faillis tomber à la renverse quand j'entendis la voix de Laurence, une voix joyeuse qui s'écriait à côté :

— Eh bien voilà un retour exquis pour une femme! Pourquoi ne me fais-tu pas cette déclaration à moi, mon chéri, au lieu d'ennuyer Odile?

Je tapai tout doucement un dernier accord sur mon piano, comme pour remercier le destin, et sortis avec la mine de l'homme pris en flagrant délit de sentimentalité. Je me sentais doux et niais et je sursautai quand la voix de Laurence, une voix tout à fait changée, me lança :

— Xavier a décidé de te faire jouer Al Capone, ou quoi?

J'avais complètement oublié mon costume neuf. Je baissai la tête pour le contempler encore mais Laurence, théâtrale, se tournait déjà vers sa malheureuse secrétaire :

— Avez-vous vu comment Vincent est habillé, Odile? Est-ce que je rêve, ou est-ce que... Est-ce que vous l'avez vu?

— J'ai déjà montré mon costume à Odile, dis-je du bout des dents, et je vis celle-ci s'empourprer. Mais je n'ai pas pu avoir son avis.

— Ce n'était pas la peine d'ennuyer Odile avec ces horreurs, déclarat-elle. Ton costume est hideux, mon pauvre ami. Hideux et vulgaire! Où as-tu pu acheter ça? C'est insensé! Enfin, s'il te plaît, je te le laisse!

Et tournant le dos comme une furie, Laurence sortit de la pièce. Je haussai les épaules et me tournai vers Odile qui avait un air catastrophé. Je lui souris:

— J'aurais peut-être eu le temps de me changer, en effet, si je n'avais pas été trop absorbé par autre chose. Mais croyez-moi, chère Odile, je ne regrette rien.

J'avais entonné cette phrase d'une voix dramatique et malgré elle je la vis sourire vaguement sous son rouge à lèvres qu'elle avait remis à la hâte et qui était, je m'en rendis compte alors, vermillon. D'un affreux vermillon! Qu'est-ce qui m'avait pris d'embrasser cette jeune femme plate avec ce rouge à lèvres vermillon et ces yeux égarés? J'avais parfois des drôles d'idées que je ne regrettais presque jamais. Pour moi, Odile serait désormais liée à un charmant goût de violette; et il y aurait toujours entre nous, désormais, ce capital d'affection que partagent deux personnes qui se sont embrassées en cachette. Elle devait bien le sentir aussi puisqu'elle me lança au moment où je quittais la pièce, d'une voix prudente et basse:

— Vous savez, Vincent, finalement, il vous va très bien, ce costume...

CHAPITRE IV

« SI JE ME PREFERAIS vraiment dans cette tenue, pourquoi ne pas arrêter de me raser? Pourquoi ne pas acheter tout de suite un tee-shirt jaunâtre assorti à cette veste? et pourquoi, si j'aimais tant ces poches aux genoux de mes pantalons, ne pas aller m'agenouiller devant les porches des églises, avec un béret de la même couleur, et y quêter? C'était le seul emploi apparemment envisageable pour ce costume!»

Je levai la main:

— Il y a d'autres emplois envisageables pour tout ce qui me concerne, dis-je, si j'en crois Xavier Bonnat.

Mais Laurence était lancée et ne m'entendit pas tout de suite.

— Pourquoi ne pas vous habiller jusqu'au bout comme les autres troglodytes des variétés? Pourquoi?...

Elle s'arrêta quand même :

— Xavier Bonnat ? Qu'est-ce que vient faire Xavier Bonnat dans cette histoire ? Ne me dites pas qu'il a le même tailleur !

Durant nos périodes de tension, Laurence avait l'habitude de me vouvoyer, conjugaison que j'adoptais, naturellement, en même temps qu'elle et que je quittais de même dès que, ses sentiments améliorés à mon égard, elle revenait au « tu » habituel.

— Non, dis-je, mais il m'a fait des propositions que, paraît-il, vous auriez acceptées vous-même.

Laurence secoua la tête et ses longs cheveux noirs sifflèrent autour de son visage comme le lasso des amazones mais elle semblait beaucoup moins à l'aise, dans son petit salon, que ces farouches créatures dans leurs immenses territoires.

— De quoi parlez-vous ? Ah oui ! Il m'a demandé si vous réinvestiriez les gains de votre chansonnette dans son prochain film, dans « Les Mouches » d'Aristophane.

— « Les Guêpes ».

— J'ai dit en effet que ça me semblait une bonne idée, continua Laurence, mais que ça ne dépendait que de vous, que cet argent n'était qu'à vous, rien qu'à vous.

Elle avait pris cet air mi-distrait mi-coupant que lui donnait la mauvaise foi.

Elle enchaînait :

— Je croyais jusqu'ici que votre argent était à moi comme le mien à vous, que nous partagions tout ! Excusez ma crédulité, Vincent — et elle se détourna dans un beau mouvement.

— Mais voyons, m'écriai-je. Mais bien sûr ! vous savez bien que tout ce qui est à vous est à moi... Non, pardon, c'est le contraire... Je voulais dire le contraire, je vous l'assure ! Seulement, que tout ce qui est à moi soit à vous, et le contraire, n'implique pas que tout ce qui est à nous appartienne à Xavier ou à J.P.S. !

— J.P.S. ? dit-elle. Qu'est-ce que c'est ?

— Sardal, le producteur de Xavier. — Et je me mis à rire malgré moi en pensant à la tête de Sardal pendant que Xavier parlait d'Aristophane.

— C'est le malheureux qui est supposé produire « Les Guêpes », en noir et blanc, avec des inconnus, et probablement au fond du Massif central. Vous imaginez ?

Laurence ne riait pas.

— J'imagine, oui. Il est fort dommage que vous n'ayez pas lu « Les Guêpes », dit-elle froidement : Parce que c'est très beau !...

Il y avait une convention bien établie entre nous et en public : autant la musique était supposée être mon domaine, autant la littérature était le sien. Malheureusement, j'avais beaucoup plus lu (au lycée et à la caserne, comme boulevard Raspail) que Laurence n'avait eu le temps de le faire. J'avais passé quinze ans de ma vie à me gaver de littérature, bonne ou mauvaise, mais à m'en gaver. Toujours est-il que dans nos dîners, privés ou publics, je devais aussi souvent simuler l'ignorance que Laurence, elle, l'érudition. Le cas échéant, j'aurais parié tout ce qu'elle avait qu'elle ignorait strictement tout d'Aristophane — alors que je me souvenais à peu près de son époque, de ses contemporains et de certains personnages de son théâtre ; voire, quoique très confusément, du thème des « Guêpes ». Je m'amusai un peu :

— Je sais que le thème des « Guêpes » est le remords, je sais qu'il a été copié souvent, notamment par les existentialistes, c'est bien ça ?

— Les existentialistes entre autres, oui, dit Laurence sèchement. Il a été copié par tout le monde, les romantiques aussi, bien sûr.

— Alors, disons que Xavier a eu une bonne idée ! Quand même, il aurait dû vous en avertir que ce n'était pas trois francs que j'allais toucher, mais trois millions de dollars ! Il aurait été plus honnête, vis-à-vis de vous et vis-à-vis de moi ! Et puis il a l'air toujours si dédaigneux, si tenté de me cracher au visage... je n'aime pas donner mes droits d'auteur à un type aussi prêt à me gifler... ça ne m'emballe pas... Chacun ses petites manies...

Laurence ne m'écoutait pas, elle avait l'air soucieuse : elle se demandait visiblement où elle avait mis le dictionnaire des Œuvres pour regarder à la lettre « G » ce fameux texte d'Aristophane. Elle reprit plus froidement :

— Ecoutez, lança-t-elle, Vincent, faites ce que vous voulez, je vous l'ai dit, je ne toucherai pas à vos droits d'auteur. J'aurais bien partagé avec vous les résultats de votre travail de votre génie, de vos gains de virtuose, mais là, les hasards d'une publicité, d'un courant de variétés, vraiment pas. Je ne peux pas ! Continuez à vous acheter des vêtements horribles ! ou alors faites quelque chose d'intelligent, par exemple financez « Les Mouches », et nous verrons.

— « Les Guêpes », repris-je machinalement.

— « Les Guêpes », si tu y tiens ! — elle était revenue au « tu » dans son énervement, et je me mis à rire :

— Aristophane y tenait. Pensez à quel point ça a dû l'ennuyer de rectifier à chaque fois « Les Guêpes » au lieu des « Mouches », à son époque, le pauvre !

Laurence s'immobilisa, intriguée :

— Pourquoi ? Pourquoi « à chaque fois » ?

— Mais ma chérie, dis-je, il n'y avait pas de guêpes à l'époque, en Grèce, il n'y avait que des mouches, pas une guêpe ! La guêpe était le symbole du remords et les héros d'Aristophane sont, comme vous le savez, sans remords. De même qu'en Europe les chevaux de labour sont le symbole du travail. Or on n'en voit jamais, vous me l'avouerez. En tout cas, personnellement, je n'en ai jamais vu. — J'avais parlé

sèchement et, distraite, elle ne broncha pas, hocha même la tête. J'étais
ravi.

En attendant, il fallait que j'ôte de sa tête ce funeste projet de
production avec Bonnat; car, je le savais, si je n'y arrivais pas, j'aurais
droit à des allusions, voire des reproches : ou le film serait un succès et
«j'aurais dû y participer», ou alors il serait un échec et «si j'avais eu un
peu plus de générosité, il aurait pu marcher». De toute manière, il me
fallait attaquer Bonnat lui-même à grands coups d'estoc dans l'esprit de
Laurence.

— Vous savez, j'ai passé un curieux moment avec Xavier; c'est un
étrange garçon, Xavier, vous le connaissez bien?

— Assez bien, oui... — Laurence avait pris cet air distrait et doux
qu'ont les femmes quand on leur parle des hommes qui les ont aimées,
ces hommes qu'elles ont punis alors parce qu'elles ne leur rendaient pas
leur amour — punis sévèrement, même — et à qui elles n'ont pas
montré jadis le dixième de la douceur qu'elles affichent vingt ans plus
tard en invoquant leur souvenir.

— Pauvre Xavier! dit-elle. Si sentimental... Mais étrange en quoi?

— Eh bien il s'en veut horriblement de ne pas vous avoir arrachée à
moi, moi le gigolo. Il prétend que s'il s'était décidé plus vite, s'il n'avait
pas reculé au dernier moment, il aurait pu y parvenir; j'étais furieux!

— Quoi? dit-elle. Quoi? — L'indignation lui avait arraché une
espèce de râle. — Comment, se décider à temps? Qu'est-ce que ça
signifie? Xavier? Il a passé cinq ans à me courir après, à se traîner à
mes pieds. Comment ça, «se décider à temps? Vraiment? Xavier m'a
laissée t'épouser, alors? — Dans son énervement, elle sautait d'un pied
sur l'autre et me retutoyait. — Xavier! Se décider plus tôt! répétait-elle
obstinément. Xavier, dans mes jambes du matin au soir, pendant des
mois, à gémir, à geindre! Ah non, c'est incroyable! C'est incroyable! Il
t'a raconté tout ça, lui?

J'arborai une expression à la fois fermée et loyale, ce qui est
bizarrement tout à fait compatible.

— Non, je ne te dirai plus rien. Je l'ai peut-être mal compris. Et puis,
qu'il ait parlé de «ton» amour, au lieu de parler de «son» amour, n'a
rien de tellement grave.

— Mais si, s'écria-t-elle indignée, mais si!

— Il est jaloux, c'est tout.

— Mais il n'est pas jaloux de toi, cria Laurence, furieuse tout à coup,
il n'est pas jaloux de toi, il est jaloux de tout ce qu'il appelle ta vie de
coq en pâte! C'est ça qui lui manque, c'est tout, je t'assure! Comme il
est, en plus, d'une avarice sordide, la moindre de tes pochettes le fait
souffrir. Ça s'arrête là, vraiment, je te le jure!

J'aimais beaucoup la voir ainsi, Laurence : libre, la voix libre et le
visage presque populaire, furieuse. J'adorais la voir ainsi, cynique,

emportée, naturelle, sèche, comme elle refusait de se voir et comme elle refusait de paraître. Elle se voulait, elle se voyait absolue, immatérielle, détachée, intellectuelle, érudite, naïve, rêveuse, etc. Bref, elle voulait se croire, et qu'on la croie, le contraire de ce qu'elle était. Et c'est là un des grands malheurs, et l'un des plus répandus de la race humaine, me semblait-il, que ce refus de soi-même, cette passion pour son contraire, soigneusement cachée et toujours renouvelée ; et qui ne pouvait devenir féroce et dangereuse que si c'était vraiment la totalité de soi que l'on remettait en question : non pas, comme moi, un petit point de détail ; car dans mon cas, je voulais simplement paraître un peu plus sérieux ou laborieux, un peu moins léger et distrait, un peu plus ceci, un peu moins cela. Mais c'était tout : je n'apercevais pas en moi de défaut ou de qualité assez évident ou assez déplaisant pour que j'en désire absolument le contraire. Vraiment pas ; soit par paresse, soit par une modestie finalement estimable.

Nous sortîmes de cette confrontation tous les deux épuisés — bien plus par les questions que nous ne nous étions pas posées que par celles qui étaient venues d'elles-mêmes et du dehors. J'allai me changer, enlever mon costume et remettre un col Lavallière ; et je me pris à rire tout seul en me rappelant ce moment de la discussion où j'avais enseigné à Laurence la vie des insectes et l'absence des guêpes sous Aristophane : cela lui ferait une jolie bagarre avec ce malheureux Xavier Bonnat, un jour prochain. Je m'en réjouissais d'avance, même si je n'y assisterais pas.

CHAPITRE V

IL ETAIT plus de trois heures et nous devions être à quatre heures chez mon beau-père ; mais Coriolan venait de m'appeler et avait dit au téléphone : « Il faut que je te voie immédiatement. » Aussi, sans prévenir personne, j'avais dévalé l'escalier et couru jusqu'au *Lion de Belfort*. Coriolan m'y attendait et se jeta presque dans mes bras. Sur son visage se succédaient deux sentiments rarissimes chez un hidalgo : la satisfaction et l'effroi. Il finit par tirer de sa poche un chèque de cent mille francs à mon nom et signé par les éditions « Delta Blues ».

— Tu te rends compte ? cria-t-il. Tu te rends compte ? Depuis des mois il te les devait, ce fumier ! Je suis retourné chez lui hier soir en vociférant, à tout hasard, et il m'a donné ça ! Qu'est-ce qu'on va en faire, bon Dieu ? dit-il en jetant autour de lui des regards épouvantés.

— Ecoute, on ne va pas l'enterrer dans ce terre-plein : tu vas aller le déposer à ma banque; le type, derrière le guichet, va être enchanté. Tiens, moi, je te fais un autre chèque à ton nom. Prends un peu de liquide et laisse-le dans une enveloppe, chez la concierge, boulevard Raspail. Moi je dois aller chez mon beau-père et Laurence me cherche sans doute partout. Je te téléphonerai tout à l'heure.

— Attends, attends! cria Coriolan. Il faut que tu signes ce chèque, derrière.

Je signai donc rapidement et repartis vers notre immeuble. Par une de ces faveurs du destin comme il en dispense parfois, je trouvai dans l'escalier Laurence souriante:

— J'étais sûre que tu faisais chauffer ta voiture! dit-elle amusée. Je l'ai prédit à Odile qui te cherchait sous ton piano.

— C'est qu'elle marche tellement bien, cette voiture! Je m'en voudrais à mort de l'abîmer.

— Quel enfant tu es! Enfin, un enfant qui soigne ses jouets, c'est déjà bien...

— Tu devrais raconter ça à ton père pour l'amadouer: « Vincent soigne très bien ses jouets. »

Laurence se mit à rire, la voiture toute tiède partit d'elle-même et nous filâmes vers la porte d'Auteuil. A un feu rouge, Laurence me regarda de pied en cap:

— Tu es quand même mieux ainsi, dit-elle car j'avais mis son costume préféré, bleu sombre avec un filet gris sur quatre, et une cravate du même gris, traversée d'une bande bleue, du même bleu que le costume naturellement. Bref j'avais l'air, en étant optimiste, d'un jeune industriel italien à la réussite excessivement récente. Cela dit, depuis sept ans, les regards des gens ne me faisaient plus rien, et pourtant j'en avais souffert; j'avais horriblement souffert à « mon » premier — enfin, à « notre » premier — essayage: Laurence avait veillé à tout, sauf à ma fierté masculine, mais comme elle veillait aussi à la facture, je ne m'étais pas agacé trop longtemps.

L'hôtel particulier de son père sur le bois de Boulogne était du style 1930. Il y avait entassé, dans de grandes pièces rectilignes et froides (et moins par souci d'esthétique que de placement, disait-il lui-même) une série de meubles Louis XV qui d'après Coriolan étaient presque tous authentiques (et Coriolan s'y connaissait aussi bien en meubles qu'en musique): c'était en qualité de témoin, le mien, qu'il avait assisté à mon mariage et pu approfondir ses recherches dans cet hôtel particulier; on l'y avait retrouvé au soir, ivre mort, dans une chambre d'amis avec une soubrette. Cela l'avait complètement discrédité aux yeux de ma belle-famille pour qui, visiblement, il eût été moins scandaleux de le trouver dans les bras d'une fillette, fût-elle en très bas âge, mais d'un bon milieu. Exaspéré, j'étais moi aussi devenu un paria dès ce jour-là et c'étaient les sanglots de ma belle-mère qui avaient empêché que le mariage de sa fille unique finît au commissariat.

La porte nous fut ouverte par un inconnu, habillé en maître d'hôtel, et cela me surprit bizarrement moins que Laurence, qui s'écria aussitôt d'une voix inquiète :

— Mais qu'est devenu Thomas ?

— Thomas est décédé, Madame, il y a deux ans. Hélas ! dit le maître d'hôtel en s'inclinant tristement et la main de Laurence se resserra sur mon bras.

— Pauvre Thomas... murmura-t-elle. Mon cher, mon cher vieux Thomas ! et elle me lança un regard de côté, un regard attristé.

Je battis deux fois des paupières mélancoliquement. Mais une voix joyeuse et virile nous fit lever les yeux : mon beau-père descendait l'escalier de marbre devant nous, la main flottant sur la rampe. Il s'immobilisa sur l'avant-dernière marche car il était plus petit que moi, ce qui l'agaçait beaucoup, et nous nous approchâmes. Nous avions échangé entre-temps le même regard que huit ans plus tôt lors de nos brèves rencontres, le regard de deux personnes soudain placées en face d'une caricature : pour lui la caricature du jean-foutre inutile, et pour moi celle du salopard enrichi. Après cet instant de muette reconnaissance, nous échangeâmes un sourire aimable et Laurence nous prit chacun par le bras avec sa grâce habituelle ; elle nous fit serrer la main : je serrai la main de mon beau-père et il serra la mienne avec effusion, nous nous secouâmes même le bras deux ou trois fois inutilement et nous séparâmes sans avoir essayé la moindre torsion.

— Allez ! Allons arroser ça ! proposa mon beau-père avec bonhomie, et il nous poussa vers ce qu'il appelait le « bar », la pièce la plus gaie de la maison, disait-il, où, en effet, les fauteuils Louis XV chamarrés étaient remplacés par des clubs de cuir plus confortables. Le maître d'hôtel ayant refermé la porte sur lui-même, Laurence dit à son père :

— Mais papa, j'ignorais : ce pauvre Thomas ! Que lui est-il arrivé ?

— C'est qu'il est mort, ce bon Thomas ! Un sale truc aux reins. Du jour au lendemain, il ne pouvait même plus porter un plateau, le pauvre ! Mais Simon est très, très, très bien ! précisa-t-il d'un ton rassurant.

Et sur cette oraison funèbre, nous nous assîmes. L'œil de mon beau-père me détaillait avec la même incrédulité qu'il m'inspirait lui-même. Il fit un effort :

— Incroyable ! s'écria-t-il. Sept ans déjà ! Vous n'avez pas du tout changé, mes enfants ! Mes compliments !

— C'est le bonheur, dit Laurence, et elle baissa les yeux.

— Et la tranquillité ! ajoutai-je.

Je vis mon beau-père s'empourprer ; Laurence n'avait pas entendu ou pas compris.

— Tu sais que tu as très bonne mine, père, toi aussi ! J'avais peur, après ce qui t'est arrivé, que tu sois...

— Je suis en fer, dit-il. Et il faut l'être, pour les affaires, crois-moi ! En ce moment, on ne s'amuse pas sur la place de Paris. C'est une bataille incessante. Je suis bien content que vous ayez évité tout ça, mon cher, ajouta-t-il en se tournant vers moi.

— Et moi donc ! lui répondis-je en toute sincérité, et c'est lui qui baissa les yeux.

Le maître d'hôtel rapportait une bouteille de champagne et il nous le distribua pendant que mon beau-père piaffait nerveusement. Dès qu'il fut sorti, il lança à Laurence :

— Ma chérie, veux-tu nous laisser ? Je dois avoir une conversation d'homme à homme avec ton mari.

Laurence se leva en souriant :

— Bien, mais soyez sages ! Ne vous disputez pas. Je ne veux pas entendre le moindre éclat de voix derrière cette porte.

Elle se retourna sur le seuil pour nous sourire et elle envoya même un baiser en l'air qui hésita entre nous deux, puis fila ailleurs en toute hâte. Je me calai dans mon fauteuil tandis que mon beau-père commençait à marcher de long en large devant le bar, comme il aimait à le faire. Par malheur, ses chaussures étaient trop neuves et craquaient un peu, notamment quand il tournait.

— Ma fille a dû vous dire que j'avais eu un accident cardiaque ? — Je hochai la tête. — Une malformation banale mais dangereuse de l'aorte.

Il en parlait comme il eût évoqué une médaille militaire, avec une sombre fierté où se mêlait quelque émotion. Je le sentis hésiter entre s'attendrir avec moi sur sa santé ou continuer à être désagréable. Je l'aidai à faire son choix :

— Laurence m'a parlé d'une malformation mais sans trop vouloir me spécifier où, dis-je, et je pris un air indulgent et gêné qui exaspéra mon interlocuteur.

— A l'aorte ! Au cœur ! J'ai failli mourir ! — Il se reprit. — Je me suis rendu compte, alors, que j'étais désolé, oui, désolé... — Et il bombait le torse et martelait ses mots, l'air enchanté. — ... que j'étais vraiment désolé de mon excès de sévérité à votre égard.

— Oh, oublions tout ça ! m'écriai-je. Oublions tout ça, quelle importance ! Je ne vous en ai jamais voulu, vous savez. Laurence va être tellement contente...

Je me levai. Cette fois, il s'énerva :

— Je n'ai pas fini, jeune homme !

— Vincent ! rectifiai-je sèchement. Il est préférable que vous m'appeliez Vincent.

Là il se cabra, rougit, se souleva même sur la pointe des pieds :

— Préférable ? Tiens, tiens ! Et pourquoi ?

— Parce que c'est mon nom et que je n'ai, hélas, plus rien d'un jeune homme.

— Ah bon ! — Il se laissa retomber sur ses talons. — Bon, Vincent, dit-il lentement. Mon cher Vincent — il hésita, comme si accoler un adjectif affectueux à ce prénom si détesté lui donnait une sorte d'inquiétude. — Mon cher Vincent, reprit-il avec autant de suspicion, l'air de quelqu'un qui suce un bonbon inconnu : Il faut que nous parlions entre nous, et sérieusement. Installez-vous bien.

— Je suis très bien installé. Est-ce que je peux fumer ?

— Mais oui, mais oui ! Mon cher Vincent — il avait plus d'aisance à présent, le bonbon se révélait amer mais mangeable —, vous n'ignorez pas les raisons de ma sévérité à l'époque ; je vous savais doué et je voulais que vous vous mettiez au travail. Je trouvais navrant de vous voir passer votre temps avec ma fille à dépenser bêtement sa dot : car elle est dépensée, vous ne l'ignorez pas... Laurence est quasiment ruinée.

— Ruinée ? dis-je. Eh bien tant pis ! Vous savez parfaitement que je n'ai pas épousé Laurence pour son argent...

Il mentait froidement car Laurence avait un homme d'affaires dont la voix de stentor résonnait tous les trimestres boulevard Raspail et terminait toujours sur un ton triomphant. En plus, je savais fort bien que, ruinée, Laurence eût été autrement affolée.

Il me regardait avec méfiance.

— Je sais, dit-il sans entrain, c'est d'ailleurs pourquoi je vous ai laissés vous marier. Mais j'ignorais que vous sauriez un jour le lui prouver.

Je pris l'air idiot : il se pencha en avant.

— J'ai lu les journaux, mon vieux ! J'ai même vu votre film ! J'ai entendu votre musique ! D'ailleurs on ne peut pas l'éviter, cette musique ! Moi, le cinéma, il faut l'avouer, ce n'est pas mon fort, et la musique, hein, c'est pareil ! Seulement... Seulement — il était hilare et presque affectueux —, seulement je vais vous dire une chose, mon petit, je n'aime pas spécialement la musique ; mais si une musique me rapporte un million de dollars, eh bien, moi, ça me rend mélomane ! Hi ! Hi ! Hi ! Ha ! Ha ! Ha ! s'écria-t-il. Et il s'esclaffa tout en me donnant de grandes claques dans le dos. Et je m'esclaffai avec lui.

D'un certain côté, j'étais enchanté. J'essayai de me rappeler tout ce qu'il disait afin de pouvoir le répéter mot pour mot à Coriolan : car je ne pourrais pas le répéter à Laurence, hélas ! Il y avait peu de plaisanteries que je puisse répéter à Laurence ; son sens de l'humour était trop différent du mien. Plus exactement, je ne percevais pas le sien et le mien l'exaspérait. J'étais donc enchanté d'une part, mais un peu étonné de

l'autre : si ma pauvreté avait semé une belle agitation sept ans plus tôt,
il semblait que ma fortune actuelle en provoquât encore davantage.

— Et puis, dit-il brusquement en me retapant dans le dos par surprise
— ce qui me fit bel et bien, comme dans un sketch, cracher mon
champagne —, ça va vous changer la vie, hein, ça! Parce que je connais
ma fille! ça ne devait pas être rigolo, l'argent de poche, avec elle, hein?
(Une troisième tape me redressa, toussant et reniflant comme un
imbécile.) Entre nous, les petites femmes de Paris, quand on n'a pas un
sou, hein, c'est dur à attraper! Ah mon vieux, si j'avais votre âge! Ah,
là, là! Ha, je vous envie, mon vieux! — Il s'apprêtait à m'asséner une
quatrième claque, toujours d'homme à homme. Je fis un pas de côté
juste à temps et il heurta le bar, sans toutefois se fâcher.

— Mais... marmonnai-je, hmmm..., en toussaillant, mais quelles
petites amies? Vous ne pensez tout de même pas que je trompe
Laurence?

Il se mit à rire, d'un gros rire malin et rusé qui me fit horreur. Oui,
j'eus brusquement horreur d'avoir été si gai dans le lit des amies snobs
de ma femme.

— Je vous assure... dis-je. Mais la colère, à ma grande surprise,
voilait ma voix et changeait mes intonations. J'avais une voix de petite
fille tout d'un coup, et je m'arrêtai net.

— Pas à moi, mon vieux! Pas à moi! s'écriait mon beau-père. Pas à
moi! Laurence est comme sa mère : elle est belle, elle est intelligente,
elle est distinguée, elle est jolie, elle est bien (c'est ma fille!) mais elle
n'est pas rigolote. Ah, mon cher ami, je n'aurais pas eu une vie drôle,
moi, à la maison, si je n'avais pas su me débrouiller! Seulement, je
savais me débrouiller. Je vous raconterai tout ça un jour où on sera
tranquilles!

Dans la gaillardise de ses évocations, ou dans l'allégresse de ces
nouveaux millions, il avait desserré son col et sa cravate :

— Je vais vous dire : quand j'ai su tout ça — votre joli coup — j'ai
pensé de deux choses l'une : ou ce garçon reste avec ma fille, ou alors il
part avec son fric et une petite blondasse. Attendons...

— Vous plaisantez, j'espère! — J'avais la voix outrée. — J'ai
horreur des petites blondasses.

— Ha! Ha! Ha! Ha! Ha! Ha! Dieu merci, vous êtes resté!
Remarquez, vous ne seriez pas allé loin : parce que moi, je suis le père
de Laurence. Et à votre mariage je lui ai fait faire un contrat... en béton!
Vous êtes marié sous le régime de la communauté réduite aux acquêts,
mon vieux! Vous savez ce que ça signifie?

— Non. Non...

Je le contemplais avec un mélange d'amusement et de répulsion;
l'idée que sept ans plus tôt cet homme, malgré tout le mépris qu'il me
portait, malgré sa haineuse certitude que j'étais le pilleur, ait gardé un

petit espoir de me voir éventuellement devenir le pillé, me paraissait fantastique. Balzacien...

— Et alors, fis-je, qu'est-ce que ça signifie ?

Il se mit à rire et me passa le bras autour des épaules :

— Ça signifie, mon vieux, que tout ce que vous avez pu acquérir avec Laurence depuis sept ans est à partager entre elle et vous, c'est tout ! Voilà ! Ça signifie que vous n'avez rien à lui rendre, si vous voulez, mais que tout ce que vous avez gagné, elle doit en avoir la moitié.

Je haussai les épaules :

— Comme j'étais décidé à lui donner tout...

Il me prit par le bras et chuchota :

— Ah non, alors là, ce serait une ânerie ! Il n'y a qu'une chose à faire, mon bon, c'est que vous preniez un compte commun tous les deux, avec double signature obligatoire. Je vais vous expliquer : Laurence n'en veut pas de votre fric, Dieu sait pourquoi ! Elle vous voyait en pianiste ! Moi, je lui ai dit : « D'abord, ma fille, chacun ses goûts. Personnellement, j'ai toujours préféré Line Renaud à Bach. Ça me regarde, hein ? Deusio, cet argent, ton mari l'a gagné ; il est à lui ! Alors ? Hein ? »

Je le regardais légèrement affolé ; je commençais à penser que nous nous ressemblions sur un point, un seul : le bon sens, et que c'était peut-être le pire.

— Tertio : ce compte commun, elle ne peut rien y prendre directement. Si elle veut faire un chèque, il faut aussi que vous le signiez derrière elle : Puisque, vous, c'est votre argent, il est à vous ! Bon ! (Evidemment, quand vous retirez votre argent, elle doit signer derrière, elle aussi, simple formalité !) Mais par exemple, si elle se réveille un beau jour et qu'elle veut coller son argent, enfin, la moitié du vôtre, dans un de ces films intellectuels à la noix, impossible sans votre signature... ça vous donne le temps de la dissuader. Vous comprenez ? Moi, je n'y peux rien, hein, c'est peut-être ma fille mais là, c'est vous que je soutiens, car moi, les gens qui méprisent le fric, je ne supporte pas ! Quand on pense à tous ces malheureux qui en manquent, et patati... et patata...

Je cessai d'écouter, mais je dois avouer que quelque chose dans son raisonnement m'amusait bien : l'idée de Laurence allant à un guichet et demandant du liquide à un employé, qui le lui refusait en exigeant ma signature sur le chèque, me paraissait, je ne sais pourquoi, une vision idyllique.

Enfin mon beau-père appela Laurence d'une voix tonitruante et inutile, car elle était derrière la porte. Ils se querellèrent un peu et nous finîmes par aller droit à la banque. Je les suivis, y fis mille signatures, mais strictement les mêmes que Laurence (ce qui me rassurait), moi en riant et elle en faisant la tête. Ces banquiers-là étaient les rois de la génuflexion et du salamalec, et je m'amusai beaucoup. Je m'amusai beaucoup, mais une fois de plus je n'aurais pas dû.

Nous étions entrés dans cette banque à cinq heures et nous en ressortîmes beaucoup plus tard, malgré les horaires que je croyais implacables de ces établissements. Il était près de huit heures quand nous arrivâmes boulevard Raspail. Laurence n'avait pas dit un mot pendant le trajet, ni d'ailleurs depuis longtemps : depuis notre arrivée à la banque, en fait, et si son imagination courait les mêmes chemins que la mienne, je la comprenais fort bien.

Cette petite scène, tout à l'heure imaginée, de Laurence repoussée par un caissier avait fait dans mon esprit des progrès considérables : pour commencer, elle arrivait avec son tailleur Chanel (une folie, mais indémodable), elle entrait en poussant d'un geste agacé la porte électrique de cette banque et marchait droit sur « son » guichetier : comme beaucoup de gens, Laurence avait « son » guichetier, « son » coiffeur, « sa » manucure, « son » notaire, « son » percepteur, « son » avoué, « son » avocat, « son » dentiste, etc. Peu de métiers — chauffeurs de taxi, garçons de café, et j'en avais conçu pour ces gens-là une certaine admiration — échappaient à cette possession frénétique et silencieuse. (Quant à moi, je n'avais, je dois le dire, personne sous mes drapeaux : « mon » tailleur était choisi par Laurence, le patron du *Lion de Belfort* régnait vraiment sur le *Lion de Belfort*, le dentiste auquel j'avais rendu visite deux fois en sept ans était celui de Laurence, etc., etc., jusqu'à la concierge que j'appelais « la » concierge, ou que j'aurais pu, tout au plus, baptiser « notre » concierge si Laurence ne l'avait pas toujours nommée « ma » concierge, d'une manière tout à fait péremptoire.) Quand par hasard elle était obligée de partager un de ses serfs avec une amie, le coiffeur par exemple, ou le bottier, elle recourait alors, comme la copropriétaire, au nom de famille : « mon » coiffeur et « mon » bottier redevenaient M. Hulot et M. Perrin ; en fait je trouvais cette petite habitude monarchique des plus compréhensibles : l'habitude est une des pires et plus sournoises formes de la possession ; elle l'était en tout cas pour Laurence.

Je l'imaginais donc avec son tailleur Chanel entrant dans cette banque, allant avec sa détermination coutumière vers son guichetier et lui disant : « Comment allez-vous, monsieur Barras ? Je voudrais du liquide s'il vous plaît, je suis extrêmement pressée » — car il y a aussi des endroits ou des professions qui provoquent immédiatement la hâte chez leurs clientes (les banques, les salons de beauté, les garages, pour ne pas parler des grands magasins qui, eux, déclenchent carrément le grand galop). « Bien sûr, chère madame », disait le guichetier Barras que j'avais rencontré une fois : c'était un homme pâle, assez grand, glabre, avec des lunettes et un faux air de malice. «Bien sûr, mademoiselle Chat... pardon... madame Ferzac...», disait-il en se reprenant, comme s'il avait, entraîné par son apparence, failli l'appeler par son nom de jeune fille. «Vous le voulez en billets de combien?

— Cinq cents!»

Pendant ce temps, Laurence avait ouvert son sac, ôté son gant, pris son chéquier, «notre» chéquier, et d'une main hâtive gribouillait «trois mille francs», puis apposait son paraphe d'un geste nerveux et ultra-rapide. Je ne sais pourquoi, les gens les plus importants —, et les moins importants — signent leurs chèques comme si leur stylo était brûlant, comme si mettre quelque lenteur à signer était un symptôme d'obscurantisme ou d'illettrisme total. Bref Laurence signait et tendait son chèque d'une main impérieuse vers son interlocuteur qui, tapi derrière son grillage, brûlait déjà de lui montrer sa célérité et son efficacité; il prenait donc le chèque, le regardait au passage (à peine, précaution inutile bien sûr, avec la belle madame Ferzac). Et ne voilà-t-il pas qu'il s'arrêtait et jetait un regard incrédule vers Laurence qui elle-même se figeait, les sourcils interrogatifs: que se passait-il?

— Que se passe-t-il? lui demandait-elle d'une voix arrogante et agacée. Que se passe-t-il? N'aurais-je plus d'argent dans cette banque?

— et elle émettait un petit rire incrédule, voire sarcastique devant cette éventualité tout à fait improbable, Dieu merci!

— Bien entendu non, ce n'est pas ça, madame Ferzac, souriait aussi le caissier. C'est que simplement, vous savez... il s'agit d'un compte commun et je crains que... avec double...

— Que quoi? Oui, que quoi?

Laurence s'agaçait, tapotait des doigts sur le comptoir de bois tandis que le caissier ouvrait des mains désespérées:

— Madame, je suis navre, désolé... mais voyez-vous c'est un compte spécial, vous ne l'ignorez pas, et il nous faut la signature de monsieur Ferzac.

Laurence restait pantoise:

— La signature de monsieur Ferzac? La signature de mon mari, voulez-vous dire? Sur mes chèques? Et pour trois mille francs?

— Madame Ferzac, ce n'est pas la somme qui importe, c'est le principe, vous savez bien...

— Non, je ne sais rien! En tout cas, j'ignorais qu'il me fallait la signature de mon mari pour toucher mon argent! Je trouve même cela insensé, etc., etc.

J'imaginais avec exultation Laurence rouge vif dans son tailleur rose vif, le caissier rouquin en face, et le banquier en chef arrivant mauve de confusion, bref un camaïeu sublime de fureur et de dignité. Mais ma folle imagination m'avait fait oublier ou plutôt retarder mon explication à Laurence : je devais absolument la rassurer, apaiser ses inquiétudes et calmer sa vanité peut-être blessée d'avance.

A peine franchi le seuil de l'appartement, elle se précipita vers sa chambre :

— Mon Dieu, nous sommes le jeudi 4 ! C'est le jour de mon tournoi de bridge ! Excuse-moi !

Elle fuyait. Je l'attrapai et la retins un instant par le bras mais elle se retourna vers moi, les yeux brillants et d'une pâleur extrême.

— Ma chérie, dis-je d'une voix rassurante, tu ne penses quand même pas que je vais honorer ce contrat avec la banque ?

Elle me contempla les yeux agrandis :

— Je ne vois pas comment tu pourrais faire autrement !

Je la lâchai en riant mais après un coup d'œil froid elle passa dans sa chambre et en referma la porte aux trois quarts. Ce fut donc sans la voir que je dus lui parler :

— Tu me connais mal. Ou plutôt, tu ne me connais pas en homme riche. Je ne suis plus le même. Les gens changent avec la fortune !

— Je m'en moque ! — Sa voix était froide. — Je m'en moque ! Je t'ai déjà précisé que je ne voulais pas un sou de ton argent. Et puis, je ne vois pas comment tu pourrais changer un iota à ce contrat !

Elle était vraiment excédée et il y avait de quoi, après tout : pour une femme qui m'avait fait vivre pendant sept ans, se retrouver devant un butor éventuel était une épreuve un peu dure.

— Ma chérie, enfin, voyons, c'est moi. Ecoute-moi. Demain je vais aller à la banque et tu verras que tout ça n'est qu'une plaisanterie. Crois-moi, ils feront ce que je voudrai.

— Je serais étonnée que tu les persuades.

Moi je savais que je n'aurais aucun mal à les convaincre de tout mettre sur le compte de Laurence, ce qui était le plus simple et après tout le plus normal. Je lui ferais seulement signer un gros chèque global pour Coriolan en lui expliquant pourquoi — ou non — et il me resterait toujours pour moi mes droits d'édition sur papier que je n'avais pas mentionnés tout à l'heure à la banque, plus les cent mille francs que Coriolan avait soutirés à « Pas un sou » : ce n'était pas si mal !

— Qu'est-ce que tu paries ? dis-je. Tu paries que demain tu iras refaire tes petits chèques toute seule, comme d'habitude, et que tu te passeras de ma signature ?

Il y eut un silence.

— Mais toi tu auras besoin de la mienne, jeta-t-elle en sortant de la chambre.

Elle s'était en deux minutes remaquillée, habillée de noir ; elle semblait la statue de la justice et de la colère, ce qui lui allait très bien et me changeait de ses perpétuelles agaceries. Je fis un pas vers elle mais elle recula précipitamment, leva même le bras devant son visage dans un geste de défense qui me stupéfia ; je n'avais jamais frappé Laurence ni même pensé à le faire.

— Je suis en retard, siffla-t-elle. Laisse-moi partir ! tu ne vois pas que je suis en retard ?

Tous les premiers jeudis du mois en effet, elle allait faire un bridge avec des vieilles camarades de collège, bridge à la fin duquel elle perdait ou gagnait, dans les cas les plus extravagants, cent francs ; cette folle hâte m'étonnait.

— Eh bien va, dis-je, va donc ! Ne mise pas notre compte commun, s'il te plaît, sur un grand chelem ?

Déjà elle ouvrait la porte, négligeait l'ascenseur et prenait l'escalier au petit trot. Je m'appuyai à la rampe pour la voir descendre. Elle releva la tête, mais pas avant le palier du dessous et, le regard étincelant, me lança d'une voix tout à coup plus légère :

— Peux-tu m'expliquer comment tu vas mater ces banquiers, demain ?

La question était sarcastique. Elle faisait la fière mais je savais que cet argent, qui lui déplaisait tant aujourd'hui, elle finirait par s'y attacher. Laurence n'avait jamais dédaigné l'argent très longtemps.

— Ce que je vais faire ? lançai-je en me penchant sur la rampe. Mais, ma chérie, je vais mettre tous ces dollars à ton nom à toi, à ton seul nom. Comme ça tu n'auras plus besoin de ma signature pour faire ces chèques ! Tu m'en signeras un de temps en temps si tu en as envie.

Et comme je ne voulais pas entendre ses cris de refus et ses dénégations, je rentrai très vite dans l'appartement et claquai la porte derrière moi. J'eus tout de même le temps d'entendre un cri dans l'escalier, mais qui me parut de surprise plutôt que de protestation.

CHAPITRE VI

C'ETAIT à Paris un de ces derniers soirs de septembre d'une douceur imparable. Le ciel gardait toujours son bleu dur, son bleu marine, son bleu nuit enfin, et il le déployait avec autant de superbe d'est en ouest, mais avec aussi un peu plus de distance ; et déjà, et surtout, il se montrait, sur tous ses bords, comme criblé, cerné, déchiqueté par des bancs de petites nuées roses — de ces roses grisâtres, rose buvard, rose frileux, que déversent sur les ciels trop bas de l'hiver les lumières d'une ville — et dont celui-ci serait très bientôt totalement recouvert. Ce soir pourtant à peine posé sentait le froid, sentait l'hiver, et un jardinier ou un balayeur avait dû faire quelque part, pas loin, un feu de feuilles mortes puisqu'une odeur violente et exquise, une odeur corrompue et enfantine, venait jusqu'à nous et nous lançait au visage des souvenirs de campagne, encore plus déchirants si l'on n'y avait jamais, petit, mis les pieds.

J'éprouvais un grand besoin de poésie depuis nos conversations avec Coriolan — que j'avais rejoint après le départ de Laurence dans notre café préféré —, Coriolan à qui j'avais montré la copie de mes engagements avec la banque, Coriolan qui me balayait de ce regard plein de condescendance et d'affection que je lui avais vu quelquefois à mon égard, toujours à ma grande honte.

— Mais enfin, dis-je, voyons, écoute, Laurence ne peut pas refuser de me signer des chèques pour prendre mon propre argent dans cette banque ? Ce serait incroyable !

— J'aimerais bien !

— Mais puisqu'elle n'en veut pas !

— Non, elle n'en veut pas ! Surtout pour toi, elle n'en veut pas ! Ton argent, pour Laurence, il est synonyme de femmes blondes, de tickets d'avion solitaires et d'images de toi dansant le cha-cha-cha dans un casino — sans elle. Tu ne comprends pas ça ? Elle déteste cet argent, et maintenant qu'elle peut te l'interdire... — il secoua la tête.

Je me débattais comme un crétin :

— Tout de même... elle ne peut pas me refuser...

— Elle peut te refuser de quoi t'acheter un paquet de cigarettes, si elle veut ! dit Coriolan avec fermeté. Comprends-le : tu peux ne jamais voir un centime de cet argent. Ah, ils t'ont bien manœuvré, il faut le dire... Chapeau !

Je poussai un grognement incrédule ; mais je me rappelais à présent le ton joyeux de mon beau-père ; et le geste de Laurence dans l'appartement, quand elle avait eu peur apparemment que je la frappe... si elle avait eu peur, c'est que j'avais des raisons de la frapper ; et je commençais à voir trop bien lesquelles. Cela me paraissait néanmoins si invraisemblable...

— Elle ne va pas... penses-tu... ? quand même... !

Coriolan haussa les épaules sans répondre et tourna la tête. Puis il me tendit mes papiers du bout des doigts, me tapota l'épaule, se renversa sur sa chaise, l'air épuisé, crucifié...

— Quelle heure est-il ? demandai-je.

— Ne me dis pas que tu vas rentrer tranquillement au foyer conjugal ! Il avait l'air révolté.

— Mais, que veux-tu que je fasse d'autre ?

— Toi, alors ! Remarque, je le savais. Mais là, tu me tues !

Je le trouvais étrange ; c'était bien le moment de m'en aller, vraiment, à l'instant où nous pouvions enfin avoir une vie agréable et tranquille, Coriolan et moi. C'était le moment de se battre, au contraire, pas celui de fuir. Je comprenais très bien ce qu'il voulait dire : à ma place, il aurait sonné le tocsin et pris des airs d'exil ; et sans doute aurais-je dû, en effet, marquer le coup. Mais j'étais un homme pratique : où aller dormir ? Dans quel hôtel effrayant des alentours, alors que j'avais sur moi cent vingt francs, même pas mon pyjama, même pas une brosse à dents, rien ? Alors que tout était fermé, et que me réveiller dans une chambre misérable d'automne me semblait littéralement abominable ? Non, il me fallait rentrer, montrer à Laurence que j'étais conscient de ses manœuvres médiocres — quasi malhonnêtes — et, tout de suite, fixer les règles du jeu afin qu'elle me laisse disposer de mes biens. Le plus difficile pour moi dans cette affaire serait de jouer longtemps les offensés : s'il y avait une humeur ou un sentiment que je n'arrivais jamais à simuler d'une façon durable, c'était bien l'indignation. En tout cas, je ne m'y étais jamais essayé avec succès.

Mais cela, Coriolan le savait depuis longtemps ; et il savait aussi que je ne pourrais pas provoquer avec Laurence la grande scène que lui-même aurait jouée. Comme d'habitude, tout le monde savait tout sur moi à l'avance, et bien avant moi-même. Et comme d'habitude mon éventuel comportement, si prévisible et si prévu, m'empêchait d'en adopter un autre — ou plutôt me dispensait de le chercher.

J'avais d'ailleurs, c'est vrai, plus envie de réduire Laurence que de la quitter. J'étais surtout certain de la circonvenir ; je la voyais mal, si je lui disais : « Sois gentille, donne-moi cet argent que j'ai gagné », je la voyais très mal me répondre : « Non, je le garde ! » Impensable entre deux personnes qui vivaient ensemble depuis si longtemps, qui couchaient ensemble, qui disaient ou écoutaient dire des mots d'amour. Une telle attitude, un tel cynisme étaient réellement impossibles. Et Laurence tenait à son image de moraliste.

En y pensant bien, je n'avais pas du tout envie de lui parler ce soir, comme ça, à chaud. C'était au-dessus de mes forces. Non, je dormirais dans mon studio et demain matin, dès l'aube, elle aurait droit à la grande scène de charme et de virilité. Je rentrai donc sur la pointe des pieds, constatai avec soulagement son absence — son bridge se prolongeait parfois tard — et allai me coucher dans mon studio. De toute façon, Laurence ne savait pas que je savais : pour elle, plus fastueux que nigaud, je voulais lui donner ce qu'elle me prenait. Elle était en état d'infériorité par rapport à moi. Bercé par l'idée de ne devoir simuler, le lendemain, ni l'indignation ni la rage, je m'endormis presque aussitôt.

Je me réveillai au milieu de la nuit, en nage : je savais très bien pourquoi j'étais puni : j'étais puni pour avoir voulu, ne fût-ce que dix minutes, m'immiscer, faire partie du clan des nantis. Il y avait eu un moment à la banque où, habillé si correctement, réhabilité aux yeux de mon beau-père, regardé avec considération par ce banquier, je m'étais senti rassuré, à l'aise, dans cette respectabilité, ce confort et cette manifeste sécurité. Je m'étais senti du côté des autres ; et lorsque ce gros banquier m'avait expliqué les intérêts qu'il extorquait aux cigales de sa banque pour leur prêter l'argent des fourmis, cela m'avait paru presque intéressant ; je m'étais laissé séduire par les marchands, par des gens au milieu desquels je vivais pourtant depuis sept ans sans avoir eu le sentiment d'être des leurs. J'étais puni par là où j'avais péché, par le fric, ce si vilain mot tellement plus vilain que «tube», mais auquel j'avais cru le bref moment où j'en avais eu (ou pensé en avoir) et qui d'ailleurs était celui-là même où je le perdais.

A midi, j'entrai dans la chambre de Laurence qui était assise dans son lit, dans notre lit, et y croquait des biscottes, un plateau sur les genoux, rose, brune, appétissante ; la maturité lui irait très bien : les femmes brunes et un peu pleines de son type s'y épanouissent toujours ; et je regrettai un instant de manquer ce spectacle (auquel, après tout, rien ne m'empêchait d'assister). En réalité, je ne savais pas ce que je voulais vraiment ; d'où l'objectif précis et limité que je m'étais donné. Elle, en tout cas, paraissait bien rassurée :

— Bonjour, chéri ! dit-elle en tendant les bras et je posai ma tête sur son épaule douce, parfumée, et dont le contact et l'odeur m'étaient si accueillants, si familiers, que je ne pouvais les croire à la solde d'une volonté hostile.

Tout ça n'était que de la bêtise chez elle, de la vanité et de la bêtise, plus, en effet, la crainte de ma disparition. Je cherchais, j'espérais, je désirais avec fébrilité la preuve que ma femme était vraiment bête, plus bête encore que je l'avais remarqué certains jours. Et je me redressai :

— Alors, plus fâchée ? Comment as-tu pu croire que je te laisserais rabrouer par un caissier ?

Une expression avide, déconcertée, méprisante, inquiète, passionnée, errait sur son visage ; elle souriait tristement à quelque chose et je la sentis au bord de s'apitoyer sur elle-même.

— Je vais de ce pas, dis-je, à la banque — et je me levai, m'élançai mais m'arrêtai net. — Ah, j'oubliais ! Avant d'arrêter ce compte, on va faire un chèque ensemble, un seul. Le seul où tu auras besoin de ma signature. Tiens...

Je lui tendis un des chèques de dépannage que m'avait confiés la banque, la veille. Laurence le prit mais broncha en le lisant :

— Trois cent mille francs ! Un chèque de trois cent mille francs ? Trois cent mille francs nouveaux ? répétait-elle, et elle insistait sur le mot «nouveaux» comme si j'eusse été de ces vieilles tantes de province, distraites et anachroniques, que recèlent toutes les bonnes familles.

— Nouveaux, oui, oui, bien sûr, nouveaux ! confirmai-je en souriant, mais j'avais l'impression de sourire de toutes mes dents d'une manière horrible.

— Et pour quoi faire ?

La tonalité incrédule et amusée de sa voix m'obligeait à adopter un ton encore plus égayé qu'elle; et je vis le moment où nous allions succomber au fou rire au-dessus de ce malheureux chèque.

— Un Steinway, dis-je. Le dernier Steinway. Tu n'imagines pas le son qu'il a! J'en aurai rêvé dix ans, ajoutai-je, espérant que ce mode grammatical lui semblerait convaincant.

Comment le nommait-on déjà? Ah, oui, le futur antérieur! Désignait-il « ce qu'on avait cru, à bon escient, jadis, être le futur, un conditionnel optimiste », ou plutôt n'était-ce pas « ce que l'on avait cru possible, hier encore, et qui s'avérait aujourd'hui folie douce »? Le futur antérieur, oui, mais ce n'était pas le moment de flirter avec la langue française : le visage de Laurence prenait une expression douloureuse et indulgente, un de ses cocktails de mimiques préférés.

— Pourquoi ne pas me l'avoir dit?

Je notai au passage le poids de l'infinitif « avoir », plus prometteur, me semblait-il, que le passé composé « pourquoi ne me l'as-tu pas dit? ». Mes pensées voletaient dans toutes les directions sans que j'arrive à les domestiquer.

— A cause du prix, justement! expliquai-je. Ah, mais tu n'as pas de stylo, dis-je. Pardon.

Je lui tendis le mien avec l'air satisfait de quelqu'un qui comprend enfin les raisons d'un délai inattendu. Laurence prit le stylo et relut ce chèque une centième fois. Je restais sur un pied devant ce lit, l'air gai, l'air pressé aussi. Je me frottais même les mains, comme pour souligner et mon assurance et ma hâte. Et soudain, en un instant, je sus ce que c'était que la haine. Quelque chose se leva en moi, me claqua au visage et m'étourdit. Quelque chose qui m'imprimait, en plus, une double pulsion : une en arrière pour éviter cette personne devant moi qui me faisait odieusement attendre, l'autre en avant pour la courber et l'écraser sur ce lit chamarré, pour l'étouffer. Je m'immobilisai, le cœur battant. Ce n'était pas un sentiment léger et rapide, oh non! Mes bras étaient sans force, il me semblait qu'ils pendaient de chaque côté de moi exsangues, désœuvrés, désénervés, au sens moyenâgeux ; je finis enfin par les retrouver et par revenir à moi-même ; mais comme on retrouve, après s'être gelé les doigts, le sentiment, la sensation de son doigt, c'est-à-dire une absence de consistance, un double et faux contact entre sa peau et sa chair tout à fait désagréable.

Trop occupé donc à retrouver l'usage de mes sens — selon une formule désuète qui m'avait été jusque-là obscure et que je comprenais enfin aujourd'hui —, trop occupé bref, j'entendis à peine le « non! » de Laurence. J'avais détourné le visage sous le flux de cette haine, par crainte qu'elle ne soit visible, et je restai un instant de dos à Laurence après ce « non », avec une sorte de résignation, celle que doivent éprouver les diplomates quand la guerre enfin éclate, malgré tous leurs efforts : « A Dieu vat! » ; une résignation et aussi une incrédulité presque objectives : comment pouvait-elle me refuser d'acheter un instrument de travail avec mon propre argent ? Après coup, j'étais plus curieux que furieux comme si cette crise de haine si brève et si violente m'avait délesté de tout fiel.

` — Non, je ne vois pas ce que tu reproches à ce Pleyel...

La voix de Laurence était offusquée ; on eût dit la courageuse veuve Pleyel face à deux hyènes d'acheteurs.

— Tu m'excuseras, rétorquai-je avec autorité, je ne te demande pas pourquoi tu préfères Chanel aux Trois-Quartiers ; c'est indicible, justement.

J'étais las des incidents de frontière et je me sentis attiré dans un guet-apens quand elle me dit en tapotant le drap :

— Vincent, assieds-toi ici. Viens !

Je m'assis prudemment en face d'elle et croisai très vite ses beaux yeux égarés, muets, périlleux, aveuglés comme, la nuit, les phares mal réglés de certaines voitures.

— Vincent, regarde-moi, je t'en prie !

Et elle prit ma tête dans ses mains, la rapprocha de la sienne au risque de se faire mordre. Je me contins au prix d'un effort surhumain ; elle trichait. Cette fausse honnêteté, cette fausse sincérité, nos deux regards si proches et si éloignés en réalité l'un de l'autre, tout cela suscitait une comédie d'une telle lourdeur, d'une telle vulgarité que je me dégageai avec brusquerie pour la première fois.

— Ecoute, arrêtons-là ! Ou je peux acheter ce Steinway avec mes droits d'auteur, ou on n'en parle plus ; et dans ce cas-là, si tu veux, je fais un chèque tout de suite à ton père pour le total.

— Je n'ai pas le droit, Vincent ! gémit-elle d'une voix suppliante. Je n'ai pas le droit de te laisser claquer tout ça avec Dieu sait qui ; car tu sais parfaitement que ce n'est pas un Steinway que tu veux acheter mais tes copains que tu veux dépanner !

— Et quelle importance ?

Qu'elle ait raison ne me gênait pas le moins du monde, mais que j'aie le droit d'avoir tort m'apparaissait évident et qu'elle refusât d'y souscrire complètement anormal.

— Mais si ! Tu finirais par tout dépenser ! Naïf comme tu l'es, tes parasites te prendraient tout et tu perdrais en même temps ta confiance dans le genre humain. Ça, non, mon chéri, je ne veux pas que tu sois amer...

— Ça me regarde, non ?

— Et en plus, c'est toi qui l'as voulu, Vincent ! Inconsciemment tu as demandé et voulu un rempart contre ces gens. Tu as voulu être protégé par des personnes responsables. Réfléchis ! Autrement, comment aurais-tu accepté l'aide de mon père ?

— Ton père m'a bien entortillé, dis-je, retenant au dernier moment le mot « filouté », car je ne pouvais pas décemment déclarer que c'était me filouter que de lui faire partager mes biens. Il ne m'a pas expliqué toutes les règles, ajoutai-je, ni que, par exemple, je ne pourrais pas acheter un paquet de cigarettes sans ta permission.

Elle leva la tête avec fierté :

— As-tu jamais eu besoin de ma permission, jusqu'ici, pour acheter un paquet de cigarettes ?

Si elle comparait mon argent de poche à mes droits d'auteur... Je lui jetai un coup d'œil éloquent qui la fit quand même rougir.

— En revanche, tu pourrais récolter les intérêts de ton capital tous les mois, ce qui te ferait des liquidités consistantes. Pour ça, je te signe d'avance tous les arrangements que tu veux avec la banque.

— Si je comprends bien, je peux dépenser les fruits de l'usure de ton banquier mais pas les fruits de mon travail ? C'est parfait !

— Chéri, dit-elle tendrement — et elle souriait presque —, mon chéri, tu es furieux, mais c'est pour toi, Vincent, je te le jure ! C'est pour toi ! Je ne toucherai pas un franc de ton argent, tu le sais bien. Je te le garde, c'est tout : tu le désires, d'ailleurs, sans t'en rendre compte (cette petite note freudienne était visiblement la dernière pierre de l'édifice créé pour abriter sa bonne conscience : entre la veille au soir et ce matin, elle l'avait dressé, inébranlable, avec la force invincible de la sottise et de la mauvaise foi jointe à celle, si vivace dans son cas, de la possession).

Je n'étais pas de taille à lutter contre des sentiments et des désirs si simples, si forts, ni contre les armes imparables qu'elle utilisait.

— Mais je pense à toi, Vincent ! Imagine qu'il m'arrive un malheur, mon chéri...

— N'évoque pas des catastrophes, veux-tu, dis-je dans un dernier sursaut d'ironie, juste avant que quelque chose ne se coince dans ma gorge et ne m'oblige à sortir, presque à reculons, rouge, trébuchant sous le regard affolé de ma femme aimante ; j'éprouvais une sorte de nausée nerveuse comme je n'en avais pas eu depuis belle lurette, depuis mon adolescence en fait, et dont je croyais, à l'époque, qu'elles correspondaient à des troubles psychiques dus à cet âge, des troubles dont je m'étais cru à jamais débarrassé.

Je rentrai dans mon studio, mon refuge, fermai la porte à clef et m'allongeai sur mon lit. Elle m'avait bien eu ! Depuis sept ans elle se fichait de m'humilier, elle voulait juste que je sois là, même furieux et cachant ma fureur. Elle avait toujours rêvé de me tenir et de me faire sentir qu'elle me tenait ; ulcérée de m'entretenir, elle avait dû penser que je restais avec elle uniquement pour cela, que je ressemblais à son père, ce pourceau vaniteux : à la différence que je n'étais pas, moi, en mesure de la blesser, comme sa pauvre mère avait dû l'être toute sa vie. Laurence avait dû voir ce gâchis toute son adolescence et se jurer qu'elle éviterait ça : la morgue et la muflerie d'un mari infidèle. Elle m'avait épousé pour cette raison-là, parce qu'elle me croyait faible et s'imaginait pouvoir m'empêcher de la tromper ; elle avait toujours été la propriétaire et moi l'objet ; elle ne m'avait jamais aimé, elle m'avait possédé. Quant à ces échecs dont j'avais eu honte, elle ne m'en avait consolé que parce qu'ils l'arrangeaient ; elle ne voulait pas d'un grand virtuose, elle aurait même tout fait pour que je ne le devienne pas, si jamais j'en avais eu les dons.

Et ce qui me désolait, ce qui blessait en moi ma vraie nature de cynique sentimental, c'était le souvenir des moments où je l'avais aimée un peu en effet, où j'avais eu du plaisir à la voir et à la croire heureuse — moments qui n'avaient jamais existé ; *elle* m'avait dupé en revanche, *elle* avait profité de moi, *elle* avait vécu à mes crochets, à moi, ceux de ma bonne humeur, de mon tempérament vigoureux, de ma gaieté naturelle ; elle les avait surveillés et utilisés dans une tension perpétuelle et jamais relâchée ; elle m'avait dit mille fois « je t'aime » pour la seule raison que l'amour était pour elle une prime, un bonus, alors que moi, je le lui disais parce que j'y croyais, parce que je voulais y croire.

Et pourtant, je m'étais ennuyé avec elle, farouchement ; j'avais supporté ses affreux amis, sa forfanterie, sa dureté, sa bêtise, son snobisme, avec une indulgence coupable ; ou plutôt une indulgence inspirée par la culpabilité, celle que je ressentais parfois à l'idée qu'elle m'entretenait de la sorte, une culpabilité que je n'aurais jamais éprouvée, au demeurant, si elle avait été généreuse avec un peu de grâce et de naturel ; bref, si elle m'avait aimé pour moi.

Mais à présent j'étais captif, je n'avais pas la force de repartir de zéro sans métier, sans amis, sans argent, et surtout sans l'habitude de la pauvreté. Elle m'avait pris les plus belles années de ma vie comme si j'avais été moi une femme et elle un homme. Et toutes les histoires de lit n'y changeaient rien. Elle ne m'avait vraiment aimé que pour elle. Elle ne me connaissait pas, elle ne s'intéressait pas à moi ; il me suffisait pour m'en rendre compte de me rappeler avec quelle vigueur elle corrigeait chez moi tout ce qui ne l'arrangeait pas. J'eus une sorte de sanglot sec et je pensai que Laurence me faisait pleurer pour la première fois ; mais pleurer de honte car elle m'avait dupé.

Je me souvenais de cette soirée sur mon lit, la seconde fois qu'elle y avait dormi, dans cette chambre d'hôtel minable où j'habitais alors, avenue Coty, et où nous avions décidé de nous marier. Elle ne m'avait pas demandé si je l'aimais, elle m'avait dit qu'*elle* m'aimait, qu'elle voulait vivre avec moi et que je serais heureux avec elle. Je lui avais bien objecté que je n'étais pas sûr, moi, de l'aimer ; c'était sans importance, avait-elle répondu, je l'aimerais bien un jour. Elle avait même ajouté, lourdement mais flatteusement : « Tant que tu fais aussi bien semblant, mon chéri ! » C'était après l'amour et je l'avais crue ; je m'étais cru. Je me retrouvais, sept ans après, prisonnier, égoïste, incapable et cynique, et à présent ridicule. « Bravo, me dis-je, bravo ! Pour une fois que tu t'amuses à faire un bilan, un point de la situation, il faut reconnaître qu'il est brillant ! Bravo, mon cher Vincent ! » Mais plus que l'avenir, ce qui me faisait peur, a posteriori, c'était l'idée d'avoir pu vivre sept ans, d'avoir dormi sept ans, près de quelqu'un qui ne m'avait jamais aimé, qui n'avait jamais éprouvé pour moi que le pire de la passion — si l'on pouvait nommer ainsi cette avidité têtue qui était la sienne.

Je repartis dans mon studio, mon repaire à présent provisoire, prêt à m'y rendormir. Mais il n'était qu'une heure de l'après-midi. J'avais supporté plus de péripéties, de chocs psychologiques ou sentimentaux en une heure que pendant toute la semaine ; il fallait que je sorte mais où aller ? J'hésitai un instant à prendre la voiture. Au lieu de me sentir soulagé des devoirs d'un mari, je me sentais privé des droits du gigolo ; dès l'instant où Laurence ne m'avait pas aimé et ne m'aimait pas (enfin pas plus qu'elle eût aimé n'importe quel homme vigoureux, présentable et docile) je n'avais plus droit à rien. Qu'allais-je donc faire de moi ? « Semblant ! Tu vas faire semblant ! » me soufflait une voix aiguë et prudente : « Semblant de n'avoir rien compris, semblant de rire, semblant d'oublier ! Semblant ! Toujours semblant ! »

Je devais m'occuper de mes affaires ; me rendre chez « Pas un sou », étudier avec lui les moyens d'échapper aux griffes de ma belle-famille. Dans ma rébellion, je revêtis mon costume neuf, celui que détestait Laurence, celui qui avait une mauvaise coupe, un mauvais tissu et me donnait mauvais genre, et sortis. Je croisai dans l'escalier Odile qui arrivait et me fit un grand sourire. Je le lui rendis avec un clin d'œil, me demandant quelle version de l'histoire lui servirait Laurence, quelle version exigerait sa vanité ou son moralisme.

J'allai donc chez « Pas un sou » tout seul, Coriolan remplaçant un bookmaker tous les jeudis. Aux « Delta Blues », on me fit attendre et, comme il pleuvait sur les marronniers, je trouvai que les jours se suivaient et ne se ressemblaient pas, comme dans le dicton. Quand j'entrai dans le bureau de « Pas un sou », il me sembla fort grognon.

— Vous voilà ! grommela-t-il. Eh bien, vous m'excuserez, j'ai reçu la lettre de votre banque ce matin, mais je n'ai pas encore eu le temps de réunir vos comptes.

— Quelle lettre ?

— Celle que vous m'avez envoyée hier. Bravo, hein, vous expédiez des procurations et des demandes de comptes comme on fait des sommations pour le bagne, hein, vous ! J'aurais pu me croire un escroc, à vous lire ! Enfin, votre beau-père m'envoie un expert demain pour éplucher mes comptes...

— Je n'y suis pour rien, avouai-je piteusement.

— Ah, ça, vous vous êtes fait avoir dans les grandes largeurs, je dois le reconnaître ! ça, c'est vrai ! Vous n'allez pas toucher un franc de votre *Averses*, mon vieux ! Plus un kopeck !

— Ce n'est pas exactement pour ça...

— Eh bien, je vais vous dire, continuait « Pas un sou » déchaîné, eh bien, moi je pense « tant mieux ! ». Parce que je vais vous dire, le métier de compositeur, et les tubes, et tout ça, et le succès, c'est pas fait pour les amateurs, vous comprenez ! Un tube, ça ne se trouve pas au coin d'un piano, un beau matin, par hasard !

— C'est pourtant comme ça que j'ai trouvé *Averses*.

— C'est ce que je croyais ! C'est ce que je croyais ! Seulement maintenant, je connais l'histoire, la vraie ! Figurez-vous que j'ai dîné avec votre ami Bonnat, le metteur en scène ; il m'a tout raconté !

— Il vous a raconté quoi ?...

— Eh bien, que l'idée du thème était d'un ami à lui : « *do, si, la, fa* », je ne sais pas quoi, et que vous l'avez arrangé, mal d'ailleurs, mais déclaré tout de suite ; et qu'il a dû le faire réenregistrer, après, par une troisième personne mais à votre avantage... Bravo, mon vieux, bravo !

Je l'arrêtai, sidéré :

— Non, mais, Bonnat vous a dit ça ?

— Oui, oui, renchérit « Pas un sou » avec entrain, et je l'ai cru. Entre un homme comme Bonnat qui fait un métier qu'il aime, lui, et un type comme vous qui est tout juste bon à faire envoyer des sommations par sa femme ou par la banque de sa femme, vous m'excusez, je n'hésite pas trop, moi... Remarquez, votre femme, elle s'est débrouillée comme un chef. C'est vrai que ça ne doit pas être drôle tous les jours d'avoir épousé un gigolo, il faut bien l'admettre aussi... !

« Allons bon, me dis-je avec fatigue, il va falloir que je me batte... » et je cherchai mentalement comment l'éviter ; seulement mes nerfs, plus rapides que ma tête, avaient pris les devants et mon poing, déjà, manquait le menton de « Pas un sou » mais lui atteignait la joue. Il fit trois pas en arrière, en titubant et criant : « Attention, hein, attention, mon vieux ! Attention ! Méfiez-vous ! », menace aussitôt caduque puisqu'il tomba lourdement sur le sol, donnant enfin quelque utilité à son épaisse moquette.

— Ça va vous coûter cher ! hurla-t-il du sol en pointant l'index sur moi. Ça va vous coûter cher !

Je pointai mon index à mon tour vers lui mais en riant :

— Je ne vois vraiment pas ce qui pourrait me coûter cher à présent... hein ? l'imitai-je...

J'eus le temps d'apercevoir en sortant chez ses employés des regards ravis, voire reconnaissants de ce knock-out. Je fermai la porte de cet endroit où je m'étais imaginé, je ne sais pourquoi, débarquant de temps en temps pour y parler de mes affaires, de mes projets, comme un homme ordinaire... Un bureau! J'avais failli avoir un bureau... Quelle idée! Le cœur encore battant après cette petite colère, j'allai m'asseoir à la terrasse d'un café et y commandai un whisky, comme un grand garçon. Il fallait absolument que je me souvienne de taper sur Xavier Bonnat, si jamais je le rencontrais... Mais je me méfiais de moi, à ce sujet aussi; la brièveté de mes rancunes était égale à celle de mes colères et déjà je plaignais ce pauvre « Pas un sou » harcelé par les huissiers de mon beau-père; déjà aussi je plaignais presque Xavier Bonnat que l'échec de ses plans financiers menait à de si piteux mensonges. Il n'empêche... les mauvais coups succédaient aux mauvais coups et mon destin s'assombrissait à vue d'œil. Je levai la main et appelai le garçon. Mon deuxième whisky était moins bon que le troisième, celui-ci que le quatrième, etc., etc. Bref, à quatre heures de l'après-midi, j'étais ivre mort à la terrasse du *Fouquet's* et fort content de l'être. Il fallait que je prenne garde, que je ne rentre pas chez moi; j'avais toujours eu l'alcool très bonasse, très affectueux, et je m'imaginais fort bien débordant d'oubli et de tendresse dans les bras de Laurence. (Et ça, quelque chose me disait que je ne devais pas le faire.) Je pouvais aller voir Coriolan dans son bar mais je n'y avais encore jamais mis les pieds, ce qui prouvait bien qu'il n'y tenait pas. Après... eh bien, ma foi, après... je me trouvais à la rue; je n'avais plus d'amis hommes — éliminés par Laurence — pas plus que de femmes, bien entendu. Fils unique, mes parents étant morts, je n'avais pas non plus de famille où me réfugier. Si, il me restait quelques folles maîtresses, souvent des amies de Laurence, mais ces histoires dataient de deux ou trois ans, Laurence m'ayant ôté aussi le goût de l'aventure. Il me restait encore le jeu, mais personne ne me prêterait une somme convenable sur un chèque volant. J'avais de quoi payer mes consommations, point final. Je réglai donc mes whiskies avec largesse et à ma grande surprise découvris au fond de ma poche mille cinq cents francs — l'enveloppe de Coriolan — qui dataient de ma journée d'homme riche. J'avais été cela tout un jour: un homme riche! Ce n'était pas donné à tout le monde, même si je n'avais pas eu le temps de beaucoup le savourer. Je me levai avec prudence et constatai que mon organisme supportait toujours bien l'alcool; je marchais droit, quoique la tête un peu penchée sur l'épaule, tel un vrai Al Capone; il manquait juste un chapeau à ma silhouette: je courus l'acheter dans une boutique, ce qui ne me laissa plus que sept cents francs, et revins à ma table. Il n'était pas question que je rentre avec ces sept cents francs chez moi: j'étais sûr que Laurence ou son père me les arracherait de la poche dès mon arrivée. « Non, ils ne m'auront pas cette fois, marmonnai-je, c'est trop facile! Ah non pas cette fois! » Je cherchai ma voiture du regard, en vain, mais finis par découvrir dans cette direction une fille dite de joie tout à fait charmante. Etant un peu parti, je lui indiquai mes moyens avant qu'elle ne m'ait indiqué ses tarifs.

— J'ai sept cents francs, déclarai-je en l'abordant.

— Ça tombe bien, moi pas, répondit-elle assez gentiment, et je la suivis.

Je passai avec Jeannine deux heures très agréables. Résigné aux interdits de Laurence, j'avais oublié l'agrément de quelques licences physiques et les retrouvai avec plaisir, y puisai même quelque réconfort : car si Laurence ne` m'avait pas accordé certaines libertés, cela signifiait que je ne lui en avais pas non plus dévoilé les plaisirs... L'alcool aidant, je débordai de tendresse avec ma compagne, tendresse qu'elle supporta avec bonne humeur. Je fus désolé même de la quitter, l'amour ne m'ayant contrairement à beaucoup jamais démoralisé. Cette sombre petite chambre, sa moquette marron, ses rideaux verts ornés de gracieuses fleurs multicolores, son paravent de la même eau me semblaient, sinon plus élégants, du moins plus accueillants que le boulevard Raspail. Mais il me fallut bien partir, quitter Jeannine, retrouver ma voiture, ce qui me prit un temps infini.

Coriolan quittait son tabac à six heures, j'allai me garer devant un peu plus tôt. Il sortit à l'heure tapante et je fis ronfler le moteur de ma voiture ; j'avais posé mon chapeau sur mon œil et il leva les sourcils en se penchant à la portière :

— A quoi joues-tu ?

— Al Capone ! dis-je. Mais il faut me voir sur pied !

— Tu es fin saoul ! décréta-t-il en s'asseyant quand même à la place du mort.

Je n'étais plus vraiment saoul. Je rentrai donc avec lui au *Lion de Belfort* et bus ce qu'il fallait pour retrouver cet état béni. Coriolan riait jaune : il avait une mauvaise nouvelle à m'annoncer, disait-il, mais, devant mon refus de l'entendre, il s'était incliné et plaisantait avec moi : car c'était un vrai ami, Coriolan ! J'avais Jeannine pour amie à présent, aussi, en plus de lui, ce qui me réchauffait le cœur. Et puis le patron du café, Serge, un vrai copain ; plus le maître d'hôtel de mon beau-père, ce bon Thomas, qui, hélas, était mort ! Le souvenir de l'ode funèbre que lui avait confectionnée son ancien patron me revint à l'esprit et je la contai à Coriolan enthousiasmé. Je lui narrai ensuite les quelques sottises que, comme un petit malin, j'avais envoyées à mon beau-père avant de me laisser ruiner par lui comme un grand crétin. Et j'eus encore un franc succès, cette fois auprès de tout le café, c'est-à-dire quatre badauds peu exigeants. Aussi étais-je tout à fait réconforté à l'heure du dîner et peu enclin à rentrer chez moi. Enfin, chez elle.

— Tu sais, confiai-je à Coriolan, elle ne m'aime pas ! Elle ne m'a jamais aimé !

L'un des charmes de Coriolan était qu'il ne se laissait pas aller à des «je te l'avais bien dit!»; quoique vraiment, par rapport à moi, il en ait eu l'occasion plus d'une fois.

— Elle tient à toi, dit-il, c'est autre chose.

— Tu te rappelles? commençai-je, quand...

Fort à propos, je me souvenais d'une offre qu'on m'avait faite, trois ans plus tôt, de travailler dans un journal musical, offre que j'avais dû refuser. Ça ne m'aurait pas rapporté une fortune, bien sûr, mais c'était une manière de gagner ma vie.

— Eh bien, précisai-je à Coriolan pour lui rafraîchir la mémoire, Laurence a tout fait pour que je ne puisse pas.

— Qu'a-t-elle fait? demanda Coriolan, peu à peu prêt, l'alcool aidant, à tout entendre.

— L'appendicite! dis-je. L'appendicite! Au moment même où j'allais accepter ce job, elle a eu une appendicite suivie de péritonite. Je devais même dormir à la clinique. Dès que cette situation a été prise par quelqu'un d'autre, hop! elle s'est retrouvée sur pied par miracle.

J'avais eu très peur alors que Laurence ne meure. J'en avais été affreusement peiné à l'avance. Je me rappelais avoir imaginé sa mort sans le moindre soulagement, et pourtant...! A cette époque elle ne voulait pas que je travaille et elle me reprochait maintenant de ne pas l'avoir fait, c'était quand même inouï, ça!

— Et si je prenais un travail? demandai-je à la ronde.

Coriolan regardait ses mains avec minutie, l'air de penser à autre chose. Je le secouai:

— Alors?

— Oh, tu sais, il y a énormément de chômage, en ce moment, marmonna-t-il. Tu as peu de chances, sans appui, de trouver quelque chose.

— Je peux quand même essayer!

Ce n'était pas sot: que pourrait objecter Laurence, en effet, si je me levais le matin et passais la journée à travailler? Que ferait Laurence du matin au soir sans son grand jouet? D'autre part, le grand jouet nommé Vincent avait toujours eu du mal à se lever à l'aube, il ne fallait pas négliger ce détail.

— Ecoute, dit Coriolan, la mauvaise nouvelle dont je t'ai parlé: j'ai été voir «Pas un sou» avec le contrat d'imprésario que tu m'avais fait; il m'a ri au nez! Vingt-cinq pour cent, c'est illégal. Il y a de quoi aller en taule, il paraît. Je ne peux même plus lui demander dix pour cent, maintenant qu'il a en main le premier. Remarque, il m'a juré de ne pas me poursuivre.

— C'est déjà ça. A propos, tu sais, je lui ai filé un coup de poing aujourd'hui, à «Pas un sou»!

Les consommateurs, que notre aparté avait éloignés un moment, resurgirent à cette phrase; je leur racontai avec un luxe de détails plus ou moins exacts mon pugilat avec le malheureux directeur de « Delta Blues ». Je terminai sentimentalement :

— Et après, j'ai été voir Jeannine, pour finir la journée en beauté.

J'avais oublié à quel point la vie pouvait être distrayante dans les rues de Paris. Je m'en étais privé pendant sept ans parce que Laurence souffrait de mes absences, parce que Laurence souffrait sans son grand jouet. (Dans mon ivresse, cette expression me paraissait désopilante.) En revanche, l'échec de Coriolan ne me faisait ni chaud ni froid ; au point où nous en étions, ce n'était pas vingt-cinq pour cent ou dix pour cent de mes gains qui nous rendraient la liberté, ni le luxe.

— Arrosons ça ! déclarai-je. Messieurs, je vous paye à boire.

Je ne me rappelai qu'alors avoir tout donné à Jeannine. La vie à l'extérieur était aussi ruineuse qu'amusante. Coriolan, Dieu merci, veillait ; il avait gardé cinq mille francs en liquide, à tout hasard, sur l'argent d'hier. Je me frottai les mains :

— Donc, il nous reste quand même près de cent mille francs.

— Eh oui !

— Eh bien, on va les faire danser, mon vieux ! Demain, on va à Evry !

— Longchamp ! dit Coriolan sévèrement. Lundi, c'est Longchamp. (Son œil brillait.)

— Que boivent ces messieurs ? répétai-je — et nous abandonnâmes nos brèves carrières de compositeur et d'impresario.

Je rentrai ivre. Dans le silence et l'obscurité de la maison je regagnai mon studio sans trop de heurts, sauf contre un énorme Steinway, tout neuf, qui m'y attendait. J'en fus sur le coup émerveillé, puis aussitôt après ulcéré. Malgré la beauté de l'objet, je m'interdis de l'essayer, me bornai à frôler ses touches. Demain matin je rentrerais sans frapper dans la chambre conjugale pour expliquer à Laurence la différence entre un piano désiré et un piano concédé.

Ce que je tentai de faire dès mon réveil mais elle était déjà partie. Revenu dans le studio, je passai deux heures à essayer ce piano. Toutes les musiques en sortaient magnifiées, délicates, différentes ; elles se dépliaient et tombaient de mes doigts, celles de Beethoven que j'ébréchais comme celles de Fats Waller que j'allongeais, mais toutes renouvelées et toutes éblouissantes. Au bout de deux heures j'étais redevenu un homme, un jeune homme fou de musique ; j'étais redevenu le gentil Vincent, j'étais enfin en accord avec moi-même. Pire : j'étais heureux, quoique contre ma volonté.

C'était bien la première fois de ma vie que je trouvais le bonheur ou le plaisir de vivre inopportuns. En sept ans j'avais perdu le goût du hasard et gagné sans doute celui de la laisse ; j'avais perdu certaines qualités que j'étais sûr, pourtant, d'avoir eues, la gaieté, la confiance, la facilité à vivre — trois qualités instinctives qui avaient été remplacées peu à peu par d'autres, cultivées celles-là, et qui étaient la réserve, l'ironie et l'indifférence. Ces trois vertus me seraient utiles pour déjouer les plans de Laurence qui, elle, serait armée de ses facultés naturelles, la vanité, l'égoïsme et la mauvaise foi, toutes trois décuplées par son terrible, son violent désir de possession qui, malheureusement, n'existait pas chez moi. Je ne me connaissais qu'une envie : lui échapper ! Or je n'en avais pas les moyens... De toute façon, cette lutte serait inégale : parce que j'aurais autant de déplaisir à utiliser mes mauvaises armes qu'à constater la faiblesse, l'inutilité des bonnes ; et parce qu'un combat devient inégal dès qu'un des combattants est blessé par ses propres coups.

Le sombre fil de mes pensées fut subitement coupé par un joyeux cliquetis dans la pièce voisine ; c'était Odile qui, énergiquement et électriquement, commençait à taper son courrier, ou plutôt le mien. J'entrai :

— Bonjour ! lui dis-je gaiement. Vous savez que vous ne me devez plus aucun respect ni aucune dactylographie, ma chère Odile ? J'ai confié tous mes biens et tous mes droits à Laurence ; c'est avec elle que vous administrerez mon ex-fortune.

— Comment ? Que dites-vous ?

Odile avait une voix très précise et sonore, dure, aussi, pour un homme qui avait bu la veille. Je portai la main à mon front pendant qu'elle s'écriait :

— Mais ce n'est pas vrai ? Vous plaisantez !

Elle semblait atterrée. Je lui répondis avec solennité :

— C'est la moindre des choses, Odile, réfléchissez... Pensez à ce que j'ai pu coûter à ma femme en sept ans.

Odile rougit ; puis prenant une voix docte et professionnelle que je ne lui connaissais pas, elle brandit son crayon vers moi :

— Sur le plan personnel, j'ignore ce que vous devez à Laurence, mais sur un plan purement matériel, si vraiment vous avez gagné un million de dollars, comme elle me l'a dit...

— C'est vrai, convins-je avec affliction. Eh oui, un million de dollars !

— Eh bien, cela signifie que vous lui rembourseriez environ soixante-dix mille francs par mois. Or, vous n'avez jamais coûté autant à Laurence.

— Pardon ?

Pour la première fois, elle semblait pleine d'assurance et de sagesse.

— Voilà. Réfléchissons et mettons le dollar à six francs : votre million de dollars vous fait donc six millions de nouveaux francs. Si je divise cette somme par sept pour vos sept ans, cela vous fait plus de huit cent cinquante mille francs par an ; qui, divisés par douze, donnent à peu près soixante-dix mille francs pas mois ! Or, je ne crois pas que vous les ayez jamais dépensés, ou même que Laurence les ait jamais dépensés pour vos frais mensuels. Loin de là.

J'éclatai de rire ; je m'attendais à tout sauf à ça.

— Je n'y avais pas pensé, mais c'est vrai. Combien croyez-vous que j'aie pu coûter à Laurence tous les mois ? A peu près, bien sûr.

— Beaucoup moins. Mais beaucoup moins ! se récria-t-elle avec sérieux. Voulez-vous que nous fassions une estimation ?

Et elle attrapait obligeamment sa calculatrice quand je l'interrompis d'un geste :

— Non, je plaisantais ! Vraiment je plaisantais ! En tout cas, je suis ravi, Odile ! Cela prouve qu'en plus d'un mariage heureux, Laurence aura fait une affaire intéressante ! Et tant mieux ! Pour une fois que je représente un bon investissement...

Odile baissait la tête, partagée à présent, semblait-il, entre la gêne et la crainte.

— Je vous ai dit ça, Vincent, par amitié... pour...

— C'est très gentil, ma petite Odile, et je vous en remercie mille fois. Je n'en parlerai pas à Laurence, bien entendu. Au pire, si cela devait arriver, je lui raconterai que ces calculs, c'est moi qui les ai faits.

Il y eut un silence ; puis elle se décida :

— Vous savez, Vincent, je voudrais vous dire... Laurence est comme toutes les femmes ; elle préférerait un cadeau choisi par vous à un compte ouvert, sèchement, dans une banque ! Toutes les femmes sont pareilles, là-dessus, je peux vous l'assurer !

— Non, pas la mienne ! Pas Laurence ! J'ai épousé un être rare, rectifiai-je, espérant, avec altruisme, que dans leur majorité les épouses nourricières chérissent et entretiennent leurs mâles démunis, sans pour autant les ligoter au foyer.

— Pourquoi n'avez-vous pas eu d'enfant ? demanda Odile au moment où je passais la porte.

Je ne lui répondis pas. La veille encore, j'aurais hésité à lui dire « Nous y pensons » ; mais nous n'y pensions pas. Nous n'y avions jamais pensé. Ou plutôt, Laurence avait dû y penser toute seule et décider qu'elle ne voulait pas d'un autre jouet, même très petit ; le grand lui suffisait. Elle avait dû craindre que le petit jouet fût charmant et que le grand jouet, alors, détournât les yeux un instant de sa belle personne. Et puis sans doute, dans sa famille, ne faisait-on pas d'enfants avec les pauvres ; il y avait des limites à tout, et même à la mésalliance. Dans certains cas, les enfants, on s'en passait.

J'étais encore poursuivi par les calculs d'Odile, mesquins, mais sûrement justes ; Laurence avait fait en m'épousant une bonne affaire, bien que périlleuse, pourtant, au premier coup d'œil. Si on y pensait mathématiquement, il était vrai que je mangeais peu, que j'étais plutôt sobre, mince, facile à habiller. Bien sûr il y avait eu des achats onéreux, comme la voiture, les boutons de manchette en or (quatre paires qui avaient dû chiffrer); il y avait même eu l'appareil de photo, à présent démodé mais opérationnel. Voilà tout... et ce n'était pas l'argent de poche qui remettrait la balance de son côté. «Quelle horreur! me dis-je. Quelle horreur que ces calculs, fût-ce en plaisantant! Quel mauvais goût! A quoi bon...» Même si c'était sa faute, même si Laurence était responsable de tout ça, je refusais de me vautrer dans ces médiocrités. Il fallait en finir avec cet appartement trop petit, avec cette chambre où son amour m'avait si souvent fait suffoquer, avec toutes ces pièces où j'avais vécu entouré de visages et de volets également clos. Ah, j'avais été bien seul ici, finalement, pendant sept ans. Seul, si seul! Sans un rire partagé, sans une pensée semblable. Nous n'avions proféré ensemble que des cris de plaisir, et encore — jamais au même moment... Je me cognai la tête contre un mur pour me punir, pour arrêter cette voix acerbe et sordide en moi qui parlait et pensait à ma place, une voix inécoutable mais irrépressible.

En me réveillant un peu plus tard, je m'aperçus en même temps qu'il était midi et que j'avais oublié d'inclure ma montre dans cet inventaire précédent (une montre de la place Vendôme pourtant. Quel ingrat!). Donc il était midi, j'irais aux courses vers trois heures, je rentrerais vers sept. De nouveau «il était une heure» quelconque. Les heures revenaient alors que pendant sept ans elles avaient disparu. Cette longue étendue de temps partagée avec Laurence et qui ne s'épelait pas — un temps mort — se recomposait en horaire et mon intérêt retrouvé pour l'angle de ces deux aiguilles me parut un signe de résurrection. Le temps ou la vie avait filé sept ans comme un rêve un peu cauchemardeux.

A la radio d'Odile passait le thème d'*Averses,* une fois de plus, mais je me rappelai qu'il ne m'appartenait plus, que c'était un air de Xavier Bonnat que j'aurais signé et détérioré à ma guise... Ah oui! ce cher Xavier aurait mon poing sur la figure la prochaine fois que je le verrais. Sûrement. Cette perspective me réjouit jusqu'au moment où je pris conscience qu'elle supposait mon retour chez Laurence; je ne pouvais quand même pas y rester après ce qu'elle avait fait, quand même! Malheureusement, les «quand même» n'avaient jamais eu beaucoup de poids sur mon esprit ni d'influence sur mes actes: j'avais «quand même» passé mon bachot, j'avais «quand même» été reçu au Conservatoire de musique, Laurence m'avait «quand même» épousé. Mais tous ces «quand même» provenaient des autres, de professeurs ou de femmes, et ressemblaient souvent à des «malgré», des «malgré Vincent»! En revanche, ce fut *quand même* moi qui endossai le costume marron d'Al Capone et qui téléphonai à Coriolan. Une heure après, nous roulions dans la voiture vers Longchamp, non sans être passés à ma banque, où nous avions pris et partagé une partie de mon capital. Nous n'étions pas peu fiers, n'ayant jamais disposé d'une telle mise.

Il faisait beau et Longchamp était aussi admirable qu'il l'avait toujours été. En sept ans, je n'avais pu y aller que trois fois : la première avec Laurence qui aimait les mondanités de l'Arc de triomphe mais que ma disparition immédiate, pendant trois heures, avait brouillée avec les courses ; la seconde, lorsque, arrachée à la mort, elle avait dû garder le lit après son appendicite, et la troisième lorsqu'elle était partie pour la Bretagne enterrer le père de son père (lequel ne supportait même pas l'énoncé de mon nom). Bref, en sept ans, je n'aurais été, grâce à et malgré cette femme, que quatre fois aux courses : a) grâce à son snobisme ; b) grâce à sa maladie ; c) grâce à sa parenté ; et d) aujourd'hui, grâce à sa duplicité. Mais je n'avais jamais eu besoin de personne pour me précipiter dans le merveilleux et délicieux Longchamp.

Je retrouvai, bien entendu, nombre d'amis ou de relations turfistes qui m'accueillirent comme si j'étais parti la veille. Si les heures passent très vite à Longchamp, les années n'y entrent pas ; on y vieillit de trois ans pendant une course mais on n'y prend plus une ride, ensuite, pendant quinze ans. De toute manière, les rides que l'on y recueille sont celles de l'excitation, de l'énervement, du désappointement, de l'enthousiasme et de l'exultation ; mais ce ne sont pas des rides sérieuses ; en tout cas pas celles, dévastatrices et déshonorantes, de l'ennui. Coriolan expliquait cela par le caractère irréel que prend l'argent sur ces autres planètes que sont les champs de courses, où sa recherche, sa possession ne dépendent que de quadrupèdes capricieux ; où un billet de cent francs à la dernière épreuve est dix fois plus excitant que mille à la première. Où l'on parle affablement à des conseilleurs professionnels dont les tuyaux vous ont déjà fait perdre des fortunes mais auxquels on sourit, et qu'accessoirement on est même capable de suivre dans la prochaine course, ce que l'on imaginerait mal à la Bourse. Où mon beau-père enfin, s'il avait été turfiste, se fût retrouvé coude à coude avec ses maîtres d'hôtel et n'eût obtenu d'eux aucune considération, se fût même attiré un franc mépris, s'il avait eu la sottise de jouer très cher devant eux un cheval notoirement tiré.

Bref, je me retrouvais entouré de gens insouciants, libres et affectueux ; j'eus l'impression que le ciel s'ouvrait et que les anges jouaient pour moi sur leurs trompettes l'hymne de la vie, la vie retrouvée, la vraie vie, la vie normale. A mon grand étonnement, et à la stupeur de Coriolan qui me regardait à cet instant-là, j'en eus brusquement les larmes aux yeux, de vraies larmes mouillées ; et je dus même passer ma manche sur mon visage, fermer un œil et invectiver la garce de poussière qui s'était réfugiée dans l'autre pour ne pas me couvrir de honte. J'y parvins un peu tard, mais pendant toute la réunion Coriolan me jeta des coups d'œil de côté, inquiets et même peureux, comme à un cheval vicieux.

Après ces retrouvailles, nous montâmes à l'étage des loges où nous connaissions quelques propriétaires qui nous y accueillirent à bras ouverts. Nous y restâmes pendant deux ou trois courses, à la surprise, discrète, de nos hôtes — l'état de nos finances nous interdisant généralement plus d'une demi-heure cet étage d'où les guichets à cinquante francs étaient exclus. Cette fois-ci, grâce au premier et ultime chèque de « Pas un sou », nous paradions. Après la quatrième course, je descendis, enthousiaste et agité, au rez-de-chaussée, fis quelques rencontres ; et, au pesage, m'amourachai d'une jument blonde nommée la Sanseverina, qui m'éblouit, j'ignore encore pourquoi. Sur le papier elle était à 42 contre un — mauvais signe, mais je décidai néanmoins, dans un moment de folie, de jouer dessus la forte somme. J'avais perdu, gagné, perdu, et je me retrouvai juste à flot après deux heures de travail : ce qui était vexant, plus vexant d'une certaine façon que de perdre. Quant à Coriolan, j'ignorais absolument où il en était ; nous ne nous disions jamais ce que nous jouions. Ligne de conduite qui nous paraissait géniale quand l'autre perdait, et imbécile quand il gagnait, mais nous évitait les reproches et les remords, voire les regrets, qu'occasionnent toujours à la fin les paris doublés.

Ce jour-là pourtant Coriolan, que je croisai en revenant des guichets, me demanda ce que j'avais joué et, toujours à ma grande surprise, n'éclata pas d'un rire ironique quand je lui avouai avoir mis le paquet sur la Sanseverina ; il se borna à hausser les sourcils et à me donner rendez-vous près des premières tribunes. Je l'y attendis paisiblement tandis que la foule se groupait et que les chevaux se rendaient au départ. La course était de 2100 mètres et à peine le départ fut-il donné que le speaker annonça la Sanseverina en tête. Mes espoirs devaient logiquement s'arrêter là, un tocard qui partait en tête n'avait strictement aucune chance d'arriver dans la même position. Toutefois j'attendis comme tout le monde, le cou tendu vers le tournant où le peloton devait déboucher ; et vite, très vite, j'entendis une espèce de bourdonnement puis de grondement, tandis que, tel un énorme frelon, les chevaux arrivaient là-bas au dernier virage. C'était un grondement très particulier, qui montait au fur et à mesure que la foule l'accompagnait de sa voix et de sa rumeur, la foule massée sur la pelouse avant l'arrivée. Grondement uniforme, indistinct, et qui s'enflait sans se dissocier jusqu'à un point précis, toujours à la même hauteur, les derniers deux cents mètres, où tout à coup il semblait que la foule n'ait plus de voix et que les chevaux n'avancent plus. Juste après, la rumeur et le grondement devenaient énormes mais distincts, les milliers de voix qui hurlaient des noms de chevaux ne couvrant plus ce martèlement frénétique de dizaines de sabots sur le sol, ce bruit millénaire, cette horde sauvage, cette charge barbare et terrifiante qui devait réveiller en nous des souvenirs de temps révolus : car l'on ne savait pas, à ce moment-là, si la foule hurlait de terreur ou d'excitation. Je tirai une cigarette de ma poche tandis qu'on annonçait la Sanseverina, toujours dans le peloton de tête mais rejointe par Patchouli. Je l'allumai tristement, cette cigarette, puis la laissai tomber quand le speaker précisa : « La Sanseverina semble résister à l'attaque de Patchouli ! » (qui était la favorite). Je fermai un instant les yeux, me livrant à une prière profane, et j'entendis, avant de le voir, le peloton qui arrivait à nous dans son fracas furieux, accentué par le cliquetis des étriers et des mors, le crissement du cuir et les jurons sourds des jockeys pliés sur leurs selles ; j'ouvris les yeux alors et je vis, flottant comme un étendard au-dessus des corps allongés, luisants de sueur, musclés, si nus, des chevaux, le tourbillon bariolé des casaques ; et tandis que le peloton passait devant moi avec ce bruit d'un tissu qu'on déchire et qu'explosait et mourait la clameur de la foule à l'arrivée, quelqu'un se mit à crier dans le haut-parleur : « La Sanseverina a gagné ! La Sanseverina a tenu bon ! La Sanseverina première ! Photo pour Patchouli et Nouméa ! » Et là, pendant que ma cigarette brûlait un de mes mocassins italiens, je vécus un des plus beaux moments de mon existence, un plaisir si violent et si pur, si complet qu'il en devenait honorable. Gagné ! J'avais gagné contre le monde entier ! J'avais gagné contre mon beau-père, un banquier, un producteur, mon metteur en scène, ma femme et le PMU ! J'étais gagnant ! Et tandis que mes voisins désabusés jetaient leurs tickets par terre, je fis un saut dans les bras de Coriolan qui venait d'arriver en criant : « J'ai gagné ! » « On a gagné ! » croassa-t-il en me tapant dans le dos, et la surprise redoubla mon plaisir :

— Tu l'avais jouée aussi ?

— Eh oui, dit-il. J'y suis même allé de cinq cents francs, moi !

— Et moi de deux mille ! Mais comment as-tu joué la Sanseverina ?

Nous regagnions les guichets en riant, entourés de parieurs malheureux qui nous regardaient avec ce mépris envieux qu'ont les turfistes sérieux pour les chanceux joueurs de tocards.

— Je t'avais bien dit que je la jouais, pourtant ?

Coriolan eut un rire jovial :

— Je t'ai suivi dans toutes les courses, mon vieux, aujourd'hui ! Je me suis dit qu'avec tout ce qui t'était arrivé, tu ne pouvais pas, en plus, perdre au jeu.

Et il éclata d'un rire convaincu sinon délicat. Mais je me moquais bien de la délicatesse ; la Sanseverina était à 37 contre un : je gagnais donc soixante-quatorze mille francs, ce qui ne m'était jamais arrivé, et pour cause ! J'invitai à boire la foule entière, le monde entier subitement ressuscité.

Nous revînmes ivres d'orgueil à Paris. A un feu rouge, Coriolan se tourna vers moi :

— Pour un quidam qui s'est fait piquer sept millions de francs dans sa banque hier, tu as l'air plutôt content !

Mais personne mieux que lui ne pouvait comprendre en quoi le fait de gagner soixante-dix mille francs aux courses était plus grisant que d'en avoir sept millions dans une banque.

CHAPITRE VII

JE RENTRAI donc triomphant à la maison, non sans avoir confié mes gains à Coriolan. Une amère mémoire me dissuadait de laisser désormais traîner mes biens «chez Laurence». Bien sûr, l'argent des courses devait lui paraître infamant, mais j'avais payé pour savoir à quel point ses dégoûts pouvaient être absorbants.

Depuis deux jours déjà je disais «chez Laurence» avec autant d'aisance que j'avais eu autrefois de difficulté à dire «chez nous» après six mois de mariage — dont cinq en voyage de noces et un à l'hôtel. Car nous avions fait un long, un très long voyage de noces — en Italie, bien entendu. Mieux même : à Capri. Un Capri que Laurence, jusqu'alors, n'avait pas voulu connaître. «Cela va te sembler idiot, m'avait-elle confié, mais plus on m'en disait du bien, plus j'étais décidée à n'y aller qu'avec quelqu'un que j'aimerais pour de bon. Tu me trouves ridicule ?

— Mais non, mais non, avais-je répondu en souriant. Au contraire...»

Je n'y étais jamais allé non plus, à Capri, pour de tout autres raisons. Mais je dois avouer que je trouvais à l'époque tous ces folklores réjouissants. Moi, Vincent, jeune marié, accomplissant avec sa déférente, belle et riche épousée son voyage de noces entre la Grotte Bleue, les Faraglioni, la villa d'Axel Munthe, etc., etc., pourquoi pas ? Pourquoi ne pas approfondir des lieux communs et visiter des cartes postales ? C'était aussi amusant que de les rejeter systématiquement, aussi amusant et moins snob. D'autant que mon seul voyage en Italie s'était déroulé avec une bande de semi-artistes italiens, de soi-disant écologistes rencontrés à Paris qui s'étaient révélés, en cours de route, de vrais loubards ; j'avais dû me battre avec eux pour les quitter après qu'ils eurent mis à sac une station-service : tout ça sur des motos déglinguées et sous une pluie battante ! Car il avait plu, il n'avait pas cessé de pleuvoir cette année-là sur l'Italie. Aussi avais-je admiré pendant ce voyage de noces la bonne grâce du soleil et sa complaisance envers des touristes sentimentaux et nantis.

Nous avions donc marché la main dans la main dans les ruelles de Capri. Laurence y avait acheté le seul bijou sans doute intéressant de la piazzetta : une perle noire sur une ravissante monture de platine ancienne. Et pour rien : Laurence, comme toutes ses relations, adorait faire des affaires. Et, à leur exemple, elle aurait facilement acheté un Van Gogh cent francs à un antiquaire aveugle sans le prévenir de sa valeur et encore moins la lui faire partager... Je n'avais peut-être duré tout ce temps que parce que je n'étais pas onéreux. De plus, cas exceptionnel, je m'étais complètement remboursé moi-même. Légalement, je pouvais partir. Mais alors, et mes prestations ? Mes prestations ? me dira-t-on. Quelles prestations ? Avec une si belle femme, et si dévouée ? Comment cela, des prestations ? Pouvait-on être aussi goujat ? Et pourtant, pourtant, presque autant que celui de la pauvreté, c'était le souci d'avoir été volé qui m'empêchait aussi de partir. Volé non pas matériellement ni physiquement, volé autrement...

Quand je me rappelais ce voyage de noces et l'enthousiasme, la modestie, alors, de Laurence !... elle s'inquiétait tant de me plaire ! Elle passait son temps à se tourmenter de sa sottise et de ses effets néfastes sur mon amour éventuel. Et bien entendu moi qui détestais déjà les rapports de force, moi qui méprisais les hommes condescendants envers leurs femmes affolées, je faisais tout pour la rassurer, ses quelques tics de langage, ses quelques réactions déplaisantes me semblant plus le fait de son milieu que de sa nature, pauvre niais que j'étais ! Je lui avais prêté vingt qualités sans imaginer qu'il lui manquerait — en admettant qu'elle les eût — cette manière de les déployer qui, seule, les rend supportables ; une manière qu'aucune éducation, fût-elle raffinée, ne peut enseigner. Laurence, par exemple, était intelligente mais sans esprit, dépensière sans générosité, belle sans charme, dévouée sans bonté, agitée sans entrain, envieuse sans désir. Elle était médisante sans haine, fière sans orgueil, familière sans chaleur, et susceptible sans vulnérabilité. Elle était puérile sans enfance, plaintive sans abandon, bien habillée sans élégance, et furieuse sans colère. Elle était directe sans loyauté, craintive sans angoisse, bref passionnée sans amour. Je pris un crayon et mon fameux carnet de musique dans ma voiture et y écrivis soigneusement ce que j'appellerais les « litanies de sainte Laurence », et je me répétai toutes ces formules en les modifiant parfois, en intervertissant un adjectif ou un autre, en les trouvant chaque fois plus justes, plus aigus. Grisé par ma prose, soulagé sinon vengé, je sortis de la voiture boulevard Raspail, en claquant la portière avec le geste lent et large de ces paisibles justiciers — soudainement et justement déchaînés — des séries américaines. Je me souvenais tout à coup d'un feuilleton où un équipage de cosmonautes cavalait dans la stratosphère en l'an 3000 à bord d'une soucoupe volante et voguait entre des astres inconnus de tout être vivant (et des sentiments usés par les mêmes jusqu'à la corde). Or, Laurence avait voulu changer de série, un beau soir et à la même heure. Pourquoi, comment, avais-je accepté qu'elle m'arrache ma fusée spatiale et mes héros aux oreilles pointues, par quel despotisme m'avait-elle imposé à la place les baisers de quelques troglodytes bronzés de Los Angeles? J'étais incapable de me le rappeler. Je savais tout juste que Coriolan m'avait raconté pendant près d'un mois les épisodes suivants de mon feuilleton, jusqu'à ce que ses péripéties lui deviennent insupportables. Pourquoi Laurence n'avait-elle pas acheté un second poste de télévision? Pourquoi ne l'avais-je pas acheté moi-même? Ça, je savais pourquoi : mon argent de poche en aurait été trop lourdement grevé. Et pourquoi et comment avais-je pu me passer de chien, moi qui adorais les chiens? Et pourquoi n'avais-je plus d'amis que je puisse inviter à boire un verre à la maison? Et pourquoi, plutôt, était-ce devenu si peu ma maison, que je n'avais jamais pu y amener quelqu'un, du temps où il me restait des amis? Et pourquoi devais-je inventer des prétextes compliqués pour aller simplement me promener? Et pourquoi le fait que je sorte s'appelait-il la quitter? Pourquoi ne pas lui avoir dit que ses amis étaient arrogants, niais, conformistes, que deux siècles plus tôt ils eussent légitimé l'usage de la guillotine? Comment avoir ignoré à ce point mes propres désirs et observé ses sautes d'humeur comme autant de décrets incontournables, de climats quasi météorologiques? Pourquoi, comment, grâce à qui, malgré quoi? Alors qu'aujourd'hui, même plus égoïste, plus lâche et plus indifférent à mon propre sort, je le comprenais mal. Aux débuts... aux débuts, comment avais-je pu laisser ma vie, mon temps, être réglementés de la sorte sans révolte, sans le moindre conflit? Avait-elle manœuvré lentement, délibérément, comme une vraie tacticienne... ou bien, naturellement despotique, bourreau-né, s'était-elle tout bonnement laissé guider par ses inspirations? Cela sans que je crie «Stop!», ou plutôt, vu mon caractère, que je marmonne, une fois dans l'escalier : «Je crois que j'en ai assez. Adieu, ma chérie.» — Tout au moins comme une manœuvre.

En fait je ne me rappelais pas — et cela surtout me faisait peur —, je ne me rappelais pas une seule vraie dispute, une seule grande scène, une seule colère furieuse, blanche, et donc une seule séparation de trois jours! Je ne me rappelais pas un seul de ces coups de haine qui ponctuent la vie d'un couple heureux. Elle avait vaguement pleuré, je l'avais vaguement mouchée — au début, me semblait-il, tous les trois mois —, ensuite et récemment pas du tout . Ni larmes ni tempête chez Laurence, bien qu'elle fût houleuse comme un lac, ennuyeuse comme un lac et maintenant, comme un lac, dangereuse. Où étaient mes litanies? «Dangereuse sans risques et agitée sans élan...» Oui, ça, c'étaient deux bonnes formules et je les ajoutai aux autres. Je refermai mon carnet et l'enfouis dans ma poche machinalement : un vieux réflexe me notifia de ne pas le laisser traîner, surtout pas. Mais justement si. Il était indispensable que Laurence tombe dessus, le lise ou me laisse le lui lire. Ce gamin sournois et désobéissant en moi devait disparaître au profit d'un homme, un vrai homme. Je ricanai : depuis que j'avais dégagé, transcrit ces quelques litanies désagréables, mes pensées se moulaient sous forme de sentences... Un moi agacé et sommaire ne s'exclamait plus : «Ah, là, là, quelle garce, nom d'un chien! Quelle garce!» Mais à sa place la même voix acide de l'avant-veille m'affirmait : «Cette chère Laurence est un animal néfaste. Il serait temps de s'en dépêtrer, et un peu vite, mon cher.» Eh oui... «mon cher»! Je me disais à moi-même «mon cher!» Coriolan avait toujours prétendu qu'au lieu de composer des sonates ou des trios, j'aurais dû écrire des livres... Cher Coriolan! Non seulement cet «au lieu de» était une locution tout à fait usurpée, sa phrase entière en outre n'était que l'expression d'une amitié aveugle ou abusée. J'aurais peut-être dû épouser une charmante petite blonde, évaporée et facile à vivre, même fauchée. Je m'imaginai traînant dans un deux-pièces avec des enfants hurleurs et une femme fanée : était-ce un destin préférable? Serait-il plus doux que celui de ce jeune homme encore jeune, bien habillé, le front lisse de tout souci, de toute fatigue, que seuls ligotaient dans un appartement ravissant les rets d'une femme hystérique et sotte? Serais-je plus viril si je me tuais à la tâche dans quelque usine? En serais-je plus fier? En mettant les choses au mieux, mon orgueil serait-il satisfait si j'enseignais le piano à des enfants morveux dans d'indistingables immeubles, tandis qu'une femme épuisée m'attendrait «chez moi»? Je n'en étais pas sûr. Mon orgueil ne se plaçait pas là — je ne le plaçais pas là : ni dans le mérite ni dans l'effort. Je le plaçais dans le bonheur, voilà tout! Vite dit, long à admettre : je n'étais content de moi qu'heureux.

Et aujourd'hui, étant triste, je me retrouvais donc humilié et blessé. Comme tous ceux qui fuient les coups, comme tous les déserteurs du sentiment, il me suffisait d'une petite blessure pour qu'elle s'infectât. Quoi que je puisse décider, quoi que je parvienne à faire de ma vie, il me fallait d'abord, et de toute urgence, nettoyer cette plaie, fût-ce avec des mensonges, de la bassesse, ou de la grandeur. Il me fallait tout rejeter de ce passé et de ce présent immédiat pour retrouver sinon le bonheur, du moins le souvenir, l'envie et le goût du bonheur; si je ne le faisais pas, je ne pourrais plus, et de longtemps, penser à ce bonheur — au mien — sans y ajouter aussitôt l'adjectif «honteux».

J'étais rentré dans l'appartement sans même ralentir le pas devant le salon, et j'avais regagné mon studio directement par le couloir de service — que je n'avais jamais tant utilisé que ces derniers jours. Jusque-là mes parcours passaient automatiquement par le salon de Laurence, son boudoir, sa chambre, les centres nerveux et affectifs de la maison. Je n'avais jamais songé auparavant à emprunter ce boyau bardé de vingt placards qui longeait une lingerie fermée, puis une cuisine déserte, avant d'arriver dans le petit hall baptisé « bureau d'Odile », sur lequel s'ouvrait mon studio — jadis ancien débarras. Un ancien débarras d'où — je m'en rendais compte avec des regrets inutiles, puisque mon état carcéral avait été une question de temps et non de lieu — d'où, donc, devait partir un escalier de service actuellement condamné. En fait, ce n'étaient pas les contraintes d'un mari qui fuit sa femme, contraintes tout de suite sentimentales et pénibles, qu'il m'aurait fallu (s'il m'avait vraiment fallu un désagrément dans l'existence, ce dont je doutais obstinément), mais celles d'un jeune homme qui échappe à sa mère. La mienne avait été très bonne, un peu distante peut-être, mais je la préférais de beaucoup à une mère comme Laurence : en supposant qu'elle m'eût aimé, je serais sorti de son éducation sadique ou, et, impuissant.

A propos d'impuissance, d'ailleurs, je me posais quelques questions : Laurence n'était pas femme à se passer longtemps de mes hommages ; me croyait-elle capable de les lui présenter comme un exercice de gymnastique ? Ou, plus probablement, s'imaginait-elle une fois de plus et toujours plus à tort, s'imaginait-elle que notre querelle exciterait mes désirs ? Que la colère donnerait une ardeur supplémentaire à mes étreintes ? Croyait-elle réellement qu'un homme qu'on vient de dévaliser en reste émoustillé ? Possible, après tout ; ce ne pouvait être sa logique ou sa sentimentalité intermittente, mais plutôt sa mauvaise foi qui lui laissait entrevoir ces dénouements optimistes. J'avais même de la chance qu'elle ne m'eût pas lancé : « De quoi me parles-tu ? D'argent ? Pouah ! Fi ! Pas de vulgarité, s'il te plaît ! » J'en serais peut-être resté coi, et même impressionné. Dieu merci, Laurence était, vis-à-vis de l'argent, trop loin de toute distance, si l'on peut dire, pour que cette impudeur-là lui soit venue à l'esprit. Absence ou oubli heureux, mais normal après tout... Si vos propres arguments venaient spontanément à l'esprit de vos adversaires, il n'y aurait plus de combat. « Et le combat cessa faute de combattants », déclara le monsieur Jourdain récemment installé dans mon esprit, pendant que le locataire permanent, moi-même, se taisait, accablé.

Vide et silencieuse, la maison était funèbre après la joyeuse pagaille des courses. Curieux, à six heures ; à moins que les femmes, Laurence et Odile, ne se soient, craignant ma juste colère, blotties sous la table de la salle à manger. Epuisé par Longchamp, je fermai les yeux et faillis m'endormir ; ce fut pur hasard si j'aperçus à terre une enveloppe que j'avais dû envoyer voltiger avec le couvre-lit, adressée à « Vincent ». Je reconnus illico la belle écriture régulière et lisible de Laurence et j'hésitai avant de l'ouvrir. Et si elle m'y demandait de plier bagage, de disparaître ? J'eus un instant de panique : j'aurais été perdu, et elle le savait... je regardais donc cette lettre, sans bouger, et, tout à coup, le grotesque de ma condition, l'horreur de ma lâcheté naturelle, comme de celle que Laurence avait développée en moi, me mirent en fureur. Je déchirai son enveloppe plus que je ne l'ouvris : je n'y lus pas mon renvoi, mais une invitation, un ordre. « Vincent, écrivait-elle, n'oublie pas que ce soir nous dînons chez les Valance. Ton smoking est accroché dans la salle de bains. Réveille-moi à sept heures, s'il te plaît. Jusque-là, je dois me reposer *absolument*. » J'en fus très agacé. D'abord parce qu'elle avait souligné « absolument », comme si mon habitude eût été de troubler son sommeil, ensuite parce qu'un dîner chez les Valance, parmi ses amis les plus huppés, était une épreuve, surtout après Longchamp. Agacé, oui, j'étais agacé par cette lettre, mais bien soulagé de n'être qu'agacé : après tout, j'aurais très bien pu ne pas me tromper sur son contenu.

CHAPITRE VIII

C'EST peut-être parce qu'il se disait lui-même issu d'une vieille famille protestante et que les journaux le désignaient généralement comme une vieille figure du barreau parisien que maître Paul Valance semblait, à soixante-douze ans, si bien conservé. Ainsi que sa femme, d'ailleurs, Mannie, de quinze ans plus jeune, avec laquelle il prétendait habiter depuis maintenant près de trente ans ; à juste titre, même si chacun d'eux paraissait invariablement stupéfait des récits que faisait l'autre de leur existence commune.

« Nous avons rencontré, la semaine dernière, à Londres, deux Anglais inculpés pour duel », racontait par exemple Valance. Et la foule s'écriait : « Non ! Ce n'est pas vrai ! » mais bien après Mannie, plus étonnée qu'eux tous. Ou : « J'ai vu cette pauvre Jacqueline X... se faire mordre par un chiot au *Plazza* », déclarait Mannie. Et pendant que la foule s'exclamait, la voix forte de son époux s'élevait au-dessus de la mêlée : « Comment ? Mordue ? Jacqueline ? Mais par qui ? » Cela, bien sûr, promettait à leur vieillesse des conversations plus inattendues et plus distrayantes que beaucoup, mais laissait imaginer aussi Mannie, plus tard, au cours d'un dîner, entendant quelqu'un dire : « Ce pauvre Valance ! je l'avais vu la veille ! Quelle tristesse ! » Mannie s'écriant : « Pardon ? Mon mari, mort ? Mais de quoi ? »

Les Valance n'avaient eu qu'un fils, Philibert, un enfant arriéré, qu'ils avaient tout à fait caché pendant vingt-cinq ans, au bout desquels ils l'avaient ressorti et quasiment réadopté : « Philibert a dit, Philibert a fait... » Ils en parlaient, depuis ces retrouvailles, avec une émotion et un entrain que leurs tiers trouvaient épouvantables ou comiques, selon leur caractère. Laurence, bien entendu, les croyait déchirés et les jugeait scandaleux, en tant que parents, mais je me les expliquais, pour ma part, plus aisément. L'enfance est un état charmant, béni, mais qui devient d'autant plus grotesque, voire atroce, lorsqu'elle se prolonge indûment. En revanche, si ce privilège revient un peu trop tôt, il ressemble à un passe-droit, plutôt amusant. C'est le retard qui humilie les parents, pas la précocité. Les Valance auraient été les spectateurs désespérés de la stagnation de leur fils qui, de dix ans à l'âge adulte et plus tard, n'aurait «pas encore mûri». Mais l'ayant au bout de vingt-cinq ans pratiquement oublié, ils avaient très bien supporté de le retrouver à trente-cinq ans «déjà rajeuni». Son enfance, de pathologique, était devenue psychologique. Et sans doute, pour Philibert aussi, après vingt-cinq ans de barbarie, de tristesse et de solitude, ce retour triomphal était-il délicieux. Il précipita vers moi dès mon arrivée sa pataude personne, les yeux brillants car j'étais le seul invité qui lui parlât en l'absence de ses parents. Mannie vint me prendre les mains avec encore plus d'amabilité que d'habitude et me les secoua :

— Ah, dit-elle, Vincent! Est-ce que vous savez que Layton veut faire une photo de votre femme, de notre belle Laurence? Il m'a assuré qu'elle avait le profil étrusque! Vous vous rendez compte! Bill Layton, faisant enfin un portrait de quelqu'un!

— Mais il est fou! C'est tellement gentil! s'exclama Laurence qui avait rougi de bonheur.

— N'êtes-vous pas surpris, mon cher Vincent? — Mannie m'avait enfin lâché les mains. — N'êtes-vous pas surpris d'avoir une femme qui ait le profil étrusque?

Comme je ne bronchais pas :

— Mais non, ça ne l'étonne pas. Rien ne l'étonne plus! Rien ne le surprend plus! dit-elle à la cantonade qui s'esclaffa de manière incompréhensible.

Je m'inclinai :

— Laurence ne cessera jamais de m'étonner, chère Mannie, rétorquai-je, et je lançai un regard vers Laurence qui détourna aussitôt le sien.

Je la voyais de profil, tendue et raide de peur. Il était curieux de penser que cette femme qui aurait supporté de moi, le même après-midi, n'importe quel mépris, craignait à ce point, deux heures plus tard, la moindre ironie publique. Il est vrai que la maison des Valance était un des rares endroits où elle «respirât à son rythme» comme elle le disait et comme j'avais toléré de le lui entendre dire longtemps, ne voyant là qu'un enthousiasme puéril et non pas, comme je l'entendais à présent, une niaiserie snobissime.

Quoi qu'il en soit, notre petit, ou gigantesque nuage conjugal, n'empêchait pas cette soirée chez les Valance d'être tout à fait charmante. L'amabilité des invités, l'intérêt et la curiosité qu'ils développaient les uns pour les autres, et notamment pour moi, étaient assez rares pour me paraître reposants et même savoureux. Les Valance aimaient à prouver leur originalité par l'éclectisme de leurs invitations, qui allait d'un couple d'acteurs à la tête d'un mouvement de bienfaisance à un académicien endormi, en passant par des clients et des industriels portés sur les beaux-arts ; sans oublier quelques jeunes et jolies femmes qui témoignaient a posteriori de la vitalité amoureuse du maître.

Philibert, donc, briqué et pomponné, sans âge, mais tenace, vint me chercher, m'arracher à ce salon et me conduire dans le fumoir. Il me fit asseoir dans un fauteuil avec un geste de la main qui avait un petit peu de la grâce paternelle.

— Assieds-toi ! dit-il de sa voix rauque.

Plus grand que moi, il avait les yeux mats et les cheveux d'une couleur indistincte, jaunâtre ou coquille de noix. J'aurais très bien imaginé qu'il inquiétât une femme au coin d'une rue, et même qu'il la violât.

— Dis-moi, demanda-t-il, dis-moi — et il se mit à rire avec de gros sursauts —, alors ton argent, c'est vrai ? Tu as de l'argent ?

— Comment le sais-tu ? Tu veux de l'argent, toi aussi, à présent ?

— Je le sais par mes parents. Tout le monde raconte que tu as de l'argent, maintenant.

Décidément ! même cet innocent s'intéressait à ma fortune ! Que ses parents m'aient réservé un tel accueil m'étonnait moins ; et moins encore l'extraordinaire gentillesse, l'extraordinaire entrain de mes interlocuteurs depuis mon arrivée. Je n'étais plus le mari distrait de Laurence, j'étais le riche compositeur d'*Averses*, j'étais une personnalité. Et les vautours de l'argent présents ce soir allaient être rapidement éclipsés par les aigles ou les papillons du succès. J'avais jusqu'ici été considéré comme le vassal, le mari et le parasite de Laurence. Aujourd'hui, je le voyais bien, on m'intronisait suzerain, époux, responsable... ! Ils ignoraient que, déjà, je n'étais plus qu'un vague comparse, pas très éloigné de la porte... Ces regards, ces œillades pleins de considération que je recevais étaient aussi périmés que nouveaux.

— Tu viens voir ton tableau ? demandait Philibert.

Les Valance disposaient en effet d'une merveilleuse collection d'impressionnistes que le flair du mari lui avait fait acheter, disait-il, une bouchée de pain (mais dont, vu l'époque, je craignais qu'ils ne lui aient coûté beaucoup plus de bouchées de pain que de flair). Il y avait deux Manet, un Renoir, un Vuillard et, dans un coin, mon préféré : un Pissarro qui représentait un village au premier plan, derrière des collines rondes, du vert pomme des dessins d'enfant, sur lesquelles régnait la lumière douce et candide, la lumière triomphante du plein été. Une lumière qui coiffait les blés de ce tableau, les rejetait et les lissait tous du même côté. Comme elle avait crêpé les cimes des arbres, au garde-à-vous à présent sous leur crinière laquée ; comme elle avait arrêté et corrompu à coups d'éclat et d'argent une rivière pourtant pressée vers la mer ; on avait l'impression que c'était cette lumière qui avait tracé ce paysage innocent et cru, juste avant que Pissarro n'arrive, et ne le recrée tel qu'il était : immobile. Dans une immobilité aussi fausse et attirante que cette éternité qu'il semblait à la fois représenter et promettre... J'avais adoré beaucoup de tableaux dans ma vie, souvent plus subtils, plus compliqués ou plus fous que celui-là, mais ce que j'y aimais, c'était qu'il me donnait l'image du bonheur et surtout d'un bonheur accessible.

— Vous êtes venu voir votre Pissarro?

Je me retournai. La vieille figure du barreau parisien venait d'entrer dans le fumoir et m'offrait un verre en même temps qu'un fauteuil, lui aussi d'un geste gracieux. Je m'y assis avec prudence : je commençais à me méfier des fumoirs...

— Alors mon cher Vincent? disait Valance avec un grand sourire — et, horrifié, je me rendis compte que je n'avais pas revu leur couple depuis « mon tube » et que j'allais sûrement avoir droit à des félicitations pendant le dîner. Je levai la main :

— Nous en parlerons plus tard, si vous le voulez bien, Paul !

Il hocha la tête, débonnaire :

— Comme vous voulez ! Comme vous voulez ! Mais en attendant, s'il vous plaît toujours autant, je serais ravi de vous vendre ce petit Pissarro, car c'est un « petit » Pissarro, vous savez ! Je l'ai acheté à une vente chez Sotheby's ; il ne valait pas grand-chose. Comme vous le savez aussi, je ne ferais pas d'affaire sur votre dos...

Je lui souris en retour mais je déplorai in petto que ce ne fût pas l'un des nombreux tableaux qu'il avait achetés pour une bouchée de pain. Pas de chance, il était passé par Sotheby's ! Enfin !... Valance avait mis la main sur mon épaule en marchant :

— Non, je ne voudrais pas de votre bel argent tout neuf, mon bon ami ! (Il souriait.) Je vous considère un peu comme mon fils, vous savez.

Mais à ce moment-là, son regard tomba sur Philibert qui marchait devant nous, de guingois, et Valance ajouta très vite :

— Enfin... je vous considère comme *un* fils...

Ce qui était très habile du point de vue mondain mais abominable d'un point de vue paternel. Il en rougit, d'ailleurs, jeta autour de lui un regard inquiet, comme si on avait pu le surprendre, puis, rasséréné, me tira vers la porte.

— Venez, reprit-il, il faut passer à table. Notre dernière invitée est arrivée. Vous la connaissez? Viviane Bellacour. Une veuve délicieuse ! ajouta-t-il tout en me pinçant légèrement le bras et en m'envoyant un coup d'œil de coquin.

C'était la première fois, depuis que je le connaissais, que Valance me faisait une allusion polissonne et je compris que, outre la respectabilité et l'intérêt, ma réussite financière m'avait donné auprès de ce cercle une virilité nouvelle. Non pas celle obscure et besogneuse — presque domestique — qu'exigeaient de ma part, vis-à-vis de Laurence, les conditions de notre mariage ; mais une masculinité acquise et qui m'arrogeait le droit, voire le devoir, de jeter autour de moi et sur leurs propres femmes des regards concupiscents. Regards qui m'eussent été interdits auparavant en tant que pauvre, regards qui auraient alors fait de moi sans que je m'en rendisse compte, tous ces sept ans, le vilain nègre de ces hommes blancs. J'aurais pu être à l'époque quasi lynché et je me félicitais a posteriori d'avoir néanmoins partagé avec eux leurs belles femmes blanches avant que le droit ne m'en soit, en même temps que la fortune, reconnu. Cela me donnerait quelques souvenirs consolants plus tard, la lumière une fois faite sur ma ruine ; car je me doutais bien qu'auprès de ces hommes, ma fortune n'aurait pas été assez longue pour leur arracher un respect durable. Ce n'était pas tout d'être avide, encore fallait-il être avare, ou, pour parler d'une manière moins grandiloquente, ce n'était pas tout d'être malin, encore fallait-il être avisé. Bref, ce n'était pas tout d'être riche, encore fallait-il le rester !

Le salon s'était rempli en notre absence : je vis d'abord deux amies de Laurence que j'avais brièvement mais très bien connues (si l'on peut appeler ainsi une brève agitation dans le noir avec une femme qui veut l'obscurité, l'anonymat, le secret, en même temps que des déclarations d'amour passionnées). Chacune d'elles était flanquée d'un homme que je reconnus aussitôt comme leur mari, avant même qu'on me les présentât. Ils se plaignaient du décalage horaire entre Paris et New York et me confièrent : « Nous voyageons beaucoup ! » pendant que je hochais la tête et marmonnais in petto : « Je sais, je sais ! Continuez donc ! » Leurs épouses, elles, avaient ce drôle d'air qu'ont les femmes dans ces cas-là, un air d'inquiétude, le jugement de leur amant sur leur mari les préoccupant plus que le jugement inverse... en général improbable. Récemment rallié au parti des maris, je fis mine d'être fort impressionné par ces deux-là.

Laurence était en grande conversation avec l'académicien, lassé de tout, apparemment, sauf de la bonne chère, car il jetait des coups d'œil anxieux et fuyants vers la porte de la salle à manger. La jeune veuve était trop blonde, trop bronzée, mais fort belle, avec cet œil trouble, un peu ivre, des femmes sevrées d'hommes depuis trop longtemps. Elle lançait des regards inquiets tantôt vers Valance, tantôt vers son fils, se disant visiblement « Trop tard, à présent, pour celui-ci ! Et trop tôt, depuis toujours, pour celui-là ! » non sans tristesse. Ce fut la raison, sans doute, pour laquelle elle me décocha une œillade brûlante, tandis que mes deux brèves et anciennes maîtresses, embrasées le même soir de nos souvenirs, me faisaient elles aussi les yeux tendres. Je passais du rôle de gigolo à celui de prince charmant, un prince charmant forcément éparpillé s'il voulait se montrer simplement courtois.

Je me retrouvai à table à la gauche de Mannie, la droite étant quand même réservée à l'Académie française.

— J'ai dû prendre Waldo à ma droite, me dit Mannie toute confuse, comme si à ses dîners je n'avais pas été jusque-là invariablement au bout de la table ou près de Philibert s'il manquait une femme.

— C'est la rançon de votre jeunesse, continua-t-elle, mais croyez-moi, c'est une faible rançon et vous n'êtes pas si mal placé, mise à part votre bonne vieille Mannie !

A ma gauche, en effet, la jeune veuve dépliait sa serviette avec de grands ongles carnivores et je vis un peu plus loin, du même côté de la table que moi, donc incapable de me surveiller, Laurence coincée entre Valance et un des maris industriels. Je glissai mes jambes sous la longue nappe qui comme d'habitude traînait par terre, et je soupirai à l'avance. Les repas des Valance ne comprenaient jamais moins de cinq plats.

— Vous savez que vous êtes mieux en réalité ! me dit tout de go la veuve, ma voisine, et je restai un instant interloqué.

— Mieux en réalité ?

— Oui, mieux que sur les photos.

— Quelles photos ?

Viviane prit l'air gêné. (La malheureuse s'appelait Viviane.)

— Je n'ai pas lu les autres journaux, s'excusa-t-elle, je parle tout juste de celui d'aujourd'hui.

Et, comme j'affichais toujours la surprise, elle me jeta un regard méfiant et s'énerva :

— Vous avez quand même lu Le Soir aujourd'hui ?

— Mais non, pourquoi ?

Passant par-dessus mon assiette, elle se pencha vers Mannie :

— Mannie, monsieur, enfin, mon voisin, prétend qu'il n'a pas vu le journal de ce soir !...

— C'est bien possible, dit Mannie, indulgente et rieuse, il est si distrait ! Vous ne le lui avez pas montré, Laurence ?

Elle avait un ton de reproche (comme si elle-même et son mari se racontaient toujours tout). Laurence se pencha à travers la table et me jeta un regard oblique et terne.

— Je n'ai pas eu le temps, dit-elle. Il dormait encore à huit heures...

— Mais je l'ai, moi, je l'ai gardé, moi ! psalmodia Valance jouant plaisamment et ironiquement l'exalté, assez en tout cas pour se lever et aller chercher lui-même le journal en question. Il le brandissait à son retour et me le tendit ouvert à la page qui me concernait. J'eus la surprise de me voir sur trois colonnes, assis à une terrasse de café, seul, et je mis dix bonnes secondes à reconnaître le Fouquet's. Le chapeau de

l'article indiquait : « Le nouveau Midas de la musique trouve son inspiration à la terrasse des cafés. »
« Midas ! Midas ! » Il tombait bien, ce reporter, il était inspiré, vraiment ! Midas ou Job, je n'arrivais pas à admettre que cet individu flou, à l'expression béate et légèrement alcoolisée, me représentait. Une fois convaincu sur ce point, je cherchai aussitôt, d'instinct, la silhouette de Jeannine, à ma droite sur la photo un peu plus haut sur le trottoir, là où je l'avais vue et abordée... mais elle n'était pas là. Enfin, elle n'était pas encore arrivée et dans mon émotion je faillis regarder sur la page suivante.

— Vous vous admirez ? Vous ne vous étiez vraiment pas vu, Vincent ? fit la voix de Mannie et je relevai la tête.

Elle me souriait, attendrie, et je compris le second motif de cet accueil, l'intérêt de Valance, l'offre du Pissarro, la mémoire des femmes et les yeux complices des uns et des autres. Je venais non seulement d'accéder à la fortune, ce qui n'était pas si difficile, mais bien plus, à la notoriété. Que dis-je ? Au vedettariat !

— Non, je ne l'avais pas vu. Je ne savais vraiment pas.

Je cherchai le regard de Laurence, mais en vain. Cinq personnes nous séparaient.

— En tout cas, Laurence l'avait lu, elle ! me signala Mannie d'un air plus perfide que d'habitude. Regardez donc ce qu'elle dit ! C'est exquis... exquis...

Je me penchai et vis que le médaillon, au milieu de l'article, n'était pas la photo d'un journaliste quelconque, mais celle de Laurence elle-même. C'était une photo très réussie, d'ailleurs, qu'elle avait dû donner au journaliste en même temps que ces précieux renseignements : « C'est à la terrasse des cafés que mon mari trouve généralement ses thèmes mélodiques, nous dit la charmante Laurence, la femme du musicien devenu célèbre en si peu de temps grâce à *Averses*. Et c'est une véritable averse de dollars qui est tombée », etc. etc.

Je repliai le journal précipitamment ; je m'étais vaguement attendu à ce que le journaliste ajoutât : « C'est aussi à la terrasse des cafés, et dans les bras des prostituées, que le musicien passe ses après-midi. » Mais non, ce reporter était un bon garçon, discret ou sinon contraint de l'être.

— Laurence, cria Mannie, votre Vincent fait l'indifférent : il n'a même pas lu son article jusqu'au bout !

« Mon article ! » C'était « mon article », à présent ! J'avais composé une petite musiquette qui les excédait sûrement déjà et qui, prétendait Xavier Bonnat, n'était même pas de moi ; j'étais un gigolo, peut-être un plagiaire, mais cela ne faisait rien : j'avais gagné beaucoup d'argent et j'avais « ma » photo dans « le » journal ; la foule ne pouvait que s'incliner.

La suite de l'article était à la mesure du début : « Marchant dans

Paris... promenades pensives... sa femme attentive... la belle Laurence... depuis dix ans... marié... vingt-deux ans... une vie de travail et de secret... son Steinway...» C'était effrayant.

— C'est effrayant, dis-je à mi-voix, et je laissai glisser le journal par terre, sans rien ajouter.

— Vous devriez être plutôt content, non? me souffla ma voisine la veuve d'une voix basse et réprobatrice.

Comme toute l'assistance, elle était confusément choquée de mon ingratitude envers la presse. Se plaindre de la renommée était bien vu, en effet, mais il fallait pour cela avoir eu un peu plus d'un article, même sur trois colonnes. Il fallait avoir trôné dans quantités de journaux et de revues pour avoir le droit de réclamer en geignant une vie privée et un peu de bon goût de la part du public.

— Je suis content d'être près de vous, un point c'est tout, dis-je avec décision.

Elle sursauta, se recula de la table, et je la désirai tout à coup énormément. Viviane était jolie, ou à peu près jolie; complètement artificielle : de cheveux, de gestes, de teint, de corps, d'intonations, mais j'en avais envie, comme ça, pour me venger. Sauf que, d'une manière tout à fait illogique, je ne souhaitais pas que Laurence nous surprenne. Simplement il me la fallait, cette femme, avant la fin de la soirée ; pour me rassurer, pour rassurer l'homme primitif, balourd et sans finesse que tout dégoûtait brusquement un peu trop, et surtout sa propre renommée.

— Vous savez que vous devriez chanter, Viviane! dis-je, plein d'ardeur et de conviction. Avec votre voix, quel dommage !

Et je pressai mon genou contre le sien sans la moindre équivoque, tout en la regardant fixement. Elle toussa, mit sa serviette sur son visage et le ressortit rosi sous son faux hâle (elle n'avait pas retiré sa jambe).

— Vous croyez? s'exclama-t-elle d'une voix pointue. On me l'a déjà dit. Mais venant de vous... je dois reconnaître...

Je lui souris et me conduisis comme un soudard pendant le reste du dîner. Je me servais de ma main droite pour couper ma viande, boire mon vin et appuyer mes quelques phrases ; l'autre, sous la robe de Viviane, mettait à mal sa pudeur et ses nerfs. A un certain moment, assise au bord de sa chaise, elle arrêta net sa phrase et broncha, se pencha sur la table et s'y appuya de tout le buste, la tête penchée en avant, les yeux mi-clos, se mordant la lèvre inférieure avec une sorte de jappement inaudible. Je ne bougeai pas ; je lui lançai, comme ses autres voisins, un regard poli et surpris. Elle se reprit après quelques secondes et j'admirai la capacité des femmes à saisir au passage le plaisir le plus cru, à l'exhiber presque, tout cela avec un tel naturel. Je remis ma main sur la table, elle se redressa, ouvrit les yeux et se renfonça sur sa chaise, le regard à peine plus troublé que la voix.

— Pardon, dit-elle à l'acteur humanitaire qui se penchait vers elle et

songeait peut-être à la faire profiter de son expérience médicale.
Pardon! j'ai de temps en temps une affreuse douleur au foie. Là! ajouta-
t-elle en montrant sa taille de sa main baguée.

— Là? C'est le pancréas! décréta-t-il d'un ton définitif.

Car bien qu'il quêtât surtout pour le cancer, sa compassion s'était
petit à petit décentralisée et il n'y avait maintenant plus rien dans le
corps humain qui échappât à son diagnostic ni à son charitable entrain.

— Avez-vous déjà des plans pour votre petite fortune, mon cher
Vincent? me demandait Valance de loin avec un bon sourire.

J'aperçus le visage agréablement amusé de Laurence et je souhaitai
très vite qu'elle eût été une seconde sous la table cinq minutes plus tôt...
Mais le plaisir de Viviane m'avait détendu, moi aussi, et je n'avais plus
qu'une faible envie de me venger, une envie assez faible pour pouvoir
m'y essayer calmement.

— Tiens, Laurence ne vous a rien dit?

Valance prit l'air étonné, ses invités aussi.

— Non? Eh bien, quelle cachottière! Mes droits d'auteur vont
directement à la banque, au nom de Laurence, l'argent passé et celui à
venir. Nous avons décidé cela d'un commun accord.

— Tu veux dire que nous avons ouvert un compte commun, rectifia
Laurence d'une voix froide, mais je la coupai :

— Oui, enfin tous les chèques sont déjà signés de mon nom, comme
vous pouvez le penser, et dans son sac. De quel droit garderais-je un
centime pour moi après tout ce temps? Vous êtes bien placé pour savoir
tout ce que je dois à ma femme, dis-je dans une envolée. Et, saisissant la
main de Mannie inerte comme elle, je l'embrassai avec dévotion.

Mais ses doigts restaient immobiles et glacés sous ma bouche. Il y eut
un instant d'ébahissement puis de pitié : décidément, inconnu ou
célèbre, ce garçon était un crétin.

— Je sais, je sais, ça paraît un peu poussé, repris-je, gaillard. Après
tout, un million de dollars... Même si Laurence m'a affreusement gâté
pendant sept ans, je ne lui ai quand même pas coûté sept millions
anciens par mois. Loin de là! N'exagérons pas. N'est-ce pas, ma chérie?

Et je me mis à rire tendrement. Le silence des invités s'était fait total
et plus que pesant. Bien qu'ils l'aient tous exécuté mentalement, mon
calcul leur paraissait le comble du mauvais goût et de la bizarrerie.
Depuis quand un gigolo remboursait-il sa maîtresse (ou sa femme)? Et
depuis quand s'inquiétait-il de l'écart entre ses dettes et leur remboursement? Personne ne se retrouvait vraiment dans mes intentions.

— Non, non, non, jamais ce prix-là, je le jure, assurai-je, et j'adressai
un regard alourdi de sagesse et de fierté à Laurence qui restait stoïque,
un sourire crispé aux lèvres, sur sa chaise.

— Non, bien sûr, convint-elle d'une voix basse, mais sans me
regarder.

Y avait-elle même pensé ? Ou Odile était-elle la seule à avoir un petit peu le sens des chiffres dans notre doux nid du boulevard Raspail ?

— Mais il y a autre chose ! *Averses,* vous le savez, cet air du film *Averses,* j'espère que vous le connaissez ?...

— Parfaitement, oui, oui ! Parfaitement, dit l'académicien brusquement réveillé et qui me fixait d'un œil fasciné derrière ses lunettes.

— Eh bien *Averses,* je peux vous le dire, c'est Laurence qui en a écrit la moitié !

Nouveau silence. Laurence leva la main :

— Non, souffla-t-elle, non !...

Mais j'élevai la voix :

— Si, si ! Je pianotais et je cherchais ; j'avais juste les deux premières notes, l'accord quoi, oui : *do-ré, do-ré,* et alors, qui est venu et qui a chanté dans l'élan toute la suite, *fa-si-la-sol-la-do-ré,* enfin je me trompe, *la-do-fa-ré* ? (Je m'y connais en fait assez mal en solfège, malgré tout ce que peut raconter Laurence...) Non, sans elle, pas d'*Averses,* pas de musique de film, pas de dollars !

Et comme Valance me regardait, incrédule, j'achevai :

— Devinez le premier cadeau que m'a fait Laurence avec notre argent — *son* argent maintenant ? — un piano Steinway, immense ! J'en avais rêvé toute ma vie.

Et m'arrêtant là, je promenai sur tous les convives un regard triomphant que Philibert fut le seul à me renvoyer. Avec un soupir je me penchai sur ma crème vanille ; j'avais toujours adoré la crème vanille et j'étais content que Mannie s'en fût souvenue. Je le lui dis. Elle hocha la tête lentement, d'un air plus agacé que réjoui de mes compliments, et se leva très vite, donnant, après tout ce silence, le signal d'un joyeux brouhaha. J'eus à peine le temps de terminer mon dessert, encore moins de le savourer.

CHAPITRE IX

J'ALLUMAI la radio dans la voiture au retour, machinalement, pour rompre le silence. J'avais fini par boire de nombreux cognacs avec le mari d'une de mes provisoires maîtresses, un beau type, lequel s'était révélé, pour un homme d'affaires, très sympathique. A se demander pourquoi sa femme l'avait trompé avec moi... Toujours est-il que nous avions décidé de nous revoir et qu'après quelques pieux et fumeux projets sportifs nous étions convenus d'une partie de 421 dans un bar de la Madeleine. Décidément j'aurais connu, pendant cette soirée, les émotions les plus disparates; après celles de l'esthétique et du vedettariat, celles de l'érotisme et de la comédie, j'aurais aussi goûté les plaisirs du ridicule, celui de se sentir et de se rendre ridicule, et je dois dire qu'il n'était pas des moindres. Maintenant en outre je connaissais les agréments de l'estime masculine.

Il était évident, à voir le profil de Laurence, que sa soirée n'avait pas été aussi riche que la mienne. J'avais donc allumé la radio, mais ce fut pour tomber, après du bon jazz, sur le début d'*Averses* joué par un saxophone qui y introduisait des variations superbes. Tout à coup je me sentis fier de moi : ma musique était inventive, déliée, une pure musique ; elle allait de soi mais sans la moindre facilité et je m'étonnais, un peu tard, de l'avoir laissée attribuer à quelqu'un d'autre. Même si ses fruits allaient ailleurs, elle m'appartenait, elle était la seule chose qui m'appartînt réellement et qui n'appartînt qu'à moi : puisque sortie de ma tête, de mes rêveries, de ma mémoire et de mon imagination musicale. Personne n'y pourrait rien changer. Seulement son arrivée sur les ondes, ce soir, tombait mal — comme si je m'étais livré vis-à-vis de Laurence à une provocation (et comme si j'étais le responsable des programmes de Radio-Musique). De Laurence à Coriolan qui devait maudire ma bêtise chaque fois qu'il tombait sur *Averses* entre les résultats de la première et de la deuxième course, je n'étais pas entouré d'une «claque» chaleureuse.

Je m'inquiétais au sujet de Coriolan. Comment l'aider à vivre maintenant ou plus tard, nos soixante-dix mille francs une fois éparpillés à Longchamp ou ailleurs ? Les champs de courses étaient pourtant bien parmi les seuls endroits où l'on pouvait claquer l'argent le plus agréablement possible, voire le faire fructifier, comme je l'avais prouvé cet après-midi. Par malheur, autant j'avais été sûr de gagner en y arrivant aujourd'hui, autant j'étais sûr de tout perdre finalement, n'importe où, un jour ou l'autre. J'étais un joueur de bon sens, comme beaucoup, contrairement à l'opinion de ces étranges tribus qui ne jouent pas ; et dont le conformisme imagine invariablement le joueur devant un gazon hippique ou un tapis vert, tel un naufragé volontaire à mille lieues de la terre ferme. En quoi ces sages infirmes se trompent, car personne n'est au départ aussi sévère et inquiet sur lui-même qu'un vrai joueur, tant il se sent en danger. Au début seulement, car la terre ferme lui apparaît de plus en plus détachée de tout vrai continent, comme la vie quotidienne de toute douceur ; jusqu'au jour où, par un retournement compréhensible, la seule terre ferme fiable, puisque la seule incertaine, se trouve placée sous les pieds d'un cheval, et la vraie vie sous les jetons d'un casino, rien ne s'étant révélé finalement plus ardu et plus féroce que la vie quotidienne. Enfin, et pour terminer le panégyrique de ce vice, rien n'est plus vif et plus franc que les couleurs des casaques ou celles des jetons, rien n'est plus varié qu'un champ de courses en plein air ou la salle enfumée d'un tripot, rien n'est plus léger que le pas d'un pur-sang ou le jeton du million ; de même, pour vous annoncer votre triomphe ou votre ruine, rien n'est plus décent que deux cartes à retourner. J'eus envie de jouer tout à coup comme j'avais eu envie de cette Viviane tout à l'heure : d'une manière irrésistible. Je sentais mon cœur battre au ralenti sous les à-coups d'un sang pesant mais agité, un sang despotique que je ne reconnaissais plus comme le mien, à force peut-être de le couper d'eau et d'ennui.

— Arrête-toi là, dis-je, s'il te plaît !

Laurence freina si brusquement que je me heurtai le front au pare-brise.

— J'ai envie de jouer, ajoutai-je. Tu vois ? Là-haut. Juste là-haut.

Et je désignai du menton l'étage où, je le savais, m'attendaient des tables et des cartes. Mais devant son visage crispé, j'eus pitié d'elle et je lui dis :

— Viens. Viens si tu veux. Viens, c'est amusant.

Elle ne répondit pas, ne bougea pas, comme pétrifiée par mon ardeur. Je descendis, claquai la portière et fis le tour de la voiture. Le trottoir me dansait sous les pieds. Je me penchai à la vitre.

— Rentre doucement ! Je serai là tôt.

Du trottoir je la vis, toujours prudente, essayer les codes, les lanternes, les allumer, les éteindre, une fois ou deux, puis démarrer et s'éloigner sans un mot ni un regard. Avant qu'elle n'ait disparu, j'avais fait demi-tour et bondi vers le cercle.

Je ne raconterai pas par le menu les péripéties de la nuit : disons qu'elles furent grandioses. On me prêta tout ce que je voulais contre le chèque de banque du cercle, et, j'imagine, grâce à ce fameux article. Pendant cinq heures je perdis des sommes effrayantes qu'à l'aube je regagnai presque. Je repartis donc à pied dans le petit matin, sans un sou mais au comble de la fierté et du bonheur. J'avais failli perdre une fortune mais je n'avais pas succombé au pessimisme, j'étais reparti au combat et je m'en étais tiré au mieux. J'étais fier de moi, en proie à une exultation que personne, sauf un joueur, n'aurait pu comprendre. Il fallait pour cela savoir que le compte d'un joueur ne se fait pas au présent de l'indicatif mais au futur du conditionnel, et que ce n'était pas « j'ai perdu tant... » qui me venait à l'esprit mais « j'aurais pu perdre tant... », les conjugaisons optimistes du jeu n'étant pas les moindres de ses charmes.

Je rentrai donc à pied de l'Opéra au Lion de Belfort. Dans cette aube tardive, des bancs de brouillard se glissaient encore sous les ponts, silencieusement, comme des voyous. Et Paris semblait une femme assoupie, imprudente et belle. Il n'y avait pas au monde une ville plus belle ni un homme plus heureux que nous.

C'est à sept heures ou presque que j'arrivai en haut du boulevard

Raspail, à la maison — ce que j'essayais d'appeler la maison, même si à l'intérieur il y avait déjà une chambre qui n'était plus la mienne ; pourtant, peut-être aurais-je quand même l'impression d'une intrusion illégale si Laurence touchait à mon vieux studio. Comme chaque fois que je quittais une maison, ce ne serait pas les pièces privées que je regretterais le plus. D'abord, le sentiment d'être chez moi, je ne l'avais eu que chez mes parents, dans la maison où j'avais passé dix-huit ans — chez nous, c'est-à-dire chez eux et chez moi en même temps. Lors de l'enterrement de mon père, mort le dernier, j'avais doublement pleuré, et lui et notre maison de la rue Doublet qui allait appartenir à d'autres. Mais j'avais éprouvé partout cette sensation d'être de passage ; sauf dans une chambre d'hôtel où j'avais vécu six ans et que j'avais vue avec stupeur et horreur occupée par un autre que moi en y retournant. Aujourd'hui je m'interrogeais sur cet appartement où je m'étais senti, sinon chez moi, du moins locataire à vie. Si cela tournait mal, je ne pourrais jamais plus passer boulevard Raspail sans une sensation d'exil ou d'erreur, je le savais déjà. Cela dit, c'était bien ma faute, c'était bien fait pour moi ; il ne m'aurait pas fallu oublier que l'on n'est jamais chez soi nulle part ; et qu'entre un immeuble en pierre de taille et un de ces oiseaux mortels que nous sommes, les rapports ne peuvent être que de force, et de force inégale. La férocité de l'argent est plus péremptoire dans l'immobilier qu'ailleurs : ou l'on possède ou l'on reste près de la porte.

Je pris mon petit déjeuner au *Lion de Belfort* à peine ouvert ; et je regardai avec une terreur respectueuse ces hommes debout devant le bar, mal réveillés et pressés, qui partaient au travail pour la journée, ces hommes, enfin, qui menaient une vie normale. Ma gaieté tomba : en six mois j'avais écrit un tube, gagné puis perdu une fortune et j'étais au bord de me faire jeter dehors par ma femme. Qu'allais-je devenir ? Cette question, enterrée depuis sept ans, se posait autrement plus sec qu'à cette époque. J'avais beau la rejeter à toute heure du jour à force d'insouciance, je ne pouvais empêcher par moments ma raison de me crier aux oreilles : « Que va-t-il t'arriver ? Comment vas-tu vivre ? Où ? Que sais-tu faire ? Que peux-tu faire ? Comment supporteras-tu le travail et la vie dure ? » Aussi est-ce avec quelque angoisse que je regagnai l'appartement. Je passai devant la chambre de Laurence dans l'état d'esprit d'un locataire impécunieux ; je marchais sur la pointe des pieds et respirais doucement, comme lorsque je devais quelques semaines à la propriétaire de mon hôtel au Quartier latin.

Une fois couché, j'hésitai à refaire le « point ». Outre que cela ne me réussissait pas, j'en devinais déjà le résultat : si je réfléchissais longuement et minutieusement, si je dressais un tableau de mes torts, de mes raisons, de ceux de Laurence, le bilan logique de nos actes, j'en sortirais sûrement dans le beau rôle. Mais si c'était une question de sentiment, je ne serais, je le savais, que le froid vainqueur.

Il était inutile et vain de résumer, de composer et de conclure : sinon que je ne me sentais pas, que je ne m'étais jamais senti coupable depuis le début des hostilités, de rien, sauf de légèreté. L'acte d'accusation contre Laurence pesait plus lourd, démontrait au moins un facteur de préméditation qui n'existait pas dans mon dossier.

Dans le noir, dans mon lit étroit, incapable de dormir, j'allumai la radio. Je tombai sur le septuor de Beethoven qui me lava l'esprit de tout et me laissa à la fin vulnérable, adolescent, au bord des larmes. J'avais eu tort d'écouter cette musique, elle contenait tout ce qu'on voudrait connaître de l'amour : une douceur attentive, une gaieté passionnée, la tendresse surtout, et cette inflexible confiance ; tout ce que l'on n'avait jamais eu et dont on n'aurait jamais que des leurres, des simulacres, le plus souvent confectionnés péniblement par nous-mêmes, le plus souvent aussi à contre-temps. Cet amour-là dont on ne pouvait prétendre avoir une grande expérience que dans la mesure où on y avait cru plus longtemps, où on en avait plus souffert, où on y avait apporté plus de confiance et de vulnérabilité que l'autre ; cet amour enfin, qu'il était si honteux de n'avoir pas éprouvé et si désespérant de n'avoir pas provoqué. L'amour, quoi... qui n'avait rien à voir avec la comédie pénible à moi menée par Laurence. C'est cet amour-là qui, raconté dans la nuit, entre autres par un basson, une clarinette et un violoncelle me rendait sentimental et faible et triste.

Le jour se levait, le jour était là, et moi je veillais. Sans panache, sans insolence et sans insouciance, je me retrouvais face à moi-même, un pauvre type qui avait cru échapper à la société et que finalement la société, de même que sa propre femme, méprisait, un pauvre type qui allait finir dans le ruisseau, réduit à un seul ami — d'ailleurs alcoolique —, un type qui avait eu deux coups de chance, n'en avait pas profité, se retrouvait maintenant promis au pire pour lui, c'est-à-dire à la pauvreté et à l'humiliation. J'étais sur mon lit, épuisé, désarmé et, croyais-je, lucide. Comme tout le monde et comme toujours, je me sentais aussi lucide dans mon pessimisme que je me méfiais de moi quand j'étais heureux. Je savais bien pourtant que le pire n'était pas sûr, que, simplement, il paraissait sûr. Mais cette nuit-là je ne me rappelais plus rien de ces intelligents adages. Je versai avec facilité dans le désespoir et la mauvaise conscience — d'autant plus que ces crises étaient chez moi si éparses que leur rareté même leur donnait une aura de véracité.

Pourtant, et je le savais bien, à l'origine de mon désespoir il y avait d'abord moi, un moi manquant de force, de confiance, de légèreté, un moi infantile, pusillanime et médiocre, auquel finalement j'en voulais beaucoup plus qu'à l'existence elle-même, puisque c'était un autre moi qui me rendait, d'habitude, l'existence si charmante.

Je ne m'endormis que dans les premiers rayons du soleil.

Je me réveillai avec des sourcils et une mâchoire en bois, ce qui me rappela aussitôt les cognacs de la veille et me laissa une vague culpabilité. Une vague inquiétude aussi, comme si Laurence avait encore le droit de me punir. Curieusement, je n'arrivais pas à imaginer ma vie sans sanctions de sa part. Pire, j'en ressentais une sorte de nostalgie. Peut-être mon équilibre résidait-il dans le déséquilibre entre la violence de ses sentiments et le flou des miens. Peut-être aussi lui en voulais-je moins d'être devenue un excès et un danger que de ne plus être une demi-mesure et une sécurité. Plus simplement, je n'arrivais pas à penser qu'elle voulût à ce point ma présence, une présence sans aucun attachement de ma part. Quoi qu'il en soit ce matin-là je me sentais dolent et rêvais d'entente cordiale. Je ne pourrais pas vivre longtemps dans ces sarcasmes, ces allusions et cette rancune, je ne pourrais pas supporter ce climat-là. Je me levai, m'habillai rapidement, jouai quelques notes sur le piano, plaquai deux, trois accords plusieurs fois pour me détendre et finalement téléphonai à Coriolan au café. Il y était ; probablement en train de relater nos courses car j'entendais sa voix dans le téléphone retentir d'intonations héroïques.

— Je suis en retard. — Il riait et je compris qu'il était ivre.

— Viens ! dis-je brusquement. Viens ! Je t'ai parlé du Steinway, je ne te l'ai même pas fait entendre. En plus, j'ai plein de choses à te raconter.

Il y eut un silence.

— Mais... mais Laurence ?

— Qu'est-ce que ça peut faire ? Au point où j'en suis ! Et puis elle est sortie, ajoutai-je vaillamment. — Et j'entendis à son souffle que cela allégeait aussi ses réticences.

Cinq minutes plus tard, nous étions dans mon studio et Odile, enchantée de cet imprévu, la pauvre innocente, nous faisait du café pendant que le Steinway résonnait de nos accords.

— Quelle sonorité ! — Coriolan était ébloui. — Tout est irrémédiable avec ce piano. Qu'est-ce que tu joues, là, par exemple ?

— Ce n'est rien, dis-je, c'est deux accords. C'est le Steinway qui leur donne une allure d'ouverture.

— Tu vas l'emmener avec toi ?

— Ça dépend où nous logerons. On ne pourra plus partir à la cloche de bois avec lui.

Coriolan hennit de joie à cette idée et Odile, qui regardait jusque-là son noble profil avec admiration, sursauta en voyant ces grandes dents et ce visage jovial. Elle renversa un peu de café sur le sol, poussa des cris d'orfraie et alla chercher une serpillière à la cuisine.

— Combien de coups de knout recevez-vous dans ces cas-là ? s'enquit Coriolan avec compassion. Que faites-vous sur le sol, à éponger comme une esclave ? Une belle plante comme vous, Odile, voyons ! La tzarine n'est déjà pas facile, j'imagine, et en plus, avec le départ du favori, ça va être épouvantable !

Odile hochait la tête ; elle paraissait aussi convaincue que Coriolan de mon départ imminent, et je m'en effrayai. Ils allaient bien vite !

— Rassurez-vous, ma petite Odile, je n'ai pas dit mon dernier mot ! J'avais pris une voix mâle, mais je les vis baisser les yeux tous les deux et je réagis. Il fallait que je parte, ils avaient sûrement raison. Tout de suite. La question n'était d'ailleurs pas « quand » mais « où » partir ? Et encore, ce n'était pas l'absence de destination qui m'inquiétait, mais l'idée de faire mes bagages.

— Et ce dernier mot sera vite dit ! ajoutai-je avec fermeté comme pour achever la phrase précédente. « Adieu ! » J'aurai vite fait !

Leur expression soulagée m'accabla. Dans quelle histoire ne m'étais-je pas lancé ! Bien sûr il était hors de question que je pardonne à Laurence tout ce qu'elle m'avait fait : prendre mon argent, m'humilier, me traiter en domestique, me ridiculiser, que sais-je... Le flou de toutes mes réactions m'inquiétait cependant, comme le signe d'une fierté défaillante. Je ne devais pas prendre ça calmement, je le sentais bien. D'ailleurs, hier encore, j'avais fait feu des quatre fers chez les Valance. Je n'avais qu'à attendre un moment, un vent de colère allait sûrement me soulever d'un instant à l'autre. Je m'exhortais à la fureur mais ma gueule de bois de la veille m'opposait une sourde et forte résistance. J'eus un mouvement d'humeur envers Coriolan et Odile, et tous leurs proches. Pourquoi étaient-ils si pressés, si exigeants ? A les écouter, j'aurais toujours eu, ou dû avoir une conduite exemplaire, nette : de ces conduites qui empoisonnent et brisent votre existence. Quoi qu'il arrive, je me refusais à me mépriser moi-même ; je me refusais à rejoindre la triste foule grandissante et variée de ceux qui ne voyaient en moi qu'un parasite ou un crétin. S'il n'y avait plus qu'un être sur cette terre à m'apprécier, je serais celui-là !

Déjà sept ans plus tôt, à en croire le père de Laurence, je n'étais pas digne d'elle. Moi, à l'époque, je savais qu'un homme ne devenait pas automatiquement digne d'une femme dès l'instant qu'il lui faisait convenablement l'amour. Mais je savais aussi à présent qu'une femme qui entretenait convenablement un homme n'en devenait pas non plus automatiquement digne. Seulement, Laurence, elle, ignorait cet axiome-là, ou faisait semblant. La question était pourtant là, et c'était la première, les autres n'étant que des corollaires. Que j'aie failli me libérer en était un. Qu'elle m'en ait empêché, un second. Et que je doive le prendre mal, un troisième.

Quelles que soient les réponses, je continuais à être traversé régulièrement par la conviction, la certitude même qu'il me suffirait de prendre Laurence sur mes genoux et de lui flanquer une fessée pour remettre «notre ménage» d'aplomb. Peut-être n'était-ce pas vrai. Peut-être cette intuition était-elle stupide et déshonorante, elle aussi. Qu'en savais-je? Et puis que savais-je de la vie? Rien. De moins en moins de choses. Rien. De plus en plus rien. Toute la vie était floue, assommante et dérisoire. Tout m'ennuyait; je n'avais qu'une envie : dormir, prendre une aspirine et dormir... Et l'on me demandait de changer de vie — ce dont à la rigueur j'étais capable — mais si, pour cela, il me fallait faire mes bagages, alors là... ça m'était complètement impossible.

— Dis-moi, s'enquit Coriolan, il n'y a rien à boire dans ton salon Napoléon III?

Ayant sagement siroté son café, il se sentait légalement autorisé à continuer son périple alcoolique.

— Pourquoi dis-tu ça? demandai-je.

— Parce que ton mobilier est Napoléon III, mon bon. Tu l'ignorais? Tu aurais pu jeter un coup d'œil, quand même, en sept ans! C'est ta femme qui s'est occupée du salon, bien entendu? De la dé-co-ra-tion! dit-il en séparant bien les syllabes.

Tout en parlant, nous étions arrivés dans le fameux salon et j'ouvris le bar, en tirai une bouteille et deux verres. Coriolan s'était assis sur le canapé qui en avait grincé, et souriait déjà à la bouteille. C'est à ce moment-là que nous entendîmes un coup de sonnette et la voix d'Odile dans le hall.

— Monsieur Chatel! disait-elle très haut pour nous prévenir, Monsieur Chatel! Quelle bonne surprise!

Et mon beau-père arrivait, pour tout arranger! Je posai précipitamment mon verre plein dans la main de Coriolan et m'assis en face de lui, les genoux serrés comme un écolier. Un écolier voleur. Ce qui prouvait bien que je ne m'étais jamais senti chez moi, dans cette maison, que je n'y avais jamais disposé de mes esprits.

— Ma fille n'est pas là? disait la voix tonnante de mon escroc de beau-père.

Je me rappelai soudain qu'il m'avait dérobé tous mes biens et en pris quelque courage. Mais déjà il entrait dans la pièce comme un taureau furieux, me jetait un coup d'œil négligent — qui m'ulcéra — et dévisageait Coriolan confortablement installé.

— Monsieur?...

— Señor! dit Coriolan en se levant et en dépliant par la même occasion ses 198 centimètres couverts, je le remarquais enfin, d'un opulent costume de deuil. — Je lui avais en effet offert pour mon mariage un complet noir qu'il n'avait mis, en dehors de cette circonstance, que deux fois, pour la mort de son quincaillier et pour une cérémonie étrange à l'Ecole des beaux-arts. Il faisait fort bon effet, remarquai-je aussi, en même temps que mon beau-père qui lui adressa un petit salut presque respectueux.

— Monsieur Chatel, el señor Latello ! dis-je en doublant les « L » et en accentuant le « O » de la famille Latelot, déménageurs de père en fils dans le XIVᵉ arrondissement — Monsieur Chatel est le père de ma femme, spécifiai-je à Coriolan, et monsieur Latello est le plénipotentiaire de la maison Gramophono, à Madrid, pour mes droits de chanson.

— Monsieur ! dit mon beau-père, l'œil vif à l'idée d'une affaire proche.

— Señor ! dit Coriolan, et il avança d'un pas mais mon beau-père ne recula pas.

J'admirai son courage sous sa brutalité. J'aurais pu craindre qu'il ne reconnût en Coriolan le triste ivrogne coureur de soubrette qui avait porté le scandale dans les noces de sa fille, mais il n'avait fait alors qu'entrevoir dans l'obscurité, et allongé, un individu éméché, dépeigné, chiffonné, hilare de surcroît, à mille lieues du gentleman espagnol assis sur le canapé du boulevard Raspail.

— El padre de la señora Laurens ?

Coriolan prit la main de mon beau-père et la retint entre les siennes.

— Si, marmonna le malheureux, si ! Yo soy... euh... I am... je suis el padre de... ma fille ! You... vous la connaissez ?

— Si, si, la conozco ! Ah, bueno ! Aqui es el padre y aqui es el marito ! Bueno ! (Ce crétin avait pris l'air émerveillé en même temps qu'il nous prenait, nous, aux épaules ; chacun de nous serré contre sa hanche, nous luttions désespérément pour ne pas nous retrouver nez à nez en travers de sa poitrine.) Povres bougros ! s'écriait encore Coriolan. Si, si, si ! reprit-il. La conozco ! La conozco ! — et il nous dégagea non sans nous lancer à chacun une tape exagérément virile qui nous fit chanceler tous les deux.

— Il est bien dommage, dit mon beau-père un peu secoué en s'époussetant machinalement, il est bien dommage que je ne parle pas l'espagnol ! No hablo !

Et à l'exemple de beaucoup d'ignares il envoya en même temps un sourire complice et satisfait à Coriolan comme si son ignorance de la langue pratiquée par celui-ci eût été un charme naïf et irrésistible à ses yeux.

— No hablo, mais j'ai été deux fois (dos ! précisa-t-il en brandissant deux doigts devant Coriolan), pour des histoires de... enfin !... et je connais votre fameux toast : « Amor, Salud y Pesetas, y tiempo para gustarlas ! » ânonna-t-il.

(Mais que n'avait-il pas ânonné ?...)

— Un toast ? Bravo ! Bravo ! Un toast ! cria Coriolan enchanté. Un toast !

Et il rattrapa la bouteille de whisky et en servit illico un grand verre à mon beau-père et à moi-même sans s'oublier le moins du monde.

— Si, si! dit-il en brandissant son verre. Amor, Salud y pesetas, y tiempo para gustarlas! Exactemente! Ecco!

— Exactemente! Exactemente! dit mon beau-père d'un ton de louange dont on ne savait s'il l'adressait à Coriolan pour connaître sa propre langue ou à lui-même pour en avoir retenu un extrait. «Exactemente», répéta-t-il, et ne voulant pas me parler à moi il se rabattit sur la cantonade :

— Finalement toutes les langues se ressemblent, tout vient du latin, c'est simple. Il ne faut pas oublier que l'Europe s'exprimait en latin, ou en celtique. Mais asseyez-vous, señor Latello, je vous en prie! — et il lui indiqua d'un geste généreux de maître de maison le malheureux siège Napoléon III. «Vous êtes ici pour affaires, señor Latelio!» s'enquit mon beau-père d'une voix concupiscente.

— Late*ll*o, deux «L», Late*ll*o, dos «L», précisa Coriolan. Late*ll*io!

— Latelo! Latellio! marmonna mon beau-père énervé.

— No, no! Late*ll*io! Late*ll*io! Lio, Lio, Lio! rectifia Coriolan en rajoutant trois ou quatre «L», et je lui jetai un sérieux coup d'œil.

Il fallait qu'il arrête cette distribution de consonnes et qu'en même temps nous terminions cette comédie déjà prête à mal tourner et que l'arrivée de Laurence allait rendre dramatique.

— Señor Latello, dis-je avec fermeté, por el vuestro telefono, es aqui! — et je le tirai par la manche vers la sortie.

Mon beau-père se leva machinalement, se coupa en deux et nous regarda sortir avec impatience et, il me sembla déjà, un début de méfiance.

— Yo ritorno! Yo ritorno! lui lança Coriolan à la porte mais il commençait à craquer et à peine dans l'escalier il explosa.

Il descendit les étages en poussant des rugissements de rire et en me bourrant de coups de poing, comme un lycéen. Il était temps : dans l'ascenseur qui montait pendant que nous descendions, je sentis au passage le parfum lourd et trop âgé pour elle, le parfum de putain et de bourgeoise de mon épouse. L'explication, là-haut, entre le père et la fille après la disparition subite d'un señor Latello, noble espagnol, n'allait pas être dénuée d'intérêt. Malheureusement nous ne serions pas là pour la savourer. Je n'avais pas fini de rire de cette farce mais mon retour serait moins flambant. Et cette pensée dut se lire sur mes traits car Coriolan se rembrunit et, me prenant brutalement par la chemise, me secoua.

— Je te signale qu'elle t'a piqué ton argent et t'a fait passer pour un pantin devant tout le monde; alors que moi, ton seul ami, tu me fasses passer pour un hidalgo devant son père, je te jure que ce n'est pas grave! Je te jure que dans le bilan vacherie tu es encore tout à fait en retard…

Il me lâcha brusquement et repartit à grands pas vers la porte cochère. Je restai un instant pantois. Je le comprenais, bien sûr, mais comment lui expliquer que si, dans le bilan des vacheries, j'étais effectivement très en retard, dans le bilan du bonheur de vivre j'avais une telle avance que Laurence, ne pouvant me rattraper sur ce terrain-là, ne pourrait jamais non plus me rattraper sur les autres ? En réalité, tout se passait comme si j'avais épuisé vis-à-vis d'elle, le soir de ses manœuvres à la banque, mes capacités de chagrin en même temps que mes idées de revanche. Tout cela dans cette nuit amère où j'avais remâché sa trahison. A présent, c'étaient les autres qui m'obligeaient à la punir, les autres et sans doute moi-même, en prévision du jour où l'orgueil, le sens de la justice et de la propriété, la virilité aussi peut-être qui faisait maintenant partie de mon caractère acquis prendraient le pas sur ma nature profonde, passive, finalement asociale. C'était pour ne pas m'en vouloir que je me contraignais à en vouloir à Laurence, aussi ridicule que cela puisse paraître.

On ne pouvait me demander de souffrir beaucoup et d'être très frappé par les actes de quelqu'un dont je n'avais jamais été, dont je n'étais toujours pas amoureux fou, quelqu'un dont le comportement, en outre, me semblait inspiré non par une hostilité réelle mais par une sorte de passion envenimée. Seulement, il se trouvait que pour une fois la société la plus bourgeoise et mes amis les plus marginaux se réunissaient en un seul concert et attendaient de moi que je me fâche, que j'en termine avec cette histoire. Et je finirais sans doute un jour par penser comme eux. C'était donc contre moi que j'entamerais la dernière partie de ce combat sans combattants, ce procès où certains me tenaient pour la victime et d'autres pour l'accusé, dont, profondément, je ne me sentais que l'apathique témoin. En tout cas pas le juge, jamais le juge, qui ne pourrait que se tromper quel que soit le rôle qui m'échût. Quant à la conclusion de ces péripéties, il me semblait que Laurence, qui ne cessait de m'étonner — enfin — pouvait aussi bien en toute logique — sa logique — m'assaillir à coups de couteau ou partager avec moi un dîner fin. Bref, j'acceptais de me laisser bafouer mais pas trop longtemps, car je n'avais pas de stock d'indignation, de rancune ou de ressentiment. Pas non plus des stocks de tendresse, de passion ni de sentiment tout court. Et je savais cette carence chez moi plutôt odieuse pour ceux qui m'aimaient et peut-être même infernale. Raison pour laquelle en toute bonne foi et en toute indulgence j'admettais à cette crise deux fins éventuelles aussi différentes, toutes les deux feuilletonesques au demeurant mais l'une dans le tragique et l'autre dans le trivial. Il est vrai que la seconde était plus dans mes cordes.

Après le départ de Coriolan je marchai longuement dans Paris. Je remontai l'avenue du Maine puis, plus loin, finis par arriver sur l'ancien petit chemin de fer qui sillonne encore Paris de l'extérieur et lui fait une ceinture agrémentée de tessons de bouteilles, d'orties et de rails déchiquetés. Ceinture incomplète mais qui lui entoure la taille de ses

boulevards Maréchaux et qui était une de mes promenades préférées.
Marcher sur cette voie désaffectée me donnait la sensation de déambuler
dans le décor déjà oublié de vieux westerns des années 30, ou dans des
campagnes, ou sur des planètes étrangères et inconnues, ou à la fin du
siècle passé, personnage des guerres de fortifs, personnage solitaire de
Carco, de Bradbury ou de Fitzgerald... Depuis huit jours je n'avais
même pas eu le temps de lire sérieusement un livre. Et mes moments de
dépression venaient de là aussi bien que d'ailleurs.

L'automne s'avançait, le soir et le froid tombaient de plus en plus vite
et c'est frigorifié que je poussai la porte du *Lion de Belfort* vers six
heures. Tout le monde était là, le patron, les deux badauds et Coriolan.
Les quatre levèrent la tête à mon entrée, répondirent à mon salut et
détournèrent les yeux avec ensemble. Une sorte de consternation, de
gêne pesait sur cet endroit généralement si détendu. «Est-ce que
Laurence est passée ici prendre une citronnade?» demandai-je à
Coriolan en m'asseyant en face de lui. Mais il ne sourit même pas, battit
des paupières et tout à coup me tendit à travers la table la revue qu'il
avait attirée près de lui sur la banquette à mon entrée. «Il faut que tu
lises cela», dit-il. Je le regardai puis levai les yeux et vis le patron et les
badauds qui s'absorbaient précipitamment dans leurs consommations.
Que se passait-il encore?

La revue en question était l'hebdomadaire le plus lu de France et de
Navarre et qui paraissait tous les vendredis. Elle venait juste de sortir
sans doute et je m'étonnai de la hâte qu'avait mise le *Lion de Belfort* à
la lire.

Je l'ouvris. Sur dix pages, je vis des photos de moi-même, étalées,
grossies ou découpées, en tout cas prêtées par Laurence puisqu'elle était
la seule à les avoir, des photos de mon enfance, surgies de je ne sais où,
une en premier communiant, une en soldat, une au Conservatoire avec
d'autres concurrents, puis cinq ou six au bord de la mer, à la maison ou
à la portière de ma voiture, qu'avait jadis prises Laurence et, pour finir,
deux ou trois clichés de nous deux assis sur un banc de pierre et à une
terrasse de restaurant, les photos les plus plates qu'on puisse imaginer
d'un couple mais qui, je le savais, étaient les nôtres et les seules nôtres.
Un léger frisson me gagna. Cette confiance de Laurence, déjà grande sur
les photos, promettait le pire pour le texte. Et en effet, la première page
commençait en ces termes : «Il y a aussi des madones pour les poètes.»
Le reste, je le lus lentement d'un bout à l'autre. Il en émergeait quelques
sommets vertigineux dans le mensonge ou la bêtise, mais dont ressortait
une bien belle histoire : Laurence, ravissante jeune fille riche, courtisée
par tous les lions de sa génération, entrée par hasard dans un café du
boulevard Montparnasse, tombait sur un jeune loup solitaire aux yeux
tourmentés. Elle découvrait qu'il était compositeur, qu'il était très doué,
il tombait amoureux fou d'elle, comme elle-même de lui au premier

regard. Un jeune loup qui savait parler de musique, de poésie, mais pas d'argent, un jeune loup, de plus, au bord de la misère, un orphelin. Elle lui donnait aussitôt tout ce qu'elle possédait et qui n'était pas rien. Bien sûr sa famille s'inquiétait de l'état des finances du jeune homme mais l'amour de celui-ci les émouvait, ils finissaient par accepter le mariage. Seulement la mère de Laurence, bouleversée par toute cette affaire, mourait d'une crise cardiaque et le père de Laurence, hélas, leur en voulait et rompait avec eux. La jeune femme faisait front. Elle faisait front à tout un milieu, elle faisait front à l'absence d'argent, elle faisait front à un père ulcéré et à un jeune mari inquiet et maladroit. Un jeune mari qui voulait absolument vaincre pour lui plaire, qui essayait n'importe quoi, qui se présentait à mille concours où il échouait et qu'elle devait ensuite consoler. Mais elle souffrait de sa maladresse, surtout envers ses amis à elle, car tantôt il voulait absolument les éblouir et il se trompait, tantôt il les snobait. Elle finissait vite par se retrouver seule avec lui et subissait ses caprices car il passait de la modestie la plus effrayante à l'exigence la plus folle pour tester ses sentiments. Mais elle l'aimait, ah, comme elle l'aimait, elle renonçait à tout pour lui, y compris à avoir des enfants — ce qui est pourtant normal chez une jeune femme — mais «quand on a un grand enfant, on n'en fait pas d'autre», disait-elle avec un sourire charmant et résigné à notre reporter. Tous ces échecs décourageaient le jeune loup qui s'assombrissait, des poils gris se mêlaient à ses cheveux noirs. Un jour par hasard elle rencontrait un ami à elle, un metteur en scène, et elle le suppliait, elle lui promettait le Pérou pour qu'il essaye la musique de l'ex-jeune loup. Et l'ami acceptait, et pour elle affrontait les producteurs. Pendant trois mois, quatre mois, le jeune mari s'échinait, composait des musiques trop intellectuelles, trop abstraites, dont elle devait le détourner doucement, très doucement pour qu'il ne se braque pas et ne renonce à tout. Enfin un jour il découvrait ces quatre notes d'*Averses* et elle l'aidait à extraire le reste, elle le soutenait «au péril de son propre équilibre» et l'accouchait du fameux tube sans avoir l'air d'y toucher. Un soir de juin — ou était-ce en juillet? Qu'importait la date? — elle apportait cette musique au producteur hostile et au metteur en scène amical — tous deux las, blasés et tutti quanti — la leur faisait entendre et l'un jaillissait de son fauteuil, l'autre s'y laissait tomber selon sa position initiale mais tout le monde s'inclinait. Le succès couronnait enfin ses efforts, pansait les blessures d'orgueil du mari naïf qui souriait aux signes de ce succès (dont elle ne voulait pas lui révéler les tricheries). Il proposait de tout lui donner, bien sûr, mais elle refusait, elle désirait qu'il soit libre, qu'il reste libre de son destin, même si elle-même avait piétiné le sien pendant sept ans pour assurer leur avenir, leur présent et leur passé. Car quoi qu'il arrivât à ce jeune compositeur, et même ce prix suprême, cet Oscar possible aux Etats-Unis, tous les honneurs du monde n'empêcheraient pas qu'il se réfugie contre elle le soir venu et lui dise en tremblant : « Jure-moi que tu ne me laisseras jamais seul. » Fermez les guillemets, fermez l'article, fermez le ban. Je refermai le journal. Je comprenais enfin le pourquoi de ce regain de popularité à mon égard. Je venais d'être sélectionné pour la meilleure musique de film à Hollywood. Ce que je ne comprenais pas, c'était tout le reste, ce confus, chaotique, ce grotesque et putride feuilleton que Laurence présentait comme notre existence. C'était écœurant. C'était pire qu'écœurant : abject, repoussant. Je comprenais les regards détournés de ces deux niais de badauds, du patron du *Lion de Belfort*, et même les yeux baissés de Coriolan, mon meilleur ami là en face de moi.

— Qu'est-ce que je peux faire ? demandai-je.

— Rien, dit Coriolan. Tu ne vas pas écrire dans *La Semaine* (l'autre hebdomadaire, rival de celui-ci) que ce n'est pas vrai et donner ta version des choses, non ? D'autant qu'elle a fait une telle salade avec tout ça. Comment veux-tu lui opposer un démenti complet ? Elle utilise des faits...

— Quelques faits tronqués et quelques vérités escamotées, dis-je. Effectivement, je ne peux rien nier et d'ailleurs je n'en ai pas envie.

Je croisai les mains distraitement, je n'avais même plus l'impression que c'étaient mes propres mains, c'étaient celles d'un pauvre jeune mari qui, etc. J'avais honte. Pour la première fois de ma vie j'avais vraiment honte et chaud aux joues, je n'osais pas regarder les consommateurs ni le patron. Elle m'avait même ôté ça, cette garce. Je n'oserais même plus aller aux courses à présent.

— Et tu te rends compte de quel salopard tu aurais l'air si tu partais ? Les gens croient ce genre de choses. — Coriolan repoussa le journal vers moi de l'ongle. — Et elle ne lâche même pas un mot contre toi. Le pire qu'elle puisse dire, elle le dit gentiment, ça sonne comme une faiblesse de sa part, comme une horreur de la tienne. Ah non, non... et il secoua la tête, conseiller découragé.

Je me surpris à siffloter, à tambouriner sur la table du bout de mes dix doigts comme si j'avais brusquement quelque chose d'urgent à faire mais quoi ? Ah oui, je le savais à présent : mes bagages. Je me levai.

— Où vas-tu ? dit Coriolan.

Je sentais dans mon dos le regard des trois autres. Que peut faire un jeune mari aux yeux fiévreux dans ces cas-là ? Je me penchai vers Coriolan et chuchotai :

— Où je vais ? Faire mes bagages, mon vieux.

Et sans attendre une réponse de sa part je sortis et marchai à grands pas vers ma maison, sa maison, l'appartement où nous avions cohabité après nous être épousés.

CHAPITRE X

Nos defauts sont bien plus vifs et diligents que nos qualités, les avares sautent plus vite sur les moyens d'épargner que les généreux sur l'occasion de donner, les orgueilleux se vantent bien avant que les courageux ne se diminuent et les violents se battent avant que les pacifiques n'aient le temps d'intervenir. La même priorité règne dans les dualités internes. Ma paresse m'avait fait adopter le mode de vie offert par Laurence bien avant que mon orgueil ne m'ait poussé à chercher quelque travail; Laurence m'avait confié à la garde de cette paresse irrésistible tout en cherchant dans sa peur de me perdre un autre boulet à me mettre au pied et elle l'avait trouvé : la respectabilité. Si je la quittais à présent, je passerais forcément aux yeux de tout le monde pour le dernier des salopards, Coriolan l'avait dit lui-même. Mais Laurence oubliait notre différence de milieu. Elle avait été élevée dans le respect de l'opinion d'autrui, tandis que moi, élevé par des parents semi-anarchistes, je n'avais retenu de leurs propos que ce qui m'arrangeait, entre autres un grand mépris de la société. D'ailleurs ma facilité à me lancer dans ce mariage — dont les échos n'étaient que trop prévisibles — aurait dû éclairer Laurence, en tout cas l'avertir de ce côté bravache et provocateur, chez moi, qui affronterait avec délectation la colère de quatre cent mille lecteurs sentimentaux. Plus fort que tous les liens de l'habitude, de la reconnaissance et de l'intérêt comme de la paresse, le goût du défi me menait. Ah! cette épouse idéale me croyait ligoté par ses récits? Quelle grave erreur!

Je rentrai à la maison et commençai ma valise. Je me sentais distrait et soulagé. Ce sentiment qui m'animait, ce défi, n'était ni bien beau ni spécialement intelligent, mais du moins était-ce un sentiment irrésistible. (Et finalement, que demander d'autre ou de plus à nos sentiments sinon de nous entraîner sans nous laisser le temps de réfléchir?) J'empilai mes vêtements dans une valise et j'hésitai un instant devant le complet vert acide, le premier que m'eût acheté Laurence et qui m'avait fait si honte à l'époque. Mais je l'embarquai avec le reste. Ce n'était pas le moment de faire le dégoûté. Il aurait fallu trépigner tout de suite dans la cabine d'essayage, seulement ma situation d'alors m'empêchait de refuser un costume chaud : cela ne me serait même pas venu à l'esprit. A présent il était trop tard et dans le bon goût mieux valait jamais que trop tard.

J'allais vite sachant que je ne pourrais pas, devant Laurence, déplier et replier ces futurs souvenirs, fussent-ils de gabardine. De temps en temps, pour m'assurer de mon bon droit, je me penchais sur l'hebdomadaire ouvert sur mon lit et lisais au hasard. «Malgré tout ce qu'elle perdait, sa famille, ses amis, le monde, la jeune femme n'eut jamais un regret, elle savait que cet homme lui suffirait comme elle lui suffisait.» Mais que voulait-elle donc dire? Pouvait-elle s'imaginer qu'elle avait remplacé le monde, qu'elle m'avait «suffi»? Je ne m'étais jamais cru capable de suffire à qui que ce soit, je n'avais jamais cru non plus que quelqu'un puisse me suffire et d'ailleurs, d'une certaine manière, je ne l'aurais pas voulu. Cette prétention folle m'exaspérait. Je tournai la page. «Ils se rencontrèrent dans un café, elle y vit un jeune homme seul, maigre, silencieux et elle tomba amoureuse de lui en même temps qu'il tomba amoureux d'elle, au premier coup d'œil.»

Nous nous étions rencontrés dans un café de Montparnasse, en effet, où je m'amusais follement avec de joyeux drilles et un piano. Elle était arrivée avec une de ses amies, flirt de l'un de nous, et s'était cramponnée littéralement à notre équipe; elle avait tout fait pour nous suivre, nous n'avions vraiment pas su comment nous en débarrasser. Cornélius et moi nous l'avions même jouée aux dés, cette chère Laurence, et c'est moi qui l'avais gagnée (si je peux dire). Oui, elle était tombée amoureuse de moi au premier regard, mais moi il m'avait fallu des semaines pour la voir et pour la supporter. J'avais couché avec elle avec méfiance tant elle me paraissait l'archétype de la jeune bourgeoise, et son tempérament avait été une heureuse surprise...

J'emballai les chemises, les livres et les foulards, les disques, l'appareil photo, les tickets de loterie, de loto. Je ne laissais guère que le Steinway et quelques paires de chaussettes trop chaudes que je n'avais jamais pu supporter. Je fermai les deux valises sans trop de difficulté — car mon trousseau était complet mais pas excessif — et pris sans remords les quatre paires de boutons de manchette, l'épingle de cravate et la montre qui composaient mon trésor de guerre. J'embarquerais aussi la voiture. Je me rappelais avec ivresse que l'assurance en avait été payée et que j'avais donc six mois de bon devant moi. Un million de dollars devrait suffire à rembourser tout ça, me disais-je, avec un certain bonheur à me sentir sordide.

Les bagages faits, bouclés, je mis mon fameux costume marron d'Al Capone et me jetai un coup d'œil dans la glace. Il me sembla avoir déjà rajeuni. J'allai vers mon piano, mon seul regret, et jouai pendant deux ou trois minutes, mélancoliquement, un air bizarre, toujours à partir de cet accord qui devenait obsédant. En même temps que je descendais et remontais le clavier autour de ces trois notes, la pluie se mit à tomber dru, en averses justement, avec leur bruit de gifle et de baiser. J'ouvris la fenêtre, m'y appuyai, reçus un peu d'eau tiède au visage et je la regardai et l'écoutai tomber une bonne minute avant de refermer les vitres poliment, précautionneusement afin que le tapis ne soit pas abîmé. Puis, faisant demi-tour, je pris une valise dans chaque main et m'engageai dans le couloir. J'aurais préféré dire au revoir à Laurence mais je n'avais vraiment pas la patience de l'attendre. Ce qu'elle me raconterait m'était de toute façon indifférent et c'est avec une sorte de désagrément que, passant près de sa chambre, j'entendis sa voix m'appeler.

— Vincent?

Je poussai un soupir, posai mes valises et entrai dans sa chambre. Elle était à peine éclairée, comme pour une nuit d'amour, et son parfum y régnait une fois de plus. Je le reniflai profondément comme pour vérifier qu'il était déjà périmé dans ma tête. J'avais vécu cerné de ce parfum pendant sept ans, quelle histoire étrange...

— Oui?

Laurence était assise sur son lit, les jambes relevées sous elle, dans un chandail blanc qui l'avantageait, et elle tordait entre ses mains un foulard bariolé, un foulard d'été.

— Assieds-toi, dit-elle, s'il te plaît. Où allais-tu?

— Je m'en allais, annonçai-je d'une voix égale en m'asseyant sur le bord du lit. Mes valises sont dans l'entrée et je suis content de te voir, cela m'ennuyait de m'en aller sans te prévenir.

— T'en aller, t'en aller?

Et une immense stupéfaction changea son visage. Je la vis comme dans les romans, comme dans les films, se décomposer littéralement sous mes yeux, d'abord de stupeur, puis sous l'effet d'une terreur animale.

— Voyons, dis-je, tu as bien lu cette revue, là, *L'Hebdomadaire*.

Elle hocha la tête en me dévisageant comme si j'eusse été la statue du Commandeur.

— Oui oui, marmonna-t-elle, oui oui, je l'ai lue, bien sûr. Quelle importance? Qu'est-ce que c'est, qu'est-ce que ça veut dire, de quoi me parles-tu?

C'était à mon tour d'être stupéfait. Elle ne pouvait quand même pas ignorer le sens de ses propres mythomanies, de ses affabulations.

— Ecoute, tu l'as lue. Tu as donné cette interview, donc tu l'as lue. C'est écœurant, c'est infamant, c'est faux et puis oh... quelle importance! Je m'en vais, c'est tout. Nos rapports sont devenus des rapports de force, enfin des rapports hostiles et je déteste ça.

— Mais c'est toi! c'est toi qui les as faits comme ça! — Elle criait presque. — C'est toi! Moi je déteste que tu sois comme ça. Quand je te vois avec ton visage de bois, ton air fermé, partir je ne sais où, revenir je ne sais quand, et que je suis obligée de sortir pour ne pas rester là à t'attendre et à compter les heures, tu crois que c'est moi qui veux ça? Mais tu me tortures, Vincent! Tous les jours tu me tortures, tous les jours depuis une semaine. Je n'ai pas dormi depuis une semaine, je ne sais plus qui je suis!

Je la regardai, hébété. Elle était évidemment sincère et au bord de la crise de nerfs. Il fallait que je m'en aille au plus vite sans essayer de discuter sa vision opaque et aveugle des choses, je n'y parviendrais pas et nous nous ferions du mal, c'était inutile.

— Bon. — Je me levai. — Bon, disons que c'est ma faute. Et excuse-moi. Maintenant je m'en vais.

— Ah non, non!

Elle s'était à moitié levée du lit, maladroitement sur ses genoux, et se cramponnait à mon bras; elle était sur le point de tomber, de piquer en avant et le ridicule, le grotesque de sa situation m'auraient été insupportables. Je me rassis précipitamment. Je ne voyais plus en elle ni une ex-épouse, ni une ennemie, ni une étrangère non plus. Je voyais en elle une femme horriblement nerveuse que je devais fuir au plus vite. Ses mains lâchèrent ma manche avec précaution, comme si cela avait été une ruse de ma part. Elle se laissa aller en arrière, le sang revint à ses joues, ce qui me fit mesurer sa pâleur précédente.

— Ah, dit-elle, tu m'as fait peur...

Je vis avec horreur les larmes jaillir de ses yeux comme une autre averse, aussi véritable que celle du dehors, avant que son visage ne se convulse, que sa bouche ne se torde et qu'elle ne se plaque les mains sur le visage, ne montrant plus que sa nuque et ses épaules secouées de sanglots.

— Mais où étais-tu, qu'as-tu fait? Depuis trois jours je ne vis plus, c'est affreux! Ah Vincent, quelle horreur! Mais où étais-tu? J'ai passé mon temps à me poser cette question : où est-il? que fait-il? que veut-il? Quelle horreur! mais que faire, Vincent? c'est odieux, Vincent, cette histoire.

Je la regardai, à la fois atterré et détaché. Je tendis la main vers ses épaules comme le fait tout homme poli vers une femme en larmes, puis la retirai aussitôt. Il serait cruel de la toucher et de la prendre dans mes bras. Elle était en mauvais état, elle se nourrissait de fiction, de mauvaise foi, de raisonnements absurdes, elle était aveugle, il ne fallait pas lui donner d'autres sujets d'égarement. Elle marmonnait quelque chose que je finis par comprendre.

— Où iras-tu? Qu'est-ce que tu peux faire? Rien, tu ne sais rien faire. Et puis c'est infect de ta part de me quitter dès l'instant où tu as un peu d'argent pour ça. Tout le monde va te trouver infect, tu le sais? Tu n'auras nul endroit où aller, personne ne t'aidera. Mais que vas-tu devenir? demanda-t-elle avec une véritable angoisse dans la voix qui me donna envie de rire.

— C'est bien possible tout ça, mais à qui la faute?

Elle haussa les épaules comme si c'était vraiment la dernière question, le plus futile détail.

— Ça n'a pas d'importance, dit-elle, de qui c'est la faute, c'est ainsi. Tu vas mourir de faim, de froid, qu'est-ce que tu vas faire?

— Je ne sais pas, répliquai-je avec fermeté, mais en tout cas je ne reviendrai pas.

— Je le sais, dit-elle à voix basse, je sais bien que tu ne reviendras pas, c'est ça l'horrible. Depuis sept ans j'attends que tu partes ; depuis sept ans, tous les matins je regarde si tu es là ; tous les soirs je regarde si tu es en face de moi. Depuis sept ans j'ai peur d'en arriver là. Et maintenant ça y est, ça y est. Ah ce n'est pas possible ! Tu ne te rends pas compte !...

Il y avait un accent si naturel dans sa voix, dans ce « tu ne te rends pas compte », que je la regardai avec curiosité. Elle releva la tête, les yeux complètement bouffis, défigurée par les larmes comme je ne l'avais jamais vue :

— Ah Vincent, tu ne peux pas savoir ce que c'est que d'être amoureux comme ça... Tu as de la chance de ne pas l'être, je t'assure que tu as de la chance. Et elle répéta : tu ne peux pas savoir ce que c'est.

Elle avait une voix révulsée pour me dire cela, mais, dans son horreur, objective, une voix qui ne contenait pas la moindre rancune ni le moindre chagrin « privé » si je peux dire. Elle faisait simplement devant moi la constatation de quelque chose qui lui arrivait et en quoi je n'avais pratiquement aucune responsabilité. Je le compris et cela me fit un coup au cœur, comme si elle m'eût annoncé qu'elle avait un cancer ou quelque autre maladie mortelle.

— Mais, dis-je, tu ne crois pas que tu exagères un peu ? Ça aurait pu être un autre que moi, tu sais.

Elle me regarda à nouveau avant de remettre son visage entre ses mains.

— Oui, mais c'est toi, c'est toi, ça ne change rien ce que tu dis, rien, c'est toi. Il n'y a rien à faire et tu t'en vas en plus ! Je ne veux pas que tu t'en ailles, il n'est pas possible que tu partes, Vincent, il faut que tu le comprennes, ce n'est pas possible : je mourrai. Je me suis trop battue pour que tu restes, j'ai tout fait — j'en ai trop fait, je le sais bien — mais si j'avais eu des barreaux je t'aurais entouré de barreaux, si j'avais eu des boulets je t'aurais mis des boulets aux pieds, je t'aurais emmuré pour m'arrêter de souffrir comme ça, pour être sûre, sûre, même une nuit, un jour, que tu sois là et que tu y restes. J'aurais pu faire n'importe quoi.

— C'est pour ça que je m'en vais, dis-je vaguement effrayé, c'est bien pour ça, mon pauvre chat, ajoutai-je malgré moi dans un dernier mouvement de pitié. — Car, pour une minute, ce n'était pas de Vincent, de Laurence et de leur vieille histoire qu'il s'agissait, mais d'un homme et d'une femme en proie à un problème sérieux et banal nommé l'amour, enfin la passion. Ce distinguo me donna quelque ressort.

— Tu ne m'aimes pas vraiment, dis-je. Aimer les gens c'est vouloir leur bien, c'est aimer les rendre heureux. Toi tu veux juste me tenir près de toi, tu le dis toi-même. Tu te fiches complètement que je sois heureux du moment que je suis là.

— C'est vrai, oui, c'est vrai! Qu'est-ce que tu veux que ça me fasse? Tu n'as que des petits malheurs, des petits ennuis, de la gêne, de l'agacement, parce que tu ne t'amuses pas assez ou que tu voudrais voir d'autres gens. Mais moi quand tu tournes la tête, ce sont des coups de couteau, tu comprends, c'est le vide, c'est le déchirement, je me cogne la tête contre les murs, je m'arrache la peau des ongles, je suis horrifiée de toi, tu comprends, Vincent, horrifiée de toi. Tu ne peux pas comprendre.

Ses propos m'intriguaient. C'était « Vénus tout entière à sa proie attachée ». Malheureusement la vie est faite de sentiments plus minces, la vie quotidienne en tout cas.

— Il faudrait que tu te soignes, dis-je, il faudrait que tu te fasses soigner par quelqu'un qui te calme, qui te rende le plaisir de vivre.

Elle se mit à rire amèrement.

— Mais qu'est-ce que tu crois que j'ai fait depuis sept ans? J'ai essayé des médecins, des psychiatres, l'acupuncture, des calmants, la culture physique, j'ai tout fait, tout tenté, Vincent, tout. Tu ne peux pas savoir ce que c'est. — Et dans le seul instant d'altruisme qu'elle eût jamais, elle ajouta : C'est vrai, tu n'y es pour rien, mon pauvre chéri, vraiment pour rien, tu es même très gentil en général et très patient, c'est vrai. Mais tu es horrible aussi, terrible. Tu ne m'as jamais aimée, n'est-ce pas? Réponds-moi! Jamais. Tu n'as jamais senti ça, ce déchirement, cet étouffement, cette chose là... Et elle mit ses mains sur son cou au-dessus de ses seins, les appuyant contre son corps avec une expression bizarre comme si elle essayait d'écraser quelque chose entre ses paumes et son cou. J'hésitai.

— Mais si, dis-je, je t'ai aimée. A cela tu ne comprends rien, mais je t'ai aimée. Je n'ai pas vécu sept ans avec toi sans t'aimer, Laurence.

— Tu dis ça par politesse, cria-t-elle. Je t'en supplie, ne sois pas poli. Tout, mais pas ça! Ta politesse, ton air aimable, ta gaieté, ton rire, ta manière de respirer le matin, d'ouvrir la fenêtre, de marcher dans la rue, ta manière de boire un verre, de regarder les femmes, de me regarder, même moi, ton appétit de vivre, c'est horrible, ça me tue! Tu ne pourras jamais échapper à ça, pas plus que moi à toi. C'est fichu, fichu!

— Oui, dis-je avec un sentiment de bonheur, oui, c'est fichu.

Elle avança la main vers moi, me toucha l'épaule avec précaution.

— Alors tu comprends, reprit-elle, déjà que c'est fichu, tu ne vas pas me dire en plus que tu t'en vas? Ça fait trop. Ce n'est pas supportable. Tu ne peux pas partir, Vincent?

Je l'avoue, je restai coi. Petit à petit le sentiment de sa misère, de son malheur, de l'énormité de ce malheur, que je découvrais avec un peu de peur, levait en moi une sorte de honte triste, une grande envie de tenter quelque chose pour cet être humain qui se tordait devant moi sur ce lit et dont je connaissais le grain de peau, le souffle, la manière de faire l'amour, la voix, le sommeil et rien d'autre. Je n'avais rien compris à Laurence, jamais. Je m'étais dit qu'elle m'aimait un peu trop sans imaginer que cet « un peu trop » pouvait lui valoir une vie d'enfer. Et j'avais beau la savoir quand même bête, méprisable, méchante, égoïste et aveugle, je ne pus m'empêcher de l'admirer confusément pour ce quelque chose que je ne connaissais pas, que je ne connaîtrais sans doute jamais, que je ne souhaitais pas connaître tout en le regrettant un peu. L'amour fou, c'était ça ? Non, ça, c'était la passion malheureuse, ça n'avait rien à voir. Dans l'amour il y avait le rire, je le savais. Nous n'avions jamais ri ensemble, jamais pour de bon.

— Ecoute, dis-je, ce n'est pas la peine que je reste. J'ai essayé pour toi, pour moi, pour nous, mais ça ne peut pas durer. Je ne peux plus supporter cette dépendance vis-à-vis de toi, cet exhibitionnisme de notre vie, ces journaux, cette saleté autour de nous, je t'assure.

Elle n'avait entendu qu'un seul mot : dépendance, et elle sauta avec un cri bizarre sur sa table de nuit, attrapa son sac, en tira un chéquier et à ma grande stupeur se mit à griffonner dessus.

— Tout ce que tu veux, cria-t-elle, tout ce que tu veux, je te rends tout tout de suite, tiens, regarde, un chèque, deux chèques, trois chèques, c'est notre chéquier commun, j'ai été le prendre cet après-midi. Regarde, je les signe tous, tu prends tout ton argent demain, après-demain, le mien aussi avec, si tu veux. Reprends tout, fais ce que tu veux, dépense-le, claque-le, donne-le à tes amis, fais ce que tu veux mais ne pars pas, je t'en supplie, Vincent, ne pars pas. Ecoute, même si je te donne un seul chèque, un seul, tu peux tout reprendre avec, tu le sais ? Est-ce que tu restes ?

Je m'étais levé et la regardais avec répugnance. Cette femme en larmes qui signait avec un stylo et des mains déjà tachées d'encre un chéquier à moitié déchiré me faisait honte ; elle défaisait ce qu'elle avait mis si longtemps à arranger, ma capture, tel un geôlier vaincu. Et je m'en voulais de ne pouvoir profiter de cette défaite, je n'en avais pas le sang-froid pour le moment. C'était idiot mais je ne pouvais pas prendre un de ces chèques dont pourtant un seul aurait suffi.

— Prends-le, je t'en supplie, dit-elle à voix basse en s'immobilisant et en me regardant. Prends-le, je t'en prie. Reste et prends-le, mais ne pars pas. Trois jours, deux jours, reste trois jours, deux jours si tu veux mais ne pars pas ce soir, je t'en supplie, Vincent.

Elle me mettait carrément sous le visage un de ces fameux chèques signés de son nom. J'hésitai. Si je le prenais, je devrais rester en tout cas quelque temps ; et peut-être mon cynisme reviendrait-il à la surface et me commanderait-il de ficher le camp un autre jour. Mais je ne pouvais pas le prendre si j'étais sûr de partir. Après tout, c'était mon argent, pourquoi ne le prendrais-je pas ? Oui, mais elle verrait là un serment, et il serait horrible de lui mentir maintenant. D'autre part, si je ne le prenais pas, j'étais piégé. Je tomberais dans la misère avec Coriolan et personne ne savait comment ça finirait. Bien sûr, c'était mon argent mais il ne m'appartenait plus dans la mesure où elle me le rendait. Les idées se culbutaient dans ma tête, se cognaient. Ma morale — enfin, le peu que j'en avais — se battait avec mon instinct le plus vif. Le double sentiment d'horreur et de pitié que m'inspirait Laurence n'arrangeait rien. J'étais fort peu habitué à ces combats moraux entre moi et moi-même.

Aussi trouvai-je soudain plus simple de suivre mes deux impulsions les plus fortes et les moins contraires. Je pris le chéquier et le fourrai dans ma poche pour écarter de moi la misère, puis je pris Laurence dans mes bras et l'appuyai contre moi pour écarter d'elle la douleur. A part ces deux gestes, je ne voyais vraiment pas que faire de naturel et de convenable ou, comme disaient les gens, d'humain.

— Oh Vincent, balbutia Laurence contre moi, pardonne-moi, je ne ferai plus jamais ça, j'ai été égoïste, odieuse, je t'ai fait du mal, je t'ai humilié, j'ai tout essayé, je ne savais plus comment t'arracher ce sourire aimable et confiant du visage, cet air d'être ailleurs. Je ne ferai plus jamais ça, je te le promets, plus jamais. J'essaierai de te rendre heureux.

— Je ne te demande pas tant, dis-je en lui tapotant la tête, je ne te demande pas tant. Tâche simplement d'être un peu heureuse et de ne pas me prendre pour un petit chien. Redeviens gentille et douce, il faut que tu redeviennes douce, tu étais beaucoup mieux comme ça.

Elle s'étouffait à moitié, elle poussait des petits cris rauques dont je ne savais si c'était de soulagement, de chagrin ou de peur trop proche.

— Je te le jure, dit-elle, je te le jure. Il faut que je t'explique pourquoi j'étais comme ça. C'est la panique, vois-tu...

Elle s'engagea dans un long et cruel récit, un film d'épouvante, où elle ne se ménageait pas (moi non plus d'ailleurs) et d'où il ressortait que Racine n'avait pas exagéré, ni aucun de ces romans que j'avais lus avec tant de considération et de surprise. Laurence me livrait des sentiments aussi insupportables, aussi démesurés. Je ne voyais pas d'où lui venait tant de passion, il n'y avait personne en elle qui fût fait pour ça. C'était comme si on avait lâché un génie poétique sur mon beau-père.

Mais plus elle parlait, plus je me rendais compte que j'étais resté pendant sept ans le témoin impuissant de sentiments que je n'avais rien fait pour susciter, tout en les côtoyant avec une légèreté quand même coupable. Oui, j'étais coupable, coupable de n'avoir rien vu — sinon d'avoir fait quoi que ce soit contre elle. Je me disais avec une vertueuse tendresse que j'allais l'aider, que je l'emmènerais partout avec moi, même aux courses, que je la raccommoderais avec Coriolan et que petit à petit je lui apprendrais à rire de ses propres excès, à éteindre ses feux sous l'ironie, avant de se brûler. Pauvre Laurence, pauvre enfant, pauvre jeune fille âgée, me disais-je en la berçant.

Et ce fut la pitié, plus tard dans la soirée, au fond de cette chambre si noire, alors qu'elle ressassait ce récit si extravagant et si plat aussi, ce fut la compassion qui me permit de lui prouver, de la seule manière dont j'étais capable de le faire, mon amour pour elle. Et effectivement, ces gestes la rassurèrent.

Quant à moi je me sentis choqué de l'entrain et de l'indifférence de mon propre corps.

CHAPITRE XI

JE ME REVEILLAI la tête sur le bras de Laurence. Je retrouvai aussitôt l'odeur et le grain de sa peau, son parfum et comme un sentiment de contentement et de quiétude que décupla le souvenir de ces chèques froissés, mais signés, dans la poche de mon pantalon, par terre. L'équilibre de cette femme, la survie de Coriolan, ma propre indépendance, dormaient là sur la moquette, à mes pieds.

Pauvre Laurence ! Elle dormait elle aussi, tellement éloignée, semblait-il, des épines et des échardes de sa passion. Je ferais tout ce que je pourrais désormais, me dis-je, pour combler ou adoucir cette infernale obsession. J'aurais tellement détesté pour ma part éprouver quelque chose de ce genre, j'aurais tellement détesté être à sa place. En attendant, je détaillais les traits de ma femme. Elle avait le front large de l'imagination, les pommettes hautes de l'orgueil et la bouche, volontaire en haut et sensuelle en bas, qui symbolise la dualité de tant de femmes modernes. Si seulement elle se résignait à ne pas confondre ses habitudes de vie avec des règles morales et ses caprices avec des devoirs, la vie lui serait plus facile. En attendant il ne fallait pas qu'au nom de ses passions elle renouvelât ses tyrannies. J'avais été assez étrillé moralement, assez écœuré par ses manœuvres ! L'idée du ridicule et des sarcasmes qui m'attendaient encore à l'extérieur ne m'était pas non plus spécialement agréable. Non, il fallait d'ores et déjà que nous prenions ensemble certaines mesures et même certaines « décisions incontournables ».

Emporté par ces beaux projets, je m'arrachai du lit et allai d'un pas ferme ouvrir les volets de sa chambre redevenue « notre » chambre pour respirer une grande bouffée d'air frais. Je laissai la fenêtre sous l'espagnolette à demi ouverte mais, pensant pieusement à la mère de Laurence, je revins tirer les couvertures sur ses épaules. Elle ouvrit les yeux, battit des paupières, me reconnut et tendit vers moi sa bouche arrondie en forme de baiser. (Quelqu'un d'inopportun en moi poussa un vilain juron.) Je posai un baiser rapide sur ses lèvres et repartis dans mon studio. Là, je me jetai sur ce lit de guerre que j'avais pensé quitter douze heures plus tôt et m'y étirai, content de retrouver ma solitude. J'avais pris quelques habitudes, en très peu de temps, que j'aurais du mal à reperdre aussi rapidement. Il faut dire qu'il y avait à peine une semaine que j'étais parti voir «Pas un sou» pour lui réclamer de l'argent. Le temps avait passé comme la foudre, une foudre qui avait ravagé les arbres et les cerveaux, secoué les marronniers et les cœurs. (De temps en temps, cette petite voix discoureuse en moi se faisait réentendre plus ou moins à bon escient.)

Il était quand même miraculeux que toutes ces péripéties m'aient laissé intact, dispos, de bonne humeur ; plus, une sorte d'amusement, une hilarité cynique que je pourrais qualifier de post-opératoire me mettait des fourmis dans les jambes, dans la tête et m'empêchait de dormir. Je me relevai, allai vers mon beau piano — la trace la plus concrète, la plus sérieuse en fin de compte de cette semaine irréelle — et y plaquai machinalement mon fameux accord. Douze notes le suivirent aussitôt sans que j'y fasse attention, une fois, deux fois, trois fois jusqu'à ce que je cherche à leur attribuer une origine, une voix, une circonstance. En vain. Je jouai cette ligne mélodique en rock, en pop, en jazz, en slow, en valse, je lui cherchai des paroles françaises, anglaises, espagnoles, je cherchai un film... que sais-je, elle refusait tous les noms de chanteurs, tous les orchestres, toutes les offres de ma mémoire. Rien. Alors je repris ces notes comme je les entendais, je les relançai et les écoutai se répondre, toutes à leur place et toutes indispensables, toutes fluides ; et je laissai s'en développer d'autres après elles, aussi évidentes, jusqu'à ce qu'elles aient formé un air complet, une mélodie, une chanson, qu'importait, mais quelque chose que j'écrivis aussitôt sur mon carnet de musique : quelque chose qui était musicalement beau, qui était entraînant et tendre, allègre et triste à la fois, une musique à peu près irrésistible.

Et celle-là, je tuerais quiconque oserait nier qu'elle était mienne, à moi, rien qu'à moi et moi seul. C'était «ma» musique. Je pouvais prendre à présent ces chèques dans ma poche et les jeter par la fenêtre, ils n'avaient plus d'importance. Toutes ces brouilles avaient été une funeste mais instructive plaisanterie dramatisée par l'inexistence de ces douze notes trop tardivement écloses. A moins qu'elles ne soient nées de cette cuisante affaire ? Ou de... Je ne savais plus rien sinon qu'elles étaient là, que je les rejouais inlassablement, de plus en plus fort, de quoi réveiller l'immeuble entier. Mais l'immeuble ne bougeait pas. Heureusement car j'exultais ; et l'exultation était chez moi très proche d'une fureur heureuse qui ne supportait pas l'interruption.

Toute ma mélodie découlait de cet accord, ce fameux et bizarre accord que je jouais depuis quatre jours maintenant sans arrêt et sans m'en rendre compte, cet accord dont Coriolan m'avait demandé l'origine sans insister et sans que je lui réponde bien sûr. Comment aurais-je pensé que ces trois notes entraîneraient un développement de ce genre, amèneraient ces quatorze ou douze sœurs qui les suivaient toutes seules ? Cette musique vivace et tendre supporterait aussi bien les coupures et les tempos des rythmes modernes que la langueur d'un piano solitaire. J'en esquissai le squelette, j'égrenai les notes de ce leitmotiv une par une ou à la file, cinquante fois, en m'émerveillant chaque fois de leur complicité. Je répéterais deux fois l'introduction à la basse, puis je dégagerais avec une clarinette, un saxo, un piano et une guitare, et enfin arriverait la voix, une voix basse, une voix physique, il fallait une voix rauque, une voix rauque et mondiale pour cette chanson. C'était une musique qui évoquait des regrets, mais des regrets heureux. Je ne savais pas vraiment comment se faisait un succès musical ; mais je savais que les gens se rappelleraient en l'entendant plus tard avoir aimé quelqu'un sur cet air-là, avoir dansé sur cet air-là et avoir été bénis du ciel sur cet air-là. C'était ce qu'elle exprimait, mais pouvait-on appeler une musique *Regrets heureux* ? Qu'importait. Le principal pour une musique c'était que son souvenir vous émeuve et ce serait son cas. J'étais fou de joie, non pas fier de moi mais au contraire modeste pour une fois aussi. Dans un moment de panique possessive, je l'écrivis dix ou douze fois sur des portées différentes que je cachai dans les quatre coins de mon studio.

Puis, dernière épreuve, je téléphonai à Coriolan et lui jouai au piano et au téléphone mon nouveau-né. J'entendis aussitôt son silence, si je peux m'exprimer ainsi. Et je l'entendis après me dire que c'était une musique entièrement nouvelle, qu'il en était sûr, qu'elle était superbe, qu'il y avait quelque chose dedans de grisant, qu'elle n'existait pas jusqu'ici, qu'il en mettait sa main au feu et qu'il me pariait une bouteille ou dix bouteilles de whisky que ce serait le plus grand succès du siècle, etc., etc. Toutes choses que je bus comme du petit lait car je savais Coriolan capable de mentir sur n'importe quoi sauf sur la musique. Je me sentais enfin un compositeur, et pour la première fois car *Averses* était née dans le coin d'un studio et on ne l'avait répétée et jouée que deux heures avant d'en faire des partitions et de la glisser dans les creux du film, comme un voleur. Mais cet air-là, ces *Regrets heureux,* non, on aurait du mal à me le prendre et à en faire quoi que ce soit d'autre qu'une musique pour se rencontrer, se plaire, s'aimer, se chérir ensuite ou se regretter. Et, paranoïaque, comme le devient en finissant son œuvre le plus mauvais peintre du dimanche, paranoïaque donc, je ne voulais pas que ma musique évoque seulement tous ces sentiments, je voulais qu'elle y oblige.

Aussi quand je réalisai que la tache blanche et immobile sur le seuil de mon studio, à l'extrême limite de mon regard, était Laurence, et aussi qu'elle se tenait là depuis dix bonnes minutes, je fus partagé entre la peur qu'elle ait vu mon air de béatitude imbécile et le ravissement qu'elle ait été à ce point pétrifiée par le charme de ma musique. Je fis demi-tour sur ma chaise et la regardai. Un déshabillé arachnéen sur sa chemise de nuit claire, très pâle avec de grands yeux, elle était assez romanesque à voir.

— Comment trouves-tu ça? demandai-je en souriant.

Retournant vers mon piano je rejouai ma musique sur un air de samba lente, un air sud-américain comme je savais qu'elle les aimait.

— De qui est-ce? entendis-je dans mon dos, et sans même me retourner je lui lançai :

— Devine! C'est ton musicien préféré, ma chérie.

Le silence qui suivit ma phrase ne m'atteignit qu'après six ou sept secondes et je me retournai. Je vis son visage se durcir et je sus que tout était fini avant même qu'elle ne vienne vers moi, telle une pythie, sifflant des horreurs entre ses dents.

— Tu le savais, n'est-ce pas, hier? Tu as trouvé le courage de partir parce que tu savais que tu avais de l'argent devant toi, que tu allais en gagner? Tu partais parce que tu n'avais plus besoin de moi, n'est-ce pas? Mais quand tu as vu ce chèque sur notre compte commun, tu as quand même hésité, tu t'es dit «quel dommage!». Je me demandais ce qui te rendait si courageux, je n'arrivais pas à comprendre!...

Je me levai à mon tour, j'étais debout devant mon piano et je la regardai, interdit. Simplement interdit, sans aucune autre réaction. Cela dut la mettre encore plus en rage car elle s'approcha de mon piano et se mit à le frapper de ses poings et à le rayer de ses ongles.

— Tu t'es cru malin, hein? Eh bien je vais te dire une chose : si cette maudite musique-là marche, tant mieux pour toi! parce que ce chèque, ce fameux chèque que je t'ai donné hier, eh bien je vais y faire opposition, mon pauvre ami! Quand on a un compte commun, crois-moi, une opposition, c'est pris au sérieux. Tu t'étais dit qu'une nuit pour un million de dollars ça valait peut-être la peine? Tu t'es cru malin? Et moi, tu me prenais pour une idiote, une idiote, une idiote?

Elle hurlait de plus en plus fort: «Une idiote, une idiote?» Elle hurlait, elle était à demi nue, déchaînée, elle devenait vilaine. C'est pour ne plus la voir que je partis en courant dans le couloir. Je ne fuyais plus la mauvaise foi, ni la sottise, ni la dureté, je ne fuyais plus quoi que ce soit d'abstrait, je fuyais une femme forcenée qui ne m'aimait pas et criait trop fort. Je ramassai mes bagages dans l'entrée, les jetai dans la voiture et démarrai. Dix minutes après je passai la porte d'Orléans.

La campagne était belle, verte, un vrai Pissarro, et, toutes vitres ouvertes, je respirais par la portière l'odeur de la terre mouillée au mois d'octobre. Je devais avoir cinq mille francs sur moi, j'essaierais de les faire durer et de rester le plus longtemps possible à me promener sur les routes. Quand je n'aurais plus un sou je rentrerais retrouver Coriolan. En attendant, j'avais besoin d'air.

Vers dix heures du matin le soleil sortit des nuages et je pensai que si ma nouvelle musique était un succès, si je redevenais riche, je m'achèterais une voiture décapotable. A onze heures j'étais aux environs de Sens et le concert de jazz que j'avais écouté jusque-là se termina. Je voulus siffloter mon fameux air mais ne pus le retrouver. Après un moment de vaine recherche, j'appelai Coriolan qui était sorti. Enfin je me rappelai les dix copies que j'avais cachées dans le studio et décidai de téléphoner à Odile, qui avait quelques notions de solfège, pour qu'elle me le chantonne discrètement à l'appareil. Il lui fallut longtemps pour me répondre et moi-même il me fallut longtemps pour comprendre à travers ses sanglots que Laurence s'était jetée par la fenêtre après mon départ et qu'elle était morte. Elle avait pris le soin de mettre une robe de chambre plus convenable avant de sauter.

Les voitures allaient très vite sur l'autoroute. Je fis demi-tour dès que je pus et repris la route de Paris. A mi-chemin, ma musique me revint en tête. Je la sifflotai entre les dents, obstinément, jusqu'au boulevard Raspail.

LES FAUX-FUYANTS

Roman

A mon fils Denis

Labor omnia vincit improbus.
VIRGILE.

Qui moissonne en juin récolte la tempête.
(Vieux proverbe beauceron.)

CHAPITRE PREMIER

La Chenard et Walcker resplendissait sous ce beau soleil de juin 40 et ce d'autant plus qu'elle était entourée d'une nuée d'engins poussiéreux et bruyants qui la précédaient ou la suivaient et, parfois, la doublaient sur une autre file. Tout ce convoi se traînait sur une nationale devenue trop étroite, ponctuée de quelques arbres maigrichons et grisâtres : une nationale déchiquetée de temps en temps par les rafales forcenées et rageuses des Stukas et, d'une manière permanente, par celles tout aussi violentes d'un soleil de saison.

— C'est vraiment la lie du parc automobile français, fit remarquer Bruno Delors, le plus jeune et au demeurant le plus snob des quatre personnages assis à l'arrière de la voiture.

— Naturellement! Tous les gens convenables sont partis depuis huit jours, déclara Diane Lessing, qui était, elle, la plus âgée, la plus riche et d'ailleurs la plus autoritaire.

Cette flânerie dans la débâcle lui paraissait aussi coupable qu'un retard à l'ouverture de Bayreuth et sa voix en devenait aussi sévère.

— Une bonne semaine, oui! appuya Loïc Lhermitte, attaché depuis trente ans au Quai d'Orsay et qui intervenait à ce titre. Il n'apportait qu'un point de vue tactique sur leur fuite de la capitale : là comme partout, dans ses jugements, n'importe quel critère lui semblait préférable à celui de la morale.

— Tout cela est de ma faute! gémit la quatrième personne, Luce Ader, qui avait vingt-sept ans, un mari richissime et absent et, de ce fait, Bruno Delors pour amant depuis deux ans.

Elle venait d'être opérée d'une appendicite, déjà incongrue à vingt-sept ans et plus encore en juin 40. Une appendicite qui avait retardé son départ de Paris ainsi que celui de ses amis et de son amant.

Diane Lessing, elle, avait attendu l'arrivée dans son biplan d'un vieil ami, un lord anglais, lequel sans doute mobilisé en cours de route n'était jamais arrivé. De même, Loïc Lhermitte, supposé partir dans une voiture d'amie et qui avait dû à l'ultime seconde y renoncer, un parent plus proche ou un personnage plus important ayant pris sa place. Tous deux, Loïc et Diane, dans un Paris sans train, sans voiture et sans moyen de locomotion, avaient vu leur affection pour Luce s'accroître au point de guetter sa convalescence et de ne monter qu'au dernier moment dans sa superbe Chenard et Walcker, en même temps que son amant. C'est à la suite de tous ces aléas qu'ils roulaient actuellement vers Lisbonne où les attendait son mari et, pour les récompenser de leur dévouement, une couchette chacun sur le navire frété par Ader pour New York.

— Mais non! Ce n'est pas votre faute, mon chou! s'écria Diane. Ne vous déchirez pas avec des remords stupides, Luce! Vous n'y pouviez rien! ajouta-t-elle avec un petit sourire méritoire.

— De toute façon, Luce, je vous l'ai déjà dit : j'étais à pied sans vous! renchérit Loïc Lhermitte!

Il avait depuis longtemps reconnu l'intérêt de ces aveux misérables qui, sur le coup, lui valaient d'être félicité pour sa dérision et son esprit et, plus tard, si besoin était, lui vaudraient de l'être pour son honnêteté. Sa phrase fit ricaner Diane et Bruno qui oubliaient parfois que Loïc, n'ayant pas d'argent, était de temps en temps traité par la société qu'il fréquentait comme quantité négligeable.

Au demeurant Loïc aimait beaucoup Luce Ader et aurait fait bien des choses pour elle, y compris rester dans son appartement confortable à regarder défiler des régiments allemands qu'autrement il craignait fort.

— Voyons, Luce! s'écria Bruno, perfide, voyons! Vous savez bien quand même : ce n'est pas uniquement pour vos beaux yeux que Diane a refusé l'avion de Percy Westminster...! Vous le savez! Et je la comprends, d'ailleurs! je trouve ces petits avions privés horriblement dangereux.

Bruno Delors était le fils d'une bonne famille récemment ruinée. Aussi, lorsque rodé et attaché à toutes les conventions du snobisme jusqu'à l'envoûtement, dépourvu des moyens de les suivre matériellement, il s'était proclamé gigolo avec l'agressivité et la conviction de qui cherche la revanche, personne n'avait osé lui dire que ce n'était pas là un métier dont il pût se prévaloir. C'était pourquoi il traitait mal les femmes dont il tirait sa subsistance, comme si, en les pillant avec plus ou moins de succès, il ne faisait que se rembourser de ce que la société avait volé à sa famille.

Depuis deux ans qu'il vivait avec (et de) Luce Ader, il avait perdu de son entrain. L'innocence de Luce, son ignorance absolue de l'argent et de l'orgueil, l'empêchaient d'être aussi brutal avec elle qu'il avait aimé l'être avec d'autres. Il lui en voulait, naturellement, mais comment s'en prendre à quelqu'un qui ne sait pas qu'il « possède » ? Comment voler à qui donne tout ? Faute de rapports de force, il se montrait à présent de mauvaise humeur ou simplement désagréable, ce qui étonnait chez ce garçon qui n'avait été, jusque-là, qu'arriviste, gai et méchant. C'était ainsi qu'imprudemment il se permettait avec Diane des insolences que Luce eût tolérées mais pas la célèbre Mme Lessing.

— Vous voulez dire que j'ai attendu Luce par peur de l'avion? Avouez que ç'aurait été un calcul idiot, avec ces Stukas qui mitraillent du matin au soir...

— Je ne prétends rien du tout, ma chère Diane, dit Bruno en levant les mains. Dieu m'en garde! Je n'ai jamais rien prétendu à votre sujet!... Et il ajouta : J'espère que vous le regrettez!

Il clignait de l'œil vers Luce. Le malheureux! pensa Loïc. Diane souriait aimablement, les yeux lointains.

— Sur ce plan, mon cher Bruno, ce n'est pas Dieu qui vous en gardera, c'est moi! D'abord, je n'ai plus l'âge de ces... distractions... et, en plus, j'ai toujours préféré les hommes maigres...

Elle riait. Bruno se mit à rire avec elle :

— J'avoue que je n'avais jamais espéré vous séduire, Diane, même si vous étiez partie prenante.

— Mais vous avez tort! Pensez-y! Dans dix ans, par exemple, j'aurai toujours le même âge, moi... dans les soixante-dix ans au pire... Or vous, vous en aurez quarante! Non? Et je ne sais même pas si vous serez assez jeune pour moi, mon petit Bruno, à quarante ans! On vieillit beaucoup plus à votre âge, et à votre poste, qu'aux miens! Croyez-le!...

Et, d'un air de compassion, elle ajouta :

— C'est très épuisant, vous savez, de devoir plaire si longtemps.

Il y eut un silence. Bruno était devenu rouge et Luce qui ne comprenait pas — ou feignait de ne pas comprendre, une fois de plus, par lâcheté ou ennui (Loïc ne savait pas encore quelle était la bonne hypothèse) —, Luce se mit à japper comme un jeune chiot que l'on dérange.

— Mais enfin! Que se passe-t-il? Je ne vous suis pas... Qu'est-ce qu'il y a?...

— Il ne se passe rien, dit Loïc. Vous m'excuserez, je vais marcher un peu, j'ai besoin de bouger...

Il descendit de la Chenard et Walcker et prit le bord de la route.

Il fallait arrêter tout cela, ces rires mesquins et ces bêtises agressives, pensait-il. Quitte à mourir mitraillé, autant mourir poliment. Déjà que tout craquait en France, si le vernis en faisait autant ils étaient fichus. Loïc éprouva soudain quelque orgueil à se dire que ce vernis si superficiel et si vain, si souvent assimilé au snobisme ou à l'hypocrisie, si souvent ridiculisé, ce vernis, donc, lui permettrait de mourir avec autant de pudeur et de courage que leur héroïsme à d'autres hommes de meilleure qualité, dans de plus valables circonstances. Cela dit, ce petit

Bruno ne l'avait pas volé. Diane était facilement féroce dans ces cas-là. Et Loïc, en souriant, dut s'avouer que lui-même en aurait fait autant. Après des années de vie parisienne, un bon mot était devenu pour lui le pouvoir suprême, le passeport irrésistible qui transgressait toutes les lois, y compris celles de la bonté... et même celles de la décence. Qui éclipsait aussi celles de l'ambition personnelle : Loïc Lhermitte était l'un de ces hommes prêts à briser leur carrière pour un bon mot. Un de ces hommes déjà rares et devenus à présent introuvables depuis que les « affaires » (au pluriel) étaient, pour la majorité, devenues « leur affaire » (au singulier). Et maintenant en Europe comme en Amérique.

Un enfant lui marcha sur les pieds et trébucha sur lui avant de s'écrouler sur l'herbe en hurlant. Sa mère, de la voiture où elle transpirait au soleil, lui jeta un regard haineux et Loïc fit demi-tour. Décidément, mieux valait se réfugier dans ce petit cocon luxueux et méchant que traîner sur cette route bourgeoise et morale.

La somptueuse limousine avait provoqué, dès la sortie de Paris et sur de nombreux kilomètres, les lazzi des fuyards qu'ils doublaient à petite allure et qui les redoublaient à leur tour, au gré des files. Petit à petit, la chaleur, les Stukas, les embouteillages, le désarroi, la terreur avaient éteint l'ironie ambiante, surtout lorsque la lenteur du convoi et l'accumulation progressive des véhicules, plus ces haltes obligatoires, avaient fini par imposer à tous les mêmes voisins devant et derrière. Dans le cas de la Chenard et Walcker c'était, devant eux, une voiture où s'entassait une famille nombreuse et hurlante et, derrière, un minuscule engin où se tenait, sans se dire un mot, un couple très âgé et très haineux. Il ouvrit la portière. Bruno faisait toujours la tête dans son coin et Luce et Diane pépiaient.

— Vous ne trouvez pas ça admirable, quand même, Luce, la campagne ? disait Diane. Quel spectacle !... On ne voit jamais ça, à Paris... Et pour cause, me direz-vous... Mais il est vrai qu'on n'a pas le temps de regarder par la fenêtre, à Paris... C'est autre chose, non ? Regardez ici, ce silence, ces espaces, cette...

— Je voudrais que vous vous arrêtiez avant d'ajouter : cette paix, Diane, dit Loïc.

Elle se mit à rire car en effet elle avait failli le dire.

— Il reste quelque chose à boire ? demanda-t-elle.

Loïc se retourna vers le chauffeur immobile derrière la vitre de séparation et y toqua avant de lancer tout d'un coup à Bruno, toujours grognon :

— Ecoutez, mon vieux, si vous vous occupiez de ça, hein ?

Et il se retourna vers les deux femmes qui le regardèrent avec curiosité. Eh bien, oui ! Lui, le si courtois, le si empressé, le si serviable Loïc Lhermitte avait passé la cinquantaine et sans remords refilait les travaux domestiques à un gigolo de trente ans. Ce n'était pas si extravagant. Entre-temps le chauffeur avait baissé la vitre. Bruno bafouilla :

— Nous avons soif, André... Jean... Vous avez le panier ?

— Mais parfaitement, monsieur. Monsieur veut-il que je l'apporte à l'arrière ?

— C'est ça, c'est ça ! Oui, parfait ! Ce sera parfait ! glapit Diane. Et vous prendrez quelque chose, Jean. Cela vous évitera d'être distrait en conduisant. C'est curieux comme les voyages peuvent donner faim, non ? ajouta-t-elle en glissant ses ongles bombés et rouge sang entre deux boutons de son corsage.

Le chauffeur avait ouvert la porte arrière, posé le panier à provisions sur la moquette, entre les pieds de Loïc et Diane, et tentait de le pousser un peu plus loin entre les quatre passagers ; mais Diane avait d'un seul coup ramené ses genoux vers elle et coincé entre ses mollets le panier qu'elle maintenait comme un ballon de football.

— Laissez-le là, dit-elle, ça ne me dérange pas, je vous assure ; j'ai les jambes moins longues que Luce, comme vous le savez. Je sais que je suis un petit modèle et que la mode est aux grands chevaux, style américain, mais ça n'a pas toujours été le cas ; il y a eu un moment où les petits modèles, justement, ont eu leur succès. Croyez-moi ! dit-elle en s'adressant alors à l'étrange interlocuteur invisible et passionné par ses dires qu'elle convoquait parfois lorsque son auditoire montrait trop peu d'intérêt à sa conversation.

Pendant tout ce temps elle fouillait de sa main baguée dans le panier à provisions et en retirait triomphalement, à la fin de son discours, une bouteille de vin blanc flanquée d'un tire-bouchon.

— Luce ! dit-elle en brandissant la bouteille, un petit coup de euh... euh... (elle regarda l'étiquette) un petit coup de Ladoucette ?

— Non, merci beaucoup.

Ils s'étaient arrêtés, trois heures et cinquante kilomètres plus tôt, dans une de ces auberges moyenâgeuses comme on en trouve aux alentours des nationales et où le patron, apparemment rétif à toute actualité, avait tenu à leur faire goûter son foie gras. Bref, ils n'étaient sortis de table que deux heures avant et Diane avait déjà, depuis, avalé deux œufs durs qui ne calmaient pas sa faim.

— Je me demande vraiment où vous pouvez mettre toute cette nourriture ? siffla Bruno entre ses dents blanches et en parcourant du regard le corps osseux de Diane. Je ne sais pas où vous pouvez mettre tout ça, mais quand même, chapeau !

— J'ai toujours été une femme qui brûle ses calories au fur et à mesure, dit Diane avec un air expérimenté et assez content de sa physiologie privée. J'espère que vous en faites autant.

Leur voiture redémarra d'un coup et Diane, qui était assise au bord de la banquette, essaya d'attraper la poignée de velours à son côté, la manqua et repartit en arrière ; elle alla retomber au fond de son siège, battant des pieds et des bras pour retrouver son équilibre avec un manque de grâce qui fit rire in petto les deux hommes.

C'est alors qu'un cri de femme s'éleva. Une voix aiguë qui hurlait :

— Ils arrivent ! Ils arrivent !

Et ses aigus montaient.

— Parce que vous trouvez les voitures plus sûres, vous, Bruno ? eut le temps de lancer Diane, tout en rentrant instinctivement la tête dans les épaules...

Car « ils », on le savait à présent, c'était les Stukas allemands et leurs mitrailleuses.

— Arrêtez, Jean !

Bruno tapait un peu trop fort à la vitre de séparation du chauffeur qui ne l'avait pas attendu, d'ailleurs, pour se garer sur le talus.

« Je ne veux pas mourir avec ces gens-là ! » pensa Loïc Lhermitte. « Je ne suis pas arrivé à cinquante ans et plus pour mourir avec ces caricatures ! » se dit-il une fois de plus car ils avaient déjà été mitraillés deux fois depuis Paris.

Tandis que Luce et Diane se couchaient sur le plancher de la voiture et que lui-même et Bruno se plaçaient galamment au-dessus d'elles, en protecteurs, Loïc, par malheur pour lui coincé sur le tas d'os aristocratiques de Diane Lessing, grognait et continuait à regimber : « Voilà où me mènent trente ans d'obéissance aux diktats du monde ! Trente ans de docilité, de bonne humeur et de célibat forcé ! »

Car Loïc gagnait avec ses émoluments au Quai d'Orsay assez d'argent pour vivre mais pas dans le monde qu'il aimait et qui lui était aussi essentiel que l'oxygène. Depuis trente ans, par conséquent, il faisait partie de la « société » pour ses qualités personnelles mais aussi en tant que quatorzième à table, quatrième au bridge, cavalier immédiat de telle ou telle veuve, divorcée ou célibataire femelle. Et c'est presque par respect humain que peu à peu il était devenu pour le monde le pédérastique et charmant Loïc Lhermitte. Quelle autre explication, en effet, à son célibat ? Il avait bien fallu, vis-à-vis des femmes qui lui plaisaient ou à qui il plaisait lui-même — et cela n'avait pas été rare —, inventer quelque chose qui l'empêchât d'avoir le destin normal d'un homme normal. mais destin qui lui aurait coûté sa place dans les salons... En réalité, il avait abandonné trop tard ses préjugés, trop longtemps refusé de vivre aux dépens d'une femme qu'il aimât, par manque de simplicité peut-être mais surtout par crainte que cette femme en manquât elle-même ; comme il s'était refusé de vivre aux crochets d'une femme qu'il n'eût pas aimée. Et là, c'était vraiment par manque d'énergie devant la longue obligation, sans halte ni repos, qu'eût été son existence.

— Mon Dieu! criait une autre voix, dehors. Une voix en train de muer, à moins que ce ne fût la peur?... mais une voix asexuée dans son effroi : — mon Dieu! Ils reviennent!... Ils reviennent!... Il y en a plein!... cria-t-elle encore avant de se taire.

Et un silence total s'étala sur la route, tout à coup. Un silence de théâtre. Bien entendu, ce fut Diane qui le rompit.

— Qu'il fait chaud! marmonnait-elle de son tapis. Vous êtes sûrs que...

— Taisez-vous, chuchota Loïc, bêtement. Comme si un pilote eût pu les entendre et les viser. Mais il venait de discerner, là-haut, ce bourdonnement qu'ils avaient déjà subi deux, trois fois dans la journée, ce bourdonnement d'abeille si répugnant, si faible au début et qui s'obstinait, trois, quatre secondes à ne pas grandir. Pour que l'on s'y habitue, peut-être, à cette abeille, pour qu'on l'oublie, pour que l'on ne s'en méfie plus... Ce bourdonnement qui, tout à coup, ramassant sa férocité et sa force, se précipitait dans l'air comme si l'avion, cassant ses amarres et ses liens, se fût décloué du ciel. Ce bruit qui s'enflait, gigantesque, obscène, remplissant toute la nature autour d'eux, tout ce vide, tout ce silence... Ce bourdonnement que l'on voyait grandir dans les yeux de son voisin et aussi flétrir, arracher l'herbe verte près de son visage... ce bourdonnement qui, devenu clameur sauvage, démesurée, apocalyptique... collait un peu plus à la terre, y enfonçait même les corps étriqués et misérables, les corps des humains : ces paquets de peau bourrés de chair, de sang et de nerfs noyés d'eau, ces paquets supposés penser et ressentir et qui, là, ne pensaient rien, ne ressentaient rien et n'étaient rien qu'un vide horrifié, comme avaient dû l'être des siècles auparavant leurs ancêtres sous ce même soleil, soleil qui devait passer du rire devant les prétentions de ces humains en temps de paix à la nausée devant leur peur de mourir.

Quelque chose prit la voiture de côté, la secoua, la renversa, la reposa sur le flanc, entraînant avec elle, obséquieux et dociles, ses passagers qui, tout à leurs cabrioles, échangèrent bien deux ou trois horions en se croisant mais sans un cri. Car le seul mot dont on eût pu habiller leur pensée était, silencieusement hurlée, l'interjection : « Non! » Un « Non! » sans précision, sans destinataire, sans reproche et presque sans surprise, sans rancune non plus, un « Non » qui était l'unique fruit des milliards de cellules, des milliards de circonvolutions de leurs quatre cerveaux.

Le bruit disparut vite, plus vite qu'il était venu, comme fait la douleur, en général. Les Stukas venus à six n'avaient jamais volé si bas ni été si féroces. Mitrailler des civils sans armes tout au long des routes était bien un de ces actes promis par le nazisme et que le Quai d'Orsay redoutait depuis de longues et cachottières années. Loïc haïssait ce qui arrivait, il haïssait cette guerre qui allait si vite, qui allait si mal. Il aurait peut-être

dû rester à Paris, essayer de résister... A quoi?... Comment?... A son
âge? Il y aurait encore des salons, bien entendu. Il y aurait toujours des
salons à Paris. Mais il n'était pas sûr de s'y amuser.

Là, il ne s'agissait pas de résister mais de survivre. Et tout en donnant
un coup de pied involontaire dans l'estomac de Luce qu'un élan
fougueux projetait vers lui, tout en arrachant sa tête aux mains de Diane
qui se cramponnait à ses cheveux pour la deuxième fois, tout en
attrapant avant il ne savait qui, de ses deux mains, le dos d'un fauteuil
pour se retenir, Loïc reconnut soudain le tac-à-tac-à-tac de machine à
écrire, le tac-à-tac-à-tac qui durant leurs évolutions martelait l'espace et
le temps, et il cria : «Diane! Luce!» d'une voix aiguë. Car ce tac-à-tac-
à-tac était celui d'une mitrailleuse. Il aurait peut-être dû s'en inquiéter
plus tôt (et elle ne chômait pas).

Puis un enfant hurla quelque part et le silence revint, tendu et
vibrant... Le premier réflexe de Loïc fut de sortir de cette boîte maudite,
de ce piège de fer et de cuir où il avait failli mourir. Il trouva à tâtons
quelque chose qui ressemblait à une poignée, la secoua et sentit s'ouvrir
la portière, de son côté. Il se glissait déjà dehors quand un réflexe
chrétien le fit se retourner vers Luce, vivante, indubitablement,
puisqu'elle le suivait, l'air pour une fois décidé.

La voiture gisant sur le flanc, plus haute que d'habitude, il escalada
les sièges et se laissa choir dehors, où il se retrouva assis sur le macadam
et adossé à un coussin secourable. Luce qui, elle, s'était débrouillée pour
arriver debout, aperçut de ce fait derrière Loïc un spectacle dont elle se
détourna aussitôt, la main sur la bouche. Loïc, suivant son regard, se
retourna et découvrit alors que ce bon coussin était le corps de Jean, le
chauffeur, ce pauvre Jean qui encore dix minutes plus tôt leur passait ce
panier de pique-nique. Dans un sursaut il se mit debout, s'éloigna de cet
appui funèbre et, tandis que le cadavre se penchait lentement, cédait à
son poids et s'écroulait à terre, le visage sur la route, Loïc, relevé et
livide de dégoût, s'époussetait à grands gestes. «C'est l'horreur!» se
dit-il enfin. «Je *vis* un moment d'horreur, de cette vraie horreur que je
ne connaissais pas. Et si l'on me parle d'horreur, à l'avenir, c'est à cette
minute-là que, normalement, je devrais penser.» Mais il ne réagissait
pas comme il l'aurait dû et se sentait moins horrifié que gêné, balourd et
confus d'avoir retiré son épaule à ce pauvre mort et provoqué son
lugubre, misérable et obscène étalement. Ses yeux, en même temps,
faisaient avec froideur — et il se le reprochait aussi — le tour de la
scène, repéraient les tracés parallèles, étroits et sautillants des balles de
mitrailleuses qui, de l'avion, avaient haché selon une géométrie
minutieuse le bord du fossé et la route, évité la voiture des vieillards
mais entamé l'aile droite, la capote et l'arrière gauche de la Chenard et
Walcker et enfin traversé la chaussée vers une destination inconnue en
cinglant le macadam, non sans tuer au passage Jean, placé par hasard sur

leur trajectoire. (Un hasard pas plus imbécile que tous ceux de la fatalité mais auquel la cruauté de la guerre et l'idée que «cela» avait été fait exprès, par un sadique anonyme de Munich ou d'ailleurs, donnaient une imbécillité et une indécence plus outrées encore.)

— Jean! Pauvre Jean! disait Luce, et elle s'agenouillait près du cadavre avec cette aisance que gardent les femmes devant les blessés et les morts, au contraire des hommes qui, comme Loïc, s'en écartent instinctivement.

— Mais qu'est-ce qui se passe? cria Diane qui apparaissait devant la voiture comme une seconde et menaçante attaque et qui, malgré la vue de Luce penchée sur le cadavre de Jean, enchaîna sur un ton agacé :

— Me dira-t-on ce qui s'est passé? — comme si les faits n'étaient pas suffisants et qu'il lui fallait, malgré l'évidence aveuglante de cette scène, quelques considérations mondaines ou quelques commentaires, lesquels — et ça, Loïc le comprenait fort bien — l'auraient renseignée bien mieux que toute réalité et encore plus rassurée.

— Bon Dieu! Quelle saloperie, ces Stukas! disait Bruno qui, arrivé de l'autre côté, regardait Luce agenouillée sans oser s'en approcher, gêné comme Loïc, sans doute, par ce mort. Et l'idée d'avoir fût-ce un réflexe en commun avec ce type accabla Loïc un instant.

— Luce! Voyons! Relevez-vous! Vous voyez bien qu'il n'y a plus rien à espérer... Qu'allons-nous faire de lui, maintenant?

— On ne peut pas le laisser là, surtout avec toutes ces fourmis! gémit Luce.

Diane interrogeait le ciel, le prenant à témoin des imprévisibles embarras imposés par un chauffeur installé ailleurs que sur sa banquette et derrière son volant.

— Qu'allons-nous faire de nous? soupira-t-elle après un instant de convenance.

— Faire de nous?... dit Bruno. Mais je sais conduire!

Et comme pour le prouver il donna un coup de pied, en vieux connaisseur, dans le pneu le plus proche. Mais à peine fut-il au volant que la Chenard et Walcker jeta dans l'air quelques détonations, en même temps qu'une épaisse fumée.

Loïc se penchait vers la voiture lorsqu'une voix venue de haut, traînante et calme, réveilla tout le monde.

— Il va pas aller loin, votre engin.

C'était le propriétaire d'une charrette, tirée par deux percherons, dont la trajectoire traversait la route perpendiculairement et qui tentait de se frayer un chemin entre la voiture des vieillards et le tas de ferraille qui avait été, en son temps, une Chenard et Walcker (une Chenard et Walcker qui avait même représenté la marque à Deauville, en 1939, l'été précédent, au Grand Prix de l'Elégance Sportive. Grand Prix remporté haut la main par Mme André Ader, nommée Luce par ses intimes,

comme l'avaient imprimé à l'époque *La Gazette de Haute-Normandie* et
Le Figaro).

— Vous nous voyez dans un joli pétrin, monsieur, en effet, dit Diane
avec bonhomie et une certaine bienveillance car quelques films sur les
Chouans l'avaient acquise à la paysannerie. Elle appréciait beaucoup les
clochards à qui elle vouait une compassion égayée par leur pittoresque,
par la curiosité de ce qui avait pu les mener là, et un respect immense
pour leur détachement des biens de ce monde. Elle proclamait de
surcroît la plus grande estime pour l'ouvrier, l'artisan, les professions
libérales, le commerçant, le cultivateur, le fonctionnaire, le capitaine
d'industrie et ses assistants, le militaire et les gradés, les portiers, etc.
N'ayant enfin rien contre les concierges — souvent affables — Diane,
en revanche, n'éprouvait que mépris et répulsion pour le Français
moyen, surtout quand celui-ci groupait assez de ses semblables pour
former une « foule ». Une foule si différente du peuple que Diane
vénérait distraitement comme certains instruments simplistes et
rustiques du Moyen Age : un peuple qui s'installait le soir avec dignité
devant son âtre, tandis que la foule, elle, toujours excitée, défilait sur les
boulevards.

L'expression du paysan était passée de la stupeur à la répugnance,
puis à la sérénité mêlée de quelque dédain pour ce désordre. Une
expression qui ne se modifia qu'à la découverte du cadavre au bord de
la route et qui, plus que l'horreur, indiqua plutôt une sorte de confiance,
de réconfort, comme s'il se trouvait enfin un point commun avec ce
troupeau d'inconnus.

CHAPITRE II

CE PERSONNAGE bucolique était de taille moyenne, les cheveux et les
yeux châtains, avec un visage mince et typiquement français, le nez
décidé et charnu sur une bouche nette aux coins relevés. Son corps,
mince et musclé au gré des travaux paysans, montrait un torse vigoureux
sur des hanches étroites, un torse halé sur le bronzage duquel se
découpait un maillot de corps parfaitement blanc.

Loïc, qui appréciait surtout chez les hommes la virilité, vit au premier
coup d'œil que ce type était dangereux, notamment pour certaines
femmes à la sensualité éveillée ou avertie mais dont, sûrement, Luce ne
faisait pas partie. Les trois ans qu'il lui avait fallu, solitaire, jolie et
courtisée, pour choisir un amant et comme tel ce beau, brutal et banal
Bruno, ne laissaient pas espérer grand-chose à son sujet. Ce qui valait
mieux, d'ailleurs. Ce n'était pas le moment de jouer Lady Chatterley,

surtout avec Lord Ader-Chatterley qui les attendait en piaffant à Lisbonne depuis la veille, pour rejoindre l'Amérique.

Diane, dont le maquillage commençait à fondre au soleil, regardait sans les voir d'un air courroucé et sombre différentes fumées sortir de la Chenard et Walcker. Le paysan, qui était arrivé à passer entre la voiture d'une famille nombreuse — dont le géniteur avait reculé — et les débris de la limousine, était maintenant tout près d'eux.

— Ça, pour fumer, ça fume! dit-il du haut de sa carriole en tirant une cigarette de sa poche. Qu'est-ce qui lui est arrivé?

Diane, toujours sensible aux nouveaux visages, tenta de lui répondre:

— Elle a reçu beaucoup de balles d'un avion... énormément de balles... L'une d'elles a dû atteindre un endroit sensible... enfin, une des parties vitales de son mécanisme. En plus, l'eau a fui. Ajoutez à cela que c'était un prototype, un des premiers numéros de la série, et qu'il n'y avait que le pauvre Jean qui sache l'arranger.

Elle avait désigné au passage le corps dudit Jean et le paysan hocha la tête d'un air compatissant, ce qui était gentil. En voilà un, au moins, qui avait l'esprit pratique, au contraire de cet imbécile de Bruno! Qu'est-ce qu'il faisait, celui-là, penché sur le volant, à secouer les manettes dans tous les sens? Il était bien temps de secouer des manettes! Vraiment! On ne pouvait pas compter sur Bruno et encore moins sur Loïc qui, elle s'en rendait bien compte, faisait des yeux frits à cet agriculteur. C'était complet! Ah oui, complet!

Loïc, en réalité, cherchait dans sa mémoire à quelle scène lui faisaient penser leurs diverses attitudes. Il finit par trouver: Racine, et Phèdre, et dans *Phèdre* le récit de Théramène: «Il était sur son char...» C'est moi, Théramène, se dit-il. Luce est la belle Phèdre, Diane joue la méchante Œnone, pendant que le sévère Thésée nous attend à Lisbonne. Mais quel rôle donner à ce pauvre Bruno? Esthétiquement ce serait lui, Hippolyte, mais, dans la circonstance et avec son char louvoyant entre les Stukas, Hippolyte ne peut être que ce paysan qui fuit les flots déchaînés du Destin.

— A quoi pensez-vous, Loïc?

La voix d'Œnone-Diane lui parut courroucée et impatiente.

— Ce n'est pas le moment de rêver, mon cher. Qu'allons-nous faire avec ce pauvre Jean qui ne...

Elle recula devant les «qui ne peut plus nous conduire», «nous encombre», «ne nous sert plus à rien», lesquels lui venaient naturellement à l'esprit, et se décida pour:

— ... qui ne peut pas rester tout seul sur cette route!... Voyons! Enfin!...

Elle s'énervait.

— Enfin, il faut faire quelque chose! Et que fabrique-t-il, l'autre idiot, là-bas, à tripoter cette voiture ? Il veut la réparer, maintenant qu'elle flambe !...

— Pourquoi « l'autre idiot » ? Serais-je le premier ? demanda Loïc.

— Ah, il est bien temps de se vexer ! reprit-elle sans le démentir. Et vous, Luce, vous avez une idée pour nous sortir de là ?

Elle fit encore deux pas et se retourna brusquement vers la pauvre Luce ébahie.

— Après tout, c'est votre voiture qui nous a plantés là ! lui lança-t-elle avec reproche.

— Je suis désolée mais elle marchait très bien avant, vous savez, dit Luce en reculant.

— C'était sa voiture mais ce n'était pas son avion, corrigea Loïc avec équité. Et puis, oublions cette ferraille, hein ! Monsieur ! S'il vous plaît ! dit-il fermement au paysan pensif et presque distrait. — Monsieur, pourriez-vous prendre le corps de notre ami et le transporter...

Mais il fut coupé par Luce débordante de ferveur. Elle semblait prête à joindre les mains et à se mettre à genoux Une vraie Pietà ! songea Diane avec exaspération.

— Oh oui, monsieur... Oui, n'y a-t-il pas une église, par ici, ou un hôpital ? Ne pourrait-on pas trouver une ambulance pour y transporter le pauvre Jean ?

— Et comment voulez-vous qu'elle arrive, votre ambulance ? (Diane fulminait.) En voltigeant ? Ou par les mers ? Et votre hôpital, qu'y faire ? Vous voyez bien qu'il est trop tard, pour l'hôpital ! Et l'église ? Est-il important d'aller chanter *De profundis* dans les circonstances actuelles ? Ah non ! Vous n'êtes pas sérieuse, Luce ! Pas sérieuse du tout !

Tapant du pied au sens propre, elle se retourna vers le paysan comme vers le seul interlocuteur valable.

— Et la voiture ? On ne peut vraiment plus rien en faire ? demanda Luce, toujours innocente.

— Ah çà, la voiture, il ne faut plus y compter, dit le paysan.

Et, comme pour appuyer l'aspect définitif de ses propos, il lança de l'autre côté du chariot un long jet de salive brunâtre. Les deux femmes frémirent et baissèrent les yeux comme si sans prévenir il se fût mis complètement nu devant elles, à l'instar de Loïc qui se disait : « C'est curieux, malgré ses tics, ce garçon n'a rien de choquant. Il faut que je lui parle d'homme à homme », formule qu'il utilisait rarement. « Il faut que je sorte mes femmes de là. » Il se tourna vers ses deux compagnes de voyage et les vit épuisées, fripées, démaquillées, l'une caquetant et l'autre muette, mais deux loques. Et un sentiment de compassion, de protection, tout aussi nouveau, lui monta à la tête. « Heureusement que je suis là, se dit-il, avec Tarzan-Lhermitte elles ne risquent plus rien. »

— Dites-moi, mesdames, lança-t-il sur le ton facétieux des temps anciens, des temps heureux où ils allaient d'un salon à un autre en buvant des cocktails et en brocardant un absent — ... allez voir ce beau jeune homme, dans la voiture, et dites-lui d'en descendre les bagages : ce sera déjà une bonne chose de faite. Moi, il faut que je parle à notre nouveau camarade. Allez ! Allez !...

Et sans doute y avait-il quelque autorité dans sa voix puisqu'elles lui obéirent. Lui-même s'assit froidement sur le marchepied de la charrette, étonné de voir à quel point ses jambes le portaient bien.

— Dites-moi, mon vieux, vous n'allez pas me laisser seul avec ces deux pauvres femmes et ce type qui fait la tête ? Hein ? Il y a des moments trop durs dans la vie d'un homme, non, sans rire...

L'autre le regardait de ses yeux marron, jaunes, gris, une drôle de couleur en tout cas, et sourit brusquement. Il avait des dents épaisses, encore très blanches, à peine atteintes par le tabac.

— Je ne vais pas vous laisser dans ce pétrin, dit-il enfin. Surtout avec votre mort, là ! Ce n'est pas bien commode à cette heure-ci. Avec tout ça personne ne vous le prendra.

Il réfléchit un instant, recracha de l'autre côté et Loïc, frôlé de près, frémit à son tour.

— Bon ! Eh bien ce que je vais faire, je vais vous ramener à la maison. Et puis demain j'irai voir pour vous trouver une voiture. Ma mère s'arrangera pour coucher ces dames et pour les hommes, on verra... peut-être que vous dormirez dans la grange. Allez, youh !

Il souleva un peu les rênes et ses chevaux firent un pas en avant. Loïc recula, les mains en l'air :

— Eh, attendez ! Il faut que j'aille leur expliquer.

Ce malheureux paysan ne s'imaginait pas ce que c'était de prendre une décision avec Diane Lessing et Luce Ader, l'une si décidée et l'autre si peu qu'on pouvait se demander qui était la plus encombrante... sans oublier ce petit emmerdeur de Bruno. En tout cas, Loïc, lui, monterait avec ce paysan : c'était le seul être humain encore de bon sens aux alentours, pensa-t-il pendant que son regard se posait sur la file interminable de voitures, à l'horizon. Une ferme ! Une ferme avec de l'eau fraîche, du foin frais, une vraie ferme avec des chevaux, des chiens affectueux, cette odeur d'herbe verte et de terre qu'il n'avait pas respirée depuis l'enfance et qui n'était pas l'odeur de Deauville ni de Cannes.

Le paysan s'énervait un peu :

— Vous faites comme vous voulez, hein ! Mais moi je n'ai pas trop de temps à gâcher. Il faut qu'on fasse les moissons avant que les Boches nous les flambent. Encore heureux qu'il ait fait chaud ! Alors, si vous voulez venir, venez, mais tout de suite !

— On y va ! On y va ! Merci, hein, dit Loïc.

Et instinctivement il tendit la main, se présenta :

— Loïc Lhermitte.

— Maurice Henri.

Ils se serrèrent la main, gravement, et Loïc courut vers son harem qu'il trouva en pleine échauffourée car Bruno faisait la tête.

— Ecoutez, Diane, Luce : ce paysan propose de nous emmener et de nous coucher chez lui pour la nuit. Demain il ira nous chercher une voiture. Il n'y a que ça à faire, à mon avis.

— Aller coucher chez ce plouc! Nous retrouver dans le fumier jusqu'au cou? Non mais, vous êtes fou, mon bon Loïc! — Bruno avait le visage blanc, les dents serrées, il était furieux, la peur le saisissant à retardement. — Je ne suis pas snob, mais quand même! Vous ne connaissez pas les fermes françaises, vous, ça se voit!

Loïc eut un instant de vertige ou de colère. Sa vue se brouilla. Il avait envie de frapper ce gigolo trop bien rasé.

— Vous dites n'importe quoi, Bruno. D'abord, si, vous êtes snob! Ensuite, les fermes françaises vous ne les connaissez pas, pas plus que moi en tout cas. Nous n'avons que cette solution pour dormir ce soir ailleurs que sur la route. Alors, moi, j'irai! Quant à ce «plouc» qui nous offre un toit à tous les quatre, je le trouve personnellement bien gentil! Moi j'y vais! Et vous deux, les femmes?

— J'y vais aussi, dit Diane. Passer la nuit dans ce brouhaha, avec cette essence et ces gens qui peuvent nous dévaliser dès qu'il fera noir! Ah non, merci! Je vous suis, Loïc.

Et elle prit l'air courageux et résigné d'avance à la misère campagnarde. Luce jeta un coup d'œil à Bruno qui lui tourna le dos, puis vers Loïc, avant de dire à la stupeur générale :

— Faites comme vous voulez, Bruno, mais moi je ne veux pas laisser ce pauvre Jean par terre avec les fourmis. Je vais avec eux, c'est tout.

— Je suis obligé de vous suivre, vous le savez bien, siffla Bruno. Je ne peux pas vous laisser toute seule dans cette ferme, chez Dieu sait qui... mais vous me le paierez!

Il était sûrement soulagé, lui aussi, de pouvoir prétexter son devoir. Cette route était un cauchemar déjà le jour, alors la nuit... Avec un haussement d'épaules, Loïc prit la tête de leur petite caravane.

— N'oubliez pas les valises! lança-t-il à Bruno.

Il se sentait tout à coup un homme autoritaire et décidé, décidé, surtout, à ce que l'on respecte ses décisions. C'était, là encore, la première fois que ça lui arrivait. Depuis bien longtemps...

— Mais ne me demandez pas de dire quoi que ce soit ou de serrer la main à ce type! cria Bruno dans leur dos. C'est hors de question!

— Ça, je m'en fous complètement! dit Loïc.

Marchant à côté de lui, l'air docile, les deux femmes hochèrent la tête en silence l'une et l'autre comme pour l'approuver. Loïc devenait de plus en plus étonnant. De plus en plus amusant aussi, songeait Diane.

— Vous avez raison de vous presser, hein, parce que demain, à cette heure-ci, avec la chaleur, il sera pas frais votre copain, dit le paysan, confirmant par ces doux propos son invitation.

Les deux femmes frémirent, montèrent avec obéissance sur la carriole et s'assirent sur le seul banc près du conducteur. Jean fut étendu sur les ridelles, Bruno et Loïc dont les quatre pieds se balançaient dans le vide, ainsi que leur esprit, assurant la veillée funèbre.

Une heure plus tard ou deux, ou trois (la montre de Diane ayant expiré dans ces secousses) et comme leur cortège bucolique traversait une plaine semblable à un nombre incroyable d'autres mornes plaines par eux traversées, le paysan, bien calé contre Diane sur son flanc gauche et Luce sur son flanc droit, le paysan, brisant le silence des champs, arrêta le chariot et tendit son fouet vers l'horizon, toujours aussi vide, pour déclarer : « Nous voilà arrivés ! »

Rien. Il n'y avait rien devant son fouet qu'une terre fertile peut-être à l'usage mais déserte à l'œil.

— Eh bien, moi, je ne vois rien ! dit franchement Diane alors que Luce, toujours irresponsable et lâche, rencognée sur son banc, la tête dans les épaules, laissait échapper un petit cri de doute angoissé pendant que les deux hommes, à l'arrière, cessant de contempler la trace de leurs roues et se retournant vers l'avant, braquaient leurs yeux inquiets vers l'horizon aussi vide pour eux que pour leurs compagnes.

Pendant que tous les quatre, donc, échangeaient un regard soucieux et furtif, le paysan eut un rire bref.

— On ne la voit pas d'ici. On ne voit pas la ferme mais il y a une combe, là, derrière les arbres.

Irrité sans doute par leurs regards méfiants, il brandit derechef sa gaule vers le lointain, ce qui sembla comme par un effet d'optique y réveiller et en décrocher un ultime Stuka, jusque-là invisible et inaudible mais qui, insensible à leur aspect champêtre, leur piqua dessus.

— Ah non ! dit Diane, comme il leur apparaissait et grandissait à leurs yeux. Ah non ! Ce n'est pas vrai ! Ce n'est pas juste !

Et sa colère dépassant sa peur, elle leva le poing vers le ciel tandis que le même vacarme et le même « tac-à-tac-à-tac » que tout à l'heure éclataient autour d'eux. Or, depuis qu'ils avaient quitté la route et pris à travers champs, Diane, juchée sur son banc, s'était laissée aller peu à peu à un sentiment fort éloigné du bonheur, bien sûr, mais pas de la sérénité. Et c'est avec une sorte d'horreur et de rancune qu'elle se vit arrachée au doux roulis de la charrette et jetée par un furieux mouvement latéral de droite à gauche et vice versa.

Mais l'homme étant le seul animal qui s'habitue à tout, Diane, pendant que le ciel et la terre changeaient de place et que ses tympans éclataient, Diane pouvait établir quelques distinguos dans le fracas et l'abomination de ce qu'ils supportaient. Elle reconnut le cri d'une voix mâle, celle du paysan, ainsi que les glapissements nouveaux de Luce, suivis presque aussitôt, au milieu de cette apocalypse, du hennissement désespéré, furieux et stupéfait, des chevaux préservés sans doute jusque-là des échos de la guerre.

Et cet enfer s'éloignait à peine d'eux que l'esprit de Diane, apparemment intact, triait tous ces vacarmes et lui certifiait que le paysan venait d'être blessé et avait laissé emballer ses chevaux. L'élan furieux qui la jeta d'abord à droite vers les autres, c'est-à-dire vers le conducteur affalé et sanglant sur Luce, et le non moins furieux élan qui la ramena ensuite dans son coin, c'est-à-dire vers la gauche et, faute d'obstacle, vers le vide, lui prouvèrent la justesse de ses calculs. Et le danger qui en découlait... car, tout aussitôt, elle basculait vers l'extérieur et voyait sous ses yeux exorbités la terre défiler avec une vitesse inconcevable, même pour une personne qui avait pourtant beaucoup voyagé en Bugatti. Diane se crut perdue.

C'est grâce à deux éléments tout à fait futiles qu'elle échappa à une mort originale, certes, mais déplaisante pour une femme de son rang : la chute d'une carriole. D'abord grâce à ses talons hauts qui, coincés dans le plancher mal joint, s'y plantèrent et retinrent ses deux chevilles de suivre le reste de son corps. Grâce ensuite à certains longs et ennuyeux massages, à certains mouvements de gymnastique non moins fastidieux, pratiqués sous tous les cieux par des milliers de femmes du monde, mais dont elle-même avait retiré, presque malgré elle et en tout cas sans le savoir, quelques protubérances émergeant d'autres surfaces plus flasques et qu'on pouvait sans flatterie qualifier aujourd'hui de muscles. Ces muscles lui permirent une sorte de tour de rein désespéré vers le haut, pendant lequel elle effleura le guidon du frein à main, un guidon rond en fer forgé grinçant qu'elle agrippa de toute la force de ses doigts et de son corps crispé. Peu de femmes, peu d'acrobates et peu d'athlètes auraient réussi ce que réussit ce jour-là Diane Lessing, sous un soleil de plomb et à l'improviste et, en plus, sans aucun spectateur. Car son public était au moment même emmêlé, enlacé, bousculé et secoué dans tous les azimuts, sans le moindre regard vers son héroïque conductrice...

Revenue dans le monde des vivants, c'est-à-dire au fond de la charrette, à moitié agenouillée et vibrant encore, Diane alors n'eut qu'une idée : « Je vis ! Je revis ! Et c'est à moi que je le dois ! », idée qui ne l'avait jamais effleurée le moins du monde, Diane ayant, comme bien des gens riches, une idée passive, sur le plan physiologique, de son destin : ses accidents avaient été autant d'aléas dus à des incompétences extérieures, sa santé une possession que le sort tentait encore de lui prendre et ses capacités une possibilité perdue d'exploit sportif. Son corps n'avait jamais été pour elle qu'un souffre-douleur éventuel, bien plus qu'une source de plaisir.

Or là, brusquement, elle se devait la vie et, par une espèce de reconnaissance instinctive, décida de se la conserver. «C'était le moins qu'elle puisse faire!» pensait-elle avec un sombre orgueil. Et, tâtonnant de la main, toujours secouée comme un prunier mais fermement accrochée à la rambarde, elle finit par trouver les rênes flottantes dans les mains ouvertes et désarmées du paysan. Elle s'y cramponna et se redressa lentement sur la carriole.

Il y avait bien des années que le Tout-Paris disait — avec sarcasme ou effroi — Diane Lessing capable de tout. Ce même Tout-Paris n'aurait donc été étonné que par le décor de la démonstration en voyant Diane Lessing, les deux pieds fichés au fond d'une charrette, rejeter en arrière un profil qu'elle seule prétendait de camée et tirer les rênes de deux percherons déchaînés, non sans pousser des cris sauvages, incompréhensibles pour un être humain. Incompréhensibles sans doute aussi pour les animaux puisque, lorsque les chevaux s'arrêtèrent enfin, ils étaient tremblants, couverts de sueur, les yeux exorbités et l'écume aux lèvres — manifestation de la peur chez ces bêtes — mais ils avaient aussi les oreilles rabattues en avant et très écartées, signe flagrant, chez eux, de la curiosité. Quoi qu'il en soit, ils s'étaient arrêtés et Diane se retourna triomphalement vers ses compagnons aveugles et enlacés, soit à l'avant soit à l'arrière de la charrette, avant de se demander où était passé son sac.

Le paysan avait reçu une balle dans la cheville; après avoir proposé de lui faire un garrot avec son propre foulard, Diane préféra finalement, tant il saignait, celui de Luce : ledit foulard serait inévitablement perdu. Ainsi fut fait. Le paysan reprit ses esprits sur la poitrine et sous les larmes de Luce mais retomba en syncope dès les premiers cahots de la carriole. Au demeurant, ce garçon avait dit la vérité puisque après quelques kilomètres supplémentaires ses chevaux les amenèrent en effet au bord d'une combe, invisible à l'œil nu mais creusée dans un champ et au fond de laquelle était posée, entourée d'arbres, la ferme : une grande ferme en «L», d'aspect aussi nettement rustique qu'ils l'avaient tous plus ou moins craint.

CHAPITRE III

Après avoir considéré d'un œil terne ces bâtiments sans attraits, Diane remit leur véhicule en marche. Elle écarta les deux rênes l'une de l'autre l'air professionnel, claqua de la langue et cria : «Hou là!... Hou là!... Hou là là!» ce qui, sans qu'il sût pourquoi, au lieu de l'amuser, agaça Loïc qui l'avait rejointe au banc des commandes.

— Ce n'est pas «Hou là! Hou là là!» marmonna-t-il malgré lui.

Diane, que les chevaux obéissants renforçaient dans son assurance, tourna vers lui un visage irrité :

— Ce n'est pas quoi ?

— Ce n'est pas «Hou là là! Hou là là!» qu'on dit aux chevaux... A vrai dire, cela n'a aucune importance, Diane, de toute façon. Regardez donc la route, plutôt, devant.

Hélas, il avait touché une corde, très nouvelle sans doute mais très sensible, dans l'orgueil de Diane.

— Ah bon! Ce n'est pas «Hou là là!» demanda-t-elle d'une voix étonnée et sarcastique qui rappela à Luce certaines de ses philippiques et lui fit jeter vers Loïc des yeux effrayés.

— Et c'est quoi, alors, s'il vous plaît, cher ami?

Loïc, qui regrettait déjà sa remarque, se débattit :

— Je ne sais pas...Je ne sais pas précisément! Moi, j'aurais plutôt dit : «Hue! Hue! Hue dia!» Il sourit avec d'autant plus de gêne que le silence, à l'intérieur de cette combe, était deux fois plus sonore que là-haut, au ras des champs.

— Hue? Hue dia?... répéta Diane. Et elle fouillait des yeux les buissons alentour comme pour y interroger un dieu agricole caché dedans. — Hue dia? répéta-t-elle d'un ton incrédule. Vous êtes sûr, mon cher Loïc? C'est un souvenir personnel ou c'est le fruit de vos lectures?

— Oh, laissons tomber! dit-il en se détournant et en tentant de regagner sa place tranquille au bout de la charrette, près de Bruno, mais un cahot sur la route l'obligea à se cramponner au banc.

— Voulez-vous prendre les rênes? Vous auriez peut-être dû le faire tout à l'heure, quand les bêtes avaient le mors aux dents et nous menaient au galop vers quelque autre catastrophe! Votre «Hue dia!» les aurait sûrement arrêtées! C'est idiot que dans mon ignorance je n'aie pas su plus tôt ce terme, cela m'aurait évité de me battre avec ces choses-là! (Diane indiquait les rênes dans ses mains.) Et de m'y casser deux ongles en criant Hou là là. Remarquez, ces bêtes, courtoises, ont fait semblant de reconnaître mon langage... La preuve : regardez-les, toutes tranquilles! Mais je veux bien essayer votre «Hue dia!» si vous voulez, Loïc, si c'est leur vrai dialecte!...

— Vraiment, Diane, dit Loïc, épuisé — et agacé aussi car le profil de Bruno accusait une joie perfide à l'écoute de leur dialogue —, vraiment, ce n'est pas la peine!

— C'est toujours la peine de s'instruire! N'est-ce pas, vous deux? cria-t-elle à ses fidèles percherons. On va essayer! Allez!... Hue dia! Hue dia! Hue dia! lança-t-elle avec dérision mais d'une voix de stentor qui provoqua chez ces bêtes peut-être polyglottes une accélération machinale, à moins que la proximité de leur écurie n'eût déjà redoublé leur énergie. Et c'est avec un Loïc plus inquiet que triomphant qu'ils entrèrent dans la cour de la ferme au petit galop.

— Ho!... Ho là!... Ho là! Ho!

Les mânes de quelques aïeux gentlemen-farmers leur soufflant le même mot pour freiner les bêtes, ils arrivèrent à les arrêter en même temps que leur discussion.

Les bâtiments formaient donc un « L », la première partie étant d'habitation, la seconde abritant les locaux de la ferme proprement dite. Une joyeuse animation régnait de ce côté-là. La machine à moissonner y était plantée, baroque et de guingois, comme un animal préhistorique. Des oies y caquetaient, plus ou moins menaçantes, et piétinaient la boue de leurs grands pieds plats, tandis que des rugissements ou des vagissements divers rappelaient quelque chose à leurs âmes d'enfants. Cette agitation animale, près de cette maison silencieuse et sinistre dont les volets demi-clos ne laissaient filtrer ni voix ni bruit, était inquiétante, comme la grande porte de bois au loquet cassé et les fenêtres masquées par des rideaux à trous.

— C'est l'Auberge des Adrets, ici! dit Loïc en la regardant, ses yeux de Chinois étirés par la curiosité et l'amusement, comme d'habitude.

«Ah c'est là, pensa Diane, un singulier protecteur dans un monde aussi arriéré et déconcertant que celui-ci.» Quant à Bruno, il se bornait à tirer de sa valise un chandail beige au col roulé qu'il enfilait, le visage fermé. Il commençait à faire un peu plus froid, en effet. Le soleil s'abaissait jusqu'à toucher les champs gris et éteints, ces champs interminables, là-haut.

— L'auberge des Adrets? demanda Luce. Mais où est-elle, cette auberge? Il faut absolument que je me remaquille.

— Bientôt, Luce, mais pas aux Adrets. C'était une célèbre auberge où l'on tuait les clients, après dîner.

— Il ne manquerait plus que ça! cria Diane, excédée. Vous ne trouvez pas que nous avons eu assez de péripéties pour la journée? Il faudrait être, en plus, égorgés pendant la nuit par des paysans! Merci! Vraiment, merci!

— Car vous comptez coucher ici?

C'était Bruno qui se retournait vers eux, l'air dégoûté.

— Et où voulez-vous coucher? Loïc, adossé à la carriole, les mains dans les poches, sa veste de toile froissée et sa cravate pendant au bout de sa chemise, avait tout à coup un air viril qui lui allait très bien.

Il y eut une seconde d'hésitation où tous se regardèrent et virent enfin le garçon allongé pratiquement sur Luce et qui continuait à saigner. Le foulard était trempé, à présent. «Complètement perdu!» songea Diane, assez fière de sa prévoyance.

— Mais enfin, ce n'est pas croyable! dit-elle. Ce garçon n'a personne pour lui faire la cuisine ou la conversation? Et nous, qu'allons-nous devenir, à présent? Nous avions déjà un mort, maintenant nous voilà avec un blessé, en plus!...

Elle était partie dans un douloureux et rancunier récitatif lorsqu'elle fut interrompue par l'arrivée d'une femme maigre, vêtue de noir, au visage austère et figé, qui, après les avoir regardés sans surprise apparente, escalada le marchepied de la carriole et, saisissant à bras-le-corps le paysan à demi conscient, commença à le tirer vers l'extérieur. Loïc et Diane, machinalement, se précipitèrent et l'aidèrent à descendre le garçon évanoui. Ils le prirent même, Loïc par les épaules et Diane par les pieds, pour le transporter dans la maison, suivant en cela les gestes impérieux de la femme en noir. Mais après deux pas Diane s'arrêta, chancelante.

— Je ne peux pas! Je ne peux vraiment plus, Loïc! Je vais m'écrouler! Je ne peux pas porter ce garçon, je ne peux rien faire! Je suis claquée, que voulez-vous!... Il y a des moments, dans la vie...

Et, laissant tomber froidement les pieds du garçon sur le sol, elle alla s'asseoir à son tour sur le marchepied pour y vider son cœur.

— Je ne sais pas si vous vous rendez compte, Loïc, mais depuis ce matin nous avons été mitraillés trois ou quatre fois, notre chauffeur a été tué sous nos yeux, notre voiture démolie et flambée, notre hôte a eu la cheville transpercée par une balle, ses chevaux se sont emballés et c'est un miracle que j'aie pu les dompter... et maintenant nous voilà dans un bâtiment rustique à demander asile à une femme qui ne parle pas un mot de français! J'ai beau avoir un caractère d'acier, je vous l'avoue, Loïc, il commence à plier...

— Vous avez tout à fait raison, Diane, mais enfin on ne peut pas laisser ce garçon par terre! Il faut quand même faire quelque chose.

Diane se retourna comme un serpent vers Bruno qui, impavide, continuait à essayer des chandails — à deux pas, en plus, du pauvre Jean.

— Bruno! cria-t-elle d'une voix stridente, Bruno! venez nous aider!

— Je vous ai prévenus déjà que je ne ferais rien pour ces ploucs!

Après un silence trop marqué pour être inoffensif, Diane jeta sa voix dans l'air comme une trompette, comme un clairon, en tout cas comme un instrument guerrier:

— Je vous préviens, mon cher Bruno: si vous n'aidez pas Loïc illico, je raconterai à notre retour à Paris — ou à New York — à toute la société l'histoire de votre chèque: votre fameux chèque... le chèque de cette Américaine, vous savez...

Bruno fit deux pas en avant. Il était devenu pâle, sa voix avait mué et retrouvé les tonalités aiguës de l'adolescence.

— Vous ne feriez pas ça, voyons, Diane? Vous-même seriez ridicule!

— A mon âge le ridicule ne tue pas, mon ami... il attendrit. C'est au vôtre qu'il tue. Vous seriez fichu! Vous seriez au ban de toute la société! Je m'en chargerai moi-même... personnellement! Croyez-moi!

Sans plus discuter Bruno s'avança, prit par les jambes le paysan et, avec Loïc, le souleva pour le rentrer dans la maison. Ils se trouvèrent dans une grande pièce sombre où ils ne virent d'abord rien, sauf la femme qui, d'un geste impatient, leur indiquait, aménagée dans le mur, une alcôve munie de vieilles couvertures. Ils y installèrent le blessé avant de repartir vers la porte. Ils n'avaient eu le temps de voir dans cette salle que les lueurs d'un grand feu malgré la chaleur torride de l'extérieur. La pièce était visiblement ce que Diane aurait appelé le «living-room» si ce mot anglais et à la mode avait pu sans comique y flotter, même un instant. Au demeurant, ni l'un ni l'autre n'avait fait attention au décor : Bruno par refus délibéré et Loïc par distraction, tant il était excité, déjà, par cette histoire du chèque américain. Il ne serait tranquille — le mondain réapparaissant en lui — que lorsque Diane lui aurait tout raconté.

Ayant repris des forces, celle-ci pénétrait d'ailleurs de son pas de commandement dans la pièce. Elle s'arrêta sur le sol en tendant le cou comme un héron, ses yeux roulant comiquement dans son visage. Avec son tailleur fripé, ses traits défaits et ses cheveux décoiffés, elle avait l'air d'une antiquaire qui eût passé l'après-midi à chercher en vain quelques meubles ou d'une dame de charité qui eût passé elle aussi l'après-midi à chercher en vain quelques pauvres. La distinguée, l'élégante Diane Lessing avait tout à coup l'air d'une commerçante grognon, songea Loïc. Et par miracle elle découvrit enfin un sens à leur voyage. Dressée sur ses ergots, les yeux brillants d'une excitation que ne lui avait arrachée aucun des moments forts de cette journée, elle se cramponna au bras de Loïc et lui dit d'une voix impérieuse et néanmoins chuchotante :

— Regardez, Loïc, cette table ! C'est exactement ce que je cherchais pour Zizi Maple. Et cette huche à pain ! Quel chic ! Quant à cette pendule elle est simplement ad-mi-ra-ble ! Vous croyez qu'ils nous la vendraient ? Quel dommage ces beaux meubles dont personne ne profite ! Ah, cette pendule, j'en suis folle !

— Vous ne pouvez pas emporter cette pendule aux USA, dit Loïc, pratique pour une fois. Peut-être vaudrait-il mieux attendre la fin de la guerre...

— Ce que c'est tranquille, ici ! Moi je trouve qu'on y est très bien, dit Luce. J'ai eu une de ces peurs tout à l'heure ! J'ai eu tout le temps une de ces peurs, aujourd'hui !

— Les chevaux aussi, fit remarquer Diane. Je ne sais pas comment j'ai pu les arrêter... sincèrement !

— Oh, Diane ! Vous avez été formidable ! dit Luce avec un vrai enthousiasme qui fit se rengorger Diane.

Loïc lui sourit.

— Je n'ai rien vu, hélas ! J'étais cramponné à je ne sais quel barreau, à moitié éjecté de cette charrette, et je gigotais comme un crétin pour y remonter. Tout comme Bruno. Hein, Bruno ?

Mais Bruno, qui regardait la pièce avec mépris, haussa les épaules sans répondre.

— Quelle est cette histoire de chèque américain ? demanda Loïc dans un souffle à Diane qui chuchota en retour :

— Je vous la raconterai un de ces jours... si vous êtes gentil ! Occupons-nous d'abord de nos hôtes.

Et elle marcha de son pas ferme vers l'alcôve où la femme, assise près de son fils, lui mettait sur le pied d'étranges compresses à base de terre, semblait-il, et de gaze noirâtre.

— Il va mieux ? Quelle horreur, cette blessure ! Vous savez que ce cher garçon a pris ça en nous sauvant ?

Puis, comme la fermière ne bougeait pas et ne la regardait pas, Diane décida d'ouvrir le feu.

— Je m'appelle Diane Lessing, dit-elle en tendant la main juste sous le nez de l'autre qui, surprise, la lui serra.

— ... et voici Loïc Lhermitte, Luce Ader et Bruno Delors. Nous sommes désolés de vous envahir ainsi, chère madame ! Nous sommes désolés ! Mais — elle désigna Maurice — sans lui, nous serions morts ! Comme ce pauvre Jean... ajouta-t-elle. — Mon Dieu ! s'écria-t-elle en se dressant sur la pointe des pieds et en battant l'air de ses bras, mon Dieu ! nous l'avions oublié ! Il est toujours sur la charrette ?

— Il n'y risque rien, il me semble, dit Bruno sèchement tout en serrant à contrecœur, mais comme chacun, la main de la femme qui, visiblement déroutée, se laissait faire sans intérêt apparent mais sans hostilité non plus.

— Moi, c'est Arlette, dit-elle. Arlette Henri. Et ça, c'est mon fils, Maurice. Et là-bas, c'est le pépé, dit la femme en montrant de la main un fauteuil près du feu vers lequel chacun se retourna sans arriver à rien y voir d'autre qu'une vieille couverture.

— Ces messieurs-dames ont-ils soif ? demanda Arlette (à qui ce prénom de fille légère allait aussi mal que possible, avec son visage à la Memling, songea Diane). Car les visages austères étaient toujours des Memling, dans son monde, de même que Botticelli désignait les jolies femmes, Bosch les scènes d'horreur, Breughel les banquets et la neige, Renoir les femmes dodues, Modigliani les maigres et Van Gogh la géniale et malheureuse rencontre d'une oreille, d'un pont et d'une chaise...

Les quatre voyageurs opinèrent avec vigueur. Depuis quelques heures, malgré les émotions et le soleil — aussi intenses les unes que l'autre — ils n'avaient rien bu.

— Je boirais bien une petite chopine de n'importe quoi.

Diane avait décidé d'adopter un langage à la hauteur des circonstances, comme le remarqua Loïc avec effroi.

— J'ai du pastis et de la prune du pays, et du vin rouge bien sûr, dit Arlette sans entrain. — Et elle tira du buffet quelques verres et trois bouteilles sans étiquette.

— Vous n'avez rien sans alcool ? minauda Diane. Avec cette chaleur !... Eh bien, tant pis ! après ces émotions je crois que je vais goûter la prune du pays, c'est bien ce qui doit être le plus sain...

— Moi, je goûterai le vin rouge, avec un petit peu d'eau, s'il vous plaît, dit Loïc. Et il fit signe à Luce de l'imiter.

— Petites natures, hein !

Diane riait. Elle leva son verre, haussa les sourcils devant l'exiguïté de son contenu et, avec un rire condescendant, avala d'un coup la fameuse prune du pays. L'instant d'après, elle toussait, crachait et, titubant sur les talons carrés de ses chaussures de sport, faisait rapidement le tour de la table, les deux bras tendus devant elle et les yeux clos comme une voyante inspirée. Loïc l'intercepta au moment où, ayant terminé son premier tour de table, elle entamait le second et la fit rasseoir de force.

— C'est un peu fort, concéda Arlette.

Pendant que la toux de Diane s'apaisait, Loïc prit des nouvelles du blessé.

— Comment faites-vous pour le soigner ? Vous avez appelé un docteur ?

— Il n'y a point le téléphone, ici. Je lui ai mis un peu de prune pour désinfecter et de la teinture d'iode, et puis une toile d'araignée avec de la terre de Pirée : j'en ai toujours de côté, dans la maison. La balle n'a pas touché l'os et n'est pas restée dedans, alors...

— Des toiles d'araignée ? De vraies araignées ?

Luce semblait sincèrement inquiète pour son hôte. Bruno, énervé, alluma une cigarette et en rejeta la fumée avec les gestes d'Al Capone.

— Et ça nettoie ? insista Luce, surprise.

— Il est bien vivant, non ? constata la mère avec une logique excédée. Et pourtant, celui-là, je peux vous dire, depuis qu'il est petit il a passé son temps à tomber et s'abîmer sur tout ce qui coupe ! Regardez ce qu'il n'a pas fait aujourd'hui ! Avec les moissons ! C'est bien le moment ! Vous vous rendez compte ? Avec les moissons !...

Diane qui, ayant séché ses yeux, mouché son nez et repris son souffle, se penchait sous la table pour récupérer son sac, releva brusquement la tête vers la maîtresse de maison :

— Mon Dieu ! Arlette, il vient d'entrer une poule chez vous ! Regardez !...

Et, en effet, une volaille surgissait de sous la table, traversait même la pièce à petits pas. Mais Arlette Memling lança un regard atone à Diane, sans broncher davantage lorsque deux autres volatiles, très affairés, arrivèrent de la pièce d'à côté en caquetant. Le visage de Diane perdit son expression solidaire pour se faire réprobatrice :

— Nous sommes descendus chez les Cro-Magnon, je crois, dit-elle à Loïc.

Celui-ci, à peine remis de son envie de rire précédente, lutta contre celle qui le menaçait à présent. D'autant que Luce regardait les poules d'un air intéressé ; les réactions contradictoires de Diane et d'Arlette avaient dû troubler son grand calme intérieur et elle devait peser le pour et le contre à propos de ces volailles. Peut-être même voulait-elle se forger, quant à l'opportunité de leur présence, une opinion personnelle, songea Loïc. Une boule montait et reculait dans sa gorge, l'obligeant à se laisser aller en arrière, les yeux plissés et fuyants, la voix étouffée.

— Je vais vous donner de la soupe, du fromage, dit Arlette. Et peut-être des œufs. Si elles ont pondu, les garces !... ajouta-t-elle à la surprise générale.

Les Parisiens la dévisagèrent avec la même stupeur navrée que leur aurait inspirée le président du Conseil en qualifiant d'« andouilles » ses propres ministres. Et les trois montrèrent les yeux baissés, les visages impassibles qui suivent gaffe ou impropriété dans une conversation. Cela acheva Loïc. Il était en transe, à présent, la tête basse, les mains cramponnées aux barreaux de sa chaise ; il semblait sur le point d'en jaillir pour un cent mètres alors qu'il cherchait à n'en pas tomber.

— Il y a longtemps que je n'ai pas mangé de soupe, remarqua Luce avec une sorte de mélancolie, inattendue elle aussi, que Diane apaisa :

— C'est exactement ce que nous appelons, mais en moins velouté peut-être, un potage ! dit-elle, rassurante.

Là, Loïc sortit de la pièce à petits pas, le dos courbé, en marmonnant des excuses inaudibles.

, — Ce sont les nerfs !... Une réaction tardive !... Qu'est-ce qui lui prend ?... L'air frais lui fera du bien... la solitude...

Cette dernière prévision était la seule fausse car Loïc découvrit sur la charrette le cadavre du pauvre Jean qu'ils avaient oublié, ce qui, à sa honte, n'arrêta pas immédiatement son rire. Il revint, enfin calmé, dans la salle :

— Vous avez oublié ce pauvre Jean sur la charrette !...

Des cris d'indignation et de remords jaillirent des deux femmes qui se levèrent, mues par le devoir, et se rassirent aussitôt, ne sachant comment l'accomplir.

— Faut le mettre à la cave, dit la voix du blessé qui se réveillait. Ma mère va vous montrer le chemin.

— Je vais avec elle pour tenir les chevaux. — Son rôle de dresseur avait responsabilisé Diane.

— Pas besoin, ils sont doux comme des agneaux, dit le Memling en se dirigeant vers la porte, l'air lassé, suivie par Loïc.

Bruno profita de l'absence de celui-ci pour sermonner Luce :

— Vous ne croyez pas, ma chère amie, que nous ferions mieux de rallier une agglomération quelconque, d'y trouver un télégraphe pour prévenir votre époux et un moyen de transport pour le rejoindre ?

— Ce serait une bonne idée, répondit Diane avant même que Luce n'ouvrît la bouche. Ce serait une très bonne idée que VOUS y alliez ! Vous êtes un homme, non ? Nous, nous sommes trop fatiguées.

— Je parlais à Luce !

— Et moi je réponds pour Luce.

Ils s'affrontaient du regard.

— Si on ne connaît personne d'autre par ici, dit Luce avec fermeté pour une fois, on ne va pas partir à pied dans le noir. Et moi, je suis trop fatiguée pour refaire de la carriole.

Elle avait un air effrayé et plaintif qui rassura son amant et agaça Diane un peu plus.

— Vivement la soupe ! dit celle-ci. Et après, au lit !

— Nous aurons droit à la grange, j'imagine, Loïc et moi.

— N'en profitez pas pour dévergonder Loïc, Bruno, dit Diane avec un esprit que personne n'apprécia.

Déjà Loïc et Arlette revenaient sans paraître autrement affectés et Loïc repartit avec trois bougies offertes majestueusement par la maîtresse de maison, afin que le pauvre mort eût quelque lumière.

— Je ferai la première veillée, dit Luce avec émotion.

Mais sitôt avalés la soupe, un fromage et un œuf, elle tituba avec Diane jusqu'à une chambre vide où trônait un grand lit. Elles eurent à peine le temps d'y mettre les draps avant d'y tomber. Un crucifix à leur tête et un broc à leur côté, elles s'endormirent aussitôt. Les hommes eurent également une chambre et un lit malgré les prévisions de Bruno.

Loïc tira le matelas par terre et s'y installa, laissant le sommier à Bruno — qui avait pris un air prude pour se dévêtir —, un Bruno auquel Loïc eût plus facilement donné un uppercut qu'un baiser. « Pourquoi attribue-t-on un tel tempérament aux pédérastes ? » se demandait-il vaguement avant de fermer les yeux. « ... Comme s'ils étaient toujours sur la brèche du fait d'aimer leurs semblables ! Quel narcissisme ! Quelle hypocrisie chez l'être humain, finalement ! » Ce fut sa dernière pensée avant le sommeil.

CHAPITRE IV

LE CHANT du coq avait toujours été, dans l'esprit de ces citadins, le
symbole du réveil ; comme le bruit des poubelles l'était à la ville,
vacarme sans grâce, quel que soit le talent de l'éboueur, mais qui avait
son charme, comparé aux cris inlassablement lancés et relancés par ledit
animal. Ces récits du XIXe siècle, genre Dickens, où le héros en voyage
veut tous les matins trucider le coq de son auberge, leur semblaient à
présent beaucoup moins exagérés...

Les yeux clos pour ne pas avoir à supporter, tombant du haut de son
sommier, les récriminations de Bruno, Loïc se taisait. Quant à Luce, près
de Diane qui ronflait, elle se demanda avec angoisse en ouvrant les yeux
où elle pouvait bien être. Un tiraillement à la hanche lui rappela son
appendicite et les trois amis fidèles qui, à cause d'elle, subissaient les
clameurs de ce coq. Les larmes lui vinrent aux yeux, de gratitude puis de
remords... même Bruno, si désagréable, qui l'avait attendue ! Elle allait
leur porter le petit déjeuner au lit, décida-t-elle, s'imaginant déjà avec un
tablier blanc et un plateau de toasts. Elle se leva sans bruit, ouvrit la
valise jetée dans la chambre et, oubliant son rôle de soubrette, y prit une
tenue de bord de mer : pantalon à taille basse couleur paille, chemisier
en soie écrue, souligné par une ceinture de cuir tressé d'Hermès,
sandales ouvertes qui lui laisseraient le pied libre. Elle se donna un coup
de peigne et se maquilla légèrement (ce qu'elle supportait fort bien),
avant de sortir dans un couloir sombre, abandonnant Diane qui n'avait
pas cessé de ronfler, d'un ronflement régulier et sec, sans ces variations
qui peuvent être un supplice.

Chère Diane ! Si énergique, si dévouée dans les difficultés ! Bruno
aussi, malgré son mépris pour ce beau fermier, avait été serviable et
gentil de le transporter dans la ferme. Loïc avait été merveilleux... Tout
allait bien... Il lui fallait seulement cacher à Bruno que ce fermier lui
plaisait. Mais elle aurait du mal... car elle s'était réveillée comme elle
s'était couchée : folle de lui !

Pendant cette promenade où ils étaient assis l'un près de l'autre, elle
avait cru perdre la tête chaque fois qu'ils se frôlaient. Cet avion les avait
attaqués juste à temps !... La panique ensuite, et la blessure du garçon
après, l'avaient empêchée de se trahir auprès des autres. Lui, en
revanche, avait fort bien compris, se rappelait-elle en rougissant, tandis
que le souvenir de cette main calleuse posée sur sa cuisse droite la faisait
trébucher dans le couloir.

La mère était déjà dans la cour. Elle criait : « Petits ! Petits !... » d'une
voix rauque. Luce se dirigea vers cette voix d'un air innocent mais en

effleurant l'alcôve et ne s'étonna pas de se sentir happée par Maurice.
(Maurice? ou Henri?) Dans la semi-obscurité que découpaient la porte
ouverte sur la cour et le petit volet au-dessus de la cuisinière, le garçon
était assis sur son lit, torse nu, et lui souriait de ses dents blanches et
carrées.

— Maurice?...dit-elle.

— Oui. Venez une seconde vous asseoir là!

Luce obéit, les jambes tremblantes.

S'il le lui avait demandé, elle se serait aussi bien allongée, elle, Luce
Ader, femme d'André Ader, maîtresse de Bruno Delors. Quelle honte!
se dit-elle... mais quel trouble aussi!...

— Vous souffrez? demanda-t-elle.

Elle posait la main sur la cheville blessée. Le garçon la prit et la serra
dans les siennes.

— J'aimerais bien aller avec vous! dit-il.

Le terme «aller», bien que nouveau, ne resta pas longtemps obscur
pour Luce.

— C'est à cause de vous que j'ai emmené tout votre troupeau de
branques dans ma charrette, dit-il en riant. Ils sont un peu dingos vos
amis, non?

— Ils sont bien gentils, avança Luce, puis elle s'arrêta, soucieuse.

Elle s'imaginait mal dans cette alcôve ouverte à tous les vents et à
tous les passants de la maison — sans compter les poulets. Maurice la
devança:

— Je vais me lever tout à l'heure, je marcherai avec une canne et
vous verrez, on trouvera bien un endroit. La ferme est grande, il y a du
foin partout. C'est pas ça qui me fait du souci! Non, moi, c'est aux
moissons, vous savez, c'est aux moissons que je pense. Il faut couper les
blés vite fait, là, en juin, avant que les Fridolins y foutent le feu...

Et Luce le regarda avec tendresse, ravie que son nouvel amoureux
pensât aux moissons plus qu'à elle. Elle avait toujours aimé les hommes
sérieux: la paresse, l'inactivité de Bruno étaient ce qu'elle lui reprochait
le plus... Et, à ce propos, comment pouvait-elle «aller» avec
Maurice?... Et Bruno? Et Loïc? Et Diane? De plus, ils allaient repartir
dans la journée, sûrement! L'idée de quitter cet homme sans l'avoir
connu — au sens biblique — lui paraissait d'une affreuse injustice.

— Et si nous partons? dit-elle, serrant la main du garçon à son tour.

— Et comment vous partiriez? Il y a la camionnette, ici, mais elle ne
marche plus. Le mécano de chez Silbert devait venir mais, vous pensez,
avec toutes ces voitures sur la route, il doit faire son beurre, lui. Vous
n'allez pas partir à cheval, hein? Et puis, il faudra bien qu'ils donnent
un coup de main, vos amis, pour la moisson! Je ne peux rien faire, moi!
dit-il avec un court désespoir.

Et Luce qui le regardait plus qu'elle ne l'écoutait entendit néanmoins ce ton affligé et lui embrassa la main. Elle se sentait en sécurité, en confiance, avec cet inconnu, comme avec aucun homme jusque-là.

— Vous êtes drôlement jolie, dit-il d'une voix enfantine.

Le visage de Luce s'illumina. Il y avait très longtemps, finalement, que personne ne lui avait parlé de sa beauté. Ce n'était pas la coutume à Paris et ça lui manquait.

C'est alors qu'éclata au fond de la pièce une voix rauque et stridente à la fois, stridente au point que Luce, d'un bond, se retrouva debout, à deux mètres de l'alcôve.

— Beju! Beju! criait la voix.

— Ce n'est rien... c'est pépé! dit le garçon.

Il riait. Il ne percevait pas l'atrocité de cette voix. Et l'idée qu'elle appartînt à un vieillard invisible la rendait encore plus atroce.

— Il vous dit bonjour, expliqua Maurice, mais comme il n'a plus de dents, ça fait « beju ». Faut lui répondre, hein, autrement il va être fâché.

— Bonjour, monsieur, répondit Luce d'une voix tremblante et Maurice redoubla de rire.

Elle s'étonnait que ses compagnons ne soient pas déjà dans la pièce, épouvantés par cette voix d'un autre monde, d'une autre espèce surtout, dont les fous seraient laissés en liberté, installés à la place d'honneur dans un fauteuil au coin du feu.

— Mais je ne l'ai pas vu, hier! dit-elle.

— Pourtant il était là quand on est arrivés. Mais on ne le voit pas, près du feu, tellement il est maigre!... Ma mère est allée le ranger avant le repas pour qu'on puisse dîner tranquilles.

— Ah, c'est pas gai de vieillir, marmonna Luce atterrée mais sincère.

Elle avait du coup un peu moins d'attirance pour Maurice. Non pas qu'elle crût spécialement à l'hérédité mais l'idée qu'il pût tolérer auprès de lui une telle horreur l'inquiétait sur le reste de la ferme. Avec un peu de malchance elle allait tomber sur des moutons à trois pattes, ou des chevaux à deux têtes, ou Dieu sait quelle abomination! Evidemment, ce n'était pas la faute du pauvre Maurice... — qui avait l'air bien normal, lui, il fallait l'avouer...

— Et depuis quand ce monsieur, votre grand-père, pardon, est-il dans cet état?

— Ben, depuis longtemps! Il parle comme ça depuis le jour où il a perdu toutes ses dents. Il n'a pas toute sa tête non plus...

— Et comment peut-on perdre toutes ses dents d'un seul coup? Qu'a-t-il eu comme symptômes?

— Aucun. Il a reçu une poutre sur la tête en retapant la grange. Voilà bien quinze ans qu'il ne bouge plus et qu'il crie... On s'habitue, hein! Ce n'est pas le père de ma mère, c'est le père de mon père.

— Vous avez encore votre père? Vous avez de la chance.

— Oui. — Maurice avait l'air indécis. — Mon père est au front. Il a été fait prisonnier le premier et mon frère trois jours après, précisa-t-il avec une sorte de fierté. Ce n'est pas de chance pour les moissons... c'est ça qui est embêtant... Comme dit ma mère, ça fait moins de travail à la cuisine mais moins aussi aux champs. J'espère que les Hébert, à côté, vont venir nous donner un coup de main. Puis, maintenant qu'il y a vos amis, ça va aller mieux...

Est-ce que ce beau garçon comptait sur Loïc et sur Bruno pour moissonner? Il était loin du compte!... Une sorte de rire nerveux, après cette émotion matinale, secoua Luce. Pour le cacher, elle se retourna vers le garçon et posa son visage contre cette épaule qui sentait bon l'homme, le foin, le...

— Beju! Beju! répéta l'horrible vieillard et un sursaut la redressa.

Heureusement d'ailleurs car Diane, en robe de chambre à ramages, venait d'apparaître dans la salle.

— Ah, Luce! Vous avez bien dormi? Quand je pense que tout le matin nous avons eu cet horrible coq!... Et maintenant je ne sais pas quel est l'animal qui brait, tout à côté... mais c'est insupportable! Vous avez entendu, naturellement? Qu'est-ce que ça peut être comme bête?

Elle vit Maurice dans son alcôve, apprécia la distance qui le séparait de Luce et renifla d'un air inquisiteur.

— Bonjour, cher Maurice! Vous avez bien dormi malgré votre blessure? Moi, j'avoue que le silence de vos campagnes m'en a d'abord empêchée — et après, c'est le contraire qui m'a réveillée... Ce coq, quel organe! Mais après le coq, qu'était-ce? Vous devez le savoir, vous qui habitez là! Ces cris! Effrayants!... Effrayants! On se serait cru au Moyen Age, avec les... les diplodocus? Non, c'était avant. En tout cas, à l'oreille, un animal non domestiqué. Pour autant que je sache, bien entendu, ajouta-t-elle avec prudence et modestie.

Elle rit nerveusement, elle aussi. Luce souhaitait qu'elle les rejoignît assez vite pour n'être pas trop proche du vieillard quand celui-ci hurlerait à nouveau. Par bonheur, Diane se rapprocha en effet juste avant que le cri ne reprenne :

— Beju! Beju! Beju!

— Oh! s'écria Diane, horrifiée, oh! Mais qu'est-ce que c'est? On jurerait que ça vient de la pièce tellement c'est près!... Je disais bien que ce n'était pas un animal apprivoisé!

Maurice riait si fort que Luce dut expliquer elle-même avec sa clarté habituelle :

— C'est monsieur Henri, le grand-père... enfin, le père du père... le grand-père de Maurice, quoi!

Diane, toute pâle, la main encore sur le cœur, la regardait sévèrement :

— Oui? Bon! Eh bien tant mieux! Je ne vous demande pas la généalogie de la famille Henri, Luce!... je vous demande seulement ce qui crie comme ça?

— Mais justement, c'est le grand-père ! C'est lui qui... Il a perdu toutes ses dents en un seul jour, sans aucun symptôme.

— Quel symptôme ? Quel rapport ?

— Eh bien, il voudrait vous dire bonjour, voyez-vous, Diane, et comme il n'a pas de dents il ne peut vous dire que « beju ». Voilà !

— Quoi « beju » ? Qu'est-ce que vous me chantez avec vos « beju » ? Je vous parle de...

A cet instant le grand-père, sans doute excité par ces voix inconnues, relança son cri de guerre et Diane, instinctivement, fit un pas vers l'alcôve comme pour y retrouver d'autres êtres humains.

— C'est... c'est... lui ? (Elle en bégayait, pour une fois.) C'est.. c'est lui qui fait ce bruit ? Mais c'est insensé, quel âge a-t-il ?

— Ce n'est pas une question d'âge, Diane, risqua Luce. C'est une question de dents, vous savez... Parce que...

— Dites-moi, vous, jeune homme, pouvez-vous me confirmer que c'est votre grand-père qui pousse ces cris inhumains ?...

Diane s'était retournée vers Maurice et le regardait droit dans les yeux comme pour le faire avouer.

— Eh bien oui, c'est lui ! dit Maurice, tout à coup mécontent. C'est lui ! Et si ça vous dérange, qu'est-ce que vous voulez que j'y fasse ? Ça fait quinze ans qu'il crie comme ça ! Il faut s'habituer, c'est tout !

Diane vacilla un peu sous les ramages de sa robe de chambre. Elle ressemblait à leur motif, un oiseau exotique et criard. Elle fit deux pas et alla s'effondrer sur une chaise à bonne distance de l'infirme.

— On s'habitue à tout, sans doute, marmonna-t-elle rêveusement, tapotant de ses ongles écaillés la table rustique, objet la veille de ses désirs. On s'habitue sûrement à tout, répéta-t-elle encore deux ou trois fois, comme si elle devenait gâteuse, pensa Luce avec inquiétude.

Mais Diane se secoua et commençait à se rasséréner lorsque Maurice, soit par agacement, soit par sadisme, la rappela à l'ordre :

— Il faut lui dire bonjour aussi, vous savez ! Autrement il va être fâché ! Il faut lui répondre !...

— Parce qu'il faut lui répondre ?... Parfaitement ! Que dois-je lui répondre ? Beju ! Beju ! moi aussi ? (Diane avait adopté sa voix patiente de grande dame.)

— Mais non, ce n'est pas la peine... Vous avez des dents, vous ?

— Il me reste quelques dents, oui, en effet ! concéda-t-elle avec froideur.

— Eh bien vous pouvez lui dire bonjour normalement, alors !

Diane hésita. Elle le regarda, regarda Luce, puis tournant la tête vers l'ombre, là-bas, cria :

— Bonjour, monsieur ! Bonjour ! d'une voix un peu snob mais polie, voire cordiale.

Au grand soulagement de Luce, Loïc apparut sur le seuil, les cheveux dans les yeux. «Assez charmant, ma foi!» se dit Diane dans sa confusion d'esprit. «Assez mignon, même, pour un homosexuel quinquagénaire...»

— Bonjour la compagnie! s'écria Loïc imprudemment.

Car aussitôt, comme mis au défi par ce bonjour-là, le vieillard lança son cri d'accueil et Loïc, qui n'en était pas loin, fit un bond sur place, les yeux fous.

— Qu'est-ce que c'est? murmura-t-il. Qu'est-ce que c'est?... Qu'est-ce que c'est?... répéta-t-il en jetant un regard implorant vers ses amies femmes et sur ce joli garçon tout nu là-bas dans son lit, détail oiseux en regard du péril ambiant...

— C'est le grand-père! lui cria Diane à travers la pièce. Je vous le jure, Loïc, c'est le grand-père qui crie comme ça! Je vous l'avais dit, Loïc! Cro-Magnon! Nous sommes descendus chez les Cro-Magnon!

— Chttt...! Chttt...! — Luce roulait des yeux exorbités, le doigt sur la bouche.

— Vous connaissez les Cro-Magnon, monsieur Henri? demanda Diane d'une voix tranquille au blessé hilare, qui secoua la tête en signe de dénégation.

— Vous voyez, Luce! Il n'empêche que nous sommes quasiment chez eux... d'une certaine façon! Mais quelle histoire! Mais quel film d'horreur! J'aurais su ça hier, je n'aurais pas fermé l'œil, moi! Vous imaginez s'il avait crié au milieu de la nuit? Ah... je n'en peux plus, moi, de la campagne! Je vais vous dire, je n'en peux plus!

— Vous exagérez toujours, Diane, dit Loïc d'un air bougon.

Il avait pâli lui aussi sous ces «beju» et tentait sans entrain de réconforter sa troupe quand une idée sembla soudain le remettre d'aplomb.

— Est-ce que Bruno a dit bonjour à ce monsieur?

— Non, pas encore... Tiens c'est vrai, ça!...

Et Diane eut, elle aussi, un sourire apaisé, presque heureux. Luce se demanda pourquoi mais sans conviction car, sous le drap, la main du garçon avait rejoint sa jambe et s'y promenait nonchalamment à travers le gros-grain de son pantalon.

— Vous savez qu'il faut lui dire bonjour à votre tour!

Diane jubilait en regardant Loïc mais celui-ci, qui en avait vu d'autres au Quai d'Orsay, ne broncha pas, éleva simplement la voix :

— Je vous salue, monsieur! Je vous salue bien!

Arlette-Memling arriva sur ces entrefaites, portant un seau rempli de lait probablement arraché l'instant précédent à une de ses vaches : un lait si blanc, si mousseux et si cru qu'il donna illico la nausée à Loïc. Du thé! Vite! C'était à ses yeux le premier désagrément vraiment fâcheux et sans cocasserie en retour de ce voyage. Il ne put s'empêcher de gémir car il était toujours plus prêt à subir un malheur qu'un désagrément...

Mais c'était compter sans Diane qui transportait toujours son thé dans ses bagages. Tandis que Luce et Maurice, avec le courage de la jeunesse, prenaient du café au lait à peine teinté, lui et Diane burent un thé fumé qui, malgré le quignon de gros pain qui l'accompagnait, leur remit en bouche toutes les délices parisiennes et leurs raffinements. En réalité, à voir Diane et Loïc en robe de chambre, Luce en tenue de sport, le garçon à demi nu, plus cette fermière en sarrau noir, tout recenseur se fût fait une image hétéroclite de la population rurale française. Bruno dormait encore, semblait-il, mais il ne manquait pas à la conversation.

— Il y a le petit des voisins qui est passé à vélo, ce matin, dit Arlette froidement. Il paraît que les Boches ont reçu une pilée à Tours et qu'on se bat dans tout le pays. Il ne faut pas sortir de chez soi, c'est dangereux, même par ici. Il y a une pagaille terrible et plus une goutte d'essence nulle part! Je ne sais pas comment vous pourrez repartir, mes pauvres!

— C'est incroyable! dit Loïc. Les Allemands, avec tous leurs tanks, battus à Tours! C'est tout à fait inattendu mais c'est formidable!

— D'autant qu'il n'y a pas qu'à Tours. Il paraît que dans le Nord, c'est pareil.

Loïc souriait de bonheur, comme Diane et Luce, d'ailleurs. Bien sûr, cette résistance était inattendue, inespérée, et elle ne durerait peut-être que peu de temps mais tout valait mieux que cette longue fuite sans accrocs, cette débandade qui régnait en France et qui le désespérait. Au moins, on se battait quelque part. Au moins, les Allemands comprenaient que ce n'était pas une terre ouverte qu'ils envahissaient.

— Si je comprends bien, nous ne pouvons plus repartir! dit Diane.

— Ah çà, vous n'avez pas le choix! coupa la mère.

— Mais nous allons vous encombrer, protesta Loïc.

— Ne vous inquiétez pas pour ça! Le Memling était catégorique.

«Et l'on dit les paysans inhospitaliers, en France! songea Diane. Quelle injustice!...»

— Il est évident que nous allons vous dédommager de notre intrusion et de notre séjour, madame, reprit Loïc. Considérez-nous comme des hôtes payants, c'est normal.

— Il n'en est pas question! déclara le Memling avec sévérité. Chez nous on ne paie pas, on rend service, c'est tout.

— Oh, pour rendre service... commença Luce avec élan mais quelques pensées interdites durent lui traverser la tête car elle s'arrêta net en rougissant.

Le paysan prit une voix ferme:

— Il y a quelque chose dont il faut vous inquiéter, c'est votre copain!

— Comment ça... notre copain?

— Il ne va pas s'arranger, votre copain, avec la chaleur, vous comprenez! On a déjà eu, comme ça, des pertes à la ferme, l'été, et il faut se dépêcher, voilà, pour les obsèques! C'est que... ça n'arrange pas, vivant ou mort, la chaleur, hein ! Et, devant les regards horrifiés des autres, il précisa : Votre copain allongé sur la carriole !

— Ce pauvre Jean ! dit Luce, retrouvant ses esprits. Il est toujours là-haut ?

— Il y a des chances qu'il y reste, oui, le pauvre, mais nous on le sentira d'ici.

Dans le même mouvement, les deux femmes tirèrent un mouchoir de leur poche et y enfouirent leur visage.

— Bon, venez ! dit Maurice agacé. On va régler ça entre hommes !

Et il tira par le bras un Loïc flatté qu'il n'ait absolument pas mentionné Bruno en prononçant les mots « entre hommes ».

— Je ne peux pas vous aider, hein, je suis bien chagriné de ça. Mais je vais vous montrer pour les outils, et puis comment on s'en sert aussi. Il faudrait peut-être réveiller votre copain, maintenant, pour vous donner la main.

Ce fut Luce qui se chargea de la mission mais qui revint les larmes aux yeux dix minutes plus tard annoncer que Bruno, conformément au traité, disait-il, se refusait à toute besogne de ce genre.

— Notre jeune ami, qui est aussi un goujat, a conclu un traité comme quoi il ne lèverait pas le petit doigt ces jours-ci, annonça Loïc pour clarifier la situation.

— Il n'a pas dû le signer avec ma mère, son traité, dit Maurice Henri en riant.

En attendant, ce fut Loïc qui creusa la tombe dans le pré derrière la maison, une tombe sous des pommiers qui le protégèrent du soleil, lui, et qui protégeraient plus tard le pauvre Jean. Un endroit poétique avec ses quatre pommiers comme quatre cierges en fleur, un endroit qu'il aurait volontiers choisi pour sa propre carcasse s'il se fût passé, en revanche, d'y œuvrer lui-même. Ce petit Bruno était décidément un salaud. La terre était meuble, là, d'après Maurice, et Loïc savait à présent comment se servir d'une pelle grâce à ses conseils mais il lui fallut plus de deux heures pour déblayer un espace suffisant.

De retour à la ferme, il trouva Luce et le Memling assises, l'air sérieux, sur leurs chaises, habillées de sombre, déjà prêtes. Il était onze heures du matin et la fermière avait pris soin, pendant que Loïc creusait, de mettre quelques fleurs sur la poitrine du mort et entre ses doigts un crucifix fait de deux bâtons croisés et reliés par un beau ruban noir. Ce misérabilisme outré et cette tentative esthétique rendaient horriblement touchants ces préparatifs. Luce, d'ailleurs, dans son tailleur bleu marine, se mit à pleurer à pierre fendre. C'est alors que Diane Lessing fit son entrée dans la cuisine, toute de noir vêtue dans un tailleur Chanel, le visage caché sous une invraisemblable mantille et chaussée d'escarpins les plus hauts que Loïc ait jamais vus. Cette tenue de deuil n'avait apparemment pas entamé son moral.

— Assez de pleurs comme ça, Luce ! Après tout, ce n'était qu'un...
Elle freina des deux talons devant « chauffeur » et le remplaça par
« quelqu'un que vous connaissiez mal, après tout ».

— Il était dans la maison depuis cinq ans, gémit Luce. Je le voyais
tous les jours, on parlait si gentiment quand on était tous les deux seuls
dans la voiture.

— Vous n'étiez quand même pas intimes ! dit Diane. — Laissant les
Henri se demander comment on pouvait ne pas être intime avec
quelqu'un à qui depuis cinq ans on parlait si gentiment en tête à tête tous
les jours au fond d'une voiture, elle ajouta avec fermeté : — Bruno ne
vient pas ? Eh bien, je vais vous dire, Luce : moi, un type comme ça, je
n'attendrais pas qu'on le fusille, je le quitterais sur-le-champ !

Mais elle parlait à Loïc en disant ça, comme si Luce eût été trop lâche
pour la comprendre.

Jean avait été installé par la fermière et son fils sur la carriole avec
quelques fleurs. Derrière le cheval que menait Maurice, les trois femmes
se mirent en marche, suivies à deux pas de Loïc. Il avait la gorge serrée
pendant que les pleurs de Luce redoublaient. Quelle sottise ! Quelle
horrible sottise, que la mort absurde de cet homme sur une route, avec et
à cause de gens pour qui il était un meuble, et un meuble non signé ! La
carriole s'engagea lentement dans le pré et Diane à sa suite, d'autant
plus énergiquement qu'elle tirait Luce par le bras. Elle fit donc un grand
pas, puis deux, mais stoppa net et resta là, immobile, dans une posture
sportive : l'allégorie de la marcheuse à pied mais une allégorie de
marbre. Car ses hauts talons l'avaient fichée dans le sol pâteux et l'y
maintenaient aussi fermement que les piliers des palais de Venise dans
la lagune. Du même coup, Luce, qui avait pris de l'élan, se retrouva
brusquement retenue en arrière par le coude et dut faire des moulinets
des deux bras pour se rétablir mais fût tombée sur son séant si le
Memling ne l'avait rattrapée au vol. Elle se retourna vers Diane. La tête
droite et le regard lointain, celle-ci ressemblait aux filles pétrifiées de
Loth après Sodome et Gomorrhe. Pendant ce temps Maurice et son
cheval, inconscients du drame, continuaient leur chemin. Diane jeta vers
Loïc un coup d'œil autoritaire et désespéré.

— Pourquoi enterrer ce pauvre diable dans les sables mouvants ?
siffla-t-elle. Par paresse ? Aidez-moi donc !

Loïc essaya vaguement de la soulever par la taille — avec d'autant
moins de conviction qu'il était gagné par un rire incoercible — à
l'inverse de Luce, laquelle, le visage tourné vers la carriole qui
s'éloignait, redoublait de larmes. Non seulement on lui avait tué son
chauffeur mais voilà qu'à présent on lui enlevait sa dépouille. Le
Memling aboya vers Diane :

— Vous n'avez qu'à laisser vos chaussures là et marcher sur vos
chaussettes !

Effectivement c'était une solution, encore que Diane n'aimât pas beaucoup qu'on appelât «chaussettes» ses bas à jours. Mais elle obtempéra et ils eurent tôt fait de rattraper la carriole qui s'était arrêtée devant le trou si péniblement creusé par Loïc et dont la vue le remplit de fierté.

— J'espère qu'il sera assez grand, dit-il à mi-voix. Je n'ai eu que deux heures! ajouta-t-il pour bien souligner son effort.

— Mais c'est parfait, c'est parfait! dit Diane avec le ton qu'elle eût pris envers un fossoyeur obséquieux. Alors, vous le descendez?

Loïc était furieux et essayait de se calmer.

— Oui mais il faut m'aider! Je ne peux pas tout faire tout seul, Diane!

Ils chuchotaient tous les deux, agressifs, mesquins et minables, se dit Loïc avec gêne.

— Je vais vous donner un coup de main, offrit la fermière. On voit bien que vous n'avez pas l'habitude.

Et Loïc et Diane tenant les épaules, la fermière les jambes, ils firent glisser de la carriole le corps de Jean, le déposèrent aussi doucement que possible au fond de la fosse. Là ils s'alignèrent, essoufflés et transpirants, et il leur fallut une bonne minute pour reprendre l'air serein et chagrin réclamé par les circonstances. Ce fut Diane, bien sûr, qui rompit le silence la première :

— Il faut dire quelque chose, souffla-t-elle à Loïc, une bénédiction.

— Il était chrétien?

— Je ne sais pas, dit Luce d'une voix tremblante.

— Eh bien, pour quelqu'un qui lui parlait tous les jours! lança Diane ironique...

La voix de Luce monta de deux tons :

— On ne parlait pas de religion, figurez-vous!

— Mais je ne veux pas savoir de quoi vous parliez, s'écria Diane faussement discrète, les yeux baissés, et Loïc s'énerva.

— Quelqu'un connaît-il une prière de deuil?

Tout le monde eut le même geste de dénégation et Loïc respira à fond. Changeant de voix malgré lui, il commença :

— Bon! Nous enterrons ici notre ami et notre frère Jean... Jean...?

— Je n'ai jamais pu me rappeler son nom, dit Luce d'une petite voix honteuse mais Diane qui commençait à ouvrir la bouche la referma tant le regard de Loïc, jeté vers elle, était expressif et menaçant.

— ... notre frère Jean qui est mort avec nous et pour nous, sur cette route. Nous le confions à la terre et à Dieu, s'il existe... enfin, si Jean croyait qu'il existait, reprit-il précipitamment. Nous ne savons rien de lui, ni de ceux qui le connaissaient et l'aimaient. Donc, dit-il en faisant un signe de croix machinal qui compensait un peu l'athéisme de son homélie, donc nous vous le confions. Et voilà! Amen.

— Amen, répétèrent tous les autres avec soulagement.

Il prit un peu de terre dans sa main et la jeta sur le drap blanc avant de se détourner, amer et attristé. Amusé aussi, il ne savait plus. Il attendit que les autres l'aient imité et se soient éloignés avec la carriole : il attendait qu'ils l'aient laissé seul avec ce pauvre mort pour pouvoir le recouvrir de terre à grandes pelletées et refermer ce trou qu'il avait eu tellement de mal à creuser, deux heures plus tôt, et pour lequel personne ne l'avait même félicité.

Bruno était arrivé dans la grande salle sans aucun pressentiment. Et qui en aurait eu ? Comment imaginer sa maîtresse, la belle et riche Luce Ader, en train d'essuyer des assiettes avec un affreux torchon, dans un costume de soie sauvage et, pire, sous l'œil d'un paysan vautré dans sa sordide alcôve ? Bruno resta d'abord sans voix, avant de se remettre :

— Luce, qu'est-ce qui se passe ? Est-ce que je rêve ou est-ce que vous faites la vaisselle ? Vous comptez donner l'exemple au Tout-Paris ? Vous êtes tout simplement grotesque, ma chérie !

Luce tourna vers lui un de ses regards coupables et effarés, comme à l'habitude, un regard qui l'exaspérait, lui, Bruno, jusqu'à la folie. Mais alors qu'elle ouvrait la bouche après avoir déposé son torchon sur la table, une sorte de hennissement abominable, le cri d'un homme ou d'une bête à l'agonie, éclata dans la salle et le fit reculer de deux pas.

— Qu'est-ce que c'est ?... marmonna-t-il.

Ses jambes tremblaient et il craignait que le rustre ne s'en aperçût mais celui-ci avait tourné le dos à la pièce et paraissait dormir.

— C'est le grand-père, là-bas, dit enfin cette idiote de Luce.

— Là-bas ? Il est dangereux ?

La forme tassée comme un vieux chiffon abandonné dans le fauteuil n'avait rien d'inquiétant et Bruno en fut réconforté mais Luce voulut l'éclairer :

— Il n'a plus les dents qu'il faut pour les N et pour les R le pauvre homme. Comme il est très poli, il veut dire bonjour. Il essaie et il dit « Beju » — Elle épela consciencieusement : B-E-J-U.

Jouant la compassion, Bruno la regardait comme une folle. Mais elle, inconsciente, continuait :

— Répondez-lui, Bruno ! Après tous ses efforts, c'est la moindre des choses. Le pauvre doit être très sensible.

En effet le vieillard dégénéré relançait son affreux hurlement.

Luce s'impatientait :

— Allez, Bruno, allez ! Il finirait par se plaindre à nos hôtes. De quoi aurions-nous l'air !

Elle le paierait ! Elle paierait cet air impérieux et convenable !

— Bonjour, monsieur, dit Bruno, normalement d'abord, puis, devant l'expression de Luce, il hurla presque «BONJOUR, MONSIEUR !» avant de se retourner vers elle :

— C'est pathétique, vous savez ! C'est pathétique et odieux. Refaites vos valises, nous repartons. Où est Loïc ? Toujours sur sa tombe ? Et Diane, elle bêche aussi ?

Il plaisantait mais à peine. Le spectacle de Luce à son évier l'avait frappé. Que s'était-il passé ? Comment avait-on conduit ces femmes à cette comédie lamentable ? Les avait-on menacées ? Il s'approcha :

— Luce, dit-il, tout va bien ?... Comment vous a-t-on obligée à ça ? Quelqu'un vous a fait peur ?

— Peur ?... Mais de qui ? De madame Henri qui est si aimable ? De Maurice avec son pied ? — Elle rougit. — De ce pauvre homme qui a perdu ses lettres et ses dents ? Vous plaisantez, Bruno !

Et, haussant les épaules, l'air sensé, Luce reprit son torchon. Bruno se mit à rire, de ce rire bas et blessant qui, il le savait, l'atteignait toujours.

— Ah bon !... Ma chérie, vous a-t-on ôté l'appendice à Paris ou le sens du ridicule ? Votre nouveau personnage va faire un triomphe aux USA !... Votre époux ne sait pas quelle perle ménagère et quel cœur démocrate lui arrivent de Paris : on pleure sur les chauffeurs... on soigne les paysans... on fait la vaisselle !... Mais vous voulez vous inscrire au parti communiste, ma chérie ! ...

— Parce que vous avez un mari !... Ça alors, j'aurais pas cru !

Maurice Henri ne dormait pas, semblait-il, et sa voix était étonnée et vaguement déçue.

Bruno s'agaça.

— Eh oui ! mon bon !... Luce a un mari à Lisbonne, plus un amant — moi-même —, plus quelques cavaliers servants à Paris. Vous n'abritez pas une vierge pure, mon brave... Pardon... monsieur Henri !

Le fiel contenu dans le «monsieur» résonna même à l'oreille pacifiste de la pauvre Luce.

— Si je n'étais pas esquinté comme je le suis, si j'avais mes deux jambes, je lui casserais la gueule, moi, à ce type ! dit Maurice s'adressant à des copains invisibles ou alors aux poules déambulant à ses pieds.

Il avait gardé un ton paisible qui abusa Diane, retour de sa chambre dans un pantalon flottant de flanelle lie-de-vin et un boléro de coton rose pâle qui soulignaient encore sa silhouette osseuse et agitée. La phrase de Maurice lui parut appartenir à un récit.

— Qui irait casser la gueule à quel type ? s'enquit-elle.

— C'est moi qui irais bien casser la gueule de ce petit con, là ! répéta Maurice sur le même ton traînard, en désignant Bruno du menton.

Poussant de petits cris aigus et levant les bras, Luce, par mimétisme sans doute, semblait caqueter et battre des ailes. Diane, imperturbable, haussa les épaules :

— Vous plaisantez, j'imagine !

Là-dessus arriva, tels la Justice et le Labeur réunis en une seule personne, Arlette-Memling. Elle jeta un coup d'œil à Bruno qui se versait du café et se coupait une tartine.

— Vous voilà debout ? dit-elle. — Votre ami Loïc vous attend dans la cour pour les moissons.

— Je suis navré, chère madame, mais vos moissons m'attendront. Je vais en ville chercher une voiture pour vous débarrasser et rejoindre des lieux plus habités. Si vous le permettez ?... ajouta-t-il avec une déférence ironique.

D'un geste lent Arlette-Memling lui retira le bol et le pain déposés devant lui et que visiblement affamé il se préparait à attaquer.

— Ici, ce qu'on mange, on le gagne ! dit-elle tout uniment avant de sortir, les laissant atterrés.

Bruno pâlit, se leva et fit valser sa chaise. Le soleil tapait sur le seuil. Il y resta un instant, tremblant de chaleur et de colère. Mais il recula malgré lui, terrifié, ne pouvant imaginer que l'énorme machine de combat, couverte de poussière et cliquetant de tous les aciers, qui coupait la cour dans sa direction pût être menée par Loïc Lhermitte, encore récemment diplomate au Quai d'Orsay.

Celui-ci, après une leçon donnée par Maurice, revenait d'une heure d'exercice à travers champs. Il s'était rarement autant amusé et aucun bolide ne l'avait autant excité que cet engin qui derrière lui coupait, battait et liait les épis de blé.

Après avoir effectué une descente en voltige, il s'étira, l'air enchanté de lui-même, les deux pieds campés sur le sol. Il souriait, fier de lui, cet imbécile, pensa Bruno ! Fier de lui et des moissons à faucher, sans doute ! Le désespoir envahit un instant l'âme de Bruno. S'il avait renoncé à ramener à la raison ces deux follasses, il avait espéré trouver une entraide masculine et un simple bon sens chez Loïc.

— Si vous pouvez quitter un instant votre roadster mon cher, je voudrais bien vous parler.

— On parlera après. Vous venez avec moi jusqu'au champ ? dit Loïc, qui remontait déjà sur son char et se penchait vers lui. Maurice vous a expliqué votre rôle ? J'ai accroché votre fourbi derrière. Vous n'aurez qu'à le suivre. Ah ! on aura tout vu, mon petit Bruno ! conclut-il en remettant le moteur en marche.

Mais Bruno, resté à terre, eut un geste de refus si violent, son visage était si convulsé que Loïc arrêta à nouveau son tracteur et tendit physiquement l'oreille.

— Qu'est-ce qui se passe ?

Naturellement c'était trop simple pour Bruno de faire ce qu'on lui demandait, pour une fois ! Il était trop snob pour donner un petit coup de fourche, pour aider ces braves gens qui les hébergeaient, les nourrissaient et qui auraient sans doute à continuer quelques jours. Loïc, lui, qui était monté en haut de la combe et avait vu cette mer de blé coupée parfois par un frêle arbuste, savait tout départ plus que difficile. Il serait d'ailleurs moins difficile de partir d'ici que d'arriver autre part.

— Votre nouvelle amie... notre chère hôtesse vient de me refuser un morceau de pain! dit Bruno, les dents serrées de rage... aussi, je fous le camp!

— Du pain!... Elle vous a refusé du pain?

Loïc était visiblement plus étonné par l'objet du refus que par le refus lui-même.

— Mais pourquoi?

— Je ne sais pas et je m'en fous! Je vais prendre la camionnette en bas et trouver un bureau de poste. Ça doit exister quand même, un téléphone... en France... en 1940!...

— La camionnette est cassée. Je l'ai déjà demandée ce matin à Maurice.

— Il n'y a pas un vélo?... J'irai à cheval ou à pied s'il le faut! Vous comprenez, Loïc?

Loïc soupira, se résigna et se laissa glisser de son poste de commandement, non sans regret. Il tapa sur l'épaule de Bruno.

— Vous avez raison, il faut que nous parlions, mon petit vieux.

Il le poussa à l'ombre du hangar, alluma une cigarette dans le creux de ses mains, d'un geste viril qui exaspéra Bruno un peu plus, comme une trahison supplémentaire. Après tout c'était à Loïc avec ses cinquante ans passés de jouer le vieux grincheux et pas à lui, Bruno, qui en avait trente! Et pourtant l'aventurier, le boute-en-train, le responsable était actuellement incarné par Loïc.

— Hou hou!... Hou hou!... Où êtes-vous donc?

La voix de Diane, puis Diane elle-même dans son costume raffiné, les rejoignit. Tous trois s'installèrent en arc de cercle pour faire le point. Il y avait longtemps, pensait Diane, puisque Luce n'était pas là, qu'ils ne s'étaient pas réunis entre gens sérieux. Ils se seraient de même retrouvés entre gens normaux si Loïc avait été absent... ou entre gens bien élevés si c'eût été Bruno. Diane se découvrait toujours une nouvelle qualité grâce aux défauts d'autrui.

— Et vous arrivez à piloter cet énorme engin? demanda-t-elle à Loïc avec un respect nouveau.

— C'est un vrai jouet! Vous devriez essayer, Diane!

Mais Bruno n'était pas prêt à parler jouets.

— Vous avez vu, Diane, la façon dont j'ai été traité par cette harpie et son crétin de fils!... Je pars à pied trouver un bureau de poste et téléphoner à Ader. Vous comprenez mon attitude, j'imagine?

— Mais bien sûr que oui, mon petit Bruno! Bien sûr! Seulement, à l'aveuglette... est-ce prudent?

Loïc et Diane semblaient redevenus normaux et Bruno s'en félicita au passage.

— Je dois trouver un moyen de rejoindre Orléans ou Tours, un télégraphe en tout cas. La camionnette ne marche pas.

Diane soupira :

— Hélas non, mon pauvre ami, les Cro-Magnon sont à pied, ces jours-ci. Cela dit, il suffit de marcher vers le sud-ouest ! C'est tout ! Les bras croisés sur ses frêles appas, Diane semblait l'image même de la raison.

— Le sud-ouest ? Dieu sait où il est, celui-là ! fit remarquer Loïc.

— Par là !

Diane avait lancé aussitôt le bras vers un point précis du ciel impavide. Les deux hommes la regardèrent. Elle laissa retomber son bras et dit avec pitié :

— J'ai — et Dieu sait pourquoi, mais elles sont là ! — deux facultés innées. Je sais : a) où sont les points cardinaux, b) soigner les fleurs. La main verte et le sens de l'orientation. Je tiens ça de mon père qui, il y a cinquante ans, a quand même traversé une partie, inconnue jusque-là, de l'Amazonie.

— Ça prouve en tout cas la main verte, dit Loïc en souriant mais Bruno lui jeta un regard soupçonneux. — En l'absence de toute autre information il se décida :

— Je file, avant que cette mégère ne me pourchasse avec une fourche. Ma pauvre Diane ! dit-il avec élan, quand je pense que Luce a même fait la vaisselle !

— Ah là là là là !... Loïc et Diane hochaient la tête, les yeux baissés.

— Prenez au moins un chapeau ! cria Diane.

Mais il était déjà en haut de la combe et le paysage l'impressionnait trop pour qu'il s'attardât à ces futilités. Il disparut rapidement. Et Diane échangea un sourire sadique avec Loïc.

— Ça va le calmer ! dit-elle, et puis, s'il trouve un télégraphe, tant mieux, après tout !

— Vous voulez faire un petit tour sur mon engin ?

Loïc était obsédé. Incapable de résister, la mondaine Diane Lessing monta sur la moissonneuse-lieuse-batteuse et fit le tour de la cour à petite vitesse, poussant comme une jeune fille des cris de peur et de ravissement. Puis elle laissa Loïc partir seul vers sa mission, vers les blés presque mûrs qui l'attendaient, déjà frémissants d'appréhension.

Ils n'avaient fait qu'un petit tour de piste mais Diane, en rentrant, s'entendit quand même rappeler par Arlette-Memling que l'essence n'était pas gratuite.

Conséquence ou pas de cette folle dépense, ils eurent pour tout repas, à midi, un maigre petit bout de lard, quelques pommes de terre et une vieille soupe de la veille. Le pauvre Loïc, déjà brûlé par le soleil, empestant la sueur, en souffrit plus que les autres. Au point que, profitant de ce que Diane faisait un cours d'antiquité à la maîtresse de maison et lui donnait l'âge approximatif de son bahut, il se permit de lui prendre sa tranche de lard et de l'engloutir. Revenue à son assiette, un instant plus tard, elle chercha du couteau, qu'elle brandissait jusque-là en direction du bahut, le délicieux jambon fumé qu'elle y avait laissé intact l'instant d'avant. En vain. Elle plongea alors sous la table, prête à le disputer aux poules qui étaient, par hasard, absentes. Elle se redressa.

— Où est mon jambon ? siffla-t-elle sévèrement.

— Mon Dieu ! Vous le vouliez ?... Je croyais que vous l'aviez laissé !... Je suis désolé ! dit l'attaché d'ambassade, chevalier de la Légion d'honneur, abonné à l'Opéra et reçu partout comme le meilleur ami des Sévigné, entre autres.

— C'est la première fois que l'on me fait ça ! déclara Diane, et je trouve votre attitude indigne d'un homme du monde, et même d'un homme tout court.

— C'est aussi la première fois que je moissonne, se défendit faiblement le pauvre Loïc.

Diane était ulcérée, ses yeux lui sortaient de la tête mais son acrimonie et sa rancune fondirent lorsqu'elle vit repartir vers sa moissonneuse-lieuse-batteuse Loïc titubant de fatigue, apparemment moins fou de sa machine et plutôt attiré par son lit, dans la direction duquel il jeta un long regard de regret.

Quand il disparut vers les champs, il y avait plus de trois heures que Bruno était parti, à pied, à travers la campagne.

CHAPITRE V

Comme beaucoup dans son milieu, Bruno Delors avait besoin d'un public pour se sentir lui-même. Un public qu'il avait, jusque-là, trouvé partout et en permanence. Ces témoins lui paraissaient à la fois un décor naturel et une nécessité absolue. Et il ne pouvait pas ne pas imaginer inconsciemment quelques paysans blottis derrière les maigres buissons de cette campagne si plate, le regardant passer, admiratifs. C'est pourquoi il partit d'un bon pas : image d'un bel homme à la campagne, sportif, la tête rejetée en arrière, la chemise ouverte. Malheureusement, il se retrouva vite le front bas, sur un sentier traversé de sillons irréguliers, encombré de bosses, de pierres et d'herbes folles, qui l'obligèrent à sautiller comme sur les rochers de Fontainebleau. Il sentait les cailloux sous ses mocassins italiens qui, parfaits pour arpenter les

planches de Deauville ou les escaliers de Longchamp, se révélaient trop
souples, bien que blessants, sur ces chemins vicinaux.

Il marcha néanmoins sans trop souffrir pendant près d'une heure, au
cours de laquelle il dut accomplir trois kilomètres en ligne droite et
autant en travers car il alla trois fois vérifier que les îlots d'arbres, sur les
côtés, ne cachaient pas une ferme, un téléphone ou un moyen de
transport. En vain. Au bout d'une heure, la vue de poteaux indicateurs
au loin lui fit accélérer le pas mais ce fut pour tomber sur deux
planchettes indiquant, l'une «Le Mas Vignal», l'autre «La Tranchée».
Bruno finit par opter pour «La Tranchée» mais au bout de deux cents
mètres se décida pour «Le Mas Vignal» à la suite de réflexions trop
diverses et trop ennuyeuses pour être rapportées.

A onze heures du matin, il enleva ses mocassins. Mais marcher en
chaussettes était encore plus pénible. Il se rechaussa. Dans quel désert
était-il donc tombé?... Il essayait de se rappeler quelques notions de
géographie mais ne trouvait dans sa mémoire scolaire que les bribes
d'un poème oublié.

> Midi, Roi des étés, étendu sur la plaine
> Tombe en nappes d'argent des hauteurs du ciel bleu.
> Tout se tait...

Mais était-ce bien «étendu sur la plaine» ou «allongé»? Il n'était pas
sûr et cela l'agaçait. Cet adjectif incertain rendait la récitation obsédante
comme elle ne l'avait jamais été en classe. Il faisait chaud, atrocement
chaud. Il transpirait mais ne s'essuyait même plus le front. Le seul
moment un peu agréable fut, à midi, quand il retrouva l'adjectif:
«épandu»...

> Midi, Roi des étés, *épandu* sur la plaine...

C'était ça! Il en était sûr! «Epandu»! Il était sûr aussi d'être perdu,
à présent. Il n'en pouvait plus. Des dessins rouges défilaient sous ses
paupières, le sang lui battait aux tempes comme des battants de portes.
Le bouquet d'arbres où il arriva alors sans espoir d'y trouver quoi que ce
soit — et sans se tromper, d'ailleurs —, le bouquet d'arbres lui permit
de s'allonger à son ombre, sur le dos d'abord comme un homme normal,
puis de se retourner sur le ventre, les vêtements froissés, la tête sur le
bras, à la limite du désespoir, de la fatigue, de l'insolation. Il n'y avait
pas d'avions, pas de soldats verts ou kaki, pas de bataille... il n'avait vu
tuer personne... Qui avait dit que la France était toujours en guerre?...

Quand il arriva chez les Vignal, ce fut pour constater qu'ils avaient
sans doute fait faillite. Des restes de ferme, quelques pierres éparses, un
bouquet de ronces, trois arbres sous lesquels il alla encore s'asseoir. Ses
pieds étaient en sang. Il les regardait avec stupeur, ces pieds si bien
pédicurés encore la semaine précédente et à présent bourrés d'ampoules,

de cals, écorchés vifs. Il avait mal, il avait soif. Il avait envie de pleurer. De vieux récits de voyageurs égarés, de déserts et de squelettes rongés par les chacals (ou les chacaux?...) lui passaient par la tête. Il voyait d'avance les journaux : un fait divers étalé en première page : « Le jeune et beau Bruno Delors retrouvé, mort, en pleine Beauce. » Ridicule ! Allait-il mourir en Beauce ? Lui ? Bruno Delors, aimé des femmes ? Grotesque ! Il n'allait pas faire rire les gens à propos de sa mort ! On ne mourait pas en Beauce ! Pourquoi serait-il le seul Français à mourir en Beauce ? Après avoir échappé à trois avions et un voyage entier avec cette furie de Diane, cette tante de Loïc et cette gourde de Luce ! Et pourtant, en songeant à eux, des larmes de tendresse lui vinrent aux yeux. Il les imaginait désespérés de sa disparition, tournant en rond dans cette ferme sans pouvoir en sortir, prisonniers de ce paysage maudit, de cette France maudite, de cette Beauce maudite !... Ah non, on ne l'y reprendrait pas !

Il se mit à sangloter à petit bruit, se retenant de sangloter plus haut malgré le silence et la solitude qui l'entouraient de tous côtés et d'une façon implacable. C'était la première fois qu'il comprenait véritablement le sens du mot « implacable ». On parlait toujours, à Paris, de gens implacables, d'hommes d'affaires implacables ou de femmes implacables. C'était ridicule ! Personne ne pouvait être implacable comme la campagne, il n'y avait que la campagne qui fût implacable.

Tout tournait, ses idées tournaient, sa tête tournait, la terre tourbillonnait. Bref, en ce beau jour de juin 1940, Bruno Delors, couché les bras en croix sur la bonne terre française, pleura longuement sur lui-même, faute de pleurer sur l'armistice que, cent kilomètres plus loin, le maréchal Pétain était en train de signer avec l'armée allemande.

Bruno Delors, donc, battait sérieusement la campagne, victime d'une brutale et sérieuse insolation, quand un garçon de ferme, simple d'esprit, le trouva allongé sous son bouquet d'arbres. Il était près de trois heures de l'après-midi lorsque, tombant sur lui endormi sous ses feuillages, ronflant, sifflant et murmurant des mots bizarres d'une voix aiguë, le visage écarlate et les membres agités, « J'irai-point », qui rentrait chez lui, s'arrêta.

« J'irai-point » était un garçon du village qui s'appelait Jean comme tout le monde. Né d'un père inconnu, et qui l'était resté, et d'une pauvre femme morte après l'avoir mis au monde mais trente ans plus tard, Jean devait son prénom à la seule imagination de celle-ci. C'était par un soir de beuverie — il avait alors quinze ans et en paraissait déjà le double ou le triple — que ses camarades, surexcités par la boisson, l'avaient nommé « J'irai-point », sobriquet né du réflexe qu'avait Jean de répondre par cette phrase dès qu'on lui parlait de chasse, de mariage, de boisson, de femme ou de politique. Ce surnom lui resta et, vu l'absence de ses parents, il n'y avait plus que quelques vieilles femmes à dire en le voyant traverser le foirail : « Tiens, voilà Jean qui passe ! » Mais elles n'ajoutaient pas, comme d'habitude : « C'est un petit qui ira loin ! » car tout le monde savait qu'il n'irait nulle part. En effet on l'appelait aussi « Meningou », vieille locution beauceronne qui, par contraction, désigne la méningite. Les quelques accès qu'il avait eus de celle-ci pesaient encore sur son comportement, même si elle lui avait laissé la vie sauve.

Meningou commença par admirer les beaux effets du dormeur, puis, dans sa naïveté, tenta de lui ôter sa montre, n'y parvint point et réveilla Bruno qui se redressa sur ses coudes, hagard et fiévreux. Il aperçut alors un visage flou et qui, lorsqu'il cligna des yeux, le demeura. Car Meningou avait tous les signes d'une maladie mentale un peu accentuée, une espèce d'imprécision dans les traits et dans le contour du visage, comme s'il avait été créé, dessiné, en pointillé. Ses yeux et sa bouche ne riaient pas ensemble ; on avait toujours l'impression que le sentiment qu'indiquait son visage n'était pas celui qu'il éprouvait, ce qui empêchait qu'on le prît au sérieux et, par conséquent, qu'on l'aimât.

Meningou donc vivait seul dans une maison en ruine, derrière un bosquet. Quelques pulsions sexuelles, informes et débordantes, l'avaient jeté une fois sur une femme du village, vigoureuse créature qui l'avait accroché à son portail par la ceinture du pantalon même qu'il aurait voulu enlever avant qu'il n'arrive à ses fins, et ensuite, par une erreur compréhensible, sur un vicaire, un frêle jeune homme que le curé du lieu tentait d'endurcir à la vie campagnarde et que les assiduités trop poussées de Meningou renvoyèrent à un apostolat plus urbain. Assouvi ou non par ses turpitudes, Meningou depuis cinq ans se tenait tranquille ; l'opinion publique était qu'il se contentait de quelques bêtes domestiques — encore que pas une fois on n'ait vu, parmi ces grands troupeaux, un seul animal qui, à sa vue, se mît à frétiller, à donner de la voix ou à trotter dans sa direction. On pensait donc que Meningou non seulement dérangeait mais corrigeait en plus les objets de ses désirs, ce qui rendait forcément cyniques et froides ces pauvres bêtes.

Bref, « J'irai-point » eut le coup de foudre pour ce joli jeune homme allongé dans l'herbe, avec ses beaux vêtements et son visage cramoisi. Ébloui, il tendit la main vers Bruno, la posa sur ses cheveux et les tira en riant, un léger filet de salive dégoulinant sur sa lèvre inférieure. En d'autres temps et en d'autres lieux, Bruno eût poussé des cris d'horreur, tenté de boxer ce pervers ou de le fuir au galop. Mais il délirait. Et son délire était peuplé de déserts, de sable, de dunes perpétuelles, d'oasis introuvables et de bienveillants nomades. Celui qui se dressait devant lui ne présentait pas, certes, le noble visage des Kabyles ni des Hommes Bleus, mais il semblait heureux et fier de l'avoir sauvé d'une mort atroce et, sans lui, inéluctable. Bruno se leva, vacilla, et dut s'appuyer sur son compagnon. Il avait 41 de température, voyait des chéchias et des dromadaires partout et, souriant, prenait les baisers fous dont Meningou dévorait son visage pour d'ancestrales pratiques musulmanes. Lui-même, d'ailleurs, posa quelques baisers plus modestes sur les joues étonnamment charnues et roses de ce Bédouin, ce crâne fils du désert — et là on peut dire que le Parisien le plus blasé fût resté ébahi par cette scène. Vite lassé, néanmoins, de ces vieilles coutumes, Bruno s'assit à la turque, les jambes croisées et les pieds repliés sous ses cuisses sur le sol pierreux. Cette nouvelle manière de s'asseoir qu'il n'avait jamais — et pour cause — vu exécuter en Beauce redoubla chez J'irai-point le respect et l'admiration. Il tenta d'en faire autant, trébucha, s'effondra et, après quelques gesticulations sans grâce et sans succès, se résigna à s'asseoir comme à son habitude aux pieds de son nouvel amour.

Bruno, qui mourait de soif dans sa fièvre, attendit quelques instants le thé à la menthe, cette boisson doucereuse et sucrée inévitable en Afrique du Nord — il le savait — et, ne voyant rien venir, interpella son sauveur :

— Moi avoir soif! dit-il. Moi affamé, moi malade. Toi emmener moi au prochain fortin.

Ce langage châtié et succinct, s'il l'étonna, bien sûr, convenait parfaitement au cerveau de J'irai-point. Il se leva hilare.

— Moi emmener toi! dit-il fermement... Nous manger le cassoulet de la mère Vignal. Toi avoir des sous? — Et il secoua ses poches pour bien préciser sa pensée, ce que voyant, Bruno, se levant à son tour, sourit :

— Moi avoir beaucoup d'or à Paris... mais moi savoir toi mépriser l'argent!

Ce discours n'éveilla pas un grand écho chez J'irai-point.

— Nous avoir besoin d'argent pour cassoulet! dit-il avec une visible angoisse.

Bruno se voulut rassurant :

— Moi devoir toi la vie... moi donner toi amitié, foi, confiance. Moi couper ma main pour toi. Mais moi pas donner toi sales billets. Moi savoir toi mépriser billets.

— Si, si! Moi accepter billets de toi! assura J'irai-point avec une vigueur peu commune.

— Moi donner toi plus tard, alors. Tout à moi, tout à toi! Toi vouloir quoi, maintenant?

— Ta montre!

Malgré sa bêtise et son ignorance, le garçon avait bien vu que les vêtements de Bruno étaient immettables, fichus, et qu'il n'y avait qu'une chose brillante sur lui : sa montre. Bruno se rappela vaguement que cette montre était en platine et qu'elle lui avait coûté des nuits et des nuits auprès de la vieille baronne Hasting. Il tenta faiblement de la défendre.

— Ma montre valoir vingt chameaux, dit-il avec emphase, vingt chameaux et kilos et kilos de dattes!

— J'aime pas les dattes, dit J'irai-point en tendant la main.

Et Bruno, la mort dans l'âme, détacha sa montre. C'est à ce moment-là qu'arrivèrent sur la carriole ses amis parisiens, jusque-là cachés par la ligne des arbres : Luce et Loïc, flanqués d'Arlette Henri, avaient fini par s'interroger sur la disparition de Bruno. Arlette avait attelé les chevaux et suivi sans difficulté les pas du marcheur dans la poussière.

— Vas-tu rendre cette montre ! cria-t-elle à J'irai-point. Tu l'as volée ? Si tu ne veux pas aller en prison faut que tu viennes à la maison faire la moisson !… Viens à la ferme, je te donnerai à manger après la faux demain ! cria le Memling avec à-propos en voyant les bras vigoureux de J'irai-point bronzés par le soleil. Viens finir la moisson, J'irai-point ! Je te paierai.

Celui-ci répondait aussi par « J'irai-point » quand on lui parlait de moissons ou de travaux des champs. Mais là, c'était son amour qu'il suivait… sa découverte.

— On est déjà arrivés au fortin ou à la frontière ? Avec quelle tribu parle donc mon sauveur ? demanda Bruno à une ombre au burnous retroussé sur les jambes, sans reconnaître les voix affectueuses et les visages pourtant chéris qui l'entouraient. « Ils l'avaient cru perdu, disaient-ils, ils avaient eu peur… » C'était à lui de les détendre et de les rassurer.

— Moi préférer couscous au cassoulet, dit-il. Moi amoureux du désert. Moi suivre ta caravane, dit-il à un nommé « Al Lett », un indigène vêtu d'un caftan noir et au visage sévère.

Un peu plus tard il était couché dans la carriole qui rentrait vers la maison des Henri, la main de Luce larmoyante et coupable tenant la sienne. Loïc, profitant de sa léthargie, lui administrait de temps en temps une légère claque sur la joue sous prétexte de le ranimer. Gifles qui firent regretter distraitement à Bruno les mœurs plus enveloppantes et plus tendres de son ami touareg devenu invisible mais qui, placide, se nettoyait les dents avec une herbe, les jambes pendantes au bord de la charrette.

Quant à Arlette Henri, conduisant les chevaux et regardant derrière elle son petit monde mort de fatigue, elle se félicitait de ses arrangements et, surtout, d'avoir enfin décidé J'irai-point, le plus costaud du village, à travailler à ses champs. Il abattait du travail comme dix quand il y consentait (cela faisait bien des années que personne n'était parvenu à l'y décider). Maurice allait être content, se dit-elle. Et Loïc qui lui tournait le dos crut l'entendre chantonner un vieil air à moitié oublié et qui s'appelait *Fascination* : « Je t'ai rencontré… simplement… »

Mais il était si fatigué que cela ne le fit même pas sourire et qu'il pensa, par la suite, avoir rêvé. En tout cas cela ne dura pas longtemps car, se retournant vers l'arrière de la charrette et désignant Bruno du menton, elle dit à Loïc :

— Ne vous faites pas de souci, demain il sera debout !

Ce qui voulait dire debout avec une fourche.

CHAPITRE VI

Diane n'avait pas suivi l'expédition de sauvetage sous prétexte d'attendre le disparu à la maison au cas où il reviendrait par ses propres moyens. En réalité, elle n'avait pas fini la tâche que lui avait confiée Arlette et ne tenait pas à le lui avouer. Sans doute par une fierté enfantine, se disait-elle en minaudant toute seule. Sa tâche était simple mais rebutante : elle devait trier un cageot de pommes ; d'un côté les sures et de l'autre les saines. Tri réalisable à l'œil sinon à la dent.

— J'en ferai des tartes demain pour le dessert des moissonneurs, lui avait dit Arlette. Il en faudra trois grandes. Les meilleures, c'est les miennes, disent les hommes. Ah ça ! vous êtes tombés dans la bonne maison ! avait-elle déclaré à Diane interloquée.

Or Diane, une fois cachée dans la remise et après avoir enfourché ses lunettes, avait beau scruter chaque pomme avec intensité, elle n'arrivait pas à trancher de sa valeur. Elle devait donc, maintes fois, la mordre ; ce qu'elle avait fait d'abord vigoureusement, puis peu à peu du bout des dents, ces dernières commençant à renâcler, voire à branler, tant l'acide des pommes s'attaquait à ses gencives.

Le cours, jusque-là endiablé, de son tri s'était donc ralenti. Et Arlette-Memling, repassant dans son dos, les bras chargés d'instruments divers, le lui avait fait remarquer d'une voix tranchante :

— Dites donc, ma pauvre, vous allez y passer la nuit ! Mais c'est ce soir que je les mets au four, mes tartes ! Faut pas vous endormir dessus !

— Je n'arrive pas à les distinguer l'une de l'autre, vos pommes.

— Je vous l'ai déjà dit, de les mordre !

— Je ne peux quand même pas mordre une à une trois kilos de pommes. J'ai déjà trois dents qui branlent, pleurnicha Diane d'une voix plus désespérée que révoltée car sa « fierté enfantine » l'avait totalement abandonnée et la fermière lui fichait bel et bien la frousse.

— Aux mauvais ouvriers les mauvais outils ! Allez, vous vous débrouillerez bien. Les Parisiens, c'est malin ! avait conclu la fermière avec un bon sourire, d'ailleurs fugace car elle avait ajouté aussitôt : — Attention, hein ! Une seule mauvaise pomme et toute ma tarte a un goût de pourri !

Laissant Diane atterrée, le Memling était reparti vers ses travaux quotidiens et ses bombances du lendemain pendant que dans la grande salle Luce se tapait toute la vaisselle entassée dans le bahut depuis la dernière moisson, en 1939, donc couverte de poussière et de fientes de rat. « Si l'on pense, se disait Diane, que Luce Ader avant cette vaisselle a dû faire la chasse aux œufs et ensuite préparer la pâtée pour les canards ! » Pauvre Luce ! Dans sa sottise elle avait dû se dépêcher, en faire trop, se surpasser et, son travail terminé, s'était donc retrouvée chaque fois chargée d'une autre corvée ! Elle, Diane, au moins, était restée rivée à ses pommes et elle se tirerait de cette journée sans courbatures et sans point de côté (même si elle écopait de quelques aphtes dans la bouche et d'une légère nausée due à une excessive sécrétion de suc gastrique). Tout ça pour un déjeuner dont le prétexte ne l'intéressait absolument pas. Et malgré la vexation que cela lui aurait causé, elle en était à souhaiter le retour triomphal de Bruno. Mais comment compter sur ce gandin dans ces conditions dramatiques ? On voyait bien qu'il y avait eu la guerre ! De cela, maintenant, elle se rendait compte. Il avait fallu une catastrophe nationale ou mondiale pour justifier la dégringolade sociale dont, depuis deux jours, Luce et elle étaient les victimes, comme pour expliquer l'attention respectueuse qu'elle portait aux diktats d'une fermière.

Ce fut le bruit de la carriole dans la cour qui un peu plus tard arracha Diane à ses rêveries et à sa tâche, telle une émigrée entendant rentrer au Temple la sinistre charrette des guillotinés. Avec remords, avec défi, elle mélangea vite fait les pommes sûries et les saines, eut le temps d'arracher le tablier de sarrau noir qui lui faisait deux fois le tour de la taille et sortit de la cave. Dehors, Loïc et Luce, soutenant Bruno, l'entraînaient à l'intérieur de la maison et l'asseyaient sur la seule chaise un peu confortable de la grande pièce. Bruno trébuchait, vacillait. Le malheureux avait dû faire une mauvaise chute malgré la platitude extrême du paysage. Loïc la détrompa :

— Ce n'est qu'une sacrée insolation, je vous le jure, Diane ! Il ne risque rien.

— On attrape toujours des insolations ici, l'été, parce qu'il n'y a pas assez d'arbres, commenta Maurice Henri, rassurant lui aussi mais l'air assez satisfait quand même du retour piteux de son rival.

Il était superbe, bronzé, avec ce maillot de corps blanc inscrit sur le corps et qui était plus troublant que laid, finalement.

— Mais que s'est-il passé ? Où l'avez-vous trouvé ? dit Diane de sa voix de juge et de reporter.

Loïc se retourna :

— Nous l'avons trouvé sous un arbre, où ce jeune homme l'avait transporté.

Il indiquait l'individu sans âge et, semblait-il, sans entendement et sans âme qui les accompagnait. Celui-ci murmura :

— 'jour madame! d'une voix de fausset, déroutante chez un garçon aussi grand et aussi fort.

— Bonjour, monsieur!

Elle avait pris sa voix de clairon qui proclamait et son attachement aux règles sociales et les accrocs que la vie leur infligeait parfois.

— Je vous remercie donc, monsieur, ainsi que tous mes amis, de nous avoir ramené... Mon Dieu! s'écria-t-elle en découvrant le visage de Bruno. —... Mais dans quel état il est! Vous l'avez retiré d'une ruche ou quoi?...

Le visage rouge foncé et gonflé de Bruno faisait peur et gênait : cette laideur subite non seulement le transformait mais le dépersonnalisait, le déshumanisait presque. Il s'appuyait tellement sur son physique dans la vie, il marchait tellement derrière son visage, qu'il semblait d'un coup sans origine, sans passé et, pire, sans avenir... Que deviendrait le beau Bruno Delors s'il restait ainsi? La réponse, on le devinait, serait à chercher dans des cliniques, des bouges ou des hospices. Dans des horreurs, en tout cas..

— Une ruche... une ruche... répéta le nouveau venu. Une ruche! Ah ben non! Ça, j'irai point!

— Et voilà! décréta Maurice de son grabat, comme mis en joie par ces mots. C'est tout ce qu'il sait dire : « J'irai point! » Et c'est comme ça qu'on l'appelle, d'ailleurs : J'irai-point.

Diane avait l'habitude des surnoms (Dieu sait que dans son milieu on les multipliait) mais celui-ci la déconcerta :

— Ce n'est pas très charitable, dit-elle avec sévérité.

— Les femmes l'appellent aussi Meningou, si vous préférez, continua Maurice. Il a eu quelque chose au cerveau quand il était petit, une maladie des méninges, une... enfin, bref, on l'appelle Meningou.

— Beju! Beju! s'écria à ce moment-là le vieillard dont l'ouïe s'affinait apparemment de jour en jour et qui avait dû remarquer un nouvel organe dans le chœur, agréablement renouvelé ces temps-ci, de son entourage.

— 'jour m'sieur Henri! 'jour m'sieur Henri! cria le nommé J'irai-point en clignant de l'œil vers Bruno comme pour faire partager à un bon copain son sujet d'hilarité mais en vain, la tête de celui-ci retombant sur sa poitrine. Dans quel état était son élégant costume du matin! pensa Diane. Et elle vit le regard de Loïc faire aussi l'inventaire de ces dégâts avec tristesse.

— Il faut le coucher, dit Arlette-Memling qui, arrivée sans bruit, soulevait le menton de Bruno et le dévisageait avec ses yeux froids de femme sioux. Il va faire de la fièvre, il va cracher peut-être partout, et puis demain il sera sur pied, tout neuf!

Et elle tapota distraitement la joue du malade avec la même sensibilité qu'elle eût réservée à une tête de bétail. C'est alors que J'irai-point, se penchant sur Bruno, posa un long baiser sur ses yeux hagards avant de jeter vers les Parisiens un sourire bestial et complice qui les fit tous reculer d'horreur.

— Mais que lui veut-il ? cria Diane.

Une Diane pour une fois moins choquée par la classe sociale que par les intentions du prétendant.

— Voulez-vous le laisser ! cria-t-elle encore, tandis que Loïc empêchait le fou de réitérer ses tendresses en le retenant par le col.

— J'irai-point ! Fiche-lui la paix ! cria Maurice Henri arrêtant le pervers d'une voix mâle et forte mais étranglée, aussi, par le rire et qui le révéla plié en deux sur son grabat, les yeux brillants de larmes.

— Vous n'avez pas le droit, c'est vrai, ça ! clama Luce à son tour avec un courage inattendu.

J'irai-point recula et, baissant la tête, marmonna :

— Y voulait bien, tout à l'heure !... puis bafouilla quelque autre calomnie qui acheva de le rendre antipathique.

La question devenait brûlante. Avait-il profité de la faiblesse de leur jeune ami pour le... pour... en abuser ? « Quelle revanche pour toutes ces femmes dépouillées par Bruno ! » songea Diane. Encore que son goût pour la revanche le rendît peu exigeant, ce qui le desservait. Les femmes qui paient ne se réjouissent jamais de payer peu, taxant dans ce cas-là leur amant de petitesse ou de bêtise, jamais de délicatesse, celle-ci ayant disparu pour elles au premier franc versé.

Ainsi Diane Lessing se livrait-elle à des réflexions subtiles et profondes sur son milieu, tandis que J'irai-point et Loïc transportaient Bruno sur son lit suivis par Luce pâle et repentie d'avance et que Maurice Henri, toujours de bonne humeur, allumait une cigarette et se rejetait dans son alcôve.

Loïc regardait J'irai-point avec perplexité, partagé qu'il était entre l'horreur et le fou rire à l'idée de Bruno, si hautain, si snob et si viril acoquiné à ce gaillard si bêta. A première vue c'était extravagant mais dans ce domaine (on le disait assez !) tout était possible. Si c'était ce coup de soleil qui avait engendré ce coup de foudre, on ne pouvait que s'incliner très bas devant les pouvoirs de l'astre du jour : l'hétérosexuel Bruno Delors, si soucieux de l'être, envoyant des sourires à l'idiot d'un village de Beauce !...

Et Loïc ne pouvait s'empêcher de souhaiter cette idylle ; non pas qu'il détestât Bruno, ni qu'il jugeât cette idylle déshonorante, mais il savait le jugement contraire profondément et définitivement ancré dans l'esprit de Bruno et de bien d'autres. Ses préférences sexuelles donnaient à celui-ci une supériorité inébranlable. Loïc pouvait devenir ministre, sauver dix enfants d'un incendie et y mourir, découvrir le remède anticancer ou peindre la Joconde, il y aurait toujours un moment de la conversation où Bruno pourrait faire rire à son profit et à ses dépens. A moins, évidemment, qu'il n'ait fait fortune.

Restées seules avec les Henri, Diane et Luce eurent un moment de découragement et de douceur extrêmes : les péripéties de leur destin, leur effort pour sauver leur dignité, les avaient déjà plus ou moins épuisées. De plus leurs relations, fondées sur ces bases inébranlables que sont les habitudes, vacillaient tout à coup, devenaient floues, sans sentiment et sans grâce. Et si leurs dialogues, ou même leurs monologues intérieurs, gardaient une certaine fierté, il y avait une Diane, comme il y avait un Loïc et un Bruno qui, la nuit, dans son lit, se demandait : « Que fais-je ici ? » « Qu'allons-nous devenir ? » « Qui m'aime parmi ces gens ? » Etc. etc. etc. Bref, ils se retrouvaient en face d'eux-mêmes ; ils n'avaient pas le moindre somnifère à se mettre sous la dent, ni la moindre conversation téléphonique à entamer avec une amie également insomniaque.

Luce était donc seule à garder l'esprit tranquille, mis à part ses pulsions vers Maurice et le fait que sa belle-mère, si elle pouvait appeler ainsi cette femme sauvage, sa belle-mère lui faisait une peur bleue. Elle rougit de reconnaissance quand Arlette lui dit d'un ton bourru :

— Vous avez bien travaillé, vous ! C'est briqué, ici, ça reluit ! Et la vaisselle est bien claire ! C'est qu'on va être une vingtaine, demain ! Vous avez fini les pommes ? demanda-t-elle en se tournant vers Diane, d'un ton moins aimable.

— J'en ai fini avec vos pommes, ou presque, répliqua Diane avec courage. J'en ai mal partout dans la bouche et dans les doigts. Je me suis même coupée ! annonça-t-elle fièrement en montrant une légère estafilade sur son pouce.

Venant du couloir des chambres, Loïc reparaissait, l'œil amusé une fois de plus. Il se rendait plutôt utile et en tout cas gai et distrayant pendant ce séjour infernal, songea Diane. Le hâle qu'il avait pris en haut de sa machine aux trois manœuvres lui allait bien, gommait ce côté mou et indécis qui l'enlaidissait parfois à Paris. Il s'assit près d'elle, attrapa un verre sur la table et, après avoir consulté madame Cro-Magnon du regard, le remplit au robinet et le but. Arlette ayant levé le camp, Luce vint innocemment prendre sa place auprès de Maurice. Bientôt on ne vit plus d'elle que son dos mince, ses épaules et sa tête étant engagées dans l'alcôve où sans doute elle prenait étroitement soin du blessé. Loïc et Diane se retrouvèrent tranquilles.

— Alors, qu'est-ce qui s'est passé ? souffla Diane. Vous croyez que Bruno… ?

— Tout ce que je peux vous dire, c'est qu'ils ont la méningite très affectueuse dans ce pays.

— Beju ! Beju !

— Et vous les avez trouvés dans les bras l'un de l'autre ? Quelle histoire incroyable ! Ce cher Bruno qui fait toujours le mironton ! Était-ce bien « mironton » le mot approprié ? C'était peut-être « rodomont » qu'elle cherchait ! Mais non, que voulait dire ce « rodomont » flottant à la surface, la toute dernière surface de sa mémoire comme une vieille branche ?

— Ils n'étaient pas du tout enlacés, Diane. Je n'ai pas dit ça ! Bruno était assis à la turque, les jambes croisées sous lui, les yeux vitreux, et J'y-peux-rien...

Diane rectifia sévèrement :

— J'irai-point.

— Si vous voulez. J'irai-point était assis sur ses fesses, à la française, l'œil ardent. Mais il n'y avait rien d'équivoque là-dedans, jusqu'à ce baiser donné devant nous. Et un autre dans la chambre, c'est vrai ! Bruno ne m'a pas reconnu mais il a souri à son soupirant.

— Vous voyez ! Bien sûr ! Bien sûr !

Diane exultait.

— Bruno était loin ? Vous l'avez retrouvé à quelle distance ?

— Oh, huit kilomètres à peu près.

— Il aurait mis quatre heures pour faire huit kilomètres ? Non, non ! Il a traîné, et en compagnie galante !

— Galante ? (Loïc riait.) Galante ? J'irai-point n'a rien de galant...

— Beju ! Beju !

— Ta gueule ! cria Loïc agacé.

Et se tournant vers Diane :

— Il est barbant, quand même, non ?

— Vous n'êtes pas froussard, vous ! dit Diane éblouie. Si elle vous entendait !

— Beju ! Beju !

— Laissez-le, le pauvre ! Il s'ennuie dans son transat.

Luce avait sorti de l'alcôve un visage rouge et décoiffé et Loïc dressa vers elle son index qu'il secoua d'un air sévère, puis se tourna vers Diane.

— Et vous, qu'est-ce que vous avez fait toute la journée, ma chère ? Vous avez dû vous ennuyer !

— M'ennuyer ? J'aurais adoré m'ennuyer ! Non, Arlette m'a fait trier et retrier des pommes tout l'après-midi ! Je n'ai pas osé refuser, on lui donne du travail, après tout, et elle n'a pas le moindre personnel, semble-t-il.

Elle marmonnait, gênée de sa lâcheté. Loïc enchaîna :

— Moi, je ne me suis pas mal débrouillé avec ma machine infernale, quoiqu'elle ait découpé deux ou trois arbres au passage. Surtout elle a

bel et bien glané, battu et plié deux volailles ! Elles sont sorties imberbes
et vociférantes de mon engin, la peau hérissée.

— Où sont-elles ? Retrouvez-les, je vous en supplie, Loïc ! pria
Diane. Je dois en plumer deux pour ce fameux déjeuner avec les Henri
et les voisins Fabert. Arlette veut m'obliger en plus à les tuer moi-
même.

— Comment allez-vous faire ?

— J'ai demandé son fusil de chasse à Maurice. J'espère qu'il y tient
assez pour les tuer à ma place demain matin...

— Beju ! Beju !

— Voulez-vous vous taire, vieux bavard ? cria Diane vers le vieillard
d'une voix acerbe mais qui s'arrêta net quand Arlette sortit du couloir :
il y avait toutes les chances qu'elle l'ait entendue.

Oh, et puis, tant pis ! se dit Diane. Elle ne mangerait plus, elle resterait
couchée dans son lit, elle mourrait là, de faim, comme un animal, mais
un animal libre !

Mais Arlette ne voulut pas entendre, pas plus qu'elle ne voulut voir le
visage de Luce dont la couleur, pourtant, l'expression et la chevelure
étaient autant d'aveux. Loïc enchaîna :

— Il faudrait quand même que l'un d'entre nous aille surveiller ce
fameux J'irai-point : il est tout seul avec Bruno !

— J'y vais, dit Diane et elle partit au trot, ravie de ce rôle de duègne.

Encore qu'elle ne crût pas vraiment à cette histoire. Non que les
mœurs de Bruno lui apparussent comme inébranlables mais il y avait
quelque chose qui ne marchait pas. Dieu sait pourtant qu'elle en avait
connu des scandales — il n'en manquait pas dans son monde : elle avait
vu un jeune marié partir le jour des noces avec le frère de l'épousée, les
plaquant tous à Saint-Honoré-d'Eylau ; elle avait vu la femme d'un
Premier ministre le laisser sur un port et emballer le yacht et le garçon
d'étage de l'hôtel ; elle avait vu un richissime prince italien déshériter
toute sa famille pour une fleuriste. Mais les mêmes règlements étaient
respectés. Un riche partait toujours avec un riche, ou un riche avec un
pauvre, mais jamais deux pauvres ensemble. Cela ne les aurait menés à
rien. Qui inviterait encore un homme qui, n'étant plus seul, ne serait plus
un cavalier commode, ni une femme qui, ne l'étant pas davantage, ne
serait plus ni une confidente en ville ni une suivante dans les voyages
ennuyeux ? Bref, on ne recevrait plus ni l'un ni l'autre de ces aventuriers
parasitaires qui disparaîtraient dans l'ombre d'où ils étaient venus. Sous
quel prétexte irait-on abandonner une vieille connaissance, son égal à la
Bourse, au profit de deux inconnus qui n'avaient pas su apprécier leur
chance ?

Bref, un gigolo comme Bruno ne partirait sûrement pas avec un
berger comme J'irai-point sans être suicidaire, ridicule et inconvenant.
Si le dégénéré avait été l'héritier d'une aciérie, cela eût tout changé, cela

eût redonné quelque raison à la chose, y compris à l'abandon de Luce. Mais là, franchement, c'était trop misérable, trop voué à l'échec et au médiocre, ce n'était plus amusant pour personne. Et c'est avec l'intention de lui faire un discours moral que Diane rentra dans la chambre de Bruno — toujours aussi rouge, vit-elle, aussi fiévreux, et toujours veillé de son prétendant perché au pied de son lit. Diane lui fit un signe de tête aimable et s'assit en face de lui. Ils étaient plantés de chaque côté de ce lit comme deux chenets mais le ridicule n'importait plus à Diane désormais : elle avait retrouvé son rôle de mondaine et les obligations y afférentes. Il fallait qu'elle découvre le fin mot de cette histoire, qu'elle en sache tout, fût-ce par J'y-va-t'y-j'y-va-t'y-point ! Elle avait le temps : il n'était plus question ce soir qu'elle pelât ou qu'elle plumât quoi que ce soit !...

— Notre ami semble aller beaucoup mieux, commença-t-elle en souriant...

La plus âgée des Parisiens était aussi la plus effrayante aux yeux de J'irai-point et l'avait subjugué dès l'arrivée de la carriole à la ferme des Henri. La jolie jeune femme était bien timide et le grand sec ne disait trop rien. Mais cette femelle-là avec ses cheveux rouges, c'était le genre à faire des histoires. Qu'est-ce qu'elle lui demandait en ce moment, par exemple ? Allez savoir avec sa voix pointue !... Il ne comprenait rien à ce qu'elle lui disait, avec tous ces mots !... J'irai-point décida de recourir au langage abrégé qui, ainsi que lui avait appris le matin même son protégé, était utilisé soit par les Parisiens, soit par les Indiens.

— Moi pas comprendre, dit-il.

Diane broncha : — Allons bon ! Ce malheureux parlait petit nègre, maintenant. Orléans était quand même plus proche que Tombouctou... Ah, France mère des arts, des hommes et des bois, lui récita sa mémoire. Ah, si ces fameux écrivains, Péguy, ou l'autre, Claudel, avec leur obsession assommante de labours et de clochers, venaient faire un tour en Beauce ! Ah, ils comprendraient leur bonheur ! Elle se ferait une joie, elle, Diane, de leur offrir le voyage. Ils apprécieraient la différence avec leurs stéréotypes paysans. Enfin, cela dit, elle exagérait : J'irai-point était dégénéré par accident. Il avait eu une méningite, tout le monde le savait. Enfin, tout le monde le savait en Beauce, se reprit-elle. Elle était de mauvaise foi. Elle prit la voix mielleuse et prudente, à peine ironique, qu'elle réservait à certains cas douteux, et commença :

— Moi demander Bruno aller mieux ?

J'irai-point soupira. Au moins elle parlait le même langage que les autres, enfin que... comment l'appelait-elle ? Il brandit l'index vers l'oreiller.

— Lui, Bruno ?

— Mais oui, lui Bruno ! Bruno Del... enfin, lui, Bruno !

Inutile de faire des présentations plus complètes, c'était peut-être

même dangereux pour plus tard. Quoique Diane imaginât mal J'irai-
point faisant du chantage avenue Foch. Non. Non. L'horrible était l'idée,
simplement, qu'il ignorât tout du prénom de Bruno et qu'ils se fussent
livrés l'un à l'autre sans la moindre présentation. C'était tellement
bestial ! Deux animaux ! Car il n'y avait pas de doute, c'était les yeux de
l'amour que ce garçon posait sur Bruno. Quel petit cachottier, celui-là !
Depuis quand avait-il ces penchants ? Peut-être ne les ressentait-il qu'à
la campagne. D'où sa répulsion à venir à la ferme. A moins qu'il ait été
assommé et pris de force ? Mais non, il avait souri à ce dégénéré. Elle
devait donc absolument achever son enquête. Même si celle-ci
n'avançait qu'à force d'onomatopées.

— Toi rencontrer Bruno où ?
— Moi trouver lui au Bois Vignal.
— Lui comment ?
— Lui couché par terre, sur beaux habits.
— Toi trouver lui joli ?
— Oui, lui très joli. Plus joli que vicaire.
— Que qui ?
— Lui plus joli que vicaire. Toi pas connaître vicaire ?
— Pas ici, non. Alors toi, quoi faire ?
— Moi réveiller lui.
— Lui dire quoi ?
— Lui vouloir moi ramener lui au fort.
— Où ça ?
— Au fort.
— Quel fort ? Bon ! Toi dire oui ?
— Oui, moi dire oui.
Etc. etc. etc.

Le reste de ce dialogue entre un jeune dégénéré de la basse Beauce et
une femme surexcitée de la haute société parisienne ne donna vraiment
rien d'intéressant, ne révéla rien ni à l'un ni à l'autre sur les mœurs ni
sur le langage de leurs tribus respectives.

Loïc Lhermitte n'avait jamais eu à supporter une telle fatigue
physique, qui, pour un tempérament nerveux comme le sien, était au
demeurant une bénédiction. Il y avait longtemps qu'il ne s'était senti
aussi bien. Arrivé en haut du chemin, il avait émergé de la combe et
s'était allongé dans un tas de foin que sa machine à triple usage avait
dédaigné lors du retour. Il avait tiré de sa poche un litre du vin, rouge et
frais, à goût de raisin, de la fermière et s'était allumé de l'autre main une
cigarette paysanne et jaunâtre. Étendu sur le dos, des miettes de foin lui
chatouillant le nez, la gorge âpre de raisin et la bouche brûlée de
nicotine, il éprouvait une volupté et un plaisir de vivre comme il ne s'en
rappelait pas de semblables. Le silence des champs que coupaient de

plus en plus vivement, à la chute du soleil, les oiseaux épars alentour, lui bruissait doucement aux oreilles. L'odeur du foin et du blé coupés par lui-même l'enivrait doublement, et de par sa senteur âcre et fumée et d'en être responsable ; il était près de regretter toute une vie de campagne qu'il n'avait pas eue. Qui ne ressemblait en rien, découvrait-il aussi, aux éternels week-ends de Deauville ou d'Autriche, de Provence ou de Sologne auxquels il avait été convié pourtant pendant des années. Était-ce le fait d'être seul comme il l'était à présent qui lui avait manqué auparavant ?... Ou les accessoires qu'on lui confiait alors, maillets de croquet, voiliers, raquettes ou fusils, qui ne l'amusaient pas ?... Peut-être n'était-il inspiré que par cette machine imposante et cliquetante, la dénommée moissonneuse-batteuse-lieuse ? Mais où aurait-il pu en réclamer une jadis et à qui ? Il se voyait mal priant Bill Careman ou la chère douairière d'Épinal de lui confier leur batteuse et leur ferme le temps d'un week-end... Toujours était-il que ces instants bucoliques lui laisseraient d'étonnants et même d'impérissables souvenirs : que ce soit Luce nourrissant les canards ou Diane triant les pommes... ou encore le malheureux Bruno ramené inanimé par un idiot de village ! Oui, il en aurait, de bonnes anecdotes à raconter ! Mais, à sa propre surprise, il éprouvait moins de plaisir que de nostalgie. Plutôt que de commenter son passé, il eût préféré prolonger son présent. En fait, il avait plus envie de rester ici que de se retrouver à New York. Même s'il se l'avouait difficilement, il avait l'impression physique et morale que quelque chose s'était dénoué en lui, qu'il avait récupéré la liberté de ses membres et de son cerveau et laissé à Paris, dans les salons et dans les bals, un Loïc Lhermitte poussiéreux et guindé, tout à fait délimité et prévisible, un Loïc Lhermitte dont il n'avait plus besoin ni envie, celui qui aurait préféré partir avec les autres à New York. Le nouveau Loïc, lui, préférait rester ici, dans cette ferme ou dans une autre, ou entamer à pied le *Tour de France pour deux enfants,* livre qu'il avait tant aimé à l'école comme tous les écoliers de son âge.

Il fut tiré de sa béatitude par un bruit qui n'était pas rural, rampa à plat ventre jusqu'au bord de la combe et se pencha. Il était au-dessus des toits de la ferme, un peu plus près du toit de la grange, et c'est à travers les fenêtres découpées par les poutres qu'il aperçut deux ombres emmêlées, deux silhouettes de chair où il eut vite fait de reconnaître Luce et Maurice. Celui-ci avait dû surmonter sa douleur, comme Luce sa terreur, et, profitant de l'état d'inertie du pauvre Bruno, ils étaient venus concrétiser ici enfin la très réelle envie qu'ils avaient l'un de l'autre. Loïc ne vit pas, il ne chercha pas à voir grand-chose de son poste car les derniers rayons du soleil embrasaient la grange et ne soulignaient parfois qu'un corps rouge et doré qui s'éteignait dans le foin en s'y roulant. Mais s'il ne vit pas grand-chose, il entendit en revanche la voix d'amour de Luce, une voix ferme et impudique, la voix d'une femme qui se laissait aller à son plaisir avec un élan et une décision imprévus. Il avait imaginé Luce transie ou froide, en tout cas peu faite pour l'amour. Il semblait s'être trompé, et grandement.

En fait, il ne s'était pas trompé et Diane non plus, même si cette voix l'aurait surprise aussi. Il y avait bien longtemps que Luce n'avait pas crié ni joui de la sorte. C'était un de ces rares tempéraments qui aiment qu'on leur fiche la paix pendant l'amour, qui détestent l'attention ou les précautions de l'homme et qui ne trouvent leur plaisir que lorsque leur partenaire ne prend pas garde à elles. Tout hussard leur est bon, tout raffiné inutile, les vrais amants les gênent et les figent alors que les brutes les comblent. C'était ce qu'avait découvert son mari, et c'est pourquoi il l'avait épousée car, entraîné par son goût des soubrettes, il avait vu en elle une des seules mondaines qu'il puisse faire jouir sans y perdre son temps. Il s'en était lassé un jour mais comme il se lassait de toutes les femmes. Luce avait été alors livrée à des amants parisiens et consciencieux, soucieux du plaisir de leur maîtresse et de ce fait empêchant le sien.

Le paysan Maurice avait des habitudes archaïques : les filles, pour son plaisir, se culbutaient dans le foin. Certaines s'y faisaient, d'autres moins, mais il n'y pensait même pas. Il offrait sa virilité, sa vigueur, mais pas son application ni sa maîtrise. Il faisait ce qu'il fallait pour son plaisir — qui était grand — et tant mieux si cela plaisait à la femme en même temps : il ne se lançait pas dans d'autres détours.

Cela ne plaisait pas toujours. Aussi le plaisir extasié et flagrant de Luce l'étonna, l'émerveilla même d'une certaine façon ; les putains qu'il avait payées ne feignaient qu'à peine et les filles qu'il avait séduites n'étaient pas, dans le domaine de la sensualité, aussi altruistes et peu orthodoxes que Luce. Celle-ci, à voir ce beau garçon s'échiner sur elle, s'exciter et s'agiter en elle sans même paraître la voir, en perdit la tête. Cela la changeait miraculeusement de Bruno qui, malgré sa brutalité, ne cessait jamais — pensant à sa carrière ou à sa vocation et surtout à ses prétentions — de la regarder, de l'ausculter et de lui dire au moment où il ne le fallait pas « Dis-moi ce que tu veux », « Tu aimes ça, hein ? » etc. — autant de phrases qui la ramenaient à elle, c'est-à-dire à autre chose qu'à lui et l'ennuyaient donc prodigieusement. Bref, le plaisir égoïste, brutal et jusque-là solitaire de Maurice la foudroya et elle hurla sous lui comme elle n'avait jamais hurlé sous quiconque.

C'était, Dieu merci, le moment où les poules et les canards entraînés par les cris des oiseaux toujours épouvantés, au soir, de l'obscurité montante, menaient leur plus beau tapage. Les cris d'amour des amants furent couverts, il est prosaïque de le dire, par les couinements, les cancanements, les piétinements et les autres moyens d'expression des volailles qui régnaient dans la basse-cour. Les cochons, les ânes, quelques vaches mêlèrent leurs voix plus graves à ce concert dévoué et discret, à cette réaction de pudeur animale qui, comme les chœurs russes, cache la crudité ou l'horreur des événements au reste de la figuration. Seul Loïc, plus proche des amants, lui, que de la basse-cour eut tout le loisir d'entendre ces voluptueux appels et, s'il n'en fut pas troublé, en fut d'abord ahuri, puis satisfait. Car il aimait beaucoup Luce : autant que dans ce milieu certains hommes lucides aiment et plaignent les quelques femmes belles et bêtes qu'ils ne désirent plus.

Le soleil se couchait, là-bas. Il disparaissait à l'horizon, tout au bout de cette plaine si longue et si plate, si étendue qu'elle laissait deviner ou imaginer la courbure de la terre. Il fallait bien qu'elle s'inclinât, tournât à un moment quelconque, très loin, à force de se dérouler de la sorte. Sinon elle eût, dans sa trajectoire rectiligne, buté sur quelque chose, sur un nuage ou sur le soleil lui-même. Il devenait évident qu'elle s'arrondissait et suivait les lois, enfin, de Galilée. Le soleil qui était entré tout doucement en agonie, heure par heure, puis minute par minute, qui avait pris son temps, qui s'était immergé d'abord jusqu'à la taille, ensuite jusqu'aux épaules, le soleil feignit d'avoir été attrapé par une main impatiente et tiré violemment vers le fond. Sa chute s'accélérait, il se diluait dans des roses, son dôme s'amenuisait et s'enfonçait. Un éclair rouge sortait encore parfois de cette tête chauve et presque noire maintenant. Une tête qui sembla, une dernière fois, ressortir triomphalement ou désespérément, tragiquement en tout cas, et regarder encore la terre avant de s'immobiliser soudain, confondue avec l'horizon, disparue, quoi. Les oiseaux se turent, le soir pesa sur la terre ; et la terre apparut tout entière — comme un vers de Victor Hugo — à Loïc Lhermitte, allongé sur le flanc après une journée de moissonneur. Il avait appris jadis ce long poème à l'école, il avait même su le réciter en entier à sa famille éblouie ; il y avait très longtemps de cela. Mais aujourd'hui, au début d'une seconde guerre et à cinquante ans passés, Loïc Lhermitte ne s'en rappelait que les premiers mots : « Booz s'était couché, de fatigue accablé... »

Quand il rentra dans la grande salle, dix minutes plus tard — car il voulait épargner aux amants d'arriver les derniers —, il trouva toute la petite famille à table, une soupière fumante trônant au milieu, et le Memling debout, la louche à la main, sous le regard ému de Luce, de Diane et de Maurice. Tout le monde mourait de faim, y compris lui-même. Il prit place néanmoins sans hâte auprès de Diane et vit avec soulagement l'énorme tranche de pain blottie derrière son assiette.

— Je sers les travailleurs les premiers, ou le malade ? dit Arlette en plongeant la louche. Et elle ramena une flopée de légumes, de poireaux, de pommes de terre, de carottes, plus un énorme morceau de lard qu'elle posa avec soin, d'abord dans l'assiette de Loïc, qui s'étonna de sa propre satisfaction. Elle servit ensuite avec la même largesse son fils, Luce et Diane, puis elle-même, chaque louche étant un satisfecit de travail que chacun reçut comme tel, les yeux baissés et rose de confusion, remarqua

Loïc (le seul, sans doute, de son groupe à garder quelque liberté). La faim, le bon plaisir de manger lui ayant ôté toutes ses facultés d'observation, ce ne fut qu'après avoir fini son assiette qu'il remarqua le nouvel aspect de Luce et de Maurice assis l'un près de l'autre. Le plaisir les avait tout à coup adoucis, patinés, rendus lumineux et ils faisaient des efforts incessants pour ne pas se frôler — efforts plus révélateurs aux yeux de Loïc que toutes les familiarités ou les privautés des amants affichés.

Maurice plaisantait, les yeux plissés par le rire et un plaisir très récent. Luce ne disait rien mais souriait à ses phrases, sans le regarder, avec une expression indulgente et digne, à l'opposé de la femme maladroite et inquiète qu'il connaissait. Au point que Diane la regardait aussi, de temps en temps, et d'un œil suspicieux. Mais, bien entendu, sans imaginer la vérité. Elle était revenue bredouille, sans doute, de sa visite au malade et cela devait l'exaspérer. Elle se pencha vers Loïc, puis se ravisa et s'adressa directement à la maîtresse de maison.

— Est-ce qu'il y a des forts par ici, Arlette?
— Des forts? Qu'est-ce que vous appelez des forts? — Maurice avait l'air étonné pour une fois, lui qui ne bronchait jamais. — Vous voulez dire quoi? Des fortins en plus grand?
— C'est ça, oui.
— Ben non! dit Maurice. Qu'est-ce qu'on en ferait? C'est la Beauce, ici.
— Nous ne sommes pas du tout sur la ligne Maginot, ma chère Diane... commença Loïc intrigué.

Mais elle eut l'air agacé, énervé de son intervention.
— Qui vous parle de ligne Maginot, Loïc? Je me renseignais... je demandais s'il y avait des forts dans ce pays, c'est tout! Il n'y en a pas. Bon, je prends note.
— C'est une drôle d'idée quand même, dit Arlette l'air soupçonneux.

Loïc sentit Diane hésiter et même reculer avant de se relancer à l'attaque, la voix plus aiguë encore que tout à l'heure.
— Et il n'y a pas de séminaire non plus, ni d'évêché?

Là, la surprise fut à son comble. Arlette qui passait son couteau contre la miche afin d'en recouper suspendit son geste à l'inquiétude générale. Maurice se mit à rire:
— Non, on n'a pas besoin d'évêque ou de curé par ici... On n'a pas le temps de faire les prières, avec tout le travail qu'il y a! Pour le dimanche, le curé du Vignal vient dire la messe. On a même eu un vicaire, autrefois...

Il s'arrêta, puis reprit en souriant:
— Même qu'il est parti au galop, le petit vicaire! Hein, la mère? Il était tout petit, le vicaire qu'on avait! Il ne pouvait pas toujours appeler le Bon Dieu au secours, le pauvre!

— Veux-tu te taire, Maurice, dit le Memling avec une sorte d'indulgence.

Et Maurice se tut, toujours souriant. Loïc le regardait, lui, puis regardait Diane, comme un match de tennis. Il fut tiré de cette monotone alternance par un fracas dans le couloir. Un fracas suivi d'un mot en patois lancé d'une grosse voix et qui précéda l'arrivée de Bruno, soutenu par J'irai-point, un Bruno plié en deux, les yeux fiévreux, et qui se cogna à la porte. J'irai-point posa le malade sur la première chaise venue, en tira une autre pour lui de façon à l'empêcher de tomber car il glissait irrésistiblement, les membres lourds. Ahuris, les témoins se réveillèrent d'un coup.

— Mais qu'est-ce que tu fais donc? cria le Memling de sa voix sévère.

L'accusé détourna les yeux.

— J'avons trop faim et j'peux point le laisser tout seul!

— Et pourquoi pas? On ne va pas vous le voler, vous savez! s'écria Diane qui avait repris ses esprits. Vous n'allez pas traîner dans le couloir ce malheureux dévoré de fièvre, tout ça parce que vous avez faim! C'est inhumain!

«On voyait bien qu'elle avait eu sa soupe, Diane!» pensa Loïc prosaïquement. Mais elle avait raison quand même. Il renchérit:

— C'est vrai. Laissez-le allongé, s'il vous plaît. Il ne faut d'ailleurs pas qu'il mange, dans son état. Il faut seulement qu'il boive.

— Mais moi j'avons rien eu! répéta J'irai-point, le visage crispé par ce dilemme cornélien entre la passion et la faim.

— Eh bien moi, je vais recoucher mon ami! Vous ne m'en empêcherez pas! N'est-ce pas, Loïc? dit Diane avec fermeté.

Elle se leva, tourna derrière la chaise, non sans lui glisser au passage: «Prenez du fromage pour moi!»

— J'veux point le laisser! gémit J'irai-point.

Et glissant ses bras de singe autour des épaules et des genoux de Bruno, il le cala un peu plus sur sa chaise.

— C'est trop fort! cria Diane. Lâchez-le! Monsieur est le fiancé de madame, figurez-vous! dit-elle en montrant Luce.

Elle se sentait rouge de colère mais exemplaire de dignité. Seulement, en se tournant vers Luce, elle vit celle-ci à cent lieues de cette affaire, les yeux éteints. Diane enregistra et, comme chaque fois que ses convictions n'étaient pas plébiscitées, s'en tira par une volte-face.

— Bon, d'accord! Chacun sa vie! Mais pour ma part et puisque nous en sommes là, mon cher Loïc, je vous signale que si j'attrape une insolation quelconque et que «Beju» veut m'entraîner dans son fauteuil, je ne suis pas d'accord, quoi qu'il prétende. Je peux compter sur vous?

Comme rappelé à la vie à cette simple éventualité, le vieillard se mit à crier des «Beju! Beju!» enthousiastes. Le Memling se tourna vers J'irai-point et lui retira sa double chaise d'infirmière ou de favori.

— Vas-tu le lâcher? dit-elle sèchement. Rentre dans ta chambre!
D'abord tu n'auras pas de soupe! Non, mais... De la soupe? Pour avoir
fait quoi? Demain, si tu travailles, tu en auras de la soupe! Tu crois que
je vais te nourrir parce que tu traînes après les malades dans ma maison?
Non, mais! Allez! Ramène le monsieur dans sa chambre, Meningou, ou
je te mets dehors!

Meningou leva les yeux vers la soupière, pleurnicha et lâcha Bruno
qui en profita pour dégringoler de sa chaise jusqu'au sol où, sous les
yeux indignés des Parisiens, il le ramassa, le mit sur son épaule comme
un paquet et repassa la porte sans dire bonsoir. La tablée resta
silencieuse pendant qu'Arlette donnait à chacun un morceau d'un brie
délicieux et odorant. Ce fut elle qui rétablit l'atmosphère:

— Non mais! Il lui faudrait peut-être aussi du fromage! lança-t-elle,
indignée. Et à cette idée folle, chacun se mit à rire à gorge déployée.

— Peut-être bien que vous me trouvez un brin rude, hein, quand
même! reprit-elle, l'œil tout à coup songeur. Refuser du pain à des
hommes!... Déjà, à midi, à votre ami...

Un tollé interrompit cette crise dostoïevskienne Un flot de locutions
originales telles «qui ne mérite rien n'a rien», «il faut se lever tôt pour
voir le soleil», «toute peine mérite salaire», etc. etc., entremêlées de
nombreux «il n'avait qu'à...», «y a qu'à...» fusèrent des lèvres de ses
hôtes. Lesquels, arrachés aux angoisses toutes physiologiques de la faim
et s'abandonnant un peu, déjà, aux délices de la digestion, firent de leur
mieux pour apaiser les touchants scrupules de leur amie. D'autant que,
ne le regardant jamais mais le surveillant sans cesse, ils avaient tous
conscience du morceau de brie encore conséquent abandonné au milieu
de la table. Aussi chacun tentait-il d'arracher l'esprit d'Arlette à ses
stériles remords pour la ramener à des projets plus riants et plus proches.

Néanmoins, la morale de cette journée, sa leçon, se révélait à ces
citadins sans ambiguïté: «La paresse était ou devait être punie.» Diane,
bientôt, se lança dans un récit au cours duquel John Rockefeller, n'étant
pas arrivé à temps à la Bourse, perdait les trois quarts de son empire
industriel. Luce enchaîna en évoquant plaintivement le superbe diamant
blanc-bleu que son mari, après avoir attendu une heure chez Cartier
qu'elle se décidât, lui avait finalement refusé. La conversation faiblit,
Loïc ne se rappelant, semblait-il, aucun exemple néfaste de l'oisiveté.
Déjà l'on sentait le Memling prête au fatal «Bon! Allez! Au lit!» qui
mettrait fin à tout espoir de brie, lorsque Loïc eut enfin une initiative
adroite. Il se leva.

— Madame Henri... Arlette, pardon! Voulez-vous que j'aille en bas
tirer un peu de vin au tonneau? Maurice m'a montré où c'était, cet
après-midi...

— C'est vrai qu'il fait soif! dit le dénommé Maurice de la chaise où
il gisait alangui, les yeux battus.

— C'est bien aimable, monsieur Loïc! Tenez, prenez le litre! Mais attendez donc que la petite vous le rince!...

Et Luce Ader, la femme du banquier, courut vers l'évier et le rince-bouteilles.

Un peu plus tard, tandis que Loïc répartissait le vin frais dans les verres, ce fut à Diane de se lancer :

— Vous savez que ce vin est exquis, Arlette! Il est délicieux! Une fraîcheur! Un bouquet! C'est un vin qui parle au palais et pas à la gorge! C'est très rare...

— Il n'est pas mauvais, concéda Arlette, il n'est pas mauvais, le trente-neuf...

— Surtout avec ce fromage! Il lui donne un bouquet incroyable! L'un fait si bien ressortir l'autre!

Arlette hocha la tête et approuva mais sans le moindre geste pour vérifier. Une sorte de désespoir envahissait l'âme de Diane. Que lui arrivait-il dans cette maison? Non seulement elle était toujours affamée, non seulement tout ce qu'on y mangeait semblait d'une saveur extravagante mais, en plus, cette maladive passion avait gagné tous ses amis. (Elle sentait Luce comme Loïc prêts à lui disputer leur part à coups de fourchette si elle tentait le moindre passe-droit.) Néanmoins elle ne se résignait jamais :

— Comment allez-vous faire vos tartes demain, chère Arlette? Sablées ou feuilletées? Quand je pense que je serai peut-être dans trois mois, peut-être moins, en train de grignoter à Vienne la fameuse tarte Sacher! Ah, ces Allemands, cet Hitler surtout, ce clown qui s'imaginait déjà à l'Elysée! Ah non, la vie, il y a de quoi rire, ah ah!

Et, rejetant la tête en arrière, ses cheveux roussâtres flottant à leur gré après vingt-quatre heures d'abandon campagnard, elle éclata d'un rire aigu, convulsif, un rire qu'on aurait prêté à Elizabeth d'Angleterre le jour de l'exécution de Marie Stuart (mais qu'expliquait mal la perspective d'une tarte au chocolat, fût-ce chez Sacher). Toujours est-il que, devant ses amis inquiets, Diane plongea soudain la tête sur son coude gauche et, secouée par les signes les plus névrotiques d'un fou rire, tendit à l'aveuglette la main droite vers le fromage qu'elle tira jusqu'à son assiette. Cette proximité redoublant son rire, elle cacha sa tête entre ses deux mains pour une pudique retraite dont elle ne sortit qu'un instant, un seul instant qui lui permit, les yeux fermés, de découper un gros morceau du fromage et de le jeter négligemment dans son assiette. Se tenant les côtes et affichant toujours la même inconscience, la même stupeur amusée devant les bizarreries du destin elle repoussa le brie amenuisé vers le centre de la table. Pour bien souligner l'innocence de son geste, son étourderie, elle tapota sa prise de son couteau pendant deux bonnes minutes, le temps que son rire en cascade s'achève lentement et qu'elle puisse se montrer à ses amis, le visage démaquillé, la voix haletante et l'œil triomphant.

— Ah, pardon, dit-elle à la cantonade (présidée par le Memling), pardon! Je suis morte! Je ne sais plus ce que je dis ni ce que je fais! Ah, mon Dieu, que c'est bon de rire! ajouta-t-elle avec cynisme, entamant froidement et sérieusement son brie, dont elle posa un bon morceau sur une tartine de pain de taille idoine et qu'on aurait pu croire préparée à l'avance.

Rassuré ou fou furieux, chacun lui demanda le motif de sa gaieté, ce à quoi elle répondit : «Rien!» en minaudant beaucoup. Seul Loïc se permit un vrai commentaire, flatteur dans sa brièveté :

— Chapeau! dit-il, avec une telle admiration qu'elle fit monter aux joues de Diane Lessing deux rougeurs difficiles à distinguer l'une de l'autre : celle de la gourmandise et celle de la victoire.

Le Memling s'était levé comme si rien ne s'était passé, rien du moins qu'elle eût enregistré. Chacun fila, semblait-il, vers sa chambre sauf Diane qui inconsciemment s'attardait, serrait les mains trois fois, celle du jeune Maurice, celle de Luce, celle de Loïc et celle du Memling, comme si elle eût été à la sacristie et reçu des félicitations justifiées. Elle riait, d'un rire de tête, en promettant à la maîtresse de maison de l'aider, le lendemain, dans ses devoirs mondains.

— Et nous serions combien pour ce déjeuner, chère Arlette?

Le conditionnel agaça Arlette qui appuya sur ses futurs :

— On sera nous, plus les voisins Fabert et leur fils, ça fera trois, plus les cousins Henri, ça fera deux en plus, peut-être trois s'ils amènent leur homme de peine. Avec nous ça fera quatorze, quoi! On mettra le pépé à table si on est treize. Il y en a qui ont peur de ça, ajouta le Memling en ricanant sauvagement on ne sait pourquoi.

Un tel rire glaça la petite troupe pourtant hilare à la perspective d'aller se coucher. Mais Diane se secoua vite. Portée par le doux hélium de la réussite et de l'aménité, elle flotta comme une maigre montgolfière jusqu'à sa chambre où elle s'abattit sur le lit et se mit à ronfler sans avoir eu le temps de dire même bonsoir à la pauvre Luce. Celle-ci, quoique exténuée par des travaux plus variés et plus longs, dut encore lui enlever sa tenue lie-de-vin minée de boutons-pression. Il fallut à la jeune femme, pendant ce déshabillage, toute la profondeur de sa bonté ou de son apathie car une sorte de vent furieux s'était emparé d'elle lors du fameux raid sur le fromage. Et si elle avait admiré l'imagination et le courage de Diane, elle avait beaucoup moins apprécié le partage qu'elle avait fait ensuite de son butin, tenaillée qu'elle avait été pendant toute la journée par cette sensation inconnue et braillarde qu'elle ignorait être la faim. Ce soir-là, c'était une louve qui avait vu ce brie partir dans le seul palais de Diane Lessing. Quoi qu'il en soit, il lui faudrait attendre le déjeuner du lendemain.

Luce rompue, affamée, comblée, ôta ses vêtements et se glissa dans la portion de lit que lui avait laissée Diane, une petite place en quinconce fort peu confortable où elle s'endormit très vite à son tour. Car aussi flamboyant et délicieux que fût le présent, elle n'en faisait pas pour autant le moindre plan pour le futur, pas plus qu'elle n'en faisait quand il était désagréable. Luce était une de ces femmes qui vivent au jour le jour, espèce aussi rare d'ailleurs dans son sexe que dans l'autre.

Quant à Loïc, ne se résignant pas à dormir avec ce couple étrange sur un des coins du sommier ou du matelas, il alla se coucher dans le foin conformément aux romans de boys-scouts qu'il avait dû lire à l'âge idoine et dont il ne se rappelait strictement rien.

CHAPITRE VII

En ne jetant ses cocoricos que peu avant l'heure fixée pour le petit déjeuner, le coq des Henri fit preuve le lendemain matin, pensa Loïc, d'une compassion et d'un bon sens rarement observés chez les gallinacés. Tout le monde se retrouva dans la grande salle : du côté des Henri, le Memling toujours égale à elle-même dans son tablier noir et son fils Maurice, vêtu d'un tricot de corps neuf et le pied proprement bandé, appuyé sur un bâton noueux ; du côté Paris, Diane Lessing portant un pantalon à damier noir et blanc monté comme une salopette sur un strict chemisier en soie noire qui aurait alourdi la silhouette de n'importe quelle moissonneuse. Luce avait revêtu un juvénile chemisier à fleurs dans une jupe à trois panneaux qui semblait aussi facile à ouvrir qu'à fermer. Quant à Loïc, il arborait une superbe chemise Lacoste rayée bleu et blanc sur un pantalon de toile bleu marine prévu pour parader sur le pont du navire.

A peine étaient-ils assis que les premiers arrivants, les Fabert, firent leur entrée. Ferdinand Fabert était un homme corpulent et ouvert que l'on disait colérique dans le pays mais, selon Maurice, on ne l'avait jamais vu écraser une mouche. Que cette réputation en fût la cause ou la conséquence, il arborait en effet une expression de sauvagerie et de férocité d'autant plus impressionnante que Josepha Fabert avait, elle, tout de la fourmi battue typique.

— Salut bien ! dirent-ils d'une même voix comme deux duettistes parfaitement au point et Loïc eut envie de rire mais se borna à répondre par un « Salut bien ! » et un hochement de tête aussi vigoureux que les leurs.

— Asseyez-vous ! Asseyez-vous bien ! dit Arlette. Vous allez prendre le café à cette heure, hein !

— Ah çà! dit Diane en papillonnant des yeux comme une jeune ingénue et en fixant Ferdinand Fabert qui ne cilla pas mais posa simplement sur elle son regard de fauve. Ah çà, on va en avoir besoin, d'un bon café!

Et elle désignait la chaleur d'un geste qu'elle voulait large mais qui ne pouvait viser que la seule lucarne et la porte à présent fermée. Chacun jeta un regard dans ces directions comme pour y découvrir quelque ennuyeux contretemps mais, ne voyant rien, détourna les yeux.

— Le temps de venir de chez nous, la chemise à Ferdinand était trempée de partout! confirma la femme Fabert.

— Sûr que sa chemise elle est à tordre, appuya Maurice. Avec le poids qu'il tire, le pauvre Ferdinand!

Les quatre paysans s'esclaffèrent et les Parisiens sourirent niaisement mais à l'aveuglette. Ce fut Maurice, son hilarité une fois calmée, qui les éclaira.

— Les Fabert ont un vélo et une remorque! C'est le Ferdinand qui pédale et c'est sa grosse femme qui se met derrière! dit-il en montrant le petit tas d'os, de cheveux et de muscles dénommé Josepha Fabert, laquelle sourit et haussa les épaules pour dédramatiser sa maigreur comme elle l'eût fait pour le contraire à Paris.

— On sent bien qu'il ne va pas faire très froid! lança Luce dans une de ses rares flambées d'imagination qui fit que tout le monde la regarda avec approbation mais sans entrain.

— J'irai-point ne vient pas travailler chez vous aujourd'hui? demanda Josepha à Arlette.

Bien qu'averti, Loïc resta stupéfait de ce tam-tam mystérieux qui, dans les campagnes, prévenait chacun de ce que faisait chacun, de cette AFP réussie qui fonctionnait sans engin de transport, sans fil téléphonique et, semblait-il, sans même le moindre messager. Ou bien était-ce leur Memling avec son air sérieux qui, tous les soirs, envoyait à l'aide de sa lampe de poche des signaux lumineux dans la nuit des campagnes, pour raconter les aventures et les folies de ses quatre Parisiens à la Beauce tout entière? Comme un gigantesque dessin animé à l'usage des agriculteurs dont ils seraient les héros comiques et burlesques. Loïc sourit à cette idée et Arlette, qui le vit sourire, le désigna aux nouveaux venus d'un air important.

— Monsieur Loïc... c'est lui qui s'occupe maintenant de la moissonneuse, dit-elle avec un respect comminatoire.

Et Loïc comprit qu'il était, grâce à son engin, parvenu à un statut que le Quai d'Orsay ne lui avait jamais procuré. Certes il avait toujours été doué pour la mécanique mais il avait eu si peu d'occasions de le prouver...

— La prochaine fois qu'un de mes tracteurs déraillera, je vous ferai signe! lui souffla Diane à l'oreille.

Elle était ravie de la présence de ces Fabert, visiblement, elle en avait les yeux tout brillants. La moindre présence étrangère l'excitait toujours, faisait son bonheur. Son goût des mondanités s'épanouissait même dans cette ferme. Elle redoubla de salamalecs lorsque la porte s'ouvrit et qu'entrèrent en file indienne une femme qui ressemblait follement à Arlette mais avec dix ans de moins, un homme au visage sévère qui aurait pu sortir de Polytechnique et un troisième personnage à l'air sournois, totalement antipathique, et qui se révéla être le cousin du malheureux maître de maison — actuellement retenu par des barbelés loin de ses cultures.

— Voilà le cousin de mon mari, Bayard Henri, dit Arlette rapidement, le visage contracté. Et puis voilà ma sœur Odile Henri et leur valet Jeannot.

Les trois personnes ainsi présentées s'alignèrent sur un rang et hochèrent la tête, les yeux baissés dans la direction des Parisiens. Le plus frappant étant le cousin Bayard qui ricanait sans cesse sans que l'on sache si c'était par timidité ou par méchanceté. Il avait trente ans, l'air faux et des touffes de poils posées de-ci de-là sur le corps, inopinément, semblait-il.

— Salut bien ! ajouta-t-il sans nécessité en jetant vers les seins de Luce un regard louchon et salace qu'il détourna aussitôt, toujours en ricanant, et qui en parut du coup deux fois plus obscène.

— Permettez que je nous présente à notre tour ! dit Diane souriante.

Elle se sentait l'image même de la bonne grâce, de la courtoisie française. Et elle imaginait déjà la façon dont elle décrirait cette scène, plus tard, dans son milieu.

— Je commencerai par moi-même, comme il se doit. Je m'appelle Diane Lessing, domiciliée à Paris, sans profession bien définie, je l'avoue. — Et elle eut un petit rire de gorge qui fit se dresser sur la tête et les bras de Loïc Lhermitte quelques cheveux et poils qu'il n'avait jamais vus ni crus si nombreux. Déjà Diane enchaînait : — Quant à cette jeune femme, c'est Luce Ader, épouse d'un brillant homme d'affaires parisien qui nous attend actuellement avec beaucoup d'angoisse à Lisbonne. Je continuerai par Loïc Lhermitte, haut fonctionnaire puisque diplomate, qui prend soin de nous depuis le début de ces péripéties, non sans mérite, je le reconnais. Enfin peut-être tout à l'heure pourrai-je vous présenter notre ami Bruno Delors, un jeune fou mais qui a les excuses de son âge. Voilà pour notre petit groupe !

Il y eut un silence ébahi mais sans révolte ni raillerie, remarqua Loïc avec soulagement. C'était vraiment une belle province paisible et confiante que la Beauce et qu'il se rappellerait toute sa vie, se dit-il...
Surtout lorsqu'il vit Diane décocher à Arlette Henri le clin d'œil triomphant, affectueux, ravi, de l'invitée-boute-en-train à une maîtresse de maison tout à l'heure inquiète et maintenant grâce à elle rassurée. A

cela près que le Memling semblait sans inquiétude quant à l'ambiance de sa réception ou à la bonne humeur de ses invités et plus préoccupée de leur fournir un râteau et une fourche qu'un sujet de conversation. Elle leur resservait du café, de bol en bol, dans une deuxième tournée dont on pouvait penser à son expression qu'elle serait aussi la dernière.

— Bon... Alors, qui va chercher Meningou et... votre ami, là ?

— Ah, mais quoi donc ! Ils ne sont point encore levés, à cette heure ? s'écria le duplicata d'Arlette Henri, tout en jetant un regard indigné à la pendule, laquelle indiquait effectivement qu'il était près de huit heures moins le quart du matin.

A cette vue, Loïc sentit sa mémoire se réveiller et s'insurger en lui tous les chers souvenirs d'un homme paresseux, fêtard et noctambule, lequel homme acceptait depuis vingt-quatre heures les coutumes et les sentences des fermiers Henri, avec autant de docilité que jadis celles des Faucigny-Lucinge.

— Bruno... notre ami a attrapé hier une grosse insolation en faisant son footing, protesta Luce d'une voix pleurnicharde.

— C'est vrai qu'il a l'air en mie de pain, votre ami, confirma Maurice.

Luce lui jeta un regard de tendre reproche. Bayard Henri surprit ce coup d'œil et en déduisit mille choses tout à fait exactes. Cela décupla son rictus au point de découvrir ses canines supérieures, chez lui très jaunies et très inclinées, ce qui le rendit froidement révoltant aux yeux de Diane : un minimum d'esthétique était, selon elle, exigible chez tout être humain vivant en société... (le genre de maxime dont Diane, si par hasard elle se présentait dans la conversation, faisait volontiers son cheval de bataille). Elle éprouvait comme tout le monde un vif sentiment d'antipathie pour Bayard Henri mais, au contraire de s'en défendre, s'y complaisait comme à l'expression d'un instinct très sûr : son flair.

Elle se glissa vers Arlette qui rangeait soigneusement son pain, ses tasses et sa cafetière dans le bahut pour lui souffler :

— J'espère que vous ne m'avez pas mise dans la même équipe que votre cousin Bayard !

Arlette lui jeta un regard surpris, ouvrit la bouche mais Ferdinand qui s'était dévoué rentrait dans la salle portant littéralement Bruno sous le bras gauche et dirigeant J'irai-point de sa main droite, par l'échine.

— Il n'a pas l'air bien parti pour la faux, celui-là, dit-il en déposant le pauvre Bruno sur son tabouret habituel (d'où il recommença à glisser comme la veille mais où Loïc, compatissant, vint le tourner et le caler contre la table). Bruno était vert pâle, transpirait à grosses gouttes et promenait autour de lui un regard égaré.

— Ça, c'est une insolation à étages ! décréta Diane d'un ton renseigné et définitif qui attira l'attention.

— Qu'est-ce que c'est que ça ? demandèrent plusieurs voix.

— Une «insolation à étages» est une insolation qui se nourrit d'elle-même et qui peut durer trois, quatre ou cinq jours. C'est une expression marocaine. Elle nous a été apprise, à mon second mari et à moi-même, par le sultan de Fez qui, un printemps, nous avait invités chez lui. Le malheureux avait attrapé, donc, cette insolation et avait dû passer trois semaines à l'hôpital... enfin dans son hôpital, pendant que nous habitions, nous, dans son palais.

«Un luxe, ces Arabes! confia-t-elle plus bas à l'oreille de Josepha assise près d'elle. C'est peut-être clinquant, c'est peut-être trop mais c'est quand même superbe! Vous me direz tout ce que vous voudrez!» ajouta-t-elle. Malheureusement, Josepha ne dit pas à Diane tout ce qu'elle voulait lui dire sur le luxe arabe car Arlette avait enchaîné sèchement: «Oui mais, en attendant, ça ne m'arrange pas, moi, cette insolation à étages!»

Loïc et Diane et Luce prirent l'air coupable et gêné (ce qu'ils étaient d'ailleurs vraiment puisque responsables officiels des carences de Bruno, responsables convaincus maintenant qu'ils connaissaient le poids et l'importance de leurs rôles respectifs).

— Bon, dit Ferdinand avec autorité, bon, alors les hommes, on va se débrouiller à quatre. On se met deux en bas à monter le foin sur les charrettes et deux en haut pour le tasser. Donc, deux en bas et deux en haut, qu'on change toutes les heures à cause des reins. D'accord? Arlette et madame Diane, dit-il en les saluant de la tête, s'occupent de la cuisine. Ça reste à faire, ça aussi. Les autres femmes, elles n'ont qu'à passer après nous et ramasser le blé perdu. Là-dessus il se détourna (il y avait des dames) et jeta un long jet de salive brunâtre sur le sol derrière lui.

— Et quels champs vous n'avez pas encore moissonnés? demanda-t-il ensuite à Loïc, de professionnel à professionnel.

Loïc prit l'air satisfait du vrai crétin, constata Diane au passage.

— J'ai fait les trois champs, là, en bordure du chemin et j'ai commencé le quatrième près de la fausse combe. J'ai eu du mal, il y a des cailloux partout...

Le pauvre en bégayait.

— Ben, vous n'aurez qu'à finir celui-là pendant qu'on ramasse les premiers, dit Ferdinand.

Et sans méchanceté il ajouta: «Allez! En route, mauvaise troupe!...»

— Je vous accompagne quand même, dit Maurice. Je pourrai conduire les chevaux, au moins, et puis montrer à mademoiselle Luce, aussi... pour suivre la moissonneuse...

Il avait l'air si malheureux et si humilié par son infirmité provisoire que Loïc lui envoya un sourire compatissant, qu'à sa grande surprise le garçon lui rendit avec gratitude. Il eut l'air d'un enfant tout à coup. Et Loïc fut de nouveau sensible à son charme.

— Personne de vous n'a un appareil photo? demandait Diane en souriant. Parce qu'on ne nous croira jamais à Paris! Moi en glaneuse et Loïc sur sa faucheuse-lieuse-tapeuse! Ah non! Il nous faut des preuves! Je vous assure!...

Et comme on ne lui répondait pas, elle ajouta : «On n'a pas besoin d'un Leica, hein! Le moindre petit Kodak fera l'affaire!» avec simplicité et gentillesse. Mais il semblait que personne n'aimât la photo dans la Beauce car on ne lui répondit pas.

Là-dessus tout le monde se mit debout et se dirigea vers le seuil d'où, dès huit heures du matin, arrivait déjà une chaleur agressive. Mais la voix en pleine mue de J'irai-point freina l'élan général.

— Ben non! J'irai point aux champs, moi. J'veux point le laisser seul avec elle!

La voix de J'irai-point avait cette acuité et cette portée troublantes des idiots, qualités qui diminuent avec l'âge comme l'idiotie d'ailleurs et qui, jointes à la passion contrariée, déroutèrent tout le monde.

Les moissonneurs firent demi-tour, à l'exception de Ferdinand, et le regardèrent, ébahis, tendre un bras accusateur vers Diane Lessing, stupéfaite elle aussi (mais pas pour longtemps).

— J'veux pas, j'vous dis! J'veux pas! Y a qu'à voir comment qu'elle le regarde!

— Mais qu'est-ce qu'il ne va pas inventer! s'exclama Arlette Henri, indignée.

— Ce garçon est fou furieux! dit Loïc, amusé.

— Ah mais enfin, il faut le faire taire! C'est un menteur! renchérit Luce.

— Mais... mais? Voyons! Est-ce que je rêve? Luce, ma chérie, dites-moi que je rêve!

La voix dolente, craintive, timide, de Diane Lessing, censée faire admirer aux moissonneurs le contrôle et la patience des Parisiens, fit frémir Loïc et Luce qui la reconnurent aussitôt comme l'estafette des grandes tornades. Ils rentrèrent tous les deux la tête dans les épaules et échangèrent un regard d'encouragement.

— Est-ce que je rêve? Ou ce garçon m'accuse-t-il de mauvaises pensées pour ce pauvre jeune homme, pour ce Bruno Delors que je connais — lui et sa mère — depuis plus de vingt ans?...

— Ça fait rien. J'veux pas vous le laisser! s'entêtait J'irai-point.

— Voyons, monsieur! Soyez sûr qu'en effet, si j'avais vingt ans, vous ne devriez pas me laisser avec Bruno Delors. C'est le plus joli garçon de Paris, il est apprécié pour cela par toutes les femmes de la capitale; sachez aussi que toutes se battent pour l'entretenir mais qu'il n'a jamais, mais jamais regardé un autre garçon!

— Mais... dit J'irai-point, tout rouge, mais...

— Et qu'il fallait être vicieux et vigoureux comme vous l'êtes pour profiter de cette insolation. Il a dû vous prendre pour une femme. C'est la seule explication !

Devant l'expression incrédule du public, passionné quoique un peu choqué par le métier avoué de Bruno, et l'air franchement hilare de Loïc, elle rectifia : « Il est vrai qu'il fallait une insolation gigantesque pour vous voir en membre du sexe faible, je l'avoue. Mais, sinon, cela veut dire que vous l'avez forcé ! Oui monsieur ! Forcé ! J'ignore quelle est votre réputation dans ce pays mais elle ne doit pas être irréprochable ! Je me trompe ? » demanda-t-elle, brusquement tournée vers Arlette qui sursauta. La voix rythmée, l'accent de vérité et de colère qui avait agité Diane dans sa salopette à carreaux comme dans une toge romaine, l'avaient fascinée. C'était mieux que la radio ! Mais là, elle ne savait que dire ni que faire, sinon s'étonner. J'irai-point faisant de mauvaises façons à ce beau jeune homme si vaniteux et si arrogant ?... Elle se tourna vers lui.

— Meningou ! Tu as fait des choses à monsieur ?

— Des choses ?

— Oui, des choses. Ne fais pas l'idiot. Des choses comme au vicaire.

— Mais quel vicaire ? s'exclama Diane, ravie de ce passé affriolant.

Loïc lui faisait signe de se taire. Meningou s'était redressé, l'œil rond et les joues rouges.

— Mais j'y ai rien fait à monsieur Bruno ! D'abord y voulait pas ! Et puis moi non plus ! Et puis lui, y voulait tout me donner et j'ai tout refusé. Y voulait même me donner des chèvres et des dattes et j'ai dit non à tout, à tout ce qu'il voulait me donner... alors !...

— A tout sauf à sa montre, dit Arlette sévèrement.

— Oui, sauf la montre. Faut dire que j'aime pas trop les dattes, se justifia l'accusé.

Arlette se tourna vers Diane. Elle semblait soulagée par ces explications mais navrée aussi par le temps perdu. Les moissonneurs, égayés, se rappelèrent leur devoir et repartirent vers la porte.

— Bon, dit Arlette à Meningou, tu as entendu ce qu'a dit la dame ? Elle non plus, elle n'en veut pas de ton copain. Alors maintenant tu le laisses tranquille et tu vas au travail. Allez, va !

— Allez, viens, dit Ferdinand d'une voix autoritaire.

Et Meningou, au bord des larmes, les suivit en marmonnant des choses incompréhensibles.

— Mais qui vous dit qu'il ne ment pas, demanda Diane à Arlette, une fois qu'elles eurent remis le pauvre Bruno, de plus en plus réduit au rôle de marionnette, et une marionnette bien flapie, dans son lit avec une tisane au tilleul, et qu'elles eurent commencé à éplucher un légume inconnu de Diane et qui, à son avis, aurait pu le rester.

— Meningou, dit Arlette, il ne ment jamais ! Il ne peut pas mentir, le pauvre !

Elle avait prononcé ces mots avec calme comme si elle présentait un cas classique de la psychiatrie en même temps qu'une triste maladie.

— Qui était ce vicaire?

— Un petit séminariste qui était bien craintif, le pauvre, allez! Bien plaintif, aussi. Le curé, il ne savait pas quoi lui dire pour le consoler.

— Le consoler de quoi?

— J'irai-point avait... l'avait empoigné... C'était un jour d'orage. Ça, c'est ennuyeux avec lui, quand il y a de l'orage il faut ranger les enfants et les jeunes. Le reste du temps, il est... tranquille. Vous faites des épluchures bien trop grosses, madame Diane, dit Arlette. Il n'en reste plus rien de mes courgettes!

— Des courgettes? Ce sont des courgettes ça? Je ne les voyais pas comme ça, les courgettes, c'est drôle...

— Et comment vous les voyiez, les courgettes? Vous n'en aviez jamais vu avant?

— Je n'en avais jamais vu en effet, sinon en gratin.

— Eh bien, aujourd'hui aussi vous les verrez en gratin; mais avant vous les aurez vues en vrai. On a toujours quelque chose à apprendre, ma pauvre dame, vous savez.

— Hé oui, hé oui, dit Diane avec une mélancolie à peine simulée.

Finalement, après en avoir eu très peur, elle éprouvait de l'affection pour Arlette Henri. («Que ce prénom lui allait mal!») Elle aurait aimé avoir une amie comme ça à Paris, quelqu'un de «straight», se dit-elle en anglais — comme chaque fois qu'il lui manquait un mot et qu'il y avait quelqu'un auprès d'elle parlant anglais suffisamment pour apprécier son bilinguisme: autrement, si le mot lui échappait et qu'elle soit seule, elle laissait tout tomber —, se dit-elle avec remords. Ce qu'il y avait de bien à la campagne, c'est qu'on avait le temps de se faire un peu de conversation à soi-même; c'était assez rigolo et sûrement très bon pour l'esprit. Très sain. A Paris, elle tâcherait de continuer. A Paris ou à New York. Mon Dieu, ils ne savaient même pas dans quelle capitale ils seraient la semaine prochaine, à dix mille ou à cinq mille kilomètres de leur pays et dans quelque prison, peut-être. Et elle était là à s'émerveiller sur la Beauce! André! André Ader! Il lui fallait absolument retrouver André Ader! Lui dire qu'ils étaient vivants, qu'il ne reparte pas sur son bateau en les laissant là, dans une ferme ou ailleurs, et sans beaucoup de sous (elle ne vendrait jamais ses bijoux dans la nécessité! Ça, elle l'avait juré à chacun de leurs donateurs, ses maris ou ses rares amants. Elle se l'était juré aussi à elle-même. C'était trop bête de vendre des bijoux quand on était pressé, on perdait la moitié ou les trois quarts de leur valeur au bas mot. Les bijoux et le reste, d'ailleurs: les fourrures aussi. Seulement pourquoi vendre ses bijoux si ce n'était pas urgent? Bref, il ne fallait pas se retrouver dans un état d'urgence, c'était tout!).

— Vous croyez que je mets les légumes dans un autre plat que les poulets ? Ça fait mieux ?

Arlette avait l'air troublée. Ces raffinements que lui avait suggérés Diane finissaient peu à peu par la convaincre. Elle commençait à chercher le mieux n'importe où et c'était touchant. Diane prit sa voix décidée, sa voix qui faisait fuir les poules dans le poulailler :

— Mais bien sûr ! Il faut déjà séparer les quatre poulets selon leurs morceaux : on mettra les blancs d'un côté et les cuisses de l'autre. Ainsi, pour une fois, les gens pourront manger ce qu'ils aiment vraiment sans se tromper !

Arlette hochait la tête. Avec de la logique on pourrait lui faire faire ce qu'on voulait à Arlette dans sa ferme, même la transformer en rendez-vous de chasse ou en bordel. Finalement, à se voir en cicerone, Diane était enchantée.

— Dites-moi, Arlette... je m'excuse de ma question, mais... vous avez perdu tous vos cheveux ? Il y a longtemps ?

— Quoi donc ? Mais j'ai tous mes cheveux !

Elle avait l'air vexée, le Memling. Ce qui l'humanisait beaucoup.

— Comment voulez-vous que je le sache avec ce foulard perpétuel ? Montrez-moi si c'est vrai, dit Diane en riant.

Dix minutes plus tard, Arlette avait les cheveux en chignon, un rouge à lèvres transparent et le cou légèrement dégrafé. Trois détails qui en faisaient une femme, songeait Diane, satisfaite de ses talents et émue de son bon cœur. Il était dommage qu'elle eût refusé toutes les petites tenues proposées — le tailleur de Balenciaga était très strict et lui aurait admirablement convenu — mais elle avait été inflexible même envers le pantalon feuille morte et la veste de daim tout à fait « chasse » et d'une coupe très « simple ».

La reconnaissance ne l'étouffait pas, d'ailleurs, cette chère Arlette. Une heure plus tard, elle envoya son pygmalion nourrir les bêtes. Diane partit donc, chargée de quatre gamelles, trébuchant sur les talons pointus de ses bottines de chevreau.

Si tout se passa bien avec les volailles, elle connut quelques difficultés avec les cochons qui, de leur auge, l'attendaient en poussant des grognements derrière une porte basse. Diane devait se pencher pour poser entre eux son plat — du son mouillé avec de l'eau — mais ils se pressaient tellement vers elle que la chose lui fut impossible. Elle décida alors de mettre le plat par terre, d'ouvrir la porte et de le faire glisser du pied vers eux tranquillement. Seulement un jeune cochon — « le goret », se rappela-t-elle par un hasard extravagant —, un goret donc, plus vivace que les autres, se jeta dans l'entrebâillement de la porte dès qu'elle y introduisit son plat, semblant plus s'intéresser à sa liberté qu'à la nourriture. Deux ou trois fois, Diane trouva cela plutôt rigolo et même, toujours avec son public imaginaire derrière elle, lança à la bête des « Veux-tu bien... », « Petite canaille... », des plus amusés. Mais quand, à la quatrième tentative, culbutée littéralement par cet animal, elle se retrouva assise à terre dans sa salopette à damier tandis que le goret essayait de filer par-dessus ses frères et sœurs, elle se mit, de désespoir, à pousser des cris aigus... des cris de détresse plus que de commandement qui, par bonheur, effrayèrent la bête et lui firent rejoindre précipitamment ses congénères déjà attablés.

Le front trempé de sueur et la jambe tremblante, sa salopette tachée mais debout, Diane Lessing repartit se changer dans sa chambre. Finalement, se demandait-elle en enlevant sa belle tenue abîmée, avait-elle eu de la chance ou pas en trouvant cette ferme ? Ils avaient échappé aux fusillades, à cet exode qui n'en finissait pas, peut-être n'auraient-ils fait que cinq kilomètres de plus à l'heure actuelle, mais peut-être aussi que ses compatriotes étaient tous arrivés où ils voulaient aller. Peut-être eux-mêmes auraient-ils déjà été tout près de Lisbonne à l'heure actuelle ? Comment savoir ? Par droit divin, Diane pensait que tous les hasards étaient des hasards qui lui servaient mais là, le chapitre du goret lui avait fait perdre beaucoup de sa superbe et donc de son optimisme. Et sur qui compter entre Loïc qui s'intéressait maintenant à la mécanique et Luce qui flirtait avec ce jeune paysan ? Aucun d'eux ne paraissait spécialement pressé de repartir. Sauf elle. Elle et ce pauvre Bruno qui avait peut-être échappé à un viol honteux mais pas à une insolation carabinée. Resterait-il gâteux longtemps ? En attendant, il fallait qu'elle chasse ces tristes pensées, qu'elle aille aider Arlette pour ce déjeuner de quand même quatorze personnes. Toute sa vie elle avait eu, pour mettre un frein à ses soucis sérieux, des mondanités ou des obligations qui la forçaient à prendre sur elle. Et heureusement, se dit-elle.

CHAPITRE VIII

ARLETTE était tellement plongée dans ses fourneaux qu'elle n'avait pas pensé à faire sa table. Mais Diane veillait au grain et poussa le raffinement jusqu'à mettre un petit carton devant chaque convive. La maîtresse de maison présidait avec son fils Maurice, lui-même entre les deux Parisiennes, pendant qu'Arlette, elle, avait près d'elle Loïc et aurait eu Bruno si celui-ci avait été en meilleure santé. Il fut remplacé par le cousin Bayard, Diane ayant choisi le puissant et inquiétant Ferdinand. Comme ils étaient cinq femmes et sept hommes, elle avait froidement installé côte à côte les deux personnages les moins bavards et les moins brillants de l'assemblée, J'irai-point et le valet de ferme, surnommé Jojo.

En écrivant «Jojo» sur son carton, Diane riait mais modestement. Dans le Tout-Paris il y avait bien Yé-Yé et Zouzou : il faut dire, bien sûr, que c'était Yé-Yé de Montague et Zouzou Prélevant. Enfin, Paris c'était Paris naturellement. Rougeauds, transpirants, courbés en deux, éreintés, les moissonneurs rentrèrent à midi tapant. Il fallut les ravitailler en eau et en vin coupé pendant dix bonnes minutes avant qu'ils puissent parler. Puis on les mit à table. Et le début du repas fut tellement silencieux qu'il rappela à Diane un pénible et récent mariage.

Le déjeuner commençait par une tranche énorme de pâté et des saucisses : «un étouffe-chrétien», pensait Diane mais Arlette n'avait pas écouté ses suggestions de carottes râpées et d'artichauts crus, pourtant tout aussi faciles à «préparer». Diane fit donc comme tout le monde et se servit copieusement.

— C'est délicieux, ces cochonnailles, dit-elle de sa voix de tête, dans un silence épuisé uniquement coupé par le bruit des couverts et celui, plus déplaisant, des mâchoires. Vous les faites vous-mêmes?

— Bien sûr qu'on fait le cochon nous-mêmes! s'écria Ferdinand qui se ranimait peu à peu. On en trouve, du pâté comme ça, chez vous, ma petite dame?

— Ah non, c'est bien vrai! N'est-ce pas, Loïc? Vous vous souvenez d'une terrine aussi exquise que celle-ci.?

— Sûrement pas!... s'écria Loïc. C'est très très bon, très...

Il renonça à son adjectif et avala sa tranche avec la même rapidité — sinon le même bruit — que ses collègues. Loïc Lhermitte qui à Paris rechignait devant tout plat en sauce!...

— Et ça se passe quand, l'exécution... enfin la mort de ce pauvre cochon?

— En octobre. Il faudra que vous reveniez! dit Ferdinand, en Beauceron hospitalier. Vous verrez, le boudin frais, ce n'est pas rien! Le sang que vous avez vu couler tout droit du cochon le matin, vous le mangez grillé à midi!

Diane était toute pâlotte.

— Mon Dieu, dit-elle, en effet... en effet, cela doit être rassurant...

— Et les abats alors! Ce qu'on appelle les tripes, ce n'est pas comme chez vous. Ah là, faut voir! Nous on prend la tripe directement dans le...

La description du cochon et de ses entrailles faillit avoir raison de Diane. Heureusement les poulets arrivèrent sur la table et la conversation se tourna vers eux, qui avaient des appas et des abats moins spectaculaires à évoquer.

— Si vous trouvez des plumes, ce ne sera pas ma faute, prévint Diane.

— Ce n'est pas vous qui les avez plumés?

— Non, justement pas. Mais j'y étais condamnée par le Mem... par Arlette, veux-je dire. J'étais affolée ! Comment voulez-vous arracher les plumes à ces pauvres bêtes ! C'est comme si on vous arrachait les cheveux un par un !

— Peut-être bien que si j'étais mort je m'en ficherais, déclara Ferdinand. On ne les plume pas vivantes, les poules ! Mais vous ne savez pas les tuer en plus, je parie ? Vous voulez que je vous montre ?

Et Ferdinand se pencha, attrapa l'un des volatiles circulant sous les pieds de Diane qui ne s'en étonnait déjà plus mais qui écarquilla des yeux horrifiés quand il posa la bête agitée et hurlante devant eux.

— On les prend par le cou, comme ça. Et cric...

— Oh non, non ! cria Diane. Non, non... je vous en prie ! Pauvre bête ! Vous allez me couper l'appétit. Je vous en prie, cher monsieur !

— Appelez-moi Ferdinand alors !

— Je vous en prie, cher Ferdinand, minauda Diane mais sa voix chevrotait.

— Veux-tu laisser mes poules tranquilles, grand couillon ! cria Arlette.

Ferdinand, avec un clin d'œil, relança la poule miraculée, laquelle en effleurant Luce de ses pattes au passage lui arracha des cris aigus.

— Ben alors, vaut mieux que vous arriviez après la mort du cochon, en déduisit Ferdinand. Il crie comme un putois, cette bête. On n'entend que lui à un kilomètre à la ronde pendant dix minutes, hein Maurice ?

— Ça, pour crier, il crie, confirma celui-ci qui avait l'œil rêveur et la jambe entre les jambes de Luce.

— Finalement, dit Diane de sa voix sérieuse, il y a une sorte de... violence, non, dans la vie agricole, dont on ne se doute absolument pas à la ville... !

— En ville, vous passez votre temps à vous écraser en voiture. Il n'y a pas de cochon à saigner, mais il y a des piétons !

C'était le cousin Bayard, toujours antipathique, qui jouait les globe-trotters.

— Vous avez une notion très pessimiste de la circulation, dit Diane sèchement. Les dangers sont minimes...

— Ah ben oui ! J'y suis monté une fois dans votre Paris, moi, il n'y a pas longtemps, et quatre fois j'ai failli me faire déquiller. J'ai vu une femme raide aplatie dans la rue. De mes yeux, je l'ai vue. A la tour Eiffel, encore !

— C'est un manque de chance, reprit Diane. Je vous assure...

— Moi, je vois ce que je vois, dit le cousin teigneux. Et non seulement elle était écrasée, la pauvre femme, mais il y avait des douzaines d'automobiles bout à bout les unes les autres, on ne pouvait pas avancer, j'ai dû rentrer à pied jusque chez moi. Ça faisait une trotte, je peux vous dire !

Il y eut un silence. Loïc s'apprêtait à vanter quand même les charmes de Paris mais la vue du visage congestionné de Diane le dissuada d'ajouter son mot à l'affaire. Elle était lancée :

— Eh bien, tout ce que je peux vous assurer, cher monsieur, puisque vous ne voyez que ce que vous voyez, c'est que vous avez vu un suicide et un embouteillage, point final. Et si vous n'avez vu que ça dans notre capitale, vous êtes effectivement à plaindre !

Enchantée d'elle-même, elle détourna la tête d'un air sec et fit semblant de s'intéresser aux propos de l'illuminé, l'amoureux de Bruno qui depuis cinq minutes lui tirait désespérément la manche.

— Qu'est-ce qu'il y a encore ? demanda-t-elle d'un air vainqueur.

— Puisque vous le voulez pas, pourquoi vous me le donnez pas ? demandait l'autre dégénéré.

Décidément il était obsédé, ce garçon !

— Vous êtes complètement... vous vous êtes trop échauffé au soleil, se rattrapa-t-elle devant le coup d'œil sévère de Loïc, lequel lui rappelait à point nommé qu'il ne fallait jamais parler de la folie aux fous ; genre de conseil que l'on vous donnait généralement d'un air confidentiel et sévère comme si, de soi-même, on allait parler de ses durillons à un amputé, de ses poumons à un tuberculeux ou de Frankenstein à un laideron.

Quand même, ce pauvre Bruno avait fait d'autres conquêtes à Paris, dans le temps, et de plus brillantes... Guérirait-il de cette terrible insolation à étages ? Ce serait gai d'arriver à New York avec un égaré incandescent au bras... Au bras... ! enfin : à la main, oui... ! Pour le ramener à sa mère, après, dans cet état ! Bien sûr on pourrait raconter que c'était un accident, une fêlure du crâne, une balle allemande récoltée alors qu'il pourchassait avec son fusil un Stuka hostile... mais enfin l'héroïsme n'excusait pas l'hébétude.

— Pourquoi vous ne le lui donnez pas, votre pâté, à ce garçon, puisque vous ne le mangez pas, dit Ferdinand. Puis, à l'adresse d'Arlette : Madame Diane trouve ton pâté si bon qu'elle ne veut en donner à personne. Remarquez, j'aime bien ça, un bon coup de fourchette, chez une femme, dit-il avec étourderie vu l'état squelettique de sa voisine et de sa femme.

Ou peut-être était-ce le geste qu'il aimait ? se dit Loïc.

Diane rougit de son erreur mais, le vin rouge aidant, elle repartit dans son rôle de sociologue et demanda à Ferdinand, son voisin moustachu, ce qu'il pouvait bien faire le soir pendant l'hiver, quand la neige et les frimas l'empêchaient de sortir aux champs.

— Vous ne vous ennuyez pas, le soir, vers six heures, quand le jour tombe ? Vous n'avez pas un petit spleen ?

Non, Ferdinand n'avait pas de petit spleen, semblait-il. Il riait même plutôt en la regardant.

— Ben non, vous savez... D'abord il y a tout à arranger. Tout ce qui a cassé l'été, les harnais, les outils... et puis pour ceux qui ont la chance d'avoir dans leur lit une petite femme bien chaude dans votre genre, ça ne paraît pas long, hein, l'hiver... ça passe vite, même !

Diane cilla, posa ses couverts et émit un petit rire étranglé. Bien entendu, elle avait reçu des compliments divers au cours de sa vie. On avait vanté son élégance, sa classe, sa race, son esprit, voire même son charme, mais c'était vraiment la première fois qu'un homme l'évoquait comme « une petite femme bien chaude ». Elle en était stupéfaite et, il faut bien le dire, enchantée. Elle trouvait même ce compliment dans la bouche de cet homme plutôt rustre et ingénu très, très étonnant, car enfin ce sens du marivaudage, cette sensualité polie étaient tout à fait innés. On ne pouvait pas dire que cet homme ait appris les bonnes manières de qui que ce soit ! Le seul ennui dudit compliment, c'est qu'elle ne pouvait indiscutablement le répéter à personne. Elle imaginait la tête de Loïc si elle lui parlait d'elle-même comme d'une petite femme bien chaude ! Même lui, Loïc, pourtant si discret, ne résisterait peut-être pas à l'envie de le raconter. Et Paris, alors !... Elle n'osait pas y penser.

Là-dessus, Arlette apporta ses tartes. Sur quatre, il y en avait trois exquises et une immangeable où s'étaient rassemblées, semblait-il, et serré les coudes toutes les pommes suries disséminées dans les trois cageots... Par quel miracle ? Par quel hasard ? Ce fut une des questions qui hanta le plus la nuit et les jours suivants l'esprit de la pauvre Diane : car enfin elle les avait toutes jetées en vrac, au dernier moment, dans la même casserole ! C'était inconcevable. Loïc, consulté, lui répondit, distrait, qu'il n'en savait « foutrement » rien. Il commençait d'apprendre un langage, celui-là, aux champs, qui ferait mauvais effet à New York, ou à Paris, ou Dieu sait où la vie les emmènerait ! Mais comment ces pommes avaient-elles pu...

Pour clore son immense déjeuner, Arlette, sur les demandes de Ferdinand, fit imprudemment passer sa fameuse prune maison. Après avoir beaucoup « hésité » et rappelé que cette liqueur avait déjà une fois endommagé sa démarche et son esprit, Diane accepta d'en prendre une goutte. Elle lui parut beaucoup moins forte que la première fois mais sans doute fut-ce les encouragements de Ferdinand qui l'y aidèrent.

Diane Lessing dut quand même abuser un peu de cet excellent alcool de prune, si sain, puisqu'elle se retrouva plus tard en train de chanter, les bras noués à ceux de ses voisins, *Nini-Peau d'chien* avec sa nouvelle « famille paysanne » ainsi qu'elle l'appelait. Comme quelques maîtres d'hôtel des boîtes de nuit à Paris ou Monaco se le rappelaient encore, elle avait une voix rauque qui, quand elle était un peu partie, devenait d'une puissance incroyable. Eût-elle disposé de ce même organe l'autre jour dans sa carriole qu'un passant wagnérien eût pu croire à une Walkyrie excitant ses coursiers ! Vision effrayante et anachronique à la fois. Toujours est-il qu'elle chanta, sous l'œil stupéfait et charmé de Loïc et celui, moins emballé mais quand même admiratif, de Luce (de plus en plus distraite, celle-là, d'ailleurs) *Les Filles de Camaret* et autres joyeusetés.

Sur ce, Arlette subtilisa la bouteille de prune et lança des coups d'œil éloquents vers Ferdinand. Lequel se leva, s'essuyant la bouche de la main avec un naturel que Diane adora.

— Allez ! s'écria-t-il. Quand faut y aller, faut y aller !

Ils partirent enfin, non sans que Ferdinand ne tente de flatter au passage la croupe de Diane Lessing. Il tapota donc ce qui lui en avait tenu lieu toute sa vie et en parut plus perplexe que déçu. Quant à celle-ci, mi-indignée mi-conquise, elle suivit longuement des yeux sa silhouette robuste tandis que Luce et Loïc fermaient la marche en clopinant.

Les moissonneurs avaient au déjeuner réveillé Bruno Delors de sa longue insolation. Il resta un instant les yeux fermés en écoutant *Nini-Peau d'chien*. Un chœur mené par une voix de femme âpre et vigoureuse, une voix de virago, en fait, qui avait par moments un peu le même timbre que celle de Diane Lessing. Pauvre Diane ! L'imaginer dans un banquet rural ! Il sourit. Il voyait sa valise ouverte par terre et ses polos et ses chemises qui en dépassaient. Il était bien revenu. Mais comment ? Il était parti en mission pour découvrir une civilisation quelconque ou tout au moins un télégraphe et il avait échoué. Incroyable ! Bruno se rendormit et se réveilla trois heures plus tard. Il avait été tourmenté par le même rêve, une fois de plus : jamais il n'avait fait un rêve aussi intime et aussi proche de sa mémoire, un rêve aussi vécu. Il se rappelait encore l'exotisme de ce cauchemar, le sable interminable, la nuque d'un Touareg et surtout avoir été traîné de couloir en couloir pour finir jeté aux pieds d'une tablée rieuse et cruelle. Il se sentait encore à sa honte glisser, s'agenouiller devant ces émirs et leur harem dont il ne distinguait même pas les visages. Il soupira. Et puis il y avait cette espèce d'odeur, celle de cet esclave en sueur qui le portait, cette odeur qui semblait planer encore dans la chambre. Qui planait en fait dans la chambre. Bruno se redressa et ouvrit vraiment les yeux. Assis au pied de son lit, il y avait un individu indéfinissable dont les yeux étaient les plus vides qu'il eût jamais vus. C'était bel et bien un dégénéré, un primate quelconque qui le regardait avec fixité.

— Toi guéri ? Toi réveillé ?

Allons bon, ce débile mental parlait le petit nègre ! Il était inutile que Léon Blum vantât à ce point l'éducation dans les campagnes. Et Bruno qui n'était pas socialiste le moins du monde se voyait déjà ironiser dans les salons parisiens ou new-yorkais.

— Je vous demande pardon ? dit-il. Vous êtes qui ?

— J'irai-point !

— Je ne vous demande rien...

Il s'arrêta. Mieux valait se concilier ce bizarre personnage. Était-ce un des fils Henri ? Non, même l'armée n'aurait pas engagé un tel spécimen. Il s'assit sur son lit, constata avec plaisir la présence de son caleçon car le regard de l'autre avait quelque chose d'inquiétant... Non pas sur le plan sexuel, bien sûr, l'équivoque était à mille lieues de ce malheureux qui probablement n'avait même jamais pris la main d'une fille. Une vague pitié pour cet être presque exotique dans sa laideur envahit Bruno et, s'appuyant l'index contre son propre torse, il déclara :

— Moi, Bruno ! Moi, Bruno ! Puis, tournant son index vers la poitrine de l'autre, il demanda :

— Et toi ? Toi comment ?

— J'irai-point, répéta l'autre avec agacement, ce qui était le comble.

Bruno haussa les épaules et se rallongea à demi dans son lit. Il se sentait faible.

— Où sont amis à moi ? demanda-t-il.

— Amis à toi aux moissons.

— Aux moissons ? Les pauvres !...

Il imagina un instant Luce avec une faux puis Loïc sur sa machine — ce qui allait déjà mieux — et enfin Diane elle-même avec une faux ; cette idée lui parut si apocalyptique qu'il l'élimina aussitôt de son imagination. Diane avec une faux, tout tombait : la campagne, les arbres, les hommes, les chiens, les chats, les poules ! Il se mit à rire malgré lui.

— Amis à moi contents ?

— Amis à toi contents quand moi t'avoir ramené.

— Parce que toi ramener moi ?

En plus, c'était son sauveur ! Allons bon ! Il avait dû le trouver évanoui et le ramener sur l'une de ces carrioles dont le rôle devenait énorme dans la vie de Bruno.

— Moi récompenser toi. Moi donner toi...

— Pas de dattes. Moi pas vouloir de dattes.

Bruno s'indigna :

— Et pourquoi je te donnerais des dattes ?

— Des dattes et des chèvres.

Bruno était éberlué. Cet abruti avait l'air sincère en plus.

— Mais non ! Moi payer toi ! Avec argent.

— Moi refuser ta montre aussi, reprit l'autre d'un air pieux.

Bruno se sentit une espèce d'estime, tout à coup, pour ce grand gorille qui, au lieu de le dépouiller, l'avait ramené au port.

— Toi bon bougre ! dit-il.

Et, se penchant, il tapota l'épaule de l'étranger qui aussitôt s'agenouilla au pied du lit et tendit vers lui une tête fervente.

— Toi embrasser moi.

Bruno fit un bond en arrière mais trop tard. La porte était ouverte et

Diane, sur le seuil, les regardait. Appuyée au chambranle, elle avait adopté une pose presque allécheuse, une pose racoleuse qui étonna Bruno avant de le mettre en colère.

— Je vous dérange! dit-elle d'une voix pointue.

— Ah, je vous en prie, Diane, ne soyez pas grotesque! Qu'est-ce qui m'est arrivé?

Diane se mit à rire.

— Il est arrivé que vous avez été ramené de votre escapade avec une insolation par ce garçon-là et on ne sait pas, étant donné l'éclectisme de ses goûts, si vous avez eu droit aux mêmes faveurs que les membres de son troupeau ou le vicaire du coin. Voilà!

Bruno jeta un regard incrédule et horrifié vers son prétendant qui n'était plus à genoux, Dieu merci, puis vers Diane.

— Alors, Bruno, on commence à aimer la campagne?

Ça, c'était Loïc; c'était bien le genre de plaisanterie de Loïc. Arrivé derrière Diane, il était accoudé de l'autre côté du chambranle. Il souriait, hâlé, viril ma foi, agaçant.

— Loïc, c'est vous qui... ne me dites pas... ce que raconte Diane est extravagant, enfin, au sujet de...

Du menton il désignait l'abruti qui souriait toujours aux anges.

Loïc prit une voix rassurante :

— Mais non, mon vieux, on n'en sait strictement rien! On sait qu'effectivement J'irai-point... a des goûts un peu mélangés... Mais de là à dire que vous n'êtes plus comme vous étiez en partant...

Diane se mit à rire et Bruno voulut la tancer mais il s'arrêta. Elle venait de laisser échapper un petit hoquet sonore d'ivrogne auquel on répond en général dans les salons, comme à tous les impondérables de ce genre, par un visage marmoréen et un flux de paroles. Seulement Diane, au lieu de jeter comme le font généralement les hoqueteux honteux un regard accusateur vers ses voisins, fit une chose invraisemblable : elle ouvrit son sac en paille qu'elle avait au bras, regarda à l'intérieur d'un air agacé et le referma avec application. Loïc et Bruno en restèrent un instant ébahis, puis Bruno vit les joues de Loïc, pourtant hâlées, rougir sous l'envie de rire mais pas pour longtemps. Il venait juste de rentrer des champs après le départ précipité de J'irai-point qui, ayant fini son demi-hectare, était revenu en courant, il était mort de fatigue et il n'avait plus sa lucidité habituelle. La conversation de ces deux-là lui parut soudain surréaliste. Ils lui faisaient vraiment l'effet de deux Parisiens égarés chez lui, Loïc Lhermitte, raisonnable cultivateur beauceron. Il se rendit compte avec amusement que, ce soir-là en tout cas, seuls les moissonneurs auraient droit à quelque estime de sa part. Les autres, quels qu'ils fussent, même s'ils arrivaient par miracle en Rolls de l'Académie des sciences, lui paraîtraient des freluquets égarés dans des abstractions. Diane au moins, malgré son ivresse, avait aidé à confectionner les tartes aux pommes et goûté les cochonnailles, ce qui faisait d'elle une personne relativement plus saine que Bruno avec ses insolations à triple tour. Et plus que le mari de Luce, avec ses millions invisibles, et plus que lady Dolfuss qui gouvernait Paris à l'heure actuelle avec ses soi-disant élégances. Loïc avait touché la terre, retourné la terre, arraché à la terre le blé, soit le début du pain. Il se mit à rire de lui-même ; de lui-même et des salons et de la vie qu'il y avait menée et de celle qu'il allait continuer à y mener d'ailleurs. Comme il rirait dans quelques jours de la vie agricole, des champs, des moissons, des blés et de l'effort physique, comme il était de toute façon séant de rire quand on s'appelait Loïc Lhermitte et qu'on s'apercevait, à plus de cinquante ans, que la vie qu'on avait eue n'était pas absolument obligatoire. Quand on s'apercevait que certains moments insupportables du passé auraient dû être, en effet, insupportables tout court et que certains bonheurs, un peu douteux sur le moment, l'étaient tout à fait avec le recul. Bref, quand on s'apercevait que gâcher sa vie n'était pas uniquement une expression romanesque.

— Mais c'est qu'il va me mordre ! disait Diane.

Elle s'était assise de l'autre côté du lit, en face de Bruno toujours allongé, et en effet l'abruti lui jetait des regards féroces ; on le voyait presque retrousser les babines et montrer les dents — mais les dents d'un vieux chien, plutôt. Elle se tourna vers Loïc. (Elle était vraiment un peu ivre, cette chère Diane !)

— Imaginez que ce garçon me croit prête à me jeter sur Bruno, avec lui sans doute ! Comme si je pouvais faire ça sous le toit qui nous abrite ! dit-elle en montrant d'un geste large le plafond taché de mouches. Et comme si j'allais montrer à un innocent des raffinements et des perversités qu'il serait tout autant incapable d'oublier que d'inculquer à ses bêtes !

Le fou rire prit Loïc pour de bon et illico gagna Diane. C'était la fatigue, cette brisure complète de leurs habitudes, la bizarrerie de leur aventure, ce changement total. C'était je ne sais quoi mais ils étaient littéralement pris de convulsions et Diane dut se lever et tituber jusqu'au mur. Etrange, se dit Loïc. Il était étrange de voir des êtres aussi différents que lui et Diane partager le même rire ; il y avait quelque chose de mystérieux, d'illogique et de puissant dans le fou rire, quelque chose qui détonait parfois dans le puzzle psychologique de quelqu'un, qu'on ne pouvait pas concilier avec le reste du caractère mais qu'il était aussi important de partager que la volupté. Diane et lui, par exemple, qui ne partageaient rien sinon les salons, avaient le même rire absurde et parfois presque bouffon et toujours à partir du même prétexte. Ce rire qui vous happait, entraîné, égaré, ballotté, ce rire, s'il manquait à un couple, même passionné, lui faisait toujours défaut à un moment capital. Et tout comme ce rire absent expliquait bien des séparations apparemment inutiles, sa présence expliquait aussi des amours tout à fait disparates puisqu'en cet instant personne n'aurait pu se glisser entre Diane et Loïc. Mais ils finirent par se calmer, par s'asseoir, l'une sur une chaise, l'autre sur le bord de la fenêtre, avec ces précautions de grand blessé, ces gestes de rescapé qu'ont toujours, après, les victimes d'un fou rire. Ils vérifièrent d'un regard que l'autre aussi reprenait son sang-froid, que leur accès s'était calmé et retournèrent ainsi, ensemble, à leur méfiance, leur agacement, leur indifférence réciproque, bref à leur double solitude. C'est alors qu'ils purent se retourner vers le lit de Bruno.

Celui-ci avait pris l'expression qu'ils connaissaient tous les deux par cœur et qui correspondait chez lui à l'incompréhension : l'œil indulgent mais sous un sourcil interrogateur, il mordillait sa lèvre bien ourlée et tout dans son visage indiquait une sorte de condescendance amusée. Malheureusement il se trouva que J'irai-point, dans son adoration, se mit en tête de l'imiter. Bruno ne pouvait le voir, placé où il l'était. De toute façon, reparti en plein narcissisme, il ne pensait même pas à regarder son émule. J'irai-point avait donc les sourcils remontés jusqu'à la racine des cheveux, son front étant relativement étroit, ses yeux se plissaient au point de disparaître littéralement et il ne mordillait pas sa grosse lèvre inférieure, il la mâchait quasiment. Il fallut un instant aux spectateurs pour comprendre ce que voulait dire cette mimique étrange. Mais à l'instant précis où ils le comprirent, Bruno, qui continuait à les fixer de son air impavide, étendit le bras et secoua avec insouciance au-dessus du pavé carrelé de la brave Arlette la cendre de sa cigarette. J'irai-point à son tour tendit, sans regarder, sa grosse main et son mégot au hasard et secoua ainsi sa cendre et ses braises sur le tas de polos de Bruno malencontreusement à sa portée.

— Puis-je savoir ce qui se passe ? demanda Bruno d'une voix altière.

Et, comme pour souligner sa fatigue, il tendit la main à nouveau, sans plus d'attention, et écrasa froidement son mégot sur le carrelage. J'irai-point, les yeux toujours mi-clos, en fit autant et ce n'est qu'en traversant le troisième polo qu'il dut se rendre compte que quelque chose n'allait pas. Il retira sa main précipitamment après avoir jeté un regard furtif vers ces chandails inconnus et la ramena ballante entre ses genoux. Il n'en fallut pas plus à Loïc et à Diane pour replonger dans leur hilarité hystérique. Ils partirent en se bousculant vers la porte et seul Loïc eut le pouvoir de marmonner quelques excuses inaudibles au passage.

Ses deux amis sortis, Bruno se tourna vers J'irai-point qui arborait une expression bizarre, celle d'un homme qui a avalé un piment spécialement corrosif et qui, les yeux fermés, voudrait avaler son menton.

— Va me chercher de l'eau, lui dit-il.

Après tout, s'il devait supporter cet étrange admirateur, autant en faire un valet de chambre. Il y avait pas mal d'hommes intelligents, comme ça, flanqués de valets de chambre idiots. Don Juan, non? Ou quelqu'un d'autre chez Molière? Il ne se rappelait plus. (Il faut dire que Bruno avait une érudition relativement étroite, enserrée qu'elle était entre 1900 et 1930.) Il allait mettre un de ses polos et un de ses pantalons à raies qui faisaient assez yachtman mais tant pis, il n'avait pas prévu dans son vestiaire une tenue pour cette ferme. Il rit légèrement et se regarda dans la glace, la minable petite glace qui trônait sur le mur, accrochée à un clou. Il n'était pas trop rouge pour la victime d'une insolation! Il regarda ses dents, tira sur ses joues et se dit confusément: «Bravo!» C'est à ce moment-là que J'irai-point arriva, essoufflé, avec un broc d'eau qu'il posa précipitamment à ses pieds. Malgré lui, Bruno eut un geste de recul; ce type était vraiment dingo. Dieu sait que les marques d'admiration ne l'avaient jamais fait reculer, au contraire, mais là, cette adoration d'un mongolien ou d'un hydro... quelque chose lui paraissait un peu vive. Enfin!...

— Peux-tu me laisser tranquille? dit-il. Je me lave et je vous rejoins. On va passer à table, j'imagine?

— Oui, dit J'irai-point rapidement. Oui. Madame Luce est en train de tourner la soupe. J'attends là-bas.

Et il disparut sans autre supplique, à la grande surprise de Bruno déjà habitué à cette vénération.

Ils étaient tous assis autour de la table, sauf Luce qui faisait tourner lentement la spatule de bois dans la soupe sous l'œil lubrique de Maurice et celui, bienveillant, d'Arlette. Loïc et Diane échangeaient de temps en temps quelques propos alanguis, épuisés qu'ils étaient par leur rire et leurs travaux paysans ou domestiques. J'irai-point restait inerte dans son coin, la tête basse, et une sorte de paix familiale régnait dans l'atmosphère.

Pendant ce temps, Arlette faisait ses comptes: il y avait Luce qui plaisait au petit et qui le gardait à la maison mieux que sa cheville (parce que sa cheville, ça ne durerait jamais que quinze jours). Elle était brave, la Luce... elle filait doux... on pourrait lui apprendre vite, si on arrivait à savoir avec qui elle était appareillée... Pas avec Loïc, en tout cas, ni avec l'autre qui faisait le malin. Et puis il y avait Diane: elle ne servait vraiment à rien, la Diane, elle mettait même de la pagaille mais Arlette se sentait comme une sorte d'indulgence pour cette grande bringue. Elle était rieuse, quoi, la Diane! Elle était rieuse, à son âge, plus que bien des jeunesses! Et le Loïc, il était bon bougre, aussi. Malgré ça, tout ce monde mangeait, buvait... et les moissons étaient finies! On n'avait plus besoin d'eux. Comment leur avouer que les Allemands étaient arrivés jusqu'à Tours sans la moindre anicroche et qu'on pouvait se promener partout à condition de leur obéir au doigt et à l'œil?

D'ailleurs, avec cet armistice de la veille Henri René et Henri Edouard, son mari et son fils cadet, seraient vite là. Et où allait-on mettre tout ce monde? Non, non, il fallait qu'elle agisse. Néanmoins, quelque chose se désolait vaguement chez Arlette — qui les regretterait — mais elle avait si peu l'habitude d'éprouver des sentiments qu'elle n'aurait même jamais pensé à leur céder.

Il fallait donc que tout ce beau monde reparte. Elle enverrait J'irai-point chez le garagiste, demain, pour leur trouver une voiture. Et puis, ils verraient bien eux-mêmes, une fois partis, que la guerre était finie et la France occupée... Elle n'aurait pas à leur raconter ses manigances... Le Ferdinand avait bien failli gaffer, l'autre jour, au déjeuner, en faisant le faraud avec sa voisine. Ah!... quelle follasse, quand même, cette Diane!...

— Beju! cria son beau-père derrière elle.

Elle le regarda avec affection : on avait beau dire, un homme poli comme lui, un homme comme il était, ça ne courait pas les routes. Il y en avait même qui auraient pu prendre des leçons, le Bruno par exemple... Comment envoyer J'irai-point demain? Comment le décider à aller chercher une voiture pour les faire partir avec Bruno? Quand il avait quelqu'un dans la tête, le Meningou, se dit-elle, on ne pouvait pas le faire penser à autre chose. Peut-être qu'en lui disant que son copain resterait de toute manière à la maison, cela arrangerait tout : il était jaloux des autres et il serait soulagé de les voir disparaître... Dommage quand même... Ce Loïc, c'était un homme bien : de sa personne d'abord, puis de caractère. Les vrais hommes comme ça, c'était reposant... Ah, son pauvre Réré, son pauvre Doudou, où est-ce qu'ils étaient encore, eux, les pauvres?... Arlette qui, depuis le début de sa vie, voyait celle-ci réglée par le déjeuner et le dîner des poules, par les soins aux gorets, par les saisons, les moissons et les vendanges, Arlette qui avait une idée immuable de son destin était un peu fatiguée par ce maelström autour d'elle. Elle ferma les yeux un instant.

L'arrivée de Bruno, fou furieux et rouge vif, fit l'effet d'une bombe pour certains, pour Luce surtout, et de trouble-fête pour les autres.

— Mon polo! Mes polos! criait-il. Mes polos de cachemire! Cet imbécile jette ses mégots sur mes chandails maintenant! J'en ai trois de fichus! Non mais, dit-il en se penchant vers J'irai-point visiblement confus... non mais!... il est complètement idiot ou il le fait exprès?

— C'est leur première petite querelle, dit Diane à la cantonade mais d'une voix apaisante. Tous les jeunes couples doivent passer par là... et puis ça se calme, sur l'oreiller... ou ailleurs...

— Ah je vous en prie, Diane! Non! Non et non! Si vous ne m'aviez pas flanqué cet abruti dans les pattes...

— Tttt, Tttt, Tttt, dit Diane.

Mais Bruno ne l'écoutait pas :

— Et en plus... et en plus...

Il en bégayait de fureur. C'est alors qu'il avisa Luce.

— Eh bien, ma petite Luce, vous avez bonne mine! Vous avez bronzé, vous aussi, aux champs! Ça fait plaisir à voir! Je dois reconnaître que je suis content de vous voir de près, ma chérie, vous m'avez manqué.

— Moi aussi, Bruno, moi aussi, dit la pauvre Luce qui avait encore des brins de paille dans les cheveux et les jambes flageolantes devant la cuisinière. Moi aussi, Bruno. Vous nous avez fait très peur, vous savez!

— Ça oui! renchérit Maurice avec un mauvais rire.

— Vous nous avez pris un bon coup de soleil avec vos petites trottes, dit Arlette qui avait la rancune durable. C'est bien la première fois que je vois une insolation à... comment vous dites, déjà, madame Diane?

— Voyons, Arlette! s'écria celle-ci sur un ton de reproche qui aurait mieux sonné au bar du Ritz... voyons... Appelez-moi «Diane»! Vous me l'avez promis tout à l'heure. Plus de madame! Ou alors, moi, je vous appelle madame Arlette!

Elle avait un ton de menace mais Arlette d'un mouvement d'épaule fit apparaître cette hypothèse comme le cadet de ses soucis...

— Bon, marmonna-t-elle, qu'est-ce que je disais?

Et elle se tourna vers Luce qui, étreignant sa spatule, tournait sa soupe à tombeau ouvert.

— Dites donc, ma petite Luce, elle doit être chaude maintenant la soupe! C'est une soupe que vous nous faites ou une mayonnaise?

— Elle est mauvaise élève aux fourneaux? demanda Bruno d'un ton ironique en s'éloignant vers le feu.

— Beju! Beju! cria le vieillard qui n'avait pas jusque-là remarqué l'arrivée de Bruno et s'en excusait vivement.

Il faut dire que le malheureux s'était époumoné toute la journée à saluer poliment chaque moissonneur et qu'il n'en pouvait plus. Rouge, décoiffé et étourdi par l'exaspération, Bruno ne répondit pas.

— Vous pouvez lui répondre, peut-être! dit Arlette sèchement.

— Euh... euh... beju, beju! dit distraitement Bruno et, sans qu'on sût pourquoi, son exaspération gagna Arlette.

— Dites donc! Faut pas vous moquer de lui, hein! dit-elle. Faut lui dire «bonjour»! Vous pouvez dire «bonjour» hein, vous? C'est pas exprès qu'il dit «beju» le pépé, hein! Je voudrais vous y voir! Qu'est-ce que vous croyez, vous? Tiens, asseyez-vous là! lui lança-t-elle d'un ton sec.

Bruno s'assit lourdement et regarda autour de lui. De l'autre côté de la table, en face, il y avait le fameux Don Juan paysan, le nommé Maurice, brûlé par le soleil, sa vieille chemise de coton ouverte sur un torse musclé et doré, une mèche dans l'œil gauche et l'œil droit rieur, les joues bleutées: le sosie parfait du garde-chasse de Lady Chatterley. Il était mal rasé mais sur la texture de sa peau cela évoquait plutôt un pirate qu'un clochard. Ce plouc pouvait plaire à certaines femmes, pensa rapidement Bruno. Certaines femmes dont lui-même n'aurait pas voulu : les femmes à voyous.

— C'est vrai ! Madame Henri a raison, déclara Loïc d'une voix sérieuse. Imaginez-vous sans les « pe », les « le », les « te », les « me » dont vous disposez actuellement sans connaissances particulières. Quelles lettres vous manqueraient le plus, à vous ? Le « j », par exemple, vous poserait des problèmes difficiles. Vous vous imaginez, mon pauvre Bruno... vous vous imaginez disant à votre maîtresse au moment... important... « As-tu 'oui ? As-tu 'oui ? Moi 'ai tellement 'oui ! Et toi ma 'olie, as-tu 'oui ? » Vous feriez un tabac peut-être, sait-on jamais ?

— Laissez-moi en dehors de vos petites comédies, hein, Loïc ! Non seulement je n'y comprends rien mais j'en suis fier. Elles ne me font pas rire.

— Bon ! Eh bien qu'est-ce qui vous fait rire alors, vous, dites donc ? Vous n'êtes pas très rigolo, vous savez, Bruno ! Regardez bien : devant vous, vous avez une femme qui est mieux en femme que vous en homme, qui en plus vous nourrit, vous entretient, vous loge, vous habille, vous accueille même dans son lit ! Et vous faites la tête ! Ah, j'ai horreur des gigolos grognons !

— Ma vie privée n'appartient qu'à moi, Loïc ! Et puis demandez donc à Luce pourquoi elle m'accueille dans son lit, comme vous le dites ! Elle vous répondra ! — Et Bruno eut un petit rire fin.

— Oh ! Ne me dites pas que c'est pour vos nuits d'amour ! Vous me feriez rire ! Il n'y a pas un gigolo que l'on ne garde que pour ses nuits, voyons ! Soyez raisonnable. Les femmes ne gardent leur gigolo que pour la journée, pour les montrer, pour les afficher, pour les sortir. La nuit est vraiment un détail... qu'est-ce que vous croyez ? C'est pour leurs amies que les femmes ont des amants, ce n'est pas pour elles-mêmes ! C'est parce que l'amour physique est à la mode et supposé nécessaire à l'équilibre du corps ou de l'ego... Que sais-je ? Non, non, je vous le demande : n'est-ce pas grâce à Freud que les gigolos existent encore ? Vous devriez tous, dans votre confrérie, élever une statue à Freud, non ?

— Vous, vous vous posez trop de questions, Loïc ! Ça finira mal !

— Et « vous » ne vous en posez pas assez, mon cher Bruno. A votre âge vous devriez n'être qu'un point d'interrogation, avec l'espoir de devenir plus tard un point capital. Mais hélas vous ne serez qu'une petite virgule, comme nous, dans l'énorme alphabet du temps. Que c'est beau, ce que je dis, Diane ! Vous remarquez, au passage ?

— Superbe, dit Diane, mais je ne vois pas en quoi je suis une virgule ? — elle avait toujours eu la minceur susceptible.

— Je ne parle pas d'un point de vue esthétique, ma chère. Je me place du point de vue du temps. Je parle pour Bruno qui voudrait être un point et qui finira donc en point-virgule, c'est-à-dire sans le poids, la gravité, l'intérêt du point. Et sans la légèreté, la souplesse et la rapidité de la virgule.

— Je n'ai que faire de vos conseils; je veux bien une fois de plus vous le rappeler mais ne l'oubliez plus : ma vie privée ne regarde que moi!

Mais Loïc était parti pendant cette dernière tirade. Et il n'y avait plus en face de Bruno tremblant de rage que Luce tremblant de désarroi.

Diane décida de suivre Loïc car elle voyait beaucoup de possibilités dans son nouveau jeu de société, encore qu'elle ne le comprît pas très bien. Par exemple pouvait-on, comme ça, délibérément, ôter à quelqu'un certaines syllabes? Cela pouvait très bien virer au scandale. En revanche, le jeu de la ponctuation était plus évident. Il y aurait les points de suspension pour les hommes d'affaires, les points d'exclamation dans l'amour, les points d'interrogation dans les arts... etc., etc. plus les guillemets pour les âneries, comme d'habitude.

Elle trouva Loïc allongé sur l'herbe dans le pré où était la tombe, comme disait Luce avec emphase, enfin le malheureux tumulus où gisait Jean. Elle s'assit près de lui sans rien dire car il avait la tête de l'homme qui tient au silence, le bras en travers du visage et un profil détourné qui interdisait l'intrusion. D'ailleurs Diane n'avait pas tellement envie de parler ni besoin d'élever la voix pour se faire reconnaître, puisqu'elle portait son délicieux et habituel parfum que Ferdinand, lui-même, avait remarqué à déjeuner. «Une petite femme bien chaude»... Non! C'était extraordinaire. Elle mourait d'envie de le raconter à Loïc. Elle allait craquer. D'abord pour rire ensemble de ce compliment si curieux et puis aussi pour l'épater. Mon Dieu, à soixante ans, réveiller l'érotisme d'un paysan ignare! Il fallait le faire! Elle voulait que Loïc le constate lui-même... Et elle se devait d'être amusée, mordante, voire critique dans ce récit.

— Loïc! Il fallait que je vous dise... mais je n'ai pas eu le temps avec tous ces fous rires imbéciles. Mon Dieu! La tête de ce pauvre Bruno!... A s'imaginer sans «r», sans «j», sans «t» etc. Il faut bien le dire, après avoir perdu ses polos et sa maîtresse, perdre en plus ses consonnes, c'est dur!... Cela fait beaucoup!

— Comment «perdu sa maîtresse»?

— Vous n'avez pas l'impression que Luce regarde beaucoup le beau Maurice?

Loïc respira. Il avait failli tomber dans le piège une fois de plus. Il avait failli, par son simple silence, admettre l'existence de cette liaison et curieusement il ne voulait pas le faire. Il pensait que plus tard, à Paris, ce serait ces souvenirs-là qui rendraient la vie agréable ou plus chaleureuse à Luce Ader. Et peut-être les préférerait-elle secrets.

Diane, au-dessus de lui, continuait.

— Il faut dire que les hommes de ce pays sont d'un galant!

— Vous trouvez?

Loïc s'étonnait. A part Maurice, fixé sur Luce, il n'avait pas vu grand-chose.

— Mais oui! Ce... ce... ce... moissonneur d'aujourd'hui... là... ce Ferdinand... le grand, le gros, vous voyez? Avec la moustache...

— Je vois très bien qui est Ferdinand, dit Loïc. Nous nous sommes même très bien entendus aujourd'hui.

— Eh bien, figurez-vous que ce Ferdinand m'a dit... — Elle s'arrêta et se mit à rire — ... il m'a dit... Ah non! Je ne peux pas...

— Allons, voyons! Diane!

— Je lui demandais comment ils passaient les hivers dans ces campagnes. Eh bien il m'a dit... il m'a dit... Oh non! C'est extravagant!

— Il vous a dit quoi?

— Il m'a répondu : «Non, ce n'est pas trop long... surtout si on a dans son lit une petite femme bien chaude comme vous!»

Et après avoir jeté cette phrase d'un trait Diane retint son souffle, prête à fuser dans le même rire que Loïc. Mais il ne riait pas.

— Eh bien? dit-il. Qu'est-ce que ça a de si drôle?

— Mais enfin!... Mais enfin, Loïc! Me dire ça à moi, comme compliment! N'est-ce pas insensé?

— Mais pas du tout! Pourquoi, Diane? Vous avez les pieds froids?

— La voix de Loïc était d'une grande douceur tout à coup. — Non, cet homme a de l'instinct, c'est tout! Et du charme : je dois vous dire que moi, si j'étais femme — et il n'y avait jamais eu aussi peu de pédérastie dans la voix de Loïc —, si j'étais femme, je le trouverais sûrement très bien, ce Ferdinand!

Ils se turent comme les oiseaux s'étaient tus, et le vent, et le soleil, et le jour. Sur le tableau trop clair d'un ciel d'été les vols des hirondelles traçaient de leurs craies noires des figures, des symboles, des rébus passionnants que, déçues sans doute de l'incompréhension humaine, elles abandonnaient peu à peu pour se laisser filer en ligne droite, les ailes rabattues, les yeux clos : trop haut ou trop bas, trop vite en tout cas... Et trop près de n'importe quel obstacle qu'on les voyait éviter à la dernière seconde avec une désinvolture aussi désirable que mortelle.

Bruno surprit ses aînés dans cette position amicale et en profita. Il semblait ne pas en vouloir le moins du monde à Loïc qui, lui, était un peu honteux de sa sortie.

— Je suis ravi de vous voir si proches, dit-il sans ironie apparente. Cela me permet de vous demander une faveur.

Loïc et Diane le regardèrent avec surprise car il énonçait plutôt généralement ses désirs sinon comme des ordres, tout au moins comme des phénomènes incontournables, quasi climatiques.

— Je n'ai pas vu Luce depuis trois jours, dit-il avec l'air avenant de l'amoureux. Je pensais que ce soir vous pourriez peut-être... euh... vous pourriez peut-être être assez gentils pour... euh... changer de chambre... enfin, de partenaire de chambre. Si par exemple vous acceptiez Loïc comme compagnon de sommeil au lieu de Luce, Diane?

— Mais bien sûr, dit Diane étourdiment, dans un premier réflexe qui lui avait montré Loïc lui racontant des extravagances dans la nuit : il serait plus distrayant que cette pauvre Luce avec ses airs contrits et ses soupirs de remords... ou de regrets... comment savoir!

Loïc, lui, était moins sûr que ce fût le désir de Luce mais il ne pouvait sans grossièreté refuser la compagnie de Diane ni sans sadisme révéler à Bruno qu'il n'était plus en cour.

— Bien sûr! dit-il machinalement. Bien sûr! mais...

— Merci! dit Bruno d'une voix chaleureuse et il disparut.

Diane et Loïc se regardèrent : elle amusée, lui soucieux.

— N'ayez pas l'air si préoccupé, mon cher ami! Je ne vais pas vous violer! s'écria Diane avec son rire cascadeur. Nous n'avons plus l'âge de ces gambades.

Loïc, que ce «nous» vieillissait de dix ans, ne broncha pas, sourit au contraire faiblement. Après tout, Luce était bien assez grande pour refuser Bruno, se dit-il — mais sans y croire, pas plus qu'à tous ces raisonnements de bon sens qu'il savait erronés.

— Notre Maurice ne va pas être content, dit-il simplement. Je lui crois un grand faible pour Luce.

— Je l'ai bien vu, concrétisé ou pas! dit Diane, lançant comme toujours ses filets à renseignements.

Mais Loïc ne répondit pas.

— De plus, repartit Diane, dépitée, de plus, il est temps qu'elle renoue avec Bruno! Ils sont en froid. Or elle ne peut pas arriver à New York ou rentrer à Paris, je ne sais plus, comme une femme seule pendant que ce petit mufle irait raconter partout qu'elle l'a plaqué pour un cultivateur. Ce genre d'histoires est charmant dans le théâtre ou dans les romans mais dans la vie ça la fout mal!... avouez-le!

— Bien entendu vous avez raison, comme toujours, Diane : ça la fout mal.

Et en effet cette anecdote déclassante nuirait au prestige de Luce, se répétait-il assez obstinément pour s'y accrocher.

C'est ainsi que Luce, qui avait rendez-vous avec Maurice dans la grange, vit entrer dans la chambre qu'elle partageait avec Diane un Bruno souriant, séducteur et menaçant, qui la prit dans ses bras avec décision et la poussa vers le lit.

Elle se laissa embrasser d'abord, croyant à l'arrivée salvatrice de Diane puis, l'entendant rire à côté avec Loïc, comprit tout. Elle se débattit plus par désir de Maurice que par dégoût de Bruno avec qui l'acte d'amour n'était qu'une cérémonie nécessaire et brève, sans importance. Elle se débattit faiblement puis elle céda car, après tout, Bruno était son amant! Il avait les droits de l'amant. Les choses se passaient ainsi dans son monde. Son devoir était évident. Elle espérait que Bruno s'endormirait vite à son habitude et qu'elle pourrait rejoindre Maurice plus tard. Mais Bruno, une fois son bien reconquis, alluma une cigarette, puis une autre et exprima mille sarcasmes sur la ferme. Elle restait immobile près de lui à répondre « oui... oui... oui... » d'une petite voix. Puis elle feignit le sommeil. Tout cela avec les yeux pleins de larmes.

Diane et Loïc s'étaient, après leurs ablutions, allongés sur le même lit, les propositions pudiques de Loïc s'étant heurtées au gros rire de Diane : ils n'allaient pas dormir mal tous les deux, elle sur le sommier et lui sur le matelas, pour des convenances grotesques. L'image de la « petite femme toute chaude » évoquée par le sieur Ferdinand importuna bien Loïc une seconde, puis il l'oublia sans mal car Diane, enduite de démaquillant et entortillée dans trois robes de chambre à cause de l'humidité, n'avait visiblement aucune idée érotique d'elle-même ce soir-là.

Ils restèrent dans l'obscurité, parlant à mi-voix de la journée et Diane reprit à voix haute un fou rire en se rappelant l'histoire de J'irai-point et de ses cigarettes. Ils somnolaient lorsque les volets grincèrent et que la fenêtre s'ouvrit. Une seconde plus tard Loïc avait un fusil de chasse pointé sur le cou et une voix rauque lui ordonnait de se lever.

Maurice Henri avait bu beaucoup de vin à table et beaucoup de prune dans la grange en attendant Luce. Ne la voyant pas arriver, il eut un coup de colère et de passion accéléré par l'alcool et, ayant décroché le fusil de la grande salle, il se précipita dans la chambre de son rival qui, croyait-il, violait sa maîtresse. Il n'imaginait pas le laxisme de Luce en matière amoureuse ni son sens du devoir.

Il braqua donc la forme masculine allongée paisiblement dans les draps, d'autant plus furieux que ce calme lui soufflait qu'il arrivait trop tard.

— Tais-toi, fumier! murmurait-il. Tais-toi, salaud! tout en donnant des petits coups de canon contre l'oreille de Loïc qui, stupéfait, lui obéissait à part un ou deux « mais?... mais?... » qui ne servirent à rien.

Diane, qui s'était retournée sur le côté au bruit de la fenêtre, avait vu avec stupeur cette ombre noire, soudain, entre la fenêtre et le lit. Elle avait vu l'arme luire dans la vague clarté de la nuit, elle avait vu les yeux de Loïc, à un mètre des siens, s'agrandir, puis elle l'avait vu se

lever pendant que l'inconnu lui murmurait ses ordres et ses insultes...
Un cauchemar! Un vrai cauchemar! Les avions les mitraillaient, les
chevaux les emballaient, les imbéciles les violaient et maintenant voilà
que des criminels les menaçaient d'un fusil au cœur de la nuit! Très
curieusement, elle ne pensa pas un instant à Maurice qu'elle ignorait être
l'amant de Luce et auquel elle ne prêtait que des désirs inavoués, donc,
en aucun cas, une obsession ni une jalousie criminelles.

Elle se mit à claquer des dents violemment contre son oreiller,
étonnée que le meurtrier ne l'ait pas aperçue, bénissant le ciel de cet
aveuglement, tout en regrettant le pauvre Loïc. Lui qui était si en
forme!... si gai!... Se faire tuer par des autochtones archaïques quand
on avait passé sa vie au Quai d'Orsay! Qu'allait-on en faire? Allait-on
lui brûler les pieds pour qu'il dise où étaient leur argent, leurs bijoux?
Diane jeta les yeux, malgré l'obscurité, vers la cheminée à l'intérieur de
laquelle elle avait caché son coffre dès son arrivée. Bien sûr, Loïc ne
connaissait pas sa cachette. Mais si on lui brûlait les pieds devant elle,
que faire? Elle serait bien obligée de tout dire! Serait-elle vraiment
obligée de tout dire? Les conventions, dans ce domaine, n'existaient
pas. D'ailleurs les conventions ne s'exerçaient sur rien de ce qui leur
arrivait depuis trois jours.

Il y avait Bruno, bien sûr, et Maurice Henri. Mais comment les
prévenir?

Un bruit de voix affaibli lui parvint, comme venant de la grande salle.
Elle se leva, passa en frissonnant une quatrième robe de chambre et
glissa d'un pied tremblant dans le couloir. Elle avait mal aux oreilles à
force de les tendre comme un setter. Enfin elle cueillit une phrase,
prononcée par Loïc dont le calme l'éblouit un instant avant qu'elle n'en
comprenne le sens : « Je vous assure, Maurice, c'est ridicule! Je suis
persuadé que Lu... qu'il ne s'est rien passé! »

— Vouais! Je voudrais bien être sûr! Je vais aller voir, moi, le
Bruno, s'il dort.

Et Diane reconnut la voix de Maurice. Une intuition la foudroya et
c'est rouge de colère qu'elle entra dans la cuisine.

Les deux hommes étaient assis devant le feu, une bouteille de vin
rouge et deux verres à leurs pieds, ainsi que le fusil de chasse.

— Mon Dieu, Diane! Vous m'avez fait peur! dit Loïc, bêtement. A
cette heure-ci...

— Pas moi. A cette heure-ci, justement, voir une ombre braquer un
fusil sur mon voisin et le voir disparaître dans le couloir ne m'a jamais
fait ni chaud ni froid!

— Ah vous avez tout vu? J'ai cru que vous dormiez... dit Loïc d'un
ton bienveillant qui exaspéra Diane.

— Non, je ne dormais pas... Oui, j'ai tout vu... Oui, j'en ai assez!...
Non, ce n'est pas possible de dormir dans ces conditions!... Oui, je me

suis fait un souci atroce pour votre survie!... Qu'est-ce qui vous a pris,
Maurice?

— Il a cru que c'était Bruno allongé près de vous, dit Loïc.

— Bruno?... Bruno!... Tiens! Il a une drôle d'idée de nos mœurs,
ce garçon! Pouvez-vous me dire ce que je ferais dans un lit, près de
Bruno, à mon âge? Décidément le délire de votre J'y-reviens est
contagieux! Mais pourquoi veut-on absolument que j'aie des relations
scabreuses avec ce gigolo à trois francs? C'est inconcevable!...

Elle marchait de long en large.

— Mais... mais... mais..., balbutiaient les deux hommes devant
cette furie qui, malgré sa maigreur, semblait dans ses quatre robes de
chambre un Bibendum à l'entraînement.

— Je me suis mal expliqué, finit par dire Loïc. Il vous a prise pour
Luce.

— Moi?... Luce?

Elle regardait Maurice Henri, hésitante, vaguement flattée.

— Dans ce noir, dit Loïc, c'est bien excusable.

— Eh bien, non! Non! cria-t-elle. Non, il n'est pas excusable!
Depuis quand entre-t-on dans la chambre des gens, la nuit, avec un
fusil? C'est parce qu'il fait noir que vous jouez à l'Auberge des Adrets,
Maurice Henri?

— L'Auberge des Adrets? répéta Maurice. Je ne connais pas.

— C'est une image. Laissez, Maurice! Figurez-vous, ma chère
Diane, que Maurice est, en tout bien tout honneur évidemment, jaloux
de Luce, et que...

— En tout bien tout honneur... vous plaisantez?

— C'est que j'y tiens, moi, à la Luce, dit brusquement Maurice... et
puis, vu qu'elle était d'accord, je me disais que cette nuit... on se
retrouverait, quoi... au même endroit mais plus longtemps...

— En tout bien tout honneur évidemment, reprit Diane avec un coup
d'œil de mépris pour Loïc — qui détourna les yeux.

— Je m'en fous! Je ne veux pas que votre Bruno l'embête! Je
voulais lui parler tout seul, cette nuit, à Luce, voilà! Et je veux toujours!

— Ça me paraît difficile, commença Loïc en prenant à son tour un
verre de vin car Maurice était en train d'assécher la bouteille, ce qui
l'excitait visiblement.

Diane surprit le regard de Loïc, attrapa le verre de Maurice comme il
le posait sur la table pour la énième fois.

— Permettez, dit-elle, je meurs de soif.

Elle le remplit et le vida d'un trait, non sans un clignement d'œil vers
Loïc qui voulait signifier : «Encore un qu'il n'aura pas!» mais qui, dans
sa satisfaction, exprimait plutôt : «Encore un que j'ai eu!»

En attendant, le regard de Maurice Henri, ce regard en général
débonnaire d'homme heureux, était à présent injecté de sang ou de vin

rouge et fixait tour à tour Loïc et Diane avec un sombre acharnement de plus en plus inquiétant.

— Que voulez-vous que je fasse ? dit Diane. Enfin ! Ils dorment !... Ils dorment forcément, Loïc, hein ?...

Elle hésitait entre deux solutions : invoquer l'amitié platonique de Bruno et de Luce, ce qui aurait calmé le paysan mais lui aurait laissé dès lors le champ libre pour réveiller sa maîtresse, ou lui annoncer son sort infortuné, ce qui risquait d'exciter sa fureur et de le pousser armé dans la chambre des deux amants. Elle jeta un coup d'œil à Loïc apparemment de marbre. Il fallait dire qu'après avoir vécu avec ce fusil dans l'oreille pendant cinq bonnes minutes il devait se sentir relativement indifférent au sort éventuel de Bruno. Son sang ne devait pas encore couler normalement dans ses veines. Une chance que, tout à l'heure, il n'ait pas été cardiaque ! Et le reste du temps non plus depuis ces trois jours !

— Je vais la chercher, dit Maurice.

Il se leva non sans mal et ramassa son fusil par terre.

— Non, non, non, non !... Non ! cria Diane. Je vous le répète, Maurice Henri, non !

— Alors, allez me la chercher, vous.

— Ah oui !... Et sous quel prétexte, s'il vous plaît ?

— Je m'en fiche, dit Maurice Henri avec une sincérité gênante. Allez-y vite, hein !

— Serait-ce la rançon de votre hospitalité ? tenta Diane mais le regard atone du garçon lui fit comprendre que les lois sacrées de l'hospitalité n'avaient pas la cote ce soir-là.

— Loïc ! soupira-t-elle, faites-le, vous. Mais que dire ? Sous quel prétexte réveiller nos amis ?

Elle avait sa voix perçante des grands jours et en effet elle était mal remise de ses émotions précédentes.

— Ah, je flanche... dit-elle comme pour elle-même.

Elle remplit un verre d'un geste emphatique, le visage douloureux, et l'avala. Sa voix avait néanmoins réveillé Loïc de ses rêveries solitaires, si fréquentes chez les rescapés d'un assassinat.

— Demandez à Luce de venir ici, dit-il. Et si Bruno ne dort pas, prétendez que je ronfle trop et que vous avez besoin de dormir près de votre compagne habituelle. J'irai m'allonger à côté de lui, plus tard.

— Et si je les dérange ?... commença Diane. — Mais devant le regard haineux de Maurice elle s'écria, haletante : — Je veux dire... s'ils jouent aux cartes, qu'est-ce que je dois faire ?

Elle haletait, elle battait l'air de ses bras et par conséquent de ses huit manches, tel un oiseau de mer pris dans le goudron.

— Eh bien, confisquez-leur les cartes ! dit Loïc plaisamment et grossièrement.

— En tout cas ramenez-moi Luce, et vite, hein! jeta le doux paysan, devenu cultivateur en rut. C'était Docteur Jekyll et Mr Hyde, ce Maurice Henri, décidément.

— J'y vais, dit-elle.

Elle se leva et, à pas traînants, le dos raidi comme si elle y eût attendu une décharge de chevrotines, elle alla jusqu'à la porte. Elle se retourna tout à coup:

— Maurice, dit-elle d'une voix dramatique, Maurice, me laisseriez-vous dire un mot en tête à tête à mon ami Loïc?

— Faites comme vous voulez mais trottez-vous! dit Maurice, se dirigeant vers l'alcôve en secouant les épaules.

Loïc fit quelques pas vers Diane qui, le nez en face de son nez, lui chuchota rapidement:

— Voyons!... De quoi ai-je l'air d'aller d'un lit à l'autre en donnant des conseils obscènes à cette pauvre Luce! Voyons, Loïc! Y pensez-vous? De quoi avons-nous l'air? Je vous le demande!

— De rien, dit Loïc paisiblement. De rien. Nous n'avons plus l'air de rien depuis trois jours. Nous avons eu l'air, vaguement, de... moissonneurs, avant-hier ou hier, je ne sais plus... c'est tout.

— Oui, oui, bien sûr!

Elle chuchotait en s'éloignant. Elle parvint à retrouver dans le noir la porte de son ex-chambre. Elle se faufila du côté de Luce, tendit la main en entendant son souffle, la posa sur son épaule et la lui tapota affectueusement.

— Luce... Luce... Réveillez-vous!

Elle tapotait cette épaule mais en vain. Exaspérée par ce souffle régulier de femme soumise, sinon comblée, elle finit par la pincer mais plus vigoureusement qu'elle l'eût voulu.

— Nom de Dieu! Qui m'a fait ça? Qu'est-ce qui te prend? brama Bruno en se massant le cou.

Et il alluma la lampe sur la caisse bancale qui servait de table de chevet. Grâce à quoi il découvrit à dix centimètres de son oreiller, énorme et titubante comme une poupée russe, Diane Lessing luisante de démaquillant et les yeux saillant hors de leur orbite. Il sursauta.

— Mais voyons, Diane, que faites-vous là?... s'enquit-il, d'abord de bonne foi.

Puis, après quelques instants, devant son silence buté, ses mâchoires serrées et sa pâleur, une sorte de doute, une sorte d'assurance aussi, lui suggérèrent une hypothèse des plus plaisantes. A voix plus basse car Luce continuait à dormir en effet à son côté, il souffla:

— Mais... vous m'avez fait mal, Diane! Que me voulez-vous? Si c'est ce que je pense, vous vous y prenez tard!

Et il ricana, mi-étonné mi-amusé. En tout cas satisfait de cette flambée nocturne chez la vieille Lessing qui l'avait écouté les yeux baissés mais qui réagit et leva les yeux :

— Comment ça?... Quoi?... A quoi pensez-vous vous-même? glapit-elle.

— «A quoi pensez-vous vous-même?» répéta Bruno en riant et en l'imitant. Vous pouvez me dire ce que vous faites, s'il vous plaît, Diane? A demi couchée sur moi, au milieu de la nuit... Et à cette heure-ci !

— Pardon?... Mais que croyez-vous? Vous m'imaginez courant après vous comme une chienne en chaleur!... Au milieu de la nuit!... C'est insensé! Ah! Ah! Ah! Ah! s'esclaffa-t-elle avec effort. Moi, courant après «ça»? dit-elle à une cantonade naturellement encore invisible, en lui montrant Bruno Delors assis sur son lit avec l'œil salace et triomphant du bellâtre.

— Alors, pourquoi ne laissez-vous pas «ça» dormir? demanda celui-ci. Pourquoi pinciez-vous «ça»? Hein, Diane? Vous m'entendez? Hein, Diane !

Et il se redressait, s'arrangeait pour montrer son beau torse en respirant profondément, sarcastique et implacable : le jeune mâle méprisant devant une Diane Lessing se tordant les mains de désir, de honte et de désespoir. Telle était l'idée qu'il se faisait de la situation mais elle ne dura pas longtemps.

— Loïc! hurlait Diane d'une voix déchirante. Loïc, venez ici !

La porte s'ouvrit brutalement et Loïc, décoiffé et pâle, fit son entrée flanqué de Maurice Henri, rouge celui-ci et armé d'un fusil à double canon qu'il brandissait dans tous les sens.

— Un cauchemar! Cette nuit n'est qu'un long cauchemar! signala Diane à son ami Loïc en se jetant dans ses bras.

— Ah oui, un cauchemar! Vous l'avez dit! répéta Bruno sans aucune galanterie pendant que Luce se réveillait à moitié, tournée dans son sommeil vers Bruno et, tendant tendrement la main, s'écriait à voix basse mais distincte :

— Maurice!... Mon Maurice!...

Il y eut alors un vrai, un long silence. D'autant plus long que personne ne se sentit, sur-le-champ, capable de le briser.

Naturellement ce fut Diane qui reprit les rênes.

— Bruno, dit-elle du haut de trente ans de mondanités et d'aléas de ce genre — et elle toussa —, Bruno, reprit-elle, la voix nette, hautaine et claire, je pensais trouver Luce de ce côté, où elle dormait jusque-là. Je suis navrée, mon cher Bruno, de ce faux espoir! dit-elle avec cynisme. Vous seriez un ange, en effet, étant donné les ronflements de Loïc, de bien vouloir regagner votre chambre initiale et de me redonner la mienne, que je dorme un peu. Que nous dormions un peu, Luce et moi, ensemble.

Les trois hommes se regardèrent... Enfin, deux des hommes regardèrent le troisième avec son fusil et sortirent à petits pas de la chambre, le visage fermé, pâles et sans un mot.

Après trois minutes passées à enlever deux de ses robes de chambre, à se coucher, à relever les draps jusqu'à son menton et à soupirer violemment sans le moindre commentaire, Diane Lessing se tourna vers Luce qui, les yeux grands ouverts, semblait en catalepsie.

— Luce, ma chérie, « on » vous attend à l'extérieur, je crois. Soyez gentille de vous y rendre au galop et de ne pas me réveiller quand vous rentrerez. Bonne nuit, Luce !

Ayant dit, Diane Lessing plongea illico dans les bras, les seuls bras qui lui plussent ce soir-là, faute de Ferdinand, et qui étaient ceux de Morphée.

CHAPITRE IX

Charge d'une mission qui laisserait enfin Bruno à sa tendresse, débarrassé de ses amis qui l'empêchaient de concrétiser des désirs très nombreux et très lubriques, J'irai-point partit donc à l'aube jusqu'au village de Mézouy-lez-Tours où trônait comme seul garage celui de Silbert, le réparateur et loueur de voitures de toute la région.

Il disposait en ces temps troublés d'une ancienne limousine qui avait fait les mariages, les enterrements et autres réunions des anciens combattants de 14-18, des clubs de pêcheurs et de chasseurs du pays. Une limousine qui devait avoir dix ou quinze ans et qui, dit-il à J'irai-point, après avoir compris son message, valait ses dix mille francs, à prendre ou à laisser. Cet ultimatum était uniquement dû à l'ignorance et à la folie attribuée aux citadins en général et à ceux-ci en particulier dont le garagiste, comme toute la campagne à la ronde, connaissait la présence chez les Henri. Bref, la locution « à prendre ou à laisser » fut écrite sur un papier en même temps que les origines, la carrière et le prix de la voiture et confiée à J'irai-point plus fiable en estafette qu'en porte-parole. Il repartit au même train, trouva à mi-chemin une carriole qui le recueillit et fut rentré à midi pour le déjeuner. Il remit illico son texte à Arlette, dévoué et frétillant comme s'il le rapportait entre les dents, et fila à la recherche de son beau Bruno qu'il retrouva là où il l'avait laissé endormi et dormant encore.

En effet, ignorant les turpitudes de la nuit et tenant à se rattraper après son enrouement de la veille, le coq de la maison s'était mis à chanter dès l'aube. Ses cocoricos furent vite accompagnés par les « beju... beju... » du grand-père en pleine forme, lui aussi, et que suivaient de leurs cris les volailles vaticinantes entre ses pieds, toutes pourtant blasées quant à ses glapissements. Ne pouvant retrouver le sommeil, et Luce et Diane, puis Loïc, avaient rejoint Arlette dans la cuisine et l'avaient vaguement aidée à confectionner ses pâtées pour les bêtes. S'étant même proposées pour les distribuer à sa place, les deux Parisiennes partirent donc d'un bon pied vers l'autre cour où s'ébattaient les oies.

Loïc et Arlette finissaient de nourrir les cochons cinq bonnes minutes plus tard quand un bruit de course et des clameurs les firent se retourner. Diane et Luce au coude à coude couraient vers eux, pourchassées par une bonne demi-douzaine de jars fous furieux, certains accompagnés de leurs femelles, elles aussi exaspérées. Arlette et Loïc, armés d'un bâton et d'un vieux balai, repoussèrent le troupeau en colère tandis que les deux femmes, réfugiées sur les marches du perron, refusaient énergiquement d'en descendre.

— Mais qu'est-ce qui s'est passé? criait Arlette tout en lançant des «Fils de garce!...» et de grands coups de sa batte contre les bêtes qui leur tenaient tête.

— On dirait d'Artagnan et Athos repoussant à deux contre huit les sbires de Richelieu, disait Loïc en brandissant son balai devant lui. — Gare à vous, suppôts du Cardinal. Tiens, prends ça, toi, triste sire! Attention! Attention! Je me fends, je taille, je pique, j'estoque!... Et merde. Ce salaud m'a mordu! cria-t-il. Et il en lâcha son balai. Mais heureusement, les animaux, peut-être frappés par le remords, refluaient vers leur logis.

— Putains de bêtes! marmonnait Arlette toute rouge.

Et comme toujours devant ses rares grossièretés, les trois Parisiens prirent des airs mi-sourds mi-gênés — car il leur était encore nécessaire de respecter quiconque les faisait obéir.

— Montrez-moi ce qu'elle vous a fait, la garce! Ah non, c'est un mâle, ça, rectifia-t-elle aussitôt.

Loïc s'étonna :

— Comment le savez-vous? Y aurait-il une différence entre les dents des mâles et celles des femelles? Ou le mâle mord-il plus profond? Contrairement à nos mœurs européennes où les femelles sont les plus cruelles, n'est-ce pas, mesdames? Mon Dieu, je vais mourir saigné, moi, si ça continue!

Et en effet le sang coulait de sa chemise en abondance. Les deux femmes redescendirent précipitamment de leur perchoir et se précipitèrent vers lui tandis qu'Arlette grommelait sans qu'on l'écoute : «Ma parole! Mais qu'est-ce qui leur a pris à ces bêtes? Ils ne bougent pas les jars en général! C'est la première fois, depuis que je les ai, que je les vois courir ces jars. Les oies, oui. Elles font leurs sottises aux chaleurs mais les jars, jamais! Jamais!» Et elle secouait la tête. Luce avait pris son air dramatique et Diane s'interrogeait à haute voix et à toute vitesse sur les moyens de réduire une hémorragie, ce qui réveilla la verve de Loïc malgré sa blessure :

— Un jars tue un de nos représentants du Quai d'Orsay ! Quel beau titre pour un journal : « C'est en essayant de défendre ses deux oies que Loïc Lhermitte fut blessé à mort par un rival. » Ça me paraît criant de vérité et même des plus vraisemblables, dirais-je... Bien entendu, personne n'est visé ici !... vous me croyez, mesdames ? Encore que Bruno ait quelque chose du jars, parfois, quand il redresse le cou. Je parle comme un moulin, je le sais, mais j'ai peur de m'évanouir si je me tais !

On l'avait rentré dans la maison et assis dans la fameuse alcôve où on lui avait mis une sorte de garrot. Le vieillard s'était tu, intrigué, et Arlette s'agitait toujours.

— Je vais chercher ma terre, là-bas. Je n'en ai plus ici. Je reviens. Tenez-le bien ficelé. Ne bougez pas d'ici !

Et elle partit en courant.

— Quelle brave femme, soupira Loïc. Elle est encore allée me chercher une de ses précieuses toiles d'araignée ! Ça, c'est du cœur !... Alors, qu'est-ce qui s'est passé, en réalité ? Qu'avez-vous fait à ces pauvres bêtes ?

— C'est... c'est Diane, commença Luce... d'une voix peureuse... c'est Diane qui les a... n'est-ce pas Diane ?

— Oh ! Vous pouvez cafarder tout ce que vous voulez, dit Diane avec désinvolture, du moment que ce n'est pas devant Arlette ! Allez-y, ma chérie ! Allez-y !

— Eh bien voilà, chuchota Luce, quand Diane a vu toutes ces oies rassemblées dans leur enclos... il faut dire qu'elles avaient l'air bête, c'est vrai... elle a voulu les imiter. Alors elle s'est mise sur le pied droit, elle a tendu derrière elle la jambe gauche et a levé les bras de chaque côté, puis elle les a secoués. Il faut dire que ça leur ressemblait... vraiment ! De face, elle était comme un « T », vous voyez ?

— Je vois, ricana Loïc. Et ce sera peut-être ma dernière vision avant de tomber dans le coma... Et alors ? Qu'est-ce qui s'est passé ? Ça leur a déplu, ce T ?

— Non... je ne crois pas que ce soit ça, dit Luce en secouant pensivement la tête, l'air psychologique. Non, non, c'est quand Diane a voulu imiter leur cri que tout a mal tourné.

— Comment ça ?

— Oh, mais elle y est arrivée très, très bien, reconnut Luce avec une nuance de surprise et d'admiration dans sa rancune. Elle a poussé des cris, mais alors exactement comme eux ! Faites-le une fois, Diane ! Faites-le pour montrer à Loïc !

— Attention ! souffla Diane. Attention ! Si Arlette se doutait...

Elle jeta un coup d'œil vers le corridor, puis vers l'entrée de la maison et poussa un cri rauque, sifflant et stupide, si semblable à celui de ces bêtes cinq minutes avant qu'elle fit frissonner Loïc dans sa chair.

— C'est fou ce que ça leur ressemble, c'est vrai ! Et ça leur a déplu ? Peut-être leur avez-vous dit quelque chose d'odieux sans vous en rendre compte !

— Ça, sûrement ! approuva Luce. Ça, sûrement ! D'un coup, ils sont devenus fous furieux ! Et moi qui croyais que l'enclos était fermé ! Ils sont sortis et se sont mis à nous marcher dessus. Il y en a un qui m'a pincé le pied si fort que j'ai crié à Diane qu'il fallait se dépêcher... Et ça, pour se dépêcher, on s'est dépêchées... D'abord, poursuivit-elle d'un ton plaintif et agressif à la fois, comment les calmer une fois déclenchés ? Remarquez, ce cri, il fallait le faire quand même, ajouta-t-elle avec un sombre orgueil.

— Ce n'est pas difficile, dit Diane avec modestie. Vous poussez le cri avec le fond de la gorge, vous fermez les dents à moitié, en avançant la langue, et ça fait...

Et elle recommença beaucoup plus fort cette fois. Les deux autres sursautèrent et regardèrent derrière eux mais Arlette avait dû aller prendre des toiles d'araignée ou de la terre très spéciale au fin fond de la grange.

— J'ai eu drôlement peur, conclut Luce en secouant la tête. Je n'avais pas eu peur comme ça depuis des mois.

— Ils avaient l'air tellement bêtes ! répéta Diane avec une insolence persistante. Ils étaient là sur leurs grands pieds, la gorge gonflée de colère, avec leurs petits yeux haineux, leur gros estomac et leurs pattes palmées comme les vieux banquiers ! Je ne peux pas vous dire... ils étaient hideux ! Hideux et haineux ! Ah ! les sales bêtes ! Je ne suis pas mécontente de les avoir... insultés ? je ne suis pas sûre mais troublés en tout cas et mis en colère. Ça, oui. Et tant mieux !

— Vous en êtes d'autant moins mécontente, ma chère Diane, que ce n'est pas vous qui payez les pots cassés ! geignit Loïc d'une voix mélancolique en tendant son bras ensanglanté. Ce sont toujours les autres qui paient pour vos folies, Diane, je ne sais pas si vous vous rendez compte ! Mais ça devient terrible ! Terrible !

Pour une fois Diane mordit à l'hameçon et montra les signes les plus proches qu'elle connût du remords (mais qui en étaient quand même relativement distants).

— Je suis désolée ! Vraiment désolée, Loïc ! Pensez donc ! Si vous n'aviez pas été là ces bêtes nous auraient déchiquetées, non, Luce ?

— « Deux femmes du monde déchiquetées par des jars. Ce ne serait plus la jalousie mais le désir brut qui serait à l'origine de ce nouveau drame », déclama Loïc redevenu rédacteur en chef pour évoquer la catastrophe.

— Tout ce sang ! disait Diane.

— Ne sombrez pas dans le remords, Diane. Non. Si vous voulez me consoler, faites-moi un serment...

— Tout ce que vous voulez!

— Jurez-moi de me refaire le cri du jars quand je le voudrai, à Paris ou n'importe où, dans n'importe quel salon, quand je vous le demanderai. Cela pendant un an, disons.

— Le cri du jars!... Et si... euh... je ne sais pas moi... si le... euh... s'il y avait là le roi d'Angleterre ou quelque éminence de la sorte?... Mais le regard sévère de Loïc et son bras lui ôtaient toute défense.

— D'accord! dit-elle. D'accord! Un an.

— Vous ne l'oublierez pas?

— Quoi donc?

— Le cri du jars!... Moi, personnellement, je n'oublierai pas de vous le faire pousser.

— Oui, oui. Bien sûr, bien sûr! Quand je promets, je promets! dit Diane, un peu déconfite malgré tout et angoissée.

Elle entrevoyait en imagination un immense dîner : des gens très importants, Loïc discutant à perte de vue sur ses syllabes et ses consonnes sans que personne y comprenne rien, Luce avec son air minéral, Bruno racontant son viol par un débile dans la campagne beauceronne et elle-même poussant le cri du jars!... Oui... ils feraient une jolie équipe! Ils seraient invités partout mais réinvités nulle part...

Arlette arrivait avec Maurice, sa bizarre pharmacie sous le bras et une expression étrange, presque effrayée, sur le visage. Diane soupira malgré elle.

— Qu'avez-vous à pousser ces soupirs? s'enquit Loïc.

— Je me demande ce que le passé nous réserve... dit-elle, distraite.

Mais, étrangement, personne ne releva ce lapsus. Même pas Loïc que l'on pansa et que l'on installa à l'ombre, ses trois houris autour de lui.

Les animaux étaient tranquilles, la moisson faite — et rentrée —, il n'y avait pas de convives pour le déjeuner, ils pouvaient donc se reposer un peu au grand air, le soleil sur les pieds et la tête protégée, dans ce silence si inquiétant au début et si agréable à présent. Ce silence des champs que l'on savait maintenant fait d'une terre bâillonnée par le soleil, d'oiseaux occupés à se nourrir, d'arbres aux feuilles muettes faute de vent. Après les violentes scènes des volailles leur quiétude était délicieuse, bien qu'Arlette eût refusé à Diane le petit verre de prune que celle-ci prétendait nécessaire à son système nerveux. Cette paix ne dura qu'un instant car ils remarquèrent vite que le regard d'Arlette — qu'ils avaient l'habitude de voir fixé sur quelque objet ménager ou alors sur l'horizon — prenait cette fois-ci en se portant sur leurs trois visages des expressions de honte et de despotisme aussi fugaces que contradictoires.

Loïc eut son réflexe habituel et tenta d'écarter ce nuage par une plaisanterie.

— Le jars peut-il être plus bête que l'oie ? demanda-t-il à la ronde. Vous ne connaissez pas ce recueil, ma chère Diane ? Il est très très beau. Ce sont des poèmes de Paul Eluard... le titre est un peu différent de ça mais la musicalité est bien la même.

— Ça me rappelle quelque chose, dit Diane d'une voix aimable car, même si elle l'ignorait, toute référence culturelle lui « rappelait toujours quelque chose » et la rendait affable.

Loïc continuait :

— C'est un très beau recueil que...

Il s'arrêta. On ne pouvait pas détourner Arlette de ses états d'âme quand par hasard elle en avait. C'était un événement trop rare pour qu'il puisse être sans signification ou sans suites.

— Arlette, dit-il, vous avez l'air soucieuse. Que se passe-t-il ?

Arlette Henri ouvrit la bouche, la referma et croisa ses deux mains sur ses genoux.

— Il se passe que... voilà... on avait demandé au garagiste, à votre arrivée, s'il avait une voiture pour vous... Vu que... vu qu'on pensait que... la ferme, vous... vous n'alliez pas rester... même trois heures, hein, à vous voir.

— On aurait pu le croire en effet, dit Diane en souriant. A priori ce n'était pas une villégiature pour nous... Mais je vais vous étonner, ma chère Arlette...

Elle se pencha et posa la main sur le poignet de son hôtesse qu'elle tapota même plusieurs fois avec autant de vigueur que de sincérité :

— ... je vais vous étonner : je ne me suis jamais sentie nulle part aussi bien... je ne me suis jamais aussi bien portée qu'ici ! Ni à Gstaad, ni à Saint-Domingue, ni à Davos, ni au Touquet, nulle part !... C'est curieux !

— Et alors, pour la voiture ?

La voix de Loïc était paisible mais plus tendue que celle de Diane. Et Luce avait pâli sous son hâle de campagne, si différent du hâle des plages (et en fait plus joli), avait remarqué Diane.

— Eh bien... il y a qu'il en a une ! Je l'avais oubliée vu les circonstances. Et maintenant que les routes sont sûres, que les Allemands sont repartis chez eux, le garagiste a dit qu'il en avait une. J'ai envoyé J'irai-point faire des courses chez le bourrelier, balbutia-t-elle. Et Silbert lui a donné ça... pour vous.

Elle tendit un papier sale à Loïc en se détournant pour éviter son regard. Mais il avait vu une panique changer ses traits et lui donner un instant une féminité inattendue et curieusement gênante.

Il se tut.

— Mais vous avez le temps, voyons, dit-elle. Je ne vais pas vous jeter dehors quand même! Non! Alors ça, ça serait... ça, ça serait un... ça serait quelque chose! gémit-elle presque.

Et sous les yeux écarquillés de ses hôtes elle releva son tablier, se pencha et y cacha son visage dans un geste de veuve grecque ou d'écolière punie.

— Mais que se passe-t-il? s'écria Diane, debout. Ma chère Arlette! Que se passe-t-il? Que vous arrive-t-il? Vous n'avez pas reçu de mauvaises nouvelles? Votre mari et votre fils, tout va bien?

— Oh oui, ils vont bien... très bien, répondit la voix étouffée d'Arlette qui, dans son tablier, mourait de chaleur et s'étonnait elle-même de ce refuge dont bêtement elle n'osait pas sortir.

— Eh bien c'est le principal! S'ils sont vivants, ils vont revenir! Ils vont être là très vite! Hein, Arlette? Hein?... Mais j'y suis! J'y suis!...

Diane se tournait vers ses amis, tout excitée et enchantée de sa perspicacité.

— C'est ça! Mais bien sûr! J'ai trouvé! Ils arrivent et vous ne savez pas où nous loger! C'est ça? Ah, ma petite Arlette, quelle enfant vous faites! Vraiment! De toute façon nous devions partir : les moissons sont finies, dit-elle d'un ton logique, comme si Loïc, Luce, Bruno et elle-même avaient été des ouvriers journaliers qualifiés et itinérants. Il nous faut bien rentrer aussi! Voyons! Quel souci pour rien! Chère Arlette, on le sait bien que vous nous garderiez si vous le pouviez!

La « chère Arlette » semblait de moins en moins décidée à quitter son tablier.

— Je suis sûre que la voiture est toute prête pour notre départ! Tenez, montrez-moi ce papier, Loïc. Qu'en pensez-vous, vous? « A prendre ou à laisser! » On prend, bien sûr! C'est pour rien, non, il me semble?

— Je ne sais pas, dit Loïc, si nous parviendrons jusqu'à Paris avec une Delage 1927 mais enfin on va essayer...

— Evidemment ce n'est pas la Chenard! Mais nous ne sommes pas snobs, nous arriverons aux Champs-Elysées dans notre Delage, comme de vrais touristes... Et, ma petite Arlette, assez de pleurs! Nous reviendrons vous voir très, très vite. Et vous, vous allez venir à Paris! Nous déjeunerons ensemble! Au restaurant que vous voudrez! dit-elle avec un peu moins d'entrain. — ... ou plutôt chez moi! Mais là, avons-nous le temps de grignoter quelque chose? J'imagine qu'ils ne vont pas arriver avant la tombée du soir, comme d'habitude.

— Comment connaissez-vous l'heure des retours guerriers? demanda Loïc d'une voix éteinte.

— Je ne sais pas mais toujours, au cinéma ou au théâtre, j'ai vu les soldats ou les mousquetaires arriver chez eux la nuit. Cela doit correspondre à quelque chose, non? Alors, on a le temps de déjeuner ensemble, Arlette?

Arlette opina de la tête, violemment, sous son tablier.

— Vous voyez, Loïc !

Diane était triomphante mais seule à l'être. Loïc s'était levé et partait à petits pas vers la combe. Quant à Luce, elle pleurait ouvertement, immobile sur sa chaise, malgré l'arrivée de Bruno et de Maurice.

D'instinct, Loïc alla s'asseoir dans le même pré que la veille au soir. Celui où il avait plaisanté avec Diane, où il lui avait même fait quelques compliments sur son physique. Extravagant ! Non, il était un brave garçon quand même quand il y pensait... Et un brave garçon sentimental s'il y pensait un peu plus car, enfin, il serait le seul à partir triste, c'était le mot exact, triste, de cet endroit ; à part Luce, bien sûr. Luce qui avait rencontré un visage aimable et rassurant de l'amour, tel qu'il le lui fallait. Enfin elle avait trouvé la possibilité du bonheur ou de la paix. Et même ses larmes indiquaient une aisance à pleurer, une facilité à pleurer et à se livrer à ses sentiments qui auguraient bien de l'avenir. Il l'avait connue incapable de manifestations de ce genre et elle ne l'était plus. Quant à Bruno, cet endroit où il avait été humilié devait lui brûler la plante des pieds. Elle lui avait donné une bonne correction, cette ferme, et ce n'était pas si mal. Outre son insolation et son histoire d'amour, il avait subi de quoi perdre un peu de sa superbe...

Quant à lui, Loïc, il regrettait un endroit où il s'était supporté lui-même avec facilité, voilà tout. Mais après sa déception, qui était une déception enfantine sur la durée de leur séjour, après cette déception, donc, il n'avait plus qu'une envie : partir, fuir cet endroit, quitter cette herbe, ce pré où il s'était senti si bêtement, naïvement et mollement accordé à la vie... à sa vie. A sa caricature de vie.

Ce coucher de soleil, la veille, qui l'avait laissé si apaisé, si près du bonheur, n'était une fois de plus qu'une de ces stupides et cruelles images d'Epinal feuilletées plus jeune mais ignorées depuis longtemps... une de ces images d'Epinal dont il obstruait lui-même, parfois délibérément, avec masochisme, la longue-vue si claire et si honnête, à peine amère, de sa lucidité habituelle. Il s'était laissé aller bien sûr, quelquefois, à ces agrandissements lyriques de sa propre existence. Il y avait ajouté des lumières, des bougies, des fleurs et de la musique, il s'était abandonné au flot de ses fantasmes. Mais dans des circonstances quand même plus grandioses... Pendant de longs voyages... ou pour une femme très secrète. Il n'aurait jamais pensé désarmer et se permettre l'optimisme, voire la paix de l'esprit, voire même le bonheur, dans une petite ferme plutôt crasseuse, à deux cents kilomètres de Paris. Tout cela en un malheureux week-end des plus inattendus. Il était temps qu'il remette sa petite tenue anti-nuages, anti-gens du monde, sa petite tenue pare-balles, pare-bals, qui était l'ironie et qui n'était qu'une précaution comme une autre. Mais qui, comme toutes les précautions, finissait par légèrement abîmer ou égarer son utilisateur... moins gravement pourtant que s'il n'y recourait pas.

Elle n'y allait pas de main morte, cette chère Arlette! songeait Diane Lessing que l'on n'avait jamais, jusqu'ici, réexpédiée de la sorte d'aucun château de France ni de Navarre. Elle en restait un peu vexée bien sûr mais surtout étonnée. Arlette aurait dû, pour commencer, lui en parler. Car, après tout, elles étaient bien les deux «chefs» de cette étrange équipe, les deux responsables. Certes, ses hommes revenaient : mais de là à les faire déguerpir, à la sauvette, le jour même!... Non point qu'elle-même, Diane, eût imaginé rester une semaine de plus dans cet endroit! Mais cette hâte lui déplaisait. Enfin!... Peut-être les trouvait-on un peu pesants? Peut-être ces paysans avec leurs poules, leurs mouches et leur grand-père hurleur, trouvaient-ils ennuyeuse la fine fleur, après tout, de la haute société parisienne? C'eût été cocasse! Non, il devait y avoir autre chose. Mais quoi? Avait-on vexé ou éloigné Arlette? Non, elle l'aurait su sur-le-champ. Même avec des interlocuteurs aussi différents par le comportement, l'éducation et les sentiments que ces paysans, il y avait chez elle, Diane, une intuition toujours en éveil, une sorte de divination qui ne lui avait jamais fait défaut : elle remarquait tout. Le moindre petit détail qui clochait, hop! elle l'attrapait au vol. C'était même épuisant, parfois, cette perméabilité et cette sensibilité excessives et permanentes dont on la félicitait sans cesse. Elle aurait bien aimé, elle aussi, Diane, de temps en temps ne rien voir et ne rien entendre. Elle eût aimé rester impavide comme une grosse bête ruminante, les yeux écarquillés, à l'instar de tant d'autres.

En attendant, ce départ hâtif ne s'expliquait, malgré les airs bizarres de Loïc, que par le retour des deux militaires. C'était une solution simpliste, peut-être, pour un diplomate au chômage depuis une semaine mais c'était la seule... il faudrait bien que Loïc s'y résignât.

Leur retour serait moins triomphant que ne le pensait Diane, se disaient in petto Arlette et Maurice Henri qui, eux, savaient dans quel sens évoluait la guerre. Mais Maurice ne s'attarda pas à ce vague remords : un autre sujet le préoccupait davantage : Luce. Luce allait partir! Sa belle et douce Luce allait partir! Sa mère aurait pu attendre un peu. Le prévenir en tout cas. Il jeta vers Luce un regard désespéré et, pour bien lui montrer son innocence, s'écria :

— Mais quoi? Quoi, la Delage de 1927? On ne sait même pas si elle marcherait jusqu'à Tours! Et puis, il n'y a pas le feu, si?

Le visage blanc et pâli de Luce, ce petit visage effrayé et soumis, lui fendait le cœur. Il lui souriait mais elle baissait les yeux. Elle n'espérait pas plus de lui que des autres hommes, c'était clair. Et Maurice Henri, malgré toute sa fluidité naturelle, se sentait un homme de plomb, une brute. Jamais il ne trouverait une femme qui lui plaise autant ni une femme à qui il plaise autant lui-même ! Et déjà l'admiration si visible dans les yeux de Luce, ses yeux brillants dans le foin, la façon dont elle avait remonté sa main sur son dos à lui, sur ses hanches et sur son torse, sur son cou, avec cette lenteur extasiée et naïve, tout cela lui donnait envie de pleurer. C'était sa femme à lui ! C'était sa femme... Et jamais une femme ne lui avait si évidemment, si physiquement, paru être la sienne. Ça n'allait pas se passer comme ça ! Il s'approcha et lui prit le coude mais elle détourna les yeux et la tête, sans reproche et sans larmes apparentes.

— Ça ne fait rien, dit-elle faiblement... je savais bien que... mais c'est si rapide !

Il baissa les yeux à son tour, se hasarda à attraper sa main et à la prendre dans la sienne, maladroitement, devant tout le monde. Et personne ne bougea. Personne ne sembla rien remarquer, Bruno encore moins que les autres.

— Il n'y a vraiment que la guerre pour transformer une Chenard et Walcker 1939 en une Delage 1927 ! remarqua Diane.

— Je ne jurerais pas qu'elle nous amènera jusqu'à Paris, dit Loïc, mais elle nous avancera.

— Pensez-vous ! Ce sont des voitures absolument increvables, ça ! Nous serons à Paris en trois heures, au maximum, puisque les Allemands ont débarrassé les routes. Il n'y aura que les réfugiés. On aura vite fait de rentrer par les petits chemins !

Bruno trépignait de joie. Il ne pouvait cacher son bonheur bien qu'il tentât de le faire. Le chagrin de Luce paraissait visiblement à tout le monde plus moral, plus digne, que sa gaieté à lui — pourtant le trompé —, par un de ces tours de passe-passe comme il y en a dans le monde et qui sont d'un cynisme absolu...

Il sanctionnerait tout cela plus tard, à Paris. Jusque-là rien ne devait s'opposer à leur départ. Il exultait. Il ne sentit pas d'abord la main de J'irai-point qui lui tapotait l'épaule mais se retourna enfin et, dans sa joie, fit même un sourire à ce demeuré.

— T'inquiète pas, chuchota J'irai-point en lui postillonnant désagréablement dans l'oreille. T'inquiète pas. Toi, rester.

— C'est ça !... et bois de l'eau fraîche ! répondit Bruno dans un réflexe de lycéen. — Et il ricana.

— C'est tout arrangé avec Arlette, confirma J'irai-point.

Un instant, un terrible instant, Bruno s'affola. Ils n'allaient pas le laisser là, ligoté à une chaise, aux mains de ce dégénéré, de ce dégénéré pervers ! C'était eux qui appréciaient la campagne, pas lui ! Il se glissa près d'Arlette qui semblait occupée, comme tout le monde, à ranger un outil ou à cueillir une fleur, il ne savait pas.

— Qu'est-ce qu'il raconte votre homme de main, là ? Que vous voulez que je reste ?

— Ça, ça ne risque pas! dit Arlette avec une fermeté qui, tout en rassurant Bruno, le vexa au passage. Ça ne risque pas mais laissez-lui croire, autrement il va nous faire toute une histoire. D'ailleurs, je l'enverrai chez Fabert avant que vous ne partiez.

— D'accord, d'accord! dit Bruno hâtivement.

Ça allait être gai, ce soir, à la ferme! Entre le demeuré qui hurlerait à la lune et le grand-père avec ses « beju »! Ils allaient se régaler, les Henri, en attendant l'arrivée du coq dans la chorale au petit matin!

— Alors? Hein? Alors?...

J'irai-point lui filait le pas, à présent, les sourcils froncés — si l'on pouvait appeler ainsi la barre horizontale et velue qui reliait ses deux oreilles.

— Alors elle t'a dit?

— Oui, oui, elle m'a dit et c'est d'accord, cher camarade. Je raccompagne mes amis jusqu'au carrefour et je les plaque après pour rester ici en ta compagnie, à manier la fourche et le râteau!

— Ça, on n'est pas obligés, hein! marmonna J'irai-point, paresseux jusque dans les grandes circonstances. Puis d'abord, c'est fini, les moissons!...

— Tu nous trouveras bien quelque chose à faire, je ne m'inquiète pas, jubila Bruno.

Ni l'un ni l'autre n'avaient remarqué le développement inattendu de leur langage et le sentiment de supériorité, de mépris qui défigurait Bruno attira le regard de Loïc. Il concentra sur lui, en une seconde, toute la vague répugnance, la crainte, que lui inspirait ce retour dans la capitale.

— Arrêtez de vous moquer de ce pauvre bougre, cria-t-il. Vous serez aimé par bien pire.

CHAPITRE X

TOUT LE MONDE se retrouva donc assis dans la grande salle pour le déjeuner. L'atmosphère y était à la fois solennelle et versatile.

— Qu'allons-nous avoir à manger? demanda Diane qui avait visiblement choisi le rôle du boute-en-train et tentait de le tenir jusqu'au bout.

— Du jars... du jars au sang... lança Loïc, rancunier.

— Ça s'mange point, d'abord, dit J'irai-point, l'amoureux transi. Et puis... les jars, ça s'tue point... vu les oies.

— Quoi : « vu les oies »?

— Les oies, elles les veulent, leurs jars, au printemps. Hein, le Maurice ?

— Beju ! hurla le grand-père car son petit-fils avait l'air occupé tout à fait à autre chose dans son coin, avec la belle jeune fille.

— Ça, au printemps, le jars, faut pas le leur promettre, aux oies ! assura de nouveau l'imbécile.

Et, affinant sa pensée, il ajouta :

— C'est un p'tit peu comme par chez nous... hein ?

Là-dessus il éclata d'un de ses bons gros rires obscènes qui, comme d'habitude, fit frissonner tout le monde.

Loïc fumait une cigarette, sa chaise inclinée en arrière, les cheveux un peu longs sur la nuque et sur le front. Il avait l'air d'un peintre ou d'un marginal plus que d'un diplomate, il fallait bien le dire.

Diane lui jetait de temps en temps un coup d'œil inquiet. Elle ne savait pas pourquoi, depuis une heure ou deux, depuis cette histoire avec les jars en fait, Loïc Lhermitte l'inquiétait. Quelque chose ne «collait» pas chez lui. Pourtant il devait être content de rentrer à Paris, lui aussi. Il entamait un dernier discours :

— C'est toujours intéressant, disait-il de sa voix paresseuse et distraite, ces similitudes entre deux espèces... Voyez le parallèle établi par «J'irai-point» : cette ardeur, ce refus de tout bla-bla-bla au printemps chez les unes et toute l'année chez les autres. Ces exigences sexuelles !... C'est curieux, non ? Mais cette comparaison n'est pas forcément à votre avantage, mesdames...

Les «dames» tournèrent vers lui trois visages, l'un surpris, l'autre critique et le troisième absent.

— De quoi parlez-vous donc ? s'enquit Diane.

— Je parle de dévouement : pensez au nombre de ces oies, de ces pauvres jeunes êtres que l'on tue chaque année, à chaque génération... tout ça pour les mettre dans une boîte en acier froide et étroite, séparées de leur milieu familial... et cela jusqu'à leur consommation ! Avez-vous une amie ou une relation, Diane, qui supporterait ça tout en sachant que le jars, son époux, resté, lui, au logis, finira par l'oublier dans les bras ou dans les pattes d'une fille d'oie ? Ah non ! Ah, ça m'étonnerait !

— Il est devenu complètement arriéré, je vous assure ! dit Diane avec conviction. Qu'est-ce qui vous prend ? De quoi parlez-vous, Loïc ?

— Je parlais d'une comparaison entre vous et les oies qu'avait fort intelligemment commencée J'irai-point.

— Je me demande vraiment ce que vous pouvez faire au Quai d'Orsay !

— Je déclenche des guerres, dit Loïc avec entrain. La petite dernière était très bien partie. Il y avait un peuple suréquipé, belliqueux et, en face, une France en pagaille, étourdie. Ça aurait pu durer des années. Et non ! Je me demande bien ce qui s'est passé ? Enfin ! La politique n'est vraiment jamais sûre, même le pire n'est pas sûr.

Et avec un gros soupir Loïc attrapa la bouteille de vin frais dont il servit généreusement ses voisins les plus proches, sans s'oublier lui-même.

Il eut à peine le temps, d'ailleurs, de poser sa bouteille et d'avaler son verre que, déjà, des mains se tendaient vers elle. Il semblait que la soif fût grande ou qu'une sorte de timidité nouvelle fût tombée sur leur joyeuse famille. Une gêne, une sorte de récupération tardive de leur identité qui recollait sur le dos de chacun son étiquette du départ : diplomate supposé pédéraste pour Loïc ; gigolo de vingt-huit ans chez Bruno ; femme du monde trépidante chez Diane ; jeune femme riche et mal mariée pour Luce. Et tout le monde essayait de regagner son personnage ou, plutôt, tentait de le faire réintégrer aux autres pour se rassurer. Et chacun d'eux trouvait les trois autres ridicules et, par moments, touchants dans leur désir de ressembler à eux-mêmes. Tout au moins à leur eux-mêmes parisien.

— Ce petit vin va me manquer... lui aussi, dit Loïc, parlant à Arlette qui hocha la tête pour bien montrer qu'elle avait enregistré le compliment.

Ils avaient beaucoup fait d'aller et retour entre les « chambres » et la « voiture », la cocasserie de ces termes qui désignaient pour eux en général un certain luxe leur réapparaissant en leur état actuel. De plus, les efforts physiques déployés avec exagération pour transporter les bagages de l'un à l'autre, les cris de Diane quand sa valise surchargée d'on ne savait quoi s'était ouverte dans la cour, les injonctions, les refus et les grimaces pour attacher sur le toit celles de Loïc et de Bruno, le coffre de la Delage ne les contenant pas, tout cela s'était déroulé très lentement et très vite à la fois. Aussi furent-ils presque étonnés d'être prêts à partir, au moins sur le plan technique. Car rassurée sur leur prochain départ, Arlette ne cessait de le refuser. Ses devoirs remplis, elle leur demandait à présent avec sincérité de rester en tout cas pour dîner et enfin de rester pour une nuit. Mieux valait, d'après elle, partir de bon matin que d'avoir à redouter la nuit avant Paris. Mais les dés étaient jetés, Bruno piaffait, les larmes de Luce devenues intarissables faisaient de leur retard une lâcheté sadique.

— Tenez, dit Diane affectueusement en ouvrant sa Vuitton, tenez, Arlette, je vous en prie ! Prenez ceci ! Ça vous ira divinement bien !

Ceci était une liseuse en tricot — enfin, en cachemire — rose pâle, ravissante — ou qui l'eût été si l'imaginer autour du Memling n'avait pas eu un caractère hilarant.

— C'est bien joli mais ça sert à quoi ? demanda l'intéressée.

— A vous tenir chaud aux épaules l'hiver, dit Loïc.

— Ah ça, c'est bien, parce que quand il commence à faire froid, ce n'est pas rien ici! Il y a tous ces putains de thermomètres qui sautent, l'hiver! s'écria Arlette, de nouveau grossière au grand dam de ses invités.

Ces quelques mots crus, plus les jurons dont elle n'émaillait que rarement son vocabulaire, étaient devenus singulièrement nombreux depuis que leur départ était projeté.

— Allez, on y va! dit Loïc que les larmes de Luce commençaient à chagriner.

Il y eut là-dessus une scène confuse où tout le monde se jeta au cou de tout le monde, Bruno mis à part, et où les étreintes et les adieux furent si mélangés que Diane en vint à embrasser Loïc avec tous les signes du désespoir. Ces effusions un peu calmées, ils se retrouvèrent installés dans la voiture, Luce et Bruno derrière, Loïc au volant et Diane à ses côtés. «Comme une famille modèle», songea Loïc un instant, «avec les enfants derrière et Bobonne à côté de moi». Il glissa un coup d'œil vers Bobonne qui avait ouvert sa portière, posé le bras dessus et qu'il sentait prête à agiter les doigts gracieusement, voire même à envoyer des baisers vers ces paysans. Lesquels paysans — pour eux Parisiens retranchés dans la voiture et les pieds arrachés à leur cour — réapparaissaient comme tels en effet: des péquenots, des ploucs, dans leurs vêtements de coutil usé, avec leur hâle excessif et mal réparti.

— Allez, au revoir! cria-t-il, et la voiture s'ébranla.

Luce avait laissé son visage contre la vitre et regardait fixement son amant qui s'éloignait à vue d'œil et qui, lui aussi, restait immobile à les contempler. Quand ils arrivèrent en haut de la combe, ce fut la tache blanche de ce visage dans une voiture sombre que Maurice continua à fixer longtemps après que se fut apaisé le nuage qu'elle provoquait dans le sentier poussiéreux.

Bien entendu la Delage se perdit, suivant les indications un peu primaires d'Arlette. Ils tournèrent en rond, comme le faisait de son côté une autochenille allemande à la recherche de quelques soldats français que l'on disait encore décidés à se battre.

Arrêtée à un carrefour, la voiture allemande vit donc arriver à petite vitesse mais sans freiner malgré leurs signaux une limousine démodée.

— Qu'est-ce qu'ils fichent là? s'enquit Bruno. Ils cherchent l'Allemagne?

— De toute manière, je n'ai pas l'intention de capturer des prisonniers aujourd'hui, dit Loïc. Et il accéléra, à la grande stupeur du lieutenant allemand qui fit signe à ses mitrailleurs — et le fit avec d'autant plus d'entrain que, excédée ou amusée, Diane avait sorti le drapeau français abandonné dans la voiture par les anciens combattants de 14-18 et le secouait gaiement par la portière.

Placés à l'arrière, Bruno et Luce furent sans doute touchés dès la première rafale et Loïc aussi, puisque la voiture commença aussitôt à ralentir et à zigzaguer d'un fossé à l'autre avant de s'y enfouir. Il n'y avait qu'une survivante, comme le constatèrent les tireurs allemands en voyant sortir au bout d'une longue minute, coiffé de boucles rousses presque rouges, un profil à l'expression extrêmement courroucée, mais qu'ils n'eurent pas le temps de détailler puisqu'ils la tirèrent de loin comme un lapin. D'ailleurs la voiture flamba presque aussitôt.

On eut beaucoup de mal à identifier les victimes de cette bavure, d'autant qu'il n'en restait rien. Ce furent l'influence que commençait à prendre Ader sur l'état-major allemand et ses nombreuses enquêtes qui établirent la vérité. La lenteur qu'on mit à les découvrir empêcha qu'on pleure ces voyageurs autant qu'ils auraient dû l'être : faute de date surtout, faute de raison à la bizarrerie de leur mort.

Pour provoquer le chagrin et les larmes il faut des circonstances précises, un décor, des détails que ne demandent pas, Dieu merci, le plaisir et le bonheur, lesquels s'accommodent d'un canevas plus flou.

BIBLIOGRAPHIE
DE FRANÇOISE SAGAN

BONJOUR TRISTESSE, Julliard, 1954.

UN CERTAIN SOURIRE, Julliard, 1956.

NEW YORK, *textes de F. Sagan*, Tel, 1956.

DANS UN MOIS, DANS UN AN, Julliard, 1957.

CHÂTEAU EN SUÈDE (*théâtre*), Julliard, 1960.

AIMEZ-VOUS BRAHMS..., Julliard, 1959.

LES MERVEILLEUX NUAGES, Julliard, 1961.

LES VIOLONS PARFOIS (*théâtre*), Julliard, 1962.

LA ROBE MAUVE DE VALENTINE (*théâtre*), Julliard, 1963.

LANDRU (*scénario*), Julliard, 1963.

TOXIQUE, Julliard, 1964.

BONHEUR, IMPAIR ET PASSE (*théâtre*), Julliard, 1964.

LA CHAMADE, Julliard, 1965.

LE CHEVAL ÉVANOUI *suivi de* L'ÉCHARDE (*théâtre*), Julliard, 1966.

LE GARDE DU CŒUR, Julliard, 1968.

UN PEU DE SOLEIL DANS L'EAU FROIDE, Flammarion, 1969.

UN PIANO DANS L'HERBE (*théâtre*), Flammarion, 1970.

DES BLEUS A L'ÂME, Flammarion, 1972.

IL EST DES PARFUMS (*en collaboration avec G. Hanoteau*) Jean Dullis, 1973.

UN PROFIL PERDU, Flammarion, 1974.

RÉPONSES 1954-1974, Jean-Jacques Pauvert, 1974.

DES YEUX DE SOIE (*nouvelles*), Flammarion, 1975.

BRIGITTE BARDOT (*avec le photographe G. Dussart*), Flammarion, 1975.

LE LIT DÉFAIT, Flammarion, 1977.

LE SANG DES BORGIA (*dialogues de F. Sagan, scénario de F. Sagan et J. Quoirez, récit d'É. de Montpezat*), Flammarion, 1977.

IL FAIT BEAU JOUR ET NUIT (*théâtre*), Flammarion, 1978.

LE CHIEN COUCHANT, Flammarion, 1980.

MUSIQUES DE SCÈNE (*nouvelles*), Flammarion, 1981.

LA FEMME FARDÉE, coédition Ramsay-Pauvert, 1981.

UN ORAGE IMMOBILE, coédition Julliard-Pauvert, 1983.

AVEC MON MEILLEUR SOUVENIR, Gallimard, 1984.

DE GUERRE LASSE, Gallimard, 1985.

SAND ET MUSSET, LETTRES D'AMOUR, *présentées par F. Sagan*, Hermann, 1985.

AVEC MON MEILLEUR SOUVENIR (*lu par l'auteur, prologue de M. Chapsal, musique originale de F. Botton*), Des Femmes « La bibliothèque des voix », 1986.

UN SANG D'AQUARELLE, Gallimard, 1987.

SARAH BERNHARDT, LE RIRE INCASSABLE (*biographie*), Robert Laffont, 1987.

LA LAISSE, Julliard, 1989.

LES FAUX-FUYANTS, Julliard, 1991.

ET... TOUTE MA SYMPATHIE (*portraits*), Julliard, 1993.

TABLE DES MATIÈRES

CHÂTEAU EN SUÈDE
Théâtre

AIMEZ-VOUS BRAHMS...
Roman

LES MERVEILLEUX NUAGES
Roman

LA CHAMADE
Roman

LE GARDE DU CŒUR
Roman

UN PEU DE SOLEIL DANS L'EAU FROIDE
Roman

DES BLEUS A L'ÂME
Roman

LE LIT DÉFAIT
Roman

LE CHIEN COUCHANT
Roman

LA FEMME FARDÉE
Roman

LA LAISSE
Roman

LES FAUX-FUYANTS
Roman